中华名人大传

高山 编著

〔第六卷〕

光明日报出版社

林语堂

林语堂（1895年—1976年），中国文学家、发明家。福建省龙溪（现为漳州市平和）县坂仔村人，乳名和乐，名玉堂，后改为语堂。林语堂父亲是一个基督教牧师，他从童年时代起就是一个热诚的基督徒，尝自提一副对联曰："两脚踏东西文化，一心评宇宙文章"。

林语堂是一位幽默的演讲大师。

林语堂曾经应美国哥伦比亚大学的邀请，讲授"中国文化"课程。他在课堂上对美国的青年学生大谈中国文化的好处，好像无论是衣食住行还是人生哲学都是中国的好。这些学生既觉得耳目一新，又觉得不以为然。有一位女学生见林语堂滔滔不绝地赞美中国，实在忍不住了，她举手发言，问："林博士，您好像是说，什么东西都是你们中国的最好，难道我们美国没有一样东西比得上中国吗？"

林语堂略一沉吟，乐呵呵地回答说："有的，你们美国的抽水马桶要比中国的好。"

这机智的回答引得哄堂大笑。大家都去看那位发问的女学生。她料不到林博士会出此妙语，直窘得满脸绯红。

林语堂致力于向西方世界介绍古老的东方文化，在西方人面前塑造了一个东方哲人的形象。在西方人心目中，林语堂是一位才华横溢、举止乖张、又具有几分神秘色彩的东方圣贤哲人；他肯定有着一把大胡子，有着一颗硕大无比的智慧的脑袋。林语堂曾说过，他不愿去西方人中间演讲，生怕破坏了他们的想像。但他还是去演讲了，结果是他的演讲更增强了西方人的好奇，使他们倾倒。

1936年在美国纽约举办了第一届全美书展，这个书展是由《纽约时报》和"全国书籍出版者协会"共同主办的。主办者安排了一个作家演讲的项目，林语堂也在被请之列。当时，他的《吾国吾民》等书正高居畅销书榜首，他的名字正风靡美国读书界。美国读者正欲一睹他的风采。

轮到林语堂演讲的时候，他不慌不忙地走上讲台，以风趣幽默、机智俏皮的口吻纵谈了他的东方人的人生观和他的写作经验。那天，他一反他在欧美大众场合着西装的习惯，打扮得像在国内一样，穿着一身蓝缎长袍，风度潇洒，慧气四溢。虽然不像美国读者预先期望的那样留一把大胡子、长一颗大脑袋，也足以表现出东方民族自然逍遥、无拘无束的精神。热心的听众被他娴熟的英语、雄辩的口才以及俏皮的演讲所折服，不断报以热烈的掌声。大家听得正入神，他却卖了一个关子，收住语气说："中国哲人的作风是：有话就说，说完就走。"

说完，他拾起了他的烟斗，挥了挥他的长袖，飘然而去。听众们被他的这个举动弄得瞠目结舌，久久反应不过来。好些先生太太女士小姐们早就拟好了腹稿，准备待他演讲结束后举手发问，这也是西方人一般的礼数和规矩。可他这个东方人，简直有点莫名其妙，就这样，招呼也不打一个，讲着讲着，人就不见影儿了。

你能说这不是一次十分成功的演讲么？

此外，林语堂是一位文学大师。

林语堂才学广博，学贯中西，一生大约写了60本书、上千篇文章。据不完全统计，世界上出版的各种不同版本的林语堂著作约700种，其中中文版和外文版各300多种。林语堂著作的外文译本包括英文、日文、法文、德文、葡萄牙文、西班牙文等25种文字，几乎囊括了世界上的主要语种，其影响极为广泛。仅20世纪80年代中期至今，大陆出版的不同版别的林语堂著作就超过200种。

其文学作品特点如下：

一、林语堂的散文呼唤常识、简朴和真正的中道精神的回归，推崇原儒独特的人文主义，揭示中国文化的阴柔品格，指出中国道家的节制、无为等观念是现代西方文明疯狂的对症药，等等。他在30年代就坚决批评我们现在事实上还在奉行的教育制度和教学方法，还有反复强调法治的意义。这在现代作家中，并不多见。在林语堂的闲谈散文里，我们随时可以读到一种言简意永的句子，那是奇气的结晶体："文无新旧之分，唯有真伪之别。""赶热闹者只是末世并非盛世的点缀。""行动而没有思想也许是愚蠢的，可是行动而没有常识却常常会结果悲剧。"它们来自作者对世界和人生的体悟、妙悟。读书人最不容易做到的事，林语堂做到了，所以他又那样近情，拒绝极端、道学和教条，为一般背书本认死理者所难及。他知道何为生存真实，何为学者无谓的奇谈，出言平正通达。

林语堂的闲谈散文不仅思想独异，发论近情，且涉及广泛，知识丰富，大到文学、哲学、宗教、艺术，小到抽烟、喝茶、买东西，真是无所不包，笔触贯通中外，纵横古今。具体到一篇文章，则放开手脚，上下勾连，集中起一个高密度的材料群、知识群。林语堂读书多，博闻强记，先有学者的学问功底，所以能谈，耐谈，而一谈辄灵光焕发，左右逢源。他那些谈文化的散文，知识量更大。林语堂的闲谈散文充实腴厚而能以平易出之。语言上朴实无华，不堆砌，不追新，除了30年代那些为实验而作的语录体、文言体，都干净质朴，口语化程度很高。

林语堂的闲谈散文虽无章法的讲究，在艺术表现上却常常有动人之笔。那也出于自然天成，如蚊蛀木偶尔成文罢了。又如庖丁解牛，处处无所用心，又处处神出鬼没。林语堂发表于《人间世》第十三期的《怎样洗练白话人文》谈到《红楼梦》的用字，一处举“你又在跟前弄鬼”为例，点到“又字亦系传神字”。一字千金的例子在林语堂的散文中比比皆是。发表于《论语》第三期的《断烂朝报》开头：“冬，十月，考试院长戴传贤嗾开仁王护国法会于都，斋主一百七十三，中央委员十人与焉。”这段颇具“春秋”意味的话中，那“嗾”字最见精神。“嗾者，使狗也。”于是将戴的险恶和跟着起哄者的愚顽一股脑儿都扫进去了。

林语堂在语言运用上也是很“恣肆”的，敢骂“他妈的”，常称“狗领带”。他曾说，“泼妇骂街，常近圣人之言”。正是语言运用上的不忌俗，不避俗，使林语堂的散文更接近了闲谈的口吻。林语堂十分看重俗语、方言中那些有生命力的因素，他多次谈到《红楼梦》在俗语运用上的巨大成功，笑有些现代文人连袭人紫鹃都不如。他的文章中，“这会儿”、“转念头”、“下死劲”一类的词语俯拾即是。另外，林语堂的文章或庄谐并出，或假痴假呆，嬉笑调侃，幽默百端，这也是非“正格”的证据和闲谈式的标志。

林语堂作文好比喻，且总是那样新奇而入骨。他说有一类文人一肚子骚气，所做的文章读来如窑姐苦笑。又说文学如土木两作，必有本行术语，到了相当时期，这些术语仿佛有自身的存在，匠人不复能经营土木修桥造路，只对这些术语作剧烈的争辩；又由术语分出派别，甚有据某种术语以巧立门户者。林语堂的散文惯于罗列，且往往将一些似乎不搭界的东西扯到一起，带出其特有的幽默。林语堂的对比总是意味深长：“德国民众能够宣誓效忠上帝和希特勒，但是如果一个英国的纳粹党宣誓效忠上帝和罗素，罗素一定要惭愧得无地自容。”“美国有的是恶劣的音乐，可是又有很好的收取音乐的东西。”林语堂有时话讲得很俏皮而又格外耐人寻思："在艺术上，有一种现象便是：许多日本人的东西是可爱的，而很少是美丽的"，"中国有宪法保障人权，却无人权保障宪法。"

林语堂还能在恰当的地方用上个典故，使文字顿然生色。林语堂的《生活的艺术》引用了古人的一句话："圣者语而不论，智者论而不辩。不能语者作论，不能论者作辩。语是论之精华，辩是论之糟粕。"中国古代典籍中，《老子》和《论语》为"语"的典范。那一条条的语录，字字珠玑，如夜明宝珠，单独一个，足以炫耀万世；又如半夜流星，忽隐忽显，不知来源，不测去向。林语堂认为后人失了"语"的天赋，才好论辩，将文章写得越来越长。语和论的区别，在于前者直陈观点，直下判断，不依靠演绎、归纳，不依靠逻辑。辩为论之一种。不过一般的论只关心自身的逻辑圆满，辩则还要发现和攻击对方的逻辑缺陷。林语堂重语而不重论，对辩则极端轻蔑，深信道家辩之无益的告诫。可以说，"语而不论"也是他30年代以后的有意识的努力，到了《无所不谈》，这种努力的成效亦更明显。《无所不谈》多的是这类文章题目：《说高本汉》《谈伏尔泰》《闲话说东坡》《说乡情》。《谈钱穆先生之哲学》的结尾处，林语堂称自己"不揣浅陋，写了一点私见"，"拉杂书来，只作为谈，不作为论"。其实，林语堂在《无所不谈》的自序中已经说明了该书的写作原则：即有意见，以深入浅出文调写来，意主浅显，不重理论，不涉玄虚。"谈"得亲切、随意前面已经说到了，这里要点明的是，"谈"中就有"语"在里头，但"语"突出的是"谈"与"论"相对的非逻辑、非理论的一面。林语堂的散文直写胸怀，直陈见解，而且只是一说为快而已，并没有竭力向人证明什么的执着，更看不到想使自己的所说成为无懈可击的"学说"、"真理"的企图。

纵观五四时期的散文作品，林语堂这种融汇了东西方智慧的幽默情味，虽缺乏主流文学的批判力度，却也拓展了现代散文的审美维度，另辟蹊径，对当时、尤其是当下的读者意义重大。

二、林语堂小说作为一种跨语言、跨文化、跨时空的比较文学现象，体现出鲜明的承续与超越特征，这种特征展现在"艺术家"、"世界"、"读者"这种三元框架之中，透过"艺术家"把握林语堂的文化边缘特征、自由主义知识分子人格符号和人格滋养，透过"世界"把握林语堂的性灵与表现中西合璧的审美世界观，透过"读者"把握林语堂的文学追求和文化传播策略，构成了"在场"地把握林语堂小说创作和艺术成就的基础。林语堂的翻译特点是通畅易懂，少用“行语”，中等文化的读者都能看懂，这也是他探索的结果。1936年他“做”《生活的艺术》，写到260页，他觉得用语深奥，论辩枯燥，会失去读者，于是推倒重来，换用一套话语，以风可吟、云可看、雨可听、雪可赏、月可弄、山可观、水可玩、石可鉴之类细腻动人的东方情调去观照竞争残酷、节奏飞快的西方现代生活，于是文风一变，空灵动人。他避用哲学概念，弃用政治口号，引俗入雅，降雅为俗，将雅俗融合，写出了无学究气、智慧而快乐的生活哲学。

此外，林语堂还是还是一位编辑家，先后创办主编《论语》、《人间世》、《宇宙风》等刊物，提倡幽默、性灵文学。为推广中文、传播中国文化，他发明了明快中文打字机，编纂了被称为“世界两大语系沟通上的里程碑”的《当代汉英词典》。林语堂为人类文化做出了杰出的贡献，是一位跨越国界的世界文化名人。

徐志摩

徐志摩（1897年—1931年），汉族，浙江海宁市硖石镇人。现代诗人、散文家。原名章垿，字槱森，留学美国时改名志摩。曾经用过的笔名：南湖、诗哲、海谷、谷、大兵、云中鹤等。

徐志摩出生于浙江海宁一个富裕家庭，父亲徐申如拥有一座发电厂、一个梅酱厂、一间丝绸庄，在上海还有一家小钱庄，又是硖石商会会长，人称“硖石巨子”。

1915年，徐志摩从杭州一中毕业，考入上海沪江大学，同年到天津就读于北洋大学，1916年转入北京大学。1918年夏去美国留学，先后在克拉克大学学习历史和银行学，在哥伦比亚大学学习政治。这一时期接受了民主思想、人道主义以及尼采哲学的影响。1920年9月获哥伦比亚大学硕士学位，旋即去英国，在伦敦大学学习政治经济。

1921年，徐志摩开始诗歌创作，受英国唯美派诗人影响，认为艺术至上。1922年秋回国，历任北京大学、清华大学、平民大学教授。1923年参与组织新月社，为主要发起人。1914年曾随印度诗人泰戈尔漫游欧洲。归国后他写了不少优秀诗歌、散文和小说。1925年出版第一本诗集《志摩的诗》。散文《泰山日出》、《曼殊裴尔》，小说《春痕》、《老李的惨史》，都是比较优秀的作品。1925年10月接编《晨报》副刊，积极倡导戏剧与新诗，发表了许多散文。

1926年4月1日《晨报·诗镌》创刊，徐志摩任主编，认真探讨新诗的格律化。1927年南归，任教于上海光华大学、大夏大学和南京中央大学，同年与胡适、梁实秋等人创办新月书店、《新月》月刊，并担任《新月》总编辑，批评鲁迅和无产阶级革命文学运动。1928年第三次到康桥，离开康桥时作《再别康桥》，这首诗广为传诵。

1931年11月19日，因林徽音要在北京协和礼堂为外国使节演讲中国建筑艺术，徐志摩欲前去捧场，于早八时搭乘中国航空公司“济南号”邮政飞机由南京北上，然而，飞机在大雾中误触济南开山坠落，志摩罹难，年仅34岁。

徐志摩虽然一生短暂，但却留下了无数诗文珍品，著有《志摩的诗》、《翡冷翠的一夜》、《猛虎集》、《云游》等。

徐志摩的诗歌字句清新，韵律谐和，比喻新奇，想象丰富，意境优美，神思飘逸，富于变化，并追求艺术形式的整饬、华美，具有鲜明的艺术个性，为新月派的代表诗人。其诗歌特点：

1、真挚地独述性灵、追求个性解放是徐志摩诗歌的基础艺术个性。他的诗歌特别是其中影响很大的抒情诗，到达了相称高的艺术水平。2、构思精巧，意象新鲜。在《雪花的快活》中，诗人以“雪花”自比，那飞腾的雪花的意象，奇妙地转达了执着追求真挚爱情和美妙理想的心声。3、韵律和谐，富于音乐美。他认为“一首诗的机密也就是它的内含的音节的匀整与流动”，音节是诗的“血脉”。在他大批的四行一节的抒情诗中，徐志摩常常使用重叠、重复、排比、对偶等手法，在用韵上，他多方采用西洋诗押韵的方法，是诗韵在和谐中显出变更。4、章法整饬，机动多样。徐志摩作为新格律派的代表诗人，非常讲究诗形和章法。他的诗虽以四行一节式较多，但从整体上看，而是安东尼，节式、章法、句法、韵脚都各有变化，不太拘泥，讲究诗形而能不为其约束，整饬中有变化，浮现出灵巧多样的体式。5、辞藻华丽，风格明媚。徐志摩的诗思富于设想力，自然也轻易表现为文词的丰盛，辞藻的富丽、冶艳。此外，他的散文也自成一格，取得了不亚于诗歌的成就，其中《自剖》《想飞》《我所知道的康桥》《翡冷翠山居闲话》等都是传世的名篇。

尽管由于意外的早逝，徐志摩的诗艺还没有来得及在整体上达到完美的境界，但其大胆多样的探索精神，已经取得的诗艺成就，已经在中国现代新诗史上具有不可替代的地位。

郑振铎

郑振铎（1898年—1958年），我国现代杰出的爱国主义者和社会活动家，又是著名作家、文学评论家、文学史家、翻译家和艺术史家，也是国内外闻名的收藏家。

郑振铎的人生可从恋爱结婚、出国读书、晚年生活等方面展现。

一、恋爱结婚

郑振铎的初恋并不顺利，那时，他正在北京读书，北京的福建同学组织抗日联合会，经常聚会。他自然是每会必到，到则必慷慨陈词。当时，全国最著名的女子高等学府——北京女子高等师范学校，以战国"四公子"自许的女高师"四公子"中，就有3个是福建籍。其中，有一个叫黄世瑛，出身于有钱人家，家里既有恒产，又代代做官，她的父亲此时正任教育部的主事，像她这样的小姐，居然也参加爱国活动，还担任了校学生自治会主席，而且长得很漂亮。在爱国学生运动中，郑振铎对她很有好感。不知从什么时候开始，他觉得只要几天不见黄世瑛，便仿佛定不下心来。有时，他正好有关于学生运动的事，便闯进女高师红楼去，当时，因五四运动的冲击，女高师当局已被迫放宽了原先如同监狱看守般的门卫制度。遗憾的是，由于黄世瑛的犹豫和她父母的反对，郑振铎长时间处于无可奈何的痛苦中。

1921年上半年，经沈雁冰介绍，郑振铎进上海商务印书馆工作，编务之外，他还到商务出资办的神州女中兼课。这时，他的学生、商务印书馆总编辑高梦旦先生的小女儿高君箴，闯入了他的生活。

1922年12月8日，郑振铎主编的《儿童世界》上发表了高君箴译述的童话《怪戒指》。她非常兴奋地对他说，今后还想再投稿。他似乎受到了鼓舞，但初恋的失败，使他变得格外谨慎。同事郑心南与他和高梦旦都是福建老乡，郑心南便找高梦旦去探探底。高梦旦一听心南的话，立即就高兴地同意了，还说，只怕自己的女儿配不上他。什么"门当户对"，什么亲戚议论，他老先生一概不管。梦旦早就看中了郑振铎人品好，有才华，认为如果有这样的东床佳婿，将是自己和女儿的幸福。高梦旦很快把君箴叫来，问了她的想法，并嘱咐她多与郑振铎接触，谈谈书，谈谈文学。

过了一段时间，也就是1923年4月，梦旦又让女儿与他一起去杭州旅游，好好谈谈结婚。

经过一段时间后，郑振铎与高君箴的爱情成熟了，他们的婚礼定在这年的10月10日，在上海一品香饭店举行。

二、出国

1927年4月12日，蒋介石发动了震惊中外的“四·一二反革命政变”。上海市总工会召开市民抗议大会，郑振铎不但参加了聚会和游行，还与胡愈之等人联合写了一封给国民党的抗议信。在信中他们悲愤地说：“党国大计，纷纭万端，非弟等所愿过问。惟目睹此率兽食人之惨剧，则万难苟安缄默。弟等诚不忍见闸北数十万居民于遭李宝章、毕庶澄残杀之余，复在青天白日旗下，遭革命军队之屠戮，望先生等鉴而谅之。”最后署名，郑振铎是领衔者。

此信在报纸上公开发表后，影响很大，反动当局恼羞成怒，通知浙江军阀按名搜捕。4月28日，郑振铎最崇敬的李大钊先生，在北京被奉系军阀残酷杀害。在这种白色恐怖的形势下，作为岳父的梦旦先生，坚决要他出国避难，妻子、母亲和祖母，虽然不放心他一个人在外飘泊，但在家实在太危险，她们竟都装出很高兴样子，反而鼓励他出国，要他在外读书。

1927年5月，郑振铎离妻别子，远赴法国。

在国外，他用自己裁制的小本本，记简单的日记，隔一段时间，他便根据这简单的原始日记，改写成详细、生动的日记，寄给妻子君箴。他后来出版的《欧行日记》就是其中保存下来的一部分，字里行间，饱含着对妻子的深深思念。

郑振铎还从事译著工作。从1928年3月号起，《小说月报》开始每期连载他的《希腊罗马神话传说中的恋爱故事》。

三、分离

家庭的幸福与国家的命运息息相关。此后，郑振铎与高君箴与整个民族一起又经历了许多风雨沧桑，终于迎来了中华人民共和国的诞生。然而，他们没有想到，1958年10月17日成了两人永诀的一天。

这天，时任文化部副部长的郑振铎将率一个文化代表团出访。他起得比平日更早，同平时一样，匆匆记了前一天的日记。随后，又匆忙给在上海的朋友靳以写信，他说：“我就要动身到阿富汗去访问。先到莫斯科，再转塔什干，然后换机直飞喀布尔。麻烦的是，四季的衣服都要带齐。虽只有三天的旅程，却似整整地过年……”紧接着，为赶时间，他便大口大口地吃着早餐，吃完，跟家里人说他要走了，便由儿子陪着赶往机场。因天气不好，航班暂停，又与儿子一起回了家。下午，他接到可以起飞的通知，便又跟母亲、妻子告别：“我走了，这次是真的走了。”不料，他含笑而别的话，竟成谶语。10月20日清晨，人们从中央人民广播电台惊悉：由北京飞往莫斯科的客机失事，我国文化代表团团长郑振铎等同志不幸遇难。

郑振铎对中国的文化学术事业作出了多方面的杰出贡献。

他是现代文坛上一位重要的文艺理论家。五四时期，在《文学旬刊》、《小说月报》上发表大量的文艺评论文章。提倡“血的文学、泪的文学”，反对“‘雍容尔雅’、‘吟风啸月’的冷血的产品”。

他也是一位重要的文学史家、文献学家。他的《俄国文学史略》、《文学大纲》、《中国俗文学史》、《插图本中国文学史》等，史料丰富、眼界开阔，富有开创性，有很高的学术价值。他的《中国版画史图录》、《玄览堂丛书》、《中国古代版画史略》、《古本戏曲丛刊》等，为我国民间文学、小说戏曲的资料收集、整理做了很多开拓性的工作。

此外，郑振铎在小说、散文的创作和翻译国外文学方面也很有成就。

闻一多

闻一多（1899年—1946年），本名闻家骅（huá），号友三，著名诗人、学者、爱国民主战士。他的主要著作有《红烛》、《死水》等。

1925年6月，闻一多从美国留学回到中国，准备在国内开展戏剧运动，并和一批热血文人创办大江会，奉行以国家强盛为本旨的国家主义，想借欧洲文艺复兴的历史经验来振兴中国。

闻一多回到北京后，和留美归来的余上沅、赵太侔联合北大教授胡适、新月派诗人徐志摩等一起筹办"北京艺术剧院"，并创办崇尚唯美的格律诗派，但终因经费无法筹齐，"北京艺术剧院"终成泡影，经徐志摩等人推荐，闻一多进入国立艺专任教务长，并教授西洋画。当时北京军阀混战，执政府滥杀抗议示威的学生，激起闻一多等人极大愤慨，又因仗义执言力请蔡元培任艺专校长，与当时校长刘百昭发生冲突，被同人诬为自己想当校长，遂拂袖而去。

1928年，闻一多和梁实秋赴青岛大学分别任文学院院长和外文学院院长，期间因支持学校开除闹学潮学生，遭学生们罢课反对，一些教授也认为青岛大学被新月派垄断，青岛大学上下同声，酿成一场驱逐闻一多、梁实秋的运动，校长杨振声辞职，闻一多和梁实秋也相继不辞而别。

1930年，闻一多赴清华大学任教授，鉴于前两次经验，闻一多力辞清华文学院院长职务，一副自命清流的名士派头，生活安逸家庭和美，进入中国上流社会。

1933年，"七七事变"的炮声摧毁了闻一多清静的学者生活。闻一多随清华南迁长沙，与北京大学、南开大学合并为长沙临时大学。不久，政府决定三校继续西迁昆明，成立"西南联合大学"。闻一多与几位教授一起随学生步行团，长途跋涉三千里，步行至昆明。

刚到昆明的闻一多一心研究《诗经》、古代神话，不问时事，被人戏称为"何妨一下楼先生"。日本军队攻陷郑州、长沙后，继续攻打贵阳，昆明形势十分危急，闻一多对国民政府的消极抗日十分不满，开始参加学生组织的讲演会，十分善于演讲的闻一多颇受学生拥戴，并且极大鼓励了昆明的抗日热潮，闻一多也加入了改造国民党一党专制的民主运动，极受国民党忌恨，但因云南省主席龙云支持民主运动，国民党政府也奈何不得闻一多等人。

上世纪40年代，在昆明联大当教授的闻一多先生，薪水不足以养家，妻子多病，家里孩子多，生活难以维持。他曾到中学兼课挣钱以补贴家用。但只教了一年就被学校以“向学生散布民主自由思想”的罪名开除。朋友出主意：刻印章。

于是，昆明市的市面上，便出现了闻一多治印的“润例”。不过靠熟人弄来的小生意几乎挣不到钱。情急之下，闻一多备了一张桌子，打算去设摊。

闻一多的印摊只摆了一天，就被人劝了回来。可是不摆摊，一家人怎么生活？最后，校长梅贻琦联络朱自清、沈从文等11名教授，联名在报纸上为闻一多刊登刻印广告，让他在家里“设点”代人刻印。

广告定了“金石润例”之条例：“石章1200元，牙章每字3000元，边款每分字作一字计，过大过小加倍。”

昆明人有收藏象牙章的爱好，加之又是大学教授出手刻印，生意便源源而来。两年多，闻一多在印谱上留下了1400多方印。久而久之，闻一多手指头起了大疙瘩，眼睛也花了。闻一多便自我解嘲：“我是一个手工业劳动者。再苦也得刻呀！”

在西南联大时期，特别是1943年以后，闻一多在中国共产党的影响和领导下，积极投身于反对国民党政权的独裁统治、争取人民民主的斗争洪流。1944年，参加西南文化研究会，随后加入中国民主同盟。从此，他以民主教授和民盟云南省支部领导人的身份，积极参与社会政治活动，成为广大革命青年衷心爱戴和无比尊敬的良师益友。

在“一二·一”学生爱国运动中，闻一多始终站在广大爱国学生一边，指导和鼓舞他们敢于斗争、善于斗争，为“一二·一”运动的胜利作出了重要贡献。

1946年，北大、清华、南开三校师生大部分复员北上，昆明警备司令霍揆彰为讨好蒋介石，密拟黑名单，经国防部长陈诚同意后，于7月11日暗杀知名人士李公朴，昆明城里人心惶惶，许多人都力劝闻一多不要再在公众面前演讲，已知悉内情的朋友也告诉黑名单上排在李公朴后面的就是闻一多，闻一多明知有险，仍毫不畏惧，主持召开李公朴的追悼会，并当场怒斥捣乱的军统特务，发表了有名的“最后一次讲演”。

1946年7月15日，闻一多在回家途中距离家门口仅十步之遥的府甬道被一群特务射杀，护送父亲回家的大儿子闻立鹤扑上去用身体护住父亲，被射成重伤。

闻一多热爱祖国，爱国主义如同一条红线贯穿他的一生，最后并把他引向社会主义、共产主义。他一生的道路是曲折的，他曾经有过迷茫、失误与苦闷，但是经过深思和中国共产党的关怀与帮助，终于找到了真理，而一经找到了真理，他便义无反顾，不屈不挠，勇往直前，为实现真理而英勇奋斗，直至献出宝贵的生命。

此外，闻一多也是我国著名的诗人、学者、斗士。早年以《红烛》、《死水》两诗集流传于世；中年研究中国古代文学，成绩卓著，享誉海内外；后期对国民党反动派的专制独裁和腐败强烈不满，拍案而起，成为遐迩闻名的民主斗士。诗人、学者、斗士，三种气质集于他一身，学者的时期最长，斗士的时间最短，但他始终不失为一个诗人；而诗人和学者时期，他也不失为一个斗士。

闻一多博学多才，除新诗与古文学研究外，在美术、戏剧、书法、篆刻等方面也有相当高深的造诣。闻一多德高望重，秉性耿介正直，襟怀坦荡无私，待人热忱敦厚，深受人们的尊敬和爱戴，他的牺牲是中国人民的重大损失，中国人民永远怀念他，纪念他。

冰 心

冰心（1900年—1999年），原名谢婉莹，福建长乐人，现、当代女作家，儿童文学作家。

冰心出生于福州一个具有爱国、维新思想的海军军官家庭，4岁时迁往山东烟台，此后很长时间便生活在烟台的大海边。大海陶冶了她的性情，开阔了她的心胸；而父亲的爱国之心和强国之志也深深影响着她幼小的心灵。7岁即读过《三国演义》、《水浒》等。与此同时，还读了商务印书馆出版的“说部丛书”，其中就有英国著名作家狄更斯的《块肉余生述》等十九世纪批判现实主义的作品。

辛亥革命后，冰心随父亲回到福州，住在南后街杨桥巷口万兴桶石店后一座大院里。在这里，冰心于1912年考入福州女子师范学校预科，成为谢家第一个正式进学堂读书的女孩子。

1913年，父亲谢葆璋去北京国民政府出任海军部军学司长，冰心随父迁居北京，住在铁狮子胡同中剪子巷，次年入贝满女中，1918年升入协和女子大学理预科，向往成为一名救死扶伤的医生。

“五四”运动的爆发和新文化运动的兴起，使冰心把自己的命运和民族的振兴紧密地联系在一起。她全身心地投入时代潮流，被推选为大学学生会文书，并因此参加北京女学界联合会宣传股的工作。在爱国学生运动的激荡之下，她于1919年8月的《晨报》上发表第一篇散文《二十一日听审的感想》和第一篇小说《两个家庭》。后者第一次使用了“冰心”这个笔名。由于作品直接涉及重大的社会问题，很快发生影响。之后所写的《斯人独憔悴》《去国》《秋风秋雨愁煞人》等“问题小说”，突出反映了封建家庭对人性的摧残、面对新世界两代人的激烈冲突以及军阀混战给人民带来的苦痛。其时，冰心以一个青年学生的身份加入了当时著名的文学研究会。她的创作在“为人生”的旗帜下源源流出，发表了引起评论界重视的小说《超人》，引起社会文坛反响的小诗《繁星》《春水》，并由此推动了新诗初期“小诗”写作的潮流。1923年，冰心以优异的成绩取得美国威尔斯利女子大学的奖学金。出国留学前后，开始陆续发表总名为《寄小读者》的通讯散文，成为中国儿童文学的奠基之作，20岁出头的冰心，已经名满中国文坛。

1929年6月15日，冰心与学成归国的吴文藻在燕京大学临湖轩举行婚礼，司徒雷登主持了他们的婚礼。

成家后的冰心，仍然创作不辍，作品尽情地赞美母爱、童心、大自然，同时还反映了对社会不平等现象和不同阶层生活的细致观察，纯情、隽永的笔致也透露着微讽。小说的代表性作品有1931年的《分》和1933年的《冬儿姑娘》，散文优秀作品是1931年的《南归——献给母亲的在天之灵》等。1932年，《冰心全集》分三卷本（小说、散文、诗歌各一卷），由北新书局出版，这是中国现代文学中的第一部作家的全集。

1940年，冰心移居重庆，出任国民参政会参政员。不久参加中华文艺界抗敌协会，热心从事文化救亡活动，还写了《关于女人》《再寄小读者》等有影响的散文篇章。

抗战胜利后，冰心1946年11月随丈夫、社会学家吴文藻赴日本，在日本期间，冰心和吴文藻在复杂的条件下团结和影响海外的知识分子，积极从事爱国和平进步活动。

新中国成立后，吴文藻、冰心夫妇冲破重重阻难，于1951年回到日思夜想的祖国。从此定居北京。期间，她先后出访过印度、缅甸、瑞士、日本、埃及、英国、苏联等国家，在世界各国人民中间传播友谊。她勤于翻译，出版了多种译作。她所创作的大量散文和小说，结集为《小桔灯》《樱花赞》《拾穗小札》等，皆脍炙人口，广为流传。

文化大革命开始后，冰心受到冲击，接受造反派的批斗。1970年初，年届70的冰心被下放到湖北咸宁的五七干校，接受劳动改造，直到1971年美国总统尼克松即将访华，冰心与吴文藻才回到北京，接受党和政府交给的有关翻译任务。这时，她与吴文藻、费孝通等人，通力合作完成了《世界史纲》《世界史》等著作的翻译。

1980年6月，冰心患脑血栓，之后骨折。病痛不能令她放下手中的笔。她说“生命从八十岁开始”。她当年发表的短篇小说《空巢》，获全国优秀短篇小说奖。接着又创作了《万般皆上品……》《远来的和尚》等佳作。散文方面，除《三寄小读者》外，连续创作了四组系列文章，即《想到就写》《我的自传》《关于男人》《伏枥杂记》。其数量之多，内容之丰富，创作风格之独特，都使得她的文学成就达到了一个新的境界，出现了一个壮丽的晚年景观。年近九旬时发表的《我请求》、《我感谢》、

《给一个读者的信》，都是用正直、坦诚、热切的拳拳之心，说出真实的话语。她身体力行，先后为家乡的小学、全国的希望工程、中国农村妇女教育与发展基金和安徽等灾区人民捐出稿费十余万元。她热烈响应巴金建立中国现代文学馆的倡议，捐出自己珍藏的大量书籍、手稿、字画，带头成立了“冰心文库”。冰心作为民间的外交使者，经常出访，足迹遍布全球，把中国的文学、文化和中国人民的友好情谊带到世界各个角落。

1999年2月28日21时，冰心老人在北京医院逝世，享年99岁。

冰心是世纪同龄人，一生都伴随着世纪风云变幻，一直跟上时代的脚步，坚持写作了七十五年。她是新文学运动的元老。她的写作历程，显示了从“五四”文学革命到新时期文学的中国现、当代文学发展的伟大轨迹。她开创了多种“冰心体”的文学样式，进行了文学现代化的扎扎实实的实践。她是我国第一代儿童文学作家，是著名的中国现代小说家、散文家、诗人、翻译家。她的译作如黎巴嫩凯罗·纪伯伦的《先知》《沙与沫》，印度泰戈尔的《吉檀迦利》《园丁集》及戏剧集多种，都是公认的文学翻译精品，1995年曾因此经黎巴嫩共和国总统签署授予国家级雪松勋章。她的文学影响超越国界，作品被翻译成各国文字，得到海内外读者的赞赏。

冰心同时是位著名的社会活动家。从建国以来，她历任中国作家协会第二、三届理事会理事和书记处书记、顾问，中国文学艺术界联合会第二至四届全国委员会委员和副主席，中国民主促进会中央委员会副主席，全国人民代表大会第一至五届代表，中国人民政治协商会议第五至七届全国委员会常委和第八、九届全国委员会委员，全国少年儿童福利基金会副会长，中国妇女联合会常委等职。她总是以爱祖国、爱人民、爱孩子的博大爱心，关注和投入各项活动。她为我国的文学事业、妇女儿童事业的发展，为坚持和完善中国共产党领导的多党合作和政治协商制度，都作出了杰出的贡献。

沈从文

沈从文（1902年—1988年），原名沈岳焕，湖南凤凰人，苗族，现代著名作家，历史文物研究者。1917年小学未毕业，他两次随军，然后又从事过税收工作。1922年孤身来到北京自学并学习写作，1924年开始发表作品。他一生共出版了70多种作品集，被称之为多产作家，也是现代文学史上不可多得的“文体作家”。

1948年，沈从文因受到“左翼”文化界猛烈批判，放弃了文学创作，担任中国历史博物馆讲解员。1978年调入中国社会科学院历史研究所任研究员，致力于中国古代服饰及其它史学领域的研究。与在国内的默默无闻相反，沈从文在国外名声鹊起，他1980年应邀赴美国讲学，并进入诺贝尔文学奖的终审名单。1988年，他因心脏病复发离开人世，给后人留下了无限的惋惜。

沈从文之所以成为现代多产作家，与他一生的传奇生活经历是分不开的，尤其是他那富于传奇色彩的少年时期的曲折生活经历，为他后来文学创作积累了非常丰富的素材。

沈从文1902年12月28日出生在湖南省凤凰县城，这里被新西兰诗人路·艾黎誉为“中国两座最美丽小城之一”，翠峰如簇，一水绕城，既有众多的古迹名胜，又有悠久的传统文化积淀。民国三年，中国第一任内阁总理熊希龄，以及世界著名画家黄永玉就诞生在这座美丽的小城。

1915年，沈从文由私塾进了凤凰县立第二初级小学读书，半年后转入文昌阁小学。因沈从文天性活泼好动且贪玩，常常逃学去街上看木偶戏，书包就藏放在土地庙里。有一次，他照样把书包放在土地庙，看了一整天戏，戏看完了，别的孩子早已放学回家，他再回到土地庙里去取书包，才发现书包不见了。这时他急了，但转念一想：书包不见了，也不是什么了不起的大事。第二天，他硬着头皮照样去上学，没想刚走到校园里一株楠木树下，就遇见了他的级任老师毛先生。毛老师面带怒色，严肃地叫沈从文跪在那株楠木树下，大声责问沈从文昨天到哪里去了。沈从文知道隐瞒不住，干脆回答：“看戏去了。”毛老师见沈从文贪玩逃学还如此理直气壮，便狠狠地批评说：“勤有功，戏无益，树喜欢向上长，你却喜欢在树底下，高人不做，做矮人，太不争气了！”大约跪了半个小时，毛老师才叫他起来。这时，毛老师用温和的口吻，问沈从文恨不恨老师罚他跪在树下。沈从文毫不掩饰地说：“当然恨，恨你不应该在同学们面前罚跪侮辱我。”后来，毛老师把沈从文带进办公室慢慢开导说：“树木是往上长的，你却要往下跪。人必须要求进取，不能自轻自贱而要自尊自贵。”经毛老师耐心地说服教导一番后，沈从文知耻而后勇，一改以往的顽劣脾气，勤奋学习，成绩提高非常快。

少儿时的沈从文好事喜玩，终日和街坊邻里顽童打闹逃学，上山捉鸟，入水摸鱼，只觉得天下再没有比这种生活方式更有意思，凡是顽童行为无不有份，哪怕是平时上课也并不安心，必想出种种办法胡闹，这样才觉得有快意。但对他的国文老师田名瑜（字个石，湖南凤凰人）先生有一种敬畏之情，因为这位田老师学识渊博又非常严厉，他早有所闻。他开始有些害怕，有些好奇，到后来又觉得这位田老师为人和蔼可亲，别具一种吸引力，因此印象极深，只要是田老师上课，便格外专心听讲，从不捣乱。在田先生的悉心教诲下，他专心学习，所学古文、诗赋都能流利背诵，作文、书法进步相当快。田先生称赞他：“才峻而气清，怀虚而志亢。”可见在他人生征途的起点上受到良好的教育和熏陶，与田先生分不开。

1917年后，田名瑜步入政界，开始他蹒跚徘徊的仕途生涯。1920年，田名瑜任乾凤麻屯防军指挥部秘书时，因事去贵州，途经芷江，当时沈从文已在芷江从事税收工作，田名瑜特意挤出时间与沈从文会面。见到沈从文做事认真，为人踏实，又肯学习，田名瑜非常高兴。沈从文后来回忆这位老师时一往情深地说：“田先生是旧南社诗人，书学黑女志，诗学唐宋，均能去华存实，特别可敬爱处还是他的为人，素朴质实，敦厚有容，接近时使人充满泥土亲切感。”两人保持了70年的师生情谊。可见沈从文与田名瑜两人的师生友情何等之深！

尽管后来沈从文成为举世闻名的大作家、大学者，但他对少儿时期被老师罚跪在楠木树下的情景总是记忆犹新，终身难以忘怀。1980年，沈从文再次回到故乡参观他就读的母校文昌阁小学时，看到那棵高大的楠木树，就对身边的人说起了这段刻骨铭心的往事……

作为一个极富形式感的出色的作家，沈从文的贡献在于创造了诗意的抒情小说文体，或诗化抒情小说体。他实际上是把诗和散文引进了小说之中，打破了三者的界限，从而也就扩大了小说的表现领域及其审美的功能。其散文继承古代游记、笔记的传统，素淡而动人，都对当代文学产生着影响。

梁实秋

梁实秋（1903年—1987年），号均默，原名梁治华，字实秋，笔名子佳、秋郎，程淑等。中国著名的散文家、学者、文学批评家、翻译家，国内第一个研究莎士比亚的权威。曾与鲁迅等左翼作家笔战不断。一生给中国文坛留下了两千多万字的著作，其散文集创造了中国现代散文著作出版的最高纪录。代表作《莎士比亚全集》（译作）等。

1915年秋，梁实秋考入清华学校，在该校高等科求学期间开始写作。第一篇作品翻译小说《药商的妻》1920年9月发表于《清华周刊》增刊第6期。第一篇创作、散文诗《荷水池畔》发表于1921年5月28日《晨报》第7版。

1922年，比梁实秋高两级的清华同学闻一多写了长文《〈冬夜〉评论》，他随之写了《〈草儿〉评论》，合为《冬夜草儿评论》自费刊印出版，这是他最初的作品集。在清华的最后一年担任《清华周刊》文艺栏编辑，同时常在《晨报副镌》和创造社的刊物发表诗与评论。1923年毕业后赴美留学，1926年回国任教于南京东南大学。第二年到上海编辑《时事新报》副刊《青光》，同时与张禹九合编《苦茶》杂志。不久任暨南大学教授。

梁实秋最初崇尚浪漫主义，发表不少诗作。在美国哈佛大学研究院学习时受新人文主义者白壁的影响较深，文学观有很大变化。他的有代表性的论文《现代中国文学之浪漫的趋势》1926年发表，认为中国新文学存在浪漫主义的混乱倾向，主张在理性指引下从普遍的人性出发进行文学创作。后来他更竭力反对文学的阶级性。这些观点受到鲁迅和左翼作家的批评，由此引发出一场关于文学阶级性的激烈论战。

“七七事变”后，梁实秋离家独身到后方。1938年任国民参政会参政员，到重庆编译馆主持翻译委员会并担任教科书编辑委员会常委，年底开始编辑《中央日报》副刊《平明》。在《编者的话》说过“于抗战有关的材料，我们最为欢迎，但是与抗战无关的材料，只要真实流畅，也是好的”。这引起一场关于“抗战无关论”的论争。

抗战胜利后，梁实秋回北平任师大英语系教授。1949年到台湾，任台湾师范学院（后改师范大学）英语系教授，后兼系主任，再后又兼文学院长。1961年起专任师大英语研究所教授。1966年退休。1987年11月3日病逝于台北，享年84岁。

梁实秋是一个活到老、读到老、写到老的作家。梁实秋81岁时，有一天早晨醒来看表，由于年老眼花，误将3点20分看为5点20，便立即匆忙起床，洗漱完毕才发现看错了时间。尽管这样，梁实秋并不回床上去睡“回笼觉”，既起之则安之，索性坐在写字台边开始译文章。从凌晨3点半一直忙到下午4点，翻译完成两篇文章，共5500多字，又赶紧去邮局寄掉。虽然忙碌了一天，疲倦不堪，但打破了平常著作千字左右文字的记录。梁实秋感到高兴万分，自己斟了杯白兰地来庆贺。

就是因为如此勤奋不懈，梁实秋才取得了令世人瞩目的成就，他平生着力于文学创作与文学评论，他出版的散文、小品、杂文集多达二十多种；他还编纂英汉词典，编写了三十多种英汉字典、词典及英文教科书；梁实秋还耗费了毕生精力翻译了《莎士比亚全集》。

此外，追求“绚烂之极趋于平淡”的梁实秋学贯中西，博古通今，从而以散淡平和的心态写出独有特色的梁氏散文。由于他是一个自由主义者，又有他独特的学养、阅历、性情和气度，外加反对以功利的眼光看待文学，所以梁实秋总是心平气和，随遇而安，节制情感，发掘理趣，玩味生活中的各种动人的情趣。

梁实秋虽过着闲云野鹤似的日子，并不忘却世态炎凉，采用亘古不变的人性论作为散文的视角，即使是痛苦的经验也常进入审美的视野。沉稳通达的性格，酿成梁氏散文独特的文调，在艺术处理上融雅俗、文白及浓淡于一体，这些散文尤其切合中年人的心境。比如《女人》，表面谈及女人的弱点和短处，实则寓贬于褒，于细微平凡之处写出女人的特点；比如《男人》，梁实秋凭着对男人的短处了然于心，从容点评，显出通达与机智；比如《孩子》，“孝子”一词精彩的诠释，巧变名词为动宾短语，隐藏着梁实秋对当代社会的深刻洞察；比如《中年》，种种中年人心态的刻画，娓娓道出梁实秋宽厚恬淡的处世哲学……

梁氏散文于朴实之中见出幽默，实有古典头脑和浪漫心肠。细品之，诸多篇章文风纯正，不走偏锋，娓娓而谈，既有对人生通病的精深批评，又不乏幽默式的讥讽，亦庄亦谐，令人忘倦。比如《写字》，梁实秋对于好为人写字的批评讥讽辛辣又富有寓意，同时饱含幽默，读后让人忍俊不禁；比如《请客》，巧笔勾勒不同客人的态度，历历如绘，如见其人，如闻其声；比如《洗澡》，理趣盎然间不乏自己的观点，又具体可感，令人拍案叫绝；比如《懒》，旁征博引，语言幽默，寓意劝诫，让人深思……

梁实秋擅长从日常生活中选取不为人注意的场景，寥寥数笔就将古今中外、日常琐事精确勾勒，做到了生活艺术化和艺术生活化有机结合。比如《垃圾》、《狗》、《鸟》、《排队》、《理发》等篇章，饱含物趣、意趣和情趣，溶性情、经验和学术于一炉。特别是进入暮年后的梁实秋，写下了大量思国怀乡的散文（这些作品大多收在《秋室杂文》和《看云集》中），思念故国、故土和故人，体现了他深厚的文学功底和博学豪放、清丽典雅的风格。

梁实秋在其漫长的人生历程中，虽然有某些严重偏见，但终究是一位爱国的文人学者、著名的文学评论家、散文家和翻译家。《雅舍小品》便是他的散文代表作，它风行全世界，先后印出300多版，创中国现代散文著作发行的最高纪录（参见《才子梁实秋》，百花洲文艺出版社，1996年版）。他学贯中西，著作等身，一生给中国文坛留下了两千多万字的著译，为民族文化的发展作出了卓越的贡献。

曹禺

曹禺（1910年—1996年），原名万家宝，字小石，湖北潜江人。曹禺先生是中国新文化运动的开拓者之一，中国现代话剧的奠基人之一，中国现代戏剧的泰斗，戏剧教育家。

曹禺的父亲万德尊在清朝末年曾留学日本东京士官学校，回国后曾任宣化府镇守使、察哈尔都统等职。母亲薛氏生下他后，因患产褥热病逝。曹禺的继母喜欢看戏，因此他从小受到戏曲的熏陶。

1922年，曹禺进入南开中学二年级学习，与靳以（章方叙）同学，并成为终身好友。1923年开始热衷于新文学作品，尤其是鲁迅的《呐喊》和郭沫若的《女神》。

1925年，15岁的曹禺正式加入南开中学文学会和南开新剧团（这是我国话剧界较早的剧团之一，由南开学校创始人严范孙、张伯苓创建于1909年，周恩来曾是其中的活跃分子）的活动，开始了他的演剧生涯。

1926年开始，曹禺在天津《庸报》副刊《玄背》上连载小说《今宵酒醒何处》，第一次使用笔名"曹禺"。后陆续在《南开周刊》、《国闻周报》等报刊上发表诗歌、杂文，以及莫泊桑的翻译小说等多篇。其诗作《四月梢，我送别一个美丽的行人》和《南风曲》有着郭沫若《女神》的影响。1927年他还参加了丁西林、田汉和易卜生剧作的排演。

1928年，曹禺担任《南开双周》的戏剧编辑后，就开始了《雷雨》的构思。1933年，23岁的曹禺开始写作构思了长达五年的剧本《雷雨》和毕业论文《论易卜生》。1934年7月，《雷雨》发表于《文学季刊》第一卷第三期。当时并没有引起国人的注意，而引起了在日本的中国留学生的好评。1935年，由东京帝国商科大学的中国学生邢振铎译为日文，由留日学生剧团中华话剧同好会于4月27日在东京神田一桥讲堂首演，郭沫若看后立即撰文《关于曹禺的〈雷雨〉》，大加赞赏。8月17日，在天津市师范学校孤松剧团作国内的首次公演（也是该剧第三次公演），立即引起轰动，著名京派戏剧家兼评论家刘西渭（李健吾）发表《〈雷雨〉》一文称：这是"一出动人的戏，一部具有伟大性质的长剧。"

1934年9月，曹禺应邀去天津，在河北女子师范学院任教。1936年5

月，在巴金等人的鼓励和催促下，开始创作《日出》，白天为女师学生上课，晚上埋头写作，6月至9月开始在《文季月刊》第1–4期上连载。1936年，在曹禺尚未写出第二部作品《日出》时，《雷雨》即作为《曹禺戏剧集》（第一种）由巴金主持的上海文化生活出版社出版单行本。因此，《日出》不仅是巴金的期待，也引起了文坛的广泛关注。《日出》发表后，由萧乾主持，天津《大公报·文艺》副刊邀请了当时文坛上各种派别的几乎所有大家，包括茅盾、巴金、叶圣陶、沈从文、靳以、李广田、朱光潜、杨刚、荒煤和燕京大学西洋文学系主任"中国通"谢迪克等，进行了两次集体讨论，盛况空前。为一个剧本，整个评论界如此迅速、如此兴师动众，在中国话剧史乃至中国现代文学史上还是第一次。

1938年初，曹禺随剧校迁往重庆。10月，与宋之的合作改编《全民总动员》（原剧为宋之的、陈荒煤、罗烽、舒群集体创作的《总动员》），当月公演，轰动重庆。

1940年秋，曹禺开始创作《北京人》，翌年公演。1942年初辞去剧校教职，夏，到重庆唐家沱，创作改编巴金的《家》。1943年8月，为创作历史剧《李白与杜甫》作准备，与友人赴西北旅行，回重庆后以此行的感想创作表现大后方民族资本家与官僚资本家矛盾的《桥》。1946年，曹禺与老舍同时接到美国国务院邀请，经上海赴美讲学，并两次会见德国著名剧作家布莱希特。1947年返回上海，后进入上海文华影业公司任编导，写成电影剧本《艳阳天》，自为导演。1948年底，到香港。1949年初经中共地下党安排经烟台到北平。

1949年7月，曹禺参加了第一次文代会。1950年任中央戏剧学院副院长。1956年4月加入中国共产党。

1960年，曹禺与梅阡、于是之合作创作历史剧《卧薪尝胆》（后改名为《胆剑篇》），并就剧中的若干史料问题请教沈从文，沈从文回长信详细叙说战国时期吴越社会各方面的状况，后又对该剧提出修改意见。1962年8月，在北戴河度假期间开始创作《王昭君》。文革期间曾先后被纠斗、在北京人艺剧团和宿舍看守传达室。1973年经国务院总理周恩来亲自过问，被安排在北京话剧团工作。1975年参加第四届人大。1978年北京话剧团恢复原名"北京人民艺术剧院"，再次任院长。同年8月，为创作《王昭君》去新疆，并完成初稿，载《人民文学》当年第11期。1996年12月13日逝世。

曹禺是中国第一个成熟的话剧作家，他的处女作《雷雨》是中国话剧史上第一部现实主义经典作品，他的一系列杰出剧作：《日出》、《原野》、《北京人》等，都在中国话剧史上留下了不可磨灭的光辉。

《雷雨》勾画出一个资产阶级家庭里面错综复杂的人物关系，暴露出其内在的阴暗与丑恶，用始终郁积的一场雷雨来象征这一切行将崩溃。《雷雨》体现出古希腊命运悲剧和易卜生的深刻影响。它严格遵守“三一律”，它像易卜生戏剧一样带有客厅佳构剧的痕迹，戏剧结构以及各种人物关系、矛盾冲突甚至细节都组织得完美无缺，但过于精致也给人带来脱离生活原态的雕琢感。

《日出》描写大都会资产阶级腐朽的阴暗生活：堕落的交际花陈白露依赖银行家的钱袋，终日在纸醉金迷中打发时光，认为她从前男友方达生希望拯救她的想法既可笑又不现实。但是，她出于尚未泯灭的怜悯心想从黑社会手里搭救少女小东西，才发现自己根本没有任何力量。黑社会头子金八通过操纵股票市场，套垮了她依靠的银行家，逼得她最终服安眠药自杀。在这部作品里，曹禺用“片段的方法”来截取社会生活横断面，用堆沙成山的方法来表现生活细节与整体的关系，用他的话说，就是用“色点点成光彩明亮的后期印象派图画”。《日出》的戏剧进程自然、真切、生活化，具有纪实性特点，显现出成熟、从容、平实的风格，但其中又不乏象征意义。

曹禺也受到当时西方盛行的象征主义、表现主义戏剧的影响，并从中寻找自己创作的突破口。他于1937年发表的《原野》一剧，就是这样一部风格独特的实验作品。《原野》通过对原始蒙昧的血亲复仇观念的描写，展现了中国底层农民对于黑暗压迫的反抗。1941年，曹禺又完成了另外一部更加自然化的杰作《北京人》，采取了更为接近契诃夫的手法，不露痕迹的结构、生活化的语言、活生生的人物、随处充溢的哀伤意绪、平淡隽永的风格，使得此剧染有浓郁的哲理性情怀，寓意深刻，成为一首旧生活的哀歌。

曹禺的创作把中国话剧艺术提升到了一个新的高度，整体推动了舞台导演、表演和舞美设计综合水平的提高。曹禺使中国话剧从创始和实验阶段走了出来，真正成为一门成熟的舞台艺术样式。

张爱玲

张爱玲（1920年—1995年），本名张煐，后因入学需要，母亲黄逸梵（又名黄素琼）以英文名Eileen译音，易名爱玲。著名女作家。

张爱玲是名门之后，她是清朝重臣李鸿章的曾外孙女。张爱玲的童年并不快乐，父母离婚，同时她的童年也是黑暗的，生母流浪欧洲，剩下她和弟弟在父亲和后娘的监管中成长。或许这是导致她后来的作品充满悲观和势利的主要原因。她笔下的女性是实实在在的——自私、城府，经得起时间考验。就是这些近人情的角色的永恒性加重了她文字里苍凉的味道，反复地提醒着我们：所有现今的文明终会消逝，只有人性的弱点得以长存于人间。至于她本人亦是斤斤计较的小女人——摸得到、捉得住的物质远较抽象的理想重要。后来，张爱玲离开了父亲逃到了母亲那里，母亲给了她两条路，让她选择："要么嫁人，用钱打扮自己；要么用钱来读书。"张爱玲毅然选择了后者，然而，母亲的经济状况一直不好，而母女间的矛盾也在一天天慢慢地、以一种不易察觉的形式激化。

中学时期的张爱玲已被视为天才，并且通过了伦敦大学的入学考试。后来战乱逼使她放弃远赴伦敦的机会而选择了香港大学。在那里她一直名列前茅，无奈毕业前夕香港却沦陷了。关于她的一切文件记录尽数被烧毁。对于这件事，她轻轻地说了几句话："那一类的努力，即使有成就，也是注定了要被打翻的罢？我应当有数。"大有一种奈若何的惋惜。

此后张爱玲返回上海，因为经济关系，她以唯一的生存工具——写作，来渡过难关。《第一炉香》和《第二炉香》是她的成名作，这两部作品的出世向上海文坛宣布了一颗夺目的新星的降临。继之而来的《红玫瑰与白玫瑰》、《倾城之恋》、《金锁记》等等奠下她在中国现代文学之林中的重要地位。

就在张爱玲被认定是上海首屈一指的女作家，事业如日中天的同时，她却恋爱了。偏偏令她神魂颠倒的是为大汉奸汪精卫政府文化部服务的胡兰成。张爱玲为这段恋情拼命地付出，她不介意胡兰成已婚，也不顾他汉奸的身份。

但是战后人民反日情绪高涨如昔，全力捕捉汉奸，胡兰成潜逃温州，因而结识新欢范秀美。当张爱玲得悉胡兰成藏身之处，千里迢迢觅到他的时候，他对她的爱早已烧完了。张爱玲没能力改变什么，她告诉胡兰成她自将萎谢了。然而，凋谢的不止是张爱玲的心，她惊世骇俗的写作才华亦随之而逝。往后的日子纵然漫长，她始终没再写出像《金锁记》般凄美的文章。在1945年出版的《文化汉奸罪恶史》中，张爱玲榜上有名，这多多少少拜胡兰成所赐。张爱玲与胡兰成相识于1944年，分手在1947年，只有短短三年，但这却是张爱玲一生中浓墨重彩的一笔。

此后，张爱玲在美国又有过一次婚姻，她与第二任丈夫赖雅相识于1956年，对方是个左派作家，两个人于同年结婚，直到1967年赖雅逝世。张爱玲在1995年9月8日，因为动脉硬化心血管病逝世于洛杉矶公寓，享年75岁。

说张爱玲是中国文学史上的一个“异数”当不为过。首先人生是个“异数”。张爱玲最有名的一本集子取名叫《传奇》，其实用“传奇”来形容张爱玲的一生是最恰当不过了。张爱玲有显赫的家世，但是到她这一代已经是绝响了，张爱玲的童年是不快乐的。父母离婚，父亲又一度扬言要杀死她，而她逃出父亲的家去母亲那里，母亲不久就又去了英国；她本来考上了伦敦大学，却因为赶上了太平洋战争，只得去读香港大学；要毕业了，香港又沦陷，只得回到上海来。她与胡兰成的婚姻也是一个大的不幸。在文坛中赫赫有名的她，却因为和胡兰成的失败婚姻，最后只得远走他乡。

其次，她的作品是个“异数”。有更多标新立异、特立独行之处。

现代女作家有以机智聪慧见长者，有以抒发情感著称者，但是能将才与情打成一片，在作品中既深深进入又保持超脱的，除张爱玲之外再无第二人。张爱玲既写纯文艺作品，也写言情小说，《金锁记》《秧歌》等令行家击掌称赏，《十八春》则能让读者大众如醉如痴，这样身跨两界，亦雅亦俗的作家，一时无两；她受的是西洋学堂的教育，但她却钟情于中国小说艺术，在创作中自觉师承《红楼梦》《金瓶梅》的传统，新文学作家中，走这条路子的人少之又少。

张爱玲的小说中的人物，乍看上去都太过普通、随意，他们按照自己的常识处世行事，平庸的性格决定了他们干不出惊天动地的事情来，只是沉浸在各自平淡无奇的生活中。他们没有远大的理想，没有超人的毅力，没有超凡的美德。而体现在这些普通人身上的人性在张爱玲看来带有普遍的意味，在他们这些普通人身上才可以体现出浓厚的人生况味，窥探出人生的苍凉本性。她的小说更多的是展现人生的不如意、人生的无奈。张爱玲的小说当中没有高大的英雄，没有悲壮的主题，也很少直面政治与社会，有的只是一些“不彻底”的人物的生存琐事——爱情、婚姻及家庭生活。

同许多的女作家一样，张爱玲也善于用一种女性化的敏锐细腻的笔调，用艳丽、雅致、意象丰富的语言去描摹故事，构造传奇。不同的是，这些文笔圆润、意蕴丰富的描写透出的不是常规女作家的浪漫清幽，也不是常有的那些闲趣轻愁，而是永远的苍凉，一种女作家难以造就的令人惊悚的苍凉。这缘于她自成一家的语言风范和叙述笔调。张爱玲就是这样，她一方面承袭鲁迅、巴金，描写封建家庭的腐朽式微，另一方面她的出发点、她所投入的感情类型以及反映在作品中的态度等却与前者截然不同。她少有激情澎湃剑指轩辕的批判，多是春风化雨般的默默哀叹；她并非专于反封建反礼教，而是感悟性地去识读个体生命的悲剧；不是面向未来，迎接新时代的曙光，而是冷眼旁观，向阴森恐怖的鬼魅世界展露苍凉的微笑。

张爱玲是悲观的，但她的悲观并不以理性观念的方式来表现，而是从直观出发，自我体验与自我分析交织在一起，并将其置于人类生存的总体背景之上，从而冷峭地透视出苍凉人生的独特意蕴。但是她仍然对人性有那么多的宽容、理解、悲悯，甚至认同，对人性依然有着悠长而深情的眷恋。在《谈音乐》中，张爱玲说她不爱小提琴，是因为流水般的琴声“将人生紧紧把握留恋的一切东西都流了去了”，是“绝调”；而胡琴“虽然也苍凉”，但“远兜远转，依然回到人间”。张爱玲以其飘零孤独的身世、苍凉冷峭的作品，敏锐洞察人生的缺憾，同时也充满了对人生的执著和依恋，完美地诠释了“苍凉”的内涵。

张爱玲，不只是上海滩的传奇，而且是文学史的传奇。这位自嘲有个恶俗不堪的名字的文学才女，不管现在或是将来，她都会是中国文学史的一部分。

金 庸

金庸，出生于1924年，原名查良镛（英文名LouisCha），当代著名武侠小说作家、新闻学家、企业家、政治评论家、社会活动家，《中华人民共和国香港特别行政区基本法》主要起草人之一、香港"大紫荆勋章"获得者、华人作家首富。金庸是新派武侠小说最杰出的代表作家，被普遍誉为武侠小说史上前无古人后无来者的"绝代宗师"和"泰山北斗"，更有金迷们尊称其为"金大侠"或"查大侠"。与黄霑、蔡澜、倪匡并称"香港四大才子"。

金庸祖籍为江西省婺源县，1924年出生在浙江海宁。查家为当地名门望族，有"唐宋以来巨族，江南有数人家"之誉。历史上查家最鼎盛期为清康熙年间，以查慎行为首叔侄七人同任翰林，有"一门七进士，叔侄两翰林"之说。现代查氏家族还有两位知名人物，南开大学教授查良铮（穆旦）（四十年代九叶派代表诗人，翻译家），台湾学术界风云人物、司法部长查良钊。出自海宁的著名人物还有王国维和徐志摩。徐志摩是金庸的表兄。金庸祖父查沧珊是"丹阳教案"的当事人。

1937年，金庸考入衢州一中，离开家乡海宁。1939年，15岁的金庸和同学一起编写了一本指导学生升初中的参考书《给投考初中者》，畅销内地。这是此类书籍在中国第一次出版，也是金庸出版的第一本书。1941年日军攻到浙江，金庸进入联合高中，那时他17岁，临毕业时因为写讽刺黑板报《阿丽丝漫游记》被开除。1944年考入重庆国立政治大学外文系，因对国民党职业学生不满投诉被勒令退学，一度进入中央图书馆工作，后转入苏州东吴大学（今苏州大学）学习国际法。抗战胜利后回杭州进《东南日报》做记者，1948年在数千人参加的考试中脱颖而出，进入《大公报》，做编辑和收听英语国际电讯广播，当翻译。不久《大公报》香港版复刊，金庸南下到香港。

1950年，《大公报》所属《新晚报》创刊，金庸调任副刊编辑，主持《下午茶座》栏目，也做翻译、记者工作，与梁羽生（原名陈文统）一个办公桌，写过不少文艺小品和影评（笔名姚馥兰和林欢）。姚馥兰的意思是英文的Yourfriend（你的朋友）。1955年开写《书剑恩仇录》，在《大公报》与梁羽生、陈凡（百剑堂主）开设《三剑楼随笔》，成为专栏作家。1957年进入长城电影公司，专职为编剧，写过《绝代佳人》、《兰花花》、《不要离开我》、《三恋》、《小鸽子姑娘》、《午夜琴声》等剧本，合导过《有女怀春》、《王老虎抢亲》（所用笔名为林欢）。建国不久，金庸为了实现外交家的理想来到北京，但由于种种原因而失望地回到香港，从而开始了武侠小说的创作。

1959年，金庸离开长城电影公司，与中学同学沈宝新合资创办《明报》，任主编兼社长历时35年，期间又创办《明报月刊》、《明报周刊》、新加坡《新明日报》及马来西亚《新明日报》等。金庸任董事长期间，《明报》成为香港最有影响的报纸之一，有人把它比喻成英国的《泰晤士报》。其对中国时局的预测和分析，是其他报纸不能比拟的。《明报月刊》则是华人世界最文人化的刊物，其对大中华的关怀，深受全世界华人好评。

从上世纪五十年代末至七十年代初，金庸共写武侠小说15部，取其中十四部作品名称的字首，可概括为“飞雪连天射白鹿，笑书神侠倚碧鸳”，外加一部《越女剑》。1972年宣布封笔，开始修订工作。

1981年后金庸数次回大陆，先后受到邓小平、江泽民等领导人的接见，1985年任香港基本法起草委员会委员，1986年被任命为基本法起草委员会“政治体制”小组港方负责人，1989年辞去基本法委员职务，卸任《明报》社长职务，1992年到英国牛津大学当访问学者，1994年辞去《明报》企业董事局主席职务。1999—2005年任浙江大学人文学院院长。2009年6月，金庸加入中国作协。2009年9月，被聘请为中国作协第七届全国委员会名誉副主席。

金庸博学多才。就武侠小说方面，金庸阅历丰富，知识渊博，文思敏捷，眼光独到。他继承古典武侠小说之精华，开创了形式独特、情节曲折、描写细腻、深具人性和豪情侠义的新派武侠小说先河。在政治、古代哲学、宗教、文学、艺术、电影等方面都有研究，作品中琴棋书画、诗词典章、天文历算、阴阳五行、奇门遁甲、儒道佛学均有涉猎，金庸还是香港著名的政论家、企业家、报人，曾获香港“大紫荆勋衔”、法国总统“荣誉军团骑士”勋章、英国牛津大学董事会成员及两所学院荣誉院士，多家大学名誉博士。

金庸一支笔写武侠，一支笔纵论时局，享誉香江；少年游侠，中年游艺，老年游仙；为文可以风行一世，为商可以富比陶朱，为政可以参国论要。

第六章　科学巨匠

鲁　班

鲁班（公元前507年—公元前444年），姓公输，名般。又称公输子、公输盘。鲁国人（都城山东曲阜，故里山东滕州），生活在春秋末期到战国初期，鲁班是我国古代的一位出色的发明家，两千多年以来，他的名字和有关他的故事，一直在广大人民群众中流传。我国的土木工匠们都尊称他为祖师。

鲁班出生于世代工匠的家庭，从小就跟随家里人参加过许多土木建筑工程劳动，逐渐掌握了生产劳动的技能，积累了丰富的实践经验。大约在公元前450年以后，他从鲁国来到楚国，帮助楚国制造兵器。他曾创制云梯，准备攻宋国，但被墨子制止。墨子主张制造实用的生产工具，反对为战争制造武器，鲁班接受了这种思想。

鲁班很注意对客观事物的观察、研究。他受自然现象的启发，致力于创造发明。一次攀山时，手指被一棵小草划破，他摘下小草仔细察看，发现草叶两边全是排列均匀的小齿，于是就模仿草叶制成伐木的锯，他看到各种小鸟在天空自由自在地飞翔，就用竹木削成飞鹞，借助风力在空中试飞。开始飞的时间较短，经过反复研究，不断改进，竟能在空中飞行很长时间。《墨子》一书中也有这样的记载："公输子削竹木以为鹊，成而飞之，三日不下。"此外，传说滑轮也是鲁班的发明。当年鲁班看见乡亲们一头挑着瓦罐，一头挑着一团井绳走上井台，低头弯腰在几丈深的井里，一抽一抽地半天提不上一罐子水来，他觉得乡亲们太辛苦了，于是千思万想又想出了拉水的滑轮，滑轮"转"成了辘轳，辘轳又"转"成了风车，风车又"转"成了水车，就这样转呀转呀，转过去了两千多个春秋。

鲁班一生注重实践，善于动脑，在建筑、机械等方面作出了很大贡献。他能建造"宫室台榭"；曾制作出攻城用的"云梯"，舟战用的"勾强"；创制了"机关备制"的木马车；发明了曲尺、墨斗、刨子、凿子等各种木工工具，还发明了磨、碾、锁等。由于成就突出，建筑工匠一直把他尊为"祖师"。

这些木工工具的发明，使当时工匠们从原始、繁重的劳动中解放出来，劳动效率成倍提高，土木工艺出现了崭新的面貌。这里面都包含着原始的物理科学知识。

后世不少科技发明家，如三国时期的马钧、晋朝的区纯、北齐的灵昭、唐朝的马待封等，都相继朝这个方向发展过。

2400多年来，人们为了表达对鲁班的热爱和敬仰，把古代劳动人民的集体创造和发明也都集中到他的身上。因此，有关他的发明和创造的故事，实际上是中国古代劳动人民发明创造的故事。鲁班的名字实际上已经成为古代劳动人民勤劳智慧的象征。

扁鹊

扁鹊（公元前407年—前310年），姬姓，秦氏，名越人，又号卢医，春秋战国时期名医。扁鹊善于运用四诊：望闻问切。尤其是以脉诊和望诊来诊断疾病精于内、外、妇、儿、五官等科，应用砭刺、针灸、按摩、汤液、热熨等法治疗疾病，被尊为医祖。

扁鹊是战国时渤海郡郑地的人，原名秦越人。“扁鹊”一词原本为古代传说中能为人解除病痛的一种鸟，秦越人医术高超，百姓敬他为神医，便说他是“扁鹊”，渐渐地，就把这个名字用在秦越人的身上了。

扁鹊云游各国，为君侯看病，也为百姓除疾，名扬天下。他的技术十分全面，无所不通。在邯郸听说当地尊重妇女，便做了带下医（妇科医生）。在洛阳，因为那里很尊重老人，他就做了专治老年病的医生。秦国人最爱儿童，他又在那里做了儿科大夫，不论在哪里，都是声名大振。

一天，晋国的大夫赵简子病了，五日五夜不省人事。大家十分害怕。扁鹊看了以后说，他血脉正常，没什么可怕的，不超过三天一定会醒。后来过了两天半，他果然苏醒了。

还有一次，扁鹊来到了蔡国，蔡桓公知道他声望很大，便宴请扁鹊，他见到蔡桓公以后说：“君王有病，就在肌肤之间，不治会加重的。”蔡桓公不相信，还很不高兴。5天后，扁鹊再去见他，说道：“大王的病已到了血脉，不治会加深的。”蔡桓公仍不信，而且更加不悦了。又过了5天，扁鹊又见到蔡桓公时说：“病已到肠胃，不治会更重。”蔡桓公十分生气，他并不喜欢别人说他有病。5天又过去了，这次，扁鹊一见到蔡桓公，就赶快避开了。蔡桓公十分纳闷，就派人去问。扁鹊说：“病在肌肤之间时，可用熨药治愈；在血脉，可用针刺、砭石的方法达到治疗效果；在肠胃里时，借助酒的力量也能达到；可病到了骨髓，就无法治疗了，现在大王的病已在骨髓，我无能为力了。”果然，5天后，蔡桓公身患重病，忙派人去找扁鹊，而他已经走了。不久，蔡桓公就这样死了。

可见，扁鹊的望诊技术出神入化，真是“望而知之谓之神”的神医了。在中医的诊断方法里，望诊在四诊当中居于首位，十分重要，也十分深奥，要达到一望即知的神奇能力更是非同寻常。

扁鹊还是最早使用切诊的医生，《史记》中关于他为虢太子治病的事例就是很好的见证。值得一提的是，在这个病例中，扁鹊还运用了综合疗法，他先诊断出太子是“尸厥”，然后用针灸、药熨与汤药相结合治疗，终于使太子“起死回生”。

扁鹊在自己的医疗生涯中，不仅表现出高超的诊断和治疗水平，还表现出高尚的医德。他谦虚谨慎，从不居功自傲。如他治好虢太子的尸厥证后，虢君十分感激，大家也都称赞他有起死回生之术，扁鹊却实事求是地说：“这是患者并没有死，我只不过能使他重病消除、回复他原来的状态而已，并没有起死回生的本领。”后来，相传扁鹊名声过大，受到秦国太医李谧嫉妒而被其害死了。

虽然扁鹊离开了我们，但他的精湛医术却流传了下来。实际上，扁鹊在诊视疾病中，已经应用了中医全面的诊断技术，即后来中医总结的四诊法：望诊（看看他的脸色等）、闻诊（听听病人最近做了什么事情后生病）、问诊（问问有没有干可以导致生病的一些事情）和切诊（看看他的脉搏），当时扁鹊称它们为望色、听声、写影和切脉。这些诊断技术，充分地体现在史书所记载的他的一些治病的案例中。

中医学的一部经典之作《难经》相传为秦越人所作，该书不但在理论方面丰富了祖国医药学的内容，而且在临床方面颇多论述。除针灸之外，还提出了“伤寒有五”的理论，对后世伤寒学说与温病学说的发展产生了一定的影响。《难经》对诊断学、针灸学的论述也一直被医家所遵循，对历代医学家理论思维和医理研究有着广泛而深远的影响。

李 冰

李冰（约公元前302年—235年），原名李讳冰，号称陆海，战国时代著名的水利工程专家。魏国永泽（今山西省运城市盐湖区解州镇）人。

李冰是秦昭王时期人，约在公元前276年至前251年前后担任蜀郡太守。

秦惠文王九年（公元前316年），秦国吞并蜀国。秦为了将蜀地建成其重要基地，决定彻底治理岷江水患。同时派精通治水的李冰取代政治家张若任蜀守。

李冰到蜀郡后，亲眼看到当地严重灾情：发源于成都平原北部岷山的岷江，沿江两岸山高谷深，水流湍急；到灌县附近，进入一马平川，水势浩大，往往冲决堤岸，泛滥成灾。于是，李冰和他的儿子二郎沿岷江两岸进行实地考察，了解水情、地势等情况，制定了治理岷江的规划方案。李冰发现开明所凿的引水工程渠首选择不合理，因而废除了开明开凿的引水口，把都江堰的引水口上移至成都平原冲积扇的顶部灌县玉垒山处，这样可以保证较大的引水量和形成通畅的渠首网。

在修筑分水堰的过程中，采用江心抛石筑堰失败后，李冰另辟新路，让竹工编成长三丈、宽二尺的大竹笼，装满鹅卵石，然后一个一个地沉入江底，终于战胜了急流的江水，筑成了分水大堤。此法就地取材，施工、维修都简单易行。而且，笼石层层累筑，既可免除堤埂断裂，又可利用卵石间空隙减少洪水的直接压力，从而降低堤堰崩溃的危险。

宝瓶口是节制内江水量的口门。为了控制内江流量，李冰父子作石人立在江中，作为观测水位的标尺。《华阳国志·蜀志》载，李冰“作三石人，立三水中，与江神要。水竭不至足，盛不没肩”。这是见于记载最早的水则，说明李冰已基本掌握了岷江水位涨落的大致幅度。因“崖峻阻险，不可穿凿，李冰乃积薪烧之”，劈开玉垒山，凿成宝瓶口。宝瓶口不仅是进水口，而且以其狭窄的通道形成一道自动节水的水门，对内江渠系起保护作用。被分开的玉垒山的末端，状如大石堆，就是后人称作的“离堆”。此外，还采取了在江心中构筑分水堰的办法，把江水分做两支，逼使其中一支流进宝瓶口。宝瓶口这一岩石渠道，十分坚固，千百年来在岷江激流冲击下，并未被冲毁，有效地控制了岷江水流。李冰修成宝瓶口之后，“又开二渠，由永康过新繁入成都，称为外江，一渠由永康过郫入成都，称为内江”。这两条主渠沟通成都平原上零星分布的农田灌溉渠，初步形成了规模巨大的都江堰水利工程的渠道网。

李冰还作石犀，埋在内江中，作为岁修时候淘挖泥沙的深度标准。岁修的原则是“深淘滩，低作堰”。“深淘滩”是说淘挖淤积在江底的泥沙要深些，以免内江水量过小，不敷灌溉用；“低作堰”是说飞沙堰堰顶不可修筑太高，以免洪水季节泄洪不畅，危害成都平原。后人把这六字诀刻在内江东岸为纪念李冰父子而建的二王庙的石壁上，很是醒目。岁修的方法是：每年水量最小的霜降时节，在鱼嘴西侧，用杩槎（就是马扎）在外江截流，使江水全部流入内江，然后淘挖外江和外江各灌溉渠道淤积的泥沙。到第二年立春前后，外江岁修完毕，把杩槎移到内江，让江水流入外江，然后再淘挖内江河槽，进行平水槽和飞沙堰的岁修工程。清明节前，内江岁修完毕，撤除杩槎，开始放水灌溉。

都江堰的修成，不仅解决了岷江泛滥成灾的问题，而且从内江下来的水还可以灌溉十几个县，灌溉面积达三百多万亩。从此，成都平原成为“沃野千里”的富庶之地，获得“天府之国”的美称。

除了都江堰，李冰在蜀郡还兴建了许多有益于民的水利工程，他在成都市建了7座桥，修了石犀溪，对沫水（又名青衣水）进行了治理。他组织百姓开凿河心中的山岩，整理水道，便利了航行。李冰还对管江、汶井江、洛水进行过疏导，又引水到资中一带灌溉稻田。李冰还在蜀郡修筑桥梁，在广都主持开凿了盐井，为开发成都平原，发展农业生产作出了重大贡献。

成都平原能够如此富饶，被人们称为“天府”乐土，从根本上说，是李冰创建都江堰的结果。所以《史记》说：都江堰建成，使成都平原“水旱从人，不知饥馑，时无荒年，天下谓之‘天府’也”。

李冰作为第一个治理都江堰的人，筚路蓝缕，功不可没，千百年来一直受到四川人民的崇敬，被尊称为“川主”，在许多地方修有“川主祠”，来表达对他的怀念。

蔡　伦

蔡伦（？—121年），字敬仲，东汉桂阳郡人。汉明帝永平末年入宫给事，章和二年（公元88年），蔡伦因有功于太后而升为中常侍，蔡伦又以位尊九卿之身兼任尚方令。蔡伦总结以往人们的造纸经验革新造纸工艺，终于制成了“蔡侯纸”。元兴元年（公元105年）奏报朝廷，汉和帝下令推广他的造纸法。建光元年（公元121年），因权力斗争自杀身亡。蔡伦的造纸术被列为中国古代“四大发明”，对人类文化的传播和世界文明的进步作出了杰出的贡献，千百年来备受人们的尊崇。被纸工奉为造纸鼻祖、“纸神”。

出生于普通农民家庭的蔡伦，从小随父辈种田，但聪明伶俐。永平十八年（公元75年）蔡伦被选入洛阳宫内为太监，当时他约15岁。由于他读书识字，于建初元年（公元76年）任小黄门（宦官中职务较低者）。此后作黄门侍郎，掌管宫内外公事传达及引导诸王朝见、安排就座等事。

正宫窦太后无子，指使蔡伦诬陷章帝妃宋贵人“挟邪媚道”，逼令她自杀。宋贵人所生太子刘庆被贬为清河王。窦后又指使人投“飞书”（匿名信）诬陷章帝妃梁贵人，强夺其子刘肇为养子并立为太子。章帝于公元88年卒，10岁的刘肇登基，为和帝，由窦太后听政。蔡伦因功被提拔为中常侍，随侍幼帝左右，参与国家机密大事，秩俸二千石，地位与九卿等同。中国历史上宦官干预国政，也正由此开始。

永元九年（公元97年），窦太后卒，和帝亲政。永元十四年（公元102年）和帝立邓绥为皇后，蔡伦立即投靠邓皇后。邓绥喜欢舞文弄墨，蔡伦为投其所好，甘心屈尊兼任尚方令，主管宫内御用器物和宫廷御用手工作坊。在此期间，他总结西汉以来造纸经验，改进造纸工艺，利用树皮、碎布（麻布）、麻头、鱼网等原料精制出优质纸张，于元兴元年（公元105年）奏报朝廷，受到和帝称赞，造纸术也因此而得到推广。

元兴元年，和帝卒，邓后所生百日婴儿即位，不到二年又卒。邓后再立13岁皇侄刘祜（公元94年—125年）嗣位，为安帝。刘祜是清河王刘庆之子，但由于他即位初期仍由邓太后把持朝政，蔡伦继续受到重用，被封为“龙亭侯”（封地在今陕西洋县），从此进入贵族行列。由他监制的纸被称为“蔡侯纸”。约于元初五至六年（公元118年—119年）蔡伦又被提升为长乐太仆，相当于大千秋，成为邓太后的首席近侍官。正当他权位处于顶峰之际，建光元年（公元121年）邓太后卒，安帝亲政。蔡伦因为当初受窦后指使参与迫害安帝皇祖母宋贵人致死、剥夺皇父刘庆的皇位继承权而被审讯查办。蔡伦自知死罪难免，于是自尽而亡。

蔡伦一生在内廷为官，先后侍奉4个幼帝，投靠两个皇后，节节上升，身居列候，位尊九卿，却以惨死告终。但他在兼管尚方时，推动了手工业工艺的发展，被称为东汉时期的科学家，因而留名后世，得到史学家的首肯。

据《后汉书·蔡伦传》记载，蔡伦主管尚方期间，曾“监作秘划及诸器械，莫不精工坚密，为后世法”。近代考古发掘的实物也证明确实如此。尚方令本来是少府属官，主管刀剑等各种宫廷御用器具的制造，与中常侍高位根本不相称，但蔡伦尽力讨好，凡是帝、后喜欢的器物，都在尚方精制。邓后喜欢文史和纸墨，曾令各州郡岁贡纸墨。蔡伦也正因此而成为促进东汉造纸术发展的关键人物。由于职务上的关系，蔡伦得以有观察、接触生产实践的条件。每有空闲，他就闭门谢客，亲自到作坊进行技术调查，学习和总结工匠们多年积累的丰富经验，再加上他自己的聪颖创新，对发展当时的金属冶炼、铸造、锻造及机械制造工艺起到了不小的推动作用。如当时的钢刀制造以炒铁为料，经多次锻打而百炼成钢。当时所制造的器物在质量、性能及外观上确实是精工制造，堪为后世仿效。但是。蔡伦对工艺技术最突出的贡献还是在造纸方面，大致可从三个角度来评述。第一：组织并推广了高级麻纸的生产和精工细作，促进了造纸术的发展。第二：促进皮纸生产在东汉创始并发展兴旺。第三：因受命于邓太后监典内廷所藏经传的校订和抄写工作而形成了大规模用纸高潮，使纸本书籍成为传播文化的最有力工具。造纸术是我国古代科学技术的“四大发明”（指南针、造纸术、印刷术、火药）之一，是中华民族对世界文明做出的一项十分宝贵的贡献，大大促进了世界科学文化的传播和交流，深刻地影响着世界历史的进程。

张 衡

张衡（78年—139年），字平子，南阳西鄂（今河南南阳市石桥镇）人，汉族。他是我国东汉时期伟大的天文学家，为我国天文学的发展作出了不可磨灭的贡献；在数学、地理、绘画和文学等方面，张衡也表现出了非凡的才能和广博的学识。

张衡生于一个破落的官僚家庭。祖父张堪是地方官吏，曾任蜀郡太守和渔阳太守。张衡幼年时候，家境已经衰落，有时还要靠亲友的接济。正是这种贫困的生活使他能够接触到社会下层的劳动群众和一些生产、生活实际，从而给他后来的科学创造事业带来了积极的影响。从十六岁开始，他便离乡游学，广结学者名流。他曾到汉朝故都长安一带，游览了当地的名胜古迹，考察了周围的山川形势、物产风俗、世态人情。后来他又到了当时的首都洛阳，就读于最高学府——太学，并成为学识比较渊博的学者。

二十三岁的张衡应邀回乡出任南阳太守鲍德的主簿，掌管文书工作。张衡自幼就对文学有特殊的爱好和研究。并在办理政务之余，潜心于文学创作。他的文学作品很多，风格也各不相同。如《归田赋》：形式短小，重在抒情；如《二京赋》（《东京赋》和《西京赋》，总称为《二京赋》）：气势磅礴，广写景物；《同声歌》等：特色突出，独树一格。在我国文学史上占有独特的位置。

张衡在三十四岁的时候，研究兴趣逐渐转到哲学和自然科学方面。他很喜爱扬雄的哲学著作《太玄经》。《太玄经》里的一些朴素的唯物主义观点也给了张衡以很大的启发。《太玄经》的内容涉及天文、历法、数学等方面，也引起了他很大的兴趣。他开始致力于科学研究。在科学上，写出了天文学理论著作《灵宪》。创造性地制作了用漏壶淌水转动的浑天仪，并作《浑天仪图注》，为天文学的发展做出了巨大的贡献。

公元132年，张衡发明制造了世界上第一台测量地震方位的仪器地动仪，据《后汉书·张衡传》记载：地动仪用精铜铸成，圆径八尺，顶盖突起，形如酒樽，用篆文山龟鸟兽的形象装饰。中有大柱，傍行八道，安关闭发动之机。它有八个方位，每个方位上均有一条口含铜珠的龙，在每条龙的下方都有一只蟾蜍与其对应。任何一方如有地震发生，该方向龙口所含铜珠即落入蟾蜍口中，由此便可测出发生地震的方向。张衡制造的这台地动仪，相当灵敏准确。公元138年的一天，地动仪精确地测知距离洛阳一千多里的陇西发生地震，表明他的精密程度达到了相当高的水平。欧洲在1880年才制造出类似的地震仪，张衡发明的地动仪比欧洲同类的仪器早1700多年，开启了地震学的研究，他被誉为地震学的鼻祖。

在气象学方面，张衡还创造了一种测定风向的仪器——候风仪，又叫相风铜鸟。欧洲发明的装在屋顶上的候风鸡，比张衡的候风仪晚了一千年。另外，他还制作了"指南车"、"计里鼓车"、"独飞木雕"、"瑞轮荚"等奇异机械，并在数学、历法、历史、地理、绘画诸多方面都有很高造诣。

永和四年（公元139年），张衡请求告老还乡不准，又被调到朝中做尚书，但只任职一年就与世长辞了，终年六十一岁。

总之，张衡一生为我国的科学文化事业作出了卓越的贡献，是我国古代伟大的科学家之一。此外张衡一生也取得了多方面的成就，曾有"百科全书式人物"的称谓。

赖家度曾这样评价他："张衡在一生中，努力学习，刻苦钻研，毫不倦怠和自满，精益求精的前进。不论在知识领域的哪一方面，他的造诣都是广博而精深的：文学艺术上有他的优秀作品，天文历算上有他的综合研究，机械制造上有他的特殊技巧，而在学术思想上他曾坚持着反图谶的斗争，在政治实践上他也曾有积极而进步的活动，尤其在自然科学方面，他有如浑天仪和地动仪等的空前发明。这些丰富而珍贵的功绩，在我们祖国和全世界的科学史上都占着崇高的地位，值得我们纪念和学习。"

华　佗

华佗（？—208年），东汉末医学家。名旉，字元化。汉末沛国谯（今安徽亳县）人。华佗一生行医各地，声誉颇著，在医学上有多方面的成就。他精通内、外、妇、儿、针灸各科，尤擅外科，曾用“麻沸散”施剖腹术，为世界医学史上最早之全身麻醉。华佗很重视疾病的预防，强调体育锻炼以增强体质，模仿虎、鹿、熊、猿、鸟的动作和姿态，创造了一种“五禽之戏”，用以锻炼身体。五禽戏是以体育活动为主、与气功结合的健身运动。三国时，他医术全面，尤其擅长于外科，精于手术，被后人称为外科圣手、外科鼻祖。

华佗年轻时曾游学徐州，“兼通数经，晓养性之术”，但多次谢绝朝廷命他做官司的征召。他长期坚持在民间行医，走遍了包括安徽、山东、江苏、河南等省的许多地方，深为百姓敬仰和爱戴。

晚年华佗被曹操征召到许昌，为其治疗头风病。由于华佗不愿作为曹操的侍医，便托故告假归家，并数次拒绝重返许昌，终为曹操所杀害。华佗临死前，曾将所著医籍交狱吏收藏，但“吏畏法不敢受”。华佗无奈，只得“索火烧之”。因此，华佗的著作未曾得以流传。

据记载，华佗除了为人民群众治病外，还有两大发明：一是发明“麻沸散”，在全身麻醉下，为病人进行手术；一是创立“五禽戏”，教人锻炼身体，这是最早的有关医疗体育的记载。

关于“麻沸散”及外科手术：麻沸散是华佗发明的一种用于全身麻醉的中药麻醉剂，运用这种方法，可作很多较大手术，是全世界最早使用麻醉法的医学家，比欧洲、美洲使用的麻醉法还早一千六百多年。据后汉书所载，华佗在全麻下施术的过程是：先以酒服麻沸散，既醉无所觉。因刳破腹背，抽割积聚；若在肠胃，则断截湔洗，除去疾秽，既而缝合，敷以神膏。四、五日创愈，一月之间皆平复。这与现代医学的外科手术程序非常相近。在当时的历史条件下，华佗就能作这样高难度的手术，实在是祖国医学和我国古代文化的骄傲。“麻沸散”的原配方已经失传，仅从宋代人著的《扁鹊心书》的有关配方，可以看出麻沸散中含有曼陀罗花和大麻等药物。

关于“五禽戏”，这是从预防医学的观念出发，将体育用于医疗和保健事业的最早尝试，华佗提出：“动摇则谷气得消，血脉流通，病不得生。譬如户枢，终不朽也。”提倡经常体育锻炼，以预防疾病的发生。这种重视锻炼身体和预防疾病的态度，在当时条件下，是非常可贵的。在这种思想的指导下，他设计了“五禽戏”。“五禽戏”是华佗根据“户枢不蠹，流水不腐”的思想创造的一种体育疗法，即模仿五种禽兽的姿势，用以活动人体筋骨血脉，帮助消化、吸收，达到增强体质、预防和治疗疾病的目的。其设计是比较科学的。“虎戏”是模仿“虎的前肢扑动”，借以锻炼前肢（上肢）的运动。“鹿戏”是模仿“鹿的伸转头颈”，借以锻炼头颈部的肌群、椎关节和改善大脑的血循状况的头颈运动。“熊戏”是模仿熊的卧侧身子，借以锻炼躯干部分的侧屈运动。“猿戏”是模仿猿的脚尖纵跳，以锻炼下肢的运动。“鸟戏”是模仿鸟的张翅飞翔，以锻炼上肢关节和胸部肌肉，帮助呼吸的运动。这些动作连贯起来，就可以锻炼全身，达到“动诸关节”，“除疾兼利蹄足”的目的。

华佗的著作虽然佚散了，可是华佗的名字，连同他对祖国医学的贡献，却永世长存。《后汉书》、《三国志》都为他写下了传记；后世为了纪念他，在他游学的地方——扬州和徐州，设立了墓地和华祖庙。这都是广大人民群众对他的崇敬和怀念！

张仲景

张仲景（约公元150年～154年—约公元215～219年），名机，字仲景，汉族，东汉南阳郡涅阳县（今河南南阳邓州市和镇平县一带）人，中国东汉伟大的医学家。张仲景的《伤寒杂病论》，是中医史上第一部理、法、方、药具备的经典，被后世尊为"医圣"，甚至有庙供奉香火。

张仲景出生在一个没落的官僚家庭，其父张宗汉曾在朝为官。由于家庭条件的特殊，他从小就接触了许多典籍。他从史书上看到了扁鹊望诊蔡桓公的故事后，对扁鹊产生了敬佩之情，自此更加嗜好医学，"博通群书，潜乐道术"。当他十岁时，就已读了许多有关医学的书。他的同乡何颙赏识他的才智和特长，曾经对他说："君用思精而韵不高，后将为良医"（《何颙别传》）。后来，张仲景果真成了良医，被人称为"医中之圣，方中之祖"。这固然和他"用思精"有关，但主要是他热爱医药专业，善于"勤求古训，博采众方"的结果。

当时，在张仲景的宗族中有个人叫张伯祖，是个极有声望的医生。张仲景为了学习医学，就去拜他做老师。张伯祖见他聪明好学，又有刻苦钻研的精神，就把自己的医学知识和医术，毫无保留地传授给他，而张仲景竟尽得其传。何颙在《襄阳府志》一书中曾赞叹说："仲景之术，精于伯祖。"经过多年的刻苦钻研和临床实践，医名大振，成为中国医学史上一位杰出的医学家。

具有超人才智的张仲景不仅借鉴老师的经验为病人治病，而且有所发明和创造。张仲景煎干蜂蜜制成"药锭"，畅通大便，其原理和方法至今还在临床上应用。在临床实践中，张仲景还成功地运用人工呼吸法急救了因上吊自尽而昏厥的病人。张仲景当时使用的人工呼吸法就是现代广泛使用的人工呼吸法。

张仲景处在动乱的东汉末年，连年混战，"民弃农业"，都市田庄多成荒野，人民颠沛流离，饥寒困顿。各地连续爆发瘟疫，尤其是洛阳、南阳、会稽（绍兴）疫情严重，"家家有僵尸之痛，室室有号泣之哀"，张仲景的家族也不例外。对这种悲痛的惨景，张仲景目击心伤。据载自汉献帝建安元年（公元196年）起，十年内有三分之二的人死于传染病，其中伤寒病占百分之七十。“感往昔之沦丧，伤横夭之莫救”（《伤寒论》自序）。于是，他发愤研究医学，立志做个能解脱人民疾苦的医生。“上以疗君亲之疾，下以救贫贱之厄，中以保身长全，以养其生”（《伤寒论》自序）。后世医学者称张仲景为“医圣”，奉《伤寒杂病论》为医经（唐宋以后分为《伤寒论》和《金匮要略》两部书）。从魏晋及今，一千六百多年来，一直是学习中医必读的经典著作。

在《伤寒杂病论》中，张仲景用唯物主义的观点精练透彻地说明了人类致病的原因，论述了致病的内在、外在的相互关系。他指出：“千般灾难，不越三条。”在这里，张仲景以人体内部器官机能的变化、外邪的入侵、物理因素等原因作为病因，提出了病因来自内因、外因、不内外因的三因说。在1700多年前，能够如此详述疾病发生的原因是极其难能可贵的。

根据病因三因说，张仲景提倡对疾病的早期防治和治疗。

书中张仲景阐述了诊断疾病的“四诊”法，即望色（观察病人的气色）、闻声（听病人的声音）、问症（问问病人的症状）、切脉（检查病人的脉搏）。

张仲景参考《内经·素问》的六经分证和它的转变原则，根据病邪所侵犯的部位和受邪的综合症状，概括为六大类型，称为六经病。六经是外感病辨证方法之一，是中医辨证施治的方法。

张仲景把临床上遇到的各种复杂的症状，综合归纳成“八个纲领”，即阴、阳、表、里、寒、热、虚、实。“八纲”之间的关系中，以阴阳作为总纲，凡是属于寒证、虚证、里证的一般是阴病，凡是属于热证、实证、表证的一般是阳病。

在《伤寒杂病论》中，深入浅出地提出了各种疾病的治疗原则和治疗方法。

人类社会病变万千，张仲景以“六经”为核心，提出“八纲”、“八法”等，执简驭繁，方便后学。

在《伤寒杂病论》中公布的方剂亦系传自远古，经历代临床考验，证明有效者甚多。该书共载入药方375首，使用药物214种。在张仲景以前，处方用药以单味药为主。张仲景在此基础上大胆创新，调制了不少新的复合方剂，发展了方剂学，并对方剂的配位和加减变化规定了相当严谨的法度。为了更好地发挥各种药物的疗效，张仲景着力改进了药物剂型，除用汤剂外，还使用了丸剂、散剂、膏剂、栓剂、洗剂、浴剂、酒剂、熏剂、滴鼻剂以及灌耳剂等各种剂型。这些方剂各有其用，对症治疗，各见其长。所以，后人把张仲景创制的方剂称“经方”，称张仲景为“方剂学之祖”。

此外，张仲景还提出“舍脉从证，舍证从脉”的灵活辨证方法，在讨论治疗中要根据病情的标本缓急，运用先表后里、先里后表以及表里兼治的方法，并对治疗的禁忌，以及针灸综合疗法，都有所论述。他所确立的“辨证论治”原则，是祖国医学伟大宝库中的灿烂明珠，从而使中华民族的医学独具特色而自立于世界民族之林。

《伤寒杂病论》不仅成为我国历代医家必读之书，而且还广泛流传到海外，如日本、朝鲜、越南、蒙古等国。特别在日本，历史上曾有专宗张仲景的古方派，直到今天，日本中医界还喜欢用张仲景方，日本一些著名中药制药工厂如小太郎、内田、盛剂堂等制药公司出品的中成药（浸出剂）中，伤寒方一般占60%以上（其中有些很明显是伤寒方的演化方）。可见《伤寒杂病论》在日本中医界有着深远的影响，在整个世界都有着深远的影响。

一千七百年前的张仲景，在祖国医学史上所起的进步作用，是巨大的。《伤寒论》和《金匮要略》总结了我国在公元3世纪以前的医学经验，确立了辨证论治的原则，严密选择疗效可靠的方药，对掌握疾病的防治以及推动医学的发展，具有一定的承先启后作用。此后，历代很多医家对张仲景学说作了深入的探讨，他们从不同角度进行钻研，有所发挥、有所前进，从而形成了祖国医学中的伤寒学派。

皇甫谧

皇甫谧，幼名静，字士安，自号玄晏先生。安定朝那人（今甘肃灵台人县朝那镇）人。生于东汉建安二十年（公元215年），卒于西晋太康三年（公元282年），活了六十八岁。提起皇甫谧，人们可能立刻想到他编撰的《针灸甲乙经》。其实，除此之外，他还编撰了《历代帝王世纪》、《高士传》、《逸士传》、《列女传》、《元晏先生集》等书。他一生以著述为业，在医学史和文学史上都负有盛名。

皇甫谧幼年时父母双亡，便过继给了叔父，由叔父叔母抚养成人。他在幼时十分贪玩，到了20岁仍不喜欢读书，甚至有人认为他天生痴傻，叔母为他十分担心。一天，他摘回了许多野生瓜果给叔母吃，叔母对他说："如果你不好好学习，没有半点本事，就算是用上好的酒肉来孝敬我，也是不孝的。今年你已经20岁了，不读书，不上进，我心里就得不到安慰。我只希望你有上好的才学，可你总是不能明白长辈的心意。提高修养，学习知识都是对你自己有益的事，难道还能对我们有什么好处吗？"皇甫谧听了这番话，心中十分不安，顿悟自己原来已经虚度了20年的光阴，实在羞愧难当，便立志努力学习，不敢再有丝毫懈怠。

皇甫谧虽然家境贫寒，但即使是在家中种地时，他也不忘背着书，抽空阅读。自此之后，他对百家之说尽数阅览，学识渊博而沉静少欲，在文学方面有很高的成就。

皇甫谧与流俗异趣，不趋炎附势，累官不仕，专一著述为务，仅是一名平民学者，而著书之丰，确是魏晋首富。《帝王世纪》、《年历》、《高士传》、《逸士传》、《列女传》、《郡国志》、《国都城记》等文史著作广采百纳，博据考稽，建树史学，对三皇五帝到曹魏数千年间的帝王世系及重要事件，作了较为详尽的整理，在史前史研究领域进行了大胆的探索和尝试，把史前史的开端推到了"三皇"时代，并对"三皇五帝"提出了自己的观点，认为"三皇"有两种说法：一是天皇氏、地皇氏、人皇氏；另一种说法是伏羲、神农、黄帝。"五帝"是少昊、高阳、高辛、唐尧、虞舜，把中国历史起源的时间提前到上古时代；对前人以及《史记》中语焉不详的历史事实尤其是"三皇五帝"的世系纪年及重大活动进行了补充和考证；对历史上地方名称的前后变更及一个民族或王朝迁徙地名的变化作了较详尽的考证；第一次对历代土地、人口情况进行了较为详尽的统计和分析，整理保存了许多宝贵的资料；将历史人物放到一定的社会历史条件下进行考察，肯定了历史人物在历史前进中的作用。因此，清代历史学家钱熙祚曾评价“皇甫谧博采经传杂书以补史迁缺，所引《世本》诸子，今皆亡逸，断璧残圭，弥堪宝重”。（清钱熙祚·《帝王世纪序》）

可是天有不测风云，皇甫谧40岁时，患了风痹病，十分痛苦，在学习上却仍是不敢怠慢。有人不解他为何对学习如此沉迷，他说：“朝闻道，夕死可也。”说如果早上明白了一个道理，就算晚上便死去，也是值得的。皇帝敬他品格高尚、学识丰富，便请他做官，他不但回绝了，竟然还向皇上借了一车的书来读，也算得上是一桩奇事了！

皇甫谧抱病期间，自读了大量的医书，尤其对针灸学十分有兴趣。但是随着研究的深入，他发现以前的针灸书籍深奥难懂而又错误百出，十分不便于阅读和学习。于是他通过自身的体会，摸清了人身的脉络与穴位，并结合《灵枢》、《素问》和《明堂孔穴针灸治要》等书，悉心钻研，著述了我国第一部针灸学的著作——《针灸甲乙经》。

十二卷的《针灸甲乙经》在总结、吸收《黄帝内经》、《素问》、《针经》、《明堂孔穴针灸治要》等许多古典医学著作精华的基础上，对针灸穴位进行了科学的归类整理，在医学领域矗起丰碑。该书共收录穴名349个，比《黄帝内经》多出了189个。明确了穴位的归经和部位，统一了穴位名称，区分了正名与别名。介绍了内科、外科、妇科、儿科、五官科等上百种病症及针灸治疗经验，并对五脏与五官关系、脏腑与体表器官关系、津液运行、病有标本、虚实补泻、天人相应、脏腑阴阳配合、望色察病、精神状态、音乐对内脏器官的影响等问题都作了探讨和理论上的阐述，奠定了针灸学科理论基础，对针灸学以至整个医学事业的发展作出了不可磨灭的贡献。

《针灸甲乙经》是我国现存最早的一部理论联系实际、有重大价值的针灸学专著，被人们称作“中医针灸学之祖”，一向被列为学医必读的古典医书之一。唐代医家王焘评它“是医人之秘宝，后之学者，宜遵用之”。此书问世后，唐代医署就开始设立针灸科，并把它作为医生必修的教材。晋以后的许多针灸学专著，大都是在参考此书的基础上加以发挥而写出来的，也都没有超出它的范围。直至现在，我国的针灸疗法，虽然在穴名上略有变动，而在原则上均本于它。一千六百多年来，它为针灸医生提供了临床治疗的具体指导和理论根据。

此书也传到国外，受到各国，特别是日本和朝鲜的重视。公元701年，在日本法令《大宝律令》中明确规定用《针灸甲乙经》列为必读的参考书之一。足见皇甫谧的《针灸甲乙经》影响之深远。

刘 徽

刘徽（约公元225年—295年），汉族，山东邹平县人，魏晋期间伟大的数学家，中国古典数学理论的奠基者之一。他的杰作《九章算术注》和《海岛算经》，是中国最宝贵的数学遗产。

刘徽出身清贫，一生未任官职，以数学研究为己任，刻苦探求真理，为我们的民族留下了无价之宝。

刘徽为《九章算术》作注，弥补了《九章算术》的不足。

《九章算术》约成书于东汉之初，共有246个问题的解法。在许多方面：如解联立方程，分数四则运算，正负数运算，几何图形的体积面积计算等，都属于世界先进之列，但因解法比较原始，缺乏必要的证明，而刘徽则对此均作了补充证明。在这些证明中，显示了他在多方面的创造性的贡献。他是世界上最早提出十进小数概念的人，并用十进小数来表示无理数的立方根。在代数方面，他正确地提出了正负数的概念及其加减运算的法则；改进了线性方程组的解法。在几何方面，提出了“割圆术”，即将圆周用内接或外切正多边形穷竭的一种求圆面积和圆周长的方法。他利用割圆术科学地求出了圆周率π=3.14的结果。他用割圆术，从直径为2尺的圆内接正六边形开始割圆，依次得正12边形、正24边形……割得越细，正多边形面积和圆面积之差越小，用他的原话说是：“割之弥细，所失弥少，割之又割，以至于不可割，则与圆周合体而无所失矣。”他计算了3072边形面积并验证了这个值。刘徽提出的计算圆周率的科学方法，奠定了此后千余年中国圆周率计算在世界上的领先地位。

刘徽在数学上的贡献极多，在开方不尽的问题中提出“求徽数”的思想，这方法与后来求无理根的近似值的方法一致，它不仅是圆周率精确计算的必要条件，而且促进了十进小数的产生；在线性方程组解法中，他创造了比直除法更简便的互乘相消法，与现今解法基本一致；并在中国数学史上第一次提出了“不定方程问题”；他还建立了等差级数前n项和公式；提出并定义了许多数学概念：如幂（面积）；方程（线性方程组）；正负数等等。刘徽还提出了许多公认正确的判断作为证明的前提。他的大多数推理、证明都合乎逻辑，十分严谨，从而把《九章算术》及他自己提出的解法、公式建立在必然性的基础之上。虽然刘徽没有写出自成体系的著作，但他注《九章算术》所运用的数学知识实际上已经形成了一个独具特色、包括概念和判断、并以数学证明为其联系纽带的理论体系。

刘徽在割圆术中提出的“割之弥细，所失弥少，割之又割以至于不可割，则与圆合体而无所失矣”，这可视为中国古代极限观念的佳作。《海岛算经》一书中，刘徽精心选编了九个测量问题，这些题目的创造性、复杂性和富有代表性，都在当时为西方所瞩目。刘徽思维敏捷，方法灵活，既提倡推理又主张直观。他是我国最早明确主张用逻辑推理的方式来论证数学命题的人。

总结起来，刘徽的数学成就大致为两方面：

一是清理中国古代数学体系并奠定了它的理论基础。这方面集中体现在《九章算术注》中。它实已形成为一个比较完整的理论体系：

①数系理论方面

用数的同类与异类阐述了通分、约分、四则运算，以及繁分数化简等的运算法则；在开方术的注释中，他从开方不尽的意义出发，论述了无理方根的存在，并引进了新数，创造了用十进分数无限逼近无理根的方法。在筹式演算理论方面先给率以比较明确的定义，又以遍乘、通约、齐同等三种基本运算为基础，建立了数与式运算的统一的理论基础，他还用“率”来定义中国古代数学中的“方程”，即现代数学中线性方程组的增广矩阵。在勾股理论方面逐一论证了有关勾股定理与解勾股形的计算原理，建立了相似勾股形理论，发展了勾股测量术，通过对“勾中容横”与“股中容直”之类的典型图形的论析，形成了中国特色的相似理论。

②面积与体积理论方面

用出入相补、以盈补虚的原理及“割圆术”的极限方法提出了刘徽原理，并解决了多种几何形、几何体的面积、体积计算问题。这些方面的理论价值至今仍闪烁着光辉。

二是在继承的基础上提出了自己的创见。这方面主要体现为以下几项有代表性的创见：

①割圆术与圆周率

他用割圆术证明了圆面积的精确公式，并给出了计算圆周率的科学方法。他首先从圆内接六边形开始割圆，每次边数倍增，算到192边形的面积，得到π=157/50=3.14，又算到3072边形的面积，得到

$\pi=3927/1250=3.1416$，称为“徽率”。

②刘徽原理

在《九章算术》阳马术注中，他在用无限分割的方法解决锥体体积时，提出了关于多面体体积计算的刘徽原理。

在自撰《海岛算经》中，他提出了重差术，采用了重表、连索和累矩等测高测远方法。他还运用“类推衍化”的方法，使重差术由两次测望，发展为“三望”、“四望”。而印度在7世纪，欧洲在15～16世纪才开始研究两次测望的问题。刘徽的工作，不仅对中国古代数学发展产生了深远影响，而且在世界数学史上也确立了崇高的历史地位。鉴于刘徽的巨大贡献，所以不少书上把他称作“中国数学史上的牛顿”。

《九章算术》是中国流传至今最古老的数学专著之一，它成书于西汉时期。这部书的完成经过了一段历史过程，书中所收集的各种数学问题，有些是秦以前流传的问题，长期以来经过多人删补、修订，最后由西汉时期的数学家整理完成。现今流传的定本的内容在东汉之前已经形成。《九章算术》是中国最重要的一部经典数学著作，它的完成奠定了中国古代数学发展的基础，在中国数学史上占有极为重要的地位。现传本《九章算术》共收集了246个应用问题和各种问题的解法，分别隶属于方田、粟米、衰分、少广、商功、均输、盈不足、方程、勾股九章。

《九章算术》不仅在中国数学史上占有重要地位，对世界数学的发展也有着重要的贡献。分数理论及其完整的算法，比例和比例分配算法，面积和体积算法，以及各类应用问题的解法，在书中的方田、粟米、衰分、商功、均输等章已有了相当详备的叙述。而少广、盈不足、方程、勾股等章中的开立方法、盈不足术（双假设法）、正负数概念、线性联立方程组解法、整数勾股弦的一般公式等内容都是世界数学史上的卓越成就。

马 钧

马钧，字德衡。扶风（今陕西兴平）人。三国时人，具有高超的制造技巧，发明和制造了织绫机、水车、指南车等多种机械，成为我国古代非常有名的机械发明和制造专家，为古代机械制造技术的发展作出了巨大贡献。

马钧出生于农家，生来口吃，不善言谈，但勤于手脚，善于观察，爱动脑筋，好钻研机械技术，熟悉农家生产和手工业劳动。马钧年轻时就动手将老式50蹑或60蹑的织绫机，改制成12蹑织绫机，大大地简化了织机构造，不仅工效提高数倍，而且便于操作，所织图案自然、富丽，变化多端，深受人们欢迎；因而以巧思闻名，被朝廷征召，历任博士、给事中。

马钧到了洛阳后，有次发现附近有块坡地，因缺水而庄稼枯萎。一些引水工具，如辘轳、桔槔，每次只能提一桶水，不但效率低，而且不能将水引往高处；要解决地势高的土地灌溉，仍需人抬肩挑，十分费力。他于是下决心设计一种能解决地势不平地区排灌用的工具，经过日夜苦思冥索和反复试验，终于设计出“翻车”，即“龙骨水车”。这种可以连续提水和引水上山的工具，构造并不复杂，它以大木槽为车身，在车身的一端装上带齿的轮轴，上装踏板，人踩动踏板，轮轴就会转动；车身的另一端安装一个较小的轮轴；两个轮轴之间装上木链条，俗称龙骨，木链条上再拴上串板，便成为一架翻车。使用时，将装小轮轴的木槽一端置于水中，另一端架于岸边的木架上，人扶着木架的扶手，足踏踏板，轮轴带动龙骨，可不断地把水沿木槽引上岸来，流向坡地。这种工具，提高工效百倍，而且儿童也可驱动，成为近代水泵发明以前最有效的排灌工具。后来传到日本、朝鲜、东南亚一带，千百年来，造福人类；有些地方至今仍在使用它。

马钧对织机与水车的改革和发明，对生产发展起到明显的推动。他的创造发明热情为之更加高涨。配合当时战争的形势，马钧改进诸葛亮的连弩；制造转轮式连续抛石机，即发石车，能发射石弹至数百步以外。

魏明帝青龙年间（233年—236年），马钧有次在谈到古代指南车时，与散骑常侍高堂隆、骁骑将军秦朗发生了争论，他认为这种失传已久的机械可以重新创造；而高、秦等人却对官职卑微、口才嗫嚅的马钧十分看不起，讽刺他夸海口，不自量力。马钧受到挖苦后，反而见难而上，发誓要造出指南车，以回击那些不学无术之徒的嘲讽。后来魏明帝知道后，下令让他放手试制。虽然无资料可参考，无实物可借鉴，但是马钧刻苦钻研，百折不挠，还是制造出一台指南车，它以车轮转动、齿轮系组合分离等方法，来调整车上指示方向的木人，使木人始终指南，构思精巧，动作灵活，观者无不为之叹服。

马钧在机械设计和制造方面的才能当时就已闻名于天下，受到人们的钦佩。他的好友、文学家傅玄称赞他是“天下之名巧”，史学家裴松之为《三国志》做注时写道：“时有扶风马钧，巧思绝世。”这是对马钧的恰当评价。在中国古代科学技术史上，马钧是古代机械制造专家的杰出代表，他的名字和功绩将永载史册，为后人所铭记。

祖冲之

祖冲之（429年—500年），字文远。祖籍范阳遒县（今河北涞水）。南北朝时期杰出的数学家和天文学家。

祖冲之父祖皆谙熟天算，学识渊博，为时人所敬重。冲之少传家业，青年时代入华林学省，从事学术研究。此后，历仕刘宋、南齐，官至长水校尉。他在数学、天文历法、机械制造等方面都有重大成就。

在数学方面，祖冲之推算出圆周率π的不足近似值（朒数）3.1415926和过剩近似值（盈数）3.1415927，指出π的真值在盈、朒两限之间，即3.1415926＜π＜3.1415927，并用以校算新莽嘉量斛的容积。这个圆周率值是当时世界上最先进的数学成就，直到15世纪阿拉伯数学家阿尔·卡西和16世纪法国数学家韦达（1540年—1603年）才得到更精确的结果。祖冲之还确定了两个分数形式的圆周率值，约率π=22/7（≈3.14），密率π=355/113（≈3.1415929），其中密率是在分母小于1000条件下圆周率的最佳近似分数。密率为祖冲之首创，直到16世纪才被德国数学家奥托（1550年—1605年）和荷兰工程师安托尼兹（1543年—1620年）重新得到。在西方数学史上，这个圆周率值常被称为安托尼兹率。祖冲之和其子祖暅，在刘徽工作的基础上圆满解决了球体积计算问题。据《隋书·律历志》记载，祖冲之对于二次方程和三次方程也有所研究。所著《缀术》一书，是著名的《算经十书》之一，曾被唐代国子监和朝鲜、日本用做算学课本，惜已失传。

在天文历法方面，祖冲之在长期观测、精确计算和对历史文献深入研究的基础上，创制了《大明历》。他最早把岁差引进历法，提高历法精确性，这是中国历法史上的重大进步。他还采用了391年有144个闰月的新闰周，突破了沿袭很久的19年7闰的传统方法。《大明历》中使用的数据，大多依据长期实测的结果，相当精确。按照祖冲之的数据计算，一个回归年的日数为365.24281481平太阳日。一个交点月的日数为27.21223平太阳日，关于木星（当时称岁星）每84年超辰一次的结论，相当于求出木星公转周期为11.858年。这些都非常接近现测数值。所推算的五大行星会合周期，也是当时最好的结果。他还发明用圭表测量冬至前后若干天的正午太阳影长以定冬至时刻的方法。这个方法也为后世长期采用。宋孝武帝大明六年（462年），祖冲之上书刘宋朝廷，请求颁行《大明历》，但遭到皇帝宠臣戴法兴的反对。戴法兴指责引进岁差和改革闰周等违背了儒家经典，是“诬天背经”。祖冲之据理力争，针锋相对地写了一篇辩驳的奏章。他表示“愿闻显据，以核理实”，并引用历史文献和天象观测的大量事实，逐条批驳了戴法兴的论点。他明确指出天体运行“有形可检，有数可推”，是有规律的。科学在不断进步，人们不能“信古而疑今”，充分体现了一位科学家坚持真理，革旧创新的可贵精神。但是，祖冲之生前《大明历》未能颁行。后经祖暅三次上书朝廷，推荐《大明历》，终于在梁武帝天监九年（510年）被采用颁行，前后行用八十年，对后世历家产生了重要的影响。

祖冲之是一位博学多才的科学家和发明家。对于机械原理也很有研究。他曾设计制造水碓磨（利用水力加工粮食的工具）、铜制机件传动的指南车、一天能走百里的“千里船”和“木牛流马”等水陆运输工具。还设计制造过漏壶（古代计时器）和巧妙的欹器，并精通音律。他的著述很多，《隋书·经籍志》著录有《长水校尉祖冲之集》五十一卷，散见于各种史籍记载的有《缀术》、《九章算术注》、《大明历》、《驳戴法兴奏章》、《安边论》、《述异记》、《易老庄义》、《论语孝经释》等。其中大部分已失传，现在仅能见到《上大明历表》、《大明历》、《驳戴法兴奏章》、《开立圆术》等有限的几篇。其子祖暅、孙祖皓也都是南朝有名的天文学家和数学家。

祖冲之不仅是我国历史上杰出的科学家，而且在世界科学发展史上也有崇高的地位。祖冲之创造“密率”，是世界闻名的。祖冲之在天文、历法、数学以及机械制造等方面的辉煌成就，充分表现了我国古代科学的高度发展水平。

贾思勰

贾思勰（386年—534年），北魏末期和东魏的农业科学家，山东益都（今山东寿光）人。

贾思勰曾经做过高阳郡（今山东临淄）太守，到过山西、河北、河南等地。后来回到家乡，经营农牧业。在社会实践的过程中，贾思勰深深感触到，广大农民在长期的社会实践中积累了丰富的生产知识和经验，对此进行总结是十分必要的。但是，传统的封建知识分子和官吏却对此不屑一顾。因此，尽管在数千年的历史长河中农业生产有了长足的进步，而有关农业生产的著作却无人问津。于是他立志进行农业生产的实践与研究，先后跋涉于今河南、河北、山西、山东等地，大约在北魏永熙二年（公元533年）到东魏武定二年（公元544年）间，在总结我国古代劳动人民农业生产成就的基础上，写成了著名的农业科学著作《齐民要术》。“齐民”就是平民，“要术”就是谋生的主要手段。概而言之，《齐民要术》就是指农民群众从事生活资料生产的主要技术。

《齐民要术》全书共九十二篇，分成十卷，正文大约七万字，注释四万多字，共十一万多字；此外，书前还有《自序》和《杂说》各一篇。引用前人著作有一百五十多种，记载的农谚有三十多条。全书包括各种农作物的栽培，各种经济林木的生产，野生植物的利用，家畜、家禽、鱼、蚕的饲养和疾病的防治，以及农、副、畜产品的加工，酿造和食品加工，以至文具、日用品的生产等等，几乎对所有农业生产活动都作了比较详细的论述。在农学方面具有重大意义。

首先，《齐民要术》对北方抗旱保墒问题进行了深入的探讨。贾思勰对精耕细作、深耕细耙、中耕除草等成功的经验进行了比较完整的总结和提高，从理论上说明了这些技术措施的重要意义。又如，贾思勰总结了前人恢复提高土壤肥力的办法，豆类作物在恢复和提高土壤肥力上的重要作用，把它作为绿肥作物纳入轮作周期，《耕田第一》书中分析说明了轮作的好处，对绿肥作物的栽培和轮作套种作出科学总结，是世界上最早的。在播种时间上，贾思勰引用农谚：“以时及泽，为上策之”，说明要以季节、气候和墒情作为根据。在《种谷第三》一书中明确地提出了必须因地、因时、因作物制宜从事农业生产的原则。

其次，贾思勰初步提示了生物和环境的相互联系，描述了生物遗传和变异的关系问题。贾思勰介绍了许多改变旧的遗传性、创造新品种的经验，涉及人工选择、人工杂交和定向培育等育种原理，其中不少经验和论点对于指导今天农业生产仍有现实意义。进化论的创立者，十九世纪英国伟大的生物学家达尔文说，他的人工选择思想是从“一部中国古代的百科全书”得到启发的。从达尔文所引述的内容看，不少人认为，这部书就是《齐民要术》。

贾思勰还非常重视选育良种对于提高农畜产品的产量和质量的重要作用。书中仅谷种就搜集了八十多个品种，并且按成熟期、植株高度、产量质量、抗逆性等特性作了比较科学的分类。还叙述了播种前怎样进行选种、晒种、浸种和用药物或者肥料拌种等种子处理方法，其中不少措施非常巧妙、合理，直到今天还普遍应用于农业生产。

《齐民要术》用了不少篇幅介绍了蔬菜种植、果树和林木的扦插、压条和嫁接等育苗方法以及幼树抚育方面的技术。在植物保护方面，提出了一些防治病虫害的措施，还记述了当时果农熏烟防霜害的方法：“天雨新晴，北风寒切，是夜必霜。此时放火作煴，少得烟气，则免于霜矣。”（煴音云，yún，意思是没有火焰的暗火。）短短的二十几个字就说明了我国古代劳动人民看天气判断降霜的经验和防霜的方法，直到今天仍然在普遍应用。

另外，《齐民要术》总结了我国六世纪以前家畜家禽的饲养经验，并搜集记载了兽医处方四十八例，涉及外科、内科、传染病、寄生虫病等方面，如直肠掏结术和疥癣病的治疗方法，历时一千四百多年，现在仍然沿用。《齐民要术》中还有我国独特的制曲、酿酒、制酱、作醋、煮饧（音形，xíng，糖稀的意思）以及食品保存和加工工艺的翔实记录，其中许多是现存最早的资料。

总之，贾思勰所著《齐民要术》一书，是我国历史上第一部完整、系统、综合性的农业科学巨著。《齐民要术》问世1400余年来，对中外农业生产等科学技术产生了深远影响。除民间争相传抄、记诵外，历代政府对此也比较重视。北宋真宗天禧四年（1020年）曾官刻印全书，发放各地劝农使作为指导农业生产的教科书。可是这样一位农学巨匠，不但正史只字不提，野史也没有记载，今天能看到有关他的确凿记载仅有十字，即作者在《齐民要术》署名“后魏高阳太守贾思勰撰”，令人慨叹！

郦道元

郦道元（约470年—527年），字善长。汉族，范阳涿鹿（今河北涿鹿县）人。北朝北魏地理学家、散文家。仕途坎坷，终未能尽其才。他博览奇书，幼时曾随父亲到山东访求水道，后又游历秦岭、淮河以北和长城以南广大地区，考察河道沟渠，搜集有关的风土民情、历史故事、神话传说，撰《水经注》四十卷。文笔隽永，描写生动，既是一部内容丰富多彩的地理著作，也是一部优美的山水散文汇集。可称为我国游记文学的开创者，对后世游记散文的发展影响颇大。另著《本志》十三篇及《七聘》等文，已佚。

郦道元约在魏孝文帝延兴二年壬子生于涿州郦亭（今河北省涿州市道元村），郦范的长子，在我国郦姓宗族里面排列第九十八世。少年时期，因父亲担任青州刺史，跟随父母居住青州（今山东省青州市）。父亲去世后，郦道元继承爵位，被封为永宁伯，担任太傅掾。太和十七年（493年）秋季，北魏王朝迁都洛阳，郦道元担任尚书郎。十八年（494年），跟随魏孝文帝出巡北方，因执法清正，被提拔为治书侍御史。

魏宣武帝景明二年（501年），郦道元担任冀州镇（今河北省冀州市）东府长史，采取严厉手段，打击邪恶势力。由于他为政严酷，奸匪盗贼闻风丧胆，纷纷逃往他乡，冀州境内大治。

正始元年（504年），郦道元调任颍川（今河南省许昌市）太守。永平元年（508年），又调任鲁阳（今河南省鲁山县）太守，上表请求在当地建立学府，教化乡民。蛮人服其威名，不敢为寇。延昌二年（513年），升任辅国将军、东荆州刺史，威猛为政，如在冀州。其后，蛮人向朝廷诉讼郦道元为官严厉，朝廷召郦道元返回洛阳。

魏孝明帝正光四年（523年），郦道元担任河南尹，治理京城洛阳。其后，奉诏前往北方各镇，整编相关的官吏，筹备军粮，作好防守边关的必要准备。孝昌元年（525年），徐州刺史元法僧背叛北魏，投降南梁。郦道元奉诏率军征讨，全军在涡阳（今安徽省涡阳县）奋勇拼杀，多有斩获。返回京城后，升任御史中尉。

皇亲元微诬陷叔父元渊，郦道元力陈事实真相，元渊得以昭雪；元微因此嫉恨郦道元。皇族元悦之亲信丘念仗势操纵州官选用大权，郦道元密访其行踪，将其捕获入狱。元悦请皇太后胡仙真说情，郦道元坚决依法处死丘念，并以此弹劾元悦。元悦从此怀恨在心。

孝昌三年丁未十月（527年11月），南齐皇族、北魏雍州刺史萧宝夤在长安（今陕西省西安市）发动叛乱，元微、元悦使出借刀杀人之计，竭力怂恿胡太后任命郦道元为关右大使，去监视萧宝夤。萧宝夤得知情况，立即发兵包围郦道元。贼兵攻入阴盘驿亭，郦道元怒目骂贼，被叛贼杀害，终年五十六岁；其弟郦道峻、郦道博，长子郦伯友、次子郦仲友，都被叛贼杀害。萧宝夤下令收殓郦道元，殡于长安城东。武泰元年（528年）春，魏军收复长安，郦道元还葬洛阳，被朝廷追封为吏部尚书、冀州刺史。三子郦孝友承袭爵位。

郦道元为官刚正不阿，打击邪恶势力；为官一方又政绩卓著。可惜最终为奸人所害，令人叹惋！其实，郦道元不仅在政治上有作为，还有《水经注》四十卷传世，是一位杰出的地理学家、散文家。

郦道元少年时代就喜爱游览。后来他做了官，就到各地游历，每到一地除参观名胜古迹外，还用心勘察水流地势，了解沿岸地理、地貌、土壤、气候，人民的生产生活，地域的变迁等。他发现古代的地理书——《水经》，虽然对大小河流的来龙去脉不乏准确记载，但由于时代更替，城邑兴衰，有些河流改道，名称也变了，书上却未加以补充和说明。郦道元于是决定亲自给《水经》作注。

郦道元到过许多地方考察，足迹踏遍长城以南、秦岭以东的中原大地，积累了大量的实践经验和地理资料。《水经》记录河流137条，而《水经注》则记录河流1252条。《水经》只有1.5万字，而《水经注》竟达30万字！

郦道元在实地调查中原地形的同时，又广泛搜求南方的地理著作，进行对比研究，得出自己的结论。例如江南会稽郡的诸暨县，有五泄瀑布，景色壮丽，向来不为世人所知。郦道元在《水经注》里面首次记载了五泄飞瀑壮观的气势："浙江又东，合浦阳江，江水导源乌伤县，东经诸暨县，与泄溪合。溪广数丈，中道有两高山夹溪，造云壁立，凡有五泄：下泄悬三十余丈，广十丈；中三泄不可得至，登他山远望，乃得见之，悬百余丈，水势高急，声震林外；上泄悬二百余丈，望若云垂。此是瀑布，土人号为泄也。"从此，世人方知五泄的山水景观。

作为一位杰出的地理学家，郦道元在《水经注》的序言中对前代的著名地理著作进行了许多点评。秦朝以前，我国已有许多地理类书籍，但当时国家不统一，生产力水平不发达，人们对地理的概念还比较模糊，这些作品中普遍存在的问题就是虚构，如《山海经》、《穆天子传》、《禹贡》等。郦道元坚决反对“虚构地理学”，他在《水经注》序言中提出了自己的研究和工作方法，那就是重视野外考察的重要性。

在漫长的中世纪，西方世界正处在基督教会统治的黑暗时代，全欧洲在地理学界都找不出一位杰出的学者。东方的郦道元却留下了不朽的地理巨著《水经注》四十卷，不仅开创了我国古代“写实地理学”的历史，而且在世界地理学发展史上也占有重要的地位，不愧为中世纪最伟大的世界级地理学家。

孙思邈

孙思邈，唐代京兆东原（今陕西省耀县孙家塬）人，出生于隋开皇元年，卒于唐永淳元年。活了102岁（也有说他活了141岁），他是我国乃至世界历史上著名的医学家和药物学家。历史上，被人们尊为“药王”。

孙思邈7岁时读书，就能“日诵千言”，即每天能背诵上千字的文章。到了20岁，就能侃侃而谈老子、庄子的学说，并对佛家的经典著作十分精通，被人称为“圣童”。但他认为走仕途、做高官太过世故，不能随意，就多次辞谢了朝廷的封赐。隋文帝让他做国子博士（博士是教育机构授予的最高一级学位），他也称病不做。唐太宗即位后，召他入京，见到他50多岁的人竟能容貌气色、身形步态皆如同少年一般，十分感叹，便道：“所以说，有道之人真是值得人尊敬呀！像羡门、广成子这样的神仙人物原来世上竟是有的，怎么会是虚言呢？”皇帝还想授予他爵位，但仍是被孙思邈拒绝了。高宗继位后，又邀他做谏议大夫，也未被允。孙思邈归隐的时候，高宗又赐他良驹，还有已故的鄱阳公主的宅邸居住，就连当时的名士宋令文、孟诜、卢照邻等文学大家都十分尊敬他，以待师长的礼数来侍奉他。

孙思邈晚年隐居于京兆华原（今陕西铜川市耀州区）五台山（药王山）专心立著，直至白首之年，未尝释卷。一生著书八十多种，其中以《千金要方》、《千金翼方》影响最大，两部巨著60卷，药方论6500首。《千金要方》和《千金翼方》合称为《千金方》，它是唐代以前医药学成就的系统总结，被誉为我国最早的一部临床医学百科全书，对后世医学的发展影响很深远。

孙思邈在药物学研究方面倾注了大量的心血。从药物的采集、炮制到性能认识，从方药的组合配伍到临床治疗，孙思邈参考前人的医药文献，并结合自己数十年的临症心得，仔细揣摩，悉心总结。这些药方在其著作中多有记载。其中《千金要方》载方5000多首，书中内容既有诊法、证候等医学理论，又有内、外、妇、儿等临床各科；既涉及解毒、急救、养生、食疗，又涉及针灸、按摩、导引、吐纳，可谓是对唐代以前中医学发展的一次很好的总结。而《千金翼方》载方近3000首，书中内容涉及本草、妇人、伤寒、小儿、养性、补益、中风、杂病、疮痈、色脉以及针灸等各个方面，对《千金要方》作了必要而有益的补充。书中收载的800余种药物当中，有200余种详细介绍了有关药物的采集和炮制等相关知识。尤其值得一提的是，书中将晋唐时期已经散失到民间的《伤寒论》条文收录其中，单独构成九、十两卷，竟成为唐代仅有的《伤寒论》研究性著作，对于《伤寒论》条文的保存和流传起到了积极的推动作用。

此外，在临床实践中，孙思邈总结出了许多宝贵的经验，如“阿是穴”和“以痛为腧”的取穴法，用动物的肝脏治疗夜盲症，用羊的甲状腺治疗地方性甲状腺肿，用牛乳、豆类、谷皮等防治脚气病；对于孕妇，提出住处要清洁安静，心情要保持舒畅，临产时不要紧张；对于婴儿，提出喂奶要定时定量，平时要多见风日，衣服不可穿得过多……这些主张，在今天看来，仍然有其一定的现实意义。

孙思邈又是世界上导尿术的发明者。据记载：有一个病人得了尿潴留病，撒不出尿来。孙思邈看到病人憋得难受的样子，他想：“吃药来不及了。如果想办法用根管子插进尿道，尿或许会流出来。”他看见邻居的孩子拿一根葱管在吹着玩儿，葱管尖尖的，又细又软，孙思邈决定用葱管来试一试，于是他挑选出一根适宜的葱管，在火上轻轻烧了烧，切去尖的一头，然后小心翼翼地插进病人的尿道里，再用力一吹，不一会儿尿果然顺着葱管流了出来。病人的小肚子慢慢瘪了下去，病也就好了。

孙思邈崇尚养生，并身体力行，正由于他通晓养生之术，才能年过百岁而视听不衰。他将儒家、道家以及外来古印度佛家的养生思想与中医学的养生理论相结合，提出的许多切实可行的养生方法，时至今日，还在指导着人们的日常生活，如心态要保持平衡，不要一味追求名利；饮食应有所节制，不要暴饮暴食；气血应注意流通，不要懒惰呆滞不动；生活要起居有常，不要违反自然规律……

孙思邈认为“人命至重，有贵千金，一方济之，德逾于此”，故将他自己的两部著作均冠以“千金”二字，名《千金要方》和《千金翼方》。这两部书的成就在于：首先对张仲景的《伤寒杂病论》有很深的研究，为后世研究《伤寒杂病论》提供了可行的门径，尤其对广义伤寒增加了更具体的内容。他创立了从方、证、治三方面研究《伤寒杂病论》的方法，开后世以方类证的先河。《千金要方》是我国最早的医学百科全书，从基础理论到临床各科，理、法、方、药齐备。一类是典籍资料，一类是民间单方验方。广泛吸收各方面之长，雅俗共赏，缓急相宜。时至今日，很多内容仍起着指导作用，有极高的学术价值，确实是价值千金的中医瑰宝。《千金要方》是对方剂学发展的巨大贡献。书中收集了从张仲景时代直至孙思邈的临床经验，历数百年的方剂成就，在阅读仲景书方后，再读《千金方》，真能大开眼界，拓宽思路，特别是源流各异的方剂用药，显示出孙思邈的博极医源和精湛医技。后人称《千金方》为方书之祖。

《千金要方》在食疗、养生、养老方面也有巨大贡献。孙氏能寿逾百岁高龄，就是他在积极倡导这些方面的理论与其自身实践相结合的效果。孙思邈的辉煌成就，生前就受到了人们的崇敬。人称“药王”，“真人”，“药圣”，隋、唐两代都很器重他，知名人士亦多对他以礼事之。唐太宗李世民赞孙思邈“凿开径路，名魁大医。羽翼三圣，调和四时。降龙伏虎，拯衰救危。巍巍堂堂，百代之师”。他去世后，人们在其故居的鉴山畔，虔诚奉祀。乔世宁序中云：“鉴山香火，于关中为盛，虽华岳吴镇弗逮焉。”孙思邈在日本也享有盛誉，尤其是日本名医丹波康赖和小岛尚质等对他十分崇拜。

毕 昇

毕昇（？—1051年），中国古代发明家。北宋布衣，淮南路蕲州蕲水县直河乡（今湖北省英山县草盘地镇五桂墩村）人。初为印刷铺工人，专事手工印刷。他在印刷实践中，深知雕版印刷的艰难，认真总结前人的经验，在唐代发明雕版印刷术的基础上，于宋仁宗庆历年间（1041–1048年），创造了活字印刷术。这是中国对于世界文明的发展所作出的又一伟大贡献。

自从汉朝蔡伦发明纸以后，书写材料比起过去用的甲骨、简牍、金石和缣帛要轻便、经济多了，但是抄写书籍还是非常费工的，远远不能适应社会的需要。至迟到东汉末年的熹平年间（公元172年—178年），出现了摹印和拓印石碑的方法。大约在公元600年前后的隋朝，人们从刻印章中得到启发，在人类历史上最早发明了雕版印刷术。雕版印刷是在一定厚度的平滑的木板上，粘贴上抄写工整的书稿，薄而近乎透明的稿纸正面和木板相贴，字就成了反体，笔画清晰可辨。雕刻工人用刻刀把版面没有字迹的部分削去，就成了字体凸出的阳文，和字体凹入的碑石阴文截然不同。印刷的时候，在凸起的字体上涂上墨汁，然后把纸覆在它的上面，轻轻拂拭纸背，字迹就留在纸上了。到了宋朝，雕版印刷事业发展到全盛时期。雕版印刷对文化的传播起了重大作用，但是也存在明显缺点：第一，刻版费时费工费料；第二，大批书版存放不便；第三，有错字不容易更正。

毕昇总结了历代雕版印刷丰富的实践经验，经过反复试验，在宋仁宗庆历年间（公元1041年—1048年）制成了胶泥活字，实行排版印刷，完成了印刷史上一项重大的革命。

毕昇的方法是这样的：用胶泥做成一个个规格一致的毛坯，在一端刻上反体单字，字划突起的高度像铜钱边缘的厚度一样，用火烧硬，成为单个的胶泥活字。为了适应排版的需要，一般常用字都备有几个甚至几十个，以备同一版内重复的时候使用。遇到不常用的冷僻字，如果事前没有准备，可以随制随用。为便于拣字，把胶泥活字按韵分类放在木格子里，贴上纸条标明。排字的时候，用一块带框的铁板作底托，上面敷一层用松脂、蜡和纸灰混合制成的药剂，然后把需要的胶泥活字拣出来一个个排进框内。排满一框就成为一版，再用火烘烤，等药剂稍微融化，用一块平板把字面压平，药剂冷却凝固后，就成为版型。印刷的时候，只要在版型上刷上墨，覆上纸，加一定的压力就行了。为了可以连续印刷，就用两块铁板，一版加刷，另一版排字，两版交替使用。印完以后，用火把药剂烤化，用手轻轻一抖，活字就可以从铁板上脱落下来，再按韵放回原来木格里，以备下次再用。

毕昇还试验过木活字印刷，由于木料纹理疏密不匀，刻制困难，木活字沾水后变形，以及和药剂粘在一起不容易分开等原因，所以毕昇没有采用。毕昇的胶泥活字版印书方法，如果只印二三本，不算省事，如果印成百上千份，工作效率就极其可观了，不仅能够节约大量的人力物力，而且可以大大提高印刷的速度和质量，比雕版印刷要优越得多。

活字制版正好避免了雕版的不足，只要事先准备好足够的单个活字，就可随时拼版，大大地加快了制版时间。活字版印完后，可以拆版，活字可重复使用，且活字比雕版占有的空间小，容易存储和保管。这样活字的优越性就表现出来了。

毕昇发明活字印刷，提高了印刷的效率。但是，他的发明并未受到当时统治者和社会的重视，他死后，活字印刷术仍然没有得到推广。他创造的胶泥活字也没有保留下来。但是他发明的活字印刷技术，却流传下去了。

1965年在浙江温州白象塔内发现的刊本《佛说观无量寿佛经》经鉴定为北宋元符至崇宁（1100年—1103年）年活字本。这是毕昇活字印刷技术的最早历史见证。宋人周必大（1129年—1204年）曾被封为济国公，老年时从沈括那里学来了毕昇的方法，印了自己的著作。元代的姚枢（1201年—1278年）提倡活字印刷，他教子弟杨古用活字版印书，印成了朱熹的《小学》和《近思录》，以及吕祖谦的《东莱经史论说》等书。清康熙六年翟世琪出任饶州推官，集磁户，造青磁《易经》一部。所谓青磁（活字）据专家分析可能是以制青瓷的瓷土烧成的陶活字。1718年山东泰安人徐志定制成陶活字，印《周易说略》。他将泥土煅烧后制成活字用以排版印书，采用的仍然是毕昇用过的方法。

19世纪安徽泾县的翟金生，因读沈括的《梦溪笔谈》中所述毕昇的泥活字技术，而萌生了用泥活字印书的想法。他费时30年，制泥活字10万多个，1844年印成了《泥版试印初编》。此后，他又印了许多书。20世纪

60–70年代在泾县还发现了翟金生当年所制的泥活字数千枚。这些活字有大小五种型号。他以自己的实践证明了毕昇的发明是可行的，打破了有人对泥活字可行性的怀疑。

现代的凸版铅印，虽然在设备和技术条件上是宋朝毕昇的活字印刷术所无法比拟的，但是基本原理和方法是完全相同的。活字印刷术的发明，为人类文化做出了重大贡献。毕昇的胶泥活字首先传到朝鲜，称为“陶活字”。后来又由朝鲜传到日本、越南、菲律宾。十五世纪，活字板传到欧洲。公元1456年，德国的戈登堡用活字印《戈登堡圣经》，这是欧洲第一部活字印刷品，比中国的活字印刷史晚四百年。活字印刷术经过德国而声速传到其他的十多个国家，促使文艺复兴运动的到来。十六世纪，活字印刷术传到非洲、美洲、俄国的莫斯科，十九世纪传入澳洲。

毕昇活字印刷术的发明，是印刷史上的一次伟大革命，是中国古代四大发明之一，它为中国文化经济的发展开辟了广阔的道路，为推动世界文明的发展作出了重大贡献。

沈括

沈括（公元1031年—1095年），字存中，号梦溪丈人，北宋浙江杭州钱塘县（今浙江杭州）人，汉族。北宋科学家、政治家。仁宗嘉祐进士，后任翰林学士。晚年在镇江梦溪园撰写了《梦溪笔谈》。我国历史上最卓越的科学家之一。精通天文、数学、物理学、化学、地质学、气象学、地理学、农学和医学。

沈括生于浙江钱塘（今浙江杭州市）一官僚家庭。他的父亲沈周（字望之）曾在泉州、开封、江宁做过地方官。母亲许氏，是一个有文化教养的妇女。沈括自幼勤奋好读，在母亲的指导下，十四岁就读完了家中的藏书。后来他跟随父亲到过福建泉州、江苏润州（今镇江）、四川简州（今简阳）和京城开封等地，有机会接触社会，对当时人民的生活和生产情况有所了解，增长了不少见闻，也显示出了超人的才智。

沈括二十四岁开始踏上仕途，最初做海州沭阳县（在今江苏省）主簿，以后历任东海（在今江苏省）、宁国（在今安徽省）、宛丘（今河南省淮阳县）等县县令。三十三岁考中进士，被任命做扬州司理参军，掌管刑讼审讯。三年后，被推荐到京师昭文馆编校书籍。在这里他开始研究天文历算。宋神宗熙宁五年（公元1072年），兼任提举司天监，职掌观测天象，推算历书之事。接着，沈括又担任了史馆检讨，熙宁六年（公元1073年）做集贤院校理。因职务上的便利条件，他有机会读到了更多的皇家藏书，充实了自己的学识。1075年曾出使辽国，进行边界谈判，次年任翰林学士，权三司使。

宋神宗熙宁二年（公元1069年），地主阶级革新派的代表王安石被任命做宰相，开始进行大规模的变法运动。沈括积极参与变法运动，受到王安石的信任和器重，担任过管理全国财政的最高长官三司使等许多重要官职。熙宁九年（公元1076年），王安石变法失败。沈括被诬劾贬官，出知宣州（今安徽省宣城一带）。三年后，为抵御西夏，改知延州（今陕西省延安一带），兼任鄜延路经略安抚使。因戍边有功，元丰五年（公元1082年），升龙图阁直学士。但是不久又遭诬陷，降职做均州（今湖北省均县）团练副使。哲宗元祐二年（公元1087年），沈括花费十二年心血编修的《天下州县图》完成，被特许亲自到汴京进呈。次年，定居润州（今江苏省镇江东郊）梦溪园，在此安度晚年。

沈括晚年在梦溪园认真总结自己一生的经历和科学活动，写出了闻名中外的科学巨著《梦溪笔谈》和《忘怀录》等。宋哲宗绍圣二年（公元1095年）逝世。

沈括一生，宦海沉浮，颇有政绩，是一位政治家，同时他也是一位了不起的科学家。

《梦溪笔谈》是中国科学史上的坐标，是沈括一生社会和科学活动的总结，内容极为丰富，包括天文、历法、数学、物理、化学、生物、地理、地质、医学、文学、史学、考古、音乐、艺术等共600余条。其中200来条属于科学技术方面，记载了他的许多发明、发现和真知灼见。

沈括还是一个杰出的天文学家。熙宁五年（公元1072年），也就在沈括负责汴河水利建设时，他还负责领导司天监，在任职期间，他先后罢免了六名不学无术的旧历官，不计出身，破格推荐精通天文历算、出身平民的准南人卫朴进入司天监，主持修订新历的重要工作。沈括和卫朴治学态度认真，对旧历官凭借演算凑数的修历方法非常不满，主张从观测天象入手，以实测结果作为修订历法的根据。为此，沈括首先研究并改革了浑仪、浮漏和影表等旧式的天文观测仪器。

浑仪是测量天体方位的仪器。经过历代的发展、演变，到宋朝，浑仪的结构已经变得十分复杂，三重圆环，相互交错，使用起来很不方便。为此，沈括对浑仪作了比较多的改革。他一方面取消了作用不大的白道环，把仪器简化、分工，再借用数学工具把他们之间的关系联系起来（“省去月道环，其侯月之出入，专以历法步之”）；另一方面又提出改变一些环的位置，使它们不挡住观测视线。沈括的这些改革措施为仪器的发展开辟了新的途径。后来元朝郭守敬于元世祖至元十三年（公元1276年）创制的新式测天仪器——简仪，就是在这个基础上产生的。漏壶是古代测定时刻的仪器，由几个盛水的容器装置成阶梯的形式，每一容器下侧都有孔，依次往下一容器滴水漏水。最下面的容器没有孔，里面装置有刻着时间标度的“箭”，随着滴漏水面升高，“箭”就慢慢浮起，从显露出来的刻度可以读出时刻。沈括对漏壶也进行了改革。他把曲筒铜漏管改做直颈玉嘴，并且把它的位置移到壶体下部。这样流水更加通畅，壶嘴也坚固耐用多了。此外，沈括还制造了测日影的圭表，而且改进了测影方法。另外，沈括在《浑仪议》、《浮漏议》和《景表议》等三篇论文中介绍了他的研究成果，详细说明改革仪器的原理，阐发了自己的天文学见解，在我国天文学史上具有重要的作用。

沈括对医药学和生物学也很精通。他在青年时期就对医学有浓厚兴趣，并且致力于医药研究，搜集了很多验方，治愈过不少危重病人。同时他的药用植物学知识也十分广博，并且能够从实际出发，辨别真伪，纠正古书上的错误。他曾经提出“五难”新理论，论及44种药物之形态、配伍、药理、制剂、采集、生长环境等。

沈括还是一个水利专家。青年时期任沭阳县主簿和宁国县令的时候，他就主持了治理沭水的工程，修筑了规模宏大的坚固的万春圩，开垦出良田几千顷，解除了当地人民的水灾。熙宁五年（1072年），沈括主持了汴河的水利建设。为了治理汴河，沈括亲自测量了汴河下游从开封到泗州淮河岸共840多里河段的地势。他采用“分层筑堰法”，测得开封和泗州之间地势实际相差高度。这种地形测量法，在世界水利史上是一个创举。

沈括在地学方面也有许多卓越的论断。他正确论述了华北平原、雁荡山诸峰的成因和黄土地区的地貌特点。他还观察研究了从地下发掘出来的类似竹笋以及桃核、芦根、松树、鱼蟹等各种各样化石，明确指出它们是古代动物和植物的遗迹，并且根据化石推论了古代的自然环境。熙宁九年（1076年），沈括奉旨编绘《天下州县图》，经过近20年坚持不懈的努力，完成了我国制图史上的一部巨作《守令图》，并创造了分率、准望、互融、傍验、高下、方斜、迂直等制图方法，为我国古代地图学作出了重要贡献。

英国科技史专家李约瑟称《梦溪笔谈》为“中国科技史上的里程碑”和“中国科学史的坐标”，认为沈括“是中国科学史上最奇特的人物”。可谓实至名归。

郭守敬

郭守敬（1231年—1316年），中国元朝的天文学家、数学家、水利专家和仪器制造专家。字若思，汉族，顺德邢台（今河北邢台）人。郭守敬曾担任都水监，负责修治元大都至通州的运河。1276年郭守敬修订新历法，经4年时间制订出《授时历》，通行360多年，是当时世界上最先进的一种历法。1981年，为纪念郭守敬诞辰750周年，国际天文学会以他的名字为月球上的一座环形山命名。

郭守敬幼承祖父郭荣家学，攻研天文、算学、水利。他的教诲对郭守敬的成长起着重要的作用。郭守敬十二三岁时，郭荣命郭守敬拜自己的好友刘秉忠和张文歉为师。刘、张二位是当时有名的大学问家，在他们的谆谆教导下，郭守敬的学习进步很快。

公元1262年，由张文歉推荐，郭守敬出仕元廷，致力于水利建设，多次参加华北水道的勘察和治理设计。因工作出色，公元1265年元世祖忽必烈提升他为都水少监，相当于现在水利部副部长，以后又升为都水监和工部郎中。在此期间，郭守敬做了很多工作，对黄河中游地区进行了大面积的地形勘测，兴建和整治的河、渠、泊、堰数以百计，对当时的农田水利与水路交通作出了卓越的贡献，深受宁夏河西平原一带百姓的爱戴。

南宋王朝彻底倒台后，元朝政权一统全国的局面形成。有史以来，每个王朝都把制定和颁布历法作为皇权的象征，元朝自然也不例外，再加上旧有的历法错误甚多，所以急需建立一部新的历法。忽必烈下诏设立专门机构——太史局，并同意王恂等人的意见，把郭守敬从工部调到太史局，负责仪器制造和天文观测工作。

郭守敬一上任便提出："历之本在于测验，而测验之器莫先仪表。"意思是要编历首先要进行实际观测，而搞观测首先得有好的观测仪器才行。当时仅有的两架仪器已经破旧不堪，为此，郭守敬要求尽快设计和制造一批新仪器。这个意见得到太史局同仁的一致赞同。

郭守敬从观测的需要出发，在很短的时间里制定出新仪器的设计方案，在他的指导下，工匠们不分昼夜地工作，制造出近20种仪器，其中大部分是根据郭守敬大胆创新研制出来的测量精度很高的新仪器，最著名的是简仪。自汉代以来，传统的浑仪结构变得越来越复杂，由于增加了许多圆环，观测时容易遮挡天体，使用起来很不方便。郭守敬开动脑筋，把浑仪具有各种观测功能的环分开，各成体系，成为结构简单、观测方便的“简仪”。其中的赤道装置法至今仍在现代大型光学望远镜中被广泛使用。

圭表是我国一种古老的天文仪器，为了精确测定一回归年的长度，郭守敬打破2000多年来圭表高度为8尺，最多不超过一丈的传统，设计了40尺的“高表”，还利用针孔成像的原理制造了景符，与高表配合使用，使得测量正午影长的精确度大为提高。河南登封观星台就是利用郭守敬高表的形式设计和建造起来的。

公元1279年，新天文仪器的研制工作基本就绪。郭守敬倡导和组织了一次著名的“四海测验”。元朝的疆域比唐朝时还要大。所以这次天文和大地测量的范围超过了一行领导的那次，可谓规模空前。东由朝鲜半岛，西到河西走廊，南起中国南海，北至西伯利亚，共设了27个观测点。郭守敬此时已年近半百，仍亲临观测。天文测量和大地测量取得的数据是相当精确的，为新历的制定奠定了可靠的基础，也为世界天文学的发展做出了杰出的贡献。18世纪著名法国天文学家拉普拉斯在推算他的星云说时就引用了这次测量的结果。

经过四年多的观测和研究，郭守敬和他的同事们终于编制完成新的历法，并取《尚书·尧典》中“敬授民时”一语，定名为《授时历》。1280年，忽必烈下诏正式颁布《授时历》，并规定从第二年起在全国执行。

《授时历》是一部具有世界先进水平的历法，其中一些天文数据是相当精确的，它所取的回归年长度为365.2425日，与格里历（现在的公历）完全一样，但它却比格里历早颁布了300年。从元初到元末，《授时历》行用了88年。明朝改用《大统历》，但其中一切天文数据和推算方法都照搬《授时历》的，是因为《授时历》编定的精度高，他们无从改进。《授时历》不仅是我国行用时间最长的一部历法，而且对朝鲜、日本等一些周边国家也有一定的影响。郭守敬在天文历法方面的贡献代表了我国古典天文学发展的最高成就。

公元1291年开始，郭守敬又将工作重点转移到水利工作上，兼任都水监，为发展北京地区的水运，修通惠河，解决北京水源问题呕心沥血，并取得了重大的成就。

公元1316年，郭守敬去世，归葬于他的家乡邢台。享年86岁。

为了缅怀这位中国天文学史上地位颇高的天文学家，人们在他的家乡邢台修建了郭守敬博物馆，里面陈列着郭守敬发明的十几种天文观测和演示仪器。世界科技界永远怀念伟大的科学家郭守敬，国际天文学联合会将月球背面的一座环形山和编号为2012号的小行星命名为“郭守敬”，以此表示世界人民对他的崇高敬意。

黄道婆

黄道婆又称黄婆婆，生于南宋末年淳祐年间，约1245年，松江府乌泥泾镇（今上海徐汇区东湾村）人，是我国元代杰出的女纺织家。

黄道婆出生于贫苦农民家庭，在生活的重压下，十二三岁就被卖给人家当童养媳。白天她下地干活，晚上织布到深夜，还要遭受公婆、丈夫的非人虐待。沉重的苦难摧残着她，也磨炼了她，有一次，黄道婆被公婆、丈夫一顿毒打后，又被关在柴房不准吃饭，也不准睡觉。她再也忍受不住这种非人的折磨，决心逃出去另寻生路。半夜，她在房顶上掏洞逃了出来，悄悄地躲在一条停泊在黄浦江边的即将远航的海船上。后来就随船到了海南岛的崖州，即现在的海南岛崖县崖城镇。

在封建社会，一个从未出过远门的年轻妇女只身流落异乡，人生地疏，无依无靠，面临的困难可想而知。但是淳朴热情的黎族同胞十分同情黄道婆的不幸遭遇，接受了她，让她有了安身之所，并且在共同的劳动生活中，还把他们的纺织技术毫无保留地传授给她。当时黎族人民生产的黎单、黎饰、鞍塔闻名内外，棉纺织技术比较先进，黄道婆聪明勤奋，虚心向黎族同胞学习纺织技术，并且融合黎汉两族人民的纺织技术的长处，逐渐成为一个出色的纺织能手，在当地大受欢迎，和黎族人民结下了深厚的情谊，在黎族地区生活了将近三十年。但是，黄道婆始终怀念自己的故乡。

在元朝元贞年间（1295年—1296年），年过半百的黄道婆因思念故乡，毅然从崖州返回了乌泥泾。黄道婆重返故乡时，植棉业已经在长江流域大大普及，但纺织技术仍然很落后。她回来后，就致力于改革家乡落后的棉纺织生产工具，她根据自己几十年丰富的纺织经验，毫无保留地把自己精湛的织造技术传授给故乡人民。一边教家乡妇女学会黎族的棉纺织技术，一边又着手改革出一套赶、弹、纺、织的工具：去籽搅车，弹棉椎弓，三锭脚踏纺纱车……虽然她回乡几年后就离开了人世，但她的辛勤劳动大大推动了当地棉纺织业的迅速发展。在纺纱工艺上黄道婆更创造了新式纺车。当时淞江一带用的都是旧式单锭手摇纺车，功效很低，要三四个人纺纱才能供上一架织布机的需要。黄道婆就跟木工师博一起，经过反复试验，把用于纺麻的脚踏纺车改成三锭棉纺车，使纺纱效率一下子提高了两三倍，而且操作也很省力。因此这种新式纺车很容易被大家接受，在淞江一带很快地推广开来。

黄道婆除了在改革棉纺工具方面做出重要贡献以外，她还把从黎族人民那里学来的织造技术，结合自己的实践经验，总结成一套比较先进的“错纱、配色、综线、絜花”等织造技术，热心向人们传授。因此，当时乌泥泾出产的被、褥、带、帨等棉织物，上有折枝、团凤、棋局、字样等各种美丽的图案，鲜艳如画。一时乌泥泾被不胫而走，附近上海、太仓等地竞相仿效。这些纺织品远销各地，很受欢迎，很快淞江一带就成为全国的棉织业中心，历几百年久而不衰。16世纪初，当地农民织出的布，一天就有上万匹。18世纪乃至19世纪，淞江布更远销欧美，获得了很高声誉。当时称淞江布匹“衣被天下”，这伟大的成就其中当然凝聚了黄道婆的大量心血。

黄道婆一生的刻苦学习研究、辛勤劳动实践，有力地影响和推动了我国棉纺织业的发展。她的业绩在我国纺织史上灿然发光。人民热爱她、崇敬她，在她逝世的时候，大家怀着悲痛心情，纷纷捐资把她安葬在上海县曹行乡。上海群众曾不断地为她兴立祠庙，其中规模宏大的先棉祠，每年四月黄道婆的诞辰，都有人接踵赶来致祭。多少年来，人们感念黄道婆的歌谣，一直传颂不止：黄婆婆，黄婆婆，教我纱，教我布，两只筒子两匹布。

郑 和

郑和（1371年—1433年），原名马三保，回族，我国历史上伟大的航海家，世界文明交流的先行者。在1405—1433年的28年间，郑和率领船队七下西洋，打通并拓展了中国与亚非三十多个国家和地区的海上交通，为世界航海事业的发展和各国人民的交流做出了不可磨灭的贡献。

明洪武四年（1371年），郑和出生在云南昆阳州（今昆明市晋宁县）宝山乡和代村一个世代信奉伊斯兰教的回族家庭里。

洪武十四年（1381年），明太祖朱元璋发动了统一云南的战争，郑和的父亲在战乱中死去，十一岁的郑和被明军俘获，遭到阉割，随后被送到当时的北平燕王朱棣府上做了宦官，并深受器重。

洪武三十一年（1398年），朱元璋病死，其长孙朱允炆即位，称建文帝。登位后，建文帝为巩固政权，下令削藩。朱棣不甘，于是先发制人，起兵发难并夺得帝位。郑和在这场史称“靖难之役”的战争中功勋卓著，于永乐二年（1404年）被明成祖朱棣御笔赐姓“郑”，从此马三保改名为郑和。

在同一年，明成祖决定派遣大船队下西洋，郑和成了朱棣的首选航海领袖。原因有四。

首先，郑和懂兵法，有谋略，英勇善战，具有军事指挥才能。郑和成年后，跟着朱棣参与“靖难之役”，经历数次重大战役，具有实战经验。

其次，郑和知识丰富，熟悉西洋各国的历史、地理、文化、宗教，具有卓越的外交才能。在郑和下西洋前，郑和曾出使暹罗、日本，有进行外交活动的经验。特别是永乐二年出使日本，通过郑和的外交活动，使得该国主动出兵清剿在中国沿海的倭寇，并与中国正式建立外交关系，签订贸易条约。这些外交成果使朱棣皇帝十分满意，并为下西洋解除了后顾之忧。

再次，郑和具有一定的航海、造船知识。郑和从小就从其父亲那里得到有关的航海知识，熟悉海洋。在郑和担任内宫监太监时，营造宫殿，监造船舶，有造船经验。在郑和下西洋前，他进行了两次较远距离的海上航行，增加了航海知识，积累了航海经验，为下西洋远航打下了基础。

最后，郑和熟悉回教地区习俗又尊重佛教。而郑和下西洋途经的国家、地方，不是信奉回教，便是信奉佛教。共同的宗教信仰，有利于沟通相互关系。

永乐三年（公元1405年）七月，郑和率领巨舶62艘、士卒及随行人员27800余人，开始了他举世闻名的航行。船队自苏州刘家港出发，沿我国东海、南海而下，披荆斩棘，乘风破浪，经占城（今越南南部）、爪哇（今印度尼西亚爪哇）、暹罗（今泰国）、锡兰（今斯里兰卡），最后经古里（今印度西岸）返回中国，历时两年零两个月。这是人类有史以来最庞大的远航船队，其船大者长44.4丈、宽18丈。这也是人类有史以来最伟大的远航，其航行规模之大、人数之多、范围之广，不仅在中国航海史上是第一次，而且在世界航海史上亦无先例。之后，郑和又分别于永乐五年（公元1407年）、永乐七年（公元1409年）、永乐十一年（公元1413年）、永乐十五年（公元1417年）、永乐十九年（公元1421年）、宣德六年（公元1431年）六下西洋，历经三十余国，最远处到达非洲东岸的骨都束（今索马里）、麻林（今肯尼亚）及红海的麦加（今沙特阿拉伯）、亚丁湾的阿丹（今也门民主共和国）。可惜的是，第七航海中郑和因操劳过度病逝。但郑和的七次航行意义深远。

七次航行的总航程达七万多海里，可绕地球三周有余。前三次航行主要集中在印度及其以东的区域，属于恢复旧有航线的性质。航行途中，梗化不恭者“擒之”，寇肆暴掠者“灭之”，“海道由是清宁，番人赖之安业”，使中国与东南亚并印度各国的经济文化交流有了保障。后四次航行则逐渐向西延伸，开拓了通向西亚、东非的新航线，从而把中国的对外经济文化交流带到了一个前所未至的地区。

郑和的七次远航把中国带进了世界；也把世界带进了中国，“诸国使者，随和朝见”者无数。作为七次远航结晶的《郑和航海图》与《过洋牵星图》，为“天朝上国”的臣民沿着郑和的航线远到西亚、非洲提供了可能。而郑和助手马欢、费信、巩珍所写的《瀛涯胜览》、《星槎胜览》、《西洋番国志》详细记载的所到各国的物产、贸易、风俗，则为“天朝上国”的臣民了解西洋各国的情况提供了参考。郑和七下西洋极大地刺激了明代的臣民寻求海外的热情，《三宝太监西洋记》、《转运汉巧遇洞庭红》等海外历险的故事成为人所共知的话本。在郑和张开的帆下，“天朝上国”走出国门融入世界，有着悠久传统的中华文明获得了再度辉煌的契机。

李时珍

李时珍（1518年—1593年），字东璧，号濒湖，晚年自号濒湖山人，湖北蕲州（今湖北省蕲春县蕲州镇）人，汉族，中国古代伟大的医学家、药物学家。著有《濒湖脉学》、《本草纲目》等中医药经典。

李时珍家世代业医，祖父是“铃医”；父亲李言闻是当地名医。那时，民间医生地位很低。李家常受官绅的欺侮。因此，父亲决定让二儿子李时珍读书应考，以便一朝功成，出人头地。李时珍自小体弱多病，然而性格刚直纯真，对空洞乏味的八股文不屑于学。自十四岁中了秀才后的九年中，其三次到武昌考举人均名落孙山。于是，他放弃了科举做官的打算，专心学医。父亲最终同意儿子的要求，并精心地教他。

在父亲的教导下，李时珍认识到，“读万卷书”固然需要，但“行万里路”更不可少。于是，他既“搜罗百氏”，又“采访四方”，深入实际进行调查。李时珍穿上草鞋，背起药筐，在徒弟庞宪、儿子建元的伴随下，远涉深山旷野，遍访名医宿儒，搜求民间验方，观察和收集药物标本。

李时珍首先在家乡蕲州一带采访，后来，他多次出外采访。除湖广外，还到过江西、江苏、安徽好多地方，均州的太和山也到过。盛产药材的江西庐山和南京的摄山、茅山、牛首山，估计也有他的足迹。李时珍每到一地，就虚心地向各式各样的人物请教，其中有采药的，有种田的、捕鱼的、砍柴的、打猎的，热情地帮助他了解各种各样的药物。比如芸苔，是治病常用的药，但究竟是什么样的？《神农本草经》说不明白，各家注释也搞不清楚。李时珍问一个种菜的老人，在他指点下，又察了实物，才知道芸苔实际上就是油菜。这种植物，头一年下种，第二年开花，种子可以榨油。于是，这种药物便在他的《本草纲目》中一清二楚地解释出来了。

此外，不论是在四处采访中，还是在自己的药圃里，李时珍都非常注意观察药物的形态和生长情况。

蕲蛇，即蕲州产的白花蛇，这种药有医治风痹、惊搐、癣癞等功用。李时珍早就研究它，但开始，只从蛇贩子那里观察。内行人提醒他，那是从江南兴国州山里捕来的，不是真的蕲蛇。那么真正蕲蛇的样子又是怎么样的呢？他请教一位捕蛇的人，那人告诉他，蕲蛇牙尖有剧毒，人被咬伤，要立即截肢，否则就中毒死亡。在治疗上述诸病有特效，因之非常贵重。州官逼着群众冒着生命危险去捉，以便向皇帝进贡。蕲州那么大，其实只有城北龙峰山上才有真正的蕲蛇。李时珍追根究底，要亲眼观察蕲蛇，于是请捕蛇人带他上了龙峰山上。那里有个狻猊洞，洞周围怪石嶙峋，灌木丛生。李时珍置危险于度外，到处寻找。在捕蛇人的帮助下，终于亲眼看见了蕲蛇，并看到了捕蛇、制蛇的全过程。由于这样深入实际调查过，后来他在《本草纲目》写到白花蛇时，就得心应手，说得简明准确。

李时珍了解药物，并不满足于走马看花式的调查，而是一一采视，对着实物进行比较核对。这样弄清了不少似是而非、含混不清的药物。就这样，李时珍经过长期的实地调查，搞清了药物的许多疑难问题，于万历戊寅年（公元1578年）完成了《本草纲目》编写工作。

全书约有200万字，52卷，载药1892种，新增药物374种，载方10000多个，附图1000多幅，成了我国药物学的空前巨著。其中纠正前人错误甚多，在动植物分类学等许多方面有突出成就，并对其他有关的学科（生物学、化学、矿物学、地质学、天文学等等）也作出了贡献。达尔文称赞它是“中国古代的百科全书”。

李时珍一生著述颇丰，除代表作《本草纲目》外，还著有《奇经八脉考》、《濒湖脉学》、《五脏图论》等十种著作；这位伟大的科学家将永远被世界人民所怀念。

徐霞客

徐霞客（1586年—1641年），名弘祖，字振之，号霞客，江苏江阴人。中国明代旅行家，地理学家，散文家。中国以旅行为毕生事业的第一人。他经30年考察撰成的60万字《徐霞客游记》，开辟了地理学上系统观察自然、描述自然的新方向；既是系统考察祖国地貌地质的地理名著，又是优美的文学佳作，在国内外具有深远的影响。

受耕读世家的文化熏陶，徐霞客幼年好学，博览群书，尤钟情于地经图志。少年即立下了"大丈夫当朝碧海而暮苍梧"的旅行大志。

徐霞客的旅游生涯，大致可分为三个阶段：第一阶段为28岁以前的纪游准备阶段。重点放在研读祖国的地理文化遗产，并凭兴趣游览太湖、泰山等地，没有留下游记。第二阶段为28岁（1613年）至48岁（1633年）的纪游前段，历时20年，游览了浙、闽、黄山和北方的嵩山、五台、华山、恒山诸名山。但游记仅写了一卷，约占全书的十分之一。第三阶段为51岁（1636年）至54岁（1639年）为纪游后段，历时4年，游览了浙江、江苏、湖广、云贵等江南大山巨川，写下了9卷游记。徐霞客的足迹遍及今19个省、市、自治区，曾三次遇盗，数次绝粮。但他不畏艰险，仍勇往直前，严谨地记下了观察的结果。直至进入云南丽江，因足疾无法行走时，仍坚持编写《游记》和《山志》，基本完成了60万字的《徐霞客游记》。55岁（1640年）云南地方官用车船送徐霞客回江阴。56岁（1641）正月病逝于家中。遗作经季会明等整理成书，广泛流传。

《徐霞客游记》系日记体为主的中国地理名著。主要按日记述作者1613～1639年间旅行观察所得，对地理、水文、地质、植物等现象，均作详细记录，在地理学和文学上卓有成就。

该书在地理学上的重要成就有：（1）喀斯特地区的类型分布和各地区间的差异，尤其是喀斯特洞穴的特征、类型及成因，有详细的考察和科学的记述。仅在中国广西、贵州、云南3省区，他亲自探查过的洞穴便有270多个，且一般都有方向、高度、宽度和深度的具体记载。并初步论述其成因，指出一些岩洞是水的机械侵蚀造成，钟乳石是含钙质的水滴蒸发后逐渐凝聚而成等。他是中国和世界广泛考察喀斯特地貌的卓越先驱。（2）纠正了文献记载的关于中国水道源流的一些错误。如否定自《尚书·禹贡》以来流行1000多年的“岷山导江”旧说，肯定金沙江是长江上源。正确指出河岸弯曲或岩岸进逼水流之处冲刷侵蚀厉害，河床坡度与侵蚀力的大小成正比等问题。对喷泉的发生和潜流作用的形成，也有科学的解释。（3）观察记述了很多植物的生态品种，明确提出了地形、气温、风速对植物分布和开花早晚的各种影响。（4）调查了云南腾冲打鹰山的火山遗迹，科学地记录与解释了火山喷发出来的红色浮石的质地及成因；对地热现象的详细描述在中国也是最早的；对所到之处的人文地理情况，包括各地的经济、交通、城镇聚落、少数民族和风土文物等，也做了不少精彩的记述。

该书在文学上的主要特点是：（1）写景记事，悉从真实中来，具有浓厚的生活实感；（2）写景状物，力求精细，常运用动态描写或拟人手法，远较前人游记细致入微；（3）词汇丰富，敏于创制；绝不因袭套语，落入窠臼；（4）写景时注重抒情，寓情于景，情景交融，同时注意表现人的主观感觉；（5）通过丰富的描绘手段，使游记表现出很高的艺术性，具有恒久的审美价值。

此外，在记游的同时，还常常兼及当时各地的居民生活、风俗人情、少数民族的聚落分布、土司之间的战争兼并等等情事，多为正史稗官所不载，具有一定的历史学、民族学价值。

《徐霞客游记》被后人誉为“世间真文字、大文字、奇文字”。

徐光启

徐光启（1562年—1633年），上海人，字子先，号元扈，谥文定，天主教徒，教名保禄。官至礼部尚书、文渊阁大学士。是明代著名的科学家、天文学家、农业科学家。他第一个把欧洲先进的科学知识，特别是天文学知识介绍到中国，可谓我国近代科学的先驱者。

徐光启的父亲是个小商人，家里有一点土地，但日子过得并不宽裕，所以徐光启从小就从事农业生产劳动，这对他后来的成长有很大影响。

徐光启在20岁左右的时候进了县学，成了生员，35岁时回乡参加了本省的乡试，一举夺得了乡试的第一名，中了解元，42岁时又到北京参加中央一级的考试，中了进士，后来在翰林院做了个小官。当时由于朝廷的腐败，徐光启在政治上很不得志，在总共只有7年的天启年间，他在朝三进三出，虽说做到了礼部右侍郎的官位，但是权奸当道，他一事无成，最后落职回家。这倒使他有了比较充裕的时间，能够更加专心致志地从事科学研究事业。

从万历到天启之际，意大利传教士利马窦在北京居住。这期间，徐光启和他来往密切，两人一起研究数学、天文、历法以及地理、水利等学问，两人合作共同翻译了不少科学方面的著作，其中有《几何原本》、《秦西法》、《测量法义》等等。徐光启从而成了我国介绍西方科学成就的先驱者。1629年，崇祯皇帝继位后，委派徐光启负责重修历法的工作，仅用了4年时间，就编成了《崇祯历法》。这部书共130多卷，虽是集体写成的，但徐光启作为主编，从思想方法到编辑体例等都是由他规划决定的，而且全书大部分也由他修改审定。这部书是中国历法的一次重大改革。徐光启以渊博的中西天文学知识，取长补短，互相参校，突破了我国传统的范围，使历法的科学性达到了新的高度，向近代天文学和数学迈出了可贵的一步。

徐光启一生著述很多，除翻译以外，他还有很多自己关于自然科学的学术著作，如《测量异同》、《勾股义》等。不过他用心尽力的还是对祖国传统农业科学技术的研究和总结。他先后花费了几十年的工夫，收集材料，分析研究，写出了一部被后人称为农业百科全书的科技著作——《农政全书》。这部书约70万字，分作60卷，12大类。此书较之其他农书，最突出的特色是“农政”，也是此书之所以命名为《农政全书》的原因。这部书从垦田、种植、农事、水利、农器制造、树艺、牧养，一直讲到除虫、荒政，是一部真正的农业方面的百科全书。

《农政全书》大量吸收了我国历代农学著作资料，同时又有徐光启自己的著述。对历史资料不只是辑录，每篇后面都有他自己的见解、评论或实际验证。徐光启自己新增加的部分，都是他长期观察研究和亲身试验后撰写的，书中那些专题论述具有很高的科学价值。他在数学、天文、历法、生物等方面也取得了很大成就，在我国科学史上是一位优秀的科学家。1633年12月8日，徐光启在北京的寓所里病逝，终年71岁。

总之，徐光启是我国历史上富有科学成就的伟大人物，他的中西合璧的开放精神，将永远昭示后人不断进取！

宋应星

宋应星（1587年—约1666年），字长庚，汉族，江西奉新人，明末清初著名的科学家。宋应星一生致力于对农业和手工业生产的科学考察和研究，收集了丰富的科学资料；同时思想上的超前意识使他成为对封建主义和中世纪学术传统持批判态度的思想家。宋应星的著作和研究领域涉及自然科学及人文科学的不同学科，而其中最杰出的作品《天工开物》被誉为“中国17世纪的工艺百科全书”。

宋应星幼时与兄应升同在叔祖宋和庆开办的家塾中就读。宋应星在家塾中初投师于族叔宋国祚，继而就学于新建举人邓良知（1558年—1638年）。宋应星自幼聪明强记，“数岁能韵语”（作诗），有过目不忘之才，很得老师及长辈喜爱。稍长，考入本县县学为庠生，熟读经史及诸子百家，他在程颐-程颢、周敦颐、朱熹及张载这宋代四大家中，独推张载的关学，从中接受了唯物主义自然观。

同时，宋应星对天文学、声学、农学及工艺制造之学有很大兴趣，曾熟读过李时珍的《本草纲目》等书。此外，还喜欢音乐、作诗。他常与同窗好友赴本县风景名胜处郊游，相互催诗，相互激励，纵谈天下事。万历四十三年（1615年）宋应星与兄应升赴省城南昌参加乙卯科乡试。在一万多名考生中，29岁的宋应星考取全省第三名举人，其兄名列第六。奉新诸生中只有他们兄弟中举，故称“奉新二宋”。

乡试的成功使宋氏弟兄受到鼓舞，当年秋他们便前往京师（今北京）应次年丙辰科会试，但却名落孙山。万历四十七年（1619年）是神宗在位时最后一次会试之年，宋应星弟兄与江西其他考生齐会京师，但二兄弟仍未及第。此后，他们于天启及崇祯初年再试，均告失败，从此遂绝科举之念。宋应星转向研究自然科学，并取得了巨大成就。

宋应星在他多次应试失败的惨痛教训中，体会到终生埋头书本而缺乏实际知识，是真正的不足为道。他终于下决心放弃科举，转向实学，钻研与国计民生有切实关系的科学技术，开始了他一生中的重要转折。宋应星在实践中悟出这些道理后，就利用原有的文化知识虚心向工农群众请教，并及时记录下有关工农业生产技术的知识，终于写出了不朽的《天工开物》这部宏伟的科学巨著。

《天工开物》一书经过详细观察、研究，从科学技术和生产实践出发，总结了工农业生产方面长期积累的经验和知识。全书共三编十八卷，上编叙述衣食方面的生产技术和经验，包括粮食作物栽培、谷物脱粒加工、种桑养蚕、植棉与麻、染料生产及纺织、染色、制盐、榨糖等；中编著录各种日用品生产技术和经验，包括砖瓦、陶瓷、铜铁器、舟车等制造，金属之锻造，石灰、矾石、硫磺之烧制，煤炭之开采，油类之榨取，纸的制造等；下编记载五金采冶、兵器和火药制作、制曲、酿酒、珠宝玉料采琢等生产技术与经验。书中对每一部门的原料开采和生产操作过程均有详细说明，并附有一百二十三幅工艺流程插图。这部全面系统总结当时工农业生产技术的著作，成为中国古代科技史上一部里程碑式的名著，在世界科技史上也是一部珍贵的书籍。

特别是，宋应星注意从一般现象中发现本质，在自然科学理论上也取得了一些成就。首先，在生物学方面，他在《天工开物》中记录了农民培育水稻、大麦新品种的事例，研究了土壤、气候、栽培方法对作物品种变化的影响，又注意到不同品种蚕蛾杂交引起变异的情况，说明通过人为的努力，可以改变动植物的品种特性，得出了“土脉历时代而异，种性随水土而分”的科学见解，把我国古代科学家关于生态变异的认识推进了一步，为人工培育新品种提出了理论根据。

宋应星除著《天工开物》外，还有《卮言十种》、《画音归正》、《杂色文》、《原耗》等著作，多已失传。近年来，在江西省发现了宋应星四篇佚著的明刻本：《野议》、《论气》、《谈天》和《思怜诗》。《野议》是一部议论时局的政论著作，对明末政治、经济、军事、思想、文化等方面的腐败现象进行了揭露和批判，并且提出了一些改革主张。《思怜诗》包括“思美”诗十首，“怜愚”诗四十二首，反映了作者愤世忧民的感情。《论气》和《谈天》是关于自然科学方面的著作，从这两篇的标题来看，很可能是《卮言十种》中的部分篇章。

总之，宋应星是我国科学史上的一位杰出人物，值得后人铭记和敬仰！

明安图

明安图（约1692年—1763年），字静庵，蒙古族。我国历史上卓越的少数民族数学家和天文学家。他年轻时为钦天监官学生，康熙末年曾参与《律历渊源》的编纂，并对西方传教士传入的数学知识进行研究，因而获得丰富的天文、数学、地理、气象知识。

雍正元年（1723年），明安图以博学任钦天监时宪科五官正，负责推算日月五星的运行，编撰历书。他勤于学习，致力于三角函数展开式的研究。乾隆二十年（1755年）、二十四年，明安图两次率领测绘队深入新疆，勘测天山南北地理，并在乾隆二十四年升任钦天监监正，负责国家天文台的工作。乾隆二十八年，他积30余年研究三角函数所得，撰成《割圆密律捷法》初稿，不久因病去世。明安图博学精思，尚著有《历象考成后编》、《仪象考成》、《日躔月离表》等，在数学、天文、地理学上做出了重要贡献。

明安图有感于法国传教士杜德美传入的求圆周率、求正弦、求正矢的三个级数展开式无具体证明，因而孜孜求证，经多年钻研，写出《割圆密律捷法》，不仅证明杜氏传入公式的正确，而且创造弧背求通弦法、通弦求弧背法、正弦求弧背法、正矢求弧背法、弧背求矢法、矢求弧背法，得出从已知弦长和圆半径求得弧长的普遍公式，并为三角函数和反三角函数的解析研究开辟了新途径。

明安图从中国古代已知弧背求通弦的方法入手，以独特的几何连比例式进行的创造性的求证，后世高度评价为“明氏新法”，“堪与笛卡儿创解析几何媲美”。经其所推导出的“正矢求弧背”、“矢求弧背”诸法，总称“割圆九法”，不仅是中国古代数学史上的首创，而且在当时世界数学同一课题三角函数和圆周率的研究中，也达到了先进的水平。

明安图在数学上的另一个重要贡献，就是他最早发现今所称“卡塔兰数”：1，1，2，5，14，42，132……这是组合数学中的基本的计算函数。他按自己的方式解决了无穷级数的疑难，比法国数学家卡塔兰要早百年左右。明安图的这一成果不仅为中国数学史增添了光彩，而且也为现代组合数学的研究增加了新内容。

明安图测绘新疆地区地理，制出较精确的新疆地图，完善了康熙年间编制的全国大地图《皇舆全图》。而这幅新疆地图对维护祖国的统一做出了重要的贡献。

明安图这位少数民族科学家，虽然一生事略史载甚少，但他的科学贡献却在我国古代文化史上留下了宝贵的一页，尤其是他能正确地对待西方传入的文化知识，不排斥，不盲从，进行考证与创新，这种精神至今仍有现实意义。

詹天佑

詹天佑（1861年—1919年），字眷诚，号达朝，汉族，广东南海人，居住在湖南省，原籍安徽婺源（今属江西）。他是中国首位杰出的铁路工程师，负责修建了京张铁路（北京——张家口）等铁路工程，有“中国铁路之父”“中国近代工程之父”之称。1905—1909年主持修建我国自主设计并建造的第一条铁路——京张铁路；创设“竖井开凿法”和“人”字形线路，震惊中外；在筹划修建沪嘉、洛潼、津芦、锦州、萍醴、新易、潮汕、粤汉等铁路中，成绩斐然。著有《铁路名词表》《京张铁路工程纪略》等。

1872年（同治十一年），年仅12岁的詹天佑到香港投考幼童出洋预备班，被录取。1878年（光绪四年），他在老师诺索卜夫人和容闳的支持下，考取了美国耶鲁大学。进入土木工程系，就读铁路工程一科。三年后毕业，数学考试为第一名，获得学士学位。

詹天佑回国以后，几经周折，于1888年转入中国铁路公司，担任工程师。他一上任就赶上建造一座横跨滦河的铁路桥。铁路桥一开始由英国工程师担任设计，但是因为河床泥沙很深，水流湍急，英国人“急流勇退”，不干了；后来请日本工程师勘测，日本人也没有敢接手；最后请德国工程师出马，同样败下阵来。正当三个国家工程师束手无策，无能为力时，詹天佑提出由中国人自己来搞，负责工程的英国人在没有办法的情况下同意詹天佑试一试。詹天佑分析三位外国工程师失败的原因，与工人一起实地调查，仔细研究滦河河床的地质构造，确定桥墩的位置，决定采用新方法——“压气沉箱法”来进行桥墩的施工，大获成功。滦河大桥的建成让各国铁路工程师刮目相看，也让清政府知道了詹天佑的能力和水平。

1901年7月，詹天佑受清政府铁路总公司督办盛宣怀委派，到萍乡协助美国铁路工程师李治、马克来修建株萍铁路的萍醴段。詹天佑在无图纸的情况下，利用一个多月的时间，重新进行勘测和设计，并调集人马立即动工。詹天佑采用土洋结合的办法，不到3个月的时间，湘东大桥便铺上了钢轨。

1902年11月，萍醴铁路竣工通车的同时，清政府又决定修建新（河北省新城县高碑店）易（易县）铁路。为什么要修这么一条铁路呢，主要目的就是为了清室去清西陵祭拜；为了不误慈禧次年去清西陵拜谒而用，限期六个月完成。朝廷任命詹天佑担任这项工程的总工程师。

尽管当时这条铁路线民用价值不大，却是中国人自修铁路之始，因此詹天佑仍是非常重视。从测量到通车，仅用了四月的时间，比预定期限提前了两月。慈禧坐上这趟专列甚为高兴，特意召见了詹天佑。为了对詹天佑筑路有功有所表示，慈禧竟将随身所带的珠宝赏赐给詹天佑。詹天佑仅取了一只钟作为纪念，其余的全部分给了参加筑路工程的人员。

仅用四个月的时间，以极省的费用建成新易铁路，这一成果大大鼓舞了中国人自建铁路的信心。当时中国的筑路权被外国人所控制，中国铁路公司在修建铁路的过程中，洋人控制了一切，这个现象引起很多中国人的不满，纷纷要求“中国铁路要由中国人修建”。

1905年到1909年，为发展商业，清政府决定修筑京张铁路。詹天佑被派主持修路，先任总工程师兼会办，后升任总办兼总工程师。该路自北京至张家口，穿越军都山脉，地形险峻，工程异常艰巨，长约200公里，为通往西北之要道。为争夺修路权，英、俄两国相持不下，清政府决定自力修筑，但缺乏信心。外国人纷纷议论，认为中国无力完成此路修筑工程。詹天佑则说：“中国地大物博，而于一路之工，必须借重外人，引以为耻！”他面对着外国人的讥讽，以大无畏气概，率领全体筑路人员，知难而进，齐心为国争光。

修筑之初，工程技术人员缺乏，詹天佑率仅有的两名工程学员，于1905年5月，自丰台经南口、八达岭，勘测至张家口，随即回测，并选测了自延庆州绕过八达岭经德胜口、十三陵到昌平的比较线（对永定河谷路线，也曾考虑，以工程艰巨，限于经费及工期无可能采用，故未勘测）。6月回到天津总局，提出勘测及调查报告，并拟定修筑方案。计划分三大段修筑，第一段（丰台至南口）先行开工，以早日通车运输而获利；第二段（南口至岔道城）及第三段（岔道城至张家口），再详细勘测。特别是第二段中南口至八达岭，地形险峻，更须进一步选测比较线。报告中称，“此路早成一日，公家即早获一日之利益，商旅亦可早享一日之至便利，外人亦可早杜一日之觊觎；而路工之难，亦实为向来所未有”。

詹天佑为了缩短工期，运用了从两端向中间凿进的方法，想出了“竖井开凿法”，为了火车上山，创造了“人”字形线路，这些方法都起到了非常大的作用。

1906年9月30日，第一段工程全部通车，第二段工程同时开始。难关就在第二段，首先必须打通居庸关、五桂头、石佛寺、八达岭四条隧道，最长的八达岭隧道1092公尺。这不仅要有精确的计算和正确的指挥，还要有新式的开山机、通风机和抽水机。前者对詹天佑都不成问题，而后者当时中国全都没有，只有靠工人的双手，其困难程度可以想见。但他们用竖井开凿法，同时向两侧开凿，外面两侧也同时施工。硬是克服了重重困难，终于在1908年9月完成了第二段工程。

第三段工程的难度仅次于关沟，首先遇到的是怀来大桥，这是京张路上最长的一座桥，它由七根一百英尺长的钢梁架设而成。由于詹天佑正确地指挥，及时建成。

京张铁路原订六年完成，詹天佑终于提前两年于1909年8月11日全线通车了，还节余二十八万两银子。京张铁路的胜利完成，是中国人民的胜利，也是中国爱国知识分子爱国精神的充分体现。

冯 如

冯如（1884年—1912年），原名冯九如，乳名冯珠九，字鼎三，号树垣。广东恩平人。中国第一位飞机设计师。他是中国从事飞机研制、设计、制造和飞行的第一人。

冯如出生于一个贫农家庭。12岁随父亲漂洋过海到美国谋生。他目睹美国先进的工业，认为国家富强必须依靠工业的发达，改变中国贫穷落后面貌非学习发展工业技术不可。

1903年，当得知美国莱特兄弟发明了飞机后，冯如决心要依靠自己的力量来制造飞机。1906年，23岁的冯如开始钻研飞机的制造和飞行技术。他与他的徒弟们经常到旧金山市的图书馆和书店，收集有关滑翔、飞行和飞机、滑翔机结构的资料，并且先研制了飞机模型。要从模型做成飞机进行飞行试验，还需要一笔很大的科研资金。冯如带着飞机模型，深入到侨胞之中，一次又一次地痛斥帝国主义对中国的欺侮，宣传制造飞机抗击列强侵略的主张。广大侨胞具有很强的爱国心，听到制造飞机可以救国，都慷慨解囊，对冯如的事业给予支持。

冯如得到当地华侨的赞助，于1907年在旧金山以东的奥克兰设立飞机制造厂，1908年研制出了第一架飞机，运往达林可市的麦园试飞，但试飞失败了。就在这个时候，冯如在奥克兰的工厂又遭受了大火，所有设备都付之一炬，但冯如并没有气馁，他又继续试造，虽然遭到许多次失败，但是每次失败以后，冯如总是细心地分析失败的原因。

1909年，冯如正式成立广东飞行器公司，冯如任总工程师。公司于当年便投入制造飞机。他预见到飞机在军事上的价值，决心献身于新兴的航空事业，报效祖国。他对徒弟说："日俄战争对中国非常不利。我看，在这列强竞争的时代，飞机是军事上必不可少的。如果我们有很多飞机分守中国沿海港口，就可以防御列强的侵略了。"

同年9月21日，冯如于接近黄昏时在奥克兰附近一个圆形山丘旁进行了第一次试飞，这是一个远离居民点的地方，在场的除记者外，就是他的三个助手。当飞机起飞后飞行了0.8公里，离地4.57米准备作一次转弯时，螺旋桨突然停转，飞机摔在地面，冯如被摔出机外，幸好没受伤。造成事故的原因是由于螺旋桨桨轴螺丝拧得太紧，致使桨根断裂。

1910年3月，美国莱特和亚屈在洛杉矶表演飞行。冯如为借鉴先进技术，专程前往参观，但表演者非常保守，限定观众必须远离三里。冯如虽然没有得到教益，却大长了奋发图强的志气。

7月，冯如根据寇蒂斯“金箭”和莱特兄弟的“飞行者一号”，制作了第二架飞机，10月至12月，冯如驾驶它在奥克兰进行飞行表演大获成功。1911年2月，冯如谢绝美国多方的聘任，带着助手及两架飞机回到中国。

辛亥革命后，冯如被广东革命军政府委任为飞行队长。

1912年8月25日，冯如在广州燕塘机场公开进行飞行表演。冯如先向到场的各界人士介绍情况，包括飞机如何利用、如何制造、如何驾驶等内容。接着，冯如驾驶自制飞机凌空而上，高约36米，东南行约8千米。当时飞机运转正常，操纵自如，鼓掌之声，不绝于耳。但冯如急于升高，操纵过猛，致使飞机失速坠地，机毁人伤。医院抢救无效，冯如以身殉国，时年仅29岁。在弥留之际，冯如仍勉励助手：“勿因吾毙而阻其进取心，须知此为必有之阶段。”冯如被追授为陆军少将，遗体安葬在黄花岗，并立碑纪念，被尊为“中国首创飞行大家”。

冯如为我国航空事业献出了年轻、宝贵的生命，人们将永远怀念他。

李四光

李四光（1889年—1971年），中国著名地质学家，湖北省黄冈县回龙山香炉湾人，蒙古族。中央研究院院士，中国科学院院士，首创地质力学。

李四光自幼就读于其父李卓侯执教的私塾，14岁那年告别父母，独自一人来到武昌报考高等小学堂。在填写报名单时，他误将姓名栏当成年龄栏，写下了“十四”两个字，随即灵机一动将“十”改成“李”，后面又加了个“光”字，从此便以“李四光”传名于世。1904年李四光因学习成绩优异被选派到日本留学。因其在日本受了带有汉民族主义的反清革命思想的影响，成为孙中山领导的同盟会中年龄最小的会员，以“驱逐鞑虏、恢复中华”为己任。孙中山赞赏李四光的志向：“你年纪这样小就要革命，很好，有志气。”还送给他八个字：“努力向学，蔚为国用。”

1910年，李四光从日本学成回国。武昌起义后，他被委任为湖北军政府理财部参议，后又当选为实业部部长。袁世凯上台后，革命党人受到排挤，李四光再次离开祖国，到英国伯明翰大学学习。1918年，获得硕士学位的李四光决意回国效力。途中，为了解十月革命后的俄国，还特地取道莫斯科。

1920年，李四光担任北京大学地质系教授、系主任，1928年又到南京担任中央研究院地质研究所所长，后当选为中国地质学会会长。他带领学生和研究人员常年奔波野外，跋山涉水，足迹遍布祖国的山川。他先后数次赴欧美讲学、参加学术会议和考察地质构造。

1928年7月，国民政府决定组建国立武汉大学，国民政府大学院（教育部）院长蔡元培任命李四光为武汉大学建设筹备委员会委员长，并选定了武汉大学的新校址（武汉大学内还有李四光选址的雕像）。

1949年秋，新中国成立在即，正在国外的李四光被邀请担任政协委员。得到这个消息后，他立即做好了回国准备。这时，伦敦的一位朋友（凌叔华、陈源夫妇）打来电话，告诉他国民党政府驻英大使已接到密令，要他公开发表声明拒绝接受政协委员职务，否则就要被扣留。李四光当机立断，只身离开伦敦来到法国。两星期之后，李夫人许淑彬接到李四光来信，说他已到了瑞士与德国交界的巴塞尔。夫妇二人在巴塞尔买了从意大利开往香港的船票，于1949年12月启程秘密回国。回到新中国怀抱的李四光被委以重任，先后担任了地质部部长、中国科学院副院长、全国科联主席、全国政协副主席等职。他虽然年事已高，仍奋战在科学研究和国家建设的第一线，为我国的地质、石油勘探和建设事业作出了巨大贡献。

李四光是我国卓越的科学家、著名的社会活动家，也是世界著名的科学家。他主要为中国做出三大贡献：

1. 为我国甩掉“贫油”帽子建立了不可磨灭的功勋

李四光对我国石油地质工作做出了历史性的重大贡献。他根据多年潜心研究，提出扭动构造体系控油理论和战略、战役、战术找油工作的七个步骤，坚信不论海相或陆相，只要有适宜的地质条件便可以形成丰富石油。据此，他率先提出进行“华北平原和松辽平原摸底工作”，大胆建议并实施了我国石油地质工作“战略东移”的重大决策，为我国东部大庆等一系列大型油气田的发现铺平了道路。发现大庆油田之后，指挥石油队伍南下，沿新华夏系沉降带向华北、江汉和北部湾推进，相继发现了胜利、大港和江汉等油田。在战术找油田方面，他亲自选定华北、江汉平原的突破点和关键井位并打出高产油流，从根本上解决了我国当时石油资源匮乏的问题。

2. 为我国原子弹和氢弹的研制成功作出了突出贡献

李四光早就预见到新中国的国防和经济建设需要铀矿资源。回国时，他克服重重困难从英国带回了一台伽玛仪，为后来寻找铀矿发挥了重要作用。他根据地质力学理论，对找铀前景持乐观态度，指出：“一是要找富集带，二是要便于开采。”实践证实了李四光的预测。尤其南岭带的一些铀矿床以规模大、品位高、易开采著称全国。李四光在强调构造规律的研究时提出：“关键要把对构造规律的研究与辐射测量结合起来。”遵循李四光的思路，我国最终找到了特大型铀矿床。到“二五”末，我国已发现一系列铀矿床，铀产量已能保证我国核工业发展需要。

3. 创立地质力学理论

李四光为寻找我国紧缺的重要矿产资源和解决国家重大工程地质问题发挥了关键作用。1926年，《地球表面形象变迁的主因》的发表是李四光地质力学研究的第一个里程碑，四十年代初，李四光率先将力学引入地质构造的分析，发表了《地质力学之基础与方法》，地质力学理论已具雏型。1962年《地质力学概论》的完稿是他对地质力学理论的总结，并对地质力学的工作方法进行了阐述和说明。地质力学理论的核心是构造体系的思想，在地球科学飞速发展的今天仍闪烁着光芒。

竺可桢

竺可桢（1890年—1974年），字藕舫，浙江省绍兴县东关镇人。中国科学院院士，中国共产党党员，中国近代气象学家、地理学家、教育家。中国近代地理学和气象学的奠基者。

竺可桢出生于浙江上虞。1910年公费留美，入伊利诺伊大学农学院学习。1913年夏毕业后转入哈佛大学研究院地理系专攻气象，1918年以题为《远东台风的新分类》的论文获得博士学位。

1920年秋，竺可桢应聘南京高等师范学校。1927年任东南大学地学系主任，1928年任中央研究院气象研究所所长，建国前他先后执教于武昌高等师范学校、东南大学和中央大学。1933年4月，竺可桢与翁文灏、张其昀共同发出成立中国地理学会的倡议，学会于翌年成立。1936年出任浙江大学校长直至1949年，为了婉拒蒋介石赴台湾的邀请，而辞去了浙大的所有职务。中华人民共和国诞生后，他担任中国科学院第一任副院长，同时担任中国科学技术协会副主席，中国气象学会理事长、名誉理事长，中国地理学会理事长等职。他还当选为历届全国人民代表大会常务委员会委员，并于1962年光荣地加入中国共产党。1974年2月7日竺可桢因肺病在北京逝世，享年83岁。

作为一个科学家，竺可桢的成就是多方面的。在气象学方面，1961年他撰写了《历史时代世界气候的波动》，1972年他又发表了《中国近五千年来气候变迁的初步研究》等学术论文。前者依据北冰洋海冰衰减、苏联冻土带南界北移、世界高山冰川后退、海面上升等有关文献资料记述的地理现象，证明了二十世纪气候逐步转暖，并由此追溯了历史时期和第四纪世界气候、各国水旱寒暖转变波动的历程，发现十七世纪后半期长江下游的寒冷时期与西欧的“小冰期”相一致。最后指出：太阳辐射强度的变化，可能是引起气候波动的一个重要原因。从而为历史气候的研究提供了新的论据。后一篇论文，可说是他数十年深入研究历史气候的心血的结晶，是一项震动国内外的重大学术成就，他充分利用了我国古代典籍与方志的记载，以及考古的成果、物候观测和仪器记录资料，进行去粗取精、去伪存真的研究，得出了令人信服的结论。

此外，竺可桢一向十分重视气象气候与生产及人类生活的联系。早在1922年，他就发表过《气象学与农业之关系》的学术论文。1964年他又发表了《中国气候特点及其粮食作物生产的关系》，他运用植物学的原理，以太阳辐射总量、温度、雨量三个气候要素为依据，分析了我国气候的特点、气候与农作物生产的关系，论述了我国粮食作物在各地区发展的潜力及限度，为改革栽培制度提出了方向性的意见。这篇论文，受到学术界的高度重视，竺可桢也因之受到毛泽东主席的接见

竺可桢又是我国物候学研究的创始者。他从1921年起就观察记录物候。1963年和宛敏渭合著《物候学》出版。内容丰富，文字通俗，普及了物候学知识，提倡因地制宜，利用物候规律安排农事活动。此书一出就迅速销售一空。竺可桢也是我国现代物候学发展的推动者，物候学是他呕心沥血作出了卓越贡献的领域之一。我国现代物候学的每一成就都是和他的工作分不开的。

竺可桢还是我国现代物候观测网的倡导者和组织者。组织起统一的、严格的物候观测网，是现代物候学发展的重要标志。早在1931年的《论新月令》一文里，竺可桢在总结了我国古代物候方面的成就后，就倡议应用新方法开展物候观测。在他的推动下，从1934年起，前中央研究院气象研究所便选定了21种植物、9种动物、几种水文气象现象和差不多全部农作物，委托各地的农事试验场进行观测，这是我国最早的有组织的物候观测。现在保留有1934—1940年的7年记录，由于抗战期间不少地方停测，其中仅有1934—1936年的记录比较完整。比较正规和连续的观测是从1949年开始的。1953年开始冬小麦的物候观测工作，继而又进行了棉花、水稻的物候观测。1957年起把农作物物候的观测工作推向了全国。1961年，在竺可桢的指导下，由中国科学院地理研究所主持建立了全国物候观测网，制定了物候观测方法（草案），确定国内共同物候观测种类：木本植物33种、草本植物2种、动物11种。可惜1966—1971年中，多数单位中断了观测，直至1972年才得以恢复。近年，国家气象局所属的各农业气象试验站也开始了物候观测。观测资料已陆续出版，第一期年报的命名和内容，都是竺可桢亲自审定过的。

竺可桢还带头撰写物候专著，普及物候知识。1963年出版、1973年增订重印的《物候学》一书，是竺可桢多年研究物候的结晶。他结合我国的实际，系统地介绍了物候学的基本原理，我国古代的物候知识，世界各国

物候学的发展，物候学的基本定律，利用物候预告农时的方法等。1973年重印本中增加的“一年中生物物候推移的原动力”一章中他应用唯物辩证法，阐释了物候变化的内外因素及其联系；由于物候变化原因的复杂性，他提出应从生理学、遗传学等方面探索其奥秘。他还认为，物候工作是群众性的工作，希望能在农村广泛开展起来。全书深入浅出，通俗易懂，具有较高的科学性、知识性。他的《中国五千年来气候变迁的初步研究》一文，大量引用了古物候资料和采用了物候学分析方法。日本气候学家吉野正敏评介该文时，说：“在气候学的历史中，竺可桢起了巨大的作用……经过半个世纪到今天，他所发表的论文，仍然走在学术界的前面。”

竺可桢为祖国的科学事业呕心沥血、奋斗终生，献出了他赤诚的爱。竺可桢是跨中国近现代的人物，也是近现代中国科学事业的杰出代表。

茅以升

茅以升（1896年—1989年），土木工程学家、桥梁专家、工程教育家。本世纪30年代，他主持设计并组织修建了钱塘江公路铁路两用大桥，成为中国铁路桥梁史上的一个里程碑，在我国桥梁建设上做出了突出的贡献。他主持我国铁道科学研究院工作30余年，为铁道科学技术进步做出了卓越的贡献。

茅以升从小好学上进，善于独立思考。他10岁那年的端午节，家乡举行龙舟比赛，看比赛的人都站在文德桥上，由于人太多把桥压塌了，砸死、淹死不少人。这一不幸事件沉重地压在茅以升心里。他暗下决心：长大了一定要造出最结实的桥。从此，茅以升只要看到桥，不管它是石桥还是木桥，他总是从桥面到桥柱看个够。茅以升上学读书后，从书本上看到有关桥的文章、段落，就把它抄在本子上，遇到有关桥的图画就剪贴起来，时间长了，足足积攒了厚厚的几大本子。

茅以升中学毕业后，先考入唐山工业专门学校土木系。1916年毕业后，由唐山路矿以第一名的成绩，被清华学堂官费保送留美，成为研究生，9月起程到美国康奈尔大学报到。经过考试后，茅以升的成绩极佳，1917年，茅以升获康奈尔大学研究院专业硕士学位，1919年获美国加利基理工学院工学博士学位。博士论文题为《桥梁力学第二应力》，这篇论文在当时具有世界水平，因而荣获加利基理工学院颁发的金质研究奖章。

1919年12月，24岁的茅以升毅然回国，在交通大学唐山学校任教授。茅以升说："回顾我的读书生活，这14年的努力，好比造桥，为我一生事业建造了坚实的桥墩。"

1933年至1937年，茅以升任钱塘江大桥工程处处长，主持修建我国第一座公路铁路兼用的现代化大桥——"钱塘江大桥"。他采用"射水法"、"沉箱法"、"浮远法"等，解决了建桥中的一个个技术难题。从此，茅以升的足迹遍布大江南北，他的名字和新建的大桥一起留在祖国各地。经过5年的努力，茅以升终于将现代化的钱塘江大桥建成。后来当记者采访茅以升时，他说："自1919年12月，我归国为社会服务，在64年的征程中，我所做的工作最引人注目的就是主持建造钱塘江大桥工程。"

1955年至1957年，茅以升又任武汉长江大桥技术顾问委员会主任委员，他又接受修建我国第一个跨越长江的大桥——武汉长江大桥的任务。1955年9月，大桥正式开工，到1957年9月25日建成，比原计划提前两年。1957年10月15日，武汉长江大桥举行落成典礼。茅以升设计这座大桥，是铁路公路两用的双层钢桁梁桥。上层为公路桥，宽22.5米，其中车行道宽18米；下层为铁路桥，宽18米。正桥长1155.5米，连同两端公路引桥，总长1670.4米。大桥将京汉铁路和粤汉铁路衔接起来，成为我国贯穿南北的交通大动脉，并把武汉三镇联成一体，确保了我国南北地区铁路和公路网联成一体。

1958年在北京修建人民大会堂时，周恩来总理在审查工程设计时指出："要有茅以升的签名来保证。"党和国家领导人对茅以升非常信任，茅以升也对党的工作极端负责，他对人民大会堂的结构设计作了全面审查核算，最后签了名。

茅以升一生学桥、造桥、写桥。他在中外报刊发表文章200余篇。主持编写了《中国古桥技术史》及《中国桥梁——古代至今代》（有日、英、法、德、西班牙五种文本）。著有《钱塘江桥》、《武汉长江大桥》、《茅以升科普创作选集》（一、二）、《茅以升文集》等。

1949年以后，茅以升历任中国交通大学校长、铁道部铁道科学研究院院长等职务。1982年美国国家科学院授予茅以升外籍院士称号。1987年加入中国共产党。1989年11月在北京逝世，终年94岁。

纵观茅以升的一生，他从选择桥梁专业时起，就把培养桥梁建设人才和在祖国江河上修建桥梁视为自己的终身目标。茅以升于1937年11月，在极其复杂的水文地质条件下，克服重重困难，建成了钱塘江大桥，打破了外国人垄断中国近代化大桥设计和建造的局面，这是中国桥梁建设史上的一项重大成就，也是中国桥梁史上一个里程碑。因建桥功绩，1941年，中国工程师学会授予茅以升荣誉奖章。1942年，他赴贵阳任桥梁设计工程处处长，筹备中国桥梁公司。同时他又着眼未来，将钱塘江桥工处的同仁和有志深造的工程技术人员，吸收到桥梁公司，培养他们成为桥梁建设的技术骨干。

茅以升一生勤奋学习、不断研究创新，为我桥梁事业的发展兢兢业业，呕心沥血。他在我国桥梁建设上做出的突出贡献将永远为后人铭记！

梁思成

梁思成（1901年—1972年），清末思想家、社会活动家梁启超之子，建筑学家和建筑教育家。毕生从事中国古代建筑的研究和建筑教育事业。系统地调查、整理、研究了中国古代建筑的历史和理论，是古代建筑学科的开拓者和奠基者。曾参加人民英雄纪念碑等设计，努力探索中国建筑的创作道路，还提出文物建筑保护的理论和方法，在建筑学方面贡献突出。在清华大学创建建筑系，以严谨、勤奋的学风为中国培养了大批建筑人才。

梁思成生于日本东京，1923年毕业于清华学校。1924年赴美留学入康乃尔大学，不久转学入宾夕法尼亚大学建筑系，1927年2月获学士学位，当年6月获硕士学位。1927年7月—1928年2月在美国哈佛大学研究院研究世界建筑史。1928年3月与林徽因在加拿大温哥华结婚。同年回国，到沈阳东北大学创办了建筑系，并任教授兼系主任直到1931年。1931—1946年担任中国营造学社研究员、法式部主任。l94l年还担任前中央研究院研究员。1946年为清华大学创办了建筑系，担任教授兼系主任到1972年。在这期间，还曾于1946年11月、1947年6月，应美国耶鲁大学之聘为访问教授。l947年1月—1947年6月，作为中国代表担任联合国大厦设计委员会顾问。1948年获得美国普林斯顿大学荣誉博士学位。于1952年加入中国民主同盟，1959年加入中国共产党。历任北京市都市计划委员会副主任、北京市城市建设委员会副主任、中国建筑学会副理事长、北京土建学会理事长、中国科学院技术科学学部委员、中国建筑科学院建筑历史理论研究室主任、首都人民英雄纪念碑建设委员会副主任、全国科学普及协会北京分会副会长等职，1972年1月9日病逝于北京。

梁思成的一生中，除了在建筑教育、城市规划等方面做出的开拓性不朽贡献之外，最为突出的是古建筑文物的保护与调查研究工作，他在中国营造学社的十多年间，以他身体和学术的最强壮年代，在极端艰苦的条件下，运用近代科学技术对我国众多价值的古建筑进行了勘察、测绘、制图并结合历史文献资料和对老匠师们的采访，写出了《清式营造则例》、《中国建筑史》、《中国雕塑史》等专著和《蓟县独乐寺观音阁及山门考》、《正定古建筑调查报告》、《记五台山佛光寺建筑》等众多的调查报告与学术论文，为我国建筑的研究与保护这门学科奠定了深厚的基础。

梁思成对古建筑的保护维修做出了卓越的贡献，在抗日战争以前、抗日战争和解放战争之中以及新中国成立之后，都是竭尽全力，多方设法保护，立下了不朽的功绩。在抗战时期为保护敌占区古建筑文物、在解放战争中为保护待解放地区古建筑文物领导编写《全国重要建筑文物简目》，在作战地图上标示出在战争中避免炮击、轰炸的建筑文物的标志。中华人民共和国成立之后，梁思成对北京城的保护倾注了大量的心血；也曾多次上书大声疾呼，北京城其建筑规模、文化艺术价值在世界上是独一无二的。北京作为中国的政治文化中心，从消费城市转化为生产城市，梁思成并不同意。他总结了欧洲城市建设发展的经验，联合有关人士向中央提出保护老北京，另辟新区建北京，这样既能保护古城原貌，又可适应首都的种种需要。他认为保护不是原封不动搁置，而是在不伤原貌的情况下，加以改造。如北京的古城墙可以改成遗址公园等。50年代北京在建设发展中把牌楼拆了不少，在北海大桥的扩建中还计划把北海团城拆掉。梁思成火了，找到了总理，经过总理与梁思成等人的现场勘查，才把团城保留了下来。他还多次为文化部举办的考古工作人员训练班、古建筑工作人员培训班讲课，培训专业人才。

梁思成在二战期间，任战区文物保护委员会副主任时，于1944年为国民政府及盟军（美军）编制敌战区需要保护的文物建筑名单并将其表明位置的同时，还建议盟军在战争中保护日本历史文化名称京都、奈良，把那里的珍贵文物古建筑当作人类共同的文化财富来看待。此事受到国际上普遍的称赞，日本报刊一再把梁思成称为“日本古都的恩人”和“日本文化的恩人”。

梁思成的学术成就还受到国外学术界的重视，美国有专门研究梁思成生平的学者，并出版了他的英文专著《图像中国建筑史》。专门研究中国科学史的英国著名学者李约瑟说：梁思成是研究“中国建筑历史的宗师”。

林巧稚

林巧稚（1901年—1983年），医学家。她在胎儿宫内呼吸，女性盆腔疾病、妇科肿瘤、新生儿溶血症等方面的研究作出了贡献，是中国妇产科学的主要开拓者、奠基人之一。她是北京协和医院第一位中国籍妇产科主任及首届中国科学院唯一的女学部委员（院士），虽然一生没有结婚，却亲自接生了5万多婴儿，被尊称为“万婴之母”、“生命天使”、“中国医学圣母”，又与梁毅文被合称为“南梁北林”。

林巧稚于清光绪二十七年（1901年）生于厦门鼓浪屿基督教徒家庭。父亲林良英是新加坡一所大学的毕业生，从事教学和翻译工作。他思想开明，认为也应把女儿培养成才。林巧稚5岁丧母，由大哥大嫂抚养。大哥大嫂为了她能读书，而不得不让自己的孩子中途辍学。

林巧稚就读于鼓浪屿女子师范学校时，有次上手工编织课，老师夸奖她说：“手很灵啊，当个大夫挺合适。”这句话对林巧稚震动很大，她下决心当个外科医生。

1921年夏，林巧稚到上海报考北京协和医学院。考试时，一个女友突然晕倒了，林巧稚毅然放下未完成的试卷去照顾病人。主考官被她舍己为人的精神以及卷面的才华感动，录取她入学。

协和的学习淘汰制极严，75分才算及格，一门主课不及格留级，两门不及格除名，绝无补考和商量的余地。有一次，一个男生在谈话中对女生表示轻视，林巧稚毫不示弱地说：“不要觉得男生行，女生不行。你敢比吗？你考100分，我就考110分！”在8年的学习中，林巧稚独占鳌头，成绩一路领先。当1929年6月毕业之时，入学的25人，只剩下16个了，而她高居榜首，并获得协和的最高荣誉奖——文海奖学金。林巧稚以优异的成绩毕业，获博士学位，被留在北京协和医院当妇产科医生。她是第一位毕业留院的中国女医生。

在协和医院里，林巧稚勤奋工作，无论白天黑夜、严寒酷暑，她都为治病救人而忙碌。不管是什么身份的患者，只要有人向她求诊，她都有求必应。1932年，林巧稚获得了到英国伦敦医学院和曼彻斯特医学院进修深造的机会。1933年，又到奥地利首都维也纳进行医学考察。回国以后，林巧稚把自己的一切都奉献给妇产科事业。她解除妇女的痛苦，分享母子的欢乐。

协和医院院规明确写着：“愿做实习女医师，住院女医师，请勿结婚。”林巧稚毫不犹豫地选择了不要家要事业的人生之路。即使后来她的地位已不受婚姻限制时，她也再没有成家，她怕家庭、孩子拖累自己，从而影响把精力放在她的病人身上。她为这个信念实践坚持了一生。

20世纪30年代初，林巧稚对胎儿宫内呼吸、子宫出血致病的生理原因和不同职业妇女出血状况进行研究。研究较为多见的盆腔脏器的炎症，如盆腔炎、盆腔结核等对生殖系统的影响，研究细菌学和尿道细菌学。从临床统计学中，她发现妇科病是占妇女发病率的2/3。当时，国家贫困落后，医疗卫生条件极差，妇女尤其难躲产前产后关，难产婴儿死亡率极高，子宫出血、宫颈糜烂等病成了常见病，她实感自己责任重大，同时，她还在寻找妊娠生理原因，研究月经和排卵的科学原理，这一现象同身体状况的内在联系。1939年，医院要她研究妇产科基础理论，因此她获得了去芝加哥大学妇产科学系学习的机会，在生理学、妇科肿瘤、内分泌和畸形胎儿等方面进行了研究。

1940年林巧稚回国，不久升任妇产科主任，成为该院第一位中国籍女主任。

1941年底，太平洋战争爆发，北京协和医院关门。林巧稚在北京弄堂小胡同10号租了几间房子，开办私人诊所。她有一个特殊的出诊包，包里总带着现钱，对贫病交困的病人，不收分文药费，还予以资助。许多患者都感动得流下热泪。同时，她还应聘到中和医院为患者看病，到北京大学任教，整日忙个不停。抗日战争胜利后，协和医院恢复，林巧稚重回医院任职。北平解放前夕，林巧稚拒绝接受离开祖国的机票。她认定：“我是中国人，我要和我的事业共存。”

中华人民共和国成立后，林巧稚对中国共产党领导的新中国感到欢欣鼓舞。她在短文《打开协和窗户看祖国》中写道：“协和的窗户打开了，竖起了五星红旗……我们为祖国伟大的进步感到光荣骄傲。”

1950年代，某女工因新生儿溶血症连续夭折了三胎后写信向林巧稚求助。新生儿溶血病当时在国内还没有成活的先例。为了圆这位女工的母亲梦，林巧稚查遍国外最新的医学信息，提出和进行了大规模的妇科病普查普治，约有关专家座谈，创造出用脐静脉换血的方法治疗新生儿溶血症，填补了中国妇产科医学的空白。

林巧稚在新中国充分施展自己的理想和抱负。她经常带领医务人员深入农村、城镇考察妇女和儿童的疾病。为了降低我国婴儿死亡率，防治妇女宫颈癌，她撰写了妇幼卫生科普通俗读物《家庭卫生顾问》等书，受到人们的普遍欢迎。她忘我地工作，实践着自己的誓言："我是一辈子的值班医生。"她几十年如一日，坚守在工作岗位上，病房就是她的家。她用一双灵巧的手，迎接5万多个小生命来到人间。许多父母感念她从死亡线上抢救出自己的婴儿，就给自己的孩子取名为：念林、爱林、敬林、仰林等等。

林巧稚高明的医术和崇高的医德得到政府和人民的尊重。1959年，她被推选为中国科学院学部委员，在当时是唯一的女学部委员。她历任中国医学科学院副院长、北京协和医院妇产科主任、北京妇产医院院长、中国医学会妇产科学术委员会主任。她是第一届至第五届全国人大代表，第三届起当选为全国人大常务委员，还担任全国妇联副主席。

为了发展祖国的医疗事业，林巧稚倾注全力为首都医院和全国各地培养了大批妇产科专门人才。林巧稚带学生，特别注重他们的实践能力。她有一句非常有名的话：要想当一名合格的妇产科医生，至少要接生100次，才能获得最基本的经验。因此，她带的学生，几乎个个都成为妇产科的有名专家。在医院里，每次她带实习生查房时，都要向学生询问一些诸如"产妇生下孩子后几天下奶？喂奶姿势正确吗？产妇吃饭情况怎么样？"等看似很普通的问题。但这恰恰体现了她对产妇的关心和爱护。她常说："当一名医生，首先要知道自己的责任重大，产妇、病人入院，就把她的整个生命交给了我们，要把她们当成亲姐妹，从每件细微的小事上做起，体贴和关怀她们……"

林巧稚不仅这样说，更是这样做。产妇生产时，只要是她守候，总是在产妇阵痛伸出手乱抓之时，把自己温暖的手伸过去让产妇抓握，这就使产妇立刻感到极大的安全和信心。林巧稚凭着爱心和高超的医技，赢得了千千万万妇女、母亲和儿童的心。她工作在北京，但她的病人却来自四面八方。在林巧稚生活的那个年代，知道林巧稚这个美丽天使的人，真是无法计数。

此外，她和学生们对染色体的遗传学作了初步探讨，开拓该学科的研究，为后来她的学生攻下绒癌难关打下了坚实的基础。

林巧稚是中国现代妇产科学的主要奠基人之一。1965年，她主持中华医学会第一届妇产科学术会议。1974年，赴日内瓦出席世界卫生组织召开的医学顾问委员会会议。1978年12月，她和楚图南率领中国人民友好代表团赴西欧四国访问，在英国时患脑血栓，回国后便长卧病榻，一病不起。

但是林巧稚不顾病魔缠身，仍抱病和学生们通力合作，经过4年努力，于1980年8月完成一部50万字的巨著《妇科肿瘤》。她虽身患重病不能行动，仍在病床上日夜筹划着成立妇产科研究所，时时刻刻惦记着她的临床医疗工作。她在临终前还一再嘱咐把她的遗体献给国家作医学研究。1983年4月22日，林巧稚病逝，终年82岁。她逝世后，人们为了永远纪念她，在她的家乡厦门鼓浪屿为她建立了纪念馆。

美国医师约翰·斯·鲍尔士在他的著作《西方医学在中国宫殿——北京协和医学院》中写道："林巧稚在国民党时期的中国开始了优异的医学事业，而在中华人民共和国时期达到了顶峰。现在在中国，她被看做是一个医生女英雄……"

"春蚕到死丝方尽"，这是对林巧稚鞠躬尽瘁、呕心沥血献身医学的一生的真实写照。林巧稚，这位生命天使，这位获得千千万万妇女衷心爱戴的伟大中国女性，将和她创建的事业一样，永垂不朽！

童第周

童第周（1902年—1979年），著名胚胎学家，因在克隆技术上的贡献而闻名。是中央研究院院士和中国科学院第一批学部委员（后改称中国科学院院士）。生前曾担任过中国科学院副院长、动物研究所所长。他是卓越的实验胚胎学家，我国实验胚胎学的主要创始人，生物科学研究的杰出领导者。

1902年，童第周出生在浙江省鄞县的一个偏僻山村里。从那刻起，他的心就注定要随着中国的苦难跳动，他的步履也注定要在民族复兴的坎坷中奔波。

1930年，28岁的童第周从复旦大学毕业，得到一次出国留学的机会，在哥哥和新婚妻子叶毓芬的资助下，毅然登上了开往比利时的列车。在比利时首都布鲁塞尔大学，童第周的留学生活十分清苦，瘦小的他沉默地在生物学的天地里拼搏进取着。那段时间，他的导师达克教授正在做青蛙卵子试验，需要把卵子外面的一层薄膜剥掉。在显微镜下，达克教授和助手们怎么也去不掉那层膜。童第周说：我试试吧。童第周到显微镜下拿针把卵膜刺一下，卵瘪下去了，一下就剥开了。达克教授对这个学生所表现出的生物学天分感到欣喜万分。1931年夏天，他带着这位心爱的学生来到著名的科研中心法国海滨实验室，这次，要为直径不到十分之一毫米的海鞘卵子做外膜剥离，童第周再次顺利完成，让云集此地的国际同行十分钦佩。

1945年8月，童第周和全国人民一起迎来了期盼已久的抗战胜利。1946年，国立山大在青岛复校，童第周回青岛参加复校工作，并任生物系教授、系主任，他的夫人叶毓芬在同系任教。然而已经爆发内战的中国，依然安放不下一个试验桌。1947年6月，国立山大学生不满国民党反动统治的倒行逆施，掀起“反饥饿、反内战”的示威游行和签名运动。童第周第一个在抗议书上签了名，坚决站在学生一边。就在家门口，童第周亲眼目睹了国民党特务对学生的暴行。童第周被深深激怒了，他组织教授到警备司令部要求释放学生，否则罢教。迫于外界的强大压力，国民党政府不得不释放了被捕学生。有人告诉童第周，他被特务列入了黑名单，童第周只是淡淡一笑。

1948年，童第周应美国洛氏基金会邀请到耶鲁大学任客座研究员。1949年，中国即将解放前夕，童第周拒绝了耶鲁大学的高薪挽留，他说："我是中国人，我的最大愿望是让中国快些富强起来！现在中国看到了希望，我得赶快回国去！"他克服了种种阻力，在迎接新中国成立的隆隆炮声中，再次回到了国立山东大学。

1950年，经童第周提议，中国科学院在青岛设立海洋生物研究室，这一年，他48岁。距1934年从比利时回国已经整整16年了，最好的年华都在动荡不安的时代里过去，年近半百，童第周终于有了一间安宁的实验室。那时海洋生物研究室在青岛市莱阳路28号，大楼里那间十平方米的办公室兼实验室是童第周最喜欢呆的地方。他在20世纪30—60年代，利用青岛文昌鱼、海鞘和鱼类为材料，进行了一系列的实验胚胎学研究。他系统地研究了在生物进化中具有重要地位的脊索动物文昌鱼卵子发育的规律，精确地绘制了器官预定形成物质的分布图，证明了文昌鱼分裂球具有一定的调整能力等，为进一步确定文昌鱼在分类学上的地位提供了重要证据。这些研究成果至今是科学文献中的精品，在国内外学术界产生了深远的影响，开创了我国"克隆"技术之先河，童第周成为中国当之无愧的"克隆之父"。

1951年，童第周任山东大学副校长。这个时期，承担着繁重的行政和科研任务的童第周，仍坚持给学生上课，教室里满堂的学生，倾耳静听着童第周新颖的内容、高深的理论、富有哲理的学术思想。童第周不但向学生传授了科学知识，而且他那光辉的学术思想、求实的科研作风和严谨的治学态度，深深感染着每一个学生，成为他们一生用之不尽的财富。童先生培养了一大批事业的接班人，他的学生和学生的学生遍布世界各地，他们走在学科的前沿，传承着先生的事业。

1978年，童第周光荣地加入了中国共产党，他虽已76岁高龄，却以年轻人的朝气投入了工作。他亲手制定了科研项目规划，绘制了美好的蓝图。1979年3月，在浙江省科技大学的讲台上，他突然眩晕，从此一病不起。1979年3月30日在北京逝世。

童第周用自己的行动，实践了他向党发出的誓言："愿效老牛，为国捐躯！"他一生致力于实验胚胎学、细胞生物学和发育生物学的研究并取得了突出的成就，他是当之无愧的中国"克隆之父"！

苏步青

苏步青（1902年—2003年），中国科学院院士，中国杰出的数学家，被誉为“数学之王”，与棋王谢侠逊、新闻王马星野并称“平阳三王”。主要从事微分几何学和计算几何学等方面的研究。他在仿射微分几何学和射影微分几何学研究方面取得出色成果，在一般空间微分几何学、高维空间共轭理论、几何外形设计、计算机辅助几何设计等方面取得突出成就。

苏步青出生在浙江省平阳县的一个山村里。虽然家境清贫，可他父母省吃俭用，拼死拼活也要供他上学。他在读初中时，对数学并不感兴趣，觉得数学太简单，一学就懂。可是，后来的一堂数学课影响了他一生的道路。

那是苏步青上初三时，他就读的浙江省六十中来了一位刚从东京留学归来的教数学课的杨老师。第一堂课杨老师没有讲数学，而是讲故事。他说：“当今世界，弱肉强食，世界列强依仗船坚炮利，都想蚕食瓜分中国。中华亡国灭种的危险迫在眉睫，振兴科学，发展实业，救亡图存，在此一举。‘天下兴亡，匹夫有责’，在座的每一位同学都有责任。”他旁征博引，讲述了数学在现代科学技术发展中的巨大作用。这堂课的最后一句话是：“为了救亡图存，必须振兴科学。数学是科学的开路先锋，为了发展科学，必须学好数学。”苏步青一生不知听过多少堂课，但这一堂课使他终身难忘。

杨老师的课深深地打动了苏步青，给他的思想注入了新的兴奋剂。从此，苏步青的兴趣从文学转向了数学，并从此立下了“读书不忘救国，救国不忘读书”的座右铭。一迷上数学，不管是酷暑隆冬，霜晨雪夜，苏步青只知道读书、思考、解题、演算，4年中演算了上万道数学习题。现在温州一中（即当时省立十中）还珍藏着苏步青一本几何练习簿，用毛笔书写，工工整整。中学毕业时，苏步青门门功课都在90分以上。

17岁时，苏步青赴日留学，并以第一名的成绩考取东京高等工业学校，在那里他如饥似渴地学习着。为国争光的信念驱使苏步青较早地进入了数学的研究领域，在完成学业的同时，写了30多篇论文，在微分几何方面取得令人瞩目的成果。1927年毕业于日本东北帝国大学数学系，随后进入该校研究院，并于1931年获得理学博士学位。获得博士之前，苏步青已在日本帝国大学数学系当讲师，正当日本一个大学准备聘他去任待遇优厚的副教授时，苏步青却决定回国，回到抚育他成长的祖国任教。

回到浙大任教授的苏步青，毫不在意艰苦的环境，全身心地投入到数学的研究中，取得了丰硕的成果。

苏步青的主要研究领域为微分几何学。他早期对仿射微分几何学和射影微分几何学作出了突出贡献。他建立了独到的方法，用几何构图来表现曲线和曲面的不变量和协变图形，取得了丰富的成果，如仿射曲面论中的锥面、射影曲线的一般的协变理论、射影曲面论中的Q1伴随曲面、主切曲线属于一个线性丛的曲面、射影极小曲面和闭拉普拉斯序列等方面的研究，得到了国际上的高度评价。

苏步青20世纪50年代开始研究一般空间微分几何学，特别是一般面积度量的二次变分的计算和K展空间。60年代又研究高维空间共轭网理论，获得系统而深入的成果。70年代以来，苏步青又注意把微分几何运用于工程中的几何外形设计，在中国开创了新的研究方向——计算几何。

苏步青在101年的人生岁月里，共发表论文168篇，出版了《苏步青论文选集》、《射影曲线概论》、《射影曲面论》、《一般空间微分几何学》、《计算几何》等专著，有的已在国外翻译出版。

此外，苏步青历任浙江大学教授、数学系主任；历任复旦大学教授、教务长、数学研究所所长、研究生部主任、副校长、校长和名誉校长。中华人民共和国成立后任该校教务长。他和陈建功教授共同把浙江大学和复旦大学的数学系建成一个具有相当高水平的教学和科学研究的基地，为国家培养出许多优秀的数学人才。在他的领导下，形成了具有特色的微分几何研究集体。

苏老是我国近代数学的主要奠基人之一，是微分几何学派的开山鼻祖。又被数学界称为“东方国度上升起的灿烂的数学明星”。

周培源

周培源（1902年—1993年），江苏省宜兴县人。著名流体力学家、理论物理学家、教育家和社会活动家。九三学社社员、中国共产党党员。中国科学院院士，中国近代力学奠基人和理论物理奠基人之一。

周培源1924年毕业于清华学校（今清华大学前身），后赴美留学，1928年获美国加州理工学院理学博士学位。1928年赴德国莱比锡大学，从事量子力学的研究。1929年在瑞士苏黎世高等工业学校从事研究。1929年回国以后，先后在清华大学、西南联大、北京大学任教授。其间于1936–1937年在美国普林斯顿高等研究院参加爱因斯坦主持的广义相对论讨论班。中国解放后，曾任清华大学教务长、中国科学院副院长、中国力学学会副理事长、欧美同学会名誉会长、九三学社主席，第一、二、三、四届人大代表，第五届人大常委，第三、四届政协常委，第五、六、七届政协副主席。1980年获美国普林斯顿大学名誉法学博士学位，1980年和1985年两次获得美国加利福尼亚理工学院“具有卓越贡献的校友”奖。

周培源在学术上的成就，主要是物理学基础理论的两个重要方面，即爱因斯坦广义相对论中的引力论和流体力学中的湍流理论的研究。

在引力理论方面，他提出了“谐和条件是物理条件”的重要观点，并且提出和指导了中科院高能所李永贵同志等的“地球引力场中光速各向同性检验”实验，在世界上首次获得地球表面水平方向和竖直方向传播速度的相对差值在10–11量级上相同的结果，这一结果有可能使人们对爱因斯坦引力论的认识产生重大影响。

在湍流理论方面，1945年，周培源在美国的《应用数学季刊》上发表了题为《关于速度关联和湍流涨落方程的解》的重要论文，提出了两种求解湍流运动的方法，立即在国际上引起广泛注意，进而在国际上形成了一个“湍流模式理论”流派，对推动流体力学尤其是湍流理论的研究产生了深远的影响。上世纪50年代，他利用一个比较简单的轴对称涡旋模型作为湍流元的物理图像来说明均匀各向同性的湍流运动，并根据对均匀各向同性的湍流运动的研究，分别求得在湍流衰变后期和初期的二元速度的关联函数、三元速度关联函数。之后，他又进一步用“准相似性”概念将衰变初期和后期的相似条件统一为一个确定解的物理条件，并为实验所证实，从而在国际上第一次由实验确定了从衰变初期到后期的湍流能量衰变规律和泰勒湍流微尺度扩散规律的理论结果。80年代，他又将这些结果推广到具有剪切应力的普通湍流运动中去，并引进新的逼近求解方法，以平面湍射流作例子，求得平均运动方程与脉动方程的联立解。经过半个世纪不懈努力，周培源的湍流模式理论体系已相当完整。

周培源从事高等教育工作60多年，学生遍及海内外，早期学生中王竹溪、彭桓武、林家翘、胡宁等都成为著名的科学家。他在教学过程中积累了丰富的教学和办学经验，形成了自己的教书育人风格和办学思想、办学理念。其中最突出的是以他自己的学识、见解和治学、做人之道等人格魅力，被人们称为“桃李满园的一代宗师”。

作为杰出的社会活动家，周培源积极开展国际科技交流，争取裁军和世界和平，为繁荣我国的科技教育事业呕心沥血、孜孜不倦，赢得了国内外广大科技工作者的敬仰，被人们赞之为“科学家的表率和楷模”、“和平老人”、“杰出的民间外交家”。

华罗庚

华罗庚（1910年—1985年），出生于江苏省金坛县金城镇，是世界著名数学家，中国解析数论、矩阵几何学、典型群、自安函数论等多方面研究的创始人和开拓者。在国际上以华氏命名的数学科研成果就有“华氏定理”、“怀依—华不等式”、“华氏不等式”、“普劳威尔—加当华定理”、“华氏算子”、“华—王方法”等。他为中国数学的发展作出了举世瞩目的贡献。美国著名数学家贝特曼著文称：“华罗庚是中国的爱因斯坦，足够成为全世界所有著名科学院院士”。被列为芝加哥科学技术博物馆中当今世界88位数学伟人之一。

华罗庚的父亲以开杂货铺为生。他幼时爱动脑筋，因思考问题过于专心常被同伴们戏称为“罗呆子”。他进入金坛县立初中后，其数学才能被老师王维克发现，并尽心尽力予以培养。初中毕业后，华罗庚曾入上海中华职业学校就读，因拿不出学费而中途退学，故一生只有初中毕业文凭。

此后，华罗庚开始顽强自学。他回家乡一面帮助父亲在“乾生泰”这个只有一间小门面的杂货店里干活、记账，一面继续钻研数学。回忆当时他刻苦自学的情景，他的姐姐华莲青说：“尽管是冬天，罗庚依然在账台上看他的数学书。鼻涕流下时，他用左手在鼻子上一抹，往旁边一甩，没有甩掉，就这样伸着，右手还在不停地写……”那时罗庚站在柜台前，顾客来了就帮助父亲做生意，打算盘、记账，顾客一走就又埋头看书演算起数学题来。有时入了迷，竟忘了接待顾客，甚至把算题结果当做顾客应付的货款，使顾客吓一跳。因为经常发生类似的莫名其妙的事情，时间久了，街坊邻居都传为笑谈。每逢遇到怠慢顾客的事情发生，父亲又气又急，说他念“天书”念呆了，要强行把书烧掉。争执发生时，华罗庚总是死死地抱着书不放。就这样，华罗庚顽强地自学到18岁。他用5年时间学完了高中和大学低年级的全部数学课程。1928年，他不幸染上伤寒病，靠新婚妻子的照料得以挽回性命，却落下左腿残疾。当时，他只有19岁，在那迷茫、困惑近似绝望的日子里，他想起了双腿残废后著兵法的孙膑：“古人尚能身残志不残，我才只有19岁，更没理由自暴自弃，我要用健全的头脑，代替不健全的双腿！”青年华罗庚就是这样顽强地和命运抗争。

白天，他拖着病腿，忍着关节剧烈的疼痛，拄着拐杖一颠一颠地干活，晚上，他在油灯下自学到深夜。

20岁时，华罗庚以一篇论文轰动数学界，被清华大学请去工作。

从1931年起，华罗庚在清华大学边工作边学习，用一年半时间学完了数学系全部课程。他自学了英、法、德文，在国外杂志上发表了三篇论文后，被破格任用为助教。1936年夏，华罗庚被保送到英国剑桥大学进修，两年中发表了十多篇论文，引起国际数学界赞赏。1938年，华罗庚访英回国，在西南联合大学任教授。在昆明郊外一间牛棚似的小阁楼里，他艰难地写出名著《堆垒素数论》。1946年3月，他应邀访问苏联，回国后不顾反动当局的限制，在昆明为青年作“访苏三月记”的报告。1946年9月，华罗庚应纽约普林斯顿大学邀请去美国讲学，并于1948年被美国伊利诺依大学聘为终身教授。不久，妻子带着三个儿子来到美国与其团聚。

1949年新中国成立，华罗庚感到无比兴奋，克服了来自美国政府所带来的种种困难，决心偕家人回国。他们一家五人乘船离开美国，1950年2月到达香港。他在香港发表了一封致留美学生的公开信，信中充满了爱国激情，鼓励海外学子回来为新中国服务。3月11日新华社播发了这封信。1950年3月16日，华罗庚和夫人、孩子乘火车抵达北京。

到北京之后，华罗庚回到了清华园，担任清华大学数学系主任。接着，他受中国科学院院长郭沫若的邀请开始筹建数学研究所。1952年7月，数学所成立，他担任所长。

华罗庚以高度的爱国热情参加新中国的各项社会活动。一次，华罗庚应邀到英国讲学。宴会上，一位美国女学者突然高声问道：“华教授，您不为了自己当初回国感到后悔吗？”华罗庚坚定并礼貌地回答说：“不！我一点也不后悔。我回国是要用自己的力量为祖国做些事情，并不是为了图舒服。我活着不是为了个人，而是为了祖国！”在中国，华罗庚开始了他数学研究真正的黄金时期。

华罗庚潜心为新中国培养数学人才，王元、陆启铿、龚升、陈景润、万哲先等在他的培养下成为世界知名的数学家。同时，他为培养青少年学习数学的热情，在北京发起组织了中学生数学竞赛活动，出题、监考、阅卷，都亲自参加，并多次到外地去推广这一活动。他还写了一系列数学通俗读物，在青少年中影响极大。

回国后短短的几年中，华罗庚在数学领域里的研究硕果累累。他写成的论文《典型域上的多元复变函数论》于1957年1月获国家发明一等奖，并先后出版了中、俄、英文版专著；1957年出版《数论导引》；1959年莱比锡首先用德文出版了《指数和的估计及其在数论中的应用》，又先后出版了俄文版和中文版；1963年，他和他的学生万哲先合写的《典型群》一书出版。

华罗庚还主张在科学研究中要培养学术气氛，开展学术讨论。他发起创建了我国计算机技术研究所，也是我国最早主张研制电子计算机的科学家之一。1956年，他着手筹建中科院计算数学研究所。1958年，他担任中国科技大学副校长兼数学系主任。从1960年起，华罗庚开始在工农业生产中推广统筹法和优选法，足迹遍及27个省市自治区，创造了巨大的物质财富和经济效益。1978年3月，他被任命为中科院副院长并于翌年入党。

晚年的华罗庚不顾年老体衰，仍然奔波在建设第一线。他还多次应邀赴欧美及香港地区讲学，先后被法国南锡大学、美国伊利诺依大学、香港中文大学授予荣誉博士学位，还于1984年以全票当选为美国科学院外籍院士。1985年6月12日，他在日本东京作学术报告时，因心脏病突发不幸逝世，享年74岁。

华罗庚早年的研究领域是解析数论，他在解析数论方面的成就尤其广为人知，国际颇具盛名的“中国解析数论学派”即华罗庚开创的学派，该学派对于质数分布问题与哥德巴赫猜想做出了许多重大贡献。他在多复变函数论、矩阵几何学方面的卓越贡献，更是影响到了世界数学的发展。也有国际上有名的“典型群中国学派”，华罗庚先生在多复变函数论、典型群方面的研究领先西方数学界10多年，这些研究成果被著名的华裔数学家丘成桐高度称赞。所以说，判断一个数学家应该看他的研究成就，而不是看他得到的学位的数目，对于华罗庚来说，他有很多成就，却没有一个学位，华罗庚的研究领域遍及数论、代数、矩阵几何学，典型群，多个复变数函数论，调和分析与应用数学……

此外，华罗庚长期领导着中国数学的研究、教学与普及工作。正如贝尔曼所言：“如果有许多中国数学家现在在科学的新领域中作出特殊的贡献；如果数学在中国享有异常的普遍尊重，那就要归功于作为学者与教师的华罗庚50年来对他国家的数学事业所作的贡献。”

总而言之，华罗庚在美国借以成名的绝大多数研究是他在1950年回中国之前做的。人们可能会设想，如果他留在西方，他将可能完成更多的个人研究计划，然而，如果这样做，他就不可能如他最后30年所做的，在中国发展数学及其应用中起到中心作用。所以说，他回国对中国是十分重要的。很难想象，如果他不曾回国，中国的数学会是个什么样。另外，华罗庚很重视普及数学，使他在中国亦享有盛誉，这使他“比起历史上任何一位数学家来，受他直接影响的人可能更多”。华罗庚不计个人得失，他对中国数学所作的巨大贡献，足以使炎黄子孙永远记住他！华罗庚的卓越成就，使他成为振兴中国近代数学的带头人和世界著名的第一流大数学家，他的名字与少数经典数学家一起被列入美国芝加哥科技博物馆等著名博物馆中。

钱学森

钱学森（1911年—2009年），汉族，浙江省杭州人。中国共产党的优秀党员、忠诚的共产主义战士、享誉海内外的杰出科学家，中国航天事业的奠基人，中国两弹一星功勋奖章获得者，被誉为“中国航天之父”、“中国导弹之父”、“中国自动化控制之父”和“火箭之王”。1934年毕业于交通大学机械工程学院，曾任美国麻省理工学院和加州理工学院教授，中国人民政治协商会议第六、七、八届全国委员会副主席、中国科学技术协会名誉主席。其母校上海交通大学、西安交通大学图书馆均以钱学森名字命名。2011年12月8日，纪念钱学森诞辰100周年座谈会在人民大会堂举行。

钱学森于1911年出生于上海，1923年9月，进入北京师范大学附属中学学习。1929年考入铁道部交通大学上海学校机械工程学院铁道工程系，1934年毕业于国立交通大学（现西安交通大学和上海交通大学），6月考取清华大学第二届庚子赔款公费留学生，1935年9月进入美国麻省理工学院航空系学习，1936年9月获麻省理工学院航空工程硕士学位，后转入加州理工学院航空系学，成为世界著名大科学家冯·卡门（TheodorevonKármán）的学生，并很快成为冯·卡门最重视的学生。

钱学森先后获航空工程硕士学位和航空、数学博士学位。1938年7月至1955年8月，在美国从事空气动力学、固体力学和火箭、导弹等领域研究，并与导师共同完成高速空气动力学问题研究课题和建立“卡门-钱学森”公式，在二十八岁时就成为世界知名的空气动力学家。1939年，获美国加州理工学院航空、数学博士学位。1943年，任加州理工学院助理教授。1945年，任加州理工学院副教授。1947年，任麻省理工学院教授。

1947年，钱学森在上海与蒋英结婚。1949年，任加州理工学院喷气推进中心主任、教授。

当中华人民共和国宣告诞生的消息传到美国后，钱学森和夫人蒋英便商量着早日赶回祖国，为自己的国家效力。此时的美国，以麦卡锡为首对共产党人实行全面追查，并在全美国掀起了一股驱使雇员效忠美国政府的狂热。钱学森因被怀疑为共产党人和拒绝揭发朋友，被美国军事部门突然吊销了参加机密研究的证书。钱学森非常气愤，以此作为要求回国的理由。

1950年，钱学森同志上港口准备回国时，被美国官员拦住，并将其关进监狱，而当时美国海军次长丹尼·金布尔声称：“钱学森无论走到哪里，都抵得上5个师的兵力。我宁可把他击毙，也不能让他回到中国，我的本意不是要逮捕他。”从此，钱学森受到了美国政府迫害，同时也失去了宝贵的自由，他一个月内瘦了三十斤左右。移民局抄了他的家，在特米那岛上将他拘留14天，直到收到加州理工学院送去的1.5万美金巨额保释金后才释放了他。后来，海关又没收了他的行李，包括800公斤书籍和笔记本。美国检察官再次审查了他的所有材料后，才证明了他是无辜的。

钱学森在美国受迫害的消息很快传到国内，国内科技界的朋友通过各种途径声援钱学森。党中央对钱学森在美国的处境极为关心，中国政府公开发表声明，谴责美国政府在违背本人意愿的情况下监禁了钱学森。

1954年，一个偶然的机会，钱学森在报纸上看到陈叔通站在天安门城楼上，身份是全国人大常委会副委员长，他决定给这位父亲的好朋友写信求救。正当周恩来总理为此非常着急的时候，陈叔通收到了一封从大洋彼岸辗转寄来的信。他拆开一看，署名“钱学森”，原来是请求祖国政府帮助他回国。

1954年4月，美英中苏法五国在日内瓦召开讨论和解决朝鲜问题和恢复印度支那和平问题的国际会议。出席会议的中国代表团团长周恩来联想到中国有一批留学生和科学家被扣留在美国，于是就指示说，美国人既然请英国外交官与我们疏通关系，我们就应该抓住这个机会，开辟新的接触渠道。

中国代表团秘书长王炳南于同年6月5日开始与美国代表、副国务卿约翰逊就两国侨民问题进行初步商谈。美方向中方提交了一份美国在华侨民和被中国拘禁的一些美国军事人员名单，要求中国给他们以回国的机会。为了表示中国的诚意，周恩来指示王炳南在6月15日举行的中美第三次会谈中，大度地作出让步，同时也要求美国停止扣留钱学森等中国留美人员。然而，中方的正当要求被美方无理拒绝。7月21日，日内瓦会议闭幕。为不使沟通渠道中断，周恩来指示王炳南与美方商定自7月22日起，在日内瓦进行领事级会谈。为了进一步表示中国对中美会谈的诚意，中国释放了4个被扣押的美国飞行员。

中国作出的让步，最终是为了争取钱学森等留美科学家尽快回国——可是在这个关键问题上，美国代表约翰逊还是以中国拿不出钱学森要回国的真实理由，一点不松口。

1955年，经过周恩来总理在与美国外交谈判上的不断努力——甚至包括了不惜释放11名在朝鲜战争中俘获的美军飞行员作为交换，8月4日，钱学森收到了美国移民局允许他回国的通知。9月17日，钱学森回国愿望终于得以实现了，这一天，钱学森携带妻子蒋英和一双幼小的儿女，登上了“克利夫兰总统号”轮船，踏上返回祖国的旅途。

到达北京的第二天清晨，钱学森就和妻子带着两个孩子来到天安门广场。他激动地说：“我相信我一定能回到祖国。现在，我终于回来了！”

钱学森回到了祖国，受到党和政府的热烈欢迎和无微不至的照顾。他也以无限的激情投入到军事科学的研究中。

1955年11月，钱学森和钱伟长合作筹建中国科学院力学研究所。12月27日，万毅根据彭德怀元帅的指示，详细地听取了钱学森关于如何发展我国火箭技术的意见。

1956年1月5日力学所成立，钱学森任第一任所长。2月17日，在周总理的鼓励下，钱学森给国务院写了关于《建立我国国防航空工业的意见书》。4月13日，国务院成立了以聂荣臻元帅为主任的航空工业委员会，钱学森被任命为委员。同年春，国家制定了《1956年至1967年科学技术发展远景规划纲要》，确定了57项国家重要科学技术任务。由钱学森主持，在王弼、沈元、任新民等的合作下完成了第37项《喷气和火箭技术的建立》的规划。5月10日，聂荣臻元帅提出《关于建立我国导弹研究工作的初步意见》，并且建议，在航空工业委员会下设立导弹管理局，钱学森任总工程师，建立导弹研究院，钱学森任院长。10月8日，恰好在钱学森回归祖国一周年的日子，聂荣臻元帅亲自主持五院成立仪式，这一天也是对新中国156名大学毕业生进行导弹专业教育训练班的开课纪念日，钱学森主讲《导弹概论》。

1957年，在钱学森倡议下，中国力学学会成立，钱学森被一致推举为第一任理事长。2月18日，周总理签署命令，任命钱学森为国防部第五研究院第一任院长。11月16日，周总理任命钱学森兼任国防部第五研究院一分院院长。同年，钱学森所著《工程控制论》获中国科学院自然科学奖一等奖，并被补选为中国科学院学部委员。这一年6月，中国自动化学会筹备委员会在北京成立，钱学森任主任委员。同年9月，国际自控联成立大会推举钱学森为第一届IFAC理事会常务理事。

1958年5月29日，聂荣臻元帅同黄克诚、钱学森一起部署了我国第一枚近程导弹的制造工作。同年，中国科学院成立了以钱学森为组长，赵九章、卫一清为副组长的领导小组，负责筹建人造卫星、运载火箭以及卫星探测仪器和空间物理的设计、研究机构。同年，钱学森任中国科学技术大学近代力学系主任。

1959年，经杜润生、杨刚毅介绍，钱学森加入了中国共产党。1960年11月15日在聂荣臻元帅现场亲自指导下，以张爱萍将军为主任，孙继先、钱学森、王诤为副主任的试验委员会，在我国酒泉发射场成功地组织了我国制造的第一枚近程导弹的飞行试验。

1961年6月，在中国科学院举办的星际航行第一次座谈会上，钱学森发表了题为《今天苏联及美国星际航行火箭动力及其展望》的讲演。在中国自动化学会成立大会上，全体代表一致推举钱学森为首任理事长。1963年中国科学院成立由竺可桢、裴丽生、钱学森、赵九章领导的星际航行委员会。1964年6月29日我国自行设计的中近程导弹进行飞行试验获得成功。

1965年1月8日，钱学森正式向国家提出报告，建议早日制订我国人造卫星的研究计划，并列入国家任务。在以后的岁月中，钱学森为解决人造卫星研制中的许多关键技术问题贡献了智慧。同年，钱学森任第七工业部副部长。1966年10月27日，钱学森协助聂荣臻元帅，在酒泉发射场直接领导了用中近程导弹运载原子弹的“两弹结合”飞行实验，获得圆满成功。1968年，钱学森兼任中国空间研究院第一任院长。

1970年，钱学森任国防科学技术委员会副主任。4月24日，重量为173kg的我国第一颗人造卫星发射成功。钱学森和发射基地的领导人在现场发表了热情洋溢的讲话。“五一”国际劳动节晚上，毛泽东主席、周恩来总理在天安门城楼上接见了钱学森、任新民等参加第一颗卫星工程研制的代表。

1991年10月16日，国务院、中央军委授予钱学森“国家杰出贡献科学家”荣誉称号和一级英雄模范奖章。同年任中国科协名誉主席。1999年9月18日中共中央、国务院、中央军委授予他“两弹一星”功勋奖章。

总之，钱学森对科学技术的重大贡献是多方面的，在应用力学领域，钱学森在空气动力学及固体力学方面做了开拓性研究，揭示了可压缩边界层的一些温度变化情况，并最早在跨声速流动问题中引入上下临界马赫数的概念。1953年，钱学森正式提出物理力学概念，主张从物质的微观规律确定其宏观力学特性，开拓了高温高压的新领域。在系统工程和系统科学领域，钱学森在80年代初期提出国民经济建设总体设计部的概念，坚持致力于将航天系统工程概念推广应用到整个国家和国民经济建设，并从社会形态和开放复杂巨系统的高度，论述了社会系统。他发展了系统学和开放的复杂巨系统的方法论。在喷气推进与航天技术领域，钱学森在40年代提出并实现了火箭助推起飞装置，使飞机跑道距离缩短；1949年，他提出火箭旅客飞机概念和关于核火箭的设想；1962年，他提出了用一架装有喷气发动机的大飞机作为第一级运载工具，用一架装有火箭发动机的飞机作为第二级运载工具的天地往返运输系统概念。在思维科学领域，钱学森在80年代初提出创建思维科学技术部门，认为思维科学是处理意识与大脑、精神与物质、主观与客观的科学，推动思维科学研究是计算机技术革命的需要。他主张发展思维科学要同人工智能、智能计算机的工作结合起来，并将系统科学方法应用到思维科学的研究中，提出思维的系统观；此外，在人体科学、科学技术体系等方面，钱学森也作出了重要贡献。

此外，钱学森还发表了专著7部、论文300余篇。他以总体、动力、制导、气动力、结构、计算机、质量控制等领域的丰富知识，为组织领导新中国火箭、导弹和航天器的研究发展工作发挥了巨大作用，对中国火箭导弹和航天事业的迅速发展作出了卓越贡献。

钱伟长

钱伟长（1912年—2010年），江苏无锡人，民盟成员，加拿大多伦多大学应用数学系毕业，博士，研究员，教授，中国力学家，应用数学家，教育家，中国科学院院士，上海大学校长，南京航空航天大学名誉校长，耀华中学名誉校长。钱伟长教授是我国近代力学的奠基人之一，擅长于应用数学、力学、物理学、中文信息学等。现已出版有《圆薄板大扰度问题》、《弹性力学》、《变元法和有限元》、《穿甲力学》、《广义变分原理》、《应用数学》等学术专著20余部，在国内外发表的学术论文200余篇。他在科学理论和工程技术上都有许多开创性的成就，主要学术贡献是板壳非线性内禀统一理论，板壳大扰度问题的摄动解和奇异摄动解，广义变分原理，环壳解析解和汉字宏观字形编码（钱码）等。

钱伟长出生于江苏省无锡县鸿声乡七房桥村一个具有国学功底、创办新学的贫穷的诗书家庭，是国学大师钱穆的亲侄——“伟长”这个名字就是钱穆给取的。13岁时，他来到了无锡，先后在荣巷公益学校、县立初中、国学专修学校读书。16岁，父亲病逝，随钱穆在苏州上学读高中，学习到了数理化和西洋史，之后就一直跟随着叔父生活。步入青年时期的钱伟长对自然科学的兴趣愈来愈浓，但理工科目的成绩却不理想。他在大学的入学考试中历史和语文成绩分别是100分和99分，而理工科目都是20分、30分，但总分数不低。

凭借总分优势，钱伟长顺利考取清华大学，以中文和历史两个100分的成绩进入了清华大学历史系，同年9月18日，发生“九一八事变”，钱伟长决定要转学物理系以振兴中国的军力，系主任吴有训一开始拒绝其转学要求，后被其诚意打动。钱伟长也通过勤奋学习证明了自己的实力。1940年1月，他考取中英庚款会的公费留学生，赴加拿大多伦多大学学习，跟随导师辛吉研究，用50天时间完成论文《弹性板壳的内禀理论》，发表于世界导弹之父冯·卡门的60岁祝寿文集内，爱因斯坦看后，感叹：“这位中国青年解决了困扰我多年的问题。”此文奠定了钱伟长在美国科学界的地位。1942年他获多伦多大学博士学位。1942年，在美国加州理工学院和美国国家喷射推进研究所做博士后研究，与钱学森、林家翘、郭永怀一起，在世界导弹之父冯·卡门教授指导下从事航空航天领域的博士后研究工作，参加火箭和导弹实验，并发表了世界上第一篇关于奇异摄动的理论，被国际上公认该领域的奠基人。

抗日战争结束后，钱伟长于1946年5月回国，应聘为清华大学机械系教授，兼北京大学、燕京大学教授。1948年受钱学森之邀准备去美国喷射推进研究所工作，但因其拒绝忠于美国，未获得签证，最终未能成行。期间他参与创建北京大学力学系——开创了我国大学里第一个力学专业；出版中国第一本《弹性力学》专著，开设了我国第一个力学研究班和力学师资培养班，该班学员大多成为中国从事力学研究和学的领军人物，为我国的机械工业、土木建筑、航空航天和军工事业建立了不朽的功勋，被后世人称为中国近代“力学之父”，“应用数学之父”。1956年制定规划了中国第一次12年科学规划，与钱学森、钱三强一起，被周恩来称为中国科技界的“三钱”，并被任命为清华大学副校长。

1957年，钱伟长被错划为右派，受到不公正待遇，但是钱伟长仍然没有放弃科研和对祖国的忠诚。1977年以后，他不辞辛劳，去祖国各地做了数百次讲座和报告，提倡科学和教育、宣传现代化，为富民强国出谋划策。1990年以后，他为香港、澳门回归祖国及和平统一祖国的大业奔走。1996年11月被推举为民盟中央名誉主席。2010年7月30日，钱伟长在上海逝世，享年98岁。

钱伟长在科学方面的贡献是卓著的。

钱伟长在板壳内禀统一理论，板壳大挠度问题的摄动解和奇异摄动解，广义变分原理、环壳解析解和汉字宏观字形编码等方面，做出了突出的贡献。他早年与导师辛格合作研究板壳的内禀理论，开创了板壳理论的新方向，受到国际学术界的重视。

他提出的“参数摄动法”，不但解决了冯·卡门于1910年提出的圆薄板大挠度变形问题，而且能广泛用于解决各种非线型偏微分方程，被苏联学者称为“钱氏摄动法”。他的关于广义变分原理的工作，从理论上阐明了变分原理与变分约束条件之间的关系，提出了用拉氏乘子法系统地消除变分约束条件的方法，并将广义变分原理广泛应用于固体力学、流体力学、传热学、电流物、振动、断裂力学以及一般力学的各种理论和实践问题。他对非克希霍夫—勒夫假设厚板、厚壳问题的研究，被称为是对固体力学的新贡献。

钱伟长不仅在科技领域成就卓著，而且德高望重，热心于国家的各项事业，多次担任重要职务。

有人说，钱伟长在科学、政治、教育等领域取得的成就都是常人无法企及的。钱伟长说：“我没有专业，国家需要就是我的专业；我从不考虑自己的得与失，祖国和人民的忧就是我的忧，祖国和人民的乐就是我的乐。”他用九十八年的报国路诠释了自己一直坚持的专业：爱国。

吴健雄

吴健雄（1912年—1997年）美籍华裔女物理学家。1934年毕业于中央大学，1940年获美国加州大学博士学位。1956年，李政道、杨振宁提出弱相互作用中宇称不守恒后，吴健雄在1957年用实验检验了这个理论，证实了弱相互作用中宇称不守恒。1958年，她任哥伦比亚大学教授，当选为美国科学院院士。她的主要著作有《实验物理学方法·原子核物理学》、《β衰变》等。

吴健雄出身于书香门第，父亲吴仲裔在家乡创办了明德女子职业补习学校。由于父母提倡男女平等，吴健雄从小就能与其兄弟一样读书识字。在家乡读完小学，1923年考入苏州市第二女子师范学校，1927年以优秀成绩从师范学校毕业，任小学教师。两年后考入南京国立中央大学数学系，一年后转入物理系，1934年获得学士学位后，受聘到浙江大学任物理系助教，后进入中央研究院从事研究工作，

1936年，吴健雄入美国加利福尼亚大学，1940年获博士学位，1942年在美国与袁家骝博士结婚。

1944年，吴健雄参加了“曼哈顿计划”（研制原子弹），1952年任哥伦比亚大学副教授，1958年升为教授，同年，普林斯顿大学授予她名誉科学博士称号，并当选为美国科学院院士，1972年起任普林斯顿大学物理学教授直到1980年退休。

1975年，吴健雄曾任美国物理学会第一任女性会长，同年获得美国总统福特在白宫授予她的国家科学勋章，这是美国最高科学荣誉。

1978年，吴健雄在以色列获得沃尔夫奖，1982年受聘为南京大学、北京大学、中国科学技术大学等校的名誉教授，是中国科学院高能物理研究所学术委员会委员，1994年当选为中国科学院首批外籍院士。吴健雄以其卓越的贡献赢得了崇高的荣誉。

1997年2月16日，吴健雄在纽约病逝，终年85岁。

吴健雄主要从事核物理和弱相互作用等方面的实验研究。最主要的贡献是，1957年用β衰变实验证明了在弱相互作用中的宇称不守恒。1956年之前，吴健雄在β衰变方面作过一些出色的实验。1956年李政道、杨振宁

提出在β衰变过程中宇称可能不守恒之后，吴健雄立即领导她的小组进行了一个实验：在极低温（0.01k）下用强磁场把钴-60原子核自旋方向极化（使自旋几乎都在同一方向），然后观察钴-60原子核β衰变放出的电子的出射方向。她发现绝大多数电子的出射方向都和钴-60原子核的自旋方向相反。就是说，钴-60原子核的自旋方向和它的β衰变的电子出射方向形成左手螺旋，而不形成右手螺旋。如果宇称守恒，两种方向应该机会均等，即必须左右对称。现在左右手螺旋两种情况明显地机会不相等，所以这个实验结果证实了弱相互作用中的宇称不守恒。这在整个物理学界产生了极为深远的影响。

现代物理学发展中的其他一些重要理论问题或争论，通过吴健雄的一系列实验工作，也得到了解决和证明或一定程度地澄清。1963年她对β衰变的系列实验工作证明了核β衰变中矢量流守恒定律，在物理学史上第一次由实验证实电磁相互作用与弱相互作用有密切关系，对后来电弱统一理论的提出起了重要作用。在1959年穆斯堡尔效应发现之后，吴健雄对它进行了深入的研究，将穆斯堡尔光谱法用于生物学中大分子的结构研究。为了证实轻子数在弱作用中守恒律的有效性，吴健雄等在深达2000余英尺的纯盐矿中安置了测量双β衰变仪器，证明了轻子数守恒到10—3以上。早在1950年以前，她已经做了一个关于量子力学的基本哲学的实验，结果表明正电子与负电子的宇称相反。1970年她的实验小组对此作了进一步实验，在更高程度上支持了量子力学的正统法则，再次否定隐变量理论。此外，她对粒子或辐射探测器的研制也有不少贡献。

吴健雄以其卓越的贡献赢得了崇高的荣誉。1958年普林斯顿大学授予她名誉科学博士称号，这是该大学首次把这个荣誉学位授予一位女性。她还获得其他15所大学的名誉学位。美国总统授予她1975年国家科学勋章。1978年她获得国际性的沃尔夫基金会首次颁发的奖金。她受聘为南京大学、北京大学、中国科学技术大学等校的名誉教授，中国科学院高能物理研究所学术委员会委员。1990年，中国南京紫金山天文台将其发现的编号为2752号小行星命名为“吴健雄星”。吴健雄是少数在有生之年获此殊荣的科学家之一。1994年5月，夫妇两人同时荣获全美华人协会颁发的该协会成就奖，表彰他们在科学上的卓越成就和为华人社会的进步与发展作出的杰出贡献。

钱三强

钱三强，原名钱秉穹，浙江省湖州市人，1913年生，中共党员，核物理学家，中国科学院院士。他是第二代居里夫妇的学生，又与妻子一同被西方称为“中国的居里夫妇”，他是中国发展核武器的组织协调者和总设计师，人称他领导的研究所“满门忠烈”。

钱三强少年时代即随父亲钱玄同在北京生活，曾就读于蔡元培任校长的孔德中学，16岁便考入北京大学预科，1932年，又考入清华大学物理系。1936年，钱三强毕业后，担任了北平研究院物理研究所严济慈所长的助理。翌年，他通过公费留学考试，在卢沟桥的炮声响起之际，以报国之志赴欧洲，进入巴黎大学居里试验室做研究生，导师是居里的女儿、诺贝尔奖获得者伊莱娜·居里及其丈夫约里奥·居里。

1940年，钱三强取得了法国国家博士学位，此后，法国遭法西斯德国进攻沦陷，太平洋航线中断，钱三强未能如愿返回祖国，又继续跟随第二代居里夫妇当助手，继续在巴黎的两家实验室从事原子核物理和放射化学的研究。1946年，他与同一学科的才女何泽慧结婚。夫妻二人在研究铀核三裂变中取得了突破性成果，被认为是二战后居里实验室和法兰西学院原子核化学实验室第一个重要成果。由于成就突出，钱三强获得了法国国家科学院优厚的德巴微物理学奖金，还被提升为该院研究中心的研究导师。这在中国留法学者中，也只有钱三强一人获得这样重要的学术职位。被导师约里奥向世界科学界推荐。不少西方国家的报纸刊物刊登了此事，并称赞“中国的居里夫妇发现了原子核新分裂法”。

然而，令人羡慕的职位和丰厚的待遇，并不能减轻钱三强对祖国的思念，他执意要回中国施展抱负。1948年4月，钱三强来到导师家中告别。伊莱娜以镭相送，并告诉了相关的保密数据，以备将来之需。面对凝聚着他们半生心血和汗水的如此厚礼，钱三强不禁动容了。

1948年夏天，钱三强怀着迎接解放的心情，回到战乱中的祖国。他回国不久就遇到1949年1月的北平和平解放，他在兴奋中骑着自行车赶到长安街汇入欢庆的人群。随后，北平军管会主任叶剑英派人找到他，希望他随解放区的代表团赴法国出席保卫世界和平大会。中共中央还在极其困难的情况下拨出5万美元，要他帮助订购有关原子能方面的仪器和资料。看到共产党的领导人在新中国尚未建立时就有这种发展科学事业的远见，钱三强激动得热泪盈眶。

从此，钱三强全身心地投入到原子能事业的开创之中。1955年，中央决定发展中国核力量后，他成为规划的制定人，他和原子能研究所副所长王淦昌、彭恒武等一起，自力更生，艰苦创业，并提出了发展我国核科学的第一个五年计划。他还想方设法吸引海内外人才，想要建成我国第一个综合性的核科学技术研究基地。

但是，1959年6月，苏联单方面终止与中国的核合作研究并撤走全部专家。次年，毛主席号召中国人民："自己动手，从头做起，准备用8年时间拿出自己的原子弹！"作为新中国研制核武器的主要组织者，钱三强为了国家的全局利益，甘心忍辱负重，完全放弃了个人在科研上继续有所成就的想法；他所考虑的，就是如何"调兵遣将"，将最好的科学家放在最重要、最能发挥作用的岗位上。他以敏锐的目光，运筹帷幄，调王淦昌、彭恒武和郭永怀到核武器研究院任副院长兼第二、第四和第三技术委员会主任——他们后来都成为研制"两弹"的带头人；将邓稼先推荐到核武器研究院担任领导工作——我国先后进行的30多次核试验中有一半都是他担任现场指挥的……人员配置妥当后，钱三强便开始了解研制情况，掌握工程进度，组织技术攻关。1964年和1967年，我国原子弹、氢弹先后爆炸成功。

1960年，中央决定完全靠自力更生发展原子弹后，已兼任二机部副部长的钱三强担任了技术上的总负责人、总设计师。他像当年约里奥·居里夫妇培养自己那样，倾注全部心血培养新一代学科带头人，在"两弹一星"的攻坚战中，涌现出一大批杰出的核专家，并在这一领域创造了世界上最快的发展速度。人们后来不仅称颂钱三强对极为复杂的各个科技领域和人才使用协调有方，也认为他领导的原子能研究所是"满门忠烈"的科技大本营。

晚年的钱三强身体日衰，仍担任了中国科学技术协会副主席、中国物理学会理事长、中国核学会名誉理事长等职务。他一直关心中国核事业的发展，强调不仅要服务于军用还要供民用。1992年6月28日，他因病去世，终年79岁。

国庆50周年前夕，中共中央、国务院、中央军委向钱三强追授了由515克纯金铸成的"两弹一星功勋奖章"，表彰了这位科学泰斗的巨大贡献。

杨振宁

杨振宁，生于1922年10月，美籍华裔物理学家，生于安徽省合肥市。

杨振宁出生不满周岁，父亲杨武之考取公费留美而出国了。4岁时，母亲开始教他认字，1年多的时间教了他3千个字。杨振宁读小学时，数学和语文成绩都很好。中学还没有毕业，就考入了西南联大，那是在1938年，他才16岁。1942年，20岁的杨振宁大学毕业，随即进入昆明的国立西南联大的研究院。当时正处于抗战时期，学习条件十分艰苦。此时的西南联大，学生宿舍是土墙茅草房或土墙铁皮房，教室里是铁皮顶的房子，下雨时会叮叮咚咚响个不停。教室里的地面是泥土地，没过多久就变得七坑八洼。窗户没有玻璃是纸糊的窗纸，风吹时必须用东西把窗纸压住，否则会被风吹掉。听课坐的是在椅子右边安上一块形似火腿却只能放一本书的“火腿椅”。但师生们苦中作乐，幽默地称掺带了谷子、稗子、沙子的糙米饭是“八宝饭”，穿着的通了底的鞋是“脚踏实地”，前后都破洞的鞋是“空前绝后”。在长期的艰苦环境的磨炼下，杨振宁练就了随时随地都能凝神思考问题的本事。在杨振宁的时间表中是没有节假日的，他像一架不知疲倦的机器，无休止地思考着、运算着，经常忘记了吃饭和睡觉。

1942年，杨振宁毕业于西南联合大学，1944年在该校研究生毕业。在西南联大短短的6年中，却对杨振宁的一生产生了巨大的影响。杨振宁在其撰写的《读书教学四十年》一书中回忆说：“我在联大读书的时候，尤其是后来两年念研究生的时候，渐渐地能欣赏一些物理学家的研究风格”，“西南联大是中国最好的大学之一。我在那里受到了良好的大学本科教育，也是在那里受到了同样良好的研究生教育”，“我在物理学里的爱憎主要是在该大学度过的6年时间里（1938—1944）培养起来的。”杨振宁在大学四年级做学士论文时，遇到了被称为“后铀元素之父”的吴大猷。“我请他做我的导师，吴先生便给了我一篇英文文章——《群论与分子光谱学》。当年吴先生就把具有革命性的‘量子力学’带到中国，这在当时是绝无仅有的。我非常幸运，在大学还未毕业时就经他钻到这里头来，这对我后来的研究产生了决定性的影响。”两年后，着手写硕士论文的杨振宁又遇到了另外一位恩师——物理学家王竹溪先生。“王先生把我引到统计力学的领域，这也成为我后来自己研究的主要领域。”

此后，杨振宁于1945年考取公费留学赴美，就读于芝加哥大学，取得博士学位。1949年，杨振宁进入普林斯顿高等研究院进行博士后研究工作，开始同李政道合作。当时的院长奥本海默说，他最喜欢看到的景象，就是杨、李走在普林斯顿草地上。

1956年，杨振宁和李政道紧密合作，深入研究了K介子有两种不同的衰变方式。杨振宁和李政道两人通过分析认识到，很可能在弱相互作用中宇称不守恒。他们仔细地检查了过去的所有实验，确认这些实验并未证明弱相互作用中宇称守恒。在此基础上，他们进一步提出了几种检验弱相互作用中宇称不守恒的实验途径。次年，这一理论预见得到吴健雄小组的实验证实。因此，杨振宁和李政道两个人的工作迅速得到了学术界的承认，并获得1957年度诺贝尔物理学奖。他们两个人是最早获得诺贝尔奖的中国人。

1966年以后，杨振宁长期执教于纽约州立大学石溪分校，创立并主持该校的理论物理研究所。他也是美国科学院院士、英国皇家学会会员、俄罗斯科学院院士、教廷宗座科学院院士、中国科学院外籍院士、台湾“中央研究院”院士，香港中文大学博文讲座教授。杨振宁于1971年夏回国访问，是美籍知名学者访问新中国的第一人。他对促进中美建交、中美科学技术教育交流做了大量工作。他受聘为北京大学、复旦大学、中国科学技术大学、中山大学、南开大学等校的名誉教授，中国科学院高能物理研究所学术委员会委员。

1977年，杨振宁和梁恩佐等人在波士顿创办了“全美华人协会”，促进中美关系。1980年杨振宁获得拉姆福德奖（Rumford），1986年获得美国国家科学奖章。

杨振宁现居于北京清华大学，同时身兼广东东莞理工学院名誉校长。杨振宁的结发太太是杜聿明的女儿杜致礼，2003年10月因病过世。2004年底至2005年初，82岁高龄的杨振宁与28岁广东外语外贸大学翻译系硕士班学生翁帆再一次步入婚姻殿堂。

杨振宁对物理学的贡献范围很广，包括粒子物理学、统计力学和凝聚态物理学等。

在粒子物理学方面，杨振宁最杰出的贡献是1954年与R.L.密耳斯共同提出杨–密耳斯场理论，开辟了非阿贝耳规范场的新研究领域，为现代规范场理论（包括电弱统一理论、量子色动力学理论、大统一理论、引力场的规范理论）打下了基础。杨-密耳斯场方程最近被数学家S.唐纳森引用，获得了拓扑学上的重大突破。

杨振宁在粒子物理学方面的另一项杰出贡献是：在1956年和李政道合作，深入研究了当时令人困惑的θ－τ之谜——即后来所谓的K介子有两种不同的衰变方式。一种衰变成偶宇称态，一种衰变成奇宇称态；如果弱衰变过程宇称守恒，则它们必定是两种宇称状态不同的K介子。但从质量和寿命来看，它们又应是同一种介子。杨振宁和李政道之后的工作迅速得到了学术界的承认，并获得1957年诺贝尔物理奖。一项科学工作在发表的第二年就获得诺贝尔奖，这是第一次。

在粒子物理学方面，杨振宁的其他贡献包括：费米-杨模型（1949年），与李政道合作的二分量中微子理论（1957年），与李政道和R.奥赫梅合作的关于C（电荷共轭变换）和T（时间反演变换）不守恒的分析（1957年），与李政道合作的高能中微子实验分析（1959年）和关于W粒子的研究（1960年—1962年）。与吴大峻合作的CP（宇称）不守恒分析（1964年），规范场的积分形式理论（1974年），与吴大峻合作的规范场与纤维丛的关系（1975年），与邹祖德合作的高能碰撞理论（1967年—1985年）等。

在统计力学方面，杨振宁的贡献包括：二维伊辛模型的自发磁化强度（1952年），与李政道合作的关于相变的理论（1952年），与杨振平合作的关于数种模型的严格解（1966年—1985年）等。

在凝聚态物理方面，杨振宁的贡献包括：与N.拜尔斯合作的对磁通量量子人的解释（1961年），非对角长程序观念（1962年）等。

杨振宁博学多才，除了高能物理之外，他的研究范围还涉及其他多个领域，在统计物理、凝聚态物理、量子场论、统计力学，甚至数学、科学史等诸多领域中都有重要贡献。历年来写过200多篇科学论文，都有长久的生命力。美国物理学家、诺贝尔奖获得者赛马格瑞推许杨振宁是“全世界几十年来可以算为全才的三个理论物理学家之一”。1997年，紫金山天文台将其发现的一颗国际编号为“3421”号的小行星命名为“杨振宁星”。

邓稼先

邓稼先（1924年—1986年）安徽怀宁人，著名核物理学家，中国科学院院士。

邓稼先祖父是清代著名书法家和篆刻家，父亲邓以蛰是著名的美学家和美术史家，当时是北京大学教授。邓稼先出生8个月以后，随母亲和两个姐姐来到北京。1935年，他考入志成中学，与比他高两届且是清华大学院内邻居的杨振宁结为好友。邓稼先在校园中深受爱国救亡运动的影响。“七七”事变后，全家滞留北京，16岁的邓稼先随姐姐赴四川江津读完高中。1941年至1945年在西南联大物理系学习，受业于王竹溪、郑华炽等著名教授。1945年抗战胜利后，邓稼先在北京大学物理系任教。

1948年10月，邓稼先赴美国印第安那州普渡大学物理系读研究生，1950年获物理学博士学位。在他取得学位后的第9天，便登上了回国的轮船。回国后，邓稼先在中国科学院近代物理研究所任助理研究员，从事原子核理论研究。在北京外事部门的招待会上，有人问他带了什么回来。他说：“带了几双眼下中国还不能生产的尼龙袜子送给父亲，还带了一脑袋关于原子核的知识。”此后的8年间，他进行了中国原子核理论的研究。

1958年8月，邓稼先被调到新筹建的核武器研究所任理论部主任，负责领导核武器的理论设计，随后任研究所副所长、所长，核工业部第九研究设计院副院长、院长，核工业部科技委副主任，国防科工委科技委副主任。

邓稼先是中国核武器研制与发展的主要组织者、领导者，被称为“两弹元勋”。在原子弹、氢弹研究中，邓稼先领导开展了爆轰物理、流体力学、状态方程、中子输运等基础理论研究，完成了原子弹的理论方案，并参与指导核试验的爆轰模拟试验。原子弹试验成功后，邓稼先又组织力量，探索氢弹设计原理，选定技术途径，领导并亲自参与了1967年中国第一颗氢弹的研制和实验工作。

邓稼先和周光召合写的《我国第一颗原子弹理论研究总结》，是一部核武器理论设计开创性的基础巨著，它总结了百位科学家的研究成果，这部著作不仅对以后的理论设计起到指导作用，而且还是培养科研人员入门的教科书。邓稼先对高温高压状态方程的研究也作出了重要贡献。为了培养年轻的科研人员，他还写了电动力学、等离子体物理、球面聚心爆轰波理论等许多讲义，即使在担任院长重任以后，他还在工作之余着手编写“量子场论”和“群论”。

邓稼先是中国知识分子的优秀代表，为了祖国的强盛，为了国防科研事业的发展，他甘当无名英雄，默默无闻地奋斗了数十年。他常常在关键时刻，不顾个人安危，出现在最危险的岗位上，充分体现了他崇高无私的奉献精神。他在中国核武器的研制方面做出了卓越的贡献，却鲜为人知，直到他死后，人们才知道了他的事迹。

邓稼先主要从事核物理、理论物理、中子物理、等离子体物理、统计物理和流体力学等方面的研究并取得突出成就。他自1958年开始组织领导开展爆轰物理、流体力学、状态方程、中子输运等基础理论研究，对原子弹的物理过程进行大量模拟计算和分析，从而迈开了中国独立研究设计核武器的第一步，领导完成了中国第一颗原子弹的理论方案，并参与指导核试验前的爆轰模拟试验。原子弹试验成功后，立即组织力量探索氢弹设计原理、选定技术途径，组织领导并亲自参与1967年中国第一颗氢弹的研制和试验工作。1979年，邓稼先担任核武器研究院院长。1984年，他在大漠深处指挥中国第二代新式核武器试验成功。翌年，他的癌扩散已无法挽救，他在国庆节提出的要求就是去看看天安门。1986年7月16日，时任国务院副总理的李鹏前往医院授予他全国“五一”劳动奖章。这一年7月29日，邓稼先因全身大出血去世。

邓稼先参加组织和领导我国核武器的研究、设计工作，是我国核武器理论研究工作的奠基者之一，从原子弹、氢弹原理的突破和试验成功及其武器化，到新的核武器的重大原理突破和研制试验，均做出了重大贡献。作为主要参加者，其成果曾获得国家自然科学奖一等奖和国家科技进步奖、特等奖。邓稼先研究了原子弹、氢弹的理论方案，并亲自参与了核武器的实验。在1999年被追授“两弹一星功勋奖章”。由于他对中国核科学事业做出了突出贡献，被称为“两弹元勋”，“中国原子弹之父”。杨振宁曾评价道：“是的，如果稼先再次选择他的人生的话，他仍会走他已走的道路，这是他的性格与品质。能这样估价自己一生的人不多，我们应为稼先庆幸！”

高琨

高锟，华人物理学家，拥有英国和美国双重国籍，并持香港居民身份，目前在香港和美国加州山景城两地居住。高锟为光纤通讯、电机工程专家，华文媒体誉之为“光纤之父”。2009年诺贝尔物理学奖得主。

高锟1933年11月4日出生在上海金山，住在法租界。入学前，父亲聘老师回家，教导高锟和高锫读四书五经。10岁，高锟就读世界学校（今日的国际学校），需要读中文之外，也要读英文和法文，学校聘请留法的学者回来教授，高锟开始接触中国之外的人事文化。

1948年，高锟全家移居台湾。1949年，又移民香港，他进入圣若瑟书院就读。中学毕业后，他考入香港大学。但由于当时港大没有电机工程系，他远赴英国东伦敦伍尔维奇理工学院（现英国格林威治大学）就读。1957年，他从伍尔维奇理工学院电子工程专业毕业。1965年，在伦敦大学下属的伦敦帝国学院获得电机工程博士学位。

1957年，高锟读博士时进入国际电话电报公司（ITT），在其英国子公司——标准电话与电缆有限公司（StandardTelephonesandCablesLtd.）任工程师。1960年，他进入ITT设于英国的欧洲中央研究机构——标准电信实验有限公司，在那里工作了十年，其职位从研究科学家升至研究经理。正是在这段时期，高锟教授成为光纤通讯领域的先驱。

从1957年开始，高锟即从事光导纤维在通讯领域运用的研究。1964年，他提出在电话网络中以光代替电流，以玻璃纤维代替导线。1965年，在以无数实验为基础的一篇论文中提出以石英基玻璃纤维作长程信息传递，将带来一场通讯业的革命，并提出当玻璃纤维损耗率下降到20分贝/公里时，光纤维通讯就会成功。1966年，在标准电话实验室与何克汉共同提出光纤可以用作通信媒介。高锟在电磁波导、陶瓷科学（包括光纤制造）方面获28项专利。由于他取得的成果，有超过10亿公里的光缆以闪电般的速度通过宽带互联网，为全球各地的办事处和家居提供数据。

由于高锟在光纤领域的特殊贡献，他先后获得巴伦坦奖章、利布曼奖、光电子学奖等，被称为“光纤之父”。

1974年，高锟又返回ITT工作。当时，光纤领域进入前生产阶段。他在位于美国弗吉尼亚州劳诺克的光电产品部担任主任科学家，后擢升为工程主任。

1982年，高锟因卓越的研究与管理才能而被ITT公司任命为首位“ITT执行科学家”，主要在康妮狄克州的先进技术中心工作，1985年则在德国的SEL研究中心工作。与此同时，他也担任耶鲁大学特朗布尔学院兼职教授及研究员。1986年，他被任命为合作研究主任。他也在标准电话电缆下属的标准电信实验室作研究。

1987年10月，高锟从英国回到香港，并出任香港中文大学第三任校长。从1987年到1996年任职期间，他为中文大学罗致了大批人才，使中大的学术结构和知识结构更加合理。在与内地科技界的交流合作中，他主张“一步一步把双方的联系实际化”。

1997年退休后，高锟在地球兜了一个圈之后，在香港回归祖国那年回来了，随即，他成立了一个高科技顾问公司，担任香港电讯等多家公司的顾问。目前他有五个职务，其中一个是创新科技委员会成员，专门为香港特区政府如何发展高科技出谋献策。他说：“香港给了我机会，我要尽力报答她。”

2009年10月6日，瑞典皇家科学院宣布，将2009年诺贝尔物理学奖授予英国华裔科学家高锟以及美国科学家威拉德·博伊尔和乔治·史密斯。

高锟是提出用纤维材料传达光束讯号用以通信的第一人。如今光纤制成的光缆铺遍全球，成为互联网、全球通讯网络等的基石。此外，医学上也广泛使用光纤，像胃镜等内窥镜，可让医生看到患者体内的情况；光纤系统还在工业上大量应用。光纤不仅解决信息传输问题，更大大地降低了成本：光纤的信息传输量是金属线路的成千上万倍，制作光纤的原材料却只是沙石里的石英。高锟在光通讯上取得开创性成就，更促成环球宽带发展，“令文字、音乐、视频和影片在一瞬间传到世界各地。”现代人能够享受到高速的通讯网络，高锟功不可没。

李政道

李政道，1926年11月25日生于上海，江苏苏州人，哥伦比亚大学全校级教授，美籍华裔物理学家，诺贝尔物理学奖获得者，因在宇称不守恒、李模型、相对论性重离子碰撞（RHIC）物理和非拓扑孤立子场论等领域的贡献闻名。1957年，与杨振宁一起，因发现弱作用中宇称不守恒而获得诺贝尔物理学奖。

李政道的父亲李骏康是金陵大学农化系首届毕业生。李政道曾在东吴附中，江西联合中学等校就读。因抗战，中学未毕业。1943年因以同等学力考入迁至贵州的浙江大学物理系，由此走上物理学之路，师从束星北、王淦昌等教授。

1944年因日军入侵贵州，时在贵州的浙江大学被迫停学。1945年李政道转学到时在昆明的西南联合大学就读二年级，师从吴大猷、叶企孙等教授。1946年赴美进入芝加哥大学，师从费米教授。1950年获得博士学位之后，从事流体力学的湍流、统计物理的相变以及凝聚态物理的极化子的研究。1953年，他任哥伦比亚大学助理教授，主要从事粒子物理和场论领域的研究。三年后，29岁的李政道成为哥伦比亚大学二百多年历史上最年轻的正教授。他开辟了弱作用中的对称破缺、高能中微子物理以及相对论性重离子对撞物理等科学研究领域。

从上世纪40年代末到70年代初，李政道教授在弱相互作用研究领域做出了许多具有里程碑性质的工作：除去宇称不守恒定律，还有二分量中微子理论、两种中微子理论、弱相互作用的普适性、中间玻色子理论以及中性K介子衰变中的CP破坏等重要研究成果。

在统计力学方面，李政道和杨振宁研究了一阶相变的本质（1952年）；完成了稀薄玻色硬球系统低温行为的分析（1956年）；他们还对量子多体系统的维里展开做了一系列的研究（1956年—1959年），并和黄克孙一起研究了量子玻色硬球系统的能级（1956年—1957年）等等。这些研究对多体理论作出了开创性的和重大的贡献。

70年代至80年代，李政道教授创立了非拓扑性孤子理论及强子模型方面的研究，具有经典意义。量子场论中的“李模型”对以后的场论和重整化研究有很大影响。“KLN定理”的提出，为分析夸克—胶子相互作用奠定了理论基础。“反常核态”概念的提出，深化了人们对真空的认识，推动了相对论重离子碰撞的理论和实验研究工作。用随机格点的方法研究量子场论的非微扰效应，并建立离散时空上的力学，理论上受到广泛重视。李政道教授之后关于高温超导的系统理论研究工作，也是别具一格的。

在科学上早熟的李政道，1956年30岁时便升任著名的哥伦比亚大学教授。他亲身体会到科学人才必须从小培养，因而在1974年5月30日会见毛泽东主席时，建议在中国科技大学开设少年班，他的建议受到采纳。1979年他去合肥访问时去科大少年班看望了同学们，并题词：“青出于蓝，后继有人。”李政道关心中国科学事业的发展，他主张设立国家自然科学基金，建议建立博士后制度和建造北京正负电子对撞机，并建议成立中国高等科学技术中心和北京近代物理中心等等。这些建议一一得以实现。1985年7月16日，邓小平会见李政道时，对他说：“谢谢你，考虑了这么多重要的问题，提了这么多好的意见。”

1982年当我国高能物理事业举棋不定的关键时刻，李政道帮助我国选择了一个既先进又符合国情的BEPC方案，并促成了中美高能物理合作，使BEPC工程在选择方案、进行设计和建设中都得到了美国高能物理界的帮助和支持，对撞机之能如期建成，并成为当今世界上在c-τ物理研究能区唯一的高亮度电子对撞机，并做出了重要的物理结果，这与他的努力是分不开的。

为年轻人的尽快成才，李政道教授除在国内开设长期讲座外，还倡议并创立了中美联合招考物理研究生计划（CUSPEA），在1979年到1989年的十年内，共派出了915位研究生，并得到美方资助。

1985年，李政道又倡导成立了中国博士后流动站和中国博士后科学基金会，并担任全国博士后管理委员会顾问和中国博士后科学基金会名誉理事长。1986年，他争取到意大利的经费，在中国科学院的支持下，创立了中国高等科学技术中心（CCAST）并担任主任，每年回国亲自主持国际学术会议，并指导CCAST开展多种形式的学术活动，对提高科技人员的水平起了重要作用。同时，在北京大学建立了北京现代物理中心（BIMP）；其后，成立了在浙江大学的浙江近代物理中心，和在复旦大学的李政道实验物理中心。他是中国科技大学、北京大学等11所大学的名誉教授。

1994年6月8日，李政道当选为首批中国科学院外籍院士。1998年1月23

日，李政道将其毕生积蓄30万美元，以他和他的已故夫人秦惠（竹君）的名义设立了“中国大学生科研辅助基金”，资助北京大学、复旦大学、兰州大学和苏州大学的本科生从事科研辅助工作。李政道为中国教育事业的发展，为科学事业后继有人，真是用心良苦，竭尽全力。

如今，耄耋之年的李政道仍奋斗在物理研究的第一线，不断发表科学论文。

袁隆平

袁隆平，1930年9月1日生于北平（今北京），汉族，江西省德安县人，无党派人士，现在居住在湖南长沙。中国杂交水稻育种专家，中国工程院院士。现任中国国家杂交水稻工作技术中心主任暨湖南杂交水稻研究中心主任、湖南农业大学教授、中国农业大学客座教授、怀化职业技术学院名誉院长、联合国粮农组织首席顾问、世界华人健康饮食协会荣誉主席、湖南省科协副主席和湖南省政协副主席。2006年4月当选美国科学院外籍院士，被誉为“杂交水稻之父”。

1953年，袁隆平毕业于西南农学院农学系。1960年，袁隆平成为湖南省安江农校的一名普通教师，除了教好课，他还有一个任务，就是在农业科研上做出些成绩来，为老乡们培育出高产量的好种子。

袁隆平教过遗传育种、作物栽培等学科，在他看来，杂种优势是自然界中存在的普遍现象。然而，按照传统经典理论，水稻恰恰没有杂种优势，它是一种自花授粉作物，一株水稻只要一开花，雄花自然就会给同株上同时开放的雌蕊柱头授粉。难道水稻真的不能杂交？袁隆平有些不服气。

1960年7月，袁隆平在安江农校实习农场早稻试验田里，偶然发现一株水稻植株与众不同。怀着好奇的心理，第二年春天，他把收获的这株种子播到试验田里，结果表明这是一株地地道道的“天然杂交稻”。这令袁隆平欣喜若狂，他当即决定跳出“无性杂交”学说的束缚，开始进行水稻的有性杂交试验。

然而，要找到“天然雄性不育株”却不是一件容易的事。袁隆平有恒心，一边教学一边继续试验。1964年7月，袁隆平在稻田里惊喜地寻找到一株“天然雄性不育株”，经人工授粉，结出了数百粒第一代雄性不育材料种子。1966年2月，袁隆平第一篇论文《水稻的雄性不孕性》在《科学通报》杂志上发表，首次提出了通过培育雄性不育系、保持系和恢复系的三系法培育杂交稻，以大幅度提高水稻产量。这一发现，震动整个农业界和科技界。

不久后，“文革”爆发，袁隆平的水稻雄性不育试验被迫中断。袁隆平不甘心放弃科研，以冷静、超然的态度，为他开展科学试验提供了“庇护”，以他为首的杂交水稻研究小组悄然诞生。随后的6年，袁隆平日出而作、日落挑灯夜读。在先后用1000多个品种、做了3000多个杂交组合后，他仍然没有培育出不育株率和不育度都达到100%的不育系。

袁隆平回顾自己育种走过的路程，总结以往的经验和教训，觉得要加快育种步伐，不能只局限于湖南省，而要到适宜育种的地方去。

1969年冬，袁隆平带领学生来到云南省元江县，租住在元江县农技站无人居住的平房里，还租用农技站的水田作为实验田，把不育材料的珍贵种子浸下了水。经过5个月的辛勤劳动，袁隆平又繁育了一代雄性不育种子。从这次开始，每年冬季，袁隆平像候鸟一样，飞向南方，在那里繁殖育种，加速实验。他与季节赛跑，被学生们称为“追赶太阳的人”。

1970年11月23日，根据袁隆平的指导，其助手在海南省的普通野生稻群落中，找到一株雄花败育株，发现它对野败不育株有保持能力。袁隆平如获至宝，因为这对培育水稻不育系和随后的三系配套来说，无疑找到了突破口。手握比金子还珍贵的“野败”，他没有闭门独享，将“野败”材料迅速分发到全国30多个科研单位，进行协作攻关，用1000多个品种与“野败”进行1万多次测交和回交转育试验，以扩大选择概率。

1972年，袁隆平与同事们一起率先育成我国第一个实用水稻雄性不育系及保持系“二九南1号”；1973年，协作组通过测交找到水稻雄性不育恢复系，至此，三系配套难关全部攻克，奠定了杂交稻从理论成为现实的基础。从某种意义上说，杂交稻培育已经宣告成功。

随着杂交水稻“优势关”、“制种关”的相继攻克，袁隆平培育杂交水稻的梦想距离现实愈来愈近。1974年，育成第一个强优势组合“南优2号”；1975年，研究出一整套生产杂交种子的制种技术；1976年，三系杂交稻开始在全国大面积推广，比常规稻平均每亩增产20%左右。

袁隆平和他的杂交水稻震惊了世界。1982年，国际水稻研究所所长斯瓦米纳森由衷地说：“我们把袁隆平先生称之为‘杂交水稻之父’，他是当之无愧的。他的成就不仅是中国的骄傲，也是世界的骄傲。”

三系杂交水稻的成功，举世赞叹。但袁隆平却没有止步，他感到三系法虽然大幅度地增产，但也存在着配组不自由、种子生产环节多等问题，他决心开展新的攻关，提出了育种方法从三系向两系再向一系迈进的战略设想。

1987年，两系法研究被列为国家“863”计划项目，袁隆平主持全国16个单位协作攻关。1995年，两系法杂交水稻大面积生产应用，到2000年全国累计推广面积达5000万亩，平均产量比三系增长5%～10%，续写了“东方魔稻”的新篇章。

在袁隆平两系法杂交理论的启发下，我国两系法杂交高粱、油菜、棉花、小麦等相继研究成功，并创造了巨大的经济效益。

当全国农业界的目光还没有离开两系法时，袁隆平又提出了更高的奋斗目标——研究超级杂交稻：把塑造优良的株型与杂种优势有机结合起来，走旨在提高光合作用效率的超高产杂交水稻选育技术路线。经过5年攻关，2000年，超级杂交稻达到农业部制定的第一期目标：实现百亩示范片亩产700公斤以上；2004年，实现百亩示范片亩产800公斤的第二期目标；百亩示范片亩产900公斤的第三期目标也在2010年提前实现。

中国超级杂交稻研究再一次在国际上引起轰动，各国水稻专家纷纷向袁隆平表示祝贺，称赞：“中国人，了不起！”

1980年，杂交水稻作为我国出口的第一项农业专利技术转让美国，引起国际社会的广泛关注。20世纪90年代初，联合国粮农组织将推广杂交水稻列为解决发展中国家粮食短缺问题的战略措施。

袁隆平不仅时刻守望着国人的“饭碗”，世界人民的“饭碗”也装进了袁隆平的心中。多年来，袁隆平怀着“造福世界人民”的宽广胸襟，7次赴国际水稻研究所开展合作研究，十几次赴印度、越南、缅甸、孟加拉等国家指导发展杂交水稻，20多次举办杂交水稻国际培训班，为30多个国家培训技术骨干500余名。在袁隆平的倡导和建议下，“杂交水稻外交”正成为我国“走出去”战略的一项重要内容。截至2006年，杂交水稻在东南亚、美洲、非洲等40多个国家和地区被研究或引种，种植面积达150万公顷。袁隆平当时乐观地估计，到2010年，杂交水稻在国外的种植面积将达到1500万公顷，这样至少可以增加300万吨粮食，能养活将近1亿人口。

袁隆平不仅是杂交水稻事业的开创者，还是这一研究领域的领军人物，而且在杂交水稻的研究和发展中建立和完善了一整套理论和应用技术体系，从而创建了一门系统的新兴学科——杂交水稻学，让中国的杂交水稻研究水平领先美国20多年。在科研实践的同时，袁隆平不断进行经验总结和理论升华。自1966年发表我国杂交水稻研究的第一篇论文以来，先后发表论文60多篇，其中在国外发表12篇；出版专著7部。在很多学生和同行看来，袁隆平是世界级的大科学家，他对科学的理解，已经上升到了哲学的层面。

袁隆平不仅思想开明，而且意识超前，他主张建立起分子育种室，并不遗余力地加强对人才的引进和培养，先后输送多名年轻科技人员出国或到香港深造。在袁隆平的培养和影响下，不论是在他的研究中心，还是在全国杂交水稻技术攻关协作单位，已经形成了一支梯队结合、协同作战的杂交水稻技术队伍，肩负起将杂交水稻向纵深发展的重任。

2004年感动中国颁奖词这样评价袁隆平：他是一位真正的耕耘者。当他还是一个乡村教师的时候，已经具有颠覆世界权威的胆识；当他名满天下的时候，却仍然只是专注于田畴，淡泊名利，一介农夫，播撒智慧，收获富足。他毕生的梦想，就是让所有的人远离饥饿。喜看稻菽千重浪，最是风流袁隆平。这是对袁隆平人生价值的最好诠释！

陈景润

陈景润（1933年—1996年），汉族，福建福州人，中国著名数学家。

陈景润1950年9月至1953年8月就读于厦门大学数学系。1953年9月分配到北京四中任教。1955年2月由当时厦门大学的校长王亚南先生举荐，回母校厦门大学数学系任助教。

1957年10月，由于华罗庚教授的赏识，陈景润被调到中国科学院数学研究所任研究实习员，1988年定为一级研究员。1981年3月当选为中国科学院学部委员（院士）。曾任国家科委数学学科组成员。先后受聘担任贵州民族学院、河南大学、厦门大学、青岛大学、华中工学院、福建师范大学等校的兼职教授和《数学季刊》主编。当选为第四、五、六届全国人民代表大会代表以及福州市政协委员。

陈景润从小喜爱数学，对奇妙而充满魅力的数论产生了浓厚的兴趣。在厦门大学期间，经过刻苦钻研，他对数学大师华罗庚和维诺格拉朵夫等人的专著及一些重要的数论方法有了深刻的理解，写出了他的第一篇论文。调到中科院数学所以后，他发表学术论文五十余篇、著书四本，在华林问题、球内整点和圆内整点问题、算术级数中的最小素数问题、哥德巴赫猜想、孪生素数问题等的研究中，获得多项重要成果，作出了不可磨灭的贡献。

特别是在哥德巴赫猜想的研究中，陈景润得到了（1，2）的辉煌结果，即证明了每个充分大的偶数都可表示为一个素数和一个素因子个数不超过2的整数之和。1966年，陈景润在《科学通报》宣布他证明了（1，2），但仅叙述了几个引理，未给出详细证明，因而当时没有得到国际数学界的承认。1973年他在《中国科学》发表了（1，2）的详细证明并改进了1966年宣布的数值结果，立即在国际数学界引起了轰动，被公认为是对哥德巴赫猜想研究的重大贡献，是筛法理论的光辉顶点。他的结果被国际数学界称为“陈氏定理”，写进美、英、法、苏、日等六国的许多数论书中。由于这个定理的重要性，人们曾对它给出至少五个简化证明。陈景润在哥德巴赫猜想的研究领域至今保持着世界纪录和领先地位。

陈景润曾先后获得全国科学大会奖、国家自然科学了等奖、何梁何利基金奖、华罗庚数学奖等重大奖励。他的学术成就为国内外所公认。陈景润于1978年和1982年两次收到国际数学家大会作45分钟报告的邀请，这是很高的殊荣。他于七十年代末和八十年代初曾先后出访欧美。自1978年以来，他培养了多名博士研究生。

陈景润为人正直，待人诚恳，谦逊随和，平易近人。大家都说，他是个实实在在的大好人。他生活上的要求很低很低，与世无争；而在科学上的奋斗目标却很高很高，要在国际前沿为中华民族争得一席之地。

陈景润并不是天才，却有着超人的勤奋和顽强的毅力，多年来孜孜不倦地致力于数学研究，废寝忘食，每天工作12个小时以上，他的成绩就是用生命换来的。无论是在“文革”中受到不公正对待，还是遭受疾病折磨时，他都没有停止过自己的追求，为我国数学事业的发展作出了重大贡献。他的事迹和拼搏的精神在全国广为传颂，成为粉碎“四人帮”以后鼓舞全国人民进行新长征的精神力量，成为一代青少年心目中传奇式的人物和学习楷模。

由于长期的清贫生活和过度劳累，陈景润体质很差，1984年又得了帕金森氏综合症。他与病魔进行了顽强的搏斗，在病中仍坚持工作，培养研究生，著述甚丰。1996年3月19日下午1点10分，陈景润在北京医院去世，年仅63岁。

除了卓越的贡献外，陈景润最让人怀念与感动的是他的精神。“文革”后，当他的事迹发表出来，几代人受到这种精神的感召，立志向数学、向科学的高峰进军，是陈景润的事迹和精神影响他们走上了科学的道路。

丁肇中

丁肇中，生于1936年，美国实验物理学家。汉族，祖籍山东省日照市，华裔美国人，现任美国麻省理工学院教授，曾获得1976年诺贝尔物理学奖。他曾发现一种新的基本粒子，并以物理文献中习惯用来表示电磁流的拉丁字母“J”将那种新粒子命名为“J粒子”。

丁肇中1936年1月27日生于美国，3个月后随父母回到中国。先后在重庆、南京和青岛上小学。1948年随父母去台湾，又在台中读了一年小学。1949年先考入台北成功中学，次年入台湾建国中学，接受严格的教育，他的数学、物理和历史学习成绩优秀。

1955年建国中学高中部毕业后，丁肇中考入成功大学机械工程系。1956年转到美国密歇根大学，在物理系和数学系学习，1960年获硕士学位，1962年获物理学博士学位。1963年，他获得福特基金会的奖学金，到瑞士日内瓦欧洲核子研究中心（CERN）工作。1964年起在美国哥伦比亚大学工作，次年成为哥伦比亚大学讲师。1967年起任麻省理工学院物理学系教授。他是美国科学院院士，研究方向是高能实验粒子物理学，包括量子电动力学、电弱统一理论、量子色动力学的研究。他所领导的马克·杰实验组先后在几个国际实验中心工作。

1965年起，丁肇中领导的实验组在联邦德国汉堡电子同步加速器（束流能量为7.5×109eV）上进行了关于量子电动力学和矢量介子的一系列出色的实验工作，其中包括光生矢量介子、矢量介子衰变的研究、矢量为主模型的实验检验、ρ、ω、φ介子光生相位的测量和ρ、ω介子干涉参数的精密测量等，推进了对矢量介子的认识（见介子）。还在实验上证明了量子电动力学的正确性。

1972年夏，丁肇中实验组利用美国布鲁克海文国家实验室的3.3×1010eV质子加速器寻找质量在（1.5~5.5）×109eV之间的长寿命中性粒子。

1974年，他们发现了一个质量约为质子质量3倍（质量为3.1×109eV）的长寿命中性粒子。在公开发表这个发现时，丁肇中把这个新粒子取名为J粒子，“J”和“丁”字形相近，寓意这是中国人发现的粒子。与此同时，美国人B.里希特也发现了这种粒子，并取名为ψ粒子。后来（1975年）人们就把这种粒子叫做J/ψ粒子。J/ψ粒子具有奇特的性质，其寿命值比预料值大5000倍；这表明它有新的内部结构，不能用当时已知的3种味的夸克来解释，而需要引进第四种夸克即粲夸克来解释。J/ψ粒子的发现大大推动了粒子物理学的发展。为此丁肇中和里希特共同获得1976年诺贝尔物理奖，并被美国政府授予洛仑兹奖。

1981年起，丁肇中组织和领导了一个国际合作组——L3组，准备在欧洲核子中心预计在1988年建成的高能正负电子对撞机LEP上进行高能物理实验，将在质心系能量为1011eV能区中寻找新粒子，特别是电弱理论预言的黑格斯粒子（见黑格斯机制），并研究Z0及其他粒子物理新现象。L3组目前共有包括中国在内的约13个国家近400名物理学家参加。

丁肇中的杰出才华让他获得无数殊荣。1988年被意大利政府授予特卡斯佩里科学奖。他是美国国家科学院院士，美国文理科学院院士，苏联科学院外籍院士，中国台北中央研究院院士，巴基斯坦科学院院士。他曾被密歇根大学（1978年）、香港中文大学（1987年）、意大利波洛格那大学（1988年）和哥伦比亚大学（1990）授予名誉博士学位。他是中国上海交通大学和北京师范大学的名誉教授。1977年获美国工程科学学会的埃林金奖章，1988年获意大利陶尔米纳市的金豹优秀奖及意大利布雷西亚市的科学金奖章。

丁肇中载誉世界却不忘为中国培养科技人才。虽然入了美国籍，但他深深地知道他的根在中国。他热心培养中国高能物理学人才，经常选拔中国青年科学工作者去他所领导的小组工作。他是中国科学技术大学等校的名誉教授，中国科学院高能物理研究所学术委员会委员。

2005年世界物理年活动日前在欧洲启动，丁肇中领导着来自美、法、德、中等14个国家43所一流大学和科研院所的581名物理学家，在日内瓦建造了的世界上能量最大的正负电子对撞机上，探索宇宙中的新物质、反物质。

丁肇中在物理方面的杰出贡献以及对中国物理人才的培养，让我们由衷的赞叹！

王 选

王选（1937年—2006年）生于上海，江苏无锡人，中国科学院院士，中国工程院院士，第三世界科学院院士，北京大学教授。他是汉字激光照排系统的创始人和技术负责人。他所领导的科研集体研制出的汉字激光照排系统为新闻、出版全过程的计算机化奠定了基础，被誉为“汉字印刷术的第二次发明”。

王选1958年毕业于北京大学数学力学系计算数学专业（本科）。1975年投入到“汉字精密照排系统”项目的研究中。1981年，他主持研制成功中国第一台计算机汉字激光照排系统原理性样机华光Ⅰ型。1985年至1993年，他又先后主持研制成功并推出了华光Ⅱ型到方正93系统共五代产品，以及方正彩色出版系统。1991年他当选中国科学院学部委员（院士），1993年当选第三世界科学院院士，1994年当选中国工程院院士。1994年出任电子出版新技术国家工程研究中心主任，北大方正技术研究院院长，方正控股有限公司董事局主席、首席科技顾问，中国科协副主席等职。1995年起担任九三学社中央副主席。2003年当选为第十届全国政协副主席。2006年，王选在北京病逝，享年70岁。

王选是当代中国著名的科学家，是举世公认的计算机汉字激光照排技术创始人。大学选择专业时，他看到国家“十二年科学发展远景规划”中把计算技术列为重点发展学科，又了解到未来计算机技术的应用将对国防和航空工业产生巨大影响，便毅然决定攻读当时冷门的计算数学专业。大学毕业后，他以巨大的热情投入计算机应用研究工作。他敏锐地意识到国家汉字信息处理系统工程中“汉字精密照排系统”的研究成功将引起中国报业和出版印刷业的深刻革命，项目的巨大价值和技术难度激起了他攀登科技高峰的豪情，他毅然决定用数字存储方式，跳过当时日本流行的第二代机械式照排机和欧美流行的第三代阴极射线管照排机，直接研制国外尚无商品的第四代激光照排系统，发明了高分辨率字形的信息压缩、高速还原和输出方法等世界领先技术，成为汉字激光照排系统的技术核心。1979年，他主持研制成功汉字激光照排系统的主体工程，从激光照排机上输出了一张八开报纸底片。1981年后，他主持研制成功的汉字激光照排系统、方正彩色出版系统相继推出并得到大规模应用，实现了中国出版印刷行业“告别铅与火、迎来光与电”的技术革命，成为中国自主创新和用高新技术改造传统行业的杰出典范。

王选对科研项目的市场前景有着敏锐的洞察力，是促进科技成果向生产力转化的先驱，被誉为“有市场眼光的科学家”。上世纪80年代起，他就致力于科研成果的商品化。上世纪90年代初，他带领队伍针对市场需要不断开拓创新，先后研制成功以页面描述语言为基础的远程传版新技术、开放式彩色桌面出版系统、新闻采编流程计算机管理系统，引发报业和印刷业三次技术革新，使得汉字激光照排技术占领99%的国内报业市场以及80%的海外华文报业市场。他积极倡导产学研结合，在北大方正集团中建立起从中远期研究、开发、生产、系统测试、销售、培训和售后服务的一条龙体制，还力主由北大计算机研究所与北大方正集团共同成立方正技术研究院，走出了一条科研成果产业化的成功道路。

王选是科学工作者的杰出代表，人民教师的优秀典范。他一生献身科学，淡泊名利，始终孜孜不倦地埋头于艰苦的科研工作，即使患病期间也没有停止过。他勤奋严谨、求实创新、努力拼搏、勇攀高峰的作风赢得了大家的尊重和好评。在科研成果和崇高荣誉面前，他始终强调是集体智慧的结晶。他把科研事业当作毕生的追求，以提携后学为己任，甘为人梯，为培养和造就出一批批年轻的学术骨干呕心沥血。作为一名计算机应用专业的硕士生、博士生导师和北京大学计算机研究所所长，他十分注重培养学生和年轻技术骨干严谨勤奋的科研作风，经常鼓励和帮助他们选择具有挑战性且应用前景光明的课题，激发他们的创造性和积极性。2002年，他用获得的2001年度国家最高科学技术奖奖金及学校的奖励金共900万设立“王选科技创新基金”，支持和鼓励青年科技工作者从事具有基础性、前沿性的中长期科技创新技术研究。在他的培养下，一批敢于创新、勇于拼搏的青年科学家走到了科研前沿。

王选在计算机应用研究和科学教育领域里的重大成就，赢得了祖国和人民的高度评价，在国际上获得了广泛的赞誉。他1985年获首届中国发明协会发明奖，1986年获日内瓦国际发明展览会金奖，1987年获首届毕昇奖，1987年和1995年两次获国家科技进步一等奖，1989年获中国专利金奖，获2001年度国家最高科学技术奖等。

2009年9月10日，在中央宣传部、中央组织部、中央统战部、中央文献研究室、中央党史研究室、民政部、人力资源社会保障部、全国总工会、共青团中央、全国妇联、解放军总政治部等11个部门联合组织的“100位为新中国成立作出突出贡献的英雄模范人物和100位新中国成立以来感动中国人物”评选活动中，王选被评为“100位新中国成立以来感动中国人物”。

第七章　艺术大师

俞伯牙

俞伯牙，名瑞，伯牙是他的字，春秋战国时代楚国郢都（今湖北荆州）人。他虽为楚人，却任职晋国上大夫，且精通琴艺，被人尊为“琴仙”。

伯牙从小非常聪明，天赋极高，又很喜欢音乐，他拜当时很有名气的琴师成连为老师。

学习了三年，伯牙琴艺大长，成了当地有名气的琴师。但是伯牙常常感到苦恼，因为在艺术上还达不到更高的境界。老师成连知道了他的心思后，便对他说：“我已经把自己的全部技艺都教给了你，而且你学习得很好。至于音乐的感受力、悟性方面，我自己也没学好。我的老师方子春是一代宗师，他琴艺高超，对音乐有独特的感受力。他现住在东海的一个岛上，我带你去拜见他，跟他继续深造，你看好吗？”伯牙闻听大喜，连声说好！

他们准备了充足的食品，乘船往东海进发。一天，船行至东海的蓬莱山，成连对伯牙说：“你先在蓬莱山稍候，我去接老师，马上就回来。”说完，成连划船离开了。过了许多天，成连没回来，伯牙很伤心。他抬头望大海，大海波涛汹涌，回首望岛内，山林一片寂静，只有鸟儿在啼鸣，像在唱忧伤的歌。伯牙不禁触景生情，有感而发，仰天长叹，即兴弹了一首曲子，曲中充满了忧伤之情。从这时起，伯牙的琴艺大长。其实，成连老师是让伯牙独自在大自然中寻求一种感受。

伯牙身处孤岛，整日与海为伴，与树林飞鸟为伍，感情很自然地发生了变化，陶冶了心灵，真正体会到了艺术的本质，才能创作出真正的传世之作。后来，伯牙成了一代杰出的琴师，但真心能听懂他的曲子的人却不多。

有一次，伯牙乘船沿江旅游。船行到一座高山旁时，突然下起了大雨，船停在山边避雨。伯牙耳听淅沥的雨声，眼望雨打江面的生动景象，琴兴大发。伯牙正弹到兴头上，突然感到琴弦上有异样的颤抖，这是琴师的心灵感应，说明附近有人在听琴。伯牙走出船外，果然看见岸上树林边坐着一个打柴人——钟子期。

伯牙把子期请到船上，两人互通了姓名，伯牙说：“我为你弹一首曲子听好吗？”子期立即表示洗耳恭听。伯牙即兴弹了一曲《高山》，子期赞叹道：“多么巍峨的高山啊！”伯牙又弹了一曲《流水》，子期叹道：“多么浩荡的江水啊！”伯牙又佩服又激动，自己用琴声表达的心意，过去没人能听得懂，而眼前的这个樵夫，竟然听得明明白白。没想到，在这野岭之下，竟遇到自己久久寻觅不到的知音，于是他问明打柴人名字叫什么，然后对子期说：“这个世界上只有你才懂得我的心声，你真是我的知音啊！”于是两个人结拜为生死之交。约定来年的中秋再到这里相会。

和钟子期洒泪而别后，第二年中秋，俞伯牙如约来到了汉阳江口，可是他等啊等啊，怎么也不见钟子期来赴约，于是他便弹起琴来召唤这位知音，可是又过了好久，还是不见人来。第二天，俞伯牙向一位老人打听钟子期的下落，老人告诉他，钟子期已不幸染病去世了。临终前，他留下遗言，要把坟墓修在江边，到八月十五相会时，好听俞伯牙的琴声。

伯牙闻听悲痛欲绝，奔到子期墓前为他弹奏了一首充满怀念和悲伤的曲子，然后站立起来，将自己珍贵的琴砸碎在子期的墓前。从此，伯牙与琴绝缘，再也没有弹过琴。

两位“知音”的友谊感动了后人，人们在他们相遇的地方，筑起了一座古琴台。直至今天，人们还常用“知音”来形容朋友之间的情谊。

李延年

李延年（？—约公元前90年），汉武帝时造诣很高的音乐家，中山（今河北省定州市）人，出身倡家，父母兄弟妹均通音乐，都是以乐舞为职业的艺人。代表作《佳人曲》。

李延年年轻时因犯法而被处腐刑，以“太监”名义在宫内管犬，是谓狗监。狗监是汉代内官名，主要职责是侍候皇帝的猎犬，打扫狗舍的卫生，给狗洗澡，喂食，遛狗，皇帝出猎时与猎犬一同跟在后面跑。别看狗监这个官不大，在旁人眼里看来也很下贱，但却有一个旁人无法相比的优势，就是有机会接近皇帝，并且在皇帝出猎高兴的时候，向皇帝提出一个什么要求，说不定皇帝在兴头上，就金口玉言答应了。司马相如之所以为汉武帝所知，就是通过在宫内任狗监的蜀地老乡杨得意推荐给皇帝的。

李延年还有一个特长，就是“性知音，善歌舞”，因此颇受武帝器重。

李延年的歌唱得很好，“每为新声变曲，闻者莫不感动”，曾在武帝前演唱《佳人难再得》：“北方有佳人，绝世而独立，一顾倾人城，再顾倾人国，宁不知倾城与倾国，佳人难再得”。汉武帝听完后叹息曰：“善！世岂有此人乎？”李延年还没来得及回答，平阳公主争先代奏：“延年有女弟，上乃召见之，实妙丽善舞。”这位佳人就是他的妹妹，其妹妹在御前表演，果真使得汉武帝飘飘然如若仙人，其妹因此歌得幸，当即被纳为嫔妃，被武帝立为夫人。因其妹受宠，其兄李广利被封为海西侯，他自己也被封做协律都尉，负责乐府的管理工作，每年二千石的俸禄，与上卧起，显赫一时。

后来，李夫人为汉武帝生了个儿子昌邑哀王刘髆。母以子贵，汉武帝对李夫人宠爱有加，李延年也跟着沾光，不仅被任命为协律都尉，佩戴二千石印绶，而且主持乐府的音乐创作和民间歌谣的搜集、整理、改编等事务。这个职位对于李延年来说，可以说是人得其用的合适岗位。主持这项工作使他有机会系统地接触各地区的民间艺术，汲取其丰富的营养。从《汉书·艺文志》的记载来看，民间歌谣收集的范围相当广泛，既有赵、代、秦、楚等地，又有中原与边远地区，当时记录的民间歌谣有138首，现在保留下来的还有34首，如《战城南》《陌上桑》《十五从军征》等。这些民间歌谣，反映了当时的社会风貌，黎民百姓的喜怒哀乐。既有现实主义的因素，也有浪漫主义的色彩，有的具有较高的思想性和艺术性，成为文学艺术史上的珍宝。策划乐府改造的汉武帝，其功劳不可埋没；具体主持这项工作的李延年，更是劳苦功高，对中华民族文化艺术的发展做出了不可磨灭的贡献。

李延年不但善歌习舞，且长于音乐创作，他的作曲水平很高，技法新颖高超，且思维活跃，他曾为司马相如等文人写诗词配曲，又善于将旧曲翻新，他利用张骞从西域带回的《摩诃兜勒》编为28首“鼓吹新声”，用来作为乐府仪仗之乐，是我国历史文献上最早明确标有作者姓名及乐曲曲名，用外来音乐进行加工创作的音乐家。他为汉武帝作《郊祀歌》19首，用于皇家祭祀乐舞。

可惜后来，由于李夫人早卒，作为宠妃，汉武帝以皇后的礼仪安葬她，但李家还是渐渐失宠，更由于李广利降匈奴，李季奸乱后宫，一荣俱荣，一损俱损，李氏家族包括延年在内都被汉武帝诛杀。

作为一个音乐家，李延年对对汉代音乐风格的形成及我国后来音乐的发展，是作出了一定贡献的。他搜集整理了许多民间音乐，为司马相如创作了19道郊祀诗谱曲，将张骞从西域带回的《摩柯兜勒》一曲改编为“新声二十八解”，用作仪仗队的军乐，一直到晋代，其中一些章节还在传唱。他的《佳人曲》和诗经里的《蒹葭》“蒹葭苍苍，白露为霜，有位佳人，在水一方。溯游从之，道阻且长。溯洄从之，宛在水中央”同为美人诗。而李延年的歌开首即唱“北方有佳人”一下子就让人想到诗经里的形象，先声夺人，又以奇特夸张手法对佳人的美做了侧面渲染，倾国倾城，美人的杀伤力够震撼，这种令人震慑、企慕、辗转反侧、大叹难得的美，比“巧笑倩兮，美目盼兮”的正面惊艳更加形神兼具荡人魂魄。而且诗中的佳人难得，更道出美丽难求、美丽易逝的怅然与哀伤，韵味绵长。

王羲之

王羲之（303年—361年或321年-379年），东晋书法家，文学家。字逸少，号澹斋，汉族，祖籍琅琊，后迁居会稽（绍兴），写下《兰亭集序》，晚年隐居会稽下辖剡县金庭，中国东晋书法家，有“书圣”之称。历任秘书郎、宁远将军、江州刺史。后为会稽内史，领右将军，人称“王右军”、“王会稽”。其子王献之书法亦佳，世人合称为“二王”。

王羲之父王旷，历官淮南丹阳太守、会稽内史；伯父王导，历侍元帝、明帝、成帝三朝，出将入相，官至太傅，南渡后朝政之稳定，皆赖其力。当时有民谚：“王与马，共天下”，史书上亦曾记载东晋建立甫初王导与皇帝共同接受大臣朝贺。可以想见其家族之煊赫。

王羲之幼时不善于言辞，长大后却辩才出众，且性格耿直，享有美誉。

一日，太尉郗鉴让门生去王家为其挑选女婿，门生把此事奉告王导，王导便让门生到东厢随意考察挑选。众王氏子弟得到这个消息后，有的更衣施粉，有的故作清高勤奋，只有一人仍然袒腹卧于东床，旁若无人地吃东西。门生回去后向郗鉴如实汇报，郗鉴一听便毫不犹豫地说：“这是我要觅的佳婿啊！”事后一打听，才知那人是王羲之！于是，郗鉴就把女儿嫁给了王羲之。“坦腹东床”的典故就出于王羲之。他在当时是朝野看好的人物。

据史书记载，朝廷公卿看重王羲之的才气，屡屡召举为官，他却屡屡辞谢。后为征西将军庾亮参军，累迁至长史，晋宁远将军、江州刺史，官至右军将军、会稽内史。他后来与太原王述不和，称病去职，归隐会稽，自适而终。世称“王右军”、“王会稽”，即出自于他的这一番经历。

王羲之自幼酷爱书法，由父王旷、叔父王廙启蒙，七岁善书，十二岁时经父亲传授笔法论，“语以大纲”，即有所悟。王旷善行、隶二书；王廙擅长书画，王僧虔《论书》曾评：“自过江东，右军之前，惟廙为最，画为晋明帝师，书为右军法。”王羲之从小就受到王氏世家深厚的书学熏陶。

王羲之早年又从卫夫人学书。卫夫人名烁，师承钟繇，妙传其法。她给王羲之传授钟繇之法、卫氏数世习书之法以及她自己酿育的书风与法门。以后王羲之渡江北游名山，博览秦汉以来篆隶淳古之迹，见与卫夫人所传“钟法新体”有异，因而对于师传有所不满；经观摩各家，博采众长，终于“兼撮众法，备成一家”，达到了“贵越群品，古今莫二”的高度。后来他曾自述这一历史转折：

羲之少学卫夫人书，将谓大能；及渡江北游名山，比见李斯、曹喜等书；又之许下，见钟爵、梁鹄书；又之洛下，见蔡邕《石经》三体书；又于从兄洽处，见张昶《华岳碑》，始知学卫夫人书，徒费年月耳。……遂改本师，仍于众碑学习焉。

从这段话可以看到王羲之不断开阔视野、广闻博取、探源明理的经历和用心。

王羲之志存高远，富于创造。他学钟繇，自能融化。钟书尚翻，真书亦具分势，用笔尚外拓，有飞鸟骞腾之势，所谓“钟家隼尾波”。王羲之心仪手追，但易翻为曲，减去分势，用笔尚内抵，不折而用转，所谓右军“一搨瓘直下”。

王羲之学张芝也是自出机杼。唐代张怀瓘曾在《书断》中指出这一点：“剖析张公之草，而浓纤折衷，乃愧其精熟；损益钟君之隶，虽运用增华，而古雅不逮，至研精体势，则无所不工。”王羲之对张芝草书“剖析”、“折衷”，对钟繇隶书“损益”、“运用”，对这两位书学大师都能“研精体势”。

王羲之的书法长于楷书、行书、草书等书体。在汉魏质朴淳厚书风的基础上，博采众长，创造出一种妍美流便、雄逸俊雅的新书风，对后世具有深远的影响，被誉为“书圣”。

在文学方面，王羲之也有很深的文学造诣，但书名更为广泛传播，文名就被人忽视了。他的《兰亭集序》不仅是有名的书法作品，也是一篇脍炙人口的优美散文。公元353年3月3日，王羲之和名士谢安、孙绰等41人宴集于会稽山阴的兰亭，各赋诗咏怀，后结集成册，王羲之为之作序，记叙了当时宴集的盛况，并且即事抒情，表现了当时人的精神面貌，情绪比较消沉，对人世聚散无常、年寿不长发出感叹。序中如“此地有崇山峻岭，茂林修竹，又有清流激湍，映带左右”；“虽无丝竹管弦之盛，一觞一咏，亦足以畅叙幽情”。文笔清新，情韵绵邈。王羲之原有集10卷，已佚。明代张溥辑有《王右军集》2卷，见《汉魏六朝百三家集》。

一般来说，王羲之被公认为是中国古代最杰出的行书书法家。他写的

《兰亭集序》被视作中国历史上最重要的书法作品之一。王羲之本人家世显赫，世代簪缨，自己做到将军，史称“王右军”，为人性情豪爽，潇洒俊逸，学富五车，论相貌也是中国历史上有名的美男子，最令人称奇的是他那一笔惊为天人的行书，中国两千年书法史上无人能出其右。

顾恺之

顾恺之（约345年—409年），东晋画家、绘画理论家、诗人，博学有才气，工诗赋、书法，尤善绘画。精于人像、佛像、禽兽、山水等，与曹不兴、陆探微、张僧繇合称“六朝四大家”。顾恺之作画，意在传神，其“迁想妙得”“以形写神”等论点，以及提出的“六法”，为中国传统绘画的发展奠定了基础。

顾恺之字长康，小字虎头，出生于江东名门望族，他是在优越的家庭条件下成长的，这正为他从小博览群书、习文作画提供了良好的条件。不过，门阀士族的出身并没有使顾恺之成为一个大官，而是在魏晋社会盛行“玄谈清议”的风尚中做了一位并不富有的“清客”（即幕僚或食客）。曾为醒温及殷仲堪参军，他一生基本上就是周旋于当时的豪贵名流之间，只是到了晚年（义熙初年，405年—406年）才得了一个散骑常侍的清闲职位，后卒于任上，终年64岁。

顾恺之不仅“画山有灵，画人传神”，有《洛神赋图》、《女史箴图》、《斫琴图》等神品传世，而且文才出众，专心致力于艺术事业并达到痴呆的程度，历史上有“画绝、才绝、痴绝”的“三绝”美称。

画绝。顾恺之一生辛勤创作，仅史书记载的他的名画就有170多幅，还有许多壁画。公元364年，当时东晋京城建康（今江苏南京）新建瓦官寺，建成后寺僧们请了豪门望族来寺中鸣钟打鼓，并请他们布施捐资。但这些人中的捐资数没有一个超过十万钱的，独有20来岁的顾恺之在捐簿上写下“捐钱一百万”。这引起寺僧们的疑惑。顾恺之请他们在寺中留出一堵墙面，然后关起门来，用近一个月的时间，画了一幅维摩诘像。最后，画眼睛的时候，他叫寺僧打开寺门让人参观。并说，第一天来观看的人，要求布施十万，第二天布施五万，第三天任人布施。当打开门后，壁画光彩照人，观看者蜂拥而至，布施一下子超过百万钱。现在这幅画连同瓦官寺早已毁坏，然而史载，当时看过这幅壁画的人们都认为维摩诘图是有史以来最美妙的画幅，我们今天还可以从敦煌等地的壁画里模仿的维摩诘像想象当时这幅壁画的动人情形。唐代大诗人杜甫曾见过顾恺之的这幅画，并写诗赞道：“看画曾饥渴，追踪恨渺茫；虎头（顾恺之小名）金粟影（维摩诘又被称作金粟如来），神妙独难忘。”据史书记载，顾恺之曾给不同朝代的几个皇帝和文臣武将、名人学士都画过像。后代许多评论家都称赞他的画“画山有灵，画人传神”。

顾恺之不仅有高超的绘画技艺，而且有精深宏远的绘画理论。对于这一点，不但在当时，就是后世也是被人们所一致公认的。他从师画圣卫协，受其真传，并且有创新，有发展。他不仅擅长画当时流行的宗教画、肖像画、历史故事画和以文学作品内容为题材的绘画，还对动物、山水等方面的绘画艺术独有创建。他以一幅《维摩诘像》壁画名噪京华，以《洛神赋图》、《女史箴图》、《列女仁智图》等画卷名传千古；以“颊上添毫”的肖像画名震画坛。他画人物肖像时，最注意的是眼睛。据史料记载：“顾长康画人，或数年不点目睛，人问其故。顾曰：‘四体妍蚩，本无缺少，于妙处传神写照，正在阿堵中。’”他在传统绘画的基础上，开“密体”画的先河，其线描像“春蚕吐丝”、“紧劲连绵”，其绘画风格“迹简意淡而雅正”。其“精密构思，迁想妙得”和“经营位置，随类赋彩”等绘画理论，为后人留下一笔宝贵的财富。

才绝。顾恺之不仅在绘画方面为一代宗师，他在文章、诗、赋、书法等方面也很有造诣。顾恺之十几岁时，家中宴请客人，有人弹筝助兴，顾恺之当即写成一篇《筝赋》，其中有“其器也则端方修直，天隆地平，华文素质，烂熨波成。君子喜其斌丽，知音伟其含清……”等非常优美的句子，他一生写过不少有名的诗、赋和游记，且都很精彩。顾恺之还写成了我国现存最早的一篇关于绘画的评论文章《魏晋胜流画赞》，文中集中整理了他对一些当代著名画家的作品评论，许多精辟的见解和观点还是研究我国古代艺术的重要资料；我国美术史上最早一篇、也是唯一的一篇“绘画设计书”《画云台山记》，也是顾恺之写成的，这篇文章对我国山水画的发展和研究占有重要的地位。他一生写了很多文章、诗、赋，因年代久远，多已佚亡，现传留于世的只有《雷电赋》、《观涛赋》、《冰赋》、《湘中赋》、《筝赋》和《祭牙文》等一些零散的诗文，确实令人遗憾。

痴绝。顾恺之心胸开阔，率性天真，语言诙谐幽默，往往表现出一种憨傻气，故当时人们称他为“顾虎头”、“虎头将军”。连唐代大诗人杜甫都曾题写过“虎头金粟影，神妙独难忘”的诗句。这一点，可从他“倒啖甘蔗”，与谢瞻连省长吟等事情上反映出来，尤其是桓玄私窃了他的珍贵藏画，他明明知道是桓玄窃了藏画，反而装作非常高兴的样子，说："妙画通灵，变化而去，如人之登仙。"其实顾恺之并非真"痴"，而是以装痴作呆为掩护，以逃避权贵们对他的迫害。两晋南北朝时期，特别是东晋偏安以后，天下大乱，社会动荡不安，军阀割据，豪强专横，如果稍有不慎，就会引来杀身之祸。所以当时许多文人墨客在彷徨苦闷的情况下，往往逃避现实，崇尚玄谈，在社会上形成一股沉迷的玄谈之风。顾恺之出身于江南名门，从小受到在官场多年的祖父、父亲的教育和熏陶，了解"侯门深似海"官场险恶的道理，并从嵇康和师父卫协的身上得到印证。他虽然淡泊功名利禄，只想潜心绘画，可桓温等权贵聘请他做幕府参军，他又不敢不去，所以他在官场上采取装痴作呆的办法，委婉周旋，不但能免除灾祸，并与桓温、殷仲堪、谢安等人相处得很好。他这样做，并非是他情愿的事，这是在当时社会情况下不得已所持的一种处世哲学。其才其画，自不必说，单说这痴劲就让你不得不击掌称快——大智者就连痴都是那么魅力无穷。

顾恺之之所以是一位伟大的画家而不是个高明的画匠，就是因为他不但有高超的绘画技法，而且还有先进的绘画理论，更为重要的是他能集"三绝"于一身，淡泊名利，醉心于艺术，这种献身艺术的精神才是超人的。如今，他的画已远传欧美及日本，成为人类共同拥有的艺术珍宝，这不仅是中国绘画史上的骄傲，而且是人类艺术史上的光荣。

王献之

王献之（344年—386年），字子敬，小字官奴，东晋琅琊临沂（今山东临沂）人。他是王羲之第七子，做过州主簿、秘书郎、长史，累迁建武将军、吴兴太守，征拜中书令，故人称“大令”。在书法史上被誉为“小圣”，与其父并称为“二王”。

王献之少负盛名，高超不凡，放荡不羁，虽终日在家闲居，但形貌举止并不显得懒散，才华气度超过时人。他曾与兄长王徽之、王操之一起拜访谢安，两位兄长多谈世俗事，王献之只随便说了几句问候寒温的话。离开谢家后，客人问谢安王氏兄弟的优劣，谢安说：“小的优。”客人问原因，谢安回说：“大凡杰出者少言寡语，因为他不多言，所以知道他不凡。”后王献之娶郗昙之女郗道茂为妻。婚后二人夫唱妇随，两情洽洽。可惜好景不长，因为王献之风流蕴藉，乃一时之冠，新安公主仰慕已久，公主便离婚要求皇帝把她嫁给王献之。皇帝下旨让王献之休掉郗道茂，再娶新安公主。王献之深爱郗道茂，为拒婚用艾草烧伤自已双脚，后半生常年患足疾，行动不便。即便如此仍无济于事，王献之只能忍痛休了郗道茂。郗道茂父亲已死，离婚后只好投奔伯父郗愔篱下，再未他嫁，生活凄凉，郁郁而终。另外，王献之与其妾桃叶的故事历来是民间传说中热门的话题，据说他曾作《桃叶歌》以送佳人。

王献之在仕途上比较顺畅。最初出任州主簿、秘书郎，后转任府丞。而谢安十分敬爱王献之，请他担任自己的长史。380年（太元五年），谢安因功进拜卫将军，王献之仍担任其长史。不久，授职建威将军、吴兴太守，征拜入朝担任中书令。

385年（太元十年），谢安病逝后，有关他的封赠礼仪在百官中存在着不同意见，只有王献之、徐邈共赞谢安对朝廷有忠心与他所建立的功勋。王献之还上书极力陈述谢安的功绩，晋孝武帝于是以隆重的礼仪封赠谢安。386年（太元十一年），王献之病逝，时年四十三岁。

王献之一生为官，但王献之最大成就并不在仕途而在于书法。关于王献之学习书法的故事也有很多。

据说，王献之自幼聪明好学，不仅喜欢书法，也喜欢画画儿。他七八岁开始跟着父亲学书法。有一次，王羲之看他正聚精会神地练习书法，便悄悄走到他背后，突然伸手去抽王献之手中的毛笔，王献之握笔很牢，没被抽掉。父亲很高兴，夸赞他握笔姿势不错，将来一定能成大器。小献之听后心里很得意。还有一次，王羲之的一位朋友让小献之在扇子上写字，他挥笔便写，突然笔落在扇子上，弄脏了扇面。小献之灵机一动，在弄脏的地方画了一头小牛，顿时扇面上有字有画，更加好看。众人对小献之的书法绘画赞不绝口。小献之更得意了，慢慢滋长了骄傲情绪。

有一天，小献之问母亲："我只要再写上三年就能赶上爸爸了吧？"妈妈摇摇头。"五年总行了吧？"妈妈又摇摇头。献之急了，冲着妈妈说："那您说究竟要多长时间才能赶上爸爸？"妈妈说："你要记住，写完院里这18缸水，你的字才会像你爸爸的字那样有筋有骨，有血有肉，才会站得直立得稳。"献之一回头，原来父亲王羲之正站在他的背后。王献之心中不服，什么都没说，从此咬着牙，又练了几年。一天他把一大堆写好的字给父亲王羲之看，希望听到爸爸表扬的话。谁知，王羲之一张张掀过，一个劲地摇头。掀到一个"大"字，父亲现出了满意的表情，并随手在"大"字下加了一个点，然后把字稿全部退还给王献之。

小献之心中仍然不服，又把写的字拿给母亲看，并说："我又练了5年，并且是完全按照爸爸的字练的。您仔细看看，我和爸爸的字还有什么不同？"母亲果然认真地看了3天，最后指着王羲之在"大"字下加的那个点儿，叹了口气说："我儿磨尽三缸水，唯有一点像羲之。"

王献之听后泄气了，有气无力地说："太难了啊！这样下去，什么时候我的书法才能像我爸爸呢？"母亲见他的骄傲情绪已经消尽了，就鼓励他说："孩子，只要工夫深，就没有过不去的河、翻不过的山。你只要像这几年一样坚持不懈地练下去，就一定会达到目的的！"

献之听完后深受感动，又锲而不舍地练下去。功夫不负有心人，王献之练习书法用尽了18大缸水，在书法上突飞猛进。

王献之天资聪颖，又得于书香世家的熏陶和其父王羲之的精心培养，而且敢于大胆创新。曾取扫帚沾泥汁在墙上写方丈大字。因此他能脱颖而出，取得了极高的成就。唐张怀瓘《书断》将其隶书、行书、草书、飞白列入神品。他说：王献之最初跟他的父亲学习，后来又学习张芝的书法，在学习中不受古人规矩法度的制约，敢于创造自己独特的书写方法。行笔率意随和，而力量沉雄，符合自然的审美法则。其心志宏阔，气度飘逸，少有人能和其匹敌。张怀瓘还在他的《书议》里评论献之于行草之外又创新体时说："非草非行，流便于草，开张于行，草又处其中间。无藉因循，宁拘制则，挺然秀出，务于简易。情驰神纵，超逸优游，临事制宜，从意适便有若风行雨散，润色开花。笔法体势之中，最为风流者也。"可见在书法史上将其与王羲之并称为"二王"、"羲献"是当之无愧的。

有人甚至认为王献之的书法成就超过了他的父亲。如宋朝米芾在其《书史》中评道："子敬天真超逸，岂父可比。"张怀瓘也认为王献之"能极小真书，可谓穷微入圣，筋骨紧密，不减于父"。并又赞叹道："神勇盖世，况之于父，犹拟抗行，比之钟、张，虽就敌，仍有擒盖之势。"黄庭坚则认为，王羲之、王献之父子的草书各有特点，并以文章比喻，把王羲之的草书比作《左传》，将王献之的草书比作《庄子》。

平心而论，纵观王献之留下来的书迹，其笔意外展，潇洒倜傥，比王羲之的书法更有纵逸俊美之致，其成就即使不比王羲之高，也是堪与其父齐肩的。世传书迹以小楷《洛神赋十三行》，以及《中秋帖》、《鸭头丸帖》、《保母砖志》、《廿九日帖》、《地黄汤帖》、《辞中令帖》、《鹅群帖》、《授衣帖》、《舍内帖》、《东山帖》等最为著名。

展子虔

展子虔（约550年—617年），北周末隋初杰出画家。所绘物象，生动而富情趣，颇受时人重视，与当时另一画家董伯仁齐名，人称“董展”。展子虔在山水画上所达到的成就及其绘画方法，直接开启了唐代画家李思训、李昭道父子金碧山水的先河，因而被后世誉为唐画之祖。

展子虔约活动于6世纪后半叶，历经北齐、北周，至隋为文帝所召，任朝散大夫、帐内都督等职。展子虔工于绘画，创作范围较广，善画佛道、人物、鞍马、车舆、宫苑、楼阁、翎毛、历史故事，尤长于山水。他曾辗转于大江南北，在洛阳、西安、扬州及浙江等地的寺观中创作了许多壁画。

展子虔的绘画题材广泛，手法多变。他不仅善画人物、车马、山水、台阁，而且大都臻于精妙。他画人物描法工细，以色晕染面部，神采意态俱是；画马各尽其妙，将马站立走卧腾跃奔飞之姿描摹得栩栩如生；画山水则有咫尺千里之势，充分表现出自然中深远的空间感。

展子虔“天生纵任，亡所祖述”，而自能开一代风气。他在绘画上很善于创新。他画人物，善用紧密的线条和能够晕染出浓淡的色彩，表现对象的性格特征和神态形貌，达到了神采如生、意度俱足的境地。他画马能注重描绘马的动势，虽卧立而有行走、腾骧的神情。

展子虔在中国美术史上影响最大的是山水画，他最善于表现自然山水的深远的空间感，传为他所画的《游春图》是现存古代山水画的重要作品。此图现藏故宫博物院，纵43厘米，横80.5厘米，绢本，青绿设色，卷前有宋徽宗赵佶手书“展子虔游春图”的题签。在这幅画上，展子虔以圆劲的线条和浓丽的青绿色彩，描绘了在阳春三月、花红树绿、山青水碧的郊野中，贵族、仕女骑马泛舟、踏青赏春的优美景色，是迄今为止所保存的最早的卷轴山水画。在画面的空间处理上，一改过去绘画中的人大于山、水下容泛、树木排列，如同伸臂布指那种比例失调状况，特别是对湖水微波广阔深远的描绘，颇为成功。在表现技法上，此图以墨线勾出山川屋宇的轮廓，然后填敷青绿色彩，并再以深色重加勾勒，树木、人物等则直接用色点出，形体虽小，却生动有致。画面色彩典雅，富于装饰感。

展子虔的画被后世视为“唐画之祖”是有根据的，与六朝山水画那种不合乎视觉自然比例的画法相比，《游春图》的处理显得匀称多了。尽管他的画面貌古拙，树枝缺少纵横抑扬、穿插多姿的变化，树叶也不及后人那样形状多样，云也勾得过于整齐——从技法上看，还处在山水画的滥觞期，但由于运笔比较成熟，所以他的画仍显得轻重有致，未用“皴”法却能画出山石树木的质感。《游春图》构图壮阔沉静，设色古艳，富有典丽的装饰意味，体现出承上启下的风格，也标志着山水画即将进入成熟期。

此外，展子虔所画寺庙壁画，虽系应酬之作，但也很出名。例如，江都东安寺（后改为常乐寺）壁画（与张儒童合作）、长安灵宝寺（与郑法士合作）壁画、长安光明寺（与田僧亮、郑法士、杨契丹合作）壁画、洛阳天女寺和洛阳云花寺壁画，以及长安定水寺殿内东壁及前面门上所画三圆光，“皆突生壁”，“窗间菩萨亦妙”，长安崇圣寺东殿壁画和长安海觉寺双林塔西面壁画，在唐代就很著名。他在龙兴寺画的《八国五分舍利》，就是一幅构图宏伟，情节丰富，人物众多的大型壁画，展示了当时的时代风貌，画得生动传神，贴切生活。

展子虔的山水画，在中国绘画史上独树一帜。在构图、用笔、用墨、用色等诸多方面构建了基础骨架，全方位找到了适合中国文化国情发展的山水画一般法式。中国画的所谓“南宗”、“北宗”都是从这里流变而成的，从《游春图》中，我们已窥视到了中国山水画成熟的曙光。他所画人物和车马，对后世影响也很大。展子虔当时为许多寺院创作的以宗教内容为题材的壁画，直到宋代，河中（今山西永济）的古庙中还保存着他的作品《鬼拔河图》，赢得了不少诗人的吟咏和赞叹。

阎立本

阎立本（约601年—673年），中国唐代画家兼工程学家。雍州万年（今陕西省西安临潼县）人。阎立本出身贵族，其父阎毗北周时为驸马，因为阎立本擅长工艺，多巧思，工篆隶书，对绘画、建筑都很擅长，隋文帝和隋炀帝均爱其才艺。入隋后官至朝散大夫、将作少监。父子三人并以工艺、绘画驰名隋唐之际。

阎立本的绘画艺术，先承家学，后师张僧繇、郑法士。据传他在荆州见到张僧繇壁画，在画下留宿十余日，坐卧观赏，舍不得离去。阎立本除了擅长绘画外，还颇有政治才干，在唐高祖武德年间即在秦王（李世民）府任库直，太宗贞观时任主爵郎中、刑部侍郎。高宗显庆元年（656年）阎立德殁，他由大将迁升为工部尚书，总章元年（668年）擢升为右相，封博陵县男。当时姜恪以战功擢任左相，因而时人有“左相宣威沙漠，右相驰誉丹青”之说。咸亨元年（670年）迁中书令。咸亨四年卒。

阎立本善画人物、车马、台阁，尤擅长于肖像画与历史人物画。他的绘画，线条刚劲有力，神采如生，色彩古雅沉着，笔触较顾恺之细致，人物神态刻画细致，笔法圆劲，气韵生动，能从画中看出人物的性格特点。其作品备受当世推重，被时人列为“神品”。同时擅长政治题材，曾为唐太宗画《秦府十八学士》、《凌烟阁功臣二十四人图》，为当时称誉。阎立本的不少创作活动与初唐政治事件有密切关系。据记载，他画过《职贡图》、《西域图》、《外国图》、《异园斗宝图》，都是通过对边远各民族及国家人物形象的描绘，反映唐王朝与各民族的友好关系，从而歌颂政权的强大。他曾画《魏征进谏图》则是表现太宗时名臣魏征敢于直谏，从而歌颂唐太宗善于听取臣下意见的美德，可惜这些具有历史意义的作品没有能够流传下来。他的传世作品有《步辇图》、《古帝王图》、《职贡图》、《萧翼赚兰亭图》等。

阎立本的名作《步辇图》现藏故宫博物院，中国十大传世名画之一。绢本，设色，纵38.5厘米，横129.6厘米。作品设色典雅绚丽，线条流畅圆劲，构图错落富有变化，为唐代绘画的代表性作品，具有珍贵的历史和艺术价值。图卷右半是在宫女簇拥下坐在步辇中的唐太宗，左侧三人前为典礼官，中为禄东赞，后为通译者。唐太宗的形象是全图焦点，作者煞费苦心地加以生动细致的刻画，画中的唐太宗面目俊朗，目光深邃，神情庄重，充分展露出盛唐一代明君的风范与威仪。作者为了更好地突现出太宗的至尊风度，巧妙地运用对比手法进行衬托表现。一是以宫女们的娇小、稚嫩，以她们或执扇或抬辇、或侧或正、或趋或行的体态来映衬唐太宗的壮硕、深沉与凝定，是为反衬；二是以禄东赞的诚挚谦恭、持重有礼来衬托唐太宗的端肃平和、蔼然可亲之态，是为正衬。该图不设背景，结构上自右向左，由紧密而渐趋疏朗、重点突出，节奏鲜明。

从绘画艺术角度看，作者的表现技巧已相当纯熟。衣纹器物的勾勒墨线圆转流畅中时带坚韧，畅而不滑，顿而不滞；主要人物的神情举止栩栩如生，写照之间更能曲传神韵；图像局部配以晕染，如人物所着靴筒的折皱等处，显得极具立体感；全卷设色浓重淳净，大面积红绿色块交错安排，富于韵律感和鲜明的视觉效果。此图一说为宋摹本，但摹绘较精，仍不失原作之真。幅上有宋初章友直小篆书有关故事，还录有唐李道志、李德裕“重装背”时题记两行。

从构图的角度来讲，这幅画很明显将所有人物分成两组：以画卷中轴线为界，左边三个男士依次排开，井然有序，没有任何装饰，在规矩中略显拘谨；右边以唐太宗为中心的人物群，左右簇拥的仕女形象，以及装饰物“两把屏风扇”、“一展旌旗”、“步辇”等等，把人物的布局按照其功能自然分工成不同的角色，而且仕女衣带飘飘和晁盖的迎风招展都有意刻画一种充满了柔情、安详、和善的情调。左右这种对比，尤其是译官谨小慎微、诚惶诚恐和仕女们神情自若、仪态万方的表情形成鲜明的对比。一张一弛、一柔一刚，让人的视觉得到了充分地享受。就像我们弹琴时的左手伴奏，稳健而低沉；右手高音区炫音技巧的展示，华丽而不俗脱；一唱一和，和谐有序。

从色彩上讲，这幅图的场景是一个喜庆的场面。根据我国的传统习俗，喜庆的场面通常由红色装点基调。这幅图作者为了突出这一特点，特地将典礼官——位于画面正中间的轴心人物画成红色。这样做的目的既可以一上来夺人眼目地突出红色，又不会太突兀得难于接受。因为按照习俗，禄东赞来自西域，服饰多以网状彩绘织成，很少有一整块同样颜色的衣服。再者，由于红色代表正气，代表恢宏的气势，理应当由中原大唐朝独享，而非喧宾夺主地给吐蕃穿戴上。其次，唐太宗也不合适着红装，一者皇上为至尊天子，然而能够与尊贵相配的颜色只有黄色；二者红色由皇上穿戴，不免显得皇帝过于轻浮，不够稳健睿智。如果我们在考虑仅由于年代久远，风蚀和破坏，原本皇帝身着的镀金装束成了现在的土黄色，那么我们就不难理解作者在颜色安排上的独到之处。

此外《古帝王图》也堪称经典，作品画了十三位帝王形象，加上侍人共四十六人。阎立本成功地刻画了帝王们的个人性格。据过去史书的记载，晋武帝司马炎是深沉、有度量，而完成了统一天下的事业。北周武帝宇文邕是粗野强悍，没有文化，然而是很有策略、很有能力的人。隋文帝杨坚是一个有名的表面上平和、而心中有计谋多猜忌的人。隋炀帝杨广，据史书上说是美姿容，很聪明，但又浮夸、空想、好享受。这一切都和阎立本的表现相符合。

阎立本作品所显示的刚劲的铁线描上看，较之前朝具有丰富的表现力，古雅的设色沉着而又富变化，人物的精神状态有着细致的刻画，都超过了南北朝和隋的水平，因而被誉为“丹青神化”而为“天下取则”，在绘画史上具有重要地位。

吴道子

吴道子（约686年—760年前后），中国唐代画家。后改名道玄，尊称吴生，阳翟（今河南省禹县）人。

吴道子年幼时丧失父母，生活贫寒。神龙年间（705年—707年）在韦嗣幕下做过小吏。景龙年间（707年—710年）又担任兖州瑕丘（今山东省滋阳县）县尉，不久坚辞而去。曾去洛阳追随当时擅长纵放的草书的著名书法家张旭、贺知章学书法。吴道子学书法没有显著的成绩，后来他决定去洛阳，洛阳是当时的经济、文化中心，他开始了浪迹洛阳的生活。这段时间他潜心于寺院道观的壁画创作中，很快他的名声就传遍了洛阳内外，开元年间（713年—741年）他被唐玄宗召入禁中为宫廷作画，先后任供奉、内教博士，官至宁王友。他奉诏绘制了一些历史画或政治性肖像画（如《金桥图》），同时常在长安、洛阳作壁画，观者如堵，名声广播。天宝年间（742年—756年），他奉诏游蜀归来，在大同殿画出嘉陵江三百余里旖旎风光。玄宗因之称羡道："李思训数月之功，吴道子一日之迹，皆极其妙。"758年以后，其事迹不详。

吴道子活跃于盛唐，在这个国势强盛、经济繁荣的时期，文学艺术空前发展。中外文化交流、各艺术门类的沟通，为他的艺术成就奠定了良好的基础。他喜与文人名流交往，又游历各地，在绘画上远师张僧繇，近法张孝师。早年作画行笔流丽纤细，继承六朝风范；中年后笔迹磊落逸势，高度成熟。他兼善人物、佛道、神鬼、山水、鸟兽、草木、台殿等各类题材，尤以人物、佛道见长。他在长安、洛阳两京寺观所作壁画，曾达300余堵，并且奇踪异状，无有同者，其《地狱变相》名震一时。

吴道子也是一个多产的画家，据说寺廊壁画有三百余幅，有记录的卷轴画有一百多件。其中佛教、道教题材为多，还有山水、花鸟、走兽等，可惜今已无存。《天王送子图》是宋人对他作品的临摹本，从中反映了吴道子的基本画风。吴道子打破了长期以来沿袭的顾（恺之）陆（探微）"紧劲连绵，如春蚕吐丝"的那种游丝描法，游丝描的线条圆润挺健，但是缺少变化。吴道子开创的兰叶描，其"行笔磊落，挥霍如莼菜条，圆间折算，方圆凹凸"。他用笔起伏变化，雄俊而疏放，很有内在的劲道。同时他敷色比较简淡，甚至不着色。他在创作时处于一种高度兴奋与紧张的状态，很有点表现主义的味道。这些都成为后来疏笔水墨画的先声。

同时，吴道子在艺术上又富有创造精神，一说山水画之变由他开始。他用状如兰叶或莼菜条的笔法表现衣褶，圆转而有飘举之势，北宋郭若虚在其《图画见闻志》中称之“吴带当风”。他又以焦墨勾线，薄施淡彩，世谓之“吴装”。他通过墨线的肥瘦抑扬，表现出物象的运动感和量感，为白描的发展作出了贡献。因其笔法流转洗练，笔才一二，象已应焉，后人将他与张僧繇合称“疏体”代表画家，以区别于顾恺之和陆探微紧劲连绵的“密体”。苏轼评他的艺术“出新意于法度之中，寄妙理于豪放之中”，并且将他作为唐代绘画的代表，与诗人杜甫、散文家韩愈、书法家颜真卿并列，极赞道：“画至于吴道子，而古今之变，天下之能事毕矣。”他被后世尊为“画圣”，被民间工匠尊为祖师，对以后的绘画尤其是人物画和白描画风影响极大。

吴道子的真迹，宋代已难见到，流传至今的重要摹本《送子天王图》，可能为宋人摹，一般认为比较接近吴道子风格。这幅长卷表现悉达多太子（以后的佛教始祖释迦牟尼）诞生后，他父亲净饭王和摩耶夫人抱着他去朝拜大自在天神庙，诸神向他礼拜的故事。净饭王捧着婴儿，以一种小心翼翼的动作，充分透露出这一抱持者的崇敬心情；同时，那一跪拜在地的孔武有力的天神，更不是单纯的跪拜，而是张皇失措、惶恐万状的神态，是精神上完全降服了的表情。净饭王和天神的这两个有充分的心理根据的动作便烘托出还在襁褓中的，在画面上看不出任何直接的迹象来的小小婴儿的不平凡和无上威严。这样的表现是通过人物的表情和内心的联系以阐明主题，所以在绘画艺术技巧的发展上有创新的意义。其他摹本有《宝积宾伽罗佛像》、《道子墨宝》。还有不少线描石刻，大都迭经翻摹。敦煌莫高窟第103窟的《维摩经变》亦可见他的风格。

自开元以后，寺观壁画多流行“吴家样”。至五代两宋，吴道子的继承者代不乏人，如高益、高文进、武宗元。同代人学吴道子者，以卢楞伽著称。同代的杨庭光，开元中与吴道子齐名，颇得其体，而笔力不减吴生。

吴道子被后世尊为“画圣”，被民间工匠尊为祖师，对以后的绘画尤其是人物画和白描画影响极大。千古“画圣”吴道子在艺术上取得的卓著成就，是祖国古代艺术殿堂中永远璀璨的一颗明珠。

李龟年

李龟年（生卒年不详），唐时乐工，李龟年善歌，还擅吹筚篥，擅奏羯鼓，也长于作曲等。和李彭年、李鹤年兄弟创作的《渭川曲》特别受到唐玄宗的赏识。安史之乱后，李龟年流落到江南，每遇良辰美景便演唱几曲，常令听者泫然而泣。李龟年作为梨园弟子，多年受到唐玄宗的恩宠，与玄宗的感情非常人能及，唱了王维的一首《伊川歌》："清风明月苦相思，荡子从戎十载余。征人去日殷勤嘱，归燕来时数附书。"表达了希望唐玄宗南幸的心愿。唱完后他突然昏倒，四天后李龟年又苏醒过来，最终郁郁而死。

帝妃玉环的风流艳史，载有他的行迹；谪仙李白的冠世华章，伴有他的倩影；诗圣杜甫的沉痛史诗，谱有他的英名。出类拔萃的艺术才华，决定了他一生的荣辱，勾连着唐代由盛而衰的历史。这位音乐大师的生平，本身就是一曲承平之歌与黍离之诗所编织的深沉而颤动的交响乐。他，就是唐代宫廷名伶李龟年。

李龟年出身于宫廷艺术之家。其弟彭年善舞，鹤年善歌，都是当时颇负盛名的宫伶。弟兄三人，龟年居长，才艺超群，不但有优美的歌喉，而且擅长觱篥，精于制曲，深得风流天子唐明皇的喜爱。他曾在东都洛阳大起邸宅，奢侈豪华超过一般公卿，史称"中堂制度甲于都下"。相传后来晋公裴度将此辟为别墅，成为裴公与白居易、刘禹锡等著名诗人"和露摘黄花，带霜烹紫蟹，煮酒烧红叶"，饮酒赋诗的"裴公绿野堂"。

东京洛阳是王公贵族聚居之地。玄宗的爱弟岐王隆范的邸宅在崇善坊，中书令崔湜的小弟崔涤的邸宅在遵化里。他们能诗善艺，好结交，时时名流云集，吟诗唱和。李龟年是岐王府、崔九堂的座上客。他初次到岐王府做客还有一段不平凡的趣事：王府大开筵席，帷幕内音乐随之而起，金石丝竹之声，绕梁回荡。李龟年并不稀罕丰盛的酒宴，对音乐演奏却迷醉若痴。他审音辨律，一会儿提醒大家说：这是秦音慢板；一会儿又自言自语：这是楚音流水。弹秦音的是沈研，奏楚声的名薛满，都是王府艺高技绝的女伶。宴会毕，岐王以"破红绡、蟾酥纱"馈赠来宾。李龟年不屑一顾，突然揭开帷幕，从沈研手中把琵琶要了过来，目若无人地拨弄着琴弦扬长而去，他的举动使周围的人大为愕然，生怕亵渎了岐王，可是，岐王李隆范却毫无愠色，微笑着，目送他那远去的背影。岐王是一位风流王爷，他不但工于诗文，而且颇解音律，对李龟年的音乐天才早已打心眼里佩服。从此，李龟年便成了岐王府的常客。

一次，李龟年在东都皇城内看到一场别开生面的演唱会，感觉特别过瘾。他发现参加演出的梨园子弟，分为坐部和立部。坐部是优秀的演员团体，歌者和乐工都坐在堂上演出，配舞精悍，伴舞者只有3至12人，舞姿文雅，动作轻缓，是用丝竹细乐来伴奏。立部是一般演员团体，风格粗犷，歌者都站在地面上歌唱，乐工们立在堂下演奏，伴奏的乐器有鼓和锣，伴舞者有很多，60至80人不等，舞姿威武，阵势庞大，一派热闹景象。

由此，李龟年发现了音乐的雅俗，分出了节奏的快慢，看到了演员和乐工的不同分工。他还发现，凡是皇室组织的演出，儿童演员占的比例很大，贵妇人似乎更喜欢儿童演员，喜欢看他们当场化妆，喜欢拉着他们的小手攀谈，喜欢赏赐他们礼物。这些儿童演出队伍，称为小部，主要表演舞蹈，分为文舞、健舞两种，他们基本来自梨园培训班，一边学习，一边走穴，为别人伴舞。

这是充满艺术气息的时代，当时的长安和洛阳，很容易看到来自伊朗、印度的歌舞。开放的国度，开放的艺术，高鼻深目的西域来客，与大唐儒雅的音乐家牵手，奏出了和谐的音符。

李龟年生活在这样的国度，生活在这样的时代，眼前常见优伶舞，耳边不断丝竹声，他尽情地学习着各地音乐，为将来进入宫廷乐坛做准备。

唐玄宗是一位多才多艺的风流帝王。他从小酷爱音乐歌舞，精通音律，擅长羯鼓，曾作有《霓裳羽衣曲》、《紫云回》、《凌波曲》等著名的乐曲。他尤其喜爱法曲。为了研习法曲，他选坐部伎弟子三百人和数百宫女，分别置于梨园和宜春院北，专门演练法曲乐舞，有时甚至亲临教正，称之为“皇帝梨园弟子”。与此同时，他又从中精选三十人组成“小部音声”。李龟年和他的两个弟弟，以及黄幡绰、贺怀智、雷海青、马仙期、张野狐等著名艺人都是这个皇家艺术团的主要成员。其中，尤以李龟年能歌善奏、技艺全面、受命教习而出类拔萃。

唐玄宗后期的数次音乐盛典都是由小部音声主演。如新丰初进女伶谢阿蛮时，于清元小殿作乐，宁王李隆宪吹玉笛、贵妃杨玉环弹琵琶、玄宗李隆基羯鼓、马仙期击方响、李龟年觱篥、张野狐箜篌、贺怀智拍板。这是古今中外最高规格的音乐会。

李龟年是一位很有灵气的音乐天才。他曾妙制《渭川曲》而深受玄宗赏识。虽然我们无从领略其出神入化的音乐，却也大致可以断定它是在俗乐基础上吸收西北民族音乐而创作的法曲乐调，融秦声汉调于一炉，同《凉州曲》、《伊州曲》、《绿腰》之类杂曲相似，急管繁弦、清扬婉转。后人将此曲称为《渭州曲》、《胡渭州》，南宋姜白石《醉吟商》词序中又作《湖渭州》，并声称它属琵琶四曲之一，已求得品弦法而译其谱。它原属小石调，但到了元代，文献所载小石调已无此曲，显然龟年所制妙曲佚失已久。根据《碧鸡漫志》引《脞说》记载，《荔枝香》曲也是李龟年的杰作："太真妃好食荔枝，每岁忠州置急递上进，五日至都。天宝四年夏，荔枝滋甚，比开笼时，香满一室，供奉李龟年撰此曲进之，宣赐甚厚。"《荔枝香》是现在还可以考略其来历的唐代二十五法曲之一。《新唐书》记载此曲的来历很有意思：唐玄宗到骊山游玩，正逢杨贵妃生日，算起来，这位丰腴美艳的国夫人正好30岁。三十女子一枝花，唐玄宗当然要让她过得充实、愉快，所以命令小部音声在清华宫长生殿举行"贵妃生日音乐晚会"。作为小部乐班首的李龟年当然更为紧张，他必须立制新曲、精心排练。到了晚上，音乐演奏会开始，所制新曲还没有想好一个合适的曲名，李龟年和乐队的队员都费尽神思，心急火燎，恰巧，进贡荔枝的使者匆匆进殿，打开食笼，清香扑鼻，李龟年灵机一动，"荔枝香"这一美妙的曲名便脱口而出。清新的音乐，芳香的荔枝，献给娇艳无比的年轻妃子；这一对帝妃情种安能不乐？

李龟年经常以他过人的才情应急献艺。开元中、兴庆宫沉香亭畔牡丹盛开。玄宗携带他心爱的杨妃，乘着月色，前往赏花。面对良辰美景，风流天子赏花对艳，如醉如痴，立诏梨园弟子，从中挑选出第一流的名手共十六人，由李龟年率领进宫来了。李龟年手拿檀板，正要歌唱，玄宗急忙制止，说：赏名花，对妃子，怎能用旧歌词呢！立即命李龟年拿着金花笺纸，宣召翰林学士李白入宫作辞；名播海内，气宇轩昂的诗仙正沉醉未醒，他跌跌撞撞，进入宫中，当即援笔赋就《清平调》三章：

云想衣裳花想容，春风拂槛露华浓。

若非群玉山头见，会向瑶台月下逢。

一枝红艳露凝香，云雨巫山枉断肠。

借问汉宫谁得似，可怜飞燕倚新妆。

名花倾国两相欢，常得君王带笑看。

解得春风无限恨，沉香亭北倚阑干。

真是绝妙好辞，咏花写人，把娇贵如牡丹的妃子描绘得无与伦比，使她如痴如醉，云里雾里、兴高采烈。李隆基看她如此高兴，益发乐不可支，连忙命令乐队约略调抚丝竹，催促李龟年演唱。随即妙辞金声，在沉香亭绕梁荡漾，回廊流霞。杨贵妃乐滋滋地、手持玻璃七宝杯，酌西凉州葡萄酒，嫣然微笑，以玉音伴合。兴致勃发的李隆基也以玉笛伴奏，每遍过门，特意用悠扬的慢节奏修饰衬托，使李龟年和杨玉环的男女二重唱谐合为一、余音如流。李白即席赋诗，龟年临场歌曲，一个锦心，一个绣口，锦辞妙曲，堪称双绝。

李龟年不仅是声名赫赫、倾靡一时的梨园歌星曲手，而且是一位富有深心理智的幽默家。唐玄宗自从63岁时得了杨玉环后，便把国事交予权臣，自己一头扎进温柔乡，沉溺于声色享乐。当时，李林甫权倾一时而群臣莫敢抗礼，唯有安禄山倚仗帝妃的恩宠，在李林甫面前神情极为倨傲。李林甫佯装以他事召见大夫王鉷。王鉷入见，诚惶诚恐，趋拜卑约。禄山见状，不觉自失。李林甫与禄山讲话，往往猜透其心理而先言之，安禄山惊服，从此特别惧怕李林甫，说："我对天子亦不恐惧，唯见李相公则悚怀。"安禄山归范阳，刘若谷充当联络员，每次从长安来，禄山总要先问："十郎（李林甫）何言？"如果说些安慰的话，安禄山便欢喜雀跃，倘若是警告："安大夫须好检校！"他就惊恐万状，反手据床而自言自语："阿与！我死也！"李龟年洞悉个中奥妙，常在唐玄宗面前模仿安禄山的举止情态，作惊恐状，说："阿与！我死也！"或许他想用这种滑稽表演警醒玄宗明察，可是唐玄宗却只是莞尔一笑。近人王悠然《唐戏弄序》中说："可惜当时虽然有一个极聪明的李龟年，却终于未曾点化得一个极糊涂的唐明皇，挽救不了唐代前面二百年中最大的一个危机，消弭不了安、史二人引起的一场大乱。"

渔阳兵变，结束了盛唐历史，带来了社会大动乱，李龟年也因此改变了人生旅程的航向。苍山巨变，身世播迁。李龟年并没有放弃对艺术的执着追求。每遇良宵佳景，他总要以他那炉火纯青的金嗓为人歌唱数阕。他那丰富的情感、深沉的音调，常常使座客闻而啜泣，静而长嗟。

李龟年辗转流迁，来到湘江之滨美丽娟秀的潭州，在湘中采访使的筵席上，他饱含热泪地演唱王维的《相思》曲："红豆生南国，春来发几枝。劝君多采撷，此物最相思。”羁旅异乡、漂泊人生，美好的回忆，无限的情怀。这催人恋旧的绝妙佳词，一字一声都蕴含着他的感慨和忧伤。歌曲刚刚唱了一阕，李龟年惨然四望，忽然闷绝，仆倒在地。当人们把他送到他的妻子身边时，气息全无，唯左耳微温。他的妻子悲痛欲绝，然而无论如何也不忍心殡殓，一直守候在他的身边。到了第四天，李龟年奇迹般地苏醒，面带喜悦，对妻子说：“我遇见了梅妃和杨妃，她们命我教侍女兰苕唱《祓禊》曲，然后放我回来，并说主人很快返回长安，国家也已经有了中兴之主，何必过忧。”李龟年做梦都在眷念国事，回味他那风华正茂的梨园生活。

此后，饱经战乱漂泊之苦的杜甫因投亲靠友而辗转来至湖南潭州。李龟年也漂流潭州，投奔无门。就在这漂泊无所的逆境中，李龟年和杜甫，音坛与诗坛的双星，奇迹般地遇合重逢。他们最早结识于东京洛阳，正是风华少年，李龟年以歌闻名得以赐第洛阳，早入名流；杜甫则因寄居姑母家，初露才华，为洛阳名士交口称赞，得以进入文人名士之圈，成为岐王府、崔九堂的常客。如今，浪迹天涯的流亡生活把他们抛在一起，苦难、哀愁，折磨得杜甫心神憔悴，也消尽了李龟年昔日的风采。繁华消歇，风流云散，余生相见，暮年重逢，诉不尽的离合悲欢。在眷念于辛酸离合之际，珍惜于生死友谊之间，杜甫以他的圣手神笔，写下了神凄韵逸、风致绵邈的千古绝唱《江南逢李龟年》：

岐王宅里寻常见，崔九堂前几度闻。正是江南好风景，落花时节又逢君。

阔别四十多年，经历乱离摧折十几春秋，残年暮景的无限思绪瞬息间回溯到风华正茂的开元盛世。岐王府的华宴高会，崔九堂的良友嘉宾；李龟年春风得意，辨律度曲，承平放歌，倾倒四座，喝彩不绝。这就是杜甫心目中留下的李龟年的风采，也正是清平盛世文坛艺苑所应有的光景。而今，故人重逢，纵然面对明媚如画的江南美景，毕竟是羁旅异乡，乱离无归，忧伤如织。升平中相识，乱离中聚首，诗人与艺人的离合正概括了唐王朝由盛而衰的全部历史。这就是承平之歌与黍离之诗的交响曲，历史悲剧与人生悲剧的沉痛的颤音。

李龟年，不知其所生，也不明其所死。他以精湛的艺术造诣充实了唐代灿烂的艺苑，他有过荣耀，也有过悲伤。他的名字永远地同唐代由盛而衰的历史大悲剧嵌刻在一起。

张 旭

张旭（生卒年不详），字伯高，一字季明，汉族，唐朝吴县（今江苏苏州）人，开元、天宝时在世，曾任常熟县尉，金吾长史。以草书著名，与李白诗歌、裴旻剑舞称为“三绝”。诗亦别具一格，以七绝见长，与李白、贺知章等人共列饮中八仙。与贺知章、张若虚、包融号称“吴中四士”。书法与怀素齐名。性好酒，据《旧唐书》的记载，每醉后号呼狂走，索笔挥洒，时称张颠。这也说明他对艺术爱好的狂热度，被后世尊称为“草圣”。

张旭嗜酒成性，与李白、贺知章、李适之、李进、崔宗之、苏晋、焦遂称为“饮中八仙”。而且往往在醉后书写，草体字也写得尽善尽美。杜甫在《饮中八仙歌》中说：“张旭三杯草圣传，脱帽露顶王公前，挥毫落笔如云烟。”据李肇《国史补》说，张旭每次饮酒后就写草书，挥笔大叫，把头浸在墨汁里，用头发书写。变化无穷，若有神助。他的“发书”飘逸奇妙，异趣横生，连他自己酒醒后也大为惊奇，这似有夸张之嫌。诗人高适在《醉中赠张旭》说他“兴来书自圣，醉后语尤颠”，人们也就称他为“张颠”。后怀素继承和发展了其笔法，也以草书得名，并称“颠张醉素”。

张旭善于向别人学习借鉴，集纳各家之所长，也是其书法臻于出神入化之境的重要原因。唐人张国《幽闲鼓吹》中记述张旭任常熟县尉时从一老翁处获得教益的故事。这则故事说：张旭到常熟任县尉才十多天，有一个老翁为了一件小事到县衙内告状，张旭给他写了一张判决书，不料过了数日，这个老翁又来求判，张旭非常恼火，责备这个老翁道：“你怎么敢为了一件细小闲事屡次来求判，吵扰衙门！”这个老翁回答说：“我实在不是为了再来求判，而是因为看到你上次判决书上的书法笔迹奇妙，想多得一些作为墨宝珍藏起来。”当张旭在谈话间得知这老翁家藏有其先父的遗墨精品时，就要他拿来观览。张旭看到老翁先父的墨迹时，惊呼“天下工书者也”，从此张旭尽得运用笔法的妙旨，书艺大进。在北宋欧阳修、宋祁所编的《新唐书·李白传》及北宋朱长文所撰《吴郡图经续记》中，都有类似记述。

张旭为狂草书的奠基者。“草”书而再冠之以“狂”，是区别于晋代大书法家王羲之作风的草书。狂草，是书法艺术中的一种表现形式，就其法度、规矩来说，却是狂而有理，一板一眼，严密、准确的，容不得半点草率和马虎。韩愈说：“旭善草书，不治他技。故旭之书，变动如鬼神，不可端倪。”他的书法得之于“二王”而又能独创新意。他的楷书端正谨严，规矩至极，被黄山谷誉为“唐人正书无能出其右者”。

《古诗四帖》相传为张旭的真迹，书写的是梁代诗人庾信的《步虚词》二首和晋代诗人谢灵运的诗二首，是张旭幸存人世间的稀世墨宝。此帖雄强奇伟，笔势纵逸。董其昌评说：“有悬崖坠，急雨旋风之势。”《古诗四帖》恣纵中寓于严谨的法度，是跟张旭学识的渊博，以及点划周到的楷书功力相关联的。过人的艺术修养，丰富的形象思维，扎实的基本功夫，加以有胆有魄，才能真正地把草书狂起来，造出千古流芳精湛的艺术作品。谁以为写狂草书只要放开胆子、不受章法束缚，可以随心所欲信手涂鸦的话，那就大错特错了。没有深厚的楷书功底和艺术修养，哪能写出精彩动人的草书。

张旭的另一名作《肚痛帖》仅30字，此帖用笔顿挫使转，刚柔相济，千变万化，神采飘逸，写来洋洋洒洒一气贯之。从帖中可以看出，写此幅字时是蘸饱一笔一次写数字至墨竭为止，再蘸一笔。这样做可以保持字与字之间的气贯，还可以控制笔的粗细轻重变化，使整幅作品气韵生成，产生“神虬出霄汉，夏云出嵩华”的气势。明王世贞跋云：“张长史《肚痛帖》及《千字文》数行，出鬼入神，惝恍不可测。”

历史上公认张旭是“狂草”之祖，被尊之为“草圣”，其实他的楷书也写得非常出色，很可惜为草书的盛名所掩，不太为人所知，据说颜真卿的楷书就得自他的真传。张旭传世的书法作品有草书《肚痛帖》、《率更帖》、《古诗四帧》以及楷书《郎官石记序》，还有1992年在洛阳邙山发现的《严仁志》，可以说，张旭是位各体皆擅的书法大家，在中国书法发展史上起着承前启后的作用，有着举足轻重的地位。唐代大书法家颜真卿、怀素都曾师法于他。颜真卿曾两度辞官向他请教笔法。我国古代书法评论家对欧阳询、虞世南、褚遂良、薛稷乃至颜真卿、柳公权诸大家都有微词，只有张旭，无人道其短，这是书法史上绝无仅有的。唐代韩愈赞张旭书法为：“观于物，见山水崖谷、鸟兽虫鱼、歌舞战斗、天地事物之衰，可喜可愕，一寓于书。”

张旭死后，大家都很怀念他。如杜甫入蜀后，见张旭的遗墨，万分伤感，写了一首《殿中杨监见示张旭草书图》，诗中曰：“斯人已云亡，草圣秘难得。及兹烦见示，满目一凄恻。”李颀在《赠张旭》一诗中说：“露顶据胡床，长叫三五声。兴来酒素壁，挥笔如流星。”可见大家对张旭的敬爱之深。

常熟人民为了纪念张旭，直到今天，城内东门方塔附近还保留着一条“醉尉街”。旧时，城内还曾建有“草圣祠”，祠内的一副楹联：“书道入神明，落纸云烟，今古竞传八法；酒狂称草圣，满堂风雨，岁时宜奠三杯”，表达了邑人对这位草书之圣的深深崇敬。张旭洗笔砚的池塘也曾长期保留，称为“洗砚池”。苏州百姓以书法家张旭引为自豪。草圣张旭也是中华民族的骄傲与光荣。

颜真卿

颜真卿（709年—784年，一说709年—785年），字清臣，汉族，唐京兆万年（今陕西西安）人，祖籍琅琊临沂（今山东临沂），唐代中期杰出书法家。他创立的“颜体”楷书与赵孟頫、柳公权、欧阳询并称“楷书四大家”。

颜真卿出身于一个擅长书法、精通文字学的封建士大夫家庭，他的五代祖颜之推，是南北朝时著名的学者，所著《颜氏家训》中就有关于书法和文字学的论述。颜真卿又是唐代著名训诂学家颜师古的五世从孙，父亲颜惟贞亦是唐代有名的书法家。在这种学术和艺术环境里，颜真卿从小就受到熏陶和影响，他聪明好学，不但文章写得好，而且书法也受到长辈们的赏识。颜真卿于唐玄宗开元二十二年（公元734）登甲科，中进士，任殿中侍御史。因受杨国忠排斥，天宝末年出为平原太守。肃宗即位，迁工部尚书兼御史大夫。代宗朝历官吏部尚书、太子太师，封鲁郡开国公。所以后世多称他为“颜平原”或“颜鲁公”。

颜真卿不仅是一位著名的政治家，而且是一位卓有成就的书法家。

唐朝自太宗至玄宗前期，国力强盛，疆域拓展，四方来朝，政治、经济、文化空前繁荣。文学艺术进入雄强博大、汪洋恣肆的新境界，定法度、立标格，激情宣泄，烂漫多姿，名家、大家迭出。其中，书法艺术正式确立了唐法，与王羲之、王献之的“二王”法度共同构建了中国书法艺术两种不同的风格基调。而唐法的最后定型，即是颜真卿所创立的“颜体”。

颜真卿以前，书法艺术承袭东晋以来的传统，书宗王羲之、王献之，书风秀媚。唐初欧阳询、虞世南、褚遂良、薛稷等人，虽有创新，但始终未脱“二王”风格。随着李唐王朝的繁荣、鼎盛，这种书风已不符合盛唐的审美需求。颜真卿自幼习书，终生不废。其书法艺术早年得自家传，自称“上祖多以草隶篆籀为当代所称”。及长，师从张旭，并广泛借鉴秦篆、汉隶、北朝碑版与“二王”、褚遂良等人的书风，奠定了深厚的艺术功底。颜真卿凭借其对文字法度的深究明鉴，对书法艺术的深刻领悟，上追秦汉，承绪魏晋，取法民间书韵而终成一格，创立“颜体”。其基本特点是：

一、在笔法上，颜真卿改变了初唐王派书家注重运指，风格轻盈秀丽，以瘦硬取胜的特色，而是加大了腕力的运用，突出一个“筋”字，即范仲淹所说的“颜筋”。这样颜字就取得了“力透纸背”的效果，表现出了书法艺术的“力量”美。苏东坡对此作了更贴切的说明：“鲁公变法出新意，细筋入骨如秋鹰。”颜真卿又吸收了篆、隶中锋用笔和藏锋逆入的特点，将此化入楷书。而且“折叉股’、“屋漏痕”、“印印泥”、“锥画沙”等笔法都体现在他的书法作品之中，写出了独具特色的“蚕头燕尾”的颜楷，丰腴劲健，端庄雄伟，“合篆籀之义理，得分隶之谨严，放而不流，拘而不拙，善之至也。”另外颜楷用笔横轻竖重，主次有别，气度不凡，使颜字具有一种人为的浮雕艺术效果，颇具特色。

二、在结构上，颜真卿改变了王派书家大多左紧右舒，左低右高，右肩稍耸，字形微侧之势，灵便洒脱之姿。而是吸收了篆、隶正面取势，浑圆庄重的特色，笔画端平，左右对称，字字都以正面形象示人。改王派楷书的相背为相向，重点的竖画写得略带圆弧形，如饱满待发的强弩，包含了巨大的弹力，使整个字的结构更加圆紧浑厚而富于内在的劲力。

三、在章法布局上，王派书法字小而行宽，具有宽舒静穆之感，犹如一首情深意长的抒情小调；颜体楷书却与此相反，大小参差，行距缩小，全篇布局具有充实茂密之致，字里行间洋溢着充沛的气势，浑然一体，密不可拆，像一组雄壮高亢的交响曲。

此外，颜真卿书法的另一特点是具有强烈的时代精神。李唐王朝是中国封建社会的顶峰，它不但在政治、经济等方面得到了巨大的发展，而且在文化艺术方面也取得了不朽的成就。颜真卿主要活动在玄宗、肃宗、代宗.德宗等在位期间，经历了唐王朝由盛及衰又走向中兴的历史阶段，始终处在激烈的政治斗争之中，他的书法作品也不可避免地带有强烈而鲜明的时代精神。

《祭侄稿》是颜真卿为祭奠在安史之乱中被安禄山杀害的从侄颜季明的文稿。这幅草稿，由于作者全神贯注于悼念和追怀之中，叙写当年平叛时的激烈斗争场面，迅疾之间，顾不得其他，不计工拙，一气呵成。却在不经意之中发挥出了长期蕴藏的艺术精华，笔笔有来历，字字有规矩，可谓奇绝之作，直入神品。“纵笔浩放，一泻千里，时出遒劲，杂以流丽”。此稿真迹明时藏吴廷家，后辗转入清内府，现藏台湾。从这一书作中，我们不仅可以欣赏到颜真卿绝妙的书艺特色，更重要的是可以从中了解安史之乱的史实，看到激烈的战争场面的叙写，从而体验出强烈的时代气氛。

颜真卿身为一代忠臣而在书法艺术领域革故鼎新，创立“颜体”，完成了中国书法艺术史上楷书法度的变革与最后定型。历代重其人品，宝其墨迹，仅宋徽宗朝宣和内府即藏有颜真卿书迹200余件，至今尚存70余件，均为艺术珍品，具有极高的艺术、文物价值。

后人感其忠辑、敬其伟烈，纷纷题咏作赋，称颂颜真卿的功业、为人，赞叹颜真卿的艺术成就，并在颜真卿所到之地，建祠筑堂、修坊立碑，以示纪念与敬仰。人们徜徉于墓园，流连于碑版，深深地为颜真卿雄浑博大的书法艺术和严如烈日的忠贞品节所震撼。一代宗师，英名永存。

柳公权

柳公权（778年—865年），字诚悬，陕西耀县人。唐朝最后一位大书法家。他继承了前辈书体结构，自创所谓“柳体”，并为后世百代楷模，直至进入印刷体时代。他的字在唐穆宗、敬宗、文宗三朝一直受重视，他官居侍书，长在禁中，仕途通达。文宗皇帝称他的字是“钟王复生，无以复加焉”：穆宗帝问他怎样用笔最佳，他说：“用笔在心，心正则笔正。”这句名言被后世传为“笔谏”佳话。“柳体”与“颜体”齐名，并称“颜筋柳骨”。

柳公权的父亲柳子温曾任丹州刺史，其兄为唐名臣柳公绰。宪宗元和三年（808年），三十一岁的柳公权进士及第，当年宏词登科。从此，柳公权开始了漫长的仕途生涯，竟然历仕七朝：宪宗、穆宗、敬宗、文宗、武宗、宣宗、懿宗。

穆宗即位，柳公权入朝奏事。穆宗召见柳公权，说：“朕于佛寺见卿笔迹，思之久矣。”即日拜右拾遗，充翰林侍书学士，迁右补阙，司封员外郎。从此他在穆宗、敬宗、文宗三朝，一直侍书禁中。皇帝的宠幸、生活的优裕，并未给柳公权带来欢乐，他内心却有无法排遣的苦闷与隐隐的羞愧。他酷爱书法艺术，但他不想以此作为自己全部的生活，建功立业的进取雄心，时时跃动在胸间。而随从皇帝的侍书，其地位仅与“工祝”一类相等。因此其兄柳公绰曾写信给宰相李宗闵，云：“家弟苦心辞艺，先朝以侍书见用，颇偕工祝，心实耻之，乞换一散秩。”于是改为右司郎中，累换司封、兵部三郎中，弘文馆学士。

唐文宗颇爱柳公权书法，又召为侍书，迁谏议大夫，后改中书舍人，充翰林书诏学士。开成三年又转工部侍郎，累迁学上承旨。武宗朝，罢内职，授右散骑常侍，宰相崔珙用为集贤学士、判院事。宣宗时，左授太子詹事，改宾客，累迁金紫光禄大夫、上柱国、河东郡开国公。复为左常侍，国子祭酒，历工部尚书。懿宗时，咸通初年，柳公权改为太子少傅，改少师；在咸通六年（865年）卒，赠太子太师，时年八十八。

柳公权仕途通达，只是在八十二岁那年，因年老力衰，反应稍迟钝，在上尊号时不慎讲错，御史弹劾他，结果被罚了一季的俸禄。各朝皇帝都爱他的书法，爱他的诗才，甚至他的谏议也乐意接受。柳氏的一生，除了少许时间在外任官，基本上都在京城，在宫中，在皇帝身边。其一生，一直在不断地为皇家，为大臣，为亲朋书碑。柳公权颇像一只关在禁笼中的金丝雀。这样的生活使他缺少壮阔的气度、宽广的视野、浩瀚的生活源泉。颜体一碑曾不断地变，柳体在其成熟以后变化较少；颜真卿像奔腾咆哮的洪流，柳公权却似流于深山老林的涧水。这是两种不同的生命情调。

皇帝的重用，大臣的推崇，固然可以转易一时风气，但此并非柳公权声名鹊起的主要原因。柳体以创造一种新的书体美，征服了当代，也赢得了后代，“一字百金，非虚语也”。那么柳公权的书法造诣是如何练就的呢?

柳公权书学上的成功，决非一蹴而就，可分四期。

（一）早期：望尽天涯路。

这一时期是从二十几岁到六十岁。宋赵明诚《金石录》载：贞元十七年（801年），柳公权三十四岁时已书碑《河东节度李说碑》；此碑由郑儋撰文，原石在洛阳，已佚，但可想象其为年少妍华之书；元和十五年，四十三岁时柳书《左常侍薛苹碑》；长庆四年（824年），四十七岁寸书《大觉禅师塔铭》等。虽然这些书迹都已不存，但可以看到他二十多岁时的书艺已为社会重视，否则是不会被这些权贵所青睐的。柳公权在五十岁以前的作品，今只有《洛神赋十三行跋》、《金刚经刻石》（敦煌本）可睹风采。从中可见其学钟繇、王羲之的书体，仿虞世南、欧阳询、褚遂良、陆柬之的体态。

柳公权五十岁以后，只有《李晟碑》、《大唐回元观钟楼铭》以及墨迹《送梨帖跋语》，可见其楷书概貌，虽能看到又有进境，但尚未大成。康有为说：“柳诚悬《平西王碑》学《伊阙石龛》而无其厚气，且体格未成，时柳公年已四十余，书乃如此，可知古之名家，亦不易就，后人或称此碑，则未解书道者也。”（《广艺舟双楫》）如果柳公权不能享高寿，那么六十岁之前，虽有很好声名，但终未能成一书坛巨擘。

（二）鼎盛期：柳体之大成。

六十岁以后的十年中，柳书进入鼎盛时期。柳体大成，如丽日当空。这一时期，文献载有《冯宿碑》、《检校金部郎中崔稹碑》、《淮南监军韦元素碑》、《义阳郡王苻璘碑》等等将近二十通碑。而以《玄秘塔碑》和《神策军碑》为柳体的典型，声名最为卓著。

《玄秘塔碑》、《神策军碑》中柳体已大成，一变中唐之肥腴之风，用笔骨力深注，爽利快健，以方为主，济之以圆，且在蹲锋与铺毫之间显示瘦硬劲挺之线条，这便是“柳骨”。在笔画之间已有自家面目，横之长者瘦挺舒展，横之短者粗壮有力；竖画较之横画为粗，以为主笔，求其变化；其撇，长者轻，而短者重；其捺必重，显示矫健力度；其钩、踢、挑必顿后回锋迅出。柳体在结字上，也似颜真卿书正面示人，左右较匀衡，但纵长取势，且中密外疏。在整体书风上，柳体如“辕门列兵，森然环卫”（岑宗旦书评）；“书家谓惊鸿避弋，饥鹰下耩，不足喻其鸷急”（王士祯《池北偶谈》）。柳体法度森严，面目又变颜体之肥，而为清劲挺拔，瘦硬通神，在唐晚期以一种新的书体及其劲媚之美引起了人们的赞赏。

（三）中期：斜阳的魅力。

七十岁以后的十年中，柳公权又进入了一个新的发展时期。此阶段书碑记载很多，即据《金石录》所载，便有七十岁时书写的《商於新驿记》、《山南西道节度使王起碑》等，七十一岁书有《牛僧孺碑》、《太子太傅刘沔碑》，七十三岁书《普光王寺碑》等近十通。今天仅见《太子太傅刘沔碑》与《魏公先庙碑》、《高元裕碑》等。

从以上这些碑中，可以看到柳公权似乎想继《玄秘塔碑》和《神策军碑》淋漓尽致地表露柳体之后，再辟一新的境界。欲以淡拙渗透笔法，以平易渗透结体，以古雅渗透气韵。因此中期那种刀切钢铸般的用笔就有所收，抛筋露骨的结体有所隐，森严峻峭的风棱有所敛。清杨守敬对此悟识尤深，云：“《苻璘碑》、《魏公先庙碑》、《刘沔》、《冯宿》皆敛才就范，终门淡雅。”（《学书迩言》）他甚至认为，“《高元裕》一碑，尤为完美”。虽然《苻璘碑》（六十一岁）、《冯宿碑》（六十岁）都为七十岁前所书，但七十岁以后的变化，其思想之根早已潜伏于彼。不过“柳骨”已经过数十年千锤百炼而成，柳公权也终未能再化出全新的另一番耳目来。我们只看到柳书在这一时期冉冉斜阳的一种魅力。

（四）晚期：柳书的晚霞。

八十岁以后的八年中，柳公权进入人生的晚期和书艺创作的晚期。他依然让生命与书艺交互滋养：生命在书艺创作中前行，书艺又为生命润色辉映。他至八十七岁仍书有《太子太保魏暮碑》（《宝刻类编》著录）。从其代表作品《复东林碑》可以看到他以生命最后一段晚霞映染在碑的字里行间。那种风采已不是朝阳般的充满蓬勃生机的光辉，也不像灼灼当午的炎日，而是一片灿烂的晚霞；笔锋的利钻转入内部，气韵与自然贴近，通篇之旨趣与大化亲和，是宗匠晚年所悟，老笔所致。柳公权就像一位得道之人向青山深处走去，攀上极顶，又终于消逝在山阿里，将书魂凝刻进书学的峰峦中。

柳公权成功的桂冠既是由辛勤刻苦的荆棘编成，又是站在巨人的肩头上去摘取的。他善于吸取书艺大家的智慧与成果，变化成自己一家书艺。他不仅向当时的大家如钟繇、欧阳询、褚遂良、颜真卿等学习，也向民间书艺（例如北碑）汲取养料。特别要指出的是柳公权的成功还在于拥有一个群体，互相切磋砥砺，取长补短。如长于柳公权十岁的沈传师，以及小于公权十三岁的裴休，都被视为与柳公权同一类型的书家：尚“清劲”、“命新体”。柳公权的名碑《玄秘塔》即是裴休撰文，裴休的名碑《圭峰定慧禅师碑》即由柳公权篆额。而裴氏此碑，可见柳书的影响，“细参之，其运笔之操纵，结体之疏密，与诚悬听合无间”（《语石》）。柳公权之兄柳公绰也精书法，相互影响也在情理之中。

柳公权能够化身为书法巨人，既需一颗慧心，取质、取量、取度，炼形、炼神、炼韵，加以冶铸，又需要不凡的身手，刻苦的磨炼，尤要以自己的性灵和人格去化人。“柳体”之所以影响后世书法界，也正在于此。

董　源

董源（943年—约962年），五代南唐画家，南派山水画开山鼻祖。一作董元，字叔达，擅画山水，兼工人物、禽兽。其山水初师荆浩，笔力沉雄，后以江南真山实景入画，不为奇峭之笔。疏林远树，平远幽深，皴法状如麻皮，后人称为“披麻皴”。山头苔点细密，水色江天，云雾显晦，峰峦出没，汀渚溪桥，率多真意。米芾谓其画“平淡天真，唐无此品”。存世作品有《夏景山口待渡图》、《潇湘图》、《夏山图》、《溪岸图》等。

董源自称“江南人”，生卒年不详，南唐主李璟时任北苑副使，故又称“董北苑”。他聪明好学，刻苦自励，善于吸收隋唐以来的艺术成果和经验。除山水画外，他还兼工人物、龙水、牛虎等画科。当时有不少权贵之家请董源绘龙水屏风，享誉颇久。据传董源的山水画曾得到李璟的垂青。据说李璟年轻时曾在庐山修建别墅，将山泉林园胜景融为一体。他为了能时时看到庐山景致，特地命董源画了一幅《庐山图》。董源将五老奇峰、云烟苍松、泉流怪石和庭院别墅巧妙地绘入一图。李璟观后，称赞不绝，爱不释手，命人挂在卧室里，朝夕对画观赏，犹如长居庐山中。由此可见董源构思的巧妙和写景艺术的高超。

南唐亡后，董源入宋，被看作是南派山水画的开山大师。据画史记载，董氏善山水人物、云龙、牛虎，无所不能，尤以山水画最为著名。他擅画秋岚远景，多描写江南真境，不作奇峭的笔墨，兼画龙水、钟馗，无不臻妙。所写风雨溪谷、烟云晦明、千岩万壑、山石泷水、使人遐想。其画山手法，用笔多细长圆润，形似披麻，水用纹，树木多亭直，树叶多用单笔、夹笔、皴法渗软，下有沙地，用淡墨扫，用破式渲染，辅以点苔，充分表现出南方山水风景秀润多姿。其画法有二：一以水墨为主，着色轻淡，画山用细长圆润形似披麻的皴法，上多矾头（小石块），满布小墨点，下作平滩从树，披脚下多碎石，乃京口一带山景；北宋郭若虚语他“类王维”，米芾赞为“唐无此品”。另一山石皴纹少，着色秾厚，景物富丽，元代赵孟頫称其类似李思训。

董源不仅以画山水见长，也能画牛、虎、龙及人物。作为山水画家，董源也是不专一体的。宋人称许其大设色山水景物富丽，宛有李思训风格。但其最有独创性而且成就最高的是水墨山水。他运用披麻皴和点苔法来表现江南一带的自然面貌，神妙地传写出峰峦晦明、洲渚掩映、林麓烟霏的江南景色。他用笔甚草草，近视几不类物象，远观则景物粲然，在技巧上富有创造性。他的名作《夏景山口待渡图》和《潇湘图》，将夏天江南的丘陵，江湖间草木畅茂、云气滃郁的特定景色表现得淋漓尽致。其笔墨技法是与他所表现的特定景色充分适应的。

董源所创造的水墨山水画新格法，当时得到巨然和尚的追随，后世遂以董巨并称。在宋代，除了米芾、沈括十分欣赏董巨画派之外，到了元代，取法董巨的风气渐开。汤垕认为："唐画山水至宋始备，如（董）元又在诸公之上"，对董源有了新的认识。元末四家和明代的吴门派，更奉董源为典范，明末"南北宗"论者虽然在理论上尊王维为"南宗画祖"，但实际上却是在祖述董源。元代黄公望说："作山水者必以董为师法，如吟诗之学杜也"。北宋沈括在《梦溪笔谈》中提到："董源善画龙工，秋岚远景，多写江南真山，不为奇山峭之笔"。清代王鉴说："画之有董巨，如书之有钟王，舍此则为外道"。董源在后世能够产生如此深远的影响，在中国山水画史上是罕见的。

赵孟頫

赵孟頫（1254年—1322年），字子昂，号松雪，松雪道人，又号水精宫道人、鸥波，中年曾作孟俯，汉族，吴兴（今浙江湖州）人。元代著名画家，楷书四大家（欧阳询、颜真卿、柳公权、赵孟頫）之一。赵孟頫博学多才，能诗善文，懂经济，工书法，精绘艺，擅金石，通律吕，解鉴赏。特别是书法和绘画成就最高，开创元代新画风，被称为“元人冠冕”。他也善篆、隶、真、行、草书，尤以楷、行书著称于世。

赵孟頫一生历宋元之变，仕隐两兼，他虽为贵胄，但生不逢时，青少年时期南宋王朝已如大厦将倾，他在坎坷忧患中度过。他的父亲官至户部侍郎兼知临安府浙西安抚使，善诗文，富收藏，给赵孟頫以很好的文化熏陶。但赵孟頫十一岁时父亲便去世了，家境每况愈下，度日维艰。宋灭亡后，归故乡闲居。

后来，元世祖征召宋的官吏，他被推荐入朝，因出众的才华受到元世祖的赏识，任兵部郎中，后迁至集贤直学士、济南路总管府事。元贞元年（1295年），忽必烈去世，赵孟頫因政局不稳而辞隐。

公元1310年对赵孟頫来说是极不寻常的一年，他得到了皇太子爱育黎拔力八达的青睐，官拜翰林侍读学士，知制诰同修国史。第二年，皇太子继位，赵孟頫开始飞黄腾达，先后升任集贤侍讲学士、中奉大夫、翰林学士承旨、荣禄大夫，仕途得志，加之他在艺术领域的不俗成就，晚年之后他名满天下。

赵孟頫在艺术上也有很深的造诣，绘画、书法、诗词无所不能，无所不精，尤以书法和绘画最为突出。

《元史》本传讲，“孟頫篆籀分隶真行草无不冠绝古今，遂以书名天下”，赞誉很高。于篆书，他学石鼓文、诅楚文；隶书学梁鹄、钟繇；行草书学羲献，能在继承传统上下苦功夫。诚如文嘉所说：“魏公于古人书法之佳者，无不仿学。”虞集称他：“楷法深得《洛神赋》，而揽其标。行书诣《圣教序》，而入其室。至于草书，饱《十七帖》而度其形。”他是集晋、唐书法之大成的很有成就的书法家。同时代的书家对他十分推崇，后世有人将其列入楷书四大家：“颜、柳、欧、赵”。

赵氏能在书法上获得如此成就，是和他善于吸取别人的长处分不开的。尤为可贵的是，宋元时代的书法家多数只擅长行、草体，而赵孟頫却能精究各体。后世学赵孟頫书法的极多，赵孟頫的字在朝鲜、日本非常风行。赵孟頫在中国书法艺术史上有着不可忽视的重要作用和深远的影响力。他在书法上的贡献，不仅在他的书法作品，还在于他的书论。他有不少关于书法的精到见解。他认为："学书有二，一曰笔法，二曰字形。笔法弗精，虽善犹恶；字形弗妙，虽熟犹生。学书能解此，始可以语书也。""学书在玩味古人法帖，悉知其用笔之意，乃为有益。"在临写古人法帖上，他指出了颇有意义的事实："昔人得古刻数行，专心而学之，便可名世。况兰亭是右军得意书，学之不已，何患不过人耶。"这些都可以给我们重要的启示。

在绘画方面，赵孟頫以山水画和竹石画造诣最深，其绘画，山水取法董源、李成；人物、鞍马师法李公麟和唐人；工墨竹、花鸟，皆以笔墨圆润苍秀见长，以飞白法画石，以书法用笔写竹。力主变革南宋院体格调，自谓"作画贵有古意，若无古意，虽工无益"，遥追五代、北宋法度，论者谓："有唐人之致去其纤；有北宋人之雄去其犷。"开创了元代新画风。

赵孟頫有无所不能的艺术才干，人物、山水、马牛、竹石、花鸟等各种题材都很擅长，还精通书法、诗文、篆刻，是一位博学多才的艺术家，是一位承前启后的领袖人物。

米 芾

米芾（1051年—约1108年），字元章，号襄阳漫士、海岳外史。祖籍山西，迁居襄阳，有“米襄阳”之称。米芾是我国北宋著名的艺术家。他在书法、绘画上都取得了突出的成就，同时擅长鉴赏，诗文也很精妙。

米芾六岁熟读诗百首，七岁学书，十岁写碑，二十一岁步入官场，确实是个早熟的怪才。在书法上，他是“宋四书家”（苏、米、黄、蔡）之一，又首屈一指。其书体潇散奔放，又严于法度，苏东坡盛赞其“真、草、隶、篆，如风樯阵马，沉着痛快”；另一方面，他又独创山水画中的“米家云山”之法，善以“模糊”的笔墨作云雾迷漫的江南景色，用大小错落的浓墨、焦墨、横点、点簇来再现层层山头，世称“米点”。为后世许多画家所倾慕，争相仿效。他的儿子米友仁，留世作品较多，使这种画风得以延续，致使“文人画”风上一新台阶，为画史所称道。

米芾为人博雅好古，言行举止都流露出狂放不羁的个性，特立独行的作风。世人皆以之为奇，士大夫们给了他“米癫”的雅号。从以下几个小故事可领略这位大书法家的“癫狂”之风采。

米芾嗜石，《宋史》本传记有其事。元倪镇有《题米南宫拜石图》诗：“元章爱砚复爱石，探瑰抉奇久为癖。石兄足拜自写图，乃知颠名传不虚。”据此诗，米芾对此癖好自鸣得意，自写《拜石图》。后世画家亦好写此图，于是米芾拜石一事便喧腾人口，传为佳话。米氏宝晋斋前也有异石，以供清玩，《书异石帖》记有此石。相传米芾有“瘦、秀、皱、透”四字相石法。

米芾还爱砚。砚是“文房四宝”之一，为书画家必备之物。米芾于砚，素有研究，著有《砚史》一书，据说对各种古砚的晶样，以及端州、歙州等石砚的异同优劣，均有详细的辩论，倡言“器以用为功，石理以发墨为上”。《宝晋斋法书赞》引《山林集》中一帖：“辱教须宝砚，……砚为吾首，……”米芾把砚看得像自己的头颅一样重要，可谓溺爱之深。（“帖身”亦出于《法书赞》）兼有石癖、砚癖的米芾自然对砚山极为重视。砚山是一种天然峰峦形成的砚石，在底部山麓处，琢平可受以水磨墨，既可作为文房清玩，又能为临池染墨之具。《志林》记米芾得一砚山而抱眠三日。其中最著名的一座是南唐后主李煜之物，为结屋甘露而转让他人换得宅地一方，米芾念念思之，因作有《研（砚）山图》传世。

除了性格上的特立独行外，米芾还是一位标新立异的书画大家。

米芾作画讲究表现云与山的虚实变幻，这只能靠笔墨效果来控制。他提倡用宣纸作画，“画纸不用胶矾，不肯于绢上画，临摹古画有用绢者”（《清河书画舫》引《格古要论》）。因宣纸利于墨韵的变化，而绢却利于墨笔线条，画云山显然用绢不及用纸。实际上米芾对绢的驾驭能力也是相当强的，一卷《蜀素》传世百年无人书写，固然有书艺高低之别，但主要还是无法把握粗糙的蜀相，而米芾却驾轻就熟，《蜀素》一帖是米芾的佳构之一。

根据米芾《画史》的记载，他也长于人物画，自云“所画《子敬书练裙图》归于权要”，“善写古贤像”。曾与北宋人物画第一高手、白描大师李公麟讨论创作人物画，李为之作《山阴图》。

米芾作画，并不像古人那样精工细作，而是挥洒点染顷刻而成的。他作画快疾而流传的画迹稀少，只能说明：一是不常作画，画作也不轻易送人。二是作画的时间本来也不长，这一点也可从他朋友那里找一些旁证：苏轼、黄庭坚、陈师道、王诜等从不记载他作画。苏于1101年、黄于1104年、陈于1102年、王于1104年相继去世。总的看来，米芾作画时间不会很长，画作不会很多，又深自秘藏，故而当时就不多见。邓桩《画继》记“（米）公字札流传四方，独于丹青，诚为罕见”。该书记述的两张画，风格、画法均不类米芾，与米友仁也毫无瓜葛可言，不足为凭。流传到南宋见于记载的大概只有《下蜀江山图》。张元干、朱熹都见到过。陆游曾跋曰：“画自是妙迹，其为元章无疑者，但字却是元晖所作，观者乃并画疑之，可叹也”。（《渭南文集》卷二十九，《跋米老画》）

米芾在书法方面堪称大家，他平生于书法用功最深，成就以行书为最大。根据米芾自述，在听从苏东坡学习晋书以前，大致可以看出他受五位唐人的影响最深：颜真卿、欧阳询、褚遂良、沈传师、段季展。米芾有很多特殊的笔法，如“门”字右角的圆转、竖钩的陡起以及蟹爪钩等，都集自颜之行书；外形竦削的体势，当来自欧字的模仿，并保持了相当长的一段时间；沈传师的行书面目或与褚遂良相似；米芾大字学段季展，“独有四面”、“刷字”也许来源于此；褚遂良的用笔最富变化，结体也最为生动，合米芾的脾胃，曾赞其字，“如熟驭阵马，举动随人，而别有一种骄色”。元丰五年（1082）以后，他开始寻访晋人法帖，只一年就得到了王献之的《中秋帖》，这对他产生了巨大的影响。

米芾对书法的分布、结构、用笔，有着独到的体会。要求“稳不俗、险不怪、老不枯、润不肥”，大概姜夔所记的“无垂不缩，无往不收”也是此意。即要求在变化中达到统一，把裹与藏、肥与瘦、疏与密、简与繁等对立因素融合起来，也就是“骨筋、皮肉、脂泽、风神俱全，犹如一佳士也”。章法上，重视整体气韵，兼顾细节的完美，成竹在胸，书写过程中随遇而变，独出机巧。米芾的用笔特点，主要是善于在正侧、偃仰、向背、转折、顿挫中形成飘逸超迈的气势、沉着痛快的风格。字的起笔往往颇重，到中间稍轻，遇到转折时提笔侧锋直转而下。捺笔的变化也很多，下笔的着重点有时在起笔，有时在落笔，有时却在一笔的中间，对于较长的横画还有一波三折。勾也富有特色。

此外，米芾作书十分认真，不像某些人想象的那样，不假思索一挥而就。米芾自己说：“写《海岱诗》，三四次写，间有一两字好，信书亦一难事”（明范明泰《米襄阳外记》）。一首诗，写了三四次，还只有一两字自己满意，其中的甘苦非个中行家里手不能道，也可见他创作态度的严谨。也让我们感受到“宝剑锋从磨砺出”的道理。

米芾能诗文，喜弄水墨，以侧笔点染江南烟雨山色而自成一格，被称为“米氏云山”“米家山水”。又醉心书法，其书法亦在宋四家之列，其画其书均为后世纷纷效仿，影响深远。

张择端

张择端（1085年—1145年），字正道，汉族，琅琊东武（今山东诸城）人。北宋画家。宣和年间任翰林待诏，擅画楼观、屋宇、林木、人物。所作风俗画市肆、桥梁、街道、城郭刻画细致，界画精确，豆人寸马，形象如生。存世作品有《清明上河图》、《金明池争标图》等，皆为我国古代的艺术珍品。

中国人物画自身发展，有一个从萌发到成熟的过程，而在这个过程中，题材由表现神仙、道释而及帝王将相，再及贤人达士，进而开始表现平民百姓的生活。北宋中后期就出现了一大批表现现实生活的人物绘画，我们通常称之为现实主义画风。中国的现实主义多表现社会风俗。最能代表现实主义画风的画家，就是北宋末年画家张择端。

张择端自幼好学，早年游学汴京（今河南开封），后习绘画。宋徽宗时，供职翰林图画院，专工界画宫室，尤擅绘舟车、市肆、桥梁、街道、城郭。后“以失位家居，卖画为生，绘有《西湖争标图》、《清明上河图》”。

张择端是北宋末年杰出的现实画家，其作品大都失传，存世《清明上河图》、《金明池争标图》，为我国古代的艺术珍品。这两件作品现存北京故宫博物院。《清明上河图》尚存，是《东京梦华录》、《圣畿赋》、《汴都赋》等著作的最佳图解，具有极大的考史价值，不只继承发展了久已失传的中国古代风俗画，尤其继承了北宋前期历史风俗画的优良传统。

《清明上河图》本是进献给宋徽宗的贡品，流传至今已有800多年的历史。其主题主要是描写北宋都城东京市民的生活状况和汴河上店铺林立、市民熙来攘往的热闹场面，描绘了运载东南粮米财货的漕船通过汴河桥涵紧张繁忙的景象。作品气势恢弘，长528.7厘米、宽24.8厘米，画有587个不同身份的人物，个个形神兼备，并画有13种动物、9种植物，其态无不惟妙惟肖，各种牲畜共56匹，不同车轿二十余辆，大小船只二十余艘。这件现实主义的杰作，是研究北宋东京城市经济及社会生活的宝贵历史资料。《金明池争标图》描绘的是皇帝带领近臣到金明池观水战、赛龙舟的热闹场面，图长28.6厘米、宽28.5厘米，略呈正方形。小小的画面，把周围9里多的池面及池岸边的景物悉数摹画下来。着重描写池中的大龙舟及周围的小船，用动静结合的手法，概括地绘出了金明池的全部景色和皇帝观看争标的场面，画面紧凑，结构严谨，主题突出。

可以说，张择端的长卷风俗画《清明上河图》，是我国绘画史上的稀世奇珍，画之瑰宝。他用现实主义手法，全景式构图，生动细致地描绘了北宋王都开封汴京时的舟船往复，飞虹卧波，店铺林立，人烟稠密的繁华景象和丰富的社会生活习俗风情。全图规模宏大，结构严密，构图起伏有序，其笔墨技巧，兼工带写，活泼简练，人物生动传神，牲畜形态，房舍、舟车、城郭、桥梁，树木、河流、无一不至臻至妙，称得上妙笔神工。综数我国古代绘画，多有那种士大夫的孤芳自赏，实难找到类似《清明上河图》这样不惜以大量的笔墨，描绘数以百计的民众世俗生活与商业经济活动，将民众置于主人翁地位，并加以正确地艺术概括，这在中国古代绘画中是不多见的，就是在现代绘画中也是罕见的。此画的第一位收藏人是宋徽宗，是他用瘦金体亲笔在画上题写了“清明上河图”五个字。

《清明上河图》通过市井人情的描写，从商业、交通、漕运、建筑等角度，体现出特定历史时期的政治、经济、文化、风俗等，为我们研究宋代社会提供了很好的依据。

一件艺术品如果能代表一个时代，浓缩一个社会，折射各个领域，那这件艺术品，除了具有艺术价值外，还具备了社会和历史价值。张择端的《清明上河图》就是这样一幅杰作。

赵佶

赵佶（1082年—1136年），即宋徽宗。宋代皇帝，画家。

赵佶作为皇帝，在位期间，不励精图治，唯穷土木，崇奉道教，整年在寿山艮岳、九成诸宫中写字、做诗、画画、听歌、看舞，极尽享乐的生活，对治国理财、用人之道既无能为力，且漠不关心，还任用蔡京、梁师成、李彦、童贯、王辅等奸佞之臣。结果导致政治腐败，民不聊生。

靖康元年（公元1126年）十一月，金兵攻进北宋京城汴梁，赵佶、赵桓以及赵氏宗族、亲属等三千多人，都做了金人的俘虏。赵佶开始了艰难的亡国之君生活，受尽了金人的屈辱，后卒于五国城。

赵佶虽说政治昏庸，惑于道术，却是技艺超群，书画兼精。

由于北宋时期文学艺术昌盛的优良环境之熏染，前代留存下来的丰富的艺术遗产的借鉴，加之赵佶本人对艺术的倾心，使他最终成为一位诗词书画并精，山水、人物、花鸟、杂画兼善，具有全面艺术修养的“皇帝艺术家”。

赵佶的艺术主张，强调形神并举，提倡诗、书、画、印结合，他是工笔画的创始人，花鸟、山水、人物、楼阁，无所不画，这便是卓然大家的共同特点。他用笔挺秀灵活，舒展自如，充满祥和的气氛。他注重写生，体物入微，以精细逼真著称，相传他曾用生漆点画眼睛，更加生动、栩栩如生，令人惊叹。赵佶的画取材于自然写实的物像，他构思巧妙，着重表现超时空的理想世界。这一特点打开了南宋刘松年、李嵩和夏圭在山水画构图方面的变革之门。赵佶提倡诗、书、画、印结合。他创作时，常以诗题、款识、签押、印章巧妙地组合成画面的一部分。这成为元、明以后绘画派传统特征。

赵佶在位时，曾广泛收集历代文物书画，并亲自掌管翰林图画院，让文臣分门别类，著书评论，编辑《宣和书谱》、《宣和画谱》、《宣和博古图》等书，这些都对宋代的绘画艺术起到了推动和倡导作用。他还增加画院画师的俸禄，将画院列入科举制度中，以“野水无人渡，孤舟尽自横”、“嫩绿枝头红一点，恼人春色不需多”等诗句为题，考录画师，给画院注入“文人画”的气质。许多画师，如李唐、苏汉臣、米芾等，皆是由此脱颖而出，树誉艺坛。

在书法上，赵佶起初学的是黄庭坚，后又学褚遂良和薛稷、薛曜兄弟，并杂糅各家，取众人所长又独出己意，最终创造出别具一格的“瘦金体”。赵佶赐童贯瘦金书《千字文》全卷，既有“天骨遒美，逸趣蔼然”之感，又有强烈的个性色彩，如“屈铁断金”。特点是笔画瘦细而有弹性，尾钩锐利，运笔迅疾。字一般呈长形，张弛有度，有一种秀美雅致、舒畅洒脱的感觉，而且通篇法度严谨，一丝不苟。这种瘦挺爽利、侧锋如兰竹的书体，需要极高的书法功力、涵养以及神闲气定的心境来完成。

相比之下，赵佶的诗词显得较为平庸，尤其是前期诗词，多为矫情之作，享乐情调十分明显。但在沦为亡国之君之后，他触景生情，写了不少情真意切的佳作，像“彻夜西风撼破扉，萧条孤馆一灯微；家山回首三千里，目断山南无雁飞”，读来让人心中隐隐作痛。

赵佶特殊的身世，广博的文化背景和非凡的艺术才情，及对道家学说的崇尚，铸就了他敏感的心灵，如果他没有登上皇帝宝座的话，他会成为中国历史上一位相当完美的艺术家！

沈　周

沈周（1427年—1509年）明代杰出画家。字启南、号石田、白石翁、玉田生、有竹居主人等，是明中叶画坛上四大艺术家（另三人为文征明、唐寅、仇英）之一，人称江南“吴门画派”的班首，在画史上影响深远。

沈家世代隐居吴门，沈周的曾祖父是王蒙的好友，父亲恒吉，又是杜琼的学生，书画乃家学渊源。父亲、伯父都以诗文书画闻名乡里。

沈周从小聪慧，在家庭环境的熏陶和祖父、伯父、父亲的亲授下，沈周自然从小爱好诗画，他敦厚随和，无论名士望族，还是步履凡夫，都争相找其求画，而他无论谁，都慷慨地为其作画。沈周为人仁慈孝顺，乐于交友，淡泊功利，这些性格使得他一生不仕，专心于诗文和书画，过着平稳、安定的生活，赋诗作画，游走在自然山水中。直至正德四年（1509）83岁逝世。

沈周画艺精博，擅长山水、花鸟、人物各科，是画坛中的全才；而且博采众长，融会贯通，是集大成的画家。他诗文从师于陈宽、赵同鲁，习得白居易、陆游等平易自然的格调，著有《石田集》、《客座新闻》等。书法上也师法陈宽，兼得黄庭坚的笔意。

沈周的艺术成就，主要体现在山水、花鸟、诗书三个方面：

（一）花鸟画方面

沈周是将文人水墨写意花鸟画推向成熟的关键人物。首先，他拓宽了花鸟画的表现题材，在传统的绘画题材上加进了禽鸟。既冲淡了文人画与院体画之间的界限，又使院体画题材趋于“文人画”化。其次，在技法形式上，他的水墨写意法以纵逸的笔势、淋漓的笔墨、简练的造型，突破了宋元文人花鸟画较为规整的格式，更具“脱略形似”的写意韵味；同时，在简练的笔墨中又富有丰富而细微的变化，追求清雅的笔墨情趣，这体现出了文人画所独具的“文雅之气”。王世贞在评论沈周的花鸟画时说：“此册白石翁杂花果十六纸，其合者往往登神逸品。按五代徐、黄而下至宣和，主写花鸟妙在设色，粉绘隐起如粟，精工之极，俨若生肖。石田氏乃能以浅色淡墨为之，而神采自翩，所谓妙而真者也。”这就是说，沈周是我国花鸟画发展的关键性人物，花鸟画在他笔下做了一个创造性的归纳和发展，为后来的花鸟画开创了一个新时代，在他的影响下，遂出现了陈淳、徐渭这样创立画派的大家。

（二）山水画方面

沈周的绘画才能主要集中在山水上，其次才是花鸟。沈周的早期的绘画老师是杜琼、刘钰，受其家庭的熏陶和老师的影响，他最初学习的是以元四家为主体的文人传统绘画，40岁以前，他主要宗法王蒙，兼取董巨，风格精谨缜密，笔法工细锐利，作品被称为“细沈”。其早年的作品《幽居图》轴可以看出他早年的绘画风格。沈周四十岁以后，在师承和画风上有很大的转变，他广泛地向各家学习，融合南北画派的画法，逐渐形成了自身的独特面貌，即画史所称的“粗沈”风格，其画法逐渐由细变粗，尺幅由小变大，虚实相间，景物由简到繁，用笔粗劲浑厚，逸笔草草苍润雄浑，皴法趋于短粗。沈周晚年，倾心于吴镇，用笔简疏粗劲，墨色苍润沉郁，水墨淋漓，多湿笔渲染，富于浓淡变化，于简率中见苍茫，其粗笔山水已达到炉火纯青的地步，确立了他在中国山水画史上的崇高地位。

在沈周的引领下，山水画走向了注重笔墨形式美的艺术层面，这是中国绘画史上的一大突破和进展，从而开创出真正意义上的明代画风，并直接影响到清代画风的走向。沈周山水所布置的景致，虽有繁复、疏简之分，但是都注重突出主题，很好地处理主宾关系，并强调虚实相生，错落有致，他的作品多以“三远”布局，大多数描写南方山水及园林景物，在造境上很强调山川恢廓的“势”和朴实的“质”，尽可能地表现身处自然、怡然自得的心境。沈周山水画在艺术形式上集诸家之大成，并善于将内里的因素和谐地融合一体，开启了综合主义之路，为文人画的新发展拓展了道路。

（三）在诗书方面，沈周为中国的题画诗的发展作出了贡献。

沈周突破了前人，大胆创新，抒发真情实感，内容也发展至社会自然等各个方面。题画诗经过沈周的倡导与实践，在内容与数量上有了极大的发展，使得诗书画更好地结合，展现中国传统绘画的魅力。

沈周的书法，初学沈度，圆润工整，后转学黄庭坚，稳重沉着，遒劲崎岖，书法结构紧密。沈周晚年的书法风格，已完全脱却沈度的痕迹，而呈现出黄庭坚的风神，其山水画的风格极为协调，沈周他将书法的运腕、运笔的方式用于绘画，进而创造出一系列富于形式美的皴法等表现技法，大大地丰富了笔墨的表现力。

沈周是一位在绘画史上承前启后的画家，他对于宋元传统的继承和发展，对于诗书画的结合，做出了无可替代的贡献，他的艺术是不朽的，他的创新精神尤其值得学习。

吴伟

吴伟（1459年—1508年），江夏人，明代著名画家。字次翁，又字士英、鲁夫、号小仙。

吴伟年幼时，其父爱好收藏字画，耳濡目染其中，吴伟也勤研绘画，竟无师自通，自学成才。后因父亲沉迷炼丹，家财散尽，家道中落。他流浪到海虞（今江苏常熟）街头时，被一个叫钱昕的富人收留在家，陪伴他的儿子读书。这位有钱人家的儿子本人倒没有读到什么书，这个陪读的野孩子却分外聪明好学，不仅粗通文墨，而且喜爱绘画。于是，钱昕出钱给吴伟拜师学画，到二十岁时，吴伟在金陵一带已小有名气了。

吴伟的画作继承南宋“马夏”院体山水画的传统，山水人物兼工，豪迈简括，纵逸洒脱，他画人物纵墨不甚注意，而奇逸潇洒动人。又有书说他“临绘用墨如泼云，旁观者甚骇，俄顷挥洒钜细曲折，各有条理，若宿构成”。可见吴伟运用笔墨的熟练，画作浑然天成，有如神来之笔，很受官居太子太傅成国公朱仪的赏识，称其为“小仙”，画誉也在南京日益鹊起。

吴伟精山水，落笔健壮，不仅以粗犷遒劲风格闻名，其细致缜密的画风同样别出心裁。他最擅长白描人物，纵笔看似不经意，却洒脱爽劲，酣畅淋漓，富有较强的节奏感。而且在人物画的取材上也有很大突破，除了多用精致的工笔描绘儒家文人、道家仙人、禅宗高僧等人物外，也许因自身身世曲折波动的缘故，也常用粗放飘逸的笔触刻画渔夫、农人、樵者、妓女等下层人物。题材理念和取向上的不断创新，加之日臻完美的非凡技巧，使得吴伟的画不仅受到宫廷贵族的认可，也受到民间众人的喜爱。一次，吴伟出游至杏花村，口渴得厉害，便向一位老妇人讨茶喝。第二年又去时，发现老妇人已去世，感叹物是人非，便凭记忆追绘其相貌，竟栩栩如生，以至于老妇人的儿子见后恸哭不已，并索取画像小心收藏起来。

扬名于南方后，吴伟被朝廷招揽，成为仁智殿（明朝专供宫廷画家聚集工作之地）待诏及锦衣卫镇抚，深受明宪宗的宠爱和欣赏，不仅可以自由出入内廷，而且为人处世更加随心所欲，放浪形骸。吴伟喜欢豪饮，醉酒的故事比比皆是。《江宁府志》说他“好剧饮，或经旬不饭，在南都，诸豪客时召会吴伟酣饮”。詹景凤《詹氏小辩》也说他“为人负气傲兀嗜酒”。据明末清初画史著作《无声诗史》的记载，有一天，他又喝醉了酒，这时，皇帝圣旨到，宣他入殿去画松泉图。可是，他还没有醒酒嘞！中官不管三七二十一，扶掖着他来到殿上，只见他蓬头垢面，昏昏欲睡，伏案作画时，一不小心把墨汁跪翻。其他人都吓出一身冷汗，而他倒是醒了酒，不慌不忙地只用笔挥舞几下，一幅《松泉图》就栩栩如生横空出世了。那些泼了墨汁的地方，不但不妨碍画面，反而觉得气势雄伟。在一旁观看作画的皇帝也赞不绝口说：“真是仙人笔也。”有一天，在朋友家饮酒，酒席间即兴作画。只见他戏取莲房（荷花结的莲房），濡墨印纸，印了好几处。客人们见他如此，不知所以然，正纳闷着，就在这时，见他印墨处，略动数笔，那些莲房印子都变成了螃蟹，而且这些螃蟹或伸腿，或钳泥，异常神妙，题《捕蟹图》。于是，一桌皆惊，为之叹服。吴伟贪杯嗜饮，昼夜不息，泼墨作画，挥洒自如，但这些脱离常轨的绘画技巧，的确让人叹为观止。

然而，由于吴伟过于恃才傲物，公然鄙夷权贵，屡屡拒绝索画，以至招惹众怒，纷纷在宪宗皇帝面前数落他的不是，最终被逐出宫门，放归南京。1488年，宪宗驾崩，孝宗即位，他才重新奉召入宫，升为锦衣卫百户。喜欢“马夏”画风的明孝宗对他宠爱有加，赐予他“画状元”这样的显赫称号，还将京城繁华地带的豪宅赠送给他。数年后，不服约束的吴伟实在不堪宫廷限制，称病辞归，再度返回南京，居于秦淮河畔，日日夜夜与豪客酣饮。1509年，明武宗即位后，他再度奉召。没想到，正准备跟钦使上路赴京，却因饮酒过度而死，年仅五十岁。

吴伟“性戆直，有气岸而豪放”，加上坎坷的经历和极高的悟性，养成他清高自傲而又放荡不羁的性格。不过，狂放不羁不受制约的道骨仙风不仅没有让吴伟走到社会边缘，反而为其画作赢得更多的声名，而且这种强烈鲜明的个性在他的绘画中得以充分展示。在群星璀璨的中国古代画家中，吴伟算得上人品画品尽显本色的画坛怪杰。虽然短暂的一生充满戏剧化般的传奇色彩，但其绘画生涯却终生鼎盛，毕露锋芒，为时人所称颂。

文征明

文征明（1470年—1559年），初名壁，字征明，后更字征仲，号停云，别号衡山居士，人称文衡山。长洲（今苏州）人，明代书画家。“吴门画派”创始人之一。是明代中期最著名的画家，大书法家。与唐伯虎、祝枝山、徐祯卿并称“江南四大才子”（也称吴门四才子）。与沈周、唐伯虎、仇英合称“明四家”。在当世他的名气极大，号称“文笔遍天下”。

文征明出身于官宦世家，早年也曾数次参加科举考试，均以不合时好而未被录取。54岁时由贡生被荐为翰林待诏。居官四年辞归。自此致力于诗文书画，不再求仕进，力避与权贵交往，专力于诗文书画艺术30余年。享年90岁。其诗、文、书、画无一不精，人称是“四绝”的全才。晚年声望极高。

文征明最为拿手的当为他的书法了，诸书体皆能运用自如。篆书、隶书、草书皆有所成，艺术成就最高的当属小楷和行书了。文征明的小楷以晋唐小楷为基础，师法钟繇、王羲之、欧阳询等，写得古朴苍劲而不失魏晋小楷端庄秀丽，刚劲婀娜的气韵。小楷发展到元朝，已蜕变得软弱秀气，文征明能以晋唐小楷为基础，结合自己的独到见解，把小楷艺术推向了一个新的高度，创造了独特的文氏书法，在楷书发展史上有里程碑的意义，对后世影响很深，可谓是前无古人。其特点为：清劲秀美，飘逸灵劲，圆润典雅，工整精细。王世贞曾说“文待诏（即文征明）以小楷名海内”。文征明的行书也取得了很高的成就，流传下来的作品也最多。其行草师承上出于王羲之、智永等王氏一门风范，并从宋元诸家（尤其是苏轼、米芾、黄庭坚、赵孟頫、康里夔夔等）撷取精华，自成一格。除大量的诗札外，代表作品有《滕王阁序》、《离骚》、《赤壁赋》、《渔父辞》、《北山移文》等。试看他的《滕王阁赋》，行草羼杂，浑然成篇。用笔清爽劲利，圆熟流畅，提按顿挫明晰，使转灵活利落，淋漓痛快而富有韵律感，颇有《圣教序》意味。有些字的用笔和结体又有宋元人的影子，如撇、捺划及“门”、“页”等偏旁部首均袭赵孟頫而出。点画掩映间一派潇洒秀逸的风姿，又不失古澹娴雅的韵味，称之为韵法两胜，当不为过。

明代中后期，苏州发展成为南方的大都市，经济发达的同时文化也在全国处于领先地位，绘画名家层出不穷，很多文人墨客把绘画当做消遣的时髦事情，文征明就是其中的佼佼者，他一生绝大部分时间都在苏州度过。师法沈周，而又不拘于沈周，广泛吸收前人成就，创造了独特的文氏画风。文征明的山水画最为有名，大多表现的是隐逸生活和归隐林泉后的情操，画中人物情态娴雅，仪态万方。由于所师古人古画非常多，所以看不出有明显的某人的痕迹，可谓是兼收并蓄，艺术表达方式千变万化，尤其以粗笔山水而闻名。吴宽说："文待诏书画为当代宗匠，用笔设色，错综古人，闲逸清俊，纤细奇绝，一洗丹青谬习。"董其昌说："衡山（文征明）精工古雅，有唐宋名家风格，胜国画手不足师矣。"作为松江画派领军人物的董其昌也说过文征明的卓越成就把松江派的风头全部压下去的话，可见文征明的画成就之大。正因为此，文征明才可以执掌吴门画派近半个世纪，以至于"寸图方出，千临万摹"，与洛阳纸贵有异曲同工之妙。代表作有《千岩竞秀》、《万壑争流》、《湘君夫人图》、《洞庭西山图》、《惠山茶会图》等等，从这些图中皆可看出他道法自然的心性。

文征明晚年声望很高，购求他的书画者踏破门坎，传说他"海宇钦慕，缣素山积"。文征明有"平生三不肯应"，即决不卖字画给藩王贵族、宦官与外国人。有个商人想以十金高价请文征明作字画，文征明当面斥责说："我不是工匠，你不要拿金银来玷污我！"坚辞不写。有些达官贵人路过苏州，都要去看望他，他却不肯接受礼物，更不回拜，只是当面说明"恕不答谢"就算了。这成了他的惯例，连严嵩这样的权贵，文征明也不破例。据说严嵩曾说："别人，他不回拜就罢了，我路过苏州特去拜他，他也不来回拜！"回答说："如果不回拜别人，却回拜你，就不算是文衡山了。"这些人无论给多么高昂的代价和酬金都不行，而一般老百姓很容易得到他的书画。对于穷书生，他甘愿奉送，不收分文。

人如其小楷，文征明为人端正四方，宽厚仁厚，不媚权贵，不贪钱财，广收门徒，提携后学，弟子三千。正如《老子》里的话："重积德，则无不克"，文征明德愈高，艺愈精，使他成为中国艺术之园里一朵永不凋谢的奇葩而辉映千秋。

唐寅

唐寅（1470年—1523年），字伯虎，一字子畏，号六如居士、桃花庵主等，据传于明宪宗成化六年庚寅年寅月寅日寅时生，故名唐寅。汉族，吴县（今江苏苏州）人。他玩世不恭而又才气横溢，诗文擅名，与祝枝山、文征明、徐祯卿并称“江南四才子”，画名更著，与沈周、文征明、仇英并称“吴门四家”。

唐寅出身商人家庭，父亲唐广德，母亲邱氏。唐寅自幼聪明伶俐。20余岁时家中连遭不幸，父母、妻子、妹妹相继去世，家境衰败，在好友祝枝山的规劝下潜心读书，29岁参加应天府公试，得中第一名“解元”，30岁赴京会试，却受考场舞弊案牵连被斥为吏。此后遂绝意进取，以卖画为生。正德九年（1514年）曾应宁王朱宸濠之请赴南昌半年余，后察觉宁王图谋不轨，遂佯狂得以脱身而归。晚年生活困顿。最后潦倒而死，年仅54岁。他临终时写的绝笔诗就表露了他刻骨铭心地留恋人间而又愤恨厌世的复杂心情：“生在阳间有散场，死归地府又何妨。阳间地府俱相似，只当漂流在异乡。”

唐寅一生坎坷落拓，但人世的磨难恰恰让他绽放出了艺术的光芒。

唐寅擅画山水、人物、仕女和花鸟，尤以山水、仕女著称。唐寅的山水画，早年师法沈周，传世之作甚少，现存作品有《洞庭黄茅渚图》和《贞寿堂图》以及唐寅21岁作《对竹图》等。中年的山水画，主要宗法周臣，而周臣的山水画师法南宋的李唐和刘松年，因此唐寅的画又可上溯至南宋李唐、刘松年为代表的院体画派。他在老师周臣影响指导下，学到了宋人笔法严谨雄浑、风骨奇峭的风格。同时他又糅合了马远、夏圭的构图和笔墨技巧，并广泛地涉猎北宋李成、范宽、郭熙和元代的黄公望、王蒙诸大家的长处，融会贯通，逐渐形成自己的风格。画面布局严谨整饬，造型真实生动，山势雄峻，石质坚峭，皴法斧劈，笔法劲健，墨色淋漓。代表作品有《王鏊出山图》、《沛台实景图》、《行春桥图》、《关山行旅图》等。晚年画风已脱出周臣的风范，自立门户。此时细笔山水居多，作品有《山路松风图》、《春山伴侣图》、《落霞孤鹜图》、《西洲话旧图》、《幽人燕坐图》等。

唐寅不仅是一位著名的画家，而且是一位诗人。他创作的诗，据不完全的统计，约有600余首。其诗风婉华丽，通俗流畅，即兴抒怀，以才情取胜。诗文的内容多为揭露社会矛盾，抒发不平之气，具有较强的思想性。唐寅工诗文，其诗多记游、题画、感怀之作，能表达出狂放和孤傲的心境，以及对世态炎凉的感慨，以俚语、俗语入诗，通俗易懂，语浅意隽。如《把酒对月歌》中："我愧虽无李白才，料应月不嫌我丑；我也不登天子船，我也不上长安眠；姑苏城外一茅屋，万枝桃花月满天。又如诗云：万事由天莫强求，何需苦苦用机谋；饱三餐饭常知足，得一帆风便可收。生事事生何时了，害人人害几时休；冤家宜解不宜结，各自回头看后头。"除诗文外，也能作曲，多采用民歌形式。由于唐寅多方面深厚的文学艺术修养，经历坎坷，见闻广博，对人生、社会的理解较深，所以作品雅俗共赏，声名远播。著《六如居士集》，清人辑有《六如居士全集》。

正是因为唐寅在诗书画方面的造诣使唐寅在传统绘画上有自己的独特贡献：其一，综合南北二派，打破了门户之见，从笔法、气势、笔意和设色上，把南北两派不同的源流，扬长避短，融合在一起，又吸收元画的长处，最后形成结构严谨，风骨奇峭，笔法秀逸，水墨淋漓，意境空灵的独特风格。他的画，既有宋画深厚功力，又有文人画的书卷气，为吴门画派的崛起，为弘扬文人画的传统作出了巨大贡献。

其二，诗书画的有机结合。唐寅不仅是一位著名的画家，而且诗文、书法的造诣也很深，在诗书画有机结合方面也作出了新的贡献。其结合方法：一是书风与画风的一致与和谐，书法的意趣与绘画情趣极为相近，因为两者都强调人格与真情的再现。唐寅的书法渊源于赵孟頫和李北海，用笔秀润缜密，刚柔结合，意态端庄潇洒，近似"院体"的山水画风，但又在规整中具清润之姿。二是将书法用笔之法运用于绘画，这在唐寅传世绘画作品中较为明显。此外，诗与画的和谐一致，也是唐寅画的又一特色。

其三，诗情与画意的紧密结合。唐寅绘画中的题诗和情感，紧扣画的主题和意境，以阐发或充实画面的内涵思想。而作品中的望背兰墨，又通过象征、寓意、拟人化等手法或意境的创造，形象地表达出诗意，这种诗与画的完美结合，也是唐寅画的一大特点。唐寅书画的贡献，还表现在其他方面，比如深化了文人画的题材内容，促进了山水、人物、仕女、花鸟各科的全面发展，加强文人画自我表现意识等，都给后世造成深远影响。

无论从思想的角度还是从艺术的角度审视：唐寅都不愧为一代艺术大家！

徐渭

徐渭（1521年—1593年）明代杰出书画家、文学家。初字文清，改字文长，号天池，又号青藤道人、田水月等。浙江山阴（今绍兴）人。

徐渭出生于山阴（今绍兴）一个趋向衰落的大家族。他的父亲徐鏓做过四川夔州府的同知，原配童氏，生下徐淮、徐潞两个儿子，继娶苗氏，不曾生育，晚年纳妾生下徐文长，在文长出生百日后就死了。此后徐文长由嫡母苗夫人抚养到十四岁，苗氏死后，随长兄徐淮生活，直到二十一岁入赘潘家。虽然出生在官僚家庭，但徐文长早年的生活并不愉快。他的生母是个婢女，在家中自然毫无地位。嫡母苗夫人将徐文长当作亲骨肉抚养，寄予期望；但或许正因为这个缘故吧，在文长十岁那年，苗夫人就把他的生母逐出了家门。幼年夺母，对徐文长是一个很大的刺激。虽然二十九岁那年他得以把母亲接回自己家中，但直到垂暮之年，他仍然不能忘怀这件事情。由于徐文长是庶出，而两个嫡出的哥哥又比他年长二三十岁，所以徐文长在家中也没有什么地位。他年轻时考秀才未取，在给督学官员要求复试的上书中这样说道："学无效验，遂不信于父兄。而况骨肉煎逼，萁豆相燃，日夜旋顾，惟身与影！"显得很悲愤。成年后家道中衰，徐文长入赘妇家，生活当然也不那么自在。一个机警敏感的人，在如此坎坷的境遇中长成，自然容易养成执拗和偏激的性格。

但徐文长生性极为聪慧。他六岁读书，九岁便能作文，十多岁时仿扬雄的《解嘲》作《释毁》，轰动了全城。当地的绅士们称他为神童，比之为刘晏、杨修。二十来岁时他与越中名士陈海樵、沈錬等人相交往，被列为"越中十子"之一。沈錬曾夸奖他说："关起城门，只有这一个。"据说在一次酒宴上，主人有意为难徐文长，指着席上一件小东西请他作赋，暗中却命童仆捧上丈余长的纸卷。徐文长立身把笔，一气写尽，惊倒了满座的人。

自幼以才名著称乡里的徐文长，一向颇有些自负自傲，对功名事业充满了向往，然而在科举道路上却屡遭挫折。二十岁那年，他考中了个秀才，此后一次又一次参加乡试，直到四十一岁，考了八次，始终也未能中举。其间二十六岁时丧妻，从潘家迁出，以教书糊口；三十七岁时应胡宗宪之邀，入幕府掌文书。徐文长在科举中一再失败，并不是偶然的。他少年时便喜欢博览群书，讨厌八股文字，加之个性显露，情感张扬，恐怕确实写不出合格的、规行矩步而阴沉死板的八股文来。不过徐文长虽然明知八股文毫无用处，对一些从科举出身而绝无才学的官僚一向嗤之以鼻，但这毕竟是旧文人在政治上的唯一出路。屡试不售，前途无望，对徐文长是沉重的打击。他暮年作《自作畸谱》，还特地记下了六岁入学时所读的杜甫《早朝》诗句："鸡鸣紫陌曙光寒"，流露出无穷的人生感慨。

徐文长通常给人以恃才纵诞的印象，不过他也是一个关心社会政治，富有爱国热情的人。嘉靖时期，东南沿海遭受倭寇的频繁侵扰，由于兵备松弛，官吏无能，给人民的生命财产带来惨重损失。徐文长一方面以诗歌对此进行尖锐的抨击，一方面满怀热忱地投入到抗倭战争中。他虽然身无一职，却几次换上短衣，冒险随军队来到前线，观察形势，然后记录下战事的经过，分析成败的原因，向有关官员提出破敌的方略。这些文章大都写得比较切实，不同于一般的书生议论。

嘉靖三十六年（1557年），徐文长以才名为总督东南军务的胡宗宪所招，入幕府掌文书。这是徐文长一生中最得意的时期。入幕之初，他为胡宗宪作《进白鹿表》，受到皇帝的赏识。自此胡宗宪对他更为倚重，对他放任的性格，也格外优容。陶望龄《徐文长传》记载说：徐文长常常与朋友在市井饮酒，总督府有急事找他不到，便深夜开着大门等待。有人报告胡宗宪，说徐秀才正喝得大醉，放声叫嚷，胡宗宪反而加以称赞。当时胡宗宪权重威严，文武将吏参见时都不敢抬头，而徐文长戴着破旧的黑头巾，穿一身白布衣，直闯入门，纵谈天下事，旁若无人。在总督府中，徐文长究竟为抗倭战事做了些什么，已难以考实。不过，以徐文长的身份，以他好奇计喜谈兵的性格，以他素来对于抗倭战争的热情，可以断定徐文长是参与了不少重要机谋的。在他留存的《拟上督府书》等文章中，也确实可以看到一些中肯的意见——虽然他所提出的治兵之术未免有些峻刻。

当然在幕府中也有许多不如意的事。胡宗宪出于各种原因，与权臣严嵩来往甚密，而徐文长是痛恶严嵩的，他最亲近的友人沈鍊就因参劾严嵩而遭到杀害。但徐文长又不得不代胡宗宪写了一些吹捧严嵩的文字，这真是文人的悲剧。

嘉靖四十一年（1562年），严嵩被免职，徐阶出任内阁首辅。在徐阶的策动下，胡宗宪受到参劾，并于次年被逮捕至京（后来因平倭有功，只受到免职处分），徐文长也就离开了总督府。到嘉靖四十四年，胡宗宪再次被逮入狱，死于狱中，他原先的幕僚也有好几人受到牵连。徐文长生性本来就有些偏激，连年应试未中，精神上很不愉快，此时他对胡宗宪被构陷而死深感痛心，更担忧自己受到迫害，于是对人生彻底失望，以至发狂。他写了一篇文辞愤激的《自为墓志铭》，而后拔下壁柱上的铁钉击入耳窍，流血如迸，医治数月才痊愈。后又用椎击肾囊，也未死。如此反复发作，反复自杀有九次之多。嘉靖四十五年，徐文长在又一次狂病发作中，因怀疑继妻张氏不贞，将她杀死，因此被关入监牢。

初入狱时，生活自然是痛苦的。徐文长身带枷锁，满身虮虱，冬天雪积床头，冷得发抖，连朋友送来的食物也被抢走。后来他的许多朋友为解救他而四处活动，才使待遇有所改善。其中援助最为有力的，先是礼部侍郎诸大绶，后是翰林编修张元忭（他是明末著名散文家张岱的曾祖父），他们都是徐文长的至交，又都是状元出身，颇有声望。在这些朋友的解救下，徐文长坐了七年牢，终于借万历皇帝即位大赦之机获释。这是1573年的事，徐文长已经五十三岁了。

经历了如此多的磨难，徐文长已不再有什么政治上的雄心，但他对国事的关注却老而未衰。出狱后，他先在江浙一带游历，登山临水，并交结了许多诗画之友。万历四年（1576年）夏，徐文长年轻时代的朋友，这时已经做到宣化巡抚、担负北部边防重任的吴兑邀他北上，他便欣然前往。徐文长在宣化幕府的时间不到一年，但留下了不少描写北地风光、民俗和军旅生活的诗文。在写给许多官员的赠序中，他都喜欢议论政事，尤其是关于边防的策略。当时张居正主持国政，对蒙古采取抚和的方针，徐文长对此表示赞赏。他在吴兑那里受到敬重，无奈身体不好，只得于次年春经北京回到家乡。

六十岁时，徐文长应张元忭之招去北京，但不久两人的关系就恶化了。据张岱的记叙，张元忭是个性格严峻、恪守礼教的人，而徐文长却生性放纵，不愿受传统礼法的束缚。张元忭常常以封建礼教约制徐文长，这使徐文长大为恼火。他曾对张元忭说："我杀人当死，也不过是颈上一刀，你现在竟要把我剁成肉糜！"由于和老朋友的交恶，加上与官僚们交往受到不平等的对待，使徐文长情绪郁愤，旧病复发，便于居京三载后重归家乡。此后，徐文长就再没有离开过山阴。

晚年乡居的日子里，徐文长越发厌恶富贵者与礼法之士，所交游的大都是过去的朋友和追随他的门生。据说有人来访，徐文长不愿见，便手推柴门大呼："徐渭不在！"他一生不治产业，钱财随手散尽，此时只得靠卖字画度日。但手头稍为宽裕，便不肯再作。倒是一班门生和晚辈的朋友，或骗或抢，常常得到他的杰作。徐文长似乎特别嗜蟹，许多题画诗记载了朋友们用活蟹来换他画蟹的经过。最后几年，徐文长身患多种疾病，大约画也不能常作，生活更为贫苦。《徐文长文集》中有《卖貂》、《卖磬》、《卖画》、《卖书》诸诗，显示出这位大文学家、艺术家凄凉的晚境。1593年，徐文长去世，年七十三。

徐文长的文艺创作所涉及的领域很广，但可以指出它们共同的特征，就是：艺术上绝不依傍他人，喜好独创一格，具有强烈的个性，风格豪迈而放逸，而且常常表现出对民间文学的爱好。

明代的诗坛，由于前后七子的提倡，出现了一股拟古的风潮。虽说他们也自有不可抹杀的成绩，但这种拟古的风气，显然有碍于诗歌艺术的发展。徐文长对此深致不满，并作了尖锐的批评。他说：鸟学人言，本性还是鸟；写诗如果一意模拟前人，学得再像，也不过是鸟学人言而已，毫无真实的价值。他自己的诗歌创作，注重表达个人对社会生活的实际情感，风格略近李贺，问学盛唐，并杂取南朝，出入宋元，而终不失其为自我。这个倾向为稍后主张抒发性灵的公安派所继承，对改变晚明诗风具有重要意义。公安派的主将袁中郎对徐文长的诗有一段精彩的评述："文长既不得志于有司，遂乃放浪曲蘖，恣情山水……其所见山奔海立，沙起云行，风鸣树偃，幽谷大都，人物鱼鸟，一切可惊可愕之状，一一皆达之于诗。其胸中又有一段不可磨灭之气，英雄失路、托足无门之悲，故其为诗，如嗔如笑，如水鸣峡，如种出土，如寡妇之夜泣，羁人之寒起。当其放意，平畴千里；偶尔幽峭，鬼语秋愤。"徐文长的散文，以《自为墓志铭》一篇最为出色。此外许多尺牍也很有特色，泼辣机智，幽默多趣，文风远启金圣叹一流，但总的来说，成就不及诗歌。

徐文长的戏剧创作有杂剧集《四声猿》，其中包括《狂鼓史》、《翠乡梦》、《雌木兰》、《女状元》四个独立的戏。《狂鼓史》是有感于严嵩杀害沈鍊之事而写的，表现出狂傲的反抗精神。后两个戏都是写女扮男装建功立业的故事，反映了徐文长对妇女的看法，有一定的反封建意义。这些作品都打破了杂剧固定的格式，为戏剧形式上的多样化开拓了门津。在戏剧理论方面，他主张"本色"，即戏剧语言应当符合人物的身份，应当使用口语和俗语，以保证人物的真实性，而反对典雅的骈语，过度的修饰，这些看法都是很有见地的。此外，他还作有《南词叙录》，这是我国第一部关于南戏的理论专著，在戏剧史上具有重要意义。

徐文长曾说："吾书第一，诗二，文三，画四。"这大概是文人惯用的诡计，即把自己最受人重视的艺术放在最末的位置，以抬高其他。其实，他是我国大写意画的宗师，影响及于八大山人、石涛、扬州八怪直至吴昌硕、齐白石，在美术史上有着很高的地位。他最擅长花卉画，用笔放纵，水墨淋漓，气格刚健而风韵妩媚，具有诗一般的抒情性和韵律感，极为人们所珍视。其书法则长于行草，徐文长虽自列为第一，但成就似乎逊于绘画。

徐渭一生命途多舛，遭遇坎坷，晚年悲苦凄凉，形影相吊，他将自己的悲愤和怀才不遇之感融注于笔端，创造了艺术上的不朽杰作！

陈洪绶

陈洪绶（1598年—1652年）字章侯，幼名莲子，一名胥岸，号老莲，别号小净名、老迟、悔迟、悔僧等。浙江诸暨人。能诗文，善书画，山水、花卉、人物皆佳，尤以人物画成就最高。幼以蓝瑛为师。笔墨向以高古人物画著称，与崔子忠齐名，时有“南陈北崔”之称。后与蓝瑛、丁云鹏、吴彬合称“明末四大怪杰”。笔法古拙挺秀，造型富于夸张，具有自己独特的绘画风格。著有《宝纶堂集》。

洪绶十岁时，拜杭州著名画家孙杕伙、蓝瑛为师。孙杕伙画卉竹石；蓝瑛为“武林画派”的创始人。当孙杕伙见到陈洪绶作画时，叹曰：“使斯人画成，道子、子昂均当北面，吾辈尚敢措一笔乎？”而蓝瑛也自愧在人物写生上力不及洪绶，并从此立誓不再画人物，曰：“此天授也。”

陈洪绶习画的兴趣主要集中在人物画，十四岁那年，他的作品只要一上集市，就有人出钱购买；十五岁时，就应邀为人做寿文。

1616年冬，陈洪绶作《九歌》人物十一幅，又画《屈子行吟图》一幅，凡两日而就。崇祯十一年（1638年），《九歌图》被作为来钦之《楚辞述注》的插图，印成木刻，为现存陈洪绶版画作品中最早的一种。1637年，他创作了著名的《乔松仙寿图》及《冰壶秋色图》。1638年，又精心创作了《宣文君授经图》为姑母做寿。他接连作了《摹李伯时（公麟）乞士图》、《张深之正北西厢》插图六幅及《鸳鸯冢》卷首插图四幅。可以说在1640年前后是陈洪绶艺术生涯的高峰时期。

1646年6月，陈洪绶剃发披缁于绍兴云门寺，改号为悔迟、悔僧，亦号云门僧。又于1649年初，移居杭州，居吴山火德庙之西爽阁。在杭州的岁月，是陈洪绶生命中最后三年，这是他一生中又一个绘画创作高峰期。他的名作《归去来图》、《四乐图》、《折梅仕女图》、《溪山清夏图》等都成于这一时期。

遗憾的是，这位十七世纪伟大的画家，却在1652年，过早地去世了。

纵观陈洪绶一生，才华横溢，于诗书画中均能独树一帜。他的艺术，尤其是他的人物画创作，自清以来，一直被奉为楷模。陈洪绶理所当然地成为中国绘画史上引人注目的一代大师。

陈洪绶的艺术成就，首先表现在版画方面。陈洪绶所作版画稿本，主要是书籍插图和制作纸牌（叶子）用，著名的有《九歌图》及《屈子行吟图》十二幅，《水浒叶子》四十幅，《张深之正北西厢》六幅，《鸳鸯冢娇红记》四幅，以及他逝世前一年所作的《博古叶子》四十八幅等。1638年，来钦之的《楚辞述注》付梓时，陈洪绶的《九歌图》被作为插图，付诸木刻，影响极大。他所创作的屈原像，至清代两个多世纪，无人能超过，被奉为屈原像经典之作。

其次在人物画上成就卓著，壮年时已由“神”入“化”，晚年则更炉火纯青，愈臻化境。造型怪诞、变形，线条清圆细劲中又见疏旷散逸，在“化”境中不断提炼。直到近代，陈洪绶的作品还受到鲁迅的极力推崇。鲁迅早在壮年就着手于陈洪绶作品的搜集，晚年还预备把他的版画介绍出来。这一切，都说明了陈洪绶是中国艺术史上一位光彩熠熠的伟大画家。

陈洪绶虽不以书法名世，但其于书法艺术方面所取得的成就也是相当惊人的。陈洪绶作书严循中锋用笔之法，他深谙掌竖腕平执笔的奥秘。其间虽小有以侧锋取妍处，但他能立即将笔调整过来。如此高超的控笔能力，无疑只能以掌竖腕平执笔法为之方可。再有，书法所要求的“回藏”、“提按”、“顿挫”、“绞衄”、“呼应”等等笔法要略，在他的运笔过程中，似无一处有缺憾，只是他做得了无痕迹罢了，这也正是大相不雕、信言不美、修养至炉火纯青境界的具体体现。从其书作中，我们可以感到，陈洪绶作书，心态是愉悦恬静、轻松欢跃的，书写过程对他来说似乎是一种最甜美适畅的享受。因此可以说，陈洪绶已找到了一种执运笔法的最佳方式，而这方式正是书法执笔、运笔的“真义”，在这“真义”中，书法的中锋运行、回藏提按以及顿挫绞衄，全都是为畅爽书写且写出美感服务的。

陈洪绶是在特定场景下产生的画家，尤其是对人物画的发展在实际应用上做了表率和示范，并对“扬州八怪”、“海派”及近现代的画家有深刻的影响。他是中国绘画史上继往开来的一代艺术大师。

八大山人

八大山人即朱耷（1626年—约1705年），明末清初画家，中国画一代宗师。字雪个，号八大山人、个山、驴屋等，江西南昌人。明宁王朱权后裔。明亡后削发为僧，后改信道教，住南昌青云谱道院。擅书画，花鸟以水墨写意为宗，形象夸张奇特，笔墨凝练沉毅，风格雄奇隽永；山水师法董其昌，笔致简洁，有静穆之趣，得疏旷之韵。擅书法，能诗文。存世作品有《水木清华图》《荷花小鸟图》《六君子图》等。

朱耷真名朱统銮，有雪个、个山、人屋、道朗、八大山人等别号。“八大”二字，据人解释有“哭之”、“笑之”，哭笑不得的意思。他的父祖都善书画，因此朱耷从小就受到艺术陶冶。八岁能作诗，十一岁能画青绿山水，少时能悬腕写米家小楷。弱冠为诸生。明亡以后，他抱着对清王朝不满的态度，在奉新县耕香庵落发为僧，时年二十三岁。

顺治末年，当朱耷三十六岁时潜回南昌，创建青云圃道院，花了六、七年时间，才使这坐道院初具规模，并在这里过着“一衲无余”与“吾侣徙耕田凿井”的劳动生活。他想把这里造成一块世外桃源，以求达到他向来“欲觅一个自在场头”的愿望。但这个“自在场头”毕竟是建立在清王朝统治之下，“门外不必来车马”是不可能的。因为常有清朝权贵来此骚扰，于是他常浪迹他方。

康熙十七年朱耷五十三岁时，临川县令胡亦堂闻其名，便延请他随其僧长饶宇朴等到临川官舍作客年余。这使他十分苦恼郁愤，遂佯为疯癫，撕裂僧服，独自走回南昌。一年多后，他又回到青云圃，并在这里度过“花甲华诞”。当他六十二岁时，不再做住持，便把道院交给他的道徒涂若愚主持。后又躲避在南昌附近的北兰寺、开元观等处。并常卖画度日。后来自筑陋室，名“寤歌草”堂。

朱耷襟怀浩落，慷慨啸歌。由于时代特点和身世遭遇，他抱着对清王朝誓不妥协的态度，把满腔悲愤发泄于诗书画之中。所以画中出现的多是鼓腹的鸟，瞪眼的鱼，甚至禽鸟一足着地，以示与清廷势不两立，眼珠向上，以状白眼向青天。他常常把“八大山人”四个字连缀起来草写，形似“哭之”、“笑之”字样。他还有很多隐晦艰涩的诗句跋语，表示对清廷极端的仇恨和蔑视。

八大山人在艺术上有杰出的成就。他以绘画为中心，对于书法、诗跋、篆刻也都有很高的造诣。在绘画上他以大笔水墨写意画著称，并善于泼墨，尤以花鸟画称美于世。在创作上他取法自然，笔墨简练，大气磅礴，独具新意，创造了高旷纵横的风格。三百年来，凡大笔写意画派都或多或少受了他的影响。清代张庚评他的画达到了“拙规矩于方圆，鄙精研于彩绘”的境界。他作画主张“省”，有时满幅大纸只画一鸟或一石，寥寥数笔，神情毕具。他的书法具有劲健秀畅的气格。篆刻形体古朴，独成格局。

朱耷在形成自己风格的发展过程中，继承了前代的优良传统，又自辟蹊径。他的花鸟画，远宗五代徐熙的野逸画风和宋文人画家的兰竹墨梅，也受明林良、吕纪、陆治的技法影响，尤致意青藤白阳的粗放画风。他的山水画，远尚南朝宗炳，又师法董、巨、米芾、倪、黄以至董其昌等人的江南山水。在书法方面，他精研石鼓文，刻意临写汉、魏、晋、唐以来的诸家法帖，尤以王羲之的为多。

朱耷的小说诗歌文学作品，表现了鲜明的爱和憎。如脍炙人口的《孔雀图》及其题诗：“孔雀名花雨竹屏，竹梢强半墨生成；如何了得论三耳，恰是逢春坐二更。”辛辣地讽刺了那班头戴三眼花翎乌纱帽的汉族大地主屈膝求荣、投降新主子的奴才丑态。有一幅山水册页题云：“郭家皴法云头小，董老麻皮树上多；想见时人解图画，一峰还写宋山河。”他称慕五代北宁间画家董源、郭熙，以其独特笔墨描绘没有受外族侵凌的宋朝江山，而激发起热爱故国的思想感情。《鹊石图轴》（现藏画家八大山人纪念馆），画中描绘着两只喜鹊立于大石之上，究其画意，具有鹊巢鸠占，翔集浣磐的含义。《诗·召南·鹊巢》云：“维鹊有巢，维鸠居之。”传云：“尸鸠不自为巢，居鹊之成巢。”八大山人作此喻以讽刺清贵不善自谋而强占别人地主。并着意表现双鹊集栖于磐石之上，这不是尸鸠可以占据和动摇得了的。他常画的莲荷松石、梅兰竹菊、芦雁凫鹤、鱼鸭鹰鹿等等，大都象征他性格的倔强与高风亮节。他一生坚不为清廷权贵画一花一大石，而一般农民、贫士、山僧、小儿却很容易得到他的小说诗歌文学作品，这种不屈于权势的精神，历来为人们赞赏与称颂。

朱耷对艺术修养与功力铸锻，正如他自己所说的：“读书至万卷，此心乃无惑；如行路万里，转见大手笔。”他认为画事有如登高，“必频登而后可以无惧”，说明他对艺术不断磨炼的精神。清初画坛在革新与保守的对峙中，八大山人是革新派“四大画僧”中起了突出作用的一人。为了纪念这位大画家，解放后已在南昌市青云谱建立了“画家八大山人纪念馆”。朱耷的艺术已经在东方尤其在日本以至世界画坛引起了很大的反响。八大山人的书画及许多小说诗歌文学作品，已不复得见。如：《荷塘戏禽图卷》、《河上花并题图卷》、《鱼鸭图卷》、《鱼乐图卷》、《杂花图卷》以及《杨柳浴禽图轴》、《芙蓉芦雁图轴》、《大石游鱼图轴》、《双鹰图轴》、《古梅图轴》、《墨松图轴》、《秋荷图轴》、《芭蕉竹石图轴》、《椿鹿图轴》、《快雪时晴图轴》、《幽溪泛舟图轴》、《四帧绢本浅绛山水大屏》，以及许多条幅，册页中的花鸟鱼鸭，山水树石等。书法方面有《临兰亭序轴》、《临“临河叙”四屏》，以及各大家法帖和行草诗书轴册等，都在国内外的博物馆、院中珍藏。

石 涛

石涛（1630年—约1707年），清代画家、中国画一代宗师。靖江王朱守谦十世孙，法名原济，一作元济。本姓朱，名若极。字石涛，又号苦瓜和尚、大涤子、清湘老人等。广西全州人，晚年定居扬州。南明元宗朱亨嘉之子。幼年遭变后出家为僧，半世云游，以卖画为业。早年山水师法宋元诸家，画风疏秀明洁，晚年用笔纵肆，墨法淋漓，格法多变，尤精册页小品；花卉潇洒隽朗，天真烂漫，清气袭人；人物生拙古朴，别具一格。工书法，能诗文。存世作品有《搜尽奇峰打草稿图》《山水清音图》《竹石图》等。著有《苦瓜和尚画语录》。

石涛生于1630年（这是有关专家考证后的出生日期，而一般书籍说是1642年）。清兵杀到桂林时，他随母亲和宦官何涛逃往全州，隐姓埋名入湘山寺为僧，又号苦瓜和尚、大涤子、小乘客、伶仃老人、清湘老人（五代时全州由湘川县改为清湘县）、瞎尊者等。

在寺院的五年里，石涛利用这里独特的条件，进行绘画的创作，并有了深厚的功底。顺治十四年丁酉（1657年），年方16岁的石涛已在绘画艺术方面显露出他的天赋，当年的《山水人物花卉册》是目前所能见到石涛署年款最早的作品之一。此册其中一页的画面为：临山的浩渺江水中，一叶扁舟正逐波荡漾，舟中端坐一人正捧读《离骚》。画面下方是题诗："落木寒生秋气高，荡波小艇读《离骚》；夜深还向山中去，孤鹤辽天松响涛。"从作品中可看出石涛后期之所以能在山水、人物、花卉、书法、诗文等方面取得高超造诣，是同他早年全面学习传统技法和广涉书法、诗文各科艺术门类而打下的坚实根基分不开的。从笔墨特征看，此册画笔较为稚拙、朴实，表现出了石涛后来所少有的恬淡静穆的稚气。从康熙三年甲辰（1664年）石涛23岁时所作的《山水人物图卷》来看，无论在意境的追求还是笔墨技巧上，都有长足的进步。在技法表现上已显得章法紧凑，笔墨凝练，具有恣肆豪放的气质和郁茂酣畅的笔墨个性。白描法是中国绘画线条练习的基本技法，据《虬峰文集·大涤子传》所载："时画一横卷，为十六尊者像，梅渊公称其可敌李伯时。"《十六罗汉应真图卷》是石涛早年工笔人物画的代表作。画笔以清圆细劲的线条，描绘出栩栩如生的人物形象和曲折盘亘的山石，从此图可看到石涛后期恣肆流畅的笔墨技巧，显然是早年对传统白描技法进行认真扎实苦练的硕果。

而后来因为躲避清兵追杀，在老方丈的指引下，石涛逃往江西庐山。

石涛从广西全州出发，路经湖南的潇湘、洞庭，来到了江西的庐山，以后又在江苏、浙江一带漫游。后来在安徽宣城的敬亭山定居下来，一下住了十多年。在敬亭山，他与朋友组织了一个画社，他多次游黄山，所画黄山，别具一格，使安徽宣城朋友大为惊讶，都拜谒黄山、画黄山，从而便有了一个“黄山派”。而石涛与弘仁、梅清成为黄山画派的三巨头。有人评论，梅清得黄山之影，弘仁得黄山之质，而石涛得黄山之灵。《石涛山水册》自题云：“此道从门入者，不是家珍，而以名震一时，得不难哉！高古之如白秃、青溪、道山诸君辈，清逸之如梅壑、浙江二老，干瘦之如垢道人，淋漓奇古之如南昌八大山人，豪放之如梅瞿山、雪坪子，皆一代之解人也。”不言而喻，这一批与石涛日夕往还切磋技艺的志同道合者，在彼此的影响和促进中，都会眼界扩大，技艺精进，这样的机缘确属难得。

后人把弘仁、髡残和石涛合称为“三高僧”，另加上八大山人朱耷，成为“四大名僧”或“四大画僧”。与三人相比，石涛不仅在绘画上独树一帜，而且在艺术理论上卓有成就。他的《（苦瓜和尚）石涛画语录》，何绍基评论说：“苦瓜和尚论画秘录十八章，空诸依傍，自出神解，为从来丹青家所未道。”

石涛云游大半个中国，遍历名山大川，立志“搜尽奇峰打草稿”，他的山水人物和兰竹花木画，笔调洒脱超逸，风骨清隽高雅，从而成为我国绘画史上异军突起别具一格的一派宗师。在明王朝朱元璋的高压政策下，画家们没有创造的模仿成了风气，是他改变了中国画的面貌，也改变了中国画的观念，石涛对中国画坛的影响无疑是深远的。

石涛从十四岁开始画兰花，他一生画得最多的，也就是兰花。一直跟着他的宦官何涛，临老回桂林时带着石涛送给他的两幅兰花，来到全州县湘山寺，找来全州最好的工匠，将兰花刻于寺中，那兰花碧叶迎风招展，欲指行人，暗香隐隐，似从石壁逸出，一笔一画，巧夺天工。据了解，现存的石涛遗作中只有两幅石刻《兰花图》，一幅在扬州，另一幅就在全州湘山寺妙明塔旁的飞来石上了。

石涛在绘画艺术上的成就，主要是在山水画方面。

他的作品千变万化，丰富多彩，以淋漓酣畅的笔墨，形成一种新奇泼辣的风格，使山水画更具有一种风吹浪涌、地动山摇的气概。石涛的绘画之所以具有这样的特色，是因为他反对陈陈相因的不师造化（自然），一味模仿古人的创作方法，主张从真实的山水中写出生动活泼的画面。

石涛一生之中，有大半是在漫游中度过的。他对于名山奇峰有浓厚的感情，他真切地认识到大自然是在时刻变化着的，不要说四季的景色大有不同，就是一天之内，早晨傍晚，风雨，景色也各有不同。为了摸清黄山在各个季节，各个气候条件下的不同面貌，即使下着瓢泼大雨，或飘着鹅毛大雪，他也不畏艰险地去观察。那耸入云霄的天都峰，那高大雄伟的莲花峰，那多姿的五老峰，那奇特秀丽的笔峰，那巧夺天工的人字瀑，百丈瀑，那温暖宜人的汤池……也都一次又一次地观察，不仅远看，还要近看，还尽量从各个角度细细观察。因此他说："余得黄山之性。"别人看到他这样一次次地不辞辛苦来到这道路崎岖，风云莫测的黄山，就问他来干什么。他拿出自己的画稿，指着画稿上的一颗印章说："搜尽奇峰打草稿。"他的朋友梅清说他画的《黄山汤池图》，令人如临真景，不胜惊叹。说他画的黄山图"笔落生面开，力与五丁齐"。意思是说黄山的奇峻雄姿，千载以来只有石涛能别开生面，把它写出来，这非有五丁力士的神力是不能做到的。石涛自己说，通过数十年的实践，"搜尽奇峰打草稿"，能使山川和自己达到了"物我交融"的境界。石涛认为，生活是绘画艺术的源泉和依据，脱离生活的艺术只能是无源之水，无本之木，因此，深入生活，是每一个画家的必由之路。不过他虽然强调生活的重要性，却不主张刻意地抄袭生活、模仿生活。

生活是艺术的源泉，但并不等于艺术本身，真正的艺术应该是客观生活和主观情感交融感应的产物。石涛在《画语录·山川章》中说道："山川使予代山川而言也，山川脱胎于予也，予脱胎于山川也，搜尽奇峰打草稿也，山川与予神遇而迹化也，所以终归之于大涤也。"基于这样的认识，石涛又进一步提出了"不似之似"的观点，作为塑造艺术形象的标准。他在题画诗跋中一再提到："名山许游未许画，画必似之山必怪；变幻神奇懵懂间，不似之似当下拜。""天地浑溶一气，再分风雨四时；明暗高低远近，不似之似似之。""画松一似真松树，予更以不似之似似之，真在气，不在姿也。"如此等等。"不似之似"的艺术形象，是主观地描绘客观所获得的一个审美连续体。近代绘画大师齐白石、黄宾虹对石涛的这一观点极为激赏。

石涛经常在外云游，有时为了报答主人的殷勤款待，他便留下墨宝作为回报。《搜尽奇峰打草稿图卷》就是他做客北京期间，应主人“慎庵先生”的索请而作的。这卷作品为纸本，水墨画，纵四十二点八厘米，横达二百八十五点五厘米。你瞧，千岩万壑，林木重深，自山顶而至山麓，山前而至山后，洞壑玲珑，秋色绚烂，兼有高远、深远、平远等多种空间透视。不过，这幅图，并不见一座奇峰，不见一株怪松，而尽是一些寻常易见的景物，但经过画家不寻常的艺术处理，给人耳目一新之感，体现了艺术形象的典型性和现实性，不在模拟物象之奇，而在丘壑内营之奇。

石涛一生勤于创作，晚年的作品更多。现在著录和印出的画迹，已在六百件以上；他画上题的诗，也有五百首以上。他的诗也写得很好，如《湘源》（隋朝开皇十年全州由洮阳、观阳即今灌阳、零陵三县合并为湘源县）：“按琴独坐空亭子，地涌如波水面岑。不打湘源江上过，也须展册一开襟。”又如《和张野鹤》：“读画看山似欲颠，尽驱怀抱入先天。诗中有画真能事，不许清湘（注：后晋天福四年，从楚王马希范奏置全州，改湘川县为清湘县，全州辖清湘、灌阳二县。）不可怜。”

石涛的革新精神及其艺术成就，不仅轰动当时的画坛，连恪守传统的王原祁（与王时敏、王鉴、王翚号称“四王”）也推崇其“大江以南为第一”。从稍后的扬州画派诸家到近代的吴昌硕、齐白石、张大千、唐云等，都受石涛影响。石涛晚年定居扬州，在扬州他的大涤草堂吟诗作画授徒时，郑板桥、金农是少年人，无疑他们从石涛那里汲取了“营养”，而高翔是石涛的弟子，他们三人都名列石涛死后冒出的“扬州八怪”之列。

郑板桥的竹子，堪称画坛一绝。他最崇拜石涛，说：“石涛画竹好野成，略无纪律，而纪律自在其中，燮（郑板桥名燮）为江君颖作此大幅，极力仿之，横涂竖抹，要自笔笔在法中，未能一笔逾于法外，甚矣石公之不可及也。”与石涛相比，郑板桥又说：“石涛善画，画作内容非常丰富。兰、竹并不是他主要的描绘对象，而我，是专画兰、竹，五十多年执著追求而不画别的东西。石涛务博，我务专，然而我的兰竹却无论如何也赶不上他的兰竹。”日本人大村西崖说：“清代画人之中全脱作家之窠臼，惟金冬心（即扬州八怪之一的金农）与大涤子无能出其右者矣。”

张大千临摹石涛，黄宾虹苦学石涛，齐白石则说：“青藤、雪个、大涤子之画，能横涂纵抹，或为诸君磨墨理纸。诸君不纳，余于门之外，饿而不去，亦快事也。”齐白石也对石涛挺崇拜，这从他的一些梦石涛的诗里也可以看出。如他的《梦大涤子》：“皮毛袭取即功夫，习气文人未易除。不用人间偷窃法，大江南北只今无。”《题大涤子画像》：“下笔谁都泣鬼神，二千余载只斯僧。梦香愿下师生拜，昨晚挥毫梦见君。”唐云称赞石涛：“笔墨活脱胎换骨而变化多样。”石涛的绘画成就，不愧是中国画史上的一座高峰！

李 鱓

李鱓（1686年—1762年），清代书画家。鱓，一作觯，字宗扬，号复堂、懊道人，江苏兴化人。

扬州八怪以其特立独行、富于活力的清新画风，在中国美术史上占有重要地位，对后世尤其是晚清海派绘画产生了重要影响。扬州八怪究竟指哪些画家，历来有不同说法，但不管哪个版本，李鱓都是其中的主将。他的花鸟画题材广泛，立意不时关乎民生，画法一反文人画的纤弱妩媚，笔酣墨畅，纵横奇肆，淋漓泼辣，天趣横生，躁动落拓，一味霸悍，在八怪中堪居首选。

李鱓年轻时就已远近闻名，曾以书画"供奉内廷数载"，是"八怪"中唯一的"宫廷画家"出身，实属得天独厚。他画的《四季花卉卷》被清宫《石渠宝笈》收录，这在八怪中也是仅有的，可见当时他的绘画声誉之高。

李鱓于清康熙五十年（1711年）中举人，康熙五十二年（1713年）九月到口外向皇帝献诗献画，得到康熙的赏识，命为南书房行走。李鱓年纪虽轻但文才出众，又有绘画的特长，因而备受康熙的青睐，奉旨跟从常熟籍著名画家蒋廷锡学习绘画，受到蒋廷锡精细工整、突出笔墨绘画风格的影响。李鱓供奉内廷数年，"以诗画名动公卿"，颇为引人注目。但他生性放达，希望用绘画的方式抒发自己的性情理趣，且不愿有所放弃，因而，"才雄颇为世所忌，口虽赞叹心不然"，受到了排挤，于康熙五十七年离开宫廷。

此后，李鱓浪迹江湖，走南闯北，过着落拓不羁、漂泊不定的生活，但仍执着地追求绘画艺术。其间，曾向高其佩学习，"在扬州见到石涛和尚的画，因作破笔泼墨画，益奇。"这样的生活持续了二十年之久，被郑燮称为："声色荒淫二十年，丹青纵横三千里。"

乾隆二年（1737年），李鱓任山东临淄知县，次年调任山东滕县知县。他无为而治，"为政清简，士民怀之，忤大吏罢归"。滞留山东数年后回到家乡，往来于扬州、兴化之间，或卖画，或与同道交流切磋，大约于1762年去世。一生两革科名，一次贬官，大起大落。其诗文虽不见专集，但在其绘画作品及方志、笔记、他人文集中尚可见到三百余首，多能言情咏志，抒发真情，反映民疾。

李鱓绘画的题材十分广泛，以花草鸟虫为主，不仅画兰、竹、荷花、牡丹这类文人常画的事物，还画葱、姜、瓜、茄、山芋、芋头、茭白、松鼠、蛤蟆、蚕茧等百姓生活常见之物，可见李鱓对生活的热爱以及对笔墨纸砚的驾驭能力。他对生活中常见之物观察入微，画得得心应手，活灵活现。传说，有位知县请李鱓作画，李鱓才画了两只虾就不再动笔。县令不悦，李鱓见状取过画来："大人不喜欢，就放生吧。"画一抖，那两只刚画好的虾竟离开纸面先后跳进了河里。这则神话似的传说，从一个侧面反映了李鱓的笔墨功底。

李鱓的画画幅有大有小，有整张有斗方。在用笔上，"不株守昔人绳墨，造化在腕"，任意挥洒，把细笔勾勒与阔笔放纵结合起来，"水墨融成奇趣"，酣畅淋漓，清新动人，达到了"情状如生"的效果，表现了以抒发个性为主要特征的画风。他非常善于用水，许多作品至今依然花叶滋润、墨彩欲滴。他的书法被称为"具颜柳筋骨"。他的题画或左或右，或大或小，或飘忽或沉淀，内容由绚烂归于平淡，明白如话，韵味深长，书法与绘画浑然一体。他是清代画坛上开宗立派的人物，其作品对晚清花鸟画有很大的影响。据有关资料，其作品至今仍有五百多件被公私藏家收藏。

李鱓的诗同样成就斐然，有的明白如话，韵味深长，有的行云流水，讲究韵律。总体看似平淡，读来意味深长。他在《秋虫图》上题"黄叶复黄叶，山边与水边。老夫无一事，骑马看秋天。"他在《墨松》上题"孤松也有头颅秃，莫怪余年白发新。"他在《蔬菜图》上题"莫怪毫端用意奇，年来世味颇能知。"句句明白如话，感觉韵味深长。

李鱓是扬州八怪中的重要人物，他创立了独特的个人画风，代表了"扬州八怪"的创新作风，开辟了文人画的新境界，对晚清的画风以及海派的产生有着重要的影响，对我们当代中国画创新也有着深远的影响。

郑板桥

郑燮即郑板桥（1693年—1765年），“扬州八怪”的主要代表，以三绝“诗、书、画”闻名于世的书画家和文学家。郑燮一生画竹最多，次则兰、石，但也画松画菊，是清代比较有代表性的文人画家，代表画作为《兰竹图》。

郑燮的父亲郑立庵品学兼优，他考上廪生后在家开私塾，郑燮随父就读。外祖父汪诩文亦博学多才，隐居不仕，对外孙非常关心，常指导读书、作文，故郑燮自称：“文学性分得外家气居多。”

郑燮幼时读书似无过人之处，且因相貌不美，同学都瞧不起他。但他自尊心极强，学习刻苦，成绩优异。经、史、子、集无不涉猎，重点文章节则反复诵读，且惜时如金。他学习注重“切于日用”，做到深入理解、融会贯通，对杜甫、白居易、陆游等诗人的诗，特别爱读。

除师法自然外，郑燮也重视继承传统。他从唐代墨竹画的开创者箫锐到清初石涛，都做了研究，苏轼、文同、徐渭等，都是他敬仰的大师。后来，他到仪征毛家桥读书，毛家桥多竹，又为他画竹提供了条件，并与竹结下不解之缘。从此，他“无竹不居”，竹成了他绘画最重要的题材。他爱画竹，更爱竹的品格，竹的傲岸不屈、劲节虚心，也就成了郑燮人格的写照。

康熙五十一年春，郑燮回到兴化，从陆震学填词。陆震指导他先学婉约派柳永、秦观，再学豪放派苏轼、辛弃疾。陆震认为诗与词不同，以婉丽为正格，以豪宕为变格，练习时要千斟万酌以求一是。从后来郑燮的词作看，二者兼有。

康熙五十四年，郑燮与徐氏女结婚。为养家糊口，他被迫到仪征江村设塾授徒。但没有功名，不被人看重，且入不敷出，因思作画卖画。当时的扬州扼南北漕运咽喉，大批盐商聚集，为其繁荣和文人墨客施展才华提供了条件。于是郑燮又到扬州，边读书作画卖画，以等待进身机会。成为“扬州八怪”之一。

1732年，郑燮四十岁，是年秋，赴南京参加乡试，中举人，作《得南捷音》诗。为求深造，赴镇江焦山读书。1736年，乾隆元年，四十四岁，在北京参加礼部会试，中贡士，五月，郑燮于太和殿前丹墀参加殿试，中二甲第八十八名进士。为赐进士出身，特作《秋葵石笋图》并题诗曰：“我亦终葵称进士，相随丹桂状元郎”，喜悦之情溢于言表。

1746年，乾隆十一年，郑板桥五十四岁，自范县调署潍县。是年山东大饥，人相食。潍县原本繁华大邑，然自是年灾荒连年，救灾便成了郑板桥主持潍县政事的一项重要内容，他开仓赈货，令民具领券供给，又大兴工役，修城筑池，招远近饥民就食赴工，籍邑中大户开厂煮粥轮食之。尽封积粟之家，活万余人。秋以歉收，捐廉代轮，尽毁借条，活民无算。潍县饥民出关觅食，郑燮感叹系之，作《逃荒行》。

1748年，大学士高斌和都御史刘统勋为特使到山东放赈，郑燮随之。秋大熟，潍县灾情渐趋缓解，饥民也由关外络绎返乡，郑燮作《还家行》记其事。为防水浸寇扰，捐资倡众大修潍县城墙。秋末，书《修潍县城记》。

1751年，海水溢，郑燮至潍县北边禹王台勘灾。郑燮做官意在得志则泽加于民，因而他理政时能体恤平民和小商贩，改革弊政，并从法令上、措施上维护他们的利益，板桥宰潍期间勤政廉政，无留积，亦无冤民，深得百姓拥戴。潍县富商云集，人们以奢靡相容，郑燮力倡文事，发现人才，留下了许多佳话。

1747年，满洲正黄旗人、侍讲学士德保主试山东，郑燮同在试院，相与唱和。1748年，乾隆出巡山东。郑燮为书画史，参与筹备，布置天子登泰山诸事，卧泰山绝顶四十余日，常以此自豪，镌一印章云“乾隆柬封书画史”。郑燮于1766年1月22日卒，享年七十三岁。

郑燮一生，在官场，则恪尽职守，为民请命；在朝堂之下，则砥砺学问，锤炼文学艺术。郑燮兼擅诗、词、曲、文、书、画、联、印，饮誉清代文坛艺苑，是“扬州八怪”中影响最大的一个。

郑燮的诗清新流畅，直抒胸臆，自由洒脱，很少用典，描写人民生活的痛苦和贪官酷吏的丑恶，兼具少陵、放翁风格。如《逃荒行》就是潍县灾后情况的真实写照。他的词或婉约，或豪放，颇“近陈（维崧）词派”。散曲主要是《道情》10首，用黄冠体写成，借出世外衣揭露世道之险恶，广泛传播，被誉为清代道情体的最高成就。对联质朴自然，意境高远，既富有哲理，又多生活情趣，成为清代联学一大家。《家书》兼叙述家常琐事、议论经邦治国之道、评论文学创作、交流诗词书画心得，直抒胸臆，每多独见，在清代散文史上有一定地位。

郑燮现存绘画作品1000余幅，是中国古代画家中存世作品最多的一位。郑燮绘画是以兰、竹、石为主，兼及松、菊、梅。他画的竹清瘦挺拔、墨色淋漓、干湿并兼；兰秀劲坚实、萧散逸宕、妙趣横生；石雄奇秀逸、丑怪苍润、百状千态。这些都构成了郑燮秀劲挺拔、生动活泼的总体画风。郑燮还根据自己的绘画实践提出了许多精辟的绘画理论。例如，他提出了“胸无成竹”说、“学三抛七”说、“不立一格”说、“先大后小”说，等等。这些是对从顾恺之到石涛的绘画理论的重要发展，至今仍对绘画创作者有着启发、指导意义。

郑燮的书法也别具一格，他将自己的书体分为“六分半书”。这种书体在笔法上以八分为主，糅合楷、行、草、篆及画兰竹之法，方笔、圆笔、渴笔、蹲笔变化自如，中锋、侧锋、衄锋恰到好处。在字的结体上，着力于横向，多呈扁形，由重心辐射于四方，显得潇洒新颖，览之无尽。在布局上，具有浑然一体、自然天成的整体感。一幅当中，虽然大、小、方、圆及各种不规则形状千变万化，但安排得错落有致，乱中有序，违而不犯，气垫连贯，通篇浑然一体。同画论一样，郑燮书论亦不乏灼见。

郑燮在文学艺术领域里的建树，不仅表现在诗文、书法、绘画的创作及理论上，还表现在他对这三者的结合上。这种结合又表现在微观与宏观两个方面。

微观方面，郑燮以书入画，以画入书，诗中有画，画中有诗。他将“书之关纽透入于画”，用焦笔挥毫，使兰枝、竹叶酷似草书中的竖长撇法，精湛的书法用笔与画兰、竹的技巧融为一体。又以“画之关纽透入于书”，从自然界千姿百态的形象中悟出书法意象，竖横撇点常似竹枝、兰叶，使书法作品亦具有画作美感。郑燮诗中充满画意，如《由兴化迂曲至高邮七截句》之一：“百六十里荷花田，几千万家鱼鸭边。舟子搦篙撑不得，红粉照人娇可怜。”寥寥数笔，刻画出一幅色彩明丽、动静交织、生机勃勃的水乡风光图。绿色的荷叶，红色的莲花，白色的鱼鳞，褐色的水鸭，色彩配备得如此巧妙，不禁令人叹为观止！他的画中也有诗。我们观赏郑燮笔下顶天立地的柱石、傲然迎风的兰竹，仿佛听到一曲《正气歌》。

宏观方面，郑燮常将诗、书、画加上印章统一在一幅纸上。如他70岁时画了一幅《竹石图》，一块巨石顶天立地，数竿瘦竹几乎撑破画面。右上角空白处题诗一首："七十老人画竹石，石更凌嶒竹更直。乃知此老笔非凡，挺挺千寻之壁立。乾隆癸未，板桥郑燮。"下揿两方名号印。画幅右下方空白处又押上"歌吹古扬州"闲章一方。这位老人颠沛了一辈子，不向各种恶势力低头，仍如磐石般坚强，如清竹般劲挺，如兰花般高洁。诗题得整整斜斜，大大小小，或在峰峦之上，代之以皴法；或在竹竿之间，使画连成一片；或在兰花丛中，衬托出花更繁，叶更茂。画上题诗，宋元即首，并非郑燮始创，但如郑燮之妙，实不多见，妙就妙在各类艺术高度统一。

郑燮多方面艺术成就的核心是一个"怪"字。所谓怪，就是与众不同，就是对传统的反叛，极力主张按照自己的本性自由地发展。他曾借笼中养鸟、发系蜻蜓、线缚螃蟹等事大发议论，批评"屈物之性以适吾性"的做法，提出"万物之性人为贵"。他的泼墨写意兰竹石画都把表现自己的个性和思想情绪作为主题。书法本来更是很难变化创新的，但到郑燮手中，六书也几乎冲垮。诗文更是直抒胸臆，提出"不为古所累，气与意相辅"。郑燮作为一个文学家、艺术家的同时，在中国思想史上也应占有一席之位。

任伯年

任伯年即任颐（1840年—1896年），浙江山阴航坞山（今杭州市萧山区）人。我国近代杰出画家，在“四任”之中成就最为突出，是海上画派中的佼佼者。他的杰出艺术成就受到世人瞩目。

任颐初名润，字小楼，后字伯年，父亲任声鹤是民间画像师，大伯任熊、二伯任薰也是名声显赫的画家。少时受家庭的熏染，已能绘画。十来岁时，一次家中来客，坐了片刻就告辞了，父亲回来问是谁来，伯年答不上姓名，便拿起纸来，把来访者画出，父亲看了，便知是谁了。这说明任伯年幼年就掌握了写真画技巧。

任伯年曾在十几岁的青年时期，在太平天国的军中“掌大旗”，当时军旗较大，“战时麾之，以为前驱”。直到天京沦陷，任伯年才回家乡，后至上海随任熊、任薰学画。以后长期在上海以卖画为生。

任伯年为人率真，不修边幅，学画时近30岁，画多而名声渐大，但其身心深受鸦片之害，损伤元气，这也是他年仅56岁就过早去世的原因。

任伯年的绘画发轫于民间艺术，他重视继承传统，融汇诸家之长，吸收了西画的速写、设色诸法，形成自己丰姿多彩、新颖生动的独特画风。

任伯年精于写像，是一位杰出的肖像画家。人物画早年师法萧云从、陈洪绶、费晓楼、任熊等人。工细的仕女画近费晓楼，夸张奇伟的人物画法陈洪绶，装饰性强的街头描则学自任薰，后练习铅笔速写，变得较为奔逸，晚年吸收华（岩）笔意，更加简逸灵活。传神作品如《三友图》、《沙馥小像》、《仲英小像》、《弄璋图》、《松下高士》等，可谓神形毕露。如《弄璋图》展现的是一个典型的传统中国妇女形象：盘结的发髻衬托出慈祥的面容，她端坐在素布前，一针一线地绣着。身旁的两个孩子正在玩耍，“丫丫”的语声引得她回头观望，露出欣慰的笑容。任伯年笔下的人物画就是如此生动，富有生活气息。当年他画的一张《寒酸尉像》真实地记录了身着官服的吴昌硕的形象，按现今的理论来说这是现实主义地描绘。任伯年的人物画虽然脱胎于陈洪绶，他那钉头鼠尾描强化了笔线的形式感，但也吸取了西洋画的造型理念，精于人物头像以及五官的刻画，能精准地把握人物体态动势的变化。这一特点在是画作上表现得淋漓尽致。母亲的侧面俯视、长子与幼子的对视以及幼子的匍匐动势跃然纸上。画面下满上空的构图加强了画面的动势，最后以一条长题平衡了画面，可见匠心独具。再如《松下高士》图也是其人物画的精品。在这幅画中，画家先用高大挺拔的松树拉出画面的气势来，形成画面主要支撑。画面上方用浓密的松针组合成一个充实的整体，而与之相对应的边角留白形成虚的空间，一虚一实，显示出画家在构图章法上的精心营构。画面下方两位对弈的高士组成了一个错落有致的整体团块，和挺拔的古松形成了鲜明对比。在对弈高士的下方，添加了一位正在整理篮子的童子，背向两位高士，这样就把画面的气势引向边角，形成画面中充盈而又有变化的结构。画中人物的神态耐人寻味，一位高士眼光向一边斜视，手托下巴，正在冥思苦想。另一位年长者，须发皆白，身着红袍，画家把他安排于松树后面，使画面穿插层次产生了变化。画中的用笔和用色也是值得称道的，松针的用笔很松动，组成了一个整体，起到了很好的协调、平衡作用。人物用线简练而沉着，有力而潇洒。色彩明净古雅，树木枝叶中因加了少许的胶更显得十分清透。

就任伯年的个人艺术造诣来看，花鸟画的本领也是比较高的。

任伯年是我国近代中国花鸟画承前启后的巨匠。他的花鸟画富有创造，富有巧趣，早年以工笔见长，“仿北宋人法，纯以焦墨钩骨，赋色肥厚，近老莲派。后吸取恽寿平的没骨法，陈淳、徐渭、朱耷的写意法，笔墨趋于简逸放纵，设色明净淡雅，形成兼工带写，明快温馨的格调，这种画法，开辟了花鸟画的新天地，艺术手法上则更加熟练、大胆。他的花鸟画，达到“炉火纯青”的佳境，并对近现代花鸟画产生了巨大的影响。王雪涛说他用色非常讲究，尤其是用粉，近百年来没有一个及得过他。他善于从文人绘画传统和民间艺术中吸取精华，特别是将中国吉祥物融入中国花鸟画中，使写实的花鸟画平添吉祥寓意。此幅《富贵白头图》采用恽寿平的没骨法，在构图、造型、色彩上真实表现了民间生活情趣：祝福新人富贵吉祥，白头偕老。实为任伯年花鸟画之珍品。

任伯年的山水画创作不多，早年师法石涛，中年以后兼取明代沈周、丁云鹏、蓝瑛、并上追元代吴镇、王蒙，以纵肆、劲真的笔法见长。

任伯年善于学习民间绘画和西洋水彩、素描的技法，加强中国画写实成分，把工笔与写意、中国传统画法与西洋画法、文人画与民间绘画结合起来。徐悲鸿说他是仇十洲之后，中国画家第一人，并为他作了评传。英国《画家》杂志认为：任伯年的艺术造诣与西方梵高相若，在19世纪中为最具有创造性的宗师。

齐白石

齐白石（1864年—1957年），中国书画家、篆刻家。名璜，字濒生，号白石，湖南湘潭人。早年为木匠。27岁拜当地文人为师，学诗书画印。57岁后定居北京，卖画治印。60岁后，“衰年变法”重视创造，融传统写意画和民间绘画技法于一炉。所画花鸟虫鱼虾蟹，笔墨纵横雄健，造型简练质朴，色彩鲜明热烈；阔笔写意花卉与微毫毕现的草虫巧妙结合，神态活现。论画谓：“妙在似与不似之间，太似为媚俗，不似为欺世。”篆刻布局奇特有力。能诗文。曾任中国美协主席。1953年文化部授予“人民艺术家”称号。

齐白石出身贫寒，作过农活，曾居住于湖南省涟源市杨市镇。1877年，跟随叔祖父学过木匠，次年改学雕花木工，从民间画工入手，曾习古人真迹，摹《芥子园画传》并据以作雕花新样。

齐白石于1888年起始学画，曾任龙山诗社社长。1890年二十六岁时转从萧芗陔、文少可学画像，二十七岁始从胡沁园、陈少蕃习诗文书画。三十七岁拜硕儒王闿运为师，并先后与王仲言、黎松庵、杨度等结为师友。自四十岁起，离乡出游，五出五归，遍历陕、豫、京、冀、鄂、赣、沪、苏及两广等地，饱览名山大川，广结当世名人，樊樊山、夏午诒、郭葆荪等皆为挚友。画风由工转写，书法由何绍基体转学魏碑，篆刻由丁、黄一路改学赵之谦体。五十五岁避乱北上，两年后定居北京。时与陈师曾、徐悲鸿、罗瘿公、林风眠等相过从。

1926年，齐白石任国立北平艺术专科学校名誉教授、全国美术家协会主席等职；1949年7月、1953年9月两次出席中华全国文学艺术工作者代表大会，连续当选为全国文联委员；1954年8月当选第一届全国人民代表大会代表；与毛泽东主席交谊甚深并受到过接见；1953年1月文化部授予其荣誉奖状及“人民艺术家”称号；1957年，白石老人逝世。有《白石诗草》、《白石印草》、《齐白石作品选集》、《齐白石作品集》等传世。

在中国艺术史上，齐白石是一位从传统走上革新的大艺术家！他是一位大器晚成的艺术家，与同时期的黄宾虹一样，他的艺术也是晚乃善！

齐白石的艺术，就是指他晚年独创的红花墨叶画风，可以说开宗立派，影响深远。石涛曾经说过一句艺术名言“笔墨当随时代”，艺术的最大特色就是它的时代气息！早年的齐白石生活在清末民国初年，无论是封建社会还是民国社会，都是等级社会，压迫社会，不平等社会，反映到艺术上，就是艺术只反映上层人物的审美需求。

齐白石早年也是如此，真正让齐白石名垂青史的是他衰年变法之后的画风，也就是他晚年的画风，他晚年画风的最大特色就是满足了普通民众的审美需求，这也是时代的需求，因为时代已经到了提倡自由民主的近当代社会，社会地位的平等与自由，让普通民众也成为了艺术的观众，齐白石就是顺应了这一艺术潮流的伟大艺术家。首先：他扩大了绘画的题材，这是他最大的艺术贡献，他的写意花鸟取材广泛，可以说瓜，果，菜，蔬，花，鸟，虫，鱼，只要是天上飞的，地上跑的，水里游的，老百姓司空见惯，耳熟能详的他都拿来入画，可以说是史无前例的艺术创举，对于古代那些只以松梅兰竹取材的画家而言，齐白石显然更具生活气息，画风热烈，积极，向上，可以说完全是属于人民的艺术。其次，在绘画颜色当中，齐白石添加了红色！红色运用到中国绘画当中那是石破天惊的创举！因为古人，特别是文人推崇黑色，黑色代表高贵与优雅，是文人绘画的基本要素，运墨而五色具，墨的浓淡疏密就是绘画的颜色要素，文人画可以说就是水墨画！文人是反对用色的，而且特别反对用红色，因为红色是老百姓喜爱的颜色，喜庆，但俗气，不入流。

齐白石巧妙地将黑色与红色结合起来。运用红色代表了普通民众的审美要求，使用红色，代表了对于传统的认识与传承。

齐白石大凡花鸟虫鱼、山水、人物无一不精，无一不新，为现代中国绘画史创造了一个质朴清新的艺术世界，他成功地以经典的笔墨意趣传达了中国画的现代艺术精神，他深深得益于经典样式而又善于出新，故而他的画能够直接地感动人心，向天下众生传达生命的智慧和生活的哲理。他的山水画表达他对自己艺术创新的自信与深刻体悟，他的人物画长于传神达情，他的书法简约大方、雄健浑厚的笔意融入人物画中，完善了人物内在的神情的表达。

齐白石出身贫寒，作过农活，学过木匠，从民间画工入手，习古人真迹，学诗文书法，游山川名胜，做幕僚寓客，终于成了诗书画皆神品的千古大家。他将中国画的精神与时代精神统一得完美无瑕，使中国画得到国际的重视。他朴实谦虚、自信自强的精神，使他的作品刚柔兼济，工书俱佳，不愧为人民的艺术家。

吴昌硕

吴昌硕（1844年—1927年），原名俊，字昌硕，别号缶庐、苦铁、老缶、缶道人等等，汉族，浙江湖州人。中国近、现代书画艺术发展过渡时期的关键人物，“诗、书、画、印”四绝的一代宗师，晚清民国时期著名国画家、书法家、篆刻家，与任伯年、蒲华、虚谷齐名为“清末海派四大家”。

吴昌硕生于浙江省孝丰县鄣吴村一个读书人家。幼时随父读书，后就学于邻村私塾。10余岁时喜刻印章，其父加以指点，初入门径。咸丰十年（1860年）太平军与清军战于浙西，全家避乱于荒山野谷中，弟妹先后死于饥馑。后又与家人失散，替人做短工、打杂度日，先后在湖北、安徽等地流亡数年，21岁时回到家乡务农。耕作之余，苦读不辍。同时钻研篆刻、书法。

同治四年（1865年），吴昌硕中秀才，曾任江苏省安东县（今涟水县）知县，仅一月即去，自刻“一月安东令”印记之。同治十一年（1872年），他在安吉城内与吴兴施酒（季仙）结婚。结婚后不久，为了谋生，也为了寻师访友，求得艺术上的深造，他时常远离乡井经年不归。光绪八年（1882），他才把家眷接到苏州定居，后来又移居上海，来往于江、浙、沪之间，阅历代大量金石碑版、玺印、字画，眼界大开。之后吴昌硕定居上海，广收博取，诗、书、画、印并进；晚年风格突出，篆刻、书法、绘画三艺精绝，声名大振，公推艺坛泰斗，成为“后海派”艺术的开山代表、近代中国艺坛承前启后的一代巨匠。民国十六年十一月（1927年11月6日），吴昌硕突患中风，十一月初六（1927年11月29日）病逝沪寓，享年84岁。

吴昌硕在篆刻、书法、绘画方面才能超拔，影响深远。

少年时吴昌硕因受其父熏陶，即喜作书，印刻。他的楷书，始学颜鲁公，继学钟元常；隶书学汉石刻；篆学石鼓文，用笔之法初受邓石如、赵之谦等人影响，以后在临写《石鼓》中融会变通。

吴昌硕的篆刻是从“浙派”入手，后专攻汉印，也受邓石如、吴让之、赵之谦等人的影响，成为一代宗师。他的画起大落，善于留白，或对角欹斜，气象峥嵘，构图块面体积感极强。他的篆书个性极强，印中的字饶有笔意，刀融于笔。所以他的篆刻常常表现出雄而媚、拙而朴、丑而美、古而今、变而正的特点。篆刻方面吴昌硕上取鼎彝，下挹秦汉，创造性地以“出锋钝角”的刻刀，将钱松、吴攘之切、冲两种刀法相结合治印。所以他的篆刻作品，能在秀丽处显苍劲，流畅处见厚朴，往往在不经意中见功力。

绘画上，吴昌硕最擅长写意花卉，受徐渭和八大山人影响最大，由于他书法、篆刻功底深厚，他把书法、篆刻的行笔、运刀及章法、体势融入绘画，形成了富有金石味的独特画风，他自己说：“我平生得力之处在于能以作书之法作画。”他所作花卉木石，笔力老辣，力透纸背，纵横恣肆，气势雄强，布局新颖，构图也近书印的章法布白，喜取“之”字和“女”的格局，或作对角斜势，虚实相生，主体突出。用色上似赵之谦，喜用浓丽对比的颜色，尤善用西洋红，色泽强烈鲜艳。名重当时的画家任伯年对吴昌硕以石鼓文的篆法入画拍案叫绝，并预言其必将成为画坛的中流砥柱。吴昌硕作画用“草篆书”以书法入画；线条功力异常深厚。虽然从状物绘形的角度看其线条的质感似乎不够丰富、切实，但恰恰是舍弃了形的羁绊，吴昌硕的绘画才步入了“意”的厅堂，从而形成了影响近现代中国画坛的直抒胸襟，酣畅淋漓的“大写意”表现形式。

吴昌硕绘画的题材以花卉为主，他酷爱梅花，常以梅花入画，用写大篆和草书的笔法为之，墨梅、红梅兼有，画红梅水分及色彩调和恰到好处，红紫相间，笔墨酣畅，富有情趣，曾有“苦铁道人梅知己”的诗句，借梅花抒发愤世嫉俗的心情。又喜作兰花，为突出兰花洁净孤高的性格，作画时喜以或浓或淡的墨色和用篆书笔法画成，显得刚劲有力。画竹竿以淡墨轻抹，叶以浓墨点出，疏密相间，富有变化，或伴以松、梅、石等，成为“双清”或“三友”，以寄托感情。菊花也是他经常入画的题材。他画菊花或伴以岩石，或插以高而瘦的古瓶，与菊花情状相映成趣。菊花多作黄色，或作墨菊和红菊。墨菊以焦墨画出，菊叶以大笔泼洒，浓淡相间，层次分明。晚年较多画牡丹，花开烂漫，以鲜艳的胭脂红设色，含有较多水分，再以茂密的枝叶相衬，显得生气蓬勃。荷花、水仙、松柏也是经常入画的题材。菜蔬果品如竹笋、青菜、葫芦、南瓜、桃子、枇杷、石榴等也一一入画，极富生活气息。作品色墨并用，浑厚苍劲，再配以画上所题写的真趣盎然的诗文和洒脱不凡的书法，并加盖上古朴的印章，使诗书画印熔为一炉，对于近世花鸟画有很大的影响。

在近现代中国书画史上，一代宗师吴昌硕的光芒无疑是最为耀眼的，他的艺术影响到他以后的二、三代人，众多现代绘画大师或出自他的门下，或受他的艺术影响，如近代海派诸家、北京画派的陈师曾、齐白石等，现代最具实力的几大家傅抱石、李可染、黄宾虹等无不源自于吴昌硕。

赵元任

赵元任（1892年—1982年），20世纪一位杰出的语言奇才，博古通今，学贯中西，横跨文理，精通音乐，以其卓越的才能，在语言研究方面取得了不朽的成就。赵先生利用现代语言学的理论方法来研究中国语言，无论是在汉语方言的调查研究，还是在普通语言学研究、国语运动、汉语拉丁化字母等方面都作出了重要的贡献，从而成为我国现代语言学的奠基者和推动者。

赵元任的父亲赵衡年是清朝的举人，但未入仕途。母亲冯莱荪也很有才华，能诗善词，写一手好字，还能唱昆曲、吹奏乐器，对幼年的赵元任影响较大。赵元任6岁进私塾读书，接受传统教育，后来到常州的溪山小学读书，接受新式教育。1907年，他到南京江南高等学堂预科学习。1910年夏，他考取清华学校公费赴美留学，到康奈尔大学数学系学习，1914年获得学士学位。1915年，他进哈佛大学深造，1918年获得哲学博士学位。此后，他开始在美国的大学里教学。

在美国学习期间，赵元任就对音乐发生了浓厚的兴趣。他不仅选修和声学，还学习作曲、钢琴等课程，并开始音乐创作。1914年第一次世界大战爆发，他创作了钢琴曲《和平进行曲》，表达了对和平的深切呼唤，该作品于1915年1月在由中国留美学生创办的《科学》杂志创刊号上发表。据目前所知，《和平进行曲》是近现代中国作曲家最早创作并发表的钢琴曲。1914年前后，他根据民间“焰口调”改编、填词创作了歌曲《尽力中华》，吹响了“振兴中华”的号角。赵元任也爱好合唱、交响乐和歌剧，只要有机会，他就会去听音乐会。他还是学校合唱队的活跃分子，担任过指挥，参加过由学生排演的威尔第著名歌剧《阿依达》的表演。

1920年，赵元任回国到清华学校（1928年更名为“国立清华大学”）任教，讲授物理学、数学和心理学。1921年—1923年，他应聘赴美国哈佛大学讲授哲学和汉语。其间，他创作了《劳动歌》、《卖布谣》等歌曲，这是我国近现代较早反映劳动人民生活的歌曲，曾广为流传。1924年，他赴英、法等国游历和进修，1925年回国仍到清华学校任教，并担任学校音乐委员会主任，发起组织“琴韵歌声会”。当时，他和梁启超、王国维、陈寅恪被誉为清华国学研究院的“四大导师”。1929年后，他到北平中央研究院历史语言研究所任研究员兼语言组主任，不仅广泛接触和研究了中国的语言与方言，还接触和研究了大量的民歌小调。1934年，他随中央研究院迁赴南京，其间编辑灌制了《基本英语留声机片课本》和《新国语留声片课本》，可谓我国“远程教育”的开创者。1937年抗日战争爆发后，他积极参加抗日歌咏活动，创作了《抵抗》、《自卫》、《儿童前进曲》、《中华，我中华》、《看，醒狮怒吼！》等抗战爱国歌曲。后来，他随中央研究院辗转撤退至大后方昆明。1938年，他应邀再次赴美国讲学，从此定居美国，先后在夏威夷大学、耶鲁大学、哈佛大学等校任教，并担任过许多职务，如美国语言学会主席、美国东方学会会长等。

纵观赵元任的一生，音乐创作不止。赵元任的音乐创作，突破了“学堂乐歌”借用外国乐谱填词的模式，开始完全由中国人独立作曲作词，使中国近现代音乐进入了新的发展阶段，因此，他是中国近现代音乐史上当之无愧的先驱者之一，是我国20世纪20年代优秀的作曲家。

赵元任的音乐创作活动虽然开始于“五四”运动以前，但主要集中在上世纪二三十年代。他的音乐创作主要分两个时期：第一个时期是“五四”运动以后的20世纪20年代，代表作有歌曲《劳动歌》、《卖布谣》、《教我如何不想他》、《上山》、《听雨》、《也是微云》和合唱曲《海韵》等。这些歌曲和他此前创作的部分作品，共14首歌曲，收集在由商务印书馆于1928年出版的《新诗歌集》中。20世纪30年代是赵元任的第二个创作时期，代表作有《江上撑船歌》、《西洋镜歌》等。他还为陶行知等人的许多儿童诗谱写了歌曲，如《手脑相长歌》、《儿童工歌》等，收集在《儿童节歌曲集》（1934）和《晓庄歌曲集》（1936）等作品集中。

赵元任在艺术上勇于创新。他创作的歌曲，音乐形象鲜明、风格新颖、旋律优美流畅，富于抒情性。从内容上看，他的作品多以“五四”以来的新诗为题材，既有时代特点，又有民族风格。从形式上看，他的作品既有效地运用了西方音乐创作技法，又创造性地吸收了我国传统音乐的宝贵经验。他的声乐作品艺术水平较高，对我国近现代音乐创作作出了重要的贡献。许多作品流传至今，成为音乐院校教学和音乐会上经常表演的曲目。

赵元任于1926年创作的《教我如何不想他》，已成为中国近现代音乐宝库中一首经典的艺术歌曲，也是专业音乐学府的优秀声乐教材。它的歌词是刘半农于1920年旅居英国时写的一首新诗——《教我如何不想她》。诗人自己说，它表达的是一个海外游子对祖国“母亲”的思念之情。可1926年赵元任为这首诗谱曲时，把诗中的“她”改成“他”，扩大了“想”的空间，更为含蓄深邃。正如后来赵元任自己所说：“歌词中的他，可以是男的他，女的她，代表一切心爱的他、她、它。”这首歌的旋律优美深情，一方面运用我国戏曲的唱腔，富有“中国的韵味”，另一方面又融进了西洋风格的曲式构思和转调等多声技法，表现了思念和向往层层交织的深挚情意。

赵元任是一位学贯中西、兼涉文理、学识渊博、兴趣广泛的学者，尤其在语言学领域，成就最为突出，是中国现代语言学的创始人之一。他有很高的语言天赋，不仅精通我国的标准语言文字，还精通我国许多地方的方言。他的外语水平也很高，精通英语、德语、法语等。他对中国音韵学、音位学理论、汉语方言及语法等都有深入的研究，并撰写了很多著作，如《现代吴语的研究》、《中国话的文法》、《国语字典》、《语言问题》等。在推广白话文和国语方面，他也做过不少开创性的工作。1925年，赵元任参加刘半农发起组织的研究语言音韵学的团体——“数人会”，研究出了“国语罗马字拼音法式”，于1928年由当时的民国政府大学院颁布实施。国语罗马字为20世纪30年代“拉丁化新文字拼音方案”和20世纪50年代制订的“汉语拼音方案”奠定了基础。“汉语拼音方案”是中华人民共和国的法定拼音方案，它吸取了以往各种拉丁字母式拼音方案，尤其是国语罗马字和拉丁化新文字拼音方案的优点，在语言实践中经受了考验，已得到国际社会认可。饮水思源，赵元任对汉语拼音方案的最终形成功不可没。

令人惊叹的是，作为语言学家的赵元任，也是我国自然科学的先驱。早在1915年，赵元任就与十多位留美同学，在纽约州的绮色佳发起成立了“科学社”（不久改名“中国科学社”），并创办《科学》月刊。中国科学社存在了三十余年，共发展成员3776人，成为当时重要的华人科学社团。《科学》杂志是当时一份影响较大的刊物，其宗旨是从推动“科学救国”到“实业救国”、“教育救国”。这些理想尽管当时难以实现，但他们的爱国热情确实难能可贵。

赵元任不仅以其卓越的才能，在语言研究方面取得了不朽的成就，而且也在精神境界上为我们做出了榜样！他是真正的大师！

阿炳

阿炳（1893年—1950年）原名华彦钧，民间音乐家。因患眼疾而双目失明。他刻苦钻研，精益求精，并广泛吸取民间音乐的曲调，一生共创作和演出了270多首民间乐曲。留存有二胡曲《二泉映月》、《听松》、《寒春风曲》和琵琶曲《大浪淘沙》、《龙船》、《昭君出塞》六首。

1893年8月17日，阿炳出生在无锡雷尊殿旁“一和山房”。父亲华清和（号雪梅）为无锡洞虚宫雷尊殿当家道士，母亲秦氏出身农家，曾嫁与秦家，婚后不久便守寡，与华清和的结合遭到族人痛骂，在阿炳出生一年后便悒郁而死。阿炳一生下来就被父亲送至无锡县东亭镇小泗房巷老家托族人抚养，8岁后带回道观，取学名华彦钧，小名阿炳，并被送入私塾读书。

华雪梅精通各种乐器和道家音乐。而阿炳幼时便表现出了罕见的音乐天赋，在他10岁那年，父亲便教他迎寒击石模拟击鼓，练习各种节奏（后成为当地有名的司鼓手）。12岁那年，阿炳开始学吹笛子，父亲经常要他迎着风口吹，且在笛尾上挂铁圈以增强腕力，后来索性将铁圈换成了秤砣；阿炳在学二胡的时候，更加刻苦，琴弦上被勒出血痕，手指也拉出了厚厚的茧，阿炳演奏用的二胡的外弦比一般弦粗壮得多，这与他常年练习是分不开的。17岁时，阿炳正式参加道教音乐吹奏，他长得一表人才，还有一副好嗓子，被人们誉称为“小天师”。

1914年，华雪梅去世，阿炳成为雷尊殿的当家道士，与堂兄华伯阳轮流主管雷尊殿的香火收入。后由于经营不善，阿炳又染上恶习，生活逐渐潦倒，在他34那年，双目相继失明，因生活所迫，流浪街头，卖艺为生。1939年，阿炳与江阴农村寡妇董彩娣结为夫妇。

1950年夏，中央音乐学院杨荫浏、曹安和教授专程来无锡为阿炳演奏录音，此时阿炳已完全荒弃音乐达三年之久，经过三天的练习，分两次录音，共留下《二泉映月》《听松》《寒春风曲》三首二胡作品和《大浪淘沙》《龙船》《昭君出塞》三首琵琶作品。后《二泉映月》、《大浪淘沙》获二十世纪华人经典音乐作品奖。

1950年9月，中央音乐学院民乐系拟聘阿炳为教师，但当时他已身患重病，无力应聘，12月4日与世长辞，葬于无锡西郊山脚下“一和山房”墓地，1951年3月27日其妻董彩娣病故。

阿炳在音乐上的成就，远远超越了家传师承的藩篱，博采众长，广纳群技，把对痛苦生活的感受，全部通过音乐反映出来。他的音乐作品，渗透着传统音乐的精髓，透露出一种来自人民底层的健康而深沉的气息，情真意切，扣人心弦，充满着强烈的艺术感染力

《二泉映月》是阿炳的代表作，最开始为无标题目音乐，是阿炳经过长期的修改演绎，结合自己坎坷的一生逐步发展形成，是我国民间音乐的精华之一，现已在国内外广为流传。

阿炳的朋友陆墟曾这样描写过阿炳拉奏《二泉映月》时的情景："大雪像鹅毛似的飘下来，对门的公园，被碎琼乱玉，堆得面目全非。凄凉哀怨的二胡声，从街头传来，只见一个蓬头垢面的老媪用一根小竹竿牵着一个瞎子在公园路上从东向西而来，在惨淡的灯光下，我依稀认得就是阿炳夫妇俩。阿炳用右肋夹着小竹竿，背上背着一把琵琶，二胡挂在左肩，咿咿呜呜地拉着，在淅淅沥沥的飞雪中，发出凄厉欲绝的袅袅之音。"

这首乐曲自始至终流露的是一位饱尝人间辛酸和痛苦的盲艺人的思绪情感，作品展示了独特的民间演奏技巧与风格，以及无与伦比的深邃意境，显示了中国二胡艺术的独特魅力，它拓宽了二胡艺术的表现力，获"20世纪华人音乐经典作品奖"。

阿炳的另一名曲《听松》又名《听宋》。作者通过松涛借物咏怀，在赞颂民族英雄岳飞军威的同时，倾注了他刚直不阿的性格和坚定自信的意志。全曲短小精悍，气势浩大，层次分明，构思新颖，旋律流畅，一气呵成，速度和力度倏忽多变，具有戏剧性效果。在演奏上大多采用一字一弓，就是在极快速度的十六分音符时也字字清楚有力，因而乐曲气势豪放。阿炳在二胡上用的是老弦和中弦，声音特别浓厚有力。在音乐格调上与《二泉映月》的细腻委婉截然不同。

阿炳的一生很悲惨，但坎坷的命运终究没有掩盖其音乐方面的杰出才华，让我们永远铭记这位民间艺术大师用血泪熔铸的名曲。

梅兰芳

梅兰芳（1894年—1961年），京剧大师。形成自己的艺术风格，世称“梅派”。代表京剧有《贵妃醉酒》《霸王别姬》《木兰从军》《宇宙锋》《西施》等；昆曲有《思凡》《游园惊梦》等。所著论文编为《梅兰芳文集》，演出剧目编为《梅兰芳演出剧本选集》。梅派艺术传人有李世芳、张君秋、言慧珠、杜近芳、梅葆玖等。1962年，邮局为梅兰芳发行了一套《梅兰芳邮票》，来缅怀人们对他的尊敬。

梅兰芳名澜，又名鹤鸣，字畹华、浣华，别署缀玉轩主人，艺名兰芳。江苏泰州人，1894年生于北京，他出生于京剧世家，10岁登台在北京广和楼演出《天仙配》，工花旦。

梅兰芳童年时并未表现出过人的艺术天分，相貌也很平常，两只眼睛有些近视，眼皮总下垂。眼睛既不能外露，又不能正视，显着无神的样子，见了生人还不会说话。因此他姑母用8个字形容他：“言不出众，貌不惊人。”

所以梅兰芳初学戏时，先天条件并不优越。他的启蒙老师嫌他学4句简单的老腔都很费力，对他说：“祖师爷没赏你这碗饭吃！”一赌气不教了。但这却成了激励他刻苦发愤、立志成才的动力，从此他更加勤奋地苦练基本功。他年轻时眼睛近视，显得呆滞。为了弥补这一缺陷，他坚持养鸽子，每天清晨放鸽子时，两眼紧紧跟随它们在空中翱翔，以锻炼眼神，终于练出了一双炯炯放光、顾盼有神的目光，能紧紧地“拢”住观众，具有摄人心魄的魅力。

1908年，梅兰芳搭喜连成班，这年秋天，喜连成班主叶春善带领他的科班在吉林演出。一天早晨，叶春善和筹资组建喜连成的开明绅士牛子厚到吉林北山散步。他俩边爬山，边闲谈，忽然发现有一人在小树林里练剑，但见他体态轻盈，动作敏捷，那剑被他舞得寒光闪闪，风声嗖嗖，把自己围在水泼不进的弧光圈里，牛子厚简直看呆了。他生平酷爱京剧，也观赏过不少武术高手的表演，但像今天见到这样的绝伦剑技，还是不多，他情不自禁地连连拍手叫好。那舞剑人听到有人喝彩，连忙把剑收住，两颊绯红，用手帕揩拭额头沁出的细密汗珠，恭敬地向牛子厚躬身施礼：

“牛老板，喜群献丑了。”牛子厚这时近前定睛细看，只见面前这个年轻人仪表堂堂，气度潇洒，举止端庄，真是一个挑大梁的料子，便问道：“你可曾有艺名？”叶春善接答道：“我给他起了个艺名叫‘喜群’。”牛子厚沉吟良久说：“这孩子相貌举止不俗，日后必成大器，给他更名‘梅兰芳’如何？”叶春善师徒二人欣然同意。从此，就用了“梅兰芳”这一享誉国内外的艺名。

1911年北京各界举行京剧演员评选活动，梅兰芳名列第三名探花。1913年他首次到上海演出，在四马路大新路口丹桂第一台演出了《彩楼配》、《玉堂春》、《穆柯寨》等戏，初来上海就风靡了整个江南，当时里巷间有句俗话：“讨老婆要像梅兰芳，生儿子要像周信芳。”他吸收了上海文明戏、新式舞台、灯光、化妆、服装设计等改良成分，返京后创演时装新戏《孽海波澜》，第二年再次来沪，演出了《五花洞》、《真假潘金莲》、《贵妃醉酒》等拿手好戏，一连唱了34天。

回京后，梅兰芳继续排演新戏《嫦娥奔月》、《春香闹学》、《黛玉葬花》等。1916年第三次来沪，连唱45天。1918年后，移居上海，这是他戏剧艺术炉火纯青的顶峰时代，多次在天蟾舞台演出。他综合了青衣、花旦、刀马旦的表演方式，创造了醇厚流丽的唱腔，形成独具一格的梅派。梅兰芳大量排演新剧目，在京剧唱腔、念白、舞蹈、音乐、服装上均进行了独树一帜的艺术创新，被称为梅派大师。

1919年4月，梅兰芳应日本东京帝国剧场之邀赴日本演出，演出了《天女散花》、《玉簪记》等戏。一个月后回国。1921年编演新戏《霸王别姬》。1927年北京《顺天时报》举办中国首届旦角名伶评选，梅兰芳因功底深厚、嗓音圆润、扮相秀美，与程砚秋、尚小云、荀慧生一同被举为京剧“四大名旦”。1930年春，梅兰芳率团赴美，在纽约、芝加哥、旧金山、洛杉矶等市献演京剧，获得巨大的成功，报纸评论称，中国戏不是写实的真，而是艺术的真，是一种有规矩的表演法，比生活的真更深切。在此期间，他被美国波莫纳大学和南加利福尼亚大学授予文学博士学位。

1931年“九一八”事变后，为激励抗战爱国热情，梅兰芳又排演了《抗金兵》、《生死恨》等剧目。在上述剧目中，以梅兰芳为核心的创作集体，对编、导、表演、唱腔、伴奏、化妆、服装、灯光、道具等都进行了一系列的改革，使京剧舞台面貌为之一新。例如在伴奏乐器中增加二胡，就自梅兰芳开始，以后成为京剧乐队的“四大件”之一。他参考古代仕女画及神像雕塑首创古装头面与古装裙服，使古老的戏曲舞台增加了新颖别致的形象。

抗战胜利直到他逝世，是梅兰芳艺术活动的晚期，他除排演唯一的一出新戏《穆桂英挂帅》外，主要是反复锤炼梅派的代表剧目，如《宇宙锋》、《贵妃醉酒》、《断桥》、《霸王别姬》、《奇双会》、《游园惊梦》等，在艺术上精雕细琢，达到炉火纯青的境界。

综观梅兰芳的艺术道路，在作品数量上及程序、技艺的运用上，经历了少—多—少三个阶段，后一个“少”，是以少胜多、以一当十，是由博返约、返璞归真，由绚丽归于平淡。看似平淡，其实蕴涵深厚、韵味无穷。梅派艺术易学难改，其原因即在于此。梅兰芳的扮相极佳，嗓音甜美，运用艺术手段自然、和谐，刻画人物心理细腻入微，于质朴中见俏丽，妩媚中显大方，总体上突出一个“圆”字。如玉韫珠辉，精美绝伦。著名戏剧家欧阳予倩称赞他是“真正的演员，美的创造者”。的确，梅兰芳及其艺术，堪称美的化身。

抗战爆发后，日伪想借梅兰芳收买人心、点缀太平，几次要他出场均遭拒绝。梅兰芳考虑到在上海不能久留，遂于1938年赴香港。他在香港演出《梁红玉》等剧，激励人们的抗战斗志。1941年香港沦陷后，他安排两个孩子到大后方读书，自己于1942年返沪。

梅兰芳返沪后，他的心里想到的是今后如何对付敌人的威胁和利诱，决心不为敌人演戏。于是在回到上海后他就不再刮胡须，表明他不再登台的决心。他对友人说：“别瞧我这一撮胡子，将来可有用处。日本人要是蛮不讲理，硬要我出来唱戏，那么，坐牢、杀头，也只好由他了。”1942年1月，日本驻港部队司令酒井看到梅兰芳蓄胡子，惊诧地说：“梅先生，你怎么留起胡子来了？像你这样的大艺术家，怎能退出舞台艺术？”梅兰芳回答说：“我是个唱旦角的，如今年岁大了，扮相也不好看，嗓子也不行了，已经不能再演戏了，这几年我都是在家赋闲习画，颐养天年啊！”正巧当时梅兰芳患了严重牙病，半边脸都肿了，酒井无可奈何，只好作罢。梅兰芳蓄须明志，拒绝为日伪演剧，表现了一代艺术大师不屈不挠的刚强骨气和崇高的民族气节。

1942年秋天，汪伪政府要在南京、长春、日本东京举办庆祝“大东亚战争胜利”的演出，汪伪政府的头目之一褚民谊想在日寇面前立一功，认为以他的地位和名气来请梅先生唱几台戏是一定没有问题的。他来到梅兰芳的家中，说明来意，要梅兰芳在12月率剧团参加庆祝活动，到各地去巡回演出。不想受梅兰芳奚落一番，怏怏而去。过了几天，他又派大汉奸朱复昌在北平找到姚玉芙家里（姚当时负责梅剧团的业务），让他到上海去向梅先生转告一切。姚玉芙知道梅兰芳是绝对不会同意的，于是就设法拖延答复的日期。说来也巧，梅兰芳的弟弟秦叔忍刚好来姚家串门，谈及此事，由于他懂些医道，便想出了一条妙计，告诉姚先生立即去上海，让梅先生打伤寒预防针，这样由于针药反应，身体就会发高烧，卧床不起。

姚先生到上海后，征得梅兰芳妻子的同意就采取了这种办法。梅兰芳的保健医生吴中士大夫给打的针。后来吴大夫回忆说："我真不忍心给梅先生打这种预防针，可他却说：'我已决心不为他们演戏，即使死了也无怨言，死得其所。'我听完此话，不禁泪水夺眶而出，我只有下狠心给他接连打了3针。他高烧到42度，神志不清。他真是一位名符其实的英雄，我真佩服至极！"

梅兰芳在抗战期间断然蓄须明志，不为民族敌人演出，表现了一代艺术大师不屈不挠的刚强骨气。这件事成为神州大地感人的佳话，在中华儿女中广为传颂，极大地鼓舞了中国人民奋勇抗战的决心

抗战胜利后，梅兰芳在上海复出，常演昆曲，1948年拍摄了彩色片《生死恨》，是中国拍摄成的第一部彩色戏曲片。上海解放后，于1949年6月应邀至北平参加第一次全国文学艺术工作者代表大会，当选为政协全国委员会常委。1950年回北京定居，任文化部京剧研究院院长，1951年任中国戏曲研究院院长，1952年任中国京剧院院长，并先后当选为全国人大代表。1955年，他拍摄了《梅兰芳的舞台艺术》，收入他各个时期的代表作《宇宙锋》、《断桥》等以及他生活片断和在工厂、舞台演出的《春香闹学》等戏的片断。1956年他率中国京剧代表团到日本演出。1959年6月他在北京演出《穆桂英挂帅》，作为国庆十周年献礼节目。1961年8月8日在北京去世。著有《梅兰芳文集》、《梅兰芳演出剧本选》、《舞台生活四十年》等。代表剧目有《贵妃醉酒》、《天女散花》、《宇宙锋》、《打渔杀家》等，先后培养、教授学生100多人。

梅兰芳一生热爱祖国，热爱人民，把毕生精力献给了京剧艺术事业，在半个多世纪的舞台实践中，他继承传统、勇于创新、一丝不苟、精益求精，将我国戏曲艺术的精华集于一身，创作了众多优美而令人难忘的艺术形象，积累了大量的优秀剧目，发展并提高了京剧旦角的演唱和表演艺

术，形成了具有独特风格、大家风范的表演艺术流派——梅派。他对现代中国戏曲艺术的发展起了承前启后的作用。在国内外，梅兰芳被誉为伟大的演员和美的化身，因此，以梅兰芳为代表的中国戏曲表演艺术被认为是当今世界三大主要表演体系之一。

同时，梅兰芳先生在促进我国与国际文化交流方面作出了卓越的贡献。他是我国向海外传播京剧艺术的先驱。他曾于1919年、1924年和1956年三次访问日本，1930年访问美国，1935年和1952年两次访问苏联进行演出，获得盛誉，并结识了众多国际著名的艺术家、戏剧家、歌唱家、舞蹈家、作家和画家，同他们建立了诚挚的友谊。他的这些活动不仅增进了各国人民对中国文化的了解，也使我国京剧艺术跻身世界戏剧之林。

徐悲鸿

徐悲鸿（1895年—1953年），江苏宜兴屺亭桥人。中国现代美术事业的奠基者，杰出的画家和美术教育家。

徐悲鸿出身农村，幼年家境清贫，父亲徐达章是个村塾教师，擅长花鸟、人物画。徐悲鸿4岁开始在家塾读书，耳濡目染，自幼对绘画发生兴趣。9岁随父学画，10岁已能做父亲的助手。农忙时，兼做耕作，贫苦的劳动生活，使他从小养成了勤劳，简朴的作风和诚实正直的性格。

徐悲鸿13岁时遇上大荒之年，随父走江湖，依靠鬻字卖画为生。17岁时，父亲染上重病，家境每况愈下，八口之家的生活重担，从此落到徐悲鸿的肩上。他开始在小学、中学任图画教师，也到上海等地卖画为生。19岁时父亲去世，家境愈加贫困。

1915年，徐悲鸿再次赴沪，在友人帮助下，在"暇余总会"（当时的赌场）一隅借住，刻苦创作，同时到夜校学习法文。他画了一匹马，寄给审美书馆馆长高剑父。高剑父同其弟高奇峰看了，十分赞赏他的画艺。这时，徐悲鸿虽考取了震旦大学，但无钱进学，幸好得到高奇峰的资助。后又结识了康有为，得以有机会观摩康有为所收藏的碑帖，并在艺术观上也受到康有为的影响。

1917年，徐悲鸿赴日本东京研究美术，这年秋天返回北京，应蔡元培之邀任北京大学画法研究会导师，并结识陈师曾。陈师曾是名诗人陈散原之长子，他的祖父即是声名卓著的湖南巡抚陈宝箴。他是20世纪初中国最杰出的艺坛巨匠，同时也是一位伯乐式的人物，齐白石成名即得力于他的大力推赏。陈师曾去世后，齐白石曾有诗悼念，说："我无君则退，君无我则不进。"

徐悲鸿1919年赴法留学后，因缘结识法国著名画家达仰。达仰早年学于19世纪大师柯罗之门，后来成为法国国家画会的领袖之一。他尤擅描绘布列塔尼渔民和农民的生活，其《祝福的面包》、《壮丁》、《饮马》等画早使徐悲鸿倾心不已。从此，徐悲鸿每星期大都持作品到希基路65号达仰画室求教，并参加该派画家在该处的茶会，在与梅尼埃、倍难尔等的交谈中受到极大教益。

1921年去德国后，徐悲鸿就学于画家康普的画室，次年归巴黎。1925年经新加坡回国。第二年春，他再去巴黎，又赴比利时布鲁塞尔临画，游历瑞士、意大利。

1927年回国后，徐悲鸿历任中央大学艺术系教授，上海南国艺术学院美术系主任，北平大学艺术学院院长等职。1933年携中国近代绘画作品赴法、德、比利时、意大利及苏联展览。抗战时期，将自己作品带到南洋、印度等东南亚地区展览，并将全部收入捐献给祖国难民。

1949年解放前夕，国民党政府派飞机接徐悲鸿和一批著名教授去南京，遭到徐悲鸿拒绝。解放后他被邀请为中国出席世界和平大会的代表，并任中央美术学院院长，当选为全国文联常务委员、全国政协代表和中华全国美术工作者协会主席。1952年在病中，将自己一生创作和全部珍藏作品捐献国家。1953年病逝，只活了59岁。国家为这位伟大的艺术家在北京建立了徐悲鸿纪念馆，保存了他的一千余件作品。

徐悲鸿长期致力于美术教育工作。他发现和团结了众多的美术界著名人士。他培养的学生中人才辈出，许多已成为著名艺术家，成为中国美术界的中坚骨干。他对中国美术队伍的建设和中国美术事业的发展作出的卓越贡献，无与伦比，影响深远。

此外，徐悲鸿留下了数以千计的绘画珍品。

徐悲鸿先生擅长素描、油画、中国画。他把西方艺术手法融入中国画中，创造了新颖而独特的风格。他的素描和油画则渗入了中国画的笔墨韵味。他的创作题材广泛，山水、花鸟、走兽、人物、历史、神话，无不落笔有神，栩栩如生。他的代表作油画《田横五百士》，中国画《九方皋》、《愚公移山》等巨幅作品，充满了爱国主义情怀和对劳动人民的同情，表现了人民群众坚韧不拔的毅力和威武不屈的精神，表达了对民族危亡的忧愤和对光明解放的向往。他常画的奔马、雄狮、晨鸡等，给人以生机和力量，表现了令人振奋的积极精神。尤其他的奔马，更是驰誉世界，几近成了“现代中国画”的“象征”和“标志”。

这位将一生都奉献给祖国美术事业的艺术家、教育家就像一颗不灭的明星，将永远闪耀在历史的星空。

刘海粟

刘海粟（1896年—1994年），武进人，著名画家，中国现代美术的开拓者和现代美术教育家。1912年11月在上海乍浦路创办现代中国第一所美术学校——上海图画美术院，首创男女同校，增加用人体模特和旅行写生。其油画作品备受日本画坛重视和推崇，被称为“东方艺坛的狮”，巴黎大学教授路易·拉洛拉著文称誉他是“中国文艺复兴大师”。中华人民共和国成立后曾任华东艺术专科学校校长，南京艺术学院院长。1981年被聘为意大利国家艺术院名誉院士，并被授予金质奖章。

刘海粟出生于江苏常州的一个封建世家，天生具有叛逆的性格，有诸多一鸣惊人的举动。1905年进常州绳正书院学习诗文书画。1909年到上海学西洋画。1912年与乌始光、张聿光等创办上海图画美术院（后改为上海美术专科学校）并任校长。1914年在自己创办的上海美专破天荒地开设了人体写生课，最初只聘到男孩为模特。随后，女性人体模特也走进了上海美专的教室。人体写生课的开设，开创了近代中国美术教育的先河，具有里程碑的意义。

1917年夏天，在上海美专校长刘海粟的倡导下，美专学生在上海举办了一个50余幅画作参展的画展，其中几幅人体素描作品引起了社会上封建守旧势力的强烈指责和疯狂谩骂。上海女子学校校长更公开责骂刘海粟是“艺术叛徒”，教育界的蟊贼，专门上书江苏省教育厅下令制裁。刘海粟毫不妥协，团结志同道合者于1918年再一次展出了人体油画作品，也再一次掀起了社会的轩然大波。斗争最激烈时，五省联军总司令、军阀孙传芳于1926年给刘海粟亲笔信，态度还算客气地说，“唯中国则素重礼教，四千年前，轩辕衣裳而治”，并“望即撤去”，要求上海美专停止开设人体写生课。“艺术叛徒”刘海粟却不畏强势，依然故我，从而激怒了孙传芳，下令关闭上海美专、逮捕刘海粟。然而，孙传芳在当时的军阀混战中节节败退，一场长达数年的斗争因此而偃旗息鼓。刘海粟因为这一事件从此名扬天下，并以胜利者的姿态走进了中国美术历史，成为影响深远的中国近代美术教育四大家之一。刘海粟和人体模特儿事件改变了20世纪中国美术教育史，从此，女性裸体模特可以坦然走进课堂。解放后，在1965年7

月18日，毛泽东主席还专门批示："男女老少裸体Model，是绘画和雕塑必须的基本功，不要不行。"人体艺术的合法性得到最高层领导的确认。

刘海粟的叛逆惊人的举动，实际上是骨子里具有一种开拓创新的意识并大胆付诸实践的精神。他的山水画也体现了这种不断探索，不断创新的精神境界。

刘海粟最重要的作品多以黄山为题材，可以说黄山是刘海粟艺术的源泉，刘海粟给黄山增添了艺术内涵。从1918年第一次跋涉黄山到1988年第十次登临黄岳，跨度达70年之久，几乎包括了刘海粟一生的艺术实践活动。单就70年来十上黄山的壮举，就破了历代画家的登临纪录。而他以黄山为题材创作的作品，包括速写、素描、油画、国画，总量蔚为壮观。他在十次登临中体现出来的不断攀援、不断超越的品格精神，更令人敬佩。

刘海粟曾这样描述自己对黄山的爱恋："黄山为天下绝秀，千峰万嶂，干云直上，不赘不附，如矢如林。幽深险怪，诡奇百出，晴岚烟雨，仪态万方。其一泉一石，一林一壑，不仅触发你的诗思，惠你画稿，提供无限美景，或使你心旷神怡，或使你无言对坐，寝食皆废，终日忘机，以至阔别数十年，仍能保持极深印象，一朝念及，回忆便如飞流倾泻，纵使白发垂耳，心情也贴近生命的春天！"他爱恋黄山，60余年，屡次登临，常看常新，常画常新。留下的画，包括速写、素描、油画、白描、没骨、泼墨、泼彩等形式，大则丈二巨幅，小则册页，再小如明信片，如果搜集编印成册，实为洋洋大观。但他仍感画不厌，看不足，感情之深厚，难以言表。他说："朝朝暮暮山常变，暮暮朝朝人不同。"山越变越美，人对自然美的理解及表现手法也越变越新。

1982年刘海粟九上黄山，创作了大量的国画油画作品，艺术上进一步提升，可谓"渐老渐熟，愈老愈熟"。而作为创造者的刘海粟却从不服老，画中常题"年方八七"，表示自己还年轻，正好用功。1988年7月，刘海粟第十次登上黄山，实现了他十上黄山的夙愿，也完成了他一生艺术探索的历程，攀登上了艺术的"天都峰"。刘海粟在十上黄山的近两个月的时间里，到处写生，作画不辍，每每被黄山瞬息万变的云海奇观所激动，他深情地说："我爱黄山，画天都峰都画了好多年，它变之又变，一天变几十次，无穷的变化……我每次来，每次都有新的认识，有画不完的画。"黄山云海的奇幻变化给了刘海粟艺术的灵感，刘海粟以"不息的变动"创造了无限的新黄山；十上黄山，每创新意，实现了艺术与思想境界的跃进并与自然浑沦为一片化机。刘海粟的创造精神与黄山的自然风貌相契合，已融为一体。

此外，刘海粟画山水画时，还以大胆“施水”传为佳话。这也是他艺术上的创新之举。1955年他所作的《黄山白龙桥》已经是墨彩兼泼了，在画中以泼墨法画山水，白龙桥下的溪水部分泼以白粉、石绿。此后，刘海粟对这种技法的探索更见完善，他的泼墨泼彩山水画日渐独特，泼出一片新天地。刘海粟晚年的泼彩画更见才情，所作大面积的泼墨、泼彩，在不知不觉中运用了“后期印象派”色块线条的表现方法，但并不是泼而不写，而是先以焦墨、浓墨渴笔勾勒出山峦的骨架，继而积墨渲染，或淡或浓、或点或刷，积之不足再泼墨，泼墨不足以尽意，才产生泼彩，最后又泼水、倒水。这幅《黄山》图更见对这些技法的娴熟运用。是以笔墨与色彩在生宣纸上的浓淡渗化、虚实相生，表现透光的感觉、浮云的蒸腾，表现霞光映照下的黄山色彩丰富变幻的神奇气象。画面于浑然中又见其笔力，把泼墨、泼彩的技巧发挥到了极致。郭沫若即兴为刘海粟的力作《九溪十八涧》赋诗以题：“艺术叛徒胆量大，别开蹊径作奇画。落笔如翻扬子江，兴来往往欺造化。”高度赞扬了他的创新精神。1924年，吴昌硕见到刘海粟的中国画《言子墓》，也惊叹：“海粟画此，有神助耶。”

刘海粟在中国画创新的成功源于自身的不断努力和超越。可以概括为以下几点：

一、师法自然。他十上黄山，那宏大浩瀚的群山、绝峰、险壑以及瞬息万变的烟雨晴岚给了刘海粟不尽的灵感，使他不禁发出“昔日黄山是我师，今日我是黄山友”的感慨。加之两次东渡、两次欧游，上北京、下南洋，足迹遍及世界，更开阔了他的视野。二、以西融中。刘海粟是留洋归来的中国画家中把西画最无痕地融在中国画里的成功者。他的泼彩法显然是从油画中得到启迪，但笔墨、章法却又是地道的中国画审美理念。三、理论积淀厚。他著述丰富，有《画学真诠》、《中国绘画上的六法论》、《存天阁谈艺录》、《黄山谈艺录》、《刘海粟艺术文选》、《石涛与后期印象派》等多部学术价值很高的著作问世。四、胆识过人。1918年，他即在《美术》杂志上撰写发刊词，掷地有声地发表了“昔拿破仑有言，英雄之字典，无难字可知”、要“发辉国光，增进世界种种文明事业与欧西各国竞进”的真言。

除了自身的天赋和努力外，刘海粟的成功还应有蔡元培的提携。

1921年12月，刘海粟首次与蔡元培见面。蔡元培把他安排在北京美专教师宿舍居住，又让他有机会与蜚声北国画坛的姚茫父、陈师曾、李毅士、吴法鼎等建立了深厚的友情，讨论文艺思想，评说中外名作。他们陪他逛王府井、琉璃厂、荣宝斋，获得了石涛那张《黄山图》。这期间，他每天外出写生，在北京画了《前门》《长城》《天坛》《雍和宫》《北海》《古柏》等36幅画稿。蔡元培看了他的画稿，很高兴，准备为他举办个展。但有人在他面前说刘海粟的坏话，讲他的画不行，蔡元培相信自己的目光，亲自撰写了《介绍画家刘海粟》一文，作为画展序言，并发表在《新社会报》和《东方杂志》上。

蔡元培在刘海粟的人生艺术道路上，起了举足轻重的作用。刘海粟后来之所以能成为一代艺术宗师，中国新兴美术的奠基人，与蔡元培对他的支持和提携是分不开的，在刘海粟的人生关键时刻，他给予了坚定的支持。最重要的是他帮助刘海粟到欧洲考察艺术和促成了柏林中国画展。这两件事对刘海粟的艺术人生非常重要，可谓是转折和升华。蔡元培还是刘海粟的艺术知音。在刘海粟的藏画中，有很多他的题跋。海粟终生感激他，蔡元培去世后，为了纪念他，刘海粟在美专门设立了蔡元培先生纪念奖学金，建立了蔡元培美术图书馆。

正如柯灵先生题词："治白话文学史，不能无胡适、陈独秀；治新文学史，不能无鲁迅；治新电影史，不能无夏衍；治新美术史，不能无刘海粟。"刘海粟在美术教育道路上的不断创新，不断超越，为后人留下了宝贵的财富。

李苦禅

李苦禅（1899年—1983年），原名李英杰、李英，字超三、励公，山东省高唐县人，中国画家。擅画花鸟，阔笔写意，笔墨雄阔，酣畅淋漓，画风以质朴、雄浑、豪放著称。

李苦禅自幼家贫，最让他着迷的是村里的一座古庙。有一天，村人打算重修庙宇里的泥塑和壁画。好奇的英杰天天跑到庙里玩，而那一副副木架子被捆上了草把子，糊上泥巴，就神奇地变成了一尊尊形貌各异的神像，白色的庙墙上也一天天多了许多释道人物。小英杰觉得奇妙之极，而老艺人李宾也喜欢上了这个孩子。他是英杰的远方亲戚，也成了英杰绘画上的启蒙老师。他给少年苦禅讲述了壁画中的故事、泥塑的工艺和壁画的制作等等。小英杰非常佩服这些能工巧匠，就这样种下了这颗艺术的种子。1916年，少年英杰从乡村向外面的世界迈出了第一步，来到山东聊城省立二中读书。二中的绘画老师孙占群教他绘画，首先学画荷花，小英杰进步很快。从现存的三幅国画作品《鹤》、《猫》、《鸡》，可以看出已经掌握了中国画的基本方法。

1918年暑期，李英杰来到北京，进入北京大学“画法研究会”，跟徐悲鸿学炭画，并得到陈师曾、贺履之、汤定之等先生的指导。1920年，23岁时在北京大学中文系旁听，攻读中文，听到了蔡元培、李大钊、陈独秀、梁启超、罗素（英国人）等人的演讲，还见到了日后闻名中外的人物毛泽东、徐特立等。1922年他考入国立北平艺术专科学校西画系学西画。他是靠乡亲们的资助才能来北京读书，因经济拮据，连旅馆也住不起，只得在北京一所破旧的寺庙里栖身，晚上或休息天还得凭力气拉车挣钱。同学林一卢看到他如此清苦而又执著地求学，被他感动，赠了他一个“苦禅”的名字。他觉得很贴切，从此以后一直使用“李苦禅”这个艺名。

实际上，生活的困苦丝毫没有影响到李苦禅对艺术的追求。1923年秋天，李苦禅听说画坛大师齐白石极富创新精神，就贸然前往齐白石家中拜访。一进齐家的门，李苦禅就对齐白石老人说：“我爱您的画，想拜您为师，不知您能不能收我。现在我是个穷学生，也没有什么见面礼给您，将来等我做了事再好好孝敬您老人家吧！”齐白石见这位学生率直质朴，当即就答应了。

为了帮助李苦禅学画，齐白石让李苦禅搬到自己的住处，腾出一间厢房让李苦禅居住，并挑选了李苦禅的一些画，亲笔题款后送去画店卖掉，资助他学画。在齐白石的关心和精心教导下，李苦禅终于摆脱了困境，画艺大进，但他却并不满足于模仿，而是希望形成自己的画风。于是他有意避开常人画过的题材，更避开齐白石老人常画的题材和构图。齐白石曾赞他“苦禅学吾不似吾”。

1925年北京国立艺专举办毕业生作品展，李苦禅展出了油画《合唱》等和八幅大写意花鸟画，展出作品被林风眠校长及其他老师全部买走。他毕业后应聘为北京师范学校与保定第二师范学校的美术教师。齐白石老人曾亲自刻了一方“死不休”的印章送给李苦禅。1934年，李苦禅用棉团为好友王森然作了《竹荷图》，齐白石对弟子的独创精神大为赞赏，兴奋地在画的顶端题道：“苦禅仁弟有创造之心手，可喜也，美人招忌妒，理势自然耳！”在李苦禅的画《鱼鹰图》上题词写道：“余门人弟子数百人，人也学吾手，英（李苦禅）也夺我心，英也过我，英也无敌。来日若英不响大名，天地间无鬼神矣！”1950年，齐白石又在李苦禅的画上题道：“雪个先生（即八大山人）无此超纵，白石老人无此肝胆。”齐白石对李苦禅的绘画艺术，倾注了巨大的心血，李苦禅最终成了中国写意画的一代宗师。

一代写意画宗师李苦禅在继承传统文化精髓的基础上，吸收外来艺术特长，勇于探索，开拓进取，创造了独具个性的艺术风格。

李苦禅的作品继承了中国画的优良传统，吸取石涛、八大山人、扬州画派、吴昌硕、齐白石等前辈的技法，并融中西技法于一炉，渗透古法又能独辟蹊径，树立了大写意花鸟画的一代风范，与当时的写意花鸟画大师潘天寿齐名，有“南潘北李”之称。齐白石曾为其画题句：“弟子苦禅画，白石门下只此人也。”李苦禅笔下的花鸟世界，浑厚、平实而妙得天趣。他经常以松、竹、梅、兰、菊、石、荷花、八哥、鸬鹚以及雄鹰等等作为题材作画。他用自己独到的审美观点与丰富的表现手法，创造出许多形神兼备、千姿百态的艺术形象。他笔下的花鸟，既有一定写实的成分，但又不是对自然物象纯客观的描摹，而是高度凝练之后的再创造。在看似随意中蕴含着朴拙之气，在自然含蓄中蕴含着阳刚之气，他的运笔线条如行云流水，苍劲朴拙，笔法凝练简约，却意趣盎然。他的作品尤其到了晚年，愈加返璞归真，雄健苍劲，笔墨挥洒中已经达到了“笔简意繁”的艺术境界。

在绘画题材上，李苦禅特别爱画鹰、鹫、鱼鹰、鹭鸶等猛禽大鸟。他笔下的雄鹰刚健雄强，被人们认为是他人格的化身。他早年画鹰难以摆脱客观物象的束缚，笔墨不简练，有患得患失之感，经过反复观察鹰与同类的雕、鹫等猛禽在生活习性、身体结构、凶猛程度等各个方面的同异，把最具特点的，最能表现雄强的部分，综合到一个形体上来。通过长期的不断提炼，用夸张和变形，塑造了他理想中的厚重而雄强的鹰，这就是他心里的“意象”：鹰眼独特的视觉，让人一见胆寒；棱角分明且成方形的大嘴，食肉动物的凶猛，令人不寒而栗，粗壮的大爪子支撑着庞大的身躯，让人联想它那捕猎的工具；坚硬无比的爪尖，小动物一旦碰上爪尖，就很难有生还的机会。在画羽翼与身躯时，李苦禅用浓重之墨，汉魏书法的几何形线条，持重苍茫的几笔，有“力拔山兮气盖世”的精神，一只不可一世的雄鹰形象跃然纸上。

李苦禅的画以势取胜，以奇取胜，非常大气，气魄宏大，气势逼人。他的气魄来源于他的精神状态，他的内在功夫。他一方面虚怀若谷，另一方面他壮志凌云。他平常演京戏、写书法、练功习武，他曾扮演项羽，项羽那种“力拔山兮气盖世”的精神，在他的绘画作品中得到完美的体现。他突破了玩弄笔墨的阴柔格调，独创“金碧大写意”的画法，一开中国写意花鸟画雄浑豪放、阳刚拙健的新画风。在他笔下，无论是寻常的丝瓜藤蔓、荷塘秋光，还是古松虬枝、苍鹰白鹭，都洋溢着蓬勃的生命力和天地间的浩然正气，而他的巨幅荷花、劲节竹林、松崖群鹰，更是笔墨酣畅，充满雄浑博大的气象。

李苦禅一生践行“必先有人格，尔后才有画格”，在我们赞叹其艺术成就时，更应该体会到“品”到高处自风流！

张大千

张大千（1899年—1983年），二十世纪中国画坛最为传奇的国画大师，中国近代著名国画家、美术教育家、美术理论家、书法家、文学家、收藏家、美食家、旅行家。无论是绘画、书法、篆刻、诗词都无所不通。

张大千出生在四川一个书香门第。他本名叫张正权，后因为出家为僧，法号大千，所以世人也称其为“大千居士”。

张大千六岁的时候就跟着姐姐哥哥读书识字，九岁时在母亲和姐姐的教导下正式开始学习绘画、书法。他的四哥张文修在资中家教私塾，故大千也就从四兄就读古籍，在课余常随兄赴资中游览山水名胜，培养了对自然的审美意识。良好的家庭文化氛围对他起到很好的启蒙作用，同时也为他打下了坚实的国学基础。

1912年，张大千入内江天主教福音堂开办的教会学校学习，开始接受了近代教育。十六岁来到重庆读初中，年底，他告别故乡经重庆抵达上海，真正踏上了他的艺术人生。

1918年来到上海后，张大千与兄长坐海轮东赴日本留学，学习绘画与染织技术，不久回国。1920年他在上海拜曾熙为老师学习书法，也就是在这个时候曾熙为他改名张猨。后经曾熙引见，又拜临川李瑞清为师研习书法。在上海宁波同乡会馆，他举办了首次个人画展，百幅作品全部售完，张大千在上海艺术界一鸣惊人。但是未婚妻的退婚使得大千的心情无比的郁闷，再加上对佛学的钟爱，顿有出世之心，于是决定在当时的松江县禅定寺出家为僧，法号大千，张大千之名由此而来。但过了一百多天，他便还了俗。

在上海期间，张大千作画习书，以画水仙花见长，时人谓之“张水仙”，同时他开始了对以石涛艺术为中心，旁及八大山人、浙江、石溪、唐寅、徐渭、陈淳等人的研习。对于石涛他尤为推崇，他用了大量精力去学习石涛的绘画艺术，把石涛的艺术比喻成万里长城。他还从李瑞清之弟李筠庵那里学会仿制古画的方法，并做了许多石涛的赝品，曾多次骗过程霖生。石涛画境变化无尽，新颖怪奇而又法度严谨，大千正是通过石涛而涵泳了唐宋元明百家之长。在二十年代的上海他获得了“石涛专家”的美誉。

三十年代，张大千艺术更是趋于成熟，工笔写意，俱臻妙境，与齐白石齐名，素有“南张北齐”之称。1936年他被聘为南京中央大学美术系教授，在南京北京等地举办个人画展，并在此时创作了传世名作《中郎授女图》（现藏于首都博物馆）。

可是接下来，抗日战争爆发了，很快日寇就占领了北平，烧杀抢掠无恶不作，民族存亡的关键时刻，大千表现出了作为一个中国知识分子的民族气节：他拒绝了担任日华艺术画院院长及日伪北平艺术专科学校校长的职位，并拒绝借出所藏明清书画。由于在言论上表示了对日寇侵略罪行的不满，被日本宪兵队关押了一个多月。随后他又回到了四川，这时的风格略脱八大山人、石涛的粗犷写意而趋于唐寅、沈周的细润华滋。

1942年春末，张大千决定举家赴敦煌临摹壁画。在敦煌的生活是艰苦的，恶劣的气候条件，再加上住在与世隔绝的石洞子里对于一般人来说是无法忍受的，但对于一个艺术家而言却可能是有益的。大千在此时画风为之一变，他善用复笔重色，笔力也变得丰厚浓重。可以说敦煌时期对他风格形成起到了至关重要的作用。他不仅考察莫高窟的壁画佛像，还对莫高窟进行了编号，是为莫高窟编号的第一人，为保存文化遗产做了积极的贡献。他还到达青海西宁，邀请藏族画师共同赴敦煌协助临摹工作。为尊重他人劳动成果和对摹品的负责，每幅画上都注明了画家的名字，凡与他合作也注明了作者的名字，所以在他许多临摹的敦煌壁画中都标有“番僧某某同画”。两年后，他结束了在莫高窟的临摹工作，同时开始了对安西榆林窟的临摹工作。

在离开莫高窟后，他花了大量时间对十六国、北魏、北周、隋、唐、五代、宋、西夏、元各朝的壁画代表作及雕塑进行了临摹，摹品共计三百多幅。四月，四川美术协会出版了《张大千临摹敦煌壁画展览特集》、《敦煌临摹白描画》，算是对这一时期成果的肯定。

1945年，张大千在成都北郊昭觉寺完成巨幅作品《四屏大荷花》、《八屏西园雅集》。抗战胜利，日寇投降，张大千欣喜若狂，他取消了赴新疆考察石窟的计划，于十一月从四川乘飞机去北京。

张大千从青年时代到老年时期足迹遍布了祖国各地，游资阳、登峨嵋、临敦煌、到康定，到了晚年更是游历列国，穿梭在世界文化的大舞台上。在他看来，旅行不仅可以陶冶情趣，更重要的是通过美学观念体会山水、花鸟，禽兽，形成了良好的审美意识、积累了丰富的创作题材。

1951年，张大千终于到了印度，在印度期间他临摹研习了印度的石窟壁画，还在喜马拉雅山南麓的风景胜地大吉岭居住了一段时间。其后他辗转于香港、台北、日本等地开画展。在东南亚颇有声誉。

但是对志在行万里路的大千来说，这是远远不够的。1953年，五十四岁的画家来到了远在大洋彼岸的南美，为了不使名画落到外国人的手中，他低价把所藏的《顾闳中韩熙载夜宴图》等文物卖给了大陆，由国家文物局收购，使国宝回到了祖国。一方面在风光明媚的巴西他在新购土地上大兴土木，布置园林，取名为摩诘山园，后来回到了台湾又为新宅取名“摩耶精舍”，画画，写字，读佛经，过着空闲淡雅的生活；另一方面他又积极在美国、香港、日本、韩国、欧洲等地办画展，美国加利福尼亚州太平洋大学特颁赠七十六岁的张大千人文博士学位，从而奠定了他世界文化名人的地位。可能是历史的巧合，在法国他会见了毕加索，我们不知道这两位东西方文化名人相遇的情景，但是两位艺术大师能够在同一时间空间会面，这不能不说是世界文化的幸事。

但同时，张大千也渐渐地感到了衰老。最初是眼疾一直折磨着他，后来常因心脏病而住台湾荣民医院。1983年四月二日上午八时十五分，这位国画大师停止了心脏跳动，享年八十五岁。

张大千先生在一生的艺术生涯中，为我们如何对待古代文化遗产，如何继承、发展中国传统绘画，如何弘扬民族文化指明了一条道路。他在旅居海外期间获得了“东张西毕”的荣誉，他是中国人的骄傲，也是东方人的骄傲！

冼星海

冼星海（1905年—1945年），曾用名黄训、孔宇，祖籍广东番禺（现广州市南沙区榄核镇），出生于澳门，中国近代著名作曲家、钢琴家，有“人民音乐家”之称。

在广州，人民敬爱的音乐家冼星海的名字常常能跃入眼帘：星海音乐学院、星海园、冼星海纪念馆……在澳门，冼星海大马路和冼星海铜像为这座城市增添了艺术的底蕴；即使在遥远的阿拉木图，一条冼星海大街也能让异国的人们心生崇敬。作为我国现代音乐史上伟大的作曲家，冼星海与聂耳、贺绿汀等人一起构筑了中国现代音乐的骨架，他以音乐家的责任感、澎湃的激昂、鲜明的民族特色，写出了震撼人心、脍炙人口的伟大音乐。

1905年，冼星海生于澳门贫苦的船工家庭。他出生前父亲就已去世，靠母亲做佣工和祖父接济生活。他6岁进私塾。祖父病逝后，他失学而随母亲去了新加坡。他于1918年回国，因交不起学费而入了广州的岭南大学基督教青年会所办的义学，参加了学校的管乐队。此时，他已经表现出音乐方面的天赋，擅长吹奏单簧管（也称黑管，民间称“洋箫”），故有“南国箫手”的美誉。1926年春，他卖掉了心爱的小提琴，在朋友的资助下来到北京，考入北京大学音乐传习所，靠在学校图书馆任助理员维持生活。他师从萧友梅博士和知名俄籍小提琴教授托诺夫。翌年，冼星海进入上海国立音乐学院，主修小提琴和钢琴，后因参加学潮被迫退学。

1929年，冼星海来到世界音乐文化中心法国巴黎学习音乐。他靠在餐馆跑堂、理发店杂役等维持生活，在塞纳河畔梧桐树下几次晕倒，险些被法国警察送进陈尸所。后来，他考入巴黎音乐学院高级作曲班，师从著名提琴家奥别多菲尔和著名作曲家杜卡斯。大师们钦佩他的毅力，破例免去了他每月的学费。在那里，他写下了早期的《d小调小提琴奏鸣曲》、《风》等作品。他根据唐朝诗人杜甫著名的诗篇《茅屋为秋风所破歌》而创作的奏鸣曲《风》，排上了巴黎音乐学院新作品演奏会节目单，并在电台播出，从此开始有了名气。虽然身在异国，但他的心中一刻都没有忘记过自己的祖国，一股浓浓的赤子之情始终在他的心中燃烧。1935年夏，他谢绝了巴黎音乐学院的挽留，回到了自己阔别多年的祖国投入抗日救亡。

冼星海在西方求学期间，饱受西方列强对弱小民族的歧视。回国途经伦敦时，英国海关竟不准他入境，被扣几个小时。回国后，他曾指挥上海工部局的管弦乐队演奏贝多芬《第八交响曲》，可这个乐队从指挥到演奏者却没有一个中国人，他深切体会到民族受压迫的苦难。从巴黎音乐学院学成回国的冼星海不久就成了名人，国民党非常欣赏他的音乐才华，想利用他写颂歌，唯利是图的商人也重金收买让他写“桃花窝里美人多”之类的商业歌曲，他都不为之所动。

抗战爆发后，冼星海参加了洪深领导的上海演剧第二大队，深入田间地头、工厂矿井，宣传救国救亡。他精心为进步电影《复活》《雷雨》《大日出》《夜半歌声》配曲，而且为了抗日救亡不要任何报酬。不久，他主动奔赴祖国的最前线延安，从而走上追求革命的道路，并以音乐发出了解放的呐喊。在延安，冼星海不仅在组织上入了党，艺术创作也达到了崭新的境界。在全延安没有一架钢琴的情况下，他完成了一生中主要作品的大部分创作，进入创作的巅峰期，谱写了《军民进行曲》、《生产运动大合唱》、《黄河大合唱》、《九·一八大合唱》等作品。

1939年，冼星海去看望病床上的青年诗人光未然，听其朗诵诗作《黄河吟》，听其讲述黄河呼啸奔腾的壮丽景象，内心与诗人产生共鸣，乐思如潮，萌发了创作《黄河大合唱》的想法。回到住处，他倾力作曲，半月之内完成了该作品八个乐章及伴奏音乐的全部乐谱，写就了这一时代的中华民族的音乐史诗。《黄河大合唱》以黄河为背景，热情赞颂了中华民族的不屈不挠、能够战胜任何艰难险阻的坚强意志和斗争精神以及悠久的文化历史，突出地表现了中国人民勤劳朴实、酷爱自由、胸怀宽广的崇高品德，愤怒地控诉了敌寇的入侵给黄河两岸人民所造成的深重灾难，最后以激昂的旋律威武雄壮地奏出了中国人民在共产党领导下，为反抗日寇的侵略，为保卫黄河、保卫全中国而英勇战斗的时代最强音。整个作品自始至终都以扣人心弦的艺术感染力，鼓舞人们为真理和正义而战斗，对未来和胜利充满了信心。

《黄河大合唱》首场演出后，轰动了整个延安。1939年5月11日，在庆祝鲁迅艺术学校成立一周年的晚会上，毛泽东观看了冼星海亲自指挥的演出，连声称赞。同年7月，周恩来也观看了《黄河大合唱》的演出，并亲笔给冼星海题词：“为抗战发出怒吼！为大众谱出呼声！”《黄河大合唱》

的问世，对中国的抗日民族解放斗争起了巨大的鼓舞作用，在抗战烽火的洗礼下，它迅速成长为中华儿女爱国救亡的号角。与此同时，它以其所负载的精神力量和民族个性，在海外华人及世界反法西斯战线中得到了广泛的认同。《黄河大合唱》是一部反映中国人民为求民族解放、争取民族独立和民主自由而斗争的优秀作品，在艺术上有很高的成就和独创性。

1940年5月，冼星海赴苏联，为大型纪录片《延安与八路军》进行后期制作与配乐。临行前，毛泽东在家中请他吃饭饯行。翌年，苏德战争爆发，该片制作停顿。他想经新疆回延安，却因当地军阀盛世才反共、交通中断而未成，被迫羁留于哈萨克的阿拉木图。在供应十分困难的战时条件下，他相继完成了《民族解放交响乐》（“第一交响乐”）、《神圣之战》（“第二交响乐”）、管弦乐组曲《满江红》、交响诗《阿曼该尔达》和以中国古诗为题材的独唱曲。因劳累和营养不良，他的肺病日益严重。战争结束时，他虽回到莫斯科治疗却未能痊愈，于1945年10月在克里姆林宫医院病逝，年仅40岁。

延安各界为冼星海举行了追悼会，毛泽东亲笔题词“为人民的音乐家冼星海致哀”。1999年11月，哈萨克斯坦共和国阿拉木图市的弗拉基米尔大街被命名为冼星海大街。江泽民主席访哈萨克斯坦时还到冼星海当年的居处凭吊，表达了中国人民对这位音乐家的永久怀念。

聂 耳

聂耳（1912年—1935年），原名聂守信，字子义（亦作紫艺），汉族，云南玉溪人。中国音乐家。他从小家境贫寒，对劳苦大众有深厚的感情，他在有限的生命中创作了数十首革命歌曲，他的一系列作品，正是共产党领导的人民革命的产物。聂耳开辟了中国新音乐的道路，是中国无产阶级革命音乐先驱。

聂耳从小喜爱音乐，少年的聂耳曾虚心向一位木匠学习吹笛，并尊称木匠是他的第一位吹笛老师，奠定了他的音乐基础。1918年就读于昆明师范附属小学。利用课余时间，聂耳自学了笛子、二胡、三弦和月琴等乐器，并开始担任学校“儿童乐队”的指挥。1922年，聂耳进入私立求实小学高级部，1925年考取云南省立第一联合中学插班生。

1927年，聂耳毕业于云南省立第一联合中学，并进入云南省立第一师范学校。在校期间参与了学生组织“读书会”的活动，并与友人组织“九九音乐社”，经常参加校内外的演出活动。在这期间，聂耳还自学了小提琴和钢琴。大革命时期曾参加进步学生运动。

1930年，十八岁的聂耳到上海，翌年考进“明月歌舞团”，向黎锦晖学习作曲。因不满剧团的方针，于1932年退出，去北平与李元庆等开展革命音乐活动。后回上海参加剧联音乐小组，发起组织了中国新兴音乐研究会，并在联华影业公司、百代唱片公司工作，为左翼进步电影、话剧、舞台剧作曲。

1933年初，聂耳由田汉同志介绍，加入了中国共产党，从此，他不仅获得了新的政治生命，艺术才华也得到进一步的发挥。他一生中的创作，绝大部分都是在1933至1935年之间完成的，这期间，正是民族危机极为严重的时期，也是国民党反动派对革命人民实行军事“围剿”和文化“围剿”最疯狂的时候。聂耳始终站在斗争的前列，在他创作的歌曲中，表达了人民的呼声、民族的怒吼。

1934年是聂耳创作最旺盛的一年。这年，他为田汉的歌剧《扬子江的暴风雨》创作了《打砖歌》、《打桩歌》、《码头工人歌》、《前进歌》，并担任导演和主演；为电影《桃李劫》谱写了主题歌《毕业歌》；

为电影《大路》谱写了主题歌《大路歌》和插曲《开路先锋》；为电影《新女性》谱写了主题歌《新女性》；为电影《飞花村》谱写了主题歌《飞花歌》；还创作了儿童歌曲《卖报歌》等。1935年，为话剧《回春之曲》谱写了《梅娘曲》，又为电影《逃亡》作主题歌《自己歌》和插曲《塞外村女》；还创作了《采菱歌》、《打长江》等歌曲。

短短的两年多时间里，他创作出了三十余首充满战斗激情和富于劳动人民感情的歌曲。他从事音乐创作时间只有两年左右，却为八部电影、三部话剧、一部舞台剧写了二十首主题歌或插曲，加上其他歌曲十五首和根据民间音乐整理改编的民族器乐合奏四首、口琴曲两首，共创作了四十一首音乐作品。此外还发表了《黎锦晖的"芭蕉叶上诗"》、《中国歌舞短论》等十五篇富有战斗性的音乐论文和《时代青年》等三部电影剧本（生前未出版）。

1935年，聂耳到日本，准备经欧洲去苏联求学，不幸于游泳时溺死在藤泽市鹄沼海中。

"文以载道，诗以言志，乐乃心声"。聂耳本人乃至他那些激越高昂的不朽作品，都是那个特定的民族危亡时代所造就的。那些铿锵有力的音符，也都是当时环境下人民的心声。日本侵华和国内抗日群众运动的风雨，在他心中激起澎湃的心潮，音乐与革命从此结合到一起。1932年，上海"一二八"事变爆发的十天后，即2月7日，在外面隆隆炮声可闻、难民在街上到处流离奔走哭喊的环境中，聂耳在日记中首次提出"怎样去做革命的音乐"。聂耳是一个天才的音乐家，又是一个革命者，而且恰恰因为后者，才能出现前者的辉煌。他的一系列作品，特别是《义勇军进行曲》，正是共产党领导的人民革命的产物。

《义勇军进行曲》在银幕上首次响起时，不幸正逢聂耳去世，但这支歌作为民族革命的号角响彻了中华大地，还享誉全球。在反法西斯战争中，英、美、印等许多国家电台经常播放此歌。战争结束前夕，美国国务院还批准将其列入《盟军胜利凯旋之歌》中。新中国成立前夕征集国歌时，周恩来就提出用这首歌，并在新政协会上一致通过。在1949年的开国大典和此后每年的国庆节，聂耳谱出的乐章都雄壮地奏响，这足以告慰亡逝于异国的英灵。

聂耳的作品具有鲜明的民族特征和时代精神，第一次在歌曲中塑造了中国无产阶级的光辉形象，是我国当之无愧的革命音乐的开路先锋。

常香玉

常香玉（1923年—2004年），原名张妙玲，河南省巩县人，著名豫剧表演艺术家。在演出生涯中，她注重融合豫剧不同唱腔为“豫西调”所用，并逐渐形成了自己的演唱风格，后来人们将她的演唱风格称为“常派”。曾担任中国戏剧家协会副主席、河南省文联副主席、河南省戏剧家协会主席、河南豫剧院院长等职。2004年6月1日逝世，国务院追授常香玉“人民艺术家”的荣誉称号。

常香玉故居位于巩义市南河渡镇董沟村。父亲名叫张福先，是个民间戏曲艺人。常香玉因为父亲的缘故，耳濡目染，很小就酷爱戏剧。那时候，她们家里贫穷，生计艰难，常香玉九岁便开始学戏，当时社会女孩子学唱戏是很不光彩的事情，遭到同族人的反对，所以，常香玉就从了干爹的姓，改名常香玉。

没有文化的常父认定“戏是苦虫，非打不成”，经常把常香玉打得皮开肉绽。经过近乎残忍的磨炼，常香玉没有让父亲失望，在舞台上崭露头角。1935年，常香玉随戏班闯荡开封，不久便在戏班里唱起了压轴戏。

后来，常香玉结识了她终生厮守、相濡以沫的丈夫陈宪章，一位河南籍的知识分子。在他们喜结连理之后，陈宪章干脆辞去工作，专为常香玉量体裁衣，写作剧本。在常香玉和陈宪章几十年“妇唱夫随”的艺术生涯中，他们合作创作演出了上百个豫剧剧目，特别是被世人公认为常香玉代表作的“红、白、花”（《拷红》、《白蛇传》、《花木兰》）。有人统计过，他们曾经对全国至少30个剧种进行过移植，堪称舞台经典，传世佳作。

经过多年的舞台磨练，常香玉不仅成为杰出的豫剧表演艺术家，而且还发展了豫剧唱腔旋律。她对豫剧唱腔发展做出了巨大的贡献：一是对豫剧唱腔的创制和拓展；二是把豫剧唱腔的演唱方法引上专业化和科学化的道路。当然，常香玉对豫剧唱腔的创制和拓展，并非是独辟蹊径的标新立异，另起炉灶的崭新样式，而是结合自己的个性和特点，对前辈们的唱腔艺术进行全面继承和融会贯通，是在此基础上的高格调追求——赋予豫剧传统唱腔以鲜明的个性和强烈的时代精神。

常香玉在专注戏曲艺术的同时，还积极为国家倾尽全力。

抗日战争时期，常香玉举办义演，在宝鸡、西安广设粥棚，赈济因黄河泛滥流落陕西的难民。

解放后的抗美援朝时期，常香玉又带领香玉剧社奔赴朝鲜战场，为志愿军慰问演出。看到艰苦卓绝的战场实况，回到家中就与丈夫商量："咱们为国家办件事儿吧，我想捐献一架飞机。"夫妻俩把存留的金子送到银行兑现，汽车也卖了，可还是差很多。于是，丈夫编剧，香玉主演，一出爱国主义题材的《花木兰》唱响大江南北，香玉塑造的巾帼女英雄既美且刚，感动国人，15亿元人民币（旧币）在掌声中筹得，一架名为"香玉剧社号"的米格15战斗机直上蓝天。如今这架飞机仍被停放在北京航空博物馆展出。

"文革"后，常香玉过上了舒心的日子，与陈宪章做着剧作研究、教书育人的工作。同时，也在身体力行，奉献爱心。

在广西前线、北京亚运、香港回归的义演舞台上，她的演唱响遏行云；在唐山抗震、西部工程、抗击非典的捐款队伍里，她的身影依然熟悉；她自筹资金22万元，设立"香玉艺术奖"，奖励豫剧艺术优秀人才，如今已评选9届，获奖人员130多人，遍及全国。义举频频的她能有多少钱？从2001年起，她的工资刚调到每月2200元，她住的房子是儿女们凑钱买的。逝世前她的床单上拼补有十多个补丁。

常香玉不愧是德艺双馨的老艺术家。她这一生践行着"必先有人格，尔后才有戏格"的座右铭。我们叹服其杰出的戏剧才华，我们更钦佩其在人生舞台上展现的大爱真情。

常香玉生前曾说："艺术是生命，气节最重要，民众为父母，奉献是责任。"剧作家苏叔阳在香玉大师故去时说：如今，物质生活的丰富，却造成了一些人的拜金主义倾向，一些人淡漠了对人生意义的思考。我们的文艺作品，缺乏深刻的哲思，缺少了震撼人们灵魂的壮阔的激情和想象力，缺少高瞻远瞩的科学正确的历史观。我们学习常香玉，应该像她一样做一个爱国、爱民族、始终为人民歌唱的歌者，高扬起生命的大旗，做一个时代的艺术家。

中华名人大传

高山 编著

〔第五卷〕

光明日报出版社

杨遇春

杨遇春（？—1837年），清代将领，字时斋，四川崇庆（今属重庆）人。杨遇春武举出身，从武以来，他是靠镇压人民起义而受到朝廷赏识的，可以说他双手沾满了人民的鲜血。但同时，他在戍边时尽力竭力，为国家的安定也做出了贡献。死后被追赠太子太傅，谥号“忠武”。

乾隆四十九年（1784年），甘肃石峰保回民举兵反清，四川总督福康安率领军队前往镇压，杨遇春随从前往，因军功被提升为龙安营把总。乾隆五十三年（1788年），杨遇春又随从福康安出师台湾，攻打反清的林爽文部，叙功赏戴蓝翎，被升为茂州营千总。乾隆五十七年（1792年），杨遇春又随征廓尔喀，因军功被提升为四川城守右营守备。

嘉庆元年二月，杨遇春升为四川普安营参将。十月，因为攻打平陇起义军大本营奋勇出力，嘉庆下旨提升其为广东罗定协副将。十一月，苗民起义军领袖吴延义被擒，起义被彻底镇压。

当时，湖北教徒举行了规模浩大的农民起义，川陕各省都有人响应。嘉庆皇帝命额勒登保移兵镇压苗民起义的军队，到湖北攻打林之健、覃加耀等部的农民起义军，杨遇春也随同前往。嘉庆二年（1797年）五月，在长阳县的廖家台打败了农民起义军。六月，又在打子台打败了起义军。闰六月，起义军转移到宣恩、建始等县，杨遇春带兵跟踪追击到羊公头、峦长坪，将起义军悉数擒抓斩杀。又在官店口打败了起义军，起义军转移到金果坪，逼近了金鸡口粮台。杨遇春带兵绕道赶去护守，果然起义军窥伺粮台，杨遇春将其打退，又追击到白鱼寨，斩杀了无数起义军士兵。

起义军转移到归州的终报寨。嘉庆三年正月，杨遇春带兵进攻终报寨。这里四面都是悬崖绝壁。杨遇春乘夜间攀着绳子登上去，率领士兵冒着矢石奋勇前进，活捉了起义军首领覃加耀、元帅张正潮以及头领覃加师等一百多人，斩杀士兵无数。

这时，农民起义军有青黄蓝白绿等号，又设置掌柜、元帅、总兵等称号。嘉庆皇帝命额勒登保移军赴陕西商雒一带攻打襄阳白号高均德、黄号姚之富、齐王氏部。杨遇春随着清兵进入陕西，转战川陕甘各地。从嘉庆四年到嘉庆九年，川陕甘三省起义军全部被杨遇春消灭。杨遇春因此屡受朝廷嘉奖，官职也一路飙升，历任甘州提督、固原提督，先后晋封云骑尉世职、骑都尉世职，赏赐他的财物更是丰厚。

起义军被镇压之后，差领侍卫内大臣德楞泰等建议，在三省边界添设新兵巡逻弹压。因为杨遇春声威素著，兵勇悦服，请求让他暂且驻扎汉中，稽查训练。嘉庆帝批准了这一建议。

嘉庆十一年（1807年）二月，杨遇春回原籍四川给母亲守孝，百日孝满之后，他由原籍到京城觐见皇帝。七月，杨遇春来到西安，听说宁陕新兵陈达顺等闹事，就会同陕西巡抚方维甸带兵驰往查办。嘉庆因为杨遇春能以公事为重，给予嘉奖。九月，起义的士兵从眉县的斜峪关向南逃到桃川五里坡。杨遇春带兵迎击，杀死了多名起义士兵，抓住了他们的头领彭贵等人，然后分兵紧随在他们的后边追击。起义士兵形势窘迫，其中的头领满大若率领他手下的人请求投降，并缚住其首领陈达顺、陈克伦、向贵献给清兵。陈达顺等被在军前车裂而死。事情平定之后，当时投降的人中原为起义士兵的二百多人，德楞泰让他们仍回到原来的队伍。

嘉庆皇帝认为德楞泰如此处理极其错谬，将坏法养奸，杨遇春竟然不听劝阻，又不据实奏参，随同附和，有负使命，下部议处，降三级调用。嘉庆皇帝命加恩降四级留任。后来，又因为杨遇春在剿办叛兵时，清官兵在方柴关临阵溃散，嘉庆皇帝便将杨遇春解任，交给陕甘总督全保、四川总督勒保查明奏参。十二月，杨遇春降补宁陕镇总兵官。

嘉庆十二年（1808年），瓦石坪的叛兵韩金堂等闹事，杨遇春偕同提督薛大烈分兵攻打，很快就将其全部扑灭。嘉庆下旨予以嘉奖，下部议叙。嘉庆十三年，杨遇春进京觐见皇帝，命在乾清门侍卫上行走，仍授为固原提督。

嘉庆十八年（1814年），陕西南山木厂停工，工人没饭可吃，就聚集造反。因为杨遇春熟悉南山情形，威望素著，嘉庆皇帝就命杨遇春率兵前往镇压。经过数次战斗，俘获或斩杀了几个首领，其余工人也全部被杀死。嘉庆皇帝命晋封杨遇春为一等男爵，并命他与长龄共同商定陕西的善后事务。三月，杨遇春偕同长龄上奏，请求移驻铁炉川、黄牛铺等处营员，并相应添募兵丁。下部议定施行。

嘉庆二十五年（1820年）九月，特加杨遇春太子少保衔，赏戴双眼花翎。

道光五年（1825年）十月，命杨遇春署理陕甘总督。从道光六年到道光七年，杨遇春率军镇压了反清者的后裔张格尔的义军，活捉了张格尔。

道光八年（1828年）正月，杨遇春进京觐见皇帝，适值活捉张格尔的捷报上奏，道光命开复杨遇春任内的一切处分，实授陕甘总督，赏用紫缰，并下旨让杨遇春回任所。五月，杨遇春押解张格尔进京，因为这事件办得很妥帖，下部议叙。六月，道光命将杨遇春的画像放在紫光阁，并亲自作赞加以称扬。

道光十一年（1831年）正月，因为清兵迎战获捷，就将还未到达口外的东三省兵及四川兵结合沿途驻扎，等候撤回。又将口外各城兵员酌量裁减，并撤肃州军需局归并兰州，以节减经费。道光皇帝对杨遇春的这些举措十分满意，并下旨让他回到任所。四月，杨遇春偕同西宁办事大臣恒敬上奏筹添察汉托洛亥蒙古兵数分布各卡，随同官兵防堵操练。道光皇帝下旨照办。

道光十二年三月，杨遇春遵旨议汰冗员，裁减甘肃、安西、直隶州州办一员，狄道、固原、宁州三州，陇西、安定、中卫三县训导各一员。八月，杨遇春又奏请酌量裁减陕安、鹿州州同一员，蒲城县巡检一员，宁羌州黄坝、褒城县马道驿丞一员，延安府、沔县训导各一员。此后，杨遇春又奏请裁减陕甘两省马步守兵及战马，为朝廷节省了许多粮饷干料。

杨遇春自青年时起即从戎，大小数百战，都冲锋陷阵，冒矢石弹雨，有时冠翎皆碎，有时袍裤被撕破了，却未曾受过一点伤，道光皇帝曾感慨他是一员福将。

道光十七年（1837年）二月，杨遇春死在家中。

陈化成

陈化成（1776年—1842年），清末爱国将领。字业章，号莲峰。福建省同安县丙洲人。鸦片战争爆发后，时任江南水师提督的陈化成积极在吴浙设防，他与众将士英勇抵抗入侵的英军。他指挥的吴淞口守军沉重打击了英军，自己也壮烈殉国。对陈化成一生的评价，有一对挽联是这样写的："昔时未读五年书，雅量清心，温如玉，冷如冰，是大将，实是大儒，使天下讲道论文人愧死；此日竟成千秋业，忠肝义胆，重于山，坚于石，志吾身，不忘吾主，任世间寡廉鲜耻辈偷生。"

清嘉庆，初陈化成入水师当兵，因参加围剿海寇有功，累升至金门总兵，后又擢任福建水师提督。驻师厦门期间，陈化成曾多次击败英国侵略军，英军对他十分畏惧，素有"陈老虎"之称。

道光二十年，陈化成由福建调任江南水师提督，赴任时，他不先入官署，而是直接到了吴淞口防地。在吴淞，他有公馆不住，却与士兵一样住在一顶不遮风雨的旧帐篷里。江苏巡抚见此情景，派人赶做了一顶新帐篷送给陈化成，陈化成婉言谢绝："士兵都住着破帐，我不忍独居新帐。"两江总督牛鉴想笼络他，曾下令军需局每十天送白银250两给陈化成，也被他婉言谢绝。一次，海潮受飓风影响大涨，陈化成的帐篷进水一尺多深，许多人劝他移帐，他说："我自己免于水患，众百姓却未能免，让他们怎么办？"坚定不移。又一次，夜间下大雪，陈化成看到士兵穿的衣服很单薄，即设法给士兵们增添了棉衣，士兵们非常感动。

陈化成不仅关心部属，善于治军，而且还热心赞助地方公益事业，以密切军民关系。驻师厦门时，兴泉永道周凯曾向陈化成提起修纂《厦门志》一事，陈化成当即表示大力支持。待《厦门志》编纂出来后，周凯已调台湾道，客死他乡，没有刊行。陈化成便拿出自己的俸银，资助刻印《厦门志》。厦门玉屏书院等处的建筑物年久失修，已破损荒废，陈化成曾先后带头捐款重修。军队受陈化成的影响，皆能严明纪律，爱护百姓，属下官兵都自觉地听从他的指挥，地方百姓也都积极地支持军队作战。

由于陈化成严于律己，关心士兵和百姓，军民众口赞誉陈化成对敌人是"陈老虎"，对士兵和百姓是"陈老佛"。

吴淞口是长江的咽喉之地，是敌人进攻长江流域必经的门户，战略地位十分重要。陈化成来到吴淞口，就积极着手备战，建立铸炮局、火药局，制造大炮和炮弹；亲率军民挖战壕、筑碉堡，在短期内修筑土堡26座，城墙20里，东、西炮台两座，使吴淞口海防要塞的设施初具规模。

道光二十一年（1841年）一月，清政府中的投降派，与英国侵略者商拟《穿鼻草约》，以割让香港、赔款600万两银元、开放广州做通商口岸为条件，换取英军停战。英军即声称《穿鼻草约》已签字，抢先占领了香港。广州撤防后，投降派又提出撤除吴淞口防务，陈化成坚决反对。他不仅不撤防，还进一步强化防务，加固东、西炮台，火炮从60门增加到250门。为了练兵备战，抗击敌人的进攻，陈化成把个人和家庭置之度外，专心矢志，集中精力于保卫国家的安全。

道光二十二年六月，英军舰队云集吴淞口外。敌军慑于陈化成的声威和吴淞要塞设防严密，不敢轻举妄动。英军在吴淞口外踟蹰半月之久，始终不敢向陈化成发动进攻。

英军后来采用水牌漂战书的方法来诱降清军。这一招，对于那些软骨头果然产生了作用。驻守在宝山县的两江总督牛鉴在得到英军的诱降战书后，即赶到陈化成的营前，以英军“船坚炮利”为词，要陈化成向英军讲和。陈化成驳斥道：“吾在海洋上作战四十余年，在炮弹中出生入死，难以数计。如今见敌不击，是畏惧敌人。奉命讨贼，有进无退。抢险可胜，公不要害怕！”牛鉴面红耳赤，无言以对。

道光二十二年六月十六日清晨，英军舰队疯狂地向吴淞口发动炮击。陈化成临危不惧，沉着督师，英勇还击，激战两个多小时，发射炮弹一千多发，击毁敌军旗舰和巡洋舰各一艘，击伤其他舰船多艘，英军见势不妙，仓皇而逃。

躲在宝山城的牛鉴，得知前线告捷，便坐着大轿，仪仗簇拥，出城观战，企图分享胜利果实。英军见一轿有仪仗随行，断定轿内是清军大官，就发炮轰击。牛贪生怕死，吓得丢官弃靴，狼狈逃命。总督牛鉴逃跑，严重动摇了军心，东炮台守将崔吉瑞、小沙背守将王志远也相继率部溃逃，致使西炮台腹背受敌。

陈化成见东炮台、小沙背不战而陷，目睹临阵脱逃的可耻行径，怒火中烧，知道自己已是孤军奋战，但他依然镇定自若，命旗手将绣有“陈”字的帅旗高高地挂在炮台前沿，以激励将士。激战中，他身上七处负伤，仍挥舞战刀，奋勇杀敌。由于长时间轰击，大炮炮身烧得发红，灼热烫手，陈化成全然不顾，亲自操炮点火。清朝政府腐朽已极，所制大炮质量低劣，炮身炸裂，射程愈短，弹不及敌，已成灰烬。部将周世荣监制的炮弹中竟然掺进破砖碎瓦，以致炮火没有威力，英军趁机加紧攻击。陈化成身上多处受伤，血流如注，中弹阵亡。

在这次战斗中，陈化成指挥吴淞口守军先后击沉敌舰八艘，歼灭英军五百多人，给英军以沉重打击。

关天培

关天培（1780年—1841年），清代爱国名将。字仲因，号滋圃。江苏山阳（今江苏淮安）人。在鸦片战争中，他曾镇守虎门，大挫英国侵略军。他的浩然正气、英勇无畏不仅使英军胆战心惊，也让无数中国人敬佩不已。

关天培幼年在家乡读书，天资好，成绩佳，一心想参加科举考试，当官为民办事。后因常见国家遭受外来海盗的侵犯，深为国家的安危担忧，于是改文习武，刻苦攻读《孙子兵法》，认真研究军火制造。嘉庆八年（1803年），关天培考中武生，授曹营右营把总。由于深得上司的信赖，他被迅速破格提升，先后任千总、守备、都司、游击、参将及太湖营水师副将。道光五年（1825年），初行海运，他督护一百四十多艘船只安抵天津，受到赞誉，第二年被提升为江南苏松镇总兵。道光十三年（1833年），代理江南提督。道光十四年，调任广东水师提督。

关天培任广东水师提督之前，广东海关和水师腐败不堪，炮台长期失修，武备废弛，贪污贿赂成风。关天培根据这种内忧外患的形势，在赴任广州途中，就颁发了《入境告示》，号召下属清除旧习，振奋精神，为防侵略，整顿海防，强化武备。

为了整顿加强海防，关天培在亲自到海防前哨虎门察看地形后，决定在虎门重点设防。为把虎门要塞建设好，他自己动手，在虎门测量海口宽度和海水深度，试演大炮射程及连发情况，并在调查研究的基础上制定了增建、改造炮台，调整炮位，铸造大炮等新的海防措施。道光十五年（1835年），关天培相继整顿了旧有的大角、沙角、镇远、南山（即威远）、横档、大虎、新涌、蕉门等八座炮台，增建了永安、巩固两座炮台，并称为“虎门十台”。这一年，关天培还督铸6000斤和8000斤大炮各20门，加强了主要炮台的火力。

与此同时，关天培还对水师进行了整编，如整顿军纪，打击走私贩私，严禁贿赂、吸毒，清除军事防区内的贩毒场所；选拔忠心耿耿、技术精湛、身体强壮的士兵坚守炮台；选贤任能，对有特长的将士，尽可能地做到人尽其才。此外，他还编印了《筹海初集》一书，发给属下将士学习，并按照实战要求督率水师经常操练和演习。

在关天培“殚精竭虑，躬亲督造”之下，广东海防的面貌有了很大改变，部队的战斗力有了很大提高，一扫陈腐贿赂、同流合污之风，使外国侵略者不敢在广东肆无忌惮地横冲乱闯。道光十五年，八艘英舰驶近广东海面，企图闯入内河，见水师防守森严，无处下手，遂即调转船头离去。道光十八年（1838年），三艘英舰窥探虎门要塞虚实，关天培率军严阵以待，英舰无机可乘，只好又离去。

鸦片的大量输入，给中国带来无穷的灾难，激起中国人民的强烈反对。道光十九年，清朝统治者被迫任命林则徐为“钦差大臣”，赴广东禁烟。

关天培作为林则徐的助手，全力协助林则徐查获和销毁鸦片二百余万斤。这一年的夏天，虎门销烟的消息传到伦敦。英国统治阶级一片哗然，狂热地准备发动侵华战争。

道光二十年（1840年）六月下旬，英国集中“远征军”各种舰船四十多艘，载炮五百门，士兵四千多人，封锁珠江，攻打虎门。第一次鸦片战争爆发了。

此时，关天培和林则徐认为，此次战争中国是进行自卫，目的在于戍守海防，粉碎侵略。因此，决定采取“以守为战，以逸待劳”，“信森严而镇静，暗则待机而动，期震警其贪顽”的策略。英军见虎门森严壁垒、众志成城，很难啃动，即调动31艘舰船驶向北部沿海，其余舰船留下封锁广东沿海海面。

沿海北犯的英军，于道光二十年七月攻陷定海，八月窜进天津海口，向腐败的清廷投函照会。本无禁烟决心的道光皇帝，在洋人的胁迫下奴颜婢膝地放弃禁烟打算，派“驰禁派”头子、直隶总督琦善去同英国侵略军进行谈判。经过一番不可告人的交易之后，道光皇帝竟连下两旨：林则徐“误国殃民，办理不善”，革职查办。九月中旬，英舰调头南下，新任“钦差大臣”琦善也接踵到广州就职。

琦善一到广州，就竭力讨好英国人，处处为洋人办事说话。他下令拆毁虎门的木排链等所有的海防设施，裁减三分之二兵船，驱散全部水勇、船工，并允许英国人察看地形，探测内河。关天培对琦善的这种投降卖国行动十分气愤，曾多次向琦善据理力争，反对撤销广州防务，要求重建海防、增兵虎门，但琦善根本不加理睬。

琦善到广州的第六天，又在英国侵略者的威逼下，擅自口允了包括赔偿烟价、割让香港、开放广州等条件的《穿鼻草约》。英军为了满足更大的欲望，于道光二十一年（1841年）一月七日，调集炮舰二十多艘、陆战队两千多人，突然向虎门发起进攻。由于海防废弛，加之寡不敌众，虎门外沙角、大角两炮台的守军虽浴血奋战，最终炮台还是失守了。二月二十五日，英军继续进攻虎门其余炮台。虎门守军仅有四百余人，形势十分危急。关天培多次请求琦善增派援军，琦善坐视不救。二月二十六日，英军进攻关天培坐镇的靖远炮台，62岁的关天培在阵地上来回奔跑，激励士卒，“士兵呼声撼山，海水沸扬，杳冥昼晦”。全体将士在关天培的鼓舞下，奋勇歼敌，使敌尸布满滩头。战至下午二时，弹尽援绝，士兵伤亡大半。关天培带伤指挥，血染衣甲。他使人把调兵的大印送走，决心与阵地共存亡。炮兵牺牲了，他就自己点火打炮。大雨降临，火门透水，炮不能发，他就拔出佩刀，挺立台上，把爬上来的英军一个一个地劈下去。最后，关天培不幸被英舰的一发炮弹击中，他晃了晃身子，依然手执战刀，怒目圆睁，挺立在阵地上，最终阵亡。

葛云飞

葛云飞（1789年—1841年），清末爱国名将。字雨田，又字鹏起。浙江山阴（今绍兴）人。父葛承陛，曾任江西长淮千总。鸦片战争中，葛云飞曾镇守定海，率领军民英勇地反击了英国侵略者。

葛云飞从小就志向远大，既好读书，又爱习武，努力学习军事。他30岁考举人，35岁考中武进士，先后任浙江水师守备、瑞安协副将。经过五次提升，于道光十九年（1839年）擢任浙江舟山群岛定海镇总兵。著有《制械制药要言》、《浙海险要图说》、《名将录》及诗文数十卷，后人誉称他是"文武兼通"的将领。

"文官不爱钱，武将不惜死"，这是民族英雄岳飞的名言。葛云飞十分敬仰岳飞，更是把这两句话牢记心底。他在戎马生涯中，特别注重严于律己。他以诚待人，正直清廉，勇敢刚毅，爱兵如子，身先士卒。他的品德，也感染了属下官兵。

葛云飞在浙江瑞安任副将时，亲笔写过一副对联，并把它悬挂在将府的大厅里。这副对联是："持躬以正，接人以诚，任事唯忠，决机唯勇。"充分表达了他为国为民、一心报国的志向。道光十九年，他仕任浙江定海镇总兵时，随身携带了两把宝刀，一把刻着"昭勇"二字，另一把刻着"成忠"二字。意思是卫国杀敌，生死不惜。一副对联，一对宝刀，是葛云飞一生忠于自己誓言的历史见证。

道光二十年（1840年）六月，英国侵略者对我国发动了第一次鸦片战争。七月，英军以突然袭击的方式，强占了定海。这时，葛云飞因父亲去世正在原籍服丧。一得知定海失守的消息，他立即奔赴镇海前线，担负起御敌守土的重任。

定海失陷后，清廷派投降派的首领之一伊里布为钦差大臣，办理军政要务。伊里布主张对英妥协，放弃定海，葛云飞坚决反对，他认为定海是控制整个华东地区海上交通的咽喉，一定要收复。伊里布不但不支持葛云飞的主张，反而强迫他参加同英国侵略军的妥协谈判。在谈判中，葛云飞立场坚定，针锋相对，对英国侵略者提出的无理要求坚决予以驳回，谈判没有达成协议。

道光二十一年（1841年）一月，葛云飞要求亲自带领军队，水陆两路挺进，迫使英军交出定海，然后释放俘虏。伊里布迫于当时形势，勉强采纳了葛云飞的意见。安徽寿春镇总兵王锡鹏、江浙处州镇总兵郑国鸿随调协助葛云飞收复和守卫定海。英军见清军来势勇猛，只好先撤出了定海。

同年八月底，英军第二次北犯。葛云飞请求上级增兵支援，但一直得不到支持。九月，英军头目璞鼎查率舰船29艘、海军两千余人，再次进犯定海。九月二十六日上午，葛云飞得到英军开始进攻定海的消息，即与王、郑两总兵共同部署战斗任务：王锡鹏守城西，郑国鸿守城西南，葛云飞守易攻难守的半塘。三总兵与部属一同宣誓："城亡亦亡，不离定海半步！"从九月二十六日至三十日，英军动用四十多艘舰船，一次又一次地发动进攻，仍未能占领滩头阵地。这五昼夜的激战，定海5000名守军是在极度困难的条件下进行的。英军有精良的武器，并不断地得到增援，清军装备落后，使用土炮、原始刀箭，孤军无援，粮弹不济，伤亡惨重。

十月一日，英军经过充分准备，集合所有兵力，发动全面进攻。王锡鹏、郑国鸿在激战中相继牺牲，城西和城西南阵地失陷，敌军向葛云飞坚守的阵地蜂拥而至，三面夹击半塘。葛云飞头扎青巾，身穿麻袍，脚登铁齿靴，冒着敌人的炮火，一边指挥战斗，一边亲手操炮轰击敌人。最后，他带领剩下的二百余名勇士冲向敌阵，与敌人肉搏厮杀，吓得敌人胆战心寒。葛云飞在全身布满四十多处战伤的情况下，还亲手杀死了英国军官安突德。葛云飞也力尽牺牲，定海失陷。

海 龄

海龄（？—1842年），清末爱国将领。郭洛罗氏，满洲镶白旗人。他作战勇敢，指挥有方，历任骁骑校，张家口守备，大名、正定总兵，西安、江宁副都统，京口（今江苏镇江）副都统。

道光二十年（1840年），英帝国主义发动了第一次鸦片战争。英军相继侵占了厦门、定海、上海。七月，英军出动军舰七十余艘（其中两艘各装备有大炮74门），士兵七千多人，沿长江西犯，威逼南京门户镇江。当时，镇江城外各地由浙江参赞大臣齐慎、湖北提督刘允孝各率兵两千余驻守；镇江城内只有海龄率旗兵千人、青州兵600人防守，城防武器仅有土炮二十多门，敌我双方力量悬殊，镇江危在旦夕。在这民族危亡的紧要关头，海龄挺身而出，勇敢地挑起抗击英军的重担。

为了有效地打击敌人，海龄进行了一系列的战前准备工作。如察看地形，调整炮位，抢修工事；亲率守军操炮练武，提高杀敌技术；将大部分旗营官兵调进城内，增加城防力量；预付半年军饷，激励部队奋力作战；清查户口，严防奸细混入城内，等等。同时，还组织群众，要求城内居民收集大刀、长矛、短剑以及砖瓦碎石，和军队一起严阵以待，随时准备巷战。

七月十五日，英军对镇江城发动了猛烈进攻。第一仗是在城外焦山开始的，海龄指挥扼守焦山的一百多名蒙古族旗兵，与英军奋力厮杀。在战斗中，海龄发现敌人每次进攻都先是用洋炮轰击，然后再让步兵冲锋，占领目标。根据英军这一作战特点，海龄指挥部属避敌之长，击敌之短。当敌人猛烈打炮的时候，守军士兵利用树丛、土堆、山凹等地形地物，将自己隐蔽起来。英军炮击过后，见山上没有一丝动静，以为山上中国守军已被其炮火所灭，便洋洋自得地爬上山来。当英军爬到半山腰时，清军出其不意地从各个隐蔽处一跃而出，手执大刀、长矛冲入敌群。英军还没有醒悟过来，就都一命归阴了。

“坚甲利炮”是英军在中国土地上横行霸道的主要军事支柱。海龄号召全城军民献计献策，运用各种办法打击敌人。镇江军民利用水势流向，在敌舰上游向江中撒了大批稻草，稻草顺水势沿江而下，涌到敌舰周围，又被卷进舰身下面，缠住推进器的叶轮，使敌舰无法行驶，被迫停在江中。晚上，敌人都龟缩在一起，不敢行动。镇江军民趁着茫茫黑夜，划着小船悄悄靠近敌舰，放起火来。一连几个晚上，烧毁不少敌舰。

在英勇的镇江军民面前，英军屡遭惨败。恼羞成怒的英军经过周密准备，于七月二十一日对镇江城发动了报复性的总攻。驻守镇江城外东、南两线高地的齐慎和刘允孝所率守军，在英军猛烈的攻击下，交战不久即溃败。镇江城外有利的防御地形很快被敌人占领，城内守军陷入孤立无援的境地。这时，英海军陆战队趁势大批登陆，将镇江城团团围住，并在数十门大炮的掩护下，向南门发起攻击。

面对这种形势，海龄镇定自如，毫不动摇。他亲临南门，登上鼓楼指挥守军用火炮、弓箭、石块、砖头打击敌人，使其无法靠近城门。英军妄图在南门突破的计划落了空。与此同时，英军总指挥官璞鼎查所率领的另一支部队渡过运河，直扑东门，也被东门守军用土炮、土枪击退。璞鼎查重整部队转向西门，调来重炮猛轰城墙。海龄立即赶到西门指挥战斗，在军民齐心协力的奋勇抗击下，英军进攻西门又遭失败。

屡吃败仗的英军接受了几次失败的教训，在转向进攻北门时，敌人发现城墙依山而筑，并有寨门，遂以十多门大炮集中轰击一处寨门，结果寨门被轰塌，一帮英军鼠窜入城。海龄率军赶来，组织反击，与敌殊死战斗，大部分敌人被砍杀，其余的都逃出城去。

英军不甘失败，再次集中兵力猛攻西门。午后，西门被英军炸开。海龄又赶到西门，率士兵和敌人拼死厮杀。激战中，海龄身负重伤，仍然坚持指挥战斗。此时，大批英军涌至，海龄即令部队与敌人展开巷战。

在浴血奋战中，海龄路过家门，见到怀抱婴儿的妻子，便对她说："今日之战，官兵恐将不利，请勿惜别，立刻当去。"妻子深明大义，鼓励丈夫说："今日临大事，君犹念妻子乎？君但督士卒，见死勿弃城。"说毕，即怀抱婴儿，纵身跳入熊熊大火之中。海龄见妻子如此壮烈死去，即飞身上马，率40名亲兵杀向敌阵。将士们在海龄的影响下，全都英勇奋战，直至战斗到最后一个人。海龄见镇江城已不能保全，便跳入大火中自焚殉职。

左宗棠

左宗棠（1812年—1885年），字季高，一字朴存，号湘上农人，署名今亮，谥文襄，湖南湘阴人，清朝大臣，著名湘军将领。一生亲历了湘军平定太平天国运动，洋务运动，率军平定陕甘回变和收复新疆等重要中国历史事件。左宗棠少时屡试不第，功名止于举人，转而留意农事，遍读群书，钻研舆地、兵法。后竟因此成为清朝后期著名大臣，被破格敕赐进士，官至东阁大学士、军机大臣，封二等恪靖侯。与曾国藩、李鸿章、张之洞并称“晚清四大名臣”。1866年8月19日（农历七月初十），左宗棠在福建设立清政府规模最大的新式造船厂。

左宗棠生性颖悟，少负大志。5岁时，他随父到省城长沙读书。1827年（道光七年）应长沙府试，取中第二名。他不仅攻读儒家经典，也学习经世致用之学，对那些涉及中国历史、地理、军事、经济、水利等内容的名著视为至宝，对他后来带兵打仗、施政理财起了很大的作用。

1830年，左宗棠进入长沙城南书院读书，次年又入湖南巡抚吴荣光在长沙设立的湘水校经堂。他学习刻苦，成绩优异，在这年的考试中，7次名列第一。1832年，他参加在省城长沙举行的乡试，因“搜遗”中第，但此后的6年中，3次赴京会试，均不及第。科场失意，使左宗棠不能沿着“正途”进入社会上层，进而实现他的志向。

但左宗棠的志向和才干，得到了当时许多名流显宦的赏识和推重。早在1830年，仅18岁的左宗棠拜访长沙的著名务实派官员和经世致用学者贺长龄时，贺氏即“以国士见待”。其弟贺熙龄则是左宗棠在城南书院读书时的老师，对自己的这位弟子，贺氏非常喜爱，后来师生还结成了儿女亲家。赫赫有名的封疆大吏陶澍也以一代名臣之尊主动提议将他唯一的儿子与左宗棠的长女订婚。更为值得一提的是，名满天下的林则徐对左宗棠十分器重，两人曾在长沙彻夜长谈，对治理国家的根本大计，特别是关于西北军政的见解不谋而合。林则徐临终前还命次子代写遗书，一再推荐左宗棠人才难得。自尊心极强的左宗棠三试不第，本打算“长为农夫没世”，但以他从小所受的儒家文化教育，满腹的“经世致用”学问，以及他刚正清高的性格和他最敬重的伟人林则徐对他的重托，在国家处于内忧外患、危急存亡之际，左宗棠是不可能长期退隐深山，不闻世事的。

1852年（咸丰二年），当太平天国大军围攻长沙，省城危急之际，左宗棠终于经不住老朋友郭嵩焘等人的劝勉，应湖南巡抚张亮基之聘出山，投入到了保卫大清江山的阵营。左宗棠在炮火连天的日子里缒城而入，张亮基大喜过望，将全部军事悉数托付给左宗棠。左宗棠“昼夜调军食，治文书”、“区画守具”，各种建议都被采纳，并立即付诸实施，终于使太平军围攻长沙3月不下，撤围北去。左宗棠一生的功名也就从此开始。

1854年3月，左宗棠又应湖南巡抚骆秉章之邀，第二次入佐湖南巡抚幕府，长达6年之久。其时，清王朝在湖南的统治已岌岌可危，太平军驰骋湘北，长沙周围城池多被占领，而湘东、湘南、湘西广大贫苦农民，连连举事，此伏彼起。左宗棠焦思竭虑，日夜策划，辅佐骆秉章“内清四境”、“外援五省”，苦力支撑大局。同时，革除弊政，开源节流，稳定货币，大力筹措军购：军械、船只。骆秉章对他言听计从。由于左宗棠的悉心辅佐和筹划，不但湖南军政形势转危为安，出省作战连连奏捷，其他各项工作也取得显著成效。

左宗棠出佐湘幕，初露峥嵘，引起朝野关注，时人有“天下不可一日无湖南，湖南不可一日无左宗棠”之语，一些高官显贵在皇帝面前竞相举荐，咸丰皇帝亦给予了极大的关注。但也因此而引起了一些人的忌恨和诽谤，特别是湖南永州镇总兵樊燮的构陷，险些使左宗棠性命不保，幸得好友胡林翼、郭嵩焘等人的仗义执言，潘祖荫、肃顺等大臣的披沥上陈，才使一场轩然大波得以平息。

1860年，太平军攻破江南大营后，左宗棠随同钦差大臣、两江总督曾国藩襄办军务。曾在湖南招募5000人，组成“楚军”，赴江西、安徽与太平军作战。1861年太平军攻克杭州后，由曾国藩疏荐任浙江巡抚，督办军务。

同治元年（1862年），左宗棠组成中法混合军，称“常捷军”，并扩充中英混合军，先后攻陷金华、绍兴等地，升闽浙总督。1864年3月攻陷杭州，控制浙江全境。论功，封一等恪靖伯。旋奉命率军入江西、福建追击太平军李世贤、汪海洋部，至1866年2月攻灭于广东嘉应州（今梅县）。镇压太平天国后，倡议减兵并饷，加给练兵。

1866年，左宗棠上疏奏请设局监造轮船，获准试行，即于福州马尾择址办船厂，派员出国购买机器、船槽，并创办求是堂艺局（亦称船政学堂），培养造船技术和海军人才。

时逢西北事起，旋改任陕甘总督，推荐原江西巡抚沈葆桢任总理船政大臣。一年后，福州船政局（亦称马尾船政局）正式开工，成为中国第一个新式造船厂。

1867年，奉命为钦差大臣，督办陕甘军务，率军入陕西攻剿西捻军和西北反清回民军，镇压了陕甘回民暴乱。陕甘任间，继续从事洋务，创办兰州制造局（亦称甘肃制造局）、甘肃织呢总局（亦称兰州机器织呢局），后者为中国第一个机器纺织厂。

这时，除了捻军和西北反清回民军之乱外，新疆地区的暴乱也时有发生，局势动荡。

1864年6月，新疆库车爆发农民起义，建立热西丁政权；7月，和阗（今和田）建立帕夏政权；10月，伊犁建立苏丹政权；1865年1月，浩罕国（位于今乌兹别克斯坦的浩罕市一带）军官阿古柏入侵新疆；3月，乌鲁木齐建立清真王政权；1871年7月，沙俄武装强占伊犁；1874年，日本国入侵台湾。在这种局势下，清廷内部爆发“海防”、“塞防”之争。李鸿章等认为两者“力难兼顾”，主张放弃塞防，将“停撤之饷，即匀作海防之饷”。左宗棠力表异议，指出西北“自撤藩篱，则我退寸而寇进尺”，尤其招致英、俄渗透。

同年5月，左宗棠以64岁的高龄，被任命为钦差大臣，督办新疆军务。次年4月，左宗棠坐镇甘肃酒泉，收复新疆战役打响。1876年，指挥多路清军讨伐阿古柏，次年1月占和阗，收复除伊犁地区外的新疆全部领土，阿古柏在绝望中服毒自杀。左宗棠随即上疏建议新疆改设行省，以收长治久安之效。1879年中俄伊犁交涉时，抨击崇厚一任俄国要求，轻率定议约章，丧权失地，主张“先之以议论”，“决之于战阵”。1880年春，在新疆部署兵事，出肃州抵哈密坐镇，命令三路大军并进，彻底击溃了阿古柏残余势力，收复大片国土。1881年初，中俄《伊犁条约》签订，中国收回了伊犁和特克斯河上游两岸领土（霍尔果斯河以西地区和北面的斋桑湖以东地区却被沙俄强行割去）。左宗棠应诏至北京任军机大臣兼在总理衙门行走，管理兵部事务。左宗棠在新疆期间，为保证军粮供给，发展地方经济，曾大力兴办屯垦业，其功绩遗泽至今。

1881年夏，左宗棠调任两江总督兼南洋通商大臣。1884年6月，奉召入京，再任军机大臣。时值中法战争，法国舰队在福州马尾发动突然袭击，福建水师全军覆灭，左宗棠奉命督办福建军务。11月抵福州后，积极布防，并组成“恪靖援台军”东渡台湾。1885年病故于福州。著有《楚军营制》（附条规），其奏稿、文牍等辑为《左文襄公全集》。

左宗棠严守御“外患”与除“内忧”的忠君爱民思想，精心求学，积极探求“上慰宸辰，下安百姓，振刷纲纪，济时匡世”的途径，先后参与和指挥了围剿太平军、陕甘捻军及收复新疆等一系列战役，并推动了洋务运动在中国的发展。在他的一生中，既有精忠报国、抵御外侮的积极一面，又有镇压农民运动的消极一面。但无论如何，他都应该是中国近代史上一位杰出的人物。

丁汝昌

丁汝昌（1837年—1895年），清末著名海军将领。原名先达，字禹廷，号次章。安徽庐江人。在中日甲午海战中，丁汝昌率北洋水师将士奋勇抗日，在中国近代史上写下了悲壮的一页。

丁汝昌出生在一个贫苦农民家庭。少年时，丁汝昌就有着倔强的个性和聪明的头脑。父亲丁灿勋务农种田，家境贫苦，无力供他上学，只得把他送出去给人当佣工。丁汝昌给人家干活，常常是没有工钱，只管吃饭，但他没有表现出任何哀怨。咸丰初年，庐江地区久旱不雨，荒情越来越重，年少的丁汝昌无力赡养自己的父母，只能眼睁睁地看着他们在贫病交加中饿死。

咸丰三年（1854年）十二月，丁汝昌的家乡庐江被太平军攻克，17岁的丁汝昌参加了太平军，隶属程学启部下，后来跟随太平军到安庆驻守。咸丰十一年夏，安庆被清军包围，形势十分危急。陈玉成率领太平军再次援救安庆，但战斗失利。这时，程学启率部下300人投降了清政府，投靠了曾国荃，丁汝昌因此也一同被编入了湘军。安庆失陷后，曾国荃让程学启带领开字营，丁汝昌此时为哨官，授千总之职。第二年，程学启部受上级调遣，拨归了李鸿章的淮军，丁汝昌亦随之到上海镇压太平军。不久，又隶属刘铭传，丁汝昌此时升任营官，领队。同治三年（1864年），丁汝昌升为副将，统先锋马队三营，参加镇压东西捻军。同治七年，因镇压起义有功，授总兵之职，同时又晋加提督衔，赐“协勇巴图鲁”勇号。

同治十三年（1874年），丁汝昌因事得罪顶头上司刘传铭，刘传铭企图把他召去杀掉。丁汝昌听说了这个消息之后，一刻未敢停留，星夜赶回家中避了起来。刘传铭见他逃走，也未追杀。丁汝昌本以为很快就能复出，没想到一闲便是五年。

光绪五年（1879年）四月，清政府确定创设北洋水师，派李鸿章具体督办北洋水师事宜。李鸿章因为十分赏识丁汝昌的才干，所以请留丁汝昌在北洋水师差遣。丁汝昌终于又重返军队。不久，北洋水师在英国订购的“镇东”、“镇西”、“镇南”、“镇北”四艘炮舰来华交货，丁汝昌被派为督操。从此，丁汝昌开始了他的海军生涯。

光绪六年（1880年）十二月，丁汝昌受命率管带林泰曾、副管带邓世昌等，去英国督带“超勇”、“扬威”两艘巡洋舰回国，途中他考察了法国、德国的军事、工业等情况。这次出行，也是清政府的龙旗第一次航行海外。第二年十月三十日，“超勇”、“扬威”号军舰抵达天津大沽港。李鸿章见丁汝昌任务完成得好，对他更加器重，奏请丁汝昌改督操为统领北洋海军。光绪八年，因丁汝昌巡南海有功，赏头品顶戴，换“西林巴图鲁”勇号。次年，又授天津镇总兵，赏穿黄马褂。

光绪十四年（1888年）九月，北洋海军正式成军，丁汝昌被授为北洋海军提督，统率大小舰艇四十余艘，约五万吨。为了培养急需的海军专业技术人才，根据丁汝昌的建议，又于光绪十六年（1890年）五月，设水师学堂于刘公岛（在今山东威海外黄海上），由丁汝昌兼领总办。光绪二十年（1894年），丁汝昌被赏加尚书衔。丁汝昌深知海军在抵御列强、保卫祖国海疆上的重要，很重视北洋海军的建设，平素督练认真，营规也较为严明，官兵有一定的近代军事素质，而且爱国热情很高。无论是士气还是战斗力，都远胜过当时清政府的陆军。

光绪二十年春天，朝鲜爆发东学党领导的农民起义，而早已处心积虑的日本看到有机可乘，就以“保护侨民”为借口，派出大批军队在仁川登陆，进入汉城，与驻朝清军形成对峙。清政府多次建议中日同时撤军，都被日本政府蛮横拒绝。

丁汝昌对局势的认识一直比较清醒，他曾上书朝廷，请求率海军主力出海，为援朝的“高升”号兵船护航，但李鸿章没有同意。结果光绪二十年七月二十五日，高升号遭到日本侵略者不宣而战的袭击，船被击沉，死伤七百多人，两艘护航舰受到攻击，都有不同程度的损伤。同时，日军又在陆上向驻守牙山的清军发起进攻，挑起了中日甲午战争。八月一日，清政府被迫对日宣战。但北洋海军一直被李鸿章视为私产，他采取“避战保船”的消极方针，严令丁汝昌只可守大同江至威海卫一线，后来又缩小到成山角至鸭绿江口一线，决不准“滥进袭击”。丁汝昌受制于李鸿章，虽积极主战，但无法施展。丁汝昌愤慨不已，却难以违抗，只能在划定的区域内游弋，不能越雷池一步。朝中的一些主战派不明真相，就弹劾他“畏葸无能、巧滑避敌”，于是朝廷下令将他革职。只是由于无人替代和北洋海军将士的反对，才改为暂免处分，戴罪立功。对于这种“莫须有”的罪名，丁汝昌十分难过，但他依旧勤勉认真，忍辱负重，锐意备战。

九月初，朝鲜平壤吃紧，清政府决定从海道派援军到鸭绿江边的大东沟。海军提督丁汝昌率北洋舰队护航。护航任务完成后，在返航途中，北洋舰队遭遇了日本舰队的袭击。丁汝昌在旗舰“定远”号铁甲舰上，与总兵兼旗舰管带刘步蟾等议定，以“分段纵列”的阵势，起锚迎战。顷刻之间，战斗准备井然就绪。这时，北洋舰队开足马力，破浪前进。在距敌舰5000米时，旗舰“定远”号首发一炮，紧接着各舰大炮相继怒吼，颗颗炮弹飞向敌舰，激战开始。清军舰队摆成“人”字阵，丁汝昌与刘步蟾乘坐的旗舰“定远”号恰在“人”字尖上，冲锋在前，将日本舰队拦腰截断。战斗中，丁汝昌面对强敌，冷静沉着，指挥果断，开战不久就击中敌舰一艘。鏖战中，丁汝昌正在旗舰“定远”号飞桥上指挥，因飞桥年久失修，被敌人炮火击中舰身后震动破裂，不幸从空中跌落，身受重伤，不久帅旗也被打落。丁汝昌拒绝随从把他抬入舱中，坚持坐在甲板上，鼓励士兵为国英勇奋战。但是，丁汝昌此时只能鼓励“定远”号甲板上的士兵，已不能指挥全舰队。这样，清军舰队的各舰几乎就成了各自为战，处于不利的地位。尽管如此，清军舰队的广大将士都能同仇敌忾，英勇作战。双方激战了五个多小时。日军的旗舰“松岛”号被“镇远”号所发的两枚大炮弹击中，使其弹仓爆炸，船体倾斜，死伤达一百多人。另外，日方的“吉野”舰也完全失去了战斗力，“赤诚”号等三艘日舰受重伤，几乎沉没。“赤诚”号的舰长海军少佐坂元八太郎被击毙。从而迫使日军首先退出战斗。在这次战斗中，清朝北洋舰队也损失了“致远”、“经远”、“超勇”、“扬威”四艘军舰。

黄海海战之后，李鸿章为了保存他的实力，在奏报中有意夸大战败程度，强调中国舰队不及日本，以此为理由，命令舰队避战于港内，不准出击。从此，把黄海的制海权拱手交给了日本。

这样一来，日本侵略者更加肆无忌惮了，经过一个多月的休整和准备，十月下旬又分海陆两路进犯旅顺、大连。由于清朝的腐败，数万陆军在日军登陆前六天就不战自溃，望风而逃。十月二十四日，日军三万余人在花园口登陆，辽东陷入敌手。李鸿章命令北洋舰队驶离旅顺，避往威海卫。丁汝昌亲自跑到天津去见李鸿章，要求率领舰队出战，进援旅顺，受到李鸿章的训斥。

光绪二十一年（1895年）一月，日军又在山东荣成登陆，企图抄北洋舰队驻地威海卫的后路，造成海岸夹击之势。日军两万余人在海军的护送下，进犯威海卫。一月二十日，日军在威海卫的东侧成山头登陆，即日攻占荣城县，兵分两路，扑向威海卫。日军先攻南岸炮台，丁汝昌亲自率舰发炮支援，战斗了两昼夜，击毙了日军第六师团第十一旅团长、左翼司令陆军少将大寺安纯，杀伤了不少日军。但由于众寡悬殊，威海陆路南北炮台相继失守。于是，刘公岛成为孤岛，北洋舰队全被困在了威海港内。

二月九日的海战，丁汝昌亲登"靖远"舰指挥。战至中午，"靖远"为敌炮击中搁浅，丁汝昌被水手救上小船，幸免于难。日军先后发动8次进攻，都被击退，多艘军舰受伤。日军见硬的不行，便来软的，诱丁汝昌率舰投降。丁汝昌断然拒绝。他在给家人的信中嘱告："我已经以身许国了，请你们不要挂念。"

日本侵略者见战不成，劝降也不成，就采取了对北洋舰队长期围困的方针。北洋舰队陷于重围之中，形势越来越险恶。丁汝昌认为，此时只要陆上援军赶到，水陆夹击，刘公岛之围还可解除。为此，他派一名水手怀密信凫水到威海北岸，潜去烟台求援。趁这危急之时，北洋海军副提督英国人马格禄和顾问美国人浩威等，勾结威海营务处提调牛昶昞等，唆使士兵、水手哗变，胁迫丁汝昌投降。丁汝昌严词拒绝。

二月十一日，日军水陆进行夹攻，丁汝昌接到密派外出联络求援的水手的回报，知道山东巡抚李秉衡已由烟台逃往莱州，等待陆上援军已不可能。此时，岛上已近弹尽粮绝，北洋舰队到了最后时刻。右翼总兵刘步蟾自沉"定远"舰，然后自杀殉国。丁汝昌决心与军舰共存亡。为了防止有人盗印降敌，严令召牛昶昞等当面把提督印截去一角使其作废。于光绪二十一年（1895年）二月十一日夜，愤而服毒自杀殉国，时年59岁。

刘铭传

刘铭传（1836年—1895年），清末淮军将领。字省三。安徽合肥人。他历仕咸丰、同治、光绪三朝，参与了镇压太平军、捻军的战斗，又在台湾抗击法军。他为建设台湾、保卫领土完整做出了巨大贡献。

咸丰四年（1854年），为对抗太平军，刘铭传在家乡办团练。同治元年（1862年）改编为淮军，长期镇压太平军、捻军，由千总、都司、总兵，升至直隶提督，所部号"铭军"，为淮军主力之一。他有将才，通经国大略，又喜诗文，著有《大潜山房诗稿》。他嫉恶如仇，不愿与官场中的腐败之风同流合污，几次挂冠归籍。

刘铭传经营台湾，是从中法战争开始的。法国殖民者一面在越南逞凶，一面派出兵船在福建、台湾海域游弋，战事一触即发。为加强台湾防务，同治三年（1884年）六月下旬，清政府擢在籍养病的刘铭传以巡抚衔督办台湾军务。刘铭传闻命，即扶病南下，渡海赴台。他行至上海时，法国公使九次来探询行期，阴谋在海上阻击。刘铭传置酒高会，声言某日乘某船渡台以迷惑敌人，而于当夜乘风大雨急，轻装登上小艇，再换乘兵舰直驶台湾。离开上海数小时后，法国公使才得到消息，急令军舰追赶。这时，刘铭传已顺利到达基隆港登陆。这一天是七月十六日。

驻守台湾的清军共四十营，台南部署了三十一营，台北只有九营，不到4000人。这种兵力配置的不合理，使得法军乘虚而入，重点攻击台北。清军装备太差，基隆险要之地，仅有五门固定方向的大炮，只能正面守，不能攻左右。刘铭传巡视数日，不胜唏嘘叹息，只得就现有条件，加固炮台，严饬官兵全力备战。

基隆煤矿对于法国海军可以说是胜败攸关。占据煤矿，就可保证兵舰有充足的燃料，法军曾与刘铭传交涉，欲购买煤炭，遭到断然拒绝。八月四日，敌远东舰队副司令利士比率舰五艘开至基隆口外。次日，敌舰用猛烈的炮火轰击基隆炮台，炮台在爆炸声中化为乌有，清军处于被动局面。刘铭传果断采取诱敌陆战的战术，仅留少数官兵在正面固守海岸小山制高点，主力撤到后山埋伏。敌军以为清军溃败，四五百人蜂拥上岸，筑垒安炮。夜雨潇潇，刘铭传派遣的壮士邓长安等悄悄摸向敌垒，毁掉敌人的大炮。刘铭传又亲率伏兵从左右向敌出击，形成对敌军的三面夹攻。敌人被这突如其来的打击弄昏了头脑，丢弃工事，向海上的军舰逃命。一些敌兵饮弹命绝，一些敌兵在慌乱中葬身大海。基隆保卫战首战告捷，毙敌官兵百余人，夺军旗两面，缴获洋枪数十杆、大炮四尊、帐篷十余架。捷报传出，朝野欢跃。上谕嘉奖刘铭传，交部优叙，发内帑银3000两犒赏官兵。

利士比黩武不赢，又别生诡计，通过英人邀请刘铭传到法国兵船上谈话，遭到拒绝；请求恢复中外贸易，并请刘铭传致函清廷从速议和，同样被严辞驳回。以后，利士比再度进攻基隆，大败而逃。

八月二十三日，法军舰队在马尾港袭击了福建水师，气焰嚣张一时。九月末，法军在远东舰队司令孤拔率领下，分别在基隆和沪尾索战。刘铭传认为，沪尾有失，台北府不保，基隆后路被抄，守基隆清军则不战而溃，非舍车保帅不能维持局面。于是，他毅然决定转移基隆煤矿机器，炸毁煤矿，部分官兵扼狮球岭而守，其余增援沪尾。十月一日，法军占领基隆。

刘铭传主动撤出基隆，加强了沪尾方面力量。十月八日，法军八艘军舰遥击沪尾，继而放下小船载千余人登岸。刘铭传以伏兵切断敌人退路，痛击敌人。法军被击毙三百余名，其余夺路后逃，自相践踏，慌乱中敌炮击中小艇，溺死百余人。清军获得沪尾之战大胜。

十月下旬，法军奉本国政府命令，封锁台湾各海口，断绝海上交通，以困台湾。台湾军民抱着极大的爱国热情，在极其艰难困苦的环境中，不动摇，不后退，誓与海岛共存亡。清军连月苦战，伤亡不小，军需枯竭，增援的军队和兵船不能进港。刘铭传鼓动官兵拼死守岛，常短衣草履巡访军营，安抚慰问，与士兵同食同饮。又积极自救，动员绅商各界捐饷募兵，修整工事。战斗中，他身先士卒，舍生忘死，一次，一发炮弹从头上掠过爆炸，所乘战马受惊伏地，刘铭传面色不改。军民感佩，齐心战守。经谈判，中法战争结束，光绪十一年（1885年）六七月间，法军从基隆及其占领的澎湖列岛撤出。

中法战争结束，清廷以台湾为南洋门户，决定设省，授刘铭传为首任福建台湾巡抚。之后，刘铭传开始了他的开发、建设台湾的事业。

刘铭传提出一套新的台湾行政区划方案，以台中彰化地区为全省政治中心，将原来的二府、三厅、八县扩大为一州、三府、四厅、十一县，并严肃吏治，加强了对地方的统治。

刘铭传为防患于未然。下令在基隆、沪尾、安平、旗后、澎湖赶修了十座新式炮台，购进新式后膛钢炮和水雷，整编军队，严格训练。

刘铭传摒弃封建士大夫闭关自守的陈腐观念，主张变法图强、民族自立。这种比较进步的社会政治思想，指导着他对台湾的治理。在他治理下，军事工业、民用工业在台湾日益增多。他办起机器局、机器厂、军械所、火药库、水雷局、邮政局，大力开发自然资源，兴办樟脑、硫磺、煤炭各业。又修铁路、辟番途、开港口，奖励贸易，保护农商。在台南、台北两府设清赋局，清丈土地，查检隐漏，增加了税收。

刘铭传倡言修筑铁路，早在光绪六年（1880年），他奉诏至京，条陈开建铁路。到台湾后，他精心筹划，于光绪十五年（1889年）年修建了由基隆到台北的铁路，这是台湾的第一条铁路。

清朝官吏往往歧视所谓“生番”，即高山族人民，激化了民族矛盾，以致高山族人民生活地区不能得到开发。刘铭传深感不“抚番”不足以团结一切力量，建设台湾，保卫台湾。光绪十二年（1886年），他设立了抚恳总局，下设十个分局，自任抚恳大臣，开始开山“抚番”。修进山道路数百里，令地方官、通译和官军一同入山劝化。到光绪二十一年（1895年），全台有八百番社、20万人接受招抚，同时垦田百数十万亩。各抚垦局设“番学”，招收“番童”就读。“抚番”的成功，密切了台湾地区的民族关系，对高山族人民的发展进步有深刻的意义。

刘铭传还在发展教育，培养人才方面做了很多工作。除“番学”外，开办书院、儒学、义学、官塾，尤其是仿西方创办了新式学校——西学堂。

光绪二十四年（1898年），刘铭传闻户部奏请天下海军十年内毋增炮舰，喟然长叹，愤愤辞职还乡。他经营台湾七年，力疾任事，呕心沥血，改变了台湾的面貌。

光绪二十八年（1902年），战败的清政府将台湾拱手割让给日本侵略者。刘铭传闻讯，悲怆不已，留下规复宝岛的遗愿，溘然长逝。

陈玉成

陈玉成（1837年—1862年），太平天国后期军事统帅，广西藤县人。14岁随叔父参加金田起义。咸丰三年（1853年），随军西征。第二年攻武昌，率五百勇士缒城而上，协助大队攻克武昌。因功升殿右三十检点，统陆军后十三军和水营前四军，转战湖北、安徽等地。他治军严谨，骁勇富谋略，善筑垒围攻、抄袭后路以及于收队时杀回马枪，故有“三十检点回马枪”之谚。石达开出走后，和李秀成等同主军政，力挽危局。咸丰八年（1858年）夏，与李秀成会于安徽枞阳镇，共解京城之围，在三河之战中，以迂回包抄战术断敌退路，全歼湘军精锐李续宾部。咸丰十年（1860年），会同各军再破江南大营，东征苏（州）、常（州）。当时湘军四路东下，安庆被围，他注重上游，力主先救安庆。然而因受英国侵略者的阻挠和南路李秀成误期，最终安庆陷落，陈玉成退守庐州，受严责革职。同治元年（1862年）春，陈玉成派部将率师去陕西等地招兵，庐州守军过少被清军包围。四月，率部突围，被叛徒诱捕，解送清营。陈玉成在敌人面前大义凛然，坚贞不屈。五月初八在河南延津县慷慨就义，年仅26岁。

陈玉成是一个天才将领，他有两个战术令敌人胆寒。一为回马枪。每遇大敌他必攻其所必救，以分其兵，疲其力，而后突然集合优势的兵力予以歼灭。曾国藩、胡林翼很怕他这种战术，“回马枪”这个名就是他们起的，陈玉成做检点时湖北就已经遍传“三十检点回马枪”的威名了。陈玉成的第二个战术是善用筑垒包围敌人后路和饷路。他的行动迅如闪电，一夜就能筑成几十座营垒，敌人每被他筑垒包裹起就要全军覆没。所以即使是巨魁悍将说到他的这种战术也莫不胆战心惊。他又多谋善计，令人不测。庐州被围愈来愈急时，他从东乡调了两班徽剧进城，对台角胜，敌将多隆阿惊惧，竟退地扎营。

这是怎样一个传奇人物呢?

陈玉成，道光十七年（1837年）出生在广西藤县西旺村一个贫苦家庭，幼年时父母双亡，靠其叔父陈承熔抚养成人。道光三十年（1850年），14岁的陈玉成随叔父参加太平军，被编入童子队中。咸丰二年（1852年）十二月，太平军进攻武昌，采用地道攻城战术，到地雷爆炸时，要由最勇敢的人首先抢占缺口，包括陈玉成在内的五十名童子兵被委以这个大任，陈玉成等欢欣鼓舞地接受了任务。地雷爆炸后，陈玉成率领战友们冒着砖石，冲过烟焰，占领了缺口，大军跟着拥上，于是攻克武昌。陈玉成等五十名童子兵立了头功。

咸丰三年（1853年）四月，17岁的陈玉成被任为左四军正典圣粮，职同监军。他不愿做后勤工作，坚请出征立功。东王杨秀清很欣赏他，但因其年少，没有答应他的要求，第二年二月，才命他随大军攻湖南。当时国宗提督军务石凤魁统领军队正在进攻武昌，陈玉成志在得武昌，他到了武昌，就请求留在石凤魁军中效力。那时候，太平军攻武昌已经几个月，清朝湖北巡抚青麟死守不下。石凤魁怕攻坚多伤兵将，未敢强攻。陈玉成侦探得知城东守御空虚，于是带五百名壮士，偷偷地从武昌县（今鄂城市）入梁子湖，绕到武昌省城东面，缒城而上，在城头遍插太平天国黄旗，齐声大呼道："天兵登城了！"清军惊散，武昌遂克。捷报到天京，天王洪秀全喜道："真是英雄出少年。"擢升陈玉成为殿右三十检点，命其统陆军后十三军，水师前四军。

这一年秋天，清军从湖南岳州来犯，长江上游战争一场接着一场失利，陈玉成跟敌人在汉阳、蕲州、广济、黄梅一路苦战，退到九江，极力挡住敌人的攻势，给援军结集的时间。咸丰五年（1855年）正月，陈玉成在九江打垮曾国藩水师，并乘胜克复武昌、汉口，继而奉命向鄂北进军。四月，在随州打败清朝西安将军札拉芬军队，札拉芬受重伤而死。七月，在湖北应山大败清朝固原提督孔广顺、署湖北提督讷钦等，攻下清朝军营四十座，接着又带兵去围攻庐州，又到芜湖解围。由于陈玉成作战英勇，所向克捷，所以哪里敌人势大就派他到哪里去迎头痛击。当时冬官正丞相罗大纲战死，东王就特地提升他补罗大纲的官缺。人们都公认这个少年英雄将军已经和那威震敌人的罗大纲齐名了。

咸丰六年（1856年）二月，陈玉成随燕王秦日纲去救镇江。当时镇江被清朝江苏巡抚吉尔杭阿军队围困，内外隔绝不通，十分危急。陈玉成率军突破敌船的重重封锁胜利进城，与守将吴如孝会合，把清军打败，解了镇江之围，继而攻克扬州。五月，太平军在杨秀清的统一命令下，攻破了威胁天京达三年之久的江南大营。秦日纲、陈玉成、李秀成等率部追击清军，与清军相持于丹阳城外。

太平军取得攻破江南大营的胜利后，军事达到鼎盛时期。可是，就在这时，太平天国内部爆发了内讧，东王杨秀清被杀，数以万计的太平军将士丧生。不久，洪秀全又杀了北王韦昌辉。翼王石达开离京，带走了近十万部队。这一系列事件，使太平天国的元气大伤，军事形势也随之急转直下。从咸丰六年（1856年）冬开始，湖北、江西根据地随之逐步落入清军之手，只有皖北战场的情况例外，原有的根据地不仅未损失，而且还有所扩大。这是年轻将领陈玉成、李秀成在十分不利的形势下积极奋战、力挽狂澜的结果。

咸丰七年（1857年）春至咸丰八年（1858年）夏，陈玉成率部转战在鄂东北和鄂、豫、皖交界处，长年与清军接战，虽然未能击败湖北清军，建立起稳固的根据地，但在军事形势日趋恶化的情况下，将战场推向了湖北境内，有利于安徽根据地的巩固，从而保障了天京的安全。

天京事变后，陈玉成是当时最英勇的大将，朝臣推选他出来担当国事，天王洪秀全把他提升为右正掌率，封成天豫，与正掌率大臣赞天燕蒙得恩、副掌率合天侯李秀成共同领导军国大事，他与李秀成专负军事的责任。

咸丰八年（1858年）夏天，天京又被围困，陈玉成军队从潜山经舒城攻庐州，李秀成军队从全椒进兵滁州，两路会师合击盘踞在浦口的清朝江北大营，打通天京与江北的交通。当年九月，陈玉成又率军攻克敌人自吹的铁铸六合，以功授前军主将，成为太平天国后期的军事统帅。这时，他年仅21岁。

不久，曾国藩部将李续宾来犯三河。三河离庐州五十里，太平天国在那里收屯粮食军械来接济天京。李续宾这一支军队是曾国藩湘军最主要、最凶狠的陆军。三河告急，天王洪秀全命陈玉成星夜带兵去救。十月初六，陈玉成率领前军包抄三河后方，断绝敌人退路，令庐州守将吴如孝率军拦断舒城救兵，使敌人陷在包围中。第二天黎明，两方出动人马，在金牛镇大战。陈玉成一马当先，率领前军从左路包抄，先打破敌人左路，接着又打破敌人中、右两路。正在追击中，李秀成带后军赶到，三河守将吴定规也从城中带兵杀出，三路会合，一齐追到敌营，把河堤挖断，断绝敌人出路，围攻到三更，李续宾吓得魂飞魄散，上吊自杀而死。主将自杀，敌军军心大乱。三支太平军协同作战，全歼湘军五千人，打了一个大歼灭战。此战中，陈玉成、李秀成以果断的决定，迅捷的行军，灵活的战法和密切的协同，使湘军元气大伤，年余不敢东犯。太平天国由此赢得了重振军旅的时间。

三河大捷之后，陈玉成又会同李秀成部乘胜南进，连克舒城、桐城。正在围困安庆的清军都兴阿部闻讯后撤往宿松。湘军主力二三万人集中于宿松一带。陈、李部跟踪前进，连占潜山、太湖。这时，陈玉成因胜而骄，继续督军进攻宿松，结果在二郎河遭到湘军马步队合击，死伤万余人，遂退守太湖，与敌相持。

咸丰九年（1859年）三月，陈玉成率部自安庆北进，攻占六安，继而大破庐州官亭的清军大营，并在庐州护城集大败清钦差大臣督办安徽军务胜保军，斩总兵柏山，歼其马队。天王洪秀全以陈玉成功劳最大，晋封英王，时年22岁。

从这年秋到次年初，陈玉成、李秀成联军转战于江浦、六合潜山、太湖，与湘军多次作战，互有胜负。这时，天京正在准备进行二破江南大营战役，陈玉成奉调东返。各路太平军云集天京城外，号称十万，形成了对江南大营的反包围，并决定从五个方向进攻江南大营。陈玉成部担负进攻江东门的任务。五月二日总攻开始，各路太平军连日冒雨出击，与敌大战。五日，陈玉成率部由上河、毛公渡等处搭造浮桥，首先突破江南大营的外墙，天京城内的太平军也纷纷出击，向清营投掷火罐，引起爆炸，一时响声震野，附近清军闻之丧胆，纷纷弃营溃逃，大营的各路防线相继崩溃。清军的江南大营再次被攻破。

攻破江南大营之后，各路战将登朝庆贺，同时商讨下一步战略。当时安庆正被清军胡林翼等人围攻，安庆是保卫天京的最后一道屏障，所以保卫安庆成为太平天国军事上的根本。陈玉成出于对西线安危的关切，力主集中力量回救安庆，可惜未被采纳。太平天国首领们最终决定采取占领长江上游以保护安庆的措施。

咸丰十年（1860年）冬，陈玉成部与李秀成部分军两路进攻武昌、汉阳，两路约定于次年四月在武昌会师。为了践约，陈玉成于咸丰十一年（1861年）三月初亲率大军西进，在短短的十一天里，就连下霍山、英山、蕲水，于十八日占领黄州，距武汉仅百余里。陈玉成下一步军事行动是向武昌、汉阳进攻，城中清军得到黄州被占领的消息，主管粮台军火的阎敬铭吓得自杀而死，手下人都跑光了，只剩总督官文和布政使等几个大官僚留在城内等死。

这时，第二次鸦片战争已经结束，根据清政府与列强签订的不平等条约，中国增开了汉口等十个通商口岸。当陈玉成剑锋直指武汉时，英国参赞巴夏礼正在汉口调查开埠事宜，于是他去黄州会见陈玉成，“劝告”他不要进攻武汉。陈玉成缺乏外交经验，经不起巴夏礼的讹诈，便中止向武汉的进军，所部分别向鄂东北地区活动。

当时陈玉成只要向武昌、汉阳挺进，两地就唾手可得，围攻安庆的敌人也就不打自退。但是由于英国侵略者的干涉，竟致进不得攻取武汉，退不能救安庆，太平天国保卫安庆的军事行动全部失败，而清朝统治者却得救了。

由于安庆被围，情况危急，陈玉成于四月下旬率部离鄂回皖，进至安庆以北十余里的集贤关内，逼攻围城曾国荃湘军。在这一战中，陈玉成充分发挥了其筑垒攻敌的特点，两军相持三个月。七月下旬，陈玉成联合自皖南来援的杨辅清部、定南主将黄文金等军入集贤关来救安庆，并在关口毛岭、十里铺筑营垒四十多座固守，城内守军也列队四门接应。敌军内攻外拒，陈玉成亲自率领将士攻破敌军第一层壕，过壕肉搏，敌人一面抗拒，一面增筑新垒，旧垒失，又转据新垒死抗不退。当时城内粮已绝，敌军偷挖地道埋地雷，地雷轰炸，城塌，安庆失陷。陈玉成退守庐州。

安庆失陷，陈玉成的家眷全部罹难，所部精锐损失惨重。不久，他又受到洪秀全“革黜”的处分，致使他的心情十分沉重，处境非常艰难。然而，他并未灰心。同年冬，他派手下几员主要将领先后往河南、陕西广招兵马，以图恢复安庆。陈玉成只留孤军守庐州。

同治元年（1862年）初，多隆阿等率部来攻庐州，他感到情况紧急，便派人急召前往河南、陕西等地招兵的将领，到庐州以北的正阳关一带接应。同时写信给在天京的护王陈坤书，要他率兵前来援救。但这些信件都被清军截获。因迟迟不见援兵到来，陈玉成心急如焚。正在这时，寿州苗沛霖来信，要他去寿州。苗沛霖原是安徽凤台县的一个落第秀才，后受命督办团练，称霸一方，初受清朝官职，后举兵抗清，受太平天国封为奏王，同治元年（1862年）又暗中受胜保招抚而降清。此时陈玉成独守孤城，苗沛霖与胜保设计诱捉陈玉成。他在给陈玉成信中还说：“孤城独守，兵家大忌。以英王盖世英雄，何必为这股残妖所困。英王常云：如得汴京，黄河以南大江以北，实可独当一面。”陈玉成信以为真，不听众人劝谏，决定去寿州，以寿州为大本营铺排一切。在一个夜里，他亲自率军攻破门外清军营垒三座，全军从北门撤，连夜去寿州。

陈玉成一到寿州就落入苗沛霖的圈套，被伏兵包围擒缚。在钦差大臣胜保兵营的公堂上，他坚贞不屈，拒绝下跪，并历数胜保的败绩，毫无惧色。后被押往燕京，六月四日，在河南延津被害，年仅26岁。

陈玉成是一个传奇式的人物。他14岁参军，17岁挡大敌，20岁为统帅，22岁封英王，统率千军万马，转战大江南北，为太平天国创下了辉煌的战绩。陈玉成容貌秀美，平时言谈极风雅，打起仗来，却风驰电掣，胆雄万夫。每当他骑着一匹雪白的骏马出现在万马奔腾的大军之中，人们莫不产生膜拜之情。其作战勇敢，临危争先，屡建奇功，“何处官兵多，即向何处救应！”他行军神速，作风顽强，善打硬仗，为敌人所深惧，说他是“贼中最可恨者”（张德坚语），“自汉唐以来之悍者”（曾国藩语），“近世罕有其匹”（胡林翼语）。他治军没有一天不操练，没有一队兵不精壮，每决战无坚不摧。他不愧是近代中国一位传奇式的英雄！可惜英雄无双，他不吸取古人“临事而惧，好谋而成”、“轻则寡谋”的教训，以致成千古恨，真是可惜。

刘永福

刘永福（1837年—1917年），清末援越抗法将领，字渊亭，广东钦州（今属广西）人。早年参加天地会，失败后带领部众二三百人活动于中越边境，以七星黑旗为战旗，故称黑旗军。同治十二年（1873年），应越南之邀，率黑旗军援越抗法，迫使法军退出河内。越南政府以此授刘永福为三宣副提督。光绪八年（1882年），法军再犯河内等地，刘永福于第二年四月在河内城西纸桥大败法军，击毙法军舰队司令李维业。此战震惊中外，阻延了越南殖民地化的进程，打乱了法国入侵中国的计划，越南政府授刘永福为三宣正提督。中法战争中，刘永福又在左育、临洮击败法军，被清廷授为广东南澳镇总兵。中日甲午战争中清政府失败后，刘永福反对清政府割让台湾，他联合台湾义军，英勇抗击日本占领军达五个月，给敌军以沉重的打击。后于台南失陷前夕内渡厦门，晚年退居家乡。

刘永福祖辈世代为农，清贫如洗，因无生计，他童年时随父母流徙广东钦州（今属广西）。13岁时，他就到船上当佣工，历尽人间艰辛。咸丰七年（1857年），他联络了一批人，投奔了太平军。太平天国失败后，刘永福率领一支以七星黑旗为战旗的黑旗军，转战中越边境。

同治十二年（1873年）十一月五日，法国驻西贡总督黎眉派大将安邺率大军侵占越南河内，直逼我国边境，威胁着我国的安全。应越南政府的要求，同年十二月，刘永福亲率黑旗军，会同越南将领黄佐炎部，向河内近郊进军。法国侵略军头子安邺和李维业出城挑战，刘永福指挥黑旗军和越南的军队奋起攻击。交战时，黑旗军且战且退90里，法军得意地穷追不放，待敌军追到一茅草茂密处，刘永福即令士兵放起火来，法军十分惊慌，纷纷溃败。但没想到黑旗军预先设有伏兵，而且挖有不少壕沟，切断了敌人的退路。在敌人慌乱之际，刘永福杀了一个回马枪，击毙了安邺、李维业，消灭了法军两千多人，一举收复了河内。

法国侵略者不甘心自己的失败，蓄意扩大侵略战争，决心把战火烧到中国境内。光绪八年（1882年）四月，法国又派大元帅李威利率领战舰28艘、士兵5000人，再次攻陷河内，直窥中国云南。应越南政府之请，清政府决定派刘永福率黑旗军再度进军越南。光绪九年（1883年），在距离河内约两公里的纸桥一带，刘永福率军与法军展开了名震中外的纸桥大战。双方短兵相接，胶着围攻。刘永福身先士卒，指挥灵活。这场战斗，黑旗军个个英勇杀敌，从早上打到下午，法军被打得大败，两千余人被歼灭，大元帅李威利以及副元帅等数十名将官被击毙。此后，刘永福所率黑旗军留驻越南，和越南人民并肩战斗，每战必克，所向披靡，打得法国侵略者闻风丧胆。

光绪十一年（1885年）初，法国又派出海军向中国沿海进行海盗式的骚扰。同时向越南增兵，以便海陆呼应。在越南的法国侵略军得到增援之后，一度强占了中国要塞镇南关（今友谊关）。

此时，爱国老将冯子材出任前敌统帅，率军赶到前线。他和刘永福一起，在越南战场的东西两线大败法军。腐败的清政府却与法国谈和，签订了屈辱的“中法新约”，并在数日内连发六道诏命，调刘永福回国，致使越南很快沦为法国殖民地，中国西南边疆也受到严重威胁。

刘永福由越南回国后，任广东南澳总兵。中日战争时，清政府调刘永福率黑旗军到台湾帮办防务，并驻守台湾。

光绪二十年（1894年）底，日本侵略军占领旅顺和大连，并准备进攻山东。在帝国主义列强的讹诈、恐吓、诱骗下，光绪二十一年（1895年），李鸿章代表清政府与日本政府签订了丧权辱国的“马关条约”，把台湾割让给日本。之后，日寇主力近卫师团即向台湾开始了大举进犯。台湾人民纷纷组织义民军，决心抗击日本侵略者。日本全权官海军大将桦山资纪致书台南守将刘永福，令其撤出台湾，刘永福义正词严地加以拒绝。为了协同对日作战，黑旗军和台湾义民军共推刘永福为台湾军事统帅。农民领袖徐骧组织的抗日义民军，积极协同刘永福率领的黑旗军，展开了悲壮激烈的台湾保卫战。

日寇从海陆两路向台南和台中进犯，刘永福分兵把守，自己坐镇台南，指挥军民严密防范。日军舰艇几次企图从台南的安平口登陆，都被他指挥将士击退、歼灭。

八月下旬，日军又大举进犯苗栗、大甲溪，刘永福派部将吴彭年带领黑旗军，联合徐骧的台湾义民军扼守。当敌人刚刚过溪上岸，埋伏在南岸的吴彭年部立即给以迎头痛击，日军立脚不稳，大部队又尚未过河，慌忙退却。在退却过程中，又遭徐骧所率义民军的再次伏击，伤亡惨重。日军凭着人多势众，武器精良，弹药充足，最后侵占了大甲溪。

紧接着，日军又向台中重镇彰化进犯，刘永福急派部将吴彭年率黑旗军冲锋队——七星队前往支援，与徐骧的义民军一起，同日军展开了激战。开始，他们采取诱敌深入、左右包抄的战术，大败日军，但败敌在汉奸土匪的引导下，集中炮火疯狂地轰击八卦山，吴彭年和七星队的300名将士以及台湾义民军吴汤兴部全部壮烈牺牲。彰化城内的汉奸随即打开城门，放进了日军。

彰化陷落后，日军把军事主力转向台南。九月初，又占领了云林、大莆林。刘永福调部将王德标与黄荣邦等率领数千义民军对云林县发起反攻，日寇见势不妙，仓皇弃城逃走，王德标会同义民军乘胜追击，围攻彰化城。在战局对我十分有利的情况下，清政府对台湾坚持抗战部队和义民军实行封锁，断绝一切物资供应和补给，使围攻彰化的战斗失利。

十一月十二日，日寇以大炮轰塌嘉义城门，攻入城中。守城的黑旗军和义民军与敌进行巷战，杀敌无数，最后终因寡不敌众而不得不退出嘉义城。刘永福所率的黑旗军和义民军退出嘉义后，在极其困难的条件下仍然坚持战斗，义军大部战死，徐骧也在一次战斗中英勇牺牲。台南失陷后，刘永福指挥黑旗军边战边退，步步设防，直战至弹尽粮绝，后潜身乘外国轮船内逃渡到厦门。

1915年，日本政府向袁世凯提出灭亡中国的“二十一条”，年近八十高龄的刘永福听到这个消息，万分气愤，提出愿为维护国家主权再上战场。不幸疾病和愤恨交加，第二年就去世了。

刘永福的奋战虽然没有改变封建王朝的中国最后失败的结局，但在当时整个政府积弱的情况下多次击败欧洲的军队，加之后来抗击日本人的战绩，已相当出色了。他属于较早有民族主义思想的人，死前曾说自己一生都在和外国人作战，从没打过中国人。

邓世昌

邓世昌（1849年—1894年），清末海军名将，民族英雄。原名永昌，字正卿。广东番禺人。自小立志海军，以御强敌。

邓世昌祖籍广东东莞怀德乡。生于富裕人家，其父邓焕庄，专营茶叶生意，尝于广州及津、沪、汉、香港、秦皇岛等地开设祥发源茶庄，并始建邓氏家祠。邓世昌少时随父移居上海，从西方人学习算术、英语。

1867年6月，沈葆桢（林则徐女婿）到福州马尾船政学堂任职。以制造轮船须培养造船人才，开办制造学堂（前学堂）；因法国长于制造，故应用法文教学。以驾驶轮船须培养驾驶人才，开办驾驶管轮学堂（后学堂）；因英国长于驾驶，故应用英文教学。这两个学堂与船厂同时兴办，所招学生，自是福建省本地人。船政第一次招考学生后，又从广东招来已学过英语，并且基础较好的学生邓世昌、叶富、吕瀚、李和、张成、李田、黎家本、林国祥、梁梓芳、卓关略等十余人。

1868年，邓世昌怀着救国的志愿，以各门课程考核皆优进入福州船政学堂学习航海，成为该学堂驾驶班第一届学生。他在福州船政学堂毕业后，1871年被派到“建威”练船，随船巡历南洋各岛。1874年被任命为“琛海”兵船大副，以后历任“海东云舰”、“振威舰”、“飞霆舰”等兵船管带。

1880年李鸿章为建设北洋水师而搜集人才，因邓世昌“熟悉管驾事宜，为水师中不易得之才”而将其调至北洋属下，先后担任“飞霆”、“镇南”蚊炮船管带。同年冬天北洋在英国定购的“扬威”、“超勇”两艘巡洋舰完工，丁汝昌水师官兵200余人赴英国接舰，邓世昌随往。1881年11月安然抵达大沽口，这是中国海军首次完成北大西洋——地中海——苏伊士运河——印度洋——西太平洋航线，大大增强了中国的国际影响，邓世昌因驾舰有功被清廷授予“勃勇巴图鲁”勇名，并被任命为“扬威”舰管带。

1887年春，邓世昌率队赴英国接收清政府向英、德订造的“致远”、“靖远”、“经远”、“来远”四艘巡洋舰，是年底回国。归途中，邓世昌沿途安排舰队操演练习。因接舰有功，升副将，获加总兵衔，任“致远”舰管带。

1888年，邓世昌以总兵记名简放，并加提督衔。是年10月，北洋海军正式组建成军，邓世昌升至中军中营副将，1891年，李鸿章检阅北洋海军，邓世昌因训练有功，获“葛尔萨巴图鲁”勇名。

1894年9月17日在大东沟海战中，邓世昌指挥“致远”舰奋勇作战，后在日舰围攻下，“致远”多处受伤全舰燃起大火，船身倾斜。邓世昌鼓励全舰官兵道：“吾辈从军卫国，早置生死于度外，今日之事，有死而已！”“倭舰专恃吉野，苟沉此舰，足以夺其气而成事”，毅然驾舰全速撞向日本主力舰“吉野”号右舷，决意与敌同归于尽。倭舰官兵见状大惊失色，集中炮火向“致远”射击，不幸一发炮弹击中“致远”舰的鱼雷发射管，管内鱼雷发生爆炸导致“致远”舰沉没。邓世昌坠落海中后，其随从以救生圈相救，被他拒绝，并说：“我立志杀敌报国，今死于海，义也，何求生为！”所养的爱犬“太阳”亦游至其旁，口衔其臂以救，邓世昌誓与军舰共存亡，毅然按犬首入水，自己亦同沉没于波涛之中，与全舰官兵250余人一同壮烈殉国。

邓世昌牺牲后举国震动，光绪帝垂泪撰联“此日漫挥天下泪，有公足壮海军威”，并赐予邓世昌“壮节公”谥号，追封“太子少保”，入祀京师昭忠祠，御笔亲撰祭文、碑文各一篇。清廷还赐给邓母一块用1.5公斤黄金制成的“教子有方”大匾，拨给邓家白银10万两以示抚恤。邓家用此款在原籍广东番禺为邓世昌修了衣冠冢，建起邓氏宗祠。威海百姓感其忠烈，也于1899年在成山上为邓世昌塑像建祠，以志永久敬仰。

邓世昌的壮举将被后人永远铭记!

蔡锷

蔡锷（1882年—1916年）原名艮寅，字松坡。汉族，湖南宝庆（今邵阳）人，中华民国陆军上将。1911年云南重九起义的主要领导者，总指挥。1915年云南护国起义的主要组织者和领导者，中华民国开国元勋。我国近代著名的革命家，军事家，政治家，爱国将领。中华民国历史上第一位享受国葬殊荣的革命元勋。

蔡锷生于湖南省宝庆府武冈州山门镇大坝上（今洞口县水东乡杨万村大坝组）一个贫寒的裁缝家庭，1887年随家人迁至武冈山门黄家桥（今洞口县山门镇）。幼年在私塾读书。12岁考中秀才。16岁考入长沙时务学堂，师从梁启超、谭嗣同，并受到该学堂中文总教习梁启超的赏识，建立起深厚的师生友谊。后入上海南洋公学（后更名为“国立交通大学”，即今天“上海交通大学”与“西安交通大学”的前身）。1899年赴日本，就读于东京大同高等学校、横滨东亚商业学校。

这时，中国在腐败的清王朝统治下，山河破碎，国力孱弱，帝国主义虎视鹰瞵，民族危机空前严重。蔡锷像许多热血青年一样，怀着急迫的心情，寻求救国救民的道路。

1900年，蔡锷随唐才常回国参加自立军起义。失败后改名“锷”，立志“流血救民”。复去日本。先入成城学校，继入陆军士官学校，学习军事，曾参与组织“拒俄义勇队”。

1902年11月，蔡锷又考入东京陆军士官学校。他思想活跃，成绩突出，与同学蒋方震、张孝准同被称为“中国士官三杰”。当时，他虽然热切地希望变中国为世界第一等强国，但是还没有确立以暴力推翻清王朝的革命思想，仍然抱着从改革军事入手，帮助清廷革除弊政，借以实现富国强兵的理想。

1904年初，蔡锷从日本士官学校毕业归国。先后应聘任江西随军学堂监督、湖南教练处帮办、广西新军总参谋官兼总教练官、广西测绘学堂堂长、陆军小学总办等职。年轻英俊的蔡锷，脚穿长统靴，腰挎指挥刀，每天扬鞭跃马，威风凛凛，指挥练兵。他讲解精辟，技艺娴熟，要求严格，深受官兵敬佩，被赞誉为"人中吕布，马中赤兔"。不久，云南总督李经羲聘请他到云南担任军职。

当时，云南和全国一样，民族矛盾和阶级矛盾都十分尖锐，以推翻清王朝为宗旨的民主革命运动正在酝酿之中。大批同盟会会员和从日本回国的思想激进的青年军官，分布在云南陆军讲武堂和新军第19镇中。他们活动频繁，积极策划和组织反清革命斗争。蔡锷虽未参加同盟会，却受到日益高涨的革命形势的影响，暗中与同盟会保持联系，对革命党的活动给予同情和协助。他向同盟会员保证：一旦发生革命，一定给予“绝对同情支持”。

1911年（宣统三年）初调云南，任新军第十九镇第三十七协协统。蔡锷在就任云南都督后，积极更新人事，革除弊政，整顿财政，裁减军队，兴办教育，开发实业，使云南呈现出一派生气勃勃的景象。

1911年10月30日，蔡锷与革命党人李根源等在昆明领导新军响应武昌起义，被推为临时革命总司令。旋成立云南军政府，任都督。

1913年10月被袁世凯调至北京，加以笼络与监视。蔡锷任全国经界局督办。他一方面领导经界局工作，另一方面仍热心于军事学术活动。他与蒋方震、阎锡山等11人组织军事研究会，深入研究各种军事学术问题。其间，他不断上书袁世凯，为国防建设和军队建设献计献策，倾诉他希望建设一支强大武装力量的强烈愿望。然而，野心勃勃的袁世凯不仅对蔡锷改革军事的热望不予理睬，反而倒行逆施，疯狂地进行军事独裁和复辟帝制活动。

最初，蔡锷对袁世凯抱有幻想，认为他“宏才伟略，群望所归”。但是，1915年5月25日，袁世凯与日本帝国主义秘密签订卖国的《二十一条》，深深刺痛了蔡锷，使他看清了袁世凯的反动面目，8月，在袁世凯的授意下，北京出现了一个打着“筹一国之治安”旗号的“筹安会”，公然为复辟帝制制造舆论。12月，袁世凯完成了复辟帝制的准备，于12日宣布接受帝位，下令取消民国，改用洪宪年号。

袁世凯复辟帝制的活动，使蔡锷气愤已极，他决心以武力“为四万万人争人格”。于是他表面上装出不关心政治的样子，常去北京八大胡同，与名妓小凤仙厮混，以蒙蔽袁世凯，暗中却多次潜赴天津，与老师梁启超商量讨袁计划，并初步拟定了赴云南发动武装起义的战略设想。内容是：“云南于袁氏下令称帝后即独立，贵州则越一月后响应，广西则越两月后响应，然后以云贵之力下四川，以广西之力下广东，约三四个月后，可以会师湖北，底定中原。”这是个符合当时客观实际的颇具胆识的战略构想。

1915年11月，蔡锷秘密离京赴津，旋以治病为名东渡日本，后经台湾、香港、越南，于12月19日抵达昆明。在民主革命志士云集的云南军队中，从8月中旬“筹安会”成立时起，中下级军官就积极活动，酝酿发动讨袁起义。1915年9月11日以后，以唐继尧为首的团以上军官，又多次举行秘密会议，确立了护国讨袁的战略决策，并着手进行战争准备工作。蔡锷抵达昆明，加速了云南反袁武装起义的爆发。

12月25日，云南宣布独立，组织护国军，发动护国战争。蔡锷任护国军第一军总司令，唐继尧为云南军政府都督，组成护国军三个军，分别从四川、湘西和广西三个方向出师讨袁。蔡锷率4个梯团（旅）约8000人入川，拟对川边敌军突然袭击，出奇制胜，夺占叙州（今宜宾）、泸州诸要地，再北攻成都、东取重庆，尔后挥师东下，会师武汉。

1916年春蔡锷率部在四川纳溪、泸州一带击败优势袁军，迫袁世凯取消帝制。

四川战役是护国军在大洲驿休整数日，士气复振，蔡锷决定对敌反攻的一次战役。这次反攻，无论是在制定计划，组织协同，还是实施指挥诸方面，都有条不紊，果断坚决，在整个护国战争中，堪称精彩的一幕。3月16日，蔡锷令右翼赵又新梯团自白节滩经双合场进攻纳溪侧背，为主攻；中路顾品珍梯团一部由渠坝驿沿叙永河向纳溪正面佯攻，朱德、张煦两支队从侧翼向兰田坝迂回前进，阻击泸州援纳之敌，刘存厚师进规牛滚场，威胁江安守敌，掩护主力攻纳。17日，几路部队同时向敌发起进攻，连战皆捷，朱德一路甚至挺进到距泸州仅几公里的地方。敌人退到纳溪外围组织环形防御。蔡锷见各路进展缓慢，恐合江之敌抄袭后路，遂于24日令各路军队撤出战斗，退回出发地。经此一战，敌主力“第七师将校伤亡殆尽，士兵损失过半，已无再战能力”。

护国军以弱于敌人的兵力，在饷弹两缺，后方接济时断的情况下，与号称精锐的北洋军奋战数月，虽没有夺占泸州，却牵制住了敌军主力，阻止了敌军的推进，有力地配合了其它方向军队的行动，推动了全国反帝制运动的发展壮大。1916年3月22日，袁世凯被迫宣布取消帝制。泸州前线总司令张敬尧见胜利无望，也在1916年3月31日与蔡锷达成停战协议。

袁世凯死后，黎元洪继任为民国大总统，1916年7月6日任命蔡锷为四川督军兼省长。但是，这时蔡锷的病情恶化，他草草处理了川省善后事宜，即于9月东渡日本治喉癌。1916年11月8日上午，终因医治无效，病逝于日本福冈，年仅34岁。

1917年4月12日，蔡锷魂归故里，北洋政府在长沙岳麓山为他举行国葬，蔡锷也成为民国历史上的“国葬第一人”。

蔡锷是辛亥革命时受人称颂的风云人物。他短暂的一生主要做的两件事，即参加领导辛亥云南重九起义和反袁护国战争，在当时的历史条件下都是进步的，其功绩不可抹杀。

第四章　思想家与革命家

老 子

老子，姓李名耳，字伯阳。老子有两个可能的身份，一是老聃，一是老莱子。中国春秋时代思想家，老聃曾担任守藏史（藏书室室长）。著有《道德经》一书，是道家学派的经典著作，他的学说后被庄周发展。道家后人将老子视为宗师，与儒家的孔子相比拟，史载孔子曾向老子请教关于礼的问题。到了唐朝武宗时期，老子被定为是三清尊神之一太上老君的第十八个化身，但是早期的道士认为老子是太清神的手下。老子与后世的庄子并称“老庄”。

相传老子的母亲怀了九九八十一年身孕，从腋下将他产出，老子一生下来就是白眉毛白胡子，所以被称为老子；老子生活在春秋时期，曾在周国都洛邑任藏室史（相当于国家图书馆馆长）。他博学多才，孔子周游列国时曾到洛邑向老子问礼。老子晚年乘青牛西去，在函谷关（位于今河南灵宝）写成了五千言的《道德经》（又称《道德真经》，或直称《老子》或《老子五千文》）。

相传老子在此点化了函谷关总兵伊喜。后一路西行至盩厔（今陕西省西安市周至县），观此处依山傍水（终南山田峪河）、峰峦起伏，遂在此驻足，并结草为楼修行说经。沿传至今世称楼观台。内存历代文人骚客墨迹碑石三百余座。史称道教发源地。老子羽化后葬于距此八公里的西楼观，现存老子墓。

《老子》含有丰富的辩证法思想，老子哲学与古希腊哲学一起构成了人类哲学的两个源头，老子也因其深邃的哲学思想而被尊为“中国哲学之父”。

“道”是老子思想体系的核心。

他说：“道生一，一生二，二生三，三生万物。”（《老子》四十二章）认为一切由道生出。当前学术界对老子“道”的理解，有较多的分歧。一种意见认为“道”是先天地而生的精神性实体，《老子》第二十一章说：“道之为物，惟恍惟惚，惚兮恍兮，其中有象；恍兮惚兮，其中有物。”第十四章又说：“无状之状，无象之象，是谓恍惚。”这里恍惚的“道”就是观念，或说是超时空的绝对理念。又如第二十五章说：“有物混成，先天地生，寂兮寥兮，独立而不改，周行而不殆，可以为天下母。”这里的“道”也是先天地而生的世界万物的本原，是无形无声、独立于整个自然界之外而永远不变的绝对精神。第四十章说：“天下万物生于有，有生于无。”在这里生于“无”即是生于“道”，“道”就是“无”，二者都是虚无的本体或精神的实体，从而表现出客观唯心主义的宇宙观。另一种意见认为，老子的“道”在哲学上不反映唯心论，因为“道”是“有象”“有物”的，《老子》的“道生一”等于《淮南子·天文训》的“道始于一”，“一”是“道”相对于个别事物的一种称谓。此外，还有人认为老子的哲学思想是矛盾的，既有唯心主义的一面，也有唯物主义的一面，总体上可归结为客观唯心主义。

其次，《老子》具有朴素辩证法思想。

老子认为自然界和人类社会都是变动不居的。他观察到天地间万物万事存在着互相矛盾的两个对立面，例如有无、刚柔、强弱、祸福、兴废等等，它们都是互相依存、互相联结的。他认为，没有“有”，就无所谓“无”；没有“难”，就无所谓“易”；没有“长”，就无所谓“短”。所以说：“有无相生，难易相成，长短相形。”还说“贵以贱为本，高以下为基”，“祸兮福所倚，福兮祸所伏”，表明了对立面双方的同一性。老子还认识到对立面不是一成不变的，它们在向相反的一面转化，他说：“正复为奇，善复为妖。”认为正常能转化为反常，善良能转化为妖孽，委曲反能保全，屈枉反能伸直，低下反能充满，破旧反能新鲜，少取反能多得。老子虽讲对立面的同一性，但不讲对立面的斗争。他反复强调“圣人之道，为而不争”，“以其不争，故天下莫能与之争”。不是以实际行动去解决矛盾，而是极力保持现状，回避矛盾的急剧转化。

老子的辩证法思想在军事战略战术的运用方面也很突出。在战术上，他主张“以奇用兵”，并指出：一个好的军人不会耀武扬威，一个善于打仗的人不会暴躁发怒，一个善于战胜敌人的人不会跟敌人硬拼。还要注意“将欲弱之，必固强之”，“将欲夺之，必固与之”。在战略上，他提出“柔弱胜刚强”的指导思想，他说天下没有比水更柔弱的东西，但攻坚的力量莫过于它。他还举例说明柔弱的东西属于生存一类，从树木强大会折断，推断出军队强大就会覆灭。这种战略思想有防止盲目骄傲的一面，但也具有极大的片面性。

此外，在认识论上，老子否认人的认识来源于感觉经验，说“不出户，知天下；不窥牖，知天道。其出弥远，其知弥少。是以圣人不行而知，不见而名，不为而成”。这是一种唯心主义的先验论。他还宣扬“涤除玄览”的直观方法，教人们洗心内照。他站在统治者的立场上，反对启迪民智，要人们做到“绝圣弃智”，“绝学无忧”。他认为，“古之善为道者，非以明民，将以愚之。民之难治，以其智多”。因此，他公开主张实行愚民政策，要求做到“常使民无知无欲”。

最后，在社会历史观上，老子主张“小国寡民，使民有什伯之器而不用，使民重死而不远徙。虽有舟舆，无所乘之；虽有甲兵，无所陈之；使人复结绳而用之”，“邻国相望，鸡犬之声相闻，民至老死不相往来”。从而，向往结绳记事的原始社会，认为在这种社会中人民会“甘其食，美其服，安其居，乐其俗”，表现出复古倒退的消极思想。但老子在宇宙观上摆脱天神的主宰，首先提出了“道”这一最高的哲学概念，以“道”为天地万物存在的本原，对于历代的思想家曾发生过深刻的影响。

孔　子

孔子（公元前551年—公元前479年），名丘，字仲尼。春秋末期鲁国陬邑的思想家和教育家、政治家，开创儒家之风，仁学派创始人，集华夏上古文化之大成，在世时已被誉为“天纵之圣”、“天之木铎”。被后世统治者尊为孔圣人、至圣、至圣先师、万世师表，是“世界十大文化名人”之首。孔子的儒家思想对中国和朝鲜半岛、日本、越南等地区有深远的影响。1999年10月9日召开纪念孔子诞辰2550周年大会。

孔子的父亲叔梁纥（叔梁为字，纥为名）是鲁国出名的勇士，叔梁纥晚年与年轻女子颜氏生下孔子。由于孔子刚出生时头顶的中间凹下；又因孔子的母亲曾去尼丘山祈祷，然后怀下孔子，故起名为丘，字仲尼。孔子三岁时，叔梁纥病逝，之后，孔子的家境相当贫寒。

孔子极为聪明好学，二十岁的时候，就已经非常渊博，被当时人称赞为“博学好礼”。同时，鲜为人知的是孔子继承了父亲叔梁纥的英勇，身高九尺三寸（今1.9米以上），臂力过人。并且，孔子酒量超凡，据说从来没有喝醉过。但孔子从不以武勇和酒量等为豪。孔子青年时代曾做过“委吏”（管理仓库的小官）、“乘田”（管理牧场的小官），事无大小，均能做到近乎完美。由于孔子超凡的能力和学识，很快得到不断提拔。到孔子五十一岁的时候，被任命为中都宰（相当于现在的市长），政绩非常显著；一年后升任司空（相当于现在的建设部长），后又升任大司寇（相当于今天的公检法司最高长官）；五十六岁时，又升任代理宰相，兼管外交事务（由于孔子升迁过快，不符合当时官员晋升标准，因此为代理宰相）。

孔子执政仅三个月，鲁国内政外交等各个方面就均大有起色，国家实力大增，百姓安居乐业，各守礼法，社会秩序非常好（史书上称“路不拾遗，夜不闭户”），奸佞之人和刁民纷纷出逃；同时，孔子还通过外交手段，逼迫齐国将在战争中侵略鲁国的大片领地还给了鲁国。孔子杰出的执政能力让齐国倍感威胁，于是设置送鲁哀公美女良马从而让鲁国国君沉溺于酒色中这样卑鄙的计谋，以此挤走道德至圣的孔子。孔子离开鲁国后周游列国，虽然大多数时候都受到了国君的礼遇，但由于孔子坚持的政治理想与当时急功近利的“霸道”不相符合，历经十四载不得重用。于是孔子于公元前484年六十八岁时返回鲁国。由于种种原因，孔子在政治上没有过大的作为，但在治理鲁国的三个月中，足可见孔子无愧于杰出政治家的称号。

政治上的不得意，使孔子将很大一部分精力用在教育事业上，孔子任鲁国司寇；后携弟子周游列国；最终返回鲁国，专心执教。孔子打破了教育垄断，开创了私学先驱。孔子弟子多达三千人，其中贤人72，并且有很多皆为各国高官栋梁。孔子对后世影响深远，他在世时已被誉为“天纵之圣”、“天之木铎”、“千古圣人”，是当时社会上最博学者之一，并且被后世尊为至圣（圣人之中的圣人）、万世师表。曾修《诗》、《书》，定《礼》、《乐》，序《周易》，作《春秋》（有说法为《春秋》为无名氏所作，孔子修订）。

此外，面对春秋末期急剧变革的社会现实，孔子汲取夏商的文化营养，继承周代的文化传统，创立了包括哲学、政治、伦理、道德、教育等思想在内的完整学说。孔子思想的精华主要体现在以下几个方面：

一是“礼”。这是孔子思想的一个重要范畴。“礼”作为一种社会行为规范，由来已久。在孔子看来，“礼”是从天子到庶人，人人必须遵守的行为规范。孔子所谓的“礼”，包含内在精神和外在形式两方面。其内在精神是维护当时的宗法等级制度及相应的各种伦理关系。他认为，讲“礼”更重要的不在于形式，而在贯彻其内在精神。“礼”所讲的行为准则，也具有教化性质，要义是要求人们通过加强修养，自觉地约束自己，达到人际关系的协调，因而在精神上与“仁”、“德”互相渗透贯通，所以孔子明确地把二者结合起来，认为“克己复礼为仁。一日克己复礼，天下归仁焉”。

二是“仁”。“仁”是孔子思想的核心。孔子丰富了“仁”的内涵，升华了“仁”的意义，明确提出“仁”即“爱人”，并进一步阐明“夫仁者，己欲立而立人，己欲达而达人”。为“仁”，应该做到“己所不欲，勿施于人”。这是一种深刻的人本主义哲学思想，这种思想贯穿于孔子思想学说的各个方面。孔子特别强调“仁”的价值和作用，认为“仁”既是每个人必备的修养，又是治国平天下必须遵循的原则。他在倡导“仁”、“德”的基础上，进而提出了一种“大同”的社会理想，这实际上就是“仁”的精神得到充分而全面体现的社会。“大同”的理想难以实现，孔子退而提出“小康”社会的理想，这是初步贯彻“仁”之精神的社会。

三是“中庸”。孔子的“中庸”思想，既具有哲学方法论的意义，又具有品德修养的意义。就方法论来说，其要点有二：一是“中”，二是“和”。孔子所谓“中”，是指在认识和处理客观事物时，要做到“适度”、“恰如其分”，而其基础就是从实际出发。孔子主张“君子和而不同”，即不同事物之间，两方在地位和伦理关系上、责任和义务上各有不同，甚至在对待事物的观点方法上也有所不同，但通过彼此间的谅解与协调，可以达到关系的和谐与统一。孔子还提出了“和为贵”的观点，强调差别之间、不同等级之间关系的协调与和谐。这种强调协调与和谐的观点，在处理人际关系上，乃是一种有社会普遍意义的原则。

四是“教”与“学”。孔子“教”与“学”的思想是儒家思想中的重要组成部分。他提倡“知之为知之，不知为不知，是知也”。称“三人行，必有我师焉。择其善者而从之，其不善者而改之”。孔子创办私学，提出“有教无类”，开平民也能接受教育的先河。对于学习目的，孔子提出“学而优则仕”，支持平民出身的学生从政施展才能。他强调学与见闻结合，学与思结合。他说：“学而不思则罔，思而不学则殆。”一方面要求把思考分析建立在学习探求基础上，另一方面又要求把学到、听到和见到的东西加以分析研究，变成自已的知识。他还强调学与行结合，他说：“君子欲讷于言而敏于行。”孔子的教育实践与经验，为中国传统教育理论的形成奠定了基础。

孔子一生，最重要的业绩是：创办私学，有教无类，开创了中国“平民教育”的崭新格局；创立儒家学说，成为中国思想文化的主脉；整理典籍，对传统文化的保存、传播居功至伟。他是人类历史上仅有的几位对一个民族的精神生活产生深刻影响，持续两千余年而不灭的伟大先哲之一。因此，他当之无愧地成为中华文化的代表。

管 仲

管仲（？—前645年），名夷吾，字仲，又称管敬仲。周王同族姬姓之后，生于颍上（颍水之滨）。春秋时杰出的政治家、著名的军事家、军事改革家，以其卓越的谋略辅佐齐桓公成为春秋时第一个霸主。管仲的言论见《国语·齐语》。另有《管子》一书传世。

管仲家贫，自幼刻苦自学，通"诗"、"书"，懂礼仪，知识丰富，武艺高强。他和挚友鲍叔牙分别做公子纠和公子小白的师傅。齐襄公十二年（前686年），齐国动乱，公孙无知杀死齐襄王，自立为君。一年后，公孙无知又被杀，齐国一时无君。逃亡在外的公子纠和小白，都力争尽快赶回国内夺取君位。管仲为使纠当上国君，埋伏中途欲射杀小白，箭射在小白的铜制衣带钩上。小白装死，在鲍叔牙的协助下抢先回国，登上君位。他就是历史上有名的齐桓公。桓公即位，设法杀死了公子纠，也要杀死射了自己一箭的仇敌管仲。鲍叔牙极力劝阻，指出管仲乃天下奇才，要桓公为齐国强盛着想，忘掉旧怨，重用管仲。桓公接受了建议，接管仲回国，不久即拜为相，主持政事。管仲得以施展全部才华。

起初，管仲向桓公提出修好近邻、先内后外、待时而动的治国求霸之策，而桓公未听其言，于次年轻率攻鲁，在长勺之战中被鲁军击败。

战后，为使齐国尽快富强起来，达到民足、国富、兵强，管仲进行了一系列改革。

在经济方面，他强调"仓廪实而知礼节，衣食足而知荣辱"，认为国家能否安定，人民能否守法，都与经济是否发展密切相关。他废除了齐国仍保留的公田制，实行按土地肥瘠定赋税轻重的土地税收政策，使赋税趋于合理，提高了人民生产的积极性。设盐官煮盐，设铁官制农具，发展渔业，由国家铸造钱币调节物价，推动商品流通；鼓励商民与境外的贸易。齐国的经济得到快速发展。在政治方面，整顿行政区划和机构。把国都划分为21个乡。其中工商乡6个，乡民专营本业，不服兵役；农乡15个，乡民平时种田，战时当兵。国都以外划分为邑、卒、乡、县，均设官员管理。10县为1属，全国共有5属，设5位大夫管理。每年初，5位大夫要向国君报告属内情况。这就形成了对全国的统治。在军事方面，管仲认为兵在精不在多，强调寓兵于农，把行政上的保甲制度同军队组织紧密结合起来。在农乡，5家为1轨，10轨为1里，4里为1连，10连为1乡，5乡为1军。每家出1人当兵，1军为1万人。全国有3军，国君自率1军，二位上卿各率1军。每年春秋通过狩猎训练军队，提高军队的战斗力。

齐国由于管仲实行改革，很快强盛起来。管仲又向齐桓公提出了实现在中原称霸的谋略，即“尊王攘夷”。所谓“尊王”，就是拥护周王室。那时，西周王室衰微，造成列国互相争战。首先举起尊王的旗帜，就能借周天子之命，名正言顺地得到盟主的地位。所谓“攘夷”，是指当时我国北方的狄人和戎人借中原各国争战之机内侵，对各国造成严重威胁，领头伐夷就能得到各国的拥戴。

齐桓公三十四年（前652年），周惠王去世。齐桓公会同各诸侯国拥立太子郑为天子，这就是周襄王。周襄王即位后，派人送祭肉给桓公以示嘉奖。桓公在葵丘（今河南考城附近）召集各诸侯国会盟，举行受赐典礼，并依据管仲的建议，订立了盟约。至此，齐桓公在管仲辅佐下，先后主持了三次武装会盟、六次和平会盟，还辅助王室一次，史称“九会诸侯，一匡天下”，成为公认的霸主。管仲为创立霸业立下了不朽的功勋。因有殊勋于齐，被桓公尊为仲父。

管仲死后，他的著作被收到《管子》中流传后世。

管仲的一生，不仅建立了彪炳史册的功勋，还给后世留下了一部以他名字命名的巨著——《管子》。书中记录了他的治国思想，对后世影响深远。

墨　子

墨子，名翟，是战国著名思想家、政治家。春秋末战国初期鲁国人，生卒年不详，约为前479年—前381年以内。他提出了“兼爱”、“非攻”、“尚贤”、“尚同”、“天志”、“明鬼”、“非命”、“非乐”、“节葬”、“节用”、“交相利”等观点，创立墨家学说，并有《墨子》一书传世。

墨翟相传原为宋国人，出生在鲁阳（指西鲁，即今河南鲁山县）。后长期住在鲁国。墨子可能是出生在宋国一个以木工为谋生手段的手工业者家庭。当时的社会是一个“处工就官府”的社会，即工匠处于官府的严格控制之下，隶属和服务于官府，社会地位十分低下。而当时的工匠是世袭的，因此墨子从小就承袭了木工制作技术，由于他的聪明巧思，使他成为了一名高明的木工匠师和杰出的机械制造家，为他后来的社会活动奠定了良好的基础。

他精通手工技艺，可与当时的巧匠鲁班相比。他自称是“鄙人”，被人称为“布衣之士”和“贱人”。汉朝的王充甚至说，孔子和墨子的祖先都是粗鄙之人。墨子曾做宋国大夫，自诩说“上无君上之事，下无耕农之难”，是一个同情“农与工肆之人”的士人。

墨子曾经从师于儒者，学习孔子之术，称道尧舜大禹，学习《诗》、《书》、《春秋》等儒家典籍。但后来逐渐对儒家繁琐礼乐感到厌烦，最终舍掉了儒学，形成自己的墨家学派。墨家是一个宣扬仁政的学派。在代表新型地主阶级利益的法家崛起以前，墨家是先秦和儒家相对立的最大的一个学派，并列“显学”。《韩非子·显学》记载：“世之显学，儒墨也；儒之所至，孔丘也；墨之所至，墨翟也。”

墨子一生的活动主要在两方面，一是广收弟子，积极宣传自己的学说。二是不遗余力地反对兼并战争。

为宣传自己的主张，墨子广收门徒，一般的亲信弟子达到数百人之多，形成了声势浩大的墨家学派。墨子的行迹很广，东到齐、鲁，北到郑、卫，南到楚、越。

墨子为鲁人（今山东滕州），为宣传自己的主张，曾到过宋、卫、楚、齐等国，并打算到越国，但终未成行。其主要事迹有：阻止鲁阳文君攻郑，说服公输般而止楚攻宋。

除了亲身实践，宣传自己的学说；墨子还让弟子及再传弟子记录自己言行，并汇集成册，传播民间，即后来的《墨子》一书。它是研究墨子思想的直接材料，墨子学说思想共包括以下几点：

①兼爱非攻。所谓兼爱，包含平等与博爱的意思。墨子要求君臣、父子、兄弟都要在平等的基础上相互友爱，“爱人若爱其身”，并认为社会上出现强执弱、富侮贫、贵傲贱的现象，是因天下人不相爱所致。

②天志明鬼。宣扬天志鬼神是墨子思想的一大特点。墨子认为天之有志——兼爱天下之百姓。因“人不分幼长贵贱，皆天之臣也”，“天之爱民之厚”，君主若违天意就要受天之罚，反之，则会得天之赏。墨子不仅坚信鬼神其有，而且尤其认为它们对于人间君主或贵族会赏善罚暴。墨子宗教哲学中的天赋人权与制约君主的思想，是墨子哲学中的一大亮点。

③尚同尚贤。尚同是要求百姓与天子皆上同于天志，上下一心，实行义政。尚贤则包括选举贤者为官吏，选举贤者为天子国君。墨子认为，国君必须选举国中贤者，而百姓理应在公共行政上对国君有所服从。墨子要求上面了解下情，因为只有这样才能赏善罚暴。墨子要求君上能尚贤使能，即任用贤者而废抑不肖者。墨子把尚贤看得很重，以为是政事之本。他特别反对君主用骨肉之亲，对于贤者则不拘出身，提出“官无常贵，民无终贱”的主张。

④节用节葬。节用是墨家非常强调的一种观点，他们抨击君主、贵族的奢侈浪费，尤其反对儒家看重的久丧厚葬之俗。认为君主、贵族都应像古代大禹一样，过着清廉俭朴的生活。墨子要求墨者在这方面也能身体力行。

墨子还不遗余力地反对兼并战争。春秋无义战。当时贵族之间不断地进行残酷的掠夺战争。墨子接近劳动者，同情小生产者、小私有者，对他们在战争中所遭受的痛苦有深刻的认识，因而他反对侵略战争的思想感情也非常强烈。他坚决地、无情地揭发了当时侵略战争给广大人民群众带来的灾难。

《墨子》一书中详尽描述了那些被围困在城内的人民痛苦的遭遇：男女老幼皆参加守城，民间粮食、布帛、金钱、牛马畜产等一切可用的物品，都被公家征用。自围城之日起，百姓便食不果腹，平均每天只吃三升多粮食（约合现在大半升）。既有作战死伤，又要忍饿破产。沉重的战役负担和不可估计的财产损失已很惊人，如果战争长期不结束，围城中的人民就要遭受到更多的苦难。由于和侵略者的军队长期相持，有时甚至弄到“易子而食，析骨而爨〔窜〕”（《左传·宣公十五年》）。至于城池被攻破后，百姓的命运将会更加悲惨。总之，在战争中，不管胜利或失败，受苦受难的永远是双方百姓。

被侵略的战败国人民的命运不消说是很悲惨的，那些强大的侵略国的人民又是过着什么样的生活呢？他们的命运和遭遇并不比被侵略的弱小国家的人民好多少，疾病、创伤、破产、死亡的命运也在等待着他们。发胜利财的是那些王公大人，倒霉的却还是人民群众、小生产者。墨子也无情地揭露战争给侵略国人民带来的灾难。他曾用一个生动的比喻来说明战争的害处。他把战争比作医病，说比如有一种药，一万人吃了，只好了四五个人，这种药就是无效而有害的。战争的结果如果只便宜了荆吴之王、齐晋之君，这就肯定战争是极端有害的，所以应当反对。

不仅如此。墨子还是一个科学家，墨家也是一个科学家集团。他们在数学、物理学、医学、逻辑学等方面都有杰出的贡献，在中国古代科学史上占有重要地位。据《韩非子》记载，墨子是第一个削木制成人工飞鸢这一自动飞行器械的人。但是，墨子并不以此为傲，因为这类自动飞行器械，对人民并没有多大好处。在《墨子·公输》里，就申述了这一观点：公输般在墨子之后，也制作了一只可以飞三天的人工飞鹊，墨子看后，对他说了这么一番话：这还比不上木匠的车轮，他削三寸的木头，就可以载重五十石。有利于人的就是巧，不利于人的就是拙。从而委婉地劝诫公输般致力于对民众有利的建筑机械的制作。活动装置的云梯也是墨子第一个发明的。虽然在《墨子·公输》中，记叙有“公输般为荆制造云梯之械，将以攻宋”这样的文字，但这并不一定意味着公输般是这个器械的第一个制造者。首先，从以后发生的事情看，公输般的云梯似乎对进攻并不十分有效，而《墨子》不仅能战胜它，而且能够击败公输般的其他武器的进攻。其次，公输般没有告诉我们云梯是怎样制造的，而墨子在《墨经》中却对此作了详细描述。因此我们有理由相信墨子是云梯的第一个制造者和发明者。

墨子还善于把他的应用科学运用于旨在防御侵略战争的军事战略和技术方面，在《墨子·备穴篇》里，记述墨子应用声学原理，沿城墙根每隔一定距离挖一口井，然后在井下放置一容量七八十升的陶瓮，瓮上蒙上皮革，作为地下共鸣箱。这是一种地下声源定向装置，听觉灵敏的人伏在瓮口谛听，遇有敌人挖坑道攻城，就可以根据各陶瓮的响声大小确定来敌的方向位置，以便出兵迎击。再如《墨子》中记载的战鼓的架必须有三条腿，则是重力法则的简单应用，篇中提到的用煮沸的液体防止敌人烟熏的方法，则是化学防御的简单应用……

墨子也是中国古代逻辑思想的重要开拓者之一。在《墨子》一书中，他比较自觉地、大量地运用了逻辑推论的方法，以建立或论证自己的政治、伦理思想。墨子最早提出名实必须相符的思想。他还在中国逻辑史上第一次提出了辩、类、故等逻辑概念。在《耕柱篇》中，要求“能谈辩者谈辩”，并要求将“辩”作为一种专门知识来学习。他在反驳别人的观点时常说“子未察吾言之类，未明其故也”，并把“无故从有故”，即没有理由的服从有理由的作为辩论的原则。墨子的“辩”虽然统指辩论技术，但却是建立在知类（事物之类）明故（根据、理由）基础上的，因而属于逻辑类推或论证的范畴。

鲁迅曾说：“墨子是‘中国的脊梁’，传奇式的伟大英雄。”季羡林也评价说：“墨子在人类文明史上，代表了一个时代的高度。他在哲学、教育、科学、逻辑、军事防御工程等许多领域，都有杰出的贡献，是一位伟大的平民圣人。”可见，中国出了一个墨子，是值得中国人骄傲的！

商 鞅

商鞅（约前390年—前338年），汉族，卫国（今河南安阳市内黄梁庄镇一带）人。战国时期政治家、思想家，著名法家代表人物。卫国国君的后裔，公孙氏，故称为卫鞅，又称公孙鞅，后封于商，后人称之商鞅。应秦孝公求贤令入秦，说服秦孝公变法图强。孝公死后，被贵族诬害，车裂而死。在位执政十年，秦国大治，史称“商鞅变法”。但最后还是死于自己的法。

商鞅“少好刑名之学”，钻研以法治国，受李悝、吴起等人的影响很大。后为魏国宰相公叔痤家臣，公叔痤病重时对魏惠王说：“公孙鞅年少有奇才，可任用为相。”又对惠王说：“王既不用公孙鞅，必杀之，勿令出境。”公叔痤死后，魏惠王对公叔痤嘱托不以为然，也就没有照做了。

后来，商鞅听说秦孝公下令，在国中寻求贤者，欲收复秦之失地，便携同李悝的《法经》到秦国去。通过秦孝公宠臣景监，商鞅三见秦孝公，提出了帝道、王道、霸道三种君主之策。只有霸道得到秦王的赞许。

公元前359年，正当商鞅辅佐秦孝公酝酿变法时，旧贵族代表甘龙、杜挚起来反对变法。他们认为利不百不变法，功不十不易器。商鞅针锋相对地指出：“治世不一道，便国不法古，故汤武不循礼而王，夏殷不易礼而亡。反古者不可非，而循礼者不足多。”从而主张“当时而立法，因事而制礼”（《商君书·更法篇》《史记·商君列传》）。这是以历史进化的思想驳斥了旧贵族所谓“法古”“循礼”的复古主张，为实行变法作了舆论准备。

此后，秦孝公下定决心变法，任命商鞅为左庶长，开始进行一系列重大改革。商鞅变法前后有两次。第一次是秦孝公六年（前356年）公布的，主要内容是：

一、编定户籍，实行“连坐”。规定五家为“伍”，十家为“什”，国家直接掌握全国的户口数，而且便于互相监督。一家犯法，其他家必须告发，不然就要一同受罚；告发人和杀敌者一样受奖，赐爵一级。

二、奖励军功，禁止私斗。新法规定：凡有军功者，均可得到赐爵、赐地、赐官等奖赏。与奖励军功相联系，对秦的爵制加以整顿，规定了爵位的二十个等级。宗室（国君的亲属）没有军功的，也不得享受特权，对田宅、臣妾都有明确的规定。这无非是鼓励人们为秦国的封建政权而勇敢作战。与此同时，商鞅变法还规定了禁止私斗。所谓私斗，并不是指一般人打架，而是指“邑斗”。“邑”是指一般的城镇，被奴隶主所占有。奴隶主之间为了争夺土地、财产，经常发生争斗。新法规定不准私斗，违犯者按情节轻重，给以不同的处罚。其目的是在于削弱奴隶主的势力，加强封建中央集权。

三、鼓励耕织，发展封建经济。新法规定，凡是一家有两个以上的成年男子就必须分家，否则就要加倍纳税。凡多打粮食和多织布的人，可以免除劳役和赋税；凡因经商及懒惰而贫困的，其全家则沦为官府的奴隶。

四、制定严厉的法令。商鞅以严厉的法令来维护封建地主阶级的利益。法令制定的原则是“轻罪重刑”，即使犯了很轻的“罪”，也要处以极重的刑罚。据说连“弃灰于道者”（把灰倒在路上），也要处以黥刑（黥刑是古代一种肉刑，用刀刺刻额颊等处，再涂上墨）。

为了取得民众的信任，商鞅在推行新法之前，想了些办法。据说，他在国都南门外立了一根三丈长的木头，下令说：“谁能把这根木头搬到北门去，就赏给他十金。”老百姓都很奇怪，没有人敢去试试。后又宣布赏五十金，一个不怕事的人把木头搬到北门，果真得了五十金。通过这件事，人们都相信商鞅说话是算数的。因此，商鞅抓住了这个时机，公布了新法。

新法公布之后，受到许多人的拥护，但也遭到了旧贵族的反对。太子明知故犯，破坏新法，商鞅决定依法处理太子。但太子是国君的继承人，不能施刑，就对太子的两个老师进行严厉的处罚。此后，再也没有人敢不遵守新法了。

商鞅因变法有功，于秦孝公十年（前352年）被提升为大良造（又称大上造，在秦的二十等爵中，属于第十六级）。为了进一步保护封建制，秦孝公十二年（前350年），商鞅又颁布了加速封建改革的法令：

一、普遍实行县制。商鞅变法前，只是在个别地区设立县。新法规定，全国普遍推广县制，把过去奴隶制的邑、聚等组织都合并为县。每县设立县令和县丞，这是地方行政长官。从此以后，县就成为封建地方政权的基本组织形式。这些官吏领取俸禄，由国君任免，与奴隶社会的世卿世禄制不同，它更有利于维护中央集权。

二、开阡陌（纵横道路）封疆（田界），承认土地私有。商鞅下令把过去国有土地上的纵横道路和田界清除掉，鼓励农民开垦荒地，承认土地私有，允许买卖。这样就以法律的形式废除了旧的土地制度，肯定了封建土地所有制。这一措施对封建制的确立和发展，具有很重要的意义。

三、统一度量衡。统一的办法是：规定全国的度量衡都必须统一进位制度，即把升、斗、丈、尺作统一规定；制造统一的标准度量衡器，发到全国各地。目的自然是为了加强对人民的剥削，但是，这种统一对当时的经济发展是有利的，也为后来秦始皇统一度量衡奠定了基础。

商鞅变法，不仅沉重地打击了旧贵族的势力，而且也促进了封建经济的发展，巩固了封建统治。经过多年的努力，秦国日益富强，逐步发展成为一个强国。

长期以来，魏对秦的威胁最大。因为魏当时是战国七雄中的头号强国，而秦国力量较弱，黄河以西大片土地一直在魏国的控制之下。商鞅变法之后，秦国兵强马壮，准备收复失地。秦孝公二十年（前340年），齐、赵两国又一次向魏进攻，魏国形势危急。商鞅认为这正是一个好机会，便率兵攻打魏国。魏国派公子卬为将，领兵抵抗秦军。从秦、魏当时的兵力而论，秦国想迅速取胜，还是困难很大的。于是，商鞅给公子卬写了一封信，叙谈在魏国的旧情，愿意罢兵和好，并约公子卬前来饮酒。魏国正处在几面受敌的境地，对于商鞅的邀请，公子卬深信不疑，前去会面。会面之后，正当饮酒时，早已埋伏好的秦兵一拥而上，将公子卬抓了起来。秦军趁势打败了魏军，取得了一次重大的胜利。魏国对外连年作战，国内空虚，只好把黄河以西大部土地割给秦国讲和。魏惠王想起公孙痤病重时向他推荐商鞅为相之事，十分后悔地说："我真恨我自己当初为什么不听公孙痤的话。"

商鞅打败魏军之后，秦孝公把於（今河南内乡县东）、商（今陕西商县东南）之地十五邑封给他，因而号为商君。

虽然商鞅变法使秦国日益富强，逐步发展成为一个强国。但商君之法太过刻薄寡恩，设连坐之法，制定严厉的法律，增加肉刑、大辟，有凿顶、抽肋、镬烹之刑。因此秦国贵族多有怨恨。

在商鞅相秦十年之后，赵良就代表贵族集团去见商鞅。开始时，赵良劝说商鞅让位，后来又劝商鞅取消残酷的刑罚，最后威胁商鞅，说他不遵守旧制，早晚要失败的。他还凶狠地说："孝公一旦死后，秦国想收拾你的人难道还少吗？你的末日快到了！”商鞅掌握秦国的军政大权，独断专行，因而同地主阶级内部的一些代表人物也发生利害冲突，积怨甚多。商鞅对于这种处境，自己也很害怕，每次出门，都要有武装卫士的保卫。

孝公二十二年（前338年），秦孝公病逝，太子驷即位，史称秦惠文王。公子虔诬告商鞅密谋反叛，惠文王下令逮捕商鞅，商鞅立即逃跑。当他在路上要求住店时，因没有任何凭证，店主不敢收留，并对他说：这是“商君之法”的规定。商鞅没有办法，又跑到魏国，魏国对他早已恨之入骨，他只好回到自己在秦国的封地商邑。他组织了一些人马，准备抵抗秦军，但寡不敌众，被惠文王的军队抓获。惠文王以残酷的刑法“车裂”，把商鞅处死。

秦惠文王及公子虔等杀死商鞅，这是地主阶级内部的矛盾，并不是新旧两种势力的斗争。因此，商鞅死后，秦国的改革并未停止，封建制继续发展，并不断地得到加强。

春秋战国之际，是我国奴隶制向封建制过渡的社会大变革时期。改革旧的制度，改变旧的不适合生产力发展的一切旧的上层建筑，这是时代的潮流，是历史发展的必然趋势。在这个动荡的时代里，商鞅作为新兴地主阶级的代表人物，敢于蔑视传统的势力和旧的习俗，积极投身于这场封建制改革运动之中，并使封建制度在秦国取得胜利，其历史功绩是应当予以肯定的。

孟　子

孟子（公元前372年—公元前289年），名轲，字子舆，战国中期邹国人。伟大的思想家、教育家和政治家，儒家学派的主要代表人物。孔子开创的儒家思想经孟子而发扬光大，长期影响着整个中国社会的发展和中华民族精神的塑造。

在孟子的早年教育中，孟子之父默默无闻，对他教育有功的主要是他的母亲。因此，后代广为流传“孟母三迁”、“断机教子”等故事。孟子幼年时甚得母教，这对他后来一生影响至大。

后来，孟子“受业于子思之门人”（《史记·孟子荀卿列传》），是孔子之嫡孙子思的再传弟子。后来人们以“思孟”并称，除了他们思想上的一致外，与这种师承也是有关的。

孟子学成之后，就开始“周游列国”，以学于诸侯。他游说诸侯的第一站是齐国，其时约40多岁。他本想通过正在“一鸣惊人”的齐威王施展其“仁政”理想，但不受齐威王的重用，只是被任为客卿。他听说宋王偃将要推行“王政”，就在约公元前323年之时离齐赴宋。但宋王偃并不打算接受孟子的主张，孟子只得“远行”，回到他的家乡邹国。在邹国，邹穆公曾向他请教为政，屋庐子、曹交、然友或向他问礼，或向他问学。而滕文公断然实行“三年之葬”，就是听从了孟子的指教。

公元前322年，鲁平公即位，用孟子弟子乐正子为政。孟子赶赴鲁国，由于乐正子的推荐，鲁平公准备乘车去见他。但因嬖人臧仓进谗，说孟子“后丧逾前丧”，不能算作贤者，于是鲁平公取消了这次会见。孟子在失望之下只好又返回邹国。

刚即位不久的滕文公礼聘孟子至滕，孟子在滕很受滕文公的敬重，滕文公还多次向他垂问治国大计。孟子于是系统地推出了他的“仁政”主张，并教以“小国事大国”之道。这时，农家的许行和陈相兄弟都来到了滕国。孟子与陈相辩论，用社会分工论、“物之不齐”说驳斥许行之说。

大约在公元前320年，孟子听说梁惠王“卑礼厚币以招贤者”（《史记·魏世家》），就离滕赴魏，来到了魏都大梁。

孟子一到魏国，梁惠王就向他请教治国之道，孟子以“先义后利”、

“与民同乐”、“勿夺农时”、“谨庠序之教”、“施仁政、省刑罚、薄税敛、深耕易褥”等一系列政见折服了他。可是，第二年梁惠王就死了，未能实行孟子的主张。他的儿子梁襄王即位，孟子觉得他不像一个有为之君的样子，就失望地离开了大梁。

公元前321年，齐威王卒。齐宣王即位，喜爱文学游说之士超过了梁惠王。邹衍、淳于髡、慎到、田骈、环渊等著名学者齐集齐之稷下学宫，宣王赐之以高第，赏之以大夫之禄，使之“不治而议论”国事。孟子得知消息，便带领他的弟子，经由范、平陆而到齐。

在齐国，孟子受到从未有过的礼遇，齐宣王授与他“卿”之高位，派他出使滕国，并屡屡向他问政。齐宣王喜好“齐桓晋文之事”，而孟子却大谈他的“仁政”主张（《孟子·梁惠王上》）。从“土地”方面，他提出了“制民之产”、“恒产恒心”、“不征不税”等说，在“人民”方面，他强调“保民而王”、“乐民之乐，忧民之优”、“为民父母”说；在“政事”方面，他严厉批评王公大臣，斥之为“污君”、“不肖者”，并且声言对无德之君可以“易位”，有时竟弄得齐宣王或“勃然变色”，或无言以对，只好“王顾左右而言他”（《孟子·梁惠王下》）。

公元前316年，燕王将王位让给了其相子之，引起了燕国内乱。齐大臣沈同私下问孟子是否可以伐燕，孟子认为可以。但齐宣王派匡章伐燕，孟子却认为是以暴伐暴（《孟子·公孙丑下》）。齐军攻下燕后，齐宣王想吞并它，征求孟子的意见，孟子认为要视燕国百姓而定。取燕后，面临着诸侯干涉的威胁，齐宣王又问计于孟子，孟子劝他速从燕国撤兵（《孟子·梁惠王下》），齐宣王拒不接受，结果君臣之间矛盾越来越大。齐宣王为了缓和矛盾，准备召见孟子，孟子却称病不朝。第二天却又出去吊东郭氏。齐王派人来问病，并派来了医生。孟仲子使人半路上阻拦孟子，劝他去朝见齐王，孟子却躲到景丑家留宿。面对景丑的指责，他却答以“将大有为之君，必有所不召之臣”（《孟子·公孙丑下》）。

公元前312年，燕人叛齐，齐宣王吞并燕国的计划彻底失败。为此，他自觉“甚惭于孟子”。齐臣陈贾在孟子前替齐王辩护，遭到了孟子的指责（同上）。自此，孟子就要辞去卿位，离齐还乡。宣王主动去见孟子，表示挽留，并打算在临淄城中给他一幢房舍，予以万钟的厚禄。孟子却不接受，决计离齐。在回邹国的途中，孟子心情非常复杂。他在齐边邑昼连住了三晚，希望齐宣王改变态度，亲自来昼挽留他。但齐宣王始终未来，他才在失望中离开了齐国。

孟子归邹之后，又到宋国活动，与宋轻相会于石丘。孟子肯定了宋轻的弭兵之志，但认为“怀利以相接”不如“怀仁义以相接”（《孟子·告子下》）。

公元前312年，孟子由宋归邹。他游说诸侯，遍历齐、魏、宋、鲁、滕诸国，奔波了35年而始终实现不了自己的“仁政”理想，就只好归隐故乡，一边从事教学，一边同他的弟子万章、公孙丑等人一起著《孟子》一书，记叙他一生的行事，阐述其思想学说。公元前305年，孟子老死于家乡邹国，享年85岁。

孟子在战国时期，被人称为迂夫子，因为他的学说当时被认为“迂阔而远于事情”，不切合战国时代急功近利，激烈竞争的社会现实。然而他始终坚持和宣传儒家的仁义礼智，讲解儒家的王道思想，推行儒家的仁政措施。虽然当时屡屡受挫，但历史证明孟子的思想对于后世是有深远的积极的影响。

庄　子

庄子（约公元前369年—公元前286年），名周，与孟子同时。战国时代宋国蒙邑（今安徽蒙城）人（另说今山东东明县人），曾任漆园吏。著名思想家、哲学家、文学家，是道家学派的代表人物，老子思想的继承和发展者。后世将他与老子并称为“老庄”。他也被称为蒙吏、蒙庄和蒙叟。据传，又尝隐居南华山，故唐玄宗天宝初，诏封庄周为南华真人，称其著书《庄子》为《南华经》。

庄子是楚庄王的后人，以谥为氏。楚悼王时，楚国公族众多，财政匮乏，于是吴起实现改革（见吴起变法，商鞅变法，李悝变法），把那些领奉不干事的闲官、散官裁汰一批，实行减政，对贵族的三代以下闲散子孙统统贬为庶民，让他们自食其力，然后用节省下来的财政收入养精兵以与中原各诸侯国争雄，为了使被贬为庶民的贵族后裔不致联合作乱，吴起下令将他们疏散到边陲地区，让他们开荒种地，过自食其力的平民生活。庄子的祖辈也在其中。但楚悼王去世后，吴起失去庇护，被他打击的达官贵人联合起来追杀他，他抱着悼王的尸体被射死。但参与作乱的显贵们却因为伤害了悼王的尸体而犯了夷宗大罪，有七十余家被诛灭，庄子的父祖辈为了躲避此罪而越境迁居到宋国蒙地，从一个养尊处优的贵族家庭落魄为平民。庄子就出生在宋国，因而从小生活在一种动荡、忧患的环境气氛中，物质生活匮乏，而且幼小的心灵也承受了过多过重的压力。因此，他性格内向，但他天资聪颖，从小受到较好的家庭教育和熏陶，这是庄子成为思想家，一个反传统、反异化、非理性、重内在精神修养的思想家的最为根本性的原因。

庄子长大成人后，由于是落魄域外的贵族后裔，没有可继承的田产，只好靠手工业为生。他心灵手巧，会织精细的草鞋，可以做出当时堪称一流的漆器，并对木工、陶工、屠宰、洗染等手工行业十分精通。因此他做过管理漆器作坊的小官吏。但是，庄子在手工劳动的实践过程中，对各种物质的属性有了较为深刻的认识和体验，并通过这种体验进入“直观体道”，“道不可言”的精神境界和哲学境界。因此《庄子》一书中就记载了许多手工业者，并借以抒发自己的情怀和思索。比如，齐桓公在堂上读书，木匠在堂下做车轮子。木匠停住手中的活问桓公："您读的是什么？"桓公漫不经心地说："圣人之言。""圣人还活着吗？"桓公说："已经死了。""那么说您读的只是古人留下的糟粕了！"桓公听了大怒，说道："我在这里读书，你有什么资格说三道四。今天如果说出个子丑寅卯倒还罢了，否则就处你死刑。"本匠不慌不忙地来到堂上，对齐桓公说："我这道理是从做车轮中体验出来的。榫眼松了，省力而不坚固，紧了则半天敲打不进去；我可以让榫眼不松不紧，然后不慌不忙地敲进去，得之于手而应之于心，嘴里虽然说不出这松紧的尺寸，心里却是非常有数的。我心里这个'数'，无法传给我的儿子，儿子也无法从我这里继承下去。所以我都六十岁了，还在这里为您做车轮子。圣人已经死了，他所悟出来的最深刻的道理也随着他的死亡而消失了，能够用语言表达出来的，只能是浅层次的道理。所以我说您读的书是古人留下的糟粕。"类似这样的记载在《庄子》中还很多，大都是借别人之名抒庄子情怀之作，其中既有大量的感性经验，也不乏直观的想象和逻辑的推理。这种悉心于技艺的经验体会成了庄子哲学思想逻辑展开的不竭源泉。

逆境中成长起来的庄子悟性也极高，他在对大自然的观察中，在工艺技巧的体验中发现了哲学意义上的普遍存在，即所谓"道"。"人从哪里来要到哪里去"这些亘古不变的问题，在庄子这里的答案是：人从道中来，回归道中去。庄子的理论与当时流行的儒家学说正相反对，主张人应淡泊功名，养生全真。却由于其新奇，自圆其说的深刻性赢得了不少人的好奇和崇拜。于是一套本来属于退隐山林的学说，反而帮助它的创造者彰显了名声。所以，庄子也有一些弟子，甚至有层次极高的朋友，如他的朋友惠子。

惠施是当时超一流的政治家，外交家，他在魏国先后当了十二年宰相，实际掌权近二十年，但这样一个风云人物，却是隐士庄子一生唯一的谈友。庄子和惠子在一起讨论切磋的问题范围广，深度大，其中最有趣的是所谓"壕梁鱼乐之辩"。他俩在濠水上游春，庄子说："鱼儿悠然自得地摇头摆尾，游来游去，是多么快乐哟！"惠子说："你又不是鱼，怎么知道鱼很快乐呢？"庄子说："你也不是我，怎么知道我不知道鱼的快乐？"惠子说："我不是你，当然不知道你想些什么，你也不是鱼，理所当然地不可能知道鱼的快乐，这不就完了！"庄子说："嗨！咱们回头想想，你问我怎么会知道鱼的快乐时，那已经假定了我是知道鱼的快乐的，你问我怎么知道的，现在我告诉你：我是在濠水的桥上知道的。”庄子妻子死的时候，惠施作为退休宰相亲自参加吊唁活动，又是二人关系非同一般的例证。因此在私学盛行的战国中期，庄子肯定有不少的学生和崇拜者。所以庄子仍不是一隐了之，而是在退隐理论的指导下，过着一种恬淡寡欲，清高自守，沉思默想，著述不辍的学术研究生活。

庄子为人淡泊名利，安贫乐道，这是令人赞叹的。除此之外，他在《庄子》一书中的思想也是独树一帜的。

庄子的思想包含着朴素辩证法因素，主要思想是“天道无为”，认为一切事物都在变化，他认为“道”是“先天生地”的，从“道未始有封”，庄子主要认为自然的比人为的要好，提倡无用，认为大无用就是有用。就像一棵难看的树被认为无用，有一个木匠要找一棵树作为房梁，但这棵树太弯了，没法做房梁；第二个木匠找树做磨的握柄，要弯的，但这棵树太难看了，又没办法；第三个木匠要做车轱辘，但这棵树长得不行，从某方面讲是无用的。但从庄子的角度看，无用就是有用，大无用就是大有作为，所以庄子提倡无用精神（即“道”是无界限差别的），属主观唯心主义体系。“道”也是其哲学的基础和最高范畴，即关于世界起源和本质的观念，又是人之认识境界。主张“无为”，放弃一切妄为。又认为一切事物都是相对的，幻想一种“天地与我并生，万物与我为一”（《齐物论》）的主观精神境界，安时处顺，逍遥自得，倒向了相对主义和宿命论。在政治上主张“无为而治”，反对一切社会制度。

另外，庄子的文章想象力很强，文笔变化多端，具有浓厚的浪漫主义色彩，并采用寓言故事形式，富有幽默讽刺的意味，对后世文学语言有很大影响。其超常的想象和变幻莫测的寓言故事，构成了庄子独有的奇特的想象世界，在哲学、文学上都有较高研究价值。研究中国哲学，不能不读《庄子》；研究中国文学，也不能不读《庄子》。他的名篇有《逍遥游》《齐物论》《养生主》等，《养生主》中的“庖丁解牛”尤为后世传诵。

庄子的思想在中国两千多年的历史中产生了极大的影响。从汉、魏晋“黄老”并称转而为“老庄”并称，老庄之学在魏晋玄学中扮演了一种重要的角色，并且真正开始渗进中国文人的骨髓。《庄子》以其汪洋恣肆、瑰丽多姿的文辞深深地吸引了历代文士，而庄子所提出来的人格理想，超然适己的生活精神，更是深刻地参与构建了中国传统文人的内在精神世界。

荀子

荀子（前313年—前238年）名况，时人尊而号为“卿”；因“荀”与“孙”二字古音相通，故又称孙卿。战国时期赵国人，著名思想家，教育家，儒家代表人物之一，对儒家思想有所发展，提倡性恶论，常被与孟子的性善论比较。荀况对重整儒家典籍也有相当的贡献。

荀子的家世和早年经历难以确考。司马迁为其作传时，只说：“年五十始来游学于齐。”荀子早年游学于齐，因学问博大，“最为老师”，曾三次担任当时齐国“稷下学宫”的“祭酒”（学宫之长）。

在公元前286年，齐灭宋，谈到齐闵王骄傲自大，“诸儒谏不从，各分散”。这时，荀卿向齐相指出：当今巨楚在我前面牵系着，大燕在我后边威逼着，劲魏在我右边钩取着，一国策谋，三国必然乘机进犯，这样，齐国必然导致四分五裂，国家将有灭亡的危险。意见未被采纳，孙卿去楚国。

在齐襄王在位时（公元前283年—前265年），荀子第二次回到齐国，荀卿最为老师。他三次被推为祭酒（年高望重者）。

在范雎在秦为相国期间（公元前266年—前255年），荀子到秦国见过秦昭王。昭王问：“儒无益于人之国？”荀子回答说：“儒者在本朝则美政，在下位则美俗，儒之为人下如是矣。”（《儒效》）

公元前255年荀子来到楚国，被任为兰陵令。但有人认为荀子对楚国来讲是个危险。所以荀子又辞楚来到赵国，与临武君义兵于赵孝成王前，以为“善附民者，是乃善用兵者也”《荀子·议兵》）。后来荀子受楚春申君之用，为兰陵（今山东苍水县兰陵镇）令。公元前238年，春申君被李园杀害，荀子罢了官。晚年从事教学和著述。

荀子的学生不像孔、孟那样成百上千，他徒与不众，但却儒法分流，李斯、韩非是著名的法家，辅佐秦王成就霸业；浮邱伯、毛亨、张苍等成为当世名儒，传《春秋谷梁传》、《鲁诗》、《毛诗》、《春秋左氏传》，成就斐然。

荀子学识渊博，继承了儒家学说，并有所发展，还能吸收一些别家之长，故在儒家中自成一派。其学说主张如下：

在人性问题上，荀子主张性恶，和孟子的性善针锋相对。认为人的本性是恶的，因而不可能有天生的圣贤，人性善是受教化的结果。

在天道观方面，荀子受老子的影响，以为天没有意志，不过是能生长万物的自然界，不能决定人事的吉凶、祸福。提出人应该顺应自然但也可改变自然，即所谓“制天命而用之”的人定胜天的思想。

此外，荀子对礼很重视。礼是指纲常和伦理道德，他认为礼在调节社会上人与人的关系中起重要作用。他宣扬儒家的王道思想，主张以德服人，反对用强力来压人。王道的具体内容是礼义和仁政。他继承了儒家“为政以德”的传统，认为治国应该“平政爱民”。他将君主比作舟庶民比作水，认为“水则载舟，水则覆舟”，即提醒君主，如果聚敛、刑杀无度，就会遭到覆舟的报复。虽然他主张治国要用王道或礼义教化，但也认为完全有必要采用刑罚。所以荀子是礼法兼用、王霸并重，和他以前的儒家有明显的不同之处。

荀子的学说思想，对西汉经学的发展产生过一定的影响。如《礼记》、《韩诗外传》等书中部分内容即抄自《荀子》。由于荀子有些论点和儒家传统说法不合，故受到后人指责和非议，如唐韩愈就说荀学是“大醇而小疵”。到宋代则为程朱理学（见理学）所不容，出现了扬孟抑荀的现象。到清代末年，梁启超、章炳麟等则对荀子的学说思想重新作出评价，肯定了它在中国古代哲学史上所占据的重要地位。

现存的《荀子》三十二篇，大部分是荀子自己的著作，涉及哲学、逻辑、政治、道德许多方面的内容。在自然观方面，他反对信仰天命鬼神，肯定自然规律是不以人的意志转移的，并提出人定胜天的思想；在人性问题上，他提出“性恶论”，否认天赋的道德观念。强调后天环境和教育对人的影响；在政治思想上，他坚持儒家的礼治原则，同时重视人的物质需求，主张发展经济和礼治法治相结合。在认识论上，他承认人的思维能反映现实；但有轻视感官作用的倾向。在有名的《劝学篇》中，他集中论述了他关于学习的见解。文中强调“学”的重要性，认为只有博学才能“知助而无过”，同时指出学习必须联系实际，学以致用，学习态度应当精诚专一，坚持不懈。他非常重视教师在教学中的地位和作用，认为国家要兴旺，就必须看重教师，同时对教师提出严格要求，认为教师如果不给学生做出榜样，学生是不能躬行实践的。

《荀子》的文章论题鲜明，结构严谨，说理透彻，有很强的逻辑性。

语言丰富多彩，善于比喻，排比、对偶句很多，有他特有的风格，对后世说理文章有一定影响。《荀子》中的五篇短赋，开创了以赋为名的文学体裁；他采用当时民歌形式写的《成相篇》，文字通俗易懂，运用说唱形式来表达自己的政治、学术思想，对后世也有一定影响。

荀况不愧为我国古代一位伟大的思想家和杰出的文学家、教育家；中国战国末期哲学家，教育家；先秦唯物主义哲学的集大成者。

韩 非

韩非为韩国公子（即国君之子），汉族，战国末期韩国人（今河南省新郑）。是中国古代著名的哲学家、思想家、政论家和散文家，后世称“韩子”或“韩非子”，中国古代著名法家思想的代表人物。

韩非师从荀卿，但思想的观念却与荀卿大不相同，他没有承袭儒家的思想，却“喜刑名法术之学”（申不害主张君主当执术无刑，因循以督责臣下，其责深刻，所以申不害的理论称为“术”。商鞅的理论称为“法”。这两种理论统称“刑名”，所以称为“刑名法术之学”），继承并发展了法家思想，成为战国末年法家之集大成者。

韩国在战国七雄中是最弱小的国家，韩非身为韩国公子（韩桓惠王子），目睹韩国日趋衰弱，曾多次向韩王上书进谏，希望韩王安励精图治，变法图强，但韩王置若罔闻，始终都未采纳。这使他非常悲愤和失望。他从“观往者得失之变”之中探索变弱为强的道路，写了《孤愤》、《五蠹》、《说难》等十余万言的著作，全面、系统地阐述了他的法治思想，抒发了忧愤孤直而不容于时的愤懑。

后来这些著作流传到秦国，秦王嬴政读了《孤愤》、《五蠹》之后，大加赞赏，可谓推崇备至，仰慕已极。为了见到韩非，便马上下令攻打韩国。韩王原本不重用韩非，但此时形势紧迫，于是便派韩非出使秦国。秦王政见到韩非，非常高兴，然而却未被信任和重用。

韩非曾上书劝秦王先伐赵缓伐韩，由此遭到李斯和姚贾的谗害，他们诋毁地说：“韩非，韩之诸公子也。今王欲并诸侯，非终为韩不为秦，此人之情也。今王不用，久留而归之，此自遗患也，不如以过法诛之。”秦王嬴政认可了他们的说法，下令将韩非入狱审讯。李斯派人给韩非送去毒药，让他自杀。秦王嬴政在韩非入狱之后后悔了，最后下令赦免韩非，然而为时已晚。（见《史记·老子韩非列传》）

韩非虽然被害了，但作为中国古代卓越的思想家，他的思想学说却被流传了下来。

韩非继承和总结了战国时期法家的思想和实践，在政治之上提出了君主专制中央集权的理论。他主张“事在四方，要在中央；圣人执要，四方来效”（《韩非子·物权》），国家的大权，要集中在君主一人手里，君主必须有权有势，才能治理天下。为此，君主应该使用各种手段清除世袭的奴隶主贵族，“散其党”“夺其辅”（《韩非子·主道》）；同时，选拔一批经过实践锻炼的封建官吏来取代他们。

韩非主张改革和实行法治，要求“废先王之教”，“以法为教”（《韩非子·五蠹》）。他强调制定了“法”，就要严格执行，任何人也不能例外，做到“法不阿贵”“刑过不避大臣，赏善不遗匹夫”（《韩非子·有度》）。他还认为只有实行严刑重罚，人民才会顺从，社会才能安定，封建统治才能巩固。

韩非的这些主张，反映了新兴封建地主阶级的利益和要求，为结束诸侯割据，建立统一的中央集权的封建国家，提供了理论依据。秦始皇统一中国后采取的许多政治措施，就是韩非理论的应用和发展。

此外，通过《韩非子》，我们能看出韩非也是一位语言文学大师，他用恢弘的气势、透彻的说理、华美的文采，记载了大量的历史人物、历史事件、寓言故事和民间传说等，客观、翔实、丰富地反映了先秦时代的社会面貌。他的著作堪称先秦的散文巨著之一，是我国宝贵的文学遗产。

董仲舒

董仲舒，西汉广川（今河北景县广川镇）人，约生于汉文帝前元元年（前179），约卒于汉武帝太初元年（前104），西汉著名儒家学者，哲学家、经学家、《春秋》“公羊学”大师。

董仲舒少习《春秋》，其师承不明。精心钻研，“三年不窥园”。弟子众多，下帷讲诵，弟子相传，甚至有不能见其面者。以“公羊学”闻名，汉景帝时立为博士。

汉武帝即位后，试图改变统治思想，措施就是“罢黜百家，独尊儒术”，但一开始却遭到其祖母、崇尚黄老之学的窦太后的阻挠。

建元六年（前135），窦太后死，这就为“罢黜百家”扫除了障碍。翌年，即元光元年（前134）五月，汉武帝诏举贤良对策，董仲舒上对策三篇。即后世所谓的“天人三策”，对“罢黜百家”进行了理论上的阐发。

董仲舒的建议为汉武帝所采纳，以后在公孙弘等人的具体计划下逐步得到实施。所以，董仲舒的“天人三策”，可谓为两千多年的中国封建社会确立儒家学说为核心的统治奠定了理论基础。此后，董仲舒被任命为江都王刘非的“相”。

不过，他的仕途并不顺利。先是因为上书讲“阴阳灾变”而触怒了汉武帝，险遭杀身之祸；后又遭到善玩权术的公孙弘之排挤，被故意任命为纵恣不法、屡杀大臣而闻名于世的胶西五刘端的“相”。刘端对董仲舒虽尚能礼敬，但董仲舒恐日久获罪，于是就称病辞职，不再为官。居家不问家计产业，以修学著书终老，被当时人誉为“群儒首”、“儒者宗”和“王佐之材”。

董仲舒的思想学说，在中国思想文化史上具有深广的影响。

在哲学上，他以《春秋》“公羊学”为骨干，广泛汲取了先秦诸子宣扬的“天命”和“天志”、“刑名法术”、“无为”等思想，以及先秦阴阳家、秦汉方士神秘化了的“阴阳五行”学说，并利用当时天文、历数、物候等自然科学的新成果，构造出了一套以“天人感应”为核心的神学目的论体系。用“天不变，道亦不变”的观点，论证封建的“大纲人伦、道现、政治、教化、习俗、文义”等的永恒合理性。他的“阴阳灾变”理论，为后来兴盛的谶纬神学提供了依据。

在人性论上，董仲舒主张“性三品”说，认为人性有善、恶、中二等之分。在道德论上，认为应该“正其谊不谋其利，明其道不计其功”，突出强调道德的重要性而轻视功利。

在社会政治学说上，强调“大一统”，系统提出并论证了“三纲五常”理论，其“君为臣纲，父为子纲，夫为妇纲”的“三纲”理论，对后世有极其巨大且有害的影响。

董仲舒的思想学说除了有上述的负面影响之外，还有一些正面的作用值得指出。如他的“天人感应”理论，有限制君主滥用权力的一面。董仲舒还借“奉大法古”、革除秦朝弊政为理由，提出了一系列在当时条件下值得肯定的主张，如：限制地主占有土地数量，堵塞土地兼并之路；取消盐铁官营；解放奴婢，剥夺主人滥杀奴婢的权力。应该都或多或少是减轻人民负担，有益于老百姓生存的建议。

作为西汉的杰出思想家、哲学家、今文经学大师，董仲舒为统治者提供了统治的理论基础。从他开始，儒家思想成为中国社会的正统思想，对之后中国两千多年的政治、社会、文化都产生了深远影响。

王 充

王充（27年—107年），字仲任，东汉著名思想家。会稽上虞（今浙江上虞县）人。自称出身“细族孤门”，父、祖曾与豪族对抗。二十岁左右受业太学，师事班彪，但不守一家之言而好博览各家之说。一生除做过几任小官外，大部分时间以教书为生。著有《论衡》、《养性书》（已佚）等。

王充在年幼的时候，就表现得相当聪颖。8岁的时候就能一字不差地背诵《论语》、《尚书》等晦涩深奥的典籍。15岁时，王充到京都洛阳深造，系统地研究了儒学的经典篇章。之后，他也曾在县衙当过幕僚一类的小官，但因出身卑微，思想“偏激”而不为统治者重用。怀才不遇，仕途不畅，激发了王充潜心治学的意念，终于成为中国古代唯物主义思想家。

王充生活的时代，唯心主义及迷信思想在思想界占有绝对统治地位。人们普遍相信帝王及贵族是上天注定的，信奉“善有善报恶有恶报”的因果轮回理论等。为统治者服务的儒家学派，把儒家经典解释成为不变的真理，他们编造许多迷信和预言，把孔子和另一位儒学代表人物孟子说成是半人半神的圣人，说他们“不学自知”、“前知千岁，后知万世”。王充写了一系列文章对此进行批驳。

简单地说，王充的思想主要是两个方面。第一个方面是他的唯物主义自然观。尽管王充还无法解释天地与宇宙的物质组成及运行规律，但他明确指出天地的存在是不依赖于人的客观存在，人只能适应自然界的各种变化，而不能把意志强加给自然界。这与当时皇权至高无上的主流思想相违背，动摇了封建帝王统治的理论基础，对后世的影响是相当深远的。

唯物主义自然观并不是王充第一个提出的，在中国可以追溯到公元前六世纪至公元前四世纪的思想家老子、韩非子、墨子、荀子等人。王充的唯物主义理论继承和发展了这些哲人的思想，代表了当时的最高成果。

王充思想的第二方面是他的无神论思想。在当时，人们相信“天生圣人”的神怪传说。比如说皇帝是龙与人交配生下的，即“龙子龙孙”，是代表上天统治人类的，自然灾害是上天对人类的惩罚等。王充在他的《论衡·雷虚篇》中，以雷击人这个自然现象为例，充分阐明人是被“天火”烧死的自然现象，根本没有所谓的“雷公”。王充还否定了人死为鬼的说法。他认为，人和动物的自然本质是一样的。既然动物死了不能变成鬼，人怎么能死后变成鬼呢？

总的说来，王充的唯物主义理论基本上是朴素、直观的，有很大的局限性。他力图对历史的发展、道德的演变、社会的贫富、人的寿夭贵贱等现象，做出符合唯物主义立场的解释，但他没有能彻底解决认识论中由感性认识到理性认识的辩证关系。尽管如此，王充的理论仍然对后世无神论思想的发展产生了深刻影响。

王充一生著述虽然很多，但最终流传于世的只有《论衡》一书。《论衡》共30卷，30余万字。王充的哲学思想主要是通过该书传承下来的。《论衡》中也有不少有关养生学方面的论述。比如，书中指出了嗜欲的毒害。在《论衡·言毒》中，王充说：美酒为毒，酒难多饮，蜂液为蜜，蜜难多食，主张节制嗜欲，以养成良好的生活习惯。

王充是东汉时期杰出的思想家。其著《论衡》一书，对当时社会的许多学术问题，特别是社会的颓风陋俗进行了针砭，许多观点鞭辟入里，石破天惊。而且在许多观点上，王充对后世的影响也是非常深远的。

范 缜

范缜（约450年—515年），字子真，汉族，南乡舞阴人。南北朝时期著名的唯物主义思想家、道家代表人物、杰出的无神论者。

魏晋南北朝时，经过统治者的大力提倡，佛教得到了空前的发展。当时的门阀士族以及皇亲贵戚大多信奉佛教。梁武帝在天监三年（504年）宣布“唯佛一道，是为正道”，佛教几乎成了国教。同时，随着寺院经济的兴起，佛教寺院占有大量的社会财富，造成了日益严重的社会经济危机，也使世俗地主和僧侣地主之间的矛盾日益激化。当时不断产生的反佛斗争，正是这种现实斗争在思想领域内的反映。

范缜也是一位坚定的反佛斗士。他曾同佛教信徒齐竟陵王萧子良辩论，驳斥佛教的因果报应说。之后写了《神灭论》一书，提出“形神相即”的无神论思想，反对佛教的神不灭说，引起朝野喧哗。梁武帝于天监六年（507年）召集王公贵臣及僧尼60余人与他辩论，无人能折其锋锐。

范缜最初一些反对佛教的理论，主要是从风俗、习惯乃至政教、道德等方面着眼，从维护封建帝王的权势出发，指出佛教的出世主义是不忠不孝，违反了“三纲五常”的伦理说教，不利于巩固封建统治。随着社会上反佛斗争的深入，对佛学的批判也就逐渐集中到佛教神学的唯心主义理论方面。

此外，范缜反对佛教神学的斗争，是从抨击因果报应论开始的。他继承了东汉王充的天道自然论，并作了进一步发挥，提出了一种唯物主义自然论的偶然论学说，在与萧子良的辩论中，利用它坚决地驳斥了佛教的因果报应说，挫败了论敌。

范缜在《神灭论》中，继承了他以前的反佛教的无神论传统，克服了把神看做是某种特殊物质的缺陷，提出了“形（体）神相即”、“形质神用”的观点，并用刀刃和锋利的比喻，通过刃的锋利对于刃的依赖关系，说明神又是一种特殊物质，神对于形具有依赖关系。从而把古代唯物主义无神论思想提高到一个新的水平。

范缜的神灭论学说，是长期以来形、神关系论战的历史性总结。他的反佛行为，把我国古代无神论者反对佛教有神论的斗争推向了新的高峰，具有重要的意义。

宗喀巴

宗喀巴（1357年—1419年）是藏传佛教格鲁派（黄教）的创立者、佛教理论家。在中国西藏、青海、内蒙、甘肃、北京等地区的喇嘛寺院里，都有宗喀巴塑像，有的是泥塑涂金，有的是以铜质鎏金制成。

宗喀巴大师生于青海塔尔寺一个藏族牧民家庭，六岁时被萨迦派名僧曲吉东珠仁钦带到夏琼寺进行培养。七岁受沙弥戒，法号称洛桑扎华。大师从六七岁就表现出异于常人的神童智慧，未经过老师的指点，和小僧人一起玩耍中学会了藏文字母和拼读。在曲吉东珠大师身边学习了十年，受到了良好的基础教育，十六岁时进藏，为求名师几乎走遍了前后藏各教派诸大寺院，拜仁达瓦等名师三十多人。

宗喀巴二十四岁时，在那唐寺参加了因明、大小乘阿毗达摩、律学等四论答辩，获得了四明博士学位。此后又游学萨迦、桑普、泽当等寺参加般若学和其他大论的答辩，以超人的智慧和辩才博得了学界的称赞。大师在三十岁前学完了显宗经典名著大论。三十一岁时写出了旷世之作《般若金珠蔓论》。此后又用多年时间学习了续部密法，得到了各派的密法传承。

宗喀巴大师是闻思修全面结合的典范。善于思考、勇于探索是大师的一个突出特点。大师求知若渴，但却绝不盲从。对前人的疏论、学说、概念甚至词义解说都要经过寻根究底的审视考察，才决定取舍。如大师在《缘起理赞》中说："如此珍贵无比之法，却被学浅无知之辈，搞得就像马兰花草，交错倒置乱无头绪"，"见此情景于心不忍，千辛万苦探索求知"，"当时研究教内教外，众多有关疏解论议，使我产生种种怀疑，不得其解忧心如焚"。就是这种严肃认真的治学精神，促使他对显密经典理论展开了全面深入的研究，吸收前人正确的理论，批判错误的观点，提出新的论证见解，使得长期被无知、曲解、邪说云雾覆盖的龙树、弥勒的显密经典学说重放光明。大师对显密理论在逻辑上的统一性、合理性，以及教理的开掘和解释的高度精确化方面，做出了前所未有的贡献。

此外，大师开拓性的研究成果，都反映在一字千金的论著中。宗喀巴以30年时间著书立说，全面地阐述格鲁派的宗教体系。所著《缘起论》是对性空义的发挥；《中论广释》是对佛教哲学的根本见解；《辨了不了义论》是辨析中观和唯识二派优劣的论著；《菩提道次第广论》阐明其在显教方面完整的思想体系，统一了格鲁派对佛教的根本认识；《密宗道次第广论》阐述了对密宗的见解和修习方法；《菩萨戒品释》《事师五十颂释》《密宗十四根本戒释》是僧众遵守戒律和如何遵守戒律的依据。这些著作不仅为格鲁派的发展奠定了坚实的理论基础，在佛教思想史上也有重要的意义。

宗喀巴还是宗教改革的先锋。宗喀巴降世时藏传佛教正处于元朝末年到明朝初年这个衰败的年代。西藏的萨迦教派政权已经崩溃，西藏佛教各教派之间为争夺权势进行着长时期的征伐。由于戒律废弛，一些教派的上层人物享有很多特权，拥有大量的财富，穷奢极欲，纵酒贪色，生活放荡，完全与佛教教义背道而驰。在这种形势下，宗喀巴提出宗教改革的主张。宗教改革的内容有三点：

一、要求僧人遵守戒律，强调僧人不同于世俗人，反对僧人生活放荡、追求利禄权势，严禁僧人娶妻生子，不准僧人干预世俗事务。

二、摆脱单一世俗农奴主对寺院经济的操纵，主张与各地方势力广泛建立“施主”关系，依靠各地“施主”在经济上给予资助。

三、主张学经要注重修习次第，按部就班，循序渐进。先显宗后密宗，先闻思后修习。纠正了西藏佛教各教派当时盛行的种种弊端。

宗喀巴大师以大智大勇肩负起了改革振兴佛教的历史使命，除了力挽狂澜、大刀阔斧地从教义理论上进行正本清源、拨乱反正外，还从整顿戒律，整顿教风，建立学院式的寺院，加强经学正规教育，培养戒律严明、兼通显密教理的知识型的僧侣队伍方面做出了具有深远意义的贡献。

宗喀巴的这种突出贡献，得到了各个教派的充分肯定。宁玛派称颂宗喀巴是莲花生的化身，宁玛派著名学者居米旁作赞说：“佛菩萨的终极理，缘起性空甚深义，造出正确可信论，除您之外还有谁？”第八世噶玛巴作赞说：“北方佛陀殊胜教，邪风侵扰衰败时，驱邪扶正宗喀巴”，“说空无敌宗喀巴”。在宗喀巴众弟子中，建寺兴教、著书立说、作国师法王者，在藏传佛教史上做出过特殊贡献的高足弟子，见于史书的就有一百零六人，普通僧俗弟子有数十万人。达赖喇嘛和班禅就是他的两大弟子的转世系统。宗喀巴大师的亲传和再传弟子将他的清净法脉传遍了中国西南、西北各少数民族地区和北部满蒙地区，成了明清两代朝廷信奉的主要宗教。

除了上述贡献，宗喀巴的政治活动也很好地维护了国家的统一。明朝初年，元朝残余势力活动于蒙古高原，对明北方边境形成严重威胁。在对蒙古贵族用兵的同时，明统治者致力于对藏区的经营，以割断其右臂。但林立的封建主和互不统属的寺院，使中央对藏地的控制受到很大影响。宗喀巴与当时力量最强的帕竹朗氏封建集团的结合，使明统治者看到藏区统一的势力正在形成，所以倾全力予以支持。而宗喀巴也派弟子释迦叶西两次进京，把格鲁派带到了内地和安多地区。这一系列活动，促进了藏区的安定和国家的统一。

总之，宗喀巴的一生，在学问修持各方面都具有很高的造诣。对于教理，他总结大小乘、显密一切教诫理论，而自成一家之言。他一方面有囊括大典、网罗众家的气度，一方面又以深刻谨严的态度执择佛教各宗的见地，以中观为正宗，以月称为依止。他对于戒律，能矫正旧派佛教的流弊。他所创的格鲁派至今为我国藏地第一大教派。藏语系统的佛教徒，大多崇奉他为教主。

朱 熹

朱熹（1130年—1200年），字元晦（一作仲晦），江西婺源人，南宋时期的理学家和教育家。

宋高宗建炎四年（1130年），朱熹出生于尤溪，受教于父，聪明过人。四岁时其父指天说："这是天。"朱熹则问："天上有何物？"其父大惊。他勤于思考，学习长进，八岁便能读懂《孝经》，在书题字自勉曰：苦不如此，便不成人。"朱熹十岁时父亲去世，其父好友刘子、刘勉子、胡宪等人皆是道学家。当时的道学家一部分排佛，一部分醉心学佛，他们皆属后者。因此朱熹既热衷于道学，同时于佛学也有浓厚兴趣。

绍兴十七年（1147年），十八的朱熹参加乡贡。主考官蔡兹还对人说："吾取一后生，三策皆欲为朝廷措置大事，他日必非常人。"

绍兴十八年（1148年），朱熹考中进士，三年被派任泉州同安县主簿，从此开始仕途生涯。

朱熹赴任途中拜见了著名道学家、程颐的再传弟子李侗。绍兴三十年（1160年），三十岁的朱熹决心要向李侗求学，李侗也非常欣赏这个学生，替他取一字曰元晦。从此，朱熹开始建立自己的一套客观唯心主义思想——理学。

朱熹认为在超现实、超越社会之上存在一种标准，它是人们一切行为的标准，即"天理"。只有去发现（格物穷理）和遵循天理，才是真、善、美。而破坏这种真、善、美的是"人欲"。因此，他提出"存天理，灭人欲"。这就是朱熹客观唯心主义思想的核心。

绍兴三十一年（1161年）秋，宋金关系紧张，金统治者完颜亮分兵四路南进，马踏长江北岸。宋高宗准备出海南逃，由于右相陈康伯竭力劝阻而作罢。不久宋军击溃金兵，消息传至当时朱熹求学的延平，朱熹为民族的胜利欣喜若狂。不久高宗退位，孝宗继立，在广大军民要求的压力下，起用了抗战派张浚，平反了岳飞的冤案。

朱熹这时上奏孝宗，提了三项建议：（一）讲求格物致知之学；（二）罢黜和议；（三）任用贤能。在奏章中鲜明表达了他的反和主张。这一奏章使朱熹得幸被召。他赶至杭州，正值宋军失利，朝廷派人议和，朱熹仍强烈反对，在孝宗接见时连上几道奏章，慷慨陈词。孝宗有感朱熹的忠心，命其为开学博士侍次。朱熹乘机面见张浚，提出北伐中原的具体想法。但不久张浚罢相，出任外地，病死途中。

1164年隆兴和议之后，宋金结为侄叔，关系暂时缓和下来，朱熹便一头钻进理学中去了。他在故里修起“寒泉精舍”，住此十余年，编写了大量的道学书籍，并从事讲学活动，生徒盈门。这一期间他对朝廷屡召不应。

淳熙三年（1176年），朱熹与当时著名学者陆九渊相会于江西上饶鹅湖寺，交流思想。但陆九渊属主观唯心论，他要求人们自己在心中去发现真、善、美，达到自我完善。这与朱的客观唯心说的主张不同。因此，二人辩论争持，以至互相嘲讽，不欢而散。这就是中国思想史上有名的“鹅湖会”。从此有了“理学”与“心学”两大派别。

1178年，朱熹东山再起，出任“知南康军”，尽管他重新入仕，却未忘记自己的学者身份。在庐山唐代李渤隐居旧址，建立“白鹿洞书院”进行讲学，并制定一整套学规。即：

“父子有亲、君臣有义、夫妇有别、长幼有序、朋友有信”的“五教之目”。博学之、审问之、谨思之、明辨之、笃行之的“为学之序”。“言忠信，行笃敬，惩忿窒欲，迁善改过”的“修身之要”。“政权其义不谋其利，明其道不计其功”的“处事之要”。“己所不欲，勿施于人，行有不得，反求诸己”的“接物之要”。“白鹿洞书院”后来成为我国著名的四大书院之一，而其“学规”则成为各书院的楷模，对后世产生了巨大影响。

1181年朱熹解职回乡，在武夷山修建“武夷精舍”，广召门徒，传播理学。为了帮助人们学习儒家经典，他又于儒家经典中精心选出“四书”（《大学》、《中庸》、《论语》、《孟子》），并刻印发行。这是教育史上的一件大事。“四书”影响深远，后来成为封建教育的教科书，使得儒家思想更进一步成为全面地控制了中国封建社会的思想。

1193年，朱熹任职于湖南，不顾政务缠身，又主持修复了四大书院之一的另一著名书院——岳麓书院，使之与白鹿书院一样，成为朱熹讲学授徒、传播理学的场所。书院在南宋发展盛行，几乎取代官学，这种盛况是与朱熹的提倡直接有关的。

朱熹的一生志在树立理学，使之成为统治思想。但因理学初出，影响不深。同时，朱熹在官场上因品性耿直而得罪权臣，致使朱熹晚年落得一个悲剧的结局。

1181年8月浙东饥荒，朱熹由宰相王淮推荐任提举两浙东路常平茶盐公事。途经杭州，入对七札，陈述时弊。到职后，微服下访，调查时弊和贪官污吏的劣迹，弹劾了一批贪官以及大户豪族。他不徇私情，牵连攻击了王淮等人。于是，王淮指使人上书抨击理学，斥其为“伪学”，朱熹被解职还乡。

1187年，朱熹出任江南西路提点刑狱公事，管理赣州（今赣县）、江州（今九江）一带地方的司法、刑狱、监察、农事等方面的事务。不久王淮罢去，理学一时得势，朱熹更是仕途顺利。几年后受宰相赵汝愚推荐，当上焕章阁侍制兼侍讲，即皇帝的顾问和教师。刚即位不久的宁宗全面肯定了理学，称朱熹为“儒宗”，这反映了苟安江南的南宋企图以理学加强内部团结的希望。朱熹为宁宗进讲《大学》，每逢双日早晚进讲，但他借此机会对朝政多有批评，终于使宁宗不满，加以干预朝政的罪名，被逐出朝廷。

庆元元年（1195年），朱熹在朝廷的支持者赵汝愚受韩胄排挤被罢相位，韩势盛极一时。韩胄因朱熹曾参与赵汝愚攻击自己的活动，于是发动了一场抨击“理学”的运动。庆元二年叶翥上书，要求把道学家的书“除毁”，科举取士，凡涉程朱义理不取。监察御史沈继祖指控朱熹十罪，请斩。一时理学威风扫地，被斥为“伪学”，朱熹被斥为“伪师”，学生被斥为“伪徒”。宁宗一改旧态，下诏命凡荐举为官，一律不取“伪学”之士。

庆元六年（1200年）三月初九，朱熹终于在家里忧愤而死，享年七十一岁。

朱熹已逝，但毫无疑问，他是继孔子之后儒学发展史上的又一里程碑式的人物，他的理学体系对中国文化的各个领域产生了深远的影响。

王守仁

王守仁（1472年—1528年），汉族，浙江余姚人。字伯安，号阳明子，世称阳明先生，故又称王阳明。中国明代最著名的思想家、哲学家、文学家和军事家，陆王心学之集大成者。非但精通儒家、佛家、道家，而且能够统军征战，是中国历史上罕见的全能大儒。封“先儒”，奉祀孔庙东庑第58位。

王守仁少年时学文习武，十分刻苦，但非常喜欢下棋，往往为此耽误功课。其父虽屡次责备，总不稍改，一气之下，就把象棋投落河中。王守仁心受震动，顿时感悟，当即写了一首诗寄托自己的志向。他以诸葛亮自喻，决心要作一番事业。此后刻苦学习，学业大进。骑、射、兵法日趋精通。明弘治十二年（1499年）考取进士，授兵部主事。当时，朝廷上下都知道他是博学之士，但提督军务的太监张忠认为王守仁以文士授兵部主事，便蔑视守仁。一次竟强令守仁当众射箭，想以此出丑。不料守仁提起弯弓，刷刷刷三箭，三发三中，全军欢呼，令张忠十分尴尬。

王守仁做了三年兵部主事，因反对宦官刘瑾，于正德元年（1506年）被廷杖四十，谪贬贵州龙场（修文县治）驿丞。刘瑾被诛后，任庐陵县知事，累进南太仆寺少卿。其时，王琼任兵部尚书，以为守仁有不世之才，荐举朝廷。正德十一年（1516年）擢右佥都御史，继任南赣巡抚。他上马治军，下马治民，文官掌兵符，集文武谋略于一身，做事智敏，用兵神速。以镇压农民起义和平定“宸濠之乱”拜南京兵部尚书，封“新建伯”。后因功高遭忌，辞官回乡讲学，在绍兴、余姚一带创建书院，宣讲“王学”。嘉靖六年（1527年）复被派总督两广军事，后因肺病加重，上疏乞归，病逝于江西南安舟中。谥文成。

王守仁是我国宋明时期主观唯心主义集大成者。他发展了陆九渊的学说，用以对抗程朱学派。他说：“无善无恶心之体，有善有恶意之动，知善知恶是良知，为善去恶是格物。”并以此作为讲学的宗旨。他断言：“夫万事万物之理不处于吾心”，“天理即是人欲”；否认心外有理、有事、有物。认为为学“惟学得其心”，“譬之植焉，心其根也。学也者，其培壅之者也，灌溉之者也，扶植而删锄之者也，无非有事于根焉而已。”要求用这种反求内心的修养方法，以达到所谓“万物一体"的境界。他的“知行合一”和“知行并进”说，旨在反对宋儒如程颐等“知先后行”以及各种割裂知行关系的说法。

他论儿童教育，反对“鞭挞绳缚，若待拘囚”，主张“必使其趋向鼓舞，中心喜悦”以达到“自然日长日化”。他的学说以“反传统”的姿态出现，在明代中期以后，形成了阳明学派，影响很大。

他广收门徒，遍及各地。死后，“王学”虽分成几个流派，但同出一宗，各见其长。他的哲学思想，远播海外，特别对日本学术界以很大的影响。日本大将东乡平八郎就有一块“一生伏首拜阳明”的腰牌。他的弟子与心学影响了很多人：徐阶，张居正，海瑞，陶行知等，名扬海外！

王守仁不只是哲学家、教育家，也是一位著名的诗人。他非常热爱故乡的山山水水，回故乡时，常游览名胜古迹，留下许多脍炙人口的诗篇。如他写的《忆龙泉山》：我爱龙泉山，山僧颇疏野。尽日坐井栏，有时卧松下。一夕别云山，三年走车马。愧杀岩下泉，朝夕自清泻。

王守仁的一生，著作甚丰。他死后，由门人辑成《王文成公全书》三十八卷，其中在哲学上最重要的是《传习录》和《大学问》。

王守仁还不只是哲学家、教育家和思想家，他用35天的时间平息宁王的叛乱，也多次镇压了少数民族的武装起义，有人把他誉为“大明军神”。此外，他还是一位以行草闻名于世的书法家，将其誉之为“全才”实不为过。

黄宗羲

黄宗羲（1610年—1695年），明末清初经学家、史学家、思想家、地理学家、天文历算学家、教育家，东林七君子黄尊素长子，汉族，浙江绍兴府余姚县人。字太冲，一字德冰，号南雷，别号梨洲老人、梨洲山人、蓝水渔人、鱼澄洞主、双瀑院长、古藏室史臣等，学者称梨洲先生。黄宗羲学问极博，思想深邃，著作宏富，与顾炎武、王夫之并称明末清初三大思想家（或清初三大儒）；与弟黄宗炎、黄宗会号称浙东三黄；与顾炎武、方以智、王夫之、朱舜水并称为“明末清初五大家”，亦有“中国思想启蒙之父”之誉。

黄宗羲十四岁起随父居京都，屡闻“东林”领袖杨涟、左光斗、魏大中等人与其父“讽议朝政，裁量人物”，深受“东林”思想的影响。纵观黄宗羲的一生，大体可分为三个时期：前期（1610年—1645年），他承父遗志，拜刘宗周为师，发愤攻读经史，并联合复社志士，积极从事反对阉党的斗争。此为读书交游和反对阉党时期。中期（1645年—1653年），他毁家纾难，起师抗清，结寨四明山，辗转苦斗，十死一生，此为抗清斗争时期。后期（1653年—1695年），他潜心学术，讲学浙东，弘扬阳明心学，并力倡经世致用，撰写多种学术著作，此为讲学、著述时期。

黄宗羲深受家庭的影响，年轻之时即重气节，轻生死，磨砺风节，疾恶如仇。崇祯帝即位后（1628年），魏忠贤伏诛，宦阉势力受到镇压。黄宗羲会同“东林”遗孤，揭发阉党曹钦程、李实等人的罪行，并“袖铁锥、草疏”入京讼父冤。在刑部会审阉党许显纯、崔应元出庭对簿之时，黄宗羲当庭锥刺阉党许显纯。其至孝至刚之举，声震朝野上下。当时，黄宗羲与弟黄宗炎、黄宗会并负才识，隐然为东林子弟领袖，时有“浙东三黄”之目。但“公不以少年之功自足”，他继承父辈的遗志，参加复社，继续与阉党余孽进行斗争。崇祯十一年（1638年），宦阉势力企图东山再起。黄宗羲又与复社名士南京太学学生陈贞慧、吴应箕等一百四十余人，作《留都防乱揭》，声讨阉党余孽阮大铖等。

崇祯十七年（1644年）三月，李自成农民军攻下北京，明朝灭亡。不久清军入关。南明福王政权立于南京，宦阉势力重新得势，阮大铖遂骤兴党狱，擅权欲尽杀在揭帖中签名之人，黄宗羲因此被捕入狱，险遭杀害。次年，清军南下，福王溃败，南京失守，黄宗羲乘机逃脱。之后，黄宗羲与其弟黄宗炎、黄宗会等一起在家乡联合数百人，号“世忠营”起兵浙东，抗击清军。浙江沦陷后，他随明鲁王政权于舟山海上继续抗清，仍常潜行往来内地，有所布置，力图匡复。其间黄宗羲曾到日本乞兵，但不果。在鲁王政权中，黄宗羲曾任左副都御史。鲁王抗清兵败后，黄宗羲入四明山结寨自守，曾先后坚持抗清斗争八年之久。至鲁王去监国号（1653年）时，清朝一统天下已成定局，黄宗羲见复明无望，而且对于复社等组织感到“本领脆薄，学术庞杂，终不能有所成就”，乃回返故里，奉母家居，绝意国事。

抗清失利后，黄宗羲潜心于学术，以弘扬心学义理为己任。他广泛阅读，大量涉猎学术著作，同乡钮氏世学楼、祁氏澹生堂、范氏天一阁的书，黄宗羲都到处借抄借读。他说：“读书不多，无以证斯理之变化，多而不求于心，则为俗学。”他平生搜集、传抄大江以南诸家图书合计六七万卷以上。对于二十一史、明十三朝实录、经传文集、九流百家、宋元明各派学以及天算、地理等均有涉猎。编纂了对后世影响巨大的《明儒学案》。这部专著不仅开创了一个新的体裁——学案体，而且系统地总结了明代近三百年来的学术思想发展演变史，保存了多门学科的丰富史料和作者的精辟见解。它与《明夷待访录》前后交辉，是黄宗羲成为文化巨人的奠基石之一。

康熙七年（1668年），黄宗羲在宁波创办证人书院，与浙东学子讨论得失，争鸣学术。黄宗羲等人再启证人书院并重新接续“证人之学”“为天下所注目”，吸引了许多有识之士前来求学。黄宗羲在两地证人书院讲学先后历经八年，其间，他还多次到海昌、语溪和会稽辗转讲学。通过在书院的讲学，黄宗羲不仅传授、弘扬了刘宗周的慎独之学，延续了阳明心学的统绪，而且亦形成了他自己的儒学学术体系。

总之，黄宗羲一生追求正义，充满乐观精神，最终长寿。此外，黄宗羲多才博学，于经史百家及天文、算术、乐律以及释、道无不研究。尤其在史学上成就很大。而在哲学和政治思想方面，更是一位从“民本”的立场来抨击君主专制制度的人，真堪称是中国思想启蒙第一人。

顾炎武

顾炎武（1613年—1682年），南直隶苏州府昆山人，著名思想家、史学家、语言学家，与黄宗羲、王夫之并称为明末清初三大儒。本名绛，字忠清；南都败后，因为仰慕文天祥学生王炎午的为人，所以改名炎武，字宁人，亦自署蒋山佣，学者尊为亭林先生。他青年时发愤为经世致用之学，并参加昆山抗清义军，败后漫游南北，曾十谒明陵，卒于曲沃。学问渊博，于国家典制、郡邑掌故、天文仪象、河漕、兵农及经史百家、音韵训诂之学，都有研究。晚年治经重考证，开清代朴学风气。

顾炎武出身于江东望族，明末家道中落。幼年承祖父命出继堂叔为子，嗣母王氏，十六岁未婚守节，抚育他成人。他相貌丑怪，瞳子中白而边黑，性情耿介，不谐于俗，唯与同里归庄（玄恭）为挚友，时有“归奇顾怪”之谓。

顾炎武少时深受嗣祖顾绍芾的影响，关心现实民生，注重经世学问。十四岁取得诸生资格后，便与归庄共入复社，与复社名士纵论天下大事，反对宦官擅权。二十七岁乡试落第后，他“感四国之多虑，耻经生之寡术”（《亭林文集》卷六），断然弃绝科举之道，发愤钻研经世之学，遍览历代史乘、郡县志书，以及文集、章奏之类，辑录其中有关全国各地山川、地理、农田、水利、兵防、物产、赋税、交通等资料，开始撰述《天下郡国利病书》和《肇域志》。

书未成而明亡，清兵南下，昆山城破，嗣母王氏绝食二十六日，慷慨殉国，遗命勿仕清廷。顾炎武深受感动，与归庄等人以匡复故明为志，积极投入苏州、昆山、嘉定一带的抗清武装斗争。起义失败后，他开始了漫长的逃亡生涯，随行的骡马驮着书籍，行万里路，读万卷书。

清顺治十三年（1656年），顾炎武只身北上，十谒明陵，遍游华北，所至访问风俗，搜集材料，尤致力边防和西北地理研究，并垦荒种地，结纳同道，以图恢复。康熙七年（1668年），为山东“黄培诗案”株连入狱，经友人营救获释。

顾炎武律己极严，身处逆境而终无颓唐之想，刚正不阿，坚毅不屈，一生誓不与清廷为伍。其诗《精卫》写道：“尝将一寸身，衔木到终古。

我愿平东海，身沉心不改。大海无平期，我心无绝时。”对于投清变节者，他毫不留情，愤然直斥：“蓟门多狐鼠，旧日须眉化儿女。”

康熙十六年（1677年）开博学鸿词科，都中争相举荐，他致书曰：“刀绳俱在，毋速我死。”并郑重声明：“人人可出，而炎武必不可出！”次年议修明史，总裁叶方蔼又特邀他入明史馆，他严词拒绝，回信说：“七十老翁何所求？正欠一死。若必相逼，则以身殉之矣。”（《亭林文集》卷三）其超行气节，令清廷都敬畏不已。此后，顾炎武客居山西、陕西，潜心著述，不再入世。

晚年筑土室于华阴丛冢间，与妻偕隐，自署门联云：“妻太聪明夫太怪，人何寥落鬼何多。”并说：“秦人慕经学，重处士，持清议，实他邦所少，而华阴绾毂关河之口，虽足不出户，而能见天下之人，闻天下之事。一旦有警，入山守险，不过十里之遥。若志在四方，则一出关门，亦有建瓴之势。”可见即使隐居，仍不忘其志。康熙二十一年（1682年），卒于曲沃。

斯人已逝，但顾炎武对后世的贡献不可磨灭。

顾炎武被称作是清朝“开国儒师”、清学开山始祖，是著名经学家、史地学家、音韵学家。他学识渊博，在经学、史学、音韵、小学、金石考古、方志舆地以及诗文诸学上，都有较深造诣，建树了承前启后之功。他继承明季学者的反理学思潮，不仅对陆王心学作了清算，而且在性与天道、理气、道器、知行、天理人欲诸多范畴上，都显示了与程朱理学迥异的为学旨趣。

顾炎武为学以经世致用的鲜明旨趣，朴实归纳的考据方法，创辟路径的探索精神，以及他在众多学术领域的成就，宣告了晚明空疏学风的终结，开启了一代朴实学风的先路，给予清代学者以极为有益的影响。

顾炎武还提倡“利国富民”，并认为“善为国者，藏之于民”。他大胆怀疑君权，并提出了具有早期民主启蒙思想色彩的“众治”的主张。他所提出的“天下兴亡，匹夫有责”这一口号，意义和影响深远，成为激励中华民族奋进的精神力量。

他提倡经世致用，反对空谈，注意广求证据，提出“君子为学，以明道也，以救世也。徒以诗文而已，所谓雕虫篆刻，亦何益哉？”钱穆称其重实用而不尚空谈，“能于政事诸端切实发挥其利弊，可谓内圣外王体用兼备之学”。

顾炎武强调做学问必须先立人格，“礼义廉耻，是谓四维”，提倡“天下兴亡，匹夫有责”。另著有《日知录》、《肇域志》、《音学五书》、《亭林诗文集》等。

总之，顾炎武一生将为学与为人合为一体，操志高洁，学博识精，成为开启一代学术先路的杰出大师。

王夫之

王夫之（1619年—1692年），明清之际的思想家。明清之际衡阳县人。字而农，号薑斋，晚年隐居衡阳金兰乡石船山附近，学者称船山先生。

王夫之生于明神宗万历四十七年（1619年）。在父朝聘、兄介之教育影响下，少时读儒家经典，注重实际，关心时局，喜从人问四方事，凡江山险要，士马食货，典制沿革，皆极意考究。14岁中秀才，崇祯十五年（1642年）与其兄同中举人。

十六年八月，张献忠率农民军攻克衡阳，招夫之兄弟往，乃与其兄避匿于衡山。翌年，李自成攻克北京，夫之闻变数日不食，作《悲愤诗》一百韵。

清顺治三年（1646年），清兵南下进逼两湖，夫之只身赴湘阴上书南明监军、湖北巡抚章旷，提出调和南北督军矛盾，并联合农民军共同抗清，未被采纳。

清顺治五年，王夫之与管嗣裘、僧性翰等，在衡山组织武装抗清失败，赴肇庆，任南明永历政权行人司行人。连续三次上疏弹劾东阁大学士王化澄等贪赃枉法，结奸误国，几陷大狱。得高一功仗义营救，方免于难。

顺治八年，回原籍，誓不剃发，不容于清朝当局，辗转流徙，四处隐藏，最后定居于衡阳金兰乡高节里。先住茱萸塘败叶庐，继筑观生居，又于湘水西岸建湘西草堂。

南明永历政权灭亡后，誓不出仕。清康熙三年（1664年），写成《永历实录》，记述永历政权兴衰。十七年，吴三桂在衡州称帝，其党强命夫之写《劝进表》，遭到愤然拒绝。事后，逃入深山，作《祓禊赋》，对吴极表蔑视。二十八年，衡州知府崔鸣鷟受湖南巡抚郑端之嘱，携米币见夫之，请其“渔艇野服”与郑“相晤于岳麓”，并图索其著作刊行。夫之以“病不能往”，且不欲违其素心，受米返币，致函以谢，自署南岳遗民。康熙三十一年（1692年）病逝，年74岁。

王夫之去世后，其所著书籍广为传播，在思想上对后世影响巨大。

王夫之后半生40余年中，著述百余种，内容涉及哲学、政治、法律、军事、历史、文学、教育、伦理、文字、天文、历算及至佛道等，尤以哲学研究成就卓著，其主要著作有《周易外传》、《张子正蒙》、《尚书引义》、《读四书大全说》、《老子衍》、《庄子通》、《思问录》、《读通鉴论》、《宋论》、《黄书》、《噩梦》、《楚辞通释》、《诗广传》等。清末汇刊成《船山遗书》，凡70种，324卷。在政治思想方面，提出“循天下之公”，“不以一人疑天下，不以天下私一人”。主张选贤使能，“以天下之禄位，公天下之贤者”。在哲学思想上，避朱程“理在气先”、“道在器先”和陆王“心学良知”之说，提出“天下唯器”，“理不先而气不后”的理论，而归于躬行实践，强调知行统一。其诗文亦自成一家，于言意、情景、内外等深入研讨，颇富新意。凡此，对近代思想均有重大影响。

和顾炎武一样，王夫之将为学与为人合为一体，操志高洁，学博识精，亦是一代思想大家。

严复

严复（1853年—1921年），原名宗光，字又陵，后改名复，字几道，福建侯官人，是清末很有影响的资产阶段启蒙思想家、翻译家和教育家，是中国近代史上向西方国家寻找真理的“先进的中国人”之一。

严复自幼聪颖，又受家学熏陶，有较好的古文功底。长大后师事黄宗彝，对儒家经典有了更深入的了解。十四岁时，因父亲去世，家道败落，不得不放弃科举入仕，转而入洋务派左宗棠、沈葆桢等创办的海军学校福州船厂附设的船政学堂，学习现代造船技术。他对几何、代数、水重学、光学、电磁学、地质学、军事学、伦理学、音乐等学科知识都有涉猎。

1876年，严复被派往英国海军学校留学三年。其间他的兴趣逐渐脱离本行，转移于西方的资本主义政制和哲学。在这一时期，他对西方学术思想的了解非常广泛。他不仅对西欧近代思想家如哥白尼、牛顿、康德、培根、霍布斯、洛克、笛卡尔等有所研究；而且对古代欧洲的思想家，如柏拉图、亚里士多德、伊璧鸠鲁、德谟克里特等，也有一定的了解。而这些思想内容对严复影响最巨者，则是当时西欧盛行的资产阶级自由主义的经济、政治观点，在英国广泛传播的达尔文的进化论，以及哲学中的实证论、不可知论等主观唯心论思想。这一学术造诣上的特点，为严复在近代思想史上取得令人瞩目的成就奠定了基础。

回国一年后，严复被李鸿章调至北洋水师学堂，先后任总教习、会办、总办等职。但从政治上来说，李鸿章对严复并不真正予以重用；而与此同时，严复对以李鸿章为首的洋务派也不满意。他始终认为，必须从政治制度与思想观念上效法西洋，才能致中国于富强，免于灭种亡国。因为对洋务派失去信心，严复企图通过“仕宦”之途，依靠封建旧势力来实现自己的政治理想。但两次应试，均以失败告终。他借科举来登上政治舞台、以实现政治抱负的愿望也落空了。

甲午战争的失败，使洋务派苦心经营的自强求富的事业毁于一旦，还被迫签订空前的屈辱条约，这直接导致了帝国主义列强更加疯狂地侵略中国，新的一轮瓜分殖民地的竞赛在列强之间展开。在这种情况下，救亡图存的问题摆到每一个爱国的中国人面前，同时也给严复带来巨大的心灵创痛，在没有政治实力、无法实现其救国主张的情况下，严复采取了以译著的方式来达到警世的目的。这在当时，应该说是他的一种新的斗争手段。

甲午战争后至戊戌政变前的三年间，维新运动蓬勃发展，严复在这个时期成为一个出色的提倡变法自强的理论家与宣传家。在这三年内，他最主要的历史功绩是：第一，1895年在天津《直报》上先后发表了《论民变之亟》、《救亡决论》、《原强》及《辟韩》四篇重要论文，向封建专制主义发起了猛烈的进攻。这其中《原强》全面地提出了他的资产阶级民主思想，《辟韩》则对封建主义专制政治提出了最尖锐、最严厉的抨击。第二是《天演论》的翻译。这是他最负盛名的翻译作品，同时也在很大程度上奠定了他在中国近代思想史上的历史地位。第三是他与几个志同道合的朋友，共同在天津创办了《国闻报》，内中主要社论，大半出自严复之手，文风尖锐泼辣。《国闻报》与当时梁启超在上海所办的《时务报》南北响应，风行全国，成为宣传变法维新的重要阵地。

然而，从本质上说，受资产阶级改良主义思想的制约，严复并没有对封建势力彻底绝望，他依然希冀得到朝廷的重用，以实现自己的政治主张。在戊戌政变前后，他写了长篇政论《拟上皇帝书》，希望光绪帝效法西方，变革政制。但无情的历史再次将他的希望打得粉碎。在北京，严复亲眼目睹了戊戌政变的过程。义和团运动发生后，严复离开天津水师学堂，先后任天津开滦煤矿华人总办、京师大学堂（北京大学前身）信译局总办、复旦大学校长、安徽高等师范学堂校长、北京学部（教育部）名词馆总纂等职。但他的精神所寄，仍在于继续维新运动时期提倡西学的工作。在戊戌政变后至辛亥革命前这十余年中，他主要翻译了如下几部资产阶级著作：亚当·斯密：《原富》（1902年）、斯宾塞：《群学肄言》（1903年）、约翰·穆勒：《群己权界论》（1903年）、甄克斯：《社会通诠》（1904年）、孟德斯鸠：《法意》（1904年—1909年）、约翰·穆勒：《名学》（1905年）、耶方斯《名学浅说》（1909年）。它们与《天演论》一起，是严复最重要的八部译著。这八种西方学术著作，第一次比较系统地把西方资产阶级的政治、经济等各方面的学术思想介绍到中国来，此后西学的传播才开始具有明确的理论形式和思想内容。这个时期的严复仍以积极向上的工作，影响着近代中国思想史的进程。

辛亥革命以后，严复担任了几个月的北京大学校长，但基本上过着衰病闲居的生活。同时，他虽然有着强烈的爱国主义精神，但在思想上，已完全走上保守的道路。在政治方面，他参加了为袁世凯复辟做鼓吹工作的“筹安会”，反对共和，主张恢复帝制，甚至对戊戌变法，也以“轻易猖狂”为由加以否定。在文化方面，他主张尊孔读经，喜读老庄，反对五四运动，走向历史潮流的对立面。1921年，严复病死于故里。

综观严复的一生，从思想发展脉络来看，大致可分为四个时期：甲午战争以前，是其思想的发展与成熟时期；甲午战争至戊戌政变以前即维新运动时期，他是一个出色的资产阶级维新理论家。这是他一生中最辉煌的时期；戊戌政变至辛亥革命以前，他通过大量翻译西方资产阶级政治、经济、伦理学等方面著作，介绍并提倡“西学”中的民主和科学思想，在反封建斗争中继续作出贡献。但同时受现实政治的影响，思想逐渐趋于保守；辛亥革命后到他去世之前，他虽仍保持强烈的爱国思想，但政治思想却远远落在时代之后了。严复思想上的曲折变化，既体现出严复本人在社会动荡中思想发展不可避免的复杂性与多样性，也反映了那个时代资产阶级知识分子的普遍特征。

洪秀全

洪秀全（1814年—1864年）广东花县官禄人。中国历史上规模最大的农民起义太平天国运动的领袖，太平天国的创立者。

洪秀全少时就学于本村书塾，熟读四书五经等古籍。约从1828年（道光八年）起，屡试不中，思想颇受刺激。1843年一次应试落第后，阅读了基督教布道书《劝世良言》，将书中内容和六年前一次大病中幻觉对照比附，以为幻觉中所见老者即上帝，自己即上帝派来拯救中国以使人们回到信拜上帝之路的使者，并按书中所言，自行施洗。次年，偕友冯云山等往广州和附近各县及广西贵县开展传教活动，宣传拜上帝、不拜仙佛邪神的道理。此后两年间，撰写了《百正歌》、《原道救世歌》、《原道醒世训》等多篇小说诗歌文学作品，谴责当时社会的腐败、堕落，要求人们净化思想，信拜上帝，以回复到古代“天下为公”的盛世。

1847年春，洪秀全到广州美国传教士罗孝全的教堂学道，得读新、旧约圣经，并申请加入教会，但因口试不合格，要求未能实现。

之后，洪秀全再赴广西。时冯云山在广西桂平紫荆山区传教获得成功，信徒日增，形成“拜上帝会”，于是，洪秀全与冯云山共同策划，制定了宗教和道德的戒律“十款天条”和各种仪式，组织和约束拜上帝会会众。由于影响不断扩大，拜上帝会与当地封建传统势力发生冲突，斗争日剧。其间，洪秀全与冯云山及广西人杨秀清、萧朝贵、韦昌辉、石达开形成领导核心，逐渐明确了推翻不信上帝的清朝统治者而另建新朝的目标。洪秀全自称天父次子、天兄耶稣胞弟，其余五首领并为天父之子，以坚定信徒信心。

1850年夏，广西天地会群众的自发斗争达于高潮，清朝在广西的统治濒于瘫痪，洪秀全乘机通知散居各地的信徒到桂平金田村会合。半年间，会集万人，编组成军。1851年1月11日建号“太平天国”，洪秀全称天王。同年，设官封王，建立各项制度。

1852年—1853年（咸丰二年至三年），洪秀全统帅所编太平军与清军作战，入湖南进湖北，沿长江攻占南京建都（号天京），统治长江中下游广大地区。

建都后，洪秀全颁布了《天朝田亩制度》。这一文件勾画出他理想中的社会蓝图：实行“凡天下田，天下人同耕”，每人都授予土地，不论男女，按照人口均分；以古代《周礼》的制度编组户口，每二十五家为一“两”，为管理生产和分配的最基层的组织；每“两”设一国库，收成时，除足本“两”人户口粮外均归国库，每“两”人户婚娶弥月所需俱用国库，鳏寡孤独由国库供养。这是建立一个平均的、自给自足的、公有的小农社会的理想模式。但洪秀全的这种构想并不很缜密。1859年辅政的洪仁提出《资政新篇》，主张兴办交通、银行和矿业等，与《天朝田亩制度》的倾向完全不同，洪秀全也批示同意。以后又重新刊布《天朝田亩制度》，但其中主要内容如平分土地等并未实行。

在思想文化方面，洪秀全以上帝为独一真神，打击佛、道异教，在建都天京后又发起了严禁一切孔孟诸子百家书籍的运动，只允许基督教的新、旧约圣经和太平天国编写的书籍流传，以图加强思想统治。杨秀清反对这一政策，在1854年2月以天父下凡方式肯定四书、十三经及其他古书的价值。洪秀全遂下诏删改四书等儒家典籍，宣布删改后准人民阅读。但此事未完成。与此同时，洪秀全还提倡文以纪实，反对浮文典故。

定都天京后，太平天国领导层日益腐化，他们贪图享乐，争权夺利，互相猜疑，最终导致了1856年9月太平天国内乱的发生。内乱主要问题发生在杨秀清同洪秀全和其他高级领袖之间。洪秀全虽是天王，但杨秀清掌握了军政实权；并常以天父代言人之名，超越洪秀全之上。韦昌辉在洪秀全的默许下杀杨秀清；又扩大事态，滥杀杨秀清部属多人。洪秀全在石达开起兵威胁下，杀了韦昌辉，以石达开主政。但不久又对石达开心存疑忌，多方牵制，致使石达开于次年带兵出走，与洪秀全分裂。此次内讧，极大地打击了太平天国，损伤了实力。

1858年，洪秀全重建领导核心，提拔后起的陈玉成、李秀成、李世贤等为方面军统帅，自己兼任军师。但鉴于杨、韦、石事件，家天下思想加重，多任用年幼无知或才干不足的兄弟子侄，使领导机构的能力大为降低。1859年，任命新到天京的族弟洪仁为“精忠军师干王”，居于首辅地位。洪仁颇具政治才干，但与太平天国渊源较浅，引起宿将不服。洪秀全于是普遍加官晋爵，以团结人心，虽收到暂时效果，但却导致了各将领据地自雄的局面。

洪秀全本人在太平天国中致力宗教甚于实际政务，而且在太平天国内乱后，军民产生失望和离心倾向的情况下，他还进一步沉溺和求助于宗教，亲自反复宣传天父天兄与其父子为“父子公孙”三代，其父子接受天父天兄安排坐江山，因而是神圣不可动摇的。又改国号为“上帝天国”，旋又改回而于“太平天国”之上加“天父天兄天王”六字。这些宗教宣传和举措，较太平天国前期更为离奇而缺少社会内容，未能起到鼓舞士气、加强权威的作用。

后来，在1860年，太平天国攻占苏南等地后，与盘踞上海等地的外国侵略势力接触日多，引起严重冲突。英国要求太平军不进攻上海等条约口岸地区。几经交涉，洪秀全同意在1861年内不进入距上海一百里以内地区；但拒绝了英国要求继续延期的威胁，于1862年1月派兵进攻上海。曾有外国势力提出愿与太平天国合作，推翻清朝，平分中国土地，洪秀全断然拒绝。在外国传教士的要求下，洪秀全一度同意外国教士可在太平天国领土内自由传教。但洪秀全对世界形势并不了解，对外以天朝大国自居，缺乏近代国家主权观念，因而轻易同意了外国在长江的航行通商权。

第二次鸦片战争后，清政府勾结外国侵略势力，加紧镇压太平天国。1863年（同治二年）太平天国统治区相继失陷，天京遭清军包围，粮尽援绝。李秀成建议“让城别走”，洪秀全不从，坚持株守天京。城内缺粮，他亲自在宫中草地寻拣百草，制作成团，称为“甜露”，要人民以“甜露”为食。1864年6月3日，因病去世。一个半月后，7月19日，清军攻破天京，太平天国中央政权灭亡。

总体而言，洪秀全是一位杰出的农民领袖和思想家，一生坚持反清革命大业，对太平天国的兴起和发展作出了卓越的历史贡献，在太平天国史上具有崇高的历史地位。但定都天京后，洪秀全生活腐朽，任人唯亲，排除异姓，犯了严重的政治错误，加速了太平天国的失败，对太平天国失败也负有最大责任。

李自成

李自成（1606年—1645年），原名鸿基，陕西米脂人，世居米脂李继迁寨，人称闯王、李闯，明末农民军领袖之一，大顺政权的建立者。

明末，由于政治腐败，统治阶级对人民横征暴敛，加之连年灾荒，各地农民纷纷发动起义。李自成是从起义中涌现出来的杰出的领袖。因贫穷，他13岁时给人家放羊，21岁时到银川当驿卒。不久失业回乡，因无力偿还地主艾举人的债，被毒打后关进大牢。释放后他杀死艾举人，远走到甘肃当兵。

崇祯二年（1629年），后金军偷袭北京。李自成随军东调。途中军官克扣军饷，激起公愤。李自成于是发动士兵杀死军官起事，投奔不沾泥张存孟部。不久投奔闯王高迎祥，因作战骁勇，任闯将。

九年七月，高迎祥在陕西周至战败，被俘牺牲，李自成继承闯王名号，转战陕、甘、川。

十二年五月，河南发生严重的饥荒。李自成认为时机已到，于冬天率部进入河南西南部。大量饥民和小股农民起义军纷纷来投，李自成的部队迅速发展到10万人。举人李岩、牛金星和以算卦为业的宋献策都投至李自成麾下，并得到李的重用。李自成采纳李岩等的建议，提出“均田免粮”、“割富济贫”的口号，得到百姓拥护，到处传唱：“杀牛羊，备酒浆，开了城门迎闯王，闯王来了不纳粮。”

十四年一月，李自成攻入洛阳，杀福王朱常洵，得粮食数十万担，开仓济贫，百姓踊跃投军，李自成军迅速扩展到40万人。此后，他三次围攻开封，连获项城、襄城、朱仙镇、郏县、汝宁（以上均属河南）五次战役的胜利，俘杀明兵部尚书傅宗龙、汪乔年等，歼明军近60万人。起义军数量由劣势转变为优势。

十六年正月，李自成军攻克承天（今湖北钟祥）、襄阳，打出“兵安民”的旗号，宣布三年不征。之后又宣布了“平买平卖”等纪律。

夏，李自成召开军事会议，研究下一步的行动方案。他采纳谋士顾君思的建议，决定先定关中，建立根基，然后取山西，再进攻北京。李自成为诱敌深入，一再佯败，将明军逐步引入郏县，然后筑深淘高垒坚守待机。不久，连日阴雨。李自成得悉明军运粮部队因路滑难行，滞留在汝州（今河南临汝）一带，乃派轻骑截断明军运输线。孙传庭慌忙率主力去汝州护粮，李自成乘机向明军发动猛攻，歼明军4万人。十月，农民军攻克潼关，在渭南杀孙传庭，乘胜攻占西安，并席卷陕甘宁。

十七年正月，李自成称“大顺王”，定国号为大顺，建元永昌。

二月，李自成率百万大军兵分两路东进。南路由大将刘芳亮率领，从平阳（今山西临汾）东进，越太行山至豫北。占卫辉、彰德，然后北上，以牵制南面的明军。另一路主力由李自成率领，占太原，经大同、宣府南下，于三月十七日围攻北京，十八日破外城，十九日破紫禁城，明崇祯帝在煤山（今北京景山）东麓吊死，明亡。

在胜利面前，李自成开始骄傲轻敌，认为天下已定，明朝在江南的部队和吴三桂的边防部队都可以招降。加之部分起义军首领如牛金星、刘宗敏之流已被胜利冲昏了头脑，追求荣华富贵，导致部队纪律松弛，在百姓中的威望急剧下降，终于种下起义军失败的祸根。

失民心，失天下，很快，李自成起义的胜利果实就被清朝贵族和汉族地主窃取了。第二年，李自成在湖北通山九宫山考察地形，神秘消失，起义事业功亏一篑。

李自成领导的农民革命虽然最终失败了，但无可否认的是，这是我国历史上农民起义的一个新高峰。在他的带领下，起义军摧枯拉朽，彻底推翻了明王朝的封建腐朽统治，在一定程度上为清朝的建立与康乾盛世的出现奠定了基础，他的伟大历史功绩将永远彪炳史册。

康有为

康有为（1858年—1927年），又名祖诒，字广厦，号长素，又号明夷、更甡、西樵山人、游存叟、天游化人，晚年别署天游化人。广东南海人，人称“康南海”，清光绪年间进士，官授工部主事。出生于仕宦家庭，是广东望族，世代为儒，以理学传家。近代著名政治家、思想家、社会改革家、书法家和学者，他信奉孔子的儒家学说，并致力于将儒家学说改造为可以适应现代社会的国教，曾担任孔教会会长。主要著作有《康子篇》、《新学伪经考》。

康有为1858年3月19日（咸丰八年）出生于广东南海丹灶镇苏村的一个封建官僚家庭，祖父康赞修是道光年间的举人，父亲康达初做过江西补用知县。

康有为自幼学习儒家思想，1879年开始接触西方文化。1882年，康有为到北京参加顺天乡试，没有考取。南归时途经上海，购买了大量西方书籍，吸取了西方传来的进化论和政治观点，初步形成了维新变法的思想体系。1888年，康有为再一次到北京参加顺天乡试，借机第一次上书光绪帝，请求变法，受阻未上达。

1891年后，他在广州设立万木草堂，收徒讲学，弟子有梁启超、陈千秋等人。

1895年，他到北京参加会试，得知《马关条约》签订，联合1300多名举人，上万言书，即“公车上书”，又未上达。当年5月底，他第三次上书，得到了光绪帝的赞许。7月，他和梁启超创办《中外纪闻》，不久又在北京组织强学会。

1897年，德国强占胶州湾，康有为再次上书请求变法。次年1月，光绪皇帝下令康有为条陈变法意见，他呈上《应诏统筹全局折》，又进呈所著《日本明治变政考》、《俄罗斯大彼得变政记》二书。4月，他和梁启超组织保国会，号召救国图强。6月16日，光绪帝在颐和园勤政殿召见康有为，任命他为总理衙门章京，准其专折奏事，筹备变法事宜，史称戊戌变法。后因慈禧太后的干预，维新运动失败。

变法失败后，光绪帝被软禁，康有为的弟弟康广仁被杀，康有为逃往法国，自称持有皇帝的衣带诏，组织保皇会，鼓吹开明专制，反对革命。为获得国际支持，他曾游历列国，会见欧洲各国君主。

康有为于辛亥革命后的1913年回国，主编“不忍”杂志，宣扬尊孔复辟。作为保皇党领袖，康有为反对共和制，一直谋划清废帝溥仪复位。1917年，康有为和效忠前清的北洋军阀张勋发动复辟，拥立溥仪登基，不久张勋复辟就在当时北洋政府总理段祺瑞的讨伐下宣告失败。康有为晚年始终宣称忠于清朝，溥仪被冯玉祥逐出紫禁城后，他曾亲自前往天津到溥仪居住的静园觐见探望。

1927年3月8日，康有为在上海做完70大寿，于21日抵达青岛。30日晚，一位广东同乡请他吃饭，未终席而腹痛，翌日身死异乡。

后人了解康有为，大多基于“戊戌变法”。事实上，康有为在书法艺术方面所作的贡献，绝不比他在政治舞台上的作为逊色。

他不仅是位杰出的政治家，也是继阮元、包世臣后又一大书论家。他于光绪十五年（1889年）所著的《广艺舟双楫》是从理论上全面地系统地总结碑学的一部著作，提出“尊碑”之说，大力推崇汉魏六朝碑学，对碑派书法的兴盛有着极其深远的影响。

康有为还在文学领域有惊人的建树。他的文学成就主要是诗歌创作，想象奇特，词采瑰丽，具有浓郁的浪漫主义特色，辑成《南海先生诗集》。代表诗篇即《出都留别诸公》5首，其中对国家危亡命运十分关切，意气豪迈。其政论文打破传统古文程式，汪洋恣肆，骈散不拘，开梁启超“新文体”先河。主要著作有《康子篇》、《新学伪经考》、《孔子改制考》、《日本变政考》、《大同书》和《欧洲十一国游记》等。

纵观康有为的一生，当时与后世皆褒贬不一，颂之者称他是改革家，“广厦长素究为谁？南海先生康有为”。贬之者称其为保皇党，章炳麟在《驳康有为论革命书》中对他的保守思想就有很多批判。这其中更重要的原因就是他没有和谭嗣同一样选择杀身成仁，而选择了逃亡。

但公平而论，有一点是毋庸置疑的，那就是康有为以其所处的时代，先行看到了国家的危机，并进行了大胆尝试，为孙文领导的辛亥革命做了实践上的指导。

梁启超

梁启超（1873年—1929年），广东新会人。中国近代思想家、戊戌维新运动领袖之一。字卓如，号任公，别号饮冰室主人。

梁启超出生于一个半耕半读的家庭，自幼聪颖，四岁开始学习四书五经，九岁即能写出上千言的八股文章，十二岁中秀才，十六岁中举人。1890年，他十七岁时拜康有为为师，从康学习四年，受康有为的影响，开始探索挽救祖国危亡的变法维新之术。

1895年春，梁启超再次赴京会试，时值清政府与日本签订丧权辱国的《马关条约》，群情激奋。梁启超协助康有为发动在京应试举人联名请愿的"公车上书"，要求清廷拒和、迁都、实行变法。

维新运动期间，梁启超表现活跃，主北京《万国公报》（后改名《中外纪闻》）和上海《时务报》笔政，又赴澳门筹办《知新报》，在鼓动舆论、宣传维新方面，发挥了巨大作用。他的许多政论激昂慷慨，文笔流畅，笔锋常带感情，在社会上有很大影响。

1897年，应湖南巡抚陈宝箴之邀，就任长沙时务学堂总教习，在湖南宣传变法思想，培养维新人才。1898年回京，积极参加"百日维新"。

1898年9月，戊戌政变发生，梁启超逃离北京，东渡日本，一度与孙中山为首的革命派有过接触。随着形势的发展，其政治主张亦时有变化。从"保皇"到"新民"，从"开明专制"到拥护立宪，但改良主义的基本立场则始终未变。在日期间，先后创办《清议报》和《新民丛报》，鼓吹改良，反对革命。同时也大量介绍西方社会政治学说，在当时的知识分子中影响很大。1905～1907年，改良派与革命派的论战达到高潮，此时资产阶级民主革命已逐渐取代改良主义的维新变法成为中国社会思潮的主流。梁启超作为改良派的主将，遭到革命派的反对。

武昌起义爆发后，他一度宣扬"虚君共和"，企图使革命派与清政府妥协。民国初年又支持袁世凯，为袁出谋划策，并承袁意，将民主党与共和党、统一党合并，改建进步党，与国民党争夺政治权力。1913年，进步党"人才内阁"成立，梁启超出任司法总长，但因袁世凯帝制自为的野心日益暴露，梁启超劝说无效，遂反对袁氏称帝，与之发生冲突。1915年8

月，发表《异哉所谓国体问题者》一文，对袁氏意欲复辟帝制的行径进行猛烈抨击，旋与蔡锷密谋，策划武力反袁。1915年底，护国战争在云南爆发。1916年，梁启超赴两广地区，先后担任护国军两广都司令部都参谋，军务院抚军兼政务委员长等职，积极参加反袁斗争，为护国运动的兴起和发展，作出了重要贡献。

袁世凯死后，段祺瑞逐渐成为北洋政府的实权人物，梁启超认为"护国"成功，遂主张解散军务院，依附段祺瑞。他拉拢一些政客，组建宪政研究会，与支持黎元洪的宪政商榷会对抗。1917年7月，张勋复辟失败，段祺瑞掌握北洋政府大权。梁启超拥段有功，受到重用，出任财政总长兼盐务总署督办。段祺瑞对内实行独裁，对外出卖主权，遭到全国民众反对，9月，孙中山发动护法战争。11月，段内阁被迫下台，梁启超也随之辞职，并从此退出政坛。

梁启超不仅是中国近代重要的思想家、政治活动家，而且也是一位著名学者。他兴趣广泛，学识渊博，在文学、史学、哲学、佛学等诸多领域，都有较深的造诣。1901～1902年，先后撰写了《中国史叙论》和《新史学》，批判封建史学，发动"史学革命"。梁启超一生热衷于政治，但始终没有找到正确的政治道路。他一生又热衷于文化学术，在文化学术上的业绩，远远超过政治上的成就。特别是欧游归来之后，以主要精力从事文化教育和学术研究活动，写下了《清代学术概论》、《中国近三百年学术史》、《先秦政治思想史》、《中国历史研究法》、《中国文化史》等重要著作和大量文章，其中不少具有很高的学术价值。

1920年后，梁启超先后在清华学校、南开大学等校执教，并到各地讲学。担任过京师图书馆、北京图书馆、司法储才馆馆长等职，为培养人才和发展文化教育事业作出了一定成绩。1929年1月19日病逝于北京协和医院，终年五十七岁。

后人对梁启超褒贬不一。但正如郭沫若所言，平心而论，梁任公地位在当时确实不失为一个革命家的代表。他是生在中国的封建制度被资本主义冲破了的时候，他背负着时代的使命，标榜自由思想而与封建的残垒作战。二十年前的青少年可以说没有一个没有受过他的思想或文字的洗礼的。他是资产阶级革命时代的有力的代言者，他的功绩实不在章太炎辈之下。

谭嗣同

谭嗣同（1865年—1898年），字复生，号壮飞，又号华相众生、东海褰冥氏、廖天一阁主等。汉族，湖南长沙浏阳人，近代变法家、革命家，著名维新派人物，“戊戌六君子”之一。

谭嗣同的父亲谭继询曾任清政府户部郎中、甘肃道台、湖北巡抚等职。生母徐氏出身贫寒，作风勤朴，督促谭嗣同刻苦学习。10岁时，谭嗣同拜浏阳著名学者欧阳中鹄为师。在欧阳中鹄的影响下，他对王夫之的思想发生了兴趣，受到了爱国主义的启蒙。他读书务求广博，好讲经济世的学问，文章写得很有才华。他对传统的时文八股非常反感，在课本上写下“岂有此理”几个字。他仰慕那些锄强济弱的草莽英雄，曾与当时北京的一个“义侠”王五结交，二人成为生死不渝的挚友。1877年，在浏阳，他又师从涂启先，系统学习中国的典籍，开始接触算学、格致等自然科学。此后又到兰州，在他父亲的道署中读书。

1884年，谭嗣同离家出走，游历各地，观察风土，结交名士。劳动人民反封建斗争精神的濡染，开阔了他的视野，使他的思想富于斗争性。1888年，他在著名学者刘人熙的指导下开始认真研究王夫之等人的著作，汲取其中的民主性精华和唯物色彩的思想，同时又广为搜罗和阅读当时介绍西方科学、史地、政治的书籍，丰富自己。

1894年，中日甲午战争爆发。由于清政府的腐败无能和妥协退让，中国战败，签订了丧权辱国的《马关条约》。深重的民族灾难，焦灼着谭嗣同的心，他对帝国主义的侵略义愤填膺，坚决反对签订和约。

在变法思潮的影响下，谭嗣同苦思精研挽救民族危亡的根本大计。他感到必须对腐朽的封建专制制度实行改革，才能救亡图存。1897年夏秋间，写成重要著作《仁学》，它是维新派的第一部哲学著作。他认为物质性的“以太”是世界万物存在的基础，世界万物处于不断运动变化之中，而变化的根源在于事物的“好恶攻取”、“异同生克”。他把“以太”的精神表现规定为“仁”，而“仁”的内容是“通”，“通之象为平等”，“仁——通——平等”是万物的发展法则，是不可抗拒的规律。他在这部著作中，愤怒地抨击了封建君主专制所造成的“惨祸烈毒”和三纲五常对人性的摧残压抑。指出，封建纲常礼义完全是那些独夫民贼用作统治的工具，特别是君臣一伦，更是“黑暗否塞、无复人理”。因此，对于那些昏暴的专制君主，不仅可以不为其尽忠死节，而且可以“人人得而戮之”。

1898年初，谭嗣同接受了倾向维新的湖南巡抚陈宝箴的邀请，回到湖南协助举办新政。他首先加强了时务学堂中维新派力量。自己担任了分教习，又安排唐才常任中文教习，协助任总教习的梁启超，在教学中大力宣传变法革新理论。孔子改制、平等、民权等学说由此而乘风扬波，日益恢张。他还把《明夷待访录》、《扬州十日记》等含有民族主义意识的书籍发给学生，向他们灌输革命意识，使时务学堂真正成了培养维新志士的机构。

1898年3月，他又与唐才常等人创建了维新团体南学会。南学会以联合南方各省维新力量，讲求爱国之理和救亡之法为目的。为了加强变法理论的宣传，他还创办了《湘报》，作为南学会的机关报，由他任主笔。由于对湖南新政的尽力，他以“新政人才”而闻名。

光绪“诏定国是”后不久，就有人向光绪推荐谭嗣同，光绪同意召见。1898年8月21日，他抵达北京。9月5日，光绪下诏授给他和林旭、刘光弟、杨锐四品卿衔，参与新政。次日，光绪又召见他，表示自己是愿意变法的，只是太后和守旧大臣阻挠而无可奈何。光绪变法的决心和对维新派的信赖使谭嗣同非常感动，觉得实现自己抱负的机会已经在握。他参政时，维新派与顽固派的斗争已是剑拔弩张。慈禧等人早有密谋，要在10月底光绪去天津阅兵时发动兵变，废黜光绪，一举扑灭新政。

1898年9月18日，谭嗣同夜访袁世凯，要袁世凯带兵入京，除掉顽固派。袁世凯假惺惺地表示先回天津除掉荣禄，然后率兵入京。袁世凯于9月20日晚赶回天津，向荣禄告密，荣禄密报西太后。9月21日，西太后发动政变，慈禧连发谕旨，捉拿维新派。

谭嗣同听到政变消息后，置自己的安危于不顾，多方活动，筹谋营救光绪。但因措手不及，计划均告落空。于是，他决心以死来殉变法事业，用自己的牺牲去向封建顽固势力作最后一次反抗。谭嗣同把自己的书信、文稿交给梁启超，要他东渡日本避难，并慷慨地说：“不有行者，无以图将来，不有死者，无以召后起。”日本使馆曾派人与他联系，表示可以为他提供“保护”，他毅然回绝，并对来人说：“各国变法无不从流血而成，今日中国未闻有因变法而流血者，此国之所以不昌也。有之，请自嗣同始。”

9月24日，谭嗣同在浏阳会馆被捕。在狱中，意态从容，镇定自若，写下了这样一首诗：“望门投止思张俭，忍死须臾待杜根。我自横刀向天笑，去留肝胆两昆仑”。9月28日，他与其他5位志士英勇就义于北京宣武门外菜市口。当他们被杀时，刑场上观看者上万人。他神色不变，临终时还大声说：“有心杀贼，无力回天，死得其所，快哉快哉！”充分表现了一位爱国志士舍身报国的英雄气概。

1899年，谭嗣同的遗骸运回原籍，葬在湖南浏阳城外石山下。墓前华表上对联写道：亘古不磨，片石苍茫立天地；一峦挺秀，群山奔赴若波涛。这位站在时代前列锐意改革又不计个人得失的政治家，将永远为后人铭记！

孙中山

孙中山（1866年—1925年），本名孙文，谱名德明，字载之，号日新，又号逸仙。出生在广东香山翠亨村（今广东中山），是中国政治家、医师、革命家、中华民族主义者。其流亡日本时，曾有一个广为人知的化名“中山樵”，之后转化成为后世常用的“孙中山”惯称。曾任中国国民党总理、第一任中华民国临时大总统等职，亦为三民主义思想的创建者。1925年3月12日因肝癌在北京逝世，陵墓位于南京紫金山中山陵。1940年，国民政府通令全国，尊称其为“中华民国国父”。

孙中山幼年时，家境贫寒。6岁时（1871年）便上山打柴牧牛，到溪涧捕鱼虾，随外祖父到海边打蚝，还到邻村三合会人办的武馆偷学拳术，故从小就养成勤劳勇敢的精神。七岁时（1872年）入私塾接受传统教育。由于家境贫寒，平时，孙中山还要去捡猪粪。贫寒的幼年生活，使得孙中山对于旧中国的民生疾苦有了切身的体会。10岁时始进村塾求学，聪颖过人，仅三年就成为全家中最有文化的一员。当时，孙中山与从上海回乡的陆皓东相识，并成莫逆之交。

1879年，十四岁的孙中山受长兄孙眉接济，随母乘轮船赴夏威夷檀香山就学，“始见轮舟之奇，沧海之阔，自是有慕西学之心，穷天地之想”。在当地英国国教会开办的用英语授课的小学“意奥兰尼书院”，他修读英语、英国历史、数学、化学、物理、圣经等科目。1881年孙中山毕业，获夏威夷王亲颁英文文法优胜奖。

到香港后洗礼入基督教，并继续读书，不久转学到广州博济医学院，结识了三合会首领郑仕良。后又闻香港西医书院招生，旋即以优异成绩考入该校。在学校期间，除学习本科外，对欧美各国的政治、经济、农业乃至天文地理知识，无不涉猎，被友人称之为“通天晓”。每逢假期回乡，就帮助农民选种施肥，改良水利，扩宽道路，并与乡绅商议改革乡政，制订预防盗贼的措施。有意以一村作示范，希望能做出成绩推广全国。

1883年，由于孙中山有信奉基督教的意向，被兄长送回家乡。于同年冬天到香港，与陆皓东一同在公理会受洗入基督教，并就读于拔萃书屋（即拔萃男书院）。1884年，进入中央书院（即皇仁书院）。

1887年孙中山进入香港西医书院（香港大学的前身）；在校期间，他不但努力攻读医学，而且还广泛研读了西方国家的政治、历史、军事、科学书籍，并结识了不少有志革命的青年朋友。

1892年7月，孙中山以首届毕业生中第二的成绩毕业，并获当时港英政府总督威廉·罗便臣亲自颁奖。曾先后在澳门、广州等地行医。他的医术精明，而且对贫穷病人免费治疗，因此，行医“不满两三月，声名鹊起”。

在广州行医期间，孙中山常常与尤列、陈少白、杨鹤龄、陆皓东等人畅谈、批评国事，也常谈革命，故广州人将此四人名为“四大寇”，甚至在文旁边加上水字旁，成为“汶”，以示贬损。虽然他最初未言革命，但这一期间的社会活动，对他后来的革命事业，有着重要的实践意义。

1894年11月，孙中山从上海去檀香山，组织兴中会，以“驱除鞑虏，恢复中国，创立合众政府”为誓词。1895年2月，在香港联合当地爱国知识分子的组织辅仁文社，建立香港兴中会。同年10月，兴中会密谋在广州起义，事泄失败。孙中山被迫亡命海外。

1896年10月，孙中山在英国伦敦曾被清公使馆诱捕，经英国友人营救脱险。此后，孙中山详细考察欧美各国的经济政治状况，研究了多种流派的政治学说，并与欧美各国进步人士接触，产生了具有特色的民生主义理论，三民主义思想由此初步形成。

1897年，孙中山赴日本，结交其朝野人士。

1900年10月，孙中山派郑仕良到广东惠州（今惠阳）三洲田发动起义。义军奋战半月，开始颇为得手，后因饷械不继而失败。

戊戌变法以后，因日本友好人士的活动，孙中山与康有为、梁启超为代表的改良派商谈过合作问题，但因改良派坚持保皇、反对革命，合作未能实现。1904年孙中山在日本、檀香山、越南、暹罗（今泰国）、美国等地对华侨及留学生宣传革命，1905年在比、德、法等国的留学生中建立了革命团体，在此期间孙中山也与国内的革命团体和革命志士建立了联系。

1905年8月，孙中山与黄兴等人，以兴中会、华兴会等革命团体为基础，在日本东京创建全国性的资产阶级革命党同盟会，孙中山被推举为总理，他所提出的“驱除鞑虏，恢复中华，创立民国，平均地权”的革命宗旨被采纳为同盟会纲领。在同盟会机关报《民报》发刊词中，孙中山首次提出民族、民权、民生三大主义。同盟会的成立，有力地促进了全国革命运动的发展。

接着，孙中山派人到国内外各地发展组织、宣传革命。他自己也在1905—1906年间赴东南亚各地向华侨宣传和募集革命经费，在一些地方创立同盟会的支部。他广泛传播资产阶级民主共和思想，使更多的人投身于反清革命。孙中山成为中国革命民主派的旗帜。他领导的对改良派的批判，为辛亥革命的爆发作了有力的思想准备。

1906～1911年，同盟会在华南各地组织多次武装起义，孙中山为起义制定战略方针，并在海外奔走，为起义筹募经费。1907年12月镇南关起义时还亲临前线参加战斗。各次起义都因缺乏群众基础、组织不够严密而失败，但革命党人前仆后继，英勇战斗，给清政府以沉重打击，给全国人民以极大的鼓舞；特别是1911年4月27日的广州黄花岗之役，在全国引起了巨大震动。

随后，在革命火焰高涨下，1911年10月10日，武昌起义爆发，各省纷纷响应。孙中山在美国得知消息后，于12月下旬回国，即被17省代表推举为中华民国临时大总统。1912年1月1日，在南京宣布就职，组成中华民国临时政府。

1912年2月12日，清朝宣统帝（溥仪）被迫宣布退位，结束了长达2000多年的君主专制制度，建立了共和国。孙中山制定和公布一系列改革和进步的法令，3月11日，颁布带有资产阶级共和国宪法性质的《中华民国临时约法》。这一法案确立了资产阶级民主共和的国家体制和三权分立的政治制度；规定了责任内阁制；确认了主权在民，法律至上，民主、平等的原则；明确提出保障人民的各项民主自由权利。同时法案的颁布具有深远意义：这是在中国历史上第一次以法律形式宣布国家主权属于人民，规定了人民的基本权利和义务，是中国第一部具有资产阶级共和国宪法性质的国家临时大法。

然而，接下来的政治形势却很不乐观。由于受到帝国主义、封建主义的强大压力与革命党本身的涣散无力，孙中山被迫在清帝退位后，于1912年2月13日辞去临时大总统职，让位于袁世凯，4月1日正式解职。此后一年多，孙中山积极宣传民生主义，号召实行平均地权，提倡兴办实业；还亲自担任了全国铁路督办，力图筹借外资修筑铁路干线。但因政权落在袁世凯手中，孙中山的努力并未取得成果。

1912年8月，同盟会改组成国民党，孙中山被推举为理事长。1913年3

月，袁世凯刺杀国民党代理理事长宋教仁，孙中山主张武力讨袁。7月孙中山发动二次革命，失败后再度出亡日本。1914年6月，孙中山在东京组织中华革命党，希望恢复和发扬同盟会的精神。

袁世凯复辟帝制失败，孙中山于1915年5月初回到国内，继续为捍卫共和制度而斗争。旋又返日，1915年10月25日在东京与宋庆龄结婚。

1917年7月，因段祺瑞为首领的北洋军阀解散国会和废弃《临时约法》，孙中山联合西南军阀，在广州建立军政府，被推举为大元帅，进行护法战争。但孙中山在军政府内备受军阀、政客的排挤，不得不于1918年5月辞去大元帅职务，经日本赴上海。第一次护法战争的失败使孙中山认识到南北军阀都是一丘之貉。从1918～1920年，孙中山完成过去已着手撰写的《建国方略》，对以往的革命经验进行总结，提出了改造和建设中国的宏伟计划。

1917年俄国十月革命胜利，孙中山于1918年夏致电列宁和苏维埃政府祝贺俄国革命的伟大胜利。1919年的五四运动，给予孙中山以很大的鼓舞，他高度评价和支持学生运动。

孙中山从1920年开始与苏俄人士接触，1921年12月在桂林会见共产国际代表马林，讨论建立革命党和革命武装问题。1922年4月，又在广州与苏俄的全权代表会见，从幻想向帝国主义寻求援助转而希望联俄。

同时，在1919年8月，孙中山委派胡汉民、朱执信、廖仲恺等人在上海创办《建设》杂志，大力宣传民主革命理论。10月，宣布中华革命党改组为中国国民党。1920年8月，孙中山指示驻闽粤军回师广东，驱逐了桂系军阀。11月，孙中山回到广州，重举护法旗帜。1921年5月，在广州就任非常国会推举的非常大总统，接着出师广西，消灭了桂系军阀陆荣廷的势力，准备以两广为根据地北伐。可惜的是，掌握广东军队统率权的陈炯明于1922年6月发动叛乱。孙中山脱险后率海军反击叛军，奋斗50余日，因待援无望，被迫离开广州赴上海。

陈炯明的叛变使孙中山陷于极为困难的境地，他决心接受共产国际和中国共产党的帮助，欢迎李大钊等共产党人以个人身份加入中国国民党。1923年1月，孙中山与苏联代表越飞发表《孙文越飞宣言》，奠定了联俄政策的基础，随即孙中山派廖仲恺赴日与越飞谈判。同月，越飞表示服从孙中山的滇、桂军队将陈炯明逐出广州，2月，孙中山从上海回到广州重建陆海军大本营，以大元帅名义统率各军，综理政务。与此同时，逐步加紧改组中国国民党的准备工作。8月，派出以蒋介石为首的孙逸仙博士代表团到苏联考察政治、党务和军事。10月，聘请苏联派来的鲍罗廷为顾问；接着，委任廖仲恺、谭平山等组成新的中国国民党临时中央执行委员会，负责筹备国民党的改组工作。

1924年1月，中国国民党第一次全国代表大会在广州召开，孙中山主持了大会。大会通过新的党纲、党章，在实际上确立了联俄、联共、扶助农工三大政策，选出有中国共产党人参加的中央领导机构。在大会通过的《中国国民党第一次全国代表大会宣言》中，孙中山对三民主义作了新的解释，充实了反帝反封建的内容。中国国民党第一次代表大会的召开，标志着孙中山的革命思想和革命事业发展到了一个新阶段。1924年5月，孙中山在广州黄埔长州岛创立陆军军官学校，为建立革命军队打下基础。

孙中山早期曾努力争取日、英、法、美等国援助中国的革命和建设，但均无所获。他在斗争中认识到，要争取中国独立富强就必须努力推翻帝国主义。晚年，他同帝国主义进行了坚决的斗争。1923年12月，帝国主义各国因广东革命政府截留粤海关关余和要求收回海关主权，集中大批军舰到广州河面对孙中山进行恫吓。孙中山在关余事件中态度果断坚决，迫使帝国主义各国在1924年5月应允照付广东政府应得的关余。1924年10月，孙中山镇压了广州商团发动的武装叛乱。

1924年10月，奉系军阀张作霖和直系将领冯玉祥联合推翻曹锟为总统的直系军阀政权。冯玉祥、段祺瑞、张作霖先后电邀孙中山北上共商国是。孙中山接受邀请，并提出废除不平等条约、召开国民会议作为解决时局的办法。11月，离广州北上，先抵上海，再绕道日本赴天津。12月底，扶病到达北京。

1925年3月12日，孙中山因患肝癌在北京逝世。

逝世前夕签署的遗嘱，包括《国事遗嘱》、《家事遗嘱》和《致苏俄遗书》三个文件。在国事遗嘱中，他总结了40年的革命经验，得出结论说："必须唤起民众，及联合世界上以平等待我之民族，共同奋斗。"发出了"革命尚未成功，同志仍须努力"的号召。指出，要按他"所著《建国方略》、《建国大纲》、《三民主义》及《第一次全国代表大会宣言》，继续努力，以求贯彻"。在家事遗嘱中，说明将遗下的书籍、衣物、住宅等留给宋庆龄作为纪念，要求子女们继承他的革命遗志。在致苏俄遗书中，阐明他实行三大革命政策，坚持反帝爱国事业的坚定信念，表示“希望不久即将破晓，斯时苏联以良友及盟国而欣迎强盛独立之中国，两国在被压迫民族自由之大战中，携手并进，以取得胜利”。1929年，遗体由北京移葬南京紫金山。

孙中山先生的贡献是巨大的：一、孙中山先生是中国民主革命的伟大先行者，是中国革命民主派的光辉旗帜。他系统提出了民主革命的纲领——三民主义，并为之奋斗了终生。先生刚强不屈，连遗言都是：革命尚未成功，同志仍需努力。二、推翻封建帝制，捍卫共和制度。孙中山先生领导的革命推翻了中国的封建专制制度，创立了资产阶级共和国，这是先生最大的历史功绩。为了维护之后的共和，从护法到北伐，孙中山先生时刻都没有停歇。三、孙中山先生晚年更加进步，促进了革命统一战线的成立，直接推动了国内第一次革命高潮的来临。他对三民主义作新的解释，成为了国共合作的基础。在孙中山领导的革命政府支持下，工农运动蓬勃发展，孙中山与工农日益接近，他参加工农群众的集会，称赞工农是革命的先锋和基础，提出“耕者有其田”的口号。四、孙中山先生在政治上也为后继者留下珍贵遗产。著有《建国方略》、《建国大纲》、《三民主义》等。其著述在逝世后多次被结集出版，有中华书局1986年出版的十一卷本《孙中山全集》，台北1969、1973、1985年出版的《国父全集》等。

总之，孙中山先生推动了中国近代社会的进步和发展，他的思想和实践成为中国人民宝贵的财富。他是一面旗帜，他的业绩得到了全人类的广泛认同。

蔡元培

蔡元培（1868年—1940年），浙江绍兴人，汉族，原籍浙江诸暨，民主主义革命家和教育家。数度赴德国和法国留学、考察，研究哲学、文学、美学、心理学和文化史，为他致力于改革封建教育奠定思想理论基础。曾任教育总长、北京大学校长、人学院院长、中央研究院院长等职。他为发展中国新文化教育事业，建立中国资产阶级民主制度做出了重大贡献，堪称“学界泰斗、人世楷模”。

蔡元培6岁入读私塾。11岁丧父后，由曾经念书的六叔蔡铭恩指导学习《史记》、《汉书》、《文史通义》等等。17岁考取秀才后，开始博览群书。1884年，18岁的蔡元培设馆教书。1885年，到杭州参加乡试。

蔡元培参加科举考试的经过，是一段十分有趣的故事。那年他本已考中贡士，如果再经复试及殿试合格，便可成为进士。但他考试完毕后，把自己的应试文章送某“权威”审阅时，却被认为是“怪八股”而不得赞赏，他认为自己难以获中，便失望地离京返乡了。岂料公布考试结果的时候他竟榜上有名，但已来不及重新赶回北京参加殿试了，如此耽误了两年时间，只能于1892年第二次来京进行殿试的“补考”。

如今，在故居楼下的展室里，居然还藏有蔡元培当年参加殿试的试卷。据说，那次考试出的题目有些“怪异”，是关于西藏地区的政治状况的。对那些只会死读“四书五经”的文人来说，这样一道题目实在是“偏”得太厉害了，而蔡元培由于兴趣广泛、饱览群书、涉猎甚广，此题正中下怀，因此临场毫无惧意，洋洋洒洒下笔千言，一举通过殿试而被录为进士。辛亥革命后，一位朋友居然从清宫档案里找到了这份试卷，特地送给他留作纪念。如今这件珍贵的文物就收藏在展室里，可以看到，在那试卷首行，赫然用朱笔批着：“第二甲第三十四名！”

蔡元培考中进士后，被授翰林院庶吉士。又过了两年，他第三次来京，参加散馆考试，升补为翰林院编修，由此在北京一住就是四年。

在这几年里，他阅读了许多西方著作的中文译本，开始对国外的政治、科学有初步了解。1895年，中国在甲午战争中获败，清廷与日本签定了屈辱的《马关条约》。蔡元培甚为激愤，叹曰：“可为痛哭流涕长太惜者也！”因此，他对力主变法维新的康有为等人颇为敬服。但维新运动最终失败，使他对腐败的朝廷彻底失去希望，毅然放弃官职返回家乡，在绍兴中西学堂就任“监督”（即校长），这是他投身教育事业的开始。

1902年，他发起成立中国教育会，后来又创立爱国学社，宣传“排满革命”的主张；1904年他发起组建反清组织光复会，曾主编《俄事警闻》、《警钟日报》，提倡民权，鼓吹革命；第二年参加中国同盟会，并任上海分会会长。

1906年，革命形势出现低潮，革命队伍内部又出现分裂现象，蔡元培于失望之中返回绍兴。就在这一年，清廷计划派翰林编修出国留学，蔡元培想利用这个机会去海外学习，便再次来到北京。

然而，由于经费欠缺，且大部分翰林又不愿去欧美留学，朝廷便改派留学日本。蔡元培不想去日本，便在译学馆暂时担任教授，讲授国文及西洋史。这译学馆归属于京师大学堂，而创办于1898年的“京师大学堂”，就是北京大学的前身。因此，后来蔡元培自己曾说，这“是我在北大服务之第一次”。也就是说，从那时开始，蔡元培便与北京大学结下了不解的情缘。但是，这段初始“情缘”的时间不太长。1907年6月，担任驻德国公使的孙宝琦答应每月资助三十两银子供蔡元培作学费，商务印书馆也同他签约每月支付一百元编辑费。这样，蔡元培终于实现了出国留学的愿望，随孙宝琦一同前往德国。在那里，他一边学习，一边为人兼作家庭教师，每月可得一百马克的报酬。

如今许多留学生把靠勤工俭学出国称为“洋插队”、“打洋工”，却不知早在近百年前，已经41岁的蔡元培就已身体力行地做出了半工半读的榜样！

从1890年至1907年，蔡元培曾四次来北京。在这17年里，他的思想发生了极大的变化。先是从“一心只读圣贤书”的举人经“寒窗苦读”的奋斗终于进入高居人上的士大夫阶层，接着又从一位堂堂的清末“翰林”彻底转变成一位激进的资产阶级革命家！

蔡元培生于动荡剧变的时代，但一生致力于民主和教育事业。他不仅是追随孙中山先生的著名革命家，而且由于他毕生致力于中国教育改革，在理论和实践上极力倡导和推进现代教育，其理论建树和对教育制度的重大改革，深刻影响了我国20世纪上半叶的教育发展进程，当之无愧地成为我国现代教育之父。

秋瑾

秋瑾（1875年—1907年），原名闺谨，字璿卿，自号竞雄，别号鉴湖女侠。浙江山阴（今绍兴）人。是我国近代杰出的革命家和妇女解放运动的先驱。

秋瑾出生于福建厦门。自小能写诗填词、骑马击剑和使棒舞枪，仰慕花木兰等女豪杰，立志要做一名巾帼英雄。在思想上，蔑视封建礼法，提倡男女平等。

清光绪二十年（1894年），其父秋信候任湘乡县督销总办时，将秋瑾许配给今双峰县荷叶乡神冲王廷钧为妻。光绪二十二年，秋瑾与王廷钧结婚。王廷钧在湘潭开设“义源当铺”，秋瑾大部分时间住在湘潭，也常回到婆家。这年秋天，秋瑾第一次回到神冲，当着许多道喜的亲友朗诵自作的《杞人忧》：“幽燕烽火几时收，闻道中洋战未休；膝室空怀忧国恨，谁将巾帼易兜鍪，”以表忧民忧国之心，受到当地人们的敬重。1897年6月生下儿子王沅德。

光绪二十六年（1900年），王廷钧纳资为户部主事，秋瑾随王廷钧赴京。不久，因为八国联军入京之战乱，又回到家乡荷叶。次年在这里生下第二个孩子王灿芝（女）。光绪二十九年，王廷钧再次去京复职，秋瑾携女儿一同前往。

1904年夏，她毅然冲破封建家庭的束缚，自费东渡日本留学，先入日语讲习所，继入青山实践女校。并在横滨加入了冯自由等组织的三合会。

在日本期间，秋瑾积极参加留日学生的革命活动，与陈撷芬发起共爱会，和刘道一等组织十人会，创办《白话报》，参加洪门天地会，受封为“白纸扇”（军师）。

光绪三十一年，秋瑾归国。春夏间，经徐锡麟介绍加入光复会。徐锡麟、秋瑾先后加入光复会后，国内革命形势有了迅速的发展。

是年七月，秋瑾再赴日本，加入同盟会，被推为评议部评议员和浙江主盟人，翌年归国，在上海创办中国公学。不久，秋瑾任教于浔溪女校。同年秋冬间，为筹措创办《中国女报》经费，回到荷叶婆家，在夫家取得一笔经费，并和家人诀别，声明脱离家庭关系。其实是秋瑾“自立志革命后，恐株连家庭，故有脱离家庭之举，乃借以掩人耳目”。

1905年秋，陶成章和徐锡麟在绍兴创办大通师范学堂，借以召集江南各府会党成员到校，进行军事训练。后来，秋瑾在该校发展了600多名会员。

这一年十二月（1907年1月14日），《中国女报》创刊。秋瑾撰文宣传女性解放主张，提倡女权，宣传革命。不久，又到诸暨、义乌、金华、兰溪等地联络会党，计划响应萍浏醴起义，结果没有实现。

光绪三十三年正月（1907年2月），秋瑾接任大通学堂督办。不久，秋瑾与徐锡麟分头准备在浙江、安徽两省同时举事。她联络浙江、上海军队和会党，组织光复军，推徐锡麟为首领，自任协领，拟于7月6日在浙江、安徽同时起义。最终事情泄露，奸人胡道南密报清廷，清兵于14日包围大通学堂，秋瑾和少数学生持枪抵抗。秋瑾被捕后坚贞不屈，次日晨于绍兴轩亭口慷慨就义。

光绪三十四年，秋瑾生前好友将其遗骨迁葬杭州西湖西泠桥畔，因清廷逼令迁移，其子王沅德于宣统元年（1909年）秋将墓迁葬湘潭昭山。

秋瑾就义后流传下许多不朽作品。一种偏重于抒发革命理想，表达革命必胜的信念，如《宝刀歌》、《宝剑歌》、《秋风曲》、《泛东海歌》、《吊吴烈士樾》、《赠蒋鹿珊先生》等；另一种诗则偏重于批判现实，慨叹世人麻木不仁，自己救国无方，如《感时》、《感事》、《感怀》、《柬某君》等。

秋瑾是中国历史上为民主革命捐躯流血的第一位女革命家，她用鲜血和生命实践了为革命“我不入地狱，谁入地狱”的誓言，为民族解放和妇女解放事业作出重大贡献，受到了后人的高度评论和永久缅怀。孙中山和宋庆龄对秋瑾都有很高的评价。1912年12月9日孙中山致祭秋瑾墓，撰挽联：“江户矢丹忱，重君首赞同盟会；轩亭洒碧血，愧我今招侠女魂。”1942年7月宋庆龄在《中国妇女争取自由的斗争》一文中称赞秋瑾烈士是“最崇高的革命烈士之一”。1958年9月2日宋庆龄为《秋瑾烈士革命史迹》一书题名。1979年8月宋庆龄为绍兴秋瑾纪念馆题词：“秋瑾工诗文，有‘秋风秋雨愁煞人’名句，能跨马携枪，曾东渡日本，志在革命，千秋万代传侠名。”

陈独秀

陈独秀（1879年—1942年），字仲甫，安徽怀宁（今属安庆市）人。新文化运动的倡导者之一，中国共产党早期的主要领导人。

陈独秀早年参加县试、乡试，由于认识到科举制度的腐败，一度拥护戊戌变法。1901年以后，陈独秀三次留学日本。与张继、苏曼殊等组织革命团体青年会。1903年陈独秀参加拒俄运动，不久又襄助章士钊主编报纸，宣传排满革命思想。

1904年，陈独秀开始创办《安徽俗话报》，传播爱国民主思想和科学知识。1905年又在安徽与柏文蔚等组织岳王会，联络大批革命志士，为同盟会在安徽的发展打下基础。武昌起义前后，陈独秀在杭州活动，曾起草革命檄文多篇。不久陈独秀回安徽，先后任孙毓筠、柏文蔚都督府秘书长，大力改革官僚政治。失败后，他又追随柏文蔚讨伐袁世凯，遭挫折，逃亡上海，继续探求救国救民道路。

1915年，陈独秀创办《新青年》杂志，举起民主与科学的旗帜。1916年任北京大学教授。陈独秀和李大钊、胡适、鲁迅等在中国掀起轰轰烈烈的新文化运动，推动新文学、新思想，推广白话文。他在《新青年》杂志上发表《敬告青年》一文提出“民主”和“科学”的口号，他说：“我们现在认定只有两位先生，可以救治中国政治上、道德上、学术上、思想上一切的黑暗。”掀起了一场批判封建礼教、提倡科学民主的新文化运动。他把民主称为“德先生”，把科学叫做“赛先生”，认定只有科学和民主才能救中国，在中国成了第一个举起科学民主大旗的人，为中国20世纪初的思想解放运动做出重要贡献！从这一点看，陈独秀完全称得上是新文化运动的领军人物，

接着在1918年，陈独秀和李大钊联合创办《每周评论》，在中国宣传马克思主义，成为中国共产党创始人和早期的主要领导人。1920年，在共产国际帮助下，他们首先在上海建立中国共产党，发起组织、进行建党活动。

1921年3月24日，陈独秀受陈炯明之邀在广东建立中国共产党。同年7月，在上海举行的中国共产党第一次全国代表大会上，陈独秀被选为中央局书记。后被选为中共第二、第三届中央执行委员会委员长，第四、第五

届中央委员会总书记。

在1925年到1927年的中国大革命中，陈独秀多次反对共产国际的国共合作指示，但是由于缺乏有系统的、独立的阶级纲领指导，使得陈独秀等一次次被共产国际领导层错误的行政指令压下去。1929年11月，陈独秀被开除出中国共产党。

1929年12月，他与彭述之等81人发表《我们的政治意见书》，攻击中国共产党的机会主义领导层。同时，在上海建立托派组织“无产者社”，出版《无产者》刊物，宣传托派观点。

1932年，在上海淞沪会战中，陈独秀支持抗战，谴责蒋介石卖国独裁，被国民党政府逮捕入狱。1937年8月出狱，拥护国共合作和国民党领导抗日，在武汉联络民主人士和抗日军队，试图组织“不拥国、不阿共”的第三势力。此时的陈独秀已偏离了托派纲领，并遭到多数中国托派的反对，但仍与托派组织保持关系，直至逝世也未曾脱离过这种组织和思想、政治关系。

1938年，陈独秀被王明、康生诬陷为日本间谍，从此与中共彻底决裂。晚年陈独秀最终的立场是主张无产阶级专政，回到了马克思主义的经典原则上。1942年5月，陈独秀作为二十多年来一直为无产阶级解放事业而奋斗的革命战士于四川江津病逝，享年64岁，葬于四川江津。1947年6月，陈独秀之子陈松年遵父遗嘱，从江津迁其灵柩回原籍安徽怀宁入葬，墓地坐落在安徽省安庆市西北隅的浅山之中，与独秀山不过一箭之遥。其主要著作收入《独秀文存》、《陈独秀文章选编》等。

陈独秀虽然晚年脱离了中国共产党，但其一生为共产主义事业做出了很大的贡献，而且也没有改变自己的气节而投靠国民党！正所谓“人无完人，金无足赤”。同时，他的两个儿子陈延年和陈乔年也是无产阶级革命家和革命烈士，为中国革命事业做出卓越贡献。陈独秀是一个经历复杂、命途多舛的历史人物，中华人民共和国成立后，中国共产党作为唯一的执政党对其评价也是在不断变化，毛泽东时代基本是打压、贬低其中国共产党创始人的地位和作用，批判其右倾机会主义的路线错误，改革开放后中国共产党开始对其在新文化运动、中国共产主义运动史、特别是缔造中国共产党这一二十世纪重大和影响深远的历史事件中的作用重新评价，肯定其卓越的贡献和价值，当然也指出其错误和不足！

胡适

胡适（1891年—1962年），汉族，徽州绩溪县上庄村人。现代著名学者、诗人、历史学家、文学家、哲学家。因提倡文学革命而成为新文化运动的领袖之一。

胡适原名嗣穈，学名洪骍，字希疆，后改名胡适，字适之，笔名天风、藏晖等，其中，适与适之之名与字，乃取自当时盛行的达尔文学说“物竞天择适者生存”典故。父亲胡传，字铁花，官至台湾台东直隶州知州，后因乙未战争离开台湾；母亲冯顺弟，安徽省绩溪县人。胡适5岁启蒙，在绩溪老家受过9年私塾教育，打下一定的古文基础。早年他在上海的梅溪学堂、澄衷学堂求学，初步接触了西方的思想文化，受到梁启超、严复思想的较大影响。

1904年，他到上海进新式学校，接受《天演论》等新思潮，并开始在《竞业旬报》上发表白话文章，后任该报编辑。

1906年，胡适考入中国公学，1910年考取“庚子赔款”第二期官费生赴美国留学，于康乃尔大学先读农科，后改读文科。这里值得一提的是：当时庚款官费留学生只取前二百名，考试两场，文章和杂科（政史地物理化生等），头一场文章胡适洋洋洒洒一篇得了一百分，如此可见他的文章造化！

1915年，胡适入哥伦比亚大学研究院，师从唯心主义哲学家杜威，接受了杜威的实用主义哲学，并一生服膺。

回国后，胡适任北京大学教授，加入《新青年》编辑部，撰文反对封建主义，宣传个性自由、民主和科学，积极提倡“文学改良”和白话文学，成为当时新文化运动的重要人物。同年，胡适在《新青年》上发表《文学改良刍议》，主张以白话文代替文言文，提出写文章“不作无病之呻吟”，“须言之有物”等主张，为新文学形式作出初步设想。

“五四”时期，胡适与李大钊等展开“问题与主义”辩难；此外他还陪同来华讲学的杜威，任杜威的翻译逾两年；与张君劢等展开“科玄论战”，是当时“科学派”丁文江的后台。胡适因提倡文学革命而成为新文化运动的主将之一。

从1920年至1933年，胡适主要从事中国古典小说的研究考证，同时也参与一些政治活动，并一度担任上海公学校长。

“九一八”事变后，胡适认为当时中国是无对日作战的能力的，因此他拥护不抵抗。

抗日战争初期，胡适出任国民党“国防参议会”参议员，由于跟“低调俱乐部”的汪精卫、周佛海、高宗武、程沧波、陶希圣等往来频频，互相交换亲日意见，主张不抗日，因此被人疑为“准汉奸”。抗日战争胜利后，胡适于1946年任北京大学校长。

1949年，胡适寄居美国，致力于《水经注》的考证等工作，后返回复兴基地。1957年，胡适出任“中华民国中央研究院院长”。1962年，胡适在台湾的一个酒会上突发心脏病去世。

从胡适一生来看，他称不上政治家，但在文学领域，确是有很深造诣的。在学术研究上，胡适主张用实用主义方法整理和评价中国古代文化，并把这一思想概括为“大胆假设，小心求证”。他将现代文化意识和现代哲学、文学、史学观念引入哲学、文学、历史、宗教研究领域，写出中国第一部哲学史、第一部白话文学史、第一部禅宗史以及大量的古典小说考证文章，尤其是他的《红楼梦》研究更开一代“新红学”之风。他对传统文化的整理和重构在中国近现代的文化史、学术史上，有着承前启后、继往开来的意义，并使他毫不逊色地成为中国现代学术史、中国现代文学史上的奠基人之一。

胡适除了旧学邃密，深染孔孟之道外，西学造诣也相当深厚，堪称学贯中西的一位学人。

陶行知

陶行知（1891年—1946年），汉族，安徽歙县人，毕业于金陵大学（1952年并入南京大学）文学系，中国人民教育家、思想家，伟大的民主主义战士，爱国者，中国人民救国会和中国民主同盟的主要领导人之一。曾任南京高等师范学校教务主任，中华教育改进社总干事。先后创办晓庄学校、生活教育社、山海工学团、育才学校和社会大学。生活教育理论是陶行知教育思想的理论核心。著作有：《中国教育改造》、《古庙敲钟录》、《斋夫自由谈》、《行知书信》、《行知诗歌集》。

1891年10月18日，陶行知出生于中国安徽歙县。1906年，15岁时陶行知就读于内地会传教士唐俊贤在歙县小北街兴办的崇一学堂，开始学习西方科学文化知识。1909年，陶行知考入美以美会在南京所办的汇文书院博习馆（即预科）。次年，汇文书院合并宏育书院更名金陵大学，陶行知从汇文书院预科升入金陵大学文科。曾任《金陵光》中文版主笔。1914年，陶行知从金陵大学毕业，毕业论文题为《共和精义》。全家从歙县迁南京，与汪纯宜结婚。

同年，陶行知留学美国，进入哥伦比亚大学师范学院主攻教育，师从杜威，期望通过教育来救国救民。这反映了他已基本确立了投身教育，报效祖国的思想和志向。

1917年毕业后，陶行知回到国内，先后任南京高等师范学校、东南大学教授、教务主任等职，开始他的教育生涯。他特别重视农村的教育，认为在3亿多农民中普及教育至关重要。陶行知积极提倡新教育，改革旧教育。为此，他一方面介绍西方的教育理论，另一方面也反对盲目“仪型他国”，提出要以科学方法进行教育改革和创新，为实现中国教育的普及化和近代化踏出一条新路。

1923年，陶行知与晏阳初等人发起成立中华平民教育促进会总会，后赴各地开办平民识字读书处和平民学校，推动平民教育运动。这期间他深切感到中国教育改造的根本问题在农村；要想普及教育，就必须使平民教育下乡，开展乡村教育运动。

1926年，陶行知与东南大学教授赵叔愚等人一起筹建乡村师范学校，校址选在南京远郊偏僻荒凉的晓庄（原名小庄）。这就是后来驰名中外的晓庄师范，由陶行知亲自担任校长。

1927年3月又创办了第一个乡村幼稚园燕子矶幼稚园。在晓庄师范，陶行知脱去西装，穿上草鞋，和师生同劳动、同生活，共同探索中国教育的新路。也就是在晓庄师范，陶行知把杜威的教育理论加以改造，形成了他的“生活教育”理论。其要点是：“生活即教育”，“社会即学校”，“教学做合一”，“在做中学”。根据生活教育的理论，晓庄师范学生在老师的指导下自己开荒，自己建茅屋，还走出校门参加村里的农协会和打倒土豪劣绅的斗争。这样就把学校教育与社会生活及生产劳动结合在一起。其目的是要培养学生的实际才干和创新能力，把学生培养成有农夫的身手，有科学的头脑，有改造社会精神的乡村教师。

1932年，陶行知通过总结晓庄师范的经验，在上海创办了上海工学团。工学团是一个社会教育组织，它既是学校，又是工厂，也是一个小社会。它制定了“工以养生，学以明生，团以保生”的宗旨，招收当地农民子弟入团，上午学习文化知识，下午参加生产劳动。晚上由儿童团员请当地农友到工学团办的茶园里谈论天下大事，还由儿童团员讲故事，当小先生。后来这种“即知即传”的小先生制在全国的二十多个省市中广泛推行，在上世纪三四十年代的普及教育和扫除文盲运动中发挥了巨大作用。

1938年，陶行知参加国民参政会，致力于抗战期间的教育活动，积极响应中国共产党提出的全面抗战的号召，成立了中国战时教育协会。

1939年7月，陶行知在四川重庆附近的合川县古圣寺创办了主要招收难童入学的育才学校。这所学校设在重庆附近，学生都是择优选拔的有特殊才能的优秀儿童。学校根据学生的兴趣和条件，聘请大批专家学者担任教师，对学生因材施教。他们不仅教学生学习文化课，而且对学生进行劳动教育、专业基础知识教育和革命的思想教育，使教育与生产劳动、社会实践、革命实践紧密结合在一起，这样就把生活教育的理论运用在培养“人才幼苗”的实践中，使育才学校成为中国近代教育史上的一株奇葩。

1945年，陶行知加入中国民主同盟，任中央常委兼教育委员会主任委员，发表了《实施民主教育的提纲》、《民主教育之普及》、《社会大学运动》等文章，无情地揭露和抨击国民党推行的法西斯教育，提出了生活教育的四大方针，这就是民主的、科学的、大众的、创造的教育。

1946年1月，陶行知在重庆创办社会大学并任校长，李公朴任副校长兼教务长。社会大学的宗旨是“人民创造大社会，社会变成大学堂”、“大学之道，在明民德，在亲民”，有力地推动了民主教育的进程。4月，陶行知来到上海，继续奋不顾身地进行争取和平民主的斗争，并为在上海创办社会大学和育才学校的迁址问题多方奔波。

1946年7月25日上午，因长期劳累过度，陶行知突发脑溢血，不幸逝世于上海，享年55岁。

陶行知的一生，是在国家多难、民族危急之秋度过的，他以“捧着一颗心来，不带半根草去”的赤子之心，与劳苦大众休戚与共，与共产党人亲密无间，为人民教育事业，为中国的民主斗争事业鞠躬尽瘁，奋斗终生，作出了不可磨灭的贡献。陶行知著作宏富，论述精当，堪称中国近代教育史上的“一代巨人”。

李大钊

李大钊（1889年—1927年）字守常，河北乐亭人。中国共产主义的先驱，伟大的马克思主义者、杰出的无产阶级革命家、中国共产党的主要创始人之一，他不仅是我党早期卓越的领导人，而且是学识渊博、勇于开拓的著名学者，在中国共产主义运动和民族解放事业中，占有崇高的历史地位。李大钊七岁起在乡塾读书，1905年入永平府中学，1907年入天津北洋法政专门学校。青年时代，李大钊目睹在帝国主义侵略下的国家危亡局势和社会黑暗状况，激发了爱国热忱，立志要为苦难的中国寻求出路。

1913年，李大钊东渡日本，就读于东京早稻田大学。在日本向中国袁世凯政府提出二十一条亡国条件后，参加留日学生总会的爱国斗争，向国内寄发《警告全国父老书》。这时，他开始接触社会主义思想和马克思主义学说。1916年回国后，李大钊积极参与正在兴起的新文化运动。他在《青春》一文中号召青年“冲决历史之桎梏，涤荡历史之积秽，新造民族之生命，挽回民族之青春”。他积极抨击以孔子为偶像的旧礼教、旧道德，向当时抬出孔子来维护自己统治的反动势力展开猛烈的斗争。

1917年俄国十月社会主义革命的胜利，使李大钊受到极大的鼓舞和启发。他逐步明确地站到马克思主义的立场上来，成为中国最早的马克思主义者和共产主义者。在1917年到1919年，他发表了许多热情地宣传俄国革命和马克思主义的文章，并与资产阶级改良派胡适展开了“问题与主义”的论战，在思想界引起了广泛强烈的反响。他在1918年担任北京大学图书馆主任，后兼任经济学教授，参加《新青年》杂志编辑部。这年年底与陈独秀等创办《每周评论》，并于次年主编《晨报副刊》。同时，他还协助北京大学学生创刊《国民》和《新潮》。

随着李大钊等领导下的反帝反封建的五四爱国运动的发展，马克思主义的影响日益扩大。1920年3月，李大钊在北京先后发起组织马克思学说研究会和共产主义小组。许多青年在他的影响下接受了马克思主义，其中有些成为中国共产党早期的著名活动家，如邓中夏、高君宇等。毛泽东和周恩来也都受到过他的影响。

1921年中国共产党成立后，李大钊代表党中央指导北方的工作。在党的二大、三大、四大，都当选为中央委员。1924年底，任党的北方区执行委员会书记。在他领导下，北方党组织派出许多同志在冀、鲁、豫、晋、陕、内蒙和东北的广大地区开展了党、团工作，先后发动了开滦大罢工、二七大罢工等著名斗争。1922年，他受党的委托在上海与孙中山先生谈判国共合作，并在1924年在广州参加国民党第一次全国代表大会的领导工作，为建立国民革命统一战线，实现第一次国共合作作出了重大贡献。

1925年在孙中山先生北上和逝世时，在五卅运动中，李大钊领导北方党组织发动群众，在北洋军阀统治的北方地区，开展了轰轰烈烈的反帝反军阀斗争。他积极地进行广泛的统一战线工作，领导改组后的国民党在北京的组织，坚决反对国民党右派。他努力为南方的革命运动培养、输送了大批干部。他坚决支持当时主要在南方一些农村蓬勃兴起、同时也开始波及北方的农民运动，并著文论述开展农民运动和解决土地问题的重要性。他也注意在军队中扩大革命运动的影响，对冯玉祥将军五原誓师参加北伐起了重要作用。1926年3月18日，北京各界人民在天安门举行反对日本等国要求大沽口撤防的大会，并到皖系军阀段祺瑞执政府门前请愿，竟遭到段政府的血腥屠杀。李大钊在惨案发生后，继续领导共产党和国民党的北方组织坚持斗争。不久，奉系军阀张作霖的军队进入北京，白色恐怖更加严重。次年4月6日，张作霖在帝国主义支持下逮捕了李大钊等八十余人。李大钊备受酷刑，但在监狱中，在法庭上，始终大义凛然，英勇不屈。1926年4月28日，凶残卑怯的敌人不顾广大舆论的反对，将李大钊和谭祖尧、邓文辉等革命者一齐绞杀，李大钊时年尚不足三十八周岁。

李大钊是一位伟大的爱国者。青年时代，面对多灾多难的祖国，李大钊同志表现出忧国忧民的赤子之心。辛亥革命后，面对封建军阀篡夺政权、新生的共和国有名无实的现状，他不得不发出自己的“隐忧”和“大哀”。他忧国之所忧，哀民之所哀，下定决心为挽救“神州陆沉”、“再造中华”而努力奋斗。当日本提出旨在灭亡中国的“二十一条”时，他大声疾呼中国人民用卧薪尝胆的精神进行抗争。他因参加反日斗争而被当时就读的学校除名，但他毫不后悔。他认为，同国家和民族的前途相比，自己的学业微不足道。他始终把自己的学识与拯救国家和民族的命运紧紧联系在一起。正是强烈的爱国之心和对社会、对人民的高度责任感，促使李大钊同志奋不顾身、英勇战斗。他身上体现出的时刻牵挂国家兴亡、时刻不忘人民疾苦并为之奋斗的精神和风范，永远值得我们敬仰和提倡。

毛泽东

毛泽东（1893年—1976年），字润之，笔名子任。1893年12月26日生于湖南湘潭韶山冲一个农民家庭。1976年9月9日在北京逝世。中国人民的领袖，马克思主义者，伟大的无产阶级革命家、战略家和理论家，中国共产党、中国人民解放军和中华人民共和国的主要缔造者和领导人，诗人，书法家。

毛泽东出生于一个农民家庭。辛亥革命爆发后在起义的新军中当了半年兵。1914～1918年，在湖南第一师范学校求学。毕业前夕和蔡和森等组织革命团体新民学会。五四运动前后接触和接受马克思主义，1920年11月，毛泽东在湖南创建共产主义组织。1921年7月，他出席中国共产党第一次全国代表大会，后任中共湘区委员会书记，领导长沙、安源等地工人运动。

1923年6月，毛泽东出席中共“三大”，被选为中央执行委员，参加中央领导工作。1924年1月国共合作后，他在国民党第一、第二次全国代表大会上都当选为候补中央执行委员，曾在广州任国民党中央宣传部代理部长，主编《政治周报》，主办第六届农民运动讲习所。1926年11月，任中共中央农民运动委员会书记。

1925年冬至1927年春，毛泽东先后发表《中国社会各阶级的分析》、《湖南农民运动考察报告》等著作，指出农民问题在中国革命中的重要地位和无产阶级领导农民斗争的极端重要性，批评了陈独秀的右倾思想。

国共合作全面破裂后，在1927年8月中共中央紧急会议上，毛泽东提出“政权是由枪杆子中取得的”，即以革命武装夺取政权的思想，并被选为中央政治局候补委员。会后，到湖南、江西边界领导秋收起义。接着率起义部队上井冈山，发动土地革命，创立第一个农村革命根据地。1928年4月，同朱德领导的起义部队会师，成立工农革命军（不久改称红军）第四军，他任党代表、前敌委员会书记。以他为主要代表的中国共产党人，从中国的实际出发，在国民党政权统治比较薄弱的农村发展武装斗争，开创了以农村包围城市、最后夺取城市和全国政权的道路。他在《中国的红色政权为什么能够存在？》、《星星之火，可以燎原》等著作中对这个问题从理论上作了阐述。

1930年5月，毛泽东写了《反对本本主义》，提出“没有调查，没有发言权”的著名论断。8月，红军第一方面军成立，毛泽东任总政治委员。从1930年底起，毛泽东同朱德领导红一方面军战胜了国民党军队的多次“围剿”。

1931年11月7日，中华苏维埃共和国临时政府在江西瑞金成立，毛泽东被选为主席。1933年1月，被补选为中共中央政治局委员。

以王明为代表的“左”倾路线领导集团进入中央革命根据地以后，毛泽东被排斥于党和红军的领导之外，导致红一方面军第五次反“围剿”失败。1934年10月，参加红一方面军长征。长征途中，1935年1月中共中央政治局在贵州召开扩大会议（即遵义会议），确立了以毛泽东为代表的新的中央领导。10月，中共中央和红一方面军到达陕北，结束长征。

1935年12月，毛泽东作《论反对日本帝国主义的策略》的报告，阐明了抗日民族统一战线政策。1936年10月，红军三大主力会师。12月，毛泽东同周恩来等促使西安事变和平解决，这成为由内战到第二次国共合作、共同抗日的时局转换的枢纽。同月，毛泽东写了《中国革命战争的战略问题》。1937年夏，写了《实践论》和《矛盾论》。

抗日战争开始后，以毛泽东为首的中共中央坚持统一战线中的独立自主原则，努力发动群众，开展敌后游击战争，建立了许多大块的抗日根据地。1938年10月，在中共扩大的六届六中全会上毛泽东提出“马克思主义中国化”的指导原则。在抗日战争时期，他发表《论持久战》、《〈共产党人〉发刊词》、《新民主主义论》等重要著作。

1942年2月，毛泽东领导全党开展整风运动，纠正主观主义和宗派主义，使全党进一步掌握了马克思列宁主义的普遍真理和中国革命的具体实践相结合的基本方向，为夺取抗日战争和全国革命的胜利奠定了思想基础。1943年3月，被选为中共中央政治局主席。5月，他领导根据地军民开展生产运动，度过了严重的经济困难。1945年4～6月，毛泽东主持召开中共第七次全国代表大会，作《论联合政府》的报告。大会制定了“放手发动群众，壮大人民力量，在共产党的领导下，打败日本侵略者，解放全国人民，建立一个新民主主义的中国”的战略。毛泽东思想在这次大会上被确定为中共的指导思想。

抗日战争胜利后，针对蒋介石企图消灭共产党及其武装力量的现实，他提出“针锋相对”的斗争方针。1945年8月赴重庆同蒋介石谈判，表明中国共产党争取国内和平的愿望。

1946年夏，蒋介石发动全面内战后，毛泽东同朱德、周恩来领导中国人民解放军进行积极防御，集中优势兵力，各个歼灭敌人。1947年3月至1948年3月，毛泽东同周恩来、任弼时转战陕北，指挥西北战场和全国的解放战争。

1947年夏，中国人民解放军从战略防御转入战略进攻，在以毛泽东为首的党中央领导下，经过辽沈、淮海、平津三大战役和1949年4月的渡江战役，推翻了国民党政府。

1949年3月，毛泽东主持召开中共七届二中全会，并作重要报告，决定把党的工作重心从农村转到城市，规定了党在全国胜利以后的各项基本政策，号召全党务必保持谦虚、谨慎、不骄、不躁的作风，务必继续保持艰苦奋斗的作风。7月1日，发表《论人民民主专政》，规定了人民共和国的政权性质及其对内对外的基本政策。

1949年10月1日，中华人民共和国建立，毛泽东当选为中央人民政府主席。1950年6月，毛泽东主持召开中共七届三中全会，提出为争取国家财政经济状况的基本好转而斗争的总任务。10月，迫于美国军队攻入朝鲜民主主义人民共和国、威胁中国东北部的形势，以毛泽东为首的中共中央决定进行抗美援朝战争。

1950年—1952年，在毛泽东的领导下，进行了土地改革、镇压反革命和其他民主改革，开展了反对贪污、反对浪费、反对官僚主义的“三反”运动和反对行贿、反对偷税漏税、反对盗骗国家财产、反对偷工减料、反对盗窃经济情报的“五反”运动。

1953年6月，按照毛泽东的建议，中共中央宣布了党在过渡时期的总路线，开始有系统地进行社会主义工业化和对生产资料私有制的社会主义改造。1954年9月，第一届全国人民代表大会第一次会议通过了毛泽东主持起草的《中华人民共和国宪法》，他在这次会议上当选为中华人民共和国第一任主席，任职到1959年4月。

1956年4月，毛泽东作《论十大关系》的讲话，这个讲话对适合中国国情的建设社会主义的道路进行了一些初步的探索。接着，毛泽东在中共中央政治局扩大会议上提出“百花齐放，百家争鸣”的方针。9月，生产资料私有制的社会主义改造基本完成，中共召开第八次全国代表大会，指出全国人民的主要任务已经转变为集中力量发展社会生产力。但是这个方针后来没有得到认真地执行，因而导致了以后的一系列指导工作上的错误和挫折。1957年2月，毛泽东作《关于正确处理人民内部矛盾的问题》的讲话，提出正确区分和处理社会主义社会中敌我之间和人民内部两类不同性质矛盾的学说。

1957年7月，毛泽东提出要"造成一个又有集中又有民主，又有纪律又有自由，又有统一意志、又有个人心情舒畅、生动活泼，那样一种政治局面"的要求。1958年5月，他发动"大跃进"和农村人民公社化运动。1959年7月，毛泽东主持召开庐山会议。他本想纠正已经觉察到的错误，但在会议后期错误地发动了对彭德怀的批判，会后在全党错误地开展了"反右倾"斗争。

从1960年冬到1965年初，在以毛泽东为首的中共中央领导下，对国民经济实行"调整、巩固、充实、提高"的方针，初步纠正"大跃进"和人民公社化运动中的错误，使国民经济得到比较迅速的恢复和发展。在这期间，他提出了一系列措施，初步纠正了农村工作中和其他方面的"左"的错误。但在1962年9月召开的中共八届十中全会上，他把社会主义社会中一定范围内存在的阶级斗争扩大化和绝对化，发展了他在1957年7月反右派斗争以后提出的无产阶级同资产阶级的矛盾仍然是中国社会的主要矛盾的观点。1963年—1965年，发动农村和城市社会主义教育运动，提出运动的重点是整治所谓"党内走资本主义道路的当权派"。从20世纪50年代开始，他领导中共同苏共领导人奉行的大国主义和干涉、控制中国的企图进行了坚决的斗争。

1966年5月，由于对国内阶级斗争形势作出了极端的估计，毛泽东发动了"文化大革命"运动，这个运动因受林彪、江青两个反革命集团操纵而变得特别狂暴，大大超出了他的预计和他的控制，以至延续十年之久，使中国许多方面受到严重的破坏和损失。在"文化大革命"中，毛泽东也制止和纠正过一些具体错误。他领导了粉碎林彪反革命集团的斗争，不让江青、张春桥等夺取最高领导权的野心得逞。1976年9月9日，在北京逝世，享年83岁。

毛泽东在他的晚年虽然犯了严重的错误，但是就他的一生来看，他对中国革命的不可争论的功绩远大于他的过失，他的功绩是第一位的，错误是第二位的，他仍然受到中国人民的崇敬。毛泽东思想作为马克思主义在中国的发展，仍然是中国共产党的指导思想。

朱德

朱德（1886年—1976年）伟大的马克思主义者，无产阶级革命家、政治家和军事家，中国共产党和中华人民共和国主要领导人之一，中国人民解放军创建人之一。

朱德是四川仪陇人，1886年12月1日生于佃农家庭。1909年到昆明考进云南陆军讲武堂，同年加入孙中山领导的革命团体中国同盟会。1911年在云南参加辛亥革命武装起义。1915年参加反对袁世凯复辟帝制的战争。1917年任滇军旅长，在四川参加反对北洋军阀段祺瑞的护法战争。1921年任云南陆军宪兵司令部司令官，云南省警务处长兼省会警察厅长等职。

在十月革命和五四运动的影响下，他逐渐接受马克思主义。1922年为寻求革命真理赴德国，在柏林结识周恩来和其他共产党人，并加入中国共产党。曾在德国格丁根市一所大学里留学。

1925年返回柏林后，朱德当选为中国国民党驻德支部执行委员，因积极从事革命活动两次被德国政府逮捕，并被驱逐出境。随即到苏联学习军事。1926年夏回国，朱德受中共中央派遣到四川军队中进行革命工作。1927年初，他到江西南昌创办国民革命军第三军军官教育团，培训革命军事干部。

1927年国共合作破裂后，朱德参加领导八一南昌起义，任起义军第九军军长。起义军南下广东后，主力在潮汕地区被国民党军队击败，他率领余部转至湖南南部，发动农民起义，建立苏维埃政权。

1928年4月，朱德率部万余人上井冈山，同毛泽东领导的部队会合；随即成立工农革命军（不久改称红军）第四军，任军长，毛泽东任党代表。他和毛泽东指挥部队多次战胜国民党军的“进剿”、“会剿”，创建了井冈山革命根据地。

1929年，朱德和毛泽东率部向江西南部和福建西部进军，为建立中央革命根据地奠定了基础。

1930年8月，朱德任中国工农红军第一方面军总司令、中国工农红军总司令。1931年中华苏维埃共和国临时中央政府成立，他担任中央革命军事委员会主席。他先后同毛泽东、周恩来一起指挥红军战胜了国民党军队对中央革命根据地的四次大规模军事“围剿”。

在1934年1月中共六届五中全会上，朱德当选为中央政治局委员。同年10月参加长征。

1935年1月在贵州召开的中共中央政治局扩大会议（即遵义会议）上，朱德支持毛泽东的正确主张。长征途中他同红四方面军领导人张国焘分裂共产党和红军的活动进行了坚决的斗争。

1937年抗日战争爆发后，朱德任国民革命军第八路军总指挥（不久改称国民革命军第十八集团军总司令），率领八路军开赴华北前线，协同国民党军队对日作战，取得平型关等战斗的胜利，尔后指挥八路军各部深入敌后，开展游击战争，建立和扩大了许多抗日根据地。曾先后兼任第二战区东路军总指挥和第二战区副司令长官，他指挥所管辖的部分国民党军队与八路军共同作战，维护了国共两党合作抗日的局面。

1940年返回延安，朱德提出“南泥湾政策”，开展大生产运动，以打破国民党对陕甘宁边区的经济封锁。1945年在中国共产党第七次全国代表大会上，朱德作了《论解放区战场》的军事报告。在中共七届一中全会上，当选为中央政治局委员，中央书记处书记。

在解放战争中，朱德任中国人民解放军总司令。1947年，朱德同刘少奇等组成中共中央工作委员会，到华北进行中央委托的工作。他亲临华北前线指导作战，取得了清风店、石家庄战役的胜利，开创了攻克坚固设防城市的先例。在战略决战阶段，他协助毛泽东组织和指挥了辽沈、淮海、平津三大战役。1949年4月和毛泽东一起发布中国人民解放军渡长江南下的作战命令，最后推翻了蒋介石在中国大陆的统治。

朱德在长期的军事生涯、特别是革命战争的实践中，积累了丰富的军事经验，并逐步形成一整套适合人民军队建设和作战需要的关于带兵、练兵、养兵、用兵等重大军事问题的理性认识。在中国红军初创时期，他同毛泽东共同总结了“敌进我退，敌驻我扰，敌疲我打，敌退我追”的十六字诀，成为红军游击战争的基本指导原则。以后又写了许多军事论文，论述运动战、山地战、隘路战、遭遇战、追击战、袭击战、攻坚战、歼灭战等战术思想，对毛泽东军事思想的形成和发展作出了杰出的贡献。

1949年10月1日中华人民共和国成立时，朱德任中央人民政府副主席、中国人民解放军总司令，在1954年第一届全国人民代表大会上当选为中华人民共和国副主席，在第二、三、四届全国人民代表大会上连续当选为全国人大常务委员会委员长。在1956年中共八届一中全会上当选为中央政治局常务委员，并任中共中央副主席、中央军委副主席。1955年被授予中华人民共和国元帅军衔。

朱德是以毛泽东为核心的中共第一代领导集体的重要成员。参与制定党的路线、方针和政策。他极其关心并积极主张加强中国人民解放军的现代化、正规化建设，及时提出一系列正确的建军方针和原则，对陆、海、空和装甲兵、炮兵等诸军兵种的建设和发展，对军事院校工作和培养现代军事人才等工作倾注了大量心血。为了探索社会主义建设的规律，他把更多的精力用于调查研究，对发展工业、矿业、农业、商业、外贸、财政、交通等项事业，都提出过不少中肯的意见和重要的主张。他一贯主张发展多种经济形式和实行多种经营方式，主张勤俭建国、勤俭持家。对于经济建设中“左”的错误，提出纠正意见。

在“文化大革命”期间，朱德曾遭到林彪、江青集团的侮辱和打击，但受到毛泽东的保护。1976年7月6日在北京逝世。主要著作收入《朱德选集》。

纵观朱德的一生，堪称是一位杰出的军事家、政治家。

周恩来

周恩来（1898年—1976年），字翔宇，伟大的马克思列宁主义者，中国无产阶级革命家、政治家、军事家、外交家，中国共产党、中华人民共和国和中国人民解放军的主要缔造者和领导人之一。

周恩来原籍浙江绍兴，生于江苏淮安。1913年进天津南开中学学习。1917年留学日本。1919年回国。在天津参加五四运动，组织觉悟社，从事反帝、反封建的革命活动。

1920年至1924年，周恩来先后去法国和德国勤工俭学，在旅欧的中国学生和工人中宣传马克思主义，发起组织旅欧中国少年共产党（后改称旅欧中国社会主义青年团）。

1921年，周恩来转入中国共产党（由张申府等人介绍），任中国社会主义青年团旅欧总支部书记，并参加中共旅欧总支部的领导工作，对早期的建党、建团工作起了重大的作用。

1924年8月，周恩来从巴黎回国，曾任黄埔军校政治部主任，国民革命军第一军政治部主任，中共两广区委委员长、常委兼军事部部长，主持建立党直接领导的革命武装叶挺独立团。1925年2月、10月，领导进行了第一、二次东征，为巩固和发展广东革命根据地和进行北伐作出了重大贡献。

1926年，周恩来曾在广州农民运动讲习所讲授军事课程，同年冬到上海，任中共中央军委书记兼中共江浙区委军委书记。1927年3月，他领导上海工人第三次武装起义获得胜利；8月领导了南昌起义，向国民党反动派打响了第一枪，为创建人民军队作出了重要贡献。

1933年春，周恩来和朱德一起领导和指挥了第四次反“围剿”战争，取得了重大的胜利。

1935年1月在遵义会议上，周恩来坚决支持毛泽东的正确路线，为确立毛泽东在全党的领导地位，起了十分重要的作用。1936年12月，任中共全权代表去西安同被逮捕的蒋介石进行谈判，和平解决了西安事变。

1947年3月国民党军队重点进攻陕甘宁边区时，周恩来转战在陕北，同年8月任中央军委副主席兼代理中央军委总参谋长。

1948年9月，周恩来参加领导和指挥了辽沈、平津、淮海三大战役，同年11月任中央军委副主席兼总参谋长，为推翻国民党的反动统治、武装夺取政权、创建社会主义新中国，建立了不朽的功绩。

建国后，周恩来历任政府总理、外交部长（兼任）、中共中央军委副主席等职务。

在担负处理党和国家日常事务的同时，周恩来和毛泽东一起制定了党的社会主义建设的路线、方针、政策；几个发展国民经济的五年计划都是他亲自主持制订和组织实施的。

1960年，周恩来提出调整、巩固、充实、提高的方针，并采取一系列措施，使国民经济顺利地得到恢复和发展。还提出了“中国知识分子绝大多数已经是劳动人民的知识分子，科学技术在中国现代化建设中具有关键性作用”等观点，对社会主义建设都有重大意义。

在国际事务中，周恩来参与制定并亲自执行了重大的外交决策，提出了外交工作中一系列具体的方针和政策，创造性地贯彻执行了党的革命外交路线。1954年，他倡导了著名的“和平共处五项原则”。1955年4月，率中国代表团出席第一次亚非会议，使会议通过了以“和平共处五项原则”为基础的万隆会议十项原则。1961年，出席苏共二十二大，对赫鲁晓夫集团分裂国际共产主义运动的行为，进行了坚决斗争。

在“文革”中，周恩来顾全大局，任劳任怨，为继续进行党和国家的正常工作，尽量减少损失，为保护大批的党内外干部，费尽心血，并同林彪、江青反革命集团的阴谋进行了各种形式的斗争。在第四届全国人民代表大会上代表党提出：在本世纪内，全面实现农业、工业、国防和科学技术现代化，使我国国民经济走在世界前列的宏伟目标。

1972年周恩来患病以后，一直坚持工作。1976年1月8日在北京逝世，终年77岁。

周恩来对中华民族的贡献是伟大而不可磨灭的，史书上留下了世人最充满敬意的一笔。

邓小平

邓小平（1904年—1997年），伟大的马克思主义者，无产阶级革命家、政治家、军事家、外交家，中国共产党、中国人民解放军、中华人民共和国的主要领导人之一，中国社会主义改革开放和现代化建设的总设计师，邓小平理论的创立者。

1904年8月22日，邓小平出生在四川省广安县协兴乡牌坊村。原名邓先圣，5岁进私塾发蒙，学名邓希贤。1919年秋考入重庆勤工俭学留法预备学校。1920年夏，赴法国勤工俭学。1922年参加旅欧中国少年共产党（后改为中国社会主义青年团旅欧支部），1924年转为中国共产党党员。从此，他走上无产阶级职业革命家的道路，成为一名共产主义战士。

归国后，邓小平全身心地投入党领导的争取民族独立和人民解放的革命斗争。从土地革命、抗日战争到解放战争，先后担任党和军队的许多重要领导职务，为党中央一系列重大战略决策的实施，为新民主主义革命的胜利和新中国的诞生，建立了赫赫功勋，成为中华人民共和国的开国元勋。

1949年9月，中华人民共和国成立的前夕，邓小平当选为中央人民政府委员。10月，任中国人民革命军事委员会委员。

1952年7月，邓小平任政务院副总理兼财政经济委员会副主任，后又兼任政务院交通办公室主任和财政部部长。1955年4月，在中共七届五中全会上，又被增选为中央政治局委员。1959年担任中共中央军委常委。

自1966年，邓小平在长达十年的动乱中两次受到错误的批判和斗争，并被撤销一切职务，经历了他革命生涯中最艰难、最曲折的时期。

1969年10月，邓小平被送到江西省新建县。他每天到县拖拉机修造厂劳动半天，做钳工活。在这期间，他阅读了大量的马列著作和古今中外的书籍。

1973年，邓小平恢复了国务院副总理职务。1975年1月担任中共中央副主席、国务院副总理、中央军委副主席、中国人民解放军总参谋长。

1977年7月，中共十届三中全会恢复邓小平的中共中央副主席、国务院副总理、中央军委副主席、人民解放军总参谋长的职务。同年8月召开的中国共产党第十一次全国代表大会上当选为中共中央副主席。1978年3月，当选为第五届全国政协主席。

1978年12月召开的中共十一届三中全会，是党和国家历史上具有深远意义的伟大转折，开创了社会主义事业发展的新时期。邓小平在全会前夕的中央工作会议上作《解放思想，实事求是，团结一致向前看》的讲话。三中全会重新确立了解放思想、实事求是的思想路线，果断地停止使用“以阶级斗争为纲”的错误口号，把党和国家工作重点转移到社会主义现代化建设上来，并作出实行改革开放的战略决策。经过这次全会，形成了以邓小平为核心的中共第二代领导集体。

中共十一届三中全会以后，邓小平坚持解放思想、实事求是，创立和发展了建设有中国特色的社会主义理论，科学地阐明社会主义本质，第一次比较系统地回答了中国经济文化落后的国家如何建设社会主义，如何巩固和发展社会主义的一系列基本问题。他为解决香港、澳门、台湾问题，实现祖国和平统一，倾注了大量心血。他从实际出发创造性地提出“一个中国，两种制度”的构想。在他的主持下，中国同美国建立了外交关系，同日本缔结了中日和平友好条约，恢复了中苏两党两国的关系，发展了同周边国家和第三世界国家的友好关系。他为打开中国外交新局面，争取有利的国际环境来进行现代化建设，维护世界和平，作出了不懈的努力。

在1989年11月中共十三届五中全会上，邓小平辞去了最后担任的中央军委主席职务。在以他为核心的第二代中央领导集体向以江泽民为核心的第三代中央领导集体顺利过渡、保持党和国家稳定的过程中，他起了关键的作用。

退休以后，邓小平仍然关心党和国家的事业。1992年视察中国南方的武昌、深圳、珠海、上海等地，发表重要谈话，总结改革开放以来的基本经验，从理论上回答了一些重大问题，中国的改革开放和现代化建设进入了一个新阶段。

1997年2月19日，邓小平在北京逝世。

邓小平是全党、全军、全国各族人民公认的享有崇高威望的卓越领导人，是中国社会主义改革开放和现代化建设的总设计师，建设有中国特色社会主义理论的创立者。邓小平的一生，是光辉的、战斗的一生。在70多年波澜壮阔的革命生涯中，他为中国新民主主义革命的胜利和新中国的成立，为中国社会主义的创建、巩固和发展，建立了永不磨灭的功勋！

第五章　文学大家

屈 原

屈原（约前340年—约前277年），名平，字原，是我国第一位伟大的爱国主义诗人，他开创了诗歌从集体歌唱转变为个人独立创作的新纪元，是我国积极浪漫主义诗歌传统的奠基人，是“世界四大文化名人”（另有波兰的哥白尼、英国的莎士比亚、意大利的但丁）之一.

屈原公元前340年诞生于秭归三闾乡乐平里的楚国贵族家庭。自幼勤奋好学，胸怀大志，26岁就担任楚国左徒兼三闾大夫。

起初他颇受楚怀王的信任，“入则与王图议国事，以出号令；出则接遇宾客，应对诸侯”（《史记》本传），是楚国内政外交的核心人物。他主张选贤任能，彰明法度改良内政，联齐抗秦。但是，楚怀王的令尹子椒、上官大夫靳尚和他的宠妃郑袖等人，由于受了秦国使者张仪的贿赂，不但阻止怀王接受屈原的意见，并且使怀王疏远了屈原。甚至后来屈原被怀王免去了左徒之职，转任三闾大夫，掌管王族昭、屈、景三姓事务，负责宗庙祭祀和贵族子弟的教育。

这以后，楚国的内政外交发生一系列问题。怀王十五年（前304年），张仪由秦至楚，以重金收买靳尚、子南、郑袖等人充当内奸，同时以“献商於之地六百里”诱骗怀王，致使齐楚断交。怀王受骗后恼羞成怒，两度向秦出兵，均遭惨败。于是屈原奉命出使齐国重修齐楚旧好。此间张仪又一次由秦至楚，进行瓦解“齐楚联盟”的活动，使齐楚联盟未能成功。

怀王二十四年，秦楚“黄棘之盟”，楚国彻底投入了秦的怀抱。屈原亦被逐出郢都，到了汉北。

怀王三十年，屈原回到郢都。同年，秦约怀王武关相会，屈原力劝不可，但怀王的小儿子子兰等力主怀王入秦，怀王亦不听屈原等人劝告，结果会盟之日即被秦扣留，三年后客死异国。

在怀王被扣后，顷襄王继位，子兰任令尹（相当于宰相），楚秦邦交一度断绝。但顷襄王在接位的第七年，竟然与秦结为婚姻，以求暂时苟安。由于屈原反对他们的可耻立场，并指斥子兰对怀王的屈辱而死负有责任，子兰又指使上官大夫在顷襄王面前造谣诋毁屈原，导致屈原再次被流放到沅、湘一带，时间约为顷襄王十三年前后。

在屈原多年流亡的同时，楚国的形势愈益危急。到顷襄王二十一年，秦将白起攻破楚都郢（今湖北江陵），预示着楚国前途的危机。次年，秦军又进一步深入。屈原眼看自己一度兴旺的国家已经无望，也曾认真地考虑过出走他国，但最终还是不能离开故土，于悲愤交加之中，自沉于汨罗江，殉了自己的理想。

屈原死了，但是，人民记住了他，历史记住了他。农历五月五日端午节成了专门纪念屈原的日子（传说，屈原在这一天投江自尽的），并沿袭至今。这一天，人们吃粽子，赛龙舟。据传，屈原死后，楚国百姓哀悼他们喜爱的诗人，每当五月五日这天，把米盛在竹筒里，投到水中以示祭奠。东汉光武年间（25—57年），长沙人欧回（一作区曲）某天忽然见一个人，说是三闾大夫。这人对欧回说，人们用竹筒贮米的办法祭祀，祭品都为蛟龙所窃取，如果换用箬叶和五色丝捆绑，蛟龙就会惧怕而不敢窃取。欧回听从了他的话，后来粽子多裹以箬叶束以丝线。关于赛龙舟，据说是源自当时“土人”争相驾船救屈原的事实。

屈原的爱国精神是永远值得歌颂的，而屈原与楚国最高统治集团的冲突，我想其中的原因也是值得后人剖析的。在外交方针上，屈原主张与强秦对抗，具有远大眼光。而怀王贪利受骗，顷襄王畏怯妥协，都不能接受屈原的正确主张，反而因为他坚持己见而加以惩罚。在内政方面，屈原主张“修明法度”、“举贤授能”，实行使国家富强的“美政”。他仰慕儒家传说中的圣君贤臣，对政治抱有某种理想主义的态度。同时他又蔑视那些贪鄙的贵族，主张改革内政，这当然也会使许多人与他为敌。此外，屈原的性格也是造成他的悲剧的重要原因。从屈原的作品中，可以清楚地看出，他是一个感情激烈、正直袒露而又非常自信的人，这种性格加上少年得志，使他缺乏在高层权力圈中巧妙周旋的能力，因而也就难以在这个圈子里长久立足。还在屈原受到重用的时候，上官大夫就轻而易举地使怀王疏远了他，这不能说完全是由于怀王的昏庸（否则无法解释怀王起初怎么会重用他），应该说屈原的性格，以及他在政治上的理想主义态度，同实际的政治环境本来是难以协调的，何况当时楚国又正呈现衰乱的状态。在历史上，像这种诗人气质与环境的矛盾，不断地造成人生悲剧，同时也造就优秀的文学。

所以说，屈原又是个伟大的爱国诗人。从他开始，中国才有了以文学著名于世的作家。他创立了“楚辞”这种文体，被誉为“衣被词人，非一代也”。

屈原作品的风貌和《诗经》明显不同。这与长江流域的民风和黄河流域的民风不同有关。当时，北方早已进入宗法社会，而楚地尚有氏族社会的遗风，民性强悍，思想活泼，不为礼法所拘。所以，抒写男女情思、志士爱国是如此直切，而使用的材料，又是如此丰富，什么都可以奔入笔底。写人神之恋，写狂怪之士，写远古历史传说，写与天神鬼怪游观，一切神都具有民间普通的人性，神也不过是超出常人的人而已。它们使作品显得色泽艳丽，情思馥郁，气势奔放。这样的作品，表现了与北方文学不同的特色。

从体制上看，屈原以前的诗歌，不管是《诗经》或南方民歌，大多是短篇，而屈原发展为长篇巨制。《离骚》一篇就有2400多字。在表现手法上，屈原把赋、比、兴巧妙地糅合成一体，大量运用“香草美人”的比兴手法，把抽象的品德、意识和复杂的现实关系生动形象地表现出来。

在语言形式上，屈原作品突破了《诗经》以四字句为主的格局，每句五、六、七、八、九字不等，也有三字、十字句的，句法参差错落，灵活多变；句中句尾多用“兮”字，用来协调音节，造成起伏回宕、一唱三叹的韵致。屈原作品对后世文学产生了巨大的影响，“楚辞”的不断传习、发展，北方的文学逐渐楚化。新兴的五、七言诗都和楚骚有关。汉代的赋作家无不受“楚辞”影响，汉以后“绍骚”之作，历代都有，作者往往用屈原的诗句抒发自己胸中的块垒，甚至用屈原的遭遇自喻，这是屈原文学的直接发展。此外，以屈原生平事迹为题材的诗、歌、词、曲、戏剧、琴辞、大曲、话本等，绘画艺术中如屈原像、《九歌图》、《天问图》等，也难以数计。所以鲁迅称屈原作品“逸响伟辞，卓绝一世”，“其影响于后来之文章，甚或在《三百篇》（《诗经》）以上”（鲁迅《汉文学史纲要》）。

屈原对后世的影响主要有两点：一是爱国精神，二是文学成就。2000多年过去了，汨罗江淹没了屈原的生命，但他的思想和作品却如汨罗江水，长流不息。

司马迁

司马迁（前145年—前87年），字子长，西汉夏阳（今陕西韩城，一说山西河津）人，我国西汉伟大的史学家、思想家、文学家，著有《史记》，又称《太史公记》，他记载了上自中国上古传说中的黄帝时代，下至汉武帝太初四年，共3000多年的历史。被鲁迅誉为“史家之绝唱，无韵之离骚”。

司马迁的父亲司马谈为太史令，学问渊博，曾“学官于唐都，受易于杨何，习道论于黄子”，早年司马迁在故乡过着贫苦的生活，10岁，司马迁随父亲至京师长安，得向老博士伏生、大儒孔安国学习；家学渊源既深，复从名师受业，启发诱导，获益匪浅。这个时候，正当汉王朝国势强大，经济繁荣，文化兴盛的时候，张骞奉使通西域，卫青、霍去病大破匈奴，汉武帝设立乐府，也是司马迁在京城里丰富见闻，热情迸发的时候。

司马迁大约22岁开始外出游历——“南游江、淮，上会稽，探禹穴，窥九疑，浮于沅、湘，北涉汶、泗，讲业齐、鲁之都，观孔子之遗风，乡射邹、峄，厄困鄱、薛、彭城”，过些农业劳动。后来他的父亲司马谈到长安做了太史令，司马迁随父亲也到了长安，然后在父亲的指导下，他刻苦读书，打下了深厚的文化基础，拜了很多名师做老师。司马迁的家族，世代都是史官，而作为史官，他有责任来记载帝王圣贤的言行，也有责任来搜集整理天下的遗文古事，更有责任通过叙事论人而为当时的统治者提供借鉴。他的父亲司马谈就有志于整理中华民族数千年历史，试图撰写一部规模空前的史著。从他父亲开始就已有这么一个理想，他的父亲做太史令之后，就开始搜集阅读史料，为修史做准备。但是司马谈感到自己年事已高，要独立地修成一部史著，无论是时间、精力，还是才学知识都还不够，所以司马谈寄厚望于他的儿子司马迁，希望他能够早日参与其事，最终实现这样一个宏愿。

于是，司马迁在读万卷书的基础上，开始行万里路，司马谈要求儿子来进行一次为期两年多的全国的漫游。司马迁从20岁开始的全国漫游，是为写《史记》做准备的一次实地考察，他亲自采访，获得了许多第一手材料，保证了《史记》的真实性和科学性。他这个漫游，也是《史记》实录精神的一种具体体现。

比如说，司马迁漫游到汨罗江畔，在当年屈原投江自沉的地方，他高声朗诵着屈原的诗，他痛哭流涕，所以他写《屈原列传》写得那么有感情，他是亲自去考察过，是在学习屈原的基础上来写屈原的。比方说，在韩信的故乡淮阴，他也搜集了许多有关韩信的故事，并亲自去问别人，了解韩信为什么能够受胯下之辱而不发怒，不愿意去做出非法的事来，忍了。韩信那么高的个子，从一个流氓腿间爬过去，如果按照他的个性，一刀就把他杀了。但是如果把他杀了，后来就不能够建功立业了，所以小不忍则乱大谋。

此外他遍历名山大川，饱览了祖国山河的壮美，陶冶了性情，从而也提高了他的文学的表现力。所以说司马迁的这次漫游，正是司马迁走向成功的极为坚实的一步，是非常典型的所谓读万卷书，行万里路。

汉武帝元封元年（前110年）司马谈去世，三年之后，司马迁承袭父职，任太史令，同时也继承父亲遗志（司马谈临终曾对司马迁说："余死，汝必为太史；为太史，无忘吾所欲论著矣。"），准备撰写一部通史。

汉武帝太初元年（前104年），司马迁与唐都、落下闳等共同订立了"太初历"，该历法改变了秦代使用的颛顼历以十月为岁首的习惯，而改以正月为岁首。从而，为中国的农耕社会奠定了其后两千年来所尊奉的历法基础。之后司马迁便潜心修史，专心写作，开始了《史记》的写作。

天汉二年（公元前99年），正当司马迁全身心地撰写《史记》之时，却遇上了飞来横祸，这就是李陵事件。

这年夏天，武帝派自己宠妃李夫人的哥哥、二师将军李广利领兵讨伐匈奴，另派李广的孙子李陵随从李广利押运辎重。李陵带领步卒五千人出居延，孤军深入浚稽山，与单于遭遇。匈奴以八万骑兵围攻李陵。经过八昼夜的战斗，李陵斩杀了一万多匈奴，但由于他得不到主力部队的后援，结果弹尽粮绝，不幸被俘。李陵兵败的消息传到长安后，武帝本希望他能战死，后听说他却投了降，愤怒万分，满朝文武官员察言观色，趋炎附势，几天前还纷纷称赞李陵的英勇，现在却附和汉武帝，指责李陵的罪过。汉武帝询问太史令司马迁的看法，司马迁一方面安慰武帝，一方面也痛恨那些见风使舵的大臣，尽力为李陵辩护。他认为李陵平时孝顺母亲，对朋友讲信义，对人谦虚礼让，对士兵有恩信，常常奋不顾身地急国家之所急，有国士的风范。司马迁痛恨那些只知道保全自己和家人的大臣，他们如今见李陵出兵不利，就一味地落井下石，夸大其罪名。他对汉武帝说："李陵仅率领五千步兵，深入匈奴，孤军奋战，杀伤了许多敌人，立下了赫赫功劳。在救兵不至、弹尽粮绝、走投无路的情况下，仍然奋勇杀敌。就是古代名将也不过如此。李陵自己虽陷于失败之中，而他杀伤匈奴之多，也足以显赫于天下了。他之所以不死，而是投降了匈奴，一定是想寻找适当的机会再报答汉室。"

司马迁的意思似乎是二师将军李广利没有尽职尽责。他的直言触怒了汉武帝，汉武帝认为他是在为李陵辩护，贬低劳师远征、战败而归的汉武帝李夫人的哥哥李广利，于是下令将司马迁打入大牢。司马迁被关进监狱以后，案子落到了当时名声很臭的酷吏杜周手中，杜周严刑审讯司马迁，司马迁忍受了各种肉体和精神上的残酷折磨。面对酷吏，他始终不屈服，也不认罪。司马迁在狱中反复不停地问自己："这是我的罪吗？这是我的罪吗？我一个做臣子的，就不能发表点意见？"不久，有传闻说李陵曾带匈奴兵攻打汉朝。汉武帝信以为真，便草率地处死了李陵的母亲、妻子和儿子。司马迁也因此事被判了死刑。

据汉朝的刑法，死刑有两种减免办法：一是拿五十万钱赎罪，二是受"腐刑"。司马迁官小家贫，当然拿不出这么多钱赎罪。腐刑既残酷地摧残人体和精神，也极大地侮辱人格。司马迁当然不愿意忍受这样的刑罚，悲痛欲绝的他甚至想到了自杀。可后来他想到，人总有一死，但"死或重于泰山，或轻于鸿毛"，死的轻重意义是不同的。他觉得自己如果就这样"伏法而死"，就像牛身上少了一根毛，是毫无价值的。他想到了孔子、屈原、左丘明和孙膑等人，想到了他们所受的屈辱以及所取得的骄人成果。司马迁顿时觉得自己浑身充满了力气，他毅然选择了腐刑。面对最残酷的刑罚，司马迁痛苦到了极点，但他此时没有怨恨，也没有害怕。他只有一个信念，那就是一定要活下去，一定要把史记写完，"是以肠一日而九回，居则忽忽若有所亡，出则不知所往。每念斯耻，汗未尝不发背沾衣也。"正因为还没有完成史记，他才忍辱负重地活了下来。

公元前96年（太始元年），汉武帝改元大赦天下。这时司马迁50岁，出狱后当了中书令，在别人看来，也许是"尊宠任职"，但是，他还是专心致志写他的书。直到公元前91年（征和二年），《史记》全书完成。

司马迁将从传说中的黄帝时代开始，一直到汉武帝太始二年即公元前95年为止的这段时期的历史，编写成130篇、52万字的巨大著作《史记》。

司马迁用生命写成的《史记》原来准备是藏之名山的。在他死后，家人把《史记》转移藏匿在他女儿家中，他的外孙杨恽发现后，非常喜欢读，每读一遍总是热泪盈眶，扼腕叹息。汉宣帝时，杨恽被封为平通侯，他看到当时朝政清明，觉得外祖父的这部巨著到了重见天日的时候了，于是上书汉宣帝，把《史记》献了出来，从此天下人得以读到这部伟大的史著。

司马迁在他的《史记》中，详细叙述了古代一些著名人物的事迹。他高度地评价了农民起义领袖陈胜、吴广，对被压迫的下层人物往往表示深切的同情。他还把古代文献中过于艰深的文字改写成当时比较浅近的文字，他大量运用人物描写和情节描述，形象鲜明，语言生动活泼。可以说，《史记》既是一部伟大的历史著作，又是一部杰出的文学著作。司马迁在蒙受“奇冤”的情况下实现了自己的“奇志”。“著史须以事实为准”，“不能以个人好恶而隐匿真相”，这是司马迁所坚持的道德原则。司马迁坚持实事求是，以实录精神写《史记》，受到后人的广泛称颂。西汉哲学家、文学家、语言学家扬雄在其《法言·重黎》中称《史记》为“实录”。东汉著名史学家班固也称赞《史记》：“其文直，其事核；不虚美，不隐恶，故谓之实录。”一部《史记》，不仅记载了历史真相，更是司马迁的血泪心路，为后人做人、做事、做学问树立了楷模。

司马相如

司马相如（约前179年—前118年），字长卿，汉族，巴郡安汉县（今四川省南充市蓬安县）人，一说蜀郡（今四川成都）人。是西汉盛世汉武帝时期伟大的文学家、杰出的政治家。

司马相如，原名司马长卿，因仰慕战国时的名相蔺相如而改名。少年时代喜欢读书练剑，二十多岁时以訾（钱财）为郎，做了汉景帝的武骑常侍，但这些并非其所好，因而有不遇知音之叹。景帝不好辞赋，待梁孝王刘武来朝时，司马相如才得以结交邹阳、枚乘、庄忌等辞赋家。后来他因病退职，前往梁地与这些志趣相投的文士共事，就在此时他为梁王写了那篇著名的《子虚赋》。

刘武去世后，相如离开梁地回到四川临邛，生活清贫。临邛令王吉与相如交好，对他说："长卿，你长期离乡在外，求官任职，不太顺心，可以来我这里看看。"于是相如在临邛都亭住下，王吉天天拜访相如，相如托病不见，王吉更显恭敬。

临邛富人卓王孙得知"（县）令有贵客"，便设宴请客结交，相如称病不能前往，王吉亲自相迎，相如只得前去赴宴。"一坐尽倾"。酒酣耳热之际，相如一曲《凤求凰》打动了卓王孙新寡的女儿卓文君。文君听到了司马相如的琴声，偷偷地从门缝中看他，不由地为他的气派、风度和才情所吸引，产生了敬慕之情。宴毕，相如又通过文君的侍婢向她转达心意。于是文君深夜逃出家门，与相如私奔到了成都。卓王孙大怒，声称女儿违反礼教，自己却不忍心杀她，但连一个铜板都不会给女儿。

司马相如的家境穷困不堪，除了四面墙壁之外，简直一无所有。卓文君在成都住了一些时候，对司马相如说："其实你只要跟我到临邛去，向我的同族兄弟们借些钱，我们就可以设法维持生活了。"司马相如听了她的话，便跟她一起到了临邛。他们把车马卖掉做本钱，开了一家酒店。卓文君当垆卖酒，掌管店务；司马相如系着围裙，夹杂在伙计们中间洗涤杯盘瓦器。

卓王孙闻讯后，深以为耻，觉得没脸见人，就整天大门不出。他的弟兄和长辈都劝他说："你只有一子二女，又并不缺少钱财。如今文君已经委身于司马相如，司马相如一时不愿到外面去求官，虽然家境清寒，但毕竟是个人才；文君的终身总算有了依托。而且，他还是我们县令的贵客，你怎么可以叫他如此难堪呢？”卓王孙无可奈何，只得分给文君奴仆百人，铜钱百万，又把她出嫁时候的衣被财物一并送去。于是，卓文君和司马相如双双回到成都，购买田地住宅，过着富足的生活。

过了很久以后，景帝去世，汉武帝刘彻即位。刘彻有一次看到《子虚赋》非常喜欢，以为是古人之作，叹息自己不能和作者同时代。当时侍奉刘彻的狗监（主管皇帝的猎犬）杨得意是蜀人，便对刘彻说：“此赋是我的同乡司马相如所作。”刘彻惊喜之余马上召司马相如进京。司马相如向武帝表示说，“《子虚赋》写的只是诸侯王打猎的事，算不了什么，请允许我再作一篇天子打猎的赋。”这就是内容上与《子虚赋》相接的《上林赋》，不仅内容可以相衔接，文字辞藻也都华美壮丽。此赋以“子虚”“乌有先生”“亡是公”为假托人物，设为问答，放手铺写，以维护国家统一、反对帝王奢侈为主旨，歌颂了统一大帝国无可比拟的声威，又对最高统治者有所讽谏，开创了汉代大赋的一个基本主题。此赋一出，司马相如被刘彻封为郎。

司马相如不仅文采出众，在国家政事方面也很有才华，堪称一代政治家。

建元六年（公元前135年），相如担任郎官数年，正逢唐蒙受命掠取和开通夜郎及其西面的僰中，征发巴、蜀二郡的官吏士卒上千人，西郡又多为他征调陆路及水上的运输人员一万多人。他又用战时法规杀了大帅，巴、蜀百姓大为震惊恐惧。皇上听到这种情况，就派相如去责备唐蒙，趁机告知巴、蜀百姓，唐蒙所为并非皇上的本意。他在那儿发布了一张《谕巴蜀檄》的公告，并采取恩威并施的手段，收到了良好的效果。

相如出使完毕，回京向汉武帝汇报。唐蒙已掠取并开通了夜郎，趁机要开通西南夷的道路，征发巴、蜀、广汉的士卒，参加筑路的有数万人。修路二年，没有修成，士卒多死亡，耗费钱财。当权者多有反对者。这时，邛、筰的君长听说南夷已与汉朝交往，请求汉朝委任他们以官职。皇上任命相如为中郎将，令持节出使，笼络西南夷。相如等到达蜀郡，蜀人都以迎接相如为荣。司马相如平定了西南夷。邛、筰、冉、駹、斯榆的君长都请求成为汉王朝的臣子。于是拆除了旧有的关隘，使边关扩大，开通了灵关道，在孙水上建桥，直通邛、筰。相如还京报告皇上，皇上特别高兴。他的一篇《难蜀父老》以解答问题的形式，成功地说服了众人，使少数民族与汉廷合作，为开发西南边疆作出了贡献。

可惜好景不长，有人告发他接受贿赂，遂遭免官。岁余，被重新启用，仍为郎官。他担任官职，不太愿意同公卿们一起商讨国家大事，由于身患糖尿病，常借病在家闲呆着，不追慕官爵。他曾经跟随皇上到长杨宫去打猎。这时，天子正喜欢亲自击杀熊和猪，驰马追逐野兽，相如上疏加以劝谏，刘彻认为他说的对。相如还曾经向刘彻献赋，哀悼秦二世行事的过失，以劝诫刘彻。

元狩五年（公元前118年），相如因病免官，家住茂陵。天子说："司马相如病得很厉害，可派人去把他的书全部取回来；如果不这样做，以后就散失了。"派所忠前往茂陵，而相如已经死去，家中没有书。询问相如之妻，她回答说："长卿本来不曾有书。他时时写书，别人就时时取走，因而家中总是空空的。长卿还没死的时候，写过一卷书，他说如有使者来取书，就把它献上。再没有别的书了。"他留下来的书上写的是有关封禅的事，进献给所忠。所忠把书再进献给天子，天子惊异其书。

司马相如是中国文学史上杰出的代表，是西汉盛世汉武帝时期的文学家、杰出的政治家。他被班固、刘勰称为"辞宗"，被林文轩、王应麟、王世贞等学者称为"赋圣"。同时，司马相如出使西南夷，将西南夷民族团结统一于大汉疆域，被称之为"安边功臣"，名垂青史。司马相如与卓文君不拘封建礼教的束缚，追求自由、幸福的爱情婚姻的果敢行为，远在公元前就演绎了自由恋爱的爱情经典，被誉为"世界十大经典爱情之首"，闻名中外。后人则根据他二人的爱情故事，谱得琴曲《凤求凰》流传至今。唐代诗人张祜则有《司马相如琴歌》一首，曰："凤兮凤兮非无凰，山重水阔不可量。梧桐结阴在朝阳，濯羽弱水鸣高翔。"他是汉赋的奠基人，扬雄欣赏他的赋作，赞叹说："长卿赋不似从人间来，其神化所至邪！"鲁迅的《汉文学史纲要》把司马相如和司马迁二人放在一个专节里加以评述，指出："武帝时文人，赋莫若司马相如，文莫若司马迁。"

刘 向

刘向（约前77年—前6年），西汉经学家、目录学家、文学家。本名更生，字子政，沛（今江苏沛县）人。汉初楚元王（刘交）四世孙。治《春秋谷梁传》。历经宣帝、元帝、成帝三朝。曾任谏大夫、宗正等。成帝时，任光禄大夫，中垒校尉。曾校阅皇家藏书，撰成《别录》，为我国最早的目录学著作。著有《新序》、《说苑》、《列女传》等。

宣帝时，刘向为谏大夫。元帝时，刘向任宗正。后因刘向屡次上书称引灾异，弹劾宦官外戚专权，反对宦官弘恭、石显而被囚禁下狱，不久又被释放，但被免为庶人。

成帝即位后，刘向得以进用，任光禄大夫，改名为“向”，官至中垒校尉，故又世称刘中垒。他曾奉命领校秘书。

公元前26年，刘向开始了艰巨的校对整理经传、诸子、诗赋的工作。当时这些著作基本上是由后人口传或传抄的，内容差异很大。为了使内容更加精确，刘向把不同版本的同一书籍，逐字逐句进行核对，找出差异进行修订，并记录下作者的思想及价值。后来他的这些叙录被编撰成册，这就是著名的《别录》。

经过二十余年的努力，刘向终于圆满地完成了编撰工作，这也是中国历史上第一次由政府组织的大规模图书整理工作。他所整理的33090卷图书，为先秦古籍的保存、流传作出了巨大贡献。

刘向不仅是西汉后期一个重要的目录学家，还是很有成就的文学家。

据《汉书·艺文志》载，刘向有辞赋33篇，今仅存《九叹》一篇。今存《新序》、《说苑》、《列女传》等书，《说苑》就是他校书时根据皇家藏书和民间图籍，按类编辑的先秦至西汉的一些历史故事和传说，并夹有作者的议论，借题发挥儒家的政治思想和道德观念，带有一定的哲理性。内容多哲理深刻的格言警句，叙事意蕴讽喻，故事性颇强，又以对话体为主，《说苑》除卷十六《谈丛》外，各卷的多数篇目都是独立成篇的小故事，有故事情节，有人物对话，文字简洁生动，清新隽永，有较高的文学欣赏价值，对魏晋乃至明清的笔记小说也有一定的影响。《列女传》对后世影响也大。有一些故事流传至今，如“孟母三迁”的故事即出自该书。后来，中国的史书多有专门的篇章记叙各朝妇女事迹，随着妇女观的变化，各朝侧重记叙表彰的妇女德行也有所不同。

此外，刘向还写了很多优秀的散文。他的文章以政论文为主，逻辑清晰，正反论证结合，说理畅达，如《谏营吕陵疏》和《战国策叙录》，均是当时散文的典范之作。

刘向的主要功绩是对古籍的整理编目，如《楚辞》、《战国策》等。这项工作使中华文化得以传承，为以后的文化发展奠定了基础，而他所创造的目录提要的方法、校勘订正法、辨伪法等古籍整理方法，后来发展为整理图书的专业学科。班固在《汉书》中这样评价刘向："为人平易，廉洁乐道，不交接世俗，而专思经术。昼读书传，夜观星宿，经常通宵达旦。"

曹植

曹植（192年—232年），字子建，曹操第四子，曹丕之弟，生前曾封陈王，死后谥曰“思”，故称之为陈思王。他是建安时期最杰出、最有代表性，对后代影响最大的一位文学家，是当时文坛的主要领袖之一。

曹植的一生以曹丕称帝为界，明显地分为前后两期。前期他以才华深得曹操的赏识与宠爱，几乎被立为太子，志满意得；后期曹丕父子做了皇帝，由于前期有争为太子一段经历，曹丕对他深怀猜忌，横加压抑与迫害，他虽然仍不失王侯的地位，却“抑郁不得志”，终于在愤懑与苦闷中死去。这种生活遭遇，对他的创作有着深刻的影响。

曹植前期也是在相对安定的环境中过着贵公子生活，但颇有功名事业心。他一生所热烈追求的是“戮力上国，流惠下民，建永世之业，流金石之功”（《与杨德祖书》）。当曹操奠定了天下三分的局面时，他的政治雄心便是西灭“违命之蜀”，东灭“不臣之吴”。

他的诗歌的主要内容之一，便是表现这种雄心壮志。《薤露篇》说：“愿得展功勤，输力于明君。怀此王佐才，慷慨独不群。”在《假但篇》里，诗人自比为鸿鹄，把“势利惟是谋”的小人比为“安识鸿鹄游”的燕雀。这些都表现了他追求理想和颖脱不群的性格。再如前期的代表作《白马篇》，塑造了一个武艺高强、渴望卫国立功甚至不惜壮烈牺牲的爱国壮士的形象，充满豪壮的乐观精神：“羽檄从北来，厉马登高堤。长驱蹈匈奴，左顾凌鲜卑。……捐躯赴国难，视死忽如归。”

曹植后期备受迫害和压抑。《世说新语》记载一个故事说，曹丕曾命他七步中为诗，不成则将他杀死。他作诗道：“煮豆持作羹，漉豉以为汁，萁在釜下燃，豆在釜中泣，本自同根生，相煎何太急。”这个传说很能表现他当时的处境。他的后期诗歌也主要是表现这种处境和心情。例如，后期代表作《杂诗》中，更多地表现了壮志不得施展的愤激不平之情。如《杂诗》其五：

仆夫早严驾，吾行将远游。远游欲何之？吴国为我仇。将骋万里途，东路安足由？江介多悲风，淮泗驰急流。愿欲一轻济，惜哉无方舟！闲居非吾志，甘心赴国忧。

再如作于黄初四年的《赠白马王彪》也是诗人后期的一篇重要小说诗歌文学作品，同样展现了内心抑郁又愤激的慨叹。

当时诗人和白马王曹彪、任城王曹彰都去京师朝会，任城王到京后不明不白地死去，诗人与白马王回返封地时，又为有司所阻，不能同行，于是诗人“愤而成篇”，写下了这首赠诗。全诗共分七章，表现了丰富的复杂的感情。诗中如“鸱号鸣衡轭，豺狼当路衢，苍蝇间白黑，谗巧令亲疏”，痛斥了迫使他们分行的有司；“奈何念同生，一往形不归。孤魂翔故域，灵柩寄京师”，表现了对任城王暴亡的深沉悼念；“变故在斯须，百年谁能持”，也吐露了诗人在岌岌可危的处境中惴惴不安的心境。这首诗虽然只是抒发诗人的主观感情，客观上却深刻地暴露了统治阶级内部萁豆相煎的残酷，是有深刻的思想意义的。这首诗的抒情艺术水平也很高。诗人把复杂的感情，通过章章蝉联的轳辘体的形式，一步步抒发出来，极有层次。另外，诗人的感情虽然十分悲愤激切，却不是一味地直接倾诉，往往通过叙事、写景，或通过哀悼、劝勉等方式宕开去写，这就把感情表现得沉着从容，丰富深厚。

此外，他的《吁嗟篇》以转蓬为喻形象地描写了他“十一年中而三徙都”的生活处境和痛苦心情。《野田黄雀行》则表现了他对迫害的愤怒和反抗：

高树多悲风，海水扬其波。利剑不在掌，结交何须多。不见篱间雀，见鹞自投罗。罗家得雀喜，少年见雀悲；拔剑捎罗网，黄雀得飞飞；飞飞摩苍天，来下谢少年。

诗人以罗家喻迫害者，以黄雀喻受害者，塑造了一个解救受难者的侠义少年的形象，寄寓了作者的理想和反抗情绪。曹丕即位就积极剪除曹植的羽翼，杀死了他的好友丁仪、丁异等，可见这样的诗是有现实背景的。

曹植前期的诗歌主要是表现他的壮志，很少反映社会现实，只有《送应氏》第一首因送友人而连带写到友人所居的洛阳的残破。后期由于自己生活的不幸，逐渐能体会到一些下层人民的痛苦，也写出了个别反映人民疾苦的诗篇。如《泰山梁甫行》给我们描绘了一幅当时边海人民贫困生活的画面：

八方各异气，千里殊风雨。剧哉边海民，寄身于草野。妻子像禽兽，行止依林阻。柴门何萧条，狐兔翔我宇。

曹植还写了不少情诗，如《七哀》、《美女篇》等。这些诗与表现壮志的诗风格明显不同，感情哀婉缠绵，与汉末古诗中的抒情诗极相近。《七哀》一首情调尤肖《古诗十九首》。这些诗中有一些可能寄托了诗人君臣不偶和怀才不遇的感情。

《诗品》说曹植的诗“骨气奇高，词采华茂”，很能概括曹植诗歌的艺术风格。曹植一生热衷功名，追求理想，遭遇挫折后，壮志不衰，多愤激之情，所以诗歌内容充满追求与反抗，富有气势和力量，这就形成了“骨气奇高”的一面。

在建安诗人中，曹植也算是最讲究艺术表现的。他的诗歌虽然也脱胎于汉乐府，但同时吸收了汉末文人古诗的成就，并努力在艺术上加以创造和发展。建安诗歌从乐府出来逐渐文人化，到了曹植手里就具有明显的文人诗的面目了。如《美女篇》模仿汉乐府《陌上桑》，但描写的细致和辞藻的华丽，与《陌上桑》迥异其趣，正表现了这种倾向。曹植的这种努力造成了他的“词采华茂”的一面。他的诗善用比喻，不只多而贴切，并且常常以全篇为比，如以少年救雀喻解救受难者，以转蓬飘荡喻流徙生活，以女无所归喻怀才不遇等。他的诗又注意对偶、炼字和声色。如：“明月澄清景，列宿正参差。秋兰被长阪，朱华冒绿池。潜鱼跃清波，好鸟鸣高枝”，一连三联对偶，后两联尤为工整。“被”字，“冒”字展现作者选词用字的匠心。他有些诗句已暗合律诗的平仄，富于音乐性。此外曹植的诗还工于起调，善为警句，如“高树多悲风，海水扬其波”、“惊风飘白日，光景驰西流”，它们或在篇首，或在篇中，都使全诗增色。曹植这方面的成就提高了诗歌的艺术性，但也开了雕琢辞藻的风气。

曹植的辞赋也都是抒情小赋。《洛神赋》是他赋中的名作。这篇赋接受了《神女赋》的影响。它熔铸神话题材，通过梦幻境界，描写一个人神恋爱的悲剧。赋中先用大量篇幅描写洛神宓妃的容貌、姿态和装束，然后写到诗人的爱慕之情和洛神的感动：“于是洛灵感焉，徒倚彷徨，神光离合，乍阴乍阳。竦轻躯以鹤立，若将飞而未翔。践椒涂之郁烈，步蘅薄而流芳。超长吟以永慕兮，声哀厉而弥长。”通过这些动作的描绘把洛神多情的性格也刻画得十分突出。最后写到由于“人神之道殊”，洛神含恨赠当而去，和诗人失意追恋的心情，有浓厚的悲剧气氛。这篇赋想象丰富，描写细腻，词采流丽，抒情意味和神话色彩很浓，艺术的魅力很大。

在曹植的文章中，《与吴季重书》和《与杨德祖书》是两篇有名的散文书札。后一篇直抒怀抱，讥弹时人，文笔锋利简洁，也很能表现他自视甚高的性格。另外，他的《求自试表》、《求通亲亲表》是两篇骈俪成分极重的文章。但它们都有一定的内容，而在形式上，对偶排比句也往往是三、四、五、六言相间，并且不排斥散句，所以错落有致，工整而不萎弱，与后来许多形式主义的骈文有很大不同。特别是前一篇，诗人的急切用世之心，洋溢在字里行间。

总之，曹植政治上的不幸遭遇恰恰成就了他在文学上的造诣。曹植的诗歌，既体现了《诗经》“哀而不伤”的庄雅，又蕴含着《楚辞》窈窕深邃的奇谲；既继承了汉乐府反映现实的笔力，又保留了《古诗十九首》温丽悲远的情调。这一切都通过他凝聚在五言诗的创作上，形成了他自己的风格，完成了乐府民歌向文人诗的转变。他既不同于曹操的悲凉，又不同于曹丕的婉约，而能兼有父兄之长，达到风骨与文采的完美结合，成为当时诗坛最杰出的代表。

阮籍

阮籍（210年—263年），三国魏诗人。字嗣宗。陈留（今属河南）尉氏人。竹林七贤之一，是建安七子之一阮瑀的儿子。曾任步兵校尉，世称阮步兵。崇奉老庄之学，政治上则采谨慎避祸的态度。阮籍是“正始之音”的代表，著有《咏怀》、《大人先生传》等。

阮籍的父亲阮瑀，字元瑜，“建安七子”之一，是当时著名的诗人和散文家，曾经做过曹操的司空军谋祭酒，掌管记室，后为仓曹椽属。可惜在阮籍三岁时，父亲去世了，阮籍由母亲抚养长大。而父亲死后，家境也异常清苦，但阮籍勤学而成才，天赋异禀，八岁就能写文章，终日弹琴长啸。在他少年时期好学不倦，酷爱研习儒家的诗书，同时也表现为不慕荣利富贵，以道德高尚、乐天安贫的古代贤者为效法榜样的志趣。阮籍在习文的同时还兼习武，其《咏怀诗》写道：“少年学击剑，妙技过曲城”。

此外，阮籍性格孤僻，轻荡，大约在十六七岁时，有一次随其叔父阮熙到东郡，兖州刺史王昶与他相见时，他“终日不开一言”，王昶“自以为不能测”。

当时明帝曹睿已亡，由曹爽、司马懿夹辅曹芳，二人明争暗斗，政局十分险恶。

正始三年（242年）左右，当时任太尉之职的蒋济听说阮籍“俊而淑悦，为志高”，于是询问椽属王默，王默予以确认。之后，蒋济准备任用阮籍做自己的椽属。阮籍听到消息，就写了一封《奏记》，亲自送到洛阳城外的都亭，请吏卒转呈蒋济。《奏记》中说自己才疏学浅，出身卑微，难堪重任。婉言表示谢绝。蒋济原先担心阮籍不会应辟，后来得知他已到都亭，误以为他已应命，于是派人去迎他，不想阮籍已经回去了。蒋济非常生气，迁怒于王默。王默很是害怕，只好写信劝说阮籍。阮籍的乡党亲属也都来劝喻，他不好再推托，勉强就任，但是不久即告病辞归。这是阮籍一生中的第一次出仕，这次出仕显然带有某种被迫的性质。

正始八年（247年）前后，阮籍与王戎的父亲同时任尚书郎。阮籍因病免尚书郎之后不久，又受曹爽的征辟，招为参军，阮籍婉言拒绝之。这是阮籍第二次出仕。

正始十年（249年），曹爽被司马懿所杀，司马氏独专朝政。司马氏杀戮异己，被株连者很多。阮籍本来在政治上倾向于曹魏皇室，对司马氏集团心怀不满，但同时又感到世事已不可为，于是他采取不涉是非、明哲保身的态度，或者闭门读书，或者登山临水，或者酣醉不醒，或者缄口不言。正始之后，阮籍与嵇康、山涛、刘伶、王戎、向秀、阮咸诸人，共为“竹林之游”，史称他们为“竹林七贤”。当今学术界通常把竹林七贤的学术思想活动时间称为“竹林时期”。

司马懿卒后，阮籍又做了司马师的从事中郎，他担任此职一直到嘉平六年（254年），即正元元年，高贵乡公曹髦即帝位之后，司马师为了笼络人心，大肆封官晋爵，阮籍也被赐为关内侯、徙官散骑常侍。第二年，即正元二年（255年），司马师在讨伐丘俭、文钦时，因患目病而卒于军中。

司马师之后，由其弟司马昭继任大将军、录尚书事。可能就在这年，阮籍主动向司马昭请求到东平任职，司马昭很爽快地答应了，

阮籍一个人骑了一头小毛驴上任去了。到了东平之后，阮籍认真地察看了官衙的办公方式，东张西望了不多久，就立即下达命令：把府舍衙门重重叠叠的墙壁拆掉，让原来关在各自屋子里单独办公的官员们一下子置于互相可以监视、内外可以沟通的敞亮环境之中。办公内容和办公效率因此发生了重大的变化。

除此之外，阮籍还大刀阔斧地精简了法令，大家心悦诚服，完全照办。他觉得东平的事情已经办完，仍然骑上那头驴子，回到洛阳来了。这一次，阮籍在东平前后才逗留了十余天。

只需十余天，就把东平改造成了一个官衙敞达、政通人和的地方。阮籍的确是有从政的天资，只是他喜欢做一个文人，喜欢享受来自精神世界的那种无拘无束，自由自在的从容。

后来，在甘露元年（256年），也即正元三年（六月改元甘露），阮籍又作步兵校尉。步兵校尉一职，虽然是中央政府的属官，但不像散骑常侍那样与皇帝有亲近的关系；虽然是武职，但又不执兵权，不会给司马氏造成压力，引起司马氏的猜忌。阮籍担任此官职时间最长，所以后世通常称之为“阮步兵”。

为了躲避政治灾祸，阮籍常常采取或酣醉，或玄谈，或假装疯癫的办法，混淆视听。

比如司马氏的心腹钟会，曾多次探问阮籍对时事的看法，阮籍都用酣

醉的办法获免。司马昭本人也曾数次同他谈话，试探他的政见，他总是以发言玄远、口不臧否人物来应付过去，使司马昭不得不说“阮嗣宗至慎”。

还有一次，司马昭想纳阮籍的女儿为儿媳，司马昭几次托媒人登门求婚，阮籍对此左右为难。若是答应了司马昭的要求，与他结为儿女亲家，会落得个攀附权贵的名声，有损自己多年来的声誉；若是不答应，得罪了司马昭，自己就会有生命的危险。

有一天，司马昭请阮籍喝酒，席间司马昭又提起了结亲的事。阮籍一想，还不如主动进攻，于是心生一计，不等司马昭说完，就立刻向司马昭敬酒，自己则闷着头，一杯接一杯地喝，过了一会儿，就烂醉如泥，不省人事了。司马昭一看阮籍已经成了这样，只好把没有说完的话咽回了肚子，派人送阮籍回家去了。

然而，司马昭并没有就此罢休，他经常派媒人去向阮籍提亲，而媒人每次去，都只是碰见一个烂醉的阮籍，只能闭口不提此事，如此经过了60多天的时间，媒人来了又走，阮籍还是沉醉不醒，所有的人都没有了耐心，婚姻的事也只好作罢。

景元四年（263年）十月，司马昭被晋封为晋公，位相国，加九锡，这是司马昭正式实施其篡权的重要一步。按照例行公事，由曹魏傀儡皇帝曹奂下诏加封晋爵，司马氏谦让一番，然后再由公卿大臣“劝进”，当时阮籍担任步兵校尉之职，也被受命执笔，但阮籍依旧喝酒，等到使者来催稿时，阮籍只好带酒拟稿塞责。

阮籍病逝于景元四年（263年）冬，享年五十四岁。

纵观阮籍一生，他同情曹魏，不满于司马氏，但身仕乱朝，常恐遭祸，故处世极为谨慎，正是阮籍的时代与他的身世决定了《咏怀诗》创作的特点。

阮籍在引用和继承《诗经》、《楚辞》抒情传统的基础上，将“赋、比、兴”结合，既能加强气势、渲染氛围，以生动的形象激发读者联想，增加诗文意蕴，又能隐藏历史关机，避祸全身；大量典故的运用，尤其“事典”的创新引入，一方面提高了诗文内涵，另一方面也让诗人内心情怀得以尽情地抒发，而不必担心遭到“文字狱”迫害。阮籍深受儒家“达则兼济天下”影响，对世事无法逃避漠视，又不能对血腥黑暗的时局有所作为，悲痛颓丧之情无可宣泄，于是在《咏怀》中创造了大量的意象，既有传统的香草美人意象，也有丰富多彩的动植物意象、时间意象、人物意象等，但都带上了感伤、凄冷的色调。意象的娴熟运用不仅让诗人悲郁之情得以合理宣泄，还让诗文达到"一切景语皆情语"的艺术效果，为中国古代诗歌的含蓄性与雅化性发展开掘出了新的道路。

嵇 康

嵇康（224年—263年，一作223年—262年），字叔夜。汉族，谯郡铚县（今安徽省濉溪县临涣镇）人。三国曹魏时著名思想家、音乐家、文学家。正始末年与阮籍等竹林名士共倡玄学新风，主张“越名教而任自然”、“审贵贱而通物情”，为“竹林七贤”的精神领袖。

嵇康幼年丧父，成年后娶长乐公主（一说为曹操孙女，沛王曹林之女；一说为曹操曾孙女，曹林之孙女）为妻，任郎中，中散大夫，并有一子嵇绍。嵇绍被其父于狱中交付与山涛抚养，并且被山涛推荐为官，但他的为官之道与其父亲截然不同，他是一个为皇帝忠诚保驾的驯臣。有一次，晋惠帝兵败被困，文武百官纷纷逃散，唯有嵇绍衣冠端正的以自己的身躯保护了皇帝，死得忠心耿耿。

嵇康不喜为官，平时以打铁为乐（一说以此谋生）。

大将军司马昭曾想聘他为自己的掾吏，嵇康坚守志向不愿出仕，离家躲避到河东。

据说，钟会是嵇康的崇拜者，对于嵇康的才华和容貌，都十分羡慕。有一天，钟会来拜访嵇康，排场很大，“乘肥衣轻，宾从如云”。或许这是出于对嵇康的尊敬，也可能是为了向嵇康显示自己的身份和地位的高贵。

对于如此铺张的场面，嵇康无动于衷，甚至是不屑一顾。他和向秀依然叮叮当当，专心打铁，旁若无人。

出发之前，钟会向宾从夸过海口，嵇康与他是要好的故交。然而现在，嵇康却将他视同草芥。宾从都疑惑地看着钟会，认为钟会欺骗了他们。这一下可把钟会推到了尴尬的境地。

钟会毫无办法，只能悻悻地注视着嵇康和向秀，看他们不紧不慢地干活。看了很久，嵇康仍然没有交谈的意思，钟会怏怏欲离去，这时嵇康说话了：“何所闻而来？何所见而去？”钟会没好气地答道：“闻所闻而来，见所见而去。”从此结下仇隙。

对于钟会所带来的如云的权贵，嵇康我行我素，继续打铁，不予理会，让钟会败兴而归。这显示了嵇康的不媚权贵，正直做人。

景元二年，同为竹林七贤的山涛由大将军从事中郎迁任吏部侍郎，举荐嵇康代替自己的位置。嵇康因此写下了著名的《与山巨源绝交书》以明自己的心志。

嵇康原本与东平吕巽吕安兄弟为友。吕安的妻子被其兄吕巽奸污，吕安原本准备休妻并起诉吕巽。吕巽请嵇康从中劝解，并发誓不会恶人先告状，于是嵇康劝说了吕安将这件事平息下来。但是之后吕巽害怕吕安反悔，于是抢先告吕安不孝。嵇康义不负心，写信与吕巽绝交，并出面为吕安作证，因此也被收押。钟会劝司马昭乘此机会除掉嵇康。

嵇康入狱后，立刻激起舆论的不满，许多豪杰纷纷要求与嵇康一同入狱。经有司劝谕后，众人一时遣散，然而最后嵇康和吕安却被判处了死刑。行刑当日，三千名太学生集体请愿，请求赦免嵇康，并要求让嵇康来太学做老师。但最终司马昭还是判决其死刑。

临刑前，嵇康神色不变，如同平常一般。他看了看日影，离行刑尚有一段时间，便向兄长要来平时爱用的琴，在刑场上弹了一曲《广陵散》。曲毕，嵇康把琴放下，叹息道："昔袁孝尼尝从吾学《广陵散》，吾每靳固之，《广陵散》于今绝矣！"说完后，嵇康从容地就戮，时年三十九岁。

比较而言，阮籍虽然狂放不羁，任性而为，且同样不与司马氏合作，但他善于掩饰，且能屈能伸，该低头时就低头。司马昭要进位晋王，郑冲让他起草劝进书，阮籍虽不情愿，喝酒醉得一塌糊涂，但他还是写了，并且文不加点，一挥而就。像阮籍这样的不合作，司马昭能够容忍。而对嵇康这种既不合作又反对司马氏篡魏自立的人，司马昭就不可能那么宽容了。所以，嵇康之死，表面上看是受吕安一案的牵连，是钟会有意诬陷，而实际上则是司马昭认定嵇康有意与他作对造成的。

嵇康一生留下了无数作品，他在音乐、书法、文学、养生等方面都有着非比寻常的成就。

一、嵇康通晓音律，尤爱弹琴，著有音乐理论著作《琴赋》《声无哀乐论》。他主张声音的本质是"和"，合于天地是音乐的最高境界，认为喜怒哀乐从本质上讲并不是音乐的感情而是人的情感。嵇康作有《风入松》，相传《孤馆遇神》亦为嵇康所作。又作《长清》、《短清》、《长侧》、《短侧》四曲，被称为"嵇氏四弄"，与蔡邕创作的"蔡氏五弄"合称"九弄"，是我国古代一组著名琴曲。

二、嵇康擅长书法，工于草书。其墨迹"精光照人，气格凌云"，被列为草书妙品。唐张彦远《法书要录》品为草书第二。又善丹青，唐张彦远《历代名画记》载其时有嵇康《巢由洗耳图》《狮子击象图》传世，俱已失佚。

三、嵇康的文学创作，主要包括诗歌和散文。《与山巨源绝交书》、《难自然好学论》等为其代表作。他的诗今存50余首，以四言体为多，《幽愤诗》、《赠秀才人军》较有名。嵇康著作《隋书·经籍志》著录有13卷，另有15卷本，宋代原集散失，仅存10卷本。明代诸本卷数与宋本同，但篇数减少。明本常见的有汪士贤刻的《嵇中散集》（收入《汉魏六朝二十名家集》中），张溥的《嵇中散集》（收入《汉魏六朝百三家集》中）等。

四、嵇康继承了老庄的养生思想，进行实践颇有心得，他的《养生论》是中国养生学史上第一篇较全面、较系统的养生专论。后世养生大家如陶弘景、孙思邈等对他的养生思想都有借鉴。在他的重要著作《养生论》中，他以导养得理可寿的总论点，提出了以下观点：

1. 形神兼养，重在养神。他举例说明精神对人体的强大作用，指出“由此言之，精神之于形骸，犹国之有君也。”而中医学也认为人以神为根本，神灭则形灭。嵇康在此抓住了养生的根本。

2. 养生要重一功元益，慎一过之害，全面进行。嵇康认为万物禀天地而生，后天给予的养护不同，寿命也不尽相同，勿以益小而不为，勿以过小而为之，防微杜渐，提早预防，积极争取长寿。

3. 指出若不注重养生，耽声色，溺滋味，七情太过，则易夭折。“夫以蕞尔之躯，攻之者非一涂；易竭之身，而内外受敌，身非木石，其能久乎？”

4. 嵇康还告诫养生者要有信心，坚持不懈，否则就不易有效。还要以善养生者为榜样，积极吸取好的养生方法，清心寡欲，守一抱真，并“蒸以灵芝，润以醴泉，晞以朝阳，绥以五弦”，就可以“与羡门比寿，与王乔争年”。

嵇康自己也身体力行，其友人言：“与康居二十年，未尝见其喜愠之色。”他自己提的理论，几乎条条做到，但却犯了“营内而忘外”一忌，最终受人诬陷而遇害。

面对别人的丑恶行径，嵇康有太强烈的爱憎，不会圆滑，不懂世故，只是以自己的真性情捍卫着正义和公理。这种精神令人敬仰，同时，嵇康流传下来的艺术作品也在历史长河中闪烁着夺目的光芒！

陶渊明

陶渊明（约365年—427年），字元亮，号五柳先生，谥号靖节先生，入刘宋后改名潜。东晋末期南朝宋初期诗人、文学家、辞赋家、散文家。东晋浔阳柴桑（今江西省九江市）人。曾做过几年小官，后辞官回家，从此隐居，田园生活是陶渊明诗的主要题材，相关作品有《饮酒》《归园田居》《桃花源记》《五柳先生传》《归去来兮辞》《桃花源诗》等。

陶渊明出生于破落仕宦家庭。曾祖父陶侃，是东晋开国元勋，军功显著，官至大司马，都督八州军事，荆、江二州刺史、封长沙郡公。祖父陶茂、父亲陶逸都做过太守。

陶渊明年幼时，家庭衰微，九岁丧父，与母妹三人度日。孤儿寡母，都在外祖父孟嘉家里生活。孟嘉是当时名士，“行不苟合，年无夸矜，未尝有喜愠之容。好酣酒，逾多不乱；至于忘怀得意，旁若无人。”（《晋故征西大将军长史孟府君传》）。日后，他的个性、修养，都很有外祖父的遗风。外祖父家里藏书多，给他提供了阅读古籍和了解历史的条件，在学者以《庄》《老》为宗而黜《六经》的两晋时代，他不仅像一般的士大夫那样学了《老子》《庄子》，而且还学了儒家的《六经》和文、史以及神话之类的“异书”。时代思潮和家庭环境的影响，使他接受了儒家和道家两种不同的思想，培养了“猛志逸四海”和“性本爱丘山”的两种不同的志趣。

陶渊明少年时期有“猛志逸四海，骞翮思远翥”的大志。孝武帝太元十八年（393年），他怀着“大济苍生”的愿望，任江州祭酒。当时门阀制度森严，他出身庶族，受人轻视。他辞职回家后，州里又来召他做主簿，他也辞谢了。

安帝隆安四年（400年），他到荆州，投入桓玄门下做属吏。这时，桓玄正控制着长江中上游，窥伺着篡夺东晋政权的时机，他当然不肯与桓玄同流，做这个野心家的心腹。隆安五年冬天，他因母丧辞职回家。

元兴元年（402年）正月，桓玄举兵与朝廷对抗，攻入建康，夺取东晋军政大权。元兴二年，桓玄在建康公开篡夺了帝位，改国为楚，把安帝幽禁在浔阳。此时陶渊明在家乡躬耕自资，闭户高吟：“寝迹衡门下，邈与世相绝。顾盼莫谁知，荆扉昼常闭。”表示对桓玄称帝之事，不屑一谈。

元兴三年，建军武将军、下邳太守刘裕联合刘毅、何无忌等官吏，自京口（今江苏镇江）起兵讨桓平叛。桓玄兵败西走，把幽禁在浔阳的安帝带到江陵。陶渊明离家投入刘裕幕下任镇军参军（一说陶渊明是在刘裕攻下建康后投入其幕下）。当刘裕讨伐桓玄率兵东下时，他仿效田畴效忠东汉王朝乔装驰驱的故事，乔装私行，冒险到达建康，把桓玄挟持安帝到江陵的始末，驰报刘裕，实现了他对篡夺者抚争的意愿。

刘裕打入建康后，作风也颇有不平凡的地方，东晋王朝的政治长期以来存在“百司废弛”积重难返的腐化现象，经过刘裕的“以身范物”（以身作则），先以威禁（预先下威严的禁令）的整顿，“内外百官，皆肃然奉职，风俗顿改”。其性格、才干、功绩，颇有与陶侃相似的地方，陶渊明曾一度对他产生好感。但是入幕不久，陶渊明看到刘裕为了翦除异己，杀害了讨伐桓玄有功的刁逵全家和无罪的王愉父子，并且凭着私情，把众人认为应该杀的桓玄心腹人物王谧任为录尚书事领扬州刺史这样的重要官职。这些黑暗现象，使他感到失望。紧接着陶渊明就辞职隐居，于义熙元年（405年）转入建威将军、江州刺史刘敬宣部任建威参军。三月，他奉命赴建康替刘敬宣上表辞职。刘敬宣离职后，他也随着去职了。

同年秋，叔父陶逵介绍他任彭泽县令，到任八十一天，碰到浔阳郡督邮，属吏说：“当束带迎之。”他叹道：“我岂能为五斗米折腰向乡里小儿。”遂授印去职。

陶渊明十三年的仕宦生活，自辞彭泽县令结束。这十三年，是他为实现“大济苍生”的理想抱负而不断尝试、不断失望、终至绝望的十三年。

陶渊明辞官归里，过着“躬耕自资”的生活。夫人翟氏，与他志同道合，安贫乐贱，“夫耕于前，妻锄于后”，共同劳动，维持生活，与劳动人民日益接近，息息相关。归田之初，生活尚可。“方宅十余亩，草屋八九间，榆柳荫后檐，桃李罗堂前。”渊明爱菊，宅边遍植菊花。“采菊东篱下，悠然见南山”，至今脍炙人口。他性嗜酒，饮必醉。朋友来访，无论贵贱，只要家中有酒，必与同饮。他先醉，便对客人说：“我醉欲眠卿可去。”

义熙四年，住地上京（今星子县城西城玉京山麓）失火，迁至栗里（今星子温泉栗里陶村），生活较为困难。如逢丰收，还可以“欢会酌春酒，摘我园中蔬”。如遇灾年，则“夏日抱长饥，寒夜无被眠”。义熙末年，有一个老农清晨叩门，带酒与他同饮，劝他出仕：“褴褛屋檐下，未足为高栖。一世皆尚同（是非不分），愿君汩其泥（指同流合污）。”他回答：“深感老父言，禀气寡所谐。纤辔诚可学，违己讵非迷？且共欢此饮，吾驾不可回。”用“和而不同”的语气，谢绝了老农的劝告。

陶渊明的晚年，生活愈来愈贫困。有的朋友主动送钱周济他，有时，他也不免上门请求借贷。他的老朋友颜延之，于刘宋少帝景平元年（423年）任始安郡太守，经过浔阳，每天都到他家饮酒。临走时，留下两万钱，他全部送到酒家，陆续饮酒。不过，他的求贷或接受周济，是有原则的。宋文帝元嘉元年（424年），江州刺史檀道济亲自到他家访问。这时，他又病又饿好些天，起不了床。檀道济劝他：“贤者在世，天下无道则隐，有道则至。今子生文明之世，奈何自苦如此？”他说：“潜也何敢望贤，志不及也。”檀道济馈以粱肉，被他挥而去之。他辞官回乡二十二年一直过着贫困的田园生活，而固穷守节的志趣，老而益坚。元嘉四年（427年）九月中旬神志还清醒的时候，给自己写了《拟挽歌辞三首》，在第三首诗中末两句说：“死去何所道，托体同山阿”，表明他对死亡看得那样平淡自然。

公元427年，陶渊明走完了他六十三年的生命历程，与世长辞。

纵观陶渊明的一生，虽然其在政治上很不得志，未能实现济天下苍生的大志，但仕途的不顺也恰恰成就了其文学上的辉煌。陶渊明被称为“隐逸诗人之宗”，他的创作开创了田园诗一体，为我国古典诗歌开创了一个新的境界。陶渊明的诗感情真挚，朴素自然，有时流露出逃避现实、乐天知命的老庄思想，因此，陶渊明有“田园诗人”之称，也是田园诗派的鼻祖。他的诗从内容上可分为饮酒诗、咏怀诗和田园诗三大类。

陶渊明是中国文学史上第一个大量写饮酒诗的诗人。他的《饮酒》20首以“醉人”的语态或指责是非颠倒、毁誉雷同的上流社会；或揭露世俗的腐朽黑暗；或反映仕途的险恶；或表现诗人退出官场后怡然陶醉的心情；或表现诗人在困顿中的牢骚不平。从诗的情趣和笔调看，可能不是同一时期的作品。东晋元熙二年（420年），刘裕废晋恭帝为零陵王，次年杀之自立，建刘宋王朝。《述酒》即以比喻手法隐晦曲折地记录了这一篡权易代的过程。对晋恭帝以及晋王朝的覆灭流露了无限的哀婉之情，此时陶渊明已躬耕隐居多年，乱世也看惯了，篡权也看惯了。但这首诗仍透露出他对世事不能忘怀的精神。

咏怀诗以《杂诗》12首，《读山海经》13首为代表。《杂诗》12首多表现了自己归隐后有志难骋的政治苦闷，抒发了自己不与世俗同流合污的高洁人格。可见诗人内心无限深广的忧愤情绪。《读山海经》13首借吟咏《山海经》中的奇异事物表达了同样的内容，如第10首借歌颂精卫、刑天的"猛志固常在"来抒发和表明自己济世志向永不熄灭。

陶渊明的田园诗等数量最多，成就最高。以《归园田居》、《饮酒》、《桃花源记》等为代表。这类诗充分表现了诗人鄙夷功名利禄的高远志趣和守志不阿的高尚节操；充分表现了诗人对黑暗官场的极端憎恶和彻底决裂；对淳朴的田园生活的热爱，对劳动的认识和对劳动人民的友好感情；充分表现了诗人对理想世界的追求和向往。作为一个文人士大夫，这样的内容，出现在文学史上，是前所未有的，尤其是在门阀制度和观念森严的社会里显得特别可贵。陶渊明的田园诗中也有一些是反映自己晚年困顿状况的，可使我们间接地了解到当时农民阶级的悲惨生活。陶渊明的《桃花源诗并记》大约作于南朝宋初年。它描绘了一个乌托邦式的理想社会。表现了诗人对现存社会制度彻底否定与对理想世界的无限追慕之情。它标志着陶渊明的思想达到了一个崭新的高度。陶渊明是田园诗的开创者。它以纯朴自然的语言、高远拔俗的意境，为中国诗坛开辟了新天地，并直接影响到唐代田园诗派。

陶渊明在自然与哲理之间打开了一条通道，在生活的困苦与自然的旨趣之间达到了一种和解，连最平凡的农村生活景象在他的笔下也显示出了一种无穷的意味深长的美。陶渊明的不朽诗篇，陶渊明的伟大人品，影响了李白、杜甫、白居易、苏东坡、辛弃疾等几代文人的思想和创作，为中国文学的发展和繁荣，作出了不可估量的贡献。

骆宾王

骆宾王（约619年—687年），字观光，汉族，婺州义乌（今浙江义乌）人，唐代诗人，与王勃、杨炯、卢照邻合称“初唐四杰”。又与富嘉谟并称“富骆”。

骆宾王自幼随父到博昌，从师于张学士、辟吕公，七岁时赋《咏鹅》诗，被传为佳话，时称神童。他的父亲骆履元曾任青州博昌（今山东济南东北）令。可惜父亲早逝，生活窘困，母亲只得带着他到衮州瑕丘投靠亲友。青少年时期落魄无羁的生活经历，对他的性格的形成有很大影响，他崇尚侠义，性格豪爽，富于反抗和冒险精神。

咸亨元年，骆宾王以奉礼郎的身份从军西域，正遇薛仁贵战败于大非川，滞戍边塞两年多。他回到长安不久又进入蜀地，从军姚州（今云南楚雄一带），在姚州道大总管李义总府里任书记，随军征战，拟写檄文布告等。上元元年官任武功主簿，后又调任明堂主簿、长安主簿。仪凤三年，升任侍御史。此后不久因事入狱。诗人在狱中作有《萤火赋》、《狱中咏蝉》和《狱中书精通简知己》，屡次诉说自己的冤屈。

仪凤四年改年号。调露元年，大赦天下，宾王因此得以出狱，之后又赴幽燕进入幕府。调露二年秋天任临海县丞，因郁郁不得志，不久弃官而去。

嗣圣元年九月，徐敬业起兵扬州，以匡复李唐王朝的名义征讨武则天。骆宾王加入了匡复府，在其中任艺文令，此期作《代李敬业传檄天下文》（又称《讨武氏檄文》），名扬天下，很有战斗力和号召力。武则天读到此文亦大加赞赏，感叹道：“这样有才能的人得不到重用，让他流落，宰相的过错不小呀！”足以见得骆宾王行文的出色。徐敬业兵败后，骆宾王的下落不明。实际情况大约是脱逃以后，就隐姓埋名，在吴中一带流亡。隐匿几年之后，带着一腔壮志未酬的遗恨离开了人世，终年约在70岁。

骆宾王政治失意，但文学才华出众。作为“初唐四杰”之一，骆宾王对荡涤六朝文学颓波，革新初唐浮靡的诗风，开辟唐代文学的繁荣局面作出了贡献，因而成为中国文学史上有影响的人物，长期以来受到人们的赞誉。

综观骆宾王的一生，有着两条明显不同的发展轨迹。作为作家，他前进的道路较为顺畅。从七岁咏鹅，到齐鲁闲居写下的大量隐逸诗，再到从军路上写的边塞诗，回长安后创作的以《帝京篇》为代表的长篇歌行，一直到扬州起兵写下的《讨武氏檄文》，成就和声誉直线上升，可以说是一帆风顺。但作为一个官吏，政治上却处处遭受挫折，先是求仕不果，继而罢官长安。在兖州过了十多年穷困生活之后，再度入朝，不久又被免职。接着从军边塞，羁留蜀中，再回京师，做的仍是和十年前一样的九品小官。后来突然得以提升，成为御史台侍御史，但不到半年，就被诬下狱。最后愤而走向武装反抗，迅即被狂飙淹没，以致身死何处，都成了历史悬案。

但这两条道路，又是互相影响、交错前进的。即政治上下沉的时候，文学上就呈上升态势。如返回长安之后，政治上不被重用，但却写出了《帝京篇》、《畴昔篇》等著名歌行，不仅名动京城，而且把这种艺术形式推向新的高峰。扬州兵起，他以垂暮之年，杖策而从，虽兵败后逃亡荒野，但他写下的那篇《讨武氏檄文》，却众口传诵，万古流唱，与王勃的《滕王阁序》一道，成为中国骈文史上的双璧。这一沉一显的发展轨迹，表面看来，好像相互背向，实际却反映了骆宾王人品、文品和志行的高度统一。他以清正耿直的性气，怀经国安邦之抱负，力图政治上有所进取，但不为时用，并处处受到佞小的打击和排挤。有志难伸，于是郁积心头的不平之气，就通过诗文创作迸发出来。郁积越深，喷发力越强，而喷发出来的又全是思想珠玑，自然受到后人的赞叹。

王　勃

王勃（650年—676年），唐代诗人。汉族，字子安。绛州龙门（今山西万荣）人。王勃与于龙以诗文齐名，并称“王于”，亦称“初唐二杰”。王勃也与杨炯、卢照邻、骆宾王齐名，齐称“初唐四杰”，其中王勃是“初唐四杰”之冠。

王勃出身望族，为隋末大儒王通的孙子（王通是隋末著名学者，号文中子），王通生二子，长名福郊，次名福畤，福畤即王勃之父，曾出任太常博士、雍州司功、交趾县令、六合县令、齐州长史等职。可知王勃生长于书香之家。王勃也是王绩的侄孙。

王勃小时候很聪慧，从小就能写诗作赋，世人目为神童。《旧唐书》本传谓王勃：“六岁解属文，构思无滞，词情英迈，与兄才藻相类，父友杜易简常称之曰：此王氏三珠树也。”又有杨炯《王勃集序》说：“九岁读颜氏《汉书》，撰《指瑕》十卷。十岁包综六经，成乎期月，悬然天得，自符音训。时师百年之学，旬日兼之，昔人千载之机，立谈可见。”太常伯刘公称王勃为神童。

唐高宗麟德元年（664年）仲秋，右相刘祥道巡行关内，年方十四的王勃上书刘右相，其中第一条就是抨击唐王朝的侵略政策，反对讨伐高丽，他认为：“辟地数千里，无益神封；勤兵十八万，空疲帝卒。警烽走传，骇秦洛之甿；飞刍挽粟，竭淮海之费。”真实地反映了人民的不满情绪。刘祥道看后，为其“所以慷慨于君侯者，有气存乎心耳”之语惊异，赞王勃为“神童”，并上表举荐。王勃乃应麟德三年（666年）制科，对策高第，被授予朝散郎之职。此时的王勃虽然才14岁，尚是一少年，但由于才华毕露，在那时就与杨炯、卢照邻、骆宾王齐名并称为“初唐四杰”。

乾封初（666年）王勃为沛王李贤征为王府侍读，两年后因戏为《檄英王鸡》文，被高宗怒逐出府。少年得志的王勃经过这样的打击，心情是沉重的。他在《夏日诸公见寻访诗序》中说：“天地不仁，造化无力，授仆以幽忧孤愤之性，禀仆以耿介不平之气。顿忘山岳，坎坷于唐尧之朝；傲想烟霞，憔悴于圣明之代。”可以看出他当时的凄怆悲苦和愤激不平。

总章二年（669）五月，王勃悻悻离开长安，南下入蜀，开始了他将近三年的蜀中漫游。仕途的挫折，生活的体验，山川的感召，使王勃写下了很多抒发自己情怀的诗文，其中主要是朋友间的酬唱，仕途艰难的感叹和一些抒写乡思的作品。在蜀期间，朝中曾先后征召过王勃，王勃都称病辞谢。

咸亨三年（672年），王勃返回长安，裴行俭、李敬玄同典选事，闻王勃文名，又数次召用，但王勃耻以文才受召，作文述志，结果触怒了裴行俭，被斥为“才名有之，爵禄盖寡”。第二年，王勃听友人陆季友说虢州多药草，他很想去，便设法做了虢州参军。这是王勃第二次走上仕途。但谁能想到，等待他的却是第二次沉重的打击。王勃恃才傲物，在虢州参军任上与同僚的关系搞得很僵。当时有官奴曹达犯了死罪，王勃不知为什么却把他藏到自己府内。后来他又害怕此事泄露出去，就私下把曹达杀了。事情很快被发现，王勃被判死刑而入狱。后又巧遇大赦，免除了死刑。但王勃的父亲却因此事而从雍州司户参军的位置上被贬为交趾令。至于王勃擅杀官奴的具体情况，史无详载，是非莫辨。不过，王勃没有像第一次废官后那样寄情于山川烟霞，而是更珍惜这劫后余生。“富贵比于浮云，光阴逾于尺璧。著撰之志，自此居多。……在乎辞翰，倍所用心”。第二年朝廷虽恢复王勃原职，但他决计弃官为民而不就任。在短短的一年多时间里，王勃完成了祖父王通《续书》所阙十六篇的补阙，刊成二十五卷。撰写了《周易发挥》五卷、《唐家千岁历》、《合论》十篇、《百里昌言》十八篇等，同时还创作了大量诗文作品。这是王勃一生中创作最宏富的时期。

上元二年（675年）或三年（676年）春天，王勃从龙门老家南下，前往交趾看望父亲。一路经洛阳、扬州、江宁，九月初到了洪州。在这里王勃留下了《滕王阁序》这一传世名篇。据说王勃写此文还有一段故事呢：

王勃前往交趾路过南昌时，正赶上都督阎伯屿新修滕王阁成，重阳日在滕王阁大宴宾客。王勃前往拜见，阎都督早闻他的名气，便请他也参加宴会。阎都督此次宴客，是为了向大家夸耀女婿孟学士的才学。让女婿事先准备好一篇序文，在席间当作即兴所作书写给大家看。宴会上，阎都督让人拿出纸笔，假意请诸人为这次盛会作序。大家知道他的用意，所以都推辞不写，而王勃以一个二十几岁的青年晚辈，竟不推辞，接过纸笔，当众挥笔而书。阎都督老大不高兴，拂衣而起，转入帐后，教人去看王勃写些什么。听说王勃开首写道“豫章故郡，洪都新府”，都督便说：

不过是老生常谈。又闻“星分翼轸，地接衡庐”，沉吟不语。等听到“落霞与孤鹜齐飞，秋水共长天一色”，都督不得不叹服道：“此真天才，当垂不朽矣！”《唐才子传》则记道：“勃欣然对客操觚，顷刻而就，文不加点，满座大惊。”《唐摭言》等书所记，或者有些夸张，但王勃《滕王阁序》，确实为不朽之名篇。王勃于南昌阎都督宴上赋《滕王阁序》的佳话，实乃中国文学史上最为动人的故事。《新唐书》本传说王勃“属文，初不精思，先磨墨数升，则酣饮，引被覆面卧，及寤，援笔成篇，不易一字”。据此可知王勃文思敏捷，滕王阁上即兴而赋千古名篇，并非虚传。

滕王阁大宴后，王勃继续南下，于十一月初七到达岭南都督府所在地南海，第二年秋由广州渡海赴交趾，不幸溺水而卒，年仅二十七岁。

王勃虽然英年早逝，但在文学上的才华还是非常卓著的。

王勃的诗今存80多首，多为五言律诗和绝句。其中写离别怀乡之作较为著名。《杜少府之任蜀川》写离别之情，以“海内存知己，天涯若比邻”相慰勉，意境开阔，一扫惜别伤离的低沉气息，为唐人送别诗之名作。《别薛华》、《重别薛华》等五律都以感情真挚动人。《山中》、《羁春》、《春游》、《临江二首》等五言绝句，则通过写景抒发深沉的怀乡之情。明代胡应麟认为，王勃的五律“形象宛然，气骨苍然，实首启盛（唐）、中（唐）妙境。五言绝亦抒写悲凉，洗削流调。究其才力，自是唐人开山祖”（《诗薮·内编》卷四）。

王勃的古诗仅有10多首，其中《临高台》反映都市繁华生活，暗寓对贵族豪门的讽刺。《采莲曲》、《秋夜长》写妇女在采莲和捣衣时思念丈夫，则是直接继承了乐府民歌的传统，而又能开拓意境。这些诗作虽仍带有六朝的华艳色彩，但风格清新明朗，显示了唐诗的新面貌。

王勃的赋和序、表、碑、颂等文，今存90多篇，多为骈体，其中亦不乏佳作。《滕王阁序》在唐代已脍炙人口，被认为“当垂不朽”的“天才”之作（《唐摭言》），名句如“落霞与孤鹜齐飞，秋水共长天一色”，更为历来论者所激赏。《四库全书总目》亦谓勃文为“四杰之冠”。

王勃还有许多学术著作，见于著录的有《周易发挥》5卷、《次论语》5卷（一作10卷）、《千岁历》、《颜氏〈汉书〉指瑕》、《平台钞略》（一作《平台秘略》）10篇、《合论》10篇、《黄帝八十一难经注》、《元经传》、《舟中纂序》5卷、《医书纂要》1卷等。

总体上看，王勃作为古代一位极富才华的作家，未及而立之年便逝去，实在是中国文学的一大损失。郑振铎先生在谈到王勃诗歌对后代的贡献时，满怀激情地说："正如太阳神万千缕的光芒还未走在东方之前，东方是先已布满了黎明女神的玫瑰色的曙光了。"王勃作为盛唐诗歌的黎明女神是当之无愧的。

王 维

王维（701年—761年，一说699年—761年），汉族，唐朝河东蒲州（今山西运城）人，祖籍山西祁县，唐朝著名诗人、画家，字摩诘，号摩诘居士，世称“王右丞”，早年信道，后期因社会打击彻底禅化。存诗400余首，代表诗作有《相思》、《山居秋暝》等。王维参禅悟理，学庄信道，精通诗、书、画、音乐等，与孟浩然合称“王孟”。

王维才华早显，与其小一岁的弟弟缙幼年均聪明过人。十五岁时去京城应试，由于他能写一手好诗，工于书画，而且还有音乐天赋，所以少年王维一至京城便立即成为京城王公贵族的宠儿。有关他在音乐上的天赋，《唐国史补》曾有这样一段故事：一次，一个人弄到一幅奏乐图，但不知为何题名。王维见后回答说：“这是《霓裳羽衣曲》的第三叠第一拍。”请来乐师演奏，果然分毫不差（根据沈括《梦溪笔谈》卷十七“书画”的考证，《霓裳羽衣曲》第三叠并没有拍，是散曲，白居易的句子“中序擘騞初入拍”也可以说明这一点。沈括精通音律，其言可信）。

王维在诗歌方面，有他十五、十七、十八岁时写成的有文字记载的资料。可见，他在十几岁时已经是位有名的诗人了。这在诗人中是罕见的。当时，在那贵族世袭的社会中，像王维这样多才多艺的资质，自然会深受赞赏。因此，王维二十一岁时就考中了进士。

王维开元九年春天中状元后，即解褐为太乐丞，开始了仕宦生涯。但他随即因为署中伶人舞黄狮子犯禁，受了牵连而谪为济州司法参军。当年秋天便离开京城，赴济州任。王维在那里度过了四年多的光阴。其中开元十三年（725年），诗人裴耀卿任济州刺史，裴耀卿为河东人，与王维是同乡，对待王维不错，使王维稍得安慰，但裴耀卿很快又赴宣州任职，使王维甚感惋惜。在裴耀卿离开济州不久，王维也于开元十四年（726年）春天辞去司法参军之职，离开济州。

据陈铁民《王维年谱》，王维离开济州后，在淇上住了二年，开元十七年（729年）赴长安，在长安又闲居了几年。初到长安，他即开始从大荐福寺道光禅师学习顿教，结识了诗人孟浩然。孟浩然开元十六年（728年）赴长安应试，落第后滞留长安，第二年冬返回襄阳，王维作诗送别，诗云："杜门不欲出，久与世情疏。以此为长策，劝君归旧庐。"劝孟浩然回乡隐居，不必辛辛苦苦地来长安举试求官。这是因自己中状元后仍不得意，所以有这样的话。作为一个才子，一代名人，王维这个时期不太得意，青年时期赋闲，心中当然不是味道。而且此期间又丧妻，当时他才31岁。妻子去世后，王维不再续娶，几十年一直独身，于此也可见他的思想情态。

虽然王维劝孟浩然归旧庐隐居，但他自己的求仕之心并未完全死灭，或者因名臣执政，复又求仕。闲居长安时，即他34岁那年，赴洛阳，献诗中书令张九龄，希求援引，随后便隐于嵩山。嵩山地近东都洛阳，隐于此正可待机而出。次年他便拜右拾遗，又为朝官，做了两年右拾遗，又为监察御史，40岁时，迁殿中传御史。就在闲居和这样的官职变换中，他度过了许多年的时光，而进入中年，此后或隐或官，所为官为左补阙，品阶虽稍高了点，但仍为侍从闲官，总不得意，这样又过了10年。王维50岁时，丁母忧，离朝屏居辋川，服满后，又做了几年的文部郎中。进一步使他仕途失意的，是安史之乱中曾陷于叛军中，得罪了唐王朝。

唐玄宗天宝十五年（756年）六月，安禄山叛军陷潼关，随之攻入长安，玄宗仓皇逃往四川，王维没来得及逃走而被俘。被俘后，他曾吃药取痢，假称患病，以逃避麻烦。但因为他的诗名很大，安禄山派人将他迎到洛阳，拘于菩提寺，不管他答应不答应，硬委之以伪职。无奈之中，王维当了安禄山的给事中。但他的心依旧追随唐王朝。安禄山宴其部下于凝碧宫，王维闻之而悲，暗中作了一首诗："万户伤心生野烟，百官何日再朝天。秋槐叶落空宫里，凝碧池头奏管弦。"正是这首诗救了他的命。

至德二年（757年）九、十月，唐军相继收复长安、洛阳，王维与其他陷贼之官，均被收系狱中，随后押到长安。这些人按律当死。有人提出王维凝碧宫诗可证其忠于唐王朝之心，加之他的弟弟王缙请求削己官职以赎死罪，唐肃宗特此原谅了他，不但不杀，而且还给了个太子中允之职，可谓不幸中之大幸。这时，王维已57岁，接近暮年了，任太子中允不久，加集贤殿学士，后又迁太子中庶子，中书舍人。上元元年（760年）夏，60岁的王维转尚书右丞，这是他一生所任官职中最高的官阶，也是最后所任之职，只任了一年，第二年七月便去世了，所以后世称他为王右丞。

作为一代才子，王维少年得志，名传遐迩，但终其一生，仍然多遇坎坷，极不顺利，竟至险遭杀头之祸。作为一个诗人，王维以自己的优秀诗篇，为盛唐诗坛大增光辉，是唐代乃至中国古代的重要诗人。

王维擅长各种诗体，尤以五言律诗和绝句著称。前期诗歌，富于进取精神，讥刺贵戚宦官，谴责纨绔子弟，反映边塞生活，抒写游侠意气，情调慷慨激昂，充满浪漫主义豪情。后期诗歌，因仕途险恶，崇奉佛教，而以描写田园山水景物、表达闲情逸致、宣扬隐士生活和佛教禅理为主。所写山水田园诗，数量多，艺术成就高，最能代表王维的艺术风格。如《汉江临泛》一首，从大处落笔，描写襄阳一带的壮丽山川，气势雄浑，意境空阔，“江流天地外，山色有无中”一联，成为千古名句。又如《山居秋暝》，用细腻的笔触，勾画月照、泉流、竹喧、莲动等许多富有特征性的事物，献给读者一幅清新秀丽、优美和谐的秋雨之后的山色图。他的山水田园诗，作物精细，状写传神，色彩鲜明如画；又语言清新凝练，含蓄生动。王维除诗作优美外，又擅画，为当时著名画手，宋代大诗人苏轼《书摩诘蓝田烟雨图》说道：“味摩诘之诗，诗中有画；观摩诘之画，画中有诗。”所评极为精当。

总之，观王维一生，时遭挫折，但艺术成就确是极高的。世有“李白是天才，杜甫是地才，王维是人才”之说，后人亦称王维为诗佛，此称谓不仅是言王维诗歌中的佛教意味和王维的宗教倾向，更表达了后人对王维在唐朝诗坛崇高地位的肯定。王维不仅是公认的诗佛，也是文人画的南山之宗（钱钟书称他为“盛唐画坛第一把交椅”），并且精通音律，善书法，篆的一手好刻印，是少有的全才。

孟浩然

孟浩然（689年—740年），襄州襄阳（今湖北襄樊）人，世称孟襄阳。本名浩，字浩然，因他未曾入仕，又称之为“孟山人”。唐代诗坛上负有盛名的诗人，诗与王维齐名，并称“王孟”，与王维、高适、岑参并称“盛唐四大家”。

孟浩然出生于襄阳城中一个薄有恒产的书香之家，自幼苦学。年轻时隐居读书于鹿门山。25到35岁间，辞亲远行，漫游长江流域，广交朋友，干谒公卿名流，以求进身之机。

开元十二年（724年），因玄宗在洛，便往洛阳求仕，滞洛三年，一无所获。

40岁时，游长安，应进士举不第。曾在太学赋诗，名动公卿，一座倾服，为之搁笔。他和王维交谊甚笃。传说王维曾私邀入内署，适逢玄宗至，浩然惊避床下。王维不敢隐瞒，据实奏闻，玄宗命出见。浩然自诵其诗，至‘不才明主弃’之句，玄宗不悦，说：“卿不求仕，而朕未尝弃卿，奈何诬我！”放归襄阳。后漫游吴越，穷极山水之胜。

开元二十二年（734年），韩朝宗为襄州刺史，约孟浩然一同到长安，为他延誉。但他不慕荣名，至期竟失约不赴，最终仕途无所成。

开元二十五年，张九龄为荆州长史，招致幕府。不久，仍返故居。开元二十八年，王昌龄游襄阳，访孟浩然，相见甚欢。适浩然病疹发背，医治将愈，因纵情宴饮，食鲜病发逝世。

纵观孟浩然的一生：生当盛唐，早年有用世之志，但政治上困顿失意，以隐士终身。而性格上看，他是个洁身自好的人，不乐于趋承逢迎。他耿介不随的性格和清白高尚的情操，为同时和后世所倾慕。李白称赞他“红颜弃轩冕，白首卧松云”，赞叹说：“高山安可仰，徒此揖清芬”（《赠孟浩然》）。王维曾画他的像于郢州亭子里，题曰：“浩然亭”。后人因尊崇他，不愿直呼其名，改作“孟亭”，成为当地的名胜古迹。可见他在古代诗人中的盛名。王维、李白、王昌龄都是他的好友，杜甫、皮日休等人也与他关系甚好。

此外，孟浩然的一生经历比较简单，他诗歌创作的题材也很狭隘。孟诗绝大部分为五言短篇，多写山水田园和隐居的逸兴以及羁旅行役的心情。其中虽不无愤世嫉俗之词，而更多属于诗人的自我表现。他和王维并称，虽远不如王诗境界广阔，但在艺术上有独特的造诣。

孟诗不事雕饰，伫兴造思，富有超妙自得之趣，而不流于寒俭枯瘠。他善于发掘自然和生活之美，即景会心，写出一时真切的感受。如《秋登万山寄张五》、《夏日南亭怀辛大》、《过故人庄》、《春晓》、《宿建德江》、《夜归鹿门歌》等篇，自然浑成，而意境清迥，韵致流溢。杜甫说他"清诗句句尽堪传"（《解闷》），又赞叹他"赋诗何必多，往往凌鲍谢"（《遣兴》）。皮日休则称，"先生之作遇景入咏，不拘奇抉异，令龌龊束人口者，涵涵然有干霄之兴，若公输氏当巧而不巧者也。北齐美萧悫'芙蓉露下落，杨柳月中疏'；先生则有'微云澹河汉，疏雨滴梧桐'。乐府美王融'日霁沙屿明，风动甘泉浊'；先生则有'气蒸云梦泽，波撼岳阳城'。谢朓之诗句精者有'露湿寒塘草，月映清淮流'；先生则有'荷风送香气，竹露滴清响'。此与古人争胜于毫厘也。"（《郢州孟亭记》）其抒情之作，如《岁暮归南山》、《早寒江上有怀》、《与诸子登岘山》、《晚泊浔阳望庐山》、《万山潭作》等篇，往往点染空灵，笔意在若有若无之间，而蕴藉深微，挹之不尽。严羽以禅喻诗，谓浩然之诗"一味妙悟而已"（《沧浪诗话·诗辨》）。清代王士禄推衍严氏绪论，标举"神韵说"，宗尚王孟，曾举浩然《晚泊浔阳望庐山》一诗作为范本，说："诗至此，色相俱空，政如羚羊挂角，无迹可求，画家所谓逸品是也。"（《分甘馀话》）盛唐田园山水诗，在继承陶、谢的基础上，有着新的发展，形成了一个诗派。其代表作家中以孟浩然年辈最长，开风气之先，对当时和后世都有很大的影响。他的诗以清旷冲澹为基调，但"冲澹中有壮逸之气"（《唐音癸签》引《吟谱》语）。如"气蒸云梦泽，波撼岳阳城"（《望洞庭湖赠张丞相》）一联，与杜甫的"吴楚东南坼，乾坤日夜浮"（《登岳阳楼》）并列，成为摹写洞庭壮观的名句。清代潘德舆曾指出："襄阳诗如'东旭早光芒，浦禽已惊聒。卧闻鱼浦口，桡声暗相拨，日出气象分，始知江湖阔'、'太虚生月晕，舟子知天风。挂席候明发，渺漫平湖中。中流见匡阜，势压九江雄。香炉初上日，瀑布喷成虹'，精力浑健，俯视一切，正不可徒以清言目之。"（《养一斋诗话》）然而这在孟诗中毕竟不多见，不能代表其风格的主要方面。总的说来，孟诗内容单薄，不免窘于篇幅。苏轼说他"韵高而才短，如造内法酒手而无材料”（陈师道《后山诗话》引），是颇为中肯的。

孟襄阳虽为唐山水诗之始作俑者，然其成就却居王维下，何也？一因其才气不殆，二因其诗意常未若王维高远。孟浩然一生不仕，心有不甘，此情多发之于诗，令其诗每有寒俭处。而王摩诘一生出仕入仕，几经周折，于世情之变体味颇深，此情发之于诗，则往往意趣清远，无迹可寻。虽则，孟诗亦自有其过人处。其诗之淡远处，既上继陶潜余绪，又不减王维。如“木落雁南渡，北风江上寒”、“风鸣两岸叶，月照一孤舟”等句，真可谓“清空自在，淡然有余”，不愧山水诗中之佳制也。

总之，孟浩然虽无富贵，终有才智，以其才智发挥于田园山水诗歌创作，成就斐然，在中国文学史上享有崇高地位，成为中华民族先贤之一。一得一失之间，于孟浩然或为不幸，于中华民族文化则为大幸。

李 白

李白（701年—762年），字太白，号青莲居士，汉族，又号“谪仙人”（贺知章评李白，杜甫的《饮中八仙歌》也写李白“天子呼来不上船，自称臣是酒中仙”），祖籍陇西成纪（现甘肃省秦安县陇城），李白是其父从中原被贬中亚西域的碎叶城（今吉尔吉斯斯坦的托克马克市）所生，4岁再迁回四川绵州昌隆县（今四川省江油市），另一说法生于四川省江油市青莲乡。我国唐代伟大的浪漫主义诗人，被后人尊称为“诗仙”，与杜甫并称为“李杜”。

李白出生于盛唐时期，但他的一生，绝大部分却在漫游中度过，游遍了大半个中国。

李白从少年时起，常去戴天山寻找道观的道士谈经论道。后来，他与一位号为东岩子的隐者隐居于岷山，潜心学习，多年不进城市。当时有名的纵横家赵蕤也是李白的好友，此人于开元四年（公元716年）就著成了《长短经》十卷。那时李白才十六岁。赵蕤这部博考六经异同、分析天下形势、讲求兴亡治乱之道的纵横家式的著作引起了李白极大的兴趣。他以后一心要建功立业，喜谈王霸之道，也正是受到这部书的影响。

二十岁时李白只身出川，开始了广泛漫游，南到洞庭湘江，东至吴、越，寓居在安陆（今湖北省安陆市）、应山（今湖北省广水市）。他到处游历，希望结交朋友，拜谒社会名流，从而得到引荐，一举登上高位，去实现政治理想和抱负。可是，十年漫游，却一事无成。他又继续北上太原、长安（今陕西西安），东到齐、鲁各地，并寓居山东任城（今山东济宁）。

这时他已结交了不少名流，创作了大量优秀诗篇。李白不愿应试做官，希望依靠自身才华，通过他人举荐走向仕途，但一直未得人赏识。他曾给当朝名士韩荆州写过一篇《与韩荆州书》，以此自荐，但未得回复。

直到天宝元年（742年），因道士吴筠的推荐，李白被召至长安，供奉翰林，文章风采，名震天下。李白初因才气为玄宗所赏识，后因不能见容于权贵，在京仅三年，就弃官而去，仍然继续他那飘荡四方的流浪生活。

安史之乱发生的第二年（756年），李白感愤时艰，曾参加了永王李璘的幕府。不幸，永王与肃宗发生了争夺帝位的斗争，兵败之后，李白受牵累，流放夜郎（今贵州境内），途中遇赦。晚年漂泊东南一带，依附当涂县令李阳冰（李白族叔），不久即病卒。

李白留给后世人九百多首诗篇。这些熠熠生辉的诗作，展现了他一生的心路历程，是盛唐社会现实和精神生活面貌的艺术写照。

李白一生都怀有远大的抱负，他毫不掩饰地表达对功名事业的向往。《梁甫吟》、《读诸葛武侯传书怀》、《书情赠蔡舍人雄》等诗篇中，对此都有绘声绘色的展露。李白自少年时代就喜好任侠，写下了不少游侠的诗，《侠客行》是此类诗的代表作。在长安3年经历的政治生活，对李白的创作产生了深刻的影响。他的政治理想和黑暗的现实发生了尖锐的矛盾，胸中淤积了难以言状的痛苦和愤懑。愤怒出好诗，于是，便写下了《行路难》、《古风》、《答王十二寒夜独酌有怀》等一系列仰怀古人，壮思欲飞，自悲身世，愁怀难遣的著名诗篇。李白大半生过着流浪生活，游历了全国许多名山大川，写下了大量赞美祖国大好河山的优美诗篇，借以表达出他那种酷爱自由、渴望解放的情怀。在这一类诗作中，奇险的山川与他那叛逆不羁的性格得到了完美的契合。这种诗在李白的诗歌作品中占有不小的数量，被世世代代所传诵，其中《梦游天姥吟留别》是最杰出的代表作。诗人以淋漓挥洒、心花怒放的诗笔，尽情地无拘无束地舒展开想象的翅膀，写出了精神上的种种历险和追求，让苦闷、郁悒的心灵在梦中得到了真正的解放。而那“安能摧眉折腰事权贵，使我不得开心颜！”的诗句，更把诗人的一身傲骨展露无遗，成为后人考察李白伟大人格的重要依据。

李白作为一个热爱祖国、关怀人民、不忘现实的伟大诗人，也十分关心战争这一重要问题。他对保卫边疆的将士予以热情的歌颂（如《塞下曲》），对统治者的穷兵黩武则给予无情的鞭挞（如《战城南》、《丁都护歌》等）。

李白还写了不少乐府诗，描写劳动者的艰辛生活，表达对他们的关心与同情（如《长干行》、《子夜吴歌》等）。

李白的诗具有“笔落惊风雨，诗成泣鬼神”的艺术魅力，这也是他的诗歌最鲜明的艺术特色。作为一个浪漫主义诗人，李白调动了一切浪漫主义手法，使诗歌的内容和形式达到了完美的统一。李白的诗富于自我表现的主观抒情色彩十分浓烈，感情的表达具有一种排山倒海、一泻千里的气势。比如，他入京求官时，“仰天大笑出门去，我辈岂是蓬蒿人！”想念长安时，“狂风吹我心，西挂咸阳树。”这样一些诗句都是极富感染力的

极度的夸张、贴切的比喻和惊人的幻想，让人感到的却是高度的真实。在读到“抽刀断水水更流，举杯消愁愁更愁”，“白发三千丈，缘愁似个长”这些诗句时，读者不能不被诗人绵长的忧思和不绝的愁绪所感染。李白的这一艺术表现手法在《梦游天姥吟留别》、《蜀道难》等诗中表现得尤为突出。

李诗中常将想象、夸张、比喻、拟人等手法综合运用，从而造成神奇异彩、瑰丽动人的意境，这就是李白的浪漫主义诗作给人以豪迈奔放、飘逸若仙的韵致的原因所在。他的语言正如他的两句诗所说，“清水出芙蓉，天然去雕饰”，明朗、活泼、隽永。李白的诗歌对后代产生了极为深远的影响。中唐的韩愈、孟郊、李贺，宋代的苏轼、陆游、辛弃疾，明清的高启、杨慎、龚自珍等著名诗人，都受到李白诗歌的巨大影响。

李白虽然仕途不顺，没有实现大济苍生的宏愿，但他不与世俗同流合污的高洁人格以及精妙绝伦的诗篇将永远为后人铭记！

杜甫

杜甫（712年—770年），字子美，自号少陵野老，唐代大诗人，号称“诗圣”。原籍湖北襄阳，生于河南巩县。初唐诗人杜审言之孙。唐肃宗时，官左拾遗。后入蜀，友人严武推荐他做剑南节度府参谋，加检校工部员外郎，故后世又称他杜拾遗、杜工部。

杜甫出生在巩县（今河南巩义市）的一个“奉儒守官”的地主家庭，祖父杜审言是武则天时著名诗人，父杜闲曾为兖州司马和奉天县令，因此他也享有不纳租税，不服兵役等特权。但他一生经历坎坷。

杜甫七岁开始吟诗，“读书破万卷”、“群书万卷常暗诵”为他的创作准备了充分的条件。

杜甫二十岁起，开始了先南游吴越，后游齐赵的漫游生活。十年壮游期间，他饱览了祖国的名山大川，这不仅充实了他的生活，也开阔了他的视野和心胸，使他早期诗歌也带有相当浓厚的浪漫主义色彩。

唐玄宗天宝五年（公元746年），三十五岁的杜甫来到长安，第二年参加了由唐玄宗下诏的应试，由于奸臣李林甫从中作梗，全体应试者无一人录取。从此进取无门，过着“朝扣富儿门，暮随肥马尘”的屈辱生活。这也使他看到了下层人民的痛苦和统治阶级的罪恶，从而写出了《兵车行》、《丽人行》、《赴奉先咏怀》等现实主义杰作。

直到天宝十四年（公元755年），杜甫才得到“右卫率府兵曹参军”一职，负责看管兵甲仓库。同年，“安史之乱”爆发，此时杜甫正在奉先（陕西蒲城）探家。第二年他把家属安顿在富县羌村（陕西境内），只身投奔在灵武（甘肃省）即位的肃宗。途中被叛军所俘，押到沦陷后的长安，这期间他亲眼目睹了叛军杀戮洗劫的暴行和百姓的苦难。直到至德二年（公元757年）四月，他才冒险逃到肃宗临时驻地凤翔（陕西省凤翔县），授官左拾遗。不久因上疏救房琯，被贬为华州司功参军。从此他屡遭贬斥，更深入地了解了百姓的疾苦。耳闻目睹的社会现实，为他创作《春望》、《哀江头》、《北征》和“三吏”、“三别”等提供了素材，并使他的诗达到了现实主义高峰。

“满目悲生事，因人作远游。”公元759年，他抛官弃职，举家西行，几经辗转，最后到了成都，在严武等人的帮助下，在城西浣花溪畔，建成了一座草堂，世称“杜甫草堂”，也称“浣花草堂”。后被严武荐为节都，全家寄居在四川奉节县。两年后，离开奉节县到江陵、衡阳一带辗转流离。唐代宗大历五年（770年），诗人病死在湘江的一只小船中。在他最后漂泊西南的十一年间，他虽过着“生涯似众人”的生活，但却写了《茅屋为秋风所破歌》、《闻官军收河南河北》、《秋兴》、《岁晏行》等一千多首诗。

杜甫背负着对于国家和民族命运的沉重责任感，忠实地描绘出时代的面貌和自己内心的悲哀，使诗歌深入地走向现实生活，走向人民。他的诗是时代的一面镜子，真实地反映了封建社会由盛而衰这一转变关头的苦难岁月，内容博大精深，风格沉郁顿挫。从诗歌的表现对象到艺术方法，从体裁到修辞，都对前人遗产进行了全面的继承和发展，是古典诗歌史上承前启后的集大成者。同时，他以富有开创性的创作不仅标志了唐诗内容与风格的重大转折，也对中唐以后直至宋代诗歌的发展造成了深刻的影响。杜甫思想的核心是忧国忧民，他的诗歌反映了天宝末到大历年间重大的社会政治事件以及唐王朝由盛到衰的转变，在揭露封建当权势力的腐败、贫富的对立、表现民生疾苦方面，达到前所未有的深度和广度，有强烈的社会现实意义，被誉为“诗史”。主要有以下几方面内容：

一、广泛而深刻地揭露统治阶级的罪恶，如《兵车行》反映了天宝年间统治者穷兵黩武连年征战给人民带来的深重灾难；《丽人行》揭露并嘲讽了杨国忠兄妹的荒淫奢侈、骄纵跋扈的丑态，从一个侧面反映了统治集团的腐朽和政治的昏暗；《自京赴奉先县咏怀》更运用强烈对比，揭露了上层统治集团醉生梦死、穷奢极欲、横征暴敛的罪恶，高度概括了贫富对立的严酷现实。

二、真实反映了广大人民深受战乱和各种不合理制度剥削压榨的痛苦。作于乾元二年（759年）春的著名组诗“三吏”、“三别”便真切反映了由于唐王朝大肆抽丁抓夫给百姓带来的深重灾难，其中既有已过兵役年龄的老汉，也有不及兵役年龄的中男，甚至连根本没有服兵役义务的老妇也被捉去。在《又呈吴郎》中，通过“无食无儿一妇人”扑枣，说明百姓“征求贫到骨”的悲惨处境。而所有这类诗，无不表现了作者对下层人民的深刻同情。

三、抒发关心国家命运、忧国忧民的思想感情。如作于陷贼时期的

《春望》，通过眺望沦陷后长安的破败景象，抒发了作者感时恨别、忧国思家的感情，“感时花溅泪，恨别鸟惊心”用工稳的对仗、拟人的手法生动表达了对祖国危难的深刻忧虑，是千古传诵的名句。《闻官军收河南河北》表现了作者听到官军收复河南、河北，大乱将平消息后的欣喜若狂，表达出渴望祖国复兴统一的强烈爱国感情及对和平生活的渴望，被称为“生平第一快诗”。

杜甫的诗歌不仅具有高度的思想性，而且具有高度的艺术性，是内容与形式完美结合的典范。现实主义是杜甫创作方法上的最大特色，沉郁顿挫是杜诗的基本风格。所谓“沉郁顿挫”，指的是深沉郁积的感情通过委婉曲折的手法表现出来。如《登高》一诗通过重九登高所见、所闻、所感，描绘了大江边深远空旷的秋景，抒发了诗人潦倒一生、年老多病、流离他乡的身世之感。前四句写景，后四句抒情，事事感慨，体现了杜诗沉郁顿挫的风格，尤其是“万里悲秋常作客，百年多病独登台”，写久客思乡的感慨和迟暮之悲，十四字中含有多重意思，更鲜明体现了杜诗的特色。

杜甫善于通过典型事件、人物及警策凝练的语言，对现实生活作高度的艺术概括，反映出那个时代的面貌以及人民的遭遇和愿望。如《兵车行》中借“行人”之口说出了千万个征夫戍卒相同或相似的遭遇；《石壕吏》通过老妪一家的惨状，概括了安史之乱后广大人民家破人亡的悲惨现实。“朱门酒肉臭，路有冻死骨”（《自京赴奉先县咏怀》）两句诗高度概括了社会矛盾的尖锐程度。

杜诗语言苍劲凝练，往往用最少的字句表现最丰富的内容。如《石壕吏》中差吏与老妇的对话，采用藏问于答、以实带虚的写法，省略不少笔墨。杜诗用典如盐着水，不露痕迹，同时又善于吸收口语和方言入诗。如《兵车行》中“爷娘妻子走相送”、“牵衣顿足拦道哭”，《前出塞》中“挽弓当挽强，用箭当用长。射人先射马，擒贼先擒王”等，都极通俗生动。

时代和独特而丰富的生活经历成全了杜甫，加之具有深厚而广泛的艺术修养，“别裁伪体”、“转益多师”的对待古代文化遗产的正确态度，“语不惊人死不休”（《江上值水如海势聊短述》）、精益求精的锤炼技巧，这一切使杜甫成为古典诗歌史上承前启后的集大成者。元稹《唐故检校工部员外郎杜君墓系铭并序》对此做了高度评价，说：“至于子美，盖所谓上薄风骚，下该沈、宋，言夺苏、李，气吞曹、刘，掩颜、谢之孤尚，杂徐、庾之流丽，尽得古今之体势，而兼人人之所独专矣。”

在诗体运用上，杜甫众体兼长，并能推陈出新，别开生面，尤以古体和律体为佳，七律在他手中日臻于纯熟，并使题材大为丰富，如《秋兴八首》便表现了深沉博大的历史和现实内容。

如果说李白是将诗歌的浪漫主义推进到一个高峰，杜甫则是继承《诗经》、汉乐府的传统，把古典诗歌的现实主义提高到一个自觉的、成熟的阶段，使诗歌成为时代的一面镜子。并直接开启了中唐新乐府诗的创作。在艺术上，杜甫掌握运用了当时所有的一切诗体，充分发挥了各种诗体的功能，为各种诗体树立了典范，同时在语言运用和艺术表现方面也为后人开了无数法门。

杜 牧

杜牧（公元803年—约852年），字牧之，号樊川居士，汉族，京兆万年（今陕西西安）人，唐代诗人。杜牧人称“小杜”，以别于杜甫。与李商隐并称“小李杜”。因晚年居长安南樊川别墅，故后世称“杜樊川”，著有《樊川文集》。

唐德宗贞元十九年，杜牧生于世代官宦并且很有文化传统的家庭。他的远祖杜预是西晋著名的政治家和学者。曾祖杜希望为玄宗时边塞名将，爱好文学。祖父杜佑，是中唐著名的政治家、史学家，先后任德宗、顺宗、宪宗三朝宰相，一生好学，博古通今，著有《通典》二百卷。父亲杜从郁官至驾部员外郎，早逝。杜牧对自已的家世很自豪，他说：“旧第开朱门，长安城中央。第中无一物，万卷书满堂。家集二百编，上下驰皇王。”（《冬至日寄小侄阿宜诗》）

杜牧的童年生活富裕而快乐。杜佑的樊川别墅在长安城南，其地有林亭之美，卉木幽邃，杜枚常在园中嬉戏。祖、父相继去世后，他家日益贫困，“食野蒿藿，寒无夜烛”。

穆宗长庆二年（822年），杜牧20岁时，已经博通经史，尤专注于治乱与军事。23岁写《阿房宫赋》。

文宗大和二年（828年），杜牧26岁进士及第。同年又考中贤良方正直言极谏科。授弘文馆校书郎、试左武卫兵曹参军。冬季，杜牧入江西观察使沈传师幕，后随其赴宣歙观察使任，为幕僚。

大和七年（833年），杜牧被淮南节度使牛僧孺辟为推官，转掌书记，居扬州，颇好宴游。大和九年，杜牧为监察御史，分司东都。开成二年，杜牧入宣徽观察使崔郸幕，为团练判官。旋官左补阙、史馆修撰、膳部比部员外郎。

武宗会昌二年（842年），杜牧出为黄州刺史。后任池州、睦州刺史。为政能兴利除弊，关心人民。宣宗大中二年（848年），得宰柏周墀之力，杜牧入为司勋员外郎、史馆修撰，转吏部员外郎。大中四年，杜牧出为湖州刺史。次年，被召入京为考功郎中、知制诰。第三年，杜牧迁中书舍人。岁暮卒于长安，终年五十岁。

杜牧确实有才华，而且政治才华出众。可惜杜牧有相才，而无相器，又生不逢时在江河日下的晚唐，盛唐气息已一去不返，诸帝才庸，边事不断，宦官专权，党争延续，一系列的内忧外患如蚁穴溃堤，大唐之舟外渗内漏。杜牧死后不过数年，农民起义便如风起云涌，再过五十年，江山易帜。“请数击虏事，谁其为我听”，杜牧的才能，湮没于茫茫人海之中。

熟读史书，看透时局，杜牧无法力挽狂澜，只得无奈将一腔悲愤交于酒肆。对于杜牧而言，饮酒，成了疗伤祛痛的乐事。“高人以饮为忙事”，“但将酩酊酬佳节”，“半醉半醒游三日”……杜牧喜欢酒，即便在清明祭祀先人的路上，冒着丝丝细雨，也不忘向牧童询问酒家。杜牧诗中，饮酒之句俯拾即是，他甚至情愿“一世一万朝，朝朝醉中去”。刚刚“乞酒缓愁肠”，却不料又是“得醉愁苏醒”。酒浸肝肠，愁萦心间，唉，醉也不是，醒也不是，杜牧又发出“醺酣更唱太平曲，仁圣天子寿无疆”的梦话来。那么，就将这副身子，这腔醉意，连同满腹的经纶，交付青楼佳人，交付红颜知己，及时行乐，来个春满人间。

杜牧风流得别具一格，风流声名远播，在繁华的扬州，杜牧的足迹踏遍青楼，宿醉不归。乃至淮南节度使牛僧孺不放心，暗中派人保护。有一日，杜牧调任回京，牛僧孺劝他切莫“风情不节”，并且拿出兵卒们发回的满满一箧平安帖，杜牧见此，又愧又羞。正是“十年一觉扬州梦，赢得青楼薄幸名”，字词之间，满是艳情。杜牧的风流轶事，与他的才华一样，传之于世。

杜牧最为脍炙人口的诗作，是咏史与七绝。杜牧的七绝诗，就其内容可分为咏史和写景抒情两大类。

他的咏史诗，善用翻案法，令人耳目为之一新。“江东子弟多才俊，卷土重来未可知”（《题乌江亭》）见解颇为独特。杜牧少有大志，注说兵书，向往贞观遗风，此诗便意在表达恢复唐朝国势的政治抱负。由此可见，他的咏史诗往往具有鲜明的政治针对性。

在杜牧的七绝中，最能代表他的诗歌成就的还是写景抒情诗。杜牧的七绝写景，画意浓厚，形象洋溢着勃勃的生机，明丽的画面则给人隽秀之感。他的诗有的如姑苏名园，小巧别致，饶有情趣；有的似太湖奇石，平淡中见雅致，不经意处见匠心。在他的笔下，既有“溶溶漾漾白鸥飞，绿净春深好染衣”的汉江春色，也有“马放平沙夜不收”、“塞垣高鸟没狼烟”的边塞奇观，极尽画工之妙。其实，杜牧本人就是丹青能手。据《画史》载，宋米芾就曾称赞杜牧所摹维摩画像“精彩照人”。诗画兼工的杜牧，把诗画二者有机地统一在一起，形成诗中有画的独特神韵。

杜牧在黄州刺史任上写过一首《齐安郡后池绝句》，便鲜明地体现了杜诗的这一特色。诗云：

菱透浮萍绿锦池，夏莺千啭弄蔷薇。尽日无人看微雨，鸳鸯相对浴红衣。

全诗设色精绝，浓而不艳，以绿为底色，泼笔涂抹，以鸳鸯之“红衣”与盈盈绿水相映衬，呈现出清丽和谐的格调。而杜牧又从动态把握意象，使景物生机盎然，栩栩如生，尤其是一个“透”字，一个“弄”字，一个“浴”字，虽只有寥寥数笔，却境界全出。夏莺鸣啭，又给画面增强了音响效果，静景、动态、声响通过诗画与画的纽带被和谐地统一在了一起。

诗人具有高超的艺术概括能力，加上他对自然美的敏锐感和细致的观察力，稍一涉笔，就描绘出一幅完整生动的画面，而江南烟雨美景、山明水秀，又为作者提供了广阔的艺术创作空间，才使他的诗作具有永恒的艺术魅力。

人称杜牧为“小李杜”，以与李商隐相应，究其风格，亦与义山相似，一是在色彩的铺染上，二是在句法的雕琢上。不过杜牧的七绝则更加峻切疏宕，蕴涵着深刻的思考，创造出一种耐人寻味而又明洁畅达的意境。王国维说：“文学之工与不工，亦视其意境之有无，与其深浅而已。”在杜牧的代表作《江南春》、《泊秦淮》中，虽明为写景，却以景寄情，抒发兴亡之感和世事哀音，真切动人。李义山也擅长比兴寄托之法，然而正如清人刘熙载所言：“杜樊川诗雄姿英发，李樊南诗深情绵邈。”杜牧豪爽，有时逼似李白，即有忧郁，亦以旷达出之；李商隐则刻意追求深曲之风，含意朦胧，艳丽而略失于晦涩。

杜牧为了在诗中创造这种畅达的意境，往往选取的都是明朗的、给人以快感的景物作为意象，如“青山”、“夏莺”、“白云”等，即使是常写的“雨”景，也不见萧瑟之意，却多了些自然清新的趣味。

杜牧素有经邦济世的抱负，吴武陵称他“真王佐才也”，他对自己诗的风格也有“本求高绝，不务奇丽，不涉飞谷”的追求。他的诗明快向上，即使在心情不好的情况下，也不例外。如《胡晚题韦家亭子》中，诗人结句振笔直上，描绘了“曲渚飘成绵一张”的景象。《重到襄阳哭亡友韦寿朋》是悼亡之作，眼前是秋风飒飒，而诗人想到的却是“重到笙歌分散地，隔江吹笛月明中”。

杜牧七绝诗的美，还表现在他那富有“立体感”的语言和拟人、比喻的手法，传出了自然景物的“神”。在《齐安郡偶题》中作者写道：

两竿落日溪桥上，半缕青烟柳影中。多少绿荷相倚恨，一时回首背西风。

荷花写得如此传神，得力于“立体”的语言和比拟的手法。“回”、“背”二字一出，便觉荷已然活灵灵“立”在纸上，锻炼而不失自然之美，又巧妙地将荷背西风与人背世俗粘和得不见针脚，形成圆融一体的境地。

总之，史家不幸诗家幸。杜牧继承唐代文学中的优良传统，主张文章“以意为主，以气为辅，以辞采章句为之兵卫”。他诗歌中的成功之作，实践了这一理论。他愤慨统治者的荒淫误国，斥责大官僚将帅的昏懦苟安，反对藩镇拥兵自固，反对吐蕃、回纥统治者的掠夺骚扰。后人把他称为“小杜”，以别于杜甫。与同时代的李商隐齐名，并称“小李杜”。李商隐比他小十岁，很欣赏他的为人和诗篇，曾在给他的一首诗中写道：“高楼风雨感斯文，短翼差池不及群。刻意伤春复伤别，人间唯有杜司勋。”

韩　愈

韩愈（768年—824年），唐代文学家、哲学家。字退之。他早年曾在节度幕府中任职，后任监察御史、国子博士、史馆修撰、潮州刺史、吏部侍郎等职。韩愈曾与柳宗元倡导“古文运动”，提倡散文，反对骈文。他的诗歌创作亦力求独创，以文为诗，具有宏伟奇崛的特点。韩愈在赋、诗、论、说、传、记、书、序、哀辞、祭文、碑志、状、表、杂文等创作领域均有卓越的成就。他的作品集有《昌黎先生集》等。

韩愈是北魏贵族后裔，父仲卿，为小官僚。韩愈从小聪明伶俐，3岁就开始识字，每日可记诵数千言，不到7岁，就读完了诸子百家的著作。非凡的天赋使他从小就树立了远大的志向，但哥嫂教育他，不能光有大志向，还要扎扎实实地努力才行。韩愈谨记长兄和嫂子的教诲，学习上一向严格要求自己，从来不敢怠慢。

韩愈19岁时，已经是一位才华横溢的勃勃少年，恰逢皇上当年开科取士，于是20岁赴长安应进士试，可是却三试不第。

韩愈25岁登进士第，然后三试博学鸿词不入选，便先后赴汴州董晋、徐州张建封两节度使幕府任职，后至京师，官四门博士。

韩愈36岁任监察御史，因上书论天旱人饥状，请减免徭役赋税，指斥朝政，被贬为阳山令。

顺宗即位，用王叔文集团进行政治改革，他持反对立场。宪宗即位，韩愈获赦北还，为国子博士。后韩愈改河南令，迁职方员外郎，历官至太子右庶子。因韩愈先后与宦官、权要相对抗，仕宦一直不得志。

50岁时，韩愈从裴度征讨淮西吴元济叛乱，任行军司马，贯彻了加强中央集权反对藩镇割据的主张。淮西平定后，韩愈升任刑部侍郎。

他一生排斥佛教。元和十四年（819年），宪宗皇帝派遣使者去凤翔迎佛骨，京城一时间掀起信佛狂潮，韩愈不顾个人安危，毅然上书《论佛骨表》，痛斥佛之不可信，要求将佛骨“投诸水火，永绝根本，断天下之疑，绝后代之惑”。宪宗得表，龙颜震怒，要处以极刑。幸宰相裴度及朝中大臣极力说情，免得一死，贬为潮州刑史。韩愈任潮州刑史八个月，概括说来：驱鳄鱼、为民除害；请教师，办乡校；计庸抵债，释放奴隶；率领百姓，兴修水利，排涝灌溉。千余年来，使潮州地区成为礼仪之邦和文化名城！

不久回朝，历官国子祭酒、兵部侍郎、吏部侍郎、京兆尹等显职。

韩愈为兵部侍郎时，镇州王庭凑叛乱，他前往宣抚，成功而还。最后这一阶段，政治上较有作为。

韩愈一生，在政治、文学方面都有所建树，而主要成就是文学。

韩愈是我国唐代著名的文学家，他领导了中唐时期的古文运动，在散文方面取得了突出的成就，被苏轼誉为“文起八代之衰”。

韩愈所提倡的古文运动，在理论的架构上十分明确。在文学思想方面，他驳斥佛、老二家的玄疏之论，而直承尧、舜、禹、汤、文武、周公、孔孟之道，以无比魄力，欲扫除思想界空虚无根的意识形态，恢复中国故有的道统。在文学形式方面，他力斥华而无实的骈文，提倡文从字顺的新散文。主张《宏中肆外》的文学风格。“宏中”，是指文章内容应力求充实；“肆外”，是指文章的形式应有所创新，使作者能自由驰骋笔力。

韩愈不但在理论上有积极的建设，并且自己以不可一世的才气，写下了许多平易流畅的新散文。他的《祭十二郎文》是前人誉为“祭文中千年绝调”的名篇。文章结合家庭、身世和生活琐事，反复抒写他悼念亡侄的悲痛，感情真实，抒写委曲，恰如长歌当哭，哀伤动人。这种真思想、真感情的笔触，真正体现了古文运动的精神。

在诗歌创作方面，韩愈针对大历以来诗人的浮荡习气，“绮靡婉丽”的诗风，自觉地继承和发扬李白、杜甫在诗歌创作上的业绩，力图恢复盛唐气象。因此，他在诗歌创作上勇于创造，大胆革新，另辟蹊径，独树一帜，较广泛地反映了当时的现实，成为中唐时期诗坛上一个影响较大的诗人。从创作实践来看，韩愈主要是继承李白的自由豪放，和杜甫的体格变化、“语不惊人死不休”的艺术传统，独立开拓道路。和白居易着重继承杜甫现实主义精神有所不同。他的诗歌既有深切同情人民苦难，揭露统治集团罪恶的篇章，也有不少是反对藩镇割据，维护国家统一之作，更有猛烈抨击佛、道二教危害之作，还有指斥当权者压抑人才，抒发怀才不遇的作品。这些都从不同方面较为深刻地反映了中唐时期社会的重大生活，有强烈的战斗性，应该说也是现实主义的优秀作品。

后人对韩愈评价颇高，尊他为唐宋八大家之首。杜牧把韩文与杜诗并列，称为“杜诗韩笔”，苏轼称他“文起八代之衰”。韩柳倡导的古文运动，开辟了唐以来古文的发展道路。韩诗力求新奇，重气势，有独创之功。韩愈以文为诗，把新的古文语言、章法、技巧引入诗坛，增强了诗的表达功能，扩大了诗的领域，纠正了大历以来的平庸诗风。韩愈不愧为一代文宗！

白居易

白居易（772年—846年），汉族，字乐天，号香山居士，河南新郑（今郑州新郑）人，和元稹并称“元白”，和刘禹锡并称“刘白”，是中国文学史上负有盛名且影响深远的现实主义诗人，与李白、杜甫齐名，有“诗魔”和“诗王”之称，他的诗在中国、日本和朝鲜等国有广泛影响。

白居易自幼聪慧，5，6岁学做诗，9岁熟悉声韵。11岁时，因两河藩镇战乱，由荥阳逃难到徐州符离（今安徽宿县北），不久又南下到越中，投奔在杭州作县尉的堂兄。

白居易十五六岁时，立志应进士举，刻苦读书，口舌成疮，手肘成胝。后来，父死母病，白居易靠长兄白幼文的微俸维持家用，奔波于鄱阳、洛阳之间，生活比较艰苦。

贞元十六年，白居易29岁时进士及第。

十八年（802年），白居易又与元稹同时考中“书判拔萃科”。两人订交，约始于此。后两人在诗坛上齐名，并称“元白”。

元和二年十一月，白居易授翰林院学士。五年，改京兆府户曹参军，均依旧充翰林学士。草拟诏书，参与国家机密。

元和六年，白居易因母丧居家，服满返京任太子左赞善大夫。

元和十年，两河藩镇割据势力联合叛唐，派人刺杀主张讨伐藩镇割据的宰相武元衡。白居易率先上疏请急捕凶手，以雪国耻。但却被腐朽的官僚势力攻击为越职言事，并捏造“伤名教”的罪名，将他贬为江州（今江西九江）司马，这对他是个沉重的打击。

元和十五年，召还京，白居易拜尚书司门员外郎，迁主客郎中，知制诰，进中书舍人。

因国事日非，朝中朋党倾轧，屡次上书言事不听，白居易于长庆二年（822年）请求外任，出为杭州刺史。在杭州时，修筑湖堤，蓄水灌田千余顷；并疏浚城中六口井，以利饮用。离苏州日，郡中士民涕泣相送。

文宗大和元年（827年），拜秘书监，次年转刑部侍郎。白居易从58岁开始，定居洛阳。先后担任太子宾客，河南尹，太子少傅等职。会昌二年（842年），以刑部尚书致仕。

之后，他在洛阳过着饮酒，弹琴，赋诗，游山玩水的生活。时常与名诗人刘禹锡唱和，时称“刘白”。他在舒适的晚年仍然时常想到人民，73岁时，还出资募人凿开龙门八节石滩，以利行船.两年后病终.

白居易去世后，唐宣宗写诗悼念他说：“缀玉连珠六十年，谁教冥路作诗仙？浮云不系名居易，造化无为字乐天。童子解吟《长恨》曲，胡儿能唱《琵琶》篇。文章已满行人耳。一度思卿一怆然。”著有《白氏长庆集》七十一卷。白居易晚年官至太子少傅，谥号“文”，世称白傅、白文公。

纵观白居易的一生，其在政治上渴望有所作为并且为官也能造福一方百姓，有一定的政治才华。其实白居易在文学上也很有建树。

他在文学上积极倡导新乐府运动，主张“文章合为时而著，诗歌合为事而作”，写下了不少感叹时世、反映人民疾苦的诗篇。叙事诗中《琵琶行》、《长恨歌》等极为有名。他的诗歌，语言通俗易懂，被称为“老妪能解”。

此外，白居易的诗在当时流传广泛，上自宫廷，下至民间，处处皆是，其声名还远播新疆和朝鲜、日本。白诗对后世文学影响巨大，晚唐皮日休、陆龟蒙、聂夷中、罗隐、杜荀鹤，宋代王禹偁、梅尧臣、苏轼、张耒、陆游及清代吴伟业、黄遵宪等，都受到白居易的诗的启示。白居易的诗歌在日本的影响最大，他是日本最喜欢的唐代诗人，在日本的古典小说中常常可以见到引用他的诗文，可以说在日本人的心中，白居易才是中国唐代诗歌的风云人物。

总结起来：白居易早年热心济世，强调诗歌的政治功能，并力求通俗，所作《新乐府》、《秦中吟》共六十首，确实做到了“句句必尽规”，与杜甫的“三吏”、“三别”同为著名的诗史。长篇叙事诗《长恨歌》、《琵琶行》则代表他艺术上的最高成就。中年在官场中受了挫折，“宦途自此心长别，世事从今口不开”，但仍写了许多好诗，为百姓做过许多好事，杭州西湖至今留着纪念他的“白堤”。晚年寄情山水，也写过一些小词。赠刘禹锡诗云：“古歌旧曲君休听，听取新词《杨柳枝》。”可见他曾自度一些新词。其中《花非花》一首，颇具朦胧之美。

柳宗元

柳宗元（773年—819年），字子厚，河东（今山西永济）人，又称柳河东，唐代文学家、哲学家，唐宋八大家之一。

柳宗元出生的时候，“安史之乱”刚刚平定20年。虽然已有20年的短暂和平，但这时的唐王朝早已走过了它的太平盛世，逐渐衰朽，各种社会矛盾急剧发展，中唐以后的各种社会弊端如藩镇割据、宦官专权、朋党相争等等正在形成。

柳宗元的家庭是一个具有浓厚的文化气氛的家庭。他四岁那年，父亲去了南方，母亲卢氏带领他住在京西庄园里，卢氏信佛，聪明贤淑，很有见识，并有一定的文化素养。她教年幼的柳宗元背诵古赋十四首。正是母亲的启蒙教育，使柳宗元对知识产生了强烈的兴趣。卢氏勤俭持家，训育子女，在早年避乱到南方时，宁肯自己挨饿，也要供养亲族。后来柳宗元得罪贬官，母亲以垂暮之年，跟随儿子到南荒，没有丝毫怨言。她是一位典型的贤妻良母，在她身上体现了很多中国古代妇女的美德。母亲的良好品格，也很好地熏陶了柳宗元。

除了母亲外，父亲柳镇的品格、学识和文章对柳宗元更有直接的影响。柳镇深明经术，“得《诗》之群，《书》之政，《易》之直、方、大，《春秋》之惩劝，以植于内而文于外，垂声当时”。可知他信奉的是传统的儒学，但他并不是一个迂腐刻板、不达世务的儒生。他长期任职于府、县，对现实社会情况有所了解，并养成了积极用世的态度和刚直不阿的品德。他还能诗善文，曾与当时有名的诗人李益唱和，李益对他很推崇。父亲和母亲给予柳宗元儒学和佛学的双重影响，这为他后来“统合儒佛”思想的形成奠定了基础。

柳宗元的幼年在长安度过。对朝廷的腐败无能、社会的危机与动荡有所闻见和感受。他九岁那年，即唐德宗建中二年（781年），爆发了继安史之乱后又一次大规模的割据战争——建中之乱。诱发战争的直接原因是成德镇李宝臣病死，其子李惟岳谋继袭，得到河北其他两镇和山南东道节度使梁崇义的支持，企图确立藩镇世袭传子制度。新继位的唐德宗不同意，四镇就联合起兵反抗朝廷。建中四年，柳宗元为避战乱来到父亲的任所夏口（今湖北省武汉市武昌区）。但由于夏口是一个军事要冲，这时又成为李希烈叛军与官军激烈争夺的目标。年仅12岁的柳宗元在这时也亲历了藩镇割据的战火。

贞元元年（785年），柳镇到江西做官。在这以后一段时间，柳宗元随父亲宦游，到过南至长沙、北至九江的广大地区。这段经历使柳宗元直接接触到社会，增长了见识。从这以后，他已经开始参与社交，结纳友朋，并作为一个有才华的少年受到人们的重视。不久，他回到了长安。

贞元九年（793年）春，20岁的柳宗元考中进士，同时中进士的还有他的好友刘禹锡。贞元十二年（796年）柳宗元任秘书省校书郎，算是步入官场，这一年，与杨凭之女在长安结婚，两年后，中博学宏词科，调为集贤殿书院正字，得以博览群书，开阔眼界，同时也开始接触朝臣官僚，了解官场情况，并关心、参与政治。到集贤殿书院的第一年，他便写了《国子司业阳城遗爱碑》，颂扬了在朝政大事上勇于坚持已见的谏议大夫阳城，第二年写了《辩侵伐论》，表明坚持统一、反对分裂的强烈愿望。

贞元十七年（801年），柳宗元调为蓝田尉，两年后又调回长安任监察御史里行，时年31岁，与韩愈同官，官阶虽低，但职权并不下于御史，从此与官场上层人物交游更广泛，对政治的黑暗腐败有了更深入的了解，逐渐萌发了要求改革的愿望，成为王叔文革新派的重要人物。

王叔文、王伾的永贞革新，虽只有半年时间便宣告失败，但却是一次震动全国的进步运动，所实行的措施，打击了当时专横跋扈的宦官和藩镇割据势力，利国利民，顺应了历史的发展。柳宗元与好友刘禹锡是这场革新的核心人物，被称为“二王刘柳”。年轻的柳宗元在政治舞台上同宦官、豪族、旧官僚进行了尖锐的斗争。他的革新精神与斗争精神是非常可贵的。

由于顺宗下台、宪宗上台，革新失败，“二王刘柳”和其他革新派人士都随即被贬。宪宗八月即位，柳宗元九月便被贬为邵州（今湖南邵阳市）刺史，行未半路，又被加贬为永州（今湖南永州市）司马。

永州之贬，一贬就是10年，这是柳宗元人生一大转折。在京城时，他直接从事革新活动，到永州后，他的斗争则转到了思想文化领域，写下不少诗文名篇。“永州八记”《三戒》《段太尉逸事状》《贞符》《非〈国语〉》《天说》《天对》《捕蛇者说》等均为此时所作。

柳宗元被贬谪永州甚至之后更偏远的柳州，在政治上极度失意，却使他在文学上获得了巨大成就。南方人士多有向他求学问业者，扩大了他在文坛上的影响。

元和十四年，柳宗元病殁。柳宗元虽然活了不到50岁，却在文学上创造了光辉的业绩，在诗歌、辞赋、散文、游记、寓言、小说、杂文以及文学理论诸方面，都做出了突出的贡献。

柳宗元的散文，与韩愈齐名，韩柳二人与宋代的欧阳修、苏轼等并称为“唐宋八大家”，堪称我国历史上最杰出的散文家。柳宗元的寓言继承并发展了《庄子》、《韩非子》、《吕氏春秋》、《列子》、《战国策》的传统，多用来讽刺、抨击当时社会的丑恶现象。推陈出新，造意奇特，善用各种动物拟人化的艺术形象寄寓哲理或表达政见。代表作有《三戒》（《临江之麋》、《黔之驴》、《永某氏之鼠》）等。在诗歌上也卓然自成一家。他的诗大多是贬官永州、柳州时所作。他的诗歌和散文反映了社会生活多方面的内容。柳宗元诗歌中，山水诗的成就最高，后人把他与陶渊明相提并论，主要是以他的山水诗为参照。如《秋晓行南谷经荒村》，表现出超越宦海浮沉、仕途得失的豁达自适；《渔翁》一诗表现了渔人自由自在的生活；《江雪》一诗描写寒江独钓的超然，曲折地反映了作者超脱的人格风貌。这些山水诗情致委婉深沉，流露出被贬漂泊的忧愤，同时显示出诗人清逸高洁的性格。

柳宗元作为封建社会的官员和文人，他为文不说空话，为官不说假话，为政务求实绩，至今仍不失为宝贵的精神财富，特别是重温他的为官之道，对今天每个有良知的官员将会是一种深深的启发。而柳宗元的文学成就，也是值得后人深深仰慕的！

李煜

李煜（937年—978年），五代十国时南唐国君，961年—975年在位，字重光，初名从嘉，号钟隐、莲峰居士。彭城（今江苏徐州）人。南唐元宗李璟第六子，于宋建隆二年（961年）继位，史称李后主。开宝八年，国破降宋，俘至汴京，被封为右千牛卫上将军、违命侯。后为宋太宗毒死。李煜虽不通政治，但其艺术才华却非凡。精书法，善绘画，通音律，诗和文均有一定造诣，尤以词的成就最高。留有千古杰作《虞美人》、《浪淘沙》、《乌夜啼》等词。被称为“千古词帝”。

李煜生于南唐烈祖昇元元年。从小就与众不同，尤其是他的长相，丰额骈齿，有一目是重瞳，按照相面人的说法，他很有富贵相。李煜多才多艺，不仅文章出众，而且擅长书法和绘画，造诣也很深。加上他为人厚道，所以备受大家喜爱。李煜上有五位兄长，本无继位的可能。李煜的长兄燕王弘冀为人刚毅果断，善于权谋，曾领兵在常州大败吴越国的军队，因战功而被立为太子，参与国事。但是弘冀独断专横的作风，却不为父亲李璟所喜欢。况且李璟生性仁爱孝友，即位之初即表示王位要兄终弟及，并立其弟景遂为皇太弟。最终矛盾愈演愈烈，发生悲剧。为了保证自己能顺利继承皇位，李弘冀毒杀了自己的叔父景遂，对自己的弟弟李煜也放心不下。李煜就敬而远之，把精力放在自己喜欢的诗词上，一方面这个真的是他喜欢的生活，另一方面也避免了卷入皇位争夺的漩涡之中。然而天不遂人愿，哥哥李弘冀只活了19岁就离开了人世，南唐兴衰的大任最终还是落在李煜的头上。

南唐建隆二年（公元961年），李璟迁都洪州，封李煜为太子，总揽国事，镇守金陵。同年六月，李璟在洪州病逝，李煜继位，开始了他的屈辱为帝之路。李煜生性仁厚，即位后，他即下令减轻赋税，放宽对百姓的处罚，同时鼓励百姓进行农桑生产。但这些措施并不能改变南唐国势江河日下的态势。李煜对此深有体会，因此继续采取了父亲李璟的策略，对北宋称臣纳贡，并沿用北宋年号。李煜在尽力侍奉北宋的同时，也不忘享受。他崇尚佛事，就广建佛塔，他建造的摩天塔，高耸入云，巧夺天工。此外，李煜纵情声色，日夜与大小周后在宫苑里琴瑟和鸣，风花雪月。

李后主在位十五年中，侍奉北方强宋，始终小心谨慎。无论宋怎样挟制和压迫，他都无条件接受。公元970年，李后主遣其弟郑王从善朝贡北宋，并上表请改唐国主为江南国主，唐国印为江南国印，所诏呼名。并于次年贬损仪制，降封子弟。无论是如何有辱国体，李后主都强忍下去。只有召他入朝一事，不敢轻易冒险。他实在怕被宋太祖扣押。他的七弟从善朝宋，便给宋太祖扣留在汴京。因此在宋开宝七年（974年），宋太祖屡次遣人召其北上，李煜均辞不去。

赵匡胤于是以此为借口，任命大将曹彬为统帅，率军10万进攻南唐。南唐国势垂危，可李煜还寄望于遣使求和，做垂死挣扎。宋太祖面对南唐使臣，直截了当地道："卧榻之侧，岂容他人鼾睡？"回绝了李煜请求。至此，李煜才知道求和已无可能，只好破釜沉舟，背水一战了。他下令全国戒严，抵抗宋军。在大臣的建议下，李煜还下令废除北宋年号，建年号为"甲戌岁"，以示抵抗到底之心。

当时，南唐作为南方的第一强国，拥兵数十万，本堪一战，但南唐多年来不修武备，加上李煜不通军事，不能识人，因此屡战屡败。他先是中了赵匡胤的反间计，错杀了南唐第一名将林仁肇，后又委兵权于都指挥使皇甫继勋。皇甫继勋根本是个庸才，与宋屡战屡败，还隐瞒军情。等到李煜察觉的时候，宋军已经兵临城下，李煜陷入了绝望。同年十月，北宋大军攻陷金陵，李煜率领南唐文武百官投降。曾辉煌一时的南唐政权，至此灭亡。

第二年春，李煜被押解到北宋首都汴梁，朝见赵匡胤。赵匡胤赦其死罪，封他为光禄大夫、检校太傅、右千牛卫上将军、违命侯，其妻小周后也被封为郑国夫人。同是这一年，赵匡胤在"烛影斧声"中不明不白地死去，他的弟弟赵光义即位，是为宋太宗。宋太宗对李煜更为猜忌。

公元978年七夕，是后主四十二岁生日，旧时的宫女前来谒见，诉及许多南唐往事，不禁勾起了后主的情思，红袖研墨，素手铺纸，月光为烛，遂提笔写下一阙《虞美人》：春花秋月何时了，往事知多少？小楼昨夜又东风，故国不堪回首月明中。雕栏玉砌应犹在，只是朱颜改。问君能有几多愁？恰似一江春水向东流。宋太宗得知此事后，认为李煜是"人还在心不死"，想复辟变天，于是赐李煜"马钱子"自毙。服药后，李煜全身抽搐、腰不能直起，最后头足相就，状如牵机而死，故后人也称马钱子为"牵机药"。

看李煜一生，虽无帝王之才，却因其经历为后人留下了无数诗词珍品，在中国文学史上占有重要地位。

李煜在文学史上的地位，完全可以用王国维在《人间词话》中所说的话来概括："词至李后主而眼界始大，感慨遂深，遂变伶工之词而为士大夫之词。"

首先，李煜词扩大了词的题材范围。南唐词发展到李煜词，同花间词的区别，就泾渭分明了。《花间集》作者虽然都是文士，但其范围囿于风月脂粉，其作用限于饮宴应歌，乐筵按曲，仍不脱"伶工之词"的身份。要说抒情，十九乃咏妓情，涂饰金粉，而内心贫乏。而李煜词所采用的直抒胸臆的抒情手法，改变了晚唐五代以来词人通过一个妇女的不幸遭遇，无意流露或曲折表达自己心情的手法，使词摆脱了长期在花间樽前曼声吟唱中所形成的传统风格。他后期的词写他的自身经历和生活实感，多家国之慨，冲破了词的原有藩篱，扩大了词的境界，在内容风格上，超越了温庭筠和冯延巳，呈现出新的方向和新的力量。把词引入了歌咏人生的正常途径，循此以往，词才与诗殊途同归。成为词人们可以多方面言怀述志的新诗体，才有了日后出现苏、辛诸大家的可能，对后来豪放派词家在艺术手法上的发展也有着重要的影响。

其次，李煜丰富了填词的艺术手段和写作技巧，所采用的白描手法和词作中感时伤世的情调，对后世词人也有着深远的影响。无论是宋时的晏几道、秦观、李清照，还是清代的纳兰容若，都可以看到李煜词的影子。王士祯《倚声前集序》中认为词中婉约一派：（李）璟、煜为之祖，至漱玉、淮海而极盛。

当然，李煜词的这些艺术成就，不仅决定于他个人不平常的遭遇和他在词创作上的努力。同时由于晚唐五代以来，一些词人在艺术上的不断探索，积累了丰富的创作经验，使他有可能在这基础上继续提高，这其间，西蜀韦庄早就在花间词派里独树一帜，而南唐的冯延巳、李璟更是直接引导他向这方面前进。总之，李煜在改变词风、提升词的文学地位方面，作出了极大的贡献，为宋词的繁荣起了极好的承前启后的作用。

有人说，性格决定命运，李煜天生有一颗多愁善感的心，一如王国维在人间词话中所说："生于深宫之中，长于妇人之手，是后主为人君所短处，亦为词人所长处。"词人多有一颗赤子之心，然而在那个时代，需要的是杀伐决断的能力，驰骋疆场的勇气，开疆辟土的壮志豪情。他适合做一个承平天子，却不是一个能力挽大厦于将倾的强者。"做个词人真绝代，可怜薄命是君王"，想必这是对李煜一生最好的总结。

欧阳修

欧阳修（1007年—1072年），北宋政治家、文学家。唐宋八大家之一。字永叔，号醉翁，晚号六一居士。他的作品集有《欧阳文忠公文集》、《六一诗话》等。

欧阳修4岁丧父，家境贫困，母郑氏用荻杆画地教他识字。欧阳学习也异常刻苦勤奋。十岁时，欧阳修从李家得唐《昌黎先生文集》六卷，甚爱其文，手不释卷，这为日后北宋诗文革新运动播下了种子。

欧阳修由于刻苦自学，而且学习得法，24岁便考取进士，累任知县、知州、馆阁校勘、翰林学士等职。

欧阳修走上仕途时，正是北宋王朝积贫积弱之日，内外交困，危机四伏，一些头脑比较清醒的士大夫纷纷提出改革积弊的主张，以争取宋王朝长治久安。

欧阳修对此也有清醒认识，他30岁时写的《与高司谏书》便第一次显露他在政治上的远见卓识，朝野为之轰动。

后来，因论救范仲淹，贻书谴责司谏高若讷，景佑三年（1036年）五月欧阳修被贬为夷陵（今湖北宜昌市夷陵区）县令，康定元年（1040年），欧阳修被召回京，复任馆阁校勘，后知谏院。

庆历三年（1043年），范仲淹、韩琦、富弼等人推行“庆历新政”，欧阳修参与革新，提出了改革吏治、军事、贡举法等主张。欧阳修是这一改革运动的积极参与者和鼓动者。庆历新政虽然失败，但他的任贤使能、节用爱农、构财省兵的政治理想并未消失。

庆历新政后，欧阳修又连续上书《唯诏言事上书》、《本记》、《论韩琦范仲淹之赐召对札子》、《朋党论》等，积极鼓吹改革，大胆揭露时弊，勇敢地驳斥旧势力对新政的诬蔑及对范仲淹等人的诟陷。

由于欧阳修正直敢言，排击奸佞，所以一直为守旧势力所切齿，曾数次受到诬陷。庆历五年，范、韩、富等相继被贬，欧阳修也被贬为滁州（今属安徽）太守。以后，又知扬州、颍州（今安徽阜阳）、应天府（今河南商丘）。

至和元年（1054年）八月，欧阳修奉诏入京，与宋祁同修《新唐书》。嘉祐二年（1057年）二月，欧阳修以翰林学士身份主持进士考试，提倡平实的文风，录取了苏轼、苏辙、曾巩等人。这对北宋文风的转变很有影响。

嘉祐五年（1060年），欧阳修拜枢密副使。次年任参知政事。以后，又相继任刑部尚书、兵部尚书等职。

神宗熙宁二年（1069年），王安石实行新法。欧阳修对青苗法曾表异议，且未执行。熙宁三年（1070年），被授予检校太保宣徽南院使等职，坚持不受，改知蔡州（今河南汝南县）。这一年，他改号“六一居士”。五年，闰七月二十三日，欧阳修卒于颍州，谥文忠。

欧阳修作为封建社会的官员，对当时经济、政治和军事等方面的严重危机，有较清醒的认识。主张除积弊、行宽简、务农节用，与范仲淹等共谋革新，展现了政治上的才华。而作为文人，在北宋文坛上，也有着举足轻重的作用。

欧阳修是北宋诗文革新运动的领导者，他领导了北宋诗文革新运动，开创了平易流畅的一代文风，成为北宋公认的文坛宗师。他主张文章应“明道”、“致用”，大力提倡流畅自然的平实文风，反对浮靡怪僻晦涩文风。

作为“唐宋八大散文家”之一的欧阳修，不仅倡导散文理论，同时创作了大量起了示范作用的作品。欧阳修的散文特点是：文体多样、内容充实、章法结构严密、平易自然而富于曲折变化，简约的叙事、委婉的抒情和畅达的议论兼备，吸取“古文”与骈文之长而融成新风格，语句通畅和谐而有韵律，构成了欧阳修散文含蓄委婉的总体风格。欧阳修一生写了500余篇散文，各种体裁兼备，有政论文、史论文、记事文、抒情文和笔记文等。他的散文名篇代表作是：《朋党论》、《五代史·伶官传序》、《醉翁亭记》、《鸣蝉赋》、《秋声赋》、《与高司谏书》、《卖油翁》等，都是历代传诵的名篇佳作。

欧阳修的诗歌创作成就不及散文，但也很有特色。他的诗歌风格多样，有的诗风与其散文近似，意境别致，语言自然，有的诗作则沉郁顿挫，风格近杜甫。欧阳修的词风婉丽秀美，承袭南唐余风，主要内容仍是相思情、醉酣歌、惜春、赏花之类，写景则清新疏淡，抒情则婉曲缠绵。

欧阳修一生博览群书，文史兼通。他的《六一诗话》开历代“诗话”之先河，是中国文学史上第一部诗话。欧阳修还开了宋代笔记文创作的先河，他的笔记文有《归田录》、《笔说》、《试笔》等。文章不拘一格，生动活泼，富有情趣。

除了散文和诗词外，欧阳修在史学方面也很有成就，编《新五代史》，修《新唐书》。此外，欧阳修书法亦著称于世，并且是我国金石学的开拓者。

欧阳修在政治上的地位和散文创作上的巨大成就，使他在宋代“天下翕然师尊之”。唐宋八大家中五人出自其门。他推荐和指导了王安石、曾巩、苏洵、苏轼、苏辙等散文家，对他们的散文创作产生过很大的影响。

苏东坡

苏轼（1037年—1101年），字子瞻，号“东坡居士”，世人称其为“苏东坡”。北宋著名文学家、书画家、诗人，豪放派词人代表。眉州人，苏轼为人豁达，心胸宽广。在书法方面成就极大，与黄庭坚、米芾、蔡襄并称“宋四家”。

苏轼出生在寒门地主家庭。幼年承受家教，深受其父苏洵的熏陶，母程氏也曾“亲授以书”。既长，“学通经史，属文日数千言”（苏辙《东坡先生墓志铭》）。

嘉祐元年（1056年），苏轼首次出川赴京应举，次年与弟苏辙中同榜进士，深受主考欧阳修赏识。后因奔母丧回蜀。

嘉祐四年，苏轼开始沿长江、经江陵再度赴京。嘉祐六年应中制科入第三等，授大理评事、签书凤翔府判官。这期间苏轼针对财乏、兵弱、官冗等政治弊端，写了大量策论，要求改革。

苏轼凤翔任满，其父苏洵于汴京病故，他扶丧归里。熙宁二年（1069年）初，还朝任职。

其时神宗用王安石变法，苏轼的改革思想与王安石的变法主张有许多不同。如王安石主张“大明法度”，多方理财，并迅速向全国推行新法。苏轼则强调择吏任人，而反对“以立法更制为事”（《策略》第三）；主张“节用以廉取”，而不赞同“广求利之门”（《策别》十八）；他还提出“欲速则不达”，“轻发则多败”，在兴革步骤上力主稳健，因此，他连续上书反对变法。由于意见未被采纳，请求外调，自熙宁四年至元丰初期他先后被派往杭州、密州、徐州、湖州等地任地方官。在这期间，他曾经惩办悍吏，灭蝗救灾，抗洪保堤，对邑政进行了某些改革，收到了“因法便民”之效。

苏轼不满意变法，尤其当看到新法推行中的流弊时，“不敢默视”，时时“缘诗人之义，托事以讽”（《东坡先生墓志铭》）。王安石罢相后，何正臣、李定等新进官僚却从苏轼诗文中深文周纳，罗织罪状，弹劾苏轼“指斥乘舆”、“包藏祸心”。并趁机于元丰二年（1079年）把他从湖州逮捕，投入监狱，勘问他诽谤朝廷的罪行，这就酿成北宋有名的文字狱“乌台诗案”。经过几个月的折磨，苏轼侥幸被释，谪贬黄州。

在元丰时期的贬斥生活中，他虽被迫表示要闭门思过，但并未缄口搁笔，他仍然关心现实，同情人民，写了不少有价值的小说诗歌文学作品。元丰七年，苏轼改贬汝州，离黄州北上时，路经金陵，曾拜会退休宰相王安石。两人政治见解虽有分歧，但还保持了私交，共游蒋山，互相唱和。

元丰八年神宗病死，哲宗年幼，高太后临朝，次年改元祐，起用旧党司马光执政，苏轼被调回京都任中书舍人、翰林学士、知制诰等职。他不同意司马光“专欲变熙宁之法，不复校量利害，参用所长”。在罢废免役法问题上与旧党发生分歧。苏轼认为差役免役“二害轻重，盖略相等，今以彼易此，民未必乐”，这又引起了旧派疑忌。

元祐四年，苏轼出知杭州。六年召回，贾易等人寻隙诬告，苏轼先后被派知颍州、扬州、定州。苏轼在杭州，曾减赋赈荒，掘湖修堤；在定州，曾整饬军纪，加强边备。在元祐保守气氛充满朝廷的时代，他仍然在力所能及的范围内不断进行某些兴革。

绍圣元年哲宗亲政，新党得势，贬斥元祐旧臣，苏轼又成为这些新贵打击的对象，被一贬再贬，由英州（今广东英德）、惠州一直远放到儋州（今海南儋县）。尽管当时“饮食不具，药石无有”，条件极为艰苦，苏轼却能“食芋饮水，著书以为乐”，并对惠州百姓和黎族人民流露了深厚的同情。直到元符三年（1100年）宋徽宗即位，他才遇赦北归。建中靖国元年（1101年）七月死于常州。

苏轼一生在政治上跌宕起伏，充满坎坷和悲剧；在文学上却是人们公认的天才、全才。苏轼对文艺创作，倾注了毕生精力。他重视文学的社会功能，主张“务令文字华实相副，期于适用”，反对“贵华而贱实”，强调作者要有充实的生活感受。苏轼的创作实践体现了他的文艺观。他是有多方面创作才能的大家，在诗、词、散文等方面均取得了独到的成就。

苏轼一改前人萎靡不振的词风，笔力雄健，气势开阔，继承了柳永对词的改良，开阔了词的意境，从个人的小范围扩展到国家的兴衰，给辛弃疾等开辟了一条新的创作之路。座下的苏门四学士，更是衬托了苏轼的不凡。

苏轼的词广为流传的很多，但让大家想到苏轼就想到的词当数《念奴娇·赤壁怀古》和《水调歌头·明月几时有》。大江东去的豪情贯穿整篇，读之令人热血喷涌，建功立业之雄心不禁勃发。虽有华发早生的感慨，仍难掩雄姿英发。而那句“但愿人长久，千里共婵娟”一出，可以说是仲秋之词俱废，众弦俱寂，它是唯一的华美乐章。苏子此词写得清旷无比，情景交融，堪称千古绝唱。苏轼在其他的词创作内容上很宽，大家熟知的《定风波》，“莫听穿林打叶声，何妨吟笑且徐行。”把作者那种从容、洒脱的人生态度展现无遗。“一蓑烟雨任平生”，苏轼那笑对挫折的精神值得我们去学习。苏轼和他的妻子感情笃深，所以悼亡诗也写得情真意切。“十年生死两茫茫，不思量，自难忘，千里孤坟无处话凄凉。”这篇词也能看出苏轼至真至性的方面。苏轼还有一些轻快的词作，像“花褪残红青杏小”等，写得非常清朴，读之却余味犹香。

苏轼今存诗2700多首，题材广泛，内容丰富多彩。同情人民、关心生产是苏诗的一个突出内容。苏轼在早年即感受到社会上的贫富悬殊，苦乐不均，在《许州西湖》一诗中发出过“但恐城市欢，不知田野怆”的感慨。后来辗转四方，目睹人民困苦，写了不少“悲歌为黎元”的诗篇。苏轼的写景诗和理趣诗，艺术价值最高，最为脍炙人口，苏轼一生足迹遍布海内，饱览奇景伟观，创作了大量写景诗。如任职杭州时写下了《游金山寺》、《望海楼晚景》、《望湖楼醉书》、《饮湖上初晴后雨》等诗，长江夜色、江南晴雨、西湖胜景，均在苏诗中留下了动人的形象。苏轼晚年远放惠州、儋州，更以浓厚的兴致，再现了岭外风光。苏轼善于从日常生活和普通自然小景中悟出新意妙理，发人所未发，写成引人深思的理趣诗。这类诗都即景寄意，因物寓理，意在言外，余味不尽，在唐诗中比较少见，可以说是苏轼的独创。苏轼性格开朗，他描摹大自然的笔墨，常常满含着爽朗乐观的情趣，体现出不畏逆境、傲视磨难的精神。

苏轼因其起伏的宦海生涯，形成了顿挫沉着、笔挟风云的风格；又因其性情旷达，襟怀宽广，反映到书法中，形成了“端波杂流利，刚健含婀娜”的笔势。书法作品有《丰乐亭记》、《醉翁亭记》、《黄州寒食帖》等。

苏轼的绘画水平也很高，主要体现在画竹上。古代文人都喜欢画竹子体现自己的高洁品质。米芾《画史》说：“子瞻作枯木，枝干虬屈无端，石皴硬。亦怪怪奇奇无端，如其胸中盘郁也。”《枯木怪石图》简洁明了的画面上，怪石盘踞左下角，石后冒出几枝竹叶，而石右之枯木，屈曲盘折，气势雄强，“怪怪奇奇”，于笔意盘旋之中，凝聚成一团耿耿不平之气，更有一股浩然气脉，由石而树、由树干而树梢，扭曲盘结，直冲昊天。苏轼一生，几遭贬谪，在错综复杂的宋王朝政治斗争中饱尝仕途的滋味，愤懑不平之气交织于心，发诸毫端，借诗画以泄胸中盘郁。

苏轼的散文位列唐宋八大家之中，自不可小窥。他的散文作品创作颇丰，然我等首先想到的自然是前后《赤壁赋》。空灵的文笔，自由的思想境界，跌宕的手法，无不让我们流连忘返。“纵一苇之所如，凌万顷之茫然。浩浩乎如冯虚御风，而不知其所止；飘飘乎如遗世独立，羽化而登仙。”苏轼挥动如椽大笔，写信手文章，驾驭文字之妙，让人叹为观止。抒发了苏子超脱地俯察人与宇宙之后的哲学领悟，达到作者与大自然合而为一的心灵净化的境界。

苏轼的博学多识还表现在自然科学方面。他对中医药学很有研究。流传至今的重要医书《苏沈良方》，就是将苏轼收集的医药良方与宋代另一位大科学家沈括收集的良方汇编在一起而成的。他在农业、水利、烹饪、养生等领域有极高的建树。像苏轼这样在文学艺术各个领域都有巨大成就的人，在中国文学史上几乎绝无仅有，真可谓“千古第一文人”，他发出的夺目光辉使整个北宋文坛为之灿然。

辛弃疾

辛弃疾（1140年—1207年），原字坦夫，改字幼安，中年命名所居曰稼轩，因此自号“稼轩居士”。历城（今山东省济南市历城区遥墙镇四风闸村）人。伟大的豪放派词人、爱国者、军事家和政治家。辛弃疾存词600多首。有《稼轩长短句》。

辛弃疾出生时北方久已沦陷于金人之手。他的祖父辛赞，因累于族众，靖康之变时未能随宋室南渡，仕于金，先后为谯县、开封等地守令。辛弃疾父辛文郁早卒，他自幼随祖父辛赞生活。祖父辛赞虽在金国任职，却一直希望有机会“投衅而起，以纾君父所不共戴天之愤”，并常常带着辛弃疾“登高望远，指画山河”（《美芹十论》），同时，辛弃疾也不断亲眼目睹汉人在金人统治下所受的屈辱与痛苦，这一切使他在青少年时代就立下了恢复中原、报国雪耻的志向。而另一方面，正由于辛弃疾是在金人统治下的北方长大的，他也较少受到使人一味循规蹈矩的传统文化教育，在他身上，有一种燕赵奇士的侠义之气。

绍兴三十一年（1161年），金主完颜亮大举南侵，在其后方的汉族人民由于不堪金人严苛的压榨，奋起反抗。二十一岁的辛弃疾也聚集了两千人，参加由耿京领导的一支声势浩大的起义军，并担任掌书记。当金人内部矛盾爆发，完颜亮在前线为部下所杀，金军向北撤退时，辛弃疾于绍兴三十二年（1162年）奉命南下与南宋朝廷联络。在他完成使命归来的途中，听到耿京被叛徒张安国所杀、义军溃散的消息，便率领五十多人袭击敌营，把叛徒擒拿带回建康，交给南宋朝廷处决。辛弃疾惊人的勇敢和果断，使他名重一时。宋高宗便任命他为江阴签判，从此开始了他在南宋的仕宦生涯，这时他才二十三岁。

辛弃疾初来南方，对朝廷的怯懦和畏缩并不了解，加上宋高宗赵构赞许过他的英勇行为，不久后即位的宋孝宗也一度表现出想要恢复失地、报仇雪耻的锐气，所以他在南宋任职的前一时期中，热情洋溢地写了不少有关抗金北伐的建议，像著名的《美芹十论》、《九议》等。尽管这些建议书在当时深受人们称赞，广为传诵，但已经不愿意再打仗的朝廷却反应冷淡，只是对辛弃疾在建议书中所表现出的实际才干很感兴趣，于是先后把他派到江西、湖北、湖南等地担任转运使、安抚使一类重要的地方官职，去治理荒政、整顿治安。这显然与辛弃疾的理想大相径庭，虽然他干得很出色，但由于深感岁月流驰、人生短暂而壮志难酬，内心却越来越感到压抑和痛苦。

辛弃疾也意识到自己“刚拙自信，年来不为众人所容”（《论盗贼札子》），所以早已做好了归隐的准备，并在江西上饶的带湖畔修建了园榭，以便离职后定居。果然，淳熙八年（1181年）冬，辛弃疾四十二岁时，因受到弹劾而被免职，归居上饶。此后二十年间，他除了有两年一度出任福建提点刑狱和福建安抚使外，大部分时间都在乡闲居。

辛弃疾一向很羡慕啸傲山林的隐逸高人，闲居乡野同他的人生观并非没有契合之处；而且，由于过去的地位，他的生活也尽可以过得颇为奢华。但是，作为一个热血男儿、一个风云人物，在正是大有作为的壮年被迫离开政治舞台，这又使他难以忍受，所以，他常常一面尽情赏玩着山水田园风光和其中的恬静之趣，一面心灵深处又不停地涌起波澜，时而为一生的理想所激动，时而因现实的无情而愤怒和灰心，时而又强自宽慰，作旷达之想，在这种感情起伏中度过了后半生。“了却君王天下事，赢得生前身后名。可怜白发生”（《破阵子》），“却将万字平戎策，换得东家种树书”（《鹧鸪天》），在这些词句中，埋藏了他深深的感慨。

宁宗嘉泰三年（1203年），主张北伐的韩侂胄起用主战派人士，已六十四岁的辛弃疾被任为绍兴知府兼浙东安抚使，年迈的词人精神为之一振。第二年，他晋见宋宁宗，慷慨激昂地说了一番金国“必乱必亡”（《建炎以来朝野杂记》乙集），并亲自到前线镇江任职。

宋宁宗开禧元年（公元1205年），辛弃疾任镇江知府，登临北固亭，感叹对自己报国无门的失望，凭高望远，抚今追昔，于是写下了《永遇乐·京口北固亭怀古》这篇传唱千古之作。但他又一次受到了沉重打击，在一些谏官的攻击下被迫离职，于当年重回故宅闲居。虽然后两年都曾被召任职，无奈年老多病，身体衰弱，终于在开禧三年秋天溘然长逝，享年67岁。

辛弃疾是南宋杰出的抗金英雄，他在词坛上也是个豪杰。他才气纵横，笔力超拔，不甘平庸。他对词体进行了大胆的改造，创立了风格独特的“稼轩体”，产生了深远的影响。

首先，他继承了苏轼以诗为词的创新精神，进一步以文为词，即将散文的章法句法入词，将议论、对话的手法移到词中。他还大量引用经、史、子、诗、赋入词，因此他的词词汇丰富，而且生动、形象、幽默，雅俗共赏。《菩萨蛮·金陵赏心亭为叶丞相赋》中："人言头上发，总向愁里白，拍手笑沙鸥，一身都是愁。"清新明快，活泼生动。

其次，他的词善于塑造奇伟不凡的形象，如"水随天去秋无际"，"红旗铁马响春冰"，"倚天万里须长剑"，"乱云急雨，倒立江湖"，"想当年，金戈铁马，气吞万里如虎"等等，这些奇特壮伟的景象以及曾经叱咤风云的历史人物形象，激扬着作者建立功业的强烈愿望和血性男儿的阳刚之气。

其三，辛弃疾词能刚能柔，既有雄深雅健、沉郁顿挫的一面，又能兼收并蓄，化刚为柔。辛弃疾发扬了苏轼词的豪放清雄，又继承了传统词的婉约含蓄，所以形成了他的刚柔相济的词风。

词评家曰：稼轩者，人中之杰，词中之龙。辛弃疾的词，继承苏东坡豪放词风而有所发展。后人把苏辛并称，魄力之大，苏不如辛，气体之高，辛不如苏。

陆 游

陆游（1125年—1210年），字务观，号放翁，汉族，越州山阴（今浙江绍兴）人。南宋爱国诗人，著有《剑南诗稿》、《渭南文集》等数十个文集存世，自言"六十年间万首诗"，今尚存九千三百余首，是我国现有存诗最多的诗人。

陆游出生于一个由"贫居苦学"而仕进的世宦家庭。陆游的高祖是宋仁宗时太傅陆轸，祖父陆佃，父亲陆宰。当时正值宋朝腐败不振、屡遭金国（女真族）进犯的年代。出生次年，金兵攻陷北宋首都汴京，他于襁褓中即随家人颠沛流离，因受社会及家庭环境影响，自幼即立志杀胡（金兵）救国。

封建家庭虽带给陆游良好的文化熏陶，尤其是爱国教育，但也带来婚姻上的不幸。他20岁时与表妹唐婉结婚，夫妻感情甚笃，可是其母却不喜欢唐氏，硬逼他们夫妻离散，唐氏改嫁赵士程，陆游也另娶王氏为妻。离婚后陆游非常伤痛，绍兴二十五年31岁游经沈园时，偶见唐婉夫妇，陆游在沈园墙上写了《钗头凤》以寄深情，此后屡次赋诗怀念，直至75岁时还写了有名的爱情诗《沈园》。唐氏读了陆游的《钗头凤》后悲痛欲绝，和了一首《钗头凤》，不久便去世了。

陆游"年十二能诗文"，学剑，并钻研兵书。29岁赴临安省试，名列第一。次年参加礼部考试，因名次居于主和派权臣秦桧的孙子之前，又因不忘国耻"喜论恢复"，为秦桧所黜。

绍兴二十八年秦桧死后，陆游出任福州宁德县主簿，

孝宗继位，陆游赐进士出身。后因力劝张浚北伐，发生部下将领不合的情况，再加上主和派阻挠，朝廷立即动摇，而陆游亦被冠上"交结台谏，鼓唱是非，例说张浚用兵"之罪名而遭免职。六年，起任通判夔州。

乾道八年（1172年），主战将领王炎聘陆游至幕中襄理军务，使陆游的生活发生很大的变化。军旅生活使他的怀抱不禁为之一开，写出了许多热情奔放的爱国诗篇。"飞霜掠面寒压指，一寸丹心唯报国"可说是他这一时期生活和心情的写照。虽然陆游满怀报国赤诚，但因朝廷腐败，只求苟安无意进取，他复国的壮志一直无法得到伸展的机会。

淳熙二年（1175年），范成大邀陆游入幕僚，为成都路安抚司参议官。陆与范素有诗文之交，因此不甚拘于官场礼数，以致引起同僚讥讽；又因复国抱负和个人功名长久无法得到伸展的空间，故常有较放纵轻佻的行为，被同僚指责为“不拘礼法，恃酒颓放”。于是陆游索性自号“放翁”，并在诗中自我嘲解。淳熙五年，陆游提举福建路常平茶盐。淳熙六年，改提举江南西路。淳熙十三年，陆游知严州。淳熙十五年，担任军器少监。

之后陆游历经多次升降官职，在光宗绍熙元年（1190年）之后的二十余年，长期蛰伏在山阴老家农村，家居时“眼明身健何妨老，饭白茶甘不觉贫”。因为养生有术，嗜食薏米和木耳，到了晚年，依然耳聪目明。期间虽仍有向朝廷提出抗敌作战的主张，但始终遭受非议。最后于嘉定二年（1209年）十二月二十九日（阴历日期，阳历为公元1210年1月26日）抱着未见国土收复的遗恨与世长辞，享年86岁。

陆游一生始终坚持抗金，在仕途上不断受到当权派的排斥打击。中年入蜀抗金，长期的军事生活丰富了他的文学内容，作品吐露出万丈光芒。他的诗歌艺术创作，继承了屈原、陶渊明、杜甫、苏轼等人的优良传统，是我国文化史上一位具有深远影响的卓越诗人。

陆游是一位创作特别丰富的诗人，集中存诗共约9300余首。他的诗大致可以分为三期：第一期是从少年到中年（46岁）入蜀以前。这一时期存诗仅200首左右，作品主要偏于文字形式，尚未得到生活的充实。第二期是入蜀以后，到他64岁罢官东归，前后近20年，存诗2400余首。这一时期是他从军南郑，充满战斗气息及爱国激情的时期，也是其诗歌创作的成熟期。第三期是长期蛰居故乡山阴一直到逝世，亦有20年，现存诗约近6500首。诗中表现了一种清旷淡远的田园风味，并不时流露着苍凉的人生感慨。“诗到无人爱处工”，可算是道出了他此时的某种心情和所向往的艺术境界。另外，在这一时期的诗中，也表现出趋向质朴而沉实的创作风格。在陆游三个时期的诗中，始终贯穿着炽热的爱国主义精神，中年入蜀以后表现尤为明显，不仅在同时代的诗人中显得很突出，在中国文学史上也是罕见的。陆游的诗可谓各体兼备，无论是古体诗、律诗、绝句都有出色之作，其中尤以七律写得又多又好。在这方面，陆游继承了前人的经验，同时又富有自己的创造，所以有人称他和杜甫、李商隐完成七律创作上的“三变”（舒位《瓶水斋诗话》），又称他的七律当时无与伦比。在陆游的七律中，确是名章俊句层见叠出，每为人所传诵，如“江声不尽英雄恨，天意无私草木秋”（《黄州》）；“万里关河孤枕梦，五更风雨四山秋”（《枕上作》）等。这些名作名句，或壮阔雄浑，或清新如画，不仅对仗工稳，而且流走生动，不落纤巧。除七律外，陆游在诗歌创作上的成就当推绝句。陆游的诗虽然呈现着多彩多姿的风格，但从总的创作倾向看，还是以现实主义为主。他继承了屈原等前代诗人忧国忧民的优良传统，并立足于自己的时代而作了出色的发挥。

陆游不仅工诗，还兼长写词。由于他对这种诗体不甚注重，所以词作不多，现存词共有130首。他的词也风格多样并有自己的特色。有不少词写得清丽缠绵，与宋词中的婉约派比较接近，如有名的《钗头凤》即属此类。而有些词常常抒发着深沉的人生感受，或寄寓着高超的襟怀，如《卜算子·驿外断桥边》、《双头莲·华鬓星星》等，或苍凉旷远，或寓意深刻，这类词又和苏轼比较接近。但是最能体现陆游的身世经历和个性特色的，还是他的那些写得慷慨雄浑、荡漾着爱国激情的词作，如（《汉宫春》）“羽箭雕弓”、（《谢池春》）“壮岁从戎”、（《诉衷情》）“当年万里觅封侯”、（《夜游宫》）“雪晓清笳乱起”等，都是饱含着一片报国热忱的雄健之作。这类词又和辛弃疾比较接近。陆游在散文上也著述甚丰，而且颇有造诣。其中记铭序跋之类，或叙述生活经历，或抒发思想感情，或论文说诗，最能体现陆游散文的成就。同时也如在诗中一样，不时表现着爱国主义的情怀，如《静镇堂记》、《铜壶阁记》、《书渭桥事》等。

陆游丰富的创作实践对他以后的宋代文坛产生了积极的影响，但更为显著的，还在于他强烈而执着的爱国主义精神方面。他的诗文作品，对遭受异族压迫的人民是莫大的精神鼓舞。每当民族的生死存亡关头，人们都会情不自禁地想起这位在自己85岁的生命历程中深切关注祖国命运的诗人。

李清照

李清照（1084年—1155年），号易安居士，汉族，山东省济南章丘人，宋代（南北宋之交）最著名的女词人，婉约词派代表，有“千古第一才女”之称。有《易安居士文集》《易安词》，已散佚。后人有《漱玉词》辑本。今有《李清照集校注》。

李清照出生于一个爱好文学艺术的士大夫家庭。父亲李格非是济南历下人，进士出身，苏轼的学生，官至提点刑狱、礼部员外郎。藏书甚富，善属文，工于辞章。母亲是状元王拱宸的孙女，很有文学修养。由于家庭的原因，特别是父亲李格非的影响，李清照少年时代便工诗善词。

李清照的成长，与她所处的自然环境也是分不开的。李清照幼年，大部分时间是在风景如画，人文荟萃的家乡历城度过的。大约在她五六岁时，因父亲李格非作了京官，她便也随父母迁居东京汴梁（今河南省开封市），她是在东京长大的。那时候，北宋统治阶级享乐成风，东京表面上仍极繁荣。李清照作为一个士大夫阶层的大家闺秀，由于封建礼教的禁锢，不可能像男子一样走出家门，接触整个社会。但她毕竟出生于城市，她不仅可以划着小船，嬉戏于藕花深处，而且可以跟着家人到东京街头，观赏奇巧的花灯和繁华的街景。这一切，陶冶了她的性情，丰富了她的精神生活。李清照爱好自然的性格和描摹自然的能力，说明了她曾经受过故乡山东的涵育。而她在爱情描写上的“毫无顾忌”，显示了都市社会风气和文学气氛对她的熏染。

十八岁时，李清照与赵明诚结婚。婚后，李清照与丈夫情投意合，如胶似漆。他们一同研究金石书画，过着幸福美好的生活。她还同赵明诚互相砥砺，进行词的创作，技法日臻成熟。一年重阳节，李清照作了那首著名的《醉花阴》，寄给在外当官的丈夫：“薄雾浓云愁永昼，瑞脑销金兽。佳节又重阳，玉枕纱橱，半夜凉初透。东篱把酒黄昏后，有暗香盈袖。莫道不销魂，帘卷西风，人比黄花瘦。”秋闺的寂寞与闺人的惆怅跃然纸上。据《琅嬛记》载，赵明诚接到后，叹赏不已，又不甘下风，就闭门谢客，废寝忘食，三日三夜，写出五十阙词。他把李清照的这首词也杂入其间，请友人陆德夫品评。陆德夫把玩再三，说：“只三句绝佳。”赵问是哪三句，陆答："莫道不销魂，帘卷西风，人比黄花瘦。"

然而好景不长，公元1127年，北方女真族（金）攻破了汴京，徽宗、钦宗父子被俘，高宗南逃。李清照夫妇也随难民流落江南，飘泊异地，多年搜集来的金石字画丧失殆尽，给她带来沉痛的打击和极大的痛苦。后来金人铁蹄南下，南宋王朝腐败无能，自毁长城。同年，赵明诚被任命为建康知府，在一次城中叛乱中，赵明诚缒城逃跑，使得李清照对其心灰意冷，后来赵明诚自感羞愧，心情郁郁，后死于上任湖州知事途中。

在李清照孤寂之时，张汝舟（一作张汝州）为骗取李清照钱财，乘虚而入，对李清照百般示好。李清照当时无依无靠，便顶世俗之风嫁给张汝州。婚后，二人发现自己都受到了欺骗，张汝州发现李清照并没有自己预想中的家财万贯，而李清照也发现了张汝州的虚情假意。之后，李清照发现张汝州的官职来源于行贿，便状告张汝州，在当时的社会环境下，妻子告发丈夫，即使印证丈夫有罪，妻子也要同受牢狱之苦。李清照入狱后，由于家人收买了狱卒，入狱九天便被释放，这段不到百天的婚姻就此结束。

目睹了国破家亡的李清照"虽处忧患穷困而志不屈"，在"寻寻觅觅、冷冷清清"的晚年，她殚精竭虑，编撰《金石录》，完成丈夫未竟之功。金兵的横行肆虐激起她强烈的爱国情感，她积极主张北伐收复中原，可是南宋王朝的腐朽无能和偏安一隅，使李清照的希望成为幻影。李清照在南渡初期，还写过一首雄浑奔放的《夏日绝句》："生当作人杰，死亦为鬼雄。至今思项羽，不肯过江东。"借项羽的宁死不屈反讽徽宗父子的丧权辱国，意思表达得痛快淋漓，抒发了对宋王朝的愤恨。

多年的背井离乡，她那颗已经残碎的心，又因她的改嫁问题遭到士大夫阶层的污诟渲染，受到了更严重的残害。她无依无靠，呼告无门，贫困忧苦，流徙飘泊，最后寂寞地死在江南。

李清照一生经历了表面繁华、危机四伏的北宋末年和动乱不已、偏安江左的南宋初年。她的词以南渡为界，也分为前后两期。

李清照的前期词是其前半生幸福生活的写照。词人的少女时代无忧无虑，她在词中表达的是天真烂漫的少女情怀；婚后生活美满，但又饱受相思之苦，她便将自己的幸福感与满腹离愁别绪融入词中。因此，其前期词的总体风格可谓清新可喜，婉约含蓄。南渡后的李清照，其后半生是一幕让人不忍卒观的悲剧。悲剧的源头就是那动荡不安的社会。是不平的社会害得她丈夫仕途多磨，最终中年在战乱中病死，是祖国的灭亡使她屡遭奸人陷害，四处避难逃亡。刘大杰先生说："她（李清照）生逢国变，家破人亡，在她的笔下，虽直接反映现实生活的作品不多，但是丈夫的死，她的流浪贫困……是那个乱离时代和封建势力直接给她的迫害。她是一个历史的受难者，她的生活情感，和当时无数流亡者生活情感基本上是相通的……她是那个黑暗时代的牺牲者，她的悲剧间接体现了历史的悲剧。"因此，李清照在其后期词作中融入了家国之思及爱国之情，使得后期词作兼含沉郁含蓄及慷慨豪放之风。

李清照是婉约派词人的主要代表人物。她善于把强烈的感情熔铸在艺术形象里，造成一种情景交融的艺术境界。她还善于从描绘一段情节、一个思想曲折中，显示出感人的意境来。李清照的词语言既浅显自然，又新奇瑰丽，富于表现力，而且音节和谐，流转如珠，富有音乐美。她的词用典不多，却善于运用口语、市井俗语，使词写得明白如话家常。

可以说，李清照是"宋代最伟大的一位女词人，也是中国文学史上最伟大的一位女词人"。以真情实感入词，开拓了词的境界，并在词的理论研究方面也卓有建树。其词有着不可估量的文学价值，赢得了世人的厚爱和高度赞赏，为中国文学的发展作出了巨大的贡献。

关汉卿

关汉卿（约1220年—1300年），元代杂剧作家，中国古代戏曲创作的代表人物。号已斋（一作一斋）、己斋叟。汉族，解州（今山西省运城）人，关于他的籍贯，还有祁州（今河北省安国县）伍仁村、大都（今北京市）两种说法，大约生于金代末年（约公元1220年前后），卒于元成宗大德初年（约公元1300年前后）。与马致远、郑光祖、白朴并称为“元曲四大家”，关汉卿位于“元曲四大家”之首。

贾仲明《录鬼簿》称关汉卿为“驱梨园领袖，总编修师首，捻杂剧班头”，他和著名杂剧作家杨显之，散曲作家王和卿是挚友，还和杂剧著名演员朱帘秀有交往。当时北方青年杂剧作家高文秀有“小汉卿”之称，而南方戏剧作家沈和甫被称为“蛮子汉卿”，可以想见他在当时戏剧界的地位和影响。关汉卿曾写有《南吕·一枝花》赠给女演员朱帘秀，说明他与演员关系密切。他曾毫无惭色地自称：“我是个普天下的郎君领袖，盖世界浪子班头。”在《南吕·一枝花·不伏老》结尾一段，更狂傲倔强地表示：“我是个蒸不烂煮不熟捶不破炒不爆响当当的一粒铜豌豆。”据各种文献资料记载，关汉卿编有杂剧67部，现存18部。个别作品是否出自关汉卿手笔，学术界尚有分歧。其中《窦娥冤》、《救风尘》、《望江亭》、《拜月亭》、《鲁斋郎》、《单刀会》、《调风月》等，是他的代表作。

关汉卿的杂剧内容具有强烈的现实性、弥漫着昂扬的战斗精神，关汉卿生活的时代，政治黑暗腐败，社会动荡不安，阶级矛盾和民族矛盾十分突出，人民群众生活在水深火热之中。他的剧作深刻地再现了社会现实，充满着浓郁的时代气息。既有皇亲国戚、豪权势要葛彪、鲁斋郎的凶横残暴，“动不动挑人眼，剔人骨，剥人皮”的血淋淋现实，又有童养媳窦娥、婢女燕燕的悲剧遭遇，反映生活面十分广阔；既有对官场黑暗的无情揭露，又热情讴歌了人民的反抗斗争。慨慷悲歌，乐观奋争，构成关汉卿剧作的基调。在关汉卿的笔下，写得最为出色的是一些普通妇女形象，窦娥、妓女赵盼儿、杜蕊娘、少女王瑞兰、寡妇谭记儿、婢女燕燕等，各具性格特色。她们大多出身微贱，蒙受封建统治阶级的种种凌辱和迫害。关汉卿描写了她们的悲惨遭遇，刻画了她们正直、善良、聪明、机智的性格，同时又赞美了她们强烈的反抗意志，歌颂了她们敢于向黑暗势力展开搏斗、至死不屈的英勇行为，在那个特定的历史时代，奏出了鼓舞人民斗争的主旋律。

由于不满于黑暗社会的压抑与摧残，关汉卿长期“混迹”在勾栏妓院。在玩世不恭的背面，隐藏着冷峻悲凉的内心世界和热烈乐观的战斗精神。他那贴切现实、充满血肉之感的笔触，诉说着社会民众的困苦与无奈；又将一腔悲悯的情怀，倾洒在被污辱的女性身上。最脍炙人口的作品是《窦娥冤》。

《窦娥冤》取材于汉代流传下来的“东海孝妇”民间故事，关汉卿结合了自己在现实生活中的体认，精心构制了这个大悲剧。窦娥因家贫被卖给蔡家做童养媳，丈夫早死，婆媳相依为命。流氓张驴儿闯入这个家庭，胁迫窦娥婆媳嫁给他们父子为妻，遭到窦娥严词拒绝。张驴儿欲毒死蔡婆，结果反毒死了自己的父亲，便嫁祸给窦娥。昏聩的桃杌太守严刑逼供，将窦娥屈打成招，并被处死。违法的人并未得到制裁，守法的人却被“法纪”送了性命。戏剧的锋芒直指酷虐的封建统治。当窦娥幻想破灭时，她愤怒地呼喊出：“为善的受贫穷更命短，造恶的享富贵又寿延。天地也做得个怕硬欺软，却原来也这般顺水推船。地也，你不分好歹何为地！天也，你错勘贤愚枉做天！”窦娥的责天问地，也是关汉卿的呼喊，代表着不屈从于现实命运的浩然正气。元杂剧多充溢着一种郁闷、愤懑的情绪，这是在异族统治下的元代作家目睹种种黑暗现象后的自然流露。但关汉卿在《窦娥冤》中表达的是对整个社会的否定与诅咒般的诘难，具有无可辩驳的深刻性。

关汉卿写了六十多种杂剧，现传《感天动地窦娥冤》、《赵盼儿风月救风尘》、《包待制三勘蝴蝶梦》、《杜蕊娘智赏金线池》、《望江亭中秋切鲙》、《温太真玉镜台》、《钱大尹智宠谢天香》和《包待制智斩鲁斋郎》等八种（见《元曲选》），是臧懋循根据当时民间流传的“坊本”选录的。在传播过程中虽可能经过改动，但基本上保持关剧的精神面目。《关大王单刀会》、《关张双赴西蜀梦》、《闺怨佳人拜月亭》和《诈妮子调风月》四种（见《元刻古今杂剧三十种》），是现传关剧最早的刻本，保存了元人杂剧的最初面目，可惜曲白都不全（注：现传明钞本《单刀会》曲白俱全。）。《山神庙裴度还带》、《邓夫人苦痛哭存孝》、《刘夫人庆赏五侯宴》、《状元堂陈母教子》、《王闰香夜月四春园》五种（见明赵琦美钞校《元明杂剧》），除《哭存孝》、《四春园》外，其余三种同其他现传关剧风格相去较远，有的还和《录鬼簿》的记载不符，是否关剧是可疑的。此外还有人根据作品的内容和《录鬼簿》的记载，怀疑《鲁斋郎》不是关汉卿的作品，怀疑尚仲贤的《单鞭夺槊》就是关汉卿的《敬德投唐》。明人以《鲁斋郎》为关汉卿作，是否别有文献根据，已不可知，但从《鲁斋郎》揭露现实的深刻、关目安排的巧妙和曲白的本色生动看，和关汉卿的作品更接近。《单鞭夺槊》里虽有敬德投唐的情节，但不是全剧中心内容，因此我们仍以《鲁斋郎》为关作，同时也不取《单鞭夺槊》即《敬德投唐》的说法。

关汉卿除杂剧外，还有部分散曲流传。他的散曲更多地流露他的消极思想，成就远不如杂剧。

关汉卿是我国文学史上伟大的作家之一，是中国戏曲的奠基人。他一生创作了六十多种杂剧，不仅鼓舞了当时广大人民反对阶级压迫和民族压迫的斗争；而且对后来的戏剧创作有巨大的影响。作品里带有理想色彩的现实主义精神更为后来接近人民的戏剧家所继承。根据他的《拜月亭》杂剧改编的《拜月记》在南戏与传奇里一直起着广泛而深远的影响。他的部分作品如《窦娥冤》、《拜月亭》、《单刀会》等七百年来一直上演不衰，并为我国戏曲里各种人物的舞台形象的塑造，提供了典范。

关汉卿是位伟大的戏曲家，后人列为元曲四大家之首。后世称关汉卿为“曲圣”。1958年，曾作为世界文化名人，在中外开展了关汉卿创作700周年纪念活动。同年6月28日晚，国内至少100种不同的戏剧形式，1500个职业剧团，同时上演关汉卿的剧本。他的剧作被译为英文、法文、德文、日文等，在世界各地广泛传播。

宋濂

宋濂（1310年—1381年）字景濂，号潜溪，别号玄真子、玄真道士、玄真遁叟，浦江（今属浙江）人，原籍金华孝善里之潜溪（潜溪原为义乌地），与义乌王炜主修《元史》，同为总裁官。官至学士承旨知制诰。明初一代文宗，有《宋学士文集》传世。

宋濂幼年家境贫寒，但聪慧勤奋，刻苦学习，6岁读书，每天记诵2000多字文章，9岁能赋诗，有神童之称。“自少至老，未尝一日去书卷，于学无所不通”。刻苦攻读儒家经典，精研佛经，学有所成，任东明山白麟溪讲舍的教席。

元　至元二年（1336年），宋濂应浦江义门郑氏之聘，讲学于浦江青萝山下东明精舍。前后主讲席20多年，一度信奉道教。后任浦江月泉书院山长。

至正九年（1349年），宋濂被荐为翰林院编修，以奉养父母为由，辞不应召，隐居龙门山修道著书讲学。

至正十八年（1358年），朱元璋攻取婺州，开郡学，聘宋濂为五经师。次年应征至应天（今南京市），任江南儒学提举，授太子经，修起居注。常侍朱元璋左右，以备顾问。

明　洪武元年（1368年），朱元璋称帝，宋濂结束平民生涯，登上政治舞台，就任江南儒学提举，为太子讲经，成为历史上有名的文学侍从之臣。

洪武二年（1369年），宋濂奉命任《元史》总裁官，很受朱元璋器重，书成升翰林学士。洪武四年（1371年）调任国子司业，次年升赞善大夫。太祖征召四方儒士，择少年俊异者入宫中文华堂肄业，命为师。

洪武六年（1373年），升翰林院学士承旨，知制诰兼修国史，一代礼乐，多由其裁定。洪武十年（1377年）正月，宋濂上书朱元璋告老归里。

洪武十三年（1380年），因长孙宋慎牵连胡惟庸党案，宋濂全家被流放茂州（现在四川省茂汶羌族自治县）。洪武十四年（1381年）在流放途中病卒于夔州（现在重庆奉节县），终年71岁。

宋濂一生仕途比较顺畅，但晚景凄凉。他在文学上也有一定的成就。

宋濂坚持散文要明道致用，强调“辞达”，注意“通变”，要求“因事感触”而为文，所以他的散文内容比较充实，且有一定的艺术功力。有明一代，开私家藏书风气者，首推宋濂。

他以继承儒家封建道统为己任，为文主张“宗经”“师古”，取法唐宋，著作甚丰。他的著作以传记小品和记叙性散文为代表，散文或质朴简洁，或雍容典雅，各有特色。明朝立国，朝廷礼乐制度多为宋濂所制定，刘基赞许他“当今文章第一”，四方学者称他为“太史公”。著有《宋学士文集》。纪传如《秦士录》、《王冕传》、《李疑传》，均能抓住细节，突出性格，渲染无多，感染却深；写景如《桃花涧修契诗序》、《环翠亭记》，简洁清秀，近似欧阳修。著作计有《孝经新说》、《周礼集说》、《龙门子》（又名《诸子辩》）、《潜溪集》、《萝山集》、《浦阳人物记》、《翰苑集》、《芝园集》等。后合刻为《宋学士全集》七十五卷。《送东阳马生序》收录人民教育出版社语文八年级下学期文言文单元。

在中国古代文学史上，宋濂与刘基、高启并列为明初诗文三大家。以继承儒家封建道统为己任，文章具有较强的现实意义，往往在生动的描述中包含着寓意深刻的哲理，具有较强的思想性。作为一代文学、史学泰斗式的人物宋濂，也培育了一批人才，如方孝孺等。朱元璋称其为“开国文臣之首”，文章不仅风行国内，时在高丽、安南、日本等国亦广为流传。

罗贯中

罗贯中（约1330年—1400年），名本，号湖海散人，山西太原人。（一说钱塘（今浙江杭州）人或庐陵（今江西吉安）人。）元末明初杰出的小说家，《三国演义》的作者。

罗贯中相传为施耐庵的学生。他的性格较孤高，不喜和人交往。传说他曾在元末农民起义领袖张士诚手下当过幕客，明朝人王圻的《稗史汇编》说他“有志图王”，是一个很有政治抱负的人。明太祖朱元璋统一全国后，他就从事小说创作。《三国演义》可能就是这个时候完成的。大约在公元1385—1388年间，罗贯中在卢陵逝世，大概活了70岁。

罗贯中的著作有长篇小说《三国演义》、《隋唐志传》、《三遂平妖传》、《残唐五代史演义》和杂剧剧本《宋太祖龙虎风云会》等。他的小说都经过后人增删，除《三国演义》和《三遂平妖传》还保留原作的基本面貌外，其他各书已经不是原来的面目了。

罗贯中的代表作是《三国演义》。有关三国的故事，早在唐代的时候，就已经在民间流传了。罗贯中主要根据陈寿所著《三国志》和裴松之给这部书所作注解，同时参考《全相三国志平话》和民间传说，经过综合熔裁，写成《三国演义》。

现存的《三国演义》最早版本，是明嘉靖年间刊行的《三国志通俗演义》，分24卷，240则。清初，毛伦、毛宗岗父子对全书作了增删润饰，这就是现在通行的120回本。

《三国演义》描写了公元184年到280年东汉末年和整个三国时代魏、蜀、吴三个封建统治集团之间错综复杂的矛盾和斗争。始于黄巾起义，止于西晋统一，跨度近100年。书中揭露了董卓等反动封建统治者的罪恶，反映了当时动乱的社会状况，提供了封建社会中政治斗争和军事斗争的情况，有助于人们了解历史知识和认识封建统治阶级的面目。书中写了大大小小近百次战争，如“官渡之战”、“赤壁之战”等，这些战争在作者笔下千变万化，不重复，不呆板，都各具特点，充分表现了作者惊人的艺术才能。书中还写了400多个人物，塑造了许多性格鲜明的艺术形象，如足智多谋的诸葛亮、勇猛豪爽的张飞、刚烈勇敢的关羽、机智好胜的周瑜、狡黠权诈的曹操，等等。故事情节曲折生动，引人入胜，至今仍为人们所喜闻乐道。但是，由于历史和阶级的局限，书中也存在一些污蔑农民起义、宣扬忠孝节义等封建思想。

《三国演义》的艺术成就是多方面的。一般历史演义往往于正史之外穿插一些野史逸闻，这些手法虽然在故事情节上收到一些曲折离奇之效，但人物的精神性格却很空洞平板。罗贯中则不同，他动手运用现实主义的创作方法，根据正史记载和传说加以扩展，对人物在当时历史条件下可能有的言行作了生动具体的描绘，而且剔除了传说中一些过于离奇的部分。

《三国演义》的艺术结构，既宏伟壮阔，又不失严密和精巧。该小说人物众多，事件复杂，既要照顾历史事实的本质，又要适应艺术情节的连贯。他用超妙的手法，井然有序地展开故事情节，前后贯串，曲折跌宕，宾主得体，脉络分明，使全书成为一个完美的艺术整体。

《三国演义》是中国古典文学名著，在中国文学史上占有重要的地位。它是中国最早出现的历史演义小说，不但在文学史上影响了后世一系列历史小说的创作，而且产生了巨大的社会影响。罗贯中创作《三国演义》以后，人们竞相仿效，历史演义小说开始大量兴起，不过这些小说都远远及不上《三国演义》。同时，在戏曲舞台上也出现了大批三国剧目，这些剧目也一直受到人们的喜爱。

施耐庵

施耐庵（1296年—1370年），元末明初的小说家，字肇瑞，号子安，别号耐庵，兴化白驹场人。祖籍福建泉州市，住苏州阊门外施家巷，后迁居当时兴化县白驹场（今江苏省大丰市白驹镇）。他根据民间流传的宋江起义故事，写出了长篇古典小说《水浒传》。

施耐庵是孔子七十二子弟之一施之常后裔，唐末施之常后人在苏州为家。其父名为元德，操舟为业，母亲卞氏（卞氏后裔亦迁至今江苏省大丰市境内）。施耐庵自幼聪明好学，才气过人，事亲至孝，为人仗义。

施耐庵19岁中秀才，28岁中举人，36岁与刘伯温同榜中进士。曾在钱塘（今浙江省杭州市）为官三年，因不满官场黑暗，不愿逢迎权贵，弃官回乡。

张士诚起义抗元时，施耐庵参加了他的军事活动。张士诚占据苏州以后，施耐庵又在他幕下参与谋划，和他的部将卞元亨相交甚密。后因张士诚贪享逸乐，不纳忠言，施耐庵与鲁渊、刘亮、陈基等大为失望，相继离去。

施耐庵与鲁、刘相别时，曾作《新水令秋江送别》套曲，抒发慷慨悲痛之情。不久，张士诚身亡国灭。施耐庵浪迹天涯，漫游山东、河南等地，曾与山东郓城县教谕刘善本友善，后寓居江阴徐氏初，为其塾师。随后施耐庵还旧白驹，隐居不出，感时政衰败，作《水浒传》寄托心意，又与弟子罗贯中撰《三国志演义》、《三遂平妖传》等说部。他还精于诗曲，但流传极少。除套曲《秋江送别》以外，还有如《顾逊诗》、《赠刘亮诗》传世。

施耐庵为避明朝征召，潜居淮安，染病而殁，就地高葬，享年75岁。

施耐庵留下的长篇小说《水浒传》在中国文学史上占有重要地位。

首先是因为其思想内容丰富，有感染力。《水浒传》以它杰出的艺术描写手段，揭示了中国封建社会中农民起义的发生、发展和失败过程的一些本质方面。《水浒传》的社会意义首先在于深刻揭露了封建社会的黑暗和腐朽及统治阶级的罪恶，说明造成农民起义的根本原因是“官逼民反”。作品开头写了一个一向被人厌弃的破落户子弟高俅，靠踢球被端王看中，后来这位端王作了皇帝（徽宗），高俅一直被提拔到殿帅府太尉。而这位皇帝也不过是个专会串瓦走舍的浮浪纨绔儿，他的亲信大臣还有蔡京、童贯和杨戬等，他们构成了一个最高统治集团，蔡、高等人以他们的亲属门客为党羽心腹，如梁世杰、蔡九知府、慕容知府、贺太守之流，在他们的下面，则是一些贪官污吏、土豪恶霸，从上到下，狼狈为奸，残害忠良，欺压良善，对人民进行残酷的剥削和压迫，形成了一个统治网。

《水浒传》在揭露这些贪官污吏、土豪恶霸如何欺压人民的罪行时，首先叙述了高俅迫害王进的故事，因为王进的父亲早年比武时，一棒打翻了高俅，高俅任殿帅府太尉后，到任的第一天就官报私仇，无端责罚王进，害得王进连夜带母逃走。作者还写了高俅为了让儿子霸占林冲的妻子，千方百计谋害林冲。高俅作为那个统治集团的代表人物之一，在他身上体现了凶残、阴险的权奸特点，也体现了封建统治阶级的丑恶和腐朽的本质。此外，《水浒传》中还写了地主恶霸的种种作恶行为，如郑屠霸占金翠莲，西门庆害死武大郎，毛太公勾结官府构陷猎户解珍、解宝。

《水浒传》之所以成为我国文学史上影响巨大的作品，不仅在于它思想内容的丰富，而且也由于它艺术的成熟。《水浒传》继承并发展了现实主义和浪漫主义的优秀传统，而且把二者结合起来。

《水浒传》的艺术成就，最突出地表现在英雄人物的塑造上。全书巨大的历史主题，主要是通过对起义英雄的歌颂和对他们斗争的描绘中具体表现出来的，因而英雄形象塑造的成功，是作品具有光辉艺术生命的重要因素。在《水浒传》中，至少出现了一二十个个性鲜明的典型形象，这些形象有血有肉，栩栩如生，跃然纸上。

在人物塑造方面，最大特点是作者善于把人物置身于真实的历史环境中，扣紧人物的身份、经历和遭遇来刻画他们的性格。诚然，全书几乎没有什么具体的社会环境的介绍，但通过对各阶层人物及他们之间的关系的描绘，一幅北宋社会生活的图景便非常逼真、清晰地呈现在我们面前，统治阶级的骄奢淫逸以及受压迫人民“撞破天罗归水浒，掀开地网上梁山”的愿望，则是组成这幅历史图景的经纬。书中的人物性格，正是在这样的环境中产生和成长起来的。林冲、鲁达、杨志虽同是武艺高强的军官，但由于身份、经历和遭遇的不同，因而走上梁山的道路也很不一样，作者正是这样表现了他们不同的性格特征的。禁军教头的地位，优厚的待遇，美满的家庭，使林冲很自然地形成了一种安于现实，怯于反抗的性格，对统治阶级的逼害一再隐忍；同时这种经历，又使他结交了四方好汉，形成了豪爽、耿直、不甘久居人下的品德。因此林冲的隐忍不同于逆来顺受。在他“忍”的性格中，蕴藏着“不能忍”的因素，聚集着复仇的怒火。最后，他被逼上梁山，正是这种怒火的总爆发，是他性格发展的必然结果。

与林冲相比，鲁达并未遇到那样的不幸，但他在和统治阶级长期周旋中，看透了他们荒淫腐朽的本质，加之他一无牵挂的身世，形成了他酷爱自由，好打不平的性格。这种性格和当时黑暗的现实，存在着不可调和的矛盾。因此，鲁达是向整个封建统治阶级挑战而主动地走上了反抗的道路。“三代将门之后”的杨志，走上梁山的道路更为曲折。“一刀一枪，博个封妻荫子”是他的生活目的。为了实现这个目的，他可以委曲求全。失陷“花石纲”并没有动摇他追求“功名利禄”的意愿，高俅的排斥也未能把他从这条路上拉回来，在充军得到梁中书的青睐后，追求名利的欲望也更加炽烈了。在比武场上的斗狠逞能，护送生辰纲时的兢兢业业，都充分表现了这一点。直到“生辰纲”被劫，不仅功名的道路被截断了，而且有落入牢狱的危险，他才在万不得已的情况下上了梁山。此外在对招安的不同态度上，来自社会底层的李逵等人是坚决反对的；封建文人出身的吴用主张有条件的招安；来自官军的绝大部分将领则是殷切地盼望着招安。这种不同的态度，可以从他们各自的身份、经历中找到充分的根据。

在人物塑造上，《水浒传》总是把人物放在阶级斗争的激流中，甚至把人物置于生死存亡的关头，以自己的行动、语言来显示他们的性格特征。在“劫法场石秀跳楼”一回中这样描写：“石秀楼上跳将下来，手举钢刀，杀人似砍瓜切菜，走不迭的，杀翻十数个；一只手拖住卢俊义投南便走。”只此寥寥数笔，通过对石秀几个异常敏捷灵活的白描，把他当机立断，临危不惧的性格表现得入木三分。作者巧妙地把人物的行动、语言和内心的复杂活动，紧紧地交融在一起，虽无静止的心理描写，却能准确、深刻地揭示出人物的内心世界。

同样以劫法场为例，由于石秀是在形势万分紧迫毫无思想准备的情况下得悉处斩卢俊义的消息的，以他的精细，不会不意识到个人去劫法场的危险；可是在这千钧一发之际又没有别的办法可想。从石秀在酒楼上的焦躁，可感到他内心的激烈活动。他考虑到要在戒备森严、刀枪林立的法场上，一个人救得卢俊义，必须先压住敌人的气势，因此，未下楼时就大喊一声，接着趁敌人神志未清，以迅雷不及掩耳之势，扯住卢俊义便走。在他被捕后大骂梁中书时，道出了梁山大军即将临城的形势，这才使梁中书不敢杀害他们。透过石秀果断的行动，机变的语言，又看到了他细微的内心活动。小说中类似这样的精彩描写是很多的，当林冲抓住高衙内提拳要打而又未敢下落时的微妙心理，像宋江吟反诗时流露出的那种壮志未酬，满腔郁闷的心情，都是通过行动、语言来表现出人物的内心世界，并进一步深化了人物性格。

《水浒传》是我国第一部描写封建社会农民起义的章回体长篇小说。《水浒传》在文学成就上受到后世不少文学评论家的赞许：金圣叹将《水浒传》与《离骚》、《庄子》、《史记》、《杜诗》、《西厢记》合称为“六才子书”。冯梦龙将《水浒传》与《三国演义》、《西游记》、《金瓶梅》定为“四大奇书”。与《三国演义》、《西游记》、《红楼梦》共列“中国古典四大名著”。

吴承恩

吴承恩（约1500年—约1582年），字汝忠，号射阳山人，淮安府山阳县（今江苏淮安）人。我国明代著名小说家，他所创作的《西游记》为我国古代四大名著之一。

吴承恩出生于一个由下级官吏沦落为小商人的家庭，他的父亲吴锐性格乐观旷达，奉行常乐哲学，为他取名承恩，字汝忠，意思希望他能读书做官，上承皇恩，下泽黎民，做一个青史留名的忠臣。

吴承恩小时候勤奋好学，一目十行，过目成诵，少年时，就已名冠乡里。他除勤奋好学外，特别喜欢搜奇猎怪，爱看神仙鬼怪，狐妖猴精之类的书籍，如《百怪录》、《酉阳杂俎》之类的小说野史。这类五光十色的神话世界，潜移默化中养成了搜奇猎怪的嗜好，这对他创作《西游记》有着重大的影响。

步入青年时代的吴承恩是狂放不羁、轻世傲物的年轻人。社会地位的低下，贫穷困苦的处境，使这位大才子狂放不羁，招来了纷至沓来的讥笑声，被人交口称誉的日子一去不复返了。

吴承恩约二十岁时，与同乡一位姓叶的姑娘结婚，婚后感情甚笃。吴承恩虽然狂放不羁，但他品行端正，忠于自己的妻室。

嘉靖十年，吴承恩在府学岁考和科考中获得了优异成绩，取得了科举生员的资格。与朋友结伴去南京应乡试，然而才华不如他的同伴考取了，他这位誉满乡里的才子竟名落孙山。第二年春天，他的父亲怀着遗憾去世了。接受初次失败的教训，吴承恩在以后三年内，专心致意地在时文上下了一番苦功，在嘉靖十三年秋的考试中却仍然没有考中。吴承恩羞恨交加，这年冬天，竟病倒了。

两次乡试的失利，再加上父亲的去世，对吴承恩的打击是沉重的。在他看来，考不取举人，不仅付资无由，而且愧对父母，有负先人。但他并不以为自己没考取是没本事，而只是命运不济，他认为："功名富贵自有命，必须得之无乃痴？"生活困顿给吴承恩带来的压力并不小于科考的失利。父亲去世以后，他需要操持全家的所有开支，但他却没有支撑门户的能力，更没有养家糊口的手段。家中生活来源，除了每月从学府里领回六斗米外，只能靠父亲所留遗产了。

品尝了社会人生酸甜苦辣的吴承恩，开始更加清醒地、深沉地考虑社会人生的问题，并且用自己的诗文与不合理的社会进行抗争。一生穷困的吴承恩，奋尽全力完成中外闻名的《西游记》后，带着悲喜交加的心情，于万历十年离开了人世。

吴承恩虽然终身未能腾达，但他和他的《西游记》，在中国文学史上取得了光辉而崇高的地位，将光照千秋。

《西游记》是中国古典四大名著之一，是一部优秀的神话小说，也是一部群众创作和文人创作相结合的作品。小说以整整七回的“大闹天宫”故事开始，把孙悟空的形象提到全书首要的地位。第八至十二回写如来说法，观音访僧，魏征斩龙，唐僧出世等故事，交代取经的缘起。从十三回到全书结束，讲述仙界一只从仙石中生出的猴子拜倒菩提门下，命名孙悟空，苦练成一身法术，却因醉酒闯下大祸，被压于五行山下。五百年后，观音向孙悟空道出自救的方法：他须随唐三藏到西方取经，作其徒弟，修成正果之日便得救。孙悟空遂紧随唐三藏上路，途中屡遇妖魔鬼怪，二人与猪八戒、沙僧等合力对付，展开一段艰辛的取西经之旅。

《西游记》向人们展示了一个绚丽多彩的神魔世界，人们无不在作者丰富而大胆的艺术想象面前惊叹不已。然而，任何一部文学作品都是一定社会生活的反映，作为神魔小说杰出代表的《西游记》亦不例外。

通过《西游记》中虚幻的神魔世界，我们处处可以看到现实社会的投影。如在孙悟空的形象创造上，就寄托了作者的理想。孙悟空那种不屈不挠的斗争精神，奋起金箍棒，横扫一切妖魔鬼怪的大无畏气概，反映了人民的愿望和要求。他代表了一种正义的力量，表现出人民战胜一切困难的必胜信念。又如取经路上遇到的那些妖魔，或是自然灾难的幻化，或是邪恶势力的象征。他们的贪婪、凶残、阴险和狡诈，也正是封建社会里的黑暗势力的特点。不仅如此，玉皇大帝统治的天宫、如来佛祖管辖的西方极乐世界，也都浓浓地涂上了人间社会的色彩。因而作者对封建社会最高统治者的态度也颇可玩味，在《西游记》中，简直找不出一个称职的皇帝；至于昏聩无能的玉皇大帝、宠信妖怪的车迟国国王、要将小儿心肝当药引子的比丘国国王，则不是昏君就是暴君。

《西游记》不仅有较深刻的思想内容，艺术上也取得了很高的成就。《西游记》在艺术上的最大成就，是成功地创造了许多不朽的艺术形象。

比如，孙悟空是有无穷的本领，天不怕地不怕，具有不屈的反抗精神。他有着人性、神性和猴性三重特点。大英雄的不凡气度，对师父师弟有情有义，也有爱听恭维话的缺点，机智勇敢又诙谐好闹，是为人性；毛脸雷公嘴、山大王则是猴性；而七十二变，一个跟头十万八千里，则是神性。而他最大的特点就是敢斗。与至高至尊的玉皇大帝敢斗，愣是叫响了“齐天大圣”的美名；与妖魔鬼怪敢斗，火眼金睛决不放过一个妖魔，如意金箍棒下决不对妖魔留情；与一切困难敢斗，决不退却低头。这就是孙悟空，一个光彩夺目的神话英雄。大闹天宫的桀骜不驯，与西天取经相比似乎改变许多，其实悟空的个性仍然没有变，比如在骗取妖怪的二件宝物，让玉帝派人装天，威胁道：“若不从，即上灵霄宝殿动起刀兵。”在得知妖怪是观世音菩萨所派，咒她“活该一世无夫”；对如来佛祖更是以“妖精的外甥”称呼，孙悟空，这么一个不“听话”，不为强势屈服的硬汉子，跃然纸上。

《西游记》成书于16世纪明朝中叶，自问世以来在中国及世界各地广为流传，被翻译成多种语言。在中国，乃至亚洲部分地区《西游记》家喻户晓，其中孙悟空、唐僧、猪八戒、沙僧等人物和“大闹天宫”、“三打白骨精”、“火焰山”等故事尤其为人熟悉。几百年以来，《西游记》被改编成了各种地方戏曲及电影、电视剧、动画片、漫画，版本繁多。

杨慎

杨慎（1488年—1559年），字用修，号升庵，别号博南山人、博南戍史，谥文宪，四川承宣布政使司成都府新都县（今四川省成都市新都区）人，祖籍江西庐陵，明朝中期重臣、内阁首辅，为内阁首辅杨廷和之子，正德年间状元，官至翰林院修撰。大礼议事件中，因率领百官在左顺门求世宗改变皇考，而遭贬云南，终老于戍地。现成都市新都区仍存有其私家园林升庵桂湖。杨慎与解缙、徐渭合称“明朝三才子”。

杨慎自幼聪颖，11岁能作诗，12岁写成《古战场文》、《过秦论》。进京后，写《黄叶诗》，为李东阳所赞赏，让他在门下学习。明武宗正德六年（1511年）中式辛未科殿试一甲第一名（状元），赐进士及第，授翰林院修撰，参与修撰《武宗实录》，得到蒋冕、费宏赞赏。正德十二年（1517年）八月，武宗微行出居庸关，杨慎上疏抗谏，被迫称病还乡。

明世宗即位，杨慎被召至京师，起用任经筵讲官，并经常讲述《舜典》。

嘉靖三年（1524年），“大礼议”爆发，杨慎与王元正等200多人伏于左顺门，撼门大哭，自言“国家养士百五十年，杖节死义，正在今日。”世宗下令将众人下诏狱廷杖，当场杖死者16人。10日后，杨慎及给事中刘济、安磐等7人聚众在朝廷上痛哭，再次遭到廷杖。杨慎、王元正、刘济都被谪戍。

杨慎动身前往戍地云南永昌卫。从前其父杨廷和掌权之时，曾经裁撤锦衣卫冗员，有怀恨在心者趁机埋伏在途中，伺机加害杨慎。杨慎有所准备，处处小心。驰骋万里，到达云南之后，几乎一病不起。

2年后，杨廷和生病，杨慎得以短暂回家探视，其父病愈后又返回永昌。不久，杨慎率家奴协助平定寻甸安铨、武定凤朝文叛乱。嘉靖八年（1529年），杨廷和病逝，杨慎获准归葬其父。此后，或暂回四川，或在云南省城，或停留于永昌，在各地均得到地方官员善待。居云南三十余年。

世宗因大礼议之故，对杨廷和、杨慎父子极其愤恨，常问及杨慎近况，大臣则回答杨慎“老病”，世宗才稍觉宽慰。杨慎听闻此事，更加放浪形骸，常纵酒自娱，游历名胜。《乐府纪闻》称他："暇时红粉傅面，作双丫髻插花，令诸妓扶觞游行，了不为愧。"终世宗一世，六次大赦，杨慎终不得还，按明律年满六十岁可以赎身返家，但无人敢受理。

杨慎年近七旬时，曾返回泸州短住，不久又被巡抚派人押解回永昌，嘉靖三十八年（1559年）七月，卒于戍地。明穆宗隆庆初年，追赠光禄寺少卿，明熹宗天启时追谥文宪。

杨慎虽胸怀壮志，力图报国，但其政治才能在当时是难以施展的。除此之外，杨慎在文学方面堪称大家，造诣之深之广，少有人及。

杨慎存诗约2300首，所写的内容极为广泛。因他居滇30余年，所以"思乡"、"怀归"之诗，所占比重很大。他在被谪滇时，妻子伴送到江陵话别，所作的《江陵别内》表现别情思绪，深挚凄婉。《宿金沙江》描写往返川滇途中的感慨："岂意飘零瘴海头，嘉陵回首转悠悠，江声月色那堪说，肠断金沙万里楼。"以今昔行旅思情相对，衬出离愁的痛苦。他临终前所作《六月十四日病中感怀》诗："七十余生已白头，明明律例许归休。归休已作巴江叟，重到翻为滇海囚。"叙述自己因病归蜀，途中却被追回的憾恨，深为感人。

杨慎也有一些诗作表现了对人民疾苦的关怀。《海口行》及《后海口行》揭露豪绅地主勾结地方官吏，借疏浚海口占田肥私。他在诗中指出，"疏浚海口银十万，委官欢喜海夫怨"，并呼吁"安得仁人罢此宴，亿兆歌舞如更生"。他在《观刈稻纪谚》中托老农之语，说"乐土宁无咏，丰年亦有歌。惟愁军饷急，松茂正干戈"。表现了农民遇丰年，却因军饷赋敛沉重而仍然不得温饱的贫苦生活。其他如《宝井篇》、《滇池涸》等，也是此类作品。

杨慎的写景诗也不少。他叙写云南风光，描绘祖国山河，颇有特色。《海风行》写了下关的风："苍山峡束沧江口，天梁中断晴雷吼。中有不断之长风，冲破动林沙石走。咫尺颠崖迥不分，征马长嘶客低首。"气势雄伟，有雷霆万钧之力。而《龙关歌》："双洱烟波似五津，渔灯点点水粼粼。月中对影遥传酒，树里闻歌不见人。"写洱海夜色，渔舟灯火，月映水波，细腻清新。此外，杨慎又有描述、歌颂历史英雄、忠臣义士以至耕夫樵叟的诗，其中也不乏佳作。

从诗歌艺术成就来看，杨慎在前七子倡导"文必秦汉、诗必盛唐"，复古风气较为流行的时候，能别张垒壁。他广泛吸收六朝、初唐诗歌的一些长处，形成“浓丽婉至”的诗歌风格。如《滇海曲》12首、三峡《竹枝词》9首，描绘山川风情，颇得乐府遗韵。他的《垂柳篇》，深具初唐风范。《于役江乡归经板桥》：“千里长征不惮遥，解鞍明日问归桡，真如谢朓宣城路，南浦新林过板桥。”抒发行役倦苦的情怀，情致绵细，别出新境。杨慎又广为采揽“桑间濮上”的民歌的长处，以丰富自己诗作。如《送余学官归罗江》，全用绵州民歌，后缀四句送行语，构思新颖，别致清新。

除了诗歌之外，杨慎对文、词、赋、散曲、杂剧、弹词，都有涉猎。他的词和散曲，写得清新绮丽。如《浪淘沙》“春梦似杨花”一首，描写细润，言辞华美流畅。散曲《驻马听·和王舜卿舟行之咏》，写月下舟行幽景，江天一色，月光如水，并畅想驶入长空银河，意境优美，记叙细微。他的长篇弹唱叙史之作《二十一史弹词》，叙三代至元及明季历史，文笔畅达、语词流利，广为传诵。他的散文古朴高逸，笔力奔放。他早年的疏奏《丁丑封事》，规劝正德皇帝，以“古之圣人必谋于众”相谏诫，情挚意切，时婉时激。他的《新都县八阵图记》也是记叙散文的佳品。另外他还著有《宴清都洞天玄记》、《太和记》、《割肉遗细君》等杂剧。

杨慎一生刻苦学习，勤于著述，是有明一代著名的博学家，同时，他胸怀壮志，力图报国，忧国忧民的情怀令人敬仰。杨慎高标的人格，绝世的才华，将为后人永远铭记！

汤显祖

汤显祖（1550年—1616年），中国明代伟大戏剧家、文学家。字义仍，号海若、清远道人，晚年号若士、茧翁，江西临川人。著有代表作《牡丹亭》，在中国文学史上占据重要地位。

汤显祖出生于书香世家，其祖上四代均有文名。他天资聪慧，从小受家庭熏陶，勤奋好学。五岁时进家塾读书，十二岁能诗，十三岁从徐良傅学古文词，十四岁补县诸生，二十一岁中举。因婉拒权相张居正延揽，屡应会试不第，至张居正去世，汤显祖才于万历十一年中进士。次年任南京太常寺博士，后升至南京礼部祠祭司主事。万历十九年（1591年），汤显祖上书《论辅臣科臣疏》，抨击朝政，辞意严峻，震动朝野，被贬为广东徐闻县典史，建贵生书院。万历二十一年（1593年），汤显祖移浙江遂昌任知县五年，任内为政宽简，颇有官声，借俸著书，才情勃发，改定了《紫钗记》，酝酿创作了《牡丹亭》。辞官还乡后，潜心《邯郸记》、《南柯记》的创作。万历四十四年（1616年）去世。

汤显祖一生刚正不阿，不事权贵。他早年参加进士考试，因拒绝掌朝的张居正的招致而落选。中进士后，也曾拒绝当时执掌朝政的张四维、申时行的拉拢。在南京时，他不与当时已有很大名声的王世贞、世懋兄弟往来，甚至在王举行的公宴上谢绝和诗。晚年淡泊守贫，不肯与郡县官周旋。

汤显祖为官一方，清政惠民，颇有官声。他从政十五年，前十年所任皆为闲职，至万历二十一年（1593年）春天，迁为遂昌县令，才开始主政县域内的大小事务。当时的遂昌是个浙西南的小县，处于万山溪壑之中、地少田畜，但森林繁茂。赋寡民稀，虎入民舍，盗贼出没，像学舍、仓庾（粮仓）、城垣等都废弃不修。虽然如此，但他有了实现个人理想、施展个人才能的舞台。他仁政惠民，泽被百姓。到任后不久即拜谒孔庙，走访士子，募集资金，在眠牛山麓兴建了学文和习射的书院“相圃书院”，在孔庙北侧创建了藏书楼“尊经阁”，在报愿寺前重建了钟楼“启明楼”，完善设施，振兴教化；每年的春天三二月，汤显祖领着衙役，带着鲜花和美酒，来到乡村的田间地头，颁布春令，插花赏酒，奖掖农桑，鼓励农耕；当时，遂昌山高林密，常有盗贼出没，他组织力量勒杀盗酋十余人，社会治安状况有了好转，百姓得以安居乐业。

汤显祖为官造福一方，政绩卓著；同时，汤显祖还是当时最有影响力的作家，他的《牡丹亭》一问世就引起了强烈的反响。

《牡丹亭》是“临川四梦”中的一部传奇，是汤显祖的代表作，其故事梗概为南安太守之女杜丽娘，春日游园，梦中与一书生幽会，醒后相思成疾。她在弥留之际，自描真容，藏之太湖石下。三年后，柳梦梅赴京应试，借宿梅花庵中，拾得画像，思慕不已。丽娘游魂与梦梅再度相会。梦梅掘墓开棺，丽娘起死回生。后历经曲折，终成眷属。《牡丹亭》的爱情描写，既指男女之情，也指人的自然本性、合理的生存需求，是对封建专制主义的反叛，体现了反对理学束缚、追求个性解放的进步倾向。剧中的杜丽娘是第一主角，是中国古代爱情文学人物画廊中难得的典型形象。该剧构思离奇跌宕，情节曲折多变，人物具有鲜明的性格特征和深刻的文化内涵，语言浓丽华艳，风格奇巧尖新，是现实主义和浪漫主义相结合的典范。

《牡丹亭》在戏曲文学上所取得的成就，引领和开创了多元包容的晚明文化，其思想倾向，影响到《长生殿》、《桃花扇》和《红楼梦》的创作。明代戏曲家吕天成推崇汤显祖为“绝代奇才”和“千秋之词匠”。其作品四百年来历演不衰，并被译成多国文字。

吴敬梓

吴敬梓（1701年—1754年），字敏轩，一字文木，号粒民，清代小说家，汉族，安徽全椒人。

吴敬梓幼年聪明，悟性高，善记诵。年龄稍大些，补官学弟子员。他尤精《文选》，赋援笔立成。然而不善治生，性格又豪迈，不过数年，旧产挥霍俱尽，有时甚至于绝粮。

雍正十三年（1735年），巡抚赵国辚举以应"博学鸿词"，吴敬梓不赴（参加了学院，抚院及督院三级地方考试，因病未赴廷试）。后来，吴敬梓移家金陵，为文坛盟主。他又集同志建先贤祠于雨花山麓，祀泰伯以下二百三十人。资不足，售所居屋以成之，家因益贫。晚年，自号文木老人，客居扬州，更加落拓纵酒。后卒于客中。

吴敬梓一生经历了清朝康熙帝、雍正帝、乾隆帝三代，当时，出现了资本主义生产关系的萌芽，社会呈现了某种程度的繁荣，但，这也不过是即将崩溃的中国封建社会的回光返照，表面的繁荣掩盖不了大厦将倾的事实。雍正、乾隆年间，清朝统治者在逐渐镇压武装起义的同时，就采用大兴文字狱，设博学宏词科以作诱饵；考八股、开科举以牢笼士人，提倡理学以统治思想等方法来对付知识分子。其中，以科举制为害最深，影响最广，使许多知识分子堕入追求利禄的圈套，成为愚昧无知、卑鄙无耻的市侩。吴敬梓看透了这种黑暗的政治和腐朽的社会风气，所以他反对八股文，反对科举制，不愿参加博学宏词科的考试，憎恶士子们醉心制艺，热衷功名利禄的习尚。他把这些观点反映在他的《儒林外史》里。他以讽刺的手法，对这些丑恶的事物进行了深刻的揭露和有力的批判，显示出他的民主主义思想色彩。

此外，在吴敬梓的一生中，生活和思想也都有极大的变化。生活上，他由富裕坠入贫困；思想上，对于功名富贵表示了截然相反的看法。他生长在世代科甲的家族中，一生时间大半消磨在南京和扬州两地，官僚豪绅、膏粱子弟、举业中人、名士、清客，他是司空见惯了的。他在这些"上层人士"的生活中愤慨地看到官僚的徇私舞弊，豪绅的武断乡曲，膏粱子弟的平庸昏聩，举业中人的利欲熏心，名士的附庸风雅和清客的招摇撞骗。加上他个人生活由富而贫，那批“上层人士”的翻云覆雨的嘴脸，就很容易察觉到。他在《儒林外史》中对这种种类型的知识分子精神生活的腐朽作了彻底的揭露，真是“如大禹之铸九鼎，神妙无循形”（旅云《钵山志》卷四）。更由于生动的艺术形象的塑造，使他的作品分外具有吸引和感人的力量。

所以说，吴敬梓所处时代和人生经历是他创作长篇讽刺小说《儒林外史》的源泉。那么《儒林外史》又是怎样的一部小说呢?

《儒林外史》是我国文学史上一部杰出的现实主义的长篇讽刺小说。全书56章，由许多个生动的故事联起来，这些故事都是以真人真事为原型塑造的。全书的中心内容，就是抨击僵化的考试制度和由此带来的严重社会问题。鲁迅先生评为：“如集诸碎锦，合为帖子，虽非巨幅，而时见珍异。”全书故事情节虽没有一个主干，可是有一个中心贯穿其间，那就是反对科举制度和封建礼教的毒害，讽刺因热衷功名富贵而造成的极端虚伪、恶劣的社会风习。这样的思想内容，在当时无疑是有其重大的现实意义和教育意义的。

此外，《儒林外史》的讽刺艺术正是体现了鲁迅所说的“讽刺的生命是真实”、“非写实决不能成为所谓讽刺”的精神。如马二先生游西湖时，西湖的秀丽景色没有引起他的兴趣，而酒店里挂着的透味的羊肉，盘子里盛着滚热的蹄子、海参、糟鸭、鲜鱼等却使他羡慕得喉咙里咽唾沫。仁宗皇帝的御书又使他马上磕头下拜。他见了游西湖的女客就低头不敢仰视。在书店里看到自己的八股选本就打听它的销路。在这些看来似乎漫不经心的描写里，马二先生思想的迂腐和精神的空虚，已相当生动地表现出来了。当然艺术的真实并不排斥夸张，在真实基础上的夸张，是讽刺所必要的。周进撞号板；范进中举发疯；范母一喜而死；严监生临死因点了两根灯草而迟迟不肯断气；严贡生发病闹船家等精彩描写，都因合理的夸张，而取得强烈的讽刺艺术效果，从而更真实地暴露了问题的本质，起着深刻的批判作用。

《儒林外史》语言的特点是准确、洗练而富于形象性。作者经常能三言两语，使人物“穷形尽相”。吴敬梓还学习运用人民群众的口语，对话中有时引用谚语、歇后语，也能恰当自然。

《儒林外史》所达到的高度的思想艺术成就，使它在当时就产生了很大的影响。惺园退士序说：“慎勿谈《儒林外史》，读之乃觉身世酬应之间，无往而非《儒林外史》。”可见作品反映现实的巨大批判力量。在小说史的发展中，《儒林外史》奠定了我国古典讽刺小说的基础，为以后讽刺小说的发展开辟了广阔的道路。晚清谴责小说《官场现形记》等显然是受了《儒林外史》讽刺艺术的影响，并在结构上也有所模仿。我国新文学的伟大作家鲁迅极其推崇《儒林外史》，他的战斗的文学传统特别在讽刺手法的运用上，和《儒林外史》也有一定的关系。

蒲松龄

蒲松龄（1640年—1715年），字留仙，一字剑臣，别号柳泉居士，室名聊斋，淄川蒲家庄人。生于明末，卒于清初，终生科举不第，以教书为业，晚年成岁贡生。旧志称其“性厚朴，笃交游，重名义，而孤介峭直，尤不能与时相俯仰”。所著有诗词、文赋、杂著、俚曲、戏剧等，其文言小说《聊斋志异》脍炙人口，广为流传，饮誉海内外。

蒲松龄出生于一个久已衰落的世家，其父因科举不显而弃儒从商，却仍不能忘怀于光复门庭。蒲松龄从小随父读书，十九岁时以县、府、道试三个第一补博士弟子生员，得到学使施闰章的称扬。自此文名大振，而自视甚高。但他此后的科场经历却始终困顿不振，一直考到六十多岁，才接受老妻之劝，放弃了仕途幻想。又到七十一岁时，他才援例得到一个已经无意义的岁贡生名义。在蹭蹬科场的数十年中，他先是做过短期的幕宾，后来长期在官宦人家为私塾教师，以为糊口。大致从中年开始，他一边教书一边写作《聊斋志异》，一直写到晚年。书未脱稿，便在朋辈中传阅，并受到当时诗坛领袖王士禛的赏识。除《聊斋志异》外，他还存有相当数量的诗、词、文、俚曲等，今人编为《蒲松龄集》。

蒲松龄用毕生精力完成了《聊斋志异》共8卷、491篇，约40多万字。其内容丰富多彩，故事多采自民间传说和野史轶闻，将花妖狐魅和幽冥世界的事物人格化、社会化，充分表达了作者的爱憎感情和美好理想。作品继承和发展了我国文学中志怪传奇文学的优秀传统和表现手法，情节幻异曲折，跌宕多变，文笔简练，叙次井然，被誉为我国古代文言短篇小说中成就最高的作品集。

《聊斋志异》从题材上分为两类：一类篇幅短小而不具有故事情节，属于各类奇异传闻的简单记录；另一类才是真正意义上的小说，多为神鬼、狐妖、花木精灵的奇异故事。两类在篇数上约各其半，但也有些居于两者之间。这些小说诗歌文学作品的材料来源，据作者于书前的《聊斋志异》中称，一是他“喜人谈鬼，闻则命笔”，一是“四方同人，又以邮筒相寄”，如此长久积累而成。另外，相传蒲松龄常在路边备烟茶供行人享用，趁机与之闲谈，搜罗记录异闻传说（见邹弢《三借庐笔谈》），这不太可信，但《聊斋志异》中内容，有许多来自民间传闻，则是无疑的。

另外，蒲松龄的思想感情是很混杂的，这也造成了《聊斋志异》内容的驳杂不一。这可以从几个方面来分析：其一，他才华出众而毕生潦倒，在科举中经历数十年的精神折磨，而又以低贱的塾师身份坐馆于缙绅富贵之家，这一切造成他心理上极大的压抑。这种压抑经常表现为对不合理的社会现实的尖锐抨击，但有时也表现为对某些野蛮、阴暗现象的兴趣。其二，他对许多社会问题的理性的看法实在并不高明，因而，当他以现实人物为小说主人翁时，每每宣扬陈腐的礼教，如《耿十八》、《金生色》等篇，都对妇女不能守节大加鞭挞，甚至认为她们活该得到悲惨的结局，至于宣扬轮回报应，更是处处可见。但是，作为一个想象力出众的艺术家，当他在完全是幻想的境界中描写狐鬼的形象时，却又写出了本属于人类的许多美好的向往。当然，《聊斋志异》中占主导地位的小说，是批判社会现实和幻想美好人生的，这也是人们喜欢此书的原因。

蒲松龄一生受尽科举之苦楚。他对科举制度本身并未提出否定，他所特别加以攻击的，是考官的“心盲或目瞽”（蒲松龄《试后示篪、笏、筠》）以致良莠不辨。而书中攻击科举弊端，写得最有意义的应是那些反映考生在精神上遭受巨大折磨、灵魂被扭曲的小说作品。如《王子安》篇，写王子安屡试不第，在一次临近放榜时喝得大醉，片刻间梦见自己中举人、中进士、点翰林，于是一再大呼给报子“赏钱”，又想到应“出耀乡里”，因“长班”迟迟而至，便“捶床顿足，大骂：‘钝奴焉往？’”酒醒之后，始知虚妄。这一种描写，确是入木三分，包含了作者深刻的心理反省。篇末“异史氏”的议论总括秀才入闱前后，忽异想成狂，忽沮丧欲死，神昏智迷的情态，令人感慨不已。

蒲松龄一方面社会地位不高，深知民间疾苦，另一方面，又与官场人物多有接触，深知其中弊害，因此，也写出了一些优秀的揭露政治黑暗的小说作品。如《席方平》写冥界贪贿公行，含冤者负屈难伸，受尽恐怖的摧残，实是现实社会的一种浓黑的缩影。又如《促织》，写因为皇帝好斗蟋蟀，各级官吏纷纷进贡邀宠，里胥假机聚敛，造成民间家破人亡的惨剧。这一类具有现实意义的小说诗歌文学作品，在全书中占有相当比例。

但《聊斋志异》长期以来受到人们的喜爱，最主要的原因，是其中有许许多多狐鬼与人恋爱的美丽故事。像《娇娜》、《青凤》、《婴宁》、《莲香》、《阿宝》、《巧娘》、《翩翩》、《鸦头》、《葛巾》、《香玉》等，都写得十分动人。这些小说中的主要形象都是女性，她们在爱情生活中大多采取主动的姿态，或憨直任性，或狡黠多智，或娇弱温柔，但大抵都富有生气，敢于追求幸福的生活和感情的满足，少受人间礼教的拘束。像《婴宁》中的狐女婴宁，永远天真地笑个不停，嬉闹玩耍，绝无顾忌，丝毫未曾受到人间文明法则的污染；又像《翩翩》中仙女翩翩，能以树叶制作锦衣，每当情郎意有旁骛，便不动声色地让他的衣衫变回片片黄叶，当场出丑。作者艺术创造力的高超，就在于他能够把真实的人情和幻想的场景、奇异的情节巧妙地结合起来，从中折射出人间的理想光彩。

狐鬼故事在中国古小说中渊源久长，而蒲松龄特别注意于此并擅长于此，颇有值得推究之处。作为一个有如此才华的文学家，他的内在情感的活跃是无可怀疑的；在他痛苦的生活经历中，渴望得到某种情感上的安慰，也是很自然的事情。但正如前面所说，从明末到清初，封建礼教、程朱理学的重新抬头使追求个性解放的社会思潮处于低抑的状态，而蒲松龄也受此影响甚深。但另一方面，这种思潮既已发生，使自然情性得到满足的要求就不可能被彻底截止。只是，当小说以具有现实社会身份和现实社会关系的女性为主人公时，无论是作者还是读者，都会对她们提出现实伦理的约束；而只有在写狐鬼一类女性形象时，由于这些人物是超脱于社会固有结构之外而无法以礼教的准则衡量的，作者内心的欲望便会自然而然地活跃起来，在一种“伦理疏隔”的虚幻场景中，人的自然情感便得到了较为自由的抒发。这应是蒲松龄对狐鬼特别感兴趣的原因。但即使如此，作者心理上的阴影还是会对小说产生影响。那些人与狐鬼之间旷男怨女的短暂结合，缺乏世俗生活的明朗欢快，而总是给人以幽凄的感觉。

总之，《聊斋志异》承续了前代小说中一些重要的积极因素，在中国小说史上有着独特的地位。它既结合了志怪和传奇两类文言小说的传统，又吸收了白话小说的某些长处，形成了独特的风格。在一些优秀篇章中，作者能以丰富的想象力建构离奇的情节，同时又善于在这种离奇的情节中进行细致的、富有生活真实感的描绘，塑造生动活泼、人情味浓厚的艺术形象，使人沉浸于小说所虚构的恍惚迷离的场景与气氛中。小说的叙事语言是一种简洁而优雅的文言，而小说中人物的对话虽亦以文言为主，但较为浅显，有时还巧妙地融入白话成分，既不破坏总体的语言风格，又在一定程度上克服了通常文言小说的对话难以摹写人物神情声口的毛病，这是很难得的成就。

曹雪芹

曹雪芹（约1715年—约1763年），我国清代最伟大的小说家。名霑，字梦阮，雪芹是其号，又号芹圃、芹溪。祖籍辽阳，先世原是汉人，后为满洲正白旗“包衣”人，是为旗人。中国长篇名著《红楼梦》的作者。

曹雪芹的曾祖曹玺任江宁织造；曾祖母孙氏做过康熙帝玄烨的保姆；祖父曹寅做过康熙皇帝的伴读和御前侍卫，后任江宁织造，兼任两淮巡盐监察御使，极受康熙宠信。康熙六下江南，其中四次由曹寅负责接驾，并住在曹家。曹寅病故，其子曹顒、曹頫先后继任江宁织造。他们祖孙三代四人担任此职达60年之久。曹雪芹自幼就是在这“秦淮风月”之地的“繁华”生活中长大的。

雍正初年，由于封建统治阶级内部政治斗争的牵连，曹家遭受一系列打击。曹頫以“行为不端”、“骚扰驿站”和“亏空”罪名革职，家产抄没。曹頫下狱治罪，“枷号”一年有余。这时，曹雪芹随着全家迁回北京居住。曹家从此一蹶不振，日渐衰微。

经历了生活中的重大转折，曹雪芹深感世态炎凉，对封建社会有了更清醒、更深刻的认识。他蔑视权贵，远离官场，过着贫困如洗的艰难日子。

晚年，曹雪芹移居北京西郊。生活更加穷苦，“满径蓬蒿”，“举家食粥”。他以坚韧不拔的毅力，专心致志地从事《红楼梦》的写作和修订。1762年（乾隆二十七年），幼子夭亡，他陷于过度的忧伤和悲痛，卧床不起。到了这一年的除夕（1763年2月12日），终于因贫病无医而逝世。而《红楼梦》一书也未能完成。

曹雪芹是一位诗人。他的诗，立意新奇，风格近于唐代诗人李贺。他的友人敦诚曾称赞说：“爱君诗笔有奇气，直追昌谷破篱樊。”又说：“知君诗胆昔如铁，堪与刀颖交寒光。”但他的诗仅存题敦诚《琵琶行传奇》两句：“白傅诗灵应喜甚，定教蛮素鬼排场。”

曹雪芹又是一位画家，喜绘突兀奇峭的石头。敦敏《题芹圃画石》说：“傲骨如君世已奇，嶙峋更见此支离。醉余奋扫如椽笔，写出胸中块垒时。”可见他画石头时寄托了胸中郁积着的不平之气。

然而曹雪芹的最大的贡献还在于小说的创作。他的小说《红楼梦》内容丰富，思想深刻，艺术精湛，把中国古典小说创作推向最高峰，在文学发展史上占有十分重要的地位。

《红楼梦》在主题特征上通过对“贾、史、王、薛”四大家族荣衰的描写，展示了广阔的社会生活视野，囊括了多姿多彩的世俗人情。《红楼梦》内蕴含着一个时代的历史容量，是封建末世的百科全书，可以容得下一部二十四史。也由于《红楼梦》内容含量的浩大，所以不同的人赋予它不同的主题。有人说它是历史小说，反映的是封建社会的衰亡史；有人说它是爱情小说，表现的是宝黛爱情的千古绝唱；有人说它是政治小说，隐喻的是康熙朝政；也有人说它暗藏的是董小婉的故事；有人说这是作者的自传；有人说这是一部宣扬色空观念的小说；有人说这是煽动解脱或出世的作品。总之，仁者见仁，智者见智。正如鲁迅所说：“单是命意，就因读者的眼光而有种种：经学家看见《易》，道学家看见淫，才子看见缠绵，革命家看见排满，流言家看见宫闱秘事……在我的眼下的宝玉，却看见他看见许多死亡……”多重性，多主题，已成为《红楼梦》的一大特征。

《红楼梦》在艺术上的特色：一、人物描写的高超艺术。400多人的艺术呈现，体现了生活的全部丰富性和复杂性。人物个性鲜明，类型中有差别，不简单化。正面、侧面、反面，从各个角度来描写人物的性格特征，塑造了众多的典型形象。这是曹雪芹横绝千古的天才。但曹雪芹在这方面还有显得难能可贵的地方，那就是他塑造了众多体态千姿，性格各异的妇女形象。总之，把人物性格写得非常突出、非常丰满，像雕塑似的承受着各种不同光线的照射，从而呈现着变态多姿而又统一的形象意义，这是曹雪芹塑造人物的最大特点。

二、结构的宏伟与构思的精巧。《红楼梦》在布局和结构上采取的多线结构的艺术特点。它以贾宝玉作为全书的主人公并以主人公的爱情婚姻悲剧作为贯串全书的情节故事。但是，整个小说并不是仅仅沿着这条线索发展；还描写了以贾府为代表的封建四大家族的衰亡过程，其中又集中描写荣国府。不妨说，这也是贯串全书的一条线索。它与前一条线索互成经纬地交织在小说里，此起彼伏而又主次分明地展现了一幅气象万千、变态多姿的封建社会的历史生活图卷。作者善于把生活的多面性、整体性以及它的内在联系立体式地展现出来，情节如百溪蜿蜒、如廊檐回环，疏密相间，布置得宜，这也是《红楼梦》在艺术表现上的最大特色。

三、鲜明的对比。《红楼梦》在艺术表现上运用了对比的手法。作者巧妙安排了鲜明对照的两个世界：一是以女性为中心的大观园，这是被统治者的世界；一是以男性为中心的社会，这是统治者的世界。大观园以贾宝玉、林黛玉和一群处在被压迫地位的丫鬟为主，包括年轻的小姐们在内，是一个自由天真、充满了青春的欢声笑语的女儿国；而与之对立的男子世界，则在权威和礼教的外衣下，处处都是贪婪、腐败和丑恶。这男子世界以男性统治者为中心，还包括掌权的贵族妇人贾母、王夫人、王熙凤以及执行统治者使命的老妈子等人。在大观园女儿国中，又存在着鲜明的对比。以各个人物的主观思想形成的两股对峙势力：贾宝玉、林黛玉追求个性自由，背离封建礼教；薛宝钗、袭人自觉地维护封建礼教。这两种势力的斗争反映了社会上的初步民主主义思想与封建社会的矛盾。但是，薛宝钗、贾探春、袭人等又不同于一般统治者，尽管她们在主观上站到了封建势力的一边，但由于她们自身受人摆布的社会地位和实际得到的悲剧结局，也和“薄命司”的其他女子一样令人同情。

实际上，《红楼梦》的艺术成就还有很多方面，这里不再一一道尽。总之，《红楼梦》是一部辉煌的巨著。

著名红学家周汝昌毕生研究《红楼梦》，著有《红楼梦新证》等二百多万字的红学著作。他对《红楼梦》推崇备至。他说：《红楼梦》是我们中华民族的一部古往今来绝无仅有的“文化小说”。“是我们中华民族文化的代表性最强的作品”，“它是我们中华文化史上的一部最伟大的著作”。“虽然雪芹像是只写了一个家庭，一个家族的兴衰荣辱，离合悲欢，却实际是写了中华民族文化的万紫千红的大观与奇境”。

《红楼梦》迄今已有十八种文字、六十多种译本，在世界各国发行，它是世界文学宝库中第一流的珍品，并且必将愈来愈多地获得世界各国人民的欣赏和赞扬。

鲁 迅

鲁迅（1881年—1936年），原名周樟寿，后改名周树人；字豫才，浙江绍兴会稽县人，中国现代伟大的无产阶级文学家、思想家和革命家。1921年发表中篇小说《阿Q正传》。1936年10月19日因肺结核病逝于上海。鲁迅是20世纪中国的重要作家，新文化运动的领导人、左翼文化运动的支持者，中国现代文学的开山巨匠。中华人民共和国的评价为现代文学家、思想家、革命家，民主战士。鲁迅的作品包括杂文、短篇小说、评论、散文、翻译作品，对于五四运动以后的中国文学产生了深刻的影响，被誉为“民族魂”、“中国文化革命的主将”。

鲁迅出生于败落封建家庭。青年时代受进化论、尼采超人哲学托尔斯泰和博爱思想的影响。1902年去日本留学，原在仙台医学院学医，后弃医从文，从事文艺工作，企图用医学改变国民精神。1905—1907年，参加革命党人的活动，发表了《摩罗诗力说》、《文化偏至论》等论文。期间曾回国奉母命结婚，夫人朱安。1909年，与其弟周作人一起合译《域外小说集》，介绍外国文学。同年回国，先后在杭州、绍兴任教。

辛亥革命后，鲁迅曾任南京临时政府和北京政府教育部部员、佥事等职，兼在北京大学、女子师范大学等校授课。1918年5月，首次用“鲁迅”的笔名，发表中国现代文学史上第一篇白话小说《狂人日记》，奠定了新文学运动的基石。五四运动前后，参加《新青年》杂志工作，成为“五四”新文化运动的主将。

1918年到1926年间，鲁迅陆续创作出版了小说集《呐喊》、《彷徨》、论文集《坟》、散文诗集《野草》、散文集《朝花夕拾》、杂文集《热风》、《华盖集》、《华盖集续编》等专集。其中，1921年12月发表中篇小说《阿Q正传》，成为文学史上的不朽杰作。1926年8月，因支持北京学生爱国运动，为北洋军阀政府所通缉，南下到厦门大学任中文系主任。1927年1月，到当时的革命中心广州，在中山大学任教务主任。

1927年10月鲁迅到达上海，开始与其学生许广平同居。1928年和许广平成为夫妻。1929年，儿子周海婴出世。

1930年起，鲁迅先后参加中国自由运动大同盟。1934年8月，他在《汉字和拉丁化》一文中写道："不错，汉字是古代传下来的宝贝，但我们的祖先，比汉字还要古，所以我们更是古代传下来的宝贝。为汉字而牺牲我们，还是为我们而牺牲汉字呢？这是只要还没有丧心病狂的人，都能够马上回答的。"同年12月，他在《关于新文字》一文中进而表示："方块字真是愚民政策的利器……汉字也是中国劳苦大众身上的一个结核，病菌都潜伏在里面，倘不首先除去它，结果只有自己死。"

从1927年到1936年，鲁迅创作了历史小说集《故事新编》中的大部分作品和大量的杂文，收辑在《而已集》、《三闲集》、《二心集》、《南腔北调集》、《伪自由书》、《准风月谈》、《花边文学》、《且介亭杂文》、《且介亭杂文二编》、《且介亭杂文末编》、《集外集》和《集外集拾遗》等文集中。

1936年10月19日，鲁迅因肺结核病逝于上海，上海民众上万名自发举行公祭、送葬，葬于虹桥万国公墓。

鲁迅的一生创作了大量优秀的作品，在各个领域都颇有建树，如小说集《呐喊》、《彷徨》、《故事新编》，在散文方面则有《朝花夕拾》、散文诗《野草》以及相当数量的杂文。他是中国现代伟大的无产阶级文学家。

不可否认，鲁迅文学的成就最大的体现在鲁迅的小说方面，鲁迅是现代小说的奠基人。"中国现代小说在鲁迅手中开始，又在鲁迅手中成熟，这在历史上是一种并不多见的现象。"他于1911年冬创作的一篇题为《怀旧》的文言小说，被捷克汉学家普实克称为"中国现代文学的先声"。他于1918年后创作的数十篇现代白话文小说，包括《狂人日记》、《孔乙己》、《药》、《风波》、《阿Q正传》以及《祝福》、《在酒楼上》、《伤逝》等名篇，更是学界公认的新文学经典。2000年，在香港《亚洲周刊》推出的"二十世纪中文小说一百强"评选活动中，鲁迅小说集《呐喊》高居榜首，成为世纪中文小说之冠，另一本小说集《彷徨》也被列为第十二名。这表明鲁迅在中文小说创作方面的地位是不可动摇的。

鲁迅的作品既有对当时社会状况的真切反映和对辛亥革命失败教训的及时总结，也有对封建思想、制度、价值观念及其对人的思想的毒害的深刻揭示和有力批判，还有对国民性的扭曲或缺失的展露与改造。与其所涉及内容的广泛和体现的思想的深刻相对应，这类小说在艺术方法、结构处理等表达方法上也多有创新和杰出成就。这类小说在思想内容和艺术形式上杰出成就的取得，不仅与鲁迅曾经亲自参与辛亥革命的宣传活动，并对辛亥革命失败的历史教训进行过深刻的反思有关，而且也与鲁迅一贯重视精神因素和文学对社会的改造作用，立志“先行发露各样的劣点，撕下好看的假面具来”有很大关系。

鲁迅的小说中又以将辛亥革命为背景的小说最为突出，通过以辛亥革命前后的社会状况尤其是对人们面对革命风暴时所呈现的精神和心理状态做了十分真切的描绘。如《怀旧》这篇小说就对旧势力的这种挣扎和恐慌作了真切的描绘；又如《阿Q正传》，通过对阿Q的形象和悲惨一生的描述，鞭挞了阿Q的精神胜利法等落后、麻木的精神状态，批判辛亥革命的不彻底性，提出了在中国民主革命中启发农民和国民觉悟的重要性；比如《药》描写了民众的愚昧，又比如《孔乙己》，比如《明天》，比如《一件小事》……鲁迅的确是空前绝后的思想家和文学家。

同时鲁迅又是一位空前绝后的思想家。

鲁迅毕生追求真理，追求进步。他高举反帝反封建的大旗，以文学为武器，深刻揭露封建主义、军阀势力和国民党反动派的丑恶嘴脸；他积极支持并参与反对帝国主义的侵略和压迫的斗争，为维护民族尊严、争取人民解放而战斗，表现出高昂的爱国主义激情和民族气节；他尖锐揭示了国人身上存在的国民劣根性，哀其不幸、怒其不争，渴望以理性精神开启民智；他在严格解剖他人的同时，更加严厉地解剖自己；他面对残酷的文化围剿，以坚韧的战斗精神不懈抗争，成为左翼文化运动的主将和领袖；他坚持文艺为人生为革命的道路，始终“和革命共同着生命”，深信“惟新兴的无产者才有将来”，用如椽巨笔，承担起“启蒙”与“救亡”的双重历史责任。鲁迅以他那深刻的思想、辛辣的文笔、卓越的艺术才华和凌厉的战斗风格赢得了中国人民的爱戴与尊敬；以其一生的辉煌业绩奠定了他在中国现代史上的崇高地位。鲁迅留下的文化遗产，是中国现代史上最可宝贵的精神财富。

此外，鲁迅还是一位革命家。1930年起，鲁迅先后参加中国自由运动大同盟、中国左翼作家联盟和中国民权保障同盟等进步组织，不顾国民党政府的种种迫害，积极参加革命文艺运动。1936年初“左联”解散后，他又积极参加文学界和文化界的抗日民族统一战线。

鲁迅作为中国历史上最伟大的思想家，他的生命已经在八十年前死亡了。当我们匆匆走过他那眼思想清泉之后，又遭遇了思想的沉寂，甚至听不到一声哀鸣。后来的所谓思想家们，不能望先生的项背，更有许多疯狂的思想，侵蚀了中华民族的肌体，生出许多的毒瘤。现在，我们只有在“超级女声”中得到娱乐，在网络恶搞中得到发泄，在《汉武大帝》等影视剧中陶醉于民族的伟大，谁也顾不得鲁迅的思想了。鲁迅，已经成了被我们时时说起的一个最熟悉的陌生人。于是，才有了盛大无比空前的祭孔活动，也才有了超过自由女神高度的炎黄二帝神像矗立在黄河之滨。然而，作为“中国魂”和“中国的脊梁”的鲁迅，已经成为一个让我们不认识的怪异的符号存在于中国。也许，鲁迅的脊梁本来就不太硬朗，又如何能够独立挑起振兴中华的重担呢？郁达夫生前感慨，一个不知道尊崇伟人的民族是可悲的。靠骂伟大的民族英雄来抬高自己的人，恐怕不仅仅是可悲。这个时代，我们还需要鲁迅精神，还需要这样的民族脊梁！

郭沫若

郭沫若（1892年—1978年），汉族，原名郭开贞，字鼎堂，乳名文豹，号尚武。笔名沫若、麦克昂等。中国共产党优秀党员，致力于世界和平运动，是我国现代著名的无产阶级文学家、诗人、剧作家、考古学家、思想家、古文字学家、历史学家、书法家、学者和著名的革命家、社会活动家，是继鲁迅之后革命文化界公认的领袖。

郭沫若出生于四川乐山一个地主兼商人的家庭，原名郭开贞，1897年6岁入家塾，习读古诗。1906年，13岁的郭开贞入乐山县高等小学寄读，1907年入嘉定府中学堂。1910年，18岁的郭开贞考入成都高等学堂的分设中学。在此期间，开始广泛接触中外古今文学作品。

1912年辛亥革命爆发后，郭开贞开始接受民主思想。1914年赴日本留学，先后就读东京第一高等学校预备班医科、冈山第六高等学校第三部医科，1918年，免试升入在福冈的九州帝国医科大学。在这个时期，郭开贞接触了泰戈尔、歌德、莎士比亚、席勒、惠特曼等外国作家的作品。他在福冈四年多的学医生活，基本上被诗歌创作和文学活动所取代。

1918年，郭开贞开始新诗创作。1919年“五四运动”爆发，郭开贞在日本福冈发起组织夏社，开始投身于新文化运动，积极从事文学创作，写出了《凤凰涅槃》、《地球，我的母亲》、《炉中煤》等著名诗篇。1919年发表新诗时，郭开贞首次使用郭沫若这一名字，这一名字是取自家乡的两条河名——沫水（大渡河）和若水（雅河，又名青衣江）。从此，郭沫若便取代郭开贞了。

1921年，郭沫若出版第一部诗集《女神》，并参与组织“创造社”，编辑《创造周刊》。1923年九州帝国大学医科毕业后，他已经决定“弃医从文”，要用新文学唤起祖国的觉醒。同年，郭沫若携家眷回国，在上海继续编辑《创造周报》，参与《洪水》的编辑，并出版诗集《星空》等。

1926年，郭沫若到广州任广东大学（后改名中山大学）文科学长（即文科学院长）。此时他结识了周恩来、毛泽东等，在他们的影响下，郭沫若开始了政治生涯。不久，郭沫若参加北伐战争，先后任北伐军政治部宣传科长、政治部秘书长、政治部中将副主任等职。

从1924年到1927年间，郭沫若创作了历史剧《王昭君》、《聂莹》、《卓文君》。

1927年，蒋介石发动“四一二政变”屠杀共产党人。同年，郭沫若参加南昌起义，任起义军总政治部主任，起义后参加中国共产党。南昌起义部队被打散后，遭蒋介石通缉的郭沫若被迫流亡日本。

在这十年流亡生涯中，郭沫若创作了《漂流三部曲》等小说，出版有诗集《星空》、《瓶》、《前茅》、《恢复》，写作历史剧、历史小说等作品。从事中国古代史和古文字学的研究工作，写下《中国古代社会研究》、《甲骨文字研究》、《殷周青铜器铭文研究》等重要学术论著，奠定了他在甲骨文、青铜器研究领域的学术地位。同时，他积极支持留日青年和国内文艺界的革命文化活动。1930年加入“左翼作家联盟”。

1937年抗日战争爆发，国民党政府取消对郭沫若的通缉，郭沫若别妻离子，只身回国，筹办《救亡日报》，随后出任国民政府军委政治部第三厅厅长和文化工作委员会主任，负责有关抗战文化宣传工作。三厅被撤销后，郭沫若以文化工作委员会主任之职，请回三厅原班人马。八年抗战中，他团结进步文化人士，投入抗日救亡运动。此间，郭沫若一方面写下大量政论性文章，宣传坚持抗战，另一方面继续学术研究，写出《屈原研究》、《青铜时代》、《甲申三百年祭》等作品，同时创作了如《棠棣之花》、《屈原》、《虎符》等大量历史剧。

抗战胜利后，郭沫若以社会名流身份坚持反对蒋介石打内战，搞独裁，坚持争取民主与自由的斗争。1948年郭沫若赴东北解放区，1949年抵达刚解放的北平（今北京），积极参与中华人民共和国的成立。

新中国成立后，郭沫若曾任中央人民政府委员、国务院副总理兼文化教育委员会主任、中国科学院院长，担任全国文联一、二、三届主席，为中国共产党第九、十、十一届中央委员、第一至第五届全国人大常务委员会副委员长和全国政协常务委员、副主席等职。此间郭沫若主要精力放在政治社会活动和文化的组织领导工作，以及对外友好与交流等事业，但还继续文艺创作，著有历史剧《蔡文姬》、《武则天》等和诗集《新华颂》、《百花齐放》等以及大量历史、考古著作。

1978年6月12日，郭沫若在北京逝世，享年95岁。

作为一个文学家，郭沫若献给读者的文学样式是丰富多彩的。郭沫若一生写下了诗歌、散文、小说、历史剧、传记文学、评论等大量著作，另有许多史论、考古论文和译作。尤其是他的《女神》以火山爆发式的情感、大胆丰富的想象和夸张、宏伟的构思和浓烈的色彩、激昂的音调和急骤的旋律构成了一部浪漫主义的杰作，冲击了当时萎靡不振的诗坛，为我国现代诗歌开创了一代新的诗风，确立了郭沫若在我国现代文学史上卓越的地位。他的著作结集为《沫若文集》17卷本（1957～1963），1982年起陆续出版《郭沫若全集》，分历史编8卷、考古编12卷、文学编20卷、译著编12卷。他的作品被译成日、俄、英、德、意、法等多种文字。

郭沫若还是一位具有高度社会责任感的社会活动家。他不仅直接投入革命和建设事业，在革命队伍和新中国政府中担任领导职务，他还有意识地将文艺创作与现实革命斗争结合起来。他的诗歌是浪漫的，但也是爱国的，战斗的。这一点在其历史剧中表现尤其突出。他的历史剧取材于历史服务于现实，歌颂了屈原、信陵君、夏完淳等爱国爱民、反抗侵略和压迫的英雄人物，批判了那些认贼作父、卖国投敌的暴君佞臣。此外郭沫若还是一位史学家。他以崭新的方法和见解开辟了一代新史学。他是中国古史学界运用马克思主义历史观全面系统地研究古代社会的第一人。他以一定历史时期的物质经济状况来说明社会意识形态和历史事变，完全是马克思主义的自觉运用。

正如邓小平同志所说的："他和鲁迅一样，是我国现代文化史上一位学识渊博、才华卓著的著名学者。他是继鲁迅之后，在中国共产党领导下，在毛泽东思想指引下，我国文化战线上又一面光辉的旗帜。"

茅 盾

茅盾（1896年—1981年），现代作家、社会活动家。中国现代文学的奠基人之一。

茅盾原名沈德鸿，字雁冰，曾化名方保宗，沈明甫，1913年考入北京大学预科，1916年毕业，进入上海商务印书馆编译所工作。在俄国十月社会主义革命的影响下，茅盾参加“五四运动”。1920年10月加入上海中国共产主义小组，曾参与中国共产党的筹建工作。

1926年，茅盾以左派国民党员的身份赴广州出席国民党第二次代表大会，会后留广州任国民党中央宣传部秘书，编辑《政治周报》。1927年3月被召回上海，曾代理国民党上海特别市党部主任委员一职，并任国民党上海交通局主任。年底调往武汉，任中央军事政治学校武汉分校政治教官，旋即改任《汉口民国日报》总主笔。

宁汉合流后茅盾遭反动当局通缉，隐居上海闭门写作。1928年7月逃亡日本，1930年4月归国，在上海加入中国左翼作家联盟，与鲁迅一起发展革命文艺，团结广大作家，胜利反击国民党的文化“围剿”。

抗日战争爆发后，茅盾曾主编《文艺阵地》杂志，广泛团结进步文化人士进行抗日救亡活动。1940年5月抵达延安，曾在鲁迅艺术学院作短期讲学。抗日战争胜利后投身于反对独裁、反对内战的斗争。

1948年12月，茅盾由香港进入东北解放区、转赴北平，参加中国人民政治协商会议，并筹备第一次全国文艺工作者代表大会，被选为中国文联主席、中华全国文学工作者协会主席。建国后出任第一任文化部长。临终前还担任中国文联名誉主席、中国作家协会主席。

1981年3月27日，茅盾病逝于北京。他以自己的积蓄设立文学奖金（后定名为“茅盾文学奖金”），奖励优秀的长篇小说创作。

纵观茅盾的一生，他不仅直接投入革命和建设事业，在革命队伍和新中国政府中担任领导职务，他还有意识地将文艺创作与现实革命斗争结合起来。从1920年起，他开始文学活动，曾与郑振铎、叶圣陶等人一起组织文学研究会，提倡为人生的现实主义文学。1921年接编《小说月报》，革新内容、倡导现实主义，翻译介绍外国进步文艺，对我国新文学运动产生了巨大的影响。1927年发表第一部中篇小说《幻灭》，它与相继问世的《动摇》（1928）、《追求》（1928）合为总名《蚀》的三部曲，描写小资产阶级知识分子在革命遭遇挫折后的幻灭、动摇和追求，引起强烈反响。中篇小说《虹》（1930）的发表被认为作者自消沉走向奋发的转折。长篇小说《子夜》（1933）是他的重要的代表作，它全面而深入地描写了1930年的中国社会及民族资本家的历史命运，人物众多而形象生动，性格鲜明，有强大的感染力，是革命现实主义文学的杰出成就。长篇小说《腐蚀》（1941）揭露了国民党特务统治的残暴，在读者中激起同仇敌忾之心。他的短篇小说《林家铺子》、《春蚕》、《秋收》、《残冬》等，反映了中国农村在帝国主义的侵略和反动统治的压迫下贫困和破产，通过一个家庭的悲欢写出了深广的社会内容。他的散文《白杨礼赞》、《风景谈》等是脍炙人口的名篇，它们描写了抗日民主根据地人民的战斗生活，歌颂了他们在民族解放斗争中坚韧不拔的精神。他早期的创作带有自然主义的影响，后来成为革命现实主义的大师。他还致力于文艺理论的研究和阐发，《论无产阶级艺术》（1925）等文以及《夜读偶记》（1958）、《鼓吹集》（1959）等书都是比较重要的著作，在读者中拥有相当大的影响。

此外，茅盾开始从事文学活动时就注意翻译介绍外国文学，特别是弱小民族的文学，这对我国人民反对帝国主义侵略的斗争产生了积极作用，同时也为新文学的成长提供了借鉴。

总之，茅盾是一位社会活动家，同时也是五四新文学运动以来成就卓著的杰出作家，对革命文艺的成长作出了巨大的贡献。

郁达夫

郁达夫（1896年—1945年）原名郁文，字达夫，幼名阿凤，浙江富阳人，中国现代著名小说家、散文家、诗人。

1896年12月7日，郁达夫出生于浙江富阳满洲弄（今达夫弄）的一个知识分子家庭。幼年贫困的生活促使其发愤读书，成绩斐然。

1911年起，郁达夫开始创作旧体诗，并向报刊投稿。1912年考入之江大学预科，因参加学潮被校方开除。1914年7月入东京第一高等学校预科后开始尝试小说创作。1919年入东京帝国大学经济学部。1921年6月，与郭沫若、成仿吾、张资平、田汉、郑伯奇等人在东京酝酿成立了新文学团体创造社。7月，第一部短篇小说集《沉沦》问世，在当时产生很大影响。

1922年3月，郁达夫自东京帝国大学毕业后归国。5月，主编的《创造季刊》创刊号出版。7月，小说《春风沉醉的晚上》发表。1923年至1926年间，先后在北京大学、武昌师大、广东大学任教。1926年底返沪后主持创造社出版部工作，主编《创造月刊》、《洪水》半月刊，发表了《小说论》、《戏剧论》等大量文艺论著。

1928年，郁达夫加入太阳社，并在鲁迅支持下，主编《大众文艺》。1930年3月，中国左翼作家联盟成立，郁达夫为发起人之一。12月，小说《迟桂花》发表。

1933年4月郁达夫移居杭州后，写了大量山水游记和诗词。1936年任福建省府参议。1938年，赴武汉参加军委会政治部第三厅的抗日宣传工作，并在中华全国文艺界抗敌协会成立大会上当选为常务理事。

1938年12月，郁达夫至新加坡，主编《星洲日报》等报刊副刊，写了大量政论、短评和诗词。郁达夫在文学创作的同时，积极参加各种反帝抗日组织，先后在上海、武汉、福州等地从事抗日救国宣传活动，并曾赴台儿庄劳军。

星洲沦陷后，郁达夫流亡至印度尼西亚的苏门答腊，因精通日语被迫做过日军翻译，其间利用职务之便暗暗救助、保护了大量文化界流亡难友、爱国侨领和当地居民。

1945年8月29日，郁达夫在苏门答腊失踪。因在南洋从事抗日活动，同年9月17日被日本宪兵秘密杀害，终年四十九岁。1952年经中央人民政府批准，追认为革命烈士。

郁达夫在文学创作上主张“文学作品，都是作家的自传”，因此，他常常把个人的生活经历作为小说和散文的创作的素材，在作品中毫不掩饰地勾勒出自己的思想感情、个性和人生际遇，郁达夫的自传体小说代表作品是《沉沦》，郁达夫在《沉沦》中大胆地描写了男女性爱、性心理，同时也发出了“祖国呀祖国！我的死都是你害我的！”“你快富起来吧！强起来吧！”“你还有许多儿女在那里受苦呢！”的悲号。这篇自传体小说一出版，立即在中国文坛引起了轩然大波，受“五四”运动洗礼后的青年一代，从他的小说中找到了与自己心灵相撞的东西，那些不敢与封建道德决裂的文人，也把矛头直接指向了郁达夫。郁达夫在自传体小说中，除了反映下层知识分子失意、苦闷外，还有一些作品通过知识分子的视角反映处于社会底层民众的疾苦，表现了对劳苦大众的同情和关怀，如《春风沉醉的晚上》、《薄奠》等。

郁达夫的自传体小说主要有以下几个特点：

1. 作品中的主人公都是下层知识分子，他们的生活穷困潦倒，因此充满了失意和颓伤的情感。这些患有严重忧郁症的落魄知识分子，是当时社会的“零余人”形象，这些主人公的灰色人生也使小说的格调偏于低沉。

2. 在小说中大胆直率地进行心理描写。尤其被评论家所诟病的，是小说中毫不掩饰的对病态、畸形的性心理进行了直白的描写，这一点是不能被中国的道学家所接纳的。第一个站出来为郁达夫的小说进行正面评论的是周作人，他认为“《沉沦》中虽然有猥亵的分子而无不道德的性质”，因此，他认为《沉沦》是一件艺术品。

3. 以散文的手法进行小说的创作。郁达夫是一个情绪化的人物，这也影响到了他的小说创作，在写小说时，他是凭着主观思路去写的，很少顾及到小说创作中的人物、情节、环境等写作要素，而把大量的主观抒情的东西写进作品中，尤其是对自然景物的描绘，非常的细腻，这种小说散文化的倾向对后来的作家产生了很大的影响。

郁达夫的小说创作因为对传统道德观念提出了挑战，并且首创了自传体小说这种抒情浪漫的形式，对当时一批青年作家产生了深刻的影响，形成了二三十年代中国文坛一股浪漫派的壮观潮流。

郁达夫的散文无一例外是“自我的表现”，而且是“自传”式的自我表现，是最为坦诚、露骨的自我表现。在郁达夫看来，小说带有作家的自传，“现代的散文，却更是带有自传的色彩”。他自己的散文就是循着这一原则构造的。他不加掩饰地表露他的身世、思想、感情、癖好，将自己的信仰、习惯、性格甚至病态也大白于天下，以一己的身世、感受，集中表现了在旧社会的压迫、窒息下青年一代的精神苦闷，从而形成了自己独树一帜的散文特色。这种特色就是感伤的弱者的情调，浪漫的青年觉醒者的理想，反压迫的民主主义者的倾向。代表作如《故都的秋》等。

郁达夫的一生，胡愈之先生曾作这样的评价：在中国文学史上，将永远铭刻着郁达夫的名字，在中国人民反法西斯战争的纪念碑上，也将永远铭刻着郁达夫烈士的名字。

巴 金

巴金（1904年—2005年），原名李尧棠，字芾甘，笔名巴金。祖籍浙江嘉兴。现代文学家、翻译家、出版家，“五四”新文化运动以来最有影响的作家之一，中国当代文坛的巨匠。

巴金出生于四川成都一个官僚地主家庭。父亲曾在四川广元县做县令，为官清正，辛亥革命后辞官归隐。1914年母亲去世；1917年父亲也去世。巴金自幼在家延师读书。五四运动中接受民主主义和无政府主义思潮。

1920年旧历年底，祖父去世，巴金庆幸“家里再也没有人可以支配”他的行动了。1920年至1923年他在成都外语专门学校（四川大学前身之一）攻读英语，参加进步刊物《半月》的工作，参与组织“均社”，进行反封建的宣传活动。1922年巴金在《时事新报·文学旬刊》发表《被虐者的哭声》等新诗。

1927年巴金赴法国，翌年在巴黎完成第一部中篇小说《灭亡》，1929年在《小说月报》发表后引起强烈反响。

1928年冬巴金回国，居上海，数年之间，著作颇多。主要作品有《死去的太阳》、《新生》、《砂丁》、《萌芽》和著名的“激流三部曲”——《家》、《春》、《秋》。1931年在《时报》上连载著名的长篇小说“爱情三部曲”——《雾》、《雨》、《电》。其中《家》是作者的代表作，也是我国现代文学史上最卓越的作品之一。

1936年，巴金与靳以创办《文季月刊》，同年与鲁迅等人先后联名发表《中国文艺工作者宣言》和《文艺界同人为团结御侮与言论自由宣言》。

抗日战争期间，巴金辗转于上海、广州、桂林、重庆，曾任《呐喊》周刊（后改名《烽火》）发行人、主编，担任历届中华全国文艺界抗敌协会的理事。1938年和1940年分别出版了长篇小说《春》和《秋》，完成了“激流三部曲”。1940年至1945年写作了“抗战三部曲”《火》。抗战后期创作了中篇小说《憩园》和《第四病室》。1946年完成长篇小说《寒夜》。短篇小说以《神》、《鬼》为著名。抗战胜利后主要从事翻译、编辑和出版工作。

1949年，巴金出席第一次全国文代会，当选文联常委。1950年担任上海市文联副主席。曾两次赴朝鲜前线访问，辑有《生活在英雄们中间》、《保卫和平的人们》两本散文通讯集。但巴金在"文革"中，遭到了残酷的迫害。

1978年起，巴金在香港《大公报》连载散文《随想录》。1985年，由他倡议，建立了中国现代文学馆。2005年10月17日因病逝世于上海。

巴金的创作有两个高峰，第一个高峰是在1949年前，巴金写出了《灭亡》、《家》、《春》、《秋》、《爱情三部曲》等20多部中长篇小说，这些小说影响了几代青年人。巴金的小说创造了一系列青年形象，杜大心、李佩珠等青年是那个时代一群特殊的年轻"革命者"。他们热情执著、正义无畏而又忧郁、狂热、神经质，都有着为信仰而献身的火热的心。在20世纪初，这种种形象正与狂飙突进的时代、与五四前后青年知识分子精神的苦闷和追求相吻合。巴金的中篇小说处女作《灭亡》一问世，很快引起文坛瞩目。《死去的太阳》、《新生》、《雾》、《雨》、《电》等都是作者在人道主义思想、无政府主义思想影响下创作的。巴金笔下的这些形象，不仅折射出中国当时社会生活的真实面貌，而且那些含有虚无思想的青少年系列形象的人性描写，正是那个时代的写真。

巴金文学的第二座丰碑是《随想录》。《随想录》是巴金生命的自我总结。从1978年12月到1986年7月，整整7年的时间，他写下了煌煌5卷40多万字的巨著。这是一本"说真话"的大书，是一个中国知识分子自我迷失的创痛和痛定思痛的"忏悔录"。巴金的《随想录》结束了一个动乱的时代，而开启了一个寻找与叩问的时代。这个由150篇短文组成的随笔集，是在十年浩劫刚刚结束，恐怖的阴影还深深地笼罩着中国知识分子心头的时候开笔的。巴金以"讲真话"的勇气和真诚，把自己押上审判台，以笔为刀解剖着自己，也解剖历史，写出了一位五四青年的良知和责任。

这位从四川一个官宦大家庭中走出来的光明和自由的追求者，一生写下了20多部中长篇小说，还翻译了大量的文学名著。70多年的创作生涯，1000多万字的著、译作品，涉及诗、散文、中短篇小说和长篇小说，奠定了他在中国现代文学史上不可动摇的地位。

钱钟书

钱钟书（1910年—1998年），字默存，号槐聚，江苏无锡人，中国近代著名作家、文学研究家。

钱钟书是古文学家钱基博之子，幼年过继给伯父钱基成，由伯父启蒙。伯父上茶馆听说书，钟书都跟去。

二十岁后，伯父、伯母先后去世。钟书考上清华大学外文系，毕业后获文学学士。

之后钱钟书赴上海，到光华大学任教。后考取第三届（1935年）庚子赔款公费留学资格，名列榜首，留学英国牛津大学。大学毕业后任教于多所高校，后就职于中国社会科学院。其夫人杨绛也是著名作家，育有一女钱媛（1937年—1997年）。

1998年，钱钟书因病在北京逝世，享年88岁。

钱钟书是一位著名的作家，他的小说《围城》几乎是家喻户晓。

《围城》内涵充盈，兼以理胜于情，是小说中的宋诗。所谓“围城”，如书中人物所说，是脱胎于两句欧洲成语。英国人说：“结婚仿佛金漆的鸟笼，笼子外面的鸟想住进去，笼内的鸟想飞出来，所以结而离、离而结，没有了局。”法国人的说法是：结婚犹如“被围困的城堡，城外的人想冲进去，城里的人想逃出来”。本书的主人公方鸿渐本来不知道有“围城”之说，然而，当他听人说到“围城”，并且经过后来的坎坷，便对“人生万事，都有这个想法”。“围城”是对一种人生情境的形象概括，也是对一种心理意态的巧妙把捉。“围城”所描绘的，乃是人类理想主义和幻想破灭的永恒循环。古往今来，多少人都是从自以为天佑神助开始，而从意识到造化弄人结束。《围城》中时起时伏，处处申说的，都是理想的不断升腾和一再破灭。经常是事将成矣而毁即随之，浪抛心力而已。许多人终身处于“围城”境遇而不察，因此，“围城”完全可以作为人类身处困境、屡遭挫折的象征。钱钟书先生旁观浮生，思虑沉潜；指点世态，寄慨遥深，以形而下示形而上，使读者对人生恍然如有所知。本书风格幽默，妙譬可人，读之颇可领略汉语文字的丰赡粹美。

钱钟书不仅是一位大作家，更是一位大学者。他的《管锥编》是一部不可多得、必然传世的多卷本学术著作。此书考论辞章及义理，打通时间、空间、语言、文化和学科的壁障，其间多有新说创见，皆发前人之覆者，颇能开拓万古之心胸，推倒一时之豪杰。书中引述四千位著作家的上万种著作中的数万条书证，所论除了文学之外，还兼及几乎全部的社会科学、人文学科。此书未刊部分尚有考论《礼记》《庄子》《全唐文》《杜少陵诗集》《玉溪生诗注》《昌黎集》《简斋集》等十种书的札记。显而易见，这部高品位的著作是钱先生数十年心血的结晶。本书出版后，在海内外学术界引起重大反响。

此外，《钱钟书文集》还收录了《人，兽，鬼》《写在人生边上》《谈艺录》《七缀集》《槐聚诗存》等部分著作。

总之，钱钟书博学多能，兼通数国外语，学贯中西，在文学创作和学术研究两方面均做出了卓越成绩，并饮誉海内外，为国家和民族做出了卓越贡献，是中国的宝贵财富。

杨　绛

杨绛，1911年7月17日生于北京，本名杨季康，江苏无锡人，中国著名的作家，戏剧家、翻译家。

杨绛为杨荫杭之女，生于北京市。擅长于翻译、文学著作、戏剧等。

1932年，杨绛毕业于苏州东吴大学，成为清华大学研究院外国语文学系研究生，此间认识钱钟书，二人情投意合，不久便结成夫妇。

1935年至1938年，杨绛与丈夫钱钟书一同前往英国牛津大学求学，后转往法国巴黎大学进修。育有一女钱瑗（1937年–1997年）。1938年，杨绛随钱钟书带着一岁的钱瑗回国。

1953年，杨绛任北京大学文学研究所、中国科学院文学研究所、中国社会科学院外国文学研究所的研究员，作家，评论家，翻译家。剧本有《称心如意》、《弄真成假》、《风絮》等；小说有《倒影集》、《洗澡》；论集有《春泥集》、《关于小说》；散文集《将饮茶》《干校六记》《我们仨》；译作有《1939年以来的英国散文选》、西班牙著名流浪汉小说《小癞子》，法国勒萨日的长篇小说《吉尔·布拉斯》、《堂吉诃德》《斐多》等，杨绛本身通晓英、法两国语言，为使《堂吉诃德》翻译得更准确，她又学习了西班牙语，并最终在文革中将书稿保护下来。杨绛《堂吉诃德》译本被公认为优秀的翻译佳作，迄今已累计发行70万册，是该书译本当中发行量最多的译本。

1942年，杨绛业余学写的话剧《称心如意》上演，由戏剧大师黄佐临先生导演，演出很成功。一夜之间，杨季康变成了杨绛。这年秋天，第二个喜剧《弄真成假》上演，也很成功。抗战胜利后，她改行做教师，不复写剧本。

1978年杨绛的《堂吉诃德》中译本出版时，正好西班牙国王访问中国，邓小平把它作为礼物送给了西班牙国王。1986年杨绛荣获西班牙智慧国王阿方索十世十字勋章。

上世纪八十年代以后的杨绛，没有再将精力放在大作品上，而是偶尔写写散文，杂文，回忆短文一类的，虽然都比较短小，但从平淡文字中透露出来的一种朴素而真挚的情感，从大白话中显现出的智慧，至今还被喜爱她的读者津津乐道。

90年代后，因为先生钱钟书和爱女钱瑗相继生病去世，杨绛基本停止了各种工作。直到92岁，她又再次拿起了笔。她的第一件事情就是将钱钟书的作品整理出来，还把他密密麻麻的读书笔记发表，之后又将他们二人全部稿费和版税捐赠母校清华大学设立“好读书”奖学金，奖励好学上进、成绩优秀、家庭经济困难的学生，使学生能无后顾之忧地完成学业。截至2012年底，奖学金捐赠累计逾千万，受到资助的本科生和研究生已达数百位。

随着《钱钟书手稿集》（四十多卷）、《〈宋诗纪事〉补正》（十二册）、《围城》英文版、汉英对照本的陆续出版，基金总额将相当可观。杨绛用自己烛光般微弱的晚年时光，做完这些之后，便开始着手写作女儿钱瑗未完成的《我们仨》。她说：“做完他们的事情，心里才踏实，剩下我自己的事，已经不要紧了，即使现在走了，也可放心了！”爱女之心，爱夫之切，高尚人格，尽在其中。

此外，杨绛作为著名的作家，戏剧家、翻译家，其文学语言的成功是有目共睹的。其简洁的语言，看起来平平淡淡，无阴无晴，然而平淡不是贫乏，阴晴隐于其中，经过漂洗的苦心经营的朴素中，有着本色的绚烂华丽。干净明晰的语言在杨绛笔下变得有巨大的表现力。有时把词序变换一下，不符合常规，反倒更显别致耐读。如《丙午丁未年纪事》中有一句话：“登台就有高帽子戴。”通常也许会说“登台就得戴高帽子”，因这分明是被迫。但杨绛这句话说得有点喜气洋洋的气氛，令人想起“拜年就有压岁钱”之类。这与当时的环境完全不合拍，只好当成一句反话来读，不仅表现出作者身处其境的哭笑不得的无奈心情，也隐含了她对待那时环境的解构态度。平平八个字，平静中有抗议，调侃中有悲哀，很有韵味。有时明净到有些冷，但由于渗入诙谐幽默，便平添几分灵动之气。因而使静穆严肃的语言自有生机，安静而不古板，活泼而不浮动，静中有动，动还是静。沉静诙谐中有沉着老到、雍容优雅的气派，锋芒内敛后的不动声色，有种静穆超然的中和之美。

再如，《我们仨》的第一部“我们俩都老了”的开头写道：“有一晚，我做了一个梦。我和钟书一同散步，说说笑笑，走到了不知什么地方。太阳已经下山，黄昏薄暮，苍苍茫茫中，忽然钟书不见了。我四顾寻找，不见他的影踪。我喊他，没人应。只我一人，站在荒郊野地里，钟书不知到哪里去了。我大声呼喊，连名带姓地喊。喊声落在旷野里，好像给吞吃了似的，没留下一点依稀仿佛的音响。彻底的寂静，给沉沉夜色增添了分量，也加深了我的孤凄。往前看去，是一层深似一层的昏暗。我脚下是一条沙土路，旁边有林木，有潺潺流水，看不清楚溪流有多么宽广。向后看去，好像是连片的屋宇房舍，是有人烟的去处，但不见灯火，想必相离很远了。"一个凄惶无奈的梦，预告了一家三口即将面临不测之地的惊悸不安。"我们俩老了""我们仨失散了"这一无奈的事实，由平淡质朴、凄哀无力的口语道出，烘托出了凄迷哀婉的艺术境界。全书由此拉开序幕，惆怅的心绪将伴随读者自始至终。第二部《我们仨失散了》，三口之家的欢乐场面，由于钱先生突然接到一道神秘的、不可违抗的命令后匆匆离去，情形顿时改变。他们三人走上了"古驿道"。"古驿道"是古往今来人人必经的人生旅程的象征，只是他们三人在"古驿道"上往返奔波得格外辛苦、格外漫长。作者以真实朴质的叙述风格把我们带回到那些艰难的岁月，看到他们三人身体力行的种种苦难，时空不时切换，虚实交织，时醒时梦，在迷离惝恍的笔触间，看到杨绛如何在绝望之中满怀希望，又如何从希望之中再次跌入绝望，她以柔弱之躯奋身为夫君和爱女与死神抗衡，接连遭受失女丧夫之痛时的至痛至伤。文章如泣如诉，感人肺腑。第三部《我一个人思念我们仨》，记述了从1935年7月夫妻到英国留学，到1998年岁末丈夫去世间的经历，基本上完全是对往事的追忆。作者在经过痛苦的尽情宣泄后，心绪重归宁静，字里行间充溢的是书香饭香和亲情友情。一代才女面带灿烂雅致的笑容，以温婉娴静的文笔将欢乐、波折、痛苦、幸福娓娓道来。

老 舍

老舍（1899年—1966年），原名舒庆春，字舍予，现代著名作家、杰出的语言大师，被誉为“人民艺术家”。

老舍于1918年毕业于北京师范学校，担任过小学校长、郊外北区劝学员等职。五四新文化运动掀起的民主、科学、个性解放的思潮，把他从“兢兢业业办小学，恭恭顺顺地侍奉老母，规规矩矩地结婚生子”的人生信条中惊醒；文学革命的勃兴，又使他“醉心新文艺”，由此开始生命和事业的新起点。

1924年，老舍赴英国伦敦大学东方学院讲授汉语和中国文学。自1925年起，陆续写了3部长篇小说：《老张的哲学》对乌烟瘴气的教育界作了生动的揭露；《赵子曰》的鞭挞锋芒指向以新派自诩其实醉生梦死的青年学生；《二马》的主人公是旅居英国的北京人，讽刺的仍是在封建的小生产的社会土壤里培植出来的“出窝儿老”的畸形心态——都以清脆的北京口语，俏皮的幽默笔墨，渲染北京的民俗风情，通过闭塞守旧、苟且偷安的民族心理的剖析，申述对于祖国命运的忧虑，显示出与众不同的艺术个性和思想视角。3部作品陆续在《小说月报》上连载后，引起文坛的注目。1926年老舍加入文学研究会。1929年夏，绕道欧、亚回国。在新加坡逗留期间，为当地高涨的民族解放要求所鼓舞，创作反映被压迫民族觉醒的中篇童话《小坡的生日》。1930年7月起，到济南齐鲁大学任教。1934年秋，改任青岛山东大学教授。在这两所大学，相继开设文学概论、外国文学史、欧洲文艺思潮、小说作法等课程。课余继续从事创作。沿袭原来的艺术取向的，有长篇小说《离婚》和《牛天赐传》等，都写得富有生活情趣和喜剧效果。比之早期作品，描写从浅露趋向含蓄，相当圆熟地形成他作为幽默作家、北京人情世态的风俗画师、市民社会的表现者和批判者独特的艺术风格。面对愈来愈严酷的社会现实，创作出现两种新的趋势：一是日益关切国家大事，由此触发写作的灵感，如受到日本侵略者制造的五三惨案的刺激，写了《大明湖》，九一八事变引起他“对国事的失望”，遂有寓言小说《猫城记》的问世；一是更加关怀城市贫民的苦难，以此作为主要描写对象，《月牙儿》叙述母女两代沦为暗娼；《我这一辈子》诉说下级警察的坎坷经历。在《骆驼祥子》中，以农村来到城市拉车的祥子个人的毁灭，写出一场沉痛的社会悲剧。把城市底层暗无天日的生活引进现代文学的艺术世界，是老舍的一大建树。《骆驼祥子》是他个人也是中国现代文学史的重要作品。

从上世纪30年代初起，老舍开始写作短篇小说，作品收入《赶集》、《樱海集》、《蛤藻集》等。其中如《柳家大院》、《上任》、《老字号》、《断魂枪》诸篇，绰约多姿，精致完整，是不可多得的佳作。

抗日战争爆发后，1937年11月济南沦陷前夕，老舍只身奔赴武汉。1938年3月，他参加中华全国文艺界抗敌协会，出任总务部主任。抗战8年中，老舍对文艺界的团结抗日多有贡献。他写于抗战时期的作品，也多以直接为民族解放服务为题旨。战争初起，他热情提倡通俗文艺，写作宣传抗日的鼓词、相声、坠子等小型作品，供艺人演唱。随后，转入直接向群众宣传的话剧创作，连续写了《残雾》、《张自忠》、《国家至上》等10余个剧本，颂扬民族正气、表彰爱国志士，批判不利于团结抗日的社会弊端，在当时起了积极的宣传作用。

自1944年初开始，老舍进入长篇小说《四世同堂》的创作，回到所熟悉的北京市民社会和所擅长的幽默讽刺艺术。小说刻画深受传统观念束缚的市井平民，在民族生死存亡关头的内心冲突，于苦难中升腾起来的觉醒和抗争，自然也有消极逃匿和无耻堕落。《四世同堂》是他抗战时期的力作，也是抗战文艺的重要收获。1946年3月，老舍应美国国务院邀请赴美讲学。一年期满后，继续旅居美国，从事创作和将自己的作品译成英文。

得知中华人民共和国建立，老舍立即启程回国。新社会的新气象使他极为振奋，不久就发表以艺人生活为题材的剧作《方珍珠》。1951年初创作的话剧《龙须沟》上演，获得巨大成功。剧本通过大杂院几户人家的悲欢离合，写出了历尽沧桑的北京和备尝艰辛的城市贫民正在发生的天翻地覆的变化，是献给新中国的一曲颂歌。《龙须沟》是老舍创作新的里程碑，他因此获得“人民艺术家”的荣誉称号。

50～60年代，老舍在文艺、政治、社会、对外文化交流等方面担任多种职务，但仍然勤奋创作。作品以话剧为主，有《春华秋实》、《西望长安》、《红大院》、《女店员》等，以刻画北京市民告别旧生活、迎接新时代的精神历程的作品较为成功。他还写有散文《我热爱新北京》。自50年代后半期起，老舍在话剧《茶馆》、《义和团》（又名《神拳》）和小说《正红旗下》（未完成）等作品中，转而描绘近代北京的历史风云。《茶馆》以一座茶馆作为舞台，展开了清末戊戌维新失败、民国初年北洋军阀盘踞时期、国民党政权崩溃前夕3个时代的生活场景和历史动向，写出旧中国的日趋衰微，揭示必须寻找别的出路的真理。老舍的话剧艺术在这个剧本中有重大突破。《茶馆》是当代中国话剧舞台最享盛名的保留剧目，继《骆驼祥子》之后，再次为老舍赢得国际声誉。

老舍在40多年的创作生涯中，思想上艺术上不断取得重要进展和突破。他写作勤奋，孜孜不倦地涉猎文学创作的各个领域，是位多产作家，一生写作了1000多篇（部）作品。但是文化大革命初期遭受迫害，于1966年8月24日自溺于北京太平湖。

老舍在中国现代文学史上的独特地位与价值，在于他对文化批判与民族性问题的格外关注，他的作品承受着对转型期中国文化、尤其是俗文化的冷静的审视，其中既有批判，又有眷恋，而这一切又都是通过对北京市民日常生活全景式的风俗描写来达到的。他第一个把“乡土”中国社会现代性变革过程中小市民阶层的命运、思想与心理通过文学表现出来并获得了巨大成功。老舍的作品注重文化，铺写世态，是那么真实而又有世俗的品位，加上其表现形式又适应并能提高市民阶层的欣赏趣味，所以能为现代文学赢来知识分子之外的众多读者。北京文化孕育了老舍的创作，而老舍笔下的市民世界又是最能体现北京文化的人文景观，甚至成为一种文化史的象征，一说到北京文化，就不能不联想到老舍的文学世界。老舍的作品在中国现代小说艺术发展中有十分突出的地位，与茅盾、巴金的长篇创作一起，构成现代长篇小说艺术的三大高峰。老舍的贡献不在于长篇小说的结构方面，而在于其独特的文体风格。老舍远离二三十年代的“新文艺腔”，他的作品的“北京味儿”、“幽默风”，以及以北京话为基础的俗白、凝练、纯净的语言，在现代作家中独具一格。老舍是“京味小说”的源头。老舍创作的成功，标志着我国现代小说（主要是长篇小说）在民族化与个性化的追求中已经取得重要的突破。

朱自清

朱自清（1898年—1948年），字佩弦，号秋实。生于江苏省东海县，因祖父、父亲都定居扬州，故又自称扬州人。1916年中学毕业后考入北京大学哲学系，1920年毕业后在江苏、浙江多所中学教书。在大学学习和中学任教时期开始了新诗创作。1923年发表长诗《毁灭》，影响很大。1925年任清华大学教授，开始创作散文并致力于古典文学的研究。1928年出版第一本散文集《背影》，成了著名散文作家。1931年留学英国，1932年回国，仍在清华大学任教并兼任中国文学系主任。1937年抗日战争爆发后，南下任西南联大教授。1946年回北京清华大学旧居，1948年8月12日病逝。朱自清是文学研究会的早期成员，是著名的诗人、散文作家、学者、民主战士。

朱自清出生于一个旧知识分子家庭，在北大读书时，生活十分贫苦。其间参加过"五四"运动并结识了共产党人邓中夏，但他此时只在"荒郊"中彷徨，未能走上革命道路。在清华任教时，他曾和学生游行，亲历了"三·一八"惨案，写了《执政府前大屠杀记》一文进行控诉。他写作《背影》等散文，"意在表现自己"，展示"人生的一角"，开展对人生的批评。1927年大革命失败，他"觉得心上的阴影"越来越大，苦闷中埋头研究古典文学。"九·一八"事变，他思想开始转变，曾参加"一二·九"运动。抗战后期，他拒绝到蒋介石政府中做官。1946年李公朴、闻一多先后被国民党特务暗杀，他写诗歌颂闻一多，预言在火的遗烬里必然"爆出个新中国"，他还冒着危险参加了李、闻追悼会。1947年他又冒着"坐牢"的危险反对国民党反动派任意逮捕人民，在十三教授宣言上签了名。他集成一副"但得夕阳无限好，何须惆怅近黄昏"的对联勉励自己。1948年3月，朱自清胃病复发，病情日趋严重；4月12日，清华教授为"反饥饿，反迫害"而罢课，朱自清扶病参加，是宣言起草人之一；6月18日，签名抗议美帝扶植日本并拒领美援面粉的宣言。8月初，病情恶化；临终前，朱自清仍谆谆嘱咐家人，说他已签名拒绝美援，不要买政府配售的面粉。

朱自清的高风亮节，赢得了人民的敬仰，赢得了毛泽东同志的高度评价。他在《别了，司徒雷登》一文中写道："闻一多拍案而起，横眉怒对国民党的手枪，宁可倒下去，不愿屈服。朱自清一身重病，宁可饿死，不领美国的救济粮。”“我们应当写闻一多颂，写朱自清颂，他们表现了我们民族的英雄气概。”

朱自清一生著作20余种，近200万字。他写的诗、小说、散文虽各有成就，但相比之下他的散文创作更为成功，影响也最大，先后成集的有《踪迹》、《背影》、《欧游杂记》、《你我》、《伦敦杂记》等。朱自清是文学研究会成员，他的散文是面向人生的。用文学写人生，便成了他写作的当然的宗旨。他的散文，曾被誉为“白话美文的模范”。其主要特点是：

一、温厚、朴实、自然，贮满一种真情美。

散文是长于抒情的文体，与其他文学体裁相比，尤应当抒写“作者心灵的歌声”。朱自清的每篇散文均是表露自己感情和心灵的艺术品。朱自清对不同题材的文章，追求不同的表现风格。他的偏重于叙写身边琐事的散文以委婉缠绵见长，偏重于写景状物的散文则见细致绮丽，而偏重于议论的杂感之类却又表现得机智深沉，而所以能达到这种炉火纯青的艺术境界，核心在“真情”。他以真挚的感情，写自己的所见所闻所思所感，将抒情、叙事、描写、议论熔于一炉。《背影》叙写的是平常生活中一桩桩平凡无奇的事，但一旦将注入“真情”的一件件小事汇总起来，凝聚到“我”身心为之一震的年迈父亲的背影上，那种父子间的舐犊情深找到了“喷火口”，从而产生催人泪下的艺术感染力。《荷塘月色》虽展现的是一幅朦胧月色中的荷塘美景图，却又交织着作者“心里颇不宁静”的缕缕淡淡的哀愁思绪，融景入情，文情并茂，这里的“情”是多么的委婉、真切。

二．构思精巧，结构严谨、和谐。

散文贵有“文眼”，“眼”是散文艺术构思的焦点。朱自清善于把散文的思想和艺术有机地统一在一个焦点上，精巧而不露雕琢之痕。《匆匆》的焦点统一在“轻”字上，全篇轻轻悄悄，五百来字数，结构精巧，多数句子五六个字，简短伶俐，一连串疑问不求答，飘忽即过，燕子杨柳、轻烟飘风、薄雾游丝，一切都是那么轻灵，但这种轻灵的美又与作者“不能平”的沉重心情统一在一起，艺术地表现出一个正直知识青年在风华年月里对生活的思索与人生的选择。《春》中“一年之计在于春”是作者构思的焦点，全文工笔细画的春天的自然景物，春天的生机和创造力，就是为了写人们对春天的希望，写人们的创造精神。朱自清的散文是用艺术的珍珠串起的晶莹闪光的项链，精美、和谐、匀称。在结构形态上，有像《桨声灯影里的秦淮河》、《执政府大屠杀记》、《背影》等以叙述线索缝合所见所闻所忆所感的各种材料的结构方式，也有像《冬天》、《春》等以内在的思想感情连缀各种不相关联的"画面"或"片段"的结构方式，尽管方式不同，但都给人有紧凑、严谨的整体美。《绿》起首是"我第二次到仙岩的时候，我惊诧于梅雨潭的绿了"。末尾写到"我第二次到仙岩的时候，我不禁惊诧于梅雨潭的绿了"。首尾呼应而又变化无穷。《荷塘月色》开头是悄悄地带上门出去，一路写尽月色中荷塘夜景，和由此而产生的联想，结尾处"猛一抬头，不觉已是自己的门前，轻轻地推门进去……"联想与情感的涟漪戛然而止，但结构上丝毫不给人有破绽之感，而是前后相称，和谐，完美。

三、语言平实，清秀而富有表现力。

大量地吸收口语体的语言，使朱自清的散文因而表现一种明白、通俗、平易的朴实本色。读他的《儿女》、《给亡妇》、《背影》等佳作，如与你在拉家常，自有一股亲切味。但朱自清对口语不是掇来就用，而是经过艺术加工、改造和锤炼，赋予这些口语以特殊的"达意"作用，又给人以清秀感。注意语言的艺术锤炼，是朱自清散文语言的第二个特色。以对梅雨潭的"绿"的描写为例，"绿"在我们日常生活中是一种颜色，可视而不可触，但在朱自清的笔下"绿"变成能触动的有生命物体。"心随着绿的潭水摇荡"，作者却说"心随着潭水的绿摇荡"，这一次序的变化顿使"绿"活起来。作者用了一连串拟人化的比喻来写"绿"："松松的皱结须着，像少妇拖着的裙幅……，像蔚蓝的天融了一块在里面，像一张极大的荷叶铺着……"这使我们不仅看到了"绿"，而且能触到"绿"。像朱自清这样富于表现力又具有个人独特语言风格的散文家，在五四时期的散文作家中，确实为数不多。朱自清无愧于"白话美文的模范"。

总体说来，朱自清是"五四"以来最有影响力的散文作家之一。他早期一些叙事、写景、抒情、言志的散文在艺术上的影响更为深远，虽然风格不一，但均注重写法上的"漂亮与缜密"，被誉为"美文"的典范，在当时新文学运动的大旗下，起到了文学革新的作用。而语言方面引入口语化的写作方式，将技巧幻化于无形，是他散文的另一大贡献，这主要体现在他中期散文的成就上。而在思想性方面，后期散文更为突出针砭时弊，或抨击黑暗当局的罪恶，或表现对被压迫者、被损害者的真诚同情，显示了他的爱国热情和善良品质。

中华名人大传

高山 编著

〔第四卷〕

光明日报出版社

乐 毅

乐毅，战国时名将，生卒年不详。中山灵寿（今河北灵寿西北）人，魏将乐羊之后，起初在赵国，后到魏国当了大夫，再到燕国，被燕昭王拜为亚卿。燕昭王二十八年（前284年），经乐毅游说，燕联合秦、赵、韩等国大军攻破齐国边境，其时乐毅作为燕之上将军，同时佩赵国相印。击败强齐后，乐毅遣还诸国军队，只率燕军乘胜追击，半年内连续攻下齐国七十多城，因功被封于昌国，号昌国君。

燕昭王死后，燕惠王即位，他中了齐将田单的反间计，又由于乐毅和燕惠王有过节，所以将乐毅免职。乐毅逃到赵国，被封于观津（今河北武邑东南），号望诸君。后来燕国又封乐毅的儿子乐间为昌国君，乐毅则兼为燕、赵出力，两国都任命他为客卿。后卒于赵。

在罗贯中的《三国演义》中，诸葛亮把自己比为“管仲、乐毅”，以显示自己的大志，大多数人对管仲并不陌生，但对乐毅却很陌生，以下我们就来讲讲乐毅充满戏剧性的一生。

《史记·乐毅列传》记载：“乐毅者，其先祖曰乐羊。乐羊为魏文侯将，伐取中山，魏文侯封乐羊以灵寿。乐羊死，葬于灵寿，其后子孙因家焉。中山复国，至赵武灵王时复灭中山，而乐氏后有乐毅。”

乐毅，具体生卒年不详，主要活动于战国中期，赵国灵寿人。他从小在一个富有武学和兵法渊源的贵族家庭长大，他的先祖曾是战国初期魏国的名将乐羊。魏文侯四十年，乐羊曾统帅魏国大军攻灭中山国，因军功卓著而被封于灵寿。乐羊死后，就葬在灵寿，他的后代子孙们就在那安了家。后来中山复国了，到赵武灵王的时候又灭掉了中山国，而乐家的后代出了个有名人物叫乐毅。在这种特殊家庭中长大的乐毅，从小受到潜移默化的熏陶，他品行端正、聪颖好学、嗜好兵法，这就为其日后走上戎马倥偬的征战道路，笃行其建功立业的抱负，打下了坚实的基础。

战国时期，战火连天，各诸侯国为了在激烈的兼并战争中占据主动，并最终夺取胜利，都纷纷招揽人才，进行改革；同时也积极开展争取与诸侯国的外交攻势。在这种特定环境之下，上阶层的地位迅速提高，出现了“邦无定交、士无定主”的局面。有才华的士人怀着建功立业的夙愿，纷纷向明主投奔而去，以求在历史舞台上一展身手。乐毅也走上了这条道路。

乐毅因为是赵国人，所以先在赵国做官。赵武灵王二十七年（前299），武灵王在沙丘行宫被围困饿死后，他就离开赵国到了魏国。在魏国，他担任大夫的官职。后来他听说燕昭王因为子之执政，燕国大乱而被齐国乘机战败，因而燕昭王非常怨恨齐国，不曾一天忘记向齐国报仇雪恨。燕国是个弱小的国家，地处偏远，国力是不能克敌制胜的，于是燕昭王降抑自己的身分，礼贤下士，他先礼尊郭隗借以招揽天下贤士。就在这个时候，乐毅为魏昭王出使到了燕国，燕王以宾客的礼节接待他。乐毅推辞谦让，后来终于向燕昭王敬献了礼物表示愿意献身做臣下，燕昭王就任命他为亚卿，主持军国大事，佐助燕昭王演出了一场克齐兴燕的历史话剧。

乐毅一生曾出仕赵国、魏国和燕国，也正是因为有了这段丰富的政治生活经历，才使他开阔视野、增长才干，最终的叱咤风云、匡建功勋无一不与之有关系。这种机遇的出现固然与当时人才自由流动的环境有关，因为当时出国游历，无须持有护照，不必办理签证；但他出仕燕国，同多年来齐燕矛盾激化的形势更息息相关。换句话说，燕国求贤、图强，是乐毅成为一代军事奇才的历史契机。燕王哙三年（前318年），燕国因燕王哙“禅让”的事件引发了内乱，齐国乘机出兵燕国，很快攻下了燕都蓟城，对于当时来说，已算是控制了整个燕国。不过，齐国境内并不好，当地烧杀抢掠的残暴行径已经到了极为严重的地步了，因此激起燕国民众的强烈反抗，其他诸侯国也纷纷向齐国施加压力，齐军无可奈何，不得不撤离燕国。但也正是因为这件事，在两国之间埋下了仇恨的种子，一旦时机成熟，矛盾势必激化。燕昭王即位后，表面上维持同齐国的关系，暗中却积极备战，发愤图强，准备伺机攻打齐国，报仇雪恨。为改变燕国积弱的局面创造克齐的机会，他特地建造一座“黄金台”网罗天下文武之才。在当时，乐毅是一个有名的奇才，所以当他刚出使到燕国，燕昭王就对他优礼备至。燕昭王的器重，使乐毅很受感动，而燕国欣欣向荣的气象，又使乐毅倍受鼓舞。他认定燕国就是他梦寐以求的建功立业场所，于是主动请求留燕效力。从此，乐毅一面训练燕军，一面辅佐燕昭王进行政治改革。经过二十多年的努力，终于使原本积弱的燕国变得民众殷富、国库充盈、士卒乐战，这为进攻齐国打下了牢固的基础。乐毅本人也在这一过程中大展身手，脱颖而出成为战国名将。

《史记·乐毅列传》记载：“当是时，齐愍王强，南败楚相唐昧于重丘，西摧三晋于观津，遂与三晋击秦，助赵灭中山，破宋，广地千余里。与秦昭王争重为帝，已而复归之。诸侯皆欲背秦而服于齐。愍王自矜，百姓弗堪。于是燕昭王问伐齐之事。乐毅对曰：‘齐，霸国之余业也，地大人众，未易独攻也。王必欲伐之，莫如与赵及楚、魏。’于是使乐毅约赵惠文王，别使连楚、魏，令赵说秦以伐齐之利。诸侯害齐愍王之骄暴，皆争合从与燕伐齐。乐毅还报，燕昭王悉起兵，使乐毅为上将军，赵惠文王以相国印授乐毅。乐毅于是并护赵、楚、韩、魏、燕之兵以伐齐，破之济西。诸侯兵罢归，而燕军乐毅独追，至于临淄。齐愍王之败济西，亡走，保于莒。乐毅独留徇齐，齐皆城守。乐毅攻入临淄，尽取齐宝财物祭器输之燕。燕昭王大说，亲至济上劳军，行赏飨士，封乐毅于昌国，号为昌国君。于是燕昭王收齐卤获以归，而使乐毅复以兵平齐城之不下者。”

“乐毅留徇齐五岁，下齐七十余城，皆为郡县以属燕，唯独莒、即墨未服。”

在乐毅的一生中，最主要的军事实践活动就是统帅燕、韩、秦、赵、魏五国联军攻破齐国，大获全胜。这场战争，史称五国代齐之役。乐毅的卓越军事才能也在这场战役中发挥得淋漓尽致。其最大的特色是：总揽全局，牢牢把握战争主动权，综合分析敌我双方的基本情况，制定适宜的战略决策和作战指导方针，并根据战场情势的变化，随时对自己的战略战术进行合理的调整。

当时，齐愍王很强大，南边在重丘战败了楚国宰相唐昧，西边在观津打垮了魏国和赵国，随即又联合韩、赵、魏三国攻打秦国，还曾帮助赵国灭掉中山国，又击破了宋国，扩展了一千多里地的领土。他与秦昭王共同争取尊为帝号，不久他便自行取消了东帝的称号，仍归称王。各诸侯国都打算背离秦国而归服齐国。可是齐愍王自尊自大很是骄横，百姓已不能忍受他的暴政了。

此时，燕昭王觉得这是攻打齐国的最佳良机，于是他便同乐毅商量如何进攻齐国。乐毅向燕王建议道：“齐国系霸主之余业，地广人多，根基较深，且熟习兵法，善于攻战。对于这样一个大国，虽有内患，仅由我们一国单独去攻打它，恐怕很难取胜。如果大王一定要去攻伐齐国，必须联合楚、魏、赵、韩诸国，使齐国陷于孤立的被动地位，方可制胜。”这就是所谓“举天下而攻之”的伐齐方略。

燕昭王接受了乐毅的建议，便派乐毅去赵同惠王盟约攻齐，并请赵国以伐齐之利诱说秦国，予以援助。又派剧辛为使分别到楚国和魏国进行联络。当时各国都因厌恶齐愍王骄暴，听说联兵伐齐，均表赞同。

乐毅深知取得初战的胜利对于主宰战争全局有着重大的意义，所以他先发制人，予敌以出其不意的打击。乐毅返燕后，公元前284年，燕昭王调动全国兵力，任命乐毅为最高军事统帅。秦国派将军斯离率兵与赵国的军队会合，赵国国王索性将赵国相国大印交给了乐毅，让他指挥赵国军队。就这样，乐毅率领燕、赵、秦、韩、魏五国大军，浩浩荡荡，大举伐齐。

齐愍王得知乐毅率领着五国大军前来攻伐，便任命将军触子为统帅，调集齐国兵马，沿济水一线设防，进行抵抗。但在齐愍王的心中，却没有半点的把握，只怕齐国战败，于是对将军触子下了一道死命令说：只准打胜，不准打败，如果打败了，就要掘你家的祖坟。齐愍王这种昏庸残暴的做法，不仅没有激励齐军将士的斗志，反而涣散了军心。结果，齐军刚刚与乐毅的五国联军在济水以西接火后，第一战就失利了。齐国将军触子见战事毫无希望，只好丢下千军万马，独自逃脱，最后齐军大败。

齐军主力被打败后，乐毅便让秦国和韩国的军队返回，而让魏军和赵军去攻占他们打算攻占的城池，自己则率领燕军向齐国的腹地进击。这时，一位叫剧辛的谋士对乐毅说：“这次齐国失利是因为五国联军的力量大，从长远考虑，燕军应及时占领齐国边境的城池，不该再向齐国内地进攻了。”乐毅对剧辛的看法却不是很赞同，他说：“齐愍王已不得人心，我们继续进军，齐国必然大乱，燕军正好征服齐国。如果我们不乘胜追击，齐国就会重整旗鼓，卷土重来，到那时，我们不但难于取胜，反而会被齐军打败！”

于是，乐毅抓住战机，亲率精兵直取齐国国都临淄。临淄很快被攻破了。乐毅将齐国宫室中的财物、珍宝全部运回燕国，献给燕昭王。燕昭王十分高兴，亲自到城外去迎接乐毅率领的凯旋大军，并封乐毅为昌国君。

为减轻齐人的敌对情绪，以利夺取全部齐地，乐毅严申军纪，禁止掳掠，减轻齐民赋税，并以官爵、封地笼络齐吏，争取人心。随即分兵出击：左军渡胶水，攻取胶东、东莱（今山东半岛东北部）；前军沿泰山山麓东至黄海，夺占琅邪（今山东半岛东南部）；右军沿河水、济水间，进据阿（今山东阳谷东北）、鄄（今山东鄄城北）；后军沿北海（今山东淄博东北沿海一带）攻占千乘（今山东高青东北）。乐毅率中军镇守齐都，指挥各军。燕军势如破竹，半年内攻克70余城。随又集中兵力围攻仅存的莒和即墨（今山东平度东南）二城，可是持续三年都没有攻下。有人向燕昭王献谗言说："乐毅能在半年内，攻下七十余城，为什么费了三年还攻不下两座城呢？实际上不是他没有这个能耐，而是想收服齐国的人心，然后自己当齐王。"

燕昭王回答说："乐毅的功劳大得没话可说，就是真的当了齐王，也是应该的。"从而派使者到临淄，要封乐毅为齐王。乐毅十分感激燕昭王的厚意，但宁死也不肯接受封王。

在中国历史上，乐毅是一个很少见的人才，他擅长军事，强于战略，在有限的时间内攻破强大的齐国，使燕国威震诸侯。他以自己卓越的军事才能将燕国迅速推向强盛的顶点。

就在齐国走向政局动荡的境况时，燕昭王向乐毅表示了乘时伐齐的主张，乐毅欣然受命，被拜为上将军，率倾国之兵，杀奔齐国，他在济水之西击溃齐军，乘胜追逐，攻取齐都临淄，下七十余城，齐国几乎可以说败灭了。

那么，乐毅为什么能够在较短的时间内取得辉煌的战绩呢？其实，这与他高超的具体战略部署有着很大的关系：

第一，当燕昭王征求他对伐齐的意见时，他表示说："齐国地大人众，士卒习战，未可独攻也。王欲伐之，必与天下共图之。今燕之比邻，莫密于赵。王宜首与赵合，则韩必从。而孟尝君相魏，方恨齐，宜无不听。如是，而齐可攻也。"他向燕昭王提出了联合三晋一同伐齐的主张，并具体分析了组成这种军事联盟的必要性及可能性。其实，虽然当时齐国的势力很大，但却有许多败亡的象征，如果单凭燕国的力量盲目去攻打齐国，那么必然不能迅速置其于死地。如果联合了赵、韩、魏的力量，那么就会加强自身兵力上的优势，并能对齐国形成一种战略包围的态势。后来，乐毅进入齐境后，在济西依靠联兵的力量一举击溃齐军，由此可见，乐毅这一主张是正确的。

第二，济西一战，把齐兵打得落荒而逃，秦及三晋之兵各自收取边城，只有乐毅率领燕军长驱直入，向齐国纵深进兵，燕军势如破竹，直捣临淄，齐愍王田地出逃，乐毅将攻取的所有齐城皆编为燕国郡县，又将齐都的宝物祭器全部收取，载归燕国。可以看到，乐毅在这次军事行动中，并不是以略地为战争目标，他在战略上抓住了乘胜灭齐这一要害。事实上，割取齐国边城只能算是一个小小的胜利，而齐国整顿恢复后必会前来争夺，尚有得而复失的可能，而灭掉齐国则是一个大大的胜利，就会使燕国有更大的收益，又消除了对方恢复争夺的可能，这是一种十分高明的战略方针。乐毅能够以灭齐为出兵目标，这足以证明了乐毅不凡的军事胆识和勇气，同样也显示了他比联军其他将领更高超的战略远见。

第三，当齐国被乐毅打败后，齐愍王田地向楚国求救，他在莒城封楚将淖齿为相国。但淖齿见燕兵势力强大，知道齐国早晚都会被燕国所灭。于是就私自派人通于乐毅，表明自己要杀掉田地，与燕平分齐国，希望燕国能支持他立为齐王。乐毅回报他说："将军诛无道，以自立功名，桓文之业，不足道也。所请唯命！"当即答应了他的请求。不久淖齿处死了田地，积极着手立王。在这里乐毅及时抓住有利的机会，以支持立王为条件，诱使淖齿处死田地，这一措施似乎含有以毒攻毒的策略，除掉了齐国的君王，造成敌方群龙无首的境况，同时又瓦解了齐楚联盟，使齐国陷入孤立无援的处境，这为自己日后灭齐创造了更有利的条件。

第四，在伐齐过程中，乐毅认为单靠武力，破其城而不能服其心，民心不服，就是全部占领了齐国，也无法巩固。乐毅充分地认识到人心向背对于战争胜负的决定性作用，而他本人也善于妥善处理军事打击与政治攻心的相互关系，做到双管齐下，事半功倍。在伐齐之战中，乐毅在坚决实施军事进攻的同时，十分重视开展争取人心的工作。如攻克齐都临淄之后，乐毅即注意约束将士，严明军纪，禁止军士掳掠。所以他对莒城、即墨采取了围而不攻的方针，对已攻占的地区实行废除暴政，减赋税，废苛政，尊重当地风俗习惯，保护齐国的固有文化，优待地方名流等收服人心的政策，欲从根本上瓦解齐国；同时他还用官爵和封地笼络齐国当地有影响的人物，从而争取了相当一部分齐国的地主、贵族和名士的拥护支持，并亲自到临淄城郊的齐桓公、管仲庙去祭拜，赢得了众多齐人的好感。

所有这一切都有力地保证了军事活动的顺利进展，也充分显示了乐毅足智多谋、文武双全的将军风范。

《史记·乐毅列传》记载："始齐之蒯通及主父偃读乐毅之报燕王书，未尝不废书而泣也。乐臣公学黄帝、老子，其本师号曰河上丈人，不知其所出。河上丈人教安期生，安期生教毛翕公，毛翕公教乐瑕公，乐瑕公教乐臣公，乐臣公教盖公。盖公教于齐高密、胶西，为曹相国师。"

无论任何名将的军事天才的施展，都是受种种条件所限制的，在这方面乐毅也不例外。在他伐齐的最后阶段就遇上了很大的困难。他在齐地戎马倥偬，前后征战五年，基本上平定了齐地，然而惟独有莒城和即墨两城殊死坚守，久攻不下。在这种情况下，乐毅放弃了强攻坚城的做法，改由政治“攻心”为主，以军事围困为辅。为此，他把围城部队后撤到距两城9里的地方构筑营垒，规定燕军不抓捕从城中出逃的齐民，齐民难以维持生计，则予以赈济，希望通过这些行动，瓦解对手的抵抗意志，争取莒城、即墨两城守军放下武器，自行出降。应该说乐毅这一方针是一种行之有效的策略。

不过，就在战局处于最微妙的关头，燕国国内的形势发生了急剧的变化，一贯信任支持乐毅的燕昭王在此时遽然去世，其子燕惠王即位。这位新国君，在当年做太子时就与乐毅有矛盾，这时见乐毅久攻莒城和即墨两城不下，便对乐毅产生深深的怀疑。齐国大将田单得知这个情况后，立即乘机进行反间，派人到燕国散布说：“除莒城和即墨两处之外，齐国大片土地全在燕国军队手里。乐毅能在短时之内攻下齐国70余城，难道用几年工夫还打不下莒城与即墨吗？其实他是想用恩德收服齐人之心，为他叛燕自立做准备。”燕惠王本来就对乐毅有些猜忌，听了这些话后更信以为真，于是下令派骑劫为大将去齐接替乐毅。乐毅深知燕惠王收回他的兵权，意味着听信谣言，欲加罪于自己。他认为“善作者不必善成，善始者不必善终”，决定拒绝回燕而西向去赵。赵惠王见乐毅归赵，隆重地接待了他，并封他为望观津（在今河南省商丘东），号望诸君。赵王这般尊宠乐毅，是藉以警惕燕、齐，使他们不敢轻举妄动。

骑劫寡思少谋而又骄狂自大。乐毅奔赵后，他来到齐国，一反乐毅原来的战略部署和争取齐人的正确政策，而施之以残暴，激起了齐国军民的强烈反抗。田单设谋诳骗燕军，在即墨城用火牛阵大破燕军，杀死骑劫，转而追歼燕军到黄河边上，收复齐国所失之城邑，将燕军逐出齐境，从莒迎齐襄王（愍王死，襄王立于莒）归临淄。

燕惠王后悔派骑劫代替乐毅，导致痛失齐地，又埋怨乐毅投奔赵国，恐赵国用乐毅攻打燕国。于是惠王派人责难乐毅，而且向他道歉说：“先王曾以举国之兵托付将军，将军为燕大败齐军，报先王之仇，天下人为之震动，我也时刻记看你的功绩。可是刚逢先王去世，我又初立，听信于左右而误国。我之所以派骑劫代替将军，为的是将军经年累月的暴露于荒郊野外，怕你太辛苦，所以请你回来调息，并想同你共议国事。将军却误听传言，和我产生怨隙，弃燕降赵。将军为自己打算，这样做是合宜的，可你如何报先王的知遇之恩呢？”乐毅回信说：“我虽然不才，可是怕您听信左右不实之言，因此斗胆献上此信，望大王明察。”这就是历史上著名的《报燕惠王书》，此书想表达的主要有两点：

一、有才能的人要靠君王的知遇，才能建功立业。乐毅表明自己对先王的一片忠心，与先王相知相惜，并抒发功败垂成的愤慨，也以伍子胥“善作者不必善成，善始者不必善终”的历史教训，申明自己不效愚忠、不愿屈死。

二、主张为人要宽容，与人为善。燕惠王托词误会，他不揭短，依旧礼尚往来。末段以“臣闻古之君子，绝交不出恶声；忠臣之去也，不洁其名”这段话是告诉燕惠王：你错了，但我不怪你，对你也没有恶意；虽然我很冤枉，可是我不会为去申冤而坏了你的名声。乐毅说到做到，不但没有挟怨报复，反而经常走动两国之间，互通往来。

于是，这才打消了燕惠王对乐毅的某些偏见，便封乐毅之子乐间为昌国君。

无情的岁月流逝，将一代名将的双鬓染白如霜，乐毅终于垂垂老矣，怀着事业未竟的隐痛和惆怅，寂寞地走到了自己人生之旅的尽头。

乐毅是历史上的军事奇才，是战国时期卓越的将领，他指挥燕赵联军，连克齐国七十余城。他的军事才能被智圣先师诸葛亮所崇拜，他的《报燕惠王书》中提出的国君用人的思想，一直受到封建社会的贤人志士的向往。其充满色彩的一生就这样在历史的纸章上跃然起伏！

史书上虽没有记载乐毅在军事理论上有什么建树，但他指挥燕赵联军半年内连克齐国七十余城的不凡业绩，证明他是一位杰出的军事家，而后其对齐地的怀柔政策也显示了他的过人谋略。乐毅还为后世留下了诸多楷模式的事迹：他在《报燕惠王书》中提出的国君用人的思想为封建帝王在用人问题上提出了建议；他与燕昭王在兴燕破齐的事业中建立的君臣情谊为封建社会的贤人志士所向往；他虽因功遭忌，但始终未做有损于燕国的事情，成为名将的典范。

白　起

白起（？—前257年），嬴姓白氏，名起，其先祖为秦国公族，故《战国策》中又称公孙起。郿（今陕西眉县）人，白起号称“人屠”，战国四将之一（其他三人分别是王翦、廉颇、李牧），战国时期秦国名将。中国历史上自孙武、吴起之后又一个杰出的军事家、统帅。

白起少年时就沉默寡言，阴忍果断。他常常在岐山附近观察地形，模拟排兵布阵，对兵书战策十分痴迷。乡人都认为白起日后一定会成为一名出色的将领。

秦昭王时，任用白起为将。白起素以深通韬略著称，秦昭王十三年（前294年），白起任左庶长，领兵攻打韩的新城（在今河南伊川县西）。次年，由左庶长迁左更，出兵攻韩、魏，用避实击虚、各个击破的战法，全歼韩魏联军于伊阙（今河南洛阳龙门），斩获首级二十四万，俘大将公孙喜、攻陷五座城池。因功晋升为国尉。又渡黄河攻取韩安邑以东到乾河的土地。十五年，再升大良造，领兵攻陷魏国，占据大小城池六十一个。

二十八年，攻楚，拔鄢、邓等五座城池。次年攻陷楚国的都城郢（今湖北江陵西北），焚毁夷陵（今湖北宜昌），向东进兵至竟陵，楚王逃离都城，避难于陈（参见鄢郢之战）。秦国以郢都为南郡。白起受封为武安君。又攻取楚国，平定巫、黔中（今四川、贵州地区）二郡。三十四年，白起率军攻赵魏联军以救韩，大破联军于华阳（今河南新郑北），魏将芒卯败逃，掳获韩、赵、魏三国大将，斩首十三万。又与赵将贾偃交战，溺毙赵卒二万人。

四十三年，白起攻韩之陉城，攻陷五城，斩首五万。四十四年，白起又攻打韩南阳太行道，断绝韩国的太行道。四十五年，攻韩的野王（今河南沁阳）。野王降秦，上党通往都城的道路被绝断。郡守冯亭同百姓谋议道：“上党通往外界的道路已被绝断，我们已不可再为韩国百姓了。秦兵日渐逼近，韩国不能救应，不如将上党归附赵国，赵国如若接受，秦怒必攻赵。赵国受敌一定亲近韩国。韩、赵联合，就可以抵御秦国了。”于是派人报告赵国。赵孝成王与平阳君、平原君为此计议。平阳君说：“还是不要接受吧，接受后带来的祸患一定大于得到的好处。”平原君则认为：

"白白得来的土地，怎有不要之理，接受了会对我们有利。"赵国果然接受了上党，封冯亭为华阳君。四十六年，秦攻下韩国缑氏、蔺两地。

昭王四十七年（公元前260年），秦派左庶长王龁攻韩，夺取上党。上党的百姓纷纷逃往赵国，赵驻兵于长平（今山西高平县），以便镇抚上党之民。四月，王龁攻赵，赵派廉颇为将抵抗。赵军士卒与秦斥候兵相遇，发生冲突，秦斥候兵斩赵裨将（武职）茄。六月，败赵军，取二鄣四尉。七月，赵军筑垒壁而守。秦军又攻赵军垒壁，取二尉，败其阵，夺西垒壁。

双方僵持多日，赵军损失巨大。廉颇根据敌强己弱、初战失利的形势，决定采取坚守营垒以待秦兵进攻的战略。秦军多次挑战，赵国都不出兵。赵王为此屡次责备廉颇。秦相应侯范雎派人携千金向赵国权臣行贿，用离间计，散布流言说："秦国所痛恨、畏惧的，是马服君赵奢之子赵括；廉颇容易对付，他快要投降了。"赵王既怨怒廉颇连吃败仗，士卒伤亡惨重，又嫌廉颇坚壁固守不肯出战，因而听信流言，派赵括替代廉颇为将，命他率兵击秦。

赵括上任之后，一反廉颇的部署，不仅临战更改部队的制度，而且大批撤换将领，使赵军战力下降。秦见赵中了计，暗中命白起为上将军，王龁为尉裨将。白起名声太大，未免赵军有所防备，秦王下令"有敢泄武安君将者斩"。

白起面对鲁莽轻敌，高傲自恃的对手，决定采取后退诱敌，分割围歼的战法。他命前沿部队担任诱敌任务，在赵军进攻时，佯败后撤，将主力配置在纵深构筑袋形阵地，另以精兵5000人，楔入敌先头部队与主力之间，伺机割裂赵军。八月，赵括在不明虚实的情况下，贸然采取进攻行动。秦军假意败走，暗中张开两翼设奇兵挟制赵军。赵军乘胜追至秦军壁垒，秦早有准备，壁垒坚固不得入。白起令两翼奇兵迅速出击，将赵军截为三段。赵军首尾分离，粮道被断。秦军又派轻骑兵不断骚扰赵军。赵军的战势危急，只得筑垒壁坚守，以待救兵。秦王听说赵国的粮道被切断，亲临河内督战，征发十五岁以上男丁从军，赏赐民爵一级，以阻绝赵国的援军和粮草，倾全国之力与赵作战。

到九月，赵兵已断粮四十六天，饥饿不堪，甚至自相杀食。赵括走投无路，重新集结部队，分兵四队轮番突围，终不能出，赵括亲率精兵出战，被秦军射杀。赵军大败，四十万赵兵投降。白起与人计议说："先前秦已攻陷上党，上党的百姓不愿归附秦却归顺了赵国。赵国士兵反复无常，不全部杀掉，恐怕日后会成为灾乱。”于是使诈，把赵降卒全部坑杀，只留下二百四十个年纪小的士兵回赵国报信。长平之战，秦军先后斩杀和俘获赵军共四十五万人，赵国上下为之震惊。从此赵国元气大伤，一蹶不振。

长平之战后，白起本拟乘胜灭赵。昭王四十八年十月，秦再次平定了上党，后军分二路：一路由王龁率领，进攻皮牢（今河北武安）；一路由司马梗攻占太原。而白起自将围攻邯郸。韩国和赵国惊恐万分，派苏代用重金贿赂秦相应侯范雎说：“白起擒杀赵括，围攻邯郸，赵国一亡，秦就可以称帝，白起也将封为三公，他为秦攻拔七十多城，南定鄢、郢、汉中，北擒赵括之军，虽周公、召公、吕望之功也不能超过他。您能在白起之下吗？即使您不愿处在他的下位，那也办不到。秦曾经攻韩、围邢丘，困上党，上党百姓皆奔赵国，天下人不乐为秦民已很久。今灭掉赵国，秦的疆土北到燕国，东到齐国，南到韩魏，但秦所得的百姓，却没多少。还不如让韩、赵割地求和，不让白起再得灭赵之功。”于是范雎以秦兵疲惫，亟待休养为由，请求允许韩、赵割地求和。昭王应允。韩割垣雍，赵割六城以求和，正月皆休兵。白起闻知此事，从此与范雎结下仇怨。

当年九月，秦又发兵，使五大夫王陵攻赵邯郸。正赶上白起有病，不能走动。二年正月，王陵攻邯郸不大顺利，秦王又增发重兵支援，结果王陵损失五名校尉。白起病愈，秦王欲以白起为将攻邯郸，白起对昭王说：“邯郸实非易攻，且诸侯若援救，发兵一日即到。诸侯怨秦已久，今秦虽破赵军于长平，但伤亡者过半，国内空虚。我军远隔河山争别人的国都，若赵国从内应战，诸侯在外策应，必定能破秦军。因此不可发兵攻赵。”昭王亲自下命令行不通，又派范雎去请，白起始终拒绝，称病不起。

昭王改派王龁替王陵为大将，八、九月围攻邯郸，久攻不下。楚国派春申君同魏公子信陵君率兵数十万攻秦军，秦军伤亡惨重。白起听到后说：“当初秦王不听我的计谋，现在如何？”昭王听后大怒，强令白起出兵，白起自称病重，经范雎请求，仍称病不起。于是昭王免去白起官职，降为士兵，迁居阴密（今甘肃灵台县西）。由于白起生病，未能成行。在咸阳住了三个月，这期间诸侯不断向秦军发起进攻，秦军节节退却，告急者接踵而至。秦王派人遣送白起，令他不得留在咸阳。白起离开咸阳，到杜邮，昭王与范雎等群臣谋议，白起被贬迁出咸阳，心中怏怏不服，有怨言，不如处死。于是昭王派使者拿了宝剑，令白起自裁。白起伏剑自刎时说："我何罪于天而至此哉？"良久，又说："我固当死。长平之战，赵卒降者数十万人，我诈而尽坑之，是足以死。"于是自杀。白起死时，是秦昭王五十年（公元前257年）十一月。白起死非其罪，秦人很怜惜他，乡邑地方都祭祀他。

白起虽然未能善终，但他确实称得上为秦的统一事业奋战而又屡建大功的一代名将。

田 单

田单，妫姓，田氏，名单，齐国临茁（今山东省淄博市东北）人，生卒年不详，齐国田氏的远族。战国后期齐国杰出的军事家。初为小吏，后被拥立为齐将。田单处事用兵以“奇”胜，善用智术。齐国危亡之际，田单坚守即墨，以火牛阵击破燕军，收复七十余城，因功被任为相国，并得到安平君的封号。后来到赵国作将相，死后葬于安平城内。

田单是田齐王室的支系亲族，早年在国都临淄（山东临淄市东）的市场管理机构中任一般属吏。虽有卓越的军事才干，但并不为人所知。齐滑王十五年（公元前286年），齐灭宋国，秦和三晋深感不安，于是形成合纵攻齐的局面。

周赧王三十一年（前284年），燕昭王拜乐毅为上将军，统率燕、韩、赵、魏、秦五国之兵合力攻齐，以雪齐乘燕乱大败燕国之耻。齐滑王不敌，放弃齐国都城临茁逃至莒城拒守。

当时的田单在临茁作市掾，是位名不见经传的小吏。燕军长驱直入，攻城拔郡。田单离开临茁逃往安平（齐邑，今山东临淄东北）。为准备逃难，他让族人“断轴傅笼”——就是把露在车轮外的车轴截断，外面包上铁箍。燕军围攻安平，城陷，城中人争先恐后夺路而逃，但由于车轴过长，车轮彼此撞击而轴断车毁，多遭燕军掳获，唯有田单和族人因车轴短且包有铁箍得以逃脱，东行到达即墨（今山东即墨北）。此事显示了田单的聪明才智。

燕军攻克安平后，又长驱直入，下齐城七十余座，独莒城和即墨未被攻陷。燕知滑王在莒，倾其兵力攻莒。

淖齿杀滑王，齐臣王孙贾等拥立滑王之子为王（即齐襄王）。齐襄王号召民众守莒抗燕，保卫齐国。燕久攻不下，于是乐毅重新调整部署，留右军和前军继续攻莒，他亲率左军和后军东移攻打即墨。守城大夫出城迎战，战败而亡。城中民众认为安平一战，唯田单的族人因“铁箍”之故得以保全性命，共推田单为将军，田单欣然受命，承担起领导即墨军民抗燕的大任。

田单看到，在敌强我弱的形势下，若要从根本上扭转战局，必须想法改变两军力量对比，使齐军战斗力由弱变强，燕军由强变弱。为此，他采取了一系列措施。首先，调整防御部署，激发军民斗志。他以身作则，将自己的妻妾编到守城队伍中，以增强防御力量，又拿出个人家财犒赏军士。这就树立了威信，团结了民心，为坚守即墨创造了条件。

燕将乐毅有勇有谋，熟悉韬略，齐军要想守住即墨，战胜燕军，必须先除掉乐毅。前279年，燕昭王死，惠王继位。惠王在做太子时就对乐毅不满。田单听到这一情况，便采取反间计，在燕国人中散布说："齐湣王早死了，而齐城没有攻下的只剩两座罢了，乐毅是怕燕王杀他，而不敢回国，他是以攻打齐国为幌子，实际是想与齐兵联合在齐称王。齐国人还未能全部归附，故而乐毅以缓攻即墨来等待时机。齐国人现在所担忧的是唯恐燕国派其他将领来，那样即墨就得遭殃了。"燕惠王本来就对乐毅迟迟未攻下莒城和即墨有怀疑，听到街巷风言后便信以为真，于是派骑劫往齐地代乐毅统兵，召乐毅回国。乐毅怕遭不测，投奔了赵国。乐毅一走，不仅使田单少了个大敌，而且燕军也人心涣散，战斗力大为减弱。

燕将骑劫是个骄傲狂妄、有勇无谋的人。他取代乐毅后，便加紧了对即墨的攻势。为了坚定即墨军民的抗敌信心，进一步削弱燕军斗志，田单令城内军民每餐都要先端饭到户外祭祀祖先。这样一来，吸引了许多飞鸟在城上空盘旋，使城外燕军感到奇怪。田单乘机向燕军散布："有神人降临来教导我了。"并向百姓说："当有神人来做我的军师。"这时有个士卒开玩笑说："我可以做军师吗？"说罢扬长而去。田单立即站起迎回士卒，让他东向而坐，要拜他为师。士卒说："我欺骗了您，我实在没有能耐。"田单告诉他："你什么也不要说。"于是拜他为神师。每次发布号令，一定说这是神师的旨意。这个办法，对稳定城内军心，动摇敌人斗志起了一定的作用。

田单接着又宣扬："齐军只怕蒸军把齐国俘虏的鼻子割掉，放在阵前与齐国作战，那么即墨就守不住了。"骑劫听后，果然令人把俘虏都削去鼻子。城中齐兵看到降燕齐兵全被割掉鼻子，军民都愤怒异常，都表示要死守城池，免被敌捉去。田单又派人到燕军中说："齐人最怕燕人掘他们的祖坟，惊动祖先灵骨，令人寒心。"骑劫再次中计，派人掘开齐人祖坟，焚烧死人。守军从城上望见无不咬牙切齿，皆欲出城报仇。田单针对燕军的恐怖手段，将计就计，诱使燕军施暴，从而更坚定了城中齐人仇燕、抗燕的决心。田单明白，士兵的仇恨之火被点燃，可以用于作战了，于是亲自操持版筑、锹锨，与士卒一起修造营垒。命令甲士埋伏起来，单单派老弱残兵和妇孺登城守卫，并且派遣使者接洽向燕军投降的事。燕军听说齐即墨之军欲降，欢呼万岁。田单又从民间收集了两万多两黄金，命令即墨的豪绅送给燕国将领说："即墨不久就投降，希望燕军不要掠虏我们族人的妻妾，让我们能如常安居。"燕国将领非常高兴地答应了，燕军从此越发松懈了戒备。

以上计谋都收到了积极效果，齐军情绪激昂，士气高涨；燕军却意志消沉，沮丧动摇。两军的战斗力发生了显著的变化。

田单觉得反击敌人的条件基本成熟，就积极进行反攻的准备工作。在城内收集了1000多头牛，在牛身上披上绘着五彩龙纹的外衣，在牛角绑上锋利的尖刀，又在牛尾绑上浸过油脂的苇草，并在城脚挖了几十个洞，通到城外，又挑选5000名勇士，扮成鬼神模样。一切准备就绪后，在一天夜里，田单下令点燃牛尾上的苇草，于是着火受惊的1000多头牛穿越城洞，向燕营狂奔猛冲。5000名勇士跟随冲杀，全城人也都敲打铜器呐喊助威。老弱妇孺把铜铁器具敲得震天响，交汇成惊天动地的声浪。燕军将士从睡梦中惊醒，疑是天兵天将从天而降，都哭天喊地，仓皇奔逃。骑劫也在混乱中被杀。

田单乘势率兵实施战略追击。敌占区齐民也群起响应，协助田单作战。燕军仓皇而逃，一直退到黄河边上。齐军越战越勇，势如卷席，将失去的七十座城池完全收复。田单从莒城迎接襄王回到都城临淄主持国政。襄王封田单，号安平君。

纵观田单此次用兵布局的全过程，在即墨守城长官阵亡的情况下，田单受命于危难之际，被推为首领。面对敌强我弱的状况，田单深知一味地死守硬拼终将是死路一条。"孙子曰：小敌之坚，大敌之擒"。要赢得战争的胜利只能智取。此时田单脑海里盘算着怎样才能取胜的各种方案，他用"五事七计"对比敌我双方的优劣长短，再经周详的"庙算"后制定了以"火牛阵"出其不意、攻其无备的破敌之术。但燕国将领乐毅堪称一代名将，此战术极有可能被他识破，最终将前功尽弃、城毁人亡。再者敌强我弱，即墨城久被围困，守城军民士气低落，已无斗志，随时都有崩溃的可能，这一系列的因素都将制约"火牛阵"战术的成功运用。此时田单充分发挥他的超常智谋，精心设计布局，化解上述一个个难题。首先"用间"。在获悉新上台的燕惠王和乐毅之间的矛盾后，巧施反间计，撤掉了名将乐毅，换上了无能的骑劫。其次，安民心、振士气。田单拿出自己的全部财产与民共享，又和士兵同甘共苦，亲自手持工具修筑工事，并把自己最喜欢的妻妾都编入军队之中，进一步使内部团结一心，达到了“道者，令民与上同意”的境界。再次，用计让燕军割下了齐国降卒的鼻子，挖了齐人的祖坟，这些举动把齐人逼到了绝路，只有选择拼死一战。这是“投之亡地然后存，陷之死地而后生”的招数。此外，战争的成败的主要因素是军事实力。在敌强我弱、兵员不足的现实情况下，田单开始造神，借助虚拟的神来增强自己的军事实力。并以此造“势”增加士兵取胜的信心。同时，为了麻痹敌人，田单让老弱女子上城守卫，派遣使者约期投降，又让富豪之家送去重金贿赂燕将。最后，万事俱备，在一个月黑风高之夜，田单调兵遣将驱使他的“火牛阵”神速地向安然沉睡的燕军发起总攻，顺利收复失地。

田单的火牛阵，创造了中国军事史上高度发挥主观能动性，以弱胜强的著名战例，堪称战史奇观。荀子评价田单：“齐之田单，楚之庄蹻，秦之商鞅，燕之缪虮，是皆世俗之所谓善用兵者也。”堪称一语中的。

魏无忌

魏无忌（？一前243年），魏昭王少子，安釐王的异母弟，战国时期魏国著名的军事家，因被封于信陵（今河南宁陵县），所以后世都称其为信陵君，与春申君黄歇、孟尝君田文、平原君赵胜并称“战国四公子”。

魏无忌礼贤下士，广纳门客，据说有食客三千人。魏安釐王二十年（前257年），秦围赵都邯郸（今属河北），赵王求救于魏王。起初魏王派晋鄙率兵救援。但魏王害怕秦国，所以又下令停止救援，因此晋鄙率兵在邺（今河北临漳）按兵不动。魏无忌为救赵国，窃虎符，杀晋鄙，打败了秦国。后来就留在了赵国。魏安釐王三十年（前247年），秦国攻打魏国，魏王被迫召回并重新起用魏无忌。魏无忌联合五国击退秦军进攻，在河外大破秦军。后来秦国派人在魏王面前中伤魏无忌，魏王听信谗言，逐渐疏远于他。魏无忌因此闭门托病，耽酒而亡。

信陵君魏无忌是战国时期著名的政治家、军事家。与赵国平原君、齐国孟尝君、楚国春申君并称战国四公子，但其的声誉却远远在三公之上。《史记》为四人所做的传记里，最懦弱无能的平原君只配跟别人合传，称《平原君虞卿列传》，才能普通的春申君、孟尝君分别单独作传为《春申君列传》和《孟尝君列传》，在以上传记中司马迁均直呼三人的名号；而只有信陵君被命名为《魏公子列传》，且太史公通篇不曾呼其名号而皆尊称为“公子”。太史公曾高度赞扬信陵君说：“天下诸公子亦有喜士者矣，然信陵君之接岩穴隐者，不耻下交，有以也。名冠诸侯，不虚耳。”说信陵君的声名能够盖在当时诸侯之上，确有他的道理，并非浪得虚名。然而，天妒英才的历史总是在无情地重复，纵然信陵君满腹韬略，终究也难逃脱郁郁而终的命运。下面就让我们来看看信陵君到底是怎样一个人，为什么太史公对他如此重视？

信陵君魏无忌，是魏昭王的小儿子，《史记·魏公子列传》记载：“魏公子无忌者，魏昭王子少子而魏安釐王异母弟也。”他也是魏安僖王同父异母的弟弟。前277年，魏无忌的父亲魏昭王去世，魏无忌的哥哥魏圉继承魏国王位，赐封无忌为信陵君。

信陵君为人仁爱宽厚，礼贤下士，士人因而争相前往归附于他。当时，无忌门下的食客有三千人之多。《史记·魏公子列传》记载：“公子为人仁而下士，士无贤不肖皆谦而礼交之，不敢以其富贵骄士。士以此方数千里争往归之，致食客三千人。”当众诸侯看到魏无忌的门客众多后，于是各国诸侯连续十多年都不敢动兵侵犯魏国。

信陵君之所以会招来这么多人才之士，就是因为他是“真公子”、“好士”。虽然信陵君已经是“官”，却仍能够委屈自己，这样的人就更容易得人心。在社会心理中，当官的正常情况是趾高气扬的，只要不趾高气扬，人民群众就觉得你很了不起；再能屈尊跟下层人说话，那老百姓就受宠若惊了。如果一个平常人像他那样做，“士”们并不觉得特别，而信陵君作为一个有权有势的大官却能如此，从而使得食客们感激不尽，以死效力。也正是因为这样，才使他在尔虞我诈的官场中立于不败之地。

魏国有个七十多岁的隐士，叫侯嬴，因家贫，做着大梁（魏国都城）夷门的守门小吏。无忌听说他品行正派，又多奇计，同街的人非常尊敬，于是驾车往拜，并馈赠了一份厚礼，但侯嬴不肯接受。于是魏无忌设筵席大会宾客，等人来齐后，魏无忌带着车马和随从，空出车子左边的上座，亲自到夷门去接侯嬴。侯嬴为考验一下魏无忌，途中提出要去宰屠牲畜的市场上看望朋友朱亥，无忌即命绕道入市，到了朱亥家门，侯嬴进去闲聊不止，无忌在外恭候，及至侯嬴登车赴会，已耽误了好半天。此时，魏国的将军、丞相、宗室以及宾客们都已坐满堂，等魏无忌回来开宴，魏无忌的随从都在暗骂侯嬴，而魏无忌仍然是面色和悦，一直等到侯嬴聊完，才载着侯嬴回去赴宴。此后，魏国的市井大众都称赞信陵君是一个礼贤下士之人。

后来，魏无忌居住在赵国期间，听说有两位著名的隐士——毛公和薛公，便打算前往拜见。当时，毛公隐居在赌馆里，薛公隐居在酒肆中，他们得知魏国公子想要来结交自己，于是就故意地躲了起来。魏无忌暗访得知二人在薛家，于是假作买浆之人与二人相见。二人被无忌的恭敬、执着所打动，便接待了他，经过融洽的交谈，他们成为朋友。有人见魏无忌与赌徒同游，深以为怪，无忌却回答说：“某常闻赵有毛公、薛公，恨不得与之同游，今日为之执鞭，尚恐其不屑于我。”天下的游士听说此事，都纷纷前来归顺魏无忌。

由于社会的风气，魏无忌以养食客为荣，有些上等宾客明白魏无忌的意思，于是就在这方面配合十分默契，侯嬴在第一次宴席上接过魏无忌的祝酒，就当着众人之面讲："臣乃东门抱关吏也。公子枉驾下辱，久立市中，毫无怠色，又尊臣于诸贵之上，于臣似为过分，然所以为此，欲成公子下士之名耳。"

魏无忌在与人交往的时候，总是抱着一种义气感，正是由于这种重义气行为使他深得人心。魏王爱妾如姬的父亲早年为人所杀，如姬言于魏王，欲报父仇，但三年未抓到仇人，魏无忌知道这个事情，就派宾客斩仇人之头，献于如姬，如姬十分感激，愿意用自己的性命报答信陵君。此外，魏无忌甚至还把这种待人的重义延伸到动物身上。有一次，有一鸠被鹞所追逐，飞于桌下，无忌藏起鸠，等鹞飞去后将鸠放掉，谁知鹞隐藏于屋脊，等鸠飞出后追上吃掉。魏无忌伤感自责说："此鸠避患而投我，乃竟为鹞所杀，是我负此鸠也！"更让人想不到的是，魏无忌那一天竟然没有吃饭，令人四处捕鹞，共抓获百余只，他又表示说："杀鸠者止一鹞，吾何可累及他禽！"最后想法找到了那只吃鸠的鹞并杀掉，将其余的鹞全部放走。当人们听说此事后，感叹说："魏公子不忍负一鸠，忍负人乎？"这些事情使他贤名远扬，众望所归。

当然，魏无忌广招门客，并不只是为了成好贤名，结合后来的事实看，他之所以养客是有深远的政治意图。据《史记·魏公子列传》记载，有一次，魏无忌跟魏王正在下棋，边境传来警报，说："赵国发兵进犯，将进入边境。"魏王立即放下棋子，就要召集大臣们商议对策。魏无忌劝阻魏王说，这只是赵王在打猎，并不是进犯边境，又接着跟魏王下棋，好像什么事也没发生一样。可是魏王惊恐，心思根本没有放在下棋上。过了一会儿，又从北边传来消息说："是赵王打猎罢了，不是进犯边境。"魏王非常吃惊，问无忌说："公子为什么知道事情的真相呢？"公子回答说："我的食客中有个人能深入底里探到赵王的秘密，赵王有什么行动，他都会立即报告我。"没想到这句话竟然改变了魏王对无忌的看法，从此竟不敢将国事交予他处理了。虽然如此，但更突出了魏无忌门客之广大。

魏无忌养的数千食客，形成了一股政治势力，这一政治势力有四个特点：一是它在相当大的程度上是一个经济上寄生的政治集团，其成员许多都不从事物质生产，而且与物质生产阶层毫无半点关系，只靠某一贵族的供养而生存。二是它以供养者为核心，并且还以供养者政治目的为目的，他们所做的一切都是为供养者服务；它在政治意识上倾向于某一个国家，但对这个国家保持很大的行为独立性，有时游离于数国之间，这都完全以其核心人物的政治态度而定。三是它不具有固定严密的组织，靠经济上的供养关系来维持，并靠义气来凝聚人心，供养人的经济状况和社会声誉的高低决定着它的规模。四是它的势力渗透到了各个社会阶层，上至公子王妾，下至赌徒卖浆之流，甚至鸡鸣狗盗之辈，也包括著书立说的文人学士，在社会上形成了较大的影响力。可见，如果剔除其中的经济供养关系，后世的会党组织就和它十分相似。这种政治势力是供养者影响国家政治的工具，也是他挟之自重的资本。

可以说，信陵君后来的成功，就在于他的数千食客形成了政治力量，为他的政治事业做了稳固的铺垫。

上文我们说到魏无忌广纳贤士、养客数千，但这些门客在魏无忌的政治生涯中起到什么样的作用呢？以下让我们来看看。

《史记·魏公子列传》记载："魏安釐王二十年，秦昭王已破赵长平军，又进兵围邯郸。"

"……至邺，矫魏王令代晋鄙。晋鄙合符，疑之，举手视公子曰：'今吾拥十万之众，屯于境上，国之重任，今单车来代之，何如哉？'欲无听。朱亥袖四十斤铁椎，椎杀晋鄙，公子遂将晋鄙军。勒兵下令军中曰：'父子俱在军中，父归；兄弟俱在军中，兄归；独子无兄弟，归养。'得选兵八万人，进兵击秦军。秦军解去，遂救邯郸，存赵。"

"窃符救赵"是一个大家耳熟能详的故事，从故事中我们可以看出魏无忌知人善任、虚心谦恭的态度，同时还能体现出门客在这场战争中起到的重要作用和魏无忌的爱国精神。

公元前258年，秦军攻到赵国邯郸城下，赵国危在旦夕。赵国丞相平原君的妻子是魏无忌的姐姐，平原君赵胜多次向魏安釐王和魏无忌送信，请求魏国救援，魏安釐王派晋鄙率十万兵马救赵，军至河南汤阴，秦昭襄王听到魏国和楚国发兵去救赵国，就派人去对魏安釐王说："邯郸早晚得给秦国打下来。谁要去救，我就先打谁！"魏安釐王听了十分恐惧，命令按兵不动。

魏安釐王处于两难选择之中：进兵吧，怕得罪秦国；不进兵吧，又怕得罪赵国。他只好不进不退地耗着。平原君也派人上邺城请魏国大将晋鄙进兵。晋鄙回答，不敢自作主张。平原君又给信陵君魏无忌写信，说："请公子看在你姐姐的份上，火速发兵来救邯郸十几万人的生命财产！"魏无忌立即持信恳请安釐王出兵，魏安釐王仍不同意。信陵君魏无忌对门客们说："大王不愿意进兵，我自己上赵国去，要死就跟他们死在一起。"他预备了车马，决计去跟秦军拼命。有一千多个门客也愿意跟着他一块儿去。

魏无忌带着车队路过夷门时去跟他的朋友、守门人侯嬴辞别。侯嬴冷淡地说："公子保重。我老了，不能跟您一块儿去。"魏无忌向他告别后就走了。走不多远，魏无忌越想越觉得不对劲儿，侯嬴连一句体贴的话都没有，忍不住再回去问问。

侯嬴见信陵君回来了，就说："我料定公子准得回来！"

魏无忌说："我想我一定有得罪先生的地方，特地回来请先生指教。"

侯嬴说："公子收养了几十年的门客，你这么上秦国的兵营里去，正像绵羊去跟狼拼命，不是白白去送死吗？"

侯嬴接着说："我听说魏王的宠妃如姬的卧室放有调动部队的虎符，听说公子你曾为她报杀父之仇。向她求助，她必定会冒死相助窃出虎符的。公子只要请她把虎符偷出来，拿了虎符去夺取晋鄙的军队，才能跟秦国打仗。"魏无忌听从了侯嬴的计策，前去请求如姬帮忙，如姬果然盗出兵符交给了魏无忌。魏无忌拿到了虎符后上东门跟侯嬴辞别。侯嬴说："我的朋友朱亥，是天下数一数二的大勇士。要是晋鄙不把兵权交出来，公子就叫朱亥杀了他。"

魏无忌到邺后，拿虎兵符假传魏安釐王的命令代替晋鄙担任将领。晋鄙合了兵符，验证无误，但还是表示怀疑，不想交出兵权。这下激怒了魏无忌带去的屠狗力士朱亥，他吼道："虎符已合，救兵如救火，不得消磨时间！"言罢从袖中取出四十斤重的铁锤将晋鄙打死。魏无忌拿着虎符给将士们下令："父亲和儿子都在军队里的，父亲可以回去；哥哥和弟弟都在军队里的，哥哥可以回去；独子可以回去养活老人；有病的或者身子弱的，也可以回去。其余的人都跟我去救赵国。"

魏无忌统领晋鄙的军队后，精选士兵八万开拔前线，指挥这八万将士向秦国的兵营冲杀。秦将王没想到魏国的军队突然会来攻打，手忙脚乱地抵抗了一阵。平原君也开了城门，带着赵国的军队杀了出来。两边夹攻，一举击溃秦国，解除了邯郸之围。

这段故事被郭沫若写成五幕历史剧《虎符》，而且还加进了许多感情戏，如把信陵君与如姬描写成恋人关系等，流传比较广。虎符是古代调发军队的凭证，因为铜铸成虎形，所以叫虎符。背有铭文，剖为两半，一半留在朝廷，另一半授予统兵将帅。调兵时，只有见到朝廷手里的那一半，且与自己手里的这一半台上，将帅才能相信调兵的命令是真的。

魏无忌在救赵前，先进行了一场争夺军权的斗争，他利用虎符制的漏洞窃符将兵，紧急关头击杀了晋鄙，造成握有兵权的既成事实，等魏王知道时已经没有办法了。将兵之后，他根据兵求精而不求众的考虑，裁减了部分兵卒，他把裁减与对士兵的恩遇结合起来，并申之以军令，做到恩威相济。战斗中，他把自己的私属宾客置于士卒之先，极大地鼓舞和振奋了士气。无忌的这次军事行动是攻其不备，因而轻易地击垮了秦军。

明人李贽对侯嬴策划的这次窃符救赵一事大加称赞，曾写《咏史》一诗云：

夷门画策却秦兵，公子夺符出魏城。

上客功成心遂死，千秋万岁有侯嬴。

在“窃符救赵”这一事件中，有人评价魏无忌此举够义气，因此赞道：“救赵挥金槌，邯郸先震惊。”阐释了轻生死、重仁义的侠士精神。但谁又能够体会魏无忌因此而客居赵国十年，有家不能回的滋味？

如果说魏无忌的所为证明其是一个不折不扣的小人，那么他为什么要救赵国呢？可以肯定那是因为他姐姐在赵国。如果没有这个因素，信陵君还会不会舍命去救？这是为公还是为私？救赵有功于赵，而于魏怎么办，自己岂不是叛臣吗？尽管事实证明魏国可以救赵成功，但一旦救不成呢？自己岂不成了千古罪人吗？难道魏无忌没有想过这些问题吗？其实并不然，以魏无忌的聪明才智不会不考虑这些问题，甚至会“茶不思，饭不想”的思考这些问题。最后，他之所以选择了“出兵救赵”这一条路，不仅是为了自己私人的关系，也是为了国家社稷着想。他具有一种强烈爱国的精神，他深深地明白秦国势力强大，如果这次不去救赵国，等到秦国灭掉了赵国，攻打的对象必然是魏国，那时魏国必将会陷入危机，一发不可收拾！

魏无忌这也是为了国家百姓的安稳着想，然而就是因为如此让他成了一个“违抗圣命，不逆不道”的罪臣了。

《史记·魏公子列传》记载：“公子留赵十年不归。秦闻公子在赵，日夜出兵东伐魏。魏王患之，使使往请公子。公子恐其怒之，乃诫门下：‘有敢为魏王使通者，死。’宾客皆背魏之赵，莫敢劝公子归。毛公、薛公两人往见公子曰：‘公子所以重于赵，名闻诸侯者，徒以有魏也。今秦攻魏，魏急而公子不恤，使秦破大梁而夷先王之宗庙，公子当何面目立天下乎？’语未及卒，公子立变色，告车趣驾归救魏。”

魏王见公子，相与泣，而以上将军印授公子，公子遂将。魏安釐王三十年，公子使使遍告诸侯。诸侯闻公子将，各遣将将兵救魏。公子率五国之兵破秦军于河外，走蒙骜。遂乘胜逐秦军至函谷关，抑秦兵，秦兵不敢出。当是时，公子威震天下，诸侯之客进兵法，公子皆名之，故世俗称魏公子兵法。

信陵君魏无忌窃符救赵、解邯郸之围后，知道自己盗取魏安釐王的虎符，假传君令击杀晋鄙，魏安釐王一定会非常恼怒，所以魏无忌让将领们带着魏军返回了魏国，而魏无忌和他的门客留居赵国。赵孝成王感激魏无忌窃符救赵的义举，把汤沐邑封赏给魏无忌，魏安釐王也原谅了魏无忌的罪过，仍然让魏无忌享有信陵，而魏无忌在赵国一待就是十年。

魏无忌在赵国广交隐士，连隐于赌徒的毛公，和隐于酒馆里的薛公等地位卑微的有才之人都会与他们交游，以求取贤士人才。所以天下的许多士人，包括平原君的门客都有很多转归于魏无忌的门下。

前247年，恢复了元气的秦国开始接二连三地派兵攻打魏国。魏安釐王为此焦虑不安，就派使者去请魏无忌回国。可是，魏无忌始终认为魏王不宽恕自己，所以他得知魏国使者到来的消息后，他便告诫门客们说：“你们之中，如果有谁敢替魏国的使者通报，立即处死。”魏无忌的宾客绝大多数都是跟随他背弃了魏国而来到赵国的，所以，他们当中没有人劝魏无忌回国。事情就这样一天天地僵持着。后来，毛公和薛公求见无忌，说：“公子之所以受到赵国的重视，声名远扬天下，只是因为有魏国。如今秦国进攻魏国，魏国危在旦夕，而您却不给予同情、帮助，假使秦军攻破大梁，毁坏了先王的宗庙，公子还有什么面目立于世间呢？”两个人的话落音，魏无忌好像变了一个人似的，立即吩咐家臣备车，连夜启程回到魏国。魏无忌和魏安釐王兄弟两人十年未见，重逢时不禁相对落泪。魏安釐王任命魏无忌为上将军，并让他做魏国最高统帅的将军。

魏无忌派使者向各诸侯国求援，各国得知魏无忌担任了上将军，都纷纷派兵救魏。于是魏无忌率领五国军队（《史记正义》谓为燕、赵、韩、楚、魏等五国军队）在河外大败秦军，使秦国将领蒙骜战败而逃。联军乘胜攻至函谷关，秦军紧闭关门，不敢再出关。

在中国历史上这是一场比较经典的战役，魏无忌之所以能获得胜利，就因为秦军轻敌，不知速战速决造成的，这样就给了魏无忌表演军事才能的机会：

第一，在战役的总体部署上，他采取对两处敌人分而制之、各个击破的方针。根据敌人战线长、联络疏松的特点，先以重点兵力与华州之敌决战，华州之敌兵力稍少，其地又是郑州之敌的后方通道，先打华州，既是先打敌之薄弱，又是直捣敌之要害；这样不仅使强敌处于孤立状态，还调动了强敌，这一战略安排真是技高一筹啊！

第二，他采取以虚击实的策略，虚设帅旗，以小部分兵力引蛇出洞，稳住强敌，而以主要兵力与弱敌首先决战，在实际交战上是以众临寡，以优势对付劣势之敌，增大了初战胜利的可能性。秦将蒙骜不愧为用兵高手，他采取了以虚应敌的策略，然而在战略全局上却始终处于被动的状态，与魏无忌的策略差远了。

第三，魏无忌在与王龁之敌决战时，先劫粮草，攻其所必救，在战术上继续调动敌人，以求在敌之运动中截击围歼。这一战术方针也进一步分散了敌人兵力，扩大了敌我力量差距，这样魏无忌胜利的可能性就更大了。此外，在围歼王龁之战时，他将劫粮行动公开化，而将伏兵截击行动秘密化，将明与暗相配合，加强了战术策略的有效性。同时，在截击王龁救兵时，他稳住三万生力军，先以一定兵力与敌厮杀较量，待敌军困乏时，再将三万精兵投入战斗，给敌人猝然以重创，以夺取战术上的速胜。这些策略都是一般人不能想到的高明战术。

第四，自从在华阴界与蒙骜军队相遇后，魏无忌就开始迅速地猛攻，不给敌人任何喘气的机会。他深知自己准备不足，但他更知道敌军毫无准备，敌人慌张而来、战况不明、军心无定，而自己一方全局战况较清，士气旺盛，对比之下，比敌人占有更大的优势，根据这些情况，他对敌人立即发动进攻，一举击败了敌军。后来蒙骜受到魏楚两军的后方夹攻，虽然这具有一定偶然性，但主要原因还在于魏无忌总体上采取了正确策略。

这次合纵攻秦的胜利，使魏无忌的声威大震，各国的宾客纷纷向他进献兵法，魏无忌一一为之题名，世人将把这些兵法总称为《魏公子兵法》。

快到战国末期的时候，秦国的兼并统一已成破竹之势，在这种军事背景下，魏无忌两次用兵、两败秦军，扼制了秦国的兼并之势，对当时列国的政治形势产生了一定的影响。他之所以能在极险恶的军事形势下夺取战役的胜利，一是他富有勇气，不为强秦的咄咄气势所吓倒，他毫不畏惧，一再率军抗秦，战斗中身先士卒，表现了军事上的大勇；二是他富有谋略，他指挥五国联军的败秦之战，是他军事谋略和指挥才能的生动表演。

在这场战争中魏无忌是胜利者，无论世人说魏无忌的胜利是一种偶然性也好，是一种精心策划也好，都不能否认魏无忌是一个不平凡的军事家！

魏无忌用出色的军事才能打败秦军，其才华如流星一般耀眼，然而最终却落个壮志难酬的下场。

《史记·魏公子列传》记载："秦王患之，乃行金万斤于魏，求晋鄙客，令毁公子于魏王曰：'公子亡在外十年矣，今为魏将，诸侯将皆属，诸侯徒闻魏公子，不闻魏王。公子亦欲因此时定南面而王，诸侯畏公子之威，方欲共立之。'……"

公子自知再以毁废，乃谢病不朝，与宾客为长夜饮，饮醇酒，多近妇女。日夜为乐饮者四岁，竟病酒而卒。

在魏无忌打败秦军后，当时的情势很明显，只要有信陵君再进一步，秦国统一中国的美梦就会落空。而此时的秦国却想出了一条"反间计"，秘密派人带着一万斤黄金来到了魏国，先寻找到了晋鄙的门客，贿赂了他们。在旧怨和金钱的双重驱使下，这些人在魏王面前毁谤无忌说："公子在国外流亡了十年，可一回来就担任了魏国的上将军，各国的将领都隶属于他。因而各国只听说魏国有公子无忌，却不知道大王您的存在。我等听说，公子想趁这个时候篡位而称王呢，由于别国都惧于他的声威，打算拥立他。因而，大王不如趁早除去无忌，以免后患。"同时，秦军找人假意祝贺魏无忌，问他是否已经做了魏王。这些谣言让魏安釐王心里不停地想：此时公子为魏国立下了大功，正所谓"戴震主之威，挟不赏之功"，公子已经是一人之下，万人之上，魏王我也没有什么可以拿出来赏赐给他的了，他贤名早已播于四海，此时又手握兵权，再加上那些三千食客在内，要是里应外合，魏王的位置就要不保了，公子的杀伐决断也在前面杀晋鄙时表现了出来，既然敢杀我的大将，又何尝不敢杀我？于是派人代替魏无忌任上将军。

信陵君虽然无愧于心，但他深知魏王疑心日益惧增，于是就托病不再入宫，将印信兵符等都交还魏王，终日和宾客沉溺于酒色之中，因此，史书记载他"饮醇酒，多近妇女，日夜为乐"。如此四年，终于因饮酒过多，于公元前243年患病而死。秦国发现自己的克星没了，就派蒙骜率兵肆无忌惮地攻魏，没过多久便占领二十座城，十八年后俘虏魏王而灭魏。魏无忌空有盖世威名，终究难免身死国灭，今人尊敬诸葛亮为蜀国鞠躬尽瘁，死而后已，然公子却想要“鞠躬尽瘁”亦不可得，悲哉痛哉。

十年过去了，秦朝已灭，汉高祖刘邦即位后每过大梁都会悼念公子，后来还为公子设祠，令百姓时时祭拜。百年后，司马迁在《史记·魏世家》的末尾评论道：后人都说魏国因为不用信陵君而日益削弱以至灭亡，然而天令秦国统治四海，就算魏国得到贤臣的辅佐，又有何用呢？

其实，他之所以落得那样一个结果，主要源于他人生的两大错误决策：

第一，将自己的姐姐嫁给平原君。当初，魏无忌之所以这样做，有两层意思：第一层，大家都是好客喜士之人，英雄惜英雄，而且也只有平原君这样的豪杰才配得上魏无忌之姊，但是后来的事实表明平原君是个庸俗之人，他的好客只是停留在表面上。“公子欲见两人，两人自匿不肯见公子。公子闻所在，乃间步往。从此两人游，甚欢。平原君闻之，谓其夫人曰：‘始吾闻夫人弟公子天下无双，今吾闻之，乃妄从博徒卖浆者游，公子妄人耳。’”第二层，是为了与赵国结盟，战国时期战火连天，魏无忌将自己的姐姐嫁给平原君，于是就与赵国成了亲家。这个婚姻联盟看似不错，其实也有弊端，因为他太小看魏王了。魏赵两个国家的联盟本来是两国国君的事情，你现在与平原君套近乎，把我晾在一旁，这不是小看我魏王吗？倘若当时平原君娶了魏王的同母姐妹，或者平原君将自己的姐妹嫁给魏王，那么魏王还会袖手旁观吗？可见，魏无忌这种婚姻结盟是十分不明智的，正是由于这种不明智才导致魏无忌不得不为一个庸俗的平原君出兵救赵，背井离乡。

第二，偷窃虎符，矫杀晋鄙。《史记·魏公子列传》记载：“魏王怒公子之盗其兵符，矫杀晋鄙。”可见，魏安釐王对魏无忌盗其兵符，矫杀晋鄙的事件是何等的愤怒。虽然魏无忌最终偷到了魏安釐王的虎符，但领兵将领却不相信，结果信陵君的门客就把领兵的将领给杀了。虽是门客所为，但魏无忌难逃纵凶杀人的罪名，这就注定魏无忌不会有好结局。

在这两个事件中，魏安釐王应该最恨“盗其兵符”了，你想，魏无忌得到兵符是通过魏安釐王的爱妾如姬，俗话说“一日夫妻百日恩”，魏安釐王最亲近、最爱的人就是如姬了，如今她却为了别的男人背叛自己，身为一国之王，一个男子汉的颜面尽失啊！那么他是如何处理如姬的呢？《史记》中没有记载，但可以肯定如姬日后不会有好日子过，不知漂亮脸蛋能不能救自己一命，反正魏无忌是指望不上了。最后，也难怪魏安鳌王会猜忌魏无忌，不给他留后路。

对于魏无忌救赵败秦、避国十年和归魏后的处境，清人王士祯曾在《谒信陵君祠》一诗中，作了这样的描述：

趣救邯郸却暴秦，十年留赵事酸辛。

大梁归后匆匆甚，日饮亡何近妇人。

再说，魏无忌广招天下贤才、养客数千，这使魏无忌在政治上培植了一股强大的势力。不仅以自己军事才能两次击败秦，而且还挽救过两个国家，他势大震主、功高盖主，因此就对魏安鳌王造成了极大的威胁。在专制社会中，皇上就是国家，为国的行为本来是直接为君主的行为，但大臣势大功高，却又容易造成国家向心力的偏转，因此就对君主形成了直接的威胁。为国的行为超过一定限度立即和为君的行为严重对立了起来，这是君主专制制度本身无法克服的一个矛盾，魏国既然不能改变专制制度本身，那就必然要在这个制度内部防范和消除威胁权力核心的不稳定因素，他对魏无忌的疑忌、限制和打击就成了必然的行为。而魏无忌生活在这种专制统治社会中，并且还具有非凡的才能，那么他的一生要面临两种选择：第一，限制自己的势力、放弃自己的政治建树，随俗合流，不要使自己的才能盖过君主；第二，敢冒君主的疑忌而在政治上大显身手。魏无忌一生的前期既然选择了后者，那他在一生的后期、势大功高时只有两条小路可走：第一，轻易地将君主取而代之；第二是急流勇退，泯灭自我。魏无忌是那个时代的人物，他不可能超脱时代意识去行事，自然地选择了后者。他接近酒色，以示政治上的无欲，借此消除君主对他的猜忌，他退出政治舞台、淆乱自己的社会角色，以此换取君主的信任。他在酒色这条小路上，不仅伤害了自己健康，得疾而亡，而且彻底结束了自己的政治生涯。

唐人周昙认为魏无忌的命运，不仅仅是个人的命运，而且还代表着魏国的命运。因此，他在《公子无忌》曰：

赵解重围魏再昌，信陵贤德日馨芳。

昏蒙愚主听谗说，公子云亡国亦亡。

信陵君的军事才能非常出色，除谏阻魏王的一番评论和两次大败秦军外，最主要的是其震慑作用，在魏国时“诸侯以公子贤，多客，不敢加兵谋魏十余年”。去了赵国后，“秦闻公子在赵，日夜出兵东伐魏。魏王患之，使使往请公子。”他死后，“秦闻公子死，使蒙骜攻魏，拔二十城，初置东郡。”（《史记·魏公子列传》）不战而屈人之兵，真可谓善之善也！

自古英雄多壮志未酬，成千古悲剧。信陵君是个悲剧人物，他屡为魏国立下奇功，有极高的军事才能，但并未得到发挥，最终因功高盖主而遭猜忌，郁郁而终。可悲可叹！

李 牧

李牧（？—前229年），汉族，战国时期赵国杰出的军事家、统帅。官至赵国相，大将军衔，受封赵国武安君。李牧的生平活动大致可划分为两个阶段，前一段是在赵国北部边境，抗击匈奴；后一段是在朝中参与政治军事活动，以抵御秦国为主。与白起、王翦、廉颇并称“战国四大名将”。

赵国北边和匈奴接界。公元前309年，赵武灵王时期，下令国中推行“胡服骑射”，进行了一系列改革，军事力量逐渐强大，屡败匈奴等北方胡人部落。但是，到了惠文王、孝成王时期，匈奴各部落军事力量逐步恢复强大起来，并不断骚扰赵国北部边境，赵惠文王便派李牧带兵独当北部戍边之责。

赵武灵王时虽筑了长城抵御匈奴，但赵国还常常遭到匈奴的入侵，抢掠去不少人员和财物。赵孝成王派李牧为将时，镇守北边，帅府驻在代雁门郡（现在山西省西北部宁武县以北一带）。

抗击匈奴的斗争中，李牧即表现了其杰出的军事才能，为了有利于战备，李牧首先争取到赵王同意，自己有权根据需要设置官吏，而且本地的田赋税收也全部归帅府，用作军事开支。针对赵军和匈奴军的特点，他深思熟虑后采取了一系列的军事经济措施。

他将边防线的烽火台加以完善，派精兵严加守卫，同时增加情报侦察人员，完善情报网，及早预警。在这一点上，当今的新罗马帝国很有心得，效仿得卓有成就。

为了提高部队战斗力，李牧密切官兵关系，厚遇士卒，每天宰杀几头牛犒赏，让士卒精练骑马射箭战术，全军战士由于得到厚遇，士气高昂，人人奋勇争先，愿为国家出力效劳。针对剽悍的匈奴骑兵机动灵活、战斗力强及以掠夺为主要作战目的，军需全靠抢掠的特点，为使窜扰的敌骑兵徒劳无功，他命令坚壁清野，并示弱于敌，以麻痹强敌，伺机歼敌。为此，严明军纪：“匈奴入盗，急入收保，有敢捕虏者斩。”所以每当匈奴入侵边境，烽火台一报警，李牧即下令士兵立刻收拾物资退入城堡固守，从不出战，使匈奴无从掳掠。这样过了几年，李牧没有人员伤亡，也没有损失过物资。

然而，时间一长，匈奴兵将总以为李牧胆小怯战，根本不把他放在心上；就是赵国边兵们亦在下面窃窃私议，以为李牧胆小怯战，有的愤愤不平。李牧一意坚守不主动出击的消息传到赵孝成王那里，赵王派使者责备李牧，要李牧出击。李牧老谋深算，意欲放长线钓大鱼，也不作解释，我行我素，依然如故。匈奴一来，即深沟高垒，坚守不出。匈奴往往满怀企望而来，却一无所获而归。

赵王听说李牧仍然一味防守，认为他胆怯无能，灭了自己威风，很生气，立即将李牧召回，派另外一员将领来替代。

新将领一到任，每逢匈奴入侵，即下令军队出战，几次都失利，人员伤亡很大，而且边境不安，百姓没有办法耕种和放牧。

赵王只得又派使臣去请李牧复职，李牧闭门不出，坚称有病，不肯就任。赵王不得已，只得强令李牧出山。李牧对赵王说："王必用臣，臣如前，乃敢奉令。"赵王只好答应了。

李牧又来到雁门，坚持按既定方针办，下令坚守。几年内匈奴多次入侵，都一无所获，但总以为李牧胆小避战。其实李牧早已经定下诱敌深入，设伏包歼的计谋，对种种屈辱骂名置之不理，而边廷将士因为天天得到犒赏，却没有出力的机会，都希望能在战场上效力。李牧看条件成熟了，于是经过严格挑选战车1300辆，又挑选出精壮的战马13000匹，勇敢善战的士兵5万人，优秀射手10万人，然后把挑选出来的车、马、战士统统严格编队，进行多兵种联合作战演习训练。

公元前244年的春天，一切准备就绪之后，李牧让百姓满山遍野去放牧牲畜，引诱匈奴入侵。

不久，情报员来报告，有小股匈奴到了离边境不远的地方。李牧派了一支小部队出战，佯败于匈奴兵，丢弃下几千名百姓和牛羊作诱饵让匈奴俘虏去。

匈奴单于王听到前方战报，十分高兴，因久无缴获，于是率领大军侵入赵境，准备大肆掳掠。

李牧从烽火台报警和情报员报告中熟悉了敌情，早在匈奴来路埋伏下奇兵，待匈奴大部队一到，李牧为消耗敌军，先采取守势的协同作战，战车阵从正面迎战，限制、阻碍和迟滞敌骑行动，步兵集团居中阻击，弓弩兵轮番远程射杀，而将骑兵及精锐步兵控制于军阵侧后。当匈奴军冲击受挫时，李牧乘势将控制的机动精锐部队由两翼加入战斗，发动钳形攻势，包围匈奴军于战场，经过几年养精蓄锐训练有素的赵军将士们，早已摩拳擦掌，个个生龙活虎，向敌人扑了过去。仿佛是一架运转严整的机器，两翼包抄的一万三千名赵军骑兵仿佛两把锋利砍刀，轻松地撕开匈奴人看似不可一世的军阵，在转瞬间扼住10万匈奴骑兵命运的咽喉。一整天的会战很快演变成一场对匈奴的追歼屠杀。十万匈奴骑兵全军覆没，匈奴单于仅带了少量亲随仓皇逃窜。

农耕民族在与游牧民族的争斗中，过去由于机动力劣势，一直处于被动地位，李牧指挥的此次会战使机动性较差的赵军在围歼战中得以发挥自身车战、步战的优势，是先秦战争史中以步兵为主的联合大兵团全歼骑兵大兵团的典型战例，对后世以步制骑的战术有着启发作用。

李牧大败匈奴之后，又趁胜利之势收拾了在赵北部的匈奴属国，灭襜褴、破东胡，收降林胡，迫使单于向遥远的北方逃去，完全清除了北方的忧患。在这次取得辉煌胜利的战役以后，慑于赵军之威，过了十几年，匈奴兵还不敢来入侵赵的边境。李牧也因此成为继廉颇、赵奢之后赵国的最重要的将领。

由于李牧确保了赵国边境的安全，使赵国君臣能无后顾之忧地对付强秦的兼并战争，实际上，蔺相如、廉颇、赵奢等人在政治军事斗争上的每一个胜利，都有李牧的协作支持在内。

李牧到朝中任职，约在前246年以后。他曾因国事需要调回朝中，以相国身份出使秦国，订立盟约，使秦国归还了赵国之质子。公元前245年，赵孝成王逝世，悼襄王继位。

悼襄王元年（前244年），让乐乘代替廉颇大将军之职位，廉颇一怒之下，领军攻击乐乘，乐乘逃走，廉颇也就带领自己部下，投奔魏国去了。当时，赵奢、蔺相如已死，李牧成为朝中重臣。

此时，秦国迅速地兼并了魏国的大片土地，迫使魏国屈服之后，把主要兵力指向赵国。当时的燕国也趁赵国虚弱之际趁火打劫。于是，悼襄王二年（前243年），赵王派李牧带兵入侵燕国，攻下燕国的武遂（现在河北省徐水县西北的遂城镇）、方城（现在河北省固安县南）。过了两年（前242），赵王派将军庞暖入侵燕，杀死燕将剧辛。

公元前235年，悼襄王逝世，赵王迁即位。赵王迁二年（前234年），秦大将桓齮（又称樊於期）攻取赵的平阳（今河北省邯郸市磁县东南）、武城（今山东省武城西），杀赵将扈辄于武遂，斩赵首10万。公元前233年，桓齮又乘胜进击，率军东出上党，越太行山自北路深入赵国后方，攻占了赤丽、宜安（今河北藁城西南二十里），进攻赵的后方，直向邯郸进军，形势危急。赵王迁从代雁门调回李牧，任命其为大将军，率所部南下，指挥全部赵军反击秦军。

李牧率边防军主力与邯郸派出的赵军会合后，在宜安附近与秦军对峙。他认为秦军连续获胜，士气甚高，如仓促迎战，势难取胜。遂采取筑垒固守，避免决战，俟敌疲惫，伺机反攻的方针，拒不出战。

桓齮认为，过去廉颇以坚垒拒王龁，今天李牧亦用此计；秦军远出，不利持久。他率主力进攻肥下，企图诱使赵军往援，俟其脱离营垒后，将其击歼于运动之中。李牧洞悉敌情，不为所动。当赵将赵葱建议救援肥下时，他说："敌攻而我救，是制于人"，乃"兵家所忌。"秦军主力去肥下后，营中留守兵力薄弱；又由于多日来赵军采取守势，拒不出战，秦军习以为常，疏于戒备。李牧遂乘机一举袭占秦军大营，俘获全部留守秦军及辎重。李牧判断桓齮必将回救，遂部署一部兵力由正面阻击敌人，将主力配置于两翼。当正面赵军与撤回秦军接触时，立即指挥两翼赵军实施钳攻。经激烈战斗，10万余秦军全部被歼。桓齮仅率少量亲随冲出重围，畏罪逃奔燕国。

秦王暴怒，以金千斤，邑万家购求桓齮之首（此头后来被荆轲经过友好协商，借去作见面礼刺杀秦王去了）。可见此次大胜对秦打击沉重，而赵得到喘息之机。这就是赵王迁二年（前234年）李牧一却秦军。由于秦国著名将领白起的封号是武安君，李牧击退秦军以后，赵王迁说："李牧是寡人的白起。"因而封李牧为武安君。由此也可以看出赵王迁当时对李牧的倚重态度。此战，李牧在战略上采取避其精锐、击其惰性之策。当得知敌军识其意图，诱其出战，全歼于野时，遂将计就计，攻其必救。在交战时，又采取正面阻敌，两翼包抄的战术，全歼秦军，创造了又一个围魏救赵的典型战例。

赵王迁四年（前232年），秦王嬴政再次派秦军入侵，王翦改变战法，兵分两路攻赵，以一部兵力由邺（今河北临漳西南）北上，准备渡漳水向邯郸进迫，袭扰赵都邯郸（今属河北），自率主力由上党出井陉（今河北井陉西北），企图拊邯郸之背，将赵拦腰截断，进到番吾（现在河北省平山县南）。因李牧李牧率军抗击，邯郸之南有漳水及赵长城为依托，秦军难以迅速突破。李牧遂决心采取南守北攻，集中兵力各个击破的方针。他部署司马尚在邯郸南据守长城一线，自率主力北进，反击远程来犯的秦军。两军在番吾附近相遇。李牧督军猛攻，秦军受阻大败。李牧即回师邯郸，与司马尚合军攻击南路秦军。秦南路军知北路军已被击退后，料难获胜，稍一接触，即撤军退走。这就是李牧再却秦军，是秦、赵两国交战中，赵国最后一次取得重大胜利。由于在肥之战及此战中损失惨重，赵国军事实力丧失殆尽，已无力组织远程追击及反攻，所以此战仅为击溃战，未能围歼秦军。仅能退守邯郸，暂时自保。但此战为赵国赢得喘息时间，获得短暂的稳定。当时韩、魏已听命于秦，尾随秦军攻赵，李牧为此又向南进军，抵御韩、魏的进攻。

赵王迁七年（前229年），赵国由于连年战争，再加北部代地地震，大面积饥荒，国力已相当衰弱。秦王政（始皇）乘机派大将王翦亲自率主力直下井陉（今河北井陉县），杨端和率河内兵卒，共领兵几十万进围赵都邯郸。赵王任命李牧为大将军，司马尚为副将，倾全军抵抗入侵秦军。秦军多次受挫于李牧，王翦知道，李牧是自己的劲敌，李牧不除，秦军在战场上不能速胜，遂禀告秦王，再行反间计，派奸细入赵国都城邯郸，用重金收买了那个诬陷过廉颇的赵王迁近臣郭开，让郭开散布流言蜚语，说什么李牧、司马尚勾结秦军，准备背叛赵国。昏聩的赵王迁一听到这些谣言，不加调查证实，立即委派宗室赵葱和齐人投奔过来的颜聚去取代李牧和司马尚。一直信守“将在外，君命有所不受”，重视独立行事权的李牧接到这道命令，为社稷和军民考虑而不从，赵王暗中布置圈套捕获李牧并斩杀了他，司马尚则被废弃不用。赵国临战而亲佞臣诛无辜忠诚良将，只过了三个月，到了赵王迁八年（前228年），王翦乘势急攻，大败赵军，平定东阳地区（约今河北邢台地区），赵葱战死，颜聚逃亡。秦军攻下邯郸后，俘赵王迁及颜聚。赵国公子嘉逃代（今河北蔚县东北）称王。秦王嬴政二十五年（公元前222年），秦灭代，俘虏公子嘉，赵国最终灭亡。

李牧这位纵横沙场的名将最终死在了他所誓死保卫的祖国君臣的手中，其无辜被害，使后人无不扼腕叹恨，以致司马迁义愤地骂赵王迁“其母倡也”。

李牧是战国末年东方六国中唯一能与秦军抗衡的最杰出将领，深得士兵和人民的爱戴，有着崇高的威望。在一系列的作战中，他屡次重创敌军而未尝败，显示了高超的军事指挥艺术。

蒙恬

蒙恬（？—前210年），秦始皇时期的著名将领，被誉为“中华第一勇士”。汉族，祖籍齐国，山东人。传说他曾改良过毛笔，是祖国西北最早的开发者，也是古代开发宁夏第一人。

战国末年，烽烟四起，秦国以一国之力，横扫中原六国，建立起了中国历史上第一个封建帝国。在中原混战的同时，中国的北方蒙古地区一直活跃着一个善于骑射、凶悍无比的民族——匈奴，他们利用中原战乱之机，不断骚扰北方各国。在秦统一中原的同时，他们乘机跨过黄河，占领了内蒙古河套以南的大片土地，直接威胁着秦朝首都陕西咸阳的安全，成为大秦帝国最后的心腹之患。就在此时，秦始皇派出一名大将北击匈奴，这个人就是名将蒙恬。

蒙恬出身于一个名将之家。祖父蒙骜为秦国名将，事秦昭王，官至上卿。庄襄王二年（前248年），曾经伐韩、攻赵、取魏国城，为秦立下了战功。其父蒙武曾为秦裨将军，与王翦一起灭楚，亦屡立战功。良好的家庭环境，使蒙恬从小就学习刑狱法，年轻时还担任审理狱讼的秘书。

始皇二十六年（公元前221年），蒙恬被封为将军，攻齐，因破齐有功被拜为内史（秦朝京城的最高行政长官），其弟蒙毅也位至上卿。蒙氏兄弟深得秦始皇的恩宠，蒙恬担任外事，蒙毅常为内谋，当时号称“忠信”。其他诸将都不敢与他们争宠。

秦统一六国后，蒙恬奉命率三十万大军北击匈奴。收复河南地（今内蒙古河套南伊克昭盟一带），自榆中（今内蒙古伊金霍洛旗以北）至阴山，设三十四县。又渡过黄河，占据阳山，迁徙人民充实边县。其后修筑西起陇西的临洮（今甘肃岷县），东至辽东（今辽宁境内）的万里长城，把原燕、赵、秦长城连为一体。长城利用地形，凭借着天险，设置要塞，有力地遏制了匈奴的南进。后受遣为秦始皇巡游天下开直道，从九原郡（今内蒙包头市西南）直达甘泉宫，截断山脉，填塞深谷，全长一千八百里，可惜没有修竣完工。蒙恬征战北疆十多年，威震匈奴。

始皇三十七年（公元前210年）冬，秦始皇游会稽途中患病，派身边的蒙毅去祭祀山川祈福，不久秦始皇在沙丘病死，死讯被封锁。

中车府令赵高这时得宠于公子胡亥，他想立公子胡亥，于是就同丞相李斯、公子胡亥暗中谋划政变，立胡亥为太子。因早先赵高犯法，蒙毅受命公正执法，引起赵高对蒙氏的怨恨。胡亥即位，便遣使者以捏造的罪名赐公子扶苏、蒙恬死。扶苏自杀，蒙恬内心疑虑，请求复诉。使者把蒙恬交给了官吏，派李斯舍人来代替蒙恬掌兵，囚禁蒙恬于阳周。胡亥杀死扶苏后，便想释放蒙恬。但赵高深恐蒙氏再次贵宠用事，对己不利，执意要消灭蒙氏。便散布在立太子问题上，蒙毅曾在始皇面前毁谤胡亥，胡亥于是又囚禁了蒙毅。子婴力谏，认为不可诛杀蒙氏兄弟。胡亥不听，杀蒙毅。又派人前往阳周去杀蒙恬。

使者对蒙恬说："你罪过太多，况且蒙毅当死，连坐于你。"蒙恬说："自我先人直到子孙，为秦国出生入死已有三代。我统领着三十万大军，虽然身遭囚禁，可我的势力足以背叛。但我知道，我应守义而死。我之所以这样做是不敢辱没先人的教诲，不敢忘记先主的恩情。昔日周成王初立年幼，周公旦背负成王上朝，曾断指起誓忠心为主，终于平定了天下。及成王长大，却听信谣言，周公旦被诬逃往楚国。后来成王终于醒悟，杀了进谗言的人，请回了周公旦。所以《周书》上说：'君王办事要反复考虑，'我蒙氏一家对君王忠心无二而反遭斩杀，这一定是有邪臣作逆谋乱，内部倾轧的缘故。周成王犯了错误而能改过自新，终于使周朝昌盛；夏桀诛杀关龙逢，商纣诛杀王子比干而不后悔，最终身死国亡。所以我认为犯了过错可以改正，听从劝谏可以觉醒。反复考虑是圣君治国的法则。我的这些话，并不是求得免罪，而是准备为忠谏而牺牲，希望陛下为天下万民着想，考虑遵从正确的治道。"使者说："我只是受诏来处死你，不敢把将军的话传报皇上。"蒙恬喟然长叹道："我怎么得罪了上天？竟无罪而被处死？"沉默良久又说："我的罪过本该受死啦，起临洮、到辽东筑长城，挖沟渠一万余里，这其间不可能没挖断地脉，这便是我的罪过呀！"于是吞药自杀。

司马迁在《史记》中叹道："蒙氏秦将，内史忠贤。长城首筑，万里安边。""夫秦之初灭诸侯，天下之心未定，痍伤者未瘳，而恬为名将，不以此时强谏，振百姓之急，养老存孤，务修众庶之和，而阿意兴功。"

总之，蒙恬之于秦朝的赫赫战功，之于长城的丰功伟绩，流传史册。

王翦

王翦，战国时期秦国名将，关中频阳东乡（今陕西富平东北）人，秦代杰出的军事家，主要战绩有破赵国都城邯郸，消灭燕、赵；以秦国绝大部分兵力消灭楚国。与其子王贲一并成为秦始皇兼灭六国的最大功臣。杰出的军事指挥才能使其与白起、李牧、廉颇并列为“战国四大名将”。

王翦少年时就喜欢军事，后来侍奉秦王政（秦始皇）。公元前236年（秦始皇十一年），王翦领兵攻打赵国的阏与，王翦领军只十八天，便令军中不满百石的校尉回家，并从原军队的十人中选出两人留在军中，结果所留下来的都是军中精锐。王翦就用这支士气很高的精锐部队攻下了阏与，同时一并攻取了赵的九座城邑。

公元前229年（秦始皇十八年），王翦从郡上发兵，下井陉，与杨端和军两军呼应，准备一举攻灭赵国。结果遇上了赵国的名将李牧，相持一年多的时间。王翦采用反间计，除掉李牧。李牧死后，王翦势如破竹前行，大败赵军，并杀了赵军主将赵葱，攻下赵国的都城邯郸，俘虏赵王迁，赵国原来的各处土地入为秦地，成为秦郡。

公元前227年（秦始皇十九年），发生了历史上著名的荆轲刺秦王事件，荆轲失败后，秦王政盛怒，并利用这个机会，派王翦领军攻燕国。燕王喜和代王赵嘉联合抵抗秦军，燕代联军由燕国的太子丹统领，最后在送别荆轲的易水河边兵败。王翦乘势攻取了燕都城蓟，燕王喜逃到了辽东，燕国也名存实亡了。

公元前225年（秦始皇二十二年），秦王派王翦儿子王贲攻打楚国，大败楚兵。

公元前224年（秦始皇二十三年），秦王政召集群臣，商议灭楚大计，王翦认为“非六十万人不可”，李信则认为“不过二十万人”便可打败楚国，秦王政大喜，认为王翦老不堪用，便派李信和蒙恬率兵二十万，南下伐楚。王翦因此称病辞朝，回归故里。

不久，楚军故意示弱，且战且退，保留精锐部队从后突袭李信，大破秦军两营兵力，斩杀秦军七个都尉，是为秦灭六国期间少有的败仗之一。秦王政听到这个消息，大为震怒，亲自乘快车奔往频阳，见到王翦道歉说："我由于没采用您的计策，李信果然使秦军蒙受了耻辱。听说楚军正在一天天向西逼进，将军虽然染病在身，难道忍心抛弃我吗？"王翦推托说："老臣病弱体衰，昏聩无用，希望大王另选良将。"秦王政再次致歉说："好了，请将军不要再说什么了！"王翦就说："大王一定要用我，非给我六十万士兵不可。"秦王政满口答应："听将军的就是了。"

于是王翦统领六十万大军启程，秦王政自送霸上，王翦因手握六十万重兵，出征时向秦王"请美田宅园池甚众"，"以请田宅为子孙业耳"，秦王政大笑；出关前，又连续五次求赐美田，连部下也开始担心会不会太过分，王翦才说出了自己的用意："夫秦王怚而不信人。今空秦国甲士而专委于我，我不多请田宅为子孙业以自坚，顾令秦王坐而疑我邪？"意思是说秦王嬴政生性多疑，如今秦国全国士兵尽交到自己手中，此时唯有向秦王诸多要求，才可以表明自己除了金钱以外别无他求，借此消除秦王怕他拥兵自立的疑惧。

之后，王翦领兵伐楚，大军抵达楚国国境之后整整一年坚壁不出，六十万士兵都囤积起来休养生息，甚至每天比赛投石以作娱乐。楚军因为兵少而无可奈何，一年后终于按捺不住，正当楚军在调动之际，王翦就率兵出击大破楚军，杀项燕于蕲，虏楚王负刍，平定楚国。随后又南征百越，取得胜利，因功晋封武成侯。王翦之子王贲，也以战功著名，燕国就是被王翦、王贲两父子合力破灭的。

公元前221年（秦始皇二十五年），秦国兼并了所有的诸侯国，统一了天下，王翦和蒙恬立的战功最大，美名流传至后世。

王翦是秦国杰出的军事家，也是继白起之后，秦国不可多得的大将之才。他与其子王贲在辅助秦始皇统一六国的战争中立有大功，除韩之外，其余五国均为王翦父子所灭。王翦一生征战无数，他智而不暴、勇而多谋，在当时杀戮无度的战国时代显得极为可贵。

项　羽

项羽（公元前232年—公元前202年），名籍，字羽，秦末下相（今江苏宿迁）人，楚国名将项燕之孙，他是中国军事思想“兵形势”代表人物（兵家四势：兵形势、兵权谋、兵阴阳、兵技巧），堪称中国历史上最强的武将之一，古人对其有“羽之神勇，千古无二”的评价。项羽早年跟随叔父项梁在吴中（今江苏苏州）起义，项梁阵亡后他率军渡河救赵王歇，于巨鹿之战击破章邯、王离领导的秦军主力。秦亡后称西楚霸王，实行分封制，封灭秦功臣及六国贵族为王。而后汉王刘邦从汉中出兵进攻项羽，项羽与其展开了历时四年的楚汉战争，期间虽然屡屡大破刘邦，但项羽始终无法有固定的后方补给，粮草殆尽，又猜疑亚父范增，最后反被刘邦所灭。

项羽少年时，项梁教他读书，但他学了没多久就不学了，项梁又教他学剑，没多久又不学了，项梁因此特别生气。项羽说：“读书识字只能记住个人名，学剑只能和一个人对敌，要学就学万人敌。”项梁于是又教项羽学习兵法，项羽非常高兴，但是只学个大概，不肯深加研究。秦始皇到会稽游玩，驾大船渡浙江，项羽与项梁一起观看，项羽对项梁说：“秦始皇是可以被取代的。”项梁捂住项羽的嘴说：“你不要胡乱说话，否则会给全族招来祸患。”项梁因此对项羽另眼相看。项羽身长八尺有余，力能扛鼎，才气过人，即使是吴中弟子，也都非常害怕项羽。

公元前209年（秦二世元年）七月，陈胜、吴广在大泽乡揭竿而起，九月，会稽太守殷通对项梁说：“江西人全都造反，这是上天要亡秦的时刻，我听说先发制人，后发为人所制，我准备发兵，想要用你和桓楚为将。”当时桓楚在大泽逃亡，项梁说：“桓楚在逃亡，不知道他人在哪里，只有项羽知道。”于是项梁出去嘱咐项羽持剑在外面等候，然后又进来跟郡守殷通一起坐下，说：“把项羽招来，让他奉命去找桓楚。”殷通同意后，项羽在项梁的指示下将殷通杀死。项梁手里提着郡守的头，佩戴殷通的官印。殷通部下大为惊慌，一片混乱，项羽连杀将近一百人。整个郡府上下都吓得趴倒在地，没有一个人敢起来。项梁召集原先所熟悉的豪强官吏，向他们说明起事反秦的道理，于是就发动吴中之兵起事。项梁派人去接收吴中郡下属各县，共得精兵八千人。又部署郡中豪杰，派他们分别做校尉、侯、司马。于是项梁做了会稽太守，项羽为裨将，去巡行占领下属各县。

为了便于号召，项梁采纳谋士范增建议，立前楚怀王的孙子熊心为王，建都于盱眙，仍称楚怀王。项梁率义军在和秦军战斗中接连取胜，产生了骄傲轻敌思想。结果在定陶（今山东定陶县西北）被秦军章邯指挥的军队打败，项梁战死。

定陶之战后，秦军北渡黄河，攻打起义抗秦的赵王歇和张耳，将赵军围困于巨鹿（今河北平乡）。楚怀王任命宋义为上将，项羽为次将，率兵救援。宋义率军到达安阳（今河南安阳南），便畏缩不前，屯兵四十六天。当时，阴雨连绵，起义军缺衣少粮，处于困境之中。项羽当机立断，杀了宋义，迫使楚怀王任他为上将军，并命他立即挥师北上救赵。

项羽率军进抵漳河南岸与秦军隔岸对峙。他先派英布、蒲将军带领二万精兵渡河，切断秦军运粮通道。随后亲率主力渡河，凿沉船只，毁坏炊具，烧掉营舍，每人只带三天口粮，这就是著名成语"破釜沉舟"的由来。一到战场，楚军便以雷霆万钧之势，迅雷不及掩耳的行动，把秦军包围起来。项羽身先士卒，冲锋陷阵，楚军个个勇猛杀敌，一以当十，九战九捷，大败秦军，俘获秦将王离，杀死秦副将苏角，迫使秦副将涉间自杀，解了巨鹿之围。在项羽军与秦军激战时，各路诸侯援军却缩在壁垒上观看，不敢参战。战斗结束后，项羽召集援军将领，他们"入辕门，皆膝行而前，莫敢仰视"。项羽成了诸侯军的统帅。

巨鹿之战后，项羽乘胜追击，秦军节节败退，军心涣散。章邯见大势已去，率二十万秦军投降了项羽。项羽却在西进途中，在新安城（今河南渑池东）下令将这二十万降卒全部坑杀。这时，另一路起义军沛公刘邦乘秦军主力被项羽牵制在巨鹿，关中空虚，占领了咸阳。项羽大为不满，率军破关而入，进驻鸿门（今陕西临潼东北）。当时项羽军四十万，刘邦军不足十万，双方力量悬殊。刘邦自度力量不敌项羽，便采纳张良计策，拉拢项羽叔父项伯，亲自到鸿门请罪。鸿门宴上，觥筹交错中闪烁着刀光剑影。项羽的谋士范增几次举起所带玉玦，暗示项羽杀死刘邦，项羽却优柔寡断，被刘邦借故逃脱。这就是历史上有名的"鸿门宴"的故事。

项羽依靠强大兵力，暂时压制刘邦。然后引兵进入咸阳，"杀秦降王子婴，烧秦宫室，火三月不灭，收其货宝、妇女而东"（史记·项羽本纪）。项羽挟其军事上的余威，以诸侯上将军自居，发号施令。他自立为西楚霸王，取梁、楚之地九郡（占有今江苏、安徽、山东、河南部分地区），定都彭城（今江苏徐州）。同时又割地封王，分封了十八个诸侯。封刘邦为汉王，王汉中、巴蜀，企图限制刘邦势力的发展，使其不得东进。结果养虎遗患，导致汉军势力日后卷土重来。

由于项羽分封不公，引起诸侯和功臣不满。先是田荣据齐反楚，项羽急忙率军讨伐，刘邦便乘隙东进。公元前208年八月，汉军从汉中潜出故道，打败项羽所分封的秦地三王，迅速东进，直抵阳夏（今河南太康）。接着，又乘项羽与齐军交战之际，一举攻入楚都彭城，项羽急忙率三万精兵还救彭城。

此时，刘邦仗恃兵多将广，麻痹轻敌。项羽军则收复失地心切，斗志旺盛。三万楚军在项羽率领下，出山东经胡陵（今山东鱼台东南）趋萧（今江苏箫县西北），直抵彭城汉军侧背。战斗从拂晓开始，楚军勇猛顽强，边打边冲。到了午时，已将汉军打得大败。楚军追到彭城东北的泗水，汉军纷纷落水，死者十余万。汉军向南方山地溃逃，楚军追击至灵璧（在今安徽省）以东的睢水上，又歼灭数十万人。刘邦只率数十骑逃出重围，连妻子吕雉和父亲太公都作了项羽的俘虏。彭城一战，项羽决策果断，迅速率精兵回救彭城，出敌不意，击溃汉军数十万之众，是战史上以少胜多的范例。

彭城之役后，项羽乘胜进军，在京邑、索亭间（荥阳西南）同汉军打了一仗，结果被阻于荥阳以东。此后楚汉两军在今河南省地区成拉锯局面，然而韩信所率汉军在黄河以北地区屡胜，彭越也率领部众侵扰楚军后方，形势开始对项羽不利。

前203年，楚汉议和，平分天下，以鸿沟为界，西归汉，东归楚。项羽率军东归，刘邦不久背约，出兵攻楚。刘邦约定韩信及彭越合击项羽，可是二人却按兵不动，结果刘邦在固陵被项羽打得大败。刘邦一方面固守，另一方面以事成后裂土封王利诱韩信及彭越出兵，终于使他们带兵会合刘邦。

前202年初，汉高祖发兵向项羽发动总攻，在垓下把项羽军团团包围。此时，十万楚军已兵疲粮尽，士气低落。夜间又听到汉军在四面唱起了楚歌。项羽大为吃惊，便借酒浇愁，慷慨悲凉地唱道："力拔山兮气盖世，时不利兮骓不逝。骓不逝兮可奈何，虞兮虞兮若奈何？"唱罢飞身上马，带领八百骑突围南去。来到东城（今安徽定远东南），只剩二十八人。他想东渡乌江重整旗鼓，又觉无颜见江东父老，奋力拼杀一阵，遂横剑自刎而死。

项羽是一位超群的军事统帅。他能征善战，战场上豪气盖世，叱咤风云。巨鹿之战，项羽破釜沉舟，以寡击众，全歼秦军主力，客观上为汉高祖进入咸阳，推翻秦朝创造了条件。楚汉战争中，破田荣，救彭城，救荥阳，夺成皋，一生大战数十次，多获胜利。所以，古人称他“有百战百胜之才”。其结局悲惨主要是性格上刚愎自用，不善用人导致。

韩 信

韩信（公元前230—公元前196年），淮阴人，我国古代伟大的军事家、战略家、统帅、军事理论家，是淮安最杰出的历史人物之一。韩信是战国时期韩国贵族的后裔，他父母早亡，少时孤苦，却勤奋读书，熟演兵法，胸怀大志。在故乡还经受了贫困潦倒、漂泊寄食、胯下之辱的磨炼。陈胜、吴广起义后，韩信仗剑从军，初投项梁，参加了东阿之战、定陶之役。项梁败亡，又属项羽，身历了巨鹿之战、破釜沉舟、九战破敌的壮举，也目睹了坑杀秦军降卒二十余万的暴行，又亲历了屠咸阳、焚宫室、杀子婴、掘始皇帝冢以及收财宝、妇女的大掠夺。在项羽麾下，韩信未受重用，后投奔刘邦，经萧何力荐，被拜为大将军。他先后指挥陈仓之战、京索间之战、安邑之战、破代之战、井陉之战、破齐之战、潍水之战、彭城之战和垓下之战等一系列重要战役，其卓著战绩堪称世界战争史上的奇观，其卓越的军事智谋和用兵艺术为后世兵家所推崇。

楚汉战争的发展进程和最后的胜利结局证明：韩信是一位能够从全局着眼，具有深谋远略的军事战略家。

汉高帝元年（公元前206年）二月，项羽入关中分封天下于诸将。项羽背义帝之约封刘邦为汉王，刘邦对此十分不满，但其力量弱小，只好忍气吞声地离开关中，勉强就国。刘邦虽然时时都想杀出汉中与项羽一拼高下，但在得韩信之前，却被项羽表面上的强大所震慑，一直未能作出重大的行动决策。

八月，韩信被刘邦拜为大将军，汉中拜将后，刘邦问计于韩信。韩信与刘邦的这段对话被史家称为“汉中策”或“登台对”，这段关系楚汉战争成败的精彩议论让韩信初露峥嵘、一鸣惊人。在这段议论中，韩信把刘、项双方的形势做了比较后指出：项王勇武，但不任属贤将，因而是匹夫之勇；项王虽关心人，但不能论功行赏，是妇人之仁；不居关中，而都彭城，是失去地利；放逐义帝，残杀无辜军民，失天下人心。项羽虽然霸天下而臣诸侯，但百姓不拥护他，所以其强易弱；相反，汉王入关后纪律严明，与民约法三章，得到秦民拥护。韩信列举了项羽在用人、战略、政策上的种种失误后，明确地指出项王的缺点正是汉王应当利用的，项王目前的这种貌似强大，实际上只是一种假象，是可以打败的。因此，要反其道而行之，任用贤将，论功行赏，救济百姓，收天下人心，取三秦，东向灭楚。韩信又分析了三秦的形势，比较了章邯等三人在关中的不得人心和刘邦当时在关中打下的基础，结论说：“今大王举而东，三秦可传檄而定也。”

刘邦听了韩信的议论，顿开茅塞，看到了希望，终于下定东向争权天下的决心。刘邦深深地悔恨自己与韩信相识过晚，他立即开始行动，按照韩信的部署和计划准备东征，首先夺取关中。在“东向争权天下”的战略方针指导下，韩信出故道、战陈仓、围废丘，民众夹道欢迎，而雍王章邯、塞王司马欣、翟王董翳相继束手被歼。

汉高帝二年（公元前205年）四月，刘邦进取彭城失败后，魏王豹叛汉与楚联合，截断黄河西岸临晋关（今陕西大荔县东）的交通，对汉军的侧背构成严重威胁。八月，刘邦以韩信为左丞相，率曹参、灌婴等击魏，韩信采取声东击西、避实击虚的战术，一举击败魏王豹，尽定魏地。虽然韩信迅速灭掉了魏，拔掉了扎在汉军背上的芒刺，但战略形势仍然十分不利于汉。汉军正面受到了很大的压力，荥阳、成皋两次失守。艰苦而又长期的拉锯战，使得刘邦一度想放弃这些重要的战略据点，退守巩、洛。在这关键时刻，韩信总揽全局，估量了当时楚汉双方的力量对比和客观形势，分析了彭城之战和灭魏之战的经验教训，提出一项宏伟的战略计划。他向刘邦提出建议：“愿益兵三万人，臣请以北举燕、赵，东击齐，南绝楚之粮道，西与大王会于荥阳。”（《汉书·韩信传》）这是韩信继汉中拜将之后又一次向刘邦所提出重大战略建议。韩信的建议实质包括三层意思：第一是让刘邦率领汉军主力坚守荥阳正面战场，利用荥阳、成皋、巩、洛一带的有利地形，持久地同项羽周旋；第二是由韩信率领部分兵力，在北方战场上继续东进，大举出击，一一消灭赵、代、燕、齐等割据势力，完成对项羽的战略包围，实现楚、汉双方力量对比的转变；第三是韩信由齐地挥师南下，占领项羽的后方。然后转兵西下，与刘邦会师，围歼项羽于荥阳城下。这是我国战争史上第一次提出的正面持久防御同侧翼大举进攻相结合的战略方针，是一种很高超的战略指导艺术。

除了军事才能之外，韩信还能屈能伸，具有大将风范。

韩信曾受过胯下之辱，但他对那个让他受辱的人却要奖赏。韩信说：“几年前，那屠夫侮辱我，我开始时真想拔剑杀了他！但杀人要偿命，我满腹的文韬武略便不能得以施展，日后更谈不上拜大将、封王。忍受一下暂时的胯下之辱又有什么关系呢？至于为什么要给侮辱我的人奖赏，这是为了让天下人看见，对如此侮辱过我的人都这样宽大为怀，既往不咎，那些过去和我有矛盾的人就会放下心来，从而减少同我的摩擦。”大家都认为韩信确实具有大将风度。

总之，韩信是中国历史上杰出的军事家，与萧何、张良并列为“汉初三杰”。在楚汉相争的历史大决战中，韩信叱咤风云、纵横捭阖，谱就了辉煌的历史篇章。

英 布

英布（？—前195），中国秦朝时六县（今安徽省西部）人。年轻时受过黥刑（刺面），所以又称黥布。起初为骊山役徒，修筑秦始皇陵墓。秦末率骊山刑徒起义，响应陈胜、吴广造反。后来投奔项梁，被封为九江王，楚汉战争中投奔刘邦，与韩信、彭越会师，消灭项羽。被刘邦封淮南王。前196年，因韩信、彭越被杀，举兵反汉，战败之后逃亡到江西一带，被长沙王吴臣诱捕杀害。

《史记·黥布列传》记载：

"黥布者，六人也，姓英氏。秦时为布衣。少年，有客相之曰：'当刑而王。'及壮，坐法黥。布欣然笑曰：'人相我当刑而王，几是乎？'人有闻者，共俳笑之。布已论输丽山，丽山之徒数十万人，布皆与其徒长豪桀交通，乃率其曹偶，亡之江中为群盗。

陈胜之起也，布乃见番君，与其众叛秦，聚兵数千人。番君以其女妻之。章邯之灭陈胜，破吕臣军，布乃引兵北击秦左右校，破之清波，引兵而东。闻项梁定江东会稽，涉江而西。陈婴以项氏世为楚将，乃以兵属项梁，渡淮南，英布、蒲将军亦以兵属项梁。"

早在两千多年前，英布在惊心动魄的推翻秦王朝和"楚汉之争"的斗争中，叱咤风云，从救赵击秦、战巨麓、攻新安，到入咸阳、屯成皋、会垓下，是反秦灭项兴刘的大功臣。

英布本是一名普通的百姓，少年时请人为他看相，算命的人说："当刑为王"。长大后果然沦为刑徒，在额上刺字涂墨为黥，故也称"黥布"，英布定罪后不久被押送到骊山服劳役，给秦始皇修建陵墓。他还笑着对人讲："人相我当刑为王，几是乎？"在骊山有刑徒数十万人，英布在骊山服役时如鱼得水，他在刑徒中积极开展联络活动，专和罪犯的头目、英雄豪杰来往，在他的周围聚集了一大批拥护者。不久之后，他就带领这一帮人越狱，逃回家乡，在江湖上"为盗"。

公元前211年，英布带领着刑徒来瓦士山后，筑城居住，因刑徒皆刺字涂墨为黥，城有东、西两座，因此称之为东黥城、西黥城。这里回旋余地较大，又扼守长江中游地区，十分有利于酝酿开展活动。

当时，番（音鄱）阳县令吴芮亦已洞察时事动荡，他广交社会朋友，深得江湖民心，人们称其为“番君”。英布去会见吴芮，参加了他的军队，一起反叛了秦朝，还聚集起了数千人的队伍。吴芮十分欣赏英布，他看出英布的不凡之处，亲自主婚，将自己的爱女嫁给英布，并对布讲：“苦练本领、广结朋友，将来一定大有作为。”令英布在督军湖（今鄱阳湖东）训练军队，吴芮的话和各方面的帮助，对英布开展活动起了很大的作用。英布在番阳住了半年，把妻子接回，在东黥城内修殿居住。

公元前209年7月，陈胜、吴广领导的中国历史上第一次农民大起义在大泽乡爆发，天下人士纷纷响应，并很快建立了“张楚”政权。时英布率数千刑徒揭竿响应，北上攻克陈县，有力地配合吕臣率领的起义军。秦二世二年（前208年），秦将章邯消灭了陈胜、吕臣的军队，义军的形势十分险恶。但是，英布没有害怕，反而大胆率兵北进，攻打秦军的左右校尉，在清波将其击败，接着英布又从东、西黥城北上，破秦军左右校于清波，有力地打击了秦军的嚣张气焰。当时因刑徒脸上都刺有字，英布取黄梅产的土青布裹头，人们称这支英勇善战的军队为“苍头军”。

陈胜起义后两个月，小农出身、曾做过亭长的芒砀山起义军首领刘邦，在小吏萧何、曹参等支持下，自称“沛公”，在丰沛（江苏丰县、沛县之间）扩大势力。与此同时，在会稽的楚国贵族出身的项梁、项羽叔侄杀死郡守，以楚王（陈胜）上柱国的名义，率领八千人渡河北上。刘、项两支起义军渐渐成为反秦斗争的主力。

英布率领的“苍头军”在战斗中骁勇善战，冲锋陷阵，以少胜多，勇冠全军。项梁到达薛地后，得知陈王确实已经被谋害，便拥立了楚怀王，自号“武信君”，拜英布为“当阳君”。起义军势力不断高涨，英布军和项梁军一道破秦军于东阿（今山东阳谷），转攻定陶（今山东定陶），并和刘邦共破秦军于雍丘（今河南杞县），斩秦主将李由，因军事胜利，项梁日渐骄傲轻敌，秦大将章邯乘机夜袭定陶，项梁战死。项梁死后，楚怀王迁都到了彭城，英布与其他的将领也都追随着，聚集到了彭城坚守。

章邯破项梁后，以楚兵不足为忧，北上围攻赵国，夺取邯郸，以重兵包围巨鹿。赵王派使者求救于楚，楚怀王在彭城召开会议，决定兵分两路：一路以宋义为上将，范增为末将，项羽为次将，英布、蒲将军皆为将率主力北上救赵；另一路由刘邦率领向西略地，攻秦王朝腹地关中地区。救赵大军行至安阳（今山东曹县），宋义临到阵前，看到秦军强大的阵势，害怕了，不敢再前进一步，为了保存实力，逗留四十多天不发兵。而项羽为叔父项梁报仇心切，主张急速北上，想一口气冲过去与秦军决战，宋义不但不采纳，整日喝酒作乐，好像忘了自己是来干什么的了，听到项羽的想法，斥责道："你个小孩子懂什么，现在重要的是养精蓄锐。"项羽一怒之下杀了宋义，接管了军队，取得部队拥护。楚怀王任命项羽为上将军，诸侯皆归项羽统领。项羽立即派遣英布的"苍头军"2万人渡河击秦军，英布打败秦军，杀出一条甬道后，项羽率领大军渡河。时燕、齐赵各路大军云集巨鹿，但均惧秦军，莫敢出战。惟英布甘任先锋，长驱直入，九战皆捷，大破秦军，英布、蒲将军斩秦大将苏角、俘王离、逼秦将涉间自杀，秦军统帅章邯投降，遂解巨鹿之围。巨鹿之战意义重大，经此一战，消灭了秦军主力，楚军屡战屡胜成为反秦力量的中流砥柱，所到之处秦军都闻风而逃，所以在各支诸侯军队中功劳最大。而楚军中英布率领的军队屡次以少胜多，骁勇善战，是精英中的精英，使得各路诸侯的军队逐渐归附楚国。英布的军队为推翻秦王朝铺平了道路。

消灭秦军主力后，项羽乘胜西进，想要取汉中。行至新安，20万秦兵降卒发生骚乱，项羽令英布在新安城南一夜坑杀降卒20万人，然后继续西上，到达函谷关，不能进入，大军被挡在外面，项羽又派英布等人，先从隐蔽的小道，打败了守关的军队，才得以进关，一直到达咸阳。另一路刘邦自芒砀山西进，袭秦军陈留粮仓，收买秦地方官，不战而取宛城（今河南安阳），又收买秦将而夺取武关，迅速攻入汉中，并在兰田大败秦军。前207年，军抵坝上，秦王子婴投降，秦朝灭亡。刘邦进入咸阳后，约法三章，废除秦一切苛法，旧官吏基本留用，赢得地主阶级和秦人好感。同时，令人守好函谷关。

项羽自河北率军入关，令英布从间道破刘邦下关军，企图消灭刘邦在关中势力。当时项羽拥兵40万，刘邦只有10万，刘邦自知力弱，亲到项羽驻地"鸿门"（今陕西临潼），上卑辞言好，表示恭顺，以安其心。楚军常胜，功冠诸侯，诸侯兵皆服属楚有。

项羽进入咸阳后，杀秦降王子婴，火烧秦宫殿，所过之处无不破残，引起人民和地主阶级不满。项羽骄横一时，假尊楚怀王为义帝，自立为"西楚霸王"，并按亲疏依次封十八路诸侯。英布因常常担任军队的前锋，作战勇猛，功劳大，被封为"九江王"，建都六县（安徽省西部东北）。为抑制刘邦，封他为"汉王"，封地在偏僻的巴蜀。

《史记·黥布列传》中记载："汉元年四月，诸侯皆罢戏下，各就国。项氏立怀王为义帝，徙都长沙，乃阴令九江王布等行击之。其八月，布使将击义帝，追杀之郴县。

"汉二年，齐王田荣畔楚，项王往击齐，征兵九江，九江王布称病不往，遣将将数千人行。汉之败楚彭城，布又称病不佐楚。项王由此怨布，数使使者消让召布，布愈恐，不敢往。项王方北忧齐、赵，西患汉，所与者独九江王，又多布材，欲亲用之，以故未击。

"汉三年，汉王击楚，大战彭城，不利，出梁地，至虞，谓左右曰：'如彼等者，无足与计天下事。'谒者随何进曰：'不审陛下所谓。'汉王曰：'孰能为我使淮南，令之发兵倍楚，留项王于齐数月，我之取天下可以百全。'……淮南王至，上方踞床洗，召布入见，布大怒，悔来，欲自杀。出就舍，帐御饮食从官如汉王居，布又大喜过望。于是乃使人入九江。楚已使项伯收九江兵，尽杀布妻子。布使者颇得故人幸臣，将众数千人归汉。汉亦分布兵而与俱北，收兵至成皋。四年七月，立布为淮南王，与击项籍。

"汉五年，布使人入九江，得数县。六年，布与刘贾入九江，诱大司马周殷，周殷反楚，遂举九江兵与汉击楚，破之垓下。"

英布做事最大的特点就是不按常理出牌，是一个无可无不可的人，当上了九江王之后更是这样。汉二年，齐王田荣背叛楚国，项王前往攻打齐国，在楚汉相争的关键时刻，向九江征调军队，坐了项羽封赠的九江王的他，托辞病重不能前往，只派将领带着几千人应征，出人意料地坐山观虎斗，无心对项羽施以援手。这也就引起了项羽对英布的怨恨。

刘邦利用项羽攻齐之机，率领诸侯兵56万攻楚的都城彭城，英布又托辞病重不去辅佐楚国。项王因此更加怨恨英布，屡次派使者前去责备英市，并召他前往，英布越发地恐慌，不敢前往。当时，项王正为北方的齐国、赵国担心，西边又忧患汉王起兵，知交的只有九江王，又推重英布的才能，爱才心切，可以任用，所以没有发兵攻打他。

英布的反常举动终于为刘邦所利用，刘邦攻下彭城后，对左右从者说："像你们这班人，实在不值得共商天下事。"随从随何说："不知陛下想干什么事？"刘邦说："有谁能够为我出使九江国，不管采用什么办法，只要让英布出兵叛楚，把项羽拖在齐地几个月。那么，我夺取天下就有百分之百的把握了。事成后，我一定重赏他。"随何愿出使淮南，刘邦便派了二十人与其一同前往。

随何见到英布后就说："我不知大王您和楚霸王到底是什么关系？"英布说："我对楚霸王称臣而侍奉他。"随何抓住英布的话，以质问口气说："大王您与项羽都身为诸侯王，大家的地位都是一样的，您却情愿当他的臣子，您定认为楚国强盛，可以依靠。那么项羽率军攻打齐国，他可以亲负墙板筑杵，为士卒先锋，大王应该像过去一样，倾尽国中的军队，作为楚军的先锋才是。而现今您却只发兵四千去帮助楚王，一个向北臣事别人的人，难道应当这样做吗？汉王攻打彭城，项王被齐国拖住，分身乏术。大王您本应该悉发九江之兵渡淮援助楚王，与汉王日夜作战，与汉军血战于彭城下。您拥兵无数，却袖手旁观，不肯派一兵一卒。这是一个依赖他人立国者应当做的吗？您名义上归附楚国，而实际上是想要独立自主。我私下里认为您这种蛇鼠两端的做法不可取。"同时又针对英布对项王的顾虑说："您之所以不肯背叛楚国，无非是因为汉弱楚强，楚军虽然强大，但是天下人都认为它不是正义之师，因为项羽违背盟约，又杀害了义帝。天下人都以不义之名责备他，他还自恃百战百胜，兵强国盛呢。现在，汉王收编诸侯的军队，回师驻守在成皋、荥阳，后方粮草源源不断地运来，汉军深挖战壕、营建壁垒，分兵把守各个要塞。楚人调回部队，中间隔着梁国，深入敌国八九百里，这时欲战不能，攻城乏力，老弱残兵要从千里之外转运粮食，如果楚军到达荥阳、成皋的时候，汉军只要坚守不战，楚军就会进不能攻，退不能脱身。胜败可以说是已经定了，所以说，楚军是靠不住的。如果楚国战胜了汉国，诸侯们必定会人人自危、互相救援，也未必天下太平了。因此，楚军强大，就会肆意妄为，必定招惹全天下的对抗。所以楚不如汉，这个形势显而易见。如今，大王不归附万无一失的汉国，却托身于岌岌可危的楚国，我对大王的做法感到不解。我并不认为大王手下的兵力足够灭亡楚国，但是，如果您能够发兵叛楚，那么，项羽必定会被滞留在齐国，这样，汉王就有足够的时间来平定天下了。"最后以坚定的口气说："我建议大王归附汉王，汉王一定会裂地而赐封您，到时候，您所拥有的就不仅仅是淮南的土地了。汉王专程派我前来劝说大王，希望您仔细地考虑。"英布答应叛楚归汉，但又不敢马上泄漏，正巧楚使者催英布发兵，随何怕英布反悔，便对使者说："九江王已经归附了汉王，楚国凭什么叫他发兵？"使者大惊，随何对英布说："事情已经到了这个地步，你必须杀了楚使，无使其归"。英布见大势已定，已无退路，只好杀楚使，起兵攻打楚国。

项羽听说英布反楚，马上派项声、龙且带兵迎击英布，而自己则留下来进攻下邑。几个月以后打败英布，英布打算率军投奔汉王，但是害怕楚军的截击，便带着一些亲兵，与随何一道从小路跑到了汉军营中。

英布到达汉军营中的时候，刘邦无任何欢迎表示，边洗脚边召见英布。英布进帐，见到眼前的情景，非常生气，后悔归汉，想要自杀，但是，他出来以后，到了他住宿的地方，帐御、饮食、从官、侍女和刘邦一样，英布又大喜过望，认为汉王是尊重自己的。于是英布遣使者至九江收兵，此时，项羽已经派遣项伯收编了九江的散兵，并且杀死了英布全家。英布派来的使者找到了不少英布的老友和亲近的臣属，他们率领着这几千人投奔汉王。当时，刘邦和项羽在灵璧大战，刘邦大败，走保荥阳，屯兵成皋，恰英布归汉兵到，刘邦得益于布兵，才又重新振作。

公元前203年7月，刘邦立英布为淮南王，与其一道攻打项羽。次年，英布派人到九江，占领了好几座县城。汉六年，英布与刘贾一同进入九江，诱降了楚国的大司马周殷。于是，几个人合力，配合汉军攻打项羽，终于在垓下打败了项羽。

项羽死后，天下安定。后来，刘邦正式分封异姓王，英布被剖符定封为淮南王，建都六县，九江、庐江、衡山、豫章等郡都归属英布。

《史记·黥布列传》记载：

“十一年，高后诛淮阴侯，布因心恐。夏，汉诛梁王彭越，醢之，盛其醢遍赐诸侯。至淮南，淮南王方猎，见醢，因大恐，阴令人部聚兵，候伺旁郡警急。……布之初反，谓其将曰：‘上老矣，厌兵，必不能来。使诸将，诸将独患淮阴、彭越，今皆已死，余不足畏也。’故遂反。果如薛公筹之，东击荆，荆王刘贾走死富陵。尽劫其兵，渡淮击楚。楚发兵与战徐、僮间，为三军，欲以相救为奇。或说楚将曰：‘布善用兵，民素畏之。且兵法，诸侯战其地为散地。今别为三，彼败吾一军，余皆走，安能相救！’不听。布果破其一军，其二军散走。

遂西，与上兵遇蕲西，会甀。布兵精甚，上乃壁庸城，望布军置陈如项籍军，上恶之。与布相望见，遥谓布曰：‘何苦而反？’布曰：‘欲为帝耳。’上怒骂之，遂大战。布军败走，渡淮，数止战，不利，与百余人走江南。布故与番君婚，以故长沙哀王使人绐布，伪与亡，诱走越，故信而随之番阳。番阳人杀布兹乡民田舍，遂灭黥布。”

汉十一年（前196年）春，汉高祖刘邦先杀韩信，复诛彭越，灭项兴刘的三位大将已杀两人，并将彭越尸体剁成肉酱，遍赐诸侯。英布接到彭越尸体做的肉酱后，预感大祸临头，心里更加的恐慌，暗令聚兵边郡，蔡山附近九江城聚兵3万，并且侦查临近地区的战备情况，以防不测。

不久，英布的一个爱妾生了病，到宫外去就医。这位医生家与淮南国的中大夫贲赫的家对门。贲赫得知大王的爱妾来此就医，便有意地巴结、奉承她，送给这个女人很多的礼物，并且与她在医生家中饮酒作乐。后来，这位爱妾病治好了。一次，她侍奉英布，在闲聊中，她称赞贲赫是位忠厚、老成的人。不料，淮南王生气地说："你怎么知道的呢？"爱妾就把相交往的情况全都告诉他。于是，英布疑心她和贲赫有淫乱关系。惊惧之下的贲赫，只有称病躲避和英布见面。英布更加恼怒，就要逮捕贲赫。事情越描越黑，英布决定重拳出击，杀掉贲赫。贲赫就是有百口也难辩明。

贲赫知道英布调动兵力的事情，为了自保，他乘坐驿站的马车，前往京城长安，上书告发英布，说他图谋造反。英布派人追赶贲赫，但是没有追到。不久，贲赫的上书传到了刘邦手里，在上书中，贲赫建议朝廷在英布还没有起兵之前将其处死。为此，刘邦与相国萧何商议。萧何说："英布应该不会造反，这恐怕是仇家的诬告。建议您先将贲赫拘捕，再派人暗中侦察英布。"刘邦依照萧何的建议去做。英布得知贲赫畏罪逃亡，又上书告变，本来已经怀疑他会说出自己暗中部署的情况，这时汉王的使臣又来了，有了相当的验证，知道大事不妙，只好先行起兵，首先就杀死贲赫的全家，起兵造反。当造反的消息传到长安，皇上就赏了贲赫，并且封他做了将军。

黥布起兵，其实正暗合刘邦心意，他早就准备对黥布下手，这使有了杀他理由，于是决定亲征。英布反汉后，刘邦召诸将问对策，诸将皆说："发兵击之，坑竖子耳！"但并未提出妙策。

当时，汝阴侯滕公召故楚令尹薛公，请教计策，薛公却说："是故当反……往年杀彭越，前年诛韩信，此三人同功一体之人也，自疑祸及身，故反尔。"于是，刘邦问策，薛公说："英布反不足怪，他有三条道路可以选择，其策略可能分为上中下三计：东取吴西取楚，并齐取鲁，传檄燕赵，固守其所，山东非汉所有；东取吴西取楚，并韩取魏，据敖仑之粟，塞成皋之口，如此胜败难卜；东取吴西取下蔡，归重于越，复归长沙，则汉可安枕而卧。但他最终会选择消极防守的下策。”

果然，英布错误地估计形势，英布对手下的将领们说：“皇上老了，又整日花天酒地，必定不会亲自率军前来。如果派来其他的将领，我只担心韩信与彭越。但是，这两个人都已经死了，其余的将领都是鼠辈，不值得我畏惧。”于是，英布开始进兵。果然不出薛公所料，英布首先向东进攻荆国，荆王刘贾战败逃亡，后死于富陵。英布将刘贾的部队全部收编，然后，率军渡过淮河，进击楚国。楚军分兵三处，想以互相倚仗而出奇制胜。有人游说楚将说：“英布擅长用兵，百姓素来害怕他。况且兵法有言，认为诸侯在自己的土地上作战，士兵容易当逃兵。现在，您把军队分成三支，英布击败其中的一支，其余的两支就都会逃跑。他们哪里能够互相地倚仗呢？”楚将没有听从这个建议。不久，英布果然先击败一支楚军，其余的两支楚军望风而逃。

英布的军队士气旺盛，继续西进。很快，叛军与刘邦的部队在蕲县（今安徽宿州东南）西面的会甀乡相遇。英布的军队精锐，十分骁勇善战，刘邦不敢轻举妄动，于是坚壁清野、固守庸城。刘邦在城上望见英布的军队像当年项羽的军队一样排兵布阵，心里非常的讨厌。刘邦与英布彼此望见，他远远地对英布说：“为什么你要造反呢？弄个身败名裂的下场！”英布因为连续的胜利，野心也膨胀了，不再是当初简单的自保了，就说道：“我也想当皇帝啊！”刘邦听后，破口大骂。于是，两军开战。结果，英布兵败逃跑，渡过了淮河。此后，英布又多次停下来与汉军交战，但是均以失败告终，无奈之下，他只好带着百余名亲兵逃往江南。英布与原来的番县县令吴芮的女儿结婚，而现在，吴芮是长沙王。吴芮得知英布将要逃亡至此，他感到英布的气数已尽，便遣儿子吴臣欺骗英布，称欲与英布共存亡，叫他回到番阳，伺机再起。英布听从他的话，带人亡走番阳，被引入越人居住的地方，最后被全部围杀。随后，他命人携带英布的头颅，到刘邦那里去报告、请功。至此，英布的叛乱基本上被平息。

英布一生，骁勇善战，叱咤风云，在击秦灭项兴刘的过程中起到了不可替代、扭转战局的作用，从一介刑徒到为将为王，从最初的东西黥城为起点，乘势而上，纵横南北，经历了大大小小无数次酷烈的战斗而成就了一时的威名，可以说非常人能及。但他有勇无谋，目光短浅，反复无常。在中国历史上，英布可以算得上是一个典型的“反将”，从反秦开始，到归项又反楚，后投汉又反汉，真正是一反到底。英布败就败在他无可无不可的性格上，而他的无可无不可则源于他骨子里的缺乏信仰，因为缺乏真正的大志，所以，他可以坑杀降卒，可以追杀义帝，可以随时背叛项羽，也可以随时背叛刘邦。当“受刑而王”的预言得以实现，英布就开始很专注地维护自己的地位，正是他的这个性格决定了他终究只是一颗任人主宰的棋子，最后落得自我灭亡的下场。

太史公司马迁对英布的评价是：“祸因爱起，妒媢生患，有勇无谋，目光短浅”，这并不是没有根源的。回顾英布一生的起落，我们不免发现他与同时代的韩信竟有着类似的遭遇，韩信是“成也萧何，败也萧何”，也是叛楚归汉，后又被汉所诛。英布最初是得到番君的赏识和支持，后却被番君诱杀，可谓是“成也番君，亡也番君”。如果说韩信的悲剧有因功高震主的政治斗争原因，那么英布的结局则完全是其性格命运的咎由自取。

周亚夫

周亚夫（前199年—前143年），西汉时期的著名将军、军事家，汉族，沛（今江苏丰县）人。他是名将绛侯周勃的次子，在历史上也是非常有名的军事家，在七国之乱中，他统帅汉军，三个月平定了叛军。后死于狱中。

开始，周亚夫任河内郡守，限于自己的条件，周亚夫没有做王侯、当丞相的野心。但当时有个叫许负的老太太，以善于看面相著名。有次，周亚夫请她到自己的官府中为自己看相。许负对他说："您的命相比较尊贵，三年之后可以封侯，再过八年，就可以做丞相，地位显贵了。但您再过九年，就会因饥饿而死的。"

周亚夫听了根本不信，他说："我绝对不可能被封侯的，因为我的哥哥已经继承了父亲的侯爵，即使他死了也会让侄子继承，轮不到我。说我饿死也不可能，因为既然我尊贵了，又怎么会饿死呢？"许负说她只是根据面相得出的结论，她还指着周亚夫的嘴角说："您的嘴边缘有条竖直的纹到了嘴角，这是饿死的面相。"周亚夫听了，惊讶不已。

事情也有凑巧的时候，过了三年，周亚夫的哥哥周胜之因杀人罪被剥夺了侯爵之位。文帝念周勃对汉朝建国立下战功，所以不愿意就此剥夺了周家的爵位，于是下令推选周勃儿子中最好的来继承爵位。大家一致推举了周亚夫，所以周亚夫就继承了父亲的爵位。

公元前158年，即汉文帝六年，匈奴进犯北部边境，文帝急忙调边将镇守防御。为了警卫京师，文帝派三路军队到长安附近抵御守卫。宗正刘礼驻守在灞上，祝兹侯徐厉驻守在棘门，河内太守周亚夫则守卫细柳。

文帝为鼓舞士气，亲自到三路军队里去犒劳慰问。他先到灞上，再到棘门，这两处都不用通报，见到皇帝的车马来了，军营都主动放行。而且两地的主将直到文帝到了才知道消息，迎接时慌慌张张。送文帝走时也是亲率全军送到营寨门口。

文帝到了周亚夫的营寨，和先去的两处截然不同。前边开道的被拦在营寨之外，在告知天子要来慰问后，军门的守卫都尉却说："将军有令，军中只听将军命令，不听天子诏令。"等文帝到了，派使者拿自己的符节进去通报，周亚夫才命令打开寨门迎接。守营的士兵还严肃地告诉文帝的随从："将军有令，军营之中不许车马急驰。"车夫只好控制着缰绳，不让马走得太快。到了军中大帐前，周亚夫一身戎装，出来迎接，手持兵器向文帝行拱手礼："甲胄之士不拜，请陛下允许臣下以军中之礼拜见。"文帝听了，非常感动，欠身扶着车前的横木向将士们行军礼。

劳军完毕，出了营门，文帝感慨地对惊讶的群臣说："这才是真将军啊！那些灞上和棘门的军队，简直是儿戏一般。如果敌人来偷袭，恐怕他们的将军也要被俘虏了。可周亚夫怎么可能有机会被敌人偷袭呢？"好长时间里，文帝对周亚夫都赞叹不已。

一个月后，匈奴兵退去。文帝命三路军队撤兵，然后晋升周亚夫为中尉，掌管京城的兵权，负责京师的警卫。

后来，文帝病重弥留之际，嘱咐太子刘启，也就是后来的景帝说："以后关键时刻可以用周亚夫，他是可以放心使用的将军。"文帝去世后，景帝让周亚夫做了骠骑将军。

公元前154年，即汉景帝三年，吴王刘濞联合楚王刘戊、胶东王刘印等七国发动叛乱，打出"诛晁错、清君侧"的旗号。景帝于是晋升周亚夫为太尉，领兵平叛。

这时的叛乱军正在猛攻梁国，但周亚夫并不想直接救援，他向景帝提出了自己的战略计划："楚军素来剽悍，战斗力很强，如果正面决战，难以取胜。我打算先暂时放弃梁国，从背后断其粮道，然后伺机再击溃叛军。"景帝同意了周亚夫的计划。于是周亚夫绕道进军。到了灞上时，遇到一位名叫赵涉的士人，赵涉建议周亚夫再往右绕道进军，以免半路受到叛军的袭击。周亚夫听从了赵涉的建议，走蓝田、出武关，迅速到达了雒阳，搜索之后果然抓获了伏兵。

此时的梁国被叛军轮番急攻，梁王向周亚夫求援。周亚夫却派军队向东到达昌邑城（在今山东巨野西南），坚守不出。梁王再次派人求援，周亚夫还是不发救兵。最后梁王写信给景帝，景帝又下诏要周亚夫进兵增援，周亚夫还是不为所动。但他却暗中派军截断了叛军的粮道，还派兵劫去叛军的粮食。叛军只好先来攻打周亚夫，但几次挑战，周亚夫都不出战。时间一长，周亚夫军中都有些军心不稳了。

一天晚上，营中突然发生混乱，嘈杂声连周亚夫的大帐里都能听见，但周亚夫始终躺在床上不动。一会儿，混乱自然就平息了。几天后，叛军大举进攻军营的东南，声势浩大，但周亚夫却让部下到西北去防御。结果在西北遇到叛军主力的进攻，由于有了准备，所以很快击退了叛军。叛军因为缺粮，最后只好退却，周亚夫趁机派精兵追击，取得胜利。叛军头领刘濞的人头也被越国人割下送来。这次叛乱三个月就平定了，战争结束后，大家这才纷纷称赞周亚夫的用兵之道。但梁王却因为周亚夫没有及时救援，和他结下了仇。

公元前152年，丞相陶青有病退职，景帝任命周亚夫为丞相。开始景帝对他非常器重，由于周亚夫的耿直，不会讲政治策略，逐渐被景帝疏远。

有一次，汉景帝要废掉刘荣，刘荣是栗姬所生，所以叫栗太子。但周亚夫却反对，结果导致景帝对他开始疏远。还有和他有仇的梁王，每次到京城来，都在太后面前说周亚夫的坏话，对他也很不利。

后来，有两件事导致了周亚夫的悲剧。一件是皇后的兄长封侯，一件是匈奴将军封侯的事。窦太后想让景帝封皇后的哥哥王信为侯，但景帝不愿意，说窦太后的侄子在父亲文帝在世的时候也没有封侯。窦太后说她的哥哥在世时没有封侯，虽然侄子后来封了侯，但总觉得对不起哥哥，所以劝景帝封王信为侯，景帝只好推脱说要和大臣商量。

在景帝和周亚夫商量时，周亚夫说高祖刘邦说过，不姓刘的不能封王，没有功劳的不能封侯，如果封王信为侯，就是违背了先祖的誓约。景帝听了无话可说。在后来匈奴将军唯许卢等五人归顺汉朝，景帝非常高兴，想封他们为侯，以鼓励其他人也归顺汉朝，但周亚夫又反对说："如果把这些背叛国家的人封侯，那以后我们如何处罚那些不守节的大臣呢？"景帝听了很不高兴："丞相的话迂腐不可用！"然后将那五人都封了侯。周亚夫失落地托病辞职。景帝批准了他的要求。

此后，景帝又把他召进宫中设宴招待，想试探他脾气是不是改了，所以他的面前不给放筷子。周亚夫不高兴地向管事的要筷子，景帝笑着对他说："莫非这还不能让你满意吗？"周亚夫羞愤不已，不情愿地向景帝跪下谢罪。景帝刚说了个"起"，他就马上站了起来，不等景帝再说话，就自己走了。景帝叹息着说："这种人怎么能辅佐少主呢？"

这事刚过去，周亚夫又因事惹祸，这次是由于他的儿子。儿子见他年老了，就偷偷买了五百甲盾，准备在他去世时发丧用，这甲盾是国家禁止个人买卖的。周亚夫的儿子给佣工期限少，还不想早点给钱，结果，心有怨气的佣工就告发他私自买国家禁止的用品，要谋反。景帝派人追查此事。

负责调查的人叫来周亚夫，询问原因。周亚夫不知道儿子做了什么，对问的问题不知如何回答，负责的人以为他在赌气，便向景帝报告了。景帝很生气，将周亚夫交给最高司法官廷尉审理。

廷尉问周亚夫："君侯为什么要谋反啊？"

周亚夫答道："儿子买的都是丧葬品，怎么说是谋反呢？"

廷尉讽刺道："你就是不在地上谋反，恐怕也要到地下谋反吧！"

周亚夫受此屈辱，无法忍受，开始差官召他入朝时就要自杀，被夫人阻拦，这次又受羞辱，更是难以忍受，于是绝食抗议，五天后，吐血身亡。

司马迁在《史记》中对他称赞的同时，也为他惋惜，说他因为过于耿直，对皇帝不尊重，结果导致悲剧结局，令人感慨！

灌　婴

灌婴（？—前176年），秦末汉初著名战将、骑将。睢阳（今河南商丘南）人。原为布贩，投奔汉为战将，以力战骁勇著称。历任车骑将军、御史大夫、太尉、丞相，封颍阴侯。

秦二世二年（前208年），灌婴投奔刘邦，以中涓身份随其征战。在进击东郡及杜里的战斗中，他斗志顽强，多立战功，被赐爵七大夫。他跟随刘邦在亳南、开封、曲遇攻打秦军，急攻力战，赐爵执帛，号宣陵君；攻打阳武、洛阳、封锁黄河渡口，打败南阳郡守的军队，平定南阳郡；西进武关，战于蓝田，赐爵执圭，称为昌文君。

刘邦被封为汉王，入汉中，拜灌婴为郎中、中谒者。他协助刘邦平定三秦之地，攻下栎阳，降服塞王、殷王，平定殷王封地。在与楚项羽的作战中，打败了龙且、项羽的军队，被赐为列侯，称昌文侯。

在荥阳成皋之战中，刘邦为抵抗楚的骑兵，建立了骑兵部队，灌婴被选拔为骑兵将领。他率骑兵阻遏楚骑兵，激战于荥阳东，大胜而归。又偷袭楚军后路，截断楚军粮食供给线。这次战役有利于汉荥阳防线的稳定，灌婴也因此升为御史大夫。

汉王二年（前205年），灌婴率骑兵随韩信攻魏，继而参与攻齐。所部斩龙且、田吸，诛骑将一人，俘虏多人，灌婴还亲自活捉了齐亚将周兰。其后趁势入楚腹地，连克城邑。汉王五年冬，与刘邦会师于颐乡（今河南鹿邑东），参加垓下会战。项羽兵败垓下逃走时，灌婴受诏率5000名骑兵穷追项羽至东城，迫使项羽自杀。之后又攻下东城、历阳，渡江平定吴地、豫章和会稽等52县。他的食邑也因军功而不断增加，终至2500户，被赐剖符为信，世代相传，号称颍阴侯。

刘邦称帝后，当初所分封的异姓王乘汉初立，反叛不断。灌婴以车骑将军职，首先平燕王臧荼之乱，之后随刘邦征讨韩王信；陈豨反叛，他斩将拔城。英布谋反，灌婴以车骑将军作为先遣队攻打英布军，擒斩英布许多重要将领，追击英布军直到淮河沿岸。英布被粉碎，刘邦把颍阴5000户做灌婴食邑。灌婴跟随刘邦，共擒两千石的将吏12人，自率部队击败敌人16次，降服46座城邑，平定一个封国、两个郡属52个县，食邑也升至5000户。

平英布之乱后，汉高祖刘邦逝世，灌婴以列侯身份事孝惠帝和吕后。吕后去世，吕禄等人乘机在长安谋反，齐哀王（刘襄，刘肥之子）举兵西进讨逆。吕禄等听了这一消息，立即派灌婴为将前去迎敌。不料作为汉朝开国元勋之一的灌婴早有反诸吕之心，行至荥阳即屯兵不进，同绛侯周勃、丞相陈平等人通谋诛除诸吕，并把此事微露与齐哀王。齐哀王止兵，待周勃等人诛杀诸吕之后，齐哀王引兵而去，灌婴军亦还朝，同周勃、陈平共立代王为孝文帝。文帝封灌婴为太尉。

周勃被免除相位后，由灌婴继任丞相之职。这年匈奴大举入侵，灌婴率骑兵85000人前去讨伐，打退了匈奴兵。文帝四年（前176年），灌婴死于相位。谥号“懿侯”。

樊哙

樊哙（？—前144年），汉高祖刘邦的心腹之将。沛县（今江苏沛县）人。以勇著称，是汉初开国功臣。

樊哙出身寒微，早年曾以屠狗为业。他与刘邦的交往甚密，曾与刘邦一起隐于芒砀山泽间（今安徽砀山西南），与萧何、曹参共同推戴刘邦起兵反秦。待刘邦做了沛公，樊哙做随从副官，南征北战，表现英勇，屡立战功，赐爵加封。

刘邦率军入关，灭秦封关自守，打算称王关中，引起项羽的不满。项羽挥兵破关而入，屯军于新丰鸿门（今陕西临潼东北），欲击灭刘邦军。樊哙早在刘邦入咸阳后，就力劝其还军灞上（今西安东南），勿贪秦宫奢丽的享受。待项羽兵临城下，刘邦自度势单力薄，乃率一百多随从赴鸿门谢罪，樊哙随往。项羽在鸿门设宴，酒酣之时，亚父（范增）授意项庄拔剑献舞，想趁机刺杀刘邦。项伯看局面紧张，也拔剑同舞，常以自己身体庇护刘邦。席间只有刘邦和张良，身在营外的樊哙听说情况紧急，不顾卫士阻止，持剑盾闯入项羽营帐。项羽盯着他问："此人是谁？"张良说："他是沛公的参乘樊哙。"项羽欣赏道："是位壮士！"于是赐酒一杯和一条猪腿。樊哙一饮而尽，拔剑切肉而食，不一会儿就把肉吃光了。项羽问："樊将军还能再喝吗？"樊哙面斥项羽道："我死都不怕，难道还怕喝酒！再说沛公先入咸阳，屯军灞上等待大王的到来，大王却听信小人的挑唆，不信任沛公。我担心天下会从此分崩离析，人们心里会怀疑大王呢。"项羽沉默不语。这时刘邦借故去厕所，把樊哙召了去。出了营帐，刘邦独骑一马，樊哙等四人步行护驾，从山下小路偷偷回到了灞上营中，而让张良向项羽谢罪。

刘邦被项羽封为汉王后，赐樊哙为列侯，升为郎中，随入汉中。

刘邦在汉中站稳脚跟后，展开了大规模的还定三秦的战争。樊哙或者单独，或者跟随刘邦与西县县丞、雍王章邯、章邯的儿子章平以及赵贲等人的军队作战，英勇异常，常率先登城陷阵，斩杀、俘虏敌兵将众多，升为郎中骑将，封为将军，赐杜陵的樊乡为他的食邑。随后又参加对楚作战，攻取邹、鲁、瑕丘、薛等地。项羽败刘邦于彭城之后，樊哙屯守荥阳的户武，刘邦增加2000户为他的食邑。一年后，樊哙又随刘邦追击项羽，取阳夏，虏获楚将周将军的士卒4000人，把项羽包围在陈县，大胜而归。

刘邦称帝后，因樊哙坚守作战有功再增加食邑800户。汉初，异姓诸侯王反叛不断，樊哙成为征讨叛军的主将。总计樊哙战功有：跟随高祖作战，斩首级176个，俘虏288人；自己单独领兵作战，打败7支军队，攻下5座城邑，平定6个郡、52个县。虏获丞相1人、将军12人、将官11人。樊哙不愧为汉朝从创立到稳定的中坚骨干。

樊哙一直跟随刘邦左右，是刘邦志同道合的爱将。后娶吕后妹妹吕媭为妻，生有一子樊伉。这一来与皇帝的关系就更加密切了，后却因是吕后妹夫而险些被诛。

燕王卢绾反叛，刘邦派樊哙攻打。这时刘邦病重，有人诋毁樊哙是吕氏的党羽，如皇上驾崩，樊哙就会举兵诛杀戚夫人和赵王如意等人。刘邦听到这话大怒，派陈平乘车送绛侯周勃替代樊哙统帅军队，还要求在军中把樊哙就地正法。陈平惧怕吕后，所以决定把樊哙押解长安让刘邦亲自处决。陈平、樊哙到长安时，刘邦已死，吕后释放樊哙，并恢复了他的爵位和封邑。

孝惠帝六年（前144），樊哙去世。谥为“武侯”。

李 广

李广（？—前119年），陇西成纪（今甘肃静宁南）人，西汉著名军事家。做过骑郎将、骁骑都尉、未央卫尉、郡太守，镇守边郡使匈奴不敢犯多年，被称为“飞将军”。其一生未得封侯，或许时运不济，有历史典故“冯唐易老，李广难封”，公元前119年，随卫青出征匈奴，兵败，引颈自刎。

李广出生不详，祖先是秦朝将军李信，曾率军战败燕太子丹。李广接受世传弓法，射得一手好箭。

公元前166年，匈奴大举入侵边关，李广少年从军，抗击匈奴。他作战英勇，杀敌颇众，使汉文帝大为赞赏。九年后，汉景帝即位，李广升为骑郎将，成为景帝身边的禁卫骑兵将军。吴王、楚王叛乱时，李广以骁骑都尉官职跟随太尉周亚夫出征平叛，在昌邑城下夺得叛军军旗，立下显赫战功。诸王叛乱平定后，李广调往上谷、上郡、陇西、雁门、代郡、云中等西北边陲做太守，抗击匈奴的入侵。

公元前140年，汉武帝即位，调李广为未央卫尉。四年后，李广率军出雁门关，被成倍的匈奴大军包围。匈奴单于久仰李广威名，令部下务必生擒之。李广终因寡不敌众而受伤被俘。押解途中，他飞身夺得敌兵马匹，射杀追骑无数，终于回到了汉营。从此，李广在匈奴军中赢得了“汉之飞将军”称号。归朝后，李广被汉武帝革除军职，贬为庶人。

几年后，匈奴杀辽西太守，击败韩安国将军。武帝重新起用李广为右北平太守。匈奴闻“飞将军”镇守右北平，数年不敢来犯。

公元前120年（元狩三年），李广以郎中令官职率四千骑兵从右北平出塞，博望侯张骞率一万骑兵与李广一同出征，分两条路行军几百里，匈奴左贤王率四万骑兵包围了李广，李广的士兵很害怕，李广派儿子李敢骑马往匈奴军中奔驰。李敢独率自己几十名骑兵飞奔，直穿匈奴骑兵阵，又从其左右两翼突出。回来报告李广说：“匈奴很容易对付啊！”士兵们这才安心。李广布成圆形兵阵，面朝外，匈奴猛攻箭如雨下。汉兵死了一半多，箭也快用光了。李广命令士兵拉满弓，不要放箭，而李广用大黄弩弓射匈奴副将，杀死好几个，匈奴军才渐渐散开。这时天色已晚，军吏士兵都面无人色，可李广却神态自然，更加整顿部队，军中从此都很佩服，援军赶到，匈奴军才解围退去。汉军非常疲惫，不能去追击。李广几乎全军覆没，只好收兵回朝。按汉朝法律，博望侯行军迟缓，延误期限，应处死刑，用钱赎罪，降为平民，李广功过相抵没有封赏。

公元前119年，大将军卫青率军出击匈奴，李广以60多岁的高龄任前将军职。出塞后，卫青从俘虏口中得知了单于的驻地。他想甩开李广独得大功，便令李广的前锋部队并入右翼出东道，他自带中军去追单于。李广由于道路难走又无向导，终于迷了路。此时卫青与单于接战，单于逃走，卫青只得徒劳而返，在回军的路上才与右翼部队会合。卫青差亲信带着酒肉来慰问李广，向他询问右翼部队迷路的经过。说卫青要向天子上报，把走失单于的责任推给右将军赵食其。李广一身正直，自然不答应。卫青大为光火，又派人催逼李广的幕僚去中军接受审问。李广说："他们无罪，迷路的责任在我，我自己去受审。"把责任全揽在自己身上。来人走后，李广望着那些多年共同生死的部将，慨然叹道："我自少年从军，与匈奴大小七十余战，想不到现今却被大将军如此催逼，我已年过花甲，哪能再受这样的屈辱！"说罢拔出佩剑引颈自刎。一代名将，就这样含冤，悲惨地陨落了。

李广一生皆在边关戍敌，与匈奴七十余战，以骁勇善射、智谋超群著称，匈奴闻其名则远而避之，不敢与其相战，堪称不战而屈人之兵。李广治兵宽缓不苛，与士卒同甘共苦，深受边关军民的爱戴，在历代的边疆士兵中都有着崇高的威望，是一位"才气天下无双"的将军。唐朝时期，有不少诗句用以歌颂李广，如王昌龄《出塞》、卢纶《塞下曲》、高适《燕歌行并序》等。王昌龄《出塞》诗中"但使龙城飞将在，不教胡马度阴山"一句中"飞将"指的就是李广。

卫 青

卫青（？—前106年），字仲卿，河东平阳（今山西临汾市）人。西汉时期名将，汉武帝第二任皇后卫子夫的弟弟，汉武帝在位时官至大司马大将军，封长平侯。卫青的首次出征是奇袭龙城，揭开汉匈战争汉朝反败为胜的序幕，曾七战七胜，收复河朔、河套地区，击破单于，为北部疆域的开拓做出重大贡献。卫青善于以战养战，用兵敢于深入，为将号令严明，对将士爱护有恩，对同僚大度有礼，位极人臣而不立私威。

卫青的母亲在平阳公主的夫家做女仆，因丈夫姓卫，她就被称为卫媪。卫媪与卫姓男子生有一男三女。丈夫死后，仍在平阳侯家中帮佣，与同在平阳侯家中做事的县吏郑季私通，生了卫青。卫家的生活很艰苦，于是卫青被送到了亲生父亲郑季的家里。但郑季却让这个年幼的私生子放羊，郑家的几个儿子也不把卫青看成手足兄弟，随意苛责。

卫青稍大一点后，不愿再受郑家的奴役，回到母亲身边，并做了平阳公主的骑奴。有一次，卫青跟随别人来到甘泉宫，一位囚徒看到他的相貌后说："这是贵人的面相啊，官至封侯。"卫青笑道："我身为人奴之子，只求免遭笞骂，已是万幸，哪里谈得上立功封侯呢？"

建元二年（前139年）春，卫青的三姐卫子夫被因灞上扫墓做客平阳府的汉武帝看中，卫青相随入宫"给事建章"。

建元三年（前138年），入宫后被冷落了一年多的卫子夫再次获幸有了身孕，引起了陈皇后的嫉妒，陈皇后是汉武帝姑姑馆陶长公主刘嫖的女儿，汉武帝的太子妃，后立为皇后，但一直无子。于是馆陶公主派人捉了正在建章（后为建章宫）当差的卫青，意图杀害。卫侍中卫青的好友公孙敖听到消息，和几名壮士赶往抢救，把他从死亡边缘救了下来。

汉武帝得知后，大为愤怒，立刻任命卫青为建章监、侍中，卫子夫为夫人，卫长君为侍中，数日间给卫青的赏赐便达到千金之多。公孙敖也因此显贵。卫青的长姐卫孺嫁给了太仆公孙贺，二姐卫少儿嫁给了陈平的后人詹事陈掌。卫青后又被任命为太中大夫，秩比千石，掌议论。这足见其才干深得武帝信任，为后来七征匈奴、甚至任大司马大将军为内朝参决政事，秉掌枢机打下良好基础。

元光二年，汉武帝策划了主动对匈奴诱敌歼灭的马邑之围。马邑之谋虽然失败，却结束了西汉自立朝初年以来对匈奴被动退让的和亲政策，同时也拉开了汉匈全面战争的序幕。

元光六年（公元前129年），匈奴又一次兴兵南下直指上谷（今河北省怀来县）。汉武帝果断地任命卫青为车骑将军，迎击匈奴。从此，卫青开始了他的戎马生涯。

这次用兵，汉武帝分派四路出击。车骑将军卫青出上谷，骑将军公孙敖从代郡（治代县，今山西大同、河北蔚县一带），轻车将军公孙贺从云中（今内蒙古托克托东北），骁骑将军李广从雁门出兵。四路将领各率一万骑兵。卫青虽是首次出征，但他果敢冷静，出其不意地深入险境，直捣匈奴祭天圣地龙城，首虏近千人，取得胜利。另外三路，两路失败，一路无功而还。汉武帝看到只有卫青胜利凯旋，非常赏识，封卫青为关内侯。龙城的胜利打破了自汉初以来"匈奴不可战胜"的神话，大大鼓舞了汉军士气，成为汉匈战争的转折点，为以后汉朝的进一步反击打下了良好的人心基础。龙城大捷后，卫青还向汉武帝为李广和公孙敖开脱，说道："若不是二位将军牵制住敌方主力，我也无法取得胜利。"汉武帝谓曰："真仁义也。"

公元前128年（元朔元年）秋，卫青为车骑将军出雁门，领三万骑兵，长驱而进斩首虏数千人。

公元前127年（元朔二年），匈奴大举入侵上谷、渔阳，先攻破辽西，杀死辽西太守，又打败渔阳守将韩安国，劫掠百姓两千多人。武帝派李息从代郡出击，卫青率大军进攻久为匈奴盘踞的河南地（黄河河套地），这是西汉对匈奴的第一次大战役。

卫青领四万大军从云中出发，采用"迂回侧击"的战术，西绕到匈奴军的后方，迅速攻占高阙（今内蒙古杭锦后旗），切断了驻守河南地的匈奴白羊王、楼烦王同单于王庭的联系。而后，卫青又率精骑，飞兵南下，进到陇县西，形成了对白羊王、楼烦王的包围。两王见势不好，仓皇率兵逃走。汉军活捉敌兵数千人，夺取牲畜数百万之多，完全控制了河套地区。因这一带水草肥美，形势险要，武帝在此修筑朔方城（今内蒙古杭锦旗西北），设朔方郡、五原郡，从内地迁徙十万人到那里定居，还修复了秦时蒙恬所筑的边塞和沿河的防御工事。这样，不但解除了匈奴骑兵对长安的直接威胁，也建立起了进一步反击匈奴的前方基地。

不甘心在河南地的失败，匈奴在几年内多次出兵反扑。元朔三年（前126年）夏，数万骑兵攻代郡，杀太守共友，掳掠千余人。同年秋季入雁门，杀掠千余人。元朔四年（前125年）匈奴又使各三万骑攻入代郡、定襄、上郡。

公元前124年（元朔五年）春，汉武帝命卫青领三万骑兵出高阙；游击将军苏建、彊弩将军李沮、太仆公孙贺为骑将军、代相李蔡为轻车将军从朔方；大行李息、岸头侯张次公为将军率兵从右北平出发，配合其行动。这次总兵力有十余万人。匈奴右贤王认为汉军离得很远，一时不可能到来。卫青却率大军急行军六、七百里，趁着黑夜包围了右贤王的营帐。此时，右贤王正在帐中拥着美妾饮酒，忽听帐外杀声震天，火光遍野，右贤王惊慌失措，抱了爱妾和几百壮骑向北逃去。汉军俘虏右贤王的小王十余人，男女1.5万余人，牲畜达千几百万头。

汉武帝接到战报，喜出望外，派特使捧着印信，到军中拜卫青为大将军，加封食邑6000户（汉书8700户），所有将领归他指挥。卫青的三个儿子都还在襁褓之中，也被汉武帝封为列侯。卫青谦辞说："我军胜利，全是将士们拼死奋战的功劳。陛下已加封了我的食邑，我的儿子年纪尚幼，毫无功劳，陛下却分割土地封他们为侯。这样是不能鼓励将士奋力作战的。"汉武帝表示："我没有忘记诸校尉的功劳，同样也会嘉赏。"

元朔六年（公元前123年）春、夏，卫青为大将军两次领十万骑兵扫荡漠南伊稚斜单于大本营，歼敌过万。

二月，以公孙敖为中将军，公孙贺为左将军，赵信为前将军，苏建为右将军，李广为后将军，李沮为强弩将军，分领六路大军，统归大将军卫青指挥，浩浩荡荡，从定襄出发，北进数百里。此战中卫青派外甥嫖姚校尉霍去病独自领八百骑兵，作为一支奇兵脱离大军在大漠奔驰数百里，打击匈奴的软肋。霍去病斩敌2028人，杀匈奴单于祖父，俘虏单于的国相及叔叔，封冠军侯。战后全军返回定襄休整，一个月后再次出塞，斩获匈奴军一万多人。但赵信和苏建部的三千骑兵和单于的上万主力意外遭遇，原是匈奴降将的赵信投敌，苦战一日后，只苏建突围逃回。大将军赏千金。校尉张骞封博望侯。

匈奴单于采纳赵信的建议，远走沙漠以北。为了彻底击溃匈奴主力，汉武帝集中全国的财力、物力，准备发动对匈奴的第三次大战役。

元狩四年（元前119年）春，汉武帝以十四万匹战马及五十万步卒作为后勤补给兵团，授予卫青与霍去病各率领五万骑兵，兵分两路，跨漠长征出击匈奴。赵信曾向伊稚斜单于建议：“汉军不知道厉害，竟打算穿过沙漠。到时候，人困马乏，我们以逸待劳，就可以俘虏他们。”于是单于的粮草辎重，再次向北转移，而把精锐部队埋伏在了沙漠北边。汉军原计划由霍去病先选精兵来攻击单于主力，卫青打击左贤王。后从俘获的匈奴兵口中得知伊稚斜单于在东方，两军对调出塞线路，霍去病东出代郡，卫青西出定襄。此次敢深入力战的兵士皆属霍去病。但卫青大军出塞一千多里，却与以逸待劳的匈奴单于主力遭遇了。卫青麾下，李广为前将军，公孙贺为左将军，赵食其为右将军，曹襄为后将军。因汉武帝私谕卫青道李广年纪已高、运气又不好，不能用他当前锋抵挡单于。大将军让李广与赵食其两军合并，从右翼进行包抄。卫青自率左将军公孙贺、后将军曹襄从正面对抗单于主力。但李广、赵食其部却因迷路失期，始终未赶来支援。

面对以弱对强、少对多的逆境，卫青命部队用武刚车（铁甲兵车）迅速环结成阵，而后派5000骑兵配合军阵向敌阵冲锋。匈奴出动一万多骑兵迎战。激战到黄昏时，刮起暴风，尘土滚滚，沙砾扑面，两方军队互相不能见。卫青抓住战机，派出两支生力军，从左右两翼迂回到单于背后，包围了单于的大营。伊稚斜见势不妙，乘六匹骡马与数百随从突围逃跑，群龙无首的匈奴军也随之溃散逃命。卫青大军乘夜挺进。天亮时，汉军掩杀阵斩万余人，追袭二百余里，一直前进到真颜山赵信城（今蒙古乌兰巴托市西），获得了匈奴囤积的粮草，补给整编一日后将其彻底烧毁，胜利班师。在大军回师的路上，才碰到迷路失期的李广、赵食其部。

漠北之战被列入“中国历史十大战役”，也是卫青以弱胜强，正奇兼善的代表之作，共歼敌一万九千余人。彻底打垮了匈奴的主力，使之再无能力南下窥视汉朝。自此匈奴逐渐向西北迁徙，出现了“漠南无王庭”的情况。而汉军损失也很大，出征的14万马匹仅三万余匹返回。汉武帝为表彰卫青、霍去病的大功，特加封他们为大司马，令霍去病秩禄（即俸禄）与卫青相同。

卫青在抗击匈奴的战斗中立下赫赫战功，是历史上著名的军事家，但他不居功自傲，待人宽厚诚实，关心体贴将士，深受将士爱戴。他的功绩和品格以及智慧也深受后代人们的敬仰。

霍去病

霍去病（前140年—前117年），汉族，河东郡平阳县（今山西临汾西南）人。是中国西汉武帝时期的杰出军事家，也是名将卫青的外甥，任大司马骠骑将军。好骑射，善于长途奔袭。不过这样一位西汉天才军事家英年早逝，给历史留下遗憾，但依然磨灭不了辉煌的政绩，霍去病多次率军与匈奴交战，在他的带领下，匈奴被汉军杀得节节败退，霍去病也留下了“封狼居胥”的佳话。

霍去病是平阳公主府的女奴卫少儿与平阳县小吏霍仲孺的儿子，这位小吏不敢承认自己跟公主的女奴私通，于是霍去病只能以私生子的身份降世。大约在霍去病刚满周岁的时候，他的姨母卫子夫进入了汉武帝的后宫，怀孕后发生了馆陶公主绑架且欲杀卫青一事，事情败露后卫子夫很快被封为夫人，仅次于皇后。卫青被任命为建章监，与长兄卫长君一起加官侍中，卫氏家族从此改变了命运。

汉武帝刘彻是中国历史上武功颇盛的帝王，而当时的汉王朝，边境不稳，时常遭受匈奴人的侵扰。作为游牧民族的匈奴，几乎把农耕为生的汉朝当成了自己予取予求的库房，烧杀掳掠无所不为。而面对这样的局面，长城内的国家却从秦以来就无力从根本上改变，胜利的时候极少，秦只能寄希望于修筑长城进行消极防御，而汉朝却以和亲以及大量的“陪嫁”财物买来暂时的相对平安。雄才大略的汉武帝希望改变这样的形势，而他很快就在身边找到了和自己志同道合的人，他就是卫子夫的弟弟，时任太中大夫的卫青。

在卫青建功立业的同时，霍去病也渐渐地长大了，在舅舅的影响下，他自幼精于骑射，虽然年少，却不屑于像其他王孙公子那样呆在长安城里放纵声色享受长辈的荫庇。他渴望杀敌立功的那一天。

元朔六年（公元前123年），十七岁的霍去病被汉武帝任命为骠姚校尉（故霍去病又称霍骠姚），随卫青击匈奴于漠南（今蒙古高原大沙漠以南），与轻勇骑八百直奔大军数百里赴利，斩捕首虏过当，斩获敌人2028人，其中包括相国、当户的官员，同时也斩杀了单于的祖父辈籍若侯产（籍若侯乃封号，名产），并且俘虏了单于的叔父罗姑比，勇冠全军，以一千六百户受封冠军侯。

元狩二年（公元前121年），汉武帝任命十九岁的霍去病为骠骑将军。于春、夏两次率兵出击占据河西（今河西走廊及湟水流域）地区浑邪王、休屠王部，歼敌4万余人；俘虏匈奴王5人及王母、单于阏氏、王子、相国、将军等120多人。

同年秋，奉命迎接率众降汉的匈奴浑邪王，在部分降众变乱的紧急关头，率部驰入匈奴军中，斩杀变乱者，稳定了局势，浑邪王得以率4万余众归汉。从此，汉朝控制了河西地区，为打通了西域道路奠定基础。匈奴为此悲歌：“失我祁连山，使我六畜不蕃息；失我焉支山，使我嫁妇无颜色。”

元狩四年（公元前119年）春，汉武帝命卫青、霍去病（时年22岁）各率骑兵5万，“步兵转折踵军数十万”分别出定襄和代郡，深入漠北，寻歼匈奴主力。霍去病率军北进两千多里，越过离侯山，渡过弓闾河，与匈奴左贤王部接战，歼敌70400人，俘虏匈奴屯头王、韩王等3人及将军、相国、当户、都尉等83人，乘胜追杀至狼居胥山，在狼居胥山举行了祭天封礼，在姑衍山（今蒙古肯特山以北）举行了祭地禅礼，兵锋一直逼至瀚海（沙漠别称或曰即今俄罗斯贝加尔湖）。

经此一战，匈奴被汉军在漠南荡涤，匈奴单于逃到漠北，“匈奴远遁，而漠南无王庭”。他和卫青发起的对匈奴的进攻性战争，改变了汉朝长期在对匈奴战争中的守势状态，一举打败匈奴，从而长久地保障了西汉北方长城一带，也就是在漠南地区的边境安全，此战为汉朝进击匈奴最远的一次。

元狩四年（公元前119年），汉武帝设置大司马位，大将军卫青、骠骑将军霍去病皆加官为大司马。同时下令，骠骑将军秩禄（即俸禄）与大将军相同。

汉武帝于建元二年（前139年）罢太尉之位，直到设置大司马位，以代替太尉之职，卫青和霍去病因为有了大司马这一加官称号，得以名正言顺地管理日常的军事行政事务。

元狩六年（公元前117年）霍去病卒，年仅24岁（虚岁）。陪葬茂陵。谥封“景桓侯”。取义“并武与广地”，彰显其克敌服远、英勇作战、扩充疆土之意。

汉武帝对霍去病的死非常悲伤。他调来铁甲军列成阵，沿长安一直排到茂陵东的霍去病墓。他还下令将霍去病的坟墓修成祁连山的模样，彰显他力克匈奴的奇功。

霍去病虽英年早逝，但在西汉的历史中留下了辉煌的战绩，他的名字也得以彪炳千秋！

马 援

马援（前14年—49年），字文渊。汉族，扶风茂陵（今陕西省兴平市窦马村）人。著名军事家，东汉开国功臣之一。新朝末年，天下大乱，马援为陇右军阀隗嚣的属下，甚得隗嚣的信任。后归顺光武帝刘秀，为刘秀统一天下立下了赫赫战功。天下统一之后，马援虽已年迈，但仍请缨东征西讨，西破羌人，南征交趾，官至伏波将军，因功封新息侯，被人尊称为“马伏波”。其老当益壮、马革裹尸的气概甚得后人的崇敬。后于讨伐五溪蛮时身染重病，不幸去世。因梁松诬陷，死后被刘秀收回新息侯印绶，直到汉章帝时才遣使追谥“忠成”。

马援的祖先是战国时赵国名将赵奢。赵奢曾在阏与之战中大败秦军，功勋卓著，被赵惠文王赐号为“马服君”。自此，赵奢的后人便以马为姓。汉武帝时，马家从邯郸移居茂陵。马援的曾祖父马通，汉武帝时因功被封为重合侯，但因为他的兄长马何罗谋反，马通受到牵累，被杀，所以马援的祖父、父亲这两代家境式微，地位不显。马援有三个哥哥，他们是马况、马余、马员，都很有才能。王莽时，又都做到了二千石的高官。

马援十二岁时，父亲去世。马援“少有大志，诸兄奇之”（《后汉书·马援列传》）。曾跟人学习《齐诗》，但其心不在章句上，学不下去。于是，他向长兄马况告辞，要到边郡去种田放牧。马况很开明，同意他的意向，嘱咐他说：“汝大才，当晚成。良工不示人以朴，且从所好。”（《后汉书·马援列传》）

没等马援起身，马况去世，马援留在家中，为哥哥守孝一年。一年中，他没有离开过马况的墓地，对守寡的嫂嫂非常敬重，不整肃衣冠，从来不踏进家门。

后来马援当了郡中的督邮。一次，他奉命押送囚犯到司命府。囚犯身有重罪，马援可怜他，私自将他放掉，自己则逃往北地郡（治今甘肃庆阳西北）。后天下大赦，马援就在当地畜养起牛羊来。时日一久，不断有人从四方赶来依附他，于是他手下就有了几百户人家，供他指挥役使，他带着这些人游牧于陇汉之间（今甘肃、宁夏、陕西一带）。马援过的虽是转

徙不定的游牧生活，但胸中之志并未稍减。他常常对宾客们说：“大丈夫立志，穷当益坚，老当益壮。”（《后汉书·马援列传》）

马援种田放牧，能够因地制宜，多有良法，因而收获颇丰。当时，共有马、牛、羊几千头，谷物数万斛。对着这田牧所得，马援慨然长叹，说：“凡殖货财产，贵其能施赈也，否则守钱虏耳”。（《后汉书·马援列传》）于是，把所有的财产都分给兄弟朋友，自己则只穿着羊裘皮裤，过着清简的生活。

王莽末年，四方兵起。王莽的堂弟王林任卫将军，广招天下豪杰。他选拔马援和同县人原涉为掾，并把他们推荐给王莽。王莽任命原涉为镇戎大尹（新莽始建国元年，改太守为大尹）、马援为新城（今陕西安康）大尹。王莽失败后，马援的哥哥马员正任增山连率（连率，新莽时郡一级地方长官，职如太守），他和马援一起离开了各自的任所，跑到凉州避难。刘秀即位后，马员到洛阳投奔光武帝，光武帝复其原职，让他仍到郡里去，后死于任上。马援则羁留西州。

时隗嚣占据天水，自称西州大将军，对马援非常器重，任命他为绥德将军，让他参与军事机密，跟自己一起发谋决策，议定大事。此时，公孙述在蜀称皇帝。隗嚣为决定去从，派马援去探听虚实。

马援跟公孙述本为老乡，而且过去交情很好。马援以为这次见面定会握手言欢，没想到公孙述却摆起皇帝架子来，他先盛陈卫士，然后才请马援进见；待刚见过礼，又马上让马援出宫，住进宾馆；接着命人给马援制作都布单衣、交让冠；然后才在宗庙中聚集百官，设宴招待他。公孙述来赴会，途中摆列仪仗，前呼后拥，装尽模样，做尽姿态，到宗庙，则毕恭毕敬，煞有介事地走进来，完全按君臣礼节招待百官，宴席十分丰盛，设有旧交的位置。席间，公孙述表示要封马援为侯爵，并授予他大将军的官位。马援的随从宾客挺高兴，以为受到了礼遇，都愿意留下来。马援给他们讲道理，说：“天下雄雌未定，公孙不吐哺走迎国士，与图成败，反修饰边幅，如偶人形。此子何足久稽天下士乎？”（《后汉书·马援列传》）马援回来后，对隗嚣说：“子阳井底蛙耳，而妄自尊大，不如专意东方。”（《后汉书·马援列传》）

建武四年（公元28年），马援携带隗嚣的书信到洛阳，见光武帝于宣德殿。返回陇右后，隗嚣问以东方流言及京师得失。马援称赞光武帝为人：“阔达多大节，略与高帝同。经学博览，政事文辩，前世无比。”隗器非常信任马援，遂决定遣长子隗恂到洛阳做人质。马援携家属随隗恂到洛阳，后来上书请求屯田上林苑中，得到许可。隗嚣听信王元之言，犹豫摇摆。马援一再致书隗嚣，规劝他切莫动摇。隗嚣怨恨马援背叛于己，得书增怒，遂发兵拒汉。

隗嚣既发兵拒汉，马援乃上疏光武帝，陈述消灭隗嚣之策。光武帝采纳马援之谋，令他率突骑五千，游说隗嚣的将领高俊、任禹等人以及羌豪，陈述利害祸福，分化瓦解隗嚣集团。马援又致书于隗嚣之将杨广，让他劝告隗嚣，当知利害，而回心转意。杨广竟然不答。马援又劝杨广，假如隗嚣执迷不悟，可自行离去，脱离险境。

建武八年（公元32年）春，来歙率兵攻占略阳，杀隗嚣守将金梁。隗嚣率数万众围攻略阳，“斩山筑堤，激水灌城”。歙与将士固死坚守，“矢尽，乃发屋断木以为兵”。闰四月，刘秀率兵征伐隗嚣，行至漆县，将领们以不宜远入险境，劝刘秀扎营。刘秀犹豫不决，正巧马援应召来到，刘秀“大喜”，以诸将之议问马援。马援分析：隗嚣将帅有土崩之势，兵进有必破之状。又以米堆成山川地形图，指画形势，说明进军路线，分析曲折，一目了然。刘秀高兴地说：“虏在吾目中矣。”次日早晨，窦融率五郡太守及羌、小月氏骑数万，辎重五千辆前来助战。汉大军压境，隗嚣“众大溃”，“城邑皆降”。隗嚣逃往西城，从此一蹶不振。

建武九年（公元33年），马援为太中大夫，与来歙率诸将平定凉州。自王莽末年以来，西羌多事，活动于金城郡属县，凉州不宁。来歙推荐马援治理凉州。

建武十一年（公元35年），马援为陇西太守。夏，先零羌攻临洮。马援发步骑三千击破之，降者八千余人。马援把他们“徙置天水、陇西、扶风三郡”。继而马援与马成进攻浩亹羌，浩亹羌逃奔允吾谷。马援潜行，袭击其营寨，浩亹羌大惊恐，徙居唐翼谷中。马援继续追击，浩亹羌引精兵占据北山，马援陈兵山下，夜令数百骑偷袭其后，放火烧山，一时锣鼓齐鸣，浩亹羌大惊，率众溃逃。马援以兵少，不便穷追，收粮畜而归。这次战斗中，马援受伤，光武帝以玺书慰劳之。这时，朝臣议欲放弃金城。马援上书反对此议，建议以金城作为据点。得到同意，加强了金城郡的耕战守备。又令羌豪杨封，说塞外羌来和亲。于是郡中逐渐安定，民乐其业。武都氐人背公孙述来降，马援奏请复其侯王君长，赐给印绶。

建武十三年（公元37年），武都参狼羌与塞外诸族，攻杀长吏。马援率四千亲人征讨，至氐道县，羌占据山头固守，马援据地便断绝其水草，不与战，迫使羌豪率数十万户，逃出塞外，余者万余人皆降，“于是陇右清静”。马援务开恩信，宽以待下，任吏以职，但总大体而已。傍县有人发生矛盾，吏民惊言羌反，逃入城中。狄道县长来报告，要求发兵。马授估计不是羌反，命狄道县长归守官府，如果恐惧，“可床下伏”。果然稍定，郡人服之。视事六年，征入朝为虎贲中郎将。马援一再建议重铸五铢钱，光武帝同意，“天下赖其便”。他“尤善述前世行事”，讲得头头是道，使人“属耳忘倦”。又善兵策，常谋划，为光武帝所用。

建武十七年（公元41年），交趾太守苏定依法处决了诗索。诗索之妻徵侧及妹徵贰起兵反抗，攻占郡城。九真、日南、合浦“蛮夷”起而响应，攻掠岭外六十余城，徵侧自立为王。光武帝拜马援为伏波将军，以扶乐侯刘隆为副将，督楼船将军段志等征讨二徵。大军行至合浦，段志病故，诏马援并将段志兵。马援缘海而进，随山开道千余里。

建武十八年（公元43年）春，大军到了浪泊，大破二徵，斩首数千级，降者万余人。马援追二徵至于禁溪，每次击败之，其众离散。次年正月，斩杀徵侧、徵贰，传首洛阳。马援封为新息侯，食邑三千户。犒劳军士。

马援率楼船二千余艘，战士两万余人，追击二徵余部都羊等，自无功至居风，斩获五千余人，余众散亡，岭南悉定。马援以西于县有户三万二千，地远，奏请分成封溪、望海二县，得到许可。马援所过之处，皆“为郡县治城郭，穿渠灌溉，以利其民”。他还条奏越律与汉律乖舛者十余事，加以整顿，“与越人申明旧制以约束之，自后骆越奉行马将军故事”。

建武二十年（公元44年）秋，马援班师回朝。军吏经瘴疫死者大约一半。光武帝赐他兵车一乘，朝见时位次九卿。马援好骑，善于相马，曾师事于杨子阿学习相马骨法。他在交趾时，销熔所得骆越铜鼓，铸成像生马一样的模型，其“高三尺五寸、围四尺四寸”。还京时，送上之。光武帝下诏立于洛阳宣德殿下，以为名马式。马援返京，大受奖赏。友人孟冀相贺。马援说：“功薄赏厚，何能长久乎？”他想到匈奴、乌桓尚扰北边，欲请求击之，说：“男儿要当死于边野，以马革裹尸还葬耳，何能卧床上在儿女子手中邪？”孟冀称许其为“烈士”之志。

马援还京仅三个月，就于当年十二月率兵屯驻襄国。次年（建武二十一年，公元45年）秋，马援率三千骑出高柳，巡行雁门、代郡、上谷障塞。乌桓侦察而知汉军出动，便退散而去。马援无获而还。

建武二十三年（公元47年），武陵五溪“蛮”抢掠郡县。光武帝遣武威将军刘尚征讨，“战于沅水，尚军败殁。”次年，遣谒者李嵩、中山太守马成征讨，仍无战绩。已经六十二岁的马授请求将兵征讨，光武帝担心他年事已高，不许。马援说：“臣尚能被甲上马。”光武帝令他试骑。马援“据鞍顾眄，以示可用”。光武帝笑道：“矍铄哉是翁也！”遂令马援率中郎将马武、耿舒、刘匡、孙永等，带领四万余众征讨五溪“蛮”。马援夜与送者诀别，对友人杜愔说：“我已年老，常恐不得死国事。今获所愿，甘心瞑目。”他只是担心权贵子弟不听调遣。

建武二十五年（公元49年），马援率大军到达武陵临乡，击“蛮夷”，胜之，余众逃进竹林中。马援驻军下隽县，决定选择“路近而水险”进军壶头山的路线，以为取得壶头山，就扼住“蛮夷”的咽喉，充县之敌可不攻自破。三月，汉军进至壶头山下，“蛮夷”乘高守隘，水流湍急，船不得上。适值暑热，士卒多疫死，马援也病，遂困。乃凿岸为室，以避暑气。“蛮夷”往往升险鼓噪，马援辄曳足以观之。不久，马援病死。耿舒代替马援监督诸军。

以往马援在交趾常吃薏苡（植物名）的果仁（名曰薏米），用以“轻身省欲，以胜瘴气”。回京时，以车载薏苡种子。时人以为他带回来珍宝，权贵们都怨望忌妒，只是没有及时发作。马援死后，有人上书，说马援带回的是一车珍宝。光武帝怒。马援的家属非常恐惧，不敢将马援遗体葬于旧坟地，只在城西买了几亩地掩埋了事。宾客故人也不敢来吊唁。后来马援家属才知蒙冤，经过多次申诉，才得到皇帝谅解，以丧归葬。同乡故人朱勃上书，说马援“以死勤事”，应当得到公平的待遇。词语恳切，情义可嘉。

汉明帝时，图画东汉初年的名臣列将于云台，因外戚之故（援女时为皇后），唯独没有列上马援。到了建初三年（公元78年），汉章帝才追策，谥马援为忠成侯。

马援与其他开国功臣不同，马援大半生都在“安边”战事中度过。马援为国尽忠，殒命疆场，实现了马革裹尸、不死床箦的志愿。不可否认，马援所从事的战争，一般都发生在封建王朝和周边少数民族之间，马援本人思想上也有不可避免的时代局限，但他忠勤国事，马革裹尸，仍然令人钦佩。马援进身朝廷，没有一个人推举荐拔，全靠自己公忠为国。后来居于高位，也不结势树党。于是，他生前受到权贵的排挤压抑，死后又遭到了严重的诬陷迫害。

班　超

班超（32年—102年）字仲升，扶风郡平陵县（今山陕西咸阳东北）人。东汉著名军事家、外交家。

班超是东汉一位很有名气的将军，他从小就很用功，对未来也充满了理想。有一天，他正在抄写文件的时候，写着写着，突然觉得很闷，忍不住站起来，丢下笔说："大丈夫应该像傅介子、张骞那样，在战场上立下功劳，怎么可以在这种抄抄写写的小事中浪费生命呢！"因此，班超决定学习傅介子、张骞，为国家奉献自己。后来，他当上一名军官，在对匈奴的战争中，取得胜利。接着，他建议和西域各国来往，以便共同对付匈奴。朝廷采取他的建议，就派他带着数十人出使西域。在西域的30多年中，他靠着智慧和胆量，度过各式各样的危机。班超一生总共到过50多个国家，和这些国家保持和平，同时也宣扬了汉朝的国威。

班超少时博览群书，30岁迁居洛阳，以缮写谋生。

公元73年，班超随奉车都尉窦固攻北匈奴，以假司马职率军袭取伊吾（今新疆哈密西）后，受命率36人出使西域。至鄯善（今新疆罗布泊西南），初受礼遇，后来鄯善王开始怠慢他们，班超得知有匈奴使臣到达，以"不入虎穴焉得虎子"激励部属，乘夜袭杀北匈奴使臣及随从130余人，让鄯善王死心塌地归附汉朝，班超也因功升至军司马。后来，班超又到疏勒（今新疆喀什），智擒了效忠北匈奴的国王，另立新王，使之归附汉朝。至此，与汉朝隔绝65载的西域重新得以复通，交流重新频繁起来。

公元75年，匈奴卷土重来，占领车师，西域各国又纷纷北叛汉朝，班超与疏勒王死守槖城，坚持一年多，后终于让疏勒的局势重新稳定下来。班超率部屯扎在疏勒，镇抚愿意向汉的西域诸国。班超没有东回中原而在疏勒继续屯扎，使得东汉王朝得以在明帝永平十八年的西域变乱中，在西域保留一个立足点和根据地，对日后的平定西域的行动产生了至关重要的作用。

两年之后的建初三年（78年），班超认为时机已经成熟，于是发动疏勒、康居等四国联军共1万人，围攻先前作乱的姑墨国。石城一战，斩敌700余级，这次战役，是班超联合诸国对抗叛乱势力的第一次尝试，这次战役的胜利，极大地坚定了西域有心向汉朝各国的斗志，扭转了几年来东汉王朝在西域的不利局面。

公元80年，汉章帝对班超的作为非常满意，同意他联合乌孙、牵制匈奴，重新控制西域的主张，先后派军队支援班超。后来在攻打莎车国一役中，班超以少击众，诱使龟兹等诸国联军误以为班超他们无力抵抗而分兵冒进，而班超则以中心开花的办法，先分后合，一举痛歼莎车国的军队。从此，东汉王朝在西域诸国中的声威日渐显著，而班超更是威名大振。西域南北两道重得畅通无阻，闻名于世的丝绸之路再次得以成为沟通东西的桥梁。

公元95年，汉和帝封班超为定远侯；公元102年，班超回到洛阳，同年九月病逝。

关 羽

关羽（162年—220年），字云长，本字长生，司隶河东解人（今山西省运城市），约生于东汉桓帝延熹年间，东汉末年三国时期刘备的重要将领。被后来的统治者崇为“武圣”，与号为“文圣”的孔子齐名。

关羽少年时勇武有力，嫉恶如仇。黄巾起义之时，关羽流落到涿郡（今河北涿县）后，正遇上东汉政府动员各地豪强地主组织武装，共同镇压黄巾起义。他在这里结识了当地正在聚众起兵的刘备（刘备是西汉景帝子中山靖王刘胜的后代）和张飞，三人志同道合，一见倾心，友爱异常，亲如兄弟。后世传说，刘、关、张三人曾在桃园结义。三人组织了一支武装力量，参与了进攻农民起义军的行列。关羽也就从此开始了他的戎马生涯。

中平元年（184年），刘、关、张带着刚刚组织起来的兵马，首先投奔涿郡的校尉邹靖。黄巾军打到涿郡，他们配合官兵出动抵抗，首战告捷，立了大功。接着，他们离开涿郡，前去投奔正在广宗（今河北省威县东）围攻黄巾首领张角的中郎将卢植。到广宗后，因卢植遭诬陷被押回京师，他们便决定返回涿郡。归途中，遇到黄巾军天公将军张角正在追击接替了卢植职务的董卓。关羽和张飞带领一支人马，突如其来地向黄巾军横杀过去，救了董卓。刘备后来投奔幽州军阀公孙瓒，因屡立战功升任平原相，关羽和张飞担任了别部司马，分统部曲。关羽和张飞终日侍立刘备左右，保护刘备。

建安五年（200年）正月，车骑将军董承等企图刺杀曹操的计划泄露，董承、王服、种辑皆被屠灭三族，唯参与密谋的刘备侥幸逃脱，且势力越来越大。曹操亲自征讨刘备，刘备惊悉曹操军将至，亲率数十骑出城观察，果然望见曹军旌旗，只得仓猝应战，被曹军击溃，刘备妻子被俘。曹操接着攻陷下邳，迫降了关羽。刘备则逃到邺城（今河北临漳西南）投奔了袁绍。

曹操赞赏关羽为人，拜其为偏将军，礼遇甚厚。不久却觉察关羽心神不定，无久留之意，便对与关羽关系甚好的张辽说：“卿试以情问之。”张辽去问关羽，关羽叹息道：“吾极知曹公待我厚，然吾受刘将军厚恩，誓以共死，不可背之。吾终不留，吾要当立效以报曹公乃去。”（《三国志·蜀书·关羽传》）张辽将关羽的这番话转告曹操，曹操闻后，不但没有怨恨关羽，反而认为他有仁有义，更加器重他。

同年（200年），官渡之战爆发，二月，冀州牧袁绍调动十多万人马进军黎阳（今河南滑县东北），征伐曹操并派大将颜良进围白马，攻东郡太守刘延，以保障主力渡河南进。刘延告急请援。四月，曹操为解除侧翼威胁，北救刘延。谋士荀攸建议：“今兵少不敌，分其势乃可。公到延津，若将渡兵向其后者，绍必西应之，然后轻兵袭白马，掩其不备，颜良可擒也。”（《三国志·魏书·武帝传》）曹操依行其计，派张辽、关羽为先锋，率部进击。关羽跃马阵前，远远望见颜良麾盖（大将所乘戎车，设幢麾、张盖），直冲过去，在万众之中刺死颜良，斩其首级而归，袁绍诸将“莫能当者”（《三国志·蜀书·关羽传》）。曹操挥令大军冲杀，袁军大败溃散，遂解白马之围。

曹操备赞关羽的勇武，对他重加赏赐，封他为汉寿亭侯（汉寿，地名；亭侯，侯爵名）。关羽把曹操屡次给他的赏赐都封存妥当，把汉寿亭侯的印绶挂在堂上，给曹操写了封告辞信，保护着刘备的家小，离开曹营，到袁绍军中寻找刘备。

刘备集团进攻四川时，关羽留任襄阳太守，封荡寇将军，负责守卫蜀国的东南门户——荆州，与盟国吴国一起多次击退来自曹操集团的攻击。但于215年，蜀汉与吴国因边境地盘的纠纷导致关系恶化，两国的同盟关系破裂。219年刘备称汉中王后，封关羽为前将军。

219年十月，吴国趁关羽率军与魏军激战之际，偷袭其后方。关羽腹背受敌，在向四川撤退的途中遭魏、吴军队的追截打击，全军覆灭。同年十二月，关羽与其养子关平在麦城（今湖北安远县北）被吴国将领马忠擒获后遇害。

纵观关羽一生，无愧于戎马生涯，历经百战，而最后却输在他的弱点“善待卒伍而骄于士大夫”上。鲁迅曾评《三国演义》里的关羽：“惟于关羽，特多好语。”宋、元时期关羽被尊为“真君”、“武安王”，至明、清时期被尊为“大帝”，四处立庙。

张 辽

张辽（169年—222年），三国时魏国名将。字文远。雁门马邑（今山西朔县）人。他早年颠沛多方，但随后终得雄主，奋其勇武，威震江南，诚为一代虎将。

张辽本是马过邑富户聂壹的后代，为避仇家而改姓张。他年轻时做过郡吏。东汉末年，并州刺史丁原见张辽武勇过人，兼有强力，召他为从事，让他率兵进京。接着，何进又派他去河北招募兵勇，他一去便招来一千多人。他回到京城后，何进已经遇害，便率兵归属了董卓。董卓失败，他又转归吕布，任骑都尉。吕布被李傕击败，逃往徐州，他也跟随前往，兼任鲁国相。曹操在下邳打败吕布，他统军归降，曹操任命他为中郎将，赐爵关内侯。后来，他屡立战功，升任裨将军。曹操击破袁绍，派他平定鲁国各县。

张辽曾和夏侯渊一起在东海包围昌豨。几个月后，军粮用尽，夏侯渊准备退军。张辽发现昌豨每次见到自己都好像有话要说，而且射箭越来越少，因此认为昌豨心存犹豫，于是便派人去劝降。昌豨果然答应投降，张辽便只身登上三公山，进入昌豨家中，拜访昌豨的妻子儿女。昌豨心里特别高兴，便随他去见曹操。曹操对昌豨抚慰有加，命他仍回原地，同时指责张辽贸然履险，不是大将当做的。

此后，张辽跟随曹操征战或独自征战，屡建战功，先后被任中坚将军、荡寇将军，受封都亭侯。

一次，他随曹操到柳城征讨袁尚，突然与敌兵相遇。他力劝曹操与敌接战，壮气飞扬。曹操见他雄健奋发，便把自己所持的麾授给他。他纵兵出击，大破敌军，斩杀了乌丸首领蹋顿。

当时荆州尚未平定，曹操派张辽驻守长社（今河南长葛东北）。临出发时的夜晚有人造反，火光冲天，营中惊乱不已。张辽对身边的将领说："不要乱动，这并非全营都反了，不过是叛乱者想以此惑乱人心罢了！"于是，他向军营中发布号令："凡是没有参加造反的都安稳坐好，不要乱动。"随后他率亲兵数十人在军阵中央巍然站立，岿然不动。不一会儿，骚乱自然平息，他立即查出并处死了带头谋反的人。

建安十四年（209年），庐江人陈兰、梅成在安徽起事，曹操派于禁、臧霸等人讨伐梅成，命张辽督率张郃、牛盖等人讨伐陈兰。陈兰与梅成二人合军，转入灊山。灊山中有座天柱山，山势陡峭，道路险狭，正可凭险据守。张辽打算进攻，部下将领以地势奇险劝阻，张辽却说："这正是势均力敌，勇敢的人才能取胜！"于是到山下安营，挥军攻敌，终于斩杀了陈兰、梅成，俘虏了他们的所有部众。事后，曹操评论众将的功劳，特意说："登天山，履峻险，以取兰、成，荡寇功也。"命令增加张辽的封邑，给予他持节的优待。

建安十八年（213年），曹操进攻孙权，退兵时派张辽和乐进、李典等率领七千多人驻守合肥。后来，曹操征讨张鲁，给合肥护军薛悌送来一封手札，信封边上写有"贼至乃发"（敌人到时再打开）的字样。建安二十年八月，孙权率十万大军围攻合肥，张辽等将领打开手札，上面写着："如果孙权来到，张辽、李典出去迎战，乐进守城，护军薛悌不要参战。"曹操此信是根据众将的特点所写，他认为张辽、李典勇锐，便令出战；乐进持重，便令守卫；薛悌是文职官员，所以不令他参与战斗。

当时，不少将领因为敌我悬殊，犹豫不决。张辽力主即战。乐进等人仍不说话。张辽大怒，喝道："成败之机，在此一举。你们如果还犹疑，我将独率军出，与敌决一死战！"李典本来与张辽有矛盾，此时却受其感动，慷慨而起，说："这是国家大事，从君一言而决！我不能因私憾而忘公义，愿意随您出战！"于是，张辽连夜招募敢死士兵800人，杀牛设宴，激励士气，准备与敌决死。

第二天天刚亮，张辽身披铠甲、手持长戟，一马当先冲向敌阵，一连刺死了几十个敌人，斩杀了两员敌将。他越战越勇，一面大呼"张辽在此"，一面撞入敌人营垒深处，直杀到孙权的大旗之下。孙权见状大惊，仓猝间逃到一个小山上，用长戟自卫。张辽呵斥孙权，让他下来迎战，孙权连动也不敢动。后来，孙权看清张辽人数不多，这才聚兵将张辽层层包围。张辽左冲右突，击杀敌众，率领几十名部下突围而出。这时，仍被围在中间的士兵高喊："张将军把我们扔下不管了吗？"张辽听到喊声，纵马挥戟，二次杀入重围，将被围的士兵救出。张辽所到之处，敌军望风披靡，无人敢当。这一仗，从早上一直杀到中午，吴兵魂惊魄动，士气低落。张辽回城后，谨修守备。部下士气大振，诸将也愈加佩服他了。

孙权围攻合肥数十日，见无法攻克，只好撤退。部队均已上路，孙权和诸将在逍遥津北，张辽远远望见，率领部队突然杀来。事出意外，孙权部将惊惧不已，亏得甘宁与吕蒙奋力抵挡，凌统才将孙权救出。

这一仗，杀得江南人人害怕，据说听到张辽大名，小孩都不敢夜间啼哭。曹操非常赞赏张辽的壮猛勇敢，升任他为征东将军。建安二十一年（216年），曹操又征讨孙权，到合肥后巡视张辽当年战斗的地方，感慨良久。于是，特命增加张辽的军士，并多留部队，由张辽总领，迁驻居巢。

关羽在樊县围攻曹仁，恰巧这时孙权向魏称臣，于是，曹操召张辽和诸军都回来援救曹仁。张辽还未赶到，徐晃已经打败关羽，解除了对曹仁的围困，张辽便率军在摩陂与曹操会合。当张辽大军赶到时，曹操乘辇车亲自慰劳他们，并命他屯驻陈郡。

曹丕即王位，改任张辽为前将军。孙权复叛，曹丕派张辽仍回合肥驻军，并晋升他的爵位为都乡侯，极其恩宠。曹丕即皇帝位后，封张辽为晋阳侯。黄初二年（221年），张辽到洛阳朝见文帝曹丕，文帝在建始殿接见了他，亲自问他进攻吴国的情况。听完述说后，文帝深有感触，说："这不是古代的召虎吗！"遂命令为张辽起造宅第，厚加赏赐。

孙权再次称藩归附，张辽回军屯驻雍丘，不幸患病。曹丕慰问看护，关怀备至。孙权再次叛魏，文帝派张辽和曹休乘船至海陵，直到江边。孙权听说张辽又来了，非常害怕，对众将说："张辽虽然有病，但仍然勇不可当，一定要小心！"就在这一年，张辽和众将一起打败了东吴的将领吕范。

黄初三年，张辽在江都病死。曹丕流泪痛悼，赐谥"刚侯"。

赵　云

赵云（？—229年），三国时蜀国名将。字子龙。常山真定（今河北正定）人。赵云不仅忠勇异常，而且卓有见识，谋身谋国都正直审慎，是三国名将中不可多得的人物。

赵云身高八尺，姿颜雄伟。黄巾起义时，本郡人推举他率领吏民往投公孙瓒。当时，刘备也正依托公孙瓒。他见赵云英气干云，不同凡响，便与他深相结纳。公孙瓒派刘备帮助田楷抵拒袁绍，赵云随同前去，为刘备执掌骑兵。赵云因兄长去世还乡，刘备料他此去不返，因与握手言别，殷勤叮咛。赵云对刘备说："无论将来局势如何，我赵云绝不会背德忘义。"后来，刘备栖身在袁绍处，赵云前来找他，两人在邺城见面。刘备与赵云同床眠卧，密令其招募兵士。赵云不负所托，招得数百人。刘备投奔荆州刘表，赵云追随。

建安十三年（208年），曹操取荆州，刘备大败，抛弃妻小，落荒南逃，不见了赵云。有人对刘备说："赵云已经北去。"刘备用手指着那人喝道："休得胡说。子龙绝不会弃我而去！"不一会儿，赵云果然回来。原来，他在乱军之中手抱弱子（后主刘禅），保护甘夫人（后主之母），使二人得脱于难。

刘备率兵入益州（今四川），赵云留在荆州，领留营司马。当时，刘备的夫人孙氏因为是孙权的妹妹，骄纵自大，经常率领随从兵丁官吏飞扬跋扈，纵横不法。刘备认为赵云有威信，受人尊重，定能够整齐内部纪律，所以特别命他执掌宫内事务。孙权听说刘备西征，就派船队到荆州去迎自己的妹妹，而孙夫人也想带着刘禅（小字阿斗）回东吴。赵云听到消息，便与张飞勒兵截江，夺回了阿斗。

建安二十四年（219年），夏侯渊兵败身死。曹操发兵20万来争夺汉中，粮米运到北山之下，堆积如山。黄忠认为敌粮可取，引兵前去，但过了约定时间，尚未回营。赵云带数十骑出营探视，正碰上曹操大军。赵云突遇大军，一毫不乱，挺枪骤马杀入重围，左冲右突，如入无人之境。曹兵心惊胆战，不敢逼迫，赵云且战且走。不久，曹兵围拢起来，赵云奋力杀出重围，已靠近自己的营寨，但发现部将张著在敌阵受了伤，又拍马杀入重围，救助张著，溃围而出。

曹军在后紧紧追赶。沔阳长张翼正在营中，见曹兵追来，提议让军士闭门拒守。赵云不但不关城门，反而命令将营门大开，令将士偃旗息鼓。曹操大军追到，见营门大开，不见旌旗，不闻金鼓，怀疑有伏兵，引兵欲退。曹兵刚一转身，赵云一声令下，营中将士万弩齐发，鼓声大震，号角齐鸣。曹军惊骇，自相践踏，拥到汉水旁边，落水而死者不计其数。

第二天，刘备特意来到赵云昨日作战之处，指点评说，欣然赞誉：“子龙一身都是胆也！”将士们从此愈发佩服赵云，称他为虎威将军。

赵云为人，正直审慎。刘备平定江南，赵云受命接替降将赵范兼任桂阳太守。赵范守寡在家的嫂子樊氏姿容秀美，堪称国色。赵范想把他嫁给赵云，赵云说“我们是同姓，您的兄长就是我的兄长”，坚决不肯依从。有人劝他，他说：“赵范被迫投降，其心正不可测。况且天下女人多的是！”后来，赵范果然逃走，赵云未受任何牵累。

赵云与谋国事，也是殚精竭虑，出于公忠。刘备平定益州，不少人提议把成都城中房舍和城外园地桑田分赐诸将，赵云反对说：“益州百姓刚遭兵乱，田宅应该归还给他们，让他们复业、安居。这样，我们才能征用人力财力，得他们的欢心。”刘备依从了他，益州安已。

孙权袭夺荆州，关羽败死，刘备大怒，要率兵亲征。赵云从大局考虑，劝谏刘备说：“国贼是曹操，不是孙权。而且如果先灭掉魏国，吴国自会臣服。如今我们把魏国放在一边，而与吴国作战。只怕兵势一交，就无法解脱了！”但刘备不听，命驾东征，留赵云都督江中。后来，刘备在秭归失利，赵云进兵到永安，吴国已经退兵。

赵云、邓芝箕谷战败，全师而退。诸葛亮说：“街亭退兵，兵将不能相顾；而箕谷退兵，却无兵将相失情况，为什么呢？”邓芝回答：“箕谷退兵，赵将军亲自断后，军资什物，一点也没有丢弃，兵将自然不会溃散。”赵云有军资余绢，诸葛亮让他分赐将士。赵云说：“军队没有取得任何胜利，怎能受赏赐？请把这些财物放进赤岸府库，以备过冬之用。”

建兴七年（229年），赵云去世。后主刘禅追谥赵云为“顺平侯”。

孙 坚

孙坚（155年—191年），东汉末、三国时著名将领。字文台。吴郡富春（今浙江富阳）人。孙策、孙权之父。他果勇刚毅，忠烈侠义，孤微发迹，屡建殊功，是一位德才俱佳的良将。

孙坚是名将战国孙武之后，世代在吴地做官。他年少时，在县中为吏，性情阔达，喜好奇节。17岁那年，他跟父亲一起乘船去钱塘，途中正碰上海盗胡玉等人抢掠商人财物，在岸上分赃。商旅行人见此情景，都吓得止步不前，过往船只也不敢向前行驶。孙坚见状，对父亲说："这伙强盗该打！"父亲劝他不要冒险，他却提刀大步奔向岸边，一面走，一面东西划指，好像正分派部署人众对海盗进行包抄围捕。海盗们远远望见，错认为官兵来缉捕他们，惊慌失措，扔掉财货，四散奔逃。孙坚不肯罢休，乘胜追击，斩杀了一个海盗才回来。孙坚因此声名大振，郡府里召他代理校尉之职。

后来，会稽郡人许昌在句章兴兵作乱，聚集起同伙数以万计。孙坚以郡司马的身分招募精壮士一千多人，会同州郡官兵协力讨伐，击溃了这股势力。刺史向朝廷呈报了孙坚的功劳，孙坚被任命为盐渎县丞，数年后又相继改任盱眙县丞和下邳县丞。

孙坚历任三县县丞，甚有声望，官吏百姓也亲近顺服，同他往来的人，常常达到数百。其中有乡里耆旧名人，也有任侠好事的少年。孙坚对他们像对待子弟亲友一样，接待抚养，尽心尽力。

东汉中平元年（184年），黄巾首领张角在魏郡起义，朝廷调兵围剿，孙坚也参与其中，南征北战。孙坚作战悍猛，常置生死于度外。一次，他乘胜追敌，单骑深入，受伤堕马，卧于草中。当时，军众分散，不知他在什么地方。亏得他所乘的战马跑回军营，咆哮嘶鸣。将士们随马找去，才在草中发现了孙坚。孙坚回营养了十几天，伤势略好，又奔赴疆场。汝颍地方的黄巾军处于困境，无路可走，固守宛城。孙坚领兵进攻，他独当一面，亲冒矢石，率先登上城墙。部众受此鼓励，纷纷紧随其后，于是攻下了宛城。朝廷因功任命孙坚为别部司马。

边章、韩遂在凉州制造骚乱，中郎将董卓前往讨伐，未见成效。中平三年（186年），朝廷派司空张温代理车骑将军，西讨边章等乱兵。张温奏请孙坚参军事。

张温率部驻扎长安，用诏书召见董卓，董卓过了好半天才来，受责时还出言不逊。当时，孙坚正好在座，见此情形，便跟张温耳语，劝他诛杀董卓。张温有所顾忌，孙坚仍然力陈己见，明确指出了董卓的三条罪状。张温最终没有听从。

边章、韩遂听说张温大军将至，手下的乌合之众马上星落云散，请求投降。张温奏凯班师。朝廷因张温的部队未同敌人作战，也就没有评功论赏。但好多人听说孙坚指陈董卓三条罪状，曾劝张温诛杀他，都为张温叹息。于是，朝廷任命孙坚为议郎。

中平四年，长沙人区星起义，聚众一万多人，攻围城邑。朝廷任命孙坚为长沙太守，前往剿灭。孙坚到郡，检选循吏，使之治民，并且明白交代："你们只管好好对待善良百姓，好好处理官曹文书。至于郡中盗贼，交我负责好了！"他立即率领将士谋划方略，仅一个月的工夫，就打败了区星，郡中震服。当时，周朝、郭石等人也在零陵、桂阳一带起义，与区星遥相呼应。孙坚越过郡界，前往征讨。这样一来，三个郡都得到了平定，秩序井然。朝廷检录孙坚前后战功，封他为乌程侯。

汉灵帝驾崩后，董卓专权，在京城横行跋扈，恣意妄为。孙坚闻知，拊膺长叹："如果当年张温听了我的话，朝廷哪会有这场浩劫！"天下诸多州郡，纷纷兴兵讨伐董卓。孙坚也参与其事，起兵不久便做了两件大事：兵到荆州，逼死了欲挟私愤杀害朝廷命官的荆州刺史王叡；兵到南阳，杀掉了拒不调发军粮的南阳太守张咨。孙坚到达南阳时，部众已达数万人，袁术表奏其为假中郎将。之后，孙坚率兵前进，到达鲁阳，与袁术相见。袁术又表奏他为破虏将军，兼领豫州刺史。孙坚就在鲁阳休整部队，厉兵秣马，准备战斗。

初平元年（190年）冬，孙坚在鲁阳稍事休整，便想进军讨伐董卓。董卓听说孙坚要起兵，派东郡太守胡轸引兵赴鲁阳迎战。孙坚正和部属饮酒谈笑，胡轸的先遣骑兵突然袭来。孙坚命令部队整顿阵容，不得妄动，自己则饮酒谈笑自若。敌人的骑兵越来越多，孙坚这才慢慢起身离开席位，引导将士们有条不紊地进入城内。胡轸见孙坚兵马整齐，纪律严明，斗志旺盛，不敢攻城，撤兵离去。事后，孙坚对部将们说："刚才我之所以不马上起身回城，是怕将士们惊急慌乱，自相践踏，因为那样一来，大家就都无法进城了。”

初平二年二月，孙坚率豫州兵十万人向梁东（今河南临汝东）进发，辗转攻打洛阳。不料被徐荣包围，豫州兵全军溃败，孙坚和十几个骑兵突围逃出。孙坚平日常戴一顶赤罽帻（头巾），梁东突围时，由于形势紧张，只好脱下此帻，让亲信部将戴上，吸引敌人。董卓骑兵以为戴赤罽帻的是孙坚，纷纷前来追逐。孙坚这才有机会从小道逃出重围。孙坚遭此大败，几乎丧生，但并未灰其心志。他一路收集散兵，进占太谷阳人（今临县西），严加戒备，准备伺机再战，以雪耻辱。董卓听说孙坚进占阳人，立即派胡轸为大都护、吕布为骑督，带五千人马前往迎击。董卓军原打算乘夜偷袭，但阳人城中防备甚严，不可能得手，只好城外宿营。此时，将士饥渴困顿，刚刚解甲休息，却突然接报说孙坚率城中将士乘夜来袭。军众夜中不明真假，扰乱奔逃，弃盔甲，失鞍马，十分狼狈。孙坚乘势出城追击，胡轸全军溃败。阳人一役获胜，孙坚名声大起，威望更著。

阳人战后，因有人挑拨，袁术怀疑起孙坚来，不给他运送军粮。孙坚军中无粮，焦虑万分。当时，孙坚驻地阳人距离袁术所居鲁阳一百多里，孙坚连夜乘马直奔鲁阳，拜见袁术。在袁术帐中，孙坚心情异常激动。他在地上画来画去，分析形势和各方面的利害关系，并且说：“我之所以出生入死，首先是为国家讨伐贼臣，其次也是为报将军您家的血海之仇、骨肉之怨。我本人跟董卓并无深仇大恨。将军您居然听信谗言，对我起疑心，真是从何说起！”袁术心中怀愧，马上下令给孙坚调拨军粮，孙坚立即回营。

董卓惧怕孙坚的勇武威猛，派部将李傕前往劝说，想与孙坚结为婚姻之好，并且让孙坚开列子弟中能任刺史、郡守的名单，答应保举任用他们。在利诱面前，孙坚义正辞严地说：“贼子董卓，逆天而行，无道至极，颠覆王室，荼毒百姓，如果不夷灭他的三族，悬书告示四海，我孙坚死不瞑目，又怎能跟他议婚联姻！”当即下令向大谷进军。部队一直挺进到距离洛阳90里的地方。

董卓亲自引兵与孙坚交战，遭到孙坚重创，他留下吕布掩护，自己转守渑池和陕城。孙坚挥兵进攻洛阳，与吕布接战，吕布败走，孙坚进入洛阳。当时洛阳空虚，数百里内没有烟火。孙坚入城，命令清扫汉室宗庙，用太牢之礼祭祀。随后整饬部队，分兵出新安、渑池间进击董卓。

孙坚对董卓奋勇作战，充分显示了他的英雄气概，也使得别的军阀心生忌恨。当时，关东州郡长官为了扩大势力地盘，纷纷兼并割据。袁绍、袁术虽为兄弟，却也尔虞我诈，钩心斗角。孙坚得此消息，十分感慨："我们同举义兵，目的是为了挽救江山社稷。如今逆贼将被扫灭，内部却如此争斗起来，我跟谁戮力同心，回天转日呢？"说完，仰天长叹，泪如雨下。

不久，袁术派孙坚征讨荆州，攻打刘表，刘表派黄祖迎战。孙坚击败黄祖，乘胜追击，渡过汉水，包围襄阳。刘表闭门不战，派黄祖乘夜出城调集兵士。黄祖带兵归来，孙坚复与大战。黄祖败走，逃到岘山之中，孙坚追击。黄祖部将从竹林间发射暗箭，孙坚中箭身亡。

孙 策

孙策（175年—200年），东汉末、三国时著名将领。字伯符。吴郡富春（今浙江富阳）人。孙策少年英杰，足智多谋，知人善任，开疆拓土，为东吴立国奠定了基础。但他有时过于轻率武断，以致英年早逝。

孙策的父亲孙坚长年征战在外，把家眷留在寿春（今安徽寿春）。孙策十多岁时，已广交朋友，很有名声。舒县（今安徽舒城）人周瑜仰慕孙策之名，专程赶到寿春来拜访。周瑜、孙策两人同岁，且均少年有志，寿春一见，便推诚相待，结为好友。周瑜劝孙策移居舒县，以便互相亲近，孙策高兴地答应了。周瑜让出靠道边的大宅院给孙策居住，且升堂拜母，共通有无。

孙坚去世时，孙策17岁。把父亲安葬后，他就渡过长江，居留在江都（江苏扬州），结纳豪俊，想有朝一日长成羽翼，为父报仇。

名士张纮因有母丧，当时居住江都。孙策几次亲往拜见，和他探讨时局。孙策说自己打算到袁术那里要来父亲的旧部，然后到丹阳（安徽宣城）去依靠舅父吴景，收集流散兵士，东据吴郡（江苏省苏州市）、会稽（浙江绍兴），报仇雪耻，做朝廷的外藩。张纮说："假如真能栖身丹阳，召集吴郡、会稽兵马，那么，荆扬二州自可扫平，报仇雪耻也指日可待。那时您凭倚长江，奋发威德，扫除群雄，匡辅汉室，所建的功业定会流芳千古，岂止做一个外藩呢？"孙策听完张纮的一番话语，遂决定马上开始行动，并把老母弱弟都托付给了张纮。

孙策赶赴寿春，向袁术索要父亲的旧部，袁术先是不肯，后来才将孙坚旧部一千多人交还孙策统领。从此，孙策渐渐流露出英雄本色，引起人们的注意。不久，朝廷任命孙策为怀义校尉。袁术的大将乔蕤、张勋也都爱慕孙策的风采。袁术见孙策少年英俊，曾叹息说："假如有子像孙策一般，虽死何憾！"

孙策有一个骑兵，犯罪后为逃避责罚，逃进袁术的军营，藏到马棚里面。孙策派人追捕，直入袁术营中，将罪犯搜出，当场斩首。事情结束后，孙策才去拜见袁术，说明情况并道歉。袁术说："军士叛变，理应共同制裁，不须道歉。"这件事进一步提高了孙策的声誉，将士们从此对孙策也更加敬畏。

袁术为人反复，往往言而无信，起初他许诺任用孙策为九江太守，不久却改用别人。后他又许愿拿下庐江后就让他做那里的太守，结果孙策拿下庐江，袁术居然任用自己的老部下当了庐江太守。就这样，孙策以为其取江东为由，离开了袁术。

孙策遂率父亲旧部和数百门客东进。一路上，不断有人来投，队伍不断扩大，到历阳时已增加到五六千人。周瑜也带兵迎接孙策，并赞助军粮。于是，孙策立即率部渡江，进击横江、当利，相继攻克。接着，孙策连续出击，所当者破，所攻者克，并先后打败江南豪强笮融、刘繇，入居曲阿。

孙策大军所到之处，军士们严遵将令，秋毫无犯。当地百姓十分喜悦，争着用牛、酒犒劳部队。孙策劳赐将士，发布文告，晓谕下属各县："刘繇、笮融的乡人和部下来投降的，一无所问；愿意从军的，可以从军，并免除全家赋税徭役；如果不愿从军，绝不勉强！"文告发布后，来归附者由四面八方云集风涌，不长时间，就招得士兵两万多，征集马匹一千多。

建安元年（196年），刘繇又放弃丹徒西逃，孙策遂东进夺取吴郡。八月，孙策引兵渡过浙江，直逼会稽。会稽功曹虞翻劝太守王朗暂避孙策锋芒，王朗不听，发兵在固陵（浙江萧山西）阻击，孙策几次进攻均未能奏效。孙策的叔父孙静献策，建议声东击西，从查渎进兵，出其不意，攻其不备。孙策依计。于是，夜里一面到处点燃火把，迷惑、牵制正面之敌，一面分出兵马悄悄从查渎出击。王朗大惊，派周昕率兵仓猝迎战，孙策斩杀周昕，长驱直入。王朗败溃，带虞翻乘船逃到东冶。孙策鼓勇追击，王朗、虞翻投降。孙策平定江东，任命吴景为丹阳太守，朱治为吴郡太守，自己兼任会稽太守，仍以虞翻为功曹。

建安二年夏，曹操派议郎王浦携带汉献帝的诏书给孙策，任命他为骑都尉，袭父爵为乌程侯，兼任会稽太守，并命他与吕布、陈瑀等一起讨伐袁术。孙策觉得自己统领兵马，骑都尉的职务有点低，想得到将军的封号以自重，派人向王浦微露其意。王浦当即以皇帝的名义宣布孙策权代明汉将军。

建安三年，孙策派张纮向汉廷贡献方物，曹操安抚孙策，与之结纳，上表奏准任命他为讨逆将军，封为吴侯。这时，袁术任命周瑜为居巢长，鲁肃为东城长。二人知袁术难成大器，相继弃官渡江投靠孙策。袁术便拉拢流窜到安徽的祖郎，让他鼓动山越共同对付孙策。而太史慈也占据泾县，自称丹阳太守，阻遏孙策西进。孙策决定先拔掉这两根钉子，于是进击陵阳（今安徽青阳东南），擒获祖郎；又进击勇里（今安徽泾县西北），擒获太史慈。

建安四年（199年），孙策乘胜进攻黄祖。十二月八日，孙策进至沙羡（今湖北嘉鱼北）。十一日，孙策率周瑜、吕蒙、程普、孙权、韩当、黄盖等将领同时并进，与敌大战，黄祖几乎全军覆没，黄祖脱身逃走。

孙策一鼓作气，东进豫章。当时，刘繇已病逝，部众推华歆任太守。孙策认为华歆是名士，应晓大义。虞翻领命进城，见到华歆，陈明利害，华歆举城投降。孙策从豫章郡中分出一部分，设立庐陵郡，任孙贲为豫章太守，孙辅为庐陵太守，而留周瑜镇守巴丘。孙策还先后击破邹伦、钱铜、王晟、严白虎等部，于是疆宇平定。

曹操闻孙策平定江南，叹息说："猘（发疯的狗）儿难与争锋也！"于是，把兄弟的女儿许配孙策的弟弟孙匡，又让儿子曹章娶了孙贲的女儿。并以礼征召孙权、孙翊，命扬州刺史严象推举孙权为茂才。

史载孙策容貌秀美，机智幽默，豁达大度，从善如流，而且敢于用人，礼贤下士，士吏百姓情愿为他效力，甚至乐于为他献身。从某种程度上说，孙策能够占据江东，与他礼贤下士、善于用人大有关系。

孙策喜欢轻装简从，出外游猎。对此，虞翻不放心，早就进行过劝谏。孙策知道虞翻说得对，但仍然不能改掉这习惯。

建安五年（200年）四月，孙策又出去打猎。他骑的是上等精骏宝马，驰驱逐鹿，跟从的人绝对赶不上。正当他快如疾风地奔驰时，突然从草丛中跃出三人，弯弓搭箭，向他射来。孙策仓猝间不及躲避，面颊中箭。这时，后面的扈从骑兵赶到，把那三个人都杀死了。

孙策中箭，创痛甚剧。自知不久于人世，便请来张昭等人，托以后事。他说："中原大地正在战乱当中，凭吴越兵马和三江之险，足可坐观成败，希望你们好好辅助我的弟弟。"接着叫来孙权，给他佩上印绶，说："率江东人马，在两军对垒时做出决断，与天下英雄抗衡争锋，你不如我；举贤任能，使他们尽心效力，保守江东，我不如你。"

当天夜里，孙策就去世了，年仅26岁。

周 瑜

周瑜（175年—210年），字公瑾，三国吴国名将，庐江舒县（今安徽庐江西南）人，出身士族，年少时与孙策友好。兴平二年（195年）周瑜起兵助孙策占据江东，后跟随孙策转战江淮，为开拓东吴疆域建立了巨大战功。孙策死后，周瑜以中护军职辅佐孙权。建安十三年（208年），曹操率军号称八十万南下，并致书迫孙权投降。周瑜分析局势，坚定了孙权与刘备结盟抗曹的决心，又自请为将，与刘备联军大败曹军于赤壁，奠定了三分天下的基础。周瑜文武兼备，有雄才大略，赤壁之战后积极筹划进图中原，但天不假英才，建安十五年（210年），周瑜卒于巴丘（今湖南岳阳），其时年仅36岁。

周瑜出身士族。他健壮潇洒，风度绝伦，志向远大，自幼刻苦读书，尤喜兵法。

当年，孙坚起义兵讨伐董卓，将家小移居舒县。其子孙策和周瑜同岁，两人交好日密。孙坚去世，孙策继承父志，统率部卒。周瑜起兵响应孙策。于是，孙策、周瑜协同作战，先是攻克横江、当利，接着挥师渡江，进攻秣陵（今属湖北），打败了笮融、薛礼，转而攻占湖孰、江乘，进入曲阿（治今江苏丹阳），逼走山东豪强刘繇。

后来，孙策授予周瑜建威中郎将的职位，调拨给他士兵2000人，战骑50匹。此外，孙策还赐给周瑜鼓吹乐队，替周瑜修建住所，赏赐之厚，无人能与比并。周瑜当时24岁，吴郡人都称他为周郎。皖城（今安徽潜山）乔公有两个女儿，分别叫大乔、小乔，二女姿色倾城倾国。周瑜、孙策攻破皖城后，孙策自娶大乔，周瑜娶了小乔。

建安五年（200年），孙策遇刺，临终前把军国大事托付给孙权。当时，孙权只据有会稽、吴郡、丹阳、豫章、庐陵数郡，江南其他各郡均被各路豪杰占据。周瑜从外地带兵前来奔丧，留在吴郡孙权身边任中护军。他握有重兵，用君臣之礼对待孙权，同长史张昭共同掌管军政大事，其他人自然不敢有异议异动。

曹操打败了袁绍，兵威日盛，志得意满，以为天下可运于掌。于是，在建安七年（202年），下书责令孙权，让他把儿子送到自己这里来做人质。孙权只带周瑜一人到母亲面前议定此事。周瑜立场坚定，坚决反对送人质，他认为人质一到曹操手，就必然受制曹氏，且所得利益有限，远不如自己创建功业。孙权的母亲也认为该这样做。就这样，孙权没理会曹操。

周瑜越来越得孙权的信赖，而他也越发竭诚尽智，为孙氏集团的崛起奔波劳碌，不辞辛劳，可谓忠贞不贰。

曹操曾想拉拢周瑜，使其为己所用。于是，就派九江人蒋干游说周瑜。蒋干是周瑜的同窗好友，以善辩著称。他刚到江南，周瑜就猜出了他的来意，出来迎接，劈头便问："子翼真是用心良苦，居然远涉江湖，替曹操来做说客！"蒋干被周瑜开口便道破机关，颇为尴尬，勉强自解："我和您本是州里乡亲，这次来，不过是来拜访您，顺便看看您的部队罢了。您却说我是说客，岂不过分？"周瑜笑道："我虽不及夔与师旷，称不上知音，但闻韶赏乐，足知雅曲。"言下之意，你的心理，我是清清楚楚。于是请蒋干进入营帐，摆设酒宴，盛情款待。三天之后，周瑜又把蒋干请入营中。这次，先领着他遍观军营，检视仓库和军资器仗，然后又是置酒会。席间，周瑜向蒋干展示了自己的侍从、服饰珍宝，并对他说："大丈夫为人处世，得遇知己之主，外托忠臣之义，内结骨肉之亲，言听计从，祸福与共。即使苏秦、张仪那样的说客再世，又岂能动摇我呢！"蒋干回见曹操，说周瑜器量端雅，趣致高卓，言词说他不动。天下之士，因此愈加佩服周瑜。

曹操基本统一北方后，想进而统一全国。建安十三年（208年），曹操挥师南下。恰在此时，荆州刺史刘表病死，他的儿子刘琮不战而降。曹操顺利占领荆州，收降刘琮的八万人马，拥有大军数十万，实力陡增，骄横益甚。扬言要顺流而下，席卷江东。

在这严重的局势面前，东吴的谋臣将士十分惊恐，纷纷主张"迎曹"，只有鲁肃等少数人力主"抗曹"，双方争执不下。鲁肃建议孙权把周瑜从外地召回。周瑜一归来，便力挽狂澜。他对孙权分析形势：第一，即使曹操已经完全平定了北方，没有任何后顾之忧，有时间跟我们打持久战，他也未必有能力和我们在水面上赌胜负（曹军水战没有优势）；第二，何况他在北方并未完全平定，而马超、韩遂还在潼关以西，对他构成严重威胁；第三，舍弃熟习的骑乘，依靠生疏的舟船和吴越人较量，本来不是中原士兵的专长；第四，如今天气奇寒，马无草料，曹兵长途跋涉来到江南，不服水土，必然会生病。周瑜最后说：“以上这四点，均是兵家之忌，而曹操占全了。这正是我们擒获曹操的大好时机。”孙权闻言大喜。

当天夜里，周瑜为了消除孙权的疑虑，坚定其信心，又单独进谒。他对孙权说：“曹操的战书上写有水步兵80万，其实他所带的中原士兵，最多十五六万，而且是经过长途跋涉、疲惫不堪；收降刘表的人马，最多不过七八万，而且这部分人尚心怀观望、怀疑，并未一心一德。曹操统御着这些疲惫病弱、狐疑观望的士兵，人数虽多，何足畏惧？我们只要有精兵五万就完全可以战胜他。请您不要迟疑，不要有所顾忌。”孙权听后，终于下定了决心。

孙权任命周瑜为左督，统领三万大军；程普为右督，鲁肃为赞军校尉，协助周瑜。程普为东吴宿将，不愿居于周瑜之下，因此与周瑜的关系很不融洽。周瑜却折节容下，对程普十分礼敬，最终，程普被周瑜的容人之量所折服。他曾对人说：“与周公瑾交往，如饮美酒，不知不觉就醉了。”周瑜和刘备带领的部队会师，沿江而上，与曹操大军在赤壁相遇。

曹营将士不习水性，为了克服这一弱点，曹操下令把战船用铁索锁在一起，上面铺上木板，连接成水上营寨，以便利行走。他自以为得计，称这些船为连环船。

看到这种情况，周瑜部下老将黄盖献苦肉计，想利用曹军船船相联、不便移动的弱点，火攻曹军。这一计策正与周瑜想法相同。不久，周瑜借故将黄盖毒打一顿。黄盖派人送信给曹操，表示愿降，并约定来降日期。

交战那天正值东南风骤起，黄盖带领数十艘战船（每一战船后拖一只小船，以备放火人员后退时使用），船中暗藏柴草、油脂等引火之物，乘风向曹营进发。曹军以为黄盖真来投降，毫不防备，只是指点观看。船队行到距离曹军水寨一里左右，黄盖下令各船同时点火。火势汹汹，风声猎猎，船像箭一般冲入曹军水寨。顷刻之间，烈焰冲天，曹军连环船无法解开，顿时变成一片火海。火借风势，很快烧到岸上曹营，转眼工夫，营中烟火弥漫，人马烧死、淹死不计其数。曹操大败而逃。

赤壁一战，使周瑜声威大震，名扬天下。

赤壁战后，刘备已乘机攻占了武陵、长沙、零陵、桂阳四郡，自己驻在公安（今湖北公安）；刘表旧日的好多部属纷纷归附刘备。刘备为了进一步扩大地盘，到京口去见孙权，以江南四郡地少、不能安民为理由，请求孙权把南郡借给他，使他得以控制荆州地区的局面。

周瑜深知刘备绝非凡人，所以劝孙权及早防备，并建议一是把刘备迁到吴郡安置下来，为他大兴土木，修筑宫室，多送给他美女及珍奇玩好之物，使他赏心悦目，耽于享乐；二是把他与关羽、张飞分开，让他们天各一方，不能援应。然而，孙权却认为，一来曹操在北方势力太大，应该广泛招揽英雄人物才能与之抗衡；二来刘备又绝非可以轻易制服之人，所以没有采纳周瑜的建策。

周瑜扼制刘备的计谋未被采用，很不甘心，于是又向孙权献上另一计策。当时，刘璋任益州牧，张鲁不断生事滋扰。周瑜面见孙权，借机陈辞："曹操刚刚受到挫折，忧在腹心，无法与我兴兵抗衡。这正是我们扩张势力的大好时机。我请求和奋威将军孙瑜一起进攻蜀地。一旦攻克蜀地，消灭张鲁，就留下孙瑜在那里固守，与马超为掎角之势。我则回来跟您一起占据襄阳，进迫曹操，北取中原。"周瑜这一计划非常有战略眼光。孙权当即表示同意。

周瑜想赶回江陵，做出征的准备工作，不料走到半路就染病身亡，年仅36岁。

周瑜一生征战，有强烈的进取精神和横行天下的抱负。周瑜心胸开阔，以德服人，东吴大将程普评价周瑜说："与周公瑾交往，如同啜饮美酒，不知不觉就醉了！"周瑜少年得志，风度可人，意气英发，有口皆碑；周瑜文采超群，精于音律，即使是酒后，仍能听出乐人演奏中很细微的疏失，所以当时有民谚说："曲有误，周郎顾。"可惜天妒英才，周瑜英年早逝。

吕蒙

吕蒙（178年—219年），三国东吴四英将第三位（其他三位是周瑜、鲁肃、陆逊），字子明，汝南富波（今安徽阜南东南）人。他起初担任孙权别部司马，建安十三年（208年），跟随孙权征灭刘表将领黄祖，升横野中郎将。同年，又随周瑜、程普参加赤壁之战，大破曹操。鲁肃死后，吕蒙任水军都督，屯陆口，与关羽为邻。建安二十四年（219年），吕蒙先诈病，以当时名不见经传的陆逊代替自己以麻痹关羽，继而以白衣过江之计使关羽大意失荆州，从而斩关羽，定荆州，为巩固孙吴西部地区统治立下功勋，升南郡太守，封孱陵侯；不久之后卒。

吕蒙少时南渡长江，依附姐夫邓当。当时，邓当是孙策的部将，多次征伐山越。吕蒙时年仅十五六岁，居然偷偷地跟随邓当上阵杀敌。邓当在战阵矢石中发现了他，大吃一惊，厉声呵斥，却无法阻止。战斗结束归来，邓当把这件事告诉了吕蒙的母亲。母亲生了气，要责罚他，吕蒙抗声说："穷日子过够了，不能再这样下去了。上战场，危险是危险一些，但是可以直取富贵。'不入虎穴，焉得虎子'！"

邓当手下有一个官员，见吕蒙年纪小，瞧不起他，说让他上战场等于拿肉去喂老虎，后来又几次当面耻笑。吕蒙大怒，找机会杀了他，逃到同乡郑长家里。过了一段时日，通过校尉袁雄出来自首。袁雄把他推荐给孙策。孙策召见吕蒙，见确有过人之处，便把他安排在身边做事，吕蒙由此渐渐有名。

几年过去，邓当去世。张昭推荐吕蒙接替邓当职务，任别部司马。孙权执政，检点部队，想把那些统兵较少又发挥不了多少作用的年轻将领检选出来，把他们的部下加以调整合并。吕蒙知道部队一经合并，自己想有所作为就更困难了。于是心生一计，想办法赊来物品，为部下赶制了绛色的服装和绑腿，并加紧操练。孙权来检阅，吕蒙英姿飒爽，部队阵容更是醒目严整，士兵操练也娴熟有法。孙权看后十分满意，认为他治军有方，不但没有削减他的部队，反而增加了兵员。此后，吕蒙因出征丹阳有功，被任命为平北都尉，兼任广德长。

建安十三年（208年），吕蒙随孙权征讨黄祖。黄祖见孙权兵来，命令都督陈就率水军出战。吕蒙统率前锋部队奋勇迎击，他身先战阵，亲自斩杀了陈就。一时间，将士们士气大振，摇旗鼓噪，乘势攻城。黄祖听说陈就败死，心神不定，弃城逃跑被活捉。战斗结束，孙权论功行赏，认为斩杀陈就是此役胜利的关键，任命吕蒙为横野中郎将，并赐钱千万。

攻破黄祖后，吕蒙还跟随周瑜、程普等人在赤壁大破曹操，在南郡围攻曹仁。此时的吕蒙称得上果敢有勇，屡立战功。

随着时间的推移和阅历的增加，吕蒙的谋略也越来越多，越来越为人所重视、称道。益州将领袭肃率领全军投诚，周瑜呈上表章，请孙权把袭肃所部拨给吕蒙管辖，用以增大吕蒙的兵力。吕蒙从全局考虑，认为只该增加袭肃的兵力，孙权觉得有理。周瑜派甘宁率兵据夷陵，曹仁闻知，分兵进攻甘宁。甘宁被围，形势危迫，派使者求救。当时将领们认为兵少不能赴救，吕蒙建议留下凌统在此与敌对峙，自己和周瑜、程普带兵去解围。接着又献策周瑜派300人用柴木把本来险峻的山路截断，阻通敌人的马匹。周瑜依计而行，结果杀伤了半数以上的敌人，获得战马三百多匹。胜利归来，吕蒙被任命为偏将军，兼任寻阳令。

当时吕蒙32岁，不少人只把他当成一员武将，殊不知他已经满腹经纶。原来吕蒙少时家贫，没有机会读书，后来戎马倥偬，更无时间。做了将领，有重要大事，常常自己口授，由别人代写。有一次，孙权劝他和蒋钦两人读点书，来增长见识和才干。吕蒙说：“军务如此繁剧，恐怕没有读书的空儿吧！”孙权笑道：“我不过是让你们广泛涉猎典籍、了解历史、增广见识罢了。你们说军务繁忙，难道比我还忙吗？光武帝刘秀在戎马倥偬之际，仍然手不释卷，曹操也自称老而好学，你们哪能不自勉向上、勤奋学习呢？”吕蒙听了这番话，深有感触，于是励志就学，始终不懈。日积月累，他读的书竟然超过了宿儒耆旧。

建安十五年（210年），周瑜病逝，鲁肃接任。鲁肃到陆口去，途经吕蒙的驻地。鲁肃是一代儒将，又抱有成见，认为吕蒙是武夫出身，因而有点轻视他。有人说吕将军今非昔比，应该去会见他才是。鲁肃不得已去见吕蒙，吕蒙设酒款待。酒到酣处，吕蒙问鲁肃如何防备关羽，鲁肃思虑未熟，以“随机应变”搪塞。吕蒙说关羽如熊似虎，事先不做防备，则临事难以处置。于是，他详尽分析当时的利害，研究关羽的为人，然后从实际出发，为鲁肃设计了五种措施，均中肯切要。鲁肃越听越佩服，他不知不觉地离开席位，靠近吕蒙，亲切地拍着他的背，赞叹道：“吕子明，我认为你老弟只有武勇，没想到你的学问才略也如此广博英发，你再也不是从前的吴下阿蒙了！”吕蒙大笑：“古人不是说‘士别三日，当刮目相看’吗？”从此，鲁肃与吕蒙结为好友，过从甚密。

对于吕蒙，孙权也常常赞叹，他说：“随着年龄的增长，人各方面都会有进步，但是像吕蒙、蒋钦这样，别人就办不到了。他们已经富贵荣显，还能折节向学，醉心《书》《传》，而且轻财好义，所作所为，均可记述传留。如今，他们两人都成了国之名士，这真是难得啊！”

由于吕蒙学问增益，所以，发谋运策，能从全局出发，且思虑周详，颇受孙权信用。每到战事无法解决的时候，孙权就请吕蒙来解决，常说：“鸷鸟累百，不如一鹗，还得请吕将军来解决问题。”

刘备占据荆州，派关羽镇守。孙权屡次索要，刘备拒不归还。建安二十年（215年），孙权派吕蒙率两万兵士去攻取长沙、零陵、桂阳三郡。吕蒙传檄长沙、桂阳，二郡望风归附，只有零陵太守郝普坚守城池，不肯投降。刘备见形势危迫，匆忙从蜀郡赶到公安，令关羽争夺三郡。孙权当时住在陆口，一面让鲁肃率万人屯驻益阳抵抗关羽，一面传递紧急文书给吕蒙，让他放弃零陵，立即回师增援鲁肃。就在这紧要关头，吕蒙居然巧用计谋，在很短的时间内，智赚郝普，拿下了零陵。为表彰吕蒙的战功，孙权把寻阳、阳新封给他作食邑。

建安二十二年（217年）冬天，镇守陆口的鲁肃去世。吕蒙代其为将，西驻陆口，原来鲁肃所部一万多人全都归吕蒙指挥。孙权此时将收回荆州的希望寄托在吕蒙身上，因而对他礼遇优隆。

吕蒙的辖区与关羽的江陵毗邻，二人各守其土。吕蒙深知关羽英勇善战，有对外扩张的野心，而且地势上又处在自己的上游，绝对不会长期相安无事，因此积极备战，准备伺机收回荆州。但表面上对关羽加倍殷勤，广施恩义，和关羽结下友好关系。

建安二十四年（219年），关羽北攻樊城，留下兵将守备公安、南郡。吕蒙揣摩关羽的心思，上书给孙权允许自己带一部分兵马返回建业，装作治病，以使关羽放松后方的警惕，然后乘机夺取南郡，活捉关羽。关羽果然中计，渐渐地把守备兵力调往樊城。

这年闰十月，吕蒙奉孙权之召返回建业，途经芜湖，见到了定威校尉陆逊，发现陆逊是可用之才。后来，吕蒙见到孙权，孙权问谁可以替他在陆口指挥，他立即推荐了陆逊。孙权下令，由陆逊代替吕蒙。

不久，关羽借口粮食缺乏，抢夺了孙权在湘关的存米。孙权闻讯，决定开始行动，派吕蒙为前部，孙皎为后继，进袭公安、江陵。吕蒙到了浔阳，把精兵埋伏在战船中，让摇橹的人都身穿白衣，像商人一样，昼夜兼程，溯江北上，来到关羽安置在长江沿岸的哨所，把哨兵全部捆绑起来。吕蒙率部到了南郡，守将士仁、糜芳相继投降。吕蒙进军占据城邑，秋毫无犯。他善待关羽及吴军将士家属，遂使吴军斗志涣散。这时孙权又率军前来，关羽自知势孤力穷，只好一逃再逃，最终被俘被害。这一战役，吕蒙立功至巨，孙权任命他为南郡太守，封他为孱陵侯，赏赐甚丰。但吕蒙推辞再三，不肯接受金钱。

封爵还未颁布，吕蒙疾病发作。孙权当时在公安，就把吕蒙接来安置在内殿，千方百计诊治护理，并且下令在国内招募医者。孙权尽心竭力为吕蒙治疗，每当医者给吕蒙针灸，孙权就替他难过伤心。孙权想多看看吕蒙，又怕他太过劳碌，于是命人凿通墙壁暗中观看。如果发现吕蒙吃下点东西，孙权就高兴，对手下人有说有笑；如果发现吕蒙不进饮食，孙权就长吁短叹，夜不能寐。吕蒙病情略有好转，孙权就下达赦令，让群臣都来庆贺。后来，吕蒙病情加重，孙权亲自到床前探视，命道士为他祈祷，想保全他的性命。但老天不遂人愿，吕蒙终于去世，时年42岁。

江陵一战，史称“白衣渡江”，吕蒙采取伪装偷渡的奇袭战法，又以攻心为上，兵不血刃夺取江陵，堪称独具特色的偷渡破袭战例，在中国战争史上写下了传奇的一笔。史学家陈寿在《三国志·吴书·吕蒙传》中对吕蒙作了如下的评论：“吕蒙勇而有谋，断识军计，谲郝普，擒关羽，最其妙者。初虽轻果妄杀，终于克己，有国士之量，岂徒武将而已乎！”

司马懿

司马懿（179年—251年）字仲达，河内温（今河南温县）人。世称号冢虎、管兵伐，有“卧龙凤雏幼麒冢虎”一说。三国时期魏国杰出的政治家、军事家，西晋王朝的奠基人。曹魏大都督，权臣。多次率军对抗诸葛亮。以其功著，封宣王。其孙司马炎称帝后，追尊为晋宣帝。

东汉末年，天下大乱，司马懿生在乱世中，“常慨然有忧天下心”（《晋书·宣帝纪》）。

南阳太守杨俊素以知人善任著称，司马懿二十岁前，杨俊曾见过他，说他绝非寻常之人；尚书崔琰与司马懿的兄长司马朗交好，曾对司马朗说：“君弟聪亮明允，刚断英特，非子所及也”。（《晋书·宣帝纪》）

建安十三年（208年），曹操为丞相以后，始用强制手段辟司马懿为文学掾。司马懿在曹操手下任职，小心谨慎，勤勤恳恳。

公元215年，曹操攻伐张鲁，平定了汉中。年轻的司马懿向曹操进言，趁刘备刚刚入蜀人心未稳之机，立即出兵攻打刘备。曹操没有同意。过了几天，蜀国来降的人说，蜀国因为曹军攻破了汉中，人心恐慌，一天骚乱几十次，后来见曹军并未进攻，人心又安定下来。良机稍纵即逝，曹操懊悔不已。曹操一生用兵如神，但在这件事情的认识上，司马懿则略胜一筹。

司马懿深谙兵法要领，对敌打击往往动如脱兔，有迅雷不及掩耳之势。公元227年，魏将孟达因为魏文帝去世，唯恐自己失宠，于是私下与诸葛亮联络，打算弃魏降蜀。司马懿得知这一情况，立即去信抚慰孟达，同时不顾千里行程，以日行75公里的速度进军，仅用8天就抵达上庸，而孟达这时尚在梦中。16天后，司马懿破城，将孟达处死。等蜀国救兵来到，一切已成定局。

司马懿不但擅长进攻，而且精于防守。公元231年，诸葛亮兵出祁山伐魏。司马懿知道蜀军远来缺粮，求战心切，加之诸葛亮足智多谋，难以对付，于是据险扼守。诸葛亮求战不能，果然引兵退回。魏将张郃请求截击蜀军后路，司马懿不允，只是尾随观察。到达祁山后，诸将纷纷请战，司马懿登山修寨，依然不允。众将当面指责他畏蜀如虎，他不加理会。五月，众将向司马懿施压，伺机进攻蜀军，结果战败，只得退保营寨。六月，诸葛亮退军，张郃追击，结果中伏身亡。司马懿从此更加坚信防守策略的正确性，面对诸葛亮咄咄逼人的进攻，从来不与争锋，甚至在诸葛亮赠送妇人首饰羞辱他时，他也欣然接受，忍辱负重，仍旧按兵不动。无奈的诸葛亮终于在壮志未酬的忧伤中死去。失去诸葛亮的蜀国，再也无法对魏国构成严重威胁。司马懿的防守政策取得了重大胜利。

即使在同一场战争中，司马懿的攻守策略也不是一成不变的，他宜攻则攻，宜守则守，绝不拘泥于事。在征讨公孙渊的战役中，已是59岁高龄的司马懿率领4万兵马前去征讨。当魏军到达辽河西岸时，公孙渊已派数万兵力在辽隧（今辽宁鞍山西）安营扎寨，凭水而守。司马懿采取声东击西的战法，派少数兵马伪装主力佯攻辽隧，他自己率领主力乘机北上，偷渡辽河，然后直指兵力已经十分空虚的叛军老巢襄平。位于辽隧的叛军主力十分惊慌，立即全速回援，结果被司马懿在野外设下的伏兵迎头痛击，损失惨重。接着，司马懿率军乘胜前进，把襄平团团围住。根据当时“敌众己寡、敌饥己饱，时逢雨季、不宜进攻”等客观情况，在围城的过程中，司马懿下令围而不打，耐心等待战机；当叛军粮尽兵疲、雨季结束之时，司马懿又下令昼夜猛攻，很快就攻下了襄平，其他几个郡也望风而降。司马懿的攻守之道，完全建立在对敌我形势的洞察、分析与判断上，而不是凭个人意志或直觉来决策，所以很少失算。

此后，司马懿又将善于谋略的特长运用于政治斗争之中，采取许多计谋，搞掉了曹爽集团，控制了皇帝，为司马氏以晋代魏奠定了基础。

嘉平三年（251年）八月，司马懿去世，享年七十三岁。当年九月，司马懿被葬于河阴，谥文贞，后改为文宣。晋武帝受魏禅，给司马懿上尊号为宣皇帝，称其陵墓为高原，庙号高祖。

纵观司马懿用兵之道，仍能领略到一种处事不乱、稳扎稳打、游刃有余的大将风度。这种风度源于他知己知彼、能退能进、擅长攻守的修养，非常值得后人品味、借鉴和学习。

此外，司马懿的那些对手，在性格上各自都有着强大的优势，同时却也各自有着致命的弱点。曹操败于贪，过分的自我膨胀使他太盲目轻敌，结果导致了赤壁的惨败；（演义中的）周瑜败于嗔，过分的嫉妒使他盛年夭亡，饮恨千古；诸葛亮败于痴，对信念的过分追求使他耗尽了自己的生命之火，最终灯尽油枯。狂放的曹操败于狂放，激情的周瑜败于激情，执着的诸葛亮败于执着，他们各自鲜明的性格成就了他们，也毁灭了他们。唯有司马懿，性格上几乎没有任何亮点，然而与之对应的，便是没有任何破绽缺陷。这是司马懿的乏味之处，也是高明之处，更是可怕之处。

陆　逊

陆逊（183年—245年），本名陆议，字伯言，吴郡吴县（今江苏苏州）人。三国时期著名的军事家、政治家，历任吴国大都督、上大将军、丞相。世代为江东大族。章武二年（222年），陆逊在夷陵击败刘备所率蜀汉军，一战成名。夷陵之战也成为战争史上著名的积极防御的成功战例。以后陆逊在东吴出将入相。晚年因卷入立嗣之争、力保太子孙和而累受孙权责罚，忧愤而死，葬于苏州，至今苏州有地名陆墓。

陆逊家世为江东大族。其祖父陆纡官至城门校尉，父亲陆骏，任九江（今安徽寿春东）都尉。陆逊十岁丧父，随其从祖父庐江太守陆康，在其任所读书。后因袁术与陆康不和，唆使孙策攻陷庐江，一个多月后，陆康病死。在此之前陆康已将陆逊与亲属送往江东。陆康子陆绩尚幼，所以年仅十二岁的陆逊便承担起支撑门户的责任。

青年陆逊是温文尔雅的一介书生。当时，陆绩及其外甥顾邵以博览书传齐名，陆逊、张敦、卜静次之，风声流闻，远近知名。但历史却把陆逊推上了政治舞台。

孙策死后，孙权继领其众，为将军，年仅二十一岁的陆逊应召入孙权幕府，成为孙权统治集团的幕僚。历仕东、西曹为令史；出任海昌（今浙江海盐县南二十里）屯田都尉，并且兼任该地的县令。这虽然是海滨之地，却连年罕灾，百姓难有收成。陆逊到任后开官府粮仓赈救贫苦人民，又颁布政令促进农桑生产，当地居民深受其恩。当时吴郡（治所在今江苏苏州）、会稽（治所在今浙江绍兴市）和丹阳（治所在今安徽宣州市）等地都存在隐瞒人口不上报，逃避兵徭役的现象，陆逊上书孙权，希望能就此事行使各种可行的方法，征集招募士卒。孙权同意了。恰好，会稽山（在今浙江绍兴市镜湖南十里处）有豪帅潘临聚众为患，经常侵扰当地百姓，以往的各级官吏都没有能力镇压他。陆逊带领自己招集到的部众与潘临周旋作战，等到终于平定这股势力时，他的部队已经扩张到二千余人了。

孙权再命他前往鄱阳（治所在今江西波阳县东北古县渡）讨伐豪帅尤突的叛乱，并任命他为定威校尉，驻军利浦（今安徽和县东）。

智取荆州、夷陵之战，陆逊能大获全胜绝非偶然，也绝不容易，这与他的智勇兼备、审时度势、奇谋迭出、指挥得宜是分不开的。《三国志》作者陈寿说："刘备天下称雄，一世所惮，陆逊春秋方壮，威名未著，摧而克之，罔不如志。"在夷陵之战中，陆逊用兵之妙，不亚于赤壁之战的周瑜，其主要特点是：

一、选择了势在必争的作战地域

夷陵是荆州的门户，蜀军东进的必经之路，正如陆逊所言："夷陵要害，国之关限，虽为易得，亦复易失，失之非徒损一郡之地，荆州可忧。"当初吴军主力若在建平、秭归等地迎战蜀军，一则蜀军是水陆并进，顺流而下，其势不可挡。二则建平、秭归等地山高路险，交通不便，吴军后勤供应难以保障。而夷陵则是山区与平原交界处，若吴军再往后退，则地势渐趋开阔，防守不易，所以陆逊决定率军扼守夷陵，既可利用山险阻挡蜀军前进，又便于得到荆州的军资粮草，确是理想的作战地域。

二、实行了避锐乘疲的作战方略

蜀军远征，利在速战，且顺江而下，可乘势直进。但刘备到夷陵后却放弃水路，舍船就步。依山扎寨，处处结营。陆逊看到了蜀军这一致命的弱点，故对急于求成的吴军诸将说："备举军东下，锐气始盛，且乘高守险，难以卒攻。"只能观其变而"徐制其弊耳"。陆逊实行相持不战、徐制其弊的作战方略，转化了吴蜀两军的攻守态势，导致了夷陵之战的最后结局。

三、显示了坚定冷静的作战意志

陆逊首次出任全军统帅，即抗拒由刘备亲自统率、大举东进、连战连捷的蜀军，而所属诸将又或是勋臣宿将，或是公室贵戚，"各自矜持，不相听从"。陆逊面对如此错综复杂的局面，意志坚定，头脑冷静，知己知彼，临危不乱。蜀军虽强，可他善察其布置，观其变化，寻其弱点，击其不意。诸将欲战，他持重坚守；诸将不满，他不为所动；诸将不听调遣，他案剑直言："仆以书生，受命主上，……各任其事，岂复得辞，军令有常，不可犯矣"。陆逊坚定冷静的作战意志保证了他作战方略的贯彻实施，及至战后，吴军诸将方深为陆逊所折服。

黄武七年（228年）五月，吴鄱阳太守周鲂派人送亲笔信给扬州牧曹休，谎称受到吴王责难，打算弃吴降魏，请求派兵接应。曹休未辨真伪，即率步、骑兵10万人，去皖城（今安徽潜山）接应。魏明帝曹叡治晋阳，

（今太原西南）命大将军司马懿率军向江陵（今湖北江陵）；建威将军贾逵率军向东关（今安徽含山西南），与曹休相策应。

八月，孙权进驻皖口（今安徽怀宁皖水入江处），遣陆逊为大都督、假黄钺，并派奋武将军朱桓、绥南将军全琮为左、右督，各统兵3万袭击曹休。时曹休已然发觉，但耻于被骗，自恃兵马精多，仍与吴军作战。双方战于石亭（今安徽潜山东北），陆逊自为中部，令朱桓、全琮为左右，大败魏军。魏军败走，陆逊等督军追杀，直抵夹石（今安徽桐城北），斩擒魏军1万余人，缴获牛马骡驴车乘万辆，军资器械无数。曹休残部幸得贾逵接应，方得生还，但不久便因气愤发病而死。

陆逊班师，仍回镇荆州。孙权"令左右以御盖覆逊，入出殿门。凡所赐逊，皆御物上珍，于时莫与为比"（《陆逊传》）。可谓荣宠之极。后回军西陵。此次战役的胜利，极大地振奋了吴国君臣，因为自孙吴夺取荆州时，为避免陷于同魏、蜀两线作战的困境，孙权被迫向曹魏称臣、纳贡。石亭之战获得全胜的意义是十分重大的，不仅进一步显示了陆逊杰出的军事才能，而且使吴国在三国中的地位大大提高。石亭之战后第二年，即公元229年，孙权于武昌即皇帝位，改年号为黄龙，表示与魏、蜀二国在名分上完全平等。

陆逊不仅用兵如神，有卓越的军事才能，且事主之道也高人一筹。同样是上谏，陆逊的疏谏明显优于张昭。张昭苦谏孙权勿遣使臣前往辽东时说："若两使不返，不亦取笑于天下乎？"这种嘲笑怎能使孙权折服。陆逊言道："公孙渊凭险恃固，拘留大使，抗拒王师"，实在可恶。所以使得"陛下爰赫斯怒，欲劳万乘泛轻越海，不虑危而涉不测。陛下以神武之姿，破操乌林，败备西陵，禽羽荆州，斯三虏者当世雄杰，皆摧其锋"，所以幺麽小丑公孙渊自然不是您的对手。然而，吴国总的战略目标是"荡平华夏，总一大遒，欲图四海，统一天下者"，不"怀细以害大"，当前东吴的大敌是北方的曹魏，"陛下乘桴远征，必致（曹魏）窥觎，若有不测，悔之无及"。陆逊又进一步分析道，如果打败曹魏，克复中原，区区公孙渊则可"不讨自服"，何必要"捐江东万安之本业而不惜乎"。所以他恳请孙权"忍小忿，乞息六师，以威大虏，早定中夏，垂耀将来"（《三国志》卷五十八《陆逊传》）。陆逊的这一番话，从东吴当前的军事政治形势着手分析，可谓高屋建瓴，在情在理，孙权深为之折服，他的头脑终于冷静下来，由此放弃御驾亲征辽东的想法。陆逊规谏君主的措辞是很讲究艺术性的，这正是他比张昭等大臣高明的地方。平心而论，陆逊的疏文并无任何尖锐批评孙权的措辞，所以才为“孙权用纳焉”。与诸葛亮比较，陆逊就要明智得多，在时机、条件不成熟的情况下，陆逊力主保境安民，反对大规模用兵。

赤乌七年（244）正月，孙权在前任丞相顾雍死后，任命陆逊为丞相。

陆逊为丞相时，孙权已是人生暮年，开始昏聩多疑。他设立中书校事监察各级官吏，而校事吕壹等恃宠弄权，离间君臣，擅作威福，挟嫌报复，且手段又十分残忍，使许多大臣人人自危，敢怒而不敢言。即使是陆逊也不敢尽言直谏，只能与潘濬窃窃私议，“言至流涕”（《陆逊传》）。

不久，陆逊又卷入孙权两子——太子孙和与鲁王孙霸的斗争，陆逊站在太子一边。孙权听信谗言，遂有废黜太子之意。陆逊屡次上疏陈述嫡庶之分，他说：“太子正统，宜有磐石之固，鲁王藩臣，当使宠秩有差，彼此得所，上下获安。谨叩头流血以闻”。（《陆逊传》）他还要求到建业当面申述自己的意见，因而得罪了孙权。太子太傅吾粲、太常顾谭也多次上疏辩嫡庶之义，反对废嫡立庶。但是，孙权既不许陆逊还都，又以亲附太子的罪名处陆逊外甥顾谭、顾承、姚信等流徙。太傅吾粲因几次与陆逊通信，竟被下狱处死。孙权还多次派中使前去责骂陆逊，陆逊忧伤过度，于赤乌八年（245年）二月含恨而亡，终年六十三岁。

陆逊死后，家无余财。陆逊长子陆延早亡，次子陆抗袭爵。陆抗亦有大将之才，为吴国后期最著名的将领。

陆逊之所以在三国纷争中建立如此卓越的功勋，除了他个人具有杰出的政治、军事才能外，同吴主孙权对他的极度信任，委以军国重任是分不开的。夷陵之战时，陆逊虽已崭露头角，但毕竟资望甚浅，而其对手又是久经沙场，被曹操目为“天下英雄”的刘备。孙吴重将、旧臣、贵戚对陆逊这个年轻书生的能力皆表示怀疑，甚至不服从陆逊的指挥。在大敌当前的关键时刻，陆逊正是在孙权的全力支持下才得以大破蜀军，取得辉煌胜利。

刘备死后，诸葛亮秉政，吴、蜀之间的联盟虽然重新恢复，然而双方皆有猜忌、防范之心，故对两国之间的外交策略十分重视。孙权将吴国的外交大权托付陆逊，凡“时事所宜，权辄令逊语亮，并刻权印，以置逊所。权每与禅、亮书，常过示逊，轻重可否，有所不安，便令改定，以印封行之”。（《陆逊传》）孙权甚至把自己的大印都放到陆逊那里，大小事情，是否可行，都要听取陆逊的意见，然后才能决定。这种君臣同心、肝胆相照的关系比之蜀汉刘、诸葛的“鱼水”之情毫不逊色。

孙权称帝后，拜诸葛瑾为大将军，而以逊为上大将军，汉代将军中地位最高的是大将军。这是孙权为了表彰陆逊的功绩，进一步提高他的官职而新设的。此时的他已享受了超乎人臣的礼遇。

陆逊是三国时期最杰出的政治家、军事家之一，其在三国史上具有相当重要的地位。陆逊以其杰出的才能、辉煌的战功、忠君的门风赢得了孙权的高度信任，他们的君臣关系在大部分的时间中是良好的。在治理吴国的政治、军事路线上二人基本上是一致的。至于孙权在立储问题上与陆逊的分歧，是因孙权晚年昏聩所致，且矛头所针对的也并不仅仅是陆逊，同时受到迫害的还有丞相顾雍、太常潘濬、骠骑将军朱据、太子太傅吾粲等众多大臣。总之，陆逊父子支撑起了东吴中后期的一片天。

邓 艾

邓艾（约197年—264年），三国时期魏国将领，字士载，义阳棘阳（今河南南阳南）人。他起初担任司马懿掾属，后历任尚书郎、南安太守、安西将军、镇西将军、征西将军等，并多次被封侯。元帝景元四年（263年），与钟会、诸葛绪分三路伐蜀，邓艾以奇兵从阴平险道潜入，越过七百里无人区，直取成都，灭蜀。后来遭到钟会诬陷谋反，被杀害。

邓艾很小时，父亲就去世了，他随母亲流浪到汝南，靠给人家放牧小牛为生。12岁时，邓艾在颍川读到已故太丘长陈寔碑文中有“文为世范，行为士则”，欣然向慕，于是自己命名为邓范，字士则。后来宗族中有同名者，遂改今名。

邓艾曾任都尉学士，但因为口吃，只能做稻田守丛草吏。邓艾喜欢军事，一见到高山大川，总是指指点点，说何处可以屯兵、何处可以行军。当时人都嘲笑他大而无当。后来，邓艾任典农纲纪，有机会见到太尉司马懿。司马懿觉得他很不一般，征召他为掾，后升任尚书郎。

当时，国家要广拓土地，储备粮谷，为消灭敌国作准备，委派邓艾巡行陈、项以东直至寿春一带。经过考察，邓艾认为该地区土地虽好，但由于水源缺乏，因而无法发挥优长，应当开凿河渠，引水灌溉。这样既可以大量积蓄军粮，又可以开通水运。司马懿认为邓艾言之有理，依计而行，广开漕渠。每当东南有战事，便兴师动众，泛舟而下，直达江淮，不仅军资粮食有储备，还没有水害。这些，都是邓艾的功劳。

嘉平元年（249年），邓艾和征西将军郭淮一起抵御蜀国偏将军姜维。姜维撤兵，郭淮整军西行，攻打羌人。邓艾请求：“敌人撤退，尚未走远，有可能会返回来，应该把部队分开，以备不虞。”郭淮让邓艾留驻白水北部。三天后，姜维派廖化在白水南岸面对邓艾扎下营垒，却不渡河进击。邓艾识出这是姜维叫廖化来作牵制，蜀国大军则从东面去袭击洮城。洮城在白水之北，距离邓艾大营60里。邓艾乘夜秘密赶到洮城，姜维果然领兵前来渡河。邓艾军队先到，占据了城邑，因而魏兵得以不败。邓艾被赐爵关内侯，加讨寇将军，后来又迁升城阳（治所在今诸城东北）太守。

诸葛恪围攻合肥新城，久攻不下，退归。邓艾对司马师说：“孙权已经去世，大臣尚未完全归心。吴国的名宗大族都拥有自己的部众，他们倚仗兵势，完全可以夺取帝业。诸葛恪刚刚执掌国政，内部没有明主，他不去抚恤上下、建立根基，反而争锋于外、虐使其民，举全国的力量攻打坚城，以致兵败，载祸而归，死者万数。现在，该是他获罪的时候了，他的灭亡指日可待。”诸葛恪回到吴国，果然被杀。

这之后，邓艾迁升兖州刺史，加振威将军。他又建策朝廷，主张积粟富民。高贵乡公曹髦即位，晋封邓艾为方城亭侯。不久，又因击退吴军和打败叛将，被任命为长水校尉，封方城乡侯，代行安西将军职务。接着，邓艾率军在狄道击退蜀将姜维，解除了他对雍州刺史王经的包围，被任命为安西将军，假节，兼任护东羌校尉。

姜维此时已退驻钟提。魏营中人都认为姜维已经力竭，不可能再出兵北向。邓艾却认为蜀军有诸多优势，断言姜维一定会出兵。不久，姜维果然统兵欲出祁山，但听说邓艾已有防备，便回军从董亭直奔南安。邓艾则率部占据武城山，与之相持。姜维出兵和邓艾争夺险要地盘，不能得手，于是在当天夜间渡过渭河向东进军，沿着山路奔赴上邽。邓艾与姜维在段谷交战，大败姜维。甘露元年（256年），魏帝下诏褒奖邓艾，说他筹备有方，忠勇奋发，任命他为镇西将军、都督陇右诸军事，晋封邓侯。甘露二年，邓艾率兵在长城抵拒姜维，姜维退兵，邓改任征西将军。景元三年（262年），在侯和大破姜维，姜维退守沓中。

景元四年，魏帝下诏书命各路大军讨伐蜀国。姜维料知不敌，便领兵东去，退守剑阁。钟会统兵攻打姜维，未能攻下。邓艾上奏建议从阴平走小路直奔涪城，出奇兵冲击蜀国的心腹地带，魏帝准奏。这年十月，邓艾率军从阴平道出发，穿越七百多里的荒僻无人之地，凿山开道，架桥建阁，历经高山深谷，千难万险。途中，粮运不继，曾多次陷入困境。部队走到马阁山，道路断绝，一时进退不得，邓艾身先士卒，用毛毡裹住自己，沿山坡滚下山去。就这样，邓艾所部进入了蜀国腹地。

邓艾部队到达江由城，蜀国守将马邈投降。蜀国卫将军诸葛瞻（诸葛亮之子）从涪城回到绵竹，列好兵阵等待邓艾。邓艾派儿子邓忠攻打诸葛瞻的右翼，部将师纂攻其左翼。邓忠、师纂失利退回，说“敌军势大不能进攻”。邓艾大怒，说：“存亡之分，在此一举，有什么不能进攻的！”大声叱责二将，并要把他们斩首。二将策马奔回，挥军再战。由于将士用命，终于大败敌军，杀死了蜀将诸葛瞻等人。

邓艾乘胜进击，到达雒城。蜀后主刘禅派人送上皇帝的印绶，并写信请求投降。邓艾到成都，刘禅率领太子、诸王、群臣六十多人绑住自己、抬着棺材到军营拜见。邓艾手执符节，解开他们的绑缚，焚烧了棺材，接受投降并宽恕了他们。

邓艾建此大功，深感骄傲，并且常常显示夸耀，引以为荣。他曾对蜀国士大夫们说："诸位幸亏遇到了我，才有今日。倘若遇到当年吴汉那样的人，恐怕早被杀光了！"他还说："姜维也是一世英雄，只是遇上了我，才失败了！"有识之士见他如此矜夸，背地里往往嘲笑他。十二月，魏帝下诏书褒奖邓艾的功绩，任命他为太尉，增邑两万户。

邓艾灭蜀之后，向司马昭提出了自己对局势的看法和准备采取的措施，但司马昭让监军卫瓘告诉邓艾："有些事情应当上报，不能马上实行。"邓艾再次上言，为自己的谋划申辩，并说做事切不可拘于常规而失去成功的机会。

钟会、胡烈、师纂等都告发邓艾，说他做的事情悖逆不道，已经露出叛乱的苗头。于是，朝廷下诏书命令用槛车把邓艾送到京都。邓艾被关入槛车，仰天叹息说："我邓艾一世忠臣，竟止此乎？白起的残祸，今天又重见了！"

这时，钟会已到成都。他先派人送走邓艾，然后叛乱。钟会事败身死，邓艾本营将士追上槛车，放出邓艾。卫瓘派田续来攻，两军在绵竹西遭遇，邓艾被杀。

邓艾是三国末期最为杰出的军事家，他在战争中目光远大，见解超人，具有难得的战略头脑。他作战中常料敌先机，始终能掌握战场的主动权，在与姜维的数次交战中未尝败绩。阴平一役，堪称中国战争史上历次入川作战中最出色的一次，已作为军事史上的杰作而载入史册。但邓艾虽善于作战，却不善自保，终因遭诬陷而亡。

姜维

姜维（202年—264年），字伯约，天水冀县（今甘肃甘谷东南）人。三国时期蜀汉著名将领、军事统帅。原为曹魏天水郡的中郎将，后降蜀汉，官至凉州刺史、大将军。姜维在诸葛亮去世后继承诸葛亮的遗志，继续率领蜀汉军队北伐曹魏，与曹魏名将邓艾、陈泰、郭淮等多次交手。然而由于蜀汉国力弱小等原因，终究回天乏术。蜀汉灭亡后，姜维希望凭自己的力量复兴蜀汉，假意投降魏将钟会，打算利用钟会反叛曹魏以实现恢复汉室的愿望，但最终钟会反叛失败，姜维也被魏兵所杀。

姜维自幼少孤，和母亲一起生活。他喜好郑玄的经学，在郡中做上计掾，不久，任州中从事。姜维的父亲姜冏曾为郡中功曹，羌族、戎族叛乱时，他亲自保护郡太守，战死在疆场，所以朝廷赐姜维中郎，命他参与管理本郡的军事。

建兴六年（228年）春，蜀丞相诸葛亮第一次兵出祁山，时天水太守马遵正带姜维和功曹梁绪、主簿尹赏、主记梁虔等人随雍州刺史郭淮在各地视察。马遵闻蜀军至祁山后，诸县响应，郭淮闻后，决定东行，回上邽守备。马遵疑姜维等人有异心，于是，也乘夜随郭淮至上邽。姜维发现马遵已走，对遵无可奈何。姜维回到翼县，翼县吏民大喜，推举姜维去见诸葛亮。时马谡丧失街亭，使诸葛亮整个作战计划遭到破坏。诸葛亮只好攻克西县，率千余户和姜维等人班师。诸葛亮喜姜维有胆智，命其为仓曹掾，奉义将军，封当阳亭侯。姜维时年27岁。

230年春，姜维就升任中监军、镇西将军。

延熙十年（247年），姜维升任卫将军，与大将军费祎共录尚书事。同年，汶山郡平康县的夷族起事，姜维率兵讨平。不久，雍州、凉州等地区的羌胡族人背魏降蜀。姜维率兵出陇右接应，与魏雍州刺史郭淮、讨蜀护军夏侯霸战于洮西，并打败了他们。胡族首领白虎文、治无戴等率部降蜀，姜维将其迁至蜀境。

延熙十二年（249年），朝廷授予姜维符节。秋，姜维帅数千兵进攻雍州，依傍曲山筑两城，牵制魏军，弥补自己军力不足。派牙门将句安、李歆等人驻守，并联合羌胡人进攻附近各郡。魏军则以征西将军郭淮与雍州刺史陈泰统上万兵抵御。郭淮采取陈泰的围城打援策略，命陈泰讨蜀护军徐质，南安太守邓艾进围曲城，切断交通及水源，曲城蜀军困窘不堪。姜维领兵救援，进至牛头山，陈泰敕诸军各坚垒勿与战，自南渡白水，郭淮率军进逼洮水，企图切断姜维退路。姜维察觉，迅速撤出牛头山来，假装退军。郭淮想全部撤军，平叛羌胡，邓艾建议郭淮让自己留守屯白水北。姜维回军，却东袭取洮城，令廖化自白水南向艾结营，廖化作桥持艾，邓艾察觉廖化破绽，夜潜军先至据洮城。姜维遂撤军。句安、李歆孤立无援，最终降魏。

延熙十六年（253年）春，费祎被郭修刺杀，姜维遂大举征伐。三月，吴太傅诸葛恪再次兴师攻魏，发兵20万进攻淮南。姜维也乘机率数万人出石营，经董亭，包围南安，司马师令东南守军坚守防吴，派遣郭淮、陈泰悉关中之众，解南安之围。魏雍州刺史陈泰率军解围，进至洛门时，姜维因军粮已尽，撤围退走。

延熙十七年（254年），姜维主持蜀国内外军事。

二月，魏中书令李丰与皇后之父光禄大夫张缉等密谋废易大臣，欲以太常夏侯玄代替司马师为大将军。事泄，司马师杀李丰、夏侯玄等，废张皇后，魏国一时陷于混乱。魏狄道长李简密向蜀汉请降。六月，姜维乘机率军攻魏，张嶷自愿带重病助姜维出征，李简献城降，姜维占狄道（今甘肃临洮）。十月，蜀前军荡寇将军张嶷与魏将徐质交战阵亡，姜维率军继至，进围襄武，击败魏军，斩杀徐质。魏军撤退，姜维乘胜进击，破河关、临洮等县，并迁河关、临洮、狄道三县民入川，率军撤回。姜维继关羽、黄忠之后，是蜀汉第三个临阵斩将的勇将！

延熙十八年（255年）七月，汉卫将军姜维乘魏大将军司马师病亡之际，督车骑将军夏侯霸、征西大将军张翼等数万人攻魏。八月，姜维佯装三路进军，却到达枹罕，一路向狄道进军。魏征西将军陈泰中计，东据陈仓，命雍州刺史王经西向进驻狄道。王经不等陈泰军至即擅击蜀军，姜维率军先后于故关、洮西大败王经，魏军损兵数万，王经只残部万人还保狄道。姜维乘胜围狄道城。魏大将军司马昭命安西将军邓艾、胡奋、王秘等援救，与陈泰并力抗击蜀军，并遣太尉司马孚为后援。邓艾等诸将不敢与姜维交锋，建议放弃狄道，不救王经。陈泰阻止了他们的建议，分三路进至陇西，避开蜀军，出其不意地绕过高城岭，进至狄道东南山上，燃火击鼓与城内联络，守军见援军至，士气大振。姜维即督军沿山进攻，被魏军击退。这时凉州援军也即将到达，陈泰和王经想要截断蜀军退路，姜维遂撤军退走钟堤。

这次战役是三国时期汉吴二国北伐最大的歼灭战，魏国折兵数万，二度下诏安抚，雍州几于危亡，姜维的声望达到了顶峰。

延熙十九年（256年）正月，姜维在驻地被后主封为大将军。六月，姜维与镇西将军胡济约定在上邽会合。七月，姜维率先出兵祁山，闻邓艾有备，乃改从董亭攻南安。邓艾军抢占武城山据险拒守。姜维见地利已失，强攻难克，乃夜渡渭水东进，沿山进取上邽。两军战于段谷，胡济却失期未至，姜维军粮少人乏，交战不利，士卒溃散，死伤甚众。众人因此埋怨姜维，而陇山以西的地方也趁机骚乱起来。姜维败归，谢过引责，自请贬为后将军，行大将军事。

此战失利原因，魏国名将王基一语道破：姜维因洮上之利，轻兵深入，粮饷不继，军覆上邽。夫大捷之后，上下轻敌，轻敌则虑难不深。而魏国诏书中“馘首千计”，表明汉军损失约数千，对蜀汉是个不小的损失。

延熙二十年（257年）五月，魏将诸葛诞联合东吴在淮南起兵反司马昭。司马昭调关中兵力东下讨伐诸葛诞。姜维乘机攻魏秦川。十二月，姜维率兵数万出骆谷，到达沈岭。当时，魏在长城积存大量军粮，且防守薄弱。闻姜维至，众皆惶惧。魏征西将军司马望和安西将军邓艾恐姜维袭夺长城，立即合军据守。姜维军进至芒水，依山为营。司马望、邓艾军近水筑寨。姜维多次挑战，邓艾，司马望等都坚守不出，两军长期对峙。景耀元年（258年）三、四月间，姜维闻诸葛诞败亡，遂引军而还。并再次被任命为大将军。

景耀四年（262年），姜维对黄皓专权恣肆很不满，曾上言后主曰：“黄皓奸巧专瓷，将败国家，请杀之！”后主说：“黄皓不过是一个奔走效力的小臣罢了。过去董允对他切齿痛恨，我常常感到遗憾。您大人大量，又何必介意他呢？”姜维见黄皓枝附叶连，势力很大，感到自己失言，便告辞后主出宫。后主命黄皓到姜维那里谢罪，姜维诱皓求沓中种麦，以避内逼，不敢归成都。

景耀四年（262年）冬，司马昭商议讨伐蜀汉，连邓艾在内的群臣都多次反对伐蜀汉，认为蜀汉没有间隙，只有钟会赞同。于是司马昭令青、徐等诸州，并使作船，又令唐咨作浮海大船，假装伐吴，却令钟会都督关中人马，商议伐蜀对策。

远在沓中的姜维早就看破了司马昭的声东击西之计，并且对钟会的举动有所探知。景耀六年（263年），姜维表奏后主，说："闻钟会治兵关中，欲规进取，宜并遣张翼、廖化诣督堵军分护阳安关口、阴平桥头，以防未然。"在这紧要关头，黄皓不听人言，却信鬼神。他相信巫者的预言，认为敌人不会到来，禀告后主，把姜维的表章压下，不予理睬，连大臣都不知道。

同年八月，魏军兵分三路伐蜀：征西将军邓艾率兵3万余人，由狄道进军，以牵制汉大将军姜维驻守沓中的主力；雍州刺史诸葛绪率3万余人，进攻武都，以切断姜维退路；钟会率主力12万人，欲乘虚取汉中，然后直趋成都。

直到魏将钟会将要进入骆谷，邓艾将要进入沓中时，黄皓这才派右车骑将军廖化率军去沓中援助姜维，派左车骑将军张翼、辅国大将军董厥等率兵去阳安关中。廖化进军到达阴平，闻魏将诸葛绪向建威进发，占据了阴平桥头，便停下来等待敌兵。

邓艾命天水太守王颀直攻姜维营地，命令陇西太守牵弘等人邀击姜维的前部，而命令金城太守杨欣进击甘松。姜维在沓中见邓艾的军队攻来，又听说钟会进军汉中，阴平桥头又没有援军，遂立刻帅本部三万兵东撤，退往阴平。魏将杨欣等人追击，直到疆川口，双方大战，姜维败退。邓艾却也牵制姜维不住，姜维至阴平桥头，被占据桥头的诸葛绪所阻。姜维从孔函谷佯作向北欲绕道而东，作出出兵攻击诸葛绪后部的样子，诱使诸葛绪离开桥头三十里向北堵击，姜维乘机迅速通过桥头，与廖化等合兵。诸葛绪赶去阻截，差了一天，没有赶上。

"一步之差，满盘皆输"，此次魏军东堵西追，亏在邓艾西方三路出击扑了空，一步之差，先发制人不成，反被姜维抢了先机。由于是兵分三路，之后即使追上姜维，也不是全军齐上了，故此仅和蜀军一战，便无力穷追猛打了。由于这样诸葛绪虽然成功占领桥头，却因为汉军后面没有追兵，得以大摇大摆地入北道三十里，使得诸葛绪急退。钟会从斜谷、骆谷、子午谷三路并进，直入汉中，留2万人围攻汉、乐二城，都不能攻占。汉中围督柳隐坚守黄金关，钟会派偏将前来攻打，都不能取胜。这时阳安关口守将蒋舒开城门投降，傅佥战死，继克关城，钟会攻乐城不下，闻关口已克，引兵长驱南下。姜维想要去援救阳平关，却听说已经失陷，张翼、董厥也到达汉寿，姜维、廖化也舍弃阴平退回，刚好和张翼等会合。于是，姜维退守剑阁，抵御钟会。

钟会前有剑阁雄关，寸步难进，后有黄金、乐城、汉城三地要隘，东溯汉水、芒刺在背。要是拖拉下去，形势真如姜维所预计："攻关不克，野无散谷，千里县粮，自然疲乏。"到时退兵，蜀汉若诸城并出，前后夹击，那就比昔年曹爽更惨了。钟会于是又干起最拿手的，动笔杆子，寄希望于原为魏人的姜维归降，致书于姜维："公侯以文武之德，怀迈世之略，功济巴、汉，声畅华夏，远近莫不归名。每惟畴昔，尝同大化，吴札、郑乔，能喻斯好。"姜维不同蒋斌，置之不理，钟会文笔虽佳，面对天险，还是得用武略攻之，只得硬着头皮强攻剑阁，姜维列营守险。试想魏军强攻黄金、汉乐已近两月尚且不下，又安能一鼓攻克剑门，只是白白损兵折将罢了。攻关不克，钟会只得暂时引兵后退，汉军保险拒守。魏军真处于"攻关不克，野无散谷，千里县粮，自然疲乏"，又是前狼后虎、进退维谷的僵局。

十月，邓艾趁姜维被钟会牵制在剑阁，率军自阴平沿景谷道东向南转进，南出剑阁两百多里，攀登小道，凿山开路，越过7百余里无人烟的险域，"粮运将匮，频于危殆"，直抵江油。江油关据石门，临涪水，一面大江，三面悬崖，是和剑阁齐名的天险，但江油守将马邈却不战而降。邓艾自阴平进入景谷旁道后，成都方面已经知道这个消息了，令行都护卫将军诸葛瞻督率诸军拒敌，邓艾的奇袭战略至此可称破产。可诸葛瞻的大军到达涪城之后却止步不前。尚书郎黄崇劝告诸葛瞻速速前行，占据险要，不要让魏军进入平地。黄崇屡次进言，乃至痛哭流涕，诸葛瞻却不为所动，依旧在涪城不前。邓艾击破诸葛瞻的前锋，诸葛瞻一闻前锋被破，就引兵自涪关后撤一百多里，退守绵竹。又把涪关险城当大礼送给了邓艾。进屯绵竹后，诸葛瞻才意识到自己在战略上已经铸成大错，长叹："吾内不除黄皓，外不制姜维，进不守江油，吾有三罪，何面而反？"最后野战，是役蜀军伏尸数万，诸葛瞻和黄崇、尚书张遵（张飞之孙）、羽林右部督李球均战死沙场。之后怀帝却听从从谯周主降的建议，投降了魏国。

姜维等坚守剑阁，惊悉绵竹失守，接着，一日三惊，有的说后主想固守成都，有的说后主要向东投奔盟国东吴，有的说后主要向南进入建宁。姜维恐腹背受敌，即引军退至巴西境，至郪县时，后主诏书传来，命令全军投降。姜维军中"将士咸怒，拔刀斫石"。但事已至此，只好奉诏到涪城向钟会投降。邓艾率军入成都，汉朝灭亡。

姜维降魏之后，成了钟会的手下。而他奉承钟会可谓相当有一套，使得钟会对姜维非常喜欢，视同己出，甚至出门都坐在同一个马车上。

取得钟会信任后，接下来，姜维开始挑拨钟会。他说，带兵进攻蜀国的是钟会和邓艾，但攻进成都，接受刘禅降书的却只有邓艾一个人。于是，荣耀都跑到了邓艾一个人身上去了，钟会你只是坐了冷板凳。这让钟会十分不快。姜维抓住了这一个机会，与钟会商议如何设计除掉邓艾。于是钟会收买了监军，而监军则向上禀报说邓艾要谋反，于是司马昭下令罢免邓艾，押解回京。

在264年的正月十五，钟会抵达成都，而邓艾父子却被关进牢车，踏上了回洛阳的路。这一计的成功，更让姜维成为了钟会的心腹。随后姜维便开始了他的第二步棋：策反钟会。

此时的钟会，自邓艾被贬之后便是唯一的大将军，魏军加上蜀国降军共有20余万。姜维对钟会晓以利弊：你看同门的邓艾，被监军一句话就能变成阶下囚，你自己将来的路能好到哪里去？魏军现在听你，而我原来也统领着蜀军，有我们两人休整这20多万大军，对抗魏国还不是举手之劳？

钟会决定彻底倒戈，重立刘禅为皇帝，扶起蜀国的大旗，对抗魏国。而此时姜维也深感复国有望，写了一封密书给刘禅：愿陛下忍数日之辱，臣欲使社稷危而复安，日月幽而复明。

可惜，消息还是泄露了。司马昭立刻派遣了1万步骑进入蜀内，这更加拖延了钟会倒戈的计划。于是姜维和钟会只好走一步险棋，关押了所有魏军将领，并伪造了一封太后遗诏，上书废黜司马昭。姜维认为钟会应当当机立断杀掉所有魏军将领，可钟会念在共事一主的旧情上迟疑了一步，被关押的魏军将领深怕步邓艾的结局，立刻连同还未被关押的魏军残部，加上各营官兵为营救自己的主将也一起响应，于264年正月十八日中午，胡渊率领魏军残部与钟会在成都的蜀国宫城内激战，钟会终因寡不敌众而战死，姜维眼见钟会被杀，知道复国再无望，挥剑自刎，时年63岁！

姜维的同乡、清翰林侍读学士巩建丰在他主修的《甘谷县志》里，曾这样评价了姜维："夫深知天下事不可为而为之者，孔明是也；深知国事不可为而为之者，姜伯约是也。"这二人的相遇、相交、相知，凭的是意气相投，凭的是诚信的一脉相传。诸葛亮为了报答刘备的知遇之恩，鞠躬尽瘁，死而后已；姜维为了报答诸葛亮的知遇之恩，苦心经营，肝脑涂地，他们是同一种人，他们把感恩与报答的情义推向了极致，为后世树立了道德的标尺。士为知己者死，姜维继承了诸葛亮的军事策略和道德观，为蜀汉献出了自己毕生的才能。

王 浚

王浚（206年—286年），西晋名将，字士治，弘农湖县（今河南灵宝西北）人。起初担任河东从事，后受车骑将军羊祜赏识，转为车骑从事中郎，再升为益州刺史，因治边有方拜右卫将军，任大司农。后来又经羊祜推荐，留守益州（治今成都），加龙骧将军，监益、梁诸军事。王浚受命在此治水军、造舟舰器仗，历经七年建成一支强大水军，在灭吴之战中起了重大作用。太康元年（280年）王浚参与攻吴，率先进入建业西石头城，接受吴主孙皓投降，实现西晋统一大业。因为灭吴功勋卓著，被拜为辅国大将军，领步兵校尉。太康六年，转抚军大将军，加特进。后逝世，享年80岁。

王浚出身于世代两千石的官吏之家。他博通典籍，姿容修美，但由于不求名望，不谨细行，因而不为乡里所称道。后来，他改变了原来的性格志节，变得疏通亮达起来。

不久，王浚被征召为河东从事。因他为人严正清峻，听说他到任，好多不廉洁的郡守、县令望风退职而去。刺史徐邈有一女儿，贤淑有才，尚未许人，正在择夫。徐邈大会僚佐之吏，让女儿在内室察选。女儿相中了王浚，徐邈便依从女儿之意，把她嫁给了他。后来，王浚参征南军事，羊祜见他不凡，深相接纳。于是转任王浚为车骑从事中郎。有识者认为羊祜能知人，善荐人。

此后，王浚任巴郡太守。巴郡邻近吴国，士兵苦于征役，所以生下男孩都不愿抚养。王浚到任，整肃有关法律条文，宽缓徭役租税，对产育之人都给予休养之便，保全了几千婴儿。后又转任广汉太守，垂布德惠，百姓赖之。不久，益州刺史皇甫晏被杀，朝廷升任王浚为益州刺史。王浚一到益州，便发谋定计，诛灭作乱之人，因功被封为关内侯。王浚在任，广行仁惠，树威立信，当地各族百姓情愿归附。

鉴于王浚业绩突出，朝廷命他入朝任右卫将军、大司农之职。羊祜当时正筹划平吴，知他奇略过人，才可大用，上表请仍留他于益州刺史任上，参与平吴大计。于是朝廷重新任命王浚为益州刺史，专治水军。王浚受命修造战船，长达七年。不久，升任王浚为龙骧将军，监梁、益诸军事。

太康元年（280年）正月，王浚自成都东下伐吴，率巴东监军、广武将军唐彬进攻丹杨，擒获吴丹杨监盛纪。吴人在长江险碛要害之处拉上铁锁链，横断江面；还打造丈余长的铁锥暗藏江中，用来阻挡行船。此前，羊祜擒获吴国间谍，详细了解了吴国的这些江防措施，并通告过王浚。王浚制造几十张大筏，并联成百步见方，船队行进时，先令善游泳者推着大筏走在前面，使水下铁锥扎在筏上被拔掉；还制作十多丈长、几十围粗的大火炬，灌上麻油，安放在大船船头，行进时遇到铁锁链，就点燃火炬，使铁链被融化烧断。楼船行进，再无障碍，晋军顺流直下。二月间，相继攻克西陵、荆门、夷道、乐乡诸城，擒获将领多人。朝廷下诏，提升王浚为平东将军、假节、都督益、梁诸军事。

王浚从蜀国出发以来，兵不血刃，攻无坚城，夏口、武昌无人抵抗，于是顺流鼓棹，直捣三山（今江苏南京西南长江东岸）。吴主孙皓举国投降。

灭吴之战，王浚共攻克四州、43郡，俘获人口52万、兵员23万，自此天下一统。

伐吴之始，武帝下诏命令王浚进军建平，接受杜预指挥；到秣陵后，再转王浑指挥。王浚将到秣陵时，王浑派使者请其暂停舟师，上岸商讨军机。王浚借口“风大，船停不住”，不肯上岸，挥师直进，乘胜纳降。王浑早就击败了孙皓的中军，斩杀了张悌等人，停兵在此，未即进击。如今王浚一鼓克敌，告成大功，王浑于是上表朝廷，说王浚违诏不听调遣，并罗织罪状予以诬告。

王浚回到京都，有司劾奏他违诏不受王浑节度，应坐大不敬罪，交付廷尉。武帝说诏书稽留迟延，未能及时送达，因此不能说王浚违诏；王浚有征伐之劳，即使有些许可责之处，也不该以一眚掩大德。武帝任王浚为辅国大将军，领步兵校尉，并加封为襄阳县侯，食邑万户，加以厚赐。

王浚认为自己建有大功，却被王浑父子和其他豪强压抑，且屡遭有司弹劾，心中颇为不平。于是每次觐见皇帝，谈起攻伐之劳和受屈之状，就不胜怨愤，有时还会说出过激的话来。武帝知他心意，总是原谅他。

益州护军范通是王浚的外亲，曾对他说：“您立有大功，却不善居功。”并解释说：“您凯旋时，应该换上常服，头戴角巾，归于私宅，嘴里也不必提平吴之事。如果有人问，你就说‘圣主之德，群帅之力，老夫有何能为’！这正是蔺相如折服廉颇之法，王浑见您如此，能不惭愧吗？”王浚说：“开始时，我只怕像邓艾一样，功而获罪，所以不能不说；再者，我心中的郁闷不平也实在难以排遣。这恐怕是我性情过于褊狭了吧！”

自平吴之后，王浚一改其生活方式，锦衣玉食，极其奢侈。他所推荐引用的，大多是蜀人。后来，朝廷又转任他为抚军大将军、开府仪同三司，加特进，散骑常侍、后军将军。

太康六年（285年）十二月，王浚去世，享年80岁。朝廷赐谥曰“武”。王浚葬在柏谷山，坟墓阔大，围墙周长45里，松柏茂盛。

晋灭吴之战是中国战争史上第一次大规模突破长江天堑的江河进攻战。在当时的情况下，千里长江天堑是难以克服的障碍，加之吴国水军向来强大，曹魏的历次攻吴战争都无果。而在此战中，王浚率领的水军始终作为主力，斩关夺隘，所向披靡，只用四十多天就驶抵建业，可见其能。但王浚矜功自伐，争起朝堂，白璧生瑕，非常可惜!

羊 祜

羊祜（221年—278年），西晋名将。字叔子。泰山南城（今山东费县西南）人。曾上疏建议伐吴，并在江汉积极做准备工作，为西晋灭吴和统一全国奠定了基础。

羊祜家世代都任两千石的高官，并且都以清廉有德著称。到羊祜，已历九代。羊祜的祖父羊续，在汉朝任南阳太守；父亲羊衜，任上党太守。羊祜是东汉蔡邕的外孙，晋景献皇后的同母弟。

羊祜12岁丧父，孝行哀思超过常礼，侍奉叔父羊耽也十分恭谨。长大后，羊祜博览群书，善做文章，善发议论，每每中肯切要。而且仪度潇洒，身长七尺三寸，须眉秀美。郡将夏侯威认为他不同常人，把兄长夏侯霸的女儿嫁给了他。

羊祜被荐举为上计吏，州官四次征辟他为从事、秀才，五府（古代五种官署的合称，所指不一）也纷纷任命他，他都不肯接受。太原人郭奕见到他后说："这位就是当今的颜回啊！"夏侯霸投降蜀国，姻亲怕受连累，大都与他家断绝了关系，只有羊祜安慰他的家属，体恤他的亲人，亲近恩礼，愈于常日。

司马昭任大将军，征辟羊祜，羊祜没有应命。于是，朝廷公车征拜羊祜中书侍郎，不久升为给事中、黄门郎。陈留王曹奂即帝位，羊祜被封为关内侯，食邑100户。因为羊祜心中对天子不以为然，所以不愿再做侍从之臣，请求出外。后来改官秘书监。等到建立五等爵制，羊祜受封为钜平子，食邑600户。接着，迁任中领军，负责统率全部宿卫将士，在皇宫当值，把持着军队的核心，兼管内外政事。

司马炎代魏称帝（晋武帝），因为羊祜有扶立之功，进号中军将军，加散骑常侍，改封为郡公。羊祜一再辞让，最后由本爵钜平子晋封为侯，设置郎中令，备设九官之职，并授给他的夫人印绶。泰始初年，晋武帝特下诏书，任命羊祜为尚书右仆射、卫将军，给以本营兵。

晋武帝有志吞吴，任命羊祜为都督荆州诸军事，假节，并保留他散骑常侍、卫将军原官不变，派他经营江汉。羊祜率兵出镇南方，到任后做了几件事，颇有成绩：一是开设学校，兴办教育，安抚百姓，怀来远人；二是与吴国人开诚相待，凡投降之人，去留可由自己决定；三是禁止拆毁旧官署；四是用计使吴国撤掉石城之守。

羊祜在军中常常轻裘缓带，不穿铠甲，侍卫也不过十几个人，且喜欢打猎钓鱼。有一天夜晚，他想出营，军司马徐胤持戟挡住营门说："您都督万里，职责重大，怎可轻易离营外出！您的安危，也就是国家的安危。除非我死了，否则，此门不开！"羊祜正色改容，连连道歉。从此以后，很少外出。后来，朝廷加封羊祜为车骑将军，开府如三司之仪。羊祜上表固辞，朝廷没有同意。

鉴于历史上孟献子经营武牢而郑人畏惧、晏弱筑城东阳而莱子降服的经验，羊祜挥兵挺进，在险要地区开辟建造了五座城邑，并以此为依托，占据肥沃土地，夺取吴人资财。于是，石城以西地方，均被晋国占有，吴人来降者源源不绝。接着，羊祜实施怀柔、攻心之术，讲究恩德信用，安抚归降之人，想达成并吞吴国的目的。由于羊祜广用"务修德信"之术，所以吴人对他非常敬佩，都尊称他为"羊公"。

羊祜与陆抗对垒，双方常有使者往还。陆抗称赞羊祜的德行度量，说乐毅和孔明也不能与他相比。陆抗有病，羊祜赠他药品，陆抗举手即服，从不疑心。好多人劝陆抗不要服用，陆抗说："羊祜哪是个下毒之人！"当时人都说，这可能是春秋时华元、子反重见了。陆抗常常告诫部下："如果晋人专讲德行，我们却专施暴利，这等于不战而败。以后但求分界自保，不要贪求小利！"吴主孙皓听说两境修好，责问陆抗，陆抗回答："一邑一乡，尚且不可没有信义，何况大国！我如不这样做，结果只会显扬晋国的德行，对羊祜又能有何伤害呢？"

羊祜在边境，德名素著，在朝中却每遭诋毁。他正直忠贞，嫉恶如仇，毫无私念，因而颇受荀勖、冯统等人忌恨。

咸宁元年（275年），羊祜被任命为征南大将军、开府仪同三司，可以自行辟召僚佐。羊祜认为，要想伐吴，必须凭借长江上游的有利地势，因此他格外留心善于水战的"水中龙"。正逢益州刺史王浚被征召任大司农。羊祜发现王浚的才能可当重任，于是上表请留王浚监益州诸军事，加龙骧将军，命他秘密修造战船，为顺流伐吴作准备。羊祜本人也命令部将缮甲训卒，广为戎备。

咸宁二年，羊祜觉得时机成熟，于是上疏请求伐吴。奏疏既上，晋武帝司马炎深以为然，而大臣却议论纷纷，只有杜预、张华赞同。刚好晋兵在秦州、凉州屡有败绩，羊祜遂再次上表伐吴。议者仍然多持反对意见。羊祜见此事难成，仰天叹曰："天下不如意的事，常常是十居七八，所以才有当断不断的情况。上天给予的却不去取，哪能不让后世有识之士叹惋痛惜呢！"

羊祜曾在两朝任职，掌握着机要之权，朝廷政治事件的斟酌损益都要征询他的意见。他从不钻营谋求权势利禄，他所推举荐拔的人都不知是谁荐举的。有人批评羊祜过于缜密。羊祜说："这是什么话！古人入朝则与皇帝促膝谈心，出朝则缄口不言，佯装不知。我只怕做不到这一点。况且立身在朝，举贤授能，职分所在，我们决不能助长'拜爵于朝廷，谢恩于私门'的不良风气！"

羊祜的女婿曾劝他安排亲信在朝为官，认为这样一来，就有人归美拥戴他了。羊祜默然不答。回来后对自己的儿子们说："可以说，这种话就是所谓的'只知其一，不知其二'。作为人臣，树立私恩必然背弃公义，绝不可行。你们要记住我的话。"羊祜还曾给堂弟写信说："等到办完边疆事务，我就脱掉朝服换上角巾，回归故里，找一块小小的墓地，终老此身。我以一介寒士居于高位，怎能不因为太盛太满受人责难呢？汉朝的疏广就是我的老师啊！"

咸宁四年（278年）十一月，羊祜病逝，享年58岁。朝廷下诏，褒奖羊祜功绩德望，追赠他为侍中、太傅，持节如故。赐谥曰"成"。

祖 逖

祖逖（266年—321年），字士稚，汉族，范阳遒县（今河北涞水）人，东晋名将。西晋末年，率亲朋党友避乱于江淮。313年，以奋威将军、豫州刺史的身份进行北伐。祖逖所部纪律严明，得到各地人民的响应，数年间收复黄河以南大片土地，使得石勒不敢南侵，进封镇西将军。后因势力强盛，受到朝廷的忌惮，并派戴渊相牵制。321年，祖逖因朝廷内明争暗斗，国事日非，忧愤而死，追赠车骑将军，部众被弟弟祖约接掌。死后，北伐功败垂成。

祖逖家是北方一个官僚大族。祖逖自幼丧父，但性格旷达，不受拘束。到十四五岁尚不肯学习，兄长们都为他担忧。不过，祖逖轻财好施，慷慨任侠，注重节操。每当到田庄上去，往往佯称兄长意旨，散发一些谷帛接济生活困苦的乡亲，因此博得宗族乡里的敬重。后来，祖逖发奋读书，博览书记。他游历京师，所见者都说他有经时辅国之才。

太康十年（289年），祖逖24岁时，阳平郡举荐他当孝廉，司隶进而举荐他为秀才，他一概不应。不久，祖逖与司空刘琨一起出任司州主簿。两人关系十分融洽。

291年（元康元年），八王之乱爆发，祖逖得到诸王的重视，先后担任齐王司马冏的大司马府掾属、长沙王司马乂的骠骑将军府祭酒、主簿，又迁任为太子中舍人、豫章王司马炽的从事中郎。304年（永兴元年），东海王司马越拥晋惠帝讨伐成都王司马颖，祖逖随军北伐。结果，大军在荡阴战败，惠帝被挟持到长安，而祖逖则随军逃回洛阳。后来，东海王司马越任命祖逖为典兵参军、济阴太守，适逢母亲病逝，祖逖守丧不出。

永嘉五年（311年）六月，洛阳陷落，北方人民纷纷逃亡到南方避难，祖逖也被迫带着亲族宗党几百家南下淮泗（今江苏徐淮地区）。祖逖主动把车马让给老弱和病人，又把粮食、衣物和药品分给别人。他还常常解疑释难。大家既感激他，又敬佩他，一致推举他担任流人队伍的“行主”。当祖逖走到泗口（今江苏徐州市）时，坐镇建邺（今南京）的镇东大将军、琅琊王司马睿（即后来的晋元帝）任命他为徐州刺史。建兴元年（313年），又征召他担任军谘祭酒，于是，祖逖就在京口（今江苏镇江市）定居下来。

西晋政权被推翻后，祖逖常怀“振复之志”，他手下的宾客义徒都是豪杰勇士，祖逖待之犹如子。时扬州闹灾荒，这些人便常常劫掠富户。有人若被官吏揭露捕获，祖逖便去解救。人们为此非议他，但祖逖仍若无其事，我行我素。

建兴元年（313年）四月，愍帝即位，以司马睿为左丞相，让他率兵二十万直攻洛阳，六月复遣使催促。当时，司马睿致力于开拓江南地区，根本顾不上北伐。而祖逖虽出身北方大族，并可以在司马睿偏安一隅的小朝廷里安享尊荣，步步高升的。但是，他不愿苟且偷安，不贪恋安定舒适的生活。在南北门阀士族热衷于新政权的权力再分配的时候，在他们热衷于求田问舍，进行新的兼并的时候，祖逖义正词严地提出收复半壁河山，拯救中原同胞于水火的强烈要求。

祖逖的要求，代表了人民的愿望，但无异于给司马睿出了一个难题。司马睿自移镇建邺，一心在拼凑江南小朝廷，他和拥戴他的门阀士族都无意北伐。从司马睿来说，虽然国土沦丧，他仍不失为偏安之主；如果北伐成功，这皇帝的宝座还不知究竟属谁呢？但面对祖逖大义凛然的请求，他又不愿落下阻止北伐的恶名，于是，为了敷衍天下人耳目，司马睿任命祖逖为奋威将军、豫州刺史、前锋都督出师北伐，只拨给他1000人粮饷，3000匹布，不给铠甲兵器，也不给一兵一卒，让他自募士众，自制刀枪。

司马睿的冷漠态度并没有动摇祖逖北伐中原的决心，他率领跟随自己南下的流人队伍百余家，毅然从京口渡江北上。船到中流，祖逖眼望面前滚滚东去的江水，感慨万千。想到山河破碎和百姓涂炭的情景，想到困难的处境和壮志难伸的愤懑，豪气干云，热血涌动，于是敲着船楫朗声发誓：“祖逖不能清中原而复济者，有如大江！”（《晋书·祖逖传》）意思是若不能平定中原，收复失地，决不重回江东！祖逖“辞色壮烈”，部属为之慨叹。祖逖渡过长江后，暂驻淮阴，起炉冶铁，铸造兵器，同时又招募到二千多士兵。

建兴四年（316年）十一月，晋愍帝被汉国俘虏，西晋灭亡。司马睿被迫移檄四方，约期北征，祖逖欣然应命。

317年（建武元年）六月，祖逖进驻芦洲（今安徽亳县），遭到流人坞主张平、樊雅的阻遏。张平、樊雅是兖豫一带的豪强，各据一城，有众数千人。张平部下还有董瞻、于武、谢浮等十多支小部队，都有数百人。祖逖派参军殷乂去联络二人，但殷乂轻蔑张平，认为他不能保住头颅。张平大怒，杀死殷乂，并拥兵固守。祖逖攻城不下，遂使用离间计，引诱张平的部将谢浮。谢浮借与张平商讨军情之机，杀死张平，率众归降，祖逖则进据太丘（今永城）。张平死后，樊雅仍占据谯城。樊雅夜袭祖逖，拔戟大呼，直逼大营，军中大乱。祖逖临危不乱，安排左右拒敌，督护董昭英勇杀敌，终于打退了樊雅的进攻。祖逖率部追讨，张平余部帮助樊雅迎击祖逖。为了尽快攻下谯城，祖逖向蓬坞堡主陈川、南中郎将王含求援。陈川派李头来援，王含也命参军桓宣领兵五百助战。祖逖让桓宣劝降樊雅，桓宣于是单马入谯城，劝道："祖逖方欲平荡二寇，每何卿为援。前殷乂轻薄，非豫州意。今若和解，则忠勋可立，富贵可保。若犹固执，东府赫然更遣猛将，以卿乌合之众，凭阻穷城，强贼伺其北，国家攻其南，万无一全也。愿善量之。"樊雅于是出城归降。祖逖得以进据谯城（今安徽亳州）。不久，石虎围困谯城，王含又遣桓宣来救，石虎退走。

正当祖逖以谯城为根据地，且战且耕，逐步扩大战果时，发生了蓬陂坞主陈川叛归石勒的事件。陈川本是号称"乞活"的流民集团的首领，自称宁朔将军、陈留太守。这支流民武装长期割据浚仪蓬陂，曾经投降石勒，又受晋官号。陈川部将李头攻打谯城立功，祖逖遇之甚厚，正好祖逖获得樊雅一匹好马，李头很想要又不敢说，祖逖知道他的心思后，便把马给了他。以后李头经常感激地说："若得此人为主，吾死无恨"（《晋书·祖逖传》）。陈川闻后大怒，遂杀李头。李头的亲信冯宠鼓动所属四百多人投奔祖逖，陈川更加怒不可遏，大掠豫州诸郡以为报复。祖逖则针锋相对，命卫策在谷水伏击，尽获其所掠之车马子女，祖逖下令，将车马子女全部归回原主，军队一点也不截留。陈川大为惊恐，于东晋大兴二年（319年）四月以浚仪（今河南开封）投降石勒。

祖逖得知陈川叛晋后，遂于五月进攻蓬关（即蓬陂，今河南开封县南）。石勒派养子石虎率领5万大军救援陈川，与祖逖军战于浚仪。祖逖战败，退守淮南（今安徽寿县）。石虎在豫州进行了一番洗劫之后，也带着陈川回师襄国，只留下将领桃豹戍守蓬陂坞。十月，祖逖派督护陈超攻打桃豹没有成功。十一月，石勒自立为赵王（史称后赵）。

320年（太兴三年），祖逖派韩潜镇守蓬陂坞东台。相持四十日后，祖逖派人用布囊盛满砂土，假装是食用的大米，派千余人运至东台；又派人挑着真正的大米，佯作累坏了躺在道旁喘气歇息。赵军派精兵来袭，担夫弃担而逃。赵军见里面全是大米，以为晋军粮食充足，士气大挫。石勒遣大将以千头壮驴运粮，祖逖在汴水设伏尽得其粮。赵军无粮，退据东燕城。祖逖因而尽得二台，并派韩潜进占封丘压逼桃豹，自己则进屯雍丘（今河南杞县）。此后，祖逖多次出兵邀截赵军，使石勒的力量迅速萎缩。

祖逖在北伐中不仅善于分化瓦解敌军，而且善于团结可以团结的豪强武装集团和坞壁主，最终使这些人都听从他的调度，成功收复黄河以南中原地区的大部分土地。祖逖军纪严明，自奉俭约，不畜资产，劝督农桑，子弟带头发展生产，又收葬枯骨，加以祭奠。因此，北伐军得到河南地区人民群众的拥护和爱戴。

320年（太兴三年）七月，祖逖被加封为镇西将军。石勒见祖逖势力强盛，不敢南侵，命人在成皋县为其母修墓，又遣信请求通商。祖逖虽然没回信，却任凭通商贸易，更收利十倍，兵马日益强壮。石勒又杀叛晋归降的祖逖部将表示友好，祖逖亦与石勒修好，禁止边将进侵后赵，边境暂得和平。

祖逖的目标是平定中原，他不敢稍有懈怠，抓紧练兵积谷。但在他准备渡河北进，完成统一大业之时，晋元帝听说祖逖在河南深得民心，屡建战功，怕将来不利于自己的统治，便于太兴四年（321）七月任命戴渊为都督兖豫雍冀并司六州军事、征西将军，出镇合肥，以牵制祖逖。这时，又传来王敦跋扈，朝廷内部矛盾日益尖锐的消息，眼看内乱将起，北伐还有什么希望！祖逖心力交瘁，忧愤成疾。

祖逖心中虽然忧愤，但仍“图进取不辍”，抱病营缮虎牢城。虎牢城北临黄河，西接成皋，地理位置非常重要，他担心城南没有坚固的壁垒，易被敌人攻破，特意派堂侄祖济（汝南太守），汝阳太守张敞、新蔡内史周闳等率众筑垒。营垒尚未修成，祖逖病危，九月，祖逖病死在雍丘（治所在今河南杞县），终年五十六岁。

祖逖虽然没有完成恢复中原的事业，但他那中流击楫的英雄气概，一直被后代的人传诵。

桓温

桓温（312年—373年），东晋时率军北伐的大将，字元子，东晋谯国龙亢（今安徽怀远西北）人。他出身士族，娶明帝女南康公主为妻，拜驸马都尉。桓温曾率军三次北伐，志在收复中原，提高个人威望，以代晋称帝。咸安元年（371年）十一月，桓温废帝奕为东海王（即海西公），改立简文帝，自己以大司马镇姑孰专擅朝政。第二年，简文帝死，桓温要求加九锡，作代晋的图谋，但不久即病死。

桓温属于谯国龙亢桓氏家族，其父是东晋宣城太守桓彝。桓彝一直心忠晋朝，深受明帝信任，王敦之乱时进计良多。咸和二年（327年），苏峻反晋，兵弱民寡的桓彝毅然赴难，不幸战死，泾县县令江播曾经参与杀害桓彝。当时桓温年仅十五，“枕戈泣血，志在复仇”。三年后，江播病死，其子江彪等兄弟三人为其父守丧，因怕桓温前来寻仇，整天将兵器放在身边。严密如此，仍无法躲避复仇心切的桓温。桓温乔装改扮，诡称来吊丧，衣袖内暗藏兵刃，手刃江彪于丧庐之中，又追杀了他两个弟弟，终报父仇。桓温由此赢得了至孝、猛毅的良好声名。如此胆识，也为他日后打仗时那种勇猛的气概打下了基础。

桓温刚出生时，其父桓彝的好友温峤就见而叹异，说：“此儿有奇骨，让我听听他的哭声。”及闻其声，温峤表示：“真英物也！”温峤在晋朝“素有知人之称”，桓彝因此当即为这个儿子起名为桓温。成人后的桓温性格非常豪爽，相貌堂堂，脸上长有七颗黑痣。魏晋之时，人物相貌、风度非常重要。桓温有不俗之表，有手刃仇人三子的孝义之举，又是忠良之后，所以成为东晋明帝女婿的最佳人选。桓温二十出头，便娶明帝爱女南康公主为妻，拜驸马都尉，袭其父爵万宁男。一入龙门，节节高升，不久就当了琅邪太守，后累迁徐州刺史。

永和元年（345年），桓温被任命为安西将军，持节，都督荆、司、雍、益、梁、宁等六州诸军事，领任护南蛮校尉、荆州刺史。从此以后，桓温立志要在蜀地建立功勋。为立功以树威，桓温决定首先西伐占据巴蜀但已日渐衰微的李氏成汉政权。

永和二年（346年）十一月，桓温上疏朝廷要求伐蜀。随后他不等回音，即率兵溯江而上，攻打成汉。次年三月，桓温亲自率领步兵与成汉军队在成都笮桥（今成都西南南河上）展开激战。桓温军前锋受挫，晋军害怕，打算退军。不料鼓吏误会了他的意思，猛鸣进鼓，晋军士卒力战，大破成汉军，灭了成汉。桓温待蜀境全定之后，“振旅还江陵”，以平蜀之功，进位征西大将军、开府、封临贺郡公，威名大振。不过，桓温这次胜利实在胜得侥幸。

永和五年（349年）四月，后赵主石虎病死，赵国大乱。桓温上疏请求北伐。当时晋穆帝年幼，褚太后临朝摄政。桓温伐蜀时拜表辄行，已引起朝廷疑忌，待其平蜀，更怕他威名过大而日后难制，所以东晋朝廷内部，当然不愿桓温再立殊勋。桓温对此很是不满。永和七年（351年）十二月，桓温再次拜表辄行，率大军四五万自江陵顺流而下，至武昌（今湖北鄂城）而止。朝廷上下惊恐不安。这时，会稽王司马昱写信给桓温，极力劝阻，桓温此时还不敢公开对抗朝廷，见信后即刻率军还镇。

永和八年（352年）年，东晋朝廷委任与会稽王司马昱私交甚好的殷浩统军北伐，想让殷浩拿下这个功劳。殷浩是位才大志疏的大清谈家，他兴冲冲地提兵北伐，没想到“将发，坠马，时咸恶之”——出发时飞跨上战马，摔了个大马趴，军中上下皆认为是不吉之兆。果然，殷浩手下兵将虽多，但他自己缺乏统领的才能，不久战败。第二年，殷浩率军七万再次北进，再次失败。

殷浩连年北伐，屡战屡败，粮草器械丧失无数，使得朝野一片怨愤。桓温乘机上疏弹劾，请朝廷废掉殷浩。于是殷浩被免为庶人，徙居信安。殷浩也怨恨桓温对自己的排斥，但他从不表现出来，久而久之，桓温觉得殷浩有德有才，决定让殷浩作尚书令，他写了一封信说明己意。殷浩见信，高兴得几近失态，马上回信言谢。他唯恐书信中有谬误之处，得罪桓温，于是把信封开了封封了开，“开闭者数十”，最后终于觉得完美无误，便派人把信送去。结果由于过于激动，把信落桌子上了，送到桓温手上的只是一封空函。桓温气得大骂“不识抬举”，命人把殷浩“永远禁锢不用”。一代大名士，郁郁死于乡下。

殷浩一废，朝廷内外大权全部归于桓温，朝中已无人再能阻止桓温北伐。永和十年（354年），桓温自统四万军出江陵，水军舰队也同时自襄阳入均口（今湖北均县西），开始了他的第一次北伐。此次北伐的目标是在关中称天王的氐酋苻坚。苻坚建国大秦，史称前秦。

桓温最初出师顺利。苻坚大惊，忙遣太子苻苌等人率五万军士在峣柳（今陕西蓝田附近）迎战晋军。

苻坚的儿子苻生虽是独眼，但骁勇异常。蓝田一战，他“单骑突阵，出入以十数，杀伤晋将士甚众”。桓温不为所惧，亲自督阵，终于大败秦军。与此同时，桓温弟桓冲在白鹿原（今陕西蓝田西灞河、产水之间）打败了苻雄。随后，桓温军边战边进，抵达长安城东灞上（今陕西西安市东北），长安城外的三辅郡县纷纷投降桓温。晋军顺利入关，关中百姓牵牛担酒，欢迎东晋军。老人们都流着热泪说道：“不图今日复见官军！”（《晋书·桓温传》）此时如果桓温马不停蹄，径攻长安，凭锐气利卒，极有可能会一举击灭前秦苻氏收复中原。然而，善出奇兵的桓温此时忽然持重起来，屯军灞上，贻误了战机。

此时，前秦已适时组织反攻，而东晋军粮食紧缺。桓温指望关中麦熟补充军粮，但秦人坚壁清野，已将小麦割完。桓温军粮秣供应困难被迫撤军，苻苌等紧随追击，晋军不利，损失两万余人，其他各部晋军也屡遭败绩。十月，桓温回军襄阳。

永和十二年（356年）元月，羌酋姚襄降而复叛，北返中原，占据许昌后，得陇望蜀，又想据有四塞之固的洛阳开建大业，于是不惜损威劳众，猛攻洛阳。双方激战，一时胶着。晋廷拜桓温为征讨大都督、督司冀二州诸军事，讨伐姚襄。这是桓温第二次北伐。

六月，桓温军发江陵，遣督护高武据鲁阳（今河南鲁山县），辅国将军戴施屯于河上，率舟师从黄河进逼许、洛，自己亲自率领大军随后进发，又上疏晋廷，请徐、豫二州出兵从淮、泗入黄河配合作战。听到消息，姚襄放弃洛阳，抵御桓温拒水而战。桓温亲自披甲督战，大败姚襄，斩数千人。姚襄率数千骑兵败走平阳（今山西临汾西）。据守洛阳的周成得知姚襄战败的消息，立即率众出城迎降。桓温进入洛阳，不久班师而归。桓温因劳苦功高，改封为南郡公，其子桓济被封为临贺县公。至此，桓氏一族，兄弟子侄皆掌重镇要职，显赫一时。

升平五年（361年），东晋穆帝病死。由于穆帝死后无嗣，朝臣拥立成帝长子琅邪王司马丕为帝，是为东晋哀帝。随后几年，晋廷多次加封桓温。到了太和三年（368年），晋廷加桓温殊礼，位在诸侯王之上。东晋内外军政大权集于桓温一身。

军政大权在握，加之本性英武，桓温渐有代晋之想。平日无聊，他常卧对亲僚讲："为尔寂寂，将为文景所笑！"意思是不举大事默默无为，曹丕、司马师那样的篡国俊杰，将会在地下笑话他这位活人。众人惶恐不敢应对，面面相觑。桓温扶枕而起，朗言曰："大丈夫不能流芳百世，亦应骂名千载！"由此可见其雄豪不臣之心已不可自抑。

桓温总想以军功树威，他一直思忖着要北上再打个大胜仗，回江东后再心安理得地夺取司马家皇位。太和四年（369年），桓温第三次出兵北伐，进攻目标是前燕。

这年四月，桓温率桓冲、袁真等步骑五万从姑孰（今安徽当涂）出发。兵分东西两路，西路由袁真带领，任务是打通石门水道把粮草运到黄河前线。桓温自领主力从东线水路进入黄河，沿河西上与袁真会合。

当晋军正式进入黄河前，曾对下一步战略发生争论。谋士郗超献上两策，一是原地驻防，积聚军需，等过了冬天再继续前进。另一计是直捣燕国首都襄国，逼燕军主力决战。桓温认为一计太缓，一计太急，坚持按原定计划沿河而上与袁真会合。

郗超也很忧虑，因为"舍此二策，连军北上，进不能速决，退必遭阻遏。如果鲜卑与我军不战相持，渐至秋冬，供运输军需的河道冻结，后勤难以保障。而且，北土早寒，我军将士又无裘褐厚装，到时难免饥寒"。

桓温继续北上，开战皆捷。前燕国主慕容皇光及太傅慕容评大惧，吓得商议要逃奔燕国故都和龙（今辽宁朝阳）以避桓温军锋。前燕上下惶惧之时，吴王慕容垂自告奋勇，请命出征。同时，前燕又派使臣往前秦请救兵，并答应割虎牢（今河南荥阳西北汜水镇）以西之地给前秦作为酬谢。

前秦王苻坚召集群臣商议，采纳辅国将军王猛先援弱击强，后再乘燕衰而取的建议，派步骑两万救援前燕。当时桓温在枋头徘徊不进，想静观燕国内变，坐获全胜。慕容垂遣将与桓温交战，俘获向导段思，又击斩晋将李述，使晋军丧失锐气。

再说袁真一路。攻燕初期，桓温派袁真攻打谯（郡治今安徽亳州）、梁（治今河南商丘南），想占领石门（即汴口）以通水运。结果袁真攻克了谯、梁却没有打开石门。桓温在枋头得不到军粮接济，加之又听说前秦援兵将要到达，只得下令焚烧战船，丢下辎重、铠仗向南撤退，途中被前燕的精骑追击，大败。

十月，天气渐冷，桓温收集余众，屯于山阳（今江苏淮安）。第三次北伐以失败告终。这次的失败主要是由于桓温对将领的能力估计不足，如果当时用郗超的计策，结果或许不致于此。

桓温此次北伐，损失惨重，深以为耻。及至山阳，乃归罪于袁真未能保障后方及粮运，奏免其官。袁真上表辩冤，并奏桓温罪状，朝廷明知是桓温的过错，但畏于他的威势，不敢处理，于是只好置之不理。袁真一怒之下，据寿阳（今安徽寿县）叛变，暗通前秦、前燕。桓温怒极，提兵而进，于是便发生了淝水之战，此战与谢玄指挥的淝水之战发生在同一地点，都在寿阳城外的洛涧。桓温费了近一年时间，才于咸安元年（371年）重新收复寿春，当时袁真已病死，桓温就杀掉了袁真的儿子袁瑾及其主要谋士朱辅等人。

攻克寿春之后，桓温带兵入朝，威逼褚太后废掉皇帝司马奕另立会稽王司马昱为帝，并草拟好诏令呈之于太后。褚太后在逼迫之下，只得同意，是为简文帝。废掉司马奕后，桓温对朝中的异己力量大加废徙。

简文帝虽身为帝王，但慑于桓温权势，常惧被废，由此在位不到二年便忧愤而死。简文帝临死，遗诏使太子"家国事一禀之于桓温，如诸葛亮、王导故事"。桓温本以为简文帝临死会禅位于己，即使不然，也会以周公之礼居摄朝政（即代理皇帝）。结果见简文帝遗诏，两者皆不是，大失所望。他疑心是侍中王坦之、吏部尚书谢安从中作梗，因此，心中对二人恨之入骨。

孝武帝宁康元年（373年）二月，桓温带兵入朝，都城内人心惶惶，都盛传桓温入京要诛除王坦之、谢安两族，取代晋室称帝。孝武帝诏令王、谢率百官至新亭（今南京市西）迎接桓温。当时气氛十分紧张，朝中威望稍高者都惊慌失措，王坦之汗流遍体，衣服都粘贴在身上，还错将手版倒拿。只有谢安从容就座，与桓温谈笑自若，答对得体，气氛渐渐缓和，二人交谈多时，竟尽欢而散。

三月，桓温染病，在建康只待了十四天，就回姑孰养病。桓温病渐沉重，但其野心未已，逼迫朝廷加其九锡，屡屡使人催促。谢、王等人得知其病重，故意拖延，当年七月，桓温病重身死，终年62岁。他最终还是没能实现篡夺晋室的野心。

桓温三次北伐虽然有一部分目的是为了树立威信，但北伐对于保证东晋政权的稳定起了相当的作用。另外，桓温对于东晋的"土断制"也做出过非常重大的贡献。

所谓土断制，即以通过查实户口来增加政府的兵役、徭役以充实国力。东晋曾在成帝时期实行过两次“土断”，但成效都不大。因为当时的东晋经济衰弱，北来侨民众多，他们为了躲避兵役、徭役，往往隐匿不报户口，或者荫庇于世宗大族以求减免兵役和政府的税赋。桓温威权在手后，对匿隐民户的世宗大族予以严厉惩罚，保证了“土断”的顺利实施，使得“财阜国丰”，为日后“北府兵”的崛起奠定了人员和物质基础，成为日后东晋南朝汉族政权能够延续下来的强有力支柱。

桓温本性节俭，虽权如帝王，“每宴惟下七奠柈果而已”。这位大将军，生平只佩服两人，一是西晋末期在并州地区抵抗强胡的刘琨，另一位就是已故大将军王敦。据说第一次北伐后，桓温在北方带回一个老婢，是刘琨从前的府中歌伎。这老太太一见桓温，便潸然泪下。桓温问其原因，老太太答道：“您长得很像刘司空。”桓温大喜，回屋整装束发加冠，打扮齐整，又把老人叫来欲问其详。

这位老太太非常幽默，她说：“面甚似，恨薄；眼甚似，恨小；须甚似，恨赤；形甚似，恨短；声甚似，恨雌。”桓温闻言，大失所望，“褫冠解带，昏然而睡，不怡者数日”。此事显现出桓温的率真之性。

《晋书》评价桓温说“挺雄豪之逸气，韫文武之奇才”。桓温生活简朴，富有军政之才，很熟悉兵法，也善于用兵，但成绩并不理想。桓温一生主要有四次征战，即一次西征和三次北伐。西征之役胜之侥幸；第二次北伐虽胜，但规模不大；第一、三次北伐则都是惨败而归。桓温一生都想有大作为，声称“不能流芳百世，也应骂名千载”，可惜，他既没能开基建业而流芳百世，也没能因篡夺人国而被骂名千载。

谢 玄

谢玄（343年—388年），东晋名将，字幼度，陈郡阳夏（今河南太康）人。21岁时任桓温部将，后经叔父谢安举荐任建武将军、兖州刺史，因战功卓著受命督徐、兖、青、司、冀、幽、并七州军事。东晋太元二年（377年），为抵御前秦，他组建训练一支精锐部队，号为“北府兵”。东晋太元八年（383年），在秦晋淝水之战中，任前锋都督，他巧于用兵，以少胜多。太元九年（384年），率兵乘胜开拓中原，先后收复了今河南、山东、陕西南部等地区。东晋太元十二年（387年），因病改任左将军、会稽内史，第二年逝世。

谢玄从小就聪颖过人，特别受到谢安的宠爱，无论到哪里都要带上他。谢玄小时候喜欢佩带紫罗香囊，谢安对此很是担心，于是便在一次做游戏的时候设法把香囊取到手烧掉了，并劝说他以后别带这种东西。谢玄很听谢安的话，从此没有再佩带这一类物什。

谢玄长大后，显示出超凡的治国才能，朝廷几次召用他，他都推辞不受。后来他在大将军桓温手下做事，不久任征西将军桓豁的司马、领南郡相、监北征诸军事。

当时前秦在苻坚的治理下特别强盛，称霸一方，不止一次侵扰晋的边境。东晋朝廷商议要挑选一位能够防御北方的良将，争论了半天也找不出胜任之人，这时谢安推荐谢玄，中书郎郗超也称谢玄确有将帅之才。于是朝廷即刻征召谢玄回来，任他为建武将军、兖州刺史、领广陵相、监江北诸军事，镇守广陵（今江苏扬州）。谢玄领命上任后，仔细分析了当时的形势，然后，招募勇士，组成“北府兵”。他所招募的人多是从北方逃来的农民，这些人背井离乡、历经磨难，有北上抗敌、重返故乡的强烈愿望。经过一段时期的严格训练，他们成为一支能征善战的劲旅。

太元三年（378年）二月，苻坚派军攻打襄阳（属今湖北省），谢玄发兵前往救援，但兵到之时襄阳已被攻破。苻坚又派大将彭超带兵七万围攻彭城（今江苏徐州），谢玄带军一万余人急速赶去营救，解了彭城之围。次年，秦将彭超、句难又带兵南侵，相继攻陷盱眙（今属江苏）和淮阴（今江苏清江）两地，朝廷为之震动。秦军又集六万之众围攻三阿（今江苏宝应），谢玄奉命从广陵出发北上拒敌，在白马塘（湖名，在今江苏宝应西北）与秦军展开激战，大破敌军，于是解了三阿之围。谢玄乘胜进军，两败秦军。此次作战之后，朝廷论功封他为冠军将军，加领徐州刺史，封东兴县侯。

苻坚虽然遭到挫折，但灭亡东晋、统一天下之志丝毫未动。太元八年（383年）八月，苻坚率87万军众从长安起兵，开始了中国战争史上规模空前的南伐战争。诸路军马水陆并进，声势浩盛空前。

东晋朝廷听到消息，惊恐万分，全都束手无策。九月，东晋朝廷议定对策，派谢安都督扬、豫、徐、兖、青五州诸军事，镇守建康，以谢石为征虏将军，征讨大都督，以谢玄为前锋都督，带兵八万抗拒来军，令胡彬带水军五千援救寿阳（今安徽寿县）。

十月，前秦将领攻克郧城（今湖北安陆），攻下寿阳，进逼硖石（今安徽凤台甫），以五万人屯洛涧（即洛河），立栅于淮水之中，以截断晋军前来救助硖石的道路。谢玄、谢石在离洛涧25里处设营，不敢前进。十一月，谢玄派广陵相刘牢之带精兵五千，进军洛涧，大破秦军。秦军崩溃，争先恐后地奔逃，纷纷跌入水中，死亡一万五千余人。晋军水陆并进，声势汹涌，苻坚登上寿阳城瞭望，见晋军阵势严整，再向八公山上张望，便觉得那上面的树木全是晋兵（“草木皆兵”），他大惊失色。

当天晚上，苻坚召集众将领商议对策，最后议定要用计策击败晋军，于是下令把小将旗列屯淝水以北，以示这里并没有大的将领驻守，以此来诱惑晋军。谢玄见了便派遣使者去见苻坚的弟弟苻融（当时为秦阳平公，有文武谋略），对他说：“君悬军深入，而摆阵临水，这显然是想长久相持，而不是速战速决的架势。如果你们的军队能将阵势稍稍退却一点儿，使得我军能够渡过河去，然后一决胜负，那多好啊！”秦诸将对此建议都表示反对，而苻坚却不以为然，他说：“答应他的请求好了，我们只要命令军队稍作后退，让晋军过河，在他们渡过一半的时候，我们发动骑兵突然冲杀他们的军队。这样一来，哪有不胜之理呢！”苻融也赞同这种主张，于是下令让军队后退。军中兵士奉命后撤，渐渐乱了阵脚，后边的兵众也弄不清为什么前面军众纷纷后退，这时被前秦俘虏且任尚书的原东晋梁州刺史朱序在后头趁机大喊：“不好了，我们的军队失败啦！”秦兵闻听此言，顿时大乱，争先恐后四处逃命，苻坚、苻融极力阻止却无济于事。谢玄大喜，乘机带兵迅速过河攻击秦兵。苻融万分焦急，骑马在阵中来回奔驰，想要制止后退的士兵，哪里还能阻挡得住？后退的秦军和冲过来的晋军混合在一起，难以分清，苻融跑了一阵被乱骑冲倒，晋军见了赶紧冲上来，把他当即斩杀；此时苻坚也身中流箭。秦兵崩溃，谢玄乘胜追击，直到青冈（今寿县西北）。秦兵自相践踏而死的蔽野塞川；逃出战场的士兵，听到风声鹤唳，都以为是晋追兵到来了，吓得丧魂落魄，昼夜不敢休息，加上饥寒交迫，死了十之七八。苻坚见大势已去，只好单骑杀出重围，逃到淮北。谢玄攻取了寿春，所获仪服、器械、军资、珍宝堆积如山，牛马驴骡骆驼达十万余。这就是历史上著名的以少胜多、以弱胜强的“淝水之战”。

太元九年（384年）八月，谢安认为苻坚刚刚被挫败，应当乘机开拓中原，于是以谢玄为前锋都督，带冠军将军桓石虔讨伐前秦。谢玄占领袁城后，紧接着派军去攻占鄄城（今山东境内）。自此以后，河南城堡都纷纷来归附。谢玄又攻打前秦青州刺史苻朗（苻坚之侄），苻朗战败投降。兖、青、司、豫平定以后，谢玄加领都督徐、兖、青、司、冀、幽、并七州诸军事，封康乐县令。谢玄驻在彭城，北固河上，西援洛阳。

太元十三年（388年）正月，谢玄去世，时年46岁。

谢玄文武兼备，立志挽救危亡，以图恢复。他创建的“北府兵”能征善战，特别能吃苦耐劳，成为东晋最为精锐的武装力量。在淝水之战中，“北府兵”军阵严整，使秦主望而生畏，可见其强；而谢玄在淝水之战中巧于用兵，以少胜多，常为后世称道。

陶侃

陶侃（259年—334年），东晋名将。字士行。本是东晋鄱阳郡（今江西鄱阳县东北）人，后来全家迁往庐江浔阳（今江西九江）。他明谋善断，屡立战功，为吏清正，且为人谦恭谨慎，品节超群，堪为将吏楷模。

陶侃少年时候就成了孤儿，家境清贫。最初他任县吏，后经鄱阳孝廉范逵推荐，被庐江太守张夔任为督邮，领枞阳令。陶侃到任后工作认真，小有名气，不久被任为主簿。这时恰逢州部从事来到郡里，他想借视察之名勒索贿赂，陶侃便让手下诸吏安心办公，自己出面对从事说："如果我的郡里有违反规定的地方，请您当面指出，我自当承担责任。如果您对我不以礼相待，我是有办法对付您的。"从事听了便退了出去。

陶侃待人仗义、谦恭。有一次，张夔的妻子患了重病，陶侃到数百里地之外去请名医。当时正值冬天，天降大雪，众人无不惊叹，他却说："我向来对待君子像对待父亲一般有礼节，现在君子之妻患病，就如同自己母亲患病一样，哪有不尽心之理呢？"还有一次，长沙太守万嗣路过庐江，陶侃对他特别虚心谦恭，使太守大为惊讶，临别时对他说："君最终将成就大事。"令其子和他结交朋友，而后才离去。

尚书乐广想要召集荆、扬一带的士人，武库令黄庆向乐广进荐陶侃，有人认为这不妥，黄庆则说："此人前途无限，又有什么怀疑呢？"黄庆后来做了吏部令史，举荐陶侃补武冈令。后因和太守吕岳有隔阂，陶侃辞职回去，做了郡小中正。恰好这时刘弘为荆州刺史，他任陶侃为南蛮长史，派他先出发去襄阳讨伐贼军张昌。陶侃一战大捷，大破敌军。刘弘到来后，对陶侃说："我以前曾是羊公的参军，现在看来，你必将继承我的功业！"陶侃后以军功被封为东乡侯，食邑千户。

陈敏作乱，刘弘任陶侃作江夏太守，另封应扬将军。陈敏派弟弟陈恢来侵犯武昌，陶侃派兵抵拒。随郡内史扈环到刘弘处挑拨他和陶侃的关系，刘弘却说："陶侃的忠诚我早就了解，哪会发生这种事情呢？"陶侃暗中闻知此事后，立即派儿子陶洪和哥哥的儿子陶臻去见刘弘，陈说情况，以解开刘弘的疑点。刘弘便任他们为参军，又加陶侃为都护，让他和诸军并力抵拒陈恢。陶侃用运输船当作战舰攻打陈恢，所向必破。陶侃军纪严明，所得战利品全都分给士卒，自己不私自占有分毫。不久，陶侃因母亲去世而离职。

服丧期满不久，陶侃调任龙骧将军、武昌太守。皇帝下令让陶侃去攻打杜弢，令振威将军周访、广武将军赵诱受陶侃节度。陶侃令二将作前锋，二将所带军众英勇作战，大破敌军。随之，陶侃又率军兼程三天，打败贼众，解荆州之围。后来，参军王贡、部将张奕背叛，陶侃兵败，被降罪免官，王敦上表让陶侃白衣领职。陶侃再整军队带周访等进军入湘，派都尉杨举作前驱，打败了杜弢，屯兵于城西。因此战有功，陶侃官复原职。他又劝降了杜弢的将领王贡，攻克长沙，全胜而还。

陶侃平日无事，便早晨起来把100块砖从斋里搬运到院中，晚上再把这些砖一块块地搬回屋里。人们见此都觉惊异，陶侃认真地说："我正致力中原，唯恐自己过惯了悠闲生活，以后就难以负担重任了。"人们十分佩服他勤奋励志的态度。

陶侃生性聪敏，勤于吏职，无论遇到什么事，他都处理得滴水不漏。他常对人讲："大禹是圣人，他都十分珍惜时间，我们凡人，应当更加珍惜时间，哪能逸游荒醉，生无益于时，死无益于后，这是自暴自弃的做法。"平时他如发现手下人有玩赌博游戏的，便当即把玩具扔到江中，还加以斥责甚至鞭刑。有赠送东西的，他必要问明来源，如是力作所得，则欢喜地收下，还要加倍回赠；如是贪污官家所得，则立即退还，而且还要当面批评。

苏峻作逆为乱，京都没有良将据守，平南将军温峤邀请陶侃回朝廷。陶侃换上军装，登上舟船，昼夜兼程向前进发，很快在石头和温峤相会。诸军都想要立即决战，而陶侃认为当前贼军势力较强、不可硬拼，应以智计擒捉苏峻。累战无功，诸将请求在查浦筑垒。监军部将李根建议在白石垒驻军筑垒，陶侃听从其建议，天黑时开始修筑，早晨时已经修成。敌军早上一看，大吃一惊，于是转攻大业垒。陶侃想派兵去援救，长史殷羡说："如果现在派兵去解救大业，步战必不如苏峻力量强，那样的话可就大势去矣！现在只需急攻石头，苏峻一定要来解救，大业之围自解。"陶侃听从了他的意见，果然大败苏军。

将军郭默假造命令袭击平南将军刘胤，自领江州，陶侃闻知此事说："这其中必有诈。"于是派遣将军朱夏、陈修带兵据守湓口，陶侃带领大军跟随而进。郭默探知消息，立即派人给他送来艺妓、奴婢和丝绢百匹，连同他伪造的诏书一起呈给陶侃。参佐多谏说：“郭默如果没有接到诏令，哪敢这么干呢？如果进军，也应该等到命令传达下来才是啊！”陶侃厉声说道：“刘胤一向被朝廷重用，即使真的不胜任职务，朝廷也不至于讨伐他。郭默这个人虽然骁勇，但暴掠成性，他定是想趁着大乱刚刚息定，国家刑纪宽松，便想成就自己的野心罢了。”于是派人上表征讨郭默。结果郭默部将擒获郭默父子来降。不久，陶侃又率军平定了襄阳。战后，陶侃被任为大将军，剑履上殿，入朝不趋，赞拜不名。

当时，武昌以多有士人而出名，殷浩、庾翼等都是佐吏。陶侃每次饮酒都有定限，常常限量已到时酒兴未尽，殷浩等便劝说他再少喝一点儿，陶侃坚决不从，人们一再请他喝，他黯然思量好久才说：“我年轻时曾经因为喝酒过量而做了错事，所以再也不敢多喝。”

尚书梅陶有一次在给亲人曹识的信中说：“陶公机神明鉴似魏武，忠顺勤劳似孔明，陆抗等人是无法和他相比的。”谢安每当说起陶侃就说：“陶公虽用法，而恒得法外意。”

陶侃到了晚年，不想再参与朝事，请求逊位。后来他病重，想回长沙，军资器杖牛马舟船皆有定簿，封印仓库，亲自掌握门钥匙，直到亲手把这些交给继任者王愆期，才登船出发，朝野众人无不以为美谈。在即将离开府门的时候，陶侃回过头来对王愆期说：“我们这些人已经老了，你们年轻人正是干事业的时候，不要辜负朝廷的众望啊！”

陶侃乘车到临津坐船，第二天，便在樊谿病逝，时年76岁。晋成帝闻知陶侃病逝的消息，十分悲痛，下诏追赠他为大司马，又赐谥曰“桓”，下令祠以太牢。陶侃生前嘱托后人把他安葬于都城南20里处，故吏刊石立碑画像于武昌西。

李　密

李密（582年—618年），隋末瓦岗军首领。字玄邃，一字法主。京兆长安（今属陕西）人。父李宽，自北周至隋均为将领。他素有谋略，起而辅助杨玄感反隋，征战数载，无奈时投靠唐朝李渊，继而又叛唐，终致兵败被杀于战场。

李密出身将门，文武双全，善于运筹，志向远大。隋开皇十年（590年），袭父爵位为蒲山公。隋大业初年（605年），授衔亲卫大都督，他对此官位不感兴趣，托病回家。

李密与杨玄感为刎颈之交，杨玄感在黎阳（今河南浚县）打算造反时，派遣家僮到京师邀请李密到黎阳。李密赶到黎阳，为杨玄感出主意、献计策，但杨玄感多次不用其计，一意孤行，最终导致败北身亡。李密也被官军抓捕，囚禁在京兆狱中。

当时隋炀帝远在高阳（今河北高阳），接到捕获李密等重犯的报告后，便令京兆官派使者将李密及其同党押送到高阳。上路之后，走到邯郸时，夜宿村中，李密等七人挖穿墙壁，趁夜逃走。李密逃至淮阳（今河南淮阳），住在村中，改姓名为刘智慧，当起了私塾先生。住了几个月，李密郁郁不得志，便作了一首五言诗，哀叹自己的凄凉处境，有人便报告了太守。太守命县令来抓，李密已先行逃跑。

当时，隋王朝内群雄并起，大小股的农民起义也遍地树旗。大业十二年（616年），东郡（今山东兖州）翟让发动农民起义。李密投奔翟让军中。李密建议翟让先攻取荥阳，再谋取天下。翟让接受了这一建议，于是率兵打开金堤关，掠取荥阳周围县境及城堡。荥阳太守郇王杨庆及通守张须陀出兵讨伐翟让的军队。李密为翟让出谋划策，列阵迎敌。李密带千余人于林木间埋伏下来。交战初，翟让不利，阵线向后移动起来。这时，李密率伏兵从敌阵之后发起突然袭击，张须陀兵众顿时乱作一团，溃不成军。李密与翟让合军奋击，将张须陀斩于阵上，官军大败。战后，翟让令李密独立设帐，统领一部兵马。

李密又向翟让献策：亲率大军，直取兴洛仓，发粟赈济穷人，这样，百万之众，一朝可集。于是李密领精兵7000人，于大业十三年（617年）

春出阳城，过方山，由罗口进军袭取兴洛仓。得手后，打开所有的仓房，让民众任意搬取。于是老弱妇幼一齐出动，背负肩扛，热泪盈眶，奔走相告，道路上取粮之民日夜不断。

越王杨侗派武贲郎将刘长恭，率步骑兵25000人讨伐李密。李密一战而大破官军，刘长恭逃脱。李密扩展洛口的城围方圆40里，作为长期居留的根据地。翟让终于看出李密的雄才大略，请他做军主，并倡议打出魏公的旗号。李密推辞不受，在众将领一再请求下，李密才同意称公。于是设坛场举行仪式，即位后称元年，随即委任官属。

李密亲率将士并常与官军连续作战，一些官军、山民等相继归附李密，李密势力渐渐强盛。这时，隋炀帝派王世充统领江、淮劲旅五万人讨伐李密，李密迎战失利。王世充驻军洛西，与李密对峙、交战一百多天。

李密听说翟让部将力劝翟让夺回李密手中大权，便产生了图谋翟让的想法。正遇王世充率军前来布阵，翟让出兵抵挡，结果被王世充打退。这时李密与单雄信等精锐将士突然出现在阵地上，一阵拼杀之后，王世充败走。第二天，翟让与数百人到李密帐中庆贺胜利。李密置备了酒肉招待他们，席间乘机杀死翟让。

不久，王世充夜袭仝城，李密急起反抗，斩武贲郎将费青奴。王世充又转移到洛北，在洛水上造浮桥，渡过大军，一齐攻打李密。李密与千数骑将抵抗，不利而退。王世充兵临城下。李密选强兵锐卒数百人分为三队，相继出击，致使官军退却。官军死伤众多。王世充领残兵逃脱后不敢回东都，奔向河阳。当夜大雪盈尺，随从军士死亡殆尽。此后李密修筑金墉故城，屯兵三十余万，然后攻打上春门。官军韦津留守出战，李密于阵上生擒韦津，大败其军。众将领觉屡战屡胜，局面颇大，劝李密称帝登基，李密不同意。

其时宇文化及杀死隋炀帝，率众十余万，自江都（今江苏扬州）北上黎阳。李密带兵两万迎战。越王杨侗称帝后，派使者授予李密官爵——太尉、尚书令、行军元帅、魏国公，并令他先消灭宇文化及，然后入朝辅政。李密遇到宇文化及军后，得知其军中缺粮，急于决战，于是故意不与之交锋，同时派兵截断其后路，派徐世守护仓城，以防劫粮。宇文化及果然来攻仓城，但毫无进展。李密与宇文化及隔河对话，痛斥宇文化及。宇文化及继续进攻仓城，无奈李密紧闭城门，军士守在高高的城墙上不与交锋。宇文化及制作云梯等攻城器具，逼近黎阳仓城。李密率500名轻骑兵奔袭，仓城兵也出来夹攻，打跑了宇文化及的兵卒，点燃其全部攻城器具，大火连日不熄。

李密探知宇文化及的军粮仅够三天，于是派人假装讲和，并答应给他些粮食。宇文化及信以为真，十分高兴，让部下放量饱食。这时李密的属下有人犯法，投奔到宇文化及军中，说出了李密的计策。宇文化及大怒，但军中粮断，不得不移兵别处就食。渡过永济渠后，与李密战于童山之下，自辰达酉，鏖兵六个时辰。李密中箭息兵于汲县。宇文化及劫掠汲县而后到了魏县，其部将陈智略、张童仁等率部归降李密。李密率军西进，派记室参军李俭到东都去朝见皇帝，并将杀害炀帝的于弘达献给越王杨侗。杨侗当即任李俭为司农少卿，让他返回军中召李密入朝。李密行至温县，听说王世充已杀元文都和卢楚等将，便改道去了金墉（在今河南洛阳西北）。

王世充独掌军权，重赏将士，大修军器，于是部伍雄壮，但是军中缺粮。而李密方面一直占据国家粮仓，军中有粮而缺衣。于是交战双方协议互通有无。李密起初不同意，右长史邴元真等为图各自的私利，几次三番劝说李密，李密终于同意他们去做交易。当初东都缺粮时，每天都有好几百人偷跑出来投降李密，交易之后，城中得食，投降的人就很少了。李密猛然悔悟，立即制止了交易。李密虽然据有粮仓，但无府库，将士长期得不到奖赏，即使偶有赏赐，也只给最先参加起义的老兵，因此士心浮动，渐生怨气。

当时，李密派邴元真去守兴洛仓。邴元真胸无大志，贪得无厌，渐有叛逆之心。李密手下多次提醒李密，但他对此表示怀疑。这时王世充引全军前来决战，李密留王伯当守金墉，自己率精兵到偃师迎战。王世充令数百骑渡御河，李密派裴引俨领兵抵挡。时值黄昏日暮，交战不一会儿各自收兵，可是裴引俨、孙长乐、程咬金等十几位勇将却都受了重伤。李密看到初战不利，十分沮丧。当夜，王世充悄悄地将大军渡过河来，黎明前发起攻击，李密仓促应战，结果大败，带万余人奔逃洛口。王世充乘胜进军，夜围偃师城。守城部将郑颋被属下杀死，众军士投降了王世充。李密将要进入洛口仓城时，邴元真已派人暗地去通知王世充，并为其做向导，让他来打李密，自己可为内应。李密已经对邴元真采取了监控措施，所以他的这一阴谋被李密立即获悉。李密没有当即抓捕邴元真，而是秘密命令其他将领带兵到洛水岸边，等待王世充之兵渡河时突然出击。但当王世充的兵渡河时，李密的哨兵都睡着了，发觉时王世充全军已经过河。李密料到自己的兵力不敌王世充，于是未与交战，便带领将士逃往别处。与此同时，邴元真打开洛口城门，投降了王世充。

李密的部属成批地离他而去，他深知兵败如山倒，强迫可能招致祸患，只好带铁心从者轻骑跑到王伯当坚守的河阳城里。李密让将士们去投奔李渊，自己准备自杀。众人劝李密放弃自刎的念头，一齐相随入关。

唐武德元年（618年）十月，李密带领两万残兵投奔李渊，快进长安时，李渊派出使者表示欢迎并慰劳将士。李密大喜。不久，李密被拜为光禄卿、上柱国，赐爵邢国公，但李密对此并不满意。朝中一些大臣流露出轻视他的情绪，还有一些管事的人竟向他索要贿赂，李密心中很不高兴。只有高祖李渊很看重他，常称呼他兄弟，并为他选配了独孤氏为妻。

不久，李渊便派李密带领原班兵马到黎阳去，一来招集过去的将士，二来防御王世充。他们走到桃林（今河南灵宝西）时，李渊又派人追来，叫李密返回去。李密顿生疑虑，认为凶多吉少，于是便决定率众叛唐，自立为王。

朝中将相听到李密叛离自立的消息，纷纷议论应立即派兵镇压，以免养痈成患。当时右翊卫将史万宝留镇熊州，派出副将盛彦师率领步骑兵数千人跟踪追剿。走到陆浑县南七十里的山中，追上了李密，以迅雷不及掩耳之势，冲到李密面前将其斩于马下。李密死时37岁。

王世充

王世充（？—621年），隋代将领。字行满。原为西域胡人。本姓支，祖母改嫁时带其父亲到霸城（今四川茂汶）王姓家，于是姓王。历任兵部员外郎、江都丞等职。后起兵叛隋，并立国称帝。无奈好景不长，最后兵败归唐。只可惜这位做过三年“皇帝”的人，在历史上却无人视其为皇帝。

王世充在隋文帝杨坚执政期间，凭借军功渐次升为兵部员外郎。隋炀帝杨广即位后，提拔其为江都（今江苏扬州）丞，兼江都宫总监。隋炀帝多次巡幸江都，王世充得以大献殷勤。不过，他虽然表面如此，却心如明镜。他看到隋朝政局不稳，必将发生动乱，于是暗自结交豪杰勇士，以朋友义气收买人心，甚至将在押罪犯释放出来，以自己的恩泽来树立威信。

大业九年（613年），杨玄感起兵造反时，吴人朱燮、晋陵人管崇在江南聚众响应，自称将军，拥有士卒十余万。隋炀帝派出将军吐万绪、鱼俱罗带兵讨伐，官军几次主动出战都被打了回来。当时王世充为官军副将，看到官军久战不克，就从江都招募壮士万余人，亲自带领这批人频繁出击，接连不断地取得胜利，终于平定了江南的叛乱。

大业十年，齐郡人孟让在长白山（今山东邹平南）一带聚兵反隋，抢掠周围郡县，声势渐大，发展到十万多人，进军至盱眙（今江苏西）。王世充奉命带兵抗拒，踞守通往江都的要道都梁山，在路上修建了五座大栅以阻挡敌军，但并不主动出击，而是放出流言说官军兵少且弱，准备撤退，同时经常派一些老弱将士外出巡逻，偶然遇敌则慌忙逃窜。孟让看到这种情况，便放松了警惕。

当时，乡村荒无人烟，孟让的兵马无处抢掠，由于大栅的障碍，无法向南进军，于是分兵包围五栅。王世充每天都派兵出击，但每次都装出不堪一击的样子，迅速退回栅中。这样相持了几天，孟让更加看不起官军，便分出一部分兵力到南方去抢掠粮草，留下的继续包围五栅。王世充抓住战机，决定突然出击。于是下令拆除军营内的锅灶及帐幕，设置方形阵地，四面外向，而后拔掉栅木，以迅雷不及掩耳之势一齐奋力出击。孟让兵众猝不及防，仓促应战，人马相离，全军溃散。孟让身边仅带数十个骑兵逃脱。王世充大获全胜，斩首万余级，俘虏十万多人。

大业十一年（615年），隋炀帝再次到北方巡游。这时，原先依附隋朝的东突厥始毕可汗，趁隋炀帝出塞时随从有限，就率领骑兵数十万，将隋炀帝围困于雁门城（今山西代县）中。炀帝一面令护卫坚守，一面急招各地援兵。

王世充在江都听到这一紧急召唤，立即点起全部兵马，马不停蹄地奔向北方。行军途中，他督促大军昼夜兼程，顾不上洗脸梳头。他一直没有解衣卸甲，睡觉时只在草堆上随便躺卧。解围之后，隋炀帝听到他的表现，认为忠心致诚，因而更加信任他，第二年便任他为江都通守。此后王世充屡次出兵扫荡此起彼伏的反乱。

不久，中原地区翟让、李密领导的瓦岗军迅速壮大。李密带兵攻陷洛口仓，进逼东都洛阳。于是炀帝又派王世充率江淮劲旅前往拒敌，结果被李密打败。

大业十四年（618年）五月，宇文化及与司马德勘在江都发动兵变，杀死了隋炀帝。消息传至东都，太府卿元文都、武卫将军皇甫无逸和右司郎中卢楚共同拥立越王杨侗为皇帝，拜王世充为吏部尚书，封为郑国公。后来元文都密谋杀害王世充，这一阴谋被段达告发。王世充立即于当天深夜带兵包围宫城，攻进宫城之中，武卫将军皇甫无逸只身乘马逃亡，王世充活捉卢楚、元文都后当即杀死他们。杨侗拜王世充为尚书左仆射，总管内外军事。王世充离开含嘉城，住进东都尚书省，专门办理朝政大事。

李密打败宇文化及之后，士兵伤病参半。王世充想乘机打击李密，但师出无名，恐人心不齐。苦苦思索之中想出一计，即利用兵士的迷信心理，假托神鬼，说是梦见了周公来临。然后在洛水边建一祠庙，派巫仙宣布周公的命令，即令仆射（王世充）速讨李密，定有大功，否则全军士卒都将染疫病死。士卒中多数是楚人，向来迷信神鬼，一听此讯，同声请战。王世充精选两万壮士、2000匹马，屯兵于洛水南岸。李密驻军于偃师北山之上。

王世充派出三百多骑兵趁夜潜入北山，埋伏于溪谷中。天亮时，王世充带兵进攻李密。李密出兵应战，没等到排列成阵势，两军已经交锋。最终，王世充大败李密军队，最后，李密带了数十个骑兵逃往河阳。

留守东都的越王杨侗在隋炀帝被杀之后被拥立为临时皇帝，实际上只是一个傀儡。事实上，王世充成为东都的主宰，杨侗又拜他为太尉，以尚书省为其府，王世充可以自行设置官属。后又授以其相国之位，加九锡之礼，并封为郑王，总揽朝政大事。

野心勃勃的王世充并不以相国、九锡为意，而是千方百计篡位称帝。为了加快登基的步伐，王世充令人捕获了大量各种各样的飞鸟，给每只鸟的脖子上带上一道符，上面写明“王世充当为皇帝”的符语，以此来扩大在民间的影响，为他的称帝之举披上天命和神力的外衣。

当王世充感到朝廷内外的舆论都已做好时，便命段达、云定兴去向杨侗转达禅让皇位的意思。但是段、云二人都碰了钉子，杨侗态度坚决，斥责了这两个先朝旧臣，仍然把持着那个徒有虚名的皇位。王世充又派人去协商。过了一个月，杨侗仍无意禅让。王世充迫不及待了，便假传杨侗的禅位诏策，让他的哥哥王世恽去通知杨侗已被废黜，把他移居到含凉殿。王世充当即登上皇位，宣布国号为郑，建元年号为开明。

王世充称帝一月之后，他所委任的礼部尚书裴仁基及其儿子左辅大将军裴行俨、尚书左丞宇文儒童等数十人秘密联络，谋划诛杀王世充，再立杨侗。结果机密泄漏，王世充一举杀死所有参与其事的人，并且株连三族。又过了一个月，王世充为了根绝人们尊拥杨侗、颠覆朝政的想法，派侄子王行本用毒酒将杨侗杀害，封谥号为恭皇帝。这时，王世充的部下人心惶惶。将军罗世信经过周密的策划和准备，率领一千多人投降了大唐。

王世充深感众叛亲离，自已的皇位摇摇欲坠，于是采取严厉的政策防止继续外逃，抓获外逃者便杀之。结果天天杀人，出逃现象则更为严重。稍显怨恨或被怀疑越轨，便逮捕入狱。牢房溢满，便以宫城为大狱。其时，另外一个问题是严重缺粮。王世充的士兵集中驻扎，储备的军粮都已吃光。城中居民早已断粮，出现了人吃人的现象。

武德三年（620年）七月，秦王李世民率兵东进，到达新安（今安徽新安）时，王世充辖下的许多镇堡主动归降。八月，李世民在青城宫摆开阵势，王世充带领全部兵马抗拒。李世民派遣众将领分头出击东都周围的城镇，所到之处都为唐朝的军队所攻占。九月，李世民部将王君廓攻拔王世充的缳辕县（今河南偃师），向东进军直到管城（今河南郑州）。其时，河南许多州县相继归降大唐。河北的起义军首领窦建德迫于形势，与王世充共结同盟。

武德四年（621年）二月，王世充率兵出方诸门对抗李世民。李世民的将士个个争先奋击，很快就将王世充的兵将打回城里，并且乘胜前进，占据了城门。王世充的步兵撤退回来时进不了城门，惊慌失措地向南逃走。李世民的将士又乘胜追击，斩首数千级，俘虏五千多人。此后王世充兵微将寡，不再出兵，依城自守，等待窦建德的援兵。

是年三月，李世民在牛口峪（今河南汜水西北）生擒窦建德、王琬及长孙安世，然后返回都城下，让王世充看这些俘虏，并且派长孙安世进城去劝降。王世充真正尝到了山穷水尽的味道，只好率领将士到指定的地点表示投降。

王世充被带回长安，唐高祖李渊免其死罪，让他与兄长、妻子、儿子一齐到西蜀去居留。王世充心中暗喜，回家后与妻儿准备行装时，被仇人定州刺史独孤修杀死。

李 靖

李靖（571年—649年），字药师，汉族，雍州三原（今陕西三原县东北）人。是唐朝文武兼备的著名军事家。后封卫国公，世称李卫公。李靖善于用兵，长于谋略，原为隋将，后效力李唐，为唐王朝的建立发展立下赫赫战功，南平萧铣、辅公佑，北灭东突厥，西破吐谷浑。去世后谥曰景武，陪葬昭陵。

李靖出生于官宦之家。祖父李崇义曾任殷州刺史，封永康公。父李诠仕隋，官至赵郡太守。李靖长得仪表魁伟，由于受家庭的熏陶，从小就有“文武才略”，又颇有进取之心。李靖先任长安县功曹，后历任殿内直长、驾部员外郎。他的官职虽然卑微，但其才干却闻名于隋朝公卿之中。

大业末年，李靖任马邑郡丞。这时，反隋暴政的农民斗争已风起云涌，河北窦建德，河南翟让、李密，江淮杜伏威、辅公祏等领导的三支主力军以摧枯拉朽之势，涤荡着隋朝的腐朽统治。身为隋朝太原留守的李渊也暗中招兵买马，伺机而动。李靖察觉了他的这一动机，遂“自锁上变”，将往江都，以告发此事。但当到了京城长安时，关中已经大乱，因道路阻塞而未能成行。不久，李渊于太原起兵，并迅速攻占了长安，俘获了李靖。李靖满腹经纶，壮志未酬，在临刑将要被斩时，大声疾呼：“公起义兵，本为天下除暴乱，不欲就大事，而以私怨斩壮士乎！”李渊欣赏他的言谈举动，李世民赞赏他的才识和胆气，因而获释。不久，被李世民召入幕府，用做三卫。

武德元年（618年）五月，李渊建唐称帝，李世民被封为秦王。为了平定割据势力，李靖随从秦王东进，平定在洛阳称帝的王世充，以军功授任开府。从此，李靖开始崭露头角。

为了削平后梁萧铣这一割据势力，唐高祖李渊调李靖赴夔州（今重庆奉节）安辑萧铣。李靖奉命，率数骑赴任，在途经金州（今陕西安康）时，适遇蛮人邓世洛率数万人屯居山谷间，庐江王李瑗进讨，接连败北。李靖为庐江王出谋划策，一举击败了蛮兵，俘虏甚多。于是顺利通过金州，抵达峡州。

武德四年（621年）正月，李靖鉴于敌我双方的情势，上陈了攻灭萧铣的十策，得到了唐高祖的重视，二月即任命李孝恭为夔州总管，擢任李靖为行军总管，兼任孝恭行军长史。高祖又以为孝恭不太精通军旅之事，“三军之任，一以委靖”。李靖实际上已成为三军统帅，李靖组织人力和物力大造舟舰，组织士卒练习水战，做好下江陵的准备。同时，他见巴、蜀之地归附唐皇朝不久，各部族还不太稳定，为了解除后顾之忧，他劝说李孝恭把各部族酋长子弟都召集到夔州，根据才能的优劣分别授以官职，安置在左右，“外示引擢，实以为质”。这对于稳固巴、蜀政局起了积极的作用。

这年九月，唐高祖诏令调发巴、蜀兵士，集结于夔州，并任命赵郡王李孝恭为荆湘道行军总管，李靖兼行军长史，统辖十二总管，自夔州顺流东进；又任命庐江王李瑗为荆郢道行军元帅，出襄州道，为北路军；黔州刺史田世康出辰州道，为南路军；黄州总管周法明出夏口道，为东路军。四路大军分头并进，一齐杀向江陵，发起了一场规模巨大的军事攻势。

面对暴涨的水流，唐将也大都望而生畏，请求待洪水退后再进兵。李靖以他那超人的胆识和谋略，力排众议，说：“兵贵神速，机不可失。今兵始集，铣尚未知，若乘水涨之势，倏忽至城下，所谓疾雷不及掩耳，此兵家上策。纵彼知我，仓促征兵，无以应敌，此必成擒也。”孝恭依从其议，遂率战舰二千余艘，沿着三峡，冲破惊涛骇浪，顺流东进。由于萧铣毫无防备，唐军连破荆门、宜都二镇，并乘胜前进，十月即抵夷陵城（湖北宜昌）下。

这时，萧铣的骁将文士弘率数万精兵驻守在附近的清江。李孝恭大兵一到，即想进击。李靖劝告他说：“士弘，铣之健将，士卒骁勇，今新失荆门，尽兵出战，此是救败之师，恐不可当也，宜且泊南岸，勿与争锋，待其气衰，然后奋击，破之必矣。”李靖的避其兵锋，挫其锐气，然后一战可擒的战术是很正确的，但李孝恭由于连战告捷，错误地估计了敌人的力量，没有听从他的劝告，遂命李靖留守军营，自己率兵出战。果然不出李靖所料，双方一交战，孝恭军大败，即逃奔南岸，损失很大。文士弘获胜以后，即纵兵四出抢掠，兵士肩扛手提，多有收获。李靖见敌军队伍大乱，遂不失时机，迅即指挥唐军出战。文士弘军队一时难以收拢，措手不及，结果被唐军打得落花流水，被杀及溺水而死者将近一万人，获得舟舰四百余艘。

攻下夷陵之后，李靖又马不停蹄，率轻骑五千为先锋，直奔后梁都城江陵，李孝恭率大军继后。李靖首先攻克江陵外城，接着又占领水城，缴获了大批舟舰，却让孝恭全部散弃江中，顺流漂下。诸将对此做法都困惑不解，认为缴获敌船，正好充当军舰，为何却遗弃江中，以资敌用？李靖胸有成竹地说："萧铣之地，南出岭表，东距洞庭，吾悬军深入，若攻城未拔，援军四集，吾表里受敌，进退不获，虽有舟楫，将安用之？今弃舟舰，使塞江下，援兵见之，必谓江陵已破，未敢轻进，往来觇伺，动淹旬月，吾取之必矣。"李靖的疑兵之计果然奏效，长江下游的萧铣援兵见江中到处都是遗弃散落的舟舰，以为江陵已破，都疑惧不前。交州刺史丘和、长史高士廉等将赴江陵朝见，在行进途中听说萧铣已败，便都到孝恭营中投降。

唐军把江陵围得水泄不通。萧铣见内外隔绝，外无援兵，城内又难以支持，走投无路，遂开门投降唐军。李靖率军进入城内，号令严肃，秋毫无犯。这时，诸将都以为萧铣将帅抗拒官军，罪大恶极，建议籍没其家财产，用以犒赏官军将士。李靖立即出面劝止，晓以大义。他这一做法颇得人心，由是江、汉纷纷望风归降。萧铣投降几天之后，有十几万援军相继赶到，听说萧铣已经投降，唐朝的政策宽大，也都放下兵器不战而降。

李靖佐助李孝恭出师，仅用了两个月的时间，即消灭了江南最大的割据势力后梁，战功卓著，唐高祖诏封他为上柱国、永康县公，赐物二千五百段。

攻取江陵的战斗历程，表现出了李靖杰出的军事才干，他进一步得到了唐高祖的倚重。战事刚一结束，即擢任为检校荆州刺史，命他安抚岭南诸州，并特许承制拜受。

这年十一月，李靖越过南岭，到达桂州（今属广西），派人分道招抚，所到之处，皆望风归降。大首领冯盎、李光度、宁真长皆派遣子弟求见，表示归顺，李靖承制都授以官爵。于是连下九十六州，所得民户六十余万。自此，"岭南悉平"。

武德六年（623年）七月，原投降唐皇朝的农民起义军将领杜伏威、辅公祏二人不和，辅公祏乘杜伏威入朝之际，窃据丹阳（今江苏南京），举兵反唐。高祖命李孝恭为帅，李靖为副帅，率李绩等七总管东下讨伐。辅公祏派大将冯惠亮率三万水师驻守当涂（今安徽当涂），陈正道率二万步骑驻守青林，从梁山用铁索横亘长江，以阻断水路。并筑造建月城，绵延十余里，以为掎角之势。孝恭召集诸将议军事，大都认为，公祏劲兵连栅，固守不战。若直取丹阳，捣毁其巢窠，惠亮则不战自降。李靖透辟地分析了敌方形势，认为公祏留守的也是精锐部队，他们极力坚守，“若我师至丹阳，停留旬月，进则公祏未平，退则惠亮为患，此便腹背受敌，恐非万全之计”。惠亮、正道虽然据城持重，“今若攻其城，乃是出其不意，灭贼之机，唯在此举”。孝恭依从其计。李靖遂率黄君汉等水陆并进，经过浴血奋战，杀伤敌军万余人。冯惠亮招架不住，落荒而逃。接着李靖又乘胜而进，率轻兵直抵丹阳城下，公祏惊恐不安，兵虽众多，但人无战心，不得不弃城出逃，后被活捉，于是“江南悉平”。

江南的局势安定以后，北方的形势又一时紧张起来。隋末唐初，东突厥势力强大，李渊太原起兵时，曾向突厥始毕可汗称臣，以换取北方的相对安定。唐皇朝建立后，突厥一方面支持薛举、刘武周等割据势力，与唐皇朝分庭抗礼；另一方面，又自恃兵强马壮，不断举兵南下侵扰。在平定江南中功勋卓著的李靖又被调到北方，以反击突厥。

武德九年八月，唐太宗刚即位不几天，突厥颉利可汗乘唐朝皇帝更替之机，遂率十几万精锐骑兵再次进犯泾州（今甘肃泾川西北），并长驱直入，兵临渭水便桥之北，不断派精骑挑战，还派其心腹执失思力入朝，以观察虚实。当时征调的诸州军马尚未赶到，长安市民能拿兵器打仗者也不过几万人，形势十分危急。在此种情况下，太宗曾冒险亲临渭水桥，与颉利可汗结盟，突厥才退兵。

此后不久，东突厥国内发生了变乱，所属薛延陀、回纥、拔野古诸部相继叛离，又恰遇暴风雪，羊马死亡甚多，因而发生了饥荒，族人纷纷离散。贞观三年（629年）八月，唐太宗接受了代州都督张公瑾的建议，决定出击东突厥，命兵部尚书李靖为定襄道行军总管，以张公瑾为副，发起了强大的军事攻势。又任命并州都督李绩、华州刺史柴绍、灵州大都督薛万彻等为各道总管，统率十几万军队，分道出击突厥。

贞观四年正月，李靖率领三千精锐骑兵，冒着严寒，从马邑（今山西朔县）出发，向恶阳岭挺进。颉利可汗万万没有想到唐军会突如其来，兵将相顾，无不大惊失色。李靖探知这一消息，密令间谍离间其心腹，让其亲信康苏密前来投降。李靖迅即进击定襄，在夜幕掩护下，一举攻入城内，俘获了隋齐王杨暕之子杨正道及原炀帝萧皇后，颉利可汗仓皇逃往碛（今内蒙二连浩特西南）。李靖因军功进封代国公，赐物六百段及名马、宝器等。

之后，李靖继续率军进至阴山，遇到突厥斥候千余帐，一战而全部俘获，命与唐军同行。这时，颉利可汗见到唐使臣，放松了戒备。李靖前锋苏定方率领的两百余骑又乘着大雾，悄然疾行，直到距牙帐七里远的地方才被发觉。如同惊弓之鸟的颉利可汗慌忙骑马逃走，突厥军也四散而逃。李靖大军随之赶到，杀敌一万余人，俘虏十几万，缴获牛羊数十万只（头），并杀死隋义成公主。颉利可汗率万余人想北过大漠，在碛口受李绩所阻，不能北逃，其大酋长皆率众投降。不久，颉利可汗被大同道行军总管任城王李道宗擒获，并送到京师。东突厥从此宣告灭亡了。

自隋朝以来，突厥是西北的强国。李靖等灭了东突厥，不仅解除了唐朝西北边境的祸患，而且也洗刷了唐高祖与太宗向突厥屈尊的耻辱。

李靖虽在战场上勇猛善战，叱咤风云，功勋卓著。然而一旦富贵在身，又深惧盈满，能知足而退。到了贞观八年（634年）十月，担任宰相职务刚满四年的李靖即以足疾辞任，而且言辞恳切。唐太宗明白他的心意，并十分欣赏他的这一举动，特颁下诏书，加授特进，赐物千段，赏乘马两匹。如足疾稍好一些，每二三天可到中书、门下平章政事。不久，又特赐李靖一条灵寿杖，以帮助他疗养足疾。

可此事还未过两个月，就发生了吐谷浑进犯凉州的事件，朝廷决定兴兵反击。在任命统帅时，唐太宗自然想到了足智多谋、威名震撼边庭的李靖，认为他是最为合适的人选，可惜足疾未愈。李靖顾不上足疾与年事已高，主动去求见宰相房玄龄，请求挂帅，亲自远征。唐太宗大喜过望，这年十二月，即任命李靖为西海道行军大总管，又分别任命兵部尚书侯君集、刑部尚书任城王李道宗、凉州都督李大亮、右卫将军李道彦、利州刺史高甑生等五人为各道行军总管，统由李靖指挥。于是一场大规模的反击吐谷浑的战争序幕拉开了。

李靖奉命赴任之时，正值寒冬腊月季节。他一路踏着冰雪，风餐露宿，备尝艰辛。翌年闰四月，唐军在库山（在今青海天峻）与吐谷浑交战，李道宗部大败吐谷浑，唐军首战告捷。

狡诈的吐谷浑可汗伏允一面往西败退，一面令人把野草烧光，以断绝唐军马草。干草已被烧光，春草尚未萌生，诸将大都认为战马瘦弱，不可长途追击。侯君集认为吐谷浑已“鼠逃鸟散，斥候亦绝，君臣携离，父子相失，取之易如拾芥，此而不乘，后必悔之”。李靖完全赞同他的意见，决定不给敌人喘息的机会，于是兵分两路：李靖与薛万均、李大亮等从北道，侯君集、李道宗从南道，两路大军一齐进发。

李靖亲自率领的北路军进展顺利。不几天，其部将薛孤儿于曼头山（今属青海）击败吐谷浑军，杀其名王，用缴获的大批牛羊充作军食。接着李靖的主力军也先后于牛心堆、赤水源两次大败吐谷浑军。侯君集、李道宗所率南路军进展也很迅速，他们深入荒漠二千余里。克服了种种困难，长途奔袭，到了五月，终于在乌海（今青海兴海）追上了伏允可汗，又大败其军，俘获了其名王。薛万均等于赤海也打败了吐谷浑的天柱王军。

李靖都督各军继续进击，又连战告捷。李大亮军于蜀浑山击败吐谷浑军，获其名王二十人。部将执失思力也在居茹川击败吐谷浑军。唐军乘胜进军，经过积石山河源，一直打到吐谷浑西陲且末（今新疆且末）。部将契苾何力追击伏允可汗，破其牙帐，杀数千人，缴获牛羊二十多万头（只），并俘虏了其妻子。

伏允可汗率一千多骑兵逃到碛中，已到了山穷水尽的地步，部下纷纷离散。不久，伏允可汗为部下所杀。其长子大宁王慕容顺杀死天柱王，率众降唐。李靖率军经过了两个月的浴血奋战，平定了吐谷浑，并向京师告捷。唐朝为了控制吐谷浑旧境，封慕容顺为西平郡王、趉故吕乌甘豆可汗，并留下李大亮协助防守。

不久，李靖以功进封卫国公。贞观十七年（643年），又与长孙无忌等二十四人图像于凌烟阁，尊奉为功臣，并进位开府仪同三司。

贞观二十三年（649年）四月二十三日（7月2日），李靖溘然逝去。享年七十九岁。唐太宗册赠司徒、并州都督，给班剑、羽葆、鼓吹，陪葬昭陵。谥曰景武。

可以说，在古代历史上实在难以找出一位像李靖这样在各方面都完美到极致的军事将领了。论战绩，他是大唐开国第一将；论人品，有几人能做到他这样急流勇退，功高盖世仍谦虚谨慎；论影响，其所著兵法及其军事思想完善和发展了我国古代军事思想和理论。唐初名将多出自李靖门下，或受李靖教导，造就和发展了药师系这一支唐初善于避实击虚，远程奔袭，连续进攻，彻底瓦解敌军的军队。论人生，他一生虽有坎坷，却始终处庙堂之上而岿然不动，韬晦终身得以善终。

秦叔宝

秦叔宝（？—638年），唐初名将，二十四功臣之一。名琼。齐州历城（今山东济南）人。隋末时从军，曾跟随李密、王世充。后归降唐朝，隶属李世民部下，屡立战功，拜为军马总管，爵封国公，其影像图画于凌烟阁。

隋大业中期（610年前后），秦叔宝在隋朝大将来护儿帐内当亲兵。后又在齐郡（今山东淄博）通守张须陀部下当兵。当时，山东地方的卢明月聚众十万，四处扩张。张须陀率将士一万人前往抗拒。双方相遇后，张须陀知道敌我力量过分悬殊，一直没有主动出击。相持十几天后，张须陀打算先撤退以引诱敌人的追击，然后派一千骑兵袭击对方的军营。对此，别的将官都不作声，只有帐前兵卒秦叔宝和罗士信二人请求担当此任。于是张须陀让他们分别率一千士兵埋伏于芦苇中。

卢明月很快发现了张须陀的撤退行动，便率全军追击。这时，秦叔宝与罗士信骑马领兵跑到卢军大营，但营门大栅紧闭，无法进去。秦、罗二人跳下马来便去攀登栅楼，敌军守栅之兵呐喊抗拒，居高临下地打击秦、罗二人。他们毫无惧色，一面迅速登楼，一面挥刀砍杀。各杀数人后，趁守兵躲避时，秦、罗二人迅速登上栅楼，拔掉敌军旗帜，杀入营中，打开栅门，放进自己的士卒，纵火点燃敌营共三十多栅，火焰腾空而起。卢明月望见之后，赶紧命令军队回头来救。这时张须陀率军转身追击，大破敌军。卢明月仅带数百骑逃脱，其余的都做了俘虏。这次大胜使秦叔宝远近闻名。

后来张须陀阵亡，秦叔宝带残军归附裴仁基，不久裴仁基投降李密。李密见到秦叔宝，十分喜欢，当即任为帐内骠骑，待遇优厚。后来李密战败，秦叔宝又为王世充所得。王世充任他为龙骧大将军。秦叔宝很快发现王世充为人虚假，诡计多端，因而不愿听命于他。当王世充率众与秦王李世民的唐军交战时，走到九曲（今河南宜阳）地方，秦叔宝与程咬金、吴黑闼、牛进达等数十人归降大唐。

李渊将秦叔宝分配到秦王府。李世民对他格外看重，让秦叔宝镇守长春宫，拜为军马总管。秦叔宝跟随李世民多次出征，在美良川曾与尉迟敬德交锋，打败了敬德。征伐王世充时，秦叔宝一直担当先锋。李世民每当临阵，望见敌军阵地上有耀武扬威的将领和士卒时，常常流露出愤怒的神色，便指着敌将命令秦叔宝去打。秦叔宝认准目标，跃马挺枪，直入敌阵，于万马军中追击其人，或刺之于马下，或生擒回阵。李渊记其前后功勋，赏赐黄金百斤，杂彩6000段，授上柱国。扫平王世充后，晋封翼国公，赐黄金百斤、帛7000段。消灭刘黑闼后，又赏彩千段。

武德九年（626年）玄武门事变时，秦叔宝紧随李世民，参与了诛杀李建成、李元吉以至平息城内动乱的斗争。事后，拜为左武卫大将军，封食邑700户。秦叔宝中年以后常常生病。贞观十二年（638年），秦叔宝去世。贞观十七年，与长孙无忌等一同被画进凌烟阁中。

尉迟敬德

尉迟敬德（585年—658年），唐初名将，二十四功臣之一。名恭。朔州善阳（今山西朔县）人。贞观年间，历任右武侯大将军、宣州刺史等职。谥号“忠武”。尉迟敬德于隋朝末年参军为官兵，多次随军出征，以勇敢善战见称。后归降唐朝，在秦王李世民帐下为将，不仅屡立战功，而且在玄武门之变时果敢多智，为李世民即位立下了不世之功。

隋大业十三年（617年），马邑人刘武周聚众造反。尉迟敬德看到隋朝政治腐败，于是投奔刘武周，被任为偏将。

武德三年（620年），李世民带兵征讨刘武周。刘武周命令尉迟敬德与宋金刚在介休（今山西介休）抗拒李世民，结果，一日八战，李世民大胜，俘斩宋金刚兵数万人，宋金刚轻骑逃奔突厥。尉迟敬德收拢残兵，坚守介休城。李世民围而不攻，派任城王李道宗和宇文士及入城劝降，于是敬德与骁将寻相举城归唐。李世民十分高兴，赐以歌舞盛宴，任尉迟敬德为右一府统军，此后便随李世民开赴洛阳前线，征讨王世充。

一天，秦王特邀尉迟敬德一同外出到榆窠一带打猎，此处已靠近敌方的前沿地区。没想到敌方早已发现了他们，以为是偷袭之兵。王世充带领步骑兵数万人来战，骁将单雄信挺枪跃马直取秦王。尉迟敬德一看情势危急，来不及细想，拍马迎战单雄信，将其横刺落马，而后奋力保护秦王突出重重包围，又率骑兵返回来与王世充交战，结果王世充兵众溃败。尉迟敬德生擒敌将陈智略，俘虏其排矟兵6000人，大胜而归。自此，秦王更加信任尉迟敬德，两人感情更见深厚。

尉迟敬德有一项独特的武艺是善于解矟（长矛，即槊），并且夺取敌矟予以反刺，常常单骑冲入敌阵，敌方矟兵群起攒刺，始终伤不了他，故而那天遭遇王世充的突然包围时，他出入重围往返无所阻。

尉迟敬德随秦王征讨窦建德时，秦王先将李、程知节、秦叔宝几员大将埋伏于山畔，后与尉迟敬德前去挑战。秦王持弓箭，敬德使矟，二人直抵窦建德的营垒前，大声呼说“大军来了”！敌方大受惊扰，仔细一看却只见二人，于是派出数千骑兵追打。秦王一边后撤一边放箭，射杀数十人，尉迟敬德也挥矟击杀十多人，逐渐将敌将骑引入埋伏圈内。此时，一声发喊，李等将士突然杀出，全歼敌军。

此后，尉迟敬德又随秦王讨伐刘黑闼。刘黑闼军袭击李，秦王带兵攻刘黑闼军时迂回到其阵地之后，以此来解救李。没想到刘黑闼的后续部队源源而来，从四面包围了秦王的小股队伍。尉迟敬德在另一处战场上听说此事后，率壮士飞马赶来，打进包围圈，又带秦王等人突围。敬德一马当先，大破敌阵，秦王李世民与江夏王道宗乘势冲出。后又攻打徐圆朗，尉迟敬德每战有功，授秦王府左二副护军。

李渊建立唐朝当了皇帝之后，欲确定太子以继承皇位。按照常规应立长子李建成，但次子李世民在建国前后的征伐平乱中功劳最大，李渊也曾对次子有过承诺。就在他举棋不定之时，长次之间争夺接班人位置的斗争已经白热化了。

隐太子李建成与其弟齐王李元吉结为一党，企图谋害秦王李世民。为此，李建成秘密拉拢人，他派人悄悄给尉迟敬德送去一车金银器具，并附信一封，表示愿与交为朋友，相互关照。尉迟敬德见到来信和礼物之后当即回绝了李建成，李建成大怒。事后尉迟敬德将此事报告了秦王。

这件事使秦王进一步看到了尉迟敬德感恩相报的义气，同时也引起了另外一方李元吉的嫉恨。李元吉命令壮士伺机刺杀尉迟敬德，终未得手。李元吉又在高祖面前反复讲述尉迟敬德的坏话，捏造罪名，说得高祖信以为真，下诏逮捕了尉迟敬德，准备问成死罪。秦王以事实一一驳斥虚假的罪名，终于使尉迟敬德无罪释放。

武德九年（626年）夏，突厥侵扰边镇，李建成向高祖推荐李元吉领兵出征，预谋请秦王到昆明池来一同为四弟饯行，在宴会上杀死秦王。尉迟敬德得知了这一阴谋，立即与长孙无忌去禀告秦王，劝他先发制人，不然危在旦夕。秦王犹豫不决，尉迟敬德再三相劝。后又找来侯君集，连夜劝进。终于，秦王决定行动。接着，尉迟敬德与长孙无忌又一同把房玄龄、杜如晦召进秦王府。经过一番紧张的策划，决定立即动手，其时已是六月四日的凌晨。

早上，秦王带尉迟敬德等九人到玄武门。其时高祖派人去召集文武大臣。李建成与李元吉走到临湖殿时，发觉情况异常，拨转马头想退回自己的宫府。李世民当即呼唤他们回来，李元吉在马上张弓搭箭欲射李世民，但是仓促之间因过分紧张，三次都没有拉开弓。而李世民则只发了一箭，即将李建成射死落马，李元吉拍马便跑，李世民随从一齐放箭，李元吉落马。这时，李世民的坐骑在树林里被枝杈挂住了绳索，急切间拉不出来，李元吉跑过去抢夺李世民的弓箭，两人扭打起来。尉迟敬德骑着马跑过来大声呵斥，李元吉急忙往武德殿跑去。尉迟敬德紧追不舍，将李元吉杀死。李建成府中将领薛万彻、谢叔方、冯立等率精兵两千赶至玄武门，杀死了屯营将军，想把守玄武门以援救李建成。这时，尉迟敬德手提李建成、李元吉的首级登在高处让府兵看，于是，府兵将士纷纷逃离。

李世民看到玄武门前的局面基本稳定，但恐宫中有变，便命尉迟敬德入宫保护高祖。尉迟敬德披甲持矛迅速入宫。他把玄武门兵变的情况报告了高祖，然后请高祖手书命令，令各路军队一律听从秦王的指挥。此令一出，各处的局部战斗很快平息。

在这次有名的玄武门之变中，尉迟敬德从策划到行动始终都坚定、勇敢。因此高祖赐给他大量珍宝。秦王在宫里主持政务，授尉迟敬德为太子左卫率。论功行赏时，尉迟敬德与长孙无忌为一等功，各赐绢万匹，另外又将齐王李元吉的府第财物全部赏给了尉迟敬德。

贞观元年（627年），唐太宗李世民拜尉迟敬德为右武侯大将军，赐爵吴国公，与长孙无忌、房玄龄、杜如晦四人各自享有1300户食邑。突厥十万大军入侵泾州（今甘肃泾川），尉迟敬德以泾州道行军总管率兵出征。敌军进至泾阳，敬德以轻骑兵先出挑战。杀死敌军数将后，其军溃乱，尉迟敬德挥师掩杀，突厥大败。

尉迟敬德性情憨直，居功自傲，每见房玄龄、杜如晦、长孙无忌，常常当面讥讽他们，议论其长短，有时在宫廷之上当着众大臣的面厉言争辩，于是渐渐与他们不和。贞观八年（634年），尉迟敬德当了同州刺史。一次，太宗在庆善宫设宴招待文武百官。在座位的安排上，尉迟敬德大有意见。他对坐在上席的人说："你有什么功劳，敢坐在我的上席？"这时坐在他下席的任城王李道宗赶快解释，说明原委，没想到尉迟敬德竟勃然大怒，挥起拳头朝李道宗脸上打去。李道宗猝不及防，眉眼上挨了一拳，眼角立时出血，几乎被打瞎。这一来，欢宴不欢，太宗沉下脸摆手示意停止宴席，严肃地对尉迟敬德说："我浏览汉代的史书，发现刘邦建立汉朝时的开国功臣只有少数人寿终正寝，我常常因此而产生忧虑。所以登上皇位之后，我十分注意保护有功之臣，更想让他们子孙相继，家业兴旺。但是你任职为官以来多次触犯法律，我才理解了韩信、彭越之所以被杀戮，并非刘邦之错。国家的大事，重要的是赏赐有功之人，惩罚罪犯，谁也不应有非分之想。希望你从今以后注重自身的修养，不要做出后悔不迭的事情。”这一席语重心长的开导，说得尉迟敬德低头不语。

贞观十一年（637年），太宗册拜尉迟敬德为宣州刺史，改封为鄂国公，后历任鄜、夏二州（今陕西横山一带）都督。贞观十七年（643年）初，尉迟敬德请求回家养老。授开府仪同三司，令他每月初一、十五上朝即可。二月，太宗命画家于凌烟阁上绘制24位功臣的图像。入图凌烟阁是国家给予的最高荣誉，尉迟敬德即在其中。

尉迟敬德晚年迷信方士仙丹，在家中设炉炼丹。同时，在庭院之中大兴土木，修建池台，栽花养鱼。他闭门谢客，在家中研习仙方，观花赏乐，16年不与外人交往，怡然自乐。显庆三年（658年），高宗皇帝以尉迟敬德功大，追赠他的父亲为幽州都督。当年，尉迟敬德病逝，享年74岁。高宗为之废朝三日，举行哀悼，并且命令五品以上的京官和入朝的地方使节一齐到他家吊唁。又册赠司徒、并州都督的官衔，陪葬于昭陵（太宗陵园，在今陕西礼泉县东北）。

薛仁贵

薛仁贵（614年—683年）名礼，字仁贵，汉族，山西绛州龙门修村人（今山西河津市修村人），唐朝名将，著名军事家，政治家。以字行世。创造了"良策息干戈"、"三箭定天山"、"神勇收辽东"、"仁政高丽国"、"爱民象州城"、"脱帽退万敌"等诸方面在军事、政治上的赫赫功勋。

薛仁贵生于大业九年（614年），是南北朝时期名将薛安都的后代，但是到他这一辈已经没落，虽自幼家贫，但是习文练武，天生臂力过人。但是生于乱世之中，未有什么发展，长大务农，娶妻柳氏，生得一副大饭量。到30岁的时候，记载中描述他穷困不得志，希望迁移祖坟，以希望带来好运，他的妻子说："有本事的人，要善于抓住时机。现在当今皇帝御驾亲征辽东，正是需要猛将的时候，你有这一身的本事，何不从军立个功名？等你富贵还乡，再改葬父母也不晚！"仁贵听了，觉得有道理，就告别妻子，去新绛城里找张士贵将军，应征入伍，开始了他驰骋沙场40年的传奇经历。

贞观十九年（645年）四月，唐军前锋进抵高丽，不断击败高丽守军，六月，至安市，高丽莫离支遣将高延寿率军20万依山驻扎，抗拒唐军。唐太宗视察地形后，命诸将率军分头进击。这时，薛仁贵自恃骁勇强悍，想立奇功，即穿上异于众人的白色衣甲，手持方天戟，腰挎两张弓，大呼陷阵，高丽将士纷纷倒伏，杀开一条血路。唐军随之继进，高丽军被打得大败。站在高处观战的唐太宗望见，战后特召见薛仁贵，赐马二匹，绢40匹，生口10人为奴，并提升为游击将军、云泉府果毅，职守皇宫玄武门（北门）。及唐征高丽还军，唐太宗还特对薛仁贵说："朕旧将皆老，欲擢骁勇付之外事，莫如卿者。朕不喜得辽东，喜得虎将。"并加封薛仁贵右领军郎将。征高丽后到唐高宗时期，薛仁贵一直守卫玄武门。永徽五年（654年），唐高宗行幸万年宫（在今陕西麟游县西），第一天夜里就遇山洪暴发，直冲万年宫北门，卫士们见水势凶猛各自散去。而薛仁贵登门向宫内呼叫水至，唐高宗听到喊叫，急忙出宫跑到高处。当唐高宗回头看时，大水已经涌进了他的寝殿。躲过大难，唐高宗感激薛仁贵，特赐薛仁贵御马一匹。

显庆三年（658年），唐高宗命程名振征讨高丽，以薛仁贵为其副将。薛仁贵于贵端城（位于今辽宁浑河一带）击败高丽军，斩首三千余级。第二年，薛仁贵又和梁建方、契必何力等，与高丽大将温沙门战于横山。当时，薛仁贵手持弓箭，一马当先，冲入敌阵，所射者无不应弦倒地。接着，又与高丽军战于石城，遇善射敌将，杀唐军十余人，无人敢当。薛仁贵见状大怒，单骑突入，直取敌将。那个敌将慑于薛仁贵勇武，来不及放箭，即被薛仁贵生擒。不久，薛仁贵与辛文陵在黑山击败契丹，擒契丹王阿卜固以下将士，战后他因功拜左武卫将军，封河东县男。

龙朔元年（661年），一向与唐友好的回纥首领婆闰死，继位的比粟转而与唐为敌。唐高宗诏郑仁泰为主将，薛仁贵为副将，领兵赴天山击九姓回纥。临行，唐高宗特在内殿赐宴，席间唐高宗对薛仁贵说："古善射有穿七札者，卿试以五甲射焉。"薛仁贵应命，置甲取弓箭射去，只听弓弦响过，箭已穿五甲而过。唐高宗大吃一惊，当即命人取坚甲赏赐薛仁贵。郑仁泰、薛仁贵率军赴天山后，回纥九姓拥众十余万相拒，并令骁勇骑士数十人前来挑战。薛仁贵临阵发三箭射死三人，其余骑士慑于薛仁贵神威都下马请降。薛仁贵乘势挥军掩杀，九姓回纥大败，所降全部坑杀。接着，薛仁贵又越过碛北追击败众，擒其首领兄弟三人。薛仁贵收兵后，军中传唱说："将军三箭定天山，壮士长歌入汉关。"从此，回纥九姓衰败，不再为边患。

乾封元年（666年），高丽莫离支泉盖苏文死，其子泉男生继位，但为其弟泉男健驱逐，特遣使者向唐求救。唐高宗派庞同善、高品前去慰纳，为泉男健所拒，于是，唐高宗命薛仁贵率军援送庞同善、高品。行至新城，庞同善为高丽军袭击，薛仁贵得知后，率军及时赶到，击斩敌首数百级，解救了庞同善。庞同善、高品进至金山，又为高丽军袭击，薛仁贵闻讯后，率军将高丽军截为两断奋击，斩首5000余级，并乘胜攻占高丽南苏、木底、苍岩三城，与泉男生相遇。对此，唐高宗特下诏慰勉薛仁贵。接着，薛仁贵又率两千人，进攻高丽重镇扶余城，这时，部将都以兵少，劝他不要轻进。薛仁贵说：兵"在善用，不在众"。于是率军出征，这次战役，他身先士卒，共杀敌万余人，攻拔扶余城，一时声威大震，扶余川40余城，纷纷望风降附。这时，唐又派李绩为大总管由他道乘机进攻高丽。薛仁贵也沿海继进，与李绩合兵于平壤城，高丽降伏。之后，唐高宗命薛仁贵与刘仁轨率兵二万留守平壤，并授薛仁贵为右威卫大将军，封平阳郡公，兼安东都护。薛仁贵受命后，移治平壤新城。他任安东都护期间，抚爱孤幼，存养老人，惩治盗贼，擢拔贤良，褒扬节义之士，高丽士民安居乐业。

后来薛仁贵任安东都护时，率军十余万人，征讨吐蕃。因无辎重接济，败军东归。战后，他因败绩被免为庶人。不久，高丽地区相率叛唐。唐高宗起用薛仁贵为鸡林道总管，以经略辽东。任内，薛仁贵因事违法，贬象州，后遇赦免而还。

薛仁贵晚年，吐蕃势力向北发展，阻断瓜（治今甘肃安西东南）、沙（治今甘肃敦煌），同时，突厥也不断侵扰唐北境。这时，唐高宗念及薛仁贵功劳而召见他，之后，任用他为瓜州长史，右领军卫将军，兼代州都督，率军前往云州（今山西大同市）击突厥。突厥闻薛仁贵复起为将，都非常害怕，不敢当其锋，一时奔散。薛仁贵乘势进击，大破突厥，斩首万余级，俘获两万人，及牛马羊三万余头。

薛仁贵于永淳二年（683年）去世，终年70岁。死后，朝廷赠左骁卫大将军，幽州都督，官府还特造灵舆，护丧还归故里。

薛仁贵为唐朝名将，勇于力战，长于用兵，深于谋略，建立了赫赫战功，从而为唐前期的强盛做出了积极的贡献。不过他在战争中有时治军不严，纵兵掳掠，收受贿赂，又往往斩杀过多，失之残酷。薛仁贵忠于职守，从他任安东都护时的情况看，也有一定的理政才能。

李勣

李勣（594年—669年），原名徐世绩，字懋功。唐高祖李渊赐其姓李，后避唐太宗李世民讳改名为李勣，汉族，曹州离狐（今山东菏泽东明县东南）人，唐初名将，与李靖并称，被封为英国公，为凌烟阁二十四功臣之一。早年从李世民平定四方，后来成为唐王朝开疆拓土的主要战将之一，曾破东突厥、高句丽，功勋卓著。李勣一生历侍唐高祖、唐太宗、唐高宗三朝，出将入相，深得朝廷信任和重任，被朝廷倚之为长城。显庆二年（657年）奉旨与许敬宗、苏敬、孔志约、于志宁等编《新修本草》二十卷，被认为是世界上最早出现的药典。

李勣家本是富豪。史称其"家多僮仆，积粟数千钟"，与其父徐盖都是乐善好施之人，救济贫苦人，不管关系亲疏。

隋末，李勣随农民军首领翟让在瓦岗（今河南滑县南）起义。曾献策出兵荥阳（今属河南）、梁郡（今河南商丘西南），在汴水夺取往来船只物资，使起义军的供给得到解决。李密任瓦岗军首领后，他建议袭取黎阳仓，壮大了起义军力量。瓦岗军失败后归唐，任黎州总管、上柱国大将军，封曹国公。

贞观三年（629年）十一月，东突厥再次入寇河西。诏命兵部尚书李靖为定襄道行军大总管，率十几万大军出击，以李勣为通汉道行军总管，从云中进军，在白道（今内蒙古呼和浩特土默特左旗）与东突厥颉利可汗兵遭遇，大败突厥兵。颉利可汗派使者请和，太宗派鸿胪卿唐俭出使突厥。李勣与李靖一起议论军事，认为颉利可汗虽然兵败，人马尚多，若进入碛中（漠北），与九姓回纥、薛延陀等族众互保，道路险阻，难以追及。今唐俭在那里，防备松弛，我军若迅速出击，突厥必不战而降。这一策略正和李靖不谋而合，他高兴地说："公之此言，乃韩信灭田横之策也。"果然，李靖袭击颉利可汗牙帐，颉利可汗欲逃入碛中，李勣早已屯军碛口。颉利可汗前进受阻，后有追兵，其大酋长率其部落一并投降了李勣。李勣俘虏五万多人，胜利而归。

东突厥亡以后，在差不多半个世纪的时期内，唐朝统治下的东突厥各部基本上稳定。归附的东突厥人由唐朝统一管辖，将东突厥原统治地区漠南分为六个州，分别由突厥贵族任都督。

李勣镇守并州凡十六年，令行禁止，四夷宾服，号为称职。贞观十五年（641年），征为兵部尚书，封英国公。

李勣尚未赴京就任，继东突厥而起的漠北薛延陀真珠可汗乘唐太宗君臣东封泰山之机，纠合同罗、回纥等族军队二十万，穿过漠南，袭击已归降的东突厥，俟利苾可汗抵御不住，率部落进入长城内，派使者告急。太宗立即调兵遣将，反击薛延陀。新任兵部尚书的李勣为朔州道行军总管，率步兵六万，骑兵二千屯守羽方。

十二月，薛延陀可汗之子大度设率三万骑兵逼近长城，适遇李勣率唐军赶到。大度设见尘埃冲天，兵威强盛，望而生畏，遂率其众从赤柯泺北逃。李勣从部下及突厥兵中选精骑六千，由直道拦击。他越过白道川，于青山与薛延陀军相遇。大度设整军迎战，列阵长达十里。突厥兵先出战，结果败下阵来。大度设乘胜追击，恰好李勣率军赶到。薛延陀万箭齐射，唐军马伤亡很大。李勣命骑兵下马，手执长槊，一直朝前猛冲，薛延陀溃不成军。这时，副总管薛万彻又及时赶到，夺取了薛延陀战马，唐兵合力冲杀，斩首三千余级，俘虏五万余人。大度设狼狈北逃，到了漠北，又遇上了特大暴风雪，“人畜冻死者什八九”。唐军反击薛延陀大获全胜。

战事结束后，李勣入为兵部尚书、同中书门下三品。李勣的才干与忠贞，博得了唐太宗的亲重和殊遇。一次李勣患有暴病，药方说胡须灰可以治疗，太宗毫不迟疑地把自己的胡须剪下，为他调药。李勣感动得涕泪交流，在入谢时顿首出血。翌年，李治立为太子，太宗让他辅佐太子，因转任太子詹事，加官特进，仍知政事。

贞观十八年（644年），唐太宗将进击高丽，以李勣为辽东道行军大总管，率步兵、骑兵及兰、河二州归降的胡兵计六万人，向辽东进发。第二年三月，李勣从柳城（今辽宁朝阳）出师，先虚张声势，给人以出击怀远镇的假象，而暗中进军甬道。四月，从通定镇渡过辽水，抵达玄菟（今辽宁铁岭南）。高丽惊慌失措，关闭城门自守。接着李勣攻占了盖牟城（今辽宁抚顺），俘虏了二万余人，缴获粮食十几万石。李勣又乘胜进军，兵临辽东城（今辽宁辽阳）下。

李勣开始攻城，唐太宗也率一万甲骑赶到。高丽害怕唐军抛石车，乃于城上积木筑战楼，以抵御抛石。李勣把抛石车排列在城下，抛石击城，块块巨石飞射城上，无坚不摧；另一方面又用撞车撞其楼阁，所撞之处，无不倾倒。这时又刮起了南风，李勣乘机纵火，点着了城西南楼。大火迅即蔓延到城中。风助火势，火借风威，全城立时浓烟滚滚，烈焰腾腾，城内一片混乱。唐军一举攻克了辽东城，烧死俘虏高丽兵万余人。在攻占辽东城后，唐军乘胜围攻白岩城（今辽阳东南）。白岩城靠山临水，四面险绝难攻。李勣以撞车撞城，又用抛石车飞石击城，飞石流矢雨点般射向城中。高丽守将孙代文抵挡不住，遂举城请求投降。于是，唐军又攻占了白岩城。

贞观二十年（646年），刚从辽东班师不久，漠北薛延陀发生了内乱。真珠可汗死，其子自立为多弥可汗，后又被回纥人杀死。国人另立其侄咄摩支为伊特力失可汗。李勣奉命率兵讨乱，又败薛延陀军于郁督军山（今蒙古杭爱山）。大首领梯真达官率众投降，咄摩支可汗向南逃往荒谷之中。李勣派通事舍人萧嗣业前去招降，其部落犹首鼠两端，李勣遂派兵进击，前后斩首五千级，俘虏三万余人。统治漠北的薛延陀灭亡，自此漠北在唐王朝统治下达32年之久，直到后突厥复起。

唐太宗十分欣赏李勣的军事才干，又钦佩他的忠诚。贞观二十三年（649年），在临终前，唯恐他身为两朝元老，难以驾驭，特意将他出任为叠州都督，李勣似明白唐太宗的心意，奉诏之后，“不及家而去”。

唐高宗李治即位后，召回李勣，授任检校洛州刺史，洛阳宫留守，进开府仪同三司、同中书门下，参掌机密，不久，又拜尚书左仆射。他惧怕盈满，遂于永徽元年（650）上表，请求解除了左仆射职务，但仍以开府仪同三司的身份知政事。四年，又被册为司空。

永徽六年（655年），高宗欲废王皇后，立昭仪武则天为皇后。此事在朝臣中引起了一场轩然大波。以顾命大臣长孙无忌、褚遂良为首的元老坚决反对，李义府、许敬宗等政治上的失意者却极力支持。李勣在表面上同意长孙无忌等大臣的意见，而暗中却赞成此事。他曾与许敬宗等人“密表劝请”。过了几天，高宗私下向李勣表示：自己愿立武昭仪为皇后，顾命大臣坚决反对，自己感到棘手难办。李勣不以为然地说：“此陛下家事，何必更问外人！”李勣虽未明言支持立武昭仪，但他劝高宗把此事看作家事，不必理会外廷的意见，实际上是支持高宗废立皇后的举动，因此，“上意遂决”。

在李勣的暗中支持下，唐高宗不顾长孙无忌等人的反对，决定立武则天为皇后。这年十一月初一日，高宗临轩，李勣奉命赍玺绶册封武则天为皇后。

在废立皇后一事的激烈斗争中，决定了朝臣的沉浮。长孙无忌、褚遂良等反对派先后被贬到地方，有的自缢身死，有的被治罪。支持者李义府等人则飞黄腾达，李勣也格外受到亲重。

乾封元年（666年），唐朝再次出兵高丽。十二月，高宗以李勣为辽东道行军大总管，率六总管分水、陆两军出发。这位年逾古稀的老将军风采不减当年，能谋善断，指挥若定。翌年二月，李勣率军渡过辽水，抵达新城（今辽宁铁岭南），他对诸将说："新城是高丽西境镇城，最为要害，若不先图，余城未易可下。"遂至城西南，依山筑栅，围困新城。城中窘迫，遂开门投降。由于攻克了新城，进军很顺利，"自此所向克捷"，接连攻下十六城。

总章元年（668年）二月，李勣攻下扶余城（今吉林四平），高丽王子泉男建派五万兵前来，在薛贺水与唐军相遇。李勣军奋力冲杀，大破高丽兵，斩获三万余人，接着挥师南下，九月，攻克了大行城（今辽宁丹东南），唐军诸路人马与李勣会师，进至鸭绿栅，再破高丽兵，追击二百余里，攻下了辱夷城，进而包围了平壤城（今朝鲜平壤）。高丽王高藏派王子泉男产率九十八人打着白旗投降。李勣又活捉了泉男建，于是"高丽悉平"。李勣胜利归来，在到达京师近郊时，高宗先命把高藏献于昭陵，以告慰九泉之下的唐太宗；然后具备盛大的军容仪式，高奏凯歌，进入京城。为了嘉奖李勣的赫然战功，加封太子太师，增实封通前一千一百户。

总章二年（669年）十一月，李勣患病，且病情逐渐加剧。十二月三日，李勣病卒，享年七十六岁。高宗赠官太尉、扬州大都督，谥贞武，陪葬昭陵。

李勣在其戎马生涯中，能谋善断，有杰出的军事才干。他每次行军作战，"用师筹算，临敌应变，动合事机"。因而在攻灭东突厥，平定薛延陀，征服高丽等重大军事战役中，都取得了重大胜利。李勣在政治上也很有建树。在隋末天下"同苦隋政"之时，他踊跃投身于农民起义的洪流中，为发展、壮大瓦岗军作出了一定的贡献，为推翻隋皇朝的残暴统治发挥了作用。在唐皇朝平定天下、维护国家的统一中也建有功勋。尤其在维护边境的安定与和平上更是战功赫然。唐太宗曾高度评价他说："参经纶而方面，南定维扬，北清大漠，威震殊俗，勋书册府。"

裴行俭

裴行俭（619年—682年），唐朝名将，字守约，绛州闻喜（今山西人）。历任左屯卫仓曹参军、长安令、西州都督府长史、安西大都护及秦州镇抚右军总管等职。通兵法，善用计，驭将有方。唐调露元年（679年），西突厥十姓可汗阿史那都支与吐蕃联合兵逼安西都护府，他以册送波斯王为名，领兵西进，兵不血刃俘获都支等人。同年十月，单于都护府突厥阿史德温傅、奉职等合众数十万反唐，裴行俭任定襄道行军大总管，统兵再次出击，大胜突厥。开耀元年（681年），他又以反间计迫使自立为突厥可汗的阿史那等一并归降，因此晋封为闻喜县公。永淳元年（682年），为金牙道大总管，拟率兵出击反唐的西突厥阿史那车薄，不幸病卒。

裴行俭少年时因家族名望，于显庆二年（657年）封为长安令。后因被人诬陷，贬为西州都督府长史。麟德二年（665年），拜为安西大都护。裴行俭与李敬玄、马载共同掌管选拔官吏事务十余年，名盛一时，当时人称"裴李"、"裴马"。

仪凤四年（679年），西突厥十姓可汗阿史那匐延都支与李遮匐反叛，并联合吐蕃进逼安西（今新疆库车）。朝中大臣建议出兵讨伐，裴行俭建议道："吐蕃叛乱，尚未平定，西部边境又生战事，强行出兵，并非上策。现在波斯王刚刚去世，他的儿子泥涅师作为人质留在京城，不如派使臣送他回波斯册立为王，路经两个叛军部落，见机行事，一定会有收效。"唐高宗听从了他的建议，便命他为安抚大食使，册送波斯王返回。

裴行俭一行一路西行，来到西州（今新疆吐鲁番东），城内官吏百姓出城相迎，裴行俭于其中招募豪强子弟千余人，并传下令说："现在天气炎热，酷暑难耐，等到秋凉之后，我们再走。"阿史那匐延都支听到后，便没有急于下手，又探听到裴行俭并未带多少人马，便放松了戒备。裴行俭则召来附近四镇的酋长豪杰，对他们说："我从前来此游猎，从不感到厌倦，回到京城后还时常想起，现在因事路经，很想追寻一下昔日的感受，不知你们谁愿与我一同围猎取乐？"一时，蕃镇各部投募的有万余人。裴行俭便借打猎为名，按军队规则来管理他们。一日，裴行俭率众急驰，到达离都支部落十余里的地方。裴行俭先派都支的亲属前去表示慰问，看上去甚为随便，接着又派人去十分友善地召都支前来相见。都支本来与李遮匐定好，待秋凉裴行俭等人将行时对他们下手，现在突然听说唐军已到眼前，措手不及，无计可施。只好带领儿子及手下大小头目来营中谒见裴行俭，裴行俭当即将都支生擒，同时传令各部酋长都来营中请命，一并押送碎叶城（今新疆维吾尔塔里木盆地）。随后，裴行俭挑选精兵轻骑在夜色的掩护下前去俘虏李遮匐，途中正好碰上都支与李遮匐的使者，裴行俭放还李遮匐的使者，让他回去告诉自己的主子，都支已被抓获。李遮匐听到后，随即主动前来投降。裴行俭未动一兵一卒便平定了叛军。裴行俭因此被封为礼部尚书，兼检校右卫大将军。

调露元年（679年），突厥部落阿史德温传起兵反叛，单于管辖内的二十四州也响应而叛，一时聚众十万。单于都护萧嗣业率兵征讨，大败而回。于是裴行俭以定襄道行军大总管职，率太仆少卿李思文、营州都督周道务以及西军程务挺、东军李文暕，统兵三十余万，出师突厥。

裴行俭率部来到朔州（今山西朔县），得知萧嗣业是因运粮车被敌兵掠去，士兵大多饿死而导致兵败，便将计就计，准备了粮车300辆，每辆车上埋伏壮士五人，都配上得心应手的武器，又让几百名羸弱兵士护车而行，并于运粮道上的险要处埋伏下精兵。运粮车上道后，敌兵果然率众而来，护粮的羸弱兵士弃车逃散，敌兵赶着车来到一处泉水边，准备饮马卸粮，这时车中埋伏的几百名壮士一起跃出，奋力冲杀，裴行俭于险要处埋伏的精兵也已赶到，里应外合，敌兵大乱，被灭大半，少部分四散而逃。从此以后，运粮车再也没有遭到敌军的抢掠。

唐军行军到单于的北面，于傍晚安下大营，所扎大营，四高中低。裴行俭来到后，命令马上转移到旁边的山冈上。当晚，暴雨忽至，先前所设的营地，水深丈余，看到这种情景，大家无不为裴行俭料事如神而深深叹服。此后，裴行俭率部屡战屡胜，捷报频频传回京城。叛军人数日渐减少，后伪可汗泥熟匐被其部下杀死，部下又擒拿了敌军首领奉职连同泥熟匐的首级投降了唐军，剩余的一小股敌兵退走狼山一带。

裴行俭班师回朝后不久，突厥部落的阿史那伏念又自称可汗，与阿史德温传一同收罗残余士卒起兵反叛。第二年（680年），裴行俭重又调集各路兵马，屯兵代州陉口（今山西雁门道）。这次，裴行俭施用离间计，让阿史那伏念与阿史德温传相互猜疑，让人从中挑拨二人的矛盾。阿史那伏念疑虑重重，渐渐地恐惧起来，便偷偷地派人给裴行俭送来降款，裴行俭并未将此事泄露出去，而只是暗下里送信给阿史那伏念，表彰他的做法。一日，唐营前方尘土飞扬，众将惊惧，疑是敌兵来犯。裴行俭笑了笑对三军将士说："这是那伏念擒了温传来投降，不必惊慌。不过，即使他是来投降，我们也不能不有所戒备。"不一会儿，阿史那伏念果然率领他的部下，绑着温传来到大营门前请罪。由此，突厥叛军被尽数平定。唐高宗听到后十分高兴，派户部尚书崔知悌到军中犒劳将士，慰问裴行俭。

永淳元年（682），十姓伪可汗车薄反叛，高宗下诏裴行俭为金牙道大总管，率兵十万前往征讨。军队还未起程，四月，裴行俭病逝，享年64岁。赠封幽州都督。

历史上，裴行俭素以儒将著称，当时只有刘仁轨能与其相比。《旧唐书·裴行俭列传》称二人为"儒将之雄者也"。裴行俭的军事生涯只有短短的十一年，仅指挥了三次作战，但却给后人留下了丰富的军事思想，值得后世兵家学习和借鉴。裴行俭还是一个品质高尚的人。他能够以诚待士，知人善任，对将士和降者都言出有信。他宽宏大量，对于朝廷的赏赐，尽皆赠送部下，而对别人的中伤却又很少去计较，人品、才能均有名将风范。

郭子仪

郭子仪（697年—781年），祖籍山西汾阳，华州郑县（今陕西华县）人。唐代著名的军事家。武举出身。安史之乱时任朔方节度使，在河北打败史思明。后连回纥收复洛阳、长安两京，功居平乱之首，晋为中书令，封汾阳郡王。代宗时，叛将仆固怀恩勾引吐蕃、回纥进犯关中地区，郭子仪正确地采取了结盟回纥、打击吐蕃的策略，保卫了国家的安宁。郭子仪戎马一生，屡建奇功，以84岁的高龄才告别沙场。天下因有他而获得安宁达20多年。

郭子仪出身官吏之家，父亲是郭敬之，郭子仪早年未受重用。

天宝十四年（755年）十一月，安禄山在范阳起兵，南下占领了河北、河南的许多州县，于十二月即攻破东都洛阳。唐朝廷慌忙应敌，诏授郭子仪为朔方军节度使，命出兵河北，袭击安禄山的后路。郭子仪兵进山西，在右玉（今山西右玉县）初战获胜，打败叛军高秀岩部，歼敌七千余，收复了云中（今山西大同市）、马邑（今山西朔县）、东陉关（今山西代县东）等地。

十五年正月，安禄山攻潼关，玄宗又命郭子仪分一路兵去洛阳，另选一将出井陉关（在今河北井陉县西北）入河北。子仪推荐部将李光弼任河东节度使，率军出关。随后，玄宗改命郭子仪返朔方补充兵力，然后东进代州。四月，子仪赶至常山郡（今河北正定县）与李光弼会合，在九门（今河北藁城县西北）打败叛军史思明部。五月，追至恒阳（今河北曲阳），与史思明大战于嘉山（今曲阳县东），歼敌四万余人，俘千余名，获战马5000匹，取得反击叛军的第一个大胜仗，河北的许多郡县纷纷迎接唐军，郭子仪由此威名传扬。

当郭子仪拟挥兵北进范阳时，六月，叛军攻破潼关。玄宗皇帝出逃蜀地，郭子仪撤兵退守太原。

太子李亨逃至灵武（今宁夏灵武县南），七月即皇帝位，是为肃宗。肃宗诏命郭子仪、李光弼班师赴灵武。郭子仪进见肃宗，被授兵部尚书、同中书门下平章事，领朔方军。十一月，郭子仪出兵河曲，平定“同罗之乱”后，还军至鄜州洛交郡（今陕西富县）。次年二月，子仪分兵攻取同州冯翊（今陕西大荔县），然后直入河东镇（今山西永济县），打败叛军崔乾佑部，杀敌4000，俘5000。四月，肃宗已南来至凤翔（今陕西凤翔县），任命郭子仪为天下兵马副元帅，令他率兵驰援凤翔。回军途中，他在三原（今陕西三原县）打败敌将李归仁部，南下到达长安城以西的水沿岸。清渠（今陕西武功县普集镇北）一战，郭子仪被叛军打败，只得退守武功，赴凤翔向肃宗请罪。肃宗正在用兵，未怪罪郭子仪。

是年闰八月底，肃宗命元帅广平王李豫发兵攻长安，郭子仪率领中军。九月二十七日，唐军进抵长安城南、沣河以东香积寺北。长安城的叛军将领安守忠、李归仁等倾巢出动。两军激战大半日，叛军死伤六万余人，大败而回。当夜，叛军撤出长安，逃往陕州。九月二十八日，元帅广平王率郭子仪等入城，京师光复。接着，郭子仪统兵东进，下潼关，克弘农，长驱直进新店。在洛阳的安庆绪命严庄为帅，统兵15万在陕州阻击唐军。唐军得回纥铁骑援助，大败叛军。严庄挟带安庆绪逃往相州（今河南安阳市），唐军收复洛阳。

肃宗回到长安，诏命广平王、郭子仪返还西京。当郭子仪到达长安东郊时，肃宗亲自出迎，拉着子仪的手说："国家再造，卿之力也！"加封子仪为代图公，诏命他复往洛阳，经略北讨。

长安和洛阳的相继收复，河东、河南的大部郡县平定，使唐朝廷和安史叛军的力量对比发生了根本的转变，唐中央政府已摆脱了危难境地。但这时的唐肃宗却重用宦官李辅国、鱼朝恩把持朝政。

乾元元年（758年）九月，唐肃宗命令九个节度使出兵围攻盘踞相州的安庆绪。但这次出兵不设主帅，以鱼朝恩任观军容宣慰处置使，监视各军将领。十月，郭子仪率本部人马与他路兵合围卫州（今河南汲县）。临战，假装败退，而令事先埋伏的3000弓弩手箭射叛军。敌军惊恐，郭子仪挥兵掩杀，阵斩叛军四万余人，俘虏了叛将安庆和，收复了卫州。安庆绪的人马退守在相州，唐军各路人马60万共围相州邺城（今河南安阳市）。郭子仪命部队引漳河水淹邺城，城中粮尽，安庆绪向史思明求救，史发兵五万南下，在邺城外与唐军相遇，唐将鲁炅中流矢，郭子仪军承其后，未及布阵，忽狂风大起，天昏地暗，双方军兵皆大惊！溃不可止，唐车溃而南，史军溃而北。郭子仪一军退至河阳，子仪谋守河阳以保东京洛阳，不料军营夜里自惊，又退至阙门方才稳定。子仪复派兵去守河阳。

鱼朝恩素忌郭子仪功高，便乘邺城之败诋毁他，将失败责任推在他一人身上。肃宗本已对郭子仪“拥兵太盛”心怀戒惧，于是将他召还京师，摘掉兵权，改命李光弼统领朔方军。与此同时，史思明杀了安庆绪，吞并其军，在范阳称“大燕皇帝”。得知郭子仪被逐，便在乾元二年五月发兵南下，打败李光弼，重占了洛阳，形势急转直下。

宝应元年（762年）正月，河东镇发生兵变，太原、绛州两地驻军骚动。肃宗只得起用郭子仪，晋封为汾阳王，知诸道节度行营，兼兴平定国等副元帅，命他去平息兵乱。子仪到绛州，杀了倡乱将领王元振，河东兵乱平息，唐军士气复振。

是年四月，代宗李豫即帝位。宦官程元振恃拥立之功，干预朝政。八月，郭子仪由河东入京。程元振向代宗进谗言，诬陷子仪，导致子仪再度被罢兵权。次年，史朝义叛军内乱，史朝义自杀，几个主要头领投唐，历时七年之久的“安史之乱”方告结束。

在唐廷全力东讨叛军之际，吐蕃、党项等乘关中空虚，进兵东犯。广德元年（763年）十月，敌兵已进至邠州、凤翔一线，长安告急。代宗急忙请郭子仪出任副元帅，子仪时已无兵，只带二十余骑赶往咸阳原御敌。时吐蕃兵已越乾县、武功而来，渭北行营的两千兵士出战，被敌打败，吐蕃军渡渭河便桥，直攻长安。代宗慌忙逃往陕州，长安被吐蕃军队占领。

郭子仪派人去商州招抚溃散士兵，又调武关防兵出蓝田，向长安进发。从商州、武关而来的兵卒有四千余人，郭子仪分兵于蓝田虚张声势，设疑兵扰乱吐蕃军心，又让百姓传呼：“郭令公从商州调集大军，来攻长安了。”吐蕃兵将闻郭子仪到来大惊，连夜撤出长安西逃。代宗闻报，命子仪为西京留守。子仪入京，派将分屯畿县，表请代宗回朝。代宗慰劳郭子仪说：“用卿不早，故及于此。”

朔方镇将仆固怀恩，在最后打败史朝义叛军的战争中立下战功，但不满朝廷的封赏，又与河东节度使辛云京有隙，受辛的构陷，怀恩调兵攻太原辛云京，辛上奏代宗称怀恩反叛。代宗调郭子仪为关内河东副元帅，兼河中节度等使，去河东，用以镇抚怀恩。怀恩的部下闻郭子仪到来，发生了分化，互相攻杀。仆固怀恩无奈，率300亲兵逃往灵州。郭子仪到达汾州，怀恩的部下纷纷投归子仪麾下，河东局势安定。代宗加升子仪为太尉，兼朔方节度使，子仪辞太尉不拜。

仆固怀恩在朔方收集亡散士卒，又煽动吐蕃、回纥出兵内犯。代宗乃命子仪出镇奉天（今陕西乾县），子仪派将防守邠州（今陕西彬县）。怀恩引吐蕃兵到来，知郭子仪在此，众蕃兵吓得不战而退。怀恩退到邠州，又被白寿德击走，逃往灵州。代宗加封子仪尚书令，他拒绝不受，去镇守河中。永泰元年（765年）九月，仆固怀恩复诱吐蕃、回纥、吐谷浑等来犯。郭子仪奉命屯泾阳，抵挡回纥军锋。子仪以其大智大勇，单人独骑进入回纥军营，责其首领药葛罗背弃前盟，不该犯唐。回纥兵将素重郭子仪威名，愿与唐室恢复友好关系，并帮助唐军攻击吐蕃。吐蕃闻讯，撤兵西逃。郭子仪派精骑追至灵台（今甘肃灵台县）西原，大败吐蕃，西部边境暂告安定。闰十月，郭子仪还镇河中。

唐大历八年（773年）八月至十月，在唐与吐蕃的战争中，吐蕃大举进攻，唐军组织力量抗击蕃军的作战。

八月底，幽州节度使朱泚派其弟朱滔率领5000精骑增援泾州（治临泾，甘肃镇原东南）。十月，唐军温儒雅等在灵州打败蕃军万余众。同月，赞磨统领10万大军分头进攻唐朝泾州、邠州等地，派蕃军四节度分拒泾川（今泾川县境）、过阁川南，在渭河会师，形成攻势，对唐造成压力。面对此情，郭子仪派朔方兵马使浑瑊率领步骑5000人拒守，与泾原节度使马璘前后接应，形成犄角之势，十八日，与蕃军在宜禄进行交战。浑瑊登上黄负原（今陕西长武境）察看敌情，并在其要道险要处设立拒马枪以防蕃军骑兵的突然袭击。唐将史抗、温儒雅等刚愎自用，不服浑瑊指挥，擅自命人撤除防止蕃军骑兵的拒马枪，强令骑兵冲击蕃军阵营，而致大败。

战后，郭子仪召集诸将总结战败原因，定出破敌之策，即派浑瑊率兵驻守朝那（今甘肃平凉西北）。盐州刺史李国臣献破敌之计，即：蕃军乘胜必攻郊畿（今陕西西安西部），唐军可击其背后。郭子仪派兵鸣鼓而西攻取秦原（今甘肃清水），蕃军中计退兵百城（今甘肃灵台西南百里镇），时浑瑊与马璘兵会合率军埋伏于蕃军途经险要之地，并夜间袭击蕃军，杀死数千人，敌军溃败，浑瑊又重新收回敌军所掠朔方俘虏200余人，百姓700余人，驼马数百匹。其时马璘也率精兵2000余人于夜间偷袭敌军军营，指定弓箭手专射身穿豹皮的蕃军主将，蕃军主将中箭，军心大乱，被迫举营退兵。此战，蕃军虽集中优势兵力，前期亦曾获胜，但双方交战中唐军巧妙运用夜袭战，终反败为胜。

十四年（779年）五月，代宗病卒，遗诏命郭子仪在治丧期间代理朝政。德宗即位，建中元年（780年），郭子仪为中书令，加封太尉，尊为

“尚父”，罢所任各军职。从此，征战一生的郭子仪结束了戎马生涯，在朝为相。

建中二年（781年），郭子仪病重去世，时年85岁。德宗皇帝为之废朝五日，文武百官前往吊唁。

郭子仪少年从武，戎马一生，为巩固唐王朝的统治，也为了保障国家的统一和安定，东征西战二十数年，他的雄才胆略在人民和军队中享有很高的声誉。他虽战功卓著，官高富显，但为人处世十分谨慎，不居功自傲，不以势压人；虽手握重兵，能服从皇帝命令，不拥兵自立；虽屡遭奸佞诬陷，甚至鱼朝恩派人挖了他的祖坟，仍能以国事为重；他遵守朝廷法纪，严教子孙，不徇私情。因此，终未因功致祸，立于不败之地。

李光弼

李光弼（708年—764年），中国唐代营州柳城（今辽宁省朝阳）人，契丹族。李光弼于唐天宝十五载（756年）初，经郭子仪推荐为河东节度副使，参与平定安史之乱。乾元二年（759年）七月，任天下兵马副元帅，参与镇压浙东袁晁领导的农民军。宦官程元振、鱼朝恩等素与李光弼不睦，光弼晚年为宦官所谗。病死徐州，年五十七岁。追赠司空、太保，谥曰武穆。

李光弼自幼为人严肃、深沉而刚毅，喜读班固的《汉书》，治军极严。初入军旅时任左卫郎，以后任左清道率兼安北都护。

公元746年（天宝五年），朔方节度使王忠嗣调河西、陇右节度使，补李光弼为王忠嗣府之兵马使，充赤水军使。王忠嗣非常器重他，曾说："他日得我兵者，光弼也。"

公元749年（天宝八年），朔方节度使安思顺上表，唐玄宗任命李光弼为朔方节度副使，知留后事，也就是实际上的朔方节度使，封蓟郡公。

公元754年（天宝十三年），朔方节度使安思顺爱其才干，想把自己的女儿嫁给他，李光弼听到以后托病辞官回家。陇右节度使哥舒翰觉得十分可惜，便奏请玄宗，将他召回京师长安。

公元756年（至德元年）七月，唐肃宗在灵武即位，下诏命郭子仪和李光弼率军到灵武，在灵武召见了李光弼和郭子仪，授李光弼为户部尚书、同中书门下平章事（即宰相），节度使如故，又特命他为北都太原留守。李光弼奉命由灵武率军五千赴太原，继续征讨叛军，李光弼指挥的"太原之战"，是唐军取得的平息安史之乱的第一次重大胜利。

公元757年（至德二年）正月，史思明、蔡希德发兵十万进攻太原，并企图占领太原后，由北道夺取灵武。当时太原尹李光弼手中只有一万人，太原城方圆四十里，由于李光弼治军严整，与将士同甘共苦，令行禁止，士兵严守，史思明无隙可击。在兵力悬殊情况下，李光弼一面防御固守，一面守中有攻。他让战士从城中挖地道通城外，打击敌军，此是中国最早的地道战；他还在城上安装石炮（抛石器）击毙叛军十分之二三；地道后来挖到史思明大营，俘斩叛军一万多人。叛军内讧，安庆绪杀父安禄山，自立为帝，史思明退兵范阳，蔡希德因疲惫不堪而败军。

同年二月，李光弼率敢死队向敌军发动进攻，歼敌七万多人，太原之战取得完全胜利。太原之战是平乱战争第一次重大胜利和重要转折点，是以少胜多、以弱制强的典型战例。李光弼充分发挥了军事才能，此战为后来胜利收复两京奠定了基础，具有重要战略意义。胜利消息传到灵武，唐肃宗下诏奖赏李光弼，加司空、兼兵部尚书，仍兼同中书门下平章事，封为魏国公。

公元758年（乾元元年）八月，唐肃宗再次召李光弼入朝，升侍中，改封郑国公，九月命郭子仪、李光弼等九节度使十万大军讨伐安庆绪，因为肃宗不相信李、郭，不设主帅，只派不懂军事的宦官鱼朝恩为观军容宣慰处置使，总揽诸军，邺城之战，结果大败，李光弼败不折兵。邺城兵败，鱼朝恩把责任推到郭子仪身上。

公元759年（乾元二年）七月，唐肃宗剥夺郭子仪兵权，任命李光弼代替郭子仪为朔方节度使（治灵州，今宁夏吴忠市境内）、天下兵马副元帅，率五百亲兵赴洛阳统帅朔方军。

同年八月，李光弼又被任命兼幽州长史、河北节度使。李光弼撤出洛阳，移军河阳，留洛阳空城给史思明。十月，史思明进攻河阳，李光弼这次又发挥了杰出的军事才能，他看到史思明作战主要依靠良马千余匹，这些马每天都在黄河南岸沙渚上洗澡，便心生一计，挑选军中母马五百匹，把它们所生小马驹留在城内，把马全部赶到黄河北岸，母马因为挂念城中小马驹，就嘶叫不停，史思明的战马听到以后，也都随之跑到黄河北岸，被唐军所获。接着，李光弼又用木杆铁叉叉住史思明黄河上的火船的进攻。史思明损兵折将，亲率大军再进攻河阳，李光弼身先士卒，他事先在靴内藏刀，对将士们说："战，危事。吾位三公，不可辱于贼。万有不捷，当自刎以谢天子。"三军感动，部将李抱玉、荔非元礼等率兵奋勇杀敌，大败叛军，杀敌一万余，生擒八千余人。"河阳之战"大胜，牵制了史思明主力军，保障了潼关和长安的安全。

公元760年（乾元三年）正月，唐肃宗加李光弼太尉兼中书令。

公元761年（上元二年）二月，唐肃宗轻信宦官鱼朝恩，不听李光弼正确意见，下令让李光弼冒险进攻洛阳。李光弼无可奈何，留李抱玉守河阳，自己与朔方节度副使仆固怀恩会同鱼朝恩进攻洛阳，仆固怀恩不听李光弼军令，不在洛阳城北邙山而在平原布阵，结果大败，唐军只好退守闻喜（今山西闻喜），史思明虽然获胜，却被其子史朝义杀死。唐肃宗以邙山之败罪在仆固怀恩，拜李光弼为侍中兼河中节度使。后又任命为河南副元帅、太尉兼侍中，统率河南、淮南、江南、浙江等八道行营节度，出镇临淮（今属江苏），进攻史朝义军。李光弼先克许州（今河南许昌），活捉史朝义大将李春，再入徐州（今江苏徐州）。

唐代宗即位，封雍王李适（kuò）天下兵马元帅。史朝义九十万大军被困洛阳，兵败。

公元762年（宝应元年），李光弼晋升临淮郡王，赐铁券，图形凌烟阁。

公元763年（宝应二年）正月，史朝义走投无路自杀身亡。历时八年之久的“安史之乱”平息，李光弼自始至终参加指挥大军，一直是唐军平叛主将之一，发挥了出色的军事才能，指挥唐军歼灭叛军有生力量，为平息内乱立了头功，《新唐书》称赞李光弼在平息安史之乱中，“战功推为中兴第一”。

李光弼在平定安史之乱中功劳盖世，但是却遭到宦官鱼朝恩、程元振的嫉妒和陷害。

公元763年（宝应二年）初，吐蕃在仆固怀恩的引诱下乘虚攻入关中，占领长安，唐代宗出逃陕州（今河南三门峡市），急忙召李光弼奔赴陕州行在，但李光弼看到朝中宦官专权，害怕遭到鱼朝恩等陷害，拖延未去。吐蕃被关内副元帅、中书令郭子仪打败，代宗返回长安，任命李光弼为东都留守，李光弼再借故诏书未至推辞，率军回到徐州收租赋。唐代宗再召李光弼入朝，李光弼害怕宦官鱼朝恩、程元振加害，不敢去长安见驾。

起初，光弼治军很严，威名震天下，凡是他下的命令，诸将不敢不服。后来，有田神功等诸军，都不受他的控制，因此，光弼很不得志，感到耻辱、惭愧，忧郁成疾。公元764年（广德二年）七月，李光弼在徐州病逝，终年五十七岁。唐代宗遣使吊恤其母，追赠太保，谥曰武穆，诏百官送葬至延平门外。

李光弼是中唐出色的统帅、军事家，与郭子仪先后出任朔方节度使，天下兵马副元帅，是平息安史之乱的主帅。史家评论：“自艰难以来，唯光弼行军治戎，沉毅有筹略，将帅第一。”此言不虚啊！

李克用

李克用（856年—908年），唐末、五代后唐名将。本姓朱耶，沙陀族，原为陇右金城（今甘肃兰州）人。唐懿宗咸通七年（约866年前后）因征讨庞勋有功，赐姓李。后唐开国皇帝李存勖之父。他与地方势力周旋，为朝廷效力颇多。但也受人忌嫉，时遭排挤。临终时他三矢遗嘱，件件实现。

李克用少年神勇，六七岁便学会了骑马射箭；13岁时见双鸟飞翔，拉弓发箭，两射两中；15岁时随父出征，战场上冲锋陷阵，其勇猛果敢超过其他将领，军中号称“飞虎子”，战后即为云中牙将。曾与鞑靼人游戏比赛，鞑靼人指着空中大雕说：“你能一箭射中吗？”李克用连射双雕，于是闻名于边境内外。成年后任云中守提使。

唐乾符三年（876年），唐僖宗李儇任命段文楚为云州（今山西大同）防御使。当时因遭灾发生饥荒，段文楚削减军粮，云州将士都对他怀有怨恨。李克用此时已被任为云中防督边将，部下一再向他诉说军粮太少吃不饱。边防军校程怀素等人一齐拥护李克用进入云州，让他代表将士反映实情，增加粮食供应量；周围驻军也闻讯赶来。段文楚与李克用等代表谈判时，先作解释，而后拖延，激怒大众，将他捆绑出城，历数其克扣军粮的罪行后斩首。众将士一致拥护李克用当防御使，奏请朝廷授予官职。朝中将相认为杀死朝廷命官是造反行为，起初不但不予任职，而且准备调动别处军队前往征讨，但是后来见李克用自称防御留后，据守云州，并无别的反叛行动，于是不了了之。

乾符五年（878年），黄巢率部渡江南下，势力迅速壮大，国内局势紧张。僖宗任李克用为大同军节度使、检校工部尚书，以为笼络。当时李克用的父亲李国昌任振武节度使，被吐浑军打败。李克用到定边军接父亲到云州，但云州守将拒不开门。一怒之下，李克用带领身边为数不多的兵将，到蔚、朔二州（今河北西北部及山西朔县一带）招兵买马，得到三千多人，进驻神武川的新城。吐浑军趁其人少力弱昼夜围攻，李克用兄弟三人四面应敌。他的父亲从蔚州领兵来救，吐浑军退走，于是李克用军威大振。

李克用父子占据蔚州后，朝廷调集各方军队联合进攻。时值冬天，朝廷军的南方士卒不耐严寒，而李克用的兵将都是北方人，不畏寒冷，所以官军大败。第二年，僖宗又命元帅李琢率兵数万进攻蔚州。李克用父子战败，率领部族逃奔到鞑靼部避难。住了几个月后，吐浑赫连铎派人秘密深入鞑靼部，采取贿赂手段离间双方关系。李克用发觉后表面上若无其事，只是经常邀请鞑靼贵族及将官外出打猎，专门比赛百步之外跑马射箭，有时射马鞭，有时竟以悬针、树叶为靶子，李克用都能箭箭中的。鞑靼部的人敬服李克用，不敢有所举动。不久，黄巢由南方北上打过江淮的消息传到了鞑靼，李克用便杀牛摆酒，宴请鞑靼部的酋长。等大家喝到痛快的时候，李克用说："我们父子因受奸臣的谗害，流落到此。现在听说黄巢北上，进犯江淮，将来一定是中原一大祸患。有朝一日皇帝赦我无罪，我想与你们一同举兵向南而定天下，这就是我的志向。人生在世，没有多少年，哪能老死在沙堆之间！"鞑靼人由此知道李克用并无久留之意，于是和他友好相处。

唐广明元年（880年）冬，黄巢进军潼关，不久就进犯长安，僖宗出逃到蜀中（今四川）避难。此时，李克用便带领沙陀兵进驻雁门。朝廷从代州招募的三万兵士强悍有勇，但不守军规军法。瞿正和李友金都管不住，人们建议由素有威信名望的李克用来带领这支部队。僖宗拜李克用为雁门节度使，并命其率所部讨伐黄巢。李克用率鞑靼各部一万多人进驻雁门，在此汇集忻、代、蔚、朔、鞑靼的各路兵马，共得骑兵35000人，浩浩荡荡向长安进发。

唐中和三年（883年）正月，李克用命令弟弟李克修率领前锋五百骑兵渡过黄河去侦察敌情。黄巢派人带着重金收买李克用，并且许以高官厚禄。李克用当面烧毁书信，把金银财宝分给了身边的将领。当时，援救长安的各路兵马云集城郊，看到黄巢的军队士气正旺，都不敢主动进攻。当李克用的部队渡过黄河时，黄巢的将领们都说："鸦儿军（对李克用的贬称）厉害，应该避开他的兵锋。"于是率兵15万驻屯梁田陂。第二天，李克用便率军进攻。两军交战，从上午一直打到晚上，结果黄巢军大败，连夜逃奔华州（今陕西华县附近）。李克用挥军包围华州，再次发起攻击，又获胜利，进军渭桥（长安城外围）。长安城中的黄巢深感李克用来势凶猛，不可抗拒，但又不甘心将长安拱手相让，于是放火焚烧了所有的宫院。

其时，朝廷又任命李克用为东北面行营都统、检校尚书左仆射，李克用积极准备进兵长安。这时黄巢引军退出，向东逃到兰关（今西安附近）。李克用进入长安，收复了京师，加授金紫光禄大夫，拜为太原节度使，封晋王。这年他28岁。

李克用因战胜黄巢、收复长安而声威大震，但许多人并未见过他本人，只听说他的一只眼睛有病，所以绰号“独眼龙”。淮南守将杨行密极想见识一下他的相貌，便找了一位丹青妙手装扮成商人，到太原去设法画出李克用的图像来。这位画匠到太原不久，便被人识破身份被拘。开始时李克用对此事非常气愤，过了一天却对亲人说：“我生来就瞎了一只眼，这也没什么可隐瞒的。既然抓住个画匠，就让他来试着画一画。”不多时，画匠被带到家中。当时盛暑炎热，李克用手中一直摇着一把八角扇，于是画面上的李克用恰好被一个扇角遮住了那只瞎眼。李克用看了画说：“你这是有意讨好我，不行，我要你写真！”画匠急忙取纸下笔重新作画。这一次画面上的李克用胳膊上挎着大弓，手里拿着一支箭，正微微闭起一只眼睛瞅瞅箭杆直不直。李克用一看十分高兴，立即重赏画匠，并释放了他。

中和三年（883年）十二月，驻防汴州（今河南开封）的宣武节度使朱温等先后派人与李克用联系，共同出兵征讨黄巢。中和四年春，李克用带兵五万出征，与朱温等会师后一起攻打黄巢军，并连败其军。李克用路过汴州时，朱温在封禅寺表示慰劳和欢迎，请李克用在他的府第休息，而随从的官员将士300人以及监军使陈景思在驿馆内休息。当晚，朱温设宴招待，亲自主持、劝酒并有歌舞和侍妓助兴。喝到酒酣耳热时，李克用握住朱温的手讲述攻打黄巢取胜的事情，踌躇满志。岂不知朱温向来嫉恨他的威名，早有置之死地而后快之意，于是密谋杀害李克用一行。宴席上，李克用和随从官员一个个酩酊大醉，朱温部下杀来时，李克用只与几个部将得以逃出城外，摸黑冒雨走回本营。

第二天早上，李克用打算勒兵攻打汴州，夫人刘氏劝道：“你是为国家讨伐贼寇而来这里的，虽然遇到汴州人的谋害，但自有朝廷论理决断；如果你现在反戈攻城，那么就理曲在我，也给人留下了话柄。”李克用听从夫人的话领兵离去，又写信给朱温质问原委。朱温推说是部下所为，但李克用并不相信，于是两人心照不宣，结下冤仇。李克用回太原后，就此事又向朝廷上书申明理由，朝廷以其累立大功，加官守太傅、同平章事、陇西郡王。然而李克用并不满足，先后八次上表，请求削夺朱温的官职，而后他将率本军进讨。僖宗唯恐颇有军事实力的两大将帅打起仗来，不断派人说服、劝慰，李克用明显感觉到皇帝偏袒朱温。

李克用自唐光启元年（885年）起，与各地的军阀割据势力逐鹿中原，反复争夺州府城镇。唐文德元年（888年）三月，昭宗李晔即位初，给李克用加封官职为开府仪同三司、检校太师兼侍中。但是一年后，因参与地方节度使之间争权夺利的混战，李克用受到朱温等人联名上表的谴责，于是昭宗削夺了他的所有官职。紧接着李克用便遭到汴、幽、云、华等州节度使的联军攻击，他率军作战，胜多败少。唐大顺二年（891年），因其一再上奏，昭宗恢复了李克用的河东节度使、陇西郡王等职，又加中书令。

自大顺二年以后的18年中，李克用主要是与朱温争夺晋、绛、泽、潞、邢、磁州（今山西南部及河北西南部）。其间，李克用曾于唐乾宁二年（895年）进军关中，参与平息李茂贞、王行瑜及韩建对朝廷的反叛，保护了昭宗帝。唐天复元年、二年（901年—902年）朱温曾两次围攻太原，都没有破城。李克用虽然战胜了，但终因兵少无力出击，形势仍然是朱强李弱。天祐四年（907年），朱温称帝，国号梁（史称后梁）。李克用打着复兴唐朝的旗号与梁相争，次年病逝于晋阳，享年53岁。

李克用临终时拿出三矢（三支箭）交给长子李存勖，叮嘱他一支箭讨伐刘仁恭，先克幽州，再取河南；一支箭打击契丹，为父报仇；一支箭消灭朱温。李存勖含泪接箭，表示一定照办，然后将三支箭庄重地放进祖庙里。在此后的三件事中，李存勖都举行了庄严的“请矢”、“归矢”仪式。唐龙德三年（923年），李存勖消灭后梁，在魏州称帝，国号唐（史称后唐），追谥李克用为“武皇帝”。

石守信

石守信（928年—984年），北宋初期名将。浚仪（今河南开封）人。他是北宋开国功臣，在拥赵兵变、平定叛乱中立有殊勋；杯酒释兵权后离京外居，得享天年。

石守信先效力于后周政权，为后周将官。周太祖广顺年间（951年—953年），为亲卫都虞候。

后周显德年间（954年—958年），周世宗下令亲征淮南。当时淮南为李氏所据，国号南唐。世宗命石守信为先锋，周兵先下六合（今江苏仪征西），复入涡口，再克扬州。石守信战功显赫，升嘉州防御使，并为铁骑、控鹤四厢都指挥使。其后又随世宗征关南等地，均有功，加殿前都虞候，转都指挥使等职。

后周显德六年（959年），世宗柴荣病逝，恭帝即位。主少国疑。时北有后汉、契丹辽，南有后唐、后蜀等国，国势严峻。赵匡胤出征，“陈桥兵变”发生，赵黄袍加身，代周立宋。陈桥兵变中，石守信虽身为后周大将，掌握中央禁军，但他与赵匡胤曾结为义社兄弟，所以赵匡胤代周为帝时他积极拥护，在兵变中起了十分重要的作用。赵匡胤继帝位后，迁石守信为侍卫马步军副都指挥使，改领归德军节度使。

宋朝刚建立不久，中书令李筠联合北汉主刘钧反宋。警报传至宋廷，太祖诏命石守信为统帅，高怀德为副帅，出师北讨。不久，又令慕容延钊、王全斌出兵东路，夹击李筠。石守信率宋军至长平（今山西高平西北），遇李筠军及来援的汉军。石守信挥军上前，李筠带兵迎接，正交战时，慕容延钊忽带一军杀来，筠兵大乱，遂败逃而去。

李筠退守大会寨，倚山扼险而守。石守信令宋军攻打山寨，李筠令士兵坚守，只施放箭矢以挡宋军。石守信见力攻难破李军，于是与诸将商议，决定用激将佯败设伏之法破之。第二天，先由慕容延钊出阵挑战引诱李筠出寨，后又由高怀德出战李筠，二将均假作战败而逃。李筠紧追不舍，追有五六里路时，突然石守信率伏兵从旁杀来，李筠大惊。慕容延钊、高怀德复又带兵杀回，李筠全军败溃。恰好宋将王全斌又趁机攻占了山寨，李筠回寨不得，只好驰马奔西北逃往泽州（今山西晋城）。

石守信再率军追李筠至泽州，与李筠军再战城下。这时汉军将卢赞战死，李筠部下河阳节度使范守图也被擒。泽州城被宋军攻破，李筠计穷，自焚而死。另一汉将卫融降宋。宋军又收潞州。至此，李筠反宋之事遂平。石守信因功加同平章事。

不久，原北周淮南节度使李重进又于扬州反宋。赵匡胤决定征讨，遣石守信、王审琦等四将带兵先行，并授石守信为行营都部署兼知扬州行府事之职，自己随后统军亲讨。

石守信带宋军直奔扬州。李重进派向美、湛敬二将迎战。宋兵气盛，个个奋勇向前，湛敬战死，向美逃入城中。李重进见大势已去，又知宋太祖带大兵亲来，遂举火烧薪合家自焚。当时太祖率军行至扬州西北的大仪镇，石守信派人驰奏："城破在旦夕，大驾亲临，一鼓可平。"赵匡胤见奏即刻带兵趋扬州，果然立刻将城攻陷。至此，李重进反叛遂平。

宋建隆二年（961年），石守信移镇郓州（今山东郓城），兼侍卫亲军马步军都指挥使，为宋初"三衙"中两衙的首脑人物，除管辖中央及全国的大部分禁军外，还管辖全国的大部分厢军（也是宋朝的正式军兵，等级待遇上差禁军一等）。

宋太祖赵匡胤当年是以手握重兵而黄袍加身的，故对重臣手握兵权颇多疑虑，只因兵事方消，不好骤作安排。建隆二年闰三月间，太祖先撤去慕容延钊殿前都点检一职，调为山南东道节度使。到了夏秋之交，一日晚朝，命有司于便殿设宴，召石守信、王审琦等四将饮酒。酒至半酣，赵匡胤屏退左右，对四将说："若无你们众人的相助，我不会有今天的地位。但我虽为天子，却比不上做节度使逍遥自在。自登位以来，我未尝有过一夜的安枕。"石守信等人不解其意，只是说："今天命已定，天下太平，谁还敢有异心！陛下何出此言？"太祖回答说："人，谁不贪图权贵，一旦有一天有人把黄袍加在你们的身上，即使你们自己不愿意，那又可能吗？"听到此，石守信等四将才完全明白了赵匡胤的意思，不由得冷汗遍体，急忙离座跪倒在地说："臣等愚不及此，愿陛下哀矜，指示生路。"赵匡胤命众将起来，对他们说："人生如白驹过隙，生老病死，瞬息之间，莫如多积金银，购得田宅，既厚自娱乐，又遗留子孙，歌儿舞女，以享天年。这样你我君臣之间，各得其乐，无所猜忌，不是很好吗？"石守信感谢万分，说："陛下为臣等之福虑念如此深远，真所谓生死而肉骨也！"

第二天，石守信等上朝，都称身体有病，难当军中重职，请求朝廷解其兵权。太祖一一允之，并令各以散官离京外居。石守信被任命为天平节度使，出镇郓州。临行，太祖召见了他，所给赏赐甚厚。开宝五年（972年），石守信之子石保吉娶太祖第二女延庆公主为妻。

太宗太平兴国二年（977年），拜石守信为中书令，行河南府（今河南洛阳东）尹，充西京留守。四年，随太宗北征辽朝，因督前军失律，责授崇信节度使，不久又晋封卫国公。太平兴国七年，徙镇陈州（今河南淮阳）。九年去世，终年57岁。

曹 彬

曹彬（931年—999年），北宋初期名将。字国华。真定（今河北正定）灵寿人。他伐蜀讨唐，功勋卓著，却不言有功；他位兼将相，却平易近人，不以威严自炫；他仁厚廉谨，宽以待人，不取财物，不言人过失。

曹彬出身将门，其父曹芸为成德节度都知兵马使。曹彬成年后即投身军旅，先任其父军中牙将，后历任监军、兵马都监。

曹彬成年时，正值后周太祖时期。周太祖的贵妃张氏是曹彬的从母，故曹家是周室近亲，曹彬也为周室的国戚和近臣。但曹彬不以此骄横，反而举止庄重，谈吐谨严。

周世宗显德三年（956年），曹彬由河中（今山西永济）蒲州镇都监改职为潼关（今陕西潼关）监军，复迁升为西上门使。后来，曹彬被授为晋州兵马都监。一天，与主帅和宾从环坐于野外，正巧守卫附近州镇的将官派人带书信来晋州办事。该人虽久闻曹彬之名，但素不相识，于是悄悄询问；有人指给他看，他却不信，说："哪有皇戚近臣而穿厚绸袍、就野地为庭而坐的呢？"

赵匡胤初登帝位，整顿禁军，曹彬中立不倚，非有公事而不登太祖门。每有宴会，诸人多去宴饮，曹彬却很少参加。太祖从此十分器重他。宋建隆二年（961年），太祖从平阳（今山西临汾）召回曹彬，对他说："朕以前很想亲近你，你为何总疏远呢？"曹彬急忙低首拜谢说："臣为周室近亲，复又添加内职，即使恭谨守位，还担心出错，哪里还敢再与您套亲热呢？"太祖听罢，对曹彬愈加敬重。不久，因功授曹彬为左神武将军；后又授职兼枢密承旨。

乾德二年（964年），诏伐后蜀。原来后蜀主孟昶欲联络北汉夹攻宋朝，但书信被宋劫得，赵匡胤便借机兴师伐蜀。宋兵分两路攻蜀，统帅王全斌率军一路从凤州进川，副帅刘光义与都监曹彬由归州入川。宋军两路军马连战皆捷，蜀主孟昶只好降宋。

获胜之后，宋军主帅王全斌等人昼夜宴饮、不恤军务，任由士兵劫夺财物、掳掠子女，蜀人苦不堪言，望而生怨。曹彬屡次劝王全斌还师，未能奏效。王全斌还乘朝廷拨款资助川兵路费之机中饱私囊，最终激起兵变，且两川人民亦群起响应。此时，王全斌一面上报朝廷，一面令刘光义和曹彬领兵讨贼。刘光义廉谨有法，曹彬宽厚有恩，两人率兵入蜀以来秋毫无犯，声名远播。此次从成都出兵平乱，仍令全军严守纪律，不准扰民。川民见其旗帜，都抚额相庆；乱兵被歼，余众溃散，蜀乱方平。

宋军还师，诸将多有获蜀中子女玉帛者，而曹彬行囊中唯有图书、衣服而已。太祖令中书省查问蜀战前后情况，尽得王全斌等黩货杀降诸罪。当时，王仁赡为右卫将军，在对证时，他历诋诸将，希图自免，唯独推重曹彬一人，对太祖说："清廉畏慎，不负陛下，只有曹都监，此外都不及了。"朝廷升授曹彬为宣徽南院使、义成军节度使。

开宝七年（974年），赵匡胤诏令宋军出兵征讨江南。九月，曹彬奉诏与李汉琼等将先赴荆南准备渡江的战船，潘美则率步兵随后而进。十月，又任命曹彬为西南路行营马步军战掉都部署，分兵由荆南顺流而下，从东面攻击江南李唐军队。曹彬率所部宋军先破南军的峡口寨，再克南军的池州（今安徽贵池）。之后又挥师前进，连克当涂、芜湖二县，驻军于采石矶（今安徽马鞍山西南）。十一月，曹彬命军士造作浮梁（即浮桥），准备适时率所部军队跨过长江，接应整个宋军。开宝八年二月，浮梁造成，宋军兵渡长江，攻克润州（今江苏镇江），包围金陵（今江苏南京）。南唐兵欲作最后抵抗，派兵偷袭宋营，曹彬令宋军挖深沟以拒之。唐后主李煜见大势已去，遂派其臣徐铉奉降表赴开封谒见宋太祖，请求缓师，太祖不予理睬。

在包围金陵之后，曹彬每令宋军无须急攻其城，希望李煜投降归服。金陵城快攻克时，曹彬忽然称自已有病，不再过问军务。诸将都来问候，曹彬说："我的病非药石所能治好。若诸公能诚心立誓：克城之日不妄杀一人，则吾病自愈矣。"诸将听后方解其病因，于是全都应诺。曹彬闻言焚香为誓，第二天病就好多了。第三天金陵城被攻破，李煜带臣僚百余人到宋军门请罪，曹彬对其安慰一番，并请其进宫换装，北赴汴京。宋军从出师到凯旋，将士也都很畏服曹彬，没有敢轻率犯法、妄杀之人。曹彬入见宋太祖，也只称"奉敕江南干事回"，大小军功概不提及。后太祖拜曹彬为枢密使、检校太尉，忠武军节度使。

宋军消灭南唐政权后，宋太祖赵匡胤病卒。这时天下尚未统一，中原尚有太原北汉政权，南方尚有吴越政权。宋太宗赵光义即位后，先使用政治压力，使吴越纳土归附，之后便考虑消灭仍割据为地的北汉政权。太宗召见曹彬（已官至同平章事）问道：“北汉太原政权，周世宗和太祖都曾亲自征讨，为什么总没能消灭？”曹彬答道：“周世宗时候因史彦超在石岭关战败身亡，人情惊惧，士气不振，所以班师；到太祖时，宋军兵屯甘草地，赶上暑雨连绵不断，士兵得病者很多，军队战斗力下降，故太祖也半途而止。”太宗又问：“今吾意北征灭汉，卿以为如何？”曹彬回答说：“以今日国家兵甲精锐，攻夺太原这一孤城，如同摧枯拉朽一样，定能取得胜利。”

宋太宗听罢曹彬这番分析，决意发兵太原，消灭北汉政权。太平兴国三年（978年），晋曹彬为检校太师，从征太原，再加兼侍中官职。四年，太宗发兵北征，采用围城打援之法，派潘美等军围太原，而另派军队击败辽军的援兵，北汉主刘继元被迫投降。至此，唐末以来约有一百多年的封建割据局面基本结束。

八年之后（雍熙三年，986年），宋太宗再次发大兵攻辽，仍欲一举收复燕云地区。诏命曹彬率幽州行营前军马步水陆之师，与潘美等共同北伐。宋军兵分三路，东路主力军由曹彬率领，自雄州（今河北雄县）北上，攻涿州（今河北涿州市）；中路军由田重进率领，出飞狐（今河北涞源），攻蔚州（今河北蔚县）；西路军由潘美、杨业率领，出雁门关（今山西代县），攻山后诸州。

诸将将出师，太宗叮嘱曹彬的东路十万大军只声称要攻取幽州，但要持重缓行，不得贪利。宋西路军先下寰、朔、云、应等州，中路军又多得山后要寨，曹彬所率东路军也连下数个州县。宋军军势大振，但每奏捷报，太宗颇感东路军进军过速。此后，曹彬所率东路军攻破涿州，但因大兵深入，十余日粮草快尽，因而又退师雄州，以待粮援。消息报至朝廷，太宗急忙派人至曹彬处，令其再勿前进。但曹彬部下诸将闻知西路军、中路军顺利进军、累建功劳，而自己手握重兵却不能有所进取，遂议论蜂起。曹彬不得已，乃再次带足军粮，去攻取涿州，结果在歧沟关受到了辽军夹击，大败溃散，伤亡惨重，太宗只得命其退兵还朝。因东路军失利，中西两路军也被迫撤军。至此，宋太宗第二次北伐也以失败结束。

宋军兵败还师，诏命尚书省调查此次战事的经过及责任，令翰林学士贾黄中等治论其事。大家都承认违诏失律之罪，曹彬因此被贬职为右骁卫上将军。雍熙四年（987年），复起曹彬为侍中，武宁军节度使。到真宗即位，恢复曹彬检太师、同平章事之职，数月后召拜为枢密使。

宋真宗咸平二年（999年），曹彬患病。真宗亲去府宅讯问，并亲手为其和药，赐白金万两。六月，去世，终年69岁。真宗为之痛哭。后每对辅臣言及曹彬，仍必流泪。追赠中书令，追封济阳郡王。谥“武惠”。八月，下诏命曹彬与赵普俱配飨于太祖庙庭。

杨 业

杨业（？—986年），北宋名将。本名重贵，又名继业，麟州新秦（今陕西神木北）人。出生将门，智勇兼备，号称“杨无敌”。起初是北汉将领，官至建雄军节度使。北汉灭亡后归宋，历任宋朝右领军卫大将军、郑州刺史、知代州兼三交驻泊兵马部署。在宋与辽国的交战中，屡立战功，多次成功地扼制辽军南下。雍熙三年（986年），宋军分三路攻契丹，杨业任云应路行营副都部署，与都部署潘美、监军王侁率军出雁门关，因监军王侁作梗，出兵不当，加之潘美未按计划接应，战败被俘，拒绝降敌，绝食而死。

杨业一家祖居的太原乃五代后汉的都城，杨业的父亲杨信投效后汉，任麟州（今陕西神木）刺史。杨业刚弱冠时就投戎军旅，效命后汉国主刘崇。

太平兴国四年（979年），宋军出师太原，欲灭后汉。宋太宗亲自督战，从春到夏数月间连续攻城不息。最终太原被攻破，刘继元降宋，太宗命中使召见杨业。杨业进见太宗，太宗大喜，嘉奖一番后，便授以右领军卫大将军之职。

灭后汉之后，宋太宗欲乘胜征辽，一举收复燕云十六州，以建盖世之功。于是率兵北上，在收复涿州（今河北涿州市）后，兵临幽州（今北京）城下。谁知高梁河一战大败，溃退涿州。辽大将耶律休哥得知太宗在军中，便带兵紧追不舍，又追至涿州。宋军尚未喘息，辽兵又至，更是大乱而逃。慌乱中，太宗的护卫亲兵也纷纷失散。太宗只身逃奔，不料马陷泥潭，不能动弹。后面辽兵远远追来，太宗正自后悔不该北伐，杨业从太原带兵搬运粮草而来，见状把太宗救出泥潭，又要让出自己的坐骑。太宗说：“你马上就要与辽兵作战，不能无马。”于是指着运粮驴车，让杨业牵一头驴权作坐骑。杨业只好将运粮的驴车腾出一辆，让众兵护卫太宗骑驴先走，自己带儿子杨延昭抵御追来的辽兵。随后，杨业与儿子双双杀死辽将，辽兵方不敢再追。杨业这才带兵至定州（今属河北），与太宗相会。

宋军北征契丹辽失利后，宋太宗担心辽人乘胜攻夺宋朝北境重地，其中代州（今山西代县）最为紧要。于是诏命杨业为代州刺史，兼三交（地名）驻泊兵马都部署。杨业领命后，就带着儿子延玉、延昭共赴代州。

到代州后，时值寒冬，杨业亲自率兵士修复城池，虽有风雪，毫不懈怠。冬去春来，塞草渐茁，辽兵由耶律沙和耶律斜轸率领，号称十万，兵至雁门。雁门在代州北面，是宋朝的边陲重地，雁门有失，代州就很危险。杨业闻辽兵大至，与延玉、延昭决定袭击辽兵背后，出其制敌，于是带数千骑兵由雁门西口西径关出击。绕至雁门北口，正值夜色深沉、星斗暗淡，遥见雁门关下辽兵营黑压压一片。杨业令延玉带3000人从左杀入，延昭带3000人从右杀入，自带其余健卒直捣辽军中坚。于是三支人马又衔枚急走数里，到了辽营前，齐声呐喊，冲杀进去。辽兵只防关内宋军袭击，未料宋军却从背后杀来，黑夜之中正不知宋兵有多少，只得四处躲逃。辽将驸马侍中肖咄李自恃骁勇，挥大斧迎战，十余合后被杨业砍于马下。肖咄李一死，辽军更乱。耶律沙制止不住，也随辽军逃走。

此战宋军大胜，朝廷以杨业之功迁升云州（今山西大同）观察使，仍判领代州和郑州事宜。自此战后，辽军知道了杨业的厉害，只要望见“杨”字军旗，便引兵退去，不敢交锋。

雍熙三年（986年），宋太宗发三路大兵北征攻辽，西路军以忠武军节度使潘美为帅，杨业为副帅，出师云州、应州（今山西应县）、朔州（今山西朔县）等四州，攻夺山后诸地。西路军连战皆克，先与辽兵大战于寰州（今甘肃环县）城下，辽兵战败，寰州刺史赵彦章出城投降。再进攻朔州，命杨延昭为先锋。杨延昭身先士卒，率军攻城，敌军抵挡不住，朔州城遂破，守将赵希赞投降。

在攻下寰、朔二州城之后，西路军又连拔云、应二州，捷报频传，朝廷欢慰，西路军于是移师至桑干河。

不久，宋东路军不利，损失惨重，太宗诏令诸路军班师，潘美所率西路军返回代州。太宗又诏令潘美、杨业将寰、云、朔、应四州之民迁于内地，令潘美率军护送。此时，辽兵十万又南下，并夺回寰州。潘美意欲再战，出兵保护云、朔诸州。杨业说：“如今辽兵气势正盛，不宜与他们交战。朝廷只令带领数州之民南迁，我军只宜取道大石路，先遣人密告云、朔州守将，等大军离开代州时，云州吏民即可先出。我军进军应州，辽兵必来挑战，那时朔州吏民也可趁机出城。我军再至石竭谷，派遣强弩千人列阵谷口，再用骑兵作后援，那时三州吏民可保万全，辽兵将无可杀掠。”这是一个完整的迁民保军计划，但随行护军反对，且讥讽杨业退缩。于是，杨业请求先出兵拒敌。

杨业率军进兵石跌口，与辽军交战，辽兵边战边走，杨业领兵追击。中途，辽军伏兵突然四面齐至，杨业不敢恋战，只得带兵杀出重围，边战边退往陈家谷方向。潘美与护军王侁先领所部兵马在陈家谷口列阵，自寅时（天未明时）伏兵一直等到巳时（上午九十点钟）还不见杨业兵到。王侁派人登高瞭望，似见辽兵败退，想趁机抢功，于是带兵离开谷口。潘美不能制止，也带兵退走二十余里。不一会儿，听说杨业兵败，潘美就命令所部军士撤退。这样，陈家谷不再剩宋军一兵一卒。

杨业率兵退至陈家谷口，四望没有一个伏兵，悲痛万分。这时他已与辽兵持续战斗了近一天，兵将损失惨重。他急忙吩咐杨延昭快找潘美求援，留杨延玉在身边随战。杨延昭刚离开，辽兵已追上来，杨业只得再率帐下亲兵卫士力战。这时他身上已负伤十余处，身边士卒所剩无几。不想此时坐骑也中箭倒地，杨业只得步行作战，又亲手杀死敌兵数十百人。终因寡不敌众，负伤被俘。其时，其子杨延玉已战死。杨业长叹一口气说："圣上待我不薄，期待我能捍边卫国。不料今日却被奸臣所迫，导致宋军败溃，我还有何面目求生！"于是绝食三日而死。

北宋初年的所谓开国名将大多名过其实，仅杨业忠勇报国，屡败辽军，威震边陲，其子杨延昭也屡立战功，可是北宋君主视他们为疏外之臣，可悲可叹！

狄 青

狄青（1008年—1057年），宋代将领，字汉臣，汾州西河（今山西汾阳）人。行伍出身，25岁从军，任皇帝侍卫。后应诏戍边，任延州指使。他在同西夏作战中屡建战功，逐步被提拔为西上阁门副使、秦州刺使、经略招讨副使、惠州团练使等职。皇祐四年（1052年），广源州（约今越南高平地区）部族首领侬智高称帝，建大南国，攻占广南（今广西、广东）九州。狄青奉命率兵三万进击，大败侬军，收复邕州（今广西南宁），歼敌万余人。后被提拔为枢密使，成为宋朝从士卒提拔起来的最高级别的官吏。嘉祐元年（1056年）辞职，第二年三月卒。狄青作战、治军和个人品行都有值得后人称道之处。

狄青出身寒微，但自幼喜爱习武，尤善骑射。成年后，便到当时的京城开封，应募入伍，做了一名守卫宫廷的卫兵。由于他武艺出众，勤于职守，不久便担任了卫兵中散值这样的小军职。

宋仁宗宝元二年（1039年），党项族建立西夏政权，元昊公开称帝，不再接受宋朝的册封，并不断派夏兵侵掠宋朝的西北部边地。宋朝派军队前去迎战，但都吃了败仗而归。为增强宋军的战斗力，宋仁宗下诏令从守卫宫廷的卫士中选择勇猛之士，赴边御敌。狄青被选中，并任三班差使、殿侍和延州（今陕西延安）指挥使之官职，随宋军入陕开赴延州。

狄青每与夏兵交战，他总为先锋。每次临敌，他都披着头发，带铜面具，率先冲入敌阵，左冲右杀，所向披靡。夏兵对他十分畏惧，称之为“天使”。在延州捍边御敌四年，狄青共参加过大小二十五战，率宋兵破西夏的金汤城，攻掠过西夏的宥州地境，又率兵烧毁夏兵各种积聚之物有数万之多，收夺夏兵的兵帐二千三百余座，获西夏的马羊等牲口约五千七百余匹（只）。同时，为抵御夏兵的进犯，在边境要塞修筑了桥子谷城，还修筑了一些小城堡，如招安堡、丰林堡、新砦堡、大郎堡等。而他在这四年二十五战中，因冲锋陷阵在前，共中敌箭矢八次，可谓遍体鳞伤。狄青在边陲十余年，还发奋读书，坚持不懈，终于精通了秦、汉以来各代将帅的兵法，不仅使自己成为一位勇猛敢战的将领，而且成为精通兵法、善于带兵打仗的帅才。因此因军功数次升职，由泾原路副都总管、经略招讨副使，又加上日天武四厢都指挥使。

宋仁宗皇祐四年（1052年），广源州（今广西与越南交界处）蛮人侬智高出兵大举进攻宋朝南方的两广地区，宋廷军队被连连击败。

这时，狄青刚进京不久，任枢密副使之职。他得知岭南败事，便上表请缨南征。朝廷答应狄青的请求，调兵遣将，一任他安排，并封其官职为宣徽南院使，宣抚荆湖南北路。一切安排妥当，狄青遂披挂上马，率领宋军而行。

狄青率兵南征，不急于速至岭南。因为他知道，若宋军从开封到岭南长途跋涉后再与敌交战，多有不利，于是采取有驿必停、遇州便息的进军方法，使宋军始终保持充沛旺盛的精力。另外，狄青严明军纪，长途进军，不准军兵高声喧哗，骚扰百姓。所以万人的队伍，行军时几乎悄然无声。

广西钤辖陈曙对此不以为然。他想乘朝廷兵将未到，先抢夺头功，于是带八千人马与侬寇兵战，结果大败而归，殿直官袁用等也因兵败逃遁。狄青以国事为重，决斩陈曙等人，严肃了军纪军法，使宋军各路人马无人敢掉以轻心、私自为战，保证了宋军内部的统一和战斗力，为战胜侬寇奠定了基础。

肃正军纪后，因侬寇据关凭险，军势方盛，一时难以破敌，所以狄青没有马上进军与敌交战。当时正值新春，狄青传令全军休息十日，并故意传出消息：所以不能进军，是因粮草有缺，以筹备军粮。此时侬智高早已派人来探听宋军动向，听说宋军因粮草未到，休息十日，便放松了戒备。

昆仑关位于邕州和宾州的交界之处，要攻打侬寇、进军邕州，昆仑关乃必经之地。但昆仑关有一夫当关、万夫莫开之势，若正面进攻，宋军很难取胜，弄不好会重蹈覆辙。狄青早把这一情况彻底弄清。他宣布休兵、假传乏粮，正是为了麻痹昆仑关的守敌而制造的假象。

又过数日，已是上元节日，狄青令宋军各营大张灯彩，宴饮尽欢。恰巧侬智高派人再探，知此消息，便安居邕州过节。第二天，狄青仍令官军各营张筵宴饮。到了二鼓时分，狄青离座入后帐，说是身体不适，并安顿诸将明日清晨进军。众军官又宴饮多时，方才散席。待至清晨，诸将皆至帅帐听令，却不见狄青出来。传令官告知诸将说："昨夜二鼓后，狄帅已引前锋军直袭昆仑关，请诸将即刻前往，不得有误！"众将方才明白昨晚狄青退席之事，急忙带兵前往。

狄青二鼓离席后，早已等着他的先锋官孙节率先锋军在帐外听命。狄青换上戎装，率先锋军连夜疾行。天未明时，宋先锋军已夺下昆仑关，越过关险。黎明后，宋大军陆续赶来，全军越过昆仑关，直奔侬智高的巢穴邕州。

此时，侬智高还陶醉在节日的气氛中，忽听宋军已过昆仑关向邕州杀来，慌忙派兵迎战。双方在邕州附近的归仁铺相遇。狄青早已在此列好军阵。侬智高因失昆仑关，知道形势不妙，倾巢而出，以拒宋军。两军激战于归仁铺，宋先锋官孙节战死山下，贼气益盛。狄青先让步兵迎敌，不久，便挥动白旗，令伏藏于阵中的骑兵分两翼冲向敌人。侬寇军猝不及防，宋骑兵左右冲击敌阵，敌军大乱；宋步兵又奋勇向前，贼敌不能抵挡，遂大败而去。贼敌主要人物黄师宓等及伪官死者57人，被宋军生擒者有五百余人，侬智高放火烧城，趁乱逃走。后侬智高逃往大理（今云南地区），不久被当地人杀死。至此，岭南侬寇骚乱得以平息。

狄青还军京师，宋仁宗嘉奖其功，拜枢密使，赐宅第于敦教坊。

狄青除冲锋陷阵、英勇杀敌，其为人正派、品德高洁也堪称一流。打败侬寇军之后，宋军进入邕州城，侬智高已经逃窜。但在打扫清理邕州城时，却发现一具穿着金龙衣的尸体。当时许多人都说这就是侬智高的尸体，主张呈报朝廷说贼首已死。狄青不同意，他说："这具尸体已经面目全非，怎么能知道不是敌寇的诈谋呢？我宁可丢掉杀死侬智高之功，也不能为贪功而欺骗朝廷啊！"

狄青对下级军将或士兵，有功必赏，而且决不贪功为已有。每次战役，总让参战的诸军将有功可得。这次消灭侬智高贼寇，若非狄青御兵，后果难料。军中孙沔，本在狄青之前任安抚使，全权负责讨侬寇之事，但率兵出岭南，却师久无功。狄青师出岭南，谋划决断均为狄青一人，孙沔未予参与。但平贼后，邕州的清理及善后之事，狄青全都委派孙沔去做，自己却退至一边，好像一点也不关心这些事情一般。至报功时，狄青则将孙沔之功一一俱报，毫无漏者。孙沔起初只佩服他的英勇，后来又佩服他的为人。而且自认为不如狄青。

狄青在宋朝的西北边陲战斗多年，因功而至显官，但其脸上尚有初次投戎时被刻刺的字样。这本是宋朝防止逃兵的一种做法。他官职很高，而脸上刺字犹存，宋仁宗曾下敕书让狄青敷药除去脸上的刺字，但狄青不肯。他说："陛下因功劳而提拔臣下，不问出身门第，因此才有了我的今天，也才有了脸上的刺字。我愿意留着刺字，以此激励、鞭策将士，所以不敢奉诏除字。”

嘉祐年中，京师暴雨积成大水，狄青因避水迁家至相国寺中居住。于是有人诬告他行止可疑。又有奸人说，狄青家的狗长了角，乃不祥之兆，请朝廷让他去外任。这些莫须有的怪议终于使宋仁宗对狄青产生了怀疑，于是罢狄青枢密使职，出判陈州（今河南淮阳）。他至陈州后，宰相文彦博还派人每月“抚问”两次，名为抚问，实为监视。狄青就在这种被怀疑、被监视的状况下生活了半年，终因忧愤成疾，疽病突发而死。

宋神宗即位后，考察评价近世将帅，认为狄青以行伍出身名震夷夏，深沉而有智略，十分感慨。为了追念他的功绩，下令将狄青的画像挂在禁中，并亲手御制祭文予以悼念，派使臣带猪羊祭品至狄青家中祭祀。

在重文轻武的北宋时期，武将的地位低下，士兵的社会地位就更微贱了；要想从士兵升迁为将官，是十分困难的。不是从科举考试进入仕途的人要升到执政大臣的高位，更是比登天还难。然而，狄青不仅从一个士兵擢升为将官，而且还升迁到地位同宰相相当的枢密使（主管军政的最高职务）这个执政大臣的高位，可想而知其战功、人品如何出类拔萃。

宗泽

宗泽（1060年—1128年），北宋末、南宋初抗金名将，字汝霖，婺州义乌（今属浙江）人。进士出身，历任县、州文官，颇有政绩。宋金战争爆发后，改文从武，奉命知磁州（今河北磁县）兼河北义军都总管。靖康元年（1126年）闰十一月，金军包围东京（今开封）。宗泽为断金兵退路，率兵攻黄河渡口李固渡（今河北魏县西），以轻兵夜袭，攻破金营三十余座，随即就任兵马副元帅。皇帝南逃后，留守开封，升任东京留守兼开封府尹，任用岳飞等一批将领，联合、招纳河东与河北义军等武装，多次打退金军，使开封成为抗击金兵的重要堡垒。宗泽在任东京留守期间曾多次上书高宗赵构，力主还都东京，并制定了收复中原的方略，然赵构只想苟且偷安，不想有所作为，均未采纳。宗泽见中原难以收复，民众遭受金兵蹂躏，忧愤成疾，不治而亡，临终仍三呼“过河”（打过黄河）。

宗泽年少时即有大志，喜欢读书。哲宗元祐六年（1091年），宗泽登进士第。

元祐八年（1093年），宗泽任大名馆陶县尉，著名变法派人物吕惠卿是其上司。冬季，吕惠卿传召宗泽与县令一起视察黄河治理一事。这时正赶上长子病丧，但宗泽仍欣然赴事。众人至河边，时值隆冬，民夫多有僵倒在地者，而朝中官吏却鞭督愈急。宗泽于是上书吕惠卿说：“严冬之时调民夫修治河堤，除使民夫痛苦之外，工程不会收到好的效果。如若至初春再动工，则工程可顺利完成。”吕惠卿将宗泽之言上报朝廷，朝廷诏准。

在馆陶做官几年后，宗泽调任衢州（今属浙江）龙游令。徽宗政和五年（1115年），宗泽又通判登州（今山东蓬莱）。当时登州境内官田数百顷都是荒芜不毛之地，但每年仍要向州官交纳钱币万余缗，登州百姓苦不堪言。宗泽到任即上疏朝廷，请免民缗。奏疏上后，虽民缗未得全免，却也适当减轻了人民的一些负担。

后来宗泽弃官归隐，退居东阳（今浙江义乌东），结庐山谷，过起远离尘世的生活。

徽宗宣和七年（1125年）十二月，金兵分两路大军攻宋。宋徽宗急忙退位，将帝位传给儿子赵桓（即钦宗）。钦宗登帝位，改年号为靖康。金军围攻开封整整三个月未下，在与宋朝签订了苛刻的和约后，撤军北还。这年八月，金军西路军攻克太原。东路军和西路军会合，再次大举攻宋，宋朝又面临灭顶之灾。

国难当头，宗泽再也无法闲居山谷。在御史中丞陈过庭等人的举荐下，宗泽以六十多岁的高龄出山，准备为国效力。钦宗令宗泽出知磁州（今河北磁县）。

磁州地处河北境内，是金军南下攻打开封的必经之地。当时，由于惧怕金兵，故凡授官在河北、山东、河南北面的宋朝官员皆不赴职，托故不行。可诏令一下，宗泽第二天便单骑上道，带着十几个老弱残兵，径赴磁州。此时的磁州已多遭金兵蹂躏，仓库空虚，人民逃离。宗泽到任，马上发动兵民修缮城池，开浚城河，打造兵械，招募义勇之士，做固守之计。经过一番准备，宗泽上疏朝廷献谋说："邢、洺、磁、赵、相五州相接未远，若每州各蓄精兵两万人，金兵攻一州，其他四州郡即出兵援应，这样虽一州只两万兵，实则有十万兵。"钦宗览疏后很为赞赏，任命宗泽为河北义兵都总管。不久，金兵攻陷真定（今河北正定），引兵南取庆源，害怕宗泽断其后路，于是分派数千金兵攻取磁州。宗泽身穿甲胄登城指挥退敌，他先令壮士用神臂弓射击金兵，待金兵退走时又率军追击敌人，金兵败逃。宗泽把所获得的军马金帛全部犒赏了军士。

钦宗这时下诏令其九弟康王赵构（即南宋高宗）出使金国乞和。康王路经磁州，宗泽迎至城中治所，劝他莫上金人之当，不要北上。金人本来不想议和，便乘机挥兵南下，再次包围了开封。钦宗急忙悄悄缒人出城，让其揣带自己亲写的蜡书给康王赵构，命其为天下兵马大元帅，宗泽、汪伯彦为副元帅，调集各路军马，速往开封勤王退敌。

勤王师会集于大名府（今河北大名东北），召开高级将领会议，研究救援开封方案。时正隆冬，宗泽履冰渡河而至。适逢钦宗蜡书到来，说和议可成，众将帅都舒了一口气。宗泽认为金人有阴谋，主张马上南下，但汪伯彦等不同意。最后，赵构派宗泽带一部分人马先南下趋开封，自己与汪伯彦带另一部分精兵向东去东平（今山东东平）。

阴历正月，宗泽带兵至开德府（今河南濮阳）。遇金兵阻遏，宗泽率将士与金兵先后十三战，皆胜。宗泽去书信给康王赵构，劝其下令让诸路兵马会集于京城开封，又移书其他地方将领入援，但均未获响应。于是，宗泽竟以孤军奋进，沿途屡败金军。后来，宗泽又出其不意，带兵渡过黄河，袭击金军，金军又一次败退。这时，康王赵构承制授宗泽为徽猷阁待制之职。

实际上，在宗泽率军南下屡战金兵之时，开封已经陷落，只是消息未到，众军不知而已。宗泽获知金人逼迫徽宗、钦宗父子北行，打算率兵渡河，在金人归路上击杀金军，夺还二帝，但未能实现。其时，其他勤王之师竟无一至者。

宋二帝被俘北去，宗泽上书康王赵构即帝位，以抚国事、安民心。靖康二年（1127年）五月，康王赵构在南京（今河南商丘）即帝位，是为高宗，改年号为建炎。宗泽去南京谒见高宗赵构，陈述兴复大计。赵构本打算留宗泽在身边任职，奸相黄潜善从中作梗，于是便任命宗泽为龙图阁学士，出知襄阳（今湖北襄樊），后又调往前线，改知青州（今山东益都）。适逢开封府尹出缺，李纲认为修治旧都非宗泽不可，于是宗泽又被调至开封，治管旧都。到开封后，他首先捕诛危害百姓的盗贼数人。又下令云："凡为盗者，赃无轻重，并从军法。"河东巨寇王善拥众70万、车万辆，欲攻占开封。宗泽单人独骑至其营，流着泪劝说王善："眼下是国难当头，假如有你这样的一两位人物，哪里还会有什么敌患呢？今天是你为国立功的好时候，应当不失掉这机会才对啊！"王善被宗泽所感动，遂解甲而降。于是贼盗悉平，开封居民始安。

真定、怀州和卫州之间，金兵驻屯盛众，暗地里修治战具为入攻之计，而南宋朝廷竟不为备。宗泽忧虑于此，于是北渡黄河与诸将议事，做修治武备的准备：在开封城以西置四使以统领兵众；依据地势在城外修立坚壁24处，沿黄河修筑连营寨；联络河东、河北各路忠义民兵，使其尽听朝廷的节制。

建炎二年（1128年），金兵自郑州抵白沙，离汴京甚近，居民震恐。宗泽的僚属入府问计，宗泽正与客人对棋，笑着说："何事慌张？刘衍等在外必能御敌。"言罢，又选精锐宋兵数千人，令其绕至敌后，伺机袭敌。金兵与刘衍接战未久，宋伏兵从背后杀出，前后夹击，金兵败退。

此时，金大将粘罕俘获宗泽部将郭俊民。郭俊民降金后受命与一位姓史的金将等人至开封劝说宗泽投降。宗泽先痛斥郭俊民说："你战败失利死，不失为忠义之鬼；而今却为金人持书诱我降，你何面目见我？！"遂令军士推出斩首。

粘罕见招降之法不灵，于是派数万金军包围滑州，滑州告急。宗泽部将张请求往援。宗泽选精兵五千交给他，并告诫他不需轻战，待援兵俱至再战。张带兵至滑州，金军来攻，敌骑兵十倍于宋军。诸将请避其锋，张不肯，率兵力战而死。起初宗泽听说张已战，兵少甚急，又急派王宣领五千骑兵往援。至滑州，张已死二日。王宣率骑兵与敌战，敌已疲惫，宋骑兵勇猛无比，金兵遂败逃而去。宗泽派王宣领兵镇守滑州，金人自是不敢轻犯东京。不久，宗泽迎归张尸柩，亲自为他办理丧事，并厚恤其亲属，宋军将士为之感动。

北宋迅速灭亡、徽钦二帝被俘，根在宋军军力的孱弱。因此，自上任开封以来，宗泽便四处派人联络各地民兵力量，广招四方忠义之士，不断发展和壮大自己的抗金力量。一些抗金名将就是被宗泽发现、重用而知名的；王善、杨进、李成也是因他的招抚而聚集在抗金旗下的。

宗泽以其阔大的胸怀、战略家的眼光，“抚”字当先，联络了众多的人马军队，为宋朝收复中原作了很好的准备。但这些抗金、收复中原的准备工作却受到宋朝奸相汪伯彦、黄潜善之流的恶意攻击。他们下令于宗泽停止这种活动，并仍称其所招抚的各路民兵为盗贼、流寇，不过以“勤王”名义啸居山林，故不能任用。宗泽十分气愤，上疏辩白亦不被采纳。

宗泽任开封府尹留守东京时，高宗赵构虽已登位，但尚在江北的扬州，还未渡过长江，南迁至临安（浙江杭州）。所以广大将士急切盼望赵构能重返汴京，临视中原，收复旧疆。宗泽以满腔的忠君爱国抗敌之心，前后给赵构写了二十余道奏疏，介绍汴京的防备情况，恳请其还驾开封。赵构览其奏后，降诏“择日还京”。但这不过是一句空话，之后赵构不仅没有还京，反而向南迁逃。

宗泽因忧愤而疽生于背。诸将问疾，他不谈自己的病情，只是说：“吾以二帝蒙尘，积愤至此。汝等能歼敌，则我死无恨！”诸将皆流泪说：“敢不尽力！”待诸将出，宗泽长叹一声自语道：“出师未捷身先死，长使英雄泪满襟！”第二天，风雨大作，白日昏暗，宗泽病躺在床上，无一语言及家事，只连呼三声“过河”，随之去世，终年70岁。赠观文殿大学士，谥“忠简”。

宗泽以文臣率军抗金，屡败金军，勇气胆略过人，但是生不逢时，壮志难酬，三声“过河”使人感怀。

韩世忠

韩世忠（1089年—1151年），南宋抗金将领，字良臣，绥德（今属陕西）人。18岁应募入伍。宋金战争爆发后，韩世忠多次率部以少击众，是北宋末年官军中少见的一支劲旅。在宋廷对金乞和的岁月里，韩世忠多次上书主战。绍兴十年（1140年），在岳飞北伐的同时，韩世忠连克海州等地，绍兴十一年（1141年），奉命救援淮西，后被宋廷调回，任枢密使，解除兵权。秦桧迫害岳飞，只有韩世忠面诘秦桧误国，为岳飞伸张。绍兴和议后，他杜门谢客，以家乡清凉山为名，自号清凉居士，表示思念沦于金朝统治的故土。

韩世忠年少时性格粗犷，鸷勇过人，18岁时，以武勇应募乡州，开始了军旅生涯。

徽宗崇宁四年（1105年），夏兵侵扰宋境，宋调兵守御，韩世忠随军前往。在此次战役中，韩世忠奋勇当先，斩关杀敌，连连打退夏军。因战功显著，上司呈报其功。此时权奸童贯治管边事，怀疑所报有讹，只给韩世忠进补一级。

宋钦宗时，宋军大校李复蛊惑士兵叛乱，附和者多达数万。韩世忠受命率所部人马追击，至临淄河岸，韩世忠兵不满千人，分作四队，布铁蒺藜自己堵塞归路，并下令说："进则胜，退则败，逃跑者命后队剿杀。"于是宋军勇往直前，大破叛军，并斩李复。叛军余党奔溃，韩世忠乘胜追击，追至宿迁地方，叛贼尚有万人，正饮酒作乐，毫无防备。韩世忠单骑而至，大声呼喊说："宋大军至矣！尔等若放下刀剑投降，我将保尔等无事，日后共图功名。"众贼惧怕请降，并向韩世忠跪进牛酒。韩世忠不慌不忙解鞍下马，吃肉饮酒。到天明仍未见宋军来，叛贼始知上当，但已无济于事。韩世忠单骑降叛贼，以功迁左武大夫、果州团练使。

后金兵攻赵地，韩世忠在半夜天降大雪时分，击退金兵的进攻。宋廷嘉奖韩世忠，升其官职为嘉州防御使。

靖康之难后，康王赵构即皇帝位，是为高宗。赵构登位以来，不思收复中原，而一味南退，引起朝中一些将臣的不满。高宗移跸临安（今浙江杭州）不久，朝臣苗傅、刘正彦反，逼赵构让位，举朝震惊。这时，朝臣以张俊为首，在平江（今江苏苏州）商议平反讨乱。当时握重兵者有张俊、刘光世参与此举，韩世忠也带所部兵来。

三月，韩世忠率兵至秀州（今浙江嘉兴），称病不行，却暗中加紧营造云梯、兵械。不久，韩世忠随即发兵直指临安。

韩世忠兵至临平（今浙江杭州市属县东临平山下），苗傅派苗翊、马柔吉依山阻河为阵，并在河道中流设置鹿角。韩世忠带领士兵丢舍舟船，奋力拼战。张俊又带兵至，刘光世也带兵至，叛兵稍怯。韩世忠又舍马操戈而前，命令将士："今日当以死报国，凡脸上不被叛军射伤者皆斩！"于是将士更奋力向前。这时叛兵列神臂弩，都满弓以待。韩世忠怒睁双眼，大声疾呼，挥戈冲锋在前，叛兵不能抵挡，弓矢尚未发出，韩兵已至，叛军遂败逃。苗傅、刘正彦闻听兵败，打开涌金门，率两千精兵逃遁。

韩世忠带兵进入临安，高宗闻讯步出宫门迎接。高宗握住韩世忠的手边痛哭边说："中军吴湛助逆最甚，尚留在我身边看管我，能否先除掉他？"韩世忠慨然应允，于是去见吴湛，握手相语间乘机折断其中指，派人绑缚于市曹斩之。后又捉住此次变乱的谋主王世修。高宗感动不已，诏授韩世忠为武胜军节度使，御营左军都统制。韩世忠又上言说叛贼尚拥精兵，离京城又近，应予讨平，赵构同意。于是韩世忠又带兵追苗、刘于渔梁驿。叛兵见韩世忠追来，未战而溃。韩世忠俘获刘正彦及苗翊，又在建阳擒住苗傅，俱押送临安诛杀。

平苗、刘之反，韩世忠身先士卒，冲锋于前，功劳最大。高宗手书"忠勇"二字，绣于旗上，双手举旗授以韩世忠，并授韩世忠为检校少保，武胜、昭庆军节度使。时年韩世忠40岁整。

高宗建炎三年（1129年）十月，金兀术统率大兵再度南下。东京留守杜充怯敌无能，宋军江防全面崩溃。金兵乘胜渡过长江，围攻建康，杜充又弃城逃跑，后降金。

韩世忠原先屯兵镇江，宋军溃败，他也兵退江阴，以前军驻青龙镇，中军驻江湾，后军驻海口。高宗召见韩世忠，意欲请其护驾南逃。韩世忠奏说："敌军在江南肯定不会长久，我愿率兵留在长江一带，以断金兵归路，并尽死一战。"赵构许之。

适逢上元节，韩世忠故意在秀州张灯结彩而会，以迷惑金人，暗中却已引兵突至镇江。这时，金兵因种种原因决定引兵北还。三月，金军至镇江，但韩世忠兵已先至，屯焦山寺，金军北归受到阻止。兀术下书约韩世忠战，韩世忠答应。约定之日，宋军奋勇当先，梁氏夫人亲自擂鼓催战，金兵败退无法过江。金兀术无计北归，只得表示愿将在江南所掠全部珍宝物品送以韩军，求放一条道路北还，韩世忠不允。金兀术又愿奉献名马求道而还，韩世忠仍不答应。这时有金兵从淮东来，相援兀术。援军在江北，兀术军在江南，韩世忠以战船间隔其间，这样宋金两军边战边行，韩世忠终于将金军逼至黄天荡（今江苏南京东北）内。

金兀术计穷，请求面见韩世忠，韩世忠见之。兀术乞求甚哀，韩世忠说："若还我徽钦二帝及两宫人员，恢复我以往疆土，则可以放你北归。"兀术语塞无以对。后数日，兀术请求再会，出言不逊，韩世忠欲引弓射之，兀术驰马逃去。兀术回营后征询破敌之法，有闽人建议凿渠直通长江上游。金兀术采纳其计，派兵一夜凿渠有30里，随后便率军出黄天荡。但韩世忠及时发觉，尾追不舍，金兵渡江仍未成功。金军至建康，韩世忠兵扎城外长江水中。四月下旬，兀术又采用闽人之计，出轻便小舟靠近宋军大船，然后用带火之箭射宋船篷帆，矢下如雨，宋船起火，而且船大无风难以行动，金军趁势进攻宋军，宋将孙世询、严允皆战死，宋军败退七十里。金兀术这才急忙带兵过江北还。

此次战役，韩世忠以8000人战兀术十万兵，巧妙利用地形之利、南方宋军水战之长，与金兵相持约四十天，金兀术几成瓮中之鳖。虽最终北归，然金军昔日之威风尽皆扫地，丑态迭出。后来兀术北归后，每遇亲识谈及此战，均"相持泪下，诉以过江艰危几不免"。史载，金军自此役后，"不敢复过江矣"，宋金战场也转移集中于江北的两淮、两河地区。

高宗绍兴三年（1133年）三月，诏进韩世忠为开府仪同三司，淮南东、西路宣抚使，置司泗州（今江苏盱眙北）。

绍兴四年，岳飞率宋军收复襄阳六郡，金人与伪齐政权大恐，于是联合出兵十万，向两淮地区反扑。高宗赵构闻知此讯，又惊恐不定，一面派魏良臣等人出使金朝，向金乞和，一面又召见韩世忠，予以手札，诏其整军守备，伺机进取。韩世忠出兵迎敌，一面派统制官解元守高邮，防御金兵步卒，一面亲率骑兵驻守大仪镇（今江苏扬州西北）；同时借魏良臣之口迷惑敌军，说奉诏还兵镇江，并故意撤灶行军。金将听说韩世忠已退兵，便大胆南下，进入韩世忠的布阵范围。韩世忠见时机已到，便传令鸣鼓，顿时鼓声震天，伏兵四起。金军没有准备，顿时大乱。韩世忠令其训练有素的背嵬军人人各持长斧，上击人胸，下砍马腿，金军更乱，多陷泥沼之中。韩世忠遂令各阵军马出击围敌，金军连人带马死伤甚众。当时还是冬季，金军粮道受阻，军无所吃，杀马而食。金军生怨，兀术遂趁夜引军北还，伪齐政权的刘麟、刘猊也只好丢弃辎重而遁去。

大仪镇之战是违诏作战，但当赵构等人得知宋军全胜、敌军已退逃的消息后，顾不得追究韩世忠违诏之责，反而大加褒奖。当时群臣入贺，认为韩世忠此举乃为“中兴武功第一”。

绍兴六年（1136年），韩世忠任武宁安化军节度使，及京东、淮东路宣抚处置使，置司楚州（今江苏淮安）。韩世忠“身披草莱，立军府”，与将士共同参加劳动，“夫人梁氏亲自织薄为屋”。后又抚集流散，通商惠工。并积极训练士卒，加强背嵬军战斗力，兵虽三万，却坐镇江东，蔽遮江淮，成为保卫宋室的重要屏障。

这时，张俊以右相视师，命韩世忠攻取淮阳（今江苏邳州市东南）。驻守淮阳的敌军是刘豫伪齐兵。韩世忠带兵渡过淮河，沿着符离（今安徽宿县）北进，至淮阳城下被敌军围困。韩世忠奋击冲杀，率军溃围而出，却不遗一镞。部将呼延通与金将牙合孛堇战，扼其喉而擒之，宋军乘势掩杀，金兵败退。韩世忠再围淮阳，淮阳守敌固守其城，宋军攻围六日而未下。兀术与刘猊带兵救援，韩世忠求救于张俊，张俊不与援兵。于是韩世忠乃勒马至阵前，并派人告诉敌人：“锦衣青马立于阵前者，乃韩相公也！”敌兵将遂有惮意。韩世忠又命杀其前导引路者二人，敌遂引兵退去。朝廷诏令班师，韩世忠率军还楚州。

绍兴八年（1138年）底，宋金达成和议，金归还黄河以南地区，宋向金称臣，并每年纳币输绢。

绍兴十年，金人败盟，兀术又率九万金兵南犯。韩世忠兵镇楚州，敌不敢犯。

绍兴十一年，兀术又率大军南犯。高宗诏令各军合兵淮西以待敌。既而金兵兵败柘皋，不久却攻陷濠州（今安徽凤阳东北）。韩世忠引军与金兵战于淮河岸边，金人料知不能取胜，遂渡过淮河北去，自此不敢入侵淮东。

在南宋诸大将中，韩世忠与岳飞是力反和议的主战派代表人物。

早在高宗登帝位初期朝议移跸之事时，韩世忠就极力反对，上言说：“国家已失河北、山东，若又弃江淮，更有何地？！”恢复中原之志，昭昭然。绍兴四年，金人与伪齐联合出兵南侵时，韩世忠违诏作战，大败金军。可见其为克复中原，甘冒大逆之险。

秦桧为相，宋廷加快了与金军议和的步伐。绍兴八年（1138年），金人废刘豫，中原震动，韩世忠谓机不可失，请全师北伐。但秦桧掌权，不许他北伐，还把他从江北调回江南，屯兵镇江。韩世忠说："金人诡诈，恐以计缓我师，乞留北军蔽遮江淮（即仍屯兵楚州一带）。"不许。韩世忠又上言，力陈和议之非，愿效死节，率先迎敌。章十数上，皆慷慨激切，又未许。韩世忠又请求单骑赴临安，面见高宗奏议，高宗赵构只表面上褒扬他一番，也未许。

绍兴八年底，金使肖哲入宋，带来金朝的议和条件：宋对金称臣，每年纳币输绢。当金使宣读议和条款时，高宗赵构必须脱下皇帝服，改穿臣服，北面跪拜，接受"诏令"。事情传开，举朝震动。韩世忠与众正直大臣俱上疏反对。韩世忠四次上疏反对议和，他说："（议和）不可许，愿举兵大战，兵势最重处，臣请当之。"后又请面奏赵构，不许。在这种情形下，韩世忠密令其部下扮成红巾军，伏兵洪泽镇，准备拦劫北归的金使。因部下张抃告密，金使改道而归，事未成。

绍兴十一年（1141年）四月，为扫除和议障碍，赵构、秦桧密谋收三大将兵权。秦桧最恨韩世忠，因为他资格最老，反对和议最激切。而这时张俊为独揽军权，与秦桧狼狈为奸，先欲谋夺韩世忠的背嵬军，分而治之，然后再予迫害。六月，张俊和岳飞至楚州，视察韩世忠的部队。张俊悄悄与岳飞商谋其事，岳飞非但不从，反而批评了这位年长自己近二十岁的枢密使，张俊甚恼。其后岳飞又将此事告知韩世忠，韩世忠面见赵构据理陈词，秦、张阴谋才未得逞。

绍兴十一年十月，赵构、秦桧再派魏良臣出使金朝求和。韩世忠又上言说："自此人情消弱，国势委靡。谁复振之？北使之来，乞与面议。"赵构亲诏不允。韩世忠再上奏章，"力陈秦桧误国"。秦桧趁机煽动党羽弹劾韩世忠。但赵构搁置未理。韩世忠遂几次求退枢密使职，以示抗议。赵构趁机准奏，于是解其兵职，罢为醴泉观使，晋封福国公。

韩世忠被解职后，"杜门谢客，经常骑驴携酒，从一二小童游西湖以自乐"，往日将佐罕得见其一面。

绍兴二十一年八月，韩世忠去世，终年63岁。晋拜太师，追封通义郡王。孝宗朝，追封蕲王。谥"忠武"。

韩世忠几乎与宋朝所有的敌人都战斗过，诸如西夏、金、伪齐、变民等等，在抗金名将中仅次于岳飞。与岳飞相比，韩世忠的武勇和部队战斗力与其不相上下，仅智谋稍逊。那个时代的人所追求的东西他全有了，没能收复中原是他生平最大的遗憾。

岳 飞

岳飞（1103年—1142年），字鹏举，宋相州汤阴县永和乡孝悌里（今河南安阳市汤阴县程岗村）人，南宋将领，官至少保、枢密副使，封武昌郡开国公。中国历史上著名的军事家、战略家，是南宋中兴四将之首。他坚主抗金，十余年间，率领岳家军同金军进行了大小数百次战斗，所向披靡，“位至将相”。因岳飞志向是迎二圣回京，所以，在宋金议和过程中，岳飞遭受秦桧、张俊等人的诬陷，被捕入狱。1142年1月27日，岳飞以“莫须有”的“谋反”罪名为朝廷杀害。后平反昭雪，追谥武穆、追赠太师、追封鄂王，改谥忠武。

岳飞出生于北宋相州（今安阳）汤阴（今河南汤阴县）的一户佃农家里，青年时代，正遇上金女真贵族对宋发动大规模掠夺战争。他亲眼目睹北宋灭亡前后的惨痛史实，和当时中原沦陷区的人民呼吸相通，有坚决抗击女真贵族压迫，收复故土，统一祖国的强烈愿望和要求。北宋末年，深受民族压迫的汉族、契丹族、渤海、奚等各族人民，“仇怨金国，深入骨髓”，纷纷自动组织起来反抗。从十二世纪二十年代起，黄河南北、两淮之间，掀起了轰轰烈烈的抗金民族战争。岳飞和抗金名将宗泽、韩世忠等一道，站在抗金斗争的最前线。

北宋宣和四年，真定宣抚刘韐募勇聚士，岳飞应募，但不久即因父亲岳和病故，回到家乡汤阴县。1126年冬，岳飞在相州城第三次投军，归刘浩军中。刘浩命岳飞招安吉倩，岳飞不负众望，招降吉倩及其部属三百八十人。岳飞因此补承信郎一职。

靖康元年（1127年）十二月，康王赵构接到宋钦宗的蜡书，在相州开河北兵马大元帅府。赵构为河北兵马大元帅，陈淬为元帅，汪伯彦、宗泽为副元帅。元帅府下编前、后、中、左、右五军，其中前军统制为刘浩。岳飞属刘浩前军。按蜡书的命令，康王元帅府的任务是火速赶往东京（今开封），解京师之围。岳飞奉命带领三百铁骑，前往李固渡侦察，与金兵相遇发生战斗，大败金兵。跟随刘浩解了东京之围。

1127年（靖康二年）四月，金灭北宋，掳徽宗赵佶、钦宗赵桓及皇家宗室北归。五月，康王赵构（即宋高宗）于南京继位，史称南宋。

初期，宋高宗主张收复失地，启用了大批主战将领，其中就有岳飞。

岳飞坚决反对议和，主张抗战到底。建炎元年，赵构即位，岳飞上书，大意为："陛下已登大宝，社稷有主，已足伐敌之谋，而勤王之师日集，彼方谓吾素弱，宜乘其怠击之。黄潜善、汪伯彦辈不能承圣意恢复，奉车驾日益南，恐不足系中原之望。臣愿陛下乘敌穴未固，亲率六军北渡，则将士作气，中原可复。"宋高宗并未采纳岳飞的建议，并以越职为由将岳飞罢官。之后岳飞北上，入河北招讨使张所军中，借补"正八品修武郎"，充中军统领。张所很赏识岳飞，很快升岳飞为"从七品武经郎"、任统制。建炎元年（1127年）九月，张所命岳飞入王彦部，北上抗金。岳飞作战有勇有谋，数败金兵，声威大震。而王彦保守怯战，使得岳飞只能孤军奋战，岳飞缺军粮时又不肯相助。岳飞知道自己与王彦有隙，所以复归宗泽，为留守司统制。宗泽死后，杜充代之，岳飞官复原职。三年，杜充将还建康，岳飞进言："中原地尺寸不可弃，今一举足，此地非我有，他日欲复取之，非数十万众不可。"杜充不听，岳飞也只能随军而归。

杜充守建康，金军与叛贼李成在乌江会合，杜充闭门不出。岳飞泣谏请视师，杜充不出。金军遂由马家渡渡江，杜充遣岳飞等迎战，诸将皆溃，独飞力战。后杜充降金，诸将多行剽掠，惟岳家军秋毫无所犯。兀术趋杭州，岳飞要击至广德境中，六战皆捷，擒敌将王权，俘叛军首领四十余。岳飞劝服王权，为己所用。岳家军驻扎在钟村，军中缺粮，将士们宁愿挨饿，也绝不扰民。金所籍兵相谓曰："此岳爷爷军。"争来降服。

1139年（绍兴九年），岳飞在鄂州（今湖北武昌）听说宋金和议将达成，立即上书表示反对，申言"金人不可信，和好不可恃"，并直接抨击了相国秦桧出谋划策、用心不良的投降活动，使"秦桧衔之（抱恨）"。和议达成后，高宗赵构下令大赦，对文武大臣大加爵赏。可是，诏书下了三次，岳飞都加以拒绝，不受开府仪同三司（一品官衔）的爵赏和三千五百户食邑的封赐。他在辞谢中，痛切地表示反对议和："今日之事，可危而不可安，可忧而不可贺。"后高宗对他好言相劝，岳飞方受。此后岳飞上表，"愿定谋于全胜，期收地于两河，唾手燕云，终欲复仇而报国。"高宗没有采纳。

1140年（绍兴十年）五月，金国撕毁绍兴和议，兀术等分四道来攻。由于没有防备，宋军节节败退，城池相继失陷。随后高宗命韩世忠、张俊、岳飞等出师迎击。很快，在东、西两线均取得对金大胜，失地相继收回。岳飞挥军从长江中游挺进，实施锐不可当的反击，他一直准备着的施展收复中原抱负的时机到来了。

岳家军进入中原后，受到中原人民的热烈欢迎。这年七月，岳飞亲率一支轻骑驻守河南郾城，和金兀术一万五千精骑发生激战。岳飞亲率将士，向敌阵突击，大破金军“铁浮图”和“拐子马”，把金兀术打得大败。岳飞部将杨再兴，单骑闯入敌阵，想活捉金兀术，可惜没有找到，手杀敌人数千，误入小商河，被金兵射到几十处箭伤，豪勇无比。岳家军将士具有“守死无去”的战斗作风，敌人以排山倒海的大力，也不能把岳家军阵容摇动。郾城大捷后，岳飞乘胜向朱仙镇进军（离金军大本营汴京仅四十五里），金兀术集合了十万大军抵挡，又被岳飞打得落花流水。岳飞这次北伐中原，一口气收复了颍昌、蔡州、陈州、郑州、郾城、朱仙镇，消灭了金军有生力量，金军全军军心动摇，金兀术连夜准备从开封撤逃。南宋抗金斗争有了根本的转机，再向前跨出一步，沦陷十多年的中原就可望收复了。岳飞兴奋地对大将们说：“直捣黄龙府，与诸君痛饮尔！”而金军则发出了“撼山易，撼岳家军难”的哀叹。

就在抗金战争取得辉煌胜利的时刻，朝廷连下十二道金牌（红漆金字木牌），急令岳飞“措置班师”。在要么班师、要么丧师的不利形势下，岳飞明知这是权臣用事的乱命；但为了保存抗金实力，不得不忍痛班师。岳飞愤慨地说：“十年之功，废于一旦！所得诸郡，一朝全休！社稷江山，难以中兴！乾坤世界，无由再复！”岳飞的抗金战斗，至此被迫中断。岳家军班师时，久久渴望王师北定中原的父老兄弟，拦道恸哭。岳飞为了保护老百姓的生命财产，故意扬言明日渡河，吓得金兀术连夜弃城北窜，准备北渡黄河，使岳飞得以从容地组织河南大批人民群众南迁到襄汉一带，才撤离中原。这时，有一个无耻的书生，骑马追上金兀术扣马而谏：“太子（兀术）毋走，京城可守也，岳少保兵且退矣。”金兀术又整军回到开封，不费吹灰之力，又占领了中原地区。

岳飞一回到临安，立即陷入秦桧、张俊等人布置的罗网。1141年（绍兴十一年），他遭诬告“谋反”，被关进了临安大理寺（原址在今杭州小车桥附近）。监察御史万俟卨（音末期屑）亲自刑审、拷打，逼供岳飞。与此同时，宋金政府之间，正加紧策划第二次和议，双方都视抗战派为眼中钉，金兀术甚至凶相毕露地写信给秦桧：“必杀岳飞而后可和。”在内外两股恶势力夹击下，岳飞正气凛然，光明正大，忠心报国。从他身上，秦桧一伙找不到任何反叛朝廷的证据，韩世忠当面质问秦桧，秦桧支吾其词“其事体莫须有（也许有）”。韩世忠当场驳斥：“莫须有’三字，何以服天下？”

绍兴十一年农历除夕夜，高宗下令于临安大理寺内赐岳飞死，时年三十九岁。岳飞部将张宪、儿子岳云亦被腰斩于市门。民族英雄岳飞，就在“莫须有”的罪名下，含冤而死。临死前，他在供状上写下“天日昭昭，天日昭昭”八个大字。这是悲愤的呼喊！

岳飞遇害后，临安义士隗顺负尸越城，草草地埋葬于九曲丛祠旁。为了便于以后识别，隗顺将岳飞随身佩带的玉环系于遗体腰下，坟前种植了两棵桔子树。岳飞死后二十年，即1162年6月（绍兴三十二年五月）宋孝宗继位，七月下令给岳飞平反昭雪，追复原官，以礼改葬。

岳飞虽然被杀害了，但他的精忠报国的业绩是不可磨灭的。正是他，表达了被压迫民族的要求，坚持崇高的民族气节，在处境危难的条件下，坚持了抗金的正义斗争，并知道爱护人民的抗金力量，联合抗金军民一道，保住了南宋半壁河山，使南中国人民免遭金统治者的蹂躏，从而保住了高度发展的中国封建经济和文化，并使之得以继续向前发展。岳飞不愧是我国历史上一位杰出的民族英雄。

完颜宗弼

完颜宗弼（？—1148年），金国名将，女真名兀术。天会七年（1129年），金军分路南下侵宋，他在和州（今安徽和县）败宋军，后攻下临安府（今浙江杭州）。天眷三年（1140年），再次发动侵宋战争，意图夺回原交还宋朝的河南、陕西之地，但是接连被宋将刘锜、岳飞等人大败，退还汴京。在宋军班师后，夺回河南地区。次年春，兵进淮南，与宋军接战，互有胜负。与宋高宗、秦桧订立和约，使南宋称臣于金。还朝后，屡任显职，独掌军政大权。皇统八年（1148年）病死。

完颜宗弼弓马娴熟，以神力悍勇驰名远近。后宗望伐宋，完颜宗弼随军南进，首取河南汤阴县，降宋兵3000人。然后长驱赴汴，先至御河。宋兵已先焚桥，不得过河。金偏将合鲁索率70名骑兵涉河而渡，杀宋焚桥军士，遂逼汴京。时宗弼率三千骑兵进逼城下。宋上皇（徽宗）仓惶出城逃奔，宗弼率百余名骑兵追徽宗，但未能追上，获马匹三千而还。

金天会五年，宗弼率兵攻青州（今山东益都），出奇兵战胜宋将郑宗孟率领的数万南宋军队，遂克青州，又立头功。右副元帅宗辅军还，宋军三万人于黄河岸边阻其归路，宗弼又跃马挺枪，率金兵大败宋军，杀死宋兵一万多人，率军渡河而还。此次南进，克城掠地，灭亡北宋，宗弼功劳最多，金主太宗加封其官职，犒赏其麾下将士。

金太宗天会七年（1129年，即南宋高宗建炎三年），金主诏命伐宋康王（即赵构）。金太宗派重臣名将宗辅、宗弼统军南进。金军先兵发河北，然后在平定河北后再兵分两路。宗弼先率军转战各地，平定河北。赵构闻报，丧魂落魄从扬州过江南逃。接着金军分兵两路，东路军即由宗弼统率，进军路线是先渡淮河，然后渡江赴江浙，直扫江浙诸地。

宗弼东路军一路连连攻城略地，攻取了归德（今河南商丘）、寿春、庐州、和州（今安徽和县）、江宁，又连下太平州（今安徽当涂）、濠州及句容、溧阳等县，再逆江水而上，屡败宋将张永之军，宋军江防统帅杜充投降。至此，全军已彻底摧毁南宋长江防线，以江宁为中心，稳定了过江后的形势，取得了伐宋第一次战役的全部胜利，为下一步再进兵江浙奠定了基础。

金军顺利渡过长江后，下一步便是兵向江浙，追击赵构。宗弼先后攻下了安吉（今浙江安吉）、杭州，迫使赵构奔至明州（今浙江宁波市）。阿里、蒲鲁浑破宋军3000人，遂渡过曹娥江，离明州25里。此前宋将张俊率军赶到明州护驾。赵构则离开明州，逃奔镇海。

不久，金兵至明州城下，张俊率宋军数千人奋力拼杀，力拒金师，为赵构赢得了宝贵的逃跑时间。宗弼闻明州兵战失利，连日攻夺未下，于是命集诸路军合军攻明州，张俊众寡难敌，只得引兵奔走台州（今浙江临海），明州遂破。这时赵构已带领臣僚乘大船20只由定海入海逃亡。金兵攻下明州后急驰南下，也入海再追赵构，但追了三百余里，未追上。

宗弼军还杭州，遂又攻取秀州（今浙江嘉兴）。金将赤盏晖又取平江（今江苏苏州）。宗弼因战线过长，兵力有限，遂议撤军北还。

宗弼还军，原拟从镇江渡江而北，再沿运河北上。不料宋将韩世忠正扼守镇江江口，在此等候多时。于是宗弼与韩世忠又展开一场激战。宗弼被韩军逼入黄天荡内不得出。宗弼无奈，只得对韩世忠乞求，以求出荡。韩世忠不答应。金军十万大军被围困在黄天荡内达四十多天。

金太宗天会八年（1130年）秋，宗弼刚从江浙回兵不久，又和宗辅出兵陕西，援助金将罗索以定陕西。九月，宗辅、宗弼、罗索会兵，议攻富平（今陕西富平东北），开始了金宋著名的富平战役。

富平之役前，宋军众而金军少，当时宋川陕宣抚使张俊统帅宋川陕诸路军马。宋朝将领认为富平以北地区乃沼泽地带，金军兵马不能进，不存在优势，何况此战敌寡我众，取胜无疑。但宗辅、宗弼在战前即派士兵用车辆运送柴土，将富平以北的沼泽地带全部填平，金铁骑冲过沼泽地，已进逼宋军，宋军仓促迎战。宋兵不能抵挡金军铁骑的猛攻，退兵时自相践踏，死亡甚众。金军占领富平。富平一战，金军以少胜多，打败宋军40万人，取得了自江浙用兵以来最重要的一次胜利，扭转了金军原先在川陕的不利局面，奠定了金宋两军在川陕的格局。之后，金军乘胜利之势，宗弼与阿庐又招降了宋熙河、泾原两路之兵，扩大了金朝在陕西、甘肃的统治区域。

天会九年冬，宗弼率军自陕西向四川用兵，兵进和尚原。和尚原守将乃宋朝名将吴玠。十月，宗弼令攻和尚原，金军大败，宗弼身亦中箭，急带兵败归。

天会十一年（1133年）冬，宗弼吸取上次失败的经验教训，不以大军正面攻坚，而出奇兵再攻和尚原。他率领金军，利用一个大风雪之夜，从高山丛林间突出奇兵，出其不意，直插入宋军阵地，宋军猝不及防，仓惶应战，全军败溃，宗弼攻下和尚原。

第二年三月，宗弼兵发和尚原，意欲兵入四川。但他率军至仙人关（今甘肃徽县）时，又遇宋川陕名将吴玠、吴璘，由于事先准备不足，在遇到宋军坚决抵抗后，兵败撤还，回军陕西。

天会十五年（1137年），完颜宗弼被任为金右副元帅，封沈王。

天会十五年，金太宗死，金熙宗即位。但熙宗尚年少，朝廷实权乃由宗槃、挞懒等人掌握。天眷元年（1138年），宗槃、挞懒力主金宋议和。宗弼反对议和，力主伐宋，与宗槃、挞懒矛盾尖锐。宗弼得知挞懒受了宋人的贿赂，所以把河南、陕西割让于宋朝。于是奏请诛挞懒，收复旧疆。这时，宗槃已诛，挞懒正在燕京行台，又复与鹘懒谋反。于是诏命宗弼为太保，领行台尚书省，都元帅如故，往燕京诛杀挞懒。挞懒闻知，从燕京逃出南奔。将要至宋境，宗弼追至祁州（今河北安国）杀了他。

诛挞懒后，金朝遂议南征，收复河南。宗弼分金军为两路，自率大军攻夺河南，另命金将撒离曷出河中（今山西永济蒲州镇），兵趋陕西。此次南征一月之间，金军尽收河南割地，宋军方面节节退败，嵩州、汝州也相继为金军所据。但此次南征，宗弼吃了两次大败仗。一是与宋将刘锜战于顺昌，以十万之众大败于刘锜的两万“八字军”下；其次是在郾城（今河南郾城），以12万各路人马想吞掉岳飞的指挥中枢，不料也惨败而归，宗弼女婿夏金吾被杀，副统军粘罕孛堇也身受重伤。当时正值暑天，宗弼还军于开封，岳飞等军也退去，河南遂平。

宗弼入朝，又请求攻取江南。金熙宗批准了。但不久前的收河南之战，两次惨败，使宗弼认识到要灭南宋并非易事，弄不好会兵败身亡。所以在兵渡淮河后，不似往昔急切过江而战，而是以书胁迫南宋，要求以淮河为两国之界。赵构急忙答应，并答应岁贡银、绢25万两、匹。宗弼于是班师回京。宗弼因功晋拜太傅。

宋金议和后，宗弼请求致仕，诏不许。皇统七年（1147年），为太师，领三省事，都元帅。皇统八年病逝。

读宋朝历史会发现一个有趣的现象：南宋的抗金名将几乎都有击败宗弼的记录，完颜宗弼俨然是名将试金石。不过，宗弼虽然打了一些败仗，并不说明他弱。他在宋金战争中，纵横沙场十六年，始终掌握着战争主动权，终使金朝与南宋分疆而治。宗弼之后，金朝很难有人与之匹比了。

完颜宗望

宗颜宗望（？—1127年），金前期名将。本名斡鲁补，又写作斡离不，太祖第二子。宗望驰骋疆场，身经百战，在灭辽、伐宋的战役中，举足轻重，战功赫赫，为金国的扩展和巩固做出了巨大贡献。追赠太师、封宋王，谥号“桓肃”。

天辅六年（1122年），金军分路进攻辽国。三月，都统完颜杲攻克中京，大将完颜宗翰与宗望进占北安州（今黑龙江省中部）。宗翰与宗望俘获辽军护卫习泥烈，经审讯，得知辽天祚帝在鸳鸯泺一带，于是他们商议后联兵追击。从俘获的辽兵口中获悉天祚帝的确切位置后，宗望等人马不停蹄地直扑鸳鸯泺。宗翰与宗望抄近路，长驱直入五院司，但是辽帝已经逃往阴山。宗望与蒲家奴率军追击，辽军大败，天祚帝再次逃走。

天辅七年，太祖占领燕京后，任斡鲁为都统，宗望为副统，带兵穷追辽主天祚。当时天祚率残军驻于阴山、青冢之间（今呼和浩特及郊区一带）。宗望、娄室、银术可以三路军分头前进。临近青冢时，旷野泥泞不堪、无路可寻，人马难以举步。宗望与当海等四人用绳索拴住辽国的都统牙林大石，让他当向导，这才走进辽国的主营。天祚帝只带了少数人又一次逃往应州。辽宫的妃嫔宫女侍从仆人等见到金兵突然进入主营，都惊骇失声，想逃跑躲身。宗望命将士将营中之人全部捉拿。不久后面的大军也进入主营。查看俘虏，有辽主的夫人、儿女及诸王的家眷。此外，缴获车上万辆，还有装饰豪华的左右舆帐。宗望进军至扫里门时，给辽主写信，招他回来。

辽主于穷途末路之中派出使者谋卢瓦，拿着一枚兔钮金印到金兵营中来请准投降。他表示接受他投降。同时，他派出使者到西夏国表示和好，以防止他们产生救援辽主之心。宗望进驻天德，接受辽将耶律慎思投降。不久，派出的斥候（侦察兵）吴十回来报告说，西夏国将辽主天祚迎接回去，已保护他渡过了黄河。宗望立即又给西夏国去信：“如果你们真心依附我国，就当依照前几天的和议，将辽主送归于金，如果心怀贰意，恐怕将来会后悔的。”

原辽国的辽兴军节度使张觉投降金国后被任为南京留守。天辅七年五月，张觉叛金入宋。宗望勒兵前往，在南京城东与张觉对阵，张觉战败后乘夜逃奔宋国。城里的人将张觉的父亲和两个儿子送到宗望营帐，宗望以叛将亲属将他们杀掉，又给守城将领张敦固写信，劝他归顺金国，以免攻城时造成双方人员死伤。张敦固出城表示归顺，宗望便派使者随张入城接收投降的军队和府库等。不料城中人将金军使者全部杀死，拥立张敦固为都统，抢劫了府库，掠夺居民，凭借城墙固守南京。

天会二年（1124年）二月，太宗完颜晟下诏曰："新归附金国的长吏职员仍旧使用"，以此安定民心。宗望以此晓喻张敦固，终于招降了张敦固，收复了南京。

天会二年七月，太宗召宗望回朝。太宗以白银20万两、绢30万匹赏赐宗望军及东京各军。宗望回到军中时，恰遇三千宋兵从海路来偷袭金兵，杀死了马城县戍将节度使度卢斡，掠夺其银牌兵仗及马匹迅即离去。宗望上奏请求伐宋。金太宗决定大举征伐北宋。

天会三年（1125年）十月，宗望到三河（今河北省中部）后，在白河打败宋将郭药师45000多人的大军，郭药师投降金国。宗望乘胜进军燕山府，缴获那里的全部军用物品，那一带的州县全部归顺金国。

自从宋将郭药师投降后，宗望了解到了宋国的虚实，看到郭药师较为诚实，便奏请太宗任郭为燕京留守。而后又有宋国的董才投降，此人深知山川形势，于是宗望通过与他多次交谈，掌握了宋国的各处地理。

天会四年正月，金国大军渡过黄河攻占滑州，派遣吴孝民进入宋都汴城，命令宋国方面拘捕童贯、谭稹、詹度等人，以黄河为界划定宋朝与金国的边境。但是与此同时，金国的军队已经包围宋都汴城。在大军压境的情况下，宋帝赵桓请求和议。

同年二月，金同意与宋停战，退军到孟阳。不久，宋帝赵桓秘密给已经投降金国的耶律余睹写信，策动他叛金入宋。这封信被萧仲恭截获，送给了太宗皇帝。于是太宗下诏大举伐宋。八月，宗望会集各路兵马，由保丹（今河北保定）出发南下。宗望率部攻击井陉，大破种师闵部，占领天威军，又攻克真定，杀其知府李邈，附近五县相继降金，而后宗望由真定出发再次挥军于汴城。

宗望到达汴城城下的第二天，宗翰所率的大军也由太原来到汴城外，与宗望会师。金军连续攻城，几天之后，宋帝赵桓到金军表示投降，宗望等将领进入汴城。十二月初，宋帝向宗望交出投降表。

天会五年（1127年）四月，宗望率军由汴州返回金国京师时，带着宋朝的两个皇帝——钦宗赵桓与徽宗赵佶及其宗族宫人大臣等近五百人，还有宋国宫廷的珪璋、宝印、车辂、祭器、大乐、灵台、图书、珍玩等满载而归。

当年六月，完颜宗望去世。

廖永忠

廖永忠（1323年—1375年），明代开国元勋。巢州（今属安徽）人。明楚国公廖永安的弟弟。他屡立战功，智谋超群，官封德庆侯。因他多有不法的行为，落得被赐死的下场。

廖永忠跟着哥哥廖永安在巢湖追随太祖朱元璋的时候，年纪还很小。太祖朱元璋见他小，就逗他说："你这么小，也想荣华富贵？"廖永忠说："我想要的并不是荣华富贵，我是想找到一个贤德开明的君主，跟随他去扫平天下，灭掉贼寇，让天下太平无事，然后名垂青史。"太祖一听，十分高兴，夸奖了他好久。并命他当他哥哥廖永安的副将，统帅水军。

元至正十五年（1355年）六月，太祖准备攻占金陵（今南京）。开始，因为元朝船又高又大，廖永安等攻峪溪口不下，后来廖永安操小船在江中迅速来去，结果进退自如，左右攻击，大败元军。此后，相继攻占了采石、镇江、常州、池州、江阴，廖永忠的功劳都不小。

元至正十八年（1358年）十月，廖永安率兵攻打太湖张士诚的部队，结果因进军过于深入，兵败被俘，死在张士诚部将吕珍手中。太祖让廖永忠接替了他哥哥的职位，任枢密佥院，并统领那部分军队。他率军先攻下了赵普胜的栅江营寨，又收复了池州（今安徽贵池）。陈友谅侵犯龙江，廖永忠大喊一声，率军冲入敌阵，大败陈友谅。

接着，廖永忠随朱元璋大举进攻陈友谅，到了安庆。陈友谅固守不战，朱元璋命陆军作疑兵，迷惑敌人，然后让廖永忠和张志雄率船队打垮了敌人八十余艘战船，占领了安庆。接着攻打江州（今江西九江），陈友谅亲自督战，守备十分严密。廖永忠按着江州城的高度，造了一种大梯子放在船尾，叫"天桥"，然后让船顺着风向倒着行驶，船靠近了江州城，顺利登城攻下了江州。这一仗后，廖永忠晋升为中书省右丞。

元至正二十三年（1363年）七月，陈友谅围攻南昌已近三个月，廖永忠随军去增援，在鄱阳湖与敌展开殊死搏斗。此战，廖永忠射杀了敌将张定边，陈友谅的部队死伤特别多。第二天，双方接着再战。廖永忠等人驾了六条小船冲入敌阵，大开杀戒，左冲右突，把敌人吓得魂飞魄散。太祖的军队因此士气大振，勇气倍增。从早晨打到天黑，陈友谅的部队大败。陈友谅只好率军逃跑，跑到泾江口，廖永忠等人驰舟追了上来，泾江口的守军堵住了陈友谅，乱箭之中，陈友谅被射死。

九月，太祖亲征陈友谅之子陈理。廖永忠与常遇春、康茂才等跟随太祖出战。包围了陈理所在的武昌城。元至正二十四年，陈理的援军被常遇春打败，陈理只好投降。返回南京后，太祖朱元璋在漆牌上写了八个大字“功超群将，智迈雄师”，表彰廖永忠，命他挂在门上。

过了不久，廖永忠被封为征南将军，朱亮祖为副将军，从海上进军广东。一路广东诸城相继投降。广西也顺利讨平，相继招降了梧州、浔阳、柳州。然后命令会师杨璟，攻打未降的州郡。廖永忠自己亲自率军攻克南宁，招降了象州。两广收复顺利。

明洪武三年（1370年），廖永忠随大将军徐达北征，攻克察罕脑儿（今河北一带），还至京师，被封为德庆侯。

洪武四年，廖永忠跟随汤和伐蜀，任征西副将军。汤和率军先驻扎在大溪口，廖永忠先率军先进发四川。廖永忠率水军乘船直捣重庆，很快到了铜锣峡，蜀主明升投降。蜀地于是都安定了下来。洪武五年，廖永忠北征到达和林，洪武六年，廖永忠督师出海打击倭寇，不久返回京师。

廖永忠虽然战功卓著，但没有被封公，因为他犯了许多错误，令太祖朱元璋很恼火。早年廖永忠奉命去滁州迎韩林儿来应天（南京），当船行至瓜步时，船翻了，韩林儿死。太祖把这个罪责加到了廖永忠头上。等到大封功臣的时候，廖永忠让朱元璋比较熟悉的儒生来打听朱元璋的心意，向朱元璋要爵位，惹恼了朱元璋。后来杨宪做了宰相，廖永忠又和杨宪很亲近，杨宪被杀，廖永忠因功劳大才得以幸免。

洪武八年三月（1375年），廖永忠因为用了不该用的带有龙凤图样的东西，再加上其他一些不法之事，被太祖赐死，时年53岁。

汤和

汤和（1326年—1395年），明代开国元勋。字鼎臣。濠州人。汤和身经百战，战功卓著。汤和晚年谨慎。当时朝廷中许多公侯因犯法成为奸党，都被杀或关押起来，很少有能幸免的，只有汤和幸免。官封开国辅运推诚宣力武臣中山侯，又晋封信国公。死后追封东瓯王，谥“襄武”。

汤和与明太祖朱元璋都是凤阳人，从小两人在一个巷子里玩耍。郭子兴刚刚开始起义的时候，汤和带领二十多个人参加了郭子兴的部队，屡建战功，被提升为千户。

后来汤和到了明太祖朱元璋的麾下，跟着太祖打下了大洪山、滁州（今安徽滁县），被授管军总管。汤和作战勇敢，先后跟明太祖攻克了许多地方，可谓身经百战，在一次追击陈野先的战斗中，汤和被飞箭射中了左大腿，他咬紧牙，把箭从腿上拔下来，连包扎也没包扎，又继续战斗。汤和跟随徐达攻克了镇江后，被晋升为统军元帅。攻下常州后，汤和被提升为枢密院同佥，镇守常州。后来大军大举进攻张士诚，汤和率军攻克太湖水寨。

刚建御史台时，汤和被拜为左御史大夫兼太子谕德。又拜为征南大将军，和副将军吴祯率常州、长兴、江阴的大军讨伐方国珍，招降了方国珍，他的二万四千多人、四百多艘大船都被汤和收编了。安定住了浙江，汤和又和副将军廖永忠击败了陈友定的大军，活捉了陈友定。

洪武三年（1371年），汤和跟随大将军徐达攻打定西扩廓，平定了宁夏，向北一直打到察罕脑儿（今河北一带），生擒敌猛将虎陈，俘获马牛羊十余万头。这一年，汤和因攻打东胜、大同、宣府有功，返回后，被授以开国辅运推诚宣力武臣、荣禄大夫、柱国，封中山侯。

洪武五年，汤和跟大将军徐达北伐，在断头山打了败仗，还战死了一名指挥官，但太祖朱元璋没有追究他。命他和李善长营造中都的宫殿，镇守北平。在征察罕脑儿时大捷。洪武九年（1376年），伯颜帖木儿成了边疆祸患。汤和被派为征西将军驻防延安，直到伯颜请求议和才还朝。洪武十一年，汤和晋封为信国公。

汤和为人既沉着又机智，很有心计，在军中，他是仅次于徐达和常遇春的人。洪武十八年（1385年），朱元璋年事已高，魏国公徐达、曹国公李文忠也相继故去。太祖不想再让老将们掌握兵权，但又找不出借口削夺他们的兵权。汤和看出太祖的心理，就对太祖说："我已年纪大了，没有能力再领兵了，请皇上收回我的兵权，但希望能让我回故乡养老送终。"太祖听后非常高兴，正好解除了他的心病，因此立刻拨给他许多钱，让他在中都（今凤阳）建养老府，而且同时也为其他的公、侯修建好了府第。

洪武十九年，倭寇骚扰边海，太祖非常担心海防，就对汤和说："爱卿你虽然老了，但是现在海防吃紧，别人我信不过，所以希望你能再勉强为我走一趟！"汤和请求让方鸣谦和他一块去，太祖同意了。方鸣谦是方国珍的养子，很熟悉海上的事情，对海上作战也很精通，经常做海上防御的顾问。在方鸣谦的建议下，汤和在浙江沿海准备修59座城。他选了35000名壮丁去修筑，并把当地的州县钱粮做资金拿去修筑。因人手不够，还用了一些囚犯。结果囚犯经常骚扰当地百姓，浙江当地的百姓很不愿意。有人就对汤和说："老百姓有怨言怎么办？"汤和说："想要长远安宁就不要看眼前小利益，做大事就不能照顾小细节，谁要再有怨言，就吃我一剑。"吓得没人敢再提此事。第二年，城修好了。汤和又从有四个男丁的家庭中征出一人为兵，共征得五万八千多人。又过了一年，福建的和海中的哨所也竣工了，汤和返朝交差。太祖在中都给他修的新府第也建好了，于是他就率领全家辞了官去中都住。太祖赏赐了他许多金银布匹，还降了一道诏书把他们大大褒扬了一番。从此以后，汤和每年去京城面圣一次。

洪武二十八年八月（1395年），汤和故去，时年70岁。

常遇春

常遇春（1330年—1369年），明朝开国名将，字伯仁，安徽怀远人。初为绿林草寇，后来参加朱元璋领导的农民起义军，屡立战功，被授中翼大元帅。参加了朱元璋消灭陈友谅、张士诚和元朝势力的主要战役。他英勇善战，统军有方，自谓能以十万大军横行天下，军中称为“常十万”。明洪武二年（1369年），常遇春率军北征，攻占元上都（今内蒙古正蓝旗东北）。七月，回师途中，暴病而卒，追封开平王。

常遇春长得身材魁梧，膀大腰圆，臂力过人。他的胳膊长得像猿猴一样，特别长，而且善于射箭，有百步穿杨之功。一开始，常遇春投奔了当地的一个小土匪刘聚，跟其揭竿落草。他发现刘聚每日除了打家劫舍，就是吃喝玩乐，而且心胸狭窄，没有建功立业的远大志向。常遇春决心离开刘聚。他带了十几个弟兄，投奔了朱元璋。这是元至正十五年（1355年）四月的事。过了不久，常遇春自告奋勇请求当军队的前锋。朱元璋没有同意。常遇春再三请求，朱元璋才让他等渡江之后再说。常遇春听了，只好等待渡江。

元至正十五年六月，朱元璋准备渡江，夺取采石（今安徽当涂北），占领太平府（今安徽当涂）。元军在石矶之上列好队伍，用弓箭、长枪抵挡朱元璋的军队，使他们无法靠岸，而元军的箭又急，伤了许多将士。这时，常遇春乘着一艘小船飞快赶到了江边，他用长枪作篙，往船上一顶，用力一跃，腾空而起，飞向江边。常遇春落地不等站稳，已结果了冲过来想置他于死地的两个元兵性命，接着又杀死了十余人。元兵见常遇春这么勇猛，又力大惊人，纷纷溃逃，顿时岸边就乱了套，常遇春大喝一声，挥刀挺枪，左冲右杀，所向披靡。后面的大军见常遇春勇猛异常，纷纷叫好，迅速登岸。朱元璋的大军遂占领了采石矶，采石也迅速被攻下。沿江的各处守军纷纷望风而降。于是朱元璋整队向太平进发，直抵城下，命大军急攻太平。常遇春冲杀在前，元军已溃不成军，太平府被迅速攻下。朱元璋因常遇春勇猛有功，授他为总管府先锋，又进为总管都督。接着，常遇春又受命去守溧阳，配合攻打集庆，战功最大。

元至正十六年（1356年）三月，常遇春跟随大将军徐达攻占了镇江，接着去进攻常州。常遇春大败张士诚，常州被迅速攻克，常遇春被提升为中翼大元帅。

攻占了常州后，常遇春又跟徐达去攻打宁国（今安徽宣城）。元军的长枪元帅谢国玺逃走，但朱亮祖等人坚守城池，久攻不下。常遇春身先士卒，顶着箭雨向宁国进攻。突然，一支飞箭射中了常遇春的胳膊，他被抬了下来。常遇春眼睛都红了，一瞪眼、一咬牙，“噌”的一下，把箭拔了出来，鲜血直冒，士兵们赶紧为他裹好伤口。他又冲了上去。太祖朱元璋亲自来督战，宁国城很快被攻了下来。守城元帅朱亮祖被活捉，朱元璋招降了他。宁国被攻下来后，常遇春又攻占了马驼沙，并率领水师攻下了池州（今安徽贵池）。常遇春因此晋升为行省都督马步水军大元帅。

元至正十九年（1359），朱元璋命常遇春率军攻打衢州（今浙江金衢盆地西部）。连续围攻了两个多月后，常遇春以奇兵重点突破敌人的南门，与欲降的元枢密院判张斌内外配合，攻破了衢州城。常遇春被升为佥枢密院事。后来，在进攻杭州时，常遇春的部队失利，他被召回了应天府，有好长一段时间没打大仗。

元至正二十一年（.1361年），朱元璋大举进攻陈友谅。先攻取了乐平。接着，朱元璋命徐达、常遇春为先锋，自己乘龙骧巨舰，到达了安庆。经过激战，占领了安庆。

在陈友谅进逼龙湾的时候，常遇春用五支军队设下了埋伏，大败陈友谅的军队，终于又收复了太平府。论功，常遇春最高。朱元璋占领安庆后追击陈友谅到了江州时，命令常遇春留守在太平府。常遇春用法严明，军民都恭守而没有敢违反的。于是被提升为行省参知政事。后来常遇春还守龙湾，支援长兴，俘获、斩杀了张士诚的士兵五千多人，张士诚的部将李伯升撤围逃跑。常遇春受命修筑安庆城。

元至正二十三年（1363年），常遇春配合徐达围攻庐州。在庐州即将攻下时，陈友谅乘机围攻洪都（今江西南昌）。朱元璋率水师20万人前往支援，常遇春跟随。在鄱阳湖的康郎山展开了激战。在战斗中，常遇春奋勇当先，在他的影响下，将士们无不以一当十，以一当百。喊杀声震天动地。鏖战正酣，忽然陈友谅的骁将张定边驾船直冲向朱元璋的坐船，其人骁勇异常，十几个人硬是抵挡不住。在这千钧一发之际，常遇春的船飞驶而至。这时，张定边已把朱元璋的护卫纷纷打落水中，并跳上了朱元璋的战船，朱元璋已拔出宝剑和张定边的士兵斗在一处了。常遇春见要划船进去已来不及了，张弓搭箭，照张定边一箭射去，一箭正中张定边后胯。张定边正举刀要砍朱元璋，这一下，“扑通”一声，从船上掉进了水里，朱元璋和他剩下的两个侍卫也把其余几个士兵杀了。朱元璋这才化险为夷。

这次大战，以朱元璋取得决定性胜利而告终。部队凯旋后，论功行赏，常遇春功排第一，被赏赐了丰厚的钱财、丝帛和土地。

元至正二十四年（1364年），朱元璋即吴王位，提升常遇春为平章政事。吴军占领武昌后，常遇春又随即占领了荆、湖各地。他又跟从左相国徐达攻克了庐州，还打下了临江的沙坑、麻岭、牛陂等地，擒获了陈友谅的知州邓克明。然后移师吉安（今江西吉安），常遇春乘虚攻下了吉安。不久，又去围攻赣州。

赣州的守将熊天瑞坚守抵抗，常遇春久攻不下。朱元璋派遣使者对常遇春说：“攻打城市不能多杀人，如果得到了土地而没有百姓人民，那我们占领了土地又有什么意义呢？”于是常遇春挖壕沟，树木栅，围困赣州城。在外面屯兵六个月，熊天瑞人力财力都耗尽了，只好投降，常遇春果然不杀戮无辜。接着，常遇春趁兵势正盛的威风去劝南雄、韶州的敌人投降，接着又返师平定了安陆、襄阳。

元至正二十六年（1366年）八月，常遇春和徐达率军攻克湖州后，常遇春被授为副将军，率军讨伐张士诚占据的平江。常遇春驻军虎丘。张士诚暗中派部队向常遇春逼近，常遇春打败了对方，差一点把张士诚也活捉了。这时，苏州城外，徐达命大军架木塔，名曰敌楼，共三层，每层可向城中施放弩矢及火枪，又设有襄阳炮击城，城中非常恐慌。相持了一段时间后，别的将领攻破葑门，常遇春也攻破阊门进入了苏州城，张士诚与被俘的其他守臣一起送往建康，张士诚不降，自缢而死。常遇春此次被晋升为中书平章军国重事，封为鄂国公。

元至正二十七年，常遇春再次被拜为副将军，和大将军徐达统帅大军北征，共统帅大军25万，由淮河入黄河，北取中原。他们率军先后攻下了山东、河南、河北各郡，在河西务（今天津武清西北北运河西岸）击败元兵，攻克了通州（今北京通州），最后进入元大都，另外还取下了保定、河间、真定。当时人们一提起名将，就公推徐达、常遇春二人。两个人的才能和勇敢相似，常遇春在阵前，善于摧坚陷阵，而徐达更擅长于谋略，统率军队所过之处从不惊扰百姓。徐达善于结交义士，甚至把敌人俘虏后也为己所用。常遇春则每次攻下城池，总免不了要杀人。

常遇春性格比较内向，在战斗中勇猛而又果敢。他善于安抚士兵，冲锋陷阵，从来就没有失败过。他文化水平不高，不熟悉经籍文史，但是用兵常与古代的兵法相符。他比大将军徐达长两岁，但一生都在徐达位置之下，多次跟从徐达南征北战，非常听从徐达管束，恭敬谨慎。

洪武二年（1369年），元丞相伊苏以万骑驻白河，想攻占通州。朱元璋调常遇春回守通州，并以平章李文忠辅助他。常遇春率军北征，俘虏了元宗王庆生及平章鼎住等将士一万多人，获车一万多辆。马3000匹、牛五万头，其他珍宝无数。然后还师北平，驻扎在柳河川。常遇春突然得暴病身亡，年仅40岁。

常遇春自从至正十五年（1355年）追随朱元璋，十四年戎马生涯，转战南北，可以说无役不从，战无不胜，被誉为当时的天下奇男子。他不仅有勇，而且也有智谋，或者设伏，使用疑兵；或者声东击西，出敌不备。在历次战役中都不乏其例，所以史书上说常遇春“虽不习书史，用兵辄与古合”。

徐达

徐达（1332年—1385年），明代开国军事统帅，字天德，濠州（今安徽凤阳）人。元至正十三年（1353年）参加农民起义军，因智勇超群，地位在诸将之上。至正十五年（1355年）跟随朱元璋渡长江，取太平（今安徽当涂），克集庆（今南京）。继而又率部攻占镇江（今属江苏）等地，为开拓江南基地做出了贡献，授淮兴翼统军元帅。至正二十三年（1363年）秋，在鄱阳湖之战中，击败陈友谅军前锋。至正二十四年（1364年），因功升左相国。至正二十五年（1365年），以大将军之职率师出征，先占淮东、继平浙西，连战皆捷，至正二十七年（1367年）九月，攻克平江（今江苏苏州），俘获张士诚及其将士二十五万。同年十月，以征虏大将军之职率师二十五万北上，先取山东，旋师河南，然后挥军攻克大都（今北京），灭亡元朝。明初，他多次率军远征漠北等地，戍守边疆，被朱元璋誉为“万里长城”。明洪武十八年（1385年）二月卒，追封中山王。

徐达家虽世代务农，但他从小就有远大的志向，决心弃农就武。22岁那年，徐达投奔到了朱元璋的帐下，而且很快就表现出了非凡的军事才能和过人的胆略。

徐达深谙用兵之道，他以用兵持重、勇谋兼备而驰名。在战争中，他既着眼于战役、战斗局部情况的考虑，也注重对战略全局的分析。因此，常常能出其不意地打击敌人，取得战斗的胜利。

元至正十五年（1355年），朱元璋军在峪溪口大败元将海牙，然后准备渡江。渡江前，有人说：“金陵是一个盘龙卧虎之地，我们应直接去攻占它。”徐达反对，他对朱元璋说：“采石（今安徽当涂北）是金陵的门户，占领了采石，就等于占领了太平，金陵就唾手可得。如果我们直接攻打金陵，既不好打，打下了又不好守。”朱元璋听了徐达的话，命大军进攻采石。六月，朱元璋率领大军攻克了太平。

朱元璋攻克太平，脚跟还没战稳，元军就从水上和陆地分兵两路，纠集了数万兵马包围合击。元军的水军在采石渡口，用大船封锁了出入水路，以堵住朱元璋军后退的归路。陆路的大军在陈野先的率领下，对太平城加紧攻击。朱元璋军腹背受敌，形势十分危急。徐达在和朱元璋商量之后，亲自率领了一支年轻精干的骑兵，迅速绕到陈野先部队的背后，突然向其发起猛烈进攻。太平城中的朱元璋见徐达已开始进攻，亦率军冲出城。前后夹击。元军做梦也没想到，以为是神兵天降，顿时就乱了阵脚。徐达率骑兵左冲右突，打得敌人丢盔解甲，狼狈不堪。陈野先此时还没完全明白是怎么回事，正在对他的属下大喊大叫。徐达一见，冲上来将陈野先一把提起，扔在地下，叫手下人绑了。元军一见主帅被擒，全都仓皇逃命，来不及跑的，不是做了刀下之鬼，就是被俘。

朱元璋率军攻克集庆（今江苏南京）后，设天兴建康翼统军大元帅府，升徐达为元帅。

元至正十六年（1356年），张士诚占据常州（今属江苏），挟持着在江东叛变的将领陈保二，发水军进攻当时被朱元璋占领的镇江（今江苏镇江）。徐达在龙潭和张士诚的部队打开了仗，他身先士卒，冲在最前面，打垮了张士诚的队伍。然后，乘胜进攻常州，并向朱元璋请求部队增援，准备包围常州。这时，张士诚已经派他的弟弟张士德率领数万大军来救常州。徐达以骄兵之计诱敌伏击，大败敌军。生擒了张士德。常州也因此在第二年被顺利夺取。

元至正十八年（1358年），陈友谅率军东侵，占领安庆（今属安徽）、池州、南昌等地，与朱元璋建立的根据地相接壤。徐达请命攻击赵普胜。征得了朱元璋的同意，徐达就派自己手下的将领率领一支精兵去袭击赵普胜，偷袭成功，缴获了敌船数百只，而且乘势夺回了池州。徐达因此被升为奉国上将军、同知枢密院事。

徐达又奉命进攻安庆，他率军从无为（今属安徽）出发，趁黑夜袭击了淳山寨，在青山打败了赵普胜的部将，攻克了潜山。回去镇守池州时，经过和常遇春商量，在九华山设下伏兵。陈友谅的大军经过时，徐、常两军把他们打得大败，斩首敌人上万，俘虏三千多。

第二年，徐达跟随朱元璋征讨陈友谅，夺取了江州。陈友谅撤到武昌时，他穷追不舍。陈友谅在沔阳派出战舰，徐达便在汉阳沌口宿营，以抗御他。徐达此时被提升为中书右丞。次年，朱元璋的大军又平定了南昌，降将祝宗、康泰叛变。徐达用驻在沌口的部队讨伐他们，把他们平息了，又跟随朱元璋援救安丰，打败了张士诚的将领吕珍，包围了庐州。正好陈友谅的汉军侵犯南昌，朱元璋把徐达从庐州召了回来，合兵一处对付陈友谅的汉军。部队在鄱阳湖和汉兵遭遇。汉军当时士气很盛，自觉天下无敌。徐达身先士卒，全军将士无不奋勇拼杀，打败了汉军前锋，杀死汉军一千五百多人，俘获一只大船。朱元璋此时知道，他们可以打败汉军，战胜陈友谅，但是害怕张士诚从后方打上来，如果腹背受敌，那就被动了。于是，朱元璋急令徐达率部赶回去守应天。自己亲自统帅众将领和汉军苦战，终于把陈友谅打死了。

元至正二十四年（1364年），朱元璋称吴王，建百司官位，置中书省左右相国。以李善长为右相国，徐达为左相国。徐达再次领兵去围攻庐州，围困了好久，守将张焕终于放下武器，打开城西门，把徐达的大军带进城中，庐州从此成了吴王朱元璋的地盘。接着，徐达率兵相继攻克江陵、辰州、衡州、宝庆，湖、湘被平定，又平定淮南、淮北。

元至正二十六年（1366年），朱元璋准备伐吴，拜徐达为大将军，平章常遇春为副将军，带领水军20万，向湖州进发。

攻克湖州后，接着又攻克了杭州。张士诚的左右臂被砍断，平江成了一座孤城。徐达率大军从太湖进围平江。很快，徐达占领了平江，俘虏了张士诚，把他押送到了应天，收编了张士诚的部队25万人。在城将要攻破时，徐达和常遇春约定说："部队进城以后，我驻扎在左面，你驻扎在右面。"又命令将士说："抢掠老百姓财物的，处死；拆毁民房的，处死；离开驻地20里的，处死。"部队进城后，秋毫无犯，吴地的老百姓和往常一样安居乐业，丝毫没有受到军队骚扰。徐达班师回朝后，朱元璋封他为信国公。

元至正二十三年（1363年），陈友谅在鄱阳湖战败，其子陈理突围据守武昌，自立为帝。徐达根据陈理初立、人心未定的情况，一面写信招降，一面兴兵讨伐。陈理派部将刘勇屯兵益州拒敌，徐达命令部下精选数十名兵勇潜入敌营，烧其粮仓，追敌出城。刘勇见粮仓被烧毁，遂弃城夜遁，徐达设伏兵一阵猛杀。随后，徐达与常遇春又乘胜攻下武昌，陈理被活捉。朱元璋听说后，兴奋地说："这真是出奇制胜，徐达真是一个难得的人才啊！"

元至正二十七年（1367年），吴王朱元璋任命中书丞相、信国公徐达为征虏大将军，中书平章政事、掌军国重事；常遇春为副将军，率步卒骑兵25万人，由淮河入黄河，北进夺取中原。朱元璋告谕各将领说，带兵稳重而又纪律严明，攻取城池和战争得胜时最有大将风度的，是徐达，你们在这一点上都不如大将军。又告诉徐达，下一步的军事行动计划，应当从山东开始。十一月，徐达进军山东，经过数次战斗，平定了山东全境。

洪武元年（1368年），朱元璋在应天（今江苏南京）称皇帝，国号明，建元洪武，是为明太祖皇帝。任徐达为右丞相兼太子少傅。不久，明太祖朱元璋来到汴梁，召见徐达，设酒宴慰劳他，并计划北伐。

徐达接受了皇帝的命令，于是与副将军常遇春在河阴会师，分派人马攻占河北各地，接连拿下了卫辉、彰德、广平。部队驻扎在临清，命傅友德修筑陆路，以便骑兵通过，又疏通了河道，以便水师通行。准备工作完成后，挥师北上。常遇春很快攻克了德州，双方合兵攻占了长芦，控制了直沽，造了大量浮桥让士兵渡过。水陆两军同时进发，在河西务（今天津武清西北北运河西岸）大败元军，进而夺取了通州（今属北京）。元顺帝仓皇北逃。隔了一天，徐达列兵齐化门，命令人马填平城外壕沟登城。监国的淮王帖木儿不花、左丞相庆童、平章迭而必失、朴赛因不花、右丞张康伯、御史中丞满川等拒绝投降。徐达把他们全杀了，其余的人一个不杀。查封仓库，造册登记图籍珍宝文物，命令指挥张胜领兵一千守卫宫殿门，使宦官保护照顾各宫人、妃嫔、公主，禁止士卒无礼侵犯。官吏百姓都得以安居，市内的作坊店铺也都照常营业。朱元璋收到捷报后，下诏将元朝的京城大都改为北平府，设置六个卫，令孙兴祖等留守，而徐达与常遇春进取山西。一路攻城夺寨，山西遂被全部平定。

洪武二年，徐达率大军西渡黄河，一路攻城夺寨，陕西地区被平定。太祖下诏徐达班师，赐给了他大量的金银和布帛。

太祖正准备论功大行封赏，而扩廓帖木儿攻打兰州，杀了指挥使。这时候副将常遇春已经死了。洪武三年春天，太祖再以徐达为大将军，平章李文忠为副将军，分道出兵。徐达从潼关出西路，直捣定西，攻打扩廓帖木儿。

经过大战，徐达打败了扩廓帖木儿，俘获将士、朝臣、牲口众多，立即率部队从徽州南面出发到略阳，攻克了沔州，进入连云栈，攻克兴元。副将军李文忠从居庸关出东路，穿越沙漠，追赶即位的元主。亦攻克应昌，俘获元嫡孙、妃、公主、将相。捷报先后传了上去。太祖下诏命令休整军队班师还朝，并亲自到龙江慰劳迎接。十一月，明太祖朱元璋下诏大封功臣，授予徐达开国辅运推诚宣力武臣、特进光禄大夫、左柱国、太傅，中书右丞相参军国事，改封魏国公，年俸禄五千石，给予世袭铁券。

徐达每年春天出去，冬末被召回京师，已经习以为常。回来总是立即交还将印。皇帝赐给他假期，设宴接见痛饮。朱元璋和徐达有布衣兄弟之称，而徐达却更加谦恭谨慎。皇帝曾经对他说："徐兄你功劳大，可现在仍旧没有特别合适的宅第，可以把我的旧邸赐给你。"所谓旧邸，是太祖当年称吴王时所住的地方。徐达坚决推辞。有一天，皇帝与徐达到旧邸，把徐达灌醉，然后用被子裹着，抬到正中寝室里睡。徐达睡醒过来，吓得赶快跑下台阶，俯伏在那里高呼自己死罪。皇帝偷看到了，非常高兴。于是命令在旧邸前起盖封侯的宅第给他，旌表他的牌坊题为"大功"。胡惟庸当丞相，想和徐达拉关系，徐达鄙薄他的为人，不予理睬。胡惟庸便贿赂徐达的守门人福寿，让他设法加害徐达。福寿把他揭发了，徐达亦不追究，只是常常对皇帝说胡惟庸不能胜任丞相。后来胡惟庸的阴谋果然败露，皇帝更加看重徐达。

徐达话说得不多，但考虑问题很周到。在部队里，发布了命令就不再更改。各将领都敬畏地遵奉着他的领导。但在皇帝面前，他恭敬谨慎得好像不会说话。他很会关心慰问别人，和部下同甘共苦，兵士没有不感谢他的关怀而愿意效死力的，因此所向披靡。他尤其注意整饬军队，他所平定的大都有两个，省会三个，郡邑上百个，都是里巷市井平静，百姓没有受到士兵的骚扰。回京师的时候，他轻车回家，礼貌地接待儒生，整天和他们交谈议论，非常和谐。皇帝曾经称赞他说："徐达接受了命令就立即出动，成功便归来，从不居功，不自傲，不贪女色，不取财宝，不偏不倚，没有过失。像日月一样光明的，只有大将军一个人。"

洪武十七年（1384年），徐达在北平生病，背上长疽。第二年二月，徐达病重，不久便去世，享年54岁。

在建立明王朝的战争中，徐达长期担任最高军事统帅，身经百战，功勋卓著，为朱元璋开创明王朝立下了盖世之功，被誉为明朝"开国功臣第一"。

戚继光

戚继光（1528年—1587年），字元敬，号南塘，晚号孟诸，山东蓬莱人。出身将门。17岁继承父业，袭世职登州卫（今山东蓬莱县）指挥佥事；旋署都指挥佥事，备倭山东。后因在浙、闽一带抗倭有功，升任总兵官。他一生南征北战、颇有建树，为明代抗倭名将、著名军事家。著有《纪效新书》、《练兵实纪》、《莅戎要略》、《止止堂集》。

戚继光是中国古代一位新型的军事家和战将。他的卓著军事才能主要表现在严格治军，浙江、福建抗倭，保卫北疆等事迹方面。

一、挑选精兵，严格治军

戚继光出身于将门世家，父亲戚景通武艺精熟，为人正直，忠于朝廷，为子孙树立了很好的榜样。因受家庭的影响，戚继光从小就喜欢军事游戏。戚景通对儿子期望很高，亲自教他读书写字，练习武艺，经常讲一些为人处世的道理。戚继光不仅获得行军打仗的真实学问，还养成了良好的品质，树立了高远的志向，为以后建功立业打下了基础。

戚继光出生于明朝中叶嘉靖年间，当时东南沿海的倭患十分严重，北部也经常受到蒙古的侵扰。明朝建立时，日本正处于南北朝时代（1336年—1392年），南、北朝廷及守护大名除互相争战外，还不时侵扰中国沿海。北朝统一日本后，失败的南朝武士流落海上，对中国沿海的侵扰更趋严重。到嘉靖时期（1522年—1566年），由于明政府停止对日贸易，倭患的严重达到顶峰。

嘉靖三十四年（1555年），浙江地区倭患严重，戚继光调浙江，任参将，镇守宁波、绍兴、台州三府，率军抵抗倭寇。他见旧军素质不良，“兵无节制，卒鲜经练，士心不附，军令不知”，作战不力，即向上司提出“招募新兵，亲行训练”的建议。后至义乌招募农民、矿工3000余人，组成新军，称“戚家军”。在平时的训练中，戚继光要士兵熟练掌握金鼓、号炮、旗帜的号令，要求做到统一步调，万为一体。作战时，全体官兵必须集体向前，一人退却则一人斩首，全队退却则队长斩首，队长殉职而全队退却则全队斩首。此外，戚继光还制定了各种赏罚措施，如设立固定的考选日期，武艺精通者予以奖赏，武艺生疏者予以处分。作战有功、被俘不屈、遵守军纪等，一律有赏；恃强霸道、讹言诳惑、偷摘瓜果、奸淫妇女等，一律论罪。采用这样的治军方针，戚继光造就了一支坚强的部队。

此外，戚继光在东南沿海抗倭时，所依靠的兵种主要是步兵和水师。步兵编制依次为队、旗、局、司、部、营，每队十二人，每营二千六百九十九人。队是基本单位，各人分持不同的武器，作战时集体配合，以“鸳鸯阵”对付敌人。步兵之外还有水师，为了协同作战，戚继光将不同船只配为一哨，二哨为一营，共设四营。北调蓟州后，为对付大规模的蒙古骑兵，戚继光将“鸳鸯阵”加以发展，创立了由车、骑、步相互配合的联合兵种。车兵抵御敌军的冲击，步兵以车为掩护出击敌军，骑兵则包抄突袭。各兵种协同作战，这在当时是十分先进的军事思想。

二、浙江、福建抗倭

因为浙江倭患严重，嘉靖三十四年（1555年），戚继光被调任浙江都司佥书，次年升任参将，镇守宁波、绍兴、台州三府。此后，戚继光多次与倭寇作战，先后取得龙山、岑港、桃渚之战的胜利。嘉靖四十年（1561年）四、五月间，倭寇大举进犯浙江，船只达数百艘，人数达一两万，骚扰地区达几十处，声势震动远近。其中大股倭寇窜犯宁海、桃渚、新河等地，戚继光确立“大创尽歼”的原则，在花街、上峰岭、藤岭、长沙等地大败倭寇，先后十三战十三捷，共擒斩倭寇一千四百多人，焚、溺死四千多人，使侵犯台州的倭寇遭到毁灭性的打击。与此同时，其他将领也在宁波、温州一带和倭寇交战十多次，取得重大胜利，浙江倭患基本平息。由于台州大捷，戚继光被提升为都指挥使，“戚家军”也闻名天下。

除了浙江倭患不断外，福建的倭患也很严重。嘉靖三十九年（1560年）后，倭寇由于在浙江受到沉重的打击，在福建的活动更加猖獗，一支筑巢于宁德城外海中的横屿，另一支筑巢于福清的牛田，形势非常危急。嘉靖四十一年（1562年），戚继光受命入闽剿倭，先后荡平横屿、牛田、林墩三大倭巢，随后回浙江补充兵员。戚继光刚离开后，倭寇就相互庆贺说：“戚老虎去，我们还怕什么！”活动又猖獗起来，攻占兴化府城，随后又据平海卫为巢。四十二年（1563年），戚继光抵达福建，于平海卫大败倭寇。随后率军解仙游之围，灭山贼吴平于南澳，基本平息了东南沿海的倭患。

戚继光带领戚家军灵活作战，在10多次的战役中，仅以伤亡100多人的代价，击溃了倭寇近60000人的疯狂进攻围堵，生擒倭寇83人，斩首近7000人！！！戚继光充分展现了自己的军事才华！

三、保卫北疆，安定边防

东南沿海的倭患虽然平息了，但北边仍然存在鞑靼的威胁，为了加强北边的防务，朝廷决定调戚继光训练边兵。隆庆元年（1567年）十二月，戚继光奉命北上，到京师不久，便上《请兵破虏四事疏》，提出自己的边防策略。但一些官员议论不休，纷纷进谗言，戚继光结果被任命为禁军神机营副将。二年（1568年）夏天，由于新任蓟辽保定总督谭纶的推荐，戚继光被任命为总理蓟州、昌平、辽东、保定之军务。当时坐镇蓟州的是总兵郭琥，戚继光来到后，权力不统一，诸将多不听命令。不久郭琥被调走，由戚继光单独负责蓟州防务，镇守蓟州、永平、山海关等处。

戚继光将全部防区划分为十二路，上面设东、西协守，分管东西各路军队。他虽然全权负责蓟州一线的防务，但练兵主张却得不到朝廷的积极支持，于是将精力主要用到了防御工事上。他将旧城墙加高加厚，并修筑了大量空心敌台。敌台修成后，戚继光又设立车营，创立各兵种协同作战的战术。在此期间，因北方士兵纪律散漫，苟且偷安，戚继光请求调浙兵北上，得到朝廷同意。开始只调来浙兵三千，后增到九千，最后增至二万，成为守边的主力。通过戚继光的艰苦努力，北边防务有了很大的改观。

戚继光镇守蓟州不久，俺答汗就放弃了骚扰政策，与明政府达成协议。明朝封俺答汗为顺义王，设立互市于大同、宣府等地，俺答汗则严禁诸部入边劫掠。不过，辽东的图们札萨克图汗（或称土蛮）还经常攻掠边境，朵颜部的董狐狸也不时和明军发生冲突。戚继光积极防御，多次击退董狐狸的进攻，使其保证不再攻扰边塞。万历七年（1579年）冬，图们汗带领骑兵四万多人进犯辽东镇，辽东总兵李成梁坚壁清野，朝廷命戚继光出兵声援，图们汗见明军准备充分，只得空手退去。

在戚继光的防御之下，边疆百姓过上了较为安定的生活。

戚继光从东南抗倭到北镇蓟州，上司胡宗宪、谭纶、刘应节、梁梦龙，以及执政大臣徐阶、高拱、张居正等人，对他的工作都比较支持。尤其是张居正，常把那些作对的官员调开，甚至免除职务，所以戚继光能久镇北边，发挥所长。万历十年（1582年），张居正病死，反对派群起攻击，戚继光也受到牵连。十一年（1583年），戚继光被调往广东。十三年（1585年），戚继光被朝廷罢免官职，回到家乡登州。十五年十二月初八日（1588年1月5日），戚继光突然发病，与世长辞。

戚继光在东南沿海抗击倭寇十余年，扫平了多年为虐沿海的倭患，确保了沿海人民的生命财产安全；后又在北方抗击蒙古部族内犯十余年，保卫了北部疆域的安全，促进了蒙汉民族的和平发展，同时，戚继光又是一位杰出的兵器专家和军事工程家，他改造、发明了各种火攻武器；他建造的大小战船、战车，使明军水路装备优于敌人；他富有创造性的在长城上修建空心敌台，进可攻退可守，是极具特色的军事工程。

孙承宗

孙承宗（1563年—1638年），明末抗清名将。字稚绳，别号恺阳。保定高阳（今河北高阳）人。他进士出身，文武双全，曾在宁远大败清军。只可惜大明气数将尽，他独木难支，最后与国俱亡。

青少年时期，孙承宗就十分好学。他人长得十分高大，说话声音也十分洪亮，他博览群书，非常关心国家大事。

万历三十二年（1604年），孙承宗以第二名考中了进士，授翰林院编修，又升中允。孙承宗身为文官，对边境的事却十分关心，经常了解边事。万历四十七年，努尔哈赤在赫国阿拉（今辽宁新宾）称汗，建立金国（史称后金），公开向明王朝宣战。万历四十七年，明军的主力在萨尔浒之战中被后金军打败，明王朝处于战略被动地位。可是，朝廷中的一些人，仍旧很盲目乐观。只有孙承宗根据自己对边事的了解和分析，认为目前明军的士气不振，而后金军的情况明朝又不了解，如果在军事上盲目轻敌，其结果只能导致失败。

明熹宗天启元年（1621年）三月，努尔哈赤攻陷了沈阳、辽阳，辽东经略袁应泰自杀。御史方震孺奏请孙承宗主持辽东军务。明熹宗不愿意让他离开京城，于是就任命了熊廷弼为辽东经略。天启二年，明军在广宁之役中战败，熹宗只得命孙承宗以兵部尚书身份经略辽东。从此，孙承宗弃文从武，走上了戎边军旅的生涯。

孙承宗以兵部尚书经略辽东的时候，已经是一个60岁的老人了。在到任之前，孙承宗特意备置了酒席告别亲友，但席间他自己吃的却是粗茶淡饭。有一位客人对此不满意，孙承宗就笑着解释说："其实我这样做并不是为了沽名钓誉。在我做秀才的时候，对华美的衣服和食物并不厌恶，但自从我中了进士以后，朝廷里的事情很多，边关也屡屡吃紧。因此我考虑到如果我自己不能吃苦耐劳，就无法率领大家。如果我再贪美食、图安逸，怎么能担当重任，为国负起赴边御敌的大任呢？"

孙承宗经略辽东时，镇守前线的明将王在晋打算放弃关外的大片土地，把军队撤到山海关，在那里驻守，而且要在旧城外八里修一新城。但王在晋的这个作战方针却遭到他的属下袁崇焕等的反对。

孙承宗在充分听取了将领们的意见后，坚决否定了王在晋的错误方针，支持袁崇焕等人的正确主张。孙承宗回朝把情况上奏给了熹宗皇帝，熹宗就把王在晋调离了辽东。

孙承宗看到辽东边防经略无人，主动提出赴山海关督师，得到了熹宗的批准。孙承宗一到山海关，首先抓了边关防务的整顿，以安定民心，巩固和强化京东门户。孙承宗在把山海关的防务整顿得井井有条之后，即把全部精力投入到修筑宁远城上。天启三年（1623年），他先后命令祖大寿、袁崇焕规定城制，派遣诸将分头动工。将士们同心同德，协力营造，第二年就把宁远城修筑得如铜墙铁壁一般。孙承宗督帅蓟辽四年，共修复大小城堡50座，练兵十一万，收复疆土四百里，几乎恢复了辽河以西的失地。这一个时期，由于孙承宗戍边得力，使努尔哈赤无机可乘，三年多没敢轻易在明军守区用兵侵扰。

宦官权奸魏忠贤见孙承宗督边的声望一天比一天高，借熹宗派宦官去前线犒军的机会，竭力拉拢孙承宗，想让他成为自己的人，让应坤等人去说明这些意思。但孙承宗抱以蔑视的态度，一句话也不与他们说，魏忠贤因此怀恨在心，唆使党羽在熹宗面前屡次诽谤孙承宗。熹宗终于在天启五年（1625年）派高第取代孙承宗，撤退关外守军。孙承宗满腔义愤要求辞职。而后关外明军撤退，袁崇焕坚持不撤的宁远城变成了一座孤城。努尔哈赤乘机于天启六年正月，率领十三万大军渡过辽河，进攻宁远。袁崇焕利用孙承宗督师经营的城池、兵马、器械和西洋大炮，取得了宁远大捷。朝廷里的正直之臣都认为，宁远大捷与孙承宗的数年苦心经营关防是分不开的。为了表彰他的功绩，朝廷准备封他的儿子为锦衣卫千户，孙承宗没有接受。

宁远一战，后金军不但被明军打得大败，而且努尔哈赤本人也身负重伤，不久就死去了。他的儿子皇太极即位。

思宗崇祯二年（1629年）十一月，皇太极避过袁崇焕，绕过辽西，从大安口、龙井关、河山口（今河北遵化、迁安北部）等地入塞，很快攻下了守备薄弱的遵化，直逼京城，局势十分危急。思宗于匆忙之中令孙承宗以原官兼兵部尚书，扼守通州。孙承宗来到通州时，后金军的哨骑已经在通州四郊活动。城里的明军无心坚守，有的甚至想与敌人议和。孙承宗坚决反对议和，大家看孙承宗守城的态度这样坚决，军心就逐渐稳定下来，孙承宗便积极着手部署御敌防务。这时，袁崇焕在北京广渠门外大败后金军。

后金军在广渠门失败后，在退兵途中相继攻占了永平（今河北卢龙）、迁安、滦州（今河北滦县），并在遵化、永平、迁安、滦州四城留下部分兵力驻守。四城驻军皆由了解内地情况、智勇兼备的将领指挥，这四座城就如同四把尖刀，插在北京的脊梁上，若不拔除，北京就不能解除后金军的威胁。孙承宗于崇祯三年（1630年）五月令马世、祖大寿等率军进攻滦州，自己坐镇九宁督战。由于孙承宗采取了声东击西、攻弱避强的战术，很快就攻克了滦州，迁安、遵化也相继被攻克。明军从攻打滦州到收复四城，只用了十几天时间。

孙承宗收复了四城，即于崇祯四年七月修筑大凌河战略要点，工程尚未完成，后金军突然发起进攻，大凌河失守。大凌河之役失败之后，孙承宗被免职，回到家乡高阳。崇祯十一年（1638年）九月，皇太极派其弟多尔衮率兵分道入关，十月会师于通州，十一月攻高阳。已经76岁的孙承宗率领家人登城作战，但终因寡不敌众，城被攻陷，孙承宗被俘。清军（此时皇太极称帝，改金为“清”）要他做军师，他不屈服。他向北京方向叩了头，然后自杀而死。

袁崇焕

袁崇焕（1584年—1630年），字元素，生于广东东莞石碣，祖籍广西梧州（籍贯有争议）。于万历四十七年（1619年）中进士，后通过自荐的方式在边关任职，得到孙承宗的器重镇守宁远。在抗击清军（后金）的战争中先后取得宁远大捷、宁锦大捷，但因为不得魏忠贤欢心辞官回乡。明思宗朱由检即位后袁崇焕得以重新启用，并声称自己可以五年复辽，赴任后持尚方宝剑将东江毛文龙设计杀害。袁崇焕于崇祯二年（1629年）击退皇太极，解了京都之围后，魏忠贤余党以“擅杀岛帅”、“与清廷议和”、“市米资敌”等罪名弹劾袁崇焕，皇太极又趁机实施反间计，袁崇焕最终被皇帝朱由检以通敌叛国罪处以凌迟。袁崇焕作为抗清名将，是一位争议较大的人物，被处死后明朝百姓争相抢食他的肉，而到了清乾隆时期，又受到了乾隆皇帝的赞赏。对袁崇焕的个人评价也褒贬不一。

袁崇焕的青年时代，正值明皇朝统治日趋腐朽之际。有感于国家的衰败，袁崇焕自幼好读兵书，学习用兵救国之术。他中进士后授职福建邵武知县，仍对东北边境的战况非常关心，常常同一些曾经卫戍辽东的退役将卒讨论辽境的地理和防御状况，向往有一天自己能投笔从戎。

天启二年（1622年）正月，袁崇焕奉诏入京朝觐，御史侯恂慧眼识英雄，荐袁崇焕为兵部职方主事，负责镇守山海关。袁崇焕刚到任所，便深夜单骑出关了解地形，回来后便称：“予我军马钱谷，我一人足守此。”虽是口出狂言，但这番胆识和勇气，也着实让人佩服。不久，他便被升为山东按察司佥事、山海监军，成为驻防边疆的一员勇将。

在兵部尚书孙承宗的大力支持下，袁崇焕在辽东筑宁远城，恢复锦州、右屯等军事重镇，使明的边防从宁远向前推进了二百里，基本上收复了天启初年的失地，他又采取以辽土养辽人、以辽人守辽土的政策，鼓励百姓恢复生产，重建家园。还注意整肃军队，号令严明，大大提高了军队的战斗力。由于治边有方，天启三年，袁崇焕得升为兵备副使，不久又升为右参政。

天启六年（1626年）正月，后金国主努尔哈赤率八旗健卒十三万前来围攻宁远（参见宁远之战）。袁崇焕刺血为书，誓师全军，表示誓与宁远城共存亡。在他的感染下，“将士咸请死效命”，同仇敌忾，士气高涨。袁崇焕令城外守军全部撤进宁远城，坚壁清野，又亲自杀牛宰马慰劳将士。他还将全部库存的白银置于城上，传令，有能打退敌兵，不避艰险者，当即赏银一锭。如临阵退缩，立斩于军前。为了增强火力，袁崇焕令人将城中存有的仿西洋“红夷大炮”架上城头，一切准备就绪，严阵以待。

二十四日，后金军兵临宁远城下。袁崇焕胸有成竹，邀朝鲜使者同坐战楼观战。突然一声炮响，后金军开始攻城。只见八旗兵丁四处散开，满山蔽野而来。袁崇焕一声令下，城楼上火炮齐鸣，弓箭齐发，后金军死伤惨重，只好退军。次日，后金军重振士气，再次来攻，他们把裹着生牛皮的战车推到城墙根，准备凿城穿穴，袁崇焕立即亲率士兵挑石堵洞，又令城上大炮加强火力猛攻敌阵。后金军总帅努尔哈赤在营前指挥作战，忽被飞来的炮石击中，受伤坠马，血流不止。后金军见主帅受伤，匆匆收兵退去。在归途中，努尔哈赤病情加重，死于军中。

宁远一战，是努尔哈赤自二十五岁征战以来唯一的一次败绩。袁崇焕从此威名大振，后来清军也不得不承认“议战守，自崇焕始”。

宁远之战后，袁崇焕被升为辽东巡抚，关外防务尽归袁崇焕筹划。为了休整军队，他一面派人假意与后金和谈，一面加紧整饬军队，修筑锦州、中左、大凌诸要塞，以防后金的突然袭击。天启七年五月，皇太极果然率军来攻锦州，将锦州团团围住（参见宁锦之战）。锦州守军一面坚持抵抗，一面飞报袁崇焕请援。袁崇焕识破皇太极围锦州的目的是欲诱自己出战，以便借袭宁远。他认为，“宁远不固，则山海必震，此天下安危所系”。于是坚守宁远不动，而派精骑四千绕到清军后面猛攻，致使清军两面受敌。同时又奏请朝廷调蓟镇、保定、昌平、宣府、大同各路守军趋山海关支援。皇太极攻锦州不成，便集中兵力进攻宁远。此时宁远守军已准备就绪，“红夷大炮”整整齐齐地排在城头，引弹待发。清军将领见宁远防守甚严，不易攻破，便劝皇太极不要攻城。皇太极怒斥道：“当初我父攻宁远不下，而如今我攻锦州不下，像这样的野战，如不取胜，如何能张扬我国威！”说完便下令强攻宁远城。城上明军万炮齐发，矢石如雨。清军久攻不下，损伤惨重，最后只好退兵。皇太极终于还是像他父亲一样，败在袁崇焕的手下，无功而归。

“宁、锦大捷”全靠袁崇焕运筹帷幄，指挥有方。但在明廷论功行赏时，权阉魏忠贤却贪他人之功为已有，不仅自己封赏最厚，连他的爪牙也个个有奖，唯独对袁崇焕，不仅无封赏，反而诬他“不救锦州为暮气”。袁崇焕一怒之下，上疏乞休归乡。

崇祯帝登基之后，日夜思得良将解辽境之忧。“廷臣争请召崇焕”。崇祯元年四月，任命袁崇焕为兵部尚书兼右副都御史，督师蓟、辽，兼督登、莱、天津军务。七月，袁崇焕应召入京。崇祯帝亲自在平台召见他，与他商量平辽方略。崇祯帝道：“卿万里赴召，忠勇可嘉，所有平辽方略，可具实奏来。”袁崇焕一听今上如此信任自己，锐意平辽，一时热血沸腾，便不假思索地答道：“所有方略，已具疏中。臣今受皇上特达之知，愿假以便宜，五年而建部可平，全辽可复奏。”崇祯帝一听五年便可复辽疆，真是喜出望外，也慷慨地答道：“五年复辽，便是方略，朕不吝封侯之赏，卿其努力以解天下倒悬之苦！卿子孙亦受其福。”

“五年复辽”，谈何容易？袁崇焕不知，自他离职后的这一年，东北边防已现出了巨大的变化。从明军方面而言，继任的督抚多贪赃冒赎，克扣军饷，多次激起士兵哗变，军心涣散。锦州、大凌等要塞也相继失守，边防一触即溃。而皇太极即位以来，更加注意调整满汉关系，逐渐开始封建化过程，国力大增，八旗兵的作战能力大大提高，皇太极也在战斗中总结出了对明作战的经验。因此可以说，在东北边境，清军的实力大大胜于明军。在力量对比如此悬殊的情况下，袁崇焕声称“五年复辽”很显然是不切实际的。当时在场的大臣都为袁崇焕的豪言壮语捏了一把冷汗，给事中许誉卿趁崇祯帝入内室小憩之机悄悄问袁崇焕为何出此狂语，袁崇焕笑笑说：“聊慰圣心耳。”许誉卿正色道：“上莫甚，岂可浪对？异日按期责功，奈何？”袁崇焕一听大梦方醒，甚觉失言。待崇祯帝再出，立即跪奏道：“东建四十年蓄聚，此局原不易结，但皇上留心封疆，宵旰于上，臣何敢言难？此五年之中，须事事应手，首先钱粮。”接着提出了在军队调度、兵需供给方面的诸多要求。崇祯帝一一答应。袁崇焕担心自己远离京师遭人妒陷，又奏道：“以臣之力，制全辽而有余，调众口而不足。一出国便成万里，忌功妒能，夫岂无人。即凛凛于皇上法度，不以权掣臣之手，亦能以意见乱臣之方略。”崇祯帝一听此话甚觉刺耳，但为了边疆大事，也不便发作，沉默了一会儿，对袁崇焕说：“条对方略井井，不必谦逊，朕自有主持。”命赐尚方宝剑，准其先斩后奏。

不久，袁崇焕离京赴任。崇祯帝亲自为其送行，把恢复边疆的宏愿完全寄托在袁崇焕身上。袁崇焕深知身负重命，但仍虑皇上不能信而不疑，便再次恳请皇上“任而勿贰，信而勿疑”。还一再说明“军中可惊可疑者殊多，但当论成败之大局，不必摘一言一行之微瑕”。崇祯帝皆“优诏答之”。

袁崇焕刚到御辽前线，即遇上了驻宁远的士兵因长期缺饷而哗变。他当即单骑入营，惩治了贪虐的将领以抚军心，又将兵变为首者枭首示众，以严明军纪。为了从根本上稳定军心，他连连上奏，要求朝廷发饷济远。

崇祯帝见袁崇焕到边境未立一战功，请饷之奏却频传，心中颇为不悦。在召集众臣讨论时，崇祯帝没好气地说：“将兵者果能如家人父子，自不敢叛，不忍叛。不敢叛者畏其威，不忍叛者怀其德，如何有鼓噪之事？”站在一边的礼部右侍郎周延儒听出了崇祯帝的弦外之音，趁机挑拨，说什么军事哗变实非缺饷，而是另有隐情。崇祯帝一听，对袁崇焕的十分信任顿时减去三分，虽然勉强发去了军饷，但心中却开始怀疑袁崇焕恃边逼饷以充私囊。

不久，又传来了袁崇焕擅杀皮岛守将毛文龙的消息。毛文龙原系辽东明军将领，辽东失陷后撤到濒临朝鲜的皮岛上，他在岛上择壮为兵，多次袭击清军后方，有力地牵制了清军的南下。但毛文龙恃功跋扈，根本不听袁崇焕的指挥，反而虚功冒饷，诬袁崇焕克扣了他的军饷。为了统一边防号令，袁崇焕借督饷赴皮岛之机诱捕毛文龙，先斩后奏。崇祯帝接到袁崇焕的奏疏，心中十分恼怒他竟敢不经圣裁擅杀边将。但碍于自己曾亲赐尚方宝剑，又指望袁崇焕早日恢复辽境，所以还是强忍怒气，“优旨褒答”。还“传谕暴文龙罪，以安崇焕心”。

崇祯二年（1629年）十月，皇太极率大军避开袁崇焕的防地，从蒙古绕道入关（参见京畿之战）。由于蓟州一线边防松弛，使得清军轻易攻破，很快便会师于遵化，直逼京师而来。

袁崇焕得知清军入关的消息，心急如焚，立即亲率精锐部队，马不停蹄，急赴京师救援。他们赶到北京城外，与围攻广渠门的清军交锋，一场恶战，清军败退。

崇祯帝在城内得知袁崇焕援军已到，十分惊喜，连忙发饷犒师，并命各路勤王军统归袁崇焕调度。袁崇焕担心所部日夜奔驰，马卒疲惫，请求入城休整再战。但遭到了崇祯帝的坚决拒绝，只好移师城外驻防。

皇太极见又遇劲敌袁崇焕，心中又恨又怕，决定利用崇祯帝多疑猜忌的性格，借崇祯帝之手除去心头大患。他首先假拟了两封所谓的“密信”，让部下有意“丢失”在明军经常出没的地方，信中以自己的口气约袁崇焕私下议和。此信一传开，京城中人心惶惶，怨谤纷起。那些往日与袁崇焕有隙的朝臣也趁势“诬其引敌协和，将为城下之盟”。崇祯帝正在半信半疑之际，两名从清营中逃回来的宦官又报告说在清军中亲耳听见将士议论，称袁崇焕已与清主和议，不久将不战而献北京。崇祯帝至此深信不疑，当即传令袁崇焕入见，趁其不备将他逮捕下狱。崇祯三年（1630）八月十六日，以“谋叛欺君罪”将袁崇焕处以磔刑。

直到后来清军入关后，人们方知所谓的袁崇焕通敌不过是皇太极的反间计，那两名逃回的宦官是清军有意识让他们听到议论后又故意放归的。崇祯帝轻率疑臣，自毁长城，致使袁崇焕忠心报国却含恨九泉。

袁崇焕是支撑大明危厦的最后一根擎天柱，他为人耿直、慷慨，有勇有谋，为保护大明江山立下了汗马功劳，然而最后却被多疑的崇祯帝所杀，令人悲叹。

洪承畴

洪承畴（1593年—1665年），字彦演，号亨九。明朝重臣，松山之败后降清，沦为汉奸。清朝开国重臣，其所作贡献对于清朝的统一、社会安定、经济发展、民族和睦起了十分重要的作用。出生于万历二十一年（1593年）九月二十二日，泉州府南安县二十七都英山霞美乡（今英都镇良山村霞美）人。康熙四年（1665年）寿终正寝，享年73岁。赠少师，谥文襄，赐葬京师，立御碑。

洪承畴虽说出身书香世家，在他这一世家道已经中落。洪承畴童年曾入学读书，十一岁时因家境贫寒辍学。当时与洪家同宗的洪启胤办私塾，洪承畴叫卖豆干之余常在私塾外听课，偶尔也帮学生做对子。洪启胤发现这个远房侄子极有天分，慧眼识才的他决定免费收洪承畴为徒。洪承畴重返学校后学习用功，博览群书。洪启胤的《史记》、《资治通鉴》、《三国志》、《孙子兵法》等书都被他借来认真研读，从小就表现了治国平天下的抱负，深深赏识此子的洪启胤在洪承畴的一篇作文中批下“家驹千里，国石万钧”的评语。

万历四十三年（1615年），洪承畴23岁时，考中19名举人。第二年考中二甲第17名进士。洪承畴从此进入仕途，历官刑部主事、郎中、两浙提学道佥事、江西兵备道按察副使。天启七年，任陕西督粮道参政。崇祯三年，洪承畴迁延授巡抚，征剿农民起义军。四年，任陕西三边总督，于陇东晋西追剿义军。七年，授兵部尚书，总督关外五省军务。十一年，率部于潼关南源大破义军，李自成败走商洛山中。这十年间，洪承畴转战北国沙场，采取集中兵力、逐个围歼战术，大挫义军，为明王朝立下了汗马功劳。十二年，洪承畴又授蓟辽总督，成为明末重臣。

崇祯十三年，清太宗率兵包围锦州，边关告急。十四年，洪承畴授命率八总兵，十三万军队，一年粮草，出山海关驻镇宁远，往救锦州。洪承畴主张且战且守，步步为营，令敌自困，然后解围。而兵部尚书陈新甲别有用心，主张速战解围，并派张若麟任监军，从中作梗，洪承畴难以从容布阵。加上粮草被劫又无援军，兵无斗志。总兵王朴率部先逃，各军纷纷奔命，又遭清军伏击，损失惨重，退守松山。洪承畴被困松山城达半年之久，粮尽援绝，处境艰难。十五年二月十八日夜，松山城守副将夏承德与清军密约为内应，松山城破，洪承畴被俘。

洪承畴被送到盛京，清廷命其剃头易服投降，洪承畴拒不剃头，延颈承刃，“只求速死”，且又绝食七日，仍然“求死不得”。原因是皇太极接受范文程、张存仁的意见，一心想争取洪承畴归顺，礼贤恩厚，亲临囚室，解貂裘衣之。洪承畴经多方面揣摩，眼见明廷政治腐败，无可挽回。又看到清廷勃勃兴起，两朝之君襟怀两样，以清代明，大势所趋，即表归顺之意。但有两年时间，洪承畴仍在观测时局变化，不任官，不为清廷效劳。十七年三月，李自成攻进北京城，崇祯帝吊死于柳树，洪承畴看到明王朝已将彻底崩溃，为了拯救中华民族于水火，减少生灵涂炭，才决心为清廷统一中国效力。

顺治元年五月二日，洪承畴随清军入京。多尔衮接受洪承畴的意见，先遣官宣布王令，录用明朝降臣，设府县施政，稳定社会秩序，不屠人民，不焚庐舍，不掠财物，约束军纪，秋毫无犯；免除三饷，民有轻负之喜。洪承畴仍以太子太保、兵部尚书、都察院右副都御史原衔，入内院佐理机务，授秘书院大学士。洪承畴借助参与国家大计之机，对清朝的政权建设、稳定社会秩序提出一系列措施，诸如袭明制、行保举、选人才、学汉语、读儒书等，促进社会发展。

顺治二年，洪承畴授命招抚江南各省总督军务大学士的重任，采取“以抚为主，以剿有辅”的策略。在政治上联络汉族地主，以“原官留任”为条件，招抚安徽、江西要地十三府，招降郑芝龙，清军入闽；军事上以瓦解前明兵部尚书张缙颜的抗清力量为重点，使豫、鄂、湘诸省四十余寨“渐次驯服”；文化上则连续开科取士，（传说有“状元不满中，汉女不入官”的条款）弘扬民族文化传统，使新进之士有机参与朝政；经济上疏请准予减免苏杭赋税，停征漕粮等。这些措施，对缓和民族矛盾，减少兵火洗劫、生灵涂炭，减轻人民负担，稳定社会秩序，促进生产发展，均起了积极作用。

但他降清的举动却让他背负了许多骂名，连他的母亲和亲弟弟也指责他不忠。

康熙四年（1665年），洪承畴死去。这样一位毁誉参半的军事高手，平静地走完了他生命的历程，他的功过只能留给时间，让后人继续评说。

左良玉

左良玉（1599年—1645年），明末将领。字昆山。临清（今山东临清）人。先后参加了辽东抗清，镇压李自成起义军，后辅佐福王在南明。

左良玉很小的时候父亲就死了，被叔叔抚养大。到了成年，高高的个子，紫红的脸庞，十分勇敢，善左右射。他不识字，但很有谋略，体恤士卒，因此多次立战功。

从崇祯六年（1633年）起，左良玉开始围剿起义军，先后共十余年，其间有几次战役，也颇能显出左良玉的军事指挥才能。

崇祯六年冬，左良玉率军打败了起义军，起义军渡河向西，兵分三路，一路向庆阳，一路向郧阳，一路向河南。左良玉扼守新安、渑池，但因为当时起义军正处在兴盛时期，兵多粮广，而左良玉所率明军却兵寡粮饷不继，所以也不急着追起义军，只收降一些沿途掉队的人员。

崇祯十一年（1638年）正月，左良玉跟着总兵陈洪范刚刚打败李自成部，张献忠打着官府的旗号袭击南阳，在南关屯兵。正好左良玉带兵经过这里，对这支部队有些怀疑，于是去盘问。张献忠带领人马急忙逃走，左良玉率兵追赶，用箭射中了张献忠的肩，并用刀砍伤了他的脸。这一仗，左良玉及总兵陈洪范杀了两千多起义军。

崇祯十五年（1642年）四月，明皇帝发15万两军饷激励左良玉营将士。左良玉在朱仙镇与李自成军大战。左良玉因见起义军军威雄壮，不敢交锋，晚上偷偷拔营逃走。李自成亲率大军追杀于后，左良玉兵大乱，被杀、被马踩死、掉进山涧死的无数，丢掉的马匹上万，器械无数。左良玉逃到了襄阳，崇祯皇帝因此罢了他的官。

崇祯十七年（1644年）三月，左良玉被封为宁南伯，可没过多久，李自成攻破北京，崇祯皇帝自杀。南京福王立，晋升左良玉为侯，加太子太傅，总军护卫南明。他带80万兵，号称百万，前五营是亲军，后五营是降军，每年春秋大演兵，把武昌的山谷都填满了。这时左良玉已经老了，而且有病，所以不愿再北图中原。

左良玉是侯恂推荐起家的，而侯恂是东林党。等马士英当权后，怕左良玉发难，就在南京西筑城墙防卫他。左良玉心里很忌恨，终于造反，传檄讨马士英，从汉口到蕲州，列舟二百余里。但这时左良玉的病已经很厉害，到了九江，总督袁继成拿出皇太子密诏，叫他莫反，但他的部将入城烧毁了城池。左良玉看着城中的火光，说："我辜负了袁公。"吐了好多血，于当天夜里死去。

史可法

史可法（1602年—1645年），南明抗清名将。字宪之，号道邻。顺天大兴籍，河南祥符（今河南开封）人。父史从质。进士出身，曾任西安府推官、右佥都御史、南京兵部尚书等。南明弘光政权中，任礼部尚书兼东阁大学士等职，史称“史阁部”。他治军严明，指挥有方，为抵御清军鞠躬尽瘁，最后以身殉国。

史可法从小就以孝闻名乡里，他自幼饱读诗书，很有文采。崇祯元年（1628年），史可法进京考试，中了进士。被授为西安府推官，渐渐升为户部主事，又历官员外郎、郎中。

崇祯八年，史可法被升为右参议，分工驻守池州（今安徽贵池）、太平（今属安徽）。这年秋天，总理侍郎卢象升大举进讨盗贼，任史可法为副使，分道巡视安庆（今属安徽）、池州，监江北各军。

崇祯九年到崇祯十年，史可法一直受命围剿农民起义，但当时农民起义大盛，李自成占领庆阳（今甘肃庆阳）、凤翔，张献忠等东趋蕲（今湖北蕲春）、黄州（今湖北黄冈一带）。史可法在围剿中因超过期限，朝廷命他戴罪立功。

史可法身躯短小精悍，面色黝黑，目光炯炯有神。他廉洁诚实，能与部下一起吃苦耐劳。部队行军，士兵不饱他不先用餐，士兵未发冬衣他不先穿衣御寒，所以能够得到兵士们拼死的效力。

史可法驻防在六安（今安徽六安）时，这里连年灾荒，人民生活极端困苦，他曾上疏奏请皇帝免除当地百姓田租。同时还下了一道命令免除了这里百姓每年替官府养马26匹的徭役，改由官府雇人来养。史可法对不法官吏严厉惩处，毫不留情。有一次，一个姓苏的部下为一件小事射死了六安县的一个老婆婆。有人把这件事向史可法做了报告，他立即把这个军官判处了死刑。

崇祯十七年（1644年）四月初，史可法听说起义军进犯北京，当时他正任南京兵部尚书，立即发动将士，北上救援朝廷。刚刚渡江到浦口，已经听说北京沦陷了。他身穿白色衣服为崇祯帝发丧。这时南京的大臣们正商讨重立君主之事，张慎言、吕大器、姜曰广等人说：“福王朱由崧，是神宗的孙子，按道德和次序来说应当立为君主，但他有七条不可立的理由：即贪、淫、酗酒、不孝、虐下、不读书、干预官府。潞王朱常，为神宗之侄，贤明应当立。”他们向史可法发了一份文书，史可法也同意这种看法。凤阳总督马士英暗中与阮大铖计议，主张立福王，询问史可法时，史可法将七不可告诉他们。然而马士英已与黄得功、刘良佐、刘泽清、高杰发兵将福王送到了仪真，于是史可法等只好前去迎接福王。过了两天，朝廷任史可法为礼部尚书兼东阁大学士，与马士英、高弘图一同任命。史可法仍掌管兵部事，马士英仍督理凤阳军务。史可法定出京营的规制，照先前北京的事例，侍卫及锦衣卫各军，全部入伍操练。锦衣卫东、西两司房，及南北两镇抚司官，不完全设置，以杜绝告密，安定人心。

这时，马士英日夜期望入朝为相。到任命颁下后，他大怒，将史可法的“七不可”书报奏给福王。而且拥兵入朝，上奏章请福王即帝位。史可法为了避祸便请求督率军师，出外镇守淮、扬。十五日，福王即帝位。史可法第二天去向弘光帝辞别，被加授太子太保衔，改任兵部尚书、武英殿大学士。马士英就在这一天入朝就职。

史可法上疏说：“您早朝晚歇，要牢记先帝的克俭克勤，为什么会最终断送了祖宗大业？……如果心安理得地处于东南一角，不思远略，贤奸不辨，威断不灵，老成的人丢下簪子弃官而去，英雄豪杰裹足不前，这样会使祖宗怨恨，连东南一角也无法保住了。”福王表示赞许。史可法到达扬州后，奉命调停了江北四镇守将的矛盾，然后在扬州开建府署。

六月，清兵击败了李自成，李自成放弃北京向西逃走。青州各郡县争相斩杀贼军所封的官员，占据城市自我守护。史可法请求颁布监国、即位二诏，以告慰山东、河北军民之心。开设礼贤馆，招徕四方才智兼备的人，以监纪推官应廷吉负责这件事。八月，史可法出巡淮安，视察了刘泽清的兵马。回到扬州，他向朝廷请求粮饷作为军队进发的经费。马士英就是舍不得发，史可法上疏请求催促他。

清军攻下邳州、宿迁后，史可法飞快地上章奏报。马士英对人说：“他只不过想给防河的将士记功罢了。”而且各镇守将又迟疑徘徊没有进军的意思，还多次相互攻击，内讧不断，史可法极力调停，安抚各镇守将。第二年，即清顺治二年（1645年）正月，南明粮饷缺乏，各军都忍受着饥饿。

这时清兵已取下山东、黄河南北，正向淮南进逼。四月初，史可法抽调军队进驻泗州，守护皇家祖陵。临行时，左良玉举兵进犯南京，朝廷召史可法南下救援。史可法渡长江抵达燕子矶，黄得功已打败了左良玉。史可法便去了天长，传檄召众将援盱眙，但盱眙已降清。史可法于是连夜赶回扬州。扬州谣传许定国兵将到来，要杀尽高杰的余部，城中人闻讯斩杀了守关人出城，舟桨被抢掠一空。史可法传檄召各镇援兵，竟没有一人赶到。二十日，清兵大批来到。总兵李栖风、监军副使高岐凤拔营出降，城中力量更加单薄。各文武官员分别拒守在城墙上。旧城西门最为险要，史可法亲自据守。他写出信寄于母亲、妻子，并且说："我死后请将我安葬在明太祖皇陵旁边。"过了两天，清兵逼到扬州城下，用大炮猛击城的西北角，城终于被攻破。史可法自杀没有成功，被一名参将救下并将他拥出小东门，最后被清兵抓住。清将多铎欲招降史可法，史可法听后，怒斥道："我是大明臣子，岂肯卖国求荣，作万世罪人！"史可法终被杀害。这是清顺治二年（1645年）四月的事。

史可法没有儿子，根据他的遗嘱，命令副将史德威作为他的后人。史可法死时仅44岁，乾隆中追谥他为"忠正"。后人将他散佚的遗著整理辑成《史忠正公集》。

郑成功

郑成功，明清之际民族英雄。汉族，本名森，又名福松，字明俨，号大木，福建省南安市石井镇人。公元1624年8月27日诞生于日本长崎县平户千里滨。其父郑芝龙，其母田川氏。祖籍河南省固始县汪棚乡邓大庙村。弘光时监生，隆武帝赐姓朱、并封忠孝伯，这也就是他俗称“国姓爷”的由来。清兵入闽，其父郑芝龙迎降，他哭谏不听，起兵抗清。后与张煌言联师北伐，震动东南。康熙元年（1662年）率将士数万人，自厦门出发，于台湾禾寮港登陆，击败荷兰殖民者，收复台湾。在1662年末得病逝世，在世38年。

郑成功的父亲郑芝龙受明朝朝廷招安前为一海盗首领。母亲是日本女子田川松，明天启四年（1624年，日本宽永元年）农历七月十四日（8月27日），在日本平户海滨产下郑成功，因此郑成功是中日混血儿。七岁之前跟随母亲住在平户，1630年郑芝龙将他带回南安教养，因受限于日本禁止女人离境的规定，故田川氏并未随行，郑芝龙延聘儒士教育郑成功，以便争取科考功名。他十五岁考中秀才。

1644年李自成攻入北京，明思宗自缢，吴三桂引清兵入关。在这样的乱世里，郑成功入南京国子监太学读书，拜当时南京礼部尚书钱谦益为师。

后来，郑成功受南明隆武帝笼络，赐姓为明朝的国姓朱，并封忠孝伯，22岁任南明隆武帝御营中军都督。

清顺治三年（南明隆武二年，1646年），清军攻克福建，唐王隆武皇帝遇害，在清大学士洪承畴的招抚下，郑成功的父亲认为明朝气数已尽，不顾郑成功的反对，只身北上向清朝朝廷投降。清军在这时掠劫郑家，郑成功的母亲田川氏为免受辱于清兵，切腹自尽。

“国仇家恨”之下，隆武二年十二月（1647年1月）郑成功在烈屿（小金门）起兵，旗帜上的称号是“忠孝伯招讨大将军罪臣朱成功”。永历三年（1649年）改奉南明永历年号，永历帝封他为延平郡王，故亦有称其为郑延平者。1651年到1652年在闽南小盈岭、海澄（今龙海）等地取得3次重大胜利，歼灭驻闽清军主力。后挥师北取浙江舟山，南破广东揭阳。

顺治十二年（1655年），清定远大将军济度率兵约3万入闽，会同驻闽清军，进攻郑军。郑成功利用清军不善水战的弱点，诱其出海作战，次年四月将其水师歼灭于厦门围头海域。在起义后的16年间，郑成功据地在现今小金门和厦门（当时为一小岛，并没有和大陆连在一起）一带的小岛，完全控制了海权，以和外国人做生意收集资金，筹备军力，并且深入内陆广设商业据点，收集许多有关清军与朝廷的情报，曾经几次起兵，也和清廷议和以争取时间恢复兵力。期间，降清的郑芝龙在清廷的要求下多次写信给郑成功招降，清帝亦曾下诏册封郑成功为靖海将军海澄公，郑成功坚辞不受；顺治十四年（1657年），郑芝龙与郑成功私信被清廷截获，以通敌罪流徙郑芝龙于宁古塔。

顺治十五年（1658年），郑成功统率水陆军17万北伐，次年入长江，克镇江，围南京，后因中了清军缓兵之计，损兵折将，败退厦门。十七年，在福建海门港（今龙海东）歼灭清将达素所率水师4万余人，军威复振

1661年康熙皇帝初即位，之前的郑氏降将黄梧陈灭贼五策，包括长达20年的迁界令，自山东至广东沿海廿里，断绝郑成功的经济支援；毁沿海船只，寸板不许下水；同时杀成功之父郑芝龙于宁古塔流徙处，（一说斩于北京菜市口，即今府学胡同西口，元代刑场）；挖郑氏祖坟；移驻投诚官兵，分垦荒地。由于清政府的新策略，郑成功和他的军队断绝了经济来源，面临着严重的财政危机，不得不放弃以近岸离岛为基地，骚扰东南沿海的军事策略，转而进攻已久为大航海时代以来远渡重洋来到亚洲的葡萄牙人、西班牙人、英国人、荷兰人所分别殖民割据的台湾，作为新的基地，这一年三月二十三，郑成功亲率将士2.5万、战船数百艘，自金门料罗湾出发，经澎湖，出其不意地在鹿耳门及禾寮港登陆。先以优势兵力夺取荷军防守薄弱的赤嵌城（今台南市内），继又对防御坚固的首府台湾城（今台南市安平区）长期围困。经过九个月的苦战，在早年由其父协助渡海的汉人移民的支持下于1662年打败荷兰人，迫使殖民总督揆一于同年十二月十三日（1662年2月1日）签字投降，撤离台湾。于是祭告山川，颁屯垦令，开东宁王国，立郑家天下，拥有现在台湾南部以及一部分东部的土地，设“承天府”，改台南为“东都”，以示候明永历帝东来之意，争取明朝遗臣效忠。另辟朱干坤抗清朝于海外。同年4月间传来桂王朱由榔死于缅甸的消息。虽然仍有其他明朝宗室在台，但成功已决定不再拥立新帝，自为台湾之主。郑成功在台成立第一个汉人政权，然而，因为当时热

带地方卫生条件不好，郑成功感染时疫，终于病倒，同年5月病逝，享年39岁。原葬台南洲仔尾，1699年迁葬南安祖墓。

从收复台湾这一壮举来看，郑成功是伟大的民族英雄，这是三百多年来中国人民共同承认的。他的驱荷复台的立场和功绩，维护国家主权和领土完整，不仅是中国人民崇拜的民族英雄，而且是一位维护海商权益、为全世界人民共同崇敬的历史名人，堪称为“国际英雄”，更是光耀千秋。

吴三桂

吴三桂（1613年—1678年），明末清初将领。字月所，另字长白。辽东中后所（今辽宁省绥中）人。先世本扬州府高邮州人。其父为吴襄，在明朝官至辽东团练总兵；母祖氏。清顺治帝时授吴三桂为平西王，清康熙帝时又晋升他为平西亲王。在明末清初之际，吴三桂是明王朝、李自成、清朝三方都极力争取的关键人物，他的去从对当时的政治局势有着重大影响。不管人们如何评价他，他无疑是这一时期的重要历史人物。

明崇祯初年，吴三桂从武宁随父征战，因战功赫赫而不断被提升。后来吴襄坐失军机，纵兵焚掠，被逮捕入狱，吴三桂被提升为锦州总兵。因吴三桂守宁远有功，崇祯皇帝想倚重他来讨伐李自成农民军，遂封他为平西伯，并且将他的父亲也免罪出狱，起用提督京营。

崇祯十四年（1641年），明清之间开始了著名的松山、杏山、锦州之战，明军大败，洪承畴和吴三桂的舅舅祖大寿降清，吴三桂却退守宁远，保全了自己的实力。明崇祯皇帝虽知在松锦之战中吴三桂有罪，却不敢追究，反以为其守宁远有功，召他进京，赐宴武英殿，以示抚慰，并起用其父。

崇祯十七年（1644年）三月，李自成农民军进逼北京，崇祯皇帝命辽蓟总兵王永吉调宁远兵50万人火速入卫。吴三桂乘机把自己辖区内的几十万辽民迁入关内安插，自己带精锐部队殿后，这就耽误了进京的时间，直到三月十九日才到山海关，二十二日抵达玉田。

这时，李自成攻占北京和崇祯皇帝自杀的消息传来，入卫兵溃散，吴三桂不敢前进。李自成派人传信给吴三桂，劝他投降。在这之前，当吴三桂被崇祯皇帝召进北京时，他在嘉定的周奎家中看上了歌女陈沅（即陈圆圆），并不惜千金将她买下（也有人说是勋戚田弘献给他的），将其留在北京。吴三桂这时见了李自成的招降信，考虑到他父亲和爱妾陈沅都在北京李自成的手中，也曾动过投降李自成的念头。但正在此时，却谣传陈沅被李自成的武将刘宗敏抢掠，也有人说陈沅被李自成收为妃子，于是吴三桂冲冠一怒，决心与李自成为敌。

吴三桂带兵先驰回山海关，加紧备战，以便抵挡李自成的进攻。但他也很清楚，单靠自己的力量，决不敌李自成，便想联合清兵对付李自成。于是就派副将杨坤、游击郭云龙，向清摄政王多尔衮借兵，欲讨伐李自成。多尔衮的条件很简要，但也很苛刻：要出兵，吴三桂必须先投降。

这时，时局的发展十分迅速。李自成已经率领十万大兵向山海关开拔。四月十九日，李自成大军抵达关门，二十一日便对山海关发动猛攻。四月二十二日，吴三桂率众赴清营投降，多尔衮让吴三桂在阵前剃发投降，封吴三桂为平西王，并令其兵士在肩膀上系白布作为标志。于是在吴三桂的带领下，多尔衮统率军队进入了山海关。在清军的帮助下，李自成的农民军受到重创，溃败而走，清军又追击了四十多里。

李自成带兵退到永平后，还曾试图与吴三桂议和，但未成功，于是回到北京就在范家店杀了吴三桂的父亲吴襄及其眷属，但吴三桂的爱妾陈沅却并未被杀，她躲在了一户百姓家。

李自成兵败山西，清军暂且班师。清世祖顺治皇帝驾临皇极门，授吴三桂为平西王，赏赐白银万两，并设宴招待他。正是吴三桂献关投降，才使得清军轻而易举地占领了北京。

不久，顺治皇帝封英亲王为靖远大将军，攻打居于山西、陕西的李自成农民军，吴三桂也从征，由边外奔绥德。顺治二年（1645年），李自成率军退到湖北襄阳、武昌，吴三桂也到湖北攻打，直攻到九江。这是吴三桂献山海关之后为清人立的又一大功劳。由于吴三桂的功劳最大，所以他的地位、声势远远超过了其他投降清人的明朝降官。但是吴三桂只是表面受宠，实际上清人对他始终怀有戒心。

顺治五年（1648年），全国各地的抗清运动风起云涌，姜瓖在大同起兵，声势浩大，秦晋轰动。清人因兵力不足，不得不起用明朝降将，于是便让吴三桂出征汉中，但却委任都统李国翰为“定西将军”，实则是对吴三桂暗中加以监督控制。吴三桂在出征汉中的过程中，大肆屠杀抗清义军，企图以军功取得清人的信任。但尽管如此，清廷对他的防范始终比较严密，对此，吴三桂心中也十分清楚。

顺治八年（1651年），摄政王多尔衮病死，清廷内部的政治形势发生了很大变化。多尔衮与顺治皇帝原本有矛盾，而对吴三桂防范最严厉的乃是多尔衮，此时多尔衮死去，吴三桂抓准时机，入京觐见皇帝，果然得到了顺治皇帝的优待。至此，吴三桂的命运开始出现了转机，一步步走起运来。

顺治十四年（1657年），清廷授吴三桂“平西大将军”，命他独当一路，从四川进攻贵州。顺治十五年，吴三桂率兵从汉中出发，经过保宁、顺庆，到达合州（今四川合州），将沿江战船全部俘获。李定国等依靠石壶关等险要隘口，抵抗清兵。吴三桂令骑兵从山麓步行登上山顶，用大炮轰击伏兵，致使明兵溃散，吴三桂很快攻下了遵义、开州（今贵州开阳）。

顺治十六年（1659年）正月，清军各路兵马联合进攻云南，南明桂王朱由榔退守永昌。二月，吴三桂同贝勒尚书卓布泰进征南州，在玉龙关打败了白文选，渡过澜沧江，攻下了永昌。朱由榔败走缅甸后，其手下的部将马宝、李如碧、高起隆等几十人及各土司先后归顺了清廷，云南落入了清人之手。

顺治皇帝下诏书，命吴三桂镇守云南，命信郡王与卓布泰等班师，留下都统伊尔德、卓罗等分军驻守，并且晓谕吏、兵二部，凡云南省文武官员的任命与罢免之权，以及军队与民间的一切事务，均由吴三桂暂行总督，等几年后再补授，并仍照旧例执行。为了能在云南站稳脚跟，拥兵自重，吴三桂曾向洪承畴请教策略，洪承畴回答说：“不可使滇一日无事也。”吴三桂心领神会。

顺治十七年清廷部臣上奏，说累计云南省俸饷每年多达九百多万两白银，议撤回满洲兵回京，将五万绿旗兵裁减为三万。吴三桂上疏说，边疆仍不安宁，兵力难减，应该保持原状。为了转移视线，巩固自己在云南的地位，吴三桂采纳了他手下的都统杨珅的建议，先除朱由榔，以讨好清廷。于是，吴三桂就上疏请求发兵攻打缅甸，消灭朱由榔。这一倡议得到了清廷的赞同。

顺治十八年（1661年）十二月，清军一路攻战，来到奋挽坡，这里跟缅甸都城相隔只有六十里左右。缅甸派使者来到清军中，随后将朱由榔及其亲属献到军前。清将马宁等在孟养追上了南明将领白文选。白文选率领几千士兵投降。大战宣告结束，吴三桂整顿军队回到云南。

康熙元年（1662年），捷报传到京城，康熙皇帝下旨嘉奖，晋升吴三桂为平西亲王，并命贵州也属吴三桂管辖，而令爱星阿班师。

本来应该将朱由榔等人押解到京城，但吴三桂以道远押解不便为理由，上奏请求在云南处置。四月二十五日，吴三桂奉密旨将朱由榔父子杀害。

康熙二年（1663年）到五年（1666年），吴三桂多次出兵平定了土著居民反抗清廷的队伍，擒杀了首领。云南一带政局开始稳定。于是，吴三桂开始进一步扩充自己的实力。他把一万二千多降兵分为十营，让马宝等人做总兵。并且对于凡文武官职都擅自提拔和免除，到处安排自己的亲信，他让云南督抚受自己的节制，将提督府移驻大理，总督府移到贵阳。吴三桂住在从前朱由榔住过的五华山故宫，将其改为藩府，并大兴土木，使之更加华丽，把沐天波庄田改为藩庄，假借挖渠筑城等名目，增征关市、盐税，利用当地的金矿铜山，开矿鼓铸，增加自己的私产。他广泛招徕商旅，与西藏、蒙古互市茶叶、马匹。其亲信更是巧设名目，强占土地，杀人越货，无所不为。吴三桂俨然是西南地区的小朝廷。

对于吴三桂势力的无限膨胀，清廷十分注意，开始想方设法削减他的权力。康熙二年就收缴了他的大将军印，康熙五年裁掉了他用人替补的权力。康熙六年（1667年），吴三桂因患眼疾上疏辞总管任，清廷借机剥夺了他云贵总管的职务，事务由总督提督巡抚管理。但清廷对吴三桂此时仍然加以笼络，所以，虽然免去了其云贵总管之职，但仍然有所保留，又晋升他的儿子吴应熊为少傅兼太子太傅，并让吴应熊到云南探望吴三桂的眼疾。

康熙七年，知府傅弘烈因上疏陈说吴三桂必反，坐诬论斩，后因康熙皇帝公开加以保护，才免去了其死罪。但这一案无疑给吴三桂敲起了警钟，他不能不感到内心恐慌，于是一边到处攻打土司，借边事用兵不停来转移视线，一边向太后等进贡各种珍贵贡品，并让他的儿子吴应熊在北京广施金钱，拉拢结交权贵。但这一切，并不能从根本上改变吴三桂的命运。

当时，吴三桂坐镇云南，耿精忠镇守福建，尚可喜占据广东，各自专擅兵权，独霸一方，时称三藩，天下赋税，有一半为他们所消耗，清廷也怕尾大不掉，于是开始认真着手加以解决。

对于康熙的"撤藩"之意，吴三桂最感惊恐，不知所措。当时另外两位藩王都上疏辞职，吴三桂也抱着试探皇帝之意的心理上了辞职疏，没想到却弄巧成拙。康熙认为藩镇久握重兵，恐怕滋蔓生变，不是长治久安之策，于是就下旨让吴三桂撤归锦州，并且派遣侍郎哲尔肯、学士傅达礼等人到云南督促撤藩。

诏书一到云南，整个云南为之震动，吴三桂一时间十分沮丧，不知所措。这时他的亲信纷纷劝说他起兵反清，否则失去兵权，受制于人，那时悔之晚矣。吴三桂的宠妾陈沅认为吴三桂的势力难以与清廷抗衡，极力劝说吴三桂不可轻举妄动，自蹈死路。吴三桂考虑到他儿子在京为人质，更加犹豫不决。但他的亲信极力怂恿他造反，吴三桂这才下了决心。

九月，哲尔肯、傅达礼来到云南，吴三桂伪称十一月二十四日离开云南，企图稳住他们，暗中却开始调兵遣将，安排亲信，控制关隘，部署军事。凡入关隘者请进，凡出关隘者一律禁止。吴三桂曾邀请巡抚朱国治赴宴，胁迫其一起反清，朱国治不从，吴三桂就把他打死了，又扣留哲尔肯、傅达礼。凡不愿与吴三桂一起造反的，如按察使李兴元、知府高兴辰、同知刘昆等，都被杀害。

于是，吴三桂写信给平南、靖南二藩及黔、蜀、楚、秦官吏中的旧相识，打着复明的幌子，约会他们一起反清。他们的旗帜用白色，步兵、骑兵都戴白毡帽。

康熙十三年（1674年）正月，吴三桂称为周王元年，派他的总兵杨宝荫攻克了常德，将军夏图相攻克了澧州，张国柱攻克了衡州，吴应麟攻克了岳州。长沙副将陈武卫以城献三桂，襄阳总兵杨来嘉、副将洪福占据谷城郧阳山寨，依附了吴三桂，都成了吴三桂的将军。吴三桂从云南来到常德，康熙皇帝分派将领迎敌，井然有序，吴三桂见康熙这样年轻就指挥若定，有点后悔自己的举动未免莽撞，于是上疏哲尔肯、傅达礼带到京城，希望索回子孙，与清朝划地讲和。康熙晓谕部臣说，吴三桂的奏章言词乖戾，行动狂妄，决不能与之讲和。下令将吴应熊及其子吴世霖处绞，其余幼子俱免死，没入官府为奴。吴三桂见清廷绞杀了自己的儿孙，这才打消了议和念头，决心血战到底了。

六月，康熙命贝勒尚善为安远靖寇大将军，与顺承郡王分兵进讨吴三桂。由于吴三桂的战线拉得太长，分散了兵力，不能集中兵力与清人决战，结果使清人得以各个击破。

从康熙十三年到康熙十七年（1678年），吴三桂率大军攻克了江西、湖南、广东及陕甘宁等地，却被清军相继收复，手下将领多有降清之人。吴三桂无计可施，最后曾想求助于蒙古，许以割地纳款，请蒙古兵入秦蜀援助，但蒙古兵不肯，吴三桂大失所望。

吴三桂此时深知大势已去，在走投无路的时候，玩起了称帝的把戏，借以自娱。康熙十七年（1678年）三月初一日，吴三桂在衡州称帝，过了一回皇帝瘾，三月十八日他就死去了，时年66岁。

后来，清兵向云南全境进兵，攻入昆明，杀了吴三桂家中的三十多人，吴三桂的爱妾陈沅因为出家为尼而得以全命。

年羹尧

年羹尧（？—1726年），清朝名将，字亮工，汉军镶黄旗人。康熙三十九年（1700年）进士。康熙五十七年（1718年），任四川总督，办理松潘军务，为清军入藏驱逐准噶尔军提供后勤保障。康熙六十年（1721年），任川陕总督时遣师击败青海郭罗克部。雍正元年（1723年），青海和硕特部首领罗卜藏丹津出兵进攻邻部及军政重地西宁，企图割据青海。清廷命年羹尧为抚远大将军、岳钟琪为参赞大臣率师进讨。年羹尧先遣军分路遏其锋、断其后、绝其援，将其击溃。然后令岳钟琪率军追击，出敌不意，直抵柴达木，歼灭罗卜藏丹津军，因功晋一等公。清廷根据他的献策，加强了对青、甘地区的治理。后遭雍正猜忌，于雍正三年（1726年）十二月被责令自杀。

年羹尧在考中进士后，初选为庶吉士，授检讨职务。随即充当四川、广东的乡试考官，经过多次调迁后升为内阁学士。康熙四十八（1709年）年，被提为四川巡抚。第二年，斡伟生番罗都等人聚众劫掠宁番卫，杀死了游击将军周玉麟。皇帝命令年羹尧和提督岳升龙前往征剿安抚。岳升龙率兵前去，擒获了罗都，年羹尧带军行至平番卫时，听到罗都已被活捉，就引兵退回。川陕总督音泰为此上章弹劾年羹尧，府部大臣讨论认为当撤职罢官，但康熙帝下令留任。康熙五十六年（1717年），越嶲（今四川西昌）卫属下的土著和普雄的土千户那交等聚众作乱，年羹尧派遣游击将军张玉前去将他们剿平。

康熙五十九年（1720年），康熙帝玄烨命令平逆将军延信率领军队从青海进入西藏，授予年羹尧定西将军的官印，从拉里出发去和延信会师，并询问年羹尧谁可以代理总督的职务。年羹尧说一时没有合适的人选，他请将军印信授给护军统领噶尔弼，同时将法喇的军队移驻打箭炉，康熙帝采纳了他的建议。八月，噶尔弼、延信两支军队先后进入西藏，策凌敦多卜溃败逃走，西藏平定。皇帝诏令年羹尧护卫作战凯旋的各路军队回师，同时召法喇返回京师。

不久，年羹尧又派兵安抚平定了里塘所属的上、下牙色，上、下雅尼；巴塘所属的阿坝、林卡石等地。康熙六十年，年羹尧到京城朝见皇帝，康熙帝命他兼任四川、陕西总督。

雍正皇帝即位后，将抚远大将军允召回京师，命令年羹尧接管抚远大将军印和所职事务。雍正元年（1723年），授予年羹尧二等阿达哈哈番世代相袭的职务，并加赐其父年遐龄尚书衔。不久又加封年羹尧为太保。论平定西藏的功劳，以年羹尧运输军粮、守卫关隘有功，封三等公，并准予世袭。

雍正元年（1723年），青海台吉罗卜藏丹津劫持亲王察罕丹津叛乱，并劫掠青海的各部落。雍正皇帝命令年羹尧率大军进讨，诏谕抚远大将军延信和主管边防、管理粮饷的所有大臣，以及四川、陕西、云南三省的总督、巡抚、提督、镇守，凡有关军事的事宜，都向年羹尧报告。十月，年羹尧率师从甘州到达西宁。雍正帝诏令改任延信为平逆将军，解除他抚远大将军的印信，改授给年羹尧，所有军队全部由年羹尧统领。年羹尧奏请任命前锋统领素丹、提督岳钟琪为参赞大臣，雍正皇帝同意。论平定郭罗克的功劳，年羹尧又晋封二等公爵。

年羹尧刚到西宁时，部队还没有大规模集结，罗卜藏丹津探知这一情况后率军来进袭西宁，攻破了所有傍临西宁城的城堡，然后率军向西宁城进逼。年羹尧只带了几十名侍从端坐在城楼，仪态自若，毫不动容，罗卜藏丹津见后不知虚实，使引军稍稍后退，包围了南堡。年羹尧命令士兵去捣毁敌人的营垒，敌人知道官兵人数不多，也不多作防备，只是驱逼桌子山的土蕃当前队；清军发炮，土蕃被炸死者不计其数，这时岳钟琪的部队赶到，直接攻打敌人大本营，罗卜藏丹津大败而逃，官兵在后紧追不舍，敌军全面崩溃，罗卜藏丹津只带了几百人逃脱。

雍正二年（1724年），皇帝以罗卜藏丹津背叛国家，叛逆之罪不容恕为由，特授岳钟琪为奋威将军，催促年羹尧进兵征讨。西宁东北的郭隆寺喇嘛跟随响应罗卜藏丹津反叛作乱，年羹尧命令岳钟琪和素丹等将领统兵前往征剿，敌人屯集在哈拉直沟一带抗拒。官兵奋勇进攻，越过三座高岭，捣毁十个村寨。宋可进、黄喜林和总兵武正安等都小有战绩。接着又继续捣毁敌人七个村寨。来到寺外，见敌人均埋伏于山谷之中，清兵于是利用火攻，歼灭了敌人六千多人，摧毁了郭隆寺，杀死了他们的首领。青海的几个贝勒将他们的母亲、妻子送到了年羹尧处，请求归附。年羹尧命岳钟琪等率军六千进一步深入敌后，留下素丹在西宁协助自己处理事务。

是年二月，年羹尧与岳钟琪屡败叛军。三月，擒获了罗卜藏丹津的母亲和许多亲戚，罗卜藏丹津只带了两百多人逃走。至此，青海部落全部平定。论功行赏，年羹尧被晋封为一等公爵，另外被授予精奇尼哈番的称号，并准许让其儿子年斌承袭，赐封年羹尧的父亲和他一样的爵位，并加太傅称号。同时授予素丹、宋可进三等阿达哈哈番称号，黄喜林二等阿达哈哈番称号。其他人也各有分赐。

紧接着，年羹尧又率大军平定了河州（今甘肃临夏）边外的一些地方，并向皇帝建议解散北征的大部队，而分兵驻守，在所守之地设同知管理民事，设卫守管理屯粮等，均得到雍正帝的同意。

之后，年羹尧列条上陈妥善处理青海遗留问题的意见，对抚定青海大有好处。因此，这年十月，年羹尧进京朝见雍正帝，雍正帝赐给他双眼花翎、四团龙补服、黄带、紫辔、金币等。论功行赏，晋加一等阿思哈尼哈番世职，准许他的儿子年富承袭。

年羹尧仗恃雍正帝对他的器重和恩遇，以及多次出师屡建战功的资本，又加之曾参与帮助雍正谋取帝位，骄横放纵，不可一世。他给各地总督、巡抚直接下达公文，给官员的信函都直呼其名。他向雍正帝要求调配给他侍卫、随从军士，让他们在前面开导引路，在后面护卫压阵，为他驾双马车，搀扶下马。他进京觐见雍正帝，总要叫总督李维钧、巡抚范时捷跪在道旁送往、迎接。到了京城，他经过的地方都要为他清道，禁止百姓和普通官员行走通过。亲王大臣到郊外去迎接他，他从不礼谢。在边境时，蒙古族的所有亲王、公爵见他都必须下跪，连额驸（驸马）阿宝请见他也如此。年羹尧曾经荐举陕西布政使吴期恒及景灏，说他们可委以重用，随即弹劾揭发四川巡抚蔡珽，并将他们逮捕判罪，雍正帝立即将四川巡抚一职授予景灏，又提拔吴期恒为甘肃巡抚。年羹尧朝觐回去后，马上题奏要求劾罢驿道金南瑛等人，同时奏请任命跟他从军的主事丁松代理掌管粮道事务。雍正皇帝指责年羹尧上章题奏中有错误，命令吴期恒率领所有被年羹尧奏劾的官员前来京城。雍正三年（1725年）正月，蔡珽被押送到北京，雍正皇帝召他进宫觐见，蔡珽详细诉说了年羹尧暴戾贪婪、诬陷忠良的种种罪状，雍正皇帝特地下令赦免蔡珽的罪行。

雍正三年二月庚午日，太阳和月亮同时升起，水星、金星、火星、木星、土星五星连珠。年羹尧为此进疏庆贺，但他在奏章用了“夕惕朝乾”一语，雍正大怒，斥责年羹尧故意将词用颠倒，下谕旨说：“年羹尧不用‘朝乾夕惕’这样的话来期望赞许朕，那么年羹尧的青海之功，我也在同意不同意的考虑之中而未有定论。”这时正逢吴期恒来到京师，进谒皇帝，雍正帝因为吴期恒在当面回答他的提问时谬误百出、不合事理，便当即罢免了他的官职。四月，雍正皇帝下谕旨说：“年羹尧举荐用人、弹劾官员处理不得当。”又指出他许多欺瞒之事，而将其改授为杭州将军。雍正皇帝让岳钟琪代理年羹尧的总督职务，并令年羹尧交回抚远大将军的官印。年羹尧被替代之后又上疏说：“我不敢长期住在陕西，也不敢马上就前往杭州，现在我在水陆交通交汇之处的仪征等您的圣旨。”雍正帝见疏后更加生气，下令他立即赴任。这时许多巡抚、总督、都统等官吏纷纷上章揭发年羹尧的种种罪状，并有滥杀无辜的事实。雍正皇帝下旨分案定罪，罢免年羹尧将军的职务，任他为没有实职的闲散章京，将他的二等公的爵位递降拜他喇布勒哈番，这样就削除了年羹尧的全部职务。

雍正三年十二月，年羹尧被逮捕押送到京师。会审结果为：年羹尧犯有92条罪行，雍正皇帝迫令年羹尧自杀。对年羹尧的父亲年遐龄和哥哥年希尧削除官职，免除对他们的处罚；处斩了年羹尧的儿子年富；其余的儿子凡年在15岁以上的都发配到最远的地方去戍守边境。

综观年羹尧一生，他得到两代皇帝的赏识，其战功在雍正朝首屈一指，受到的礼遇在清朝也是前无古人。然而年氏不知足，不懂得韬光养晦，终于导致自己最后惨死的结局。

岳钟琪

岳钟琪（1686年—1754年），成都人，字东美，号容斋，人称岳将军。清代名将，封疆大吏。他刚毅沉着，智勇兼备。康熙五十七年（1718年），任四川永宁协副将。康熙五十九年（1720年），率军为前锋，直抵拉萨，击退进占西藏的准噶尔军。第二年，升四川提督，率军击败青海郭罗克部。雍正元年（1723年），以参赞大臣之职率师平定企图割据云南的罗卜藏丹津军，因功授三等公。后历任川陕总督、宁远大将军，率军攻准噶尔，因久战功微被罢职。乾隆十三年（1748年），复为四川提督，参与大金川（今四川金川）之战。他献水陆并进、南北夹攻、直捣中坚之策，并率北路军进击，轻骑入寨，劝导大金川土司归降。赐号威信公，乾隆十九年（1754年）卒于资州（今四川资中）。

岳钟琪开始是以捐资任同知的。他投身军队后，请求改为武职。康熙命他以游击将军身份进发四川，他也很快被授予松藩镇中军游击。后再升为四川永宁协副将。康熙五十八年（1719年），准噶尔的将领策凌敦多卜袭击西藏，清军都统法喇督兵出打箭炉，请岳钟琪为先锋，抚定里塘、巴塘。康熙五十九年，清定西将军噶尔弼军自拉里（今西藏嘉黎）入藏，仍命岳钟琪为前锋。岳钟琪进驻察木多，挑出军中通西藏语的30人，换上藏服，悄悄地行军到洛隆宗，斩杀了准噶尔的使者，叛军大惊，请求投降。噶尔弼到军中，用岳钟琪的计策，招抚西藏公布部落，该部以2000人出来投降。岳钟琪就统兵渡江，直逼拉萨，大破西藏军，擒获为内应的四百多个喇嘛。策凌敦多卜败逃，西藏叛乱于是被平定。康熙六十年（1721年），清军班师回朝，岳钟琪被授予左都督，晋升为四川提督，赐孔雀翎。随后，朝廷又命令岳钟琪领兵征讨郭罗克番部，郭罗克三部全都被平定，朝廷授拜他喇布勒哈番世职。

雍正元年（1723年），清军讨伐青海，抚远大将军年羹尧请求用岳钟琪参谋协助军事。岳钟琪率6000人出归德堡，抚定上寺东策卜、下寺东策卜各番部。雍正二年，岳钟琪被授为奋威将军，又一次进兵。岳钟琪会同其他各军合力出击，歼灭了叛军，罗卜藏丹津本人换了女装才得以逃走。岳钟琪带兵出师15日，斩了八万多首级。凡帮助罗卜藏丹津反叛的大部落长都被擒获。青海平定，雍正特授岳钟琪三等公，赐黄带。

雍正三年（1725年），岳钟琪被任命兼甘肃巡抚。是年四月，年羹尧被解除了兵权，改任杭州将军，岳钟琪也命上交了奋威将军之印，代理川陕总督，作为各支军队的护军。

不久，朝廷正式任命岳钟琪为川陕总督。岳钟琪督领三省全国最强兵众，疑心妒忌他的人很多。成都传出岳钟琪要谋反的谣言，岳钟琪获知后立即上疏报告朝廷，雍正劝谕他说："数年以来，以谗言中伤岳钟琪的谤书已不止一箱，更厉害的是有人说岳钟琪是岳飞后裔，意欲报宋、金之仇。岳钟琪功劳卓著，我因此要安置他在西陲要地，付与他重兵。川、陕的军民，受圣祖六十多年的广裕恩泽，尊君亲上，这是大家所共闻共知的。如今这造谣的人，不只是诽谤了大臣，同时还以大逆不道来诬陷川陕军民。命令巡抚黄炳、提督黄廷桂会同严审。"不久地方上奏报，寄居四川的湖广人卢宗因私事编造出这毫无根据的流言蜚语，并没有主使人，于是将卢宗判处死刑。

雍正七年（1729年），岳钟琪又分别上疏请求升甘肃肃州为直隶州。在陕西子午谷隘口增设防守官兵，在里塘、巴塘等地设置宣抚、安抚各司直至千百户，按流官的规定题报补充。都经讨论后实行。雷波的土司发动叛乱，岳钟琪派兵前去讨平。

靖州生员曾静派他的徒弟张熙投书给岳钟琪，想劝他一同谋反。岳钟琪与他假设盟誓，了解到曾静叛逆之事的全部真相，上疏报告朝廷。雍正赞赏岳钟琪的忠心，派侍郎抗奕禄等到湖南去拘捕曾静并会审将其治罪。

罗卜藏丹津失败后，去投奔了准噶尔，准噶尔几次侵犯劫掠喀尔喀等部。雍正命令傅尔丹为靖边大将军，屯守在阿尔泰山，从北路进发；岳钟琪为宁远大将军，驻守在巴里坤，从西路出发，前去讨平噶尔丹军。这时岳钟琪被加授为少保，以四川提督纪成斌等参谋协助军务。

雍正九年（1731年）七月，准噶尔大举进犯北路，傅尔丹军在和通脑儿惨遭失败，岳钟琪请求乘虚袭击乌鲁木齐。岳钟琪从巴尔库尔经过伊尔布尔和邵到阿察河，遇到了敌人，岳钟琪指挥大军击败了他们。追赶到厄尔穆河，敌人占据山梁来抗拒。岳钟琪命令张元佐率步兵为右翼，纪成斌率骑兵为左翼，曹勷及总兵王绪级从中路上山，参将黄正信率精锐部队从北山进攻敌人后方，各支军队奋勇前进，夺得敌人所据山梁，敌人溃败逃走。据情报说乌鲁木齐的叛军已全部拔帐远迁，岳钟琪就带兵回营。消息上报，雍正皇帝嘉奖岳钟琪进退迟速都合机宜。

雍正十年正月，准噶尔部三千多人进犯哈密，岳钟琪命令曹勷、纪成斌率5000人从回落兔大坂出发，总兵纪豹率2000人从科舍图岭出发，分道赴援。又令副将军石云倬、常贵、镇安将军卓鼐分地设伏。曹勷等将到二堡，遭遇准噶尔五千多人，就发兵奋战一昼夜。敌人登山，曹勷统兵围山，奋力攻战直到中午，敌人才溃逃。曹勷等将乘夜追剿。岳钟琪派人告诉石云倬等，遣兵到无克克岭等待敌人。

石云倬等来到无克克岭，岳钟琪下令迅速占领梯子泉切断敌军归路，卓鼐紧跟其后。石云倬推迟了一日发兵，敌军已西越过纳库山逃走。石云倬带兵到达敌人驻营地时，炉灶里的余火还未熄灭，石云倬又下令不去追袭。岳钟琪弹劾石云倬破坏战事，撤销他的将职，押送京师治罪，以张广泗代为副将军。雍正责怪岳钟琪动摇不定，致使战守失宜。大学士鄂尔泰等参劾岳钟琪独断独行地控制着边疆，才智不足以预料敌情，勇力不足以全歼敌军。因此岳钟琪被降为三等侯，削去少保衔，仍保留总督衔，护大将军印。六月，岳钟琪上疏报告要将部队移驻到穆垒。不久，朝廷召岳钟琪回京师，用张广泗护大将军印。张广泗参劾岳钟琪在调兵筹饷、统驭将士等事情上的失宜。又说穆垒形成釜底，不可以驻扎军队。建议军师分驻在科舍图、乌兰乌苏等地。雍正下令还军到巴尔库尔，将岳钟琪的官爵全部削夺，并把他交给兵部拘禁。

雍正十一年（1733年），查郎阿代理大将军之职，他弹劾岳钟琪骄横不法，并且参劾纪成斌、张元佐疏于防守，雍正下令斩曹勷。雍正十二年，大学士等大臣奏请对岳钟琪实行斩决，雍正改为监禁候审。乾隆二年（1737年），岳钟琪被释放回原籍。乾隆十三年（1748年），清军征讨大金川叛乱，久而无功。是年三月，乾隆皇帝命令重新起用岳钟琪，给予总兵衔。岳钟琪到军中，立即被授予四川提督，赐孔雀翎。

岳钟琪从党坝攻康八达山梁，大破贼兵。大军进到塔高山梁，又屡败敌军。叛军首领莎罗奔到清军军前投降。乾隆吩咐嘉奖岳钟琪，加太子少保衔，再封三等公，赐号为威信。岳钟琪入见皇帝，乾隆命他在紫禁城骑马，取消西征中的追偿银70万两，给他儿子岳淠、岳涝加官侍卫，又赐诗褒扬他。不久命岳钟琪回师。乾隆十五年（1750年），西藏珠尔默特叛乱，岳钟琪派兵前去征讨擒捕。乾隆十九年，重庆以陈琨为首的民众发生暴乱，岳钟琪重病，还亲自前去镇压，还师途中，在资州病故。

有清一代，汉大臣拜为大将军，满洲士卒隶于部下受节制的，只有岳钟琪一人而已。乾隆在《御制怀旧诗》中，将他列在五位功臣之中，称其为“三朝武臣巨擘”。

终清之世，汉族拜大将军，节制满洲士卒的人只有岳钟琪一人。乾隆称之为“三朝武臣巨擘”，可见其能力和地位之一斑。

中华名人大传

高山 编著

〔第三卷〕

光明日报出版社

东方朔

东方朔（前154年—前93年），字曼倩，平原厌次（今山东德州陵县）人。性诙谐幽默，善辞赋，武帝时大臣、文学家。武帝即位，征四方士人，东方朔上书自荐，诏拜为郎。后任常侍郎、太中大夫等职。他性格诙谐，言词敏捷，滑稽多智，常在武帝前谈笑取乐，真可谓是汉武帝的一颗开心果。

《史记·滑稽列传》记载："武帝时，齐人有东方生名朔，以好古传书，爱经术，多所博观外家之语。朔初入长安，至公车上书，凡用三千奏牍。公车令两人共持举其书，仅然能胜之。人主从上方读之，止，辄乙其处，读之二月乃尽。诏拜以为郎，常在侧侍中。"

汉武帝即位初年，征求天下贤良方正文学材力之士，且只要是被看中就有意想不到的官职。各地人士、儒生纷纷上书应聘。

在众多应聘人之中，东方朔是其中一位。在当时，没有人能够理解他，用现代一个词来说就是"另类"。"另类"这个词在现今出现频率非常高。用它形容东方朔并没有任何褒贬之意。不过，东方朔的确与众不同。

东方朔仅向汉武帝上书就用了三千片竹简，两个人才扛得起，汉武帝两个月才读完。从这一点看，就够另类的，可以说是"前无古人，后无来者"。在自我推荐书中，他更是不着边际地吹捧自己。

以下就让我们看看东方朔是如何吹的吧！他说："我少年时就失去了父母，依靠兄嫂的抚养，长大成人。我13岁才读书，勤学刻苦；15岁学击剑，16岁学《诗》、《书》，读了22万字；19岁学孙吴兵法和战阵的摆布，懂得各种兵器的用法，以及作战时士兵进退的钲鼓。这方面的书也读了22万字，总共44万字。如今我已22岁，身高九尺三寸，双目炯炯有神，像明亮的珠子，牙齿洁白整齐得像编排的贝壳，勇敢像孟责，敏捷像庆忌，廉俭像鲍叔，信义像尾生。我就是这样的人，够得上做天子的大臣吧！臣东方朔冒死向皇上禀奏。"

他的简历似乎吹过头了，不过，他出奇制胜，先声夺人，在那么多自吹自擂的人当中，东方朔肯如此往自己脸上贴金想来也是头一个，自然备受关注。《史记》评东方朔的个人简历为“文辞不逊，高自称誉”。汉武帝一下记住“东方朔”这三个字，并且大加赞叹。不过，汉武帝非常有分寸；毕竟这只是“高自称誉”的小打小闹，没有提出任何治国之道。所以命他待诏公车，比规规矩矩应付的公孙弘、主父偃等要差一个档次，平时也很难见到汉武帝一面，而且一天领取的米钱只够一宿和三餐，累得东方朔望眼欲穿。

东方朔的初次海选，就让人大跌眼镜。不过，在汉武帝时期，敢在武帝面前言辞放肆的人并不是只有他一个，当年同朝的汲黯也往往令武帝哭笑不得。但由于汲黯不会说话，所以才不得武帝的喜欢；而东方朔这番海吹，引经据典，铺陈比喻，为了给武帝制造一次感官冲击，获得了武帝的欢心。可见称他为“另类”是当之无愧的！

虽然东方朔的第一次亮相是靠着浓厚的喜剧色彩引起皇上注意的，然而却见不到皇上的面。东方朔就这样被晾了起来，都快晾成鱼干了，朝廷却还没给他个一官半职。他明白皇帝求贤若渴，但却把有本事的人供在屋里，压根就没打算用他们。皇帝从来就是这样，那也没什么可埋怨的，倒是自己，该自个儿提拔自个儿了。

于是，这个狡黠的年轻人便开始盘算。一次出游中，见到一个侏儒，恐吓他道：“你的死期要到了！”那个侏儒问他为何，他说：“我听说朝廷召入你们这些侏儒，名为侍奉天子，实际上是设法除掉你们。因为你们既不能当官，又不能种田，也不能当兵打仗，对国家又毫无用处，还要消耗粮食和衣物，还不如处死的好，这样还能省得许多费用。但由于是怕杀你们没有借口，所以就骗你们进来，暗地里加刑。”侏儒听后大惊失色。东方朔又假装劝道：“如果你们按我的计划去做，或许可以免去一死。”侏儒忙问有何妙计，东方朔说道：“你们必须等到皇帝出来时，叩头请罪，如果天子问你何事请罪，可推到我东方朔身上，包管你们没事。”

于是，侏儒在汉武帝出行的那天，跪在武帝面前请罪。汉武帝看到后觉得莫名其妙，便问：“为何哭！”侏儒说：“东方朔说皇上对我们这些矮小的人都要杀掉！”武帝道：“朕并无此意，你们先退下，待朕问明东方朔便知道了。”

侏儒拜谢而去，汉武帝立即命人召见东方朔。东方朔正愁没有机会见到汉武帝，因此特设此计，既听到诏令，立即欣然赶来。汉武帝问东方朔为什么要如此说，东方朔说：“反正我可能被判死罪，那我就直说吧。这些侏儒长只3尺，拿一袋粟，240钱；我长9尺余，亦拿一袋粟，240钱。侏儒饱得要死，我却饿得不行。你若觉得我还能用，就加些俸禄；要不然，就把我赶回老家，免得呆在这儿浪费长安的米。”皇上听了哈哈大笑，任命他为待诏金马门。从此，他的待遇得到了改善，更重要的是获得了接近皇上的机会。他在长安的这段日子里，凭着自己的智慧和力量，终于迈出了成功的第一步。

这就是脍炙人口的“长安索米”的故事。

东方朔不是侏儒，然而在汉武帝眼中的作用和侏儒相似。东方朔，何许人也？岂能身居一个芝麻粒儿大的官？然而，他并没有直接提出要求，而另辟蹊径向皇帝表露自己的心声，称其为“另类奇才”并不为过。

《史记·滑稽列传》记载：“时会聚宫下博士诸先生与论议，共难之曰：‘苏秦、张仪一当万乘之主，而都卿相之位，泽及后世。今子大夫修先王之术，慕圣人之义，讽诵《诗》《书》百家之言，不可胜数。著于竹帛，自以为海内无双，即可谓博闻辩智矣。然悉力尽忠以事圣帝，旷日持久，积数十年，官不过侍郎，位不过执戟，意者尚有遗行邪？其故何也？’东方生曰：‘是固非子所能备也。彼一时也，此一时也，岂可同哉！夫张仪、苏秦之时，周室大坏，诸侯不朝，力政争权，相禽以兵，并为十二国，未有雌雄，得士者强，失士者亡，故说听行通，身处尊位，泽及后世，子孙长荣。今非然也。今世之处士，时虽不用，崛然独立，决然独处，上观许由，下察接舆，策同范蠡，忠合子胥，天下和平，与义相扶，寡偶少徒，固其常也。子何疑于余哉！’于是诸先生默然无以应也。

建章宫后台重栎中有物出焉，其状似麋。以闻，武帝往临视之。问左右群臣习事通经术者，莫能知。诏东方朔视之。朔曰：‘臣知之，愿赐美酒粱饭大飧臣，臣乃言。’诏曰：‘可。’已飧，又曰：‘某所有公田鱼池蒲苇数顷，陛下以赐臣，臣朔乃言。’诏曰：‘可。’于是朔乃肯言，曰：‘所谓驺牙者也。远方当来归义，而驺牙先见。其齿前后若一，齐等无牙，故谓之驺牙。’其后一岁所，匈奴混邪王果将十万众来降汉。乃复赐东方生钱财甚多。”

东方朔酷爱读书，博闻善辩，且精通诗文，并擅长谜语，因此受宠于汉武帝。

古代宫廷中有一种游戏叫“覆射”，方法是把一件东西覆在盆下，让人猜射，猜出以后，先要念一段“覆射词”。这段覆射词，就像现在的谜面，要讲出物的特点，后来发展成一种十分有趣的猜谜形式，叫“覆射谜”。

有一次，汉武帝让人在盆中覆了一只守宫（壁虎），让臣子们猜射，都猜不中，后来东方朔上前来念道：臣以龙又无角，谓之蛇又有足，跂跂脉脉善缘壁，是非守宫即蜥蜴。揭开盆来一看，果然被他猜中了。武帝说：“很好。”就赏给东方朔十匹帛。

武帝身旁的宠优郭舍人是一个巧言令色、善于巴结的人，见东方朔在覆射中常能取胜有些不服气，说他是瞎蒙的，决非真本领，要与东方朔进行一次实地的较量。郭舍把一个长有菌芝的树叶放在盂盆下让他猜，摆出的赌注是“要是自己输了，愿挨一百板；要是赢了，要求皇上赏他布帛”。东方朔围着这个盆子敲了敲、听了听，然后说：“此为‘窭薮’。”郭舍人一听，认为他猜错了，便高兴地要求赏赐。东方朔做出了巧妙的解释：“生的肉叫脍，干的肉叫脯；生在树上寄生的东西叫芝菌，盂盆下就是这个东西。”一听东方朔猜对了，汉武帝叫人打郭舍人一百板，打得他直嗷嗷叫。那么，“窭薮”究竟是什么呢？原来是一种用茅草结成的圆圈，以便放在头上顶着东西走路时用。其实，东方朔只是从广泛的范围来阐明对这种寄生物的体形的特点而已。当郭舍人挨打的时候，东方朔又说道：“咄！口上没有毛，声音嗷嗷叫，屁股翘得半天高。”郭舍人恼羞成怒反咬一口，说：“东方朔胆敢讥笑皇帝身旁的近臣，罪当弃市。”武帝问东方朔：“为何要笑他？”东方朔辩道：“臣并未笑他，只是与他作个谜语罢了！怎能说诋毁朝廷命官呢？”武帝说：“谜语是怎么说的？”东方朔说：“所谓口无毛者，狗窦（即洞）也；声嗷嗷者，是鸟在哺他的小鸟，屁股翘得很高的，是仙鹤低头在啄食。”不管他怎样解释，羞辱之意是明摆着的，但谁也驳不倒他。

郭舍人仍不服气，又说几个谜，不过凡是郭舍人出的谜语，没有能难倒他的。

由于东方朔来自下层社会，接触面较广，加之又读过很多书，有着超人的见识，所以常能为汉武帝解疑答难，深得皇上的欢心。

有一次，从建章宫后阁栏杆中钻出一头跟麋很相似的动物，有人向汉武帝报告，并引来一群人围观，但谁也说不清这是什么？只好诏见东方朔，狡黠的东方朔看罢，故弄玄虚地先提出了一个要求：“我知道这是什么动物，但陛下先赐给我美酒佳肴，我才愿说出来。”汉武帝满口答应了。等到他酒醉饭饱后，又提出一个要求道："某地有公田、鱼池、蒲苇数顷，陛下要是慷慨赐给我，我就说出来。"汉武帝急于想知道这头不知名的怪物究竟是什么，也就爽快地答应了。踌躇满志的东方朔，说道："此所谓驺牙者也，远方必有来归附的人，所以驺牙先来预报。"而且，他详细地指出这种"驺""其齿前后若一，齐等无牙"。一年后，果真有匈奴混邪王率十万将士前来降汉。这虽然是一种巧合，但仍然博得了汉武帝的欢心，随后又赐给他很多钱财。

还有一次，汉武帝东游至函谷关，有个怪物挡住了去路，其身长几丈，有点像牛，眼睛发亮，寒光闪闪。四脚深深陷入土中，能动却又拔不出腿来。所有的人看到后都非常害怕，又不知道是什么东西？在没办法处理这怪物时，又把东方朔找来。东方朔虽不能马上说出一个所以然来，但提出了一个解决的方案，即用酒去灌。一连灌了十来桶酒，这头怪物才渐渐地消失，没入土中。汉武帝问他这是为什么？东方朔带着忧戚的神情做了一番似是而非的解释道："此忧患所生也，必秦之狱地，罪人徙作地聚，夫酒忘忧，故能消也。"他的解释是否准确，我们后人已经无法考究。但能够把这种怪异现象的出现，归咎在秦的暴政和征伐上，由此可以看出，东方朔聪明异常的人。汉武帝也深感东方朔见识之广、识物之多，说："博物之士，至乎此乎。"

也许正是由于东方朔为武帝解难答疑，他才会一直留在汉武帝的身边。有一次上林苑给皇上送贡品，汉武帝要考一考东方朔的才智，便召他进宫来。汉武帝站在未央宫的台阶上，用木棍将木栏连敲了两下，然后口中念道："叱！叱！先生束束！"东方朔的脑子里立即闪现出：两木相击为"林"，"束""束"相加为"枣"字，叱相乘为四十九，一定是上林苑送来了四十九枚红枣。汉武帝见他思维如此敏捷，更是叹服不已。除了叹服之外，武帝心中还存有一些嫉妒，于是总想找机会刁难东方朔。

还有一次，东方朔跟随汉武帝到上林苑游玩，见到一棵枝叶繁茂的大树。汉武帝问他是什么树，东方朔顺口说是"善哉"。汉武帝暗中派人削掉树的枝干，并在树身上做了记号。两年后君臣又路过此树，汉武帝故意问东方朔："这棵树叫什么名字？"东方朔又顺口说是"瞿所"。汉武帝沉下脸说："同一棵树过了两年，怎么名儿就不一样了？你竟敢欺骗我！"东方朔沉着回答："小马叫'驹'，大了才叫'马'；小鸡叫'雏'，大了才叫'鸡'；小牛叫'犊'，大了才叫'牛'；人生下来叫

‘儿’，老了才叫‘老头’；这棵树也是一样啊！世上没有一成不变的事物。”汉武帝听后，气得哭笑不得。因为他本想借此刁难一下，谁知这个妙语连珠的东方朔具有难不倒的辩才，心中不知为此该高兴，还是该恼火。于是，一遇到难题，就询问东方朔，君臣关系变得更加密切了。

东方朔带着几分放纵不羁的色彩，混迹于上层社会之中，在皇帝和大臣们面前，常显得“大逆不道”，却又没有受过惩处，有时还能得到格外的赏赐，引起了儒生们的忌妒，所以儒生们总想寻个机会难倒他。然而他总能有力地回击了挑衅者的冷嘲热讽，他善于观察、勤于思考、长于辨析的卓越才能，致使对手哑然、叹服。

东方朔凭着自己广泛的阅历、敏锐的思考和善辩的口才变成了常胜将军。每当局面困窘、难以为继，东方朔总能靠其天生的机智和伶牙俐齿，一次一次地躲过灾难，赢得主子的欢心，笑倒众生，化险为夷。

一天，大伏酷暑，武帝下诏官员到宫里来领肉。东方朔实在是等待不及，走到所赐肉前，拔剑割下一块后对其他大臣说道：“三伏天热，应该早点回家休息，而且肉也容易腐烂，不如自取受赐回家罢了。”说着即提着肉出了殿门。其他大臣们谁也不敢动手。等到分肉的执行官分肉时，发现没有东方朔，问明情况后恨他胆大，随即向武帝告状。武帝知道后责问东方朔为何如此大胆，要他自作批评！东方朔自责道：“朔来！朔来！受赐不等诏书下来，为何这样的无礼！拔剑割肉，为何这样勇敢！割得不多，为何如此廉俭！带回家给细君（妻妾），又为何表现得如此的仁爱！难道你东方朔敢自称无罪吗？”一席话说的武帝失声大笑，说：“要你自作批评，倒是表扬起自己了！”武帝又特地赐给他酒一石，肉一百斤，让他回家送给妻妾。

按照常理来进行自责，东方朔应该认真检讨自己错在什么地方，而东方朔在这里除了“为何这样的无礼”一句，表面上像是自责以外，其余全是自夸的内容，称赞自己的“勇敢”、“廉俭”、“仁爱”。东方朔这段话实际上是运用了幽默思维中的一种方法——“巧缀”，通过曲解“自责”这一词语的意义，借题发挥，缀入自夸的内容，让人感到滑稽可笑，既逗乐了汉武帝，又使自己得到了不少赏赐。

东方朔的机智毋庸怀疑，而给人们留下更深印象的则是他那诙谐滑稽的性格，这恐怕是一种与生俱来的素质。他可以说是一位幽默大师。

有一次，汉武帝说：“相面的人告诉我，人中长一寸的人能活到一百岁。”东方朔听后哈哈大笑，某个大臣说，东方朔当着圣上的面如此失态，大不敬！东方朔立即下跪，对皇上说：“臣不敢笑陛下，只是笑彭祖脸长。”汉武帝说：“此话怎讲？”他回答道：“陛下说寿长百岁人中长一寸，彭祖年八百岁，人中八寸，他的脸岂不是一丈长？”皇帝与大家一笑了之。当然，如果东方朔事前没有准备好说辞，是决不敢放纵大笑的。

有关东方朔的故事有很多。东方朔虽然诙谐调笑，但时时观察皇帝的脸色，适时直言切谏，武帝经常采纳他的意见。从公卿到在位群臣，东方朔都敢轻视嘲弄，没有人能让他屈从。

汉武帝也正因为东方朔说话诙谐言辞敏捷，所以非常喜欢故意提出问题问他。东方朔曾官至太中大夫，后来经常为郎，与枚皋、郭舍人都在武帝左右，只是诙谐嘲谑言辞的侍从。

东方朔的言论虽然诙谐，但也有他深刻、尖锐的地方，更不是一味阿谀颂扬，以顺遂汉武帝的心意为目的。他直陈的见解，常常是公卿大臣所不敢表示的。

汉武帝的姑母窦太主寡居而私宠董偃，挥霍财物，不计其数，满朝权贵都以结识董偃为荣，汉武帝也准备“置酒宣言”，以隆重的礼节来接待他。东方朔对此极为不满，据理力争，指斥董偃为“国家之大贼，人主之大蜮”，终于使汉武帝不得不改变主意，表扬了东方朔敢批逆的斗争精神和鲜明的是非观念。当汉武帝问他：“先生视朕何如主也”，并向他与当时公卿大臣公孙弘、倪宽、董仲舒等相比较，自己以为如何时，东方朔的回答，或顾左右而言他，或表现为不屑一顾的态度，既显示了他的机智，也表现他不肯违心谄事皇帝、权贵的傲岸不群的性格。

东方朔就是这样一位敢于直言进谏以阻止歪风的人物。

武帝喜欢微服出巡，恣意游猎。而且，往往是深夜出去，平明回来。在追杀各种野兽的过程中，常不顾及地里的庄稼。农民辛辛苦苦耕种出来的庄稼，还不到收获的时候就全被糟蹋掉了，能不心痛吗？百姓怨声载道。有人建议武帝搞一个皇家苑囿。武帝命吾丘寿王等人设计，南至阿房宫，东至盩厔，西至宜春宫的一大片土地内围造上林苑，专供武帝游猎、休憩。东方朔却与此人持相反的态度，便直言进谏汉武帝有“奢侈越轨”的表现。他的理由有三：“绝陂池水泽之利，而取民膏腴之地，上乏国用，下夺农桑，其不可一也。盛荆棘之林，大虎狼之墟，坏人冢墓，发人室庐，其不可二也。垣而囿之，骑驰车骛，有深沟大渠。夫一日乐，不足以危无堤之舆，其不可三也。”三条理由，归之为一，就是与民争利，而且为的只是自己的“一日乐”。要尽围场射猎之兴，把难得的“膏腴之地”，“开发”成“荆棘之林”、“虎狼之墟”，便不惜断了一方百姓的生命之脉，还要强行拆迁，“坏人冢墓，发人室庐”，这哪是想有一番作为的封建帝王的善举。他还指出扩大上林苑之后，徒使麋鹿、狐兔成群，也只会给虎、狼猛禽提供栖息场所。这些野生动物为了找东西吃，还会破坏生产，也会挖冢啃尸、吃人的家畜，这样就会伤害人们的感情。何必为了一时一事的欢乐去干有损于国富民强的事呢？东方朔的谏阻上林苑书写得真切感人，武帝读罢奏疏后，任东方朔为太中大夫，成为了亲近的侍从官员，以备顾问应对、奉诏出使等职，秩比千石，还赐给黄金百斤，表示谢意。然而，武帝仍按吾丘寿王所上奏的那样，建造了上林苑，这给东方朔的心灵上投下了一个阴影。

晚年时，东方朔已经收敛了很多，不再那么放纵诙谐，他常以诗文打发日子。临终时他向汉武帝赠送了几句话：“诗云‘营营青蝇，止于蕃。恺悌君子，无信谗言。谗言罔极，交乱四国’。愿陛下远巧佞，退谗言。”汉武帝读后，不禁恻然，长叹一声道：“鸟之将死，其鸣也哀，人之将死，其言也善。”他还与同舍的人说：“天下无人识朔，知朔者唯太王公耳。”后来，汉武帝把太王公召来，问他是否知道东方朔是一个怎样的人？太王公也说不清楚，只是说，他观天象，其间有一个岁星，有十八年没有见到，现在又看见了。于是，汉武帝便认为这十八年来未见的岁星，一定是东方朔归位了。且责怪自己没有早些发现，便惨然不乐。

众所周知，作为千古一帝的刘彻暴虐成性，对自己的儿子都丝毫不留情面，长年的争战尸骨何止千万？汉武帝从未眨过眼，只为了他的雄心壮志。东方朔置身危机却无所畏惧，历捋虎须而自身安然，其为人为文品格之高妙，因此受到举世称赞；伴君伴虎技艺之高超，近乎炉火纯青，却没有一句治国安邦之言，行为滑稽，举止可笑，被人说成一个跳梁小丑，这一切正应了他的那句话，陆沈于俗，避世金马门，宫殿中可以避世全身，何必深山之中，蒿庐之下。更为著名的是，他在实现这些成就时，为我们留下许多令人拍案叫绝且意味隽永的奇智佳话。

东方朔走了，他走进了汉代的史卷中，走进了文人的笔下。翻读他的史料，这个似官非官，似隐非隐的人，给人以笑谑，给人以启迪，给人以思索，给人以谈资。他虽然走了很久，但却永远不会被历史抹掉。

东方朔的人生是两面的，他既是受宠的，也是失宠的。在皇宫，他可以耍尽嘴皮子，戏谑嘲笑皇上身边的每一个人，表面上看去也很受汉武帝恩宠。然而，在表面风光的背后，东方朔是一个异常可悲的人。因为那些只不过是为汉武帝增添了一些茶余饭后的笑料罢了。他的一生，在无伤大雅的嬉笑怒骂中度过。看似优哉游哉，却没有达到他的人生抱负，因为汉武帝始终没有真正正视过他的存在和才华。东方朔对自己不能担重任，不能施展才华感到十分苦闷。东方朔也曾上书陈述重视农业和战争以及强国的计策，责备自己唯独不得做大官，想求得出任大官。他的言论专用商鞅、韩非的语言。东方朔的直截了当，旨意放荡不羁，满纸诙谐。他在《答客难》中设客提出问题来诘难自己，用职位卑下来安慰理解自己。又通过《非有先生论》这篇文章来抒发自己的情怀，一副郁郁不得志的样子。

从东方朔的文章中足以看出他在诸多方面的才能，然而汉武帝却始终没有把他摆放在正确的位置上。也许是因为他的口才太好了，其光环遮盖住了其他才能，以至于汉武帝被一叶障目，或者说是只见树木，不见森林。如果是这样，无论汉武帝平时对东方朔有多尊重，东方朔都是不幸的。试想，一个有才能却不能发挥才能的人，可以说他是幸运的吗？

如果说东方朔是因为直言进谏触怒了汉武帝，所以得不到重用，这显然说不通。因为汉武帝每次似乎都在鼓励他进谏，无论接受还是不接受，总是给人一种介意或不介意的态度。这也正是东方朔的悲哀之处。在对于东方朔的任用上，汉武帝狠狠地幽默了他一回。

“人之将死，其言也善”。这句名言是他临死时对汉武帝进行的最后谏言。可惜，汉武帝习惯了他平时的疯疯癫癫，只有对那临死时平和正经，头脑冷静的东方朔而感到怪异和不习惯了。其实，他的狂，不仅代表了他的傲气，也表达了他想要在天地间一展才华的自荐。

霍光

霍光，字子孟，约生于汉武帝元光年间，卒于汉宣帝地节二年（前68年）。河东平阳（今山西临汾市）人。他跟随汉武帝近30年，是武帝时期的重要谋臣。汉武帝死后，他受命为汉昭帝的辅政大臣，执掌汉室最高权力近20年，为汉室的安定和中兴建立了功勋，成为西汉历史发展中的重要政治人物。麒麟阁十一功臣第一。

霍光的父亲霍仲孺是平阳县吏，前141年前后在长安平阳侯府的时候和府中侍女卫媪之女卫少儿私通生下霍去病。元朔元年（前128年）卫少儿的姐姐卫子夫因为生下汉武帝长子刘据而被立为皇后，卫氏家族也随之显贵，卫少儿因而得以嫁给西汉开国功臣陈平曾孙，时任詹事一职的陈掌。霍仲孺回平阳侯国后另娶妻生霍光，和卫少儿不再来往。元狩二年（前121年），霍去病拜骠骑将军之职，在出击匈奴的途中，被河东太守出迎至平阳侯国的传舍，并派人请来霍仲孺与之父子相见。霍去病替霍仲孺大量购买田地房屋和奴婢后离去。霍去病此次出征凯旋时，再次拜访霍仲孺，并将异母弟弟霍光一起带到长安照顾。霍光当时年仅十多岁，在霍去病的帮助下，先任郎官，随后迁任各曹官、侍中等职位。

元狩六年（前117年），霍去病去世。霍光升任奉车都尉、光禄大夫等职位，侍奉汉武帝左右，前后出入宫禁二十多年，未曾犯一次错误。因此得到汉武帝的信任。

征和二年（公元前91年），卫太子被江充以巫蛊之祸逼死后，汉武帝决定立钩弋夫人之子刘弗陵为储君，并计划令霍光辅佐。武帝令宫中画师画《周公辅成王朝诸侯图》赐给霍光，暗示他准备辅政。随后又于后元二年（前87年）临终之时明确指定霍光为大司马大将军和金日磾、上官桀、桑弘羊一同辅佐时年八岁的汉昭帝。此前的后元元年（前88年），霍光曾经同上官桀、金日磾共同挫败侍中仆射莽何罗与弟重合侯的叛乱阴谋。汉武帝遗诏中以此理由封他们三人为列侯。

昭帝时期，霍光与另外一位辅政大臣上官桀联姻，以自己长女嫁给上官桀之子上官安，生女上官氏。上官安打算让时年仅仅六岁的上官氏做皇后，遭到霍光反对，于是转而走盖长公主的门路，成功实现目的。上官家族为了回报盖长公主，想将其情夫丁外人封列侯和光禄大夫，也被霍光驳回。霍光此前又曾多次阻止上官家族其他亲戚封官，双方因而结怨，成为政敌。上官桀父子联合盖长公主、燕王刘旦以及辅政大臣桑弘羊等共同结成反对霍光的同盟，假托燕王名义趁霍光休假的时候向汉昭帝上书诬陷霍光有不臣之心，并内外接应，做好准备打算一举擒杀霍光，但年仅十四岁的昭帝识破了他们的阴谋，不予理睬，并安抚霍光，且下令追查上书人的来历。后来汉昭帝还下令如有人上书毁谤霍光，必追究到底。上官桀等人见无法从昭帝处下手，便决定发动政变杀霍光，废黜昭帝，立燕王为帝。但计划泄漏，霍光族灭上官桀父子和桑弘羊，盖长公主和燕王旦自杀。此后霍光成为朝政实际上的决策者。

在昭帝时期，霍光得到汉昭帝的全面信任，因而得以独揽大权，他采取休养生息的措施，多次大赦天下，鼓励农业，使汉朝国力得到一定的恢复。对外也缓和了同匈奴的关系，恢复和亲政策。

元平元年（前74年）夏四月癸未日，汉昭帝驾崩，霍光迎立汉武帝孙昌邑王刘贺即位，但二十七日之后就以淫乱无道的理由报请上官太后废除了他。霍光同群臣商议后决定从民间迎接武帝曾孙刘病已（后改名刘询）继承皇位。这就是汉宣帝。

汉宣帝即位初，霍光表示要归政于帝，但宣帝没有接受，朝廷事务的决策仍先经过霍光过问再禀报皇帝。宣帝对霍光表面上很信任，但内心十分忌惮，与之同车时“若有芒刺在背”。霍光本人功高震主，为后来的全家族灭埋下了祸根。

宣帝二年（前68年）春三月庚午，霍光病重逝世，临终上书请分自己的封邑三千户给其侄孙霍山，以继承其兄长霍去病的香火。汉宣帝与上官太皇太后一同到场治丧，将之与萧何相比，以皇帝级别的葬仪葬于茂陵。

霍光死后，汉宣帝同霍光子侄关系逐步恶化。宣帝先采取措施提拔霍家的政敌担任要职，架空霍家子弟的实权，使他们不再担任军权，无法掌握长乐宫和未央宫的禁卫。霍氏家族惶恐之余决定反击，最后事泄，霍氏遭族灭，霍光妻子显及儿子、侄子、女婿等家人除女婿金赏因告发谋反一事被赦免外，全部被杀或者自杀，女儿霍成君也被废处昭台宫，十二年后被逼自杀。长安城中有数千户人家被牵连族灭。当时人大多认为霍家功高震主，族灭的因子在霍光辅政时期就已经埋下，谋反不过是表面原因而已。

作为一代权臣，霍光在历史上的评价大都是正面的，经常和伊尹、周公并列。作为四朝元老，霍光先后辅佐汉武帝（晚年）、汉昭帝、废帝刘贺、汉宣帝刘询。个人的文治武功使得汉朝国力强盛，随着皇帝的更换，霍光的权力也达到了顶峰。但霍光也十分专权，而且朝中的重臣不是其朋党便是其族人，其亲族多犯有不法之事，家奴跋扈张扬。霍光死后，其族人不知收敛，最终落得被抄家灭族的下场。

张骞

张骞（约公元前164年—公元前114年）字子文，汉武帝时人。中国汉代旅行家，外交家，卓越的探险家，对丝绸之路的开拓有重大的贡献。

张骞早期经历不详。汉武帝刘彻即位时，张骞已在朝廷担任名为“郎”的侍从官。据史书记载，他“为人强力，宽大信人”，即具有坚韧不拔、心胸开阔，并能以信义待人的优良品质。这正是张骞之所以能战胜各种危难，获取事业成功的一个重要因素。但如同历史上一切伟大人物一样，要演导出威武雄壮的戏剧，还得具有一定的历史条件和舞台。这就是平常所谓的“时势造英雄”。

公元前139年，他受命率人前往西域，寻找并联络曾被匈奴赶跑的大月氏，合力进击匈奴。

张骞一行从长安起程，经陇西向西行进。一路上日晒雨淋，风吹雪打，环境险恶，困难重重。但他信心坚定，不顾艰辛，冒险西行。当他们来到河西走廊一带后，就被占据此地的匈奴骑兵发现。张骞和随从一百多人全部被俘。

匈奴单于知道了张骞西行的目的之后，自然不会轻易放过，把他们分散开去放羊牧马，并由匈奴人严加管制。还给张骞娶了匈奴女子为妻，一是监视他，二是诱使他投降。但是，张骞坚贞不屈。虽被软禁放牧，度日如年，但他一直在等待时机，准备逃跑，以完成自己的使命。

整整过了十一个春秋，匈奴的看管才放松了。张骞乘机和他的贴身随从甘父一起逃走，离开匈奴地盘，继续向西行进。由于他们仓促出逃，没有准备干粮和饮用水，一路上常常忍饥挨饿，干渴难耐，随时都会倒在荒滩上。好在甘父射得一手好箭，沿途常射猎一些飞禽走兽，饮血解渴，食肉充饥，才躲过了死亡的威胁。

这样，一直奔波了好多天，终于越过沙漠戈壁，翻过冰冻雪封的葱岭（帕米尔高原），来到了大宛国（费尔干纳）。高鼻子、蓝眼睛的大宛王，早就听说汉朝是一个富饶的大国，很想建立联系，但苦于路途遥远，交通不便，故一直未能如愿。因此，当听说汉朝使者来到时，喜出望外，在国都热情地接见了张骞。他请张骞参观了大宛国的汗血马。在大宛王的帮助下，张骞先后到了康居（撒马尔罕）、大月氏、大夏等地。但大月氏在阿姆河上游安居乐业，不愿再东进和匈奴作战。张骞未能完成与大月氏结盟夹击匈奴的使命，但却获得了大量有关西域各国的人文地理知识。

张骞在东归返回的途中，再次被匈奴抓获，后又设计逃出，终于历尽千辛万苦，于13年后回到长安。这次出使西域，使生活在中原内地的人们了解到西域的实况，激发了汉武帝“拓边”的雄心，发动了一系列抗击匈奴的战争。

公元前119年，汉王朝为了进一步联络乌孙，断“匈奴右臂”，便派张骞再次出使西域。这次，张骞带了三百多人，顺利地到达了乌孙，并派副使访问了康居、大宛、大月氏、大夏、安息（今伊朗）、身毒（今印度）等国家。但由于乌孙内乱，也未能实现结盟的目的。后来汉武帝派名将霍去病带重兵攻击匈奴，消灭了盘踞河西走廊和漠北的匈奴，建立了河西四郡和两关，开通了丝绸之路并获取了匈奴的“祭天金人”，带回长安。

汉通西域，虽然起初是出于军事目的，但西域开通以后，它的影响远远超出了军事范围。从西汉的敦煌，出玉门关，进入新疆，再从新疆连接中亚细亚的一条横贯东西的通道，再次畅通无阻。这条通道，就是后世闻名的“丝绸之路”。“丝绸之路”把西汉同中亚许多国家联系起来，促进了它们之间的经济和文化的交流。由于我国历代封建中央政府都称边疆少数民族为“夷”，所以张骞出使西域成为汉夷之间的第一次文化交融。西域的核桃、葡萄、石榴、蚕豆、苜蓿等十几种植物，逐渐在中原栽培。龟兹的乐曲和胡琴等乐器，丰富了汉族人民的文化生活。汉军在鄯善、车师等地屯田时使用地下相通的穿井术，习称“坎儿井”，在当地逐渐推广。此外，大宛的汗血马在汉代非常著名，名曰“天马”，“使者相望于道以求之”。那时大宛以西到安息国都不产丝，也不懂得铸铁器，后来汉的使臣和散兵把这些技术传了过去。中国蚕丝和冶铁术的西进，对促进人类文明的发展贡献甚大。

张骞不畏艰险，两次出使西域，沟通了亚洲内陆交通要道，与西欧诸国正式开始了友好往来，促进了东西经济文化的广泛交流，开拓了丝绸之路，完全可称之为中国走向世界的第一人。

曹 操

曹操（155年—220年），字孟德，一名吉利，小字阿瞒，沛国谯县（今安徽亳州）人，汉族。父曹嵩，为宦官曹腾养子。曹操官至丞相，其子曹丕称帝后，追尊武皇帝，史称魏武帝。东汉末年杰出的政治家、军事家、文学家、书法家，三国中曹魏政权的缔造者。

年轻时期的曹操机智警敏，有随机权衡应变的能力，而任性好侠、放荡不羁，不修品行，不研究学业，所以社会上没有人认为他有什么特别的才能，只有梁国的桥玄等人认为他不平凡，桥玄对曹操说："天下将乱，非命世之才不能济也，能安之者，其在君乎！"

灵帝熹平三年（公元174年），二十岁的曹操被举为孝廉，入洛阳为郎。不久，被任命为洛阳北部尉。洛阳为东汉都城，是皇亲贵族聚居之地，很难治理。曹操一到职，就申明禁令、严肃法纪，造五色大棒十余根，悬于衙门左右，"有犯禁者，皆棒杀之"。皇帝宠幸的宦官蹇硕的叔父蹇图违禁夜行，曹操毫不留情，将蹇图用五色棒处死。于是，"京师敛迹，无敢犯者"。

灵帝中平元年（公元184年），黄巾军起义爆发，曹操被拜为骑都尉，受命与卢植等人合军进攻颍川的黄巾军，结果大破黄巾军，斩首数万级，随之迁为济南相。济南相任内，曹操治事如初。济南国（今山东济南一带）有县十余个，各县长吏多依附贵势，贪赃枉法，无所顾忌。曹操之前历任国相皆置之不问。曹操到职，大力整饬，一下奏免十分之八的长吏，济南震动，贪官污吏纷纷逃窜。"政教大行，一郡清平"。

中平五年（公元188年），汉灵帝为巩固统治，设置西园八校尉，曹操因其家世被任命为八校尉中的典军校尉。

中平六年（公元189年），西凉刺史董卓进入洛阳，废少帝，立献帝刘协，后又杀太后及少帝，自称太师，专擅朝政。曹操见董卓倒行逆施，不愿与其合作，遂改易姓名逃出京师洛阳（今河南洛阳东北）。曹操到陈留后，"散家财，合义兵"，组织起一支五千人的军队，准备讨伐董卓。

汉献帝初平元年（公元190年）正月，关东州郡牧守起兵讨伐董卓，共推袁绍为盟主。曹操为副盟主，参加讨董军。二月，被联军击败的董卓胁迫献帝迁都长安（今陕西西安西北），自己则焚毁宫室，挖开王陵，劫掠人民，致使洛阳方圆200里荒芜凋敝，无复人烟。而关东联军惧怕董卓精锐的凉州军的战力，无人敢向关西推进，全都屯兵酸枣（今河南延津北）一带。而曹操认为董卓“焚烧宫室，劫迁天子，海内震动”，应趁机与之决战，遂独自引军西进。曹操行至荥阳汴水（今河南荥阳西南），与董卓大将徐荣交锋，因为士兵数量相差很大，曹操大败，士卒死伤大半，自己也被流矢所伤，幸得堂弟曹洪所救，幸免于难。回至酸枣，曹操建议诸军各据要地，再分兵西入武关（今陕西丹凤东南），围困董卓，关东诸将不肯从。关东诸军名为讨董卓，实际各自心怀鬼胎，意在伺机发展自己势力。不久，诸军之间发生摩擦，相互火拼。联合军至此解散.

初平三年，青州黄巾军大获发展，连破兖州郡县，阵斩兖州刺史刘岱、济北相鲍信等，迎曹操任兖州牧。曹操和鲍信合军进攻黄巾。鲍信战死。曹操“设奇伏，昼夜会战”，终于将黄巾击败，获降卒三十余万，人口百余万。曹操收其精锐，组成军队，号青州兵。

献帝初平四年（公元193年）秋，曹操的父亲曹嵩来曹操处路上，被护送的陶谦部将张闿所杀，曹操遂进兵徐州（治郯，今山东郯城），向东南扩展势力。徐州牧陶谦退守郯县。不久曹操军粮将尽，撤围回军。

次年夏，曹操再征徐州，略地至东海。曹操征徐州期间，所过大肆杀戮，一路上“鸡犬亦尽，墟邑无复行人”。加入讨董卓之战的陈留太守张邈和曹操部将陈宫对曹操不满，遂叛操，迎吕布为兖州牧。吕布为当时名将，先为董卓部将，曾与王允定计诛杀董卓。当时只有鄄城（今属山东）和东郡的范（今山东范县东南）、东阿（今山东阳谷东北）两县尚在曹操掌握之中，分别由司马荀彧和寿张令程昱、东郡太守夏侯惇等人坚守，形势异常危急。曹操从徐州赶回，听说吕布屯于濮阳，遂进军围攻濮阳。二军相持百余日，蝗灾大起，双方停战，曹操军还鄄城。

此时，曹操失去了兖州，军粮已尽，袁绍派人来劝说想让曹操投靠他，将曹操举家迁到邺县（在今河北临漳县西四十里）当人质。曹操本打算答应袁绍，多亏程昱劝阻，曹操才打消这个念头。

兴平二年（公元195年）夏，曹操整军再战吕布，于巨野（今山东巨野南）大破吕布军，吕布逃往徐州投靠刘备。

从建安二年起，曹操利用他“挟天子以令诸侯”的政治优势，东征西讨，开始了他翦灭群雄，统一北方的战争。其时，在曹操的北边，是占有冀、并、幽、青四州的袁绍；南边，是占据扬州的袁术；东南，是占据徐州的吕布；正南，是占据荆州的刘表；西边，是关中诸将。此外，董卓部将张济之侄张绣投降刘表后，屯驻于宛县（今河南南阳），对许都形成威胁。

建安三年（公元198年）九月，曹操东征徐州，进攻久与他为敌的吕布。在曹军攻势之下，吕布军上下离心，十二月，吕布部将魏续、宋宪等生擒吕布谋士陈宫归降曹操。吕布见大势已去，下城投降。曹操将吕布、陈宫、吕布部将高顺等人处死，收降吕布部将张辽、臧霸、孙观等人，初步控制了徐州。

建安二十一年夏四月，汉天子册封曹操为魏王，邑三万户，位在诸侯王上，奏事不称臣，受诏不拜，以天子旒冕、车服、旌旗、礼乐郊祀天地，出入得称警跸，宗庙、祖、腊皆如汉制，国都邺城。王子皆为列侯。他名义上还为汉臣，实际上已是皇帝。

曹操在孙权擒杀关羽、取得荆州后，表孙权为骠骑将军、荆州牧。孙权遣使入贡，向曹操称臣，并劝曹操取代汉朝自称大魏皇帝。曹操将孙权来书遍示内外群臣，说："是儿欲踞吾著炉火上耶！"曹操手下群臣乘机向曹操劝进。曹操自己还不想废献帝自立，他说："苟天命在孤，孤为周文王矣。"

建安二十五年正月（公元220年），曹操还军洛阳。当月，病逝在洛阳，终年六十六岁。这年十月，魏王曹丕取代汉朝，自立为皇帝，国号魏，追尊曹操为武皇帝，庙号太祖。

曹操既是历史上杰出的政治家、军事家、也是一位杰出的文学家，他与两个儿子曹丕、曹植代表了东汉末年的文风，与苏轼一家并称，是历史上有名的"文学家庭"，曹操一生有诸多作品，为众人称道的《观沧海》是他公元200年10月打败袁绍后于河南延津县附近所作，《龟虽寿》中的"老骥伏枥，志在千里，烈士暮年，壮心不已"表现出他的高远志向，公元208年冬于湖北汉口西南长江边赋《短歌行》，抒发出他礼贤下士、求贤若渴的心情。

汉朝纷乱的政局造就了曹操这样胜不骄、败不馁的军事统帅，他统一北方，恢复经济，为魏的建立打下了坚实的基础。但是他穷兵黩武，导致赤壁之战大败，没有能够完成统一大业，不能和先辈秦始皇、汉高祖、汉光武帝相提并论。曹操步步逼宫，但在关键时候并没有果断地废汉自立，这正如鲁迅先生所说："曹操是个很有本事的人，至少是个英雄，但也仅仅如此而已。"

张 昭

《三国志》为东吴人物作传，除孙氏宗室外，写到的第一个大臣就是张昭。张昭曾被孙策比喻为管仲，作为治国的文臣，才干无疑是第一流的。

张昭（156年—236年）字子布，彭城（今江苏徐州）人，少年好学，是当时的著名人物。汉末大乱，张昭避乱江东，孙策亲自请他出仕，担任长史、抚军中郎将，管理大小军政、内政。孙策临死时将弟弟孙权托付给张昭，张昭尽心尽力辅佐孙权，迅速稳定江东民心。张昭生性刚直，屡次劝谏孙权。赤壁之战前，张昭主和，为孙权不喜，后一直未拜张昭为相。但张昭仍坚持直言进谏，经常违抗孙权的意愿，双方常常僵持不下。

孙权称帝，张昭告老辞官还乡，潜心著作《春秋左氏传解》和《论语注》。嘉禾四年，张昭去世，终年81岁。孙权素服主持丧礼，赠谥号“文侯”。

张昭是著名的才子，自幼好学，擅长写隶书，博览群书，尤其精于《左氏春秋》。他学问好、文章好、书法好，是当秘书的不二人选。张昭的才名，很早就传了出去，与琅琊赵昱、东海王朗、广陵陈琳齐名。才子张昭颇为傲气，身上具有士大夫的独立精神。16岁时就被推举为孝廉，他不去。徐州的长官陶谦想招揽他做官，他也不肯去，陶谦认为他看不起自己，派人把他关了起来。幸好跟张昭齐名的才子赵昱多方奔走，将他营救出来。

汉末黄巾之乱，张昭避乱渡江南下。当时孙策正在江东创业，早就听说张昭的才能，亲自去张家升堂拜母，认张昭的母亲作干妈，这在当时是最亲热的表示。张昭于是出仕，做了孙策的长史（相当于秘书长），管理江东的内政军务。

张昭不负所托，把江东大后方治理得井井有条，名望更大了，以至于当时北方政要只知道江东有张昭，不知有孙策，每次写信都把江东的成就归功于张昭，称赞个不停。张昭为此非常紧张，把这些信给孙策看吧，好像在炫耀自己；不给他看吧，瞒着上司秘藏重要书信也不对，弄得进退两难。孙策知道后哈哈大笑说：“以前齐桓公把大小事情都交给管仲办，朝野上下，有什么事情就找仲父，大家岂不是也把功劳归了管仲？但齐桓公称霸天下，后世羡慕得不得了。那今天张昭这么贤德，好比管仲，而我有了张昭，不就和齐桓公一样了吗？”小霸王孙策是个大度的聪明人，比真正的霸王项羽要精明得多。做下属的最担心的就是被上司认为功高盖主，孙策讲这些话无疑消除了大家的顾虑。张昭为报答孙策的知遇之恩，更加尽心尽力。

孙策不幸被刺，临死前将弟弟孙权托付给张昭。孙权因悲伤过度，整天号哭，不理政事。张昭作为群臣的表率，告诫孙权说：“你作为孙策胞弟，应该担负起兄长未完成的事业，成就江东霸业。现在天下乱成一团，充满了强盗，你怎么能整天躺在那儿哭个没完呢？”然后亲自把孙权扶到马上，巡视军营，让江东军民知道现在江东之主已是孙权。这才避免了江东局势因为孙策的暴卒而出现混乱，帮助孙权顺利地度过了最容易出状况的权力交接期。

张昭仍像之前那样担任秘书长，孙权每次出征时，大小政事也都像孙策那样全权托付给张昭。不过孙权血气方刚，喜欢打猎，尤其喜欢骑马射虎，老虎经常冲到孙权面前，攀住马鞍。张昭看得脸色都变了，教训孙权说：“你做将军的怎么能这样？当人君的，应该驾驭天下英雄，哪能跟野兽比赛谁勇敢？万一有什么不测，就会成为天下人的笑话。”孙权只好承认错误，说自己年轻不懂事。不过他心里仍然痒痒的，就让人专门做了一个射虎车，比较安全，但有时候老虎还是会扑到车前，孙权就拿手敲虎头，高兴得要命。张昭每次劝谏，年轻的孙权总是笑而不答，可见严肃的老臣和年轻的君主之间代沟相当严重。

老臣子和年轻气盛的君主之间最大的一次分歧，出现在赤壁之战前。建安十三年（208年），曹操率领大军南下，大敌当前，江东集团内部分成了两派。一派以张昭等老臣为首，谨慎小心，主张向曹操妥协，不要惹事生非；另一派以周瑜和鲁肃等少壮派将领为首，主张拼死一战。孙权表面上在两派之间求平衡，实际上倾向于少壮派，后来被诸葛亮说服与刘备结成联盟，竟然杀得号称八十万人的曹军大败。这在张昭的人生中，是一次重大的失误，也是老成持重的老臣子和少壮君主矛盾的必然走向。

不过张昭一向忠直，孙权也并不因为他走保守路线就认为他有投曹的心思。张昭也仍然以长辈之姿屡次劝谏孙权，不怕惹孙权讨厌。孙权常常在武昌钓台和群臣喝酒取乐，喝得醉醺醺的，命人拿水浇大醉的大臣，说：“今儿喝个痛快，除非谁喝醉了掉在水里才算完。”张昭本来就生得威风凛凛，这会儿更是板起了面孔，走到外面自己车里端坐着生气。孙权派人请他回来，说："大家一块取乐，老先生何故生气啊？"张昭回答说："以前纣王酒池肉林喝到天亮，也说是取乐呢！"一句话说得孙权很没面子，只好撤了酒席。孙权毕竟不如孙策，嘴上虽没说什么，也依从了张昭的劝谏，心里还是对张昭的耿直有所不满。

后来曹丕篡汉后，册封孙权为吴王，应当设置一名丞相，百官都认为非张昭莫属，不料孙权却说："国家现在正处于多事之秋，丞相这个职位职责非常繁重，不算是个美差，别把老臣子给累坏了。"第一任丞相孙邵去世后，群臣再次公推张昭，孙权还是说："丞相这个职位太累人了，张老先生的脾气这么硬，很容易得罪人，这样对他不好。"最终也没有让张昭当上丞相。其实张昭早已经做了一个丞相应该做的事情，忠心耿耿，尽心尽力，孙权却始终吝于给他一个名分。

孙权称帝的时候，大宴群臣，称赞周瑜功劳最大。张昭正要表示祝贺，孙权说："要是当年依了张老先生的计策，这会儿我已经在要饭了。"说得张昭汗流浃背，没多久就告老还乡了。这话正是孙权始终不拜张昭为相的重要原因，孙权始终没忘记当年张昭的主和路线。其实以张昭的刚正不阿，绝非一个苟且偷生、贪慕虚荣的小人，他当时的考虑是天下连年战乱，生灵涂炭，况且强弱悬殊，若能归顺汉室，早日统一天下，也不失为一件造福百姓的大好事。不过显然这种思路绝无可能被雄心勃勃、要称霸一方的孙权所接受，他因而遭孙权在大庭广众之下嘲笑。张昭身上的知识分子的刚直独立精神中，也混合着一部分知识分子的迂阔，不擅长玩弄权术、取悦君主。

张昭被孙权弄得心灰意冷，把自己手上的事务交接完毕，被孙权封了个辅吴将军、娄侯的称号，就回家乡养老去了。闲着没事，又有一肚子学问，于是就专事学问，写作《春秋左氏传解》、《论语注》。

张昭虽然回家做学问了，老脾气还是不改，反倒老而弥坚。孙权偶而召见他，张昭还是声色俱厉，有什么说什么。孙权的旨意被张昭驳回后，很是生气，隔了好长时间也没召见他。后来蜀国使臣来东吴，口才锋利，东吴百官都说不过他，孙权这时想起张昭来了，叹气说："要是张老先生在这儿，哪里轮得到蜀国这小子乱讲话？"第二天特地去看张昭。张昭也是厉害角色，不见他，搞得孙权只好跪在那儿请罪，张昭才说我看在太后把你托付给我的份上原谅你。倔老头和任性皇帝之间的拉锯战，也算是顶精彩的戏码。

老头张昭和孙权之间的拉锯战有一次差点闹出人命。公元232年，辽东太守公孙渊背叛曹魏，向遥远的东吴示好求援。孙权就派人去辽东封公孙渊为燕王，张昭力劝不可。孙权跟他反复争论，张昭反而越来越固执，孙权气得半死，手按自己的佩刀说："吴国士人进宫的时候拜见我，出宫的时候拜见你，我对你也算是仁至义尽了！但是你每次总在大家面前驳回我的意思，不给我面子，我真怕自己会控制不住杀了你！"张昭平静地凝视了孙权许久，才说："我知道你不会听我的话，我一再愚忠，是因为太后驾崩前，把我叫到床前，让我辅佐你。"说着老泪纵横。孙权把刀扔到地上，和张昭对泣。

不过孙权还是坚持己见，派使者前往辽东，张昭很气愤，在家里称病不去上朝。孙权大怒，派人用土封了张家大门。没想到张昭居然在里头也用土封了自家大门，弄得孙权一点办法也没有。可见要论脾气强硬，姜还是老的辣，孙权还真不是张昭的对手。

后来公孙渊果然如张昭预言的那样，杀了吴国使者，孙权悔悟，好几次派人去张家慰问道歉，张昭还是坚持不肯上朝。孙权没办法，只好亲自到张家门口叫他，张昭说自己病得厉害。这哪儿像名重一方的老臣和称霸江东的君主呢，倒像两个闹脾气的老顽童。于是孙权放火烧张家大门恐吓张昭，张昭索性关了二门。孙权只好灭了火，还好他没有头脑发昏，不然就会重演晋文公火烧介子推的悲剧。孙权可怜兮兮地在张家大门口等了半天，张昭的儿子们才把倔老头从床上扶起来，孙权赶紧把他接到宫里，拼命道歉，张昭这才恢复了上朝。这样看来，孙权倒还不失为一位愿意承认错误的明君。

张昭相貌威严，孙权常说："我从来不敢和张老先生乱讲话。"东吴上下，他最敬畏张昭。张昭才学兼备，寿命很长，活了81岁。孙权亲自素服主持他的丧礼，料想孙权自少年起由长辈张昭辅佐，经过长时间的斗气，此时应该像失去了父亲一样悲痛吧！吴国上下一直尊称张昭为"仲父"，也就是叔叔，张昭的去世使吴国人民也像失去了亲人一样难过。有学者认为，以张昭的才干，仅仅局限于在东吴发展，实在是非常可惜的。

诸葛亮

诸葛亮（181年—234年），字孔明，号卧龙，汉族，琅琊阳都（今山东临沂市沂南县）人，蜀汉丞相，三国时期杰出的政治家、军事理论家、发明家。在世时被封为武乡侯，谥曰忠武侯。

诸葛亮于汉灵帝光和四年（公元181年）出生于琅琊郡阳都县的一个官吏之家，诸葛氏是琅琊的汉族，先祖诸葛丰曾在西汉元帝时做过司隶校尉，诸葛亮父亲诸葛圭东汉末年做过泰山郡丞；诸葛亮3岁母亲章氏病逝，8岁丧父，与弟弟诸葛均一起跟随由袁术任命为豫章太守的叔父诸葛玄到豫章赴任，东汉朝廷派朱皓取代了诸葛玄职务，诸葛玄就去投奔荆州刘表，居于南阳郡邓县，在襄阳城西二十里，号曰隆中。

建安二年（公元197年），诸葛玄病逝。诸葛亮和弟弟失去了生活依靠，便移居南阳，17岁的诸葛亮与友人徐庶等从师于水镜先生司马徽。他看到刘表昏庸无能，不是命世之主，于是结庐襄阳城西二十里的隆中山中，隐居待时。诸葛亮在隆中隐居了十年，他广交江南名士，“每自比于管仲、乐毅”，爱唱《梁父吟》，结交庞德公、庞统、司马徽、黄承彦、石广元、崔州平、徐庶等名士。其智谋为大家所公认，有匡天下之志。他密切注意时局的发展，所以对天下形势了如指掌，人称“卧龙”。黄承彦曾对诸葛亮说：“闻君择妇，身有丑女，黄头黑色，而才堪相配。（听到你要选妻，我家中有一丑女，头发黄、皮肤黑，但才华可与你相配。）”诸葛亮应许这门亲事，立即迎娶她。

建安十二年（公元207年），诸葛亮27岁时，刘备三顾茅庐，会见诸葛亮，问以统一天下大计，诸葛亮精辟地分析了当时的形势，提出了首先夺取荆、益州作为根据地，对内改革政治，对外联合孙权，南抚夷越，西和诸戎，等待时机，两路出兵北伐，从而统一全国的战略思想，这次谈话即是著名的《隆中对》。刘备听了诸葛亮这一番精辟透彻的分析，思想豁然开朗。他觉得诸葛亮人才难得，于是恳切地请诸葛亮出山，帮助他完成兴复汉室的大业。诸葛亮遂出山辅佐刘备，联孙抗曹，赤壁之战大败曹军，形成三国鼎足之势，夺占荆州。建安十六年，攻取益州。继又击败曹军，夺得汉中。二十六年，刘备在成都建立蜀汉政权，诸葛亮被任命为丞相，主持朝政。

章武三年（公元223年）春，刘备在永安病危，召诸葛亮嘱托后事说："君才十倍于曹丕，必能安国，终成大事。若嗣子可辅，则辅之；如其不才，君可自取。"诸葛亮忙哭道："臣必竭心尽力相辅，效忠贞之节，死而后已！"

蜀汉后主刘禅继位，诸葛亮被封为武乡侯，领益州牧，建立丞相府以处理日常事务。当时，全国的军、政、财，事无大小，皆由诸葛亮决定，赏罚严明。对外与东吴联盟，对内改善和西南各族的关系，实行屯田，加强战备。

建兴五年（公元227年），上疏即《出师表》于刘禅，率军出驻于汉中，前后6次北伐中原，多以粮尽无功。十二年，终因积劳成疾，病逝于五丈原军中，将后事托付姜维。

诸葛亮是一个维护封建纲常和崇尚儒家忠义道德的正统思想家。但是诸葛亮并不墨守儒家教条，他尊王而不攘夷，进兵南中，和抚夷越，在三国中执行了最好的民族政策。诸葛亮以"鞠躬尽瘁，死而后已"的精神成为后世的楷模。

中国千百年来将诸葛亮描绘成为智慧的化身，其传奇性故事为世人传诵。诸葛亮娴熟韬略，多谋善断，长于巧思。曾革新"连弩"，可连续发射10箭；制作"木牛流马"，便于山地军事运输；还推演兵法，作"八阵图"，发明"孔明灯"。

司马昭

司马昭（211年—265年），魏末期侍中、相国。字子上。河内温县（今河南温县西）人。父司马懿，官至太傅。正元二年（255年），司马昭继兄司马师为大将军、侍中、督中外诸军，录尚书事，灭蜀后，进位相国。谥号“文王”。

司马昭的父亲司马懿是三国时期曹魏的重臣。司马昭之兄司马师先后任轻骑常侍、中护军、卫将军、大将军等职。司马师死后，司马昭继承了司马师的所有职务和权力，继续把持着曹魏的朝政。

甘露二年（257年）五月，镇东大将军诸葛诞杀扬州刺史乐，在淮南发动叛乱，并派遣其子诸葛靓到吴国为人质，以求得吴国的支援。七月，司马昭率军平叛。吴国派文钦、唐咨、全端、全怿等率军增援诸葛诞。魏将未能阻住，使吴援兵得以进入城中。魏国将军李广临敌不进、泰山太守常时称病不出，都被司马昭斩首示众。

八月，吴将朱异率兵一万多人，前来增援诸葛诞，但没过多久，他就兵败被杀。司马昭认为，朱异之死使诸葛诞更加坚信东吴会来救他，因此他才固守待援，否则诸葛诞应该突围杀出，拼命求活。或者他认为司马昭军不能持久，就减省吃粮，等待其他变故。司马昭估计敌情不外乎这三个方面，应该以各种方法扰乱他们，防止他们逃走。根据这一分析，司马昭下令一部分老弱士兵撤往淮北就食，做出东吴援兵即将到来的样子，同时大量派遣反间士兵，扬言吴国的救兵即将到来。诸葛诞等人更加宽心，放松了对军队伙食的节制，很快城中缺粮。就在这个时候，王苞、王基都请求出兵进攻，司马昭却说：“现在急攻，伤亡会很大，而且增援之敌一旦到来，我军容易陷入腹背受敌的困境。现在三个叛逆相聚孤城之中，是将他们一起消灭的好机会，我们应该以持久之计拖住敌人，一定要三面坚守。假如援敌从陆路上来，军粮必定不多，我们以游兵轻骑断绝他们的运粮之路，这样可以不战而败外来之敌。外援的敌人失败，那么文钦必然能被我们擒获。”不久，钟会献反间计，吴将全静兄弟五人率领吴兵开城门投降，寿春城中一片惊慌。

甘露三年（258年）正月，诸葛诞、文钦突围，魏军迎头攻击，他们不得不又退回城中。这时，诸葛诞与吴军主将文钦矛盾更加尖锐，诸葛诞一气之下亲手杀了文钦。文钦之子文鸯想替父报仇，率兵攻打诸葛诞，未能取胜而越城投降司马昭。司马昭于是任文鸯为将军，并封侯，派他巡城喊话。城中士气更加低落。司马昭见此就对各位将领说："可以攻击了。"二月，司马昭率兵攻下寿春城，斩诸葛诞，诛夷三族。吴将唐咨、孙曼、孙弥、徐韶等率部投降。这时，有人密劝司马昭坑杀东吴降兵。司马昭说："就让他们逃回去，正好显示我们的宽宏大量。"

甘露三年四月，司马昭凯旋还朝，后废帝曹髦以并州的太原、上党、西河、乐平、新兴、雁门以及司州的河东、平阳共计八郡，方圆700里，封司马昭为晋公，加九锡，晋位相国。晋国置官司，司马昭让了九次才作罢。于是增邑一万户，食三县，诸子没有爵位的都封列侯。七月，司马昭上奏录取先世名臣元勋子孙，随才叙官。

至此，司马昭独揽大权，操纵朝政，根本不把皇帝放在眼里。后废帝曹髦对此愤恨不已，他向众臣公开言明："司马昭之心，路人皆知。"曹髦唯恐受到被废的屈辱，所以想亲御平台，召集百官，放黜司马昭。同年五月，曹髦使冗从仆射李昭等发兵于陵云台，召侍中王沈、散骑常侍王业、尚书王经参与他的计划。事实上，后废帝曹髦的精心准备已枉费心机，此时司马昭的权势已不可一世，朝廷上下到处都是司马昭的耳目和亲信。王沈、王业从陵云台回来后把详情及时汇报了司马昭。司马昭虽然内心十分恼火，表面则显得很平静。他召护军贾充等作准备，君臣之战迫在眉睫。

后废帝曹髦知道事情已经泄漏，于是不顾左右大臣的劝阻，率领宫人、杂役攻击相府。相府兵将尚在犹豫，贾充厉声喝道："司马公豢养你们这些人，正是为了今天！"太子舍人成济挺矛冲向后废帝的车乘，曹髦未及开口就被刺穿胸膛。

皇帝被弑，满朝上下震惊，但慑于司马昭的权威，群臣敢怒不敢言。司马昭见皇帝已死，慌忙赶来，假惺惺地伏在皇帝尸体上号啕大哭。仆射陈泰要求杀贾充以谢天下。司马昭经过再三权衡，只得把罪名归于成济。于是，成济作为司马昭弑君的替罪羊，立即被斩首，并诛灭三族。司马昭和众公卿一起商议，决定立燕王的儿子常道乡公曹潢为元帝，后因避讳，曹潢改名曹奂。

景元元年（260年），元帝晋司马昭为相国，封晋公，增十郡加九锡如初；各个子弟没有封侯的全封亭侯，赐钱千万，帛万匹。司马昭坚决辞让，于是作罢。

景元四年（263年）夏，司马昭出兵灭蜀。十月，元帝因为各路诸侯捷报频传，再次重申前诏，再次重封司马昭为相国和晋公。公卿将校也都到司马昭府第传元帝旨意。司马昭仍然以礼辞让。司空郑冲率众官劝进，司马昭只好接受相国印绶及晋公封号。

十一月，蜀后主刘禅投降。元帝命晋公司马昭以相国身份总理朝政，上节传，去掉侍中、大都督、录尚书事之号。表奏邓艾为太尉，钟会为司徒。

元帝咸熙元年（264年），钟会在蜀反叛，右将军胡烈攻钟会，将其斩杀。当初，钟会伐蜀，西曹属邵悌对晋公说："钟会不可相信，不能让他率军出行。"晋公司马昭笑着说："攻取蜀国极为容易，而众人都说不可，只有钟会的意见和我相同。灭蜀之后，中原将士人人思归，蜀国遗留的百姓惊恐未定，纵然钟会有异志，他也无能为力。"事情果然如司马昭所料。

咸熙二年（265年）二月，朐涊县献的灵龟归于司马昭的相府。四月，孙皓派纪陟来聘问并献方物。五月，元帝命晋王冕十二旒，建天子旌旗，出警入跸，乘金根车，驾六马，备五时副车，置旄头云罕，乐舞八佾，设钟鼎宫悬，位在燕王之上。进晋王妃为王后，世子为太子，王女王孙爵命之号皆如帝王之仪。

同年八月，司马昭在露寝离世，终年55岁。九月葬崇阳陵。其子司马炎受禅即帝位后，追封司马昭为"文皇帝"，庙号"太祖"。

司马昭颇有才干，治军有方，赏罚分明。他率兵灭蜀，为西晋统一中国奠定了基础。但他弑君专权，留下千古骂名。

王 猛

王猛（325年—375年），字景略，东晋北海郡剧县（今山东潍坊寿光东南）人，后移家魏郡。前秦丞相、大将军，著名政治家、军事家。辅佐苻坚扫平群雄，统一北方，被称作“功盖诸葛第一人”。

王猛，明帝太宁三年（325年）生于青州北海郡剧县（今山东寿光东南）。在他出生前二年，青州被羯人石勒建立的后赵政权攻破，东晋降卒三万人死于非命。到王猛出生时，后赵已席卷中原，兵锋南向，与东晋夹淮水对峙。继石勒称帝的石虎，是个穷兵黩武、嗜杀成性的暴君，后赵国无宁日，民不聊生。年幼的王猛，随家人颠沛流离，辗转来到魏郡（在今河南北部与河北南部）住下。

王猛没有被烽火硝烟吞噬，没有被生活重担压垮。在兵荒马乱中，他观察风云变幻；在凄风苦雨中，他手不释卷，刻苦学习，广泛汲取各种知识，特别是军事科学知识。慢慢地，王猛成长为一个英俊魁伟、雄姿勃勃的青年，为人谨严庄重，深沉刚毅，胸怀大志，气度非凡。他与鸡毛蒜皮的琐细之事绝缘，更不屑于同尘垢秕糠打交道，因而经常遭到那些浅薄浮华子弟的白眼和耻笑。王猛却悠然自得，我行我素。他曾经出游后赵国都邺城（今河北临漳西南），达官贵人们没有谁瞧得起他，唯独一个“有知人之鉴”的徐统“见而奇之”。徐统在后赵时官至侍中，召请他为功曹（郡守或县令的总务长官，掌人事并得参与政务）。王猛遁而不应，隐居于西岳华山，静候风云之变而启动。

王猛二十五岁以后数年间，北方的战乱愈演愈烈，政局瞬息万变。称王称帝者比比皆是。北方冉闵称帝后不久，苻洪自立为王，旋为部将毒死。其子苻健遵嘱率众西归，于穆帝永和七年（351年）占领关中，建都长安（今陕西西安市西北），国号秦（史称前秦）。次年称帝，势力日强。穆帝永和十年（354年），东晋荆州镇将桓温北伐，击败苻健，驻军灞上（今西安市东），关中父老争以牛酒迎劳，男女夹路聚观。

王猛听到这个消息，身穿麻布短衣，径投桓温大营求见。桓温请王猛谈谈对时局的看法，王猛在大庭广众之中，一面扪虱（捉掐虱子），一面纵谈天下大事，滔滔不绝，旁若无人。桓温见此情景，心中暗暗称奇，脱口问道："我奉天子之命，统率十万精兵仗义讨伐逆贼，为百姓除害，而关中豪杰却无人到我这里来效劳，这是什么缘故呢？"王猛直言不讳地回答："您不远千里深入寇境，长安城近在咫尺，而您却不渡过灞水去把它拿下，大家摸不透您的心思，所以不来。"桓温的心思是什么呢？他盘算的是：自己恢复关中，只能得个虚名，而地盘却要落于朝廷；与其消耗实力，失去与朝廷较量的优势，为他人作嫁衣裳，不如留敌自重。王猛暗带机关的话，触及了他的心病，他默然久之，无言以对，同时越发认识到面前这位扪虱寒士非同凡响。过了好半天，桓温才抬起头来慢慢说道："江东没有一个人能比得上您的才干！"

临行前，他赐给王猛华车良马，又授予高级官职都护，请王猛一起南下。王猛心想在士族盘踞的东晋朝廷里，自己很难有所作为；追随桓温则等于助其篡晋，势必玷污清名。于是，他便继续隐居读书。

桓温退走的第二年，永和十一年（355年），苻健去世。继位的苻生残忍酷虐，以杀人为儿戏，苻健之侄苻坚决计除掉苻生。当他向尚书吕婆楼请教除去苻生之计时，吕力荐王猛。苻坚即派吕恳请王猛出山。

苻坚与王猛一见面便如平生知交，谈及兴废大事，句句投机，苻坚觉得就像刘备当年遇到诸葛亮似的，如鱼得水。于是，王猛留在苻坚身边，为他出谋划策。晋升平元年（357年），苻坚一举诛灭苻生及其帮凶，自立为大秦天王，改元永兴，以王猛为中书侍郎，职掌军国机密。

杂草不除，良苗不秀；乱暴不禁，善政不行。王猛深明此义，执政以来，首先着力整顿吏治，严明赏罚，裁汰冗劣，擢拔贤能。

甘露元年（359年），王猛刚由咸阳内史调任侍中、中书令（皆为宰相之职）兼京兆尹（京都长官），便听说贵族大臣强德酗酒行凶，抢男霸女，但谁也不敢"太岁头上动土"，因为他是皇太后的弟弟。王猛立即收捕强德，等不及奏报，便将他处死。待到苻坚因太后之故派人持赦书飞马赶到时，强德早已"陈尸于市"了！

在"有罪必罚"的同时，王猛还力求做到"有才必任"。他在接受司隶校尉等新职务之前，曾力荐在职官僚苻融、任群和处士朱彤等人，使他们各得要职。灭燕后，他又很快推荐房默、房旷、崔逞、韩胤、田勰等一批关东名士担任朝官或郡县官长。"木秀于林，风必摧之"；"行高于人，众必非之"。王猛从自己的亲身经历中，对贤才遭嫉有着深刻的体会，所以他也像苻坚一样保护贤才，用才不疑。

王猛治国的第二项重要措施是兴办教育，培养人才。在他的赞导下，前秦恢复了太学和地方各级学校，广修学宫，聘任学者执教，并强制公卿以下子孙入学。苻坚每月亲临太学一次，考问诸生经义，品评优劣，并与博士等教官讲论学问，以督察学校教育，扩大号召力和影响力。灭燕后，苻坚亲率太子、王侯公卿大夫士之长子祭祀孔子，宣扬儒教。这样，先进的汉族传统文化在北方很快得到复苏和振兴，而官僚后备队伍的培养工作也走上了正规化。

其三，调整民族关系，促进民族融合。前秦是氐族建立的国家，氐族又是少数民族中较小的一个。前秦国内存在着氐汉之间的矛盾，也存在着氐与其他少数民族的矛盾。王猛作为汉人而能尽忠于前秦政权，与苻坚名为君臣，形同兄弟，为氐汉两族的团结做出了很好的榜样。

其四，兴修水利，奖励农桑，努力发展社会生产。为解决关中少雨易旱问题，前秦政府征调豪富僮仆三万人开泾水上游，凿山起堤，疏通沟渠，以灌溉梯田及盐碱地，“百姓赖其利”。又通过召还流民、徙民入关等途径增加农业劳动力，并注意节约开支、降低官僚俸禄、减免部分租税，以减轻人民负担。前秦政府还经常派员巡察地方，推广先进的生产技术，奖励努力种田的农民。于是，荒芜多年的田地重长五谷，空废多年的仓库又满帛粟，前秦立国的物质基础大大增强了。

在王猛的主持下，革新措施带来了一派崭新气象。史载，当时秦境安定清平，家给人足，“自长安至于诸州，皆夹路树槐柳，二十里一亭，四十里一驿，旅行者取给于途，工商贾贩于道”。

王猛治国，使前秦成为诸国中最有生气的国家，因而敢于与群雄角逐，并且愈战愈强，十年之间（366年—376年）便统一了北方。

王猛精忠治国，兢兢业业，积劳成疾，终于在建元十一年（375年）六月病倒了。苻坚亲为王猛祈祷，并派侍臣遍祷于名山大川。碰巧王猛病情好转，苻坚欣喜异常，下令特赦死罪以下。王猛上疏说：“想不到陛下因贱臣微命而亏损天地之德，自开天辟地以来绝无此事，这真使臣既感激又不安！臣听说报答恩德最好的办法是尽言直谏，请让我谨以垂危之命，敬献遗诫。陛下威烈震慑八方荒远之地，声望德化光照六合之内；九州百郡，十居其七；平燕定蜀，如拾草芥。然而善作者未必善成，善始者未必善终。所以，古来明君圣王深知创业守成之不易，无不战战兢兢，如临深渊。恳望陛下以他们为榜样，则天下幸甚！”苻坚读一行字，抹两行泪，悲恸欲绝。这年七月，苻坚见王猛病危，赶紧询问后事。王猛睁开双眼，望着苻坚说："晋朝虽然僻处江南，但为华夏正统，而且上下安和。臣死之后，陛下千万不可图灭晋朝。鲜卑、西羌降伏贵族贼心不死，是我国的仇敌，迟早要成为祸害，应逐渐铲除他们，以利于国家。"说完便停止了呼吸。苻坚三次临棺祭奠恸哭，按照汉朝安葬大司马大将军霍光那样的最高规格，隆重地安葬了王猛，并追谥王猛为"武侯"。秦国上下哭声震野，三日不绝。

历史学家范文澜曾说："苻坚在皇帝群中是个优秀的皇帝。他最亲信的辅佐王猛，在将相群中也是第一流的将相。"此言可谓公允。

王 导

王导（276年—339年），元帝时丞相。字茂弘。琅邪临沂（今山东临沂北）人。他出身士族，其祖父王览，官拜光禄大夫；父王裁，曾任镇军司马。王导历任骠骑大将军、侍中、司空、司徒、丞相等职。谥号“文献”。

王导少年时就风流倜傥，识量清远，素有雅名。王导的堂兄王敦有一个好友，名叫张公，他素以清高识人闻名。王导14岁时，在堂兄家与张公相见，张公立刻断言：“这个小孩，从容貌志气上看，是将相的才器。”王导成年后，袭祖爵为官。不久，司空刘寔引荐他为东阁祭酒，迁秘书郎、太子舍人、尚书郎，但他都没有上任。后来参东海王司马越军事。

在此期间，王导结识了琅邪王司马睿。他们二人一见如故，相交甚欢。王导见天下大乱，晋室衰微，就倾心辅佐司马睿，暗中有复兴晋室的志向。琅邪王在洛阳时，请王导任安东司马，参与军事机密和决策。王导尽职尽责，保守机密，献计献策。

不久，琅邪王迁镇至建康，但是过了一个多月，无论士族还是庶人都没有来拜见他的，王导认为这是因为琅邪王的声望还不够高的原因。正在忧虑之中，堂兄王敦来朝见。王导对他说：“琅邪王仁德虽厚，但名望还不够。仁兄的权威已经确立，您应该对琅邪王有所帮助。”时逢三月上巳节，是水上斋戒而浴的节日，琅邪王乘轿摆出亲王的仪仗前往观看，王敦、王导以及许多名流都骑马跟随，以显示琅邪王的威望和名气。江南名士纪瞻、顾荣混在等候的人群中偷偷观看，他们看到琅邪王如此威严，心中不免有些惊惧，于是相率拜于街道旁。

王导注意观察路边人们的反应，名士庶人的一言一行尽收眼底。他建议司马睿礼贤下士，请江南士族的代表人物出来做官。琅邪王认为王导的建议很有道理，也十分重视这一点，立即派遣王导亲自登门拜请贺循、顾荣，二人被琅邪王的精诚所感染，都应命而至。在他们的影响下，吴人闻风而动，百姓归心。从此以后，琅邪王逐渐得到尊崇，君臣之礼也被确定下来，江南出现这样好的局面，可以说王导立了头功。

不久，洛阳失陷，中原百姓避乱来到江南的有百分之六七十。王导劝琅邪王收揽其中的贤人君子，和他们共谋大事。这时荆州、扬州安然无恙，户口殷实。王导为政又务求清静，常常劝琅邪王克己厉节，安邦定国。在这创业阶段，琅邪王更加依仗好友王导。二人关系越来越密切，朝野归心，号王导为“仲父”。琅邪王曾对王导说：“你是我的萧何。”此后，君臣二人配合默契，江南大治。可以说，王导的英明在于他能够认识到人才的重要，司马睿的贤德在于采纳了王导的意见。

晋怀帝司马炽永嘉末年（313年），王导迁为丹阳太守，加辅国将军。王导就给琅邪王写信，阐述了自己的一些想法。他认为，现在奖赏太滥，官员不问贤愚豪贱都加重号，动辄有鼓盖，往往互相攀比。或有人不加尊号，即以为耻辱。这其实是开导乱源，贪窃名位，紊乱常典。因此，他表示要送回所赐鼓盖加崇之物，辞去琅邪王给他的职位。王导的确称得上政治家，在乱世之中能深明大义，以身作则，实在难得。他的举动感动了琅邪王。琅邪王下令说：“王导德重勋高，我所深相倚重，本应该表彰且加以特殊礼遇。但他约己虚心，思尽忠诚，以身率众，应该顺从他的雅意，允许以此为开导塞流的契机。”于是，琅邪王拜王导为宁远将军，不久加振威将军。

建兴五年（317年），琅邪王司马睿在建业称帝，改元建武，史称东晋，司马睿为东晋元帝。东晋刚刚建立，王导任丞相军谘祭酒。可以说从西晋过渡到东晋的每一步，都留下了王导的足迹。他给予司马睿的帮助是巨大的。在创业之初，他仍然坚定信心，忠诚辅助司马睿。

东晋建立之初，整个国家处于分裂和混乱之中。刚刚建立的东晋政权也十分衰弱。桓彝避乱江南，看到朝廷衰弱，对周岂页说：“我以为中原多事故，来到此地想求活路，而国家寡弱到如此地步，如何能行呢！”有一天，桓彝去拜见王导，畅谈天下时势，回来后对周岂页说：“刚才见到管夷吾，不再发愁了。”有一次，由北方过江的人相约到新亭宴饮。周岂页坐在中间叹气说：“风景相同，却江山有异。”大家都相视流涕。只有王导变色说：“大丈夫应当共同努力，协助王室克复神州失地，怎么能作楚囚相泣呀？”听到王导的一番话，大家对他更加敬重了。

不久，王导又拜右将军、扬州刺史，监江南诸军事，迁骠骑将军，领中书监，录尚书事，假节，刺史如故。王导因堂兄王敦统率六州，坚决辞去中外都督，以避嫌疑。

由于王导的功勋非同一般，司马睿登基时给予王导最高的礼遇，让百官陪列，王导升御床与他共坐。王导却推辞了，他认为国家初治，建立秩序是非常重要的，因此对元帝说："如果天上的太阳与万物一样落在地上，那么普天之下的芸芸众生靠什么来仰照呢？"元帝只好作罢。王导尽心辅政，深受元帝宠信，所有朝政几乎尽出王导之手。而王导的堂兄王敦又在外执掌兵权，琅邪王氏权力之大，使朝野上下流传着这样一句话："王与马（司马）共天下。"王家兄弟的权势日益增长，渐渐与司马氏产生了矛盾，元帝便委任刘隗为镇北大将军，暗地里防范王敦。

刘隗善于迎奉，是一个钻营私利的邪恶小人，他嫉恨王氏兄弟的权势，便屡进谗言，使元帝疏远了王导。王导对此却恬静淡泊，不甚为意。时人都称赞王导善于处理荣宠和简慢的关系。

但王敦早有篡逆之心，于是就以清君侧、诛刘隗为借口起兵反叛。消息传来，王导大惊，深恐灭族之灾降临，便率领全家老小，从早到晚跪在离台边等着元帝降罪。元帝知道王导一贯忠诚，再者杀了王导更会激怒王敦，于是就做了顺水人情，让王导去劝王敦退兵。

王敦兵变，虽然最后以和平方式解决，但元帝司马睿却因此事心情郁闷，不久就去世了。

元帝死后，明帝司马绍即位，封王导为大司徒。王导决心不负皇恩，辅佐明帝重振国威。他一方面积极发展经济，安抚民心；一方面集中力量，准备北伐。当时，东晋王朝虽然偏安江左，但北伐复国一直是王导的梦想。早在东晋之初，王导就积极支持祖逖进行了第一次北伐，但由于元帝宠信刘隗，再加上王敦举兵谋反，这次北伐便功亏一篑了。

明帝即位后，王导决心进行第二次北伐，但北伐的征鼓尚未敲响，王敦再次谋反。王导对王敦不顾国家利益，只为满足个人私欲的行为十分痛恨。为了深明大义，表明心迹，王导毅然向明帝请命，亲自率军平叛。

不久，两军相遇，王导假传王敦已死，命宗族子弟身穿孝服，为王敦发丧。王敦部下顿时丧失了战斗力，而王敦本人也真的因此盛怒而死。因此，王敦叛乱被彻底平息。

此后，明帝对王导更加倚重，王导也因此准备再次北伐，完成中兴大业。谁知天违人愿，年轻的明帝就在此时突然病逝了。

明帝死后，王导又与庾亮等同受遗诏，共同辅佐成帝司马衍。当时，历阳内史苏峻因平定王敦之乱有功，且掌握重兵，日益骄横，不听朝命。庾亮认为苏峻早晚必乱，所以奏请成帝，召苏峻入朝，欲夺其兵权。王导说："苏峻猜忌又阴险，必定不能奉诏。况且山中林薮向来藏有毒疾，苏峻远在江外，应该宽宏大量，不必与他计较。"庾亮十分固执，没有听从王导的意见。不久苏峻果然发难，攻入建康台城，纵兵烧杀。在此期间，王导一直紧随成帝护驾。苏峻因王导德高望重，不敢对他轻易加害。后来陶侃、温峤攻破石头城，诛杀苏峻，这次动乱才算平息。

经过这次浩劫，建康城的宗庙宫室都已成为灰烬。温峤建议迁都豫章，三吴豪强则请建都会稽。两种议论纷纷纭纭，没有结论。王导则认为："建康是帝王之乡，不能因宫室受损就轻易迁都。这个时候比迁都更重要的是发展生产、节约用度，否则民生凋敝，即使乐土也会变成废墟。更何况北方游寇时时窥伺我们，我们应安定沉稳，以安民心。"王导的这一看法，得到了大家的赞同。

由于成帝幼小，王导基本上掌握满朝上下诸事。他的地位和威望达到了登峰造极的地步。就连成帝见王导，每次也要下拜。成帝又曾给王导手诏，则写"惶恐言"；中书作诏，则写"敬问"，以为程式。由此足见王导权位之重。

这时，庾亮因形势所逼，出镇武昌，且握有重兵。他见王导势重，要举兵废王导。有人劝王导密切注意防御，王导说："我和庾亮休戚相同，捕风捉影的议论绝不是智者所言。如果真像你所说的那样，那也不必庾亮费事，我自己辞官，告老还乡就行了。"王导又给陶称写信，认为庾公是成帝元舅，应该好好侍奉他。庾亮知道此事后深感惭愧，从此谗言也就平息了。

王导虽然一生操掌人权，但个人生活简朴，家无余谷，衣无锦缎。成帝知道后，给布万匹，以供他私人享用。王导有虚弱之症，不能坚持朝会，成帝亲自到他府第，饮酒奏乐，然后令乘轿入殿。可见皇帝是多么敬重他。

王导性情冲淡平和，不爱和别人开玩笑。据说，王导的妻子曹氏好妒忌，王导很怕她，于是秘密营造别馆，安置众妾。曹氏知道后，将去别馆寻事。王导怕众妾被曹氏污辱，急忙命令备车前往，唯恐迟到，以手中尘麈柄驱牛而进。司徒蔡谟听到后，和王导开玩笑说："朝廷要加公九锡。"王导没有觉察他的用意，一味谦退。蔡谟说："听说皇上所赐没有别的东西，只有短辕犊车，长柄尘麈。"王导大怒，对人说："我以前和群贤一起在洛阳交游，何曾听说过有蔡克（蔡谟之父）儿。"

成帝咸康五年（339年），王导病逝，终年64岁。

王导一生经历元帝、明帝、成帝三朝。权位显赫，操揽大权，为东晋王朝竭忠尽智，是晋朝的一位名相。

谢　安

谢安（320年—385年），简文帝朝礼部尚书；孝武帝朝太保。字安石。陈郡阳夏（今河南太康）人。封建昌公。谥号“文靖”，追封庐陵郡公。西晋末年南迁寓居会稽。父谢裒，官至太常。谢安历任尚书仆射、中书监、侍中、太保等职。

谢安在童年就见识超群，沉静聪明，气宇不凡，又擅长行书。到了少年，他更加与众不同，赢得各地名士的欣赏和赞许，当时的名臣王导也很器重他。他从小就穿梭于名士行列，因此早有名声。

谢安迷恋山水，对于仕途不感兴趣。他志趣高雅，淡泊名利。最初朝廷征召他辟司徒府，任佐著作郎，可他以有病为借口推辞掉了任命。当他寓居在会稽时，常和名士王羲之及高阳许询、僧支遁交游，出外游山玩水，在家谈天说地，议论古今，咏诗作文。

谢安的名气越来越大。扬州刺史庾冰也很敬慕他，决心要请谢安出来做官，屡次要求郡县去敦促谢安。谢安已实在没有办法，只得赴召，但一个多月后，他又告假而归。后来，谢安被征召为尚书郎和琅邪王的学友，他都不去就任。吏部尚书范汪荐举谢安为吏部郎，谢安还是写信谢绝。有关衙门奏谢安被征召历年不到任，请求处以“禁锢终身”，取消他入仕的资格。谢安并不因此感到苦恼，相反更加尽情地游览大好河山。

谢安曾经到过临安山中，静坐在石屋内，面临深谷，实为惬意，悠然叹道：“这样才距离伯夷不远了！”他曾和孙绰等泛舟海上，正巧风起浪涌，众人都很恐惧，谢安仍然吟唱不已，镇定自若。船夫以为谢安喜欢如此，就前进不止。风愈来愈急，谢安慢慢地说：“这种情况将怎么回去呀？”船夫听到这话，才立即转舵返回。谢安的气度宽宏，众人都很佩服。

谢安多次征召不赴，更加引起人们的注意。简文帝司马昱为相时，对谢安有一种新的认识。用他的话说：“安石既能与人同乐，必不能不与人同忧，召他一定会来。”

征西大将军桓温主请谢安当司马，谢安将从新亭出发，朝士都来送行。中丞高崧和谢安开玩笑说：“你屡次不遵朝旨，高卧东山，大家常常说，安石不肯出山，将和百姓一样么！百姓今天也将和你一样么！”谢安很有愧色，很快就报到了。桓温见到谢安由衷地高兴，两人谈论平生抱负，终日欢笑。桓温对谢安十分满意，也非常尊重。桓温准备北伐时，正赶上谢安的弟弟谢万病死，谢安请求回家。不久，他征拜侍中，晋礼部尚书、中护军等职。

简文帝司马昱病重，桓温上疏推荐谢安应当受顾命之托。简文帝死后，桓温借口奔丧率兵入京，屯扎新亭，陈兵以待，准备颠覆晋室。桓温请谢安和王坦之去，准备在会见时杀了他们。王坦之胆小畏惧，向谢安讨教。谢安不动声色地说：“晋室的存亡，在此一行。”于是，他们去见桓温。王坦之汗流浃背，倒拿手版。谢安从容就席，与桓温一起谈笑很久。王坦之和谢安本来同样有名声，此次大家方知王坦之比不上谢安。

孝武帝司马曜即位时已有十几岁，但政不由己，桓温威震朝野，群臣议论纷纷，意见不一。谢安和王坦之尽忠辅佐皇帝，使局势终于稳定下来。桓温病危，讽喻朝廷加自己九锡，以达到渐移晋室的目的，朝廷使袁宏拟草。谢安故意借删改拖延时间，因此十多天没有写成。恰巧桓温去世，锡命之事便就此停止。

谢安不久任尚书仆射，领吏部，加后将军。等到中书令王坦之出任徐州刺史，诏命谢安总管中书事。这时外来侵扰接连不断，边书不断传来，梁州（治今陕西南郑）和益州（治今四川成都）失守，樊城（今属湖北）、邓县（治今湖北襄樊北）陷没。谢安常以和平安静之态来坐镇朝廷，以长远谋划为治理之计。他推行德政，文武百官都尽力。他不以细故察人，而宏大朝纲，威望著于外，众人都以王导相比，认为文雅有过之而无不及。谢安曾和王羲之登冶城，悠然畅想，有超然世外之志。王羲之曾对他说：“夏朝大禹勤于王事，手足磨出老茧，周文王往往过时而食，整日没有闲暇的时间。现在四郊都是营垒，应该考虑怎样见到成效，虚谈浮文，荒废而妨碍要务，恐怕不是当今所宜。”谢安说：“秦委政于商鞅，仅过二世而亡，难道是清谈造成的后患吗？”

孝武帝开始亲理政机后，晋谢安为中书监、骠骑将军、录尚书事。谢安坚决推辞。当时，天气反常，连年大旱，谢安奏请兴灭继绝，寻求晋初佐命功臣的后代进行封赏。不久，谢安又加侍中，都督扬、豫、徐、兖、青五州和幽州的燕国诸军事、假节。

太元七年（382年），由氐人建立的前秦统一了北方，对东晋的威胁日益严重。前秦皇帝苻坚在统一北方的次年，就决定调士卒九十余万人攻伐东晋，由苻坚的弟弟苻融率领。前秦军很快攻下寿阳（今安徽寿县），东晋诸将相继败退。

在此之前，谢安为了组织一支归中央直接指挥的得力军队，就让其侄子广陵（今江苏扬州）相谢玄招募来自徐州、兖州二州的侨人或其子孙，组成军队，并进行长期严格的训练，号为“北府兵”。北府兵的将卒都深受匈奴和羯人的仇杀之苦，因此有抵御苻秦、保卫江南的决心。

面对强敌压境，东晋以谢安之弟谢石为征讨大都督，以谢玄为前锋都督。率北府兵八万人迎击秦军。将军刘牢之以精兵5000人袭击梁城垒（今安徽怀远），歼秦军15000人，掳获大批粮草器械，取得首战胜利。在谢安的统帅下，晋军所到之处都打胜仗。谢安拜卫将军、开府仪同三司，封建昌公。

苻坚率领号称“百万”之师驻扎在淮淝之间，京城建康上下震动。朝廷加谢安征讨大都督，谢玄去向谢安问计，谢安坦然毫无惧色，回答说：“已经另外有旨。”然后沉默不语，谢玄不敢再说。谢安就命令驾车去山野田庐，亲朋都来聚集，又和谢玄下围棋，以别墅赌胜负。谢安的棋艺平时劣于谢玄，这天谢玄心中忧惧，便旗鼓相当而胜不了谢安。谢安对他的外甥羊昙说：“我把这别墅给你。”谢安就在山野到处游览，至天黑才回府，才指派将帅，所任都合适。

谢玄奉谢安之命进军淝水（在安徽西北部，为淮河支流）东岸，与西岸的苻融军相对峙。当时，苻坚派投降的晋朝梁州刺史朱序至晋营，劝说谢石投降。谢玄乘机派遣使者和苻融相约，建议前秦军自淝水西岸小退，晋军愿到淝水西岸决战。苻融企图乘晋军半渡之时，加以邀击，全歼晋军于淝水中，便命令士兵稍退。可是前秦军内部复杂，又不愿作战，特别是汉人心向南方。因此，一旦退却，不可复止，以为前方被击败，于是奔逃溃散，自相践踏，死伤遍野。晋军乘势猛攻，前秦军大败。

当谢玄军打败苻坚后，驿书送到谢安手中时，谢安正与客人下围棋。他看完信后，随手放在坐床上，没有露出喜色，照旧下棋。客人问他淝水之战的消息，他慢慢地回答说：“小儿辈已经打败贼寇了。”棋局结束，谢安回到内室，由于内心太高兴了，跨过门槛时竟连屐齿折断都不知道，此事被后世传为佳话。最后，他以总统帅的功绩，晋拜太保。

淝水之战，以少胜多，扬名军事发展史。此战稳定了东晋在南方的统治，但东晋已无力收复中原，于是南北对峙的局面一直延续到隋朝的统一。

谢安一直想统一南北，所以上疏请求亲自北征，于是晋都督扬、江、荆、司、豫、徐、兖、青、冀、幽、并、宁、益、雍、梁15州军事，加黄钺，本官都依旧，设置从事中郎二人。谢安上疏辞让太保及爵位，孝武帝没有允许。

谢安身为朝廷重臣，他经略远瞻，让官员和功臣们互不相争，平衡各种政治势力，以保朝廷的稳定。谢安经常怀疑刘牢之，认为其不可独负重任；又预知王昧之不应该专任一城之长。最终，刘牢之果真以叛乱而告终，王昧之也因为贪污受贿而身败名裂。因此，有识之士都佩服谢安的深谋远虑和先见之明。

谢安生性爱好音乐，自从他弟弟谢万死后，他十年没有听音乐。登台辅之位后，他整年丝竹不断。王坦之写信劝他，他不听从，上层社会就仿效他而成为风尚。他又在土山上营造别墅，楼馆竹林很茂盛，他常携内外子侄往来游集，菜肴屡次耗费的价值达到百金，当世因此讥笑他，而谢安本人并不介意。

后来，会稽王司马道子专政，朝政紊乱，许多奸佞谄媚之辈煽动造谣的本领得到了充分的发挥。谢安遂有了归隐之心，他镇守新城时，全家都搬去，造作航行江海的装备。待经略稍有面目，便从长江东返，可是他的志愿没有实现，就得了重病。

太元十年（385年），谢安去世，时年66岁。赠太傅，谥号“文靖”。又因为淝水之战的功勋，更封谢安为庐陵郡公。

谢安既是东晋一名杰出的政治家和军事家，也是一位东晋名士。他志趣高雅，深谋远虑，有运筹帷幄、决胜千里的才能。

高 颎

高颎（？—607年），文帝朝尚书右仆射。字玄昭，又名敏。渤海蓨县人。可能与北齐皇族同宗，是汉化了的鲜卑人。父高宾，曾是北周大司马独孤信的僚佐。高颎辅佐隋文帝杨坚取得政权，对杨氏忠心耿耿，任劳任怨。但隋炀帝杨广即位不久，他以不敬不尊等罪名被杀。

杨坚做了北周宰相后，总揽朝政，权倾内外。许多人都追随他，能文能武的高颎就是其中之一。高颎曾是北周大司马独孤信的家客，杨坚娶了独孤信的女儿后，与高颎的关系更是非比寻常。

高颎从小聪明能干，17岁开始做官，参与平定北齐的战争，立过战功，受过爵赏。杨坚在密谋取代北周帝位之前邀高颎帮助自己，高颎欣然同意，于是入相府，担任司录。杨坚遭到北周部分统治者的激烈反对，尉迟迥首先举兵反叛。高颎自告奋勇，请命平叛，杨坚欣然同意。高颎当即衔命出发，来不及回家，只派人代向母亲告别。

高颎到达军中之前，韦孝宽把军队停顿在沁水的西边，表现得十分胆怯。高颎到达后，为了改变形势，命令立即造桥渡河。他估计敌人会从上游以火烧桥，乃预先防备，使敌人的破坏未能得逞。大军既渡，他仍沿用古人破釜沉舟、背水列阵的故事，烧掉新造的桥，以示决一死战。不久，两军在邺城外摆开阵势，准备厮杀。当时，有数万百姓在远处观战，高颎派大将宇文忻突然向旁观的人群放箭，人群顿时大乱，宇文忻乘机大呼："敌人被打败了！"于是尉迟迥大军受到逃散人群的冲击，队伍大乱，高颎、宇文忻等挥军乘势攻入邺城，大败尉迟迥。

隋开皇元年（581年），杨坚登上皇位，称隋文帝，正式建立隋王朝。高颎任尚书左仆射兼纳言（宰相）。他与苏威协力同心辅佐隋文帝，故而数年之内，天下安定。

隋朝建国之初，在隋文帝的支持下，高颎、苏威等人对北周遗留下的旧有政治体制进行了一系列的改革。首先重新修订北周的法律。他们所修订的法律，不仅为隋朝所施行，而且亦为后世所沿用。他们认为，税赋过重是北周的一大弊政，因此提出减税的主张；同时请文帝下诏检查户口，以防止偷漏赋税。高颎又提出"输籍法"，凡民间赋税皆记其数于籍账，使州县长吏不得随意增加减少。此外，为了加强对北方强族突厥的防御，高颎还主持兴建了新都大兴城。由于隋朝建国不久，事务繁忙，高颎工作得十分勤恳。退朝以后，他常常将一个本子置于卧榻之侧，想起什么就记在上面，以便天明以后办理。

隋朝建立之后，巩固边防、南平陈朝是当务之急。在完成这两项任务过程中，高颎的功绩尤其突出。特别是在平陈方面，他起了重大作用。开皇元年，文帝根据高颎的推荐，派贺若弼为吴州总管镇广陵，以韩擒虎为庐州总管镇庐江，要他们筹划平陈之事。第二年，以高颎为总指挥，发兵南征。兵出之后，陈宣帝死讯传到，高颎以“礼不伐丧”为理由停止进攻，班师回朝。通过这次试探性的攻击，高颎提出了一系列灭陈的方略：首先是优待俘虏，以瓦解陈军士气；二是实施麻痹战术，不断派兵在江边演习，陈军习以为常，定会大意；三是削弱陈朝国力，每到陈朝的收获季节，就出兵骚扰，并派人深入江南，放火焚烧陈朝储备。杨坚按照高颎的设想去做，果然收到很理想的效果。

开皇九年（589年），杨坚派晋王杨广为总指挥，分三路大军大举进攻陈朝。而这时高颎是晋王府长史，掌握着实际的指挥权。东路大军将领贺若弼根据高颎的策略，卖了五六十艘旧船，造成陈军错觉，以为隋军卖船，近期不会大举进攻，遂松懈了斗志。同时，他在江防军兵换防时，大排旗帜，营房帐幕遍于田野。一开始陈军看到，以为隋军要渡江，急忙准备抵御，结果发现隋军是换防，就习以为常，不加警惕了。他又经常派兵缘江狩猎，人马喧嚣，如此反复，也使江南陈军麻痹起来。结果贺若弼由广陵渡过长江，陈军还不知道。与此同时，另一支军队在韩擒虎的率领下也渡江到了采石。贺若弼渡江后俘虏陈军六千人，全部予以释放，发给粮食，并将隋朝诏书交给他们带着，要他们宣传隋朝伐陈的政策。结果，隋军所向无敌，陈军纷纷降附。隋军迅速攻入建康，抓到了陈末帝陈叔宝，陈朝灭亡，隋朝大体统一了全中国。

高颎在平陈之役中功不可没，所以在一次宴会上，文帝说：“高颎平定了江南，虞庆则使突厥降服，可以说是功勋卓著啊！”

到开皇末年，高颎开始失宠。文帝皇后独孤氏虽不失为女中豪杰，然而她特别妒嫉，不准皇帝接触后宫的妃嫔。谁知杨坚偏偏喜欢上了一位宫女，独孤氏对此气愤极了，趁文帝上朝将那位宫女杀死。文帝得知大发雷霆，高颎劝道：“皇上您怎么能够因为一个妇人而轻易地丢开天下呢！”

不料，这句话却埋下了祸根。高颎本是独孤氏的家客，独孤氏与他一直来往密切，可是自从他说独孤氏是“一个妇人”之后，她就怀恨在心，不与他来往了。

高颎与太子杨勇是儿女亲家，杨勇由于喜好奢华、亲近女色而渐失父母宠爱，于是文帝与皇后都渐渐产生了废立太子的意向。杨坚在向高颎征求意见时，高颎就以“长幼有序”相劝，杨坚则认为高颎是为谋己利，有意袒护亲家。又有一次，隋文帝要挑选东宫的卫士作自己的卫士，高颎以为不应这么做，文帝的不满立刻溢于言表。高颎的夫人去世后，文帝夫妇打算帮他再娶一位。谁知高颎却婉言谢绝说：“我现在已老，退朝以后，只是坐在书斋里读读佛经罢了。皇上是很爱惜我的，至于娶妻之事，我则没有这个打算。”消息传到宫内，文帝很是高兴，独孤皇后却不然。她听说高颎的一个小妾刚刚产子，另一小妾正在怀孕，所以认为高颎不愿意娶妻是在欺骗皇上。从此文帝对高颎就更加疏远了。

开皇十八年（597年），文帝欲出讨辽东，高颎坚决不同意，但文帝坚持己见，并派高颎任事实上的主帅，高颎只好服从。结果因为疾疫流行，军队人马十之八九病死，无功而返。这件事本来没有什么好挑剔的，可是独孤皇后却节外生枝，在文帝面前中伤高颎，说什么“高颎根本就不愿意去，你强迫他去了，我就知道准是无功而还。”这次统军主帅名义上是汉王杨谅，高颎则掌握实际指挥权。高颎为人耿直，自觉责任重大，常常以大局为重不避嫌疑，对于杨谅的意见也多不采纳。杨谅恨透了他，返京后在皇后面前告状说：“儿万幸没有被高颎杀掉。”对于这些事情，文帝既不调查，也不分析，便信以为真，对高颎更加愤愤不平。

不久，高颎被贬为平民。高颎胸襟豁达，虽屡遭不幸，亦处之泰然，降为平民后不但不怨恨，反而感到高兴。此后没有几年文帝驾崩，炀帝即位。炀帝启用高颎为太常卿。高颎对炀帝也是克尽臣道，看见有不正确的地方，就直言不讳。这很快就招致炀帝对他的仇恨。大业三年（607），高颎以诽谤朝政罪被杀。

高力士

高力士（684年—762年），有唐一代最有权谋的太监之一。几次宫廷斗争中，都显示了他相当敏锐的政治眼光。目睹深宫中种种险恶和残酷，高力士逐渐领悟了一套处世哲学。“神龙革命”中他权衡利害，投靠李隆基，后又助李隆基除去了韦后和太平公主。在创造唐朝“开元盛世”的过程中，高力士也出过力，献过策。

唐玄宗与杨玉环的旷世姻缘也是高力士一手撮合的，同样，也是他在马嵬坡亲手缢死了杨贵妃。江山易主，人世沧桑，77岁高龄的高力士最后被肃宗流配巫州，不久病死。

高力士，本姓冯，原名元一，唐武则天光宅元年（684年）生于高州良德（今广东高州东北）。幼年时，冯元一的父亲冯君衡遭人诬告造反，不久，冯君衡被处死。自此，冯元一开始了街头流浪的生活。

武则天圣历元年（698年），岭南爆发了少数民族叛乱，武则天派李千里为岭南讨击使，率大军前往镇压。平息叛乱后，李千里班师回朝，为了讨好武则天，他下令在岭南征集阉儿。

此时，流浪街头的冯元一，先是被人拐卖，东家为了讨好权贵，不顾冯元一的苦苦哀求，残忍地把他阉割了。随后冯元一遂被送往李千里的帐下，改名为力士。李千里为讨好武则天，便把冯力士当做奉品，送往长安。武则天见力士眉清目秀，乖巧伶俐，十分喜欢。

他入宫后，成了武则天的身边内侍。随后，被宦官高延福收养为义子，改姓高，为高力士。高延福在当时是一个有强硬后台的宦官。正因为这层关系，外加高力士办事小心谨慎，惟命是从，善于揣摩皇帝的心思，能够传达皇帝的诏书，深为武则天赏识，遂提拔他为宫闱丞，负责处理宫中的一些杂事。

长安五年（705年），武则天病危。正月二十四，武则天传位于太子李显。至此，历史上惟一的女皇帝武则天的政治统治完全结束了。接下来二张被诛杀。李显即位后，庸懦无能，朝政被韦皇后等人把持。

景龙元年（707年），皇太子李重俊约集羽林大将军李多祚、将军李思冲等，矫诏处死武三思等40余人，韦皇后又逼令中宗杀死太子李重俊。景云元年（710年），安乐公主与韦后合谋毒死中宗，准备拥戴韦后登基。在这李氏王朝飘摇之际，唐睿宗李旦的第三个儿子临淄王李隆基，与姑母太平公主等人率领御林军冲入皇宫，杀死韦皇后和安乐公主。随后，唐睿宗李旦恢复帝位。

在这一连串流血事件过程中，深居皇宫的高力士，耳闻目睹了武氏集团的灭亡过程。经过权衡，他选择了唐睿宗李旦的儿子李隆基。

武韦集团被消灭后，唐睿宗李旦即位，立三子李隆基为皇太子，李隆基把高力士调往东宫，并提拔为朝散大夫、内给事。从此，高力士便不离李隆基左右，时刻关注着李隆基的安危，成为李隆基最忠实的家奴和心腹宦官。

唐睿宗即位后，他的妹妹太平公主与太子李隆基一起参议朝政。由于公主的特殊功勋与地位，加上善弄权术，与满怀壮志的太子发生矛盾并开始激化。太平公主多次设计阴谋废黜李隆基，但均未得逞。

先天元年（712年）七月，睿宗正式传位给太子，8月3日李隆基登上皇位。唐玄宗即位后，有宰相7人，4人出自公主门下。太平公主势力日渐强大。此外，依附于公主的还有太子少保薛稷、雍州长史新兴王李晋、左羽林大将军常元楷、右羽林将军李慈、左金吾将军李钦、中书舍人李猷、右散骑常侍贾膺福、鸿胪卿唐晙等人。当时，高力士得知公主集团收买禁军将领，勾结宫人要阴谋毒死玄宗篡权。高力士日夜侍从皇帝左右，对玄宗的饮食严格监管，不敢有丝毫大意。此时，被罢去宰相职位远在东都洛阳的张说和被排挤出京师、时为荆州长史的崔日用纷纷为玄宗献计早日割断公主势力。玄宗听从并采纳他们的计策。

先天二年（713年）秋，经过紧张、严密的筹划，玄宗决定在太平公主政变前一天，先发制人。7月3日晚，玄宗密令内给事高力士、龙武将军王毛仲等数十亲信，率亲兵300人，悄然杀出武德殿，冲入虔化门，将太平公主及其党羽全部诛尽。至此，持续了几十年的唐朝宫廷内乱方告结束。

在这两次宫廷斗争中，作为宦官的高力士积极投靠支持李隆基，并身体力行，出谋划策，参与了平乱斗争，显示了他相当敏锐的政治眼光，为中唐的政治安定作出了应有的贡献。此时的高力士只有29岁，已经官居三品，跻身达官大臣之列。

开元晚期，玄宗荒于理政，就把许多政事交给高力士去办。对于高力士的忠诚，玄宗深为嘉赏；对于他的精明、果敢，玄宗更是深信不疑。因此，高力士成为唐玄宗生活中不可缺少的一部分。

天宝初年，唐玄宗封高力士为冠军大将军、石监门卫大将军，晋爵渤海郡公。天宝七年（748年），加高力士为骠骑大将军，从一品。天宝十四年（755年），玄宗特地置内侍监两员，由高力士和袁艺担任。这一年，高力士72岁高龄。

由于高力士深得玄宗宠信，为他柄国弄权提供了机会。当时，许多朝廷大臣都通过高力士的门路取得了将相职位。借助高力士援引登上高位的还有安禄山。安禄山贿赂与献媚双管齐下，高力士没少拿他的珠宝。安禄山在得宠之际，高力士与他保持着较多的往来，并没有提醒玄宗对其加以必要的防范，或抑制其势力的扩张，因而养虎遗患，高力士有不可推卸之责。

高力士发迹之后，开始追求荣华富贵。他在京都盖了一个很大的宅院，四周都由禁军护卫，在京都周围购买大片田园，俨然成为一个豪门富贵。并且在他的疏通和援引下，养父高延福的官位连连升迁，从七品的宫闱令一直升至从四品的中大夫。开元十一年（723年），高延福去世。高力士尽养子之道，大办丧事。唐玄宗特派使者前来吊唁，并赠绢300匹。朝中大臣们也纷纷前来，十分荣光。此举备受世人称道，也得到了玄宗的褒扬。

高力士为了满足他奢淫和变态的心理，到处打探美女，决心猎艳娶妻。不久，高力士就与京城小官吕玄晤的女儿吕女拜堂成亲。这就是历史上有名的“宦官娶太婆”事件之一，对后代宦官影响甚大。没过几年，吕女忍受不了人世间的折磨，一命归天。

高力士为了将来有人继承他庞大的家业和爵位，至少收养了两个以上的养子和一个养女，还有若干养孙。养子高悦礼后来秉承其养父之恩，官至正议大夫、前将佐少将，被封为渤海开国公。

高力士之所以久居内宫，受宠于玄宗，关键在于他能看风使舵，察言观色，能不断为玄宗出谋划策，揣摩玄宗的心思，对玄宗忠心耿耿。自从宠爱的武惠妃死后，玄宗常常郁郁寡欢，独自一人在愣愣发呆。深深地知道主子意图的高力士，于是秘密到宫外四处选美。

开元二十八年（740年）十月，高力士向玄宗推荐了寿王李瑁的妃子杨玉环。玄宗与杨玉环到骊山温泉宫相会。为了能做长久夫妻，高力士向玄宗献计，利用为太后忌辰的名义，将寿王妃度为女道士，她就不是寿王妃的身份了。第二年正月初二，杨玉环正式当了女道士。而寿王无可奈何之下只好接受了这个既成事实。唐玄宗在冠冕堂皇的辞令之下，掩盖了公公霸占儿媳的不光彩行为。

天宝四年（745年）七月初六，唐玄宗在凤凰园正式册封杨玉环为贵妃。玄宗从此“春宵苦短日高起，从此君王不早朝”。

玄宗自从眷遇杨贵妃后，整日沉湎于酒色之中，惰于政事，把国家大政交于奸臣李林甫、杨国忠。李、杨二人手握重权，胡作非为，扰乱朝纲，唐朝内部危机四伏，大有一触即发之势。高力士深居后宫，却能洞察天下之势，为了李唐王朝稳定，为了保住身家性命，在力所能及的范围内，替玄宗做了些事情。

天宝十一年（752年）三月，王铁、邢縡不满李林甫、杨国忠擅政，举兵在长安作乱，形势极其危险。高力士虽已年过半百，还披挂上阵，指挥禁军平息叛乱。自从玄宗信任李林甫、杨国忠后，朝廷法令不行，阴阳失度，奸臣弄权，边将有叛意。高力士洞察这一切，他替玄宗担心，而玄宗也明白跟随了自己40多年的老奴的心思，却又无能为力。

天宝十四年（755年）十月，镇守范阳、平卢、河东三镇的节度使安禄山，拥兵15万，发动叛乱，拉开了安史之乱的序幕。

肃宗至德元年（756年）六月，叛军围攻长安，玄宗率杨贵妃、杨国忠、高力士、太子李亨等亲信和部分禁军，仓皇逃出长安城。不久长安被叛军攻占。在西逃路上，年过七旬的高力士不得不承担起保护玄宗的职责。

六月十四日中午，玄宗一行逃到了马嵬驿（今陕西兴平西北12公里）。陈玄礼召集诸将商量诛杀杨国忠。众将士群情激奋，都支持陈玄礼的提议。随后军士们乱刀砍死奸相。在群情激愤的局势下，玄宗走出驿门，亲自慰劳军士。然而，将士们仍然包围着驿站，并要求玄宗将杨贵妃一并处死。高力士安顿好悲愤欲绝的唐玄宗后，用罗巾将杨贵妃缢死。杨玉环死了，马嵬驿兵变竟在一片“万岁”声中结束。

一年之后，唐军收复了京都长安。至德二年（757年）九月，肃宗派使臣入蜀迎玄宗，然后加封扈行玄宗和自己的有功人员，高力士被晋封为齐国公、开府仪同三司，实封五百户。表面上，他的地位似有上升，实际上已没有实权了。江山易主，人世沧桑，高力士真正成了侍奉太上皇的老奴。

上元元年（760年）七月，李辅国再次假传圣旨，表面是迎太上皇游幸西内太极宫，实则是迁居。“游幸”变成了“迁居”，上演了一场逼宫的丑剧。75岁高龄的唐玄宗从此深居西内，过着囚徒般的软禁生活。高力士、陈玄礼以及原兴庆宫侍候人员一律不准在左右，侍卫只有数十名老弱的卫兵。

事隔9天，肃宗颁布诏书，说高力士“暗通逆党，图谋造反，罪当不赦。但念其久侍帷幄，颇为勤劳，故流配巫州”。高力士以77岁的高龄，仅带十来个家人侍从和只够几月开销的钱粮，离开京师。在流放地，高力士仍念念不忘老病缠身、悲怀难诉的主子玄宗。

宝应元年（762年）四月初五，唐玄宗病入膏肓，与世长辞，享年78年。唐玄宗去世后，肃宗下制改元“宝应”，大赦天下。四月十八日，长期患病的唐肃宗也一命呜呼，终年52岁。四月二十日，太子李豫即位，史称唐代宗。

这年7月，遇赦归回的高力士，行至朗州（今湖南常德），获悉太上皇玄宗与皇帝肃宗相继驾崩的噩耗，号天叩地，无比哀痛，以至多次呕血。八月，高力士病情加重，在朗州开元寺之西院长号数声，呕血而卒，享年79岁。

高力士原名冯元一，今广东高州人，是名臣之后，因为牵连到谋反案件被阉入宫。后被宦官高延福收为养子，从此易姓为高。24岁那年，他认识了唐玄宗李隆基，从此便与李隆基挂了钩。玄宗初期，高力士立下了不少功劳。他身高六尺五寸，文武精通，其真实的个人形象，也应该称得上是飒爽英姿。但因为种种原因，他被定格为一个奸佞猥琐、谄言媚上、恃宠弄权、小丑一般的人物。

高力士的一生，从贵族家公子到死囚犯，再到小太监，先后历武则天、玄宗、肃宗、代宗等四朝皇帝，亲历了唐王朝由盛而衰的历史转折过程，算得上是一段传奇。他的政治手段十分高明，能取得玄宗的信任，几十年间呼风唤雨，也需要很高的谋略。对于开元天宝时期的政治生活，乃至有唐一代的历史发展，都产生了极大的影响。

杨素

杨素（？—606年），文帝朝尚书令。字处道。弘农华阴（今陕西华阴）人。祖父杨暄，曾做过北魏辅国将军、谏议大夫。父杨敷，做过北周的刺史。杨坚废周建隋，杨素受到重用，为隋统一全国立下了汗马功劳。

杨素自少胸怀大志，不拘小节，相貌堂堂，须髯飘逸，有英杰之表。他喜欢钻研学问，涉猎很广，擅长书法，写得一手好文章。一次，他替父上诉申理，北周武帝不许，杨素反复再三，激怒圣上。圣上命左右斩之，杨素临危不惧，大声说道："臣事奉无道天子，死是分内的事。"武帝认为他很有胆识，破格封为车骑大将军；并命他写诏书，挥笔而就，词美意深。武帝大加赞赏，对杨素说："好好勉励自己，不要担心不能富贵。"没想到杨素应声答道："我只担心富贵来逼我，因我无心图谋富贵。"

隋文帝称帝后，为消灭江南的陈朝、进而统一全国进行了长期的准备工作。这期间杨素也多次进谏攻取陈朝的办法。不久，杨素又奉命到永安（今四川奉节）督造战船，训练水军，造出了名曰"五牙"的大战船，以及几千艘称为"平乘"、"舴艋"的小战船。

开皇八年（588年）十月，隋文帝出动五十多万大军，兵分三路，从长江上中下游同时进攻陈朝。杨素所率部的目标是进击武昌以西的陈军江防部队，阻止陈军向下游机动，保障下游隋军夺取陈朝首都建康（今江苏南京）。杨素率水师过三峡，部队到达流头滩（今湖北宜昌西约100里处，又名虎头滩）。隋军以夜色为掩护，杨素亲自指挥"黄龙"战船近千艘，顺流而下，又派部将王长袭率领步兵从南岸攻击陈朝将领戚欣的水营栅栏，并令列仁恩率领骑兵从江北兼程西上。三路人马突然袭击，陈守将戚欣措手不及，仓皇逃窜。战斗结束后，杨素将陈军俘虏遣散回家，秋毫不犯，陈国百姓感激不尽。

杨素指挥水师继续东下，战船劈波斩浪，旌旗盔甲在阳光下熠熠闪光，杨素乘着平底大船，容貌雄伟，陈人见了惊叹不已，都说："清河公真乃江神也。"到达岐亭（今湖北宜昌西北西陵峡口）时，陈朝将领吕忠肃负隅顽抗，经过几十次大小战斗，隋军占领岐亭，陈军大败，被俘的甲士有两千多人。这时，防守公安的陈慧纪以及镇守安蜀城的顾觉见大势已去，烧毁物资，率三千军兵和千艘战船向东撤退。此后，巴陵（今湖南岳阳）以东的守军不敢再与杨素交战，湘州刺史、岳阳王陈叔慎派使臣向杨素投降。第二年春天，杨素进达汉口，胜利完成了从翼侧方向进攻陈朝的作战任务。战后，杨素因战功被封为荆州总管和郢国公，不久又改封越国公。

隋朝灭陈后，江南士族地主土豪由于对隋的制度、法律不满，纷纷起兵作乱，有的自称大都督，有的自称皇帝，多的拥兵数万，少的也有几千士兵，大肆杀害地方官吏。为了镇压地方豪强势力，隋文帝任命杨素为行军总管，率领军队南下征讨。

开皇十年（590年），杨素率领水军从扬子津（今江苏仪征南），沿长江东下，攻下朱莫问占据的京口（今江苏镇江）。之后，顾世兴自称太守，与他的都督鲍迁等再次拒战，杨素迎头痛击，大败叛军，俘虏敌军三千多人。随后乘胜追击无锡贼帅叶略，并迅速平叛。这时忽闻敌帅沈玄懀、沈杰等围攻苏州城，刺史皇甫绩屡战屡败，形势很危急。杨素得知，立即率兵支持，沈玄懀兵败，仓皇投奔贼帅陆孟孙。杨素善于用兵，把握战机，略施小计便击败陆孟孙部，生擒陆孟孙和沈玄懀。接着，杨素又指挥军队平定了江南叛乱势力中最大的一股——占据越州（今浙江浦阳江、曹娥江流域及余姚地区）并自称天子的高智慧。高军损失惨重，溃不成军。高智慧率余部乘战船逃入海中，取海道向南逃窜。杨素率军追击，追到永嘉（今浙江温州）时截住了高智慧，迫其交战，又大败高军，擒获了几千人。高智慧率领余部继续南逃，最后投奔了泉州（今属福建）叛乱的王国庆。

隋文帝考虑到杨素军旅辛苦，下诏令他回朝受赏，并给他的儿子杨玄感加官。但杨素认为叛军还没有最后消灭，因此请求暂缓返京，继续剿匪。文帝很赏识杨素这种锲而不舍的精神，立即下诏让杨素继续进剿，无论军民事务，一任处理。杨素利用敌人轻敌之机，率水师从海道以迅雷不及掩耳之势袭击泉州，王国庆做梦也没想到隋军从天而至，仓皇迎战，旋即弃州而走；手下部将见主帅已败，纷纷散匿于各海岛。杨素不容敌人有喘息之机，分遣诸将，水陆并进，追剿叛军。同时，派人秘密联络王国庆，告诉他："你犯的罪不小，只有交出高智慧，方可免于治罪。"王国庆自忖良久，最后不得不交出高智慧，高智慧在泉州问斩。不久王国庆手下的各路叛将纷纷向杨素投诚，江南从此太平。文帝派左领军将军独孤陀迎接犒劳杨素的军队，封杨素的儿子杨玄奖为仪同，赐黄金40斤、马200匹、羊2000头、公田100顷。

开皇十九年（599年），突厥达头可汗犯隋边境，隋文帝派杨素为云州道行军总管，出塞讨伐。以往，隋军将领与突厥作战一般都布成方阵，因为突厥军队都是精锐的骑兵，非常凶悍，锐不可当，采用方阵可以阻遏其凶猛攻势。所谓方阵，即用兵车和其他障碍物结成四面防御的屏障，步兵持长兵器在兵车上下迎战，骑兵置于方阵中央。隋军曾多次用方阵进攻达头可汗，都打成平手。杨素认为："方阵是防御的办法，不是取胜之道。"于是摒弃旧法，令部队采用骑阵。为此，杨素亲自演练部队。达头可汗听说隋军不用方阵，非常高兴。开战之后，杨素先派部将率领一部分精锐部队出列迎战，随后抓住战机，指挥骑兵主力部队向突厥可汗突然猛攻，敌人措手不及，被杀得抱头鼠窜。达头可汗也身负重伤，领兵远逃。

杨素作战之前，凡有触犯军令的，立即处斩，决不宽贷；每次迎战，故意寻找士兵的过失，借口杀戮，最多时能杀百余人，少的时候也有十几个人。两军对阵，杨素往往派一二百人做先锋，如不胜而回就全部杀掉；再派二三百人打前锋，不胜照杀不误。所以将士对他极其敬畏，作战英勇，战无不胜，攻无不克，同时杨素对待跟随他南征北战的将士也有功必录，因此尽管他为人严厉凶狠，大家还是愿意跟着他。

开皇二十年（600年），隋文帝任命杨素为行军元帅，再次出征剿杀突厥，连连得胜，突厥兵招架不住，狼狈逃窜。杨素率骑追击，当晚即将追上突厥兵。杨素又怕敌军逃得更快，决定让他的骑兵放慢速度，自己亲自带领两名骑兵和两名俘虏悄悄跟在突厥的大队人马后面。不久，突厥兵准备安营扎寨，放松了警戒。杨素见时机已到，乘着夜色，突然发出进攻的命令，隋军将士个个争先，英勇无比，疲惫不堪的突厥兵顷刻间被杀得阵脚大乱，尸横遍野。从这以后，突厥兵再也不敢擅自侵扰隋境。杨素因为破敌有功，子孙多加官晋爵。

过了不久，汉王杨谅造反，派茹茹天保攻占了蒲州（今山西永济、河津、临猗、闻喜及运城西南），又派王聃子率几万叛军与茹茹天保合力据守。隋文帝委任杨素为并州道行车总管、河北安抚大使，率领数万隋军征讨汉军。杨谅派部将赵子开统兵十余万，布阵50里。杨素根据敌情，派诸将引兵迎敌，亲自带领精兵从崖谷攀缘而上，绕到敌军营寨，一仗就大破敌军，杀死、杀伤数万敌人。杨谅乘机潜逃，杨素率兵紧追不舍，追到介休城（今山西介休），杨谅的部将梁修罗屯兵于此，听说威名远扬的杨素来了，还没开仗就害怕得弃城而走。杨素继续追击，距离并州（今山西阳曲以南、文水以北的汾水中游）30里，杨谅带领他的部将王世宗、赵子开、萧摩诃等和十万人马来迎战。杨素沉着指挥，顷刻间便击败叛军，萧摩诃被迫退保并州。杨素毫不松懈，将并州团团围住。杨谅山穷水尽，出城请降；余党的叛乱也前后平息。

杨素胜利返回京师，隋文帝加封其子侄，皆仪同三司，赏赐众多。大业元年（605年），文帝任命杨素为尚书令，不久又官拜太子太师。文帝前后给杨素的赏赐之物，不可计数。大业二年（606年），隋炀帝又拜杨素为司徒，改封楚公。当年，杨素卒于官。谥号“景武”。赠光禄大夫、太尉公等职。

裴 寂

裴寂（570年—632年），唐高祖时尚书左仆射、司空。字玄真。蒲州桑泉（今山西临猗东南）人。父裴瑜，曾任绛州刺史。隋末，裴寂任晋阳宫副监，以晋阳宫所藏米粮、铠甲、彩帛等支持李渊称帝。他参与了晋阳起兵的策划，是对建立李唐王朝有功的少数几个宰相之一，深受唐高祖李渊的恩宠。

裴寂从小聪明好学，深得家人喜爱。父亲病故后，由几位兄长苦心抚养。14岁时，恰逢缺一位州主簿，裴寂前去补上，至此步入仕途。裴寂长大后，英俊威武，眉清目秀。由于家贫，无以营生，他常常徒步去京城。

隋朝末年，天下大乱，农民起义遍布全国各地，隋朝统治政权摇摇欲坠。驻守太原的隋朝名将李渊的次子李世民正秘密准备举兵反隋，只因担心李渊不同意，迟迟没有起兵。晋阳令刘文静和裴寂是非常要好的朋友，深知裴寂与李渊关系甚好，所进之言李渊必听，便把裴寂引荐给李世民，希望通过裴寂说服李渊反隋。

随后，李世民以博弈的方式，相继输私钱数百万给裴寂。裴寂得了许多钱，心中自然畅快，每天都和李世民闲游在一起。一天，李世民乘裴寂正玩在兴头上，就将准备举兵反隋一事告诉了他，裴寂当即许诺支持。根据李世民之意，裴寂私自以宫女侍奉李渊。在宫中，除皇帝外凡是与宫女发生性关系的人，一旦发现都将处以死罪。裴寂趁机对李渊说："二公子私养兵马，企图起兵，谋建大业。我用宫女侍奉过你，一旦事情暴露，会祸及自身。"李渊听了裴寂的话，生怕这事被发现后丢了脑袋，就同意举兵。

李渊建立大将军府，自为大将军，裴寂为大将军长史，准备配合李世民一举反隋。裴寂还特意进宫女500人，并上米99万斛、杂彩五万段、铠甲40万领，以供军用。李氏大军一路势如破竹，最终攻占了长安。平定长安后，裴寂迁任大丞相府长史，晋封魏国公，食邑300户，良田千顷。

隋义宁二年（618年）五月，隋恭帝禅位，李渊推辞不受。裴寂一面极力劝说李渊，一面督促太常商议，择吉日即位。李渊只得受禅，并对裴寂说："我能有今天，全靠你呀！"

李渊即位后，裴寂任尚书右仆射，成了开国宰相。李渊对裴寂可谓宠爱有加，待之甚厚，当朝文武百官、皇亲国戚，无与伦比。据史书记载，李渊赏赐裴寂珍宝无数，每天赐御膳；裴寂上朝，李渊必引他与自己同坐，进后宫必延至卧室内；对裴寂的话亦一概听从。

唐武德二年（619年）六月，割据势力刘武周派遣其部将黄子英、宋金刚频频进犯太原，唐军屡战屡败，即位刚逾一年的唐高祖李渊不禁忧心如焚。裴寂主动请行，遂为晋州道行军总管，率军抵御刘武周的军队。行军到介休，扎营于度索原，因水源被切断，便移营有水的地方。宋金刚趁机纵军来攻，裴寂溃败，几乎全军覆没。经过一天一夜的疾行，裴寂逃至晋州（今山西临汾）。晋州以东的城镇已陷落，宋金刚继续进逼绛州。裴寂上表谢罪，唐高祖李渊慰勉他，让他镇守河东之地（今属山西）。裴寂生性胆小，又无将帅之才，就驱赶虞、泰二州居民进入城堡守城，并焚其积蓄，断其生路。百姓惶恐不安，人心思乱。十月，夏县（今属山西）人吕崇茂聚众自称魏王，并寻求宋金刚支援，举兵反唐。裴寂率兵前往攻打，被吕崇茂击败而归。唐高祖把裴寂召入朝，责备道："你的兵力足可以破敌，却一败涂地，不有愧于我吗？"即便如此，唐高祖依然像当初一样宠爱裴寂，每次巡游都让裴寂留守。

武德六年（623年）四月，裴寂迁任尚书左仆射，唐高祖赐宴于金章殿。裴寂叩头谢道："臣跟陛下从太原至今，全仰皇上恩惠。现在四海平定，唯愿赐我还乡一死吧。"唐高祖听后泪下沾襟，道："我与你要一起变老。你为台司（宰相），我为太上皇，逍遥快乐，岂不美哉！"从此以后，唐高祖每日都要差遣一位尚书员外郎在裴寂府中值班，尊贵至极。

唐太宗李世民即位后，贞观三年（629年）正月，有一个沙门法雅，开始时受恩宠出入两宫，后来禁止入内，便心怀不满，并口出妖言。兵部尚书杜如晦把法雅押来审问，法雅称裴寂知道说的是什么。于是，裴寂被免去官职，遣回乡里。裴寂请求留在京师，唐太宗责备道："你的功德平庸，得到的恩惠却冠于群臣。武德年间朝纲紊乱，贿赂成风，都是你引起的。但因你过去的功劳，不忍处置。让你回去守护祖墓，已经够宽恕的了。"裴寂随即返归蒲州故里。

汾阳（今山西万荣）一名叫信行的男子，言多妖妄，常对着裴寂的家僮说："裴公有天相之命。"裴寂的监奴恭命把这事告诉了主人，裴寂惶惧，不敢上奏，暗令恭命杀掉信行。但恭命不仅没杀信行，反而同信行一起逃到别处藏匿了起来。裴寂得知后勃然大怒，派人四处搜捕。恭命害怕被杀，就把此事奏告到唐太宗那里。唐太宗听后大怒，要杀掉裴寂。很多人请求从宽处理，唐太宗便同意不杀裴寂，流放其至静州（今广西昭平）。

裴寂刚到静州，恰好碰上当地羌人聚众造反，并扬言要劫来裴寂立为其主。唐太宗得知此事后一点也不相信。没过多久，得知裴寂率家僮镇压了羌人叛乱，遂命其还朝。裴寂正为赴京作准备时突然去世，时年63岁。

房玄龄

房乔，字玄龄，齐州临淄人。自幼聪敏，博览经史，工草隶、善属文。玄龄少年时代随父亲去京师，当时隋文帝当国，天下宁晏，一片大好太平景象，但弱冠之年的房玄龄已经对世事有精到的分析，私下对父亲讲："隋帝本无功德，只知诳惑百姓。而且他不为国家长久之计，诸子嫡庶不分，竞相淫侈，最终会互相诛夷倾轧。现在国家康平，但灭亡之日翘足可待。"

房玄龄十八岁时，本州举进士，获封羽骑尉。由于父亲常年卧榻重病，房玄龄一直伺奉左右，为人极其孝顺。李世民领兵过渭北，房玄龄谒于军门投靠。两人一见，便如平生旧识，马上任其为记室参军。房玄龄为报李世民知遇之恩，竭尽心力筹谋军政事务。每攻灭一方割据势力，军中诸人都全力搜求珍宝异物，唯独房玄龄四处访寻英杰人物，并把他们荐于秦王李世民。因此府中的谋臣猛将，心中都十分感念房玄龄推荐之恩，尽死力报效。

房玄龄在李世民秦王府中十多年，一直掌管军谋大事，而且于军书表奏，驻马立成，文约理全，不用草稿。高祖李渊也对房玄龄深加叹赏，对侍臣讲："此人深识机宜，足堪委任。每为我儿（世民）陈事，必会人心，千里之外，犹对面语耳。"后来太子李建成斥逐秦王府宫属，房玄龄与杜如晦一并被驱斥于外任。"玄武门之变"前夕，李世民密召二人化装成道士入阁秘计，最终赞画计成。

贞观元年，官拜中书令。论功行赏，太宗以房玄龄、长孙无忌、杜如晦、尉迟敬德、侯君集五人功为一等，进爵邢国公。

贞观二年，房玄龄改封魏国公，为尚书左仆射，监修国史。房玄龄尽心竭诚，夙兴夜寐。加之他明达吏事，法令宽平，任人唯贤，不分卑贱，论者皆称之为良相。他任宰相十五年，女为韩王妃，儿子房遗爱娶高阳公主，显贵至极，但常常深自卑损，不敢炫人傲物。

贞观二十三年，房玄龄旧疾复发，当时李世民在玉华宫，闻讯命人用自己的担舆把房玄龄抬入御座前，两人相见，感怀流泪，哽咽不能言。太宗命太医疗治，每日以御膳供房玄龄食用。听说他病有好转，太宗就喜形于色；听见病情加重，太宗马上愁容顿现。临终之时，房玄龄对诸子说：“当今天下清平，只是皇上东讨高丽不止，正为国患。主上含怒意决，臣下莫敢犯颜。我知而不言，就会含恨而死啊。”于是抗表进谏，请求太宗以天下苍生为重，罢军止伐高丽。太宗见表，感动地对房玄龄儿媳高阳公主说：“此人病危将死，还能忧我国家，真是太难得了。”临终之际，李世民亲至其病床前握手诀别，立授其子房遗爱为右卫中郎将，房遗则为中散大夫，使其在生时能看见二子显贵。房玄龄受遇如此，死时定当含笑。卒年七十，诚为喜丧之年。太宗为之废朝三日，赠太尉，谥曰文昭，陪葬昭陵。

李世民曾称赞房玄龄有“筹谋帷幄，定社稷之功”。此言不虚。

魏征

魏征（580年—643年），字玄成，钜鹿郡（一说在今河北省巨鹿县，一说在今河北省馆陶县）人，唐朝政治家、思想家、文学家和史学家，因直言进谏，辅佐唐太宗共同创建“贞观之治”的大业，被后人称为“一代名相”。贞观十七年（643年），魏征病死。官至光禄大夫，封郑国公，谥号“文贞”。

魏征早年正值隋末战乱，曾投瓦岗起义军。后入唐充太子建成掌管图籍的洗马官。魏征看到太子与秦王李世民的冲突日益加深，多次劝建成要先发制人，及早动手。

玄武门之变以后，李世民由于早就器重魏征的胆识才能，非但没有怪罪于他，而且还让他任谏官之职，并经常引入内廷，询问政事得失。魏征喜逢知己之主，竭诚辅佐，知无不言，言无不尽。加之性格耿直，往往据理抗争，从不委曲求全。有一次，唐太宗曾向魏征问道：“何谓明君、昏君？”魏征回答说：“君之所以明者，兼听也，君之所以昏者，偏信也。以前秦二世居住深宫，不见大臣，只是偏信宦官赵高，直到天下大乱以后，自己还被蒙在鼓里；隋炀帝偏信虞世基，天下郡县多已失守，自己也不得而知。”太宗对这番话深表赞同。

贞观元年（627年），魏征被升任尚书左丞。这时，有人奏告他私自提拔亲戚做官，唐太宗立即派御史大夫温彦博调查此事。结果，查无证据，纯属诬告。但唐太宗仍派人转告魏征说：“今后要远避嫌疑，不要再惹出这样的麻烦。”魏征当即面奏说：“我听说君臣之间，相互协助，义同一体。如果不讲秉公办事，只讲远避嫌疑，那么国家兴亡，或未可知。”并请求太宗要使自己作良臣而不要作忠臣。太宗点头称是。

贞观二年（628年），魏征被授秘书监，并参掌朝政。不久，长孙皇后听说一位姓郑的官员有一位年仅十六七岁的女儿，才貌出众，便告诉了太宗，请求将其纳入宫中，备为嫔妃。太宗便下诏将这一女子聘为妃子。魏征听说这位女子已经许配陆家，便立即入宫进谏：“陛下为人父母，抚爱百姓，当忧其所忧，乐其所乐。居住在宫室台榭之中，要想到百姓都有屋宇之安；吃着山珍海味，要想到百姓无饥寒之患；嫔妃满院，要想到百姓有室家之欢。现在郑民之女，早已许配陆家，陛下未加详细查问，便将她纳入宫中，如果传闻出去，难道是为民父母的道理吗？”太宗听后大惊，当即深表内疚，并决定收回成命。

由于魏征能够犯颜直谏，即使太宗在大怒之际，他也敢面折廷争，从不退让，所以，唐太宗有时对他也会产生敬畏之心。有一次，太宗得到了一只上好的鹞鹰，把它放在自己的肩膀上，很是得意。但当他看见魏征远远地向他走来时，便赶紧把鸟藏在怀中。魏征故意奏事很久，致使鹞子闷死在怀中。

贞观六年，群臣都请求太宗去泰山封禅，借以炫耀功德和国家富强。只有魏征表示反对。唐太宗觉得奇怪，便向魏征问道：“你不主张进行封禅，是不是认为我的功劳不高、德行不尊、中国未安、四夷未服、年谷未丰、祥瑞未至呢？”魏征回答说：“陛下虽有以上六德，但自从隋末天下大乱以来，直到现在，户口并未恢复，仓库尚为空虚，而车驾东巡，千骑万乘，耗费巨大，沿途百姓承受不了。况且陛下封禅，必然万国咸集，远夷君长也要扈从。而如今中原一带，人烟稀少，灌木丛生，万国使者和远夷君长看到中国如此虚弱，岂不产生轻视之心？如果赏赐不周，就不会满足这些远人的欲望；免除赋役，也远远不能报偿百姓的破费。如此仅图虚名而受实害的事，陛下为什么要干呢？”不久，正逢中原数州暴发了洪水，封禅之事从此停止。

贞观十年（636年），魏征奉命主持编写的《隋书》、《周书》、《梁书》、《陈书》、《齐书》（时称五代史）等，历时七年，至此完稿。同年六月，魏征因患眼疾，请求解除侍中之职。唐太宗虽将其任为特进这一散职，但仍让其主管门下省事务，其俸禄、赏赐等一切待遇都与侍中完全相同。

贞观十二年（638年），魏征看到唐太宗逐渐怠惰，懒于政事，追求奢靡，便奏上著名的《十渐不克终疏》，列举了唐太宗执政初到当前为政态度的十个变化。他还向太宗上了“十思”，劝谏太宗居安思危。

贞观十六年（642年），魏征染病卧床，唐太宗所遣探视的中使道路相望。魏征一生节俭，家无正寝，唐太宗立即下令把为自己修建小殿的材料，全部为魏征营构大屋。

不久，魏征病逝家中。太宗亲临吊唁，痛哭失声，并说：“夫以铜为镜，可以正衣冠；以古为镜，可以知兴替；以人为镜，可以明得失。我常保此三镜，以防己过。今魏征殂逝，遂亡一镜矣。”

杜如晦

杜如晦（585年—630年），太宗朝检校侍中、尚书右仆射。字克明。京兆杜陵（今陕西西安）人。父杜吒，曾为隋昌州长史。他参与了“玄武门兵变”，协助李世民登上皇位，并与房玄龄一起共掌朝政。两人配合默契，理政建制，奠定了贞观之治的基础。后世论唐代良相，首推“房、杜”。史称“房玄龄善谋，杜如晦善断”。

杜如晦，字克明，京兆杜陵（今陕西西安市东南）人，出身于世代为官家庭。祖父杜徽曾在隋时任怀州刺史，父亲杜吒曾任隋昌州长史。少年时代的杜如晦聪明勤学，尤喜好文史，他气质英爽，以风流自命。隋大业年间，参加吏部人才选拔，吏部侍郎高孝基对他很是器重，认为他“有应变之才，当为栋梁之用”，但又暂时叫他俯就卑职，补任为滏阳县尉。隋炀帝的残酷统治，使民怨沸腾，各地纷纷揭竿而起，农民起义如火如荼。先是山东邹平王薄，领导农民义军杀富济贫，攻占山东不少州县。及后，起义烈火愈烧愈旺，到大业十二年（616年）农民起义的队伍已增加一百三十多支，参加人数有三四百万之众。全国有三支强大的起义队伍：河南的瓦岗军，窦建德的河北起义军和杜伏威的江淮起义军。杜如晦虽然很早就辞掉了滏阳县尉的职务，不愿为朝廷服务，但由于家世、经历和所受的教育，使他不可能和农民起义军走在一起。在动乱的时局中，他和房玄龄一样，密切地注意着时局的变化。隋朝统治阶级内部也高举起了反隋的大旗，隋的统治已分崩离析，摇摇欲坠。大业十三年（617年）太原留守李渊，在晋阳举兵反隋。他率领其子李建成、李世民等向南方进发，由于甚得民心，加上策略得当，次子李世民英勇有谋，因而进军神速，所向披靡，在十一月，就迅速占领了隋代的都城长安。李渊父子攻克长安后，杜如晦见大局已定，又深知李世民英勇有谋，广结天下豪士，便只身投靠了李世民。李渊进入长安以后，把隋炀帝的严刑苛禁尽皆废弃，并与民约法十二条。除对拒不投降的阴世师等十余人处死外，其余一概不问；出于策略原因，按起兵时定下的方针，李氏政权立年仅十三岁的杨侑为天子，并尊逃往江都的隋炀帝为太上皇。

不久，江都发生兵变，隋炀帝为其部下宇文化及所杀。李渊遂即迫使杨侑下了退位诏书，禅位于自己。李渊接帝位于太极殿，改隋义宁二年为唐武德元年，立李建成为皇太子，李世民为秦王，李元吉为齐王。十九岁的李世民当上了尚书令。李渊父子达到了“化家为国”的目的。李世民拜杜如晦为秦王府兵曹参军，执掌王府簿书、考课、仪卫等事务。过了不久，杜如晦被调任陕州总管府长史。总管府是在边塞之地设立的统率军队的机构，长史为总管府的次官。当时，秦王府的很多谋士勇将被调往外地任职，李世民对此非常忧虑。

记室房玄龄对李世民说：“府僚去者虽多，盖不足惜。杜如晦聪明识达，王佐才也。若大王守藩端拱，无所用之；必欲经营四方，非此人莫可。”房玄龄对杜如晦的这一荐举，使李世民大吃一惊，他对房玄龄说：“尔不言，几失此人矣！”（引自《唐书·杜如晦传》卷六六）李世民马上奏请高祖，将杜如晦硬留下来，仍为秦王府属官。从此，李世民把杜如晦视为心腹，常与他商议军国大事。

李渊虽然称帝，但实际上只掌握着关中和山西、巴蜀等一些地区，周围都是割据势力。如何消灭这些割据势力，统一天下，是李氏王朝面临的重要问题。李渊父子经过商议，确定了巩固关中，出兵西北，进而进占关东，收并江南，统一全国的方针政策。李渊命李世民为右元帅，率军征伐，杜如晦亦随李世民转战南北。李氏集团采用远交近攻、各个击破的策略，于武德元年（618年）打败了陇西割据势力薛仁杲，紧接着又铲除了在凉州称帝的李轨，巩固了唐在长安以西的统治。武德三年（620年）平定了盘踞晋北的刘武周。后来刘武周逃至突厥，为突厥所杀。当把关中周围的割据势力剿灭以后，李世民就决定出关东进，对盘踞在洛阳的王世充发起攻击。

王世充是李唐在关外最重要、又最难对付的对手。他原先是隋炀帝的鹰犬，曾任隋王朝的礼部尚书；用阴谋手段夺取实权，王世充后来自己当了皇帝，国号郑。他利用李世民与刘武周作战的机会，趁势攻占了唐朝的大片土地。在李世民的大举征讨中，王世充手下的名将如罗士信、秦叔宝、程志节等先后降唐，许多州县的官吏，如淆、邓、荥、汴、豫、显等州相继降唐。李世民对于归降的官吏一般都以礼相待，这就使得更多的人，纷纷脱离王世充集团，出现了“河南郡县相继来降”的局面。在李世民军队的进击下，王世充连连败退，洛阳被围。在十分危急的情况下，王世充向农民起义军窦建德求援。

窦建德为隋末农民起义军的著名领袖，李世民围困王世充，使窦建德也感到震惊，他担心一旦王世充被唐军消灭，自己也会受到直接威胁，便亲自前往洛阳支援王世充。窦军来势凶猛，唐军决定调转枪口先消灭援军窦建德。于是，李世民指挥唐军扼守武牢险隘，以待战机。当窦建德军队饥倦、疲堪之时，李世民见时机已到，便突然发起攻击，“帅轻骑先进，大军继之”东涉汜水，猛冲猛杀，窦军大溃，窦建德也受伤被俘。窦建德战败后，李世民乘势于武德四年（621年）集中兵力围攻洛阳。王世充眼见大势先去，就率领群臣出城投降。武牢之役是唐统一中国过程中的一个关键性战役；此次战役的胜利，决定了整个中原的形势。

李世民大胆而果断地指挥了这一战役，取得了一石二鸟之功，一举摧毁了两个强敌。因此李世民受到嘉奖。因为功勋卓著，“前代官皆不足以称之，特置天策上将，位在王公上”。又领司徒、陕东道大行台尚书令，增邑二万户。武德五年（622年），刘黑闼在河北漳南筑台告祭建德，自称大将军，公开打起反唐旗帜。不久，刘军攻占大片土地，定都洺州，自称东汉王。李世民率军攻打刘黑闼，此次战争，旷日持久，打得十分艰难。最后刘黑闼大败，逃往突厥。然而两个月后，刘黑闼又返回再战，太子李建成亲征并采纳魏徵建议，用镇压和安抚相结合的办法，最后击溃刘黑闼，统一战争结束了。在这场战争中，李世民兄弟虽各有建树，但李世民显然取得了更大的战功。而在这方面杜如晦是发挥了很大作用的。他在军中运筹帷幄，对战争双方的情况判断准确，他杰出的才干，受到了军内外的赞赏。杜如晦也由此而升迁，李世民任陕东道大行台尚书令，杜如晦任大行台司勋郎中，封爵建平县南，食邑三百户。不久以本官兼文学馆学士。

文学馆是李世民为接待四方文士而开设的。十八学士中，以杜如晦为首。李世民曾令人画了十八学士图像，藏于书府。像赞曰：“建平文雅，休有烈光。怀忠履义，身立名扬。”可见，李世民对他的礼遇之重。李世民为天策上将后，开府置官属，又拜任杜如晦为天策府从事中郎，成为天策府的高级幕僚。

李世民卓著功勋，使他的威望与日增高，权势也逐渐扩大，政治地位和军事地位也迅速增长。李世民不仅掌握着大量军队，还担任尚书令的职务，居宰相之职。这在唐王朝的上层统治集团中，尤其是在李氏兄弟中间有着特殊的地位。另外，在太原起兵和统一全国的战争中，李世民礼贤下士，广求人才，收罗了一批谋臣猛将，形成了一个以他为核心的政治集团。这个政治集团的形成和他在唐王朝中的特殊地位，使李世民产生了不满足于当秦王的野心。

然而他的哥哥李建成，位居东宫，为人宽简、仁厚，辅助李渊处理政务，在唐王朝的初创过程中，他的作用也是不可估量的。李世民与李建成在打天下时，两人同心协力，但到坐天下时，情况就不一样了。为了夺取皇位，兄弟俩变成了仇敌。统一战争结束后，李世民与李建成的斗争日趋表面化。

武德七年（642年），李渊带三位皇子打猎，命他们驰射角胜，李建成乘机将一匹烈马交给李世民骑。李世民不知有诈，骑上这匹马追逐野鹿，马烈性大作，三次尥蹶子，险些把李世民掀下坐骑；武德九年（626年），李建成约李世民宴饮，暗中下毒，李世民饮后心中暴痛，吐血数升。

在李建成和李世民的斗争中，齐王李元吉完全站在李建成一边，他和李建成经常会同后宫谮诉李世民。李渊常常偏袒太子，信以为真，要加罪于李世民，幸亏陈叔达常常进谏，李世民才幸免于难。紧接着，李元吉又密告李世民有谋反之意，要求速斩世民。不过此时李渊明智，他认为李世民有平定天下之功，谋反的证据又不足，没有下手杀害李世民。在争夺皇位的斗争中，李建成和李元吉合在一起的实力，大于李世民，况且李建成又处于太子地位，这更处于优势地位。这种形势使秦王府的僚属非常担心。

房玄龄、杜如晦和长孙无忌等都认为，必须先发制人才能转危为安，他们劝李世民早下决心，尽快除掉李建成和李元吉，以保国家长治久安。当然，李建成也看到了这一点，他想方设法瓦解秦王府的武将、谋士，不过这一策划没有获得成功。但他们在李渊面前诬陷房玄龄、杜如晦；李渊听信谗言，把房、杜二人驱逐出秦王府。武德九年（626年）夏，突厥数万骑犯边。李建成认为瓦解、分化秦王府精兵强将的机会来了。他向李渊推荐，由李元吉代李世民出征。李元吉又请求将秦王府的名将尉迟敬德、程志节、段志玄、秦叔宝等调归自己使用，以增强北征实力。这一着实际上是要扼杀李世民。

李世民感到已危在旦夕，便与长孙无忌、高士廉、尉迟敬德等商讨对策，并派人密召房、杜二人进府，密商计策。经过一番精心策划，李世民于武德九年六月四日发动了“玄武门之变”，在玄武门内设下伏兵，一举射杀了李建成和李元吉，为李世民夺取皇位扫清了障碍。接着，又逼着李渊立李世民为太子，此时军政大权已完全落在李世民手中。李世民拜任杜如晦为左庶子，协助他处理政务。同年七月，又调任杜如晦为吏部尚书。武德九年八月，李渊让位。李世民即帝位于东宫显德殿，改元贞观，尊李渊为太上皇。李世民做了皇帝，对群臣论功行赏，以房玄龄、杜如晦等五人功居第一。进封杜如晦为蔡国公，赐食邑一千三户。贞观二年（628年）晋升杜如晦为检校侍中，兼吏部尚书。检校侍中，即代理侍中，是门下省的长官，也就是宰相。

贞观三年（629年）唐太宗下诏授杜如晦为右仆射。诏曰："杜如晦，识量弘恢，神采凝映，德宣内外，声溢高堂。"从此，杜如晦与房玄龄同朝为相，为唐朝的盛世之治呕心沥血。杜如晦是宰相，又是吏部尚书，执掌着选官任能的大权，他在引荐贤才，罢除不良官吏等方面，做了许多工作。杜如晦取士用人，注重实践。当时选官取士往往重言词口笔，而不察其品德。杜如晦录用人员，主张先由州郡推荐，然后考核录用。在临终前他还推荐刚正不阿的戴胄做吏部尚书。杜如晦精于理政治国，唐初的典章制度，"台阁规模，皆二人所定"。在隋末农民大起义之后，国家纲纪松弛，百废待兴。杜如晦和房玄龄拨乱反正，使唐朝初期的政治制度和统治秩序逐渐走上正轨，贞观之治新局面的开创，与房、杜所起的作用是分不开的。

杜如晦在朝廷，君臣关系如同鱼水，同僚之间也相互配合，取长补短，房玄龄善谋，杜如晦善断，唐太宗每与房玄龄商讨大事，房玄龄必曰："非如晦不能决。"及如晦至，"卒用玄龄之策"。两人同朝辅政，取长补短、发挥了各自的特长。因此《资治通鉴》称"二人深相得，同心徇国。"杜如晦用人，非常推崇诤谏之臣。他认为"天下有诤臣，虽无道不失其天下。"把诤臣看作是挽救国家危亡的栋梁。他鄙视隋代内史侍郎虞世基，认为他身居要位，处得言之地，但他对隋炀帝的荒淫残暴，却缄口不言，无诤谏之语，"危而不持，颠而不扶"，用这样的人执掌大政就是尸位素餐。作为宰相，杜如晦以儒家的传统道德要求自己。他宽厚待人，雍容大度，他能正确对待别人的长处，发挥别人的长处。《资治通鉴》说："故太宗定祸乱而房、杜不言功，王（珪）、魏（征）善诤谏而房、杜让其贤，英（指李，封英国公）、卫（指李靖，封卫国公）善将兵而房、杜行其道、理致太平，善归人主。"因而，杜如晦虽为有唐一代名相，但史书记述他的事迹并不多。贞观三年（629年）十二月，杜如晦因病情严重辞去宰相职务。病重期间，唐太宗亲自前往探望。对杜如晦的英年早逝，唐太宗非常悲痛，废朝三日，赠司空，徙封莱国公。

杜如晦，字克明，京兆杜陵（今陕西西安东南）人，祖上世代担任北周和隋朝的显官。他从小机敏过人，进入仕途后做了一个小官，但很快自动离职回家。李世民进入长安时，杜如晦也被招入帐下，从此跟随李世民四处征战，参与军国大事的决策。他以办事干练有决断著称，与房玄龄齐名，人称“房谋杜断”。后升迁至陕东道大行台司勋郎中，并入李世民特设的文学馆，被尊为十八学士之首。

因为李世民功劳显赫，遭到太子李建成的猜忌，太子党羽殴打杜如晦，导致皇位争权酿成流血事件。李建成欲削弱李世民势力，唆使唐高祖驱逐杜如晦和房玄龄出秦王府。不久，房、杜二人潜回秦王府谋划玄武门之变，事成后升任太子左庶子。

唐太宗登基后，拜杜如晦为兵部尚书，封蔡国公，后改任吏部尚书，总监东宫兵马事。贞观三年（629年），杜如晦任尚书右仆射，与房玄龄担任左右相，共同辅佐唐太宗，四海升平。同年冬，不幸染病，于翌年三月病逝，年仅四十六岁。

狄仁杰

狄仁杰，生于唐贞观四年（630年），卒于武则天久视元年（700年），字怀英，唐代并州太原（今山西太原）人。武则天时期宰相，杰出的封建政治家。

狄仁杰出生于一个官宦之家。祖父狄孝绪，任贞观朝尚书左丞，父亲狄知逊，任夔州长史。狄仁杰通过明经科考试及第，出任汴州判佐。时工部尚书阎立本为河南道黜陟使，狄仁杰被吏诬告，阎立本受理讯问，他不仅弄清了事情的真相，而且发现狄仁杰是一个德才兼备的难得人物，谓之“河曲之明珠，东南之遗宝”，推荐狄仁杰作了并州都督府法曹。在此任内，狄仁杰通晓了吏治、兵刑等封建典章和法律制度，这对他一生的政治活动都有重大影响。

唐高宗仪凤年间（676年—679年），狄仁杰升任大理丞，他刚正廉明，执法不阿，兢兢业业，一年中判决了大量的积压案件，牵涉到1.7万人，无冤诉者，一时名声大振，成为朝野推崇备至的断案如神、摘奸除恶的大法官。为了维护封建法律制度，狄仁杰甚至敢于犯颜直谏。仪凤元年（676年），武卫大将军权善才误砍昭陵柏树，唐高宗大怒，命令将其杀死。狄仁杰奏罪不当死，唐高宗疾言厉色地说：“善才斫陵上树，是使我不孝，必须杀之！”狄仁杰神色不变，据法说理：“犯颜直谏，自古以为难。臣以为遇桀、纣则难，通尧、舜则易。今法不至死而陛下特杀之，是法不信于人也，人何措其手足！”“今陛下以昭陵一株柏杀一将军，千载之后，谓陛下为何主？此臣不敢奉制杀善才，陷陛下于不道。”终于迫使唐高宗改变了主意，赦免了权善才的死罪。

不久，狄仁杰被唐高宗任命为侍御史，负责审讯案件，纠劾百官。任职期间，狄仁杰恪守职责，对一些巧媚逢迎、恃宠怙权的权要进行了弹劾。唐高宗想宽容包庇王本立，狄仁杰以身护法：“国家虽乏英才，岂少本立辈！陛下何惜罪人以亏王法。必欲曲赦本立，请弃臣于无人之境，为忠贞将来之戒！”王本立最终被定罪，朝廷肃然。

武则天垂拱二年（686年），狄仁杰出任宁州（今甘肃宁县、正宁一带）刺史。其时宁州为各民族杂居之地，狄仁杰注意妥善处理少数民族与汉族的关系，“抚和戎夏，内外相安，人得安心”，郡人为他勒碑颂德。是年御史郭翰巡察陇右，宁州歌狄刺史者盈路，郭翰返朝后上表举荐，狄仁杰升为冬官（工部）侍郎，充江南巡抚使。狄仁杰针对当时吴、楚多淫词的弊俗，奏请焚毁祠庙1700余所，唯留夏禹、吴太伯、季札、伍员四祠，减轻了江南人民的负担。

垂拱四年（688年），博州刺史琅琊王李冲起兵反对武则天当政，豫州刺史越王李贞起兵响应，武则天平定了这次宗室叛乱后，派狄仁杰出任豫州刺史。当时，受越王株连的有六、七百人在监，籍没者多达5000人。狄仁杰深知大多数黎民百姓都是被迫在越王军中服役的，因此，上疏武则天说：“此辈咸非本心，伏望哀其诖误。”武则天听从了他的建议，特赦了这批死囚，改杀为流，安抚了百姓，稳定了豫州的局势。其时，平定越王李贞的是宰相张光弼，将士恃功，大肆勒索。狄仁杰没有答应，反而怒斥张光弼杀戮降卒，以邀战功。他说：“乱河南者，一越王贞耳。今一贞死而万贞生。”“明公董戎三十万，平一乱臣，不戢兵锋，纵兵暴横，无罪之人，肝脑涂地。”“但恐冤声腾沸，上彻于天。如得上方斩马剑加于君颈，虽死如归。”狄仁杰义正词严，张光迅无言可对，但怀恨在心，还朝后奏狄仁杰出言不逊。狄仁杰被贬为复州（今湖北沔阳西南）刺史，入为洛州司马。

但是，狄仁杰的才干、名望，已经逐渐得到武则天的赞赏和信任。天授二年（691年）九月，狄仁杰被任命为户部侍郎、同凤阁（中书省）鸾台（门下省）平章事，开始了他短暂的第一次宰相生涯。身居要职，狄仁杰谨慎自持，从严律己。一日，武则天对他说：“卿在汝南，甚有善政，卿欲知谮卿者乎？”狄仁杰谢曰：“陛下以臣为过，臣当改之；陛下明臣无过，臣之幸也。臣不知谮者，并为善友，臣请不知。”武则天对他坦荡豁达的胸怀深为叹服。

狄仁杰官居宰相，参与朝政之时，也正是武承嗣显赫一时，踌躇满志之日。他认为狄仁杰将是他被立为皇嗣的障碍之一。长寿元年（693年）正月，武承嗣勾结酷吏来俊臣诬告狄仁杰等大臣谋反，将他们逮捕下狱。当时法律中有一项条款：“一问即承反者例得减死。”来俊臣逼迫狄仁杰承认“谋反”，狄仁杰出以非常之举，立刻服了罪：“反是实！”来俊臣得到满意的口供，将狄仁杰等收监，待日行刑，不复严备。狄仁杰拆被头帛书冤，置棉衣中，请狱吏转告家人去其棉。狄仁杰的儿子狄光远得其冤状，持书上告。武则天召狄仁杰等“谋反”的大臣面询：“承反何也？”狄仁杰从容不迫地答曰：“向若不承反，已死于鞭笞也。”又问：“何为做谢死表？”答曰：“臣无此表。”武则天令人拿出谢死表，才弄清楚是伪造的。于是下令释放此案7人，俱贬为地方官。狄仁杰被贬为彭泽令。如此，狄仁杰运用自己的才智机谋死里逃生。

在彭泽（今江西彭泽）令任内，狄仁杰勤政惠民。赴任当年，彭泽干旱无雨，营佃失时，百姓无粮可食，狄仁杰上奏疏要求朝廷发散赈济，免除租赋，救民于饥馑之中。万岁通天元年（696年）十月，契丹攻陷冀州（今河北临漳），河北震动。为了稳定局势，武则天起用狄仁杰为与冀州相邻的魏州（今河北大名一带）刺史。狄仁杰到职后，改变了前刺史独孤思庄尽趋百姓入城，缮修守具的作法，让百姓返田耕作。契丹部闻之引众北归，使魏州避免了一次灾难。当地百姓歌颂之，相与立碑以记恩惠。不久，狄仁杰升任幽州都督。

698年秋，突厥南下骚扰河北。武则天命太子为河北道元帅、狄仁杰为副元帅征讨突厥。突厥默啜可汗尽杀所掠赵、定等州男女万余人退还漠北，面对战乱后的凋残景象，狄仁杰采取了四条措施：一、上疏请求赦免河北诸州，一无所问，使被突厥驱逼行役的无辜百姓乐于回乡生产。二、散粮运以赈贫乏。三、修驿路以济旋师。四、严禁部下侵扰百姓，犯者必斩。很快恢复了河北的安定。

作为一名精忠谋国的宰相，狄仁杰很有知人之明，也常以举贤为意。一次，武则天让他举荐一名将相之才，狄仁杰向她推举了荆州长史张柬之。武则天将张柬之提升为洛州司马。过了几天，又让狄仁杰举荐将相之才，狄仁杰曰：“前荐张柬之，尚未用也。”武则天答已经将他提升了。狄仁杰曰：“臣所荐者可为宰相，非司马也。”由于狄仁杰的大力举荐，张柬之被武则天任命为秋官侍郎，又过了一个时期，升为宰相。后来，在狄仁杰死后的神龙元年（705年），张柬之趁武则天病重，拥戴唐中宗复位，为匡复唐室作出了巨大的贡献。狄仁杰还先后举荐了桓彦范、敬晖、窦怀贞、姚崇等数十位忠贞廉洁、精明干练的官员，他们被武则天委以重任之后，政风为之一变，朝中出现了一种刚正之气。以后，他们都成为唐代中兴名臣。对于少数民族将领，狄仁杰也能举贤荐能。契丹猛将李楷固曾经屡次率兵打败武周军队，后兵败来降，有关部门主张处斩之。狄仁杰认为李楷固有骁将之才，若恕其死罪，必能感恩效节，于是奏请授其官爵，委以专征，武则天接受了他的建议。果然，李楷固等率军讨伐契丹余众，凯旋。武则天设宴庆功，举杯对狄仁杰说“公之功也”。由于狄仁杰有知人之明，有人对狄仁杰说：“天下桃李，悉在公门矣”。狄仁杰回答：“举贤为国，非为私也”。

在狄仁杰为相的几年中，武则天对他的信重是群臣莫及的，她常称狄仁杰为“国老”而不名。狄仁杰喜欢面引廷争，武则天“每屈意从之”。狄仁杰曾多次以年老告退，武则天不许，入见，常阻止其拜。武则天曾告诫朝中官吏：“自非军国大事，勿以烦公。”

久视元年（700年），狄仁杰病故，朝野凄恸，武则天哭泣着说“朝堂空也”。赠文昌右丞，谥曰文惠。唐中宗继位，追赠司空。唐睿宗又封之为梁国公。

狄仁杰的一生，可以说是宦海浮沉，作为一个封建统治阶级中杰出的政治家，狄仁杰每一职都心系民生，政绩卓著。在他身居宰相之位后，辅国安邦，对武则天弊政多所匡正；在上承贞观之治、下启开元盛世的武则天时代，作出了卓越的贡献。

姚 崇

姚崇（650年—721年），武则天、中宗、玄宗时宰相。本名元宗。陕州硖石（今河南三门峡）人。其父姚懿在贞观年间曾任州都督。姚崇一生三次出任宰相，共居相位十年多。他挽救危局，整顿吏治，振兴经济，对开创开元之治、使唐朝重新走上繁荣和兴盛道路起了十分重要的作用。人称“救时宰相”。

姚崇经科举入仕，始授濮州司仓参军，后又任司刑丞。他因执法公正，引起了上司的注目，连续晋升，不久任为夏官郎中，成为兵部的一名要员。后因受武则天赏识，被破格提升为兵部侍郎。

武则天为了巩固自己的统治，奖励告密，重用酷吏，闹得满朝文武人人自危，惶惶不可终日。姚崇直言不讳地对武则天说：“自垂拱以后，被告身死破家者，皆是枉酷自诬而死。告者特以为功，天下号为罗织，甚于汉之党锢。”姚崇甚至以自身和全家人性命担保，恳求武则天宽缓刑政。武则天听了很高兴，说：“以前宰相皆顺成其事，使朕陷于滥施刑罚的境地，现在听到你的话，很合朕的心意。”特赏给姚崇白银千两。

圣历元年（698年），武则天提升姚崇以夏官侍郎同凤阁鸾台平章事，后兼相王府长史。不久，姚崇因母亲年老多病，请求解职侍奉母亲，武则天下诏让他带职回家。过了一个多月，姚崇复兼夏官尚书、同凤阁鸾台三品。姚崇上言：“臣事相王（李旦），不宜典兵马，不是臣爱惜性命，只是这样做对相王无益。”武则天认为姚崇的意见有道理，于是下诏改任他为春官（礼部）尚书。

姚崇为官正直，不畏权势。当时，武则天的内宠张易之、张昌宗兄弟恃宠跋扈，横行不法。长安四年（704年），张易之要把京城的十个和尚派往自己修造的河北定州的佛寺，这虽是一件小事，但姚崇为了遏制其气焰，就是不同意这些和尚去定州。张易之因此记恨姚崇，暗中在武则天面前说他的坏话。武则天就借突厥犯边之际，把姚崇调任灵武道行军大总管，后又改任灵道安抚大使。虽然他还是凤阁鸾台三品，但已无宰相实权。赴任前，姚崇推荐张柬之出任同凤阁鸾台平章事（即宰相）。

张柬之做宰相后，对张易之、张昌宗兄弟在朝中横行不法、包藏祸心深感不安。神龙元年（705年）正月，武则天病重，姚崇也正好从驻地灵武回京。张柬之便与姚崇密谋诛杀二张，恢复李氏。于是，他们率500名羽林兵，直接进入玄武门，杀死了二张。随后，又对武则天施压力，迫其将帝位让给太子李显。李显复位后，以姚崇、张柬之为宰相。因姚崇有功，加封为梁县侯，食邑200户。

武则天迁居上阳宫，中宗李显率百官问候起居。王公群臣相互庆贺，唯独姚崇呜咽流泪。张柬之对姚崇说："今日岂公流泣之时，恐公祸由此始。"姚崇说："我服务于则天皇帝已经很久了，现在突然与她辞别，禁不住悲从中来。况且我以前帮你诛奸逆，人臣之义也；今日别旧君，亦人臣之义也，虽获罪，实所甘心。"中宗李显听到姚崇的这些话，便将其调离京城，出任亳州刺史。第二年，张柬之等人在流放中被害，而姚崇却幸免于难。

后来，相王李旦之子李隆基发动政变，杀死毒害中宗李显的韦后、安乐公主及其党羽。相王李旦在儿子李隆基和妹妹太平公主的支持下，恢复帝位，李旦立李隆基为太子。景云元年（710年）六月，姚崇被任命为兵部尚书、同中书门下三品，第二次当了宰相。

睿宗李旦虽拜姚崇为相，但朝政却由武则天的亲生女儿、睿宗的妹妹太平公主掌握。她干预朝政，也想走其母武则天的道路。为了防患于未然，姚崇和宋璟联名上奏，建议将太平公主安置在东都洛阳，其余掌握兵权的诸王派往各州当刺史，以确保李隆基的东宫地位。昏庸的睿宗如实将姚、宋的建议转告给太平公主，太平公主大怒，李隆基也慌了手脚。为争取主动，李隆基指控姚崇等挑拨皇上兄妹关系，应加严惩。于是，姚崇被贬为申州刺史，后又任扬州刺史、淮南按察史。在地方官任上，姚崇为官清廉公正，颇受百姓爱戴。

唐玄宗李隆基即位后，决定再次起用姚崇为相。先天二年（713年），玄宗在新来驿讲武期间，密召姚崇前来，并征求他对国事的意见。姚崇针对武则天以来的弊政和历史教训，提出十条挽救政治衰败的革新主张。玄宗对姚崇的这些主张一一采纳，并且当时就拜其为兵部尚书、同中书门下三品。

姚崇第三次出任宰相，得到了玄宗的充分信任。借此机会，姚崇开始了一系列的政治改革：剥夺藩王军权，限制外戚势力，从而消除了引起动乱的隐患；大量裁减冗员，撤销闲散官署；中央官和地方官相互交流，纠正长期存在的重内官轻外官的弊端。在姚崇的一系列措施下，开元年间经济发展、社会安定，史称“开元之治”，姚崇也因匡正时弊而被称为“救时宰相”。

开元四年（716年），山东等地连续发生严重蝗灾。人们认为这是“天灾”，满朝文武也一筹莫展，只是一味求上天显灵攘灾，“坐视食苗不敢扑”，唯独姚崇上疏主张扑杀蝗虫，并提出具体做法，还以官职担保除蝗可成。姚崇的一番话坚定了唐玄宗的决心，诏令姚崇扑蝗。姚崇特派遣御史，取名“扑蝗使”，分赴各地，督促扑蝗。仅汴州一地就捕获蝗虫14万石，而投入汴渠顺流而下的不计其数。因为奋力扑杀，“蝗虫日渐止息”，山东地区免遭了一场大灾难。

唐代佛教、道教盛行，上自皇帝、皇后、达官贵人，下至豪绅富户，都利用宗教捞取好处。他们耗费巨资，大量建造佛寺、道观，占用大量土地。而这些寺院还享有特权，不向国家交纳赋税，僧人也不服役，因此“度人为僧无穷，免租庸者达数十万”，造成国家财政日益枯竭。开元二年（714年），姚崇上疏玄宗，请求裁减僧人。他说：“但使苍生安乐，即是福身；何用妄度奸人，使坏正法。”玄宗采纳了这一建议，下令裁僧尼三万人，令他们还俗从事生产。玄宗还下令，禁止百官和僧尼道士往来；禁止铸造佛像、传写经书；禁止建造佛寺；修缮旧寺，也要报请批准。这些措施无疑对发展农业生产、增加国家财政收入具有良好的作用。

开元四年，姚崇辞去宰相职务，但有关军国大事，玄宗还是常听取他的意见。开元五年春，玄宗将巡幸东都洛阳，太庙突然倒塌。玄宗询问身边大臣，大臣说陛下服丧未满三年，巡幸东都不合天意。玄宗召姚崇询问此事，姚崇回答说：“太庙大殿乃前秦苻坚所建，年月久远，木质腐朽，必然会倒塌。但倒塌之日与行期相合，只是巧遇。”姚崇劝玄宗，巡幸东都已准备就绪，不可误期。他主张重新建造太庙，准时东行。玄宗听从了姚崇的意见。

开元九年（721年）九月，姚崇病逝，终年72岁。病危之时，他还嘱子孙不要信佛，说：“死者是常，古来不免，所造经像，何所施为？”“释迦之本法，为苍生之大弊，汝等各宜警策。”并嘱薄葬：“吾身亡后，可殓以常服，四时之衣，备一副而已。”

唐玄宗对姚崇的逝世十分悲哀，下令为其撰写碑文，赞誉姚崇：“位为帝之四辅，才为国之六翮；言为代之轨物，行为人之师表。”

后人常以“开元盛世”和“贞观之治”并提，也把开元时期的宰相姚崇、宋璟比作贞观时期的房玄龄、杜如晦。

姚崇，原名元崇，因为与一个突厥造反的首领同名，便改叫元之；又为了避“开元”年号之讳，改为单名崇字。姚崇一生历任武后、睿宗、玄宗三朝宰相，这在中国古代残酷的政治斗争中实属罕见。他最大的功绩在于奠定了“开元盛世”的基础，他在唐玄宗即位之初就提出了著名的十条建议，扫除了政治积弊，社会风气为之一变，被誉为“救时宰相”。

宋璟

宋璟（663年—737年），睿宗、玄宗朝宰相，是与房玄龄、杜如晦、姚崇齐名的唐代四大名相之一。邢州南和（今属河北）人。先后两度出任宰相，为相共三年半。宋璟为相，刚正不阿，直言敢谏，又精于吏治，是唐代的中兴名相，辅佐唐玄宗开创了“开元之治”的繁荣局面。

宋璟，邢州南和（今属河北南河）人，生于唐高宗龙朔三年。其父玄抚，曾官卫州司户参军。宋璟自少刻苦好学，博学多识，工于文辞。为人耿介超俗，有大节。20岁左右中进士，授上党尉，后又升任监察御史、凤阁舍人，为官正直，颇受武则天的赏识。张易之、张昌宗为武则天皇帝的内宠，有恃无恐，专横跋扈。宋璟不畏权势，不顾安危，与二张反复进行斗争。武则天长安三年（703年），张易之诬构宰相魏元忠，他贿赂凤阁舍人张说作伪证，要张说到御前作证，说魏元忠说过反叛的话。同为凤阁舍人的宋璟对张说说：“一个人一生最重要的是名义气节，不可只图个人苟生，诬陷好人。即便因此被谪官流放，他的美德会受到人们的尊敬。倘有不测之祸，我准备叩请天子赦免，要死与你一起去死。努力为之，万代瞻仰，在此举也。”张说听了很受感动，廷辩时如实上奏，使魏元忠免受陷害。不久，宋璟调任御中丞。

这时武则天年事已高，张易之、张昌宗兄弟更加横行专断。朝中大臣都惧怕二张，不敢直呼其职，而称张易之为五郎、张昌宗为六郎。宋璟对二张毫不畏惧，二张反而有些怕他。一次，武则天大宴群臣，二张位居列卿三品，在上座。宋璟官阶六品，在下座。易之讨好宋璟，虚伪作揖说：“公是朝中第一人，怎么倒坐在下座？”宋璟说：“我才劣位卑，卿说我为第一这是为什么？”天官侍郎郑善果平时对二张毕恭毕敬，问宋璟：“公怎么叫五郎为卿？”宋璟说：“以官衔而论，正当为卿，你又不是他家的奴仆家奴，哪里有叫他为郎的呢？”。宋璟的话使郑善果面红耳赤，也使二张狼狈不堪。从此，张易之兄弟对宋璟更是怀恨在心，处处因事中伤宋璟，但因为武则天知其情，宋璟得以免罪。长安四年（704年），二张因武则天病情日益加重，非常担忧，暗中密谋对策。此时有人发觉二张有异常举动，告发二张谋反，但武则天不予理睬，更不追问。其时，许州杨元嗣告发张昌宗召术士李弘泰看相，李弘泰说他有天子相，还劝他在定州建造佛寺，使天下归心。

因为涉及谋反大事，这次武则天派凤阁侍郎韦承庆、司刑卿崔神庆和御史中丞查明上报。韦、崔二人惧怕二张的权势，又想讨好武则天，竭力为张昌宗开脱，说张昌宗已将弘泰的话告诉皇上，不可加罪。宋璟质问说："谋反这样大事，不是自首可以宽宥不问的，臣请交有司审理以明国法。"他还对武则天说："易之等久蒙驱使，分外承恩，臣必知言出祸从，但激于大义，虽死不悔。"武则天听后很不高兴。宰相杨再思恐怕宋璟得祸，急忙拉了宋璟出去。宋璟说："圣主在此，不烦宰相擅宣敕命！"宋璟始终不放过二张，对武则天说："倘不收狱，恐要为乱天下，动摇民心。"武则天没办法，只好收张易之、张昌宗入狱。过了不久，又将他们特赦放出。为了缓和矛盾，令易之兄弟到宋璟家谢罪，宋璟拒不会见，说"公事可以公办，若私下会见，法是不讲私情的。"他对二张恨得咬牙切齿，对左右的人说："我后悔不先敲破这两个小子的脑袋而让他们为乱朝政。"宋璟对二张的斗争，关系到国家的安危，因而得到朝臣的支持。左拾遗李邕上奏武则天，说宋璟所奏，非谋自身私利，而在安定国家，然而，武则天就是不听。

为了避免矛盾，武则天派宋璟到扬州当按察，宋璟说："审理州县案件，是监察御史的职责。"后又诏令宋璟按察幽州都督屈突仲翔。宋璟又拜辞说，"御史中丞非大事不得轻易出京。仲翔犯的是贪赃罪，如今要臣前去，必有害臣之心。"随后，又下诏为李峤副使，出使陇蜀。宋璟又辞掉这个差使，说："陇右没有变故，臣以御史中丞为李峤之副，朝廷还无先例。"宋璟为治二张罪，三次违诏，不肯奉诏前行。本来，张易之兄弟想借宋璟出京的机会，向武则天劾奏，予以诛杀。此计不成，他们又生一计，在宋家举办婚事时，刺杀宋璟。宋璟知道了阴谋，就乘坐卑微的车躲到别处歇宿。刺杀的计划无法实现。宋璟对二张的斗争，虽然没有取得结果，但却使二张处于极为尴尬的地位，朝臣对二张的所作所为，极为痛恨。神龙元年（705年）正月，武则天病情加重，二张守在武则天身边处理国事，大臣无法近前。宰相张柬之经过紧张密谋，联合禁军将领，杀死了张易之、张宗昌兄弟，迫使武则天让位于太子李显。中宗李显复位后，宋璟任吏部尚书兼谏议大夫、内供奉，随时讨论朝政得失。不久，又改任黄门侍郎。

中宗是个昏庸的皇帝，不理朝政。大权掌握在皇后韦氏和武则天的侄儿武三思手中。宋璟和武三思之间，又开展了尖锐的斗争。神龙二年（706年）京兆人韦月将上书中宗，告发武三思“秽乱宫掖”，武三思闻知后，暗使手下人将他以大逆不道治罪。中宗听信谗言，下旨处斩韦月将。

宋璟以为案情不实，请求下狱关押审理。中宗大怒，他说：“朕已决定斩首，你还有什么可说的？”宋璟说：“人家告韦后与三思有私情，陛下不加过问就问斩，臣恐有人会私下议论，请查实后用刑。”中宗愈加发怒。宋璟面无惧色，说：“请陛下先将臣斩首，不然不能奉诏。”中宗无奈，才免韦月将极刑，发配岭南。后来又将他处死。不久，中宗下诏宋璟为检校并州长史，没有成行，又任为检校贝州刺史，宋璟被挤出了朝廷。贝州在河北省南部，宋璟到达时，河北暴雨成灾，百姓饥饿。武三思的封地在贝州，三思不顾百姓死活，派人向封户强征租税。出于对百姓的爱护，宋璟抗拒交纳租税。武三思利用手中的权力，将宋璟从贝州调到杭州、扬州做刺史，后又迁任洛州长史。当时，韦后、武三思，相互勾结，狼狈为奸。太子李重俊不是韦后所生，因而引起他们的忌恨，欲废太子，立韦后女儿安乐公主为皇太女。李重俊忍无可忍，于景隆元年（707年）与左羽林大将军李多祚共谋，矫发羽林军，发动宫廷政变，杀死武三思及其同党。但昏庸的中宗，不察大局，听从韦后和安乐公主，挫败了李重俊的政变，李重俊兵败被杀。

从此，韦后和安乐公主更加有恃无恐，中宗成为傀儡。韦后一心想效法武则天做女皇，于是于景龙四年（710年），将中宗毒死。但螳螂捕蝉，黄雀在后，韦后眼看就要实现女皇之梦了，不料中宗的弟弟李旦的儿子李隆基联合姑母太平公主发动政变，杀死了韦后和安乐公主。相王李旦复位。任命宋璟为检校吏部尚书、同中书门下平章事，成为宰相。他和姚崇同朝为臣，二人同心协力，辅佐睿宗，锐意改革中宗以来的弊政。中宗时期，外戚和诸公主干预朝政，政治腐败，贪污成风；卖官鬻爵，乌烟瘴气。只要出钱三十万，不论何人都给官做。他们不经中书、门下批准，直接由皇帝降墨敕授予，当时人称为“斜封官”。这些斜封官大都是富豪商贾，他们不会理政，但搜括百姓却是心狠手辣。姚崇和宋璟上疏睿宗，请求罢免斜封官，进忠良，退不肖，当时共罢免斜封官数千人，整个朝野为之一震。宋璟还从整顿吏治制度着手，恢复三铨制度，在候选的上万人中，铨选了二千人。宋璟选拔、考核官员，不畏权贵，不徇私情，赏罚公平，为当时人所称誉。

睿宗也是个低能的皇帝，他的妹妹太平公主，由于睿宗复位出了力，权势日重，她广交朋党，积极扩大势力，严重威胁了太子李隆基。景云二年（711年），她邀集宰相于光范门内，要求更换太子李隆基，在场的人无不惊慌失色，但宋璟却镇定自若，他高声说："东宫太子大有功于天下，真宗庙社稷之王，公主乃何忽有此议！"为确保太子地位，宋璟和姚崇密报睿宗，提出三条对策。一是把宋王李成器、幽王李守礼出为刺史：二是把岐王李隆范、薛王李隆业的统领羽林军的大权交出来，由太子直接掌握。三是把太平公主及其丈夫迁往东都。李睿采纳了这三条意见，还命太子监国，凡六品以下官员及罪徒，均由太子处置。这些措施对巩固太子的地位和势力，无疑是起作用的。

太平公主不甘心灭亡，她加紧反扑，在她的鼓动下，掀起了一股反对罢"斜封官"的浪潮，还把矛头直接指向太子李隆基。李隆基受到极大压力，为了保存自己，他违心上奏睿宗，说姚崇、宋璟离间他和姑姑、兄弟之间等皇族关系。于是睿宗就罢去姚、宋宰相职务，贬宋璟为楚州刺史。

此后，调动极其频繁，先后任申州刺史，魏州、兖州、冀州刺史，河北按察使、幽州都督兼御史大夫，最后转任广州都督。在广东，他教老百姓烧砖瓦建瓦房，把茅草屋改成了砖瓦房。当地老百姓歌颂他的功德，在他离开广州时立"遗爱碑"，纪其爱民之情。712年，睿宗传位给太子李隆基，自己当了太上皇。

玄宗虽当了皇帝，但太平公主的势力仍然很大，仍然对她构成威胁。尤其是朝中宰相，多数依附于她。开元元年（713年），有人密告玄宗，公主将欲作乱。玄宗召集岐王李隆范、薛王李隆业和宰相郭元振等人商议，决定先发制人，调兵三百余人，一举杀死太平公主党羽，太平公主闻变逃脱，后被赐死家中。至此，宫殿内的不断的政变才告一段落。唐玄宗是个励精图治的帝王，他决心革除弊政，使国家重新复兴起来。开元之初，他任用姚崇为宰相，整顿吏治，开创了开元之治的繁荣局面；姚崇免去宰相后他又采纳姚崇的建议，任命宋璟做宰相。

开元四年（716年）十一月，任用宋璟为吏部尚书兼黄门监。他派宦官杨思勖前往广州迎接，宋璟态度凝远，沉默寡言，一路上竟未与杨思勖搭过一次话。杨思勖对此颇为不满，回来告诉玄宗。殊不料玄宗对宋璟的为人更加肃然起敬。宋璟为相，志在择人，因才授人，使百司各任其职。

他看到括州员外司马李邕、仪州司马郑勉，才略文采俱佳，但思想和性格上有不少毛病，宋璟感到“若全引进，则咎悔必至，若长弃捐，则才用可惜”。于是，根据各人的才气、能力，分别拜任渝州刺史和硖州刺史。

大理卿元行冲，在人们的心目中，才行兼备，但上任之后，却发现满不是那么回事，于是调其为左散骑常侍。他选拔官吏，出自公心，对人对己无一例外，对自己的亲属也不例外。他有个堂叔叫宋元超，在吏部选拔官吏时，特别说明自己是宰相宋璟的叔父，想借此得到重用。宋璟知道后，马上给吏部去一函，说宋元超表明了他和自己的关系，就不应再予任用。

宋璟的用人，不论皇亲国戚，一视同仁。岐山县令王仁琛，是玄宗称帝前的藩邸故吏，唐玄宗特降墨敕令授五品官，宋璟上疏以为不可，他说：“故旧恩私，则有大例，除官资历，非无公道。仁琛向缘旧恩，已获伏改，今若再蒙超奖，遂于诸人不类。”他请求由吏部诠选考核，按制度办事。玄宗只得听从宋璟的意见，收回成命。宋璟的宠臣太常卿姜皎，也是玄宗为藩王时的故交，在诛杀太平公主时又立过大功。玄宗对他宠遇有加。姜皎的弟弟姜晦，也沾哥哥的光，当上了吏部侍郎。宋璟为此事对玄宗说：“皎兄弟权宠太盛，非所以安之。”玄宗采纳了他的意见，把姜皎改任散官，放回田园，姜晦也改任为宗正卿。为了避免朝廷大臣的独断专行，避免君王的听信谗言，他提出恢复贞观年间的对仗奏事制度的建议。贞观年间，皇帝临朝，设仪仗、中书、门下及三品官奏事，或御史弹劾百官，都对着仪仗。高宗以后，这一制度逐渐被疏废，大臣奏事多待仪仗下殿；谏官、史官退朝之后，成为密奏，所奏之事，他人不得而知，产生了许多弊病。

宋璟提议恢复对仗奏议，有利于公开和监督。唐玄宗批准了恢复这一制度：“自今事非的须秘密者，皆令对仗奏闻，史官自依故事。”作为宰相，宋璟敢于犯颜直谏，唐玄宗很敬畏他，常常曲从于他。开元五年（717年），宋璟随同玄宗巡幸东都，路过崤谷（今河南陕县），山高路窄，难以行走。玄宗十分恼怒，要罢免河南尹李朝隐和负责旅途事务的知政使王怡等人官职。

宋璟进谏说：“陛下正当壮年，如今才开始出巡，以道路没有修好而处分二臣，这样整治，以后恐会产生弊端。”玄宗认为很有道理，就免去二人之罪。当时社会风气趋向奢华，讲求厚葬。宋璟为官，力戒此弊。王皇后的父亲王仁皎死于开元七年（719年），哥哥王守一，是当朝的驸马都尉，王守一请求玄宗为其父建造高五丈一尺的坟基。唐玄宗答应了。许多大臣虽有议论，却不敢上奏。只有宋璟无所畏惧，他和同朝宰相上疏玄宗，指出厚葬和薄葬是俭与奢的大事。俭约是美德，奢侈是大害。僭越礼法予以厚葬，前贤引以为戒，所以古人只挖墓穴埋葬而不再修坟。

玄宗完全接受了宋璟的劝谏，按宋璟的尺寸，建造坟基。还称赞宋璟说："朕常想端正自身，以纲纪治理天下，对皇后有偏心啊！但别人感到为难，只有公等才能讲这样的话。"还特意赏给宋璟、苏颋彩绢四百匹。开元八年（720年）正月，宋璟和同朝宰相苏颋奏请禁恶钱。

恶钱是民间铸的私钱，铸造时掺进杂质，质量低劣。恶钱的流行，使贫者日贫，奸豪者岁增。他俩建议"切断天下恶钱，行二铢四累钱，不堪行用者，并销破复铸。"但因为触犯了铸钱富豪的利益，引起他们不满，他们纷纷上奏反对。于是，唐玄宗罢了宋璟、苏颋的宰相职务。宋璟任开府仪同三司，不再握有实权。被罢相以后的宋璟，一如既往，仍直言敢谏，刚正不阿，处理事务十分果断。

罢相后的第二年，玄宗任命他兼任京兆留守，并要他接替河南尹王怡处理权梁山的谋反案。宋璟对案件进行复查，发现权梁山诡称办婚事，筹集款项，县吏要贷款的人连坐。宋璟接手后，经过了解和审讯，把几个头头定了罪，其余一概不问，迅速断了案。开元十二年（724年），玄宗东巡泰山，宋璟留守京师。玄宗将出发，对宋璟说："卿是国家元老，要有一段时间离别，有什么好主意告诉朕？"宋璟一一直言相告。

玄宗亲写制诰回答说："卿所进言，当书写后置放左右，进进出出可随时观看反省、以为终身之诫。"后来，宋璟兼任吏部，开元十七年（729年），玄宗拜任宋璟为右丞相，玄宗在尚书省宴请百官，席间赋《三杰诗》一首，并亲自书写，赐给宋璟、张说等三人。开元二十年（732年）宋璟年已73岁，年老体弱，请求辞职，退居洛阳东都私宅。开元二十五年（737年）去世，享年75岁，赠太尉，谥文贞。

宋璟为河北人，出生在官宦世家，七代祖父曾担任后魏的吏部尚书。他少年时期就中了举人，有一手好文笔。为人刚正又讲究道义，历经武则天、中宗、睿宗及玄宗四朝，打击武后的男宠，与武三思对立都出于道义的考虑，也因此出了大名。

宋璟能出名，与武则天对他的赏识和保护有很大关系。等到睿宗即位时，他弹劾太平公主，却没了上层的保护，因此被贬到偏远地方任官。据说广州人能建造砖木结构的房屋，正是宋璟教会他们的。也许是地方官的经历让宋璟成熟了起来，说话办事不再幼稚冲动，因此得到了玄宗的赏识和信任，他在玄宗朝为官多年，后来退休时，玄宗仍发给他全额的薪水。退休后他在洛阳养老，享年75岁。

张九龄

张九龄（678年—740年），玄宗朝宰相。字子寿，一名博物。韶州曲江（广东韶关）人。他家世代为官，其父张弘愈曾为索虑丞。张九龄是唐代有名的直臣严相，也是唐朝有名的诗人。

青年时期的张九龄才智过人，勤奋好学，能诗善文，武则天神功元年（697年）中进士，授校书郎。景云六年（710年）六月，李隆基为太子，举天下文士，亲加策问。张九龄对策优秀，升为左拾遗。未久，玄宗即位，调任张九龄为左补阙。由于他才学出众，办事公允，当时吏部考试选人，由张九龄和右拾遗赵冬曦考其等第，前后四次他们都做得公允服人，为人称道。开元十年（722年），张九龄调任司勋员外郎。开元十一年，为中书舍人。

开元十四年（726年）四月，御史中丞宇文融弹劾宰相张说“引术士唐代名相·张九龄占星，徇私僭移，受纳贿赂”。张九龄事先曾提醒张说，要他对宇文融“不可不备”。张说对此没有放在心上，结果被罢官居家。张九龄和张说关系密切，亦受牵连，先改任太常少卿，后又出为冀州刺史，继而改任洪州都督，转桂州都督，兼岭南道按察使。

开元十八年（730年），张说去世，玄宗召拜张九龄为秘书少监、集贤院学士、副知院事。适逢朝廷起草赐渤海国诏书，无人胜任，张九龄援笔立成。后转任工部侍郎、知制诰，又转中书侍郎。不久，因母丧归乡里。开元二十一年（733年），唐玄宗又恢复张九龄的中书郎职务，并加同中书门下平章事，做了宰相。第二年，改任中书令。

唐玄宗前期是个贤明的君主，后期沉湎酒色，过着淫逸的生活。张九龄当宰相的时候，正处在由前期到后期的转变时期。面对这种形势，他不顾个人安危，怀着儒家忠君爱国的理想，力求挽救日益严重的危机。

张九龄认为，选人用才是关系到国家兴亡盛衰的大事，他说，“国家赖智能以治”，“国家之败，由官邪也”，“任人当才，为政大体”。基于这样的认识，他在实际工作中，反对以私情用人，反对压制人才，反对论资排辈。为了改变重京官轻外官的弊端，他上奏玄宗说：“欲治之本，莫若重守令。”因为县令和刺史是接近百姓的亲民之官。他主张：“凡不历都督、刺史，虽有高策，不得任侍郎、列卿；不历县令，虽有善政，不得任台郎、给事中、中书舍人。”这些主张对提高外官地位、整肃地方吏治起到了很好的作用。

开元二十三年（735年），幽州节度使张守珪因打败契丹有功，玄宗打算拜其为相。张九龄认为不可，他反问玄宗，“且守珪才破契丹，陛下即以为宰相，若尽灭奚、突厥等，将以何官赏之？”说得玄宗无言以对，遂停止拜相。李林甫口蜜腹剑，深得玄宗宠信，于是玄宗又想提拔他当宰相。在征求张九龄意见时，张九龄对玄宗说：“宰相系国安危，陛下相林甫，臣恐异日为庙社之忧。”玄宗听不进逆耳之言，在开元二十二年任李林甫为宰相，酿成了严重的后果。

朔方节度使牛仙客在河西任职时，节约用度，勤于职业，因而仓库充实，器械精良。玄宗打算任命他为尚书，张九龄认为不可，他说：“边将实仓库，修器械，乃常务耳，不足为功。”李林甫借此中伤张九龄，私下对玄宗说，张九龄是个书呆子，不识大体。第二天，玄宗又提出为牛仙客封爵的事，张九龄还不同意，玄宗大怒说：“难道一切事都要听你的吗？”张九龄伏地叩头说：“臣不敢不尽言。牛仙客目不知书，若当此大任，恐怕不合众望。”张九龄的犯颜直谏，使玄宗感到厌烦。李林甫当面不说，事后日夜谗陷九龄，用甜言蜜语取得了玄宗的欢心。于是，权力从张九龄手中转移到了奸臣李林甫手中。开元二十四年（736年）张九龄罢知政事，改任尚书右丞相。第二年，监察御史周子谅弹劾牛仙客，触怒唐玄宗，命左右将周子谅打得死去活来，并流放外地。不久，周子谅死于途中。张九龄因当初举荐周子谅，被贬为荆州大都督府长史。

开元二十八年（740年）二月，张九龄去世，终年63岁。

李林甫

李林甫（？—752年），玄宗朝著名奸相。小名哥奴，出身皇族。他收买嫔妃宦官，迎合皇上旨意，因而获得信任，执掌大权。他表面上甜言蜜语，背后却暗害构陷，人称“口有蜜，腹有剑”。他在相位19年，以阴险刻忌和工于权术闻名，唐玄宗晚年政治腐败，他有着极为重要的责任。

李林甫，小名哥奴，是唐高祖李渊的堂弟，长平王李叔良的曾孙，父亲李思海曾为扬府参军，舅父是楚国公姜皎。李林甫从小游手好闲，斗鸡戏狗，是个纨绔子弟，但深受舅父喜爱，并当了千牛直长的小官。

开元初年，升为太子中允。当时，担任侍中的源乾曜是李林甫的姻亲。李林甫便向他讨官，要求做司门郎中，源乾曜平素就看不上他，说：“郎官应当有才望的担任，哥奴哪是做郎的材料？”李林甫不久升为谕德，这是规功太子官，不久又升迁为国子司业。开元十四年（726年）李林甫做了御史中丞，以后又当过刑部侍郎和吏部侍郎。当时，玄宗宠信武惠妃，其儿子寿王李瑁和盛王李琦也特受宠信，而太子李瑛却渐见疏远。李林甫认为此时机有利可图，就向武惠妃献媚，表示愿意保护寿王，为他争取帝位，武惠妃十分感激，暗中处处帮助李林甫。李林甫还和侍中裴光廷的夫人（武三思的女儿）私相往来，巴结她。

开元二十一年（733年）裴光庭去世，这位武三思的女儿，就请求宦官高力士推荐李林甫当侍中，但当时玄宗已决定用韩休。高力士把此消息泄漏给武氏，李林甫趁机向韩休献殷勤。后来，韩休任宰相后，在玄宗面前推荐李林甫说他有宰相的才能。不久，李林甫当了黄门侍郎。开元二十三年，（735年）五月，李林甫被任命为礼部尚书，同中书门下三品，并加赐银青少禄大夫，登上相位，同时为相的有侍中裴耀卿和中书令张九龄。

起初，唐玄宗欲以李林甫为相，曾咨询过张九龄，张九龄回答说：“宰相的位子关系到国家安危，陛下用李林甫为相，恐将来危及国家安危。”玄宗不听张九龄的意见。李林甫虽怀恨在心，但张九龄是诗人，以其文学才华为玄宗所倚重。

李林甫无奈，只好对他曲意奉迎，以待时机整治他。李林甫为了实现政治上的野心，继续与宦官、妃嫔往来，他每次在奏请玄宗事之前，都要通过妃嫔，先摸清玄宗的旨意，所以每次奏对，都能称玄宗的心。开元十四年（736年）十月，玄宗想提前从东都洛阳返回长安，召集宰相商议。裴耀卿、张九龄建议说："农夫的秋收未完，望陛下以农事为重，到冬天才可返回长安。"

李林甫早摸到了玄宗的意图，待裴、张离开后，留下来对玄宗说："长安、洛阳是陛下的东西二宫，车驾往来，何必要等待时令？即使妨碍农民秋收，陛下可以单独赦免车驾路过地区的租赋就行了。我请皇上诏示百官，即日动身西还。"玄宗听后大喜，第二天便浩浩荡荡起驾西行。张九龄为人正直，遇事不论巨细皆力争之，渐渐不为玄宗所喜欢。

开元二十四年（736年）十月，玄宗以朔方节度使牛仙客勤于工作，并有政绩，欲以其为尚书，张九龄以为不可，他说："封赏大臣要等待有名臣大功，牛仙客是个边境小吏，不能担此重任。"李林甫趁机上奏说："牛仙客任官勤恳，是难得的相才，张九龄是一介书生，不识大体。天子用人，有什么事情不可以做的？"第二天，牛仙客便受爵陇西县公，食封三百户。而张九龄固执如初。玄宗十分不高兴，说："事皆由卿邪！"从此，李林甫在玄宗面前，日夜说九龄的坏话，玄宗逐渐疏远张九龄。

这一年十一月，武惠妃哭泣着对玄宗说："太子暗中勾结党羽，将害妾母子，并且有害陛下之心。"玄宗大怒，欲废太子。张九龄苦谏，并说："陛下必欲为此，臣不敢奉诏。"玄宗十分不满。李林甫开初不说话，退下来对玄宗说："这是天子家里的私事，外人何必参预呢？"不久，李林甫推荐萧炅为户部侍郎。萧炅平素不好学，曾将"伏腊"读为"伏猎"。中书侍郎严挺之对张九龄说："省中岂容有伏猎侍郎！"，因此萧炅被出为岐州刺史。对此李林甫大为不满，十分怀恨张九龄和严挺之。残害张、严的机会终于被李林甫找到了。

严挺之的前妻改嫁于蔚州刺史王元琰，王元琰犯贪污罪下狱，严挺之为之说情，也受到牵连而获罪。张九龄为严挺之辩解，这引起了玄宗不满。李林甫立即上书，弹劾裴耀卿、张九龄为同党。于是玄宗免去了张、裴的相权，授予他们尚书左、右丞。与此同时，李林甫为中书令，牛仙客为工部尚书，同中书门下三品，开元二十五年（737年）监察御史周子谅上书弹劾牛仙客不学无术，被流放到瀼州。李林甫趁势诬陷周子谅为张、严同党，是张所推举的人，于是，张九龄被贬为荆州刺史。李林甫当了中书令后，唐玄宗采纳了李林甫的意见，杀死了他的三个儿子。天下人为他们鸣不平。

大理少卿徐峤妄言上奏："大理寺监狱杀气较盛，鸟雀不敢栖息。现在刑部处理死囚，每年总共才五十八人，而乌鹊在狱中做窝，无人犯法，刑法搁置。"群臣纷纷上表称贺。于是，玄宗将功绩归于宰辅，下诏赐李林甫为晋国公，牛仙客为豳国公。

开元二十六年（738年），李林甫兼领陇右节度使和河西节度使。从此，李林甫独柄枢衡，总管满朝文武选事，处一人之下，万万人之上的地位。

李林甫为人阴险狡猾，诛杀残忍，脸上喜怒无常，对上一味奉承，对不合他意的人，则设计害之，决不心慈手软。所以，当时人称他："口有蜜，腹有剑。"天宝元年（742年）三月，兵部侍郎卢绚垂鞭按辔，从勤政殿下经过。

卢绚体貌优美，精神抖擞，雄姿英发，玄宗以目送之，赞不绝口，流露出了要委以重任的意思。唐玄宗的神情、心思，李林甫揣摩得一清二楚，他生怕重用卢绚会危及自己的权势。便立即召来卢绚的儿子，对他说："尊府素望，皇帝要派他去交州、广州任职，如果不想去，可以说自己老了，恐怕身体吃不消。"卢绚怕任命到广州这样的边远地区，急忙上书玄宗，诉说自己年老不堪重任。

结果，卢绚被罢去兵部侍郎之职，出为华州刺史。后又授太子员外詹事。卢绚就这样被李林甫排挤出了朝廷。绛州刺史严挺之，曾为尚书左丞，精于选举，因得罪李林甫被贬外任。天宝元年（742年）玄宗问李林甫："严挺之何在？此人亦堪进用。"李林甫马上叫来严挺之的弟弟严损之，对他说："皇上要重用你哥哥了，你得设法让你哥哥进京与皇帝见面。"严损之感激李林甫的好意，马上找来一纸，写了请求让哥哥入京就医的文字，给了李林甫。李林甫拿着去见玄宗，说："挺之年高，近患风寒，须授闲散之官，便于在京城就医。"玄宗听后，叹息再三，感到非常遗憾。天宝六年（748年）四月，授严挺之太子詹子，在东都洛阳养病。宰相李适之与李林甫不和，李林甫想尽办法诬害他。一次，李林甫对李适之说："华山有金矿，主上未知之也。"过了几天，李适之把此事奏上。玄宗征求李林甫的意见，李林甫说："臣早已知道，只是由于华山是陛下本命，王气所在，不适合开采，故不敢言。"玄宗十分崇信道教，听了李林甫的话，就越加喜欢、信任，而讨厌起李适之来了。

继而李林甫又诬告适之结为朋党，其他被株连而被贬将达数十人，后又逼适之自杀身亡。李林甫对玄宗竭力阿谀奉承，唐玄宗对他十分宠信，政事无论巨细，都要和他商量。天宝三年（744年），唐玄宗对高力士说："现在天下无事，百姓安居乐业，我想把政事全部交给李林甫处理，你以为怎样？"高力士回答说："天子大权不可让他人掌握，李林甫权势咄咄逼人，一旦他大权在握，朝臣之中还有谁敢议论政事！"玄宗听后很不高兴，高力士急忙叩头谢罪，说自己是一时头脑发昏发热，口出胡言，罪该万死。

高力士是皇上极宠信的宦官，他尚且如此害怕，其他人再也不敢发表意见了。李林甫为了掩蔽玄宗耳目，竭力堵塞言路，他召集众谏官，向他们宣布说："当今皇上圣明，作为臣下应当只是顺从他的旨意，不必要去议论朝政。诸位没有看到立在那里的仗马，它的食料相当于三品官的俸禄，但它必须终日不叫，一旦嘶叫，就会被撵走，杀死，那时后悔就来不及了。"李林甫不学无术，他尤其忌恨那些有才能的文人。

天宝六年（747年），唐玄宗下诏广求天下有识之士，凡是有一技之长的都要到京城长安参加选拔。李林甫生怕士人对诏时有人会斥责自己，当即向玄宗建议说："士人都是草茅之人，不知道禁忌规矩，徒以狂言冒犯圣德，请把这事全交到尚书省长官那里试问。"于是玄宗下令让御史中丞统一监督试问，结果没有一个符合要求的人。

李林甫因此上书向唐玄宗庆贺，认为朝野没有遗留人才。对于讨好自己，而又平庸无能的人，李林甫尽心提携，竭力培植成自己的爪牙。左相陈希烈，政绩平平，先会讲点老庄玄学，李林甫看到玄宗喜欢这一套，加上陈希烈柔弱易于控制，就奏请唐玄宗让陈希烈做了尚书左丞相。从此，政事全由李林甫决断，陈希烈只是唯唯诺诺，是地地道道的李林甫的应声虫。

唐朝的惯例，宰相每天午后六刻退朝回府，李林甫奏请玄宗批准，每天提前退朝回家，这样许多国家事务就在家里处理，然后再由陈希烈部署。玄宗不理朝政时，朝官们都到李林甫家中听候指示，右相陈希烈虽然坐在府中，但却没有一个人去看望他。

李林甫表面上给人们温柔的样子，好像可以亲近，实际上犹如悬崖陷阱，深险难以得知。朝廷公卿如果不是由他门下晋升的，必定会被定罪迁徙；凡是依附他的，虽然是小人奸佞也会被他引荐重用。李林甫家中有中间厅堂，如同半弦月，称为"月堂"。每当他排挤大臣，就住进去思谋策划；当他得意扬扬走出来时，那就设计完成，不知哪一家又要遭殃了。

他在长安设立了推事院专治狱事。任用萧炅、吉温、罗希奭等一批酷史。吉温生性残酷，六亲不认，他常说："如果遇上知己，即使南山白额虎也能为他缚得。"罗希奭是杭州人，以残忍著称，因为受到李林甫的赏识，由御史台主簿升为殿中侍御史。他们两人，互相配合，按李林甫的旨意行事，凡是酿成狱案的，没有一个人能够逃脱，当时们称他们为"罗钳吉网"。李林甫善于利用对方矛盾，消除异己，拉一派打一派。户部尚书裴宽和刑部尚书裴敦复有矛盾。当裴宽有可能当宰相时，李林甫就和裴敦复交好，让他揭发裴宽，使裴宽被贬为睢阳太守。李林甫又趁势派人去杀裴宽，"宽叩头祈请，"才免于一死。后来，裴敦复因有战功受到朝廷嘉奖，这一来又引起李林甫对他的忌恨，诬害他，裴宽也因此而被贬到淄川。刑部尚书韦坚，其妻子是李林甫舅舅姜皎的女儿，他的妹妹还是太子李玙的妃子，为官很早，深得玄宗赏识，后来被提拔为陕州太守、水陆转运使。当韦坚有入相之望时，李林甫便开始算计他。天宝五年（746年）春，河西节度使皇甫惟明因破吐蕃有工，入京献捷。他看到李林甫专权横行，就气愤不平，上疏劝谏玄宗除掉李林甫，李林甫听说大吃一惊，暗使杨慎矜监视他们的行动。他们发现，元月十五日晚，太子出游和韦坚相见，他们又发现韦坚又和皇甫惟明会见于景龙观。于是李林甫参奏韦坚与皇甫惟明勾结，阴谋拥立太子为帝，把两人逮捕下狱，后分别贬为缙云太守和播州太守。

将作监少匠韦兰、兵部员外郎韦芝是韦坚的弟弟，上书为韦坚喊冤，并请求太子玙为之说情。玄宗十分气愤，太子见事不妙，为了摆脱干系，上表请与韦妃离婚，声称不要因为与韦氏有亲戚关系而徇私枉法。于是，玄宗下诏，再贬韦坚为江夏别驾，其弟韦兰、韦芝被贬到岭南，其他受到牵连而遭贬官、流放的达数十人。

著名的杨慎矜案，也是李林甫排斥异己的一个例子。

杨慎矜本是李林甫门下，因受玄宗重用，提升为户部侍郎。李林甫见他擢升，十分妒忌。他利用杨慎矜和王的矛盾，让王参奏杨慎矜，说："杨慎矜是隋炀帝的玄孙，家中藏有谶书，阴谋复辟。"玄宗听后非常恼怒，把杨慎矜逮捕。太府少卿张瑄本因为由杨慎矜所荐，也同时受牵连被捕。杨慎矜屈打成招，但始终搜查不出谶书来。李林甫派卢铉再次入长安杨家搜书，他在袖中藏着谶书进入杨慎矜的书房。一会儿，手里拿着谶书走出来。杨慎矜看到后绝望地说："我不曾藏此谶书，今天必死无疑！"不久，玄宗诏赐杨慎矜及其弟杨慎余、杨慎名自尽，妻子儿女流放岭南。这一案件涉及数十人。

李林甫在位期间，还做了一件事，史学家认为这是导致“安史之乱”爆发的一个原因。

唐玄宗在位前期，朝廷宰相有不少来自节度使。李林甫独掌大权后，为了杜绝出将入相之源，向玄宗建议用少数民族将军为节度使。他说：“文臣为将，害怕矢石弹雨不身先士卒。现在不如用番将带兵，他们天生雄健，在马上长大，善于冲锋陷阵，天性这样，如果陛下使他们受到感动，觉得受重用，他们一定会报效国家，夷狄就不足为虑了。”而李林甫的目的，是使掌握军权的人不能入朝为相，这样他的地位也可长保无虞了。

李林甫恃权侍势，为非作歹，又长于拍马溜须，因而深得玄宗宠信。他在京城的府第楼台亭榭，十分奢华。晚年，他沉溺于声色，家中姬妾侍女不知有多少，然而他活得并不痛快。他自知结怨天下，常常惧怕刺客，每次出门总要有步骑百余人左右保护。住宅周围，岗哨林立。一个晚上要换几个地方睡觉，甚至连他的家人也不知道他住在哪里。天宝十一载（751年）李林甫死了。在他死之前，杨国忠、陈希烈等开始揭发他们罪行。他刚死还没有来得及下葬，杨国忠就上奏玄宗，告他有异谋。于是朝廷下令全部削夺李林甫的官爵，剖棺剔取含珠金紫，更以小棺，用庶民的礼节将他入葬。他的几个儿子也被流放到岭南，众女婿们也被贬官。

有人认为李林甫是唐朝、甚至是整个古代中国社会由盛转衰的第一罪人。唐玄宗前期重用姚崇、宋璟、张九龄等良相，达到了“开元盛世”的顶峰，后期罢张九龄而任用李林甫，自此由治世转向乱世，终于酿成“安史之乱”的大祸，唐朝从此一蹶不振。

李林甫无德无识，善于拉关系，靠钻营上位，靠权术保住相位长达十九年之久。他外表和善可亲，言语甜美，最善于揣摩别人的心思，顺着别人的意思说话，假装帮人出主意，实际上背后极会搞阴谋迫害，著名的成语“口蜜腹剑”便是由他而来。他本是唐朝皇室的旁支，不学无术，靠关系进入仕途，收买宦官、妃嫔，探知唐玄宗动静，迎合唐玄宗旨意，成为当时的三位宰相之一。成功获得相位后，他竭力排斥比自己能干的官员，张九龄、裴耀卿、李适之等名臣相继被他使尽手腕排挤。他堵塞言路，威胁谏官，导致所有谏官都不敢上书言事，他利用酷吏罗织罪名，打击迫害政敌。为了巩固地位，他拼命推荐胡人将领，因为他们文化水平普遍不高，战功再显赫也当不了宰相，结果直接导致安禄山一人兼三地节度使，安史之乱实由李林甫而起。

冯 道

冯道（882年—954年），五代后唐宰相。字可道。瀛州景城（今山西交河）人。后唐明宗时起任同中书门下平章事等职。历仕后唐、后晋、契丹、后汉、后周五朝。先后封鲁国公、燕国公。谥号“文懿”。尽管皇帝兴亡接踵，而冯道则富贵自如，以此自称“长乐老”，是五代官场上一个真正的不倒翁。

冯道出身农家。小时候朴实纯厚，好学，善作文，不以贫穷为耻。冯道最初在幽州军阀刘守光处任参军，因谏阻刘守光攻打易、定二州，险遭杀害。刘守光失败后，他就来到太原，投在晋王大将张承业门下。经张承业的推荐，冯道在晋王李存勖府中担任掌书记，当时李存勖书函甚繁，全由冯道掌管。后梁末帝年间，李存勖出兵攻梁，两军夹黄河对峙，史称“夹河之战”。这是五代史上的一场大战，打得十分激烈。冯道居军中，“住一茅庵，不设床席，卧一束草上”。当时晋军粮饷匮乏，大将郭崇韬向李存勖建议，减少他吃饭的人员，为此李存勖大为光火，说孤为效命者设食都不自由，哪里还当得了主帅，闹着要回晋阳。幸亏冯道出来打圆场，说：“粮饷的确困难，郭崇韬的建议，完全出于对晋王你的一片忠心。”这场冲突因冯道调解而缓和下来。冯道吃苦耐劳，在晋军中是很有名的。他的排解具有现身说法的性质。李存勖称帝后，冯道为翰林学士。后又担任中书舍人、户部侍郎。

后唐庄宗李存勖虽是员猛将，却不是治国之才。当了皇帝后，重用前朝士族，轻视出身寒微的人，大概因为这个原因，冯道在庄宗时代默默无闻。待到庄宗被杀，明宗李嗣源即位，冯道才崭露头角。

明宗李嗣源比较重视文人。他认为冯道是真正的宰相人选，就拜他为端明殿学士，迁兵部侍郎。一年后，拜中书侍郎、同中书门下平章事，当了宰相。

明宗当了八年皇帝，冯道当了七年宰相。明宗当政期间，比较注意减轻人民的负担，使中原地区的生产有所恢复和发展，在五代乱世出现了一个短时期的小康局面。这个局面的出现，自然和冯道的辅佐分不开。

在这期间，冯道做了几件值得称道的好事。

第一，重视选拔人才。冯道拜相后，引荐和录用了许多孤寒多才之士，而对出身衣冠门第而举止浮躁的人，往往多加限制。这比庄宗时代只重门第出身的作风，无疑是一个进步。

第二，作为宰相，他经常向明宗进谏，要他居安思危，重视民间疾苦。冯道常用自己经历过的一个小故事提醒明宗：他当年奉命出使中山，途经井陉天险，由于他格外留心，并无意外，可等到了平地，他就不再小心留意，为马所颠扑，几乎送了命。

第三，冯道和另一宰相李愚于后唐长兴二年（931年）奏请明宗同意，进行雕版刻印儒家经典《九经》，这套书从后唐开始，经历晋、辽、后汉、后周，历时22年，到后周广顺三年（953年）才完成。这是中国文化史上的一件大事，也是世界印刷史上的大事。

后唐明宗在长兴四年（933年）十一月去世，其子李从厚即位，他只当了四个月皇帝，明宗的义子李从珂就兴兵夺去了皇位。在这次五代史上屡见不鲜的政变中，作为宰相的冯道，先躲到明宗女婿石敬瑭的军中。早上上殿，他不打听皇帝的下落，就召集百官，商议如何迎接李从珂当新皇帝。因为他知道李从珂是个拥有重兵的将领，而李从厚却是个“寡柔少断”的小孩子。中书舍人卢导说：“哪有天子在外，大臣就劝别人当皇帝的道理。”另一宰相李愚也支持卢导说：“舍人之言很对。”冯道却说：“别管那一套了，还是面对现实吧！”当李从珂到了后唐京城洛阳附近的蒋桥时，冯道率百官列队欢迎，并上表劝进。但李从珂即位以后，对冯道并不信任，先是免去了他的宰相职务，后外放到同州（今陕西大荔）当节度使。以后，又将他召回洛阳，封了个有虚名而无实权的司空。

一年以后，石敬瑭以称臣、称子、割地为条件，取得了契丹的支持，打败李从珂，灭了后唐，建立后晋，并将都城从洛阳迁到了汴梁。石敬瑭夺取帝位时，打着明宗的旗号，指责李从珂当皇帝不合法，所以，即位以后，立即恢复了冯道的宰相职务，并派他出使契丹。石敬瑭是“儿皇帝”，从“儿皇帝”到“父皇帝”那里去当使臣，可是个卑躬屈膝、挨骂受气的苦差事。石敬瑭怕冯道不愿此行，对冯道说：“此行非卿不可。”冯道一口答应下来。

冯道出使契丹，忍气吞声，在契丹被扣留两个多月，直到契丹主耶律德光看清了他确实对契丹忠诚，才放他回晋。冯道怕是试探他，又三次上表乞留，为了表示对契丹的留恋，他故意多住了一个多月。走在路上，又故意走走停停，两个月才出境。冯道一回后晋，石敬瑭即废枢密院归并于中书省，由冯道掌管，省院事无巨细，皆由冯道做主。不久又加封冯道为鲁国公。

后晋开运三年（946年），契丹主耶律德光率30万大军南下，占领汴梁，灭了后晋。冯道去朝见耶律德光，耶律德光一见冯道，便责骂他事奉晋朝。又问：“为什么要来这里？”冯道答道：“无城无兵，怎敢不来？”耶律德光又问：“你这个老头子是何等样人？”冯道答：“是个无德无才又痴又傻的呆老头儿。”说得耶律德光哈哈大笑。耶律德光又问冯道：“天下百姓这样苦，怎样救他呢？”冯道答道：“此时此地，如来佛出世也救不得，只有你皇帝才能救得！”这种吹捧让耶律德光欢心不已。耶律德光对冯道是信任的，于是拜他为契丹所建立的辽王朝的太傅。

次年二月，后汉高祖刘知远即位，冯道自北来归，刘知远对他褒奖一番后，任命他为太师。后周灭汉，冯道又事周为太师，兼中书令。

后周显德元年（954年），太祖郭威死，世宗柴荣即位。柴荣武略出众，是个有作为的皇帝。当时，北汉主刘崇乘机大举入侵，世宗想出兵抗击，冯道以为不可。周世宗说：“唐太宗定天下，未尝不亲自出马，我哪敢偷安？”冯道说：“不知陛下能成为唐太宗否？”世宗道：“以我兵力之强，破刘崇如山压卵罢了！”冯道说：“不知陛下能为山否？”世宗对此颇为不满，出征时也不让他随驾，只让他留下侍奉太祖山陵。四月十七日，冯道死于家中，时年73岁。

赵 普

赵普（922年—992年），字则平，幽州蓟人，后徙居洛阳，北宋著名的政治家。祖籍幽州蓟，曾祖父是唐末任三河县令，祖父赵全宝，在唐末任澶州司马，父赵迥，五代时任相州（今河南安阳）司马。赵普为人淳厚，沉默寡言，当地的豪门大户魏员外很欣赏他，将女儿许配给了赵普。

显德三年（956年），柴荣用兵淮上，赵匡胤攻下滁州，宰相范质奏请任命赵普为军事判官。赵弘殷在滁州养病，赵普朝夕侍奉药饵，赵弘殷于是以宗族的情分来对待他。赵匡胤曾经与他交谈，觉得他很不寻常。淮南平定后，调赵普补任渭州军事判官。赵匡胤领任同州节度时，征召他为推官；赵匡胤移驻宋州后，又上书朝廷任他掌书记。

显德六年（959年）六月周世宗死，柴宗训即位，是年七月，赵匡胤改领归德军节度使，赵普升任节度掌书记。

显德七年（宋建隆元年，960年）正月元旦，契丹勾结北汉入寇。宰相范质仓促之间派赵匡胤率军北征，兵行开封东北四十里之要道陈桥驿时，赵普等人为赵匡胤谋策，托故不行，将赵匡胤灌醉，然后以杏黄龙袍加身，发动陈桥兵变。赵匡胤在既成事实面前，从后周幼主恭帝手里接过禅位书，建立宋朝，是为宋太祖。

建隆元年（公元960年）末，宋太祖召见赵普问道："为什么从唐末以来，数十年间帝王换了八姓十二君，争战无休无止，我要从此熄灭天下之兵，建国家长久之计，有什么好的办法吗？"赵普精通治道，对这些问题也早有所考虑，听了宋太祖的发问，他便说："这个问题的症结，就在于藩镇太重，君弱臣强而已，治理的办法也没有奇巧可施，只要削夺其权，制其钱谷，收其精兵，天下自然就安定了。"赵普的话还没说完，宋太祖就连声说："你不用再说了，我全明白了。"

于是一个重建中央集权专制制度的计划就这样酝酿出来，并逐步付诸实施了。在北宋中央集权方面，最重要的是兵权，也是首先要解决的问题。

建隆二年（公元961年），宋太祖鉴于当时已控制局势，就着手陆续采取了一些措施，把殿前都点检镇宁军节度使慕容延钊罢为山南东道节度使，侍卫亲军都指挥使韩令坤罢为成德节度使。因为殿前都点检是宋太祖黄袍加身前担任过的职务，从此不再设置。由石守信接替韩令坤任侍卫马步军都指挥使。

起初宋太祖以石守信等人都是自己的故友，并不介意，赵普就向他数次进言说："臣也不担心他们会背叛陛下，但是如果他们的部下贪图富贵，万一有作孽之人拥戴他们，他们能够自主吗？"这些话实际上是提醒宋太祖，要他记住陈桥兵变的事件，避免类似的事件重演。果然宋太祖采取措施要解除禁军高级将领的兵权。

建隆二年（公元961年）七月初九日晚朝时，宋太祖留下石守信等将领叙叙兄弟情谊。有点醉意了，他向将领吐露做皇帝的苦处，夜不能安，防范变乱，不及你们做臣下的高枕无忧。当石守信等表示誓死效忠时又说，假如你们的部下谋富贵而起兵怎么办呢？又说人生在世所重者不过多积金钱、田宅，为子孙立不可动之产业；多置歌妓美女饮酒作乐以终天年。我与你们结为亲家，大家相互都没有猜忌不是很好嘛？这一番话的意思大家都听明白了。于是，第二天纷纷辞去军职，交出兵权，到地方做节度使去了。赵普献策之功自然是不能抹杀的。建隆三年（962年），晋升赵普为枢密使、检校太保。

"杯酒释兵权"只是解决兵权的第一步。中唐以来方镇弄权的隐患和新执掌禁军的弄权问题，仍是赵匡胤面前的当务之急。关键是改变权力结构中的独立性，使之必须依附君权而运转。在赵普的参赞下，这套相互制约的职权体制终于制订出来了。这就是中央设副相、枢密使副与三司计相以分宰相之权，达到相互牵掣之效。枢密使直属皇帝掌握指挥权，而禁军之侍卫马、步军都指挥和殿前都指挥负责训练与护卫。乾德元年（963年），用赵普谋，罢王彦超等地方节度使和渐削数十异姓王之权，安排他职，另以文臣取代武职，于是武臣方镇失去弄权的基础，另一方面，收厢兵之骁勇和荒年募精壮之丁为禁军，于是天下精兵皆归枢密院指挥。地方虽无精兵，但地方厢兵合则仍可制约禁军。这就形成了强干弱枝而内外上下相互制约之制。

乾德二年（964年），宋太祖部署中枢与地方政权既定，时机成熟，就全部罢免留用后周的范质，王溥、魏仁甫三相，任命赵普为门下侍郎、平章事、集贤殿大学士。同平章事，正是宰相的职任。"宋太祖下令把签署权赐给赵普。赵普任宰相后，皇上把他看作左右手，事情无论大小，都向他咨询以后决断。

开宝九年（976年）赵匡胤驾崩，他的弟弟赵光义即位，是为宋太宗，他再次任命赵普为相。

淳化三年（992年），赵普三次上表以年老多病为由，请求告老还乡。当年七月，赵普走完了生命的历程，终年71岁。宋太宗派员治丧，赠尚书令，追封他为真定王，谥号“忠献”。

赵普一生在政治舞台上活跃了50年。作为封建时代地主阶级的政治家来说，他是一个有一定远见的历史人物。他所制定的巩固中央君主集权和地方分权的方针、政策，对于结束长期的政治动乱、实现中原统一是有贡献的。但同时，作为一代名相，他没有什么学问，仅以个人对君主的忠诚而三次任相，在整个居相期间，看不到他造福人民的政绩，这是最大的缺憾。

寇 准

寇准（961年—1023年），字平仲，汉族，华州下邽（今陕西渭南）人。北宋政治家、诗人。

寇准出身于书香门第。他的父亲寇相学问很好，曾在一个贵族府第做秘书一类的小官。寇准出生后不久，父亲就去世了，因此家境贫寒，可是深受书香世家影响的寇母十分重视寇准的学习。少年时的寇准，聪明好学，从书本上学得许多知识和道理。尤其对《春秋》三传，读得烂熟，理解得很透彻。这为他以后入仕从政打下了初步的知识基础。

宋太宗太平兴国五年（980年），19岁的寇准考中进士，被任命为大理评事，次年又被派往归州巴东任知县。以后他又先后升任盐铁判官、尚书虞部郎中、枢密院直学士等官。寇准官运亨通并不是由于阿谀逢迎，依附权贵，相反，他刚正廉明不畏权贵。青云直上靠的是自己的忠诚与智谋。

例如，淳化初年，北宋朝廷处理了两桩受贿案。情节严重的王淮，牟取赃钱以千万计，仅被撤职杖责，不久又恢复了原职；而情节较轻的祖吉，却被处以死刑。寇准知道这是王淮的哥哥、参政王沔搞的鬼，心中愤愤不平。淳化二年（991年）春天发生了一次大旱灾，宋太宗召集近臣询问时政得失。群臣多认为是天数所致，寇准则借用当时十分流行的天人感应学说，指出旱灾是上天对朝廷刑罚不平的警告。宋太宗听后，生气地转入禁中，但又觉得寇准的话必有根据，就召问寇准朝廷的刑罚怎么不平？寇准回答说：“请将二府大臣都叫来，我当面解释。”当王沔等人上殿后，寇准就把王淮、祖吉二案述说了一遍，然后看了王沔一眼问道：“这难道不是刑罚不平吗？”宋太宗当即责问王沔。王沔吓得魂不附体，连连谢罪。从此寇准更加受到太宗的赏识，被任命为左谏议大夫、枢密副使，又改为同知枢密院事，开始直接参与北宋朝廷的军国大事。

这之后，寇准在枢密院与知院张逊发生了严重的意见分歧。由于受张逊诬陷，寇准被贬至青州。但这时宋太宗已离不开寇准了，寇准去青州后，太宗闷闷不乐，经常询问有关寇准在青州的情况。第二年，寇准就被召回京师，拜为参知政事。至道元年（995年）又加给事中。

至道元年（997年）宋太宗去世，太子赵恒即位，是为宋真宗。这位年富力强的皇帝早在上台前就很赏识寇准的慷慨大节和超人的胆识与才华，唯一不感兴趣的就是寇准的刚直脾气。权衡再三后，真宗皇帝还是任用了寇准为宰相。被一贬再贬的寇准这一次终于登上了仕途官场的峰巅，成了一人之下、万人之上的宰相。

公元1004年，北方辽军大举南侵，一天之内竟有5次告急文书飞至朝廷。真宗皇帝大为震惊，满朝文武惊恐万状，开封城内风声鹤唳。危急关头，皇帝身旁一帮投降派主张向南京逃跑，寇准则大义凛然地主张抗辽，理直言正，说得满朝文武无敢言退。

宋军在寇准的指挥下，接连获胜。在澶州前线，胆小的真宗就是不敢过黄河。寇准又极力争辩，把犹豫不决的真宗带到了黄河北岸。在两军对峙的战场，真宗皇帝如从天而降出现在澶州北城楼上。宋军官兵远远望见黄龙御旗，顿时欢呼声回荡在数十里之外，辽军闻风丧胆，不可成列。寇准指挥宋军乘势穷追，辽军仓皇逃窜，主帅中箭身亡，官兵大多被俘。大捷之后，宋辽息兵，双方签订了“澶渊之盟”。曾主张逃跑的大臣嫉恨寇准的功绩，又担心寇准来问罪，于是勾结起来陷害寇准，向真宗进谗言说：“历来的战争就像赌博一样，赌博者输急了，就把全部钱物作为赌注。寇准奉陛下亲征，实际上是把陛下作为赌注。万一仗打败了，寇准孤注一掷的就是陛下，到那时，陛下还有性命吗？”真宗听了小人的谗言，罢免了寇准的宰相，将其贬为陕州知州。

寇准晚年再次被召回朝担任宰相。天禧四年（1020年）却又被丁谓排挤去位，封莱国公。后来又被贬到雷州。天圣元年（1023年），寇准死于雷州，终年62岁。

寇准的墓在陕西渭南市，占地3亩，四周植有苍松翠柏。墓地北门的楹联上写着“澶渊会盟彰忠肝裂胆，宰相无第见亮节高风”，寇准的千秋功绩、清廉风骨真是尽在不言中。

包 拯

包拯（公元999年—1062年），字希仁，庐州府合肥（今肥东县）人。曾先后任天长、端州、瀛州、扬州、庐州、池州、开封等知县、知府，出使过契丹，还在刑部、兵部任过职，在财政部门做过副使、转运使、三司使，在监察部门做过御使、谏议大夫，最后做到枢密副使，成为朝廷的宰辅，死后追赠礼部尚书，谥孝肃。他当过的大章阁待制和龙图阁直学士使他有了“包待制”、“包龙图”的雅称。老百姓更喜欢直呼“包公”。

包拯出身于庐阳一个官宦家庭。二十八岁考上进士。按照宋朝的制度，考中进士就可以当官，但包拯是个孝子，他信守圣人“父母在，不远游”的教诲，直到三十六岁时父母亡故后才正式出任天长县（今安徽天长）知县。在知县任上，他断了一个奇案，声名远播。三十八岁升任知州，清正廉洁，受到上司重视和世人称赞，之后，便开始朝廷重臣的政治生涯。

康定元年（1040年），包拯又出知端州（今广东肇庆）。端州出产一种有名的砚台，称端砚。端砚每年要向朝廷进贡。由于当地官吏和豪绅等层层加码克扣，端砚的产量虽多，却变成了百姓的沉重负担。包拯下令豪强官吏，不得贪污，只能按规定数量，向朝廷进贡。而他自己，直到离开端州，也不曾想要一方端砚。

或许由于包拯这种铁面无私的性格，被大臣们赏识，所以朝廷于庆历三年（1043年）将包拯调到首都开封。这是自从进京考试之后，包拯第二次来到京城。包拯被任命为监察御史。当时，监察御史虽然没有多大实权，但对包拯来讲，却十分重要。这是因为，从此包拯可以直接参与朝政，并且可以对朝廷各个方面，尤其是用人等方面，提出看法和建议。实际上，包拯在任监察御史期间，确实对北宋的内政外交提出过许多批评和改进办法，并且还曾出使契丹（辽国），出色地完成了任务。

庆历六年（1046年）夏，包拯调任为三司户部判官。当时的三司是中央财政机构，户部掌管全国户口、两税等，户部判官协助三司使的工作。不久，包拯先后担任京东、陕西、河北转运使，转运使负责一路（相当于省）的财政、监察等行政事务。在地方，包拯十分重视体察民情，要求朝廷让百姓休养生息而安居乐业.两年之后，包拯被召回开封，提升为户部副使。在此期间，他曾前往河北解决军粮问题，又曾到陕西解决运城（今属山西）盐业问题。在河北，他奏请用作养马的田地，还给地方和农民。在运城，他改革盐税法令，以便利于商贩经营盐业。

出色的工作，利国利民的成效，使包拯在皇祐二年（1050年）被擢升为天章阁待制、知谏院。天章阁是存放朝廷图书文献的地方，待制之衔，有名而无权。包拯又叫包待制，不过是对他的尊称。然而，知谏院兼任谏官之职，却十分重要。谏官的任务是向皇帝进谏朝政的弊端，它可以涉及朝政的所有方面。在包拯兼任谏官期间，不但对横行不法的权臣屡次抨击，而且对时政的许多方面，提出了革新建议。可惜的是，两年之后，包拯改命为龙图阁直学士，这也是个虚衔（从此人们又称他为包龙图），并且又一次离开京城，到河北、庐州、池州（今安徽贵池）、江宁（今江苏江宁）等地任地方官。直到至和三年（1056年）才回到京城，任开封府尹。

嘉祐四年（1059年），包拯以枢密直学士、权三司使等官职，上升为当时重臣。第二年升任三司使和枢密副使，相当于副宰相之职。但是，年过六旬的包拯，这时已经夕阳西下。嘉祐七年（1062年）五月二十五日，包拯病死在开封。仁宗皇帝到包拯家中与包拯最后一别，追认他为礼部尚书，赐谥“孝肃”，所以包拯死后又叫包孝肃。他晚年在家里立了一块石碑，上刻《诫廉家训》道：“后世子孙仕宦，有犯赃者……非吾子若孙也。”他的事迹长期流传民间，过去小说、戏曲多取为题材。元杂剧已有《陈州粜米》等作品。以后流传日广，形成丰富的传说。遗著有《包孝肃奏议》。

包拯一生正气浩然，不趋炎附势与世沉浮，他以维护北宋江山、惩治邪恶势力为己任。实为千古忠臣之楷模。

范仲淹

北宋名臣范仲淹（989年—1052年），字希文，是苏州吴县人士，死后谥文正，后人多称为范文正公。范仲淹一句“先天下之忧而忧，后天下之乐而乐”，名垂千史，至今仍让大家铭记。

仲淹父亲也曾作过宁武军节度掌书记。但范大人一生坎坷，没能沾上祖上荣光。范仲淹两岁时父亲就去世了，母亲谢氏贫困无依，带着仲淹改嫁到山东淄州长山县一户姓朱的人家.范仲淹从小就勤奋好学，但他毕竟不是朱家的亲生的孩子，常常受到朱家人的歧视。母亲为了使范仲淹幼小的心灵不受到伤害，就让他去附近长白山上的醴泉寺寄宿读书。青年时代的范仲淹就这样在醴泉寺埋头苦读。可是，有一天，范仲淹与朱家的公子发生了口角，在对方的恶言攻击中，范仲淹知道了自己身世的秘密，本来就心气高傲的范仲淹自然受不了如此刺激，他决定自立门户，不再遭受朱家的白眼，他简单收拾了自己的衣物，身上佩剑，带上一把琴、几本书，不顾母亲的苦苦阻拦，流着眼泪毅然辞别母亲，徒步前往南京的应天府书院求学，宋朝的南京也就是今天的河南商丘。

宋真宗大中祥符四年（公元1011年），二十三岁的范仲淹来到了应天府书院。应天府书院是当时宋代著名的四大书院之一，校舍一百五十余间，藏书数千卷。这里聚集了来自四面八方的众多学子，而且在书院读书是免费的。范仲淹十分珍惜在书院的学习，读书也更加刻苦，以至于通宵达旦，他立志要出人头地，博取功名，接母亲离开朱家，不再过寄人篱下、遭人白眼的生活。

功夫不亏有心人，公元1105年，范仲淹果然高中进士一甲，也就是前三名。27岁的范仲淹进士及第后，被任命为从九品的广德司理参军，很快又升任为从八品的集庆军节度推官。他于是把母亲从山东朱家接过来赡养，并恢复了范姓，自己改名为范仲淹，字希文。

范仲淹为官后，刚直不阿，施政清廉，体恤民情。他在泰州海陵任盐仓监官时，看到当时沿海的农田民宅，屡次受到海潮的威胁，成千上万的灾民流离失所。他为民上书，建议在通州、泰州、楚州、海州沿海，修筑一道拦海堤堰，以阻挡海潮。得到上级批准后，调他任兴化县令，全面负责修堰工程。天圣二年（公元1024年秋），范仲淹亲率四州的数万民夫修筑海堰。修堰工程刚开工不久，便遇到了暴风，一个巨大的海潮扑面而来，一下子吞噬了一百多个民工的生命。但是范仲淹临危不惧，坚定不移，始终坚守在修堰的工地上，最终完成了绵延数百里拦海长堤，从此沿海的盐场和农田农舍不再受害。人们为了感激范仲淹的功绩，把这条海堰叫“范公堤”，遗址至今尚存。

从公元1039年起，西夏军队就大举进犯宋朝边境，第二年正月，元昊大军进逼延州（今陕北延安），延州以北的36个寨堡全部被西夏军队荡平，延州岌岌可危，西北告急。在如此严重的形势下，宋仁宗又想到了范仲淹，急忙召他入京，任命范仲淹为陕西经略安抚招讨副使，并调解宰相吕夷简与范仲淹之间的过节，范仲淹在国家利益面前，高风亮节，以大局为重，主动写了《上吕相公书》与宰相吕夷简讲和。当时52岁的范仲淹已经是霜染鬓发，他临危受命，毅然披挂上阵，赶赴西北前线。战争给宋朝边民带来了严重的灾难，西北前线到处是狼烟四起、断壁残垣，范仲淹怀着沉痛的心情写下了他著名的词《渔家傲》。

三年后，庆历三年，公元1043年，宋夏两朝开始议和，西北边境才得以转危为安。范仲淹也被调回京都开封，升任为参知政事，也就是副宰相，与枢密副使富弼、韩琦等人一道主持朝政。入朝后，宋仁宗亲赐诏书给范仲淹，让他起草庆历新政改革方案。很快范仲淹向朝廷呈上了著名的新政纲领《答手诏条陈十事》，提出了十项改革主张。年底，范仲淹从改革吏治入手，大张旗鼓地推行庆历新政。他坐镇朝廷，对不称职的官员毫不留情，一笔勾掉。当时他的同学——枢密副使富弼对范仲淹说：“您一笔勾掉这些官员很容易，你可知道？你这一笔之下可能使人家一家人痛哭啊！”范仲淹听后，用笔点着这些官员的名字愤慨地说：“一家人哭总比一州一县的人哭要好吧！”当然，改革不可避免地限制了一大批官僚的特权，保守派对此恨之入骨，于是他们勾结在一起攻击新政，诬蔑范仲淹、富弼、欧阳修等人结党营私，铲除异己，诬陷改革派阴谋另立皇帝。以至于流言四起，人心惶惶。最后宋仁宗终于动摇了，庆历五年初，宋仁宗下诏废弃一切改革措施，解除范仲淹参知政事的职务，将他贬至邓州。

在邓州，范仲淹撰写了流传千古的名篇《岳阳楼记》。告诫同僚看破个人得失，“不以物喜，不以己悲”，为国为民始终做到“先天下之忧而忧，后天下之乐而乐”。千百年来，这句经典名句，被一代代为官者作为座右铭，而为之终身践行。

后来，范仲淹又先后调任杭州知州、青州知州、颍州知州，但是他无论在何处为官，都是一心为民，始终坚持带病工作，从不计较个人荣辱。公元1052年，范仲淹又调任徐州知州，五月二十日，他刚到徐州就突然病逝，享年六十四岁。范仲淹死后，被葬在河南洛阳东南万安山，朝廷谥号文正，封楚国公、魏国公。

范仲淹是北宋著名的政治家和统帅，也是一位卓越的文学家和教育家。他领导的庆历革新运动，成为后来王安石熙丰变法的前奏；他对某些军事制度和战略措施的改善，使西线边防稳固了相当长时期；经他荐拔的一大批学者，为宋代学术鼎盛奠定了基础；他倡导的先忧后乐思想和仁人志士节操，是中华文明史上闪灼异彩的精神财富。

司马光

司马光（1019年—1086年）初字公实，更字君实，号迂夫，晚号迂叟，司马池之子。汉族，出生于河南省光山县，原籍陕州夏县（今属山西夏县）涑水乡，世称涑水先生。司马光是北宋政治家、文学家、史学家，历仕仁宗、英宗、神宗、哲宗四朝，卒赠太师、温国公，谥文正。他主持编纂了中国历史上第一部编年体通史《资治通鉴》。司马光为人温良谦恭、刚正不阿，其人格堪称儒学教化下的典范，历来受人景仰。

司马光出生时，他的父亲司马池正担任光州光山县令，于是便给他取名"光"，七岁时，司马光"凛然如成人，闻讲《左氏春秋》，即能了其大旨"，"手不释书，至不知饥渴寒暑"。

宋仁宗宝元元年（1038年），司马光中进士甲科，在华州（今河南郑县）担任地方官。初任奉礼郎、大理评事一类小官，后经枢密副使庞籍的推荐，入京为馆阁校勘，同知礼院，至和元年（1054年），随庞籍到并州（今山西）为官，后改并州通判。嘉祐二年（1057年）庞籍因事获罪，司马光引咎离开并州。宋仁宗末年任天章阁待制兼侍讲同知谏院。嘉祐六年（1061年）迁起居舍人同知谏院。

司马光立志编撰《通志》，作为统治者的借鉴，治平三年（1066）撰成战国迄秦的《通志》八卷。上觐宋英宗，英宗命设局续修，并供给费用，增补人员。宋神宗即位后，以其书"有鉴于往事，以资于治道"，赐书名《资治通鉴》，并亲为写序。

司马光著述颇多。除了《资治通鉴》，还有《通鉴举要历》八十卷、《稽古录》二十卷、《本朝百官公卿表》六卷。此外，他在文学、经学、哲学乃至医学方面都进行过钻研和著述，主要代表作有《翰林诗草》、《注古文学经》、《易说》、《注太玄经》、《注扬子》、《书仪》、《游山行记》、《续诗治》、《医问》、《凉水纪闻》、《类篇》、《司马文正公集》等。在历史上，司马光曾被奉为儒家三圣之一（其余两人是孔子和孟子）。

宋神宗熙宁年间，王安石在宋神宗的支持下实行新政，司马光与主持变法的王安石发生了严重分歧，几度上书反对新法。他认为刑法新建的国家使用轻典，混乱的国家使用重典，这是世轻世重，不是改变法律。所谓“治天下譬如居室，敝则修之，非大坏不更造也”，强调祖宗之法不可变。神宗命他为枢密副使，坚辞不就。

熙宁三年（1070年），司马光自请离京，以端明殿学士知永兴军（现陕西省西安市），次年退居洛阳，任西京留守御史台，以书局自随，继续编撰《通鉴》，元丰七年（1084年）成书。书成后，司马光官升为资政殿学士。《通鉴》的著述意义已远远超过了司马光著史治国的本意，它不仅为统治者提供借鉴，也为全社会提供了一笔知识财富。清代学者王鸣成说：“此天地间必不可无之书，亦学者必不可不读之书。”《通鉴》已和《史记》一样，被人们称为史学瑰宝，广为流传，教益大众。

司马光虽热心于治国，但由于政见不同而未能有更多直接参与政事的机会。直到宋元丰八年（1085年）宋神宗去世后，67岁高龄的司马光，随着要求废除新法的浪潮被迎回宫中，担任了相职，开始“元祐更化”，尽罢新法。他执政一年半，竭尽全力日夜操劳，耗尽了毕生心血之后与世长辞了。噩耗传出，“京师人为之罢市往吊，鬻衣以致奠，巷哭以过车者，盖以千万数”，在灵柩送往夏县时，送葬之“民哭公甚哀，如哭其私亲。四方来会葬者盖数万人”。至于画像祭奠的“天下皆是，家家挂象，饭食必祝”。一个封建社会中的宰相，能得到民众这样广泛真诚的悼念，实属罕见，也是历史的必然。

司马光从政近50年，对北宋的国计民生、典章制度发表过不少独特的见解。诸如虚心纳谏、崇尚务实、注意民心、知人善用等治国主张，长期不懈地编纂《资治通鉴》，使其成为中国古代史学史上一座高耸的丰碑，为历代统治者所借鉴。

王安石

王安石（1021年—1086年），宋代改革家、思想家和文学家。字介甫，号半山。江西临川（今江西抚州）人，世称临川先生。

庆历二年（1042年），王安石进士第四名及第，历任签书淮南（扬州）节度判官厅公事、知鄞县（今浙江宁波）事、舒州（今安徽潜山）通判，一度调开封任群牧司判官，旋又外调知常州事、提点江南东路刑狱公事，继召为三司度支判官、知制诰。

多年的地方官经历，使王安石认识到宋代社会贫困化的根源在于兼并，宋代封建统治所面临的危局是"内则不能无以社稷为忧，外则不能无惧于夷狄"。因此，王安石在嘉祐三年（1058年）上宋仁宗赵祯的万言书中，要求对宋初以来的法度进行全盘改革，扭转积贫积弱的局势。以历史上晋武帝司马炎、唐玄宗李隆基等人只图"逸豫"，不求改革，终于覆灭的事实为例，王安石对改革抱有士大夫群中少见的紧迫感，大声疾呼："以古准今，则天下安危治乱尚可以有为，有为之时莫急于今日。"要求立即实现对法度的变革；不然，汉亡于黄巾，唐亡于黄巢的历史必将重演，宋王朝也必将走上覆灭的道路。封建士大夫也把治国太平的厚望寄托于王安石，期待他能早日登台执政。

熙宁初，王安石以翰林学士侍从之臣的身份，同年轻的宋神宗赵顼议论治国之道，深得宋神宗赏识。熙宁二年（1069年），王安石出任参知政事，次年，又升任宰相，开始大力推行改革。

王安石变法的目的在于富国强兵，借以扭转北宋积贫积弱的局势，巩固地主阶级的统治。王安石明确提出理财是宰相要抓的头等大事，阐释了政事和理财的关系，指出"政事所以理财，理财乃所谓义也"。更重要的是，王安石在执政前就认为，只有在发展生产的基础上，才能解决好国家财政问题："因天下之力以生天下之财，取天下之财以供天下之费。"执政以后，王安石继续发挥了他的这一见解，曾经指出："今所以未举事者，凡以财不足故，故臣以理财为方今先急，"而"理财以农事为急，农以去其疾苦、抑兼并、便趋农为急。"在这次改革中，王安石把发展生产作为当务之急而摆在头等重要的位置上。王安石认为，要发展生产，首先是“去（劳动者）疾苦、抑兼并、便趣农”，把劳动者的积极性调动起来，使那些游手好闲者也回到生产第一线，收成好坏就决定于人而不决定于天。要达到这一目的，国家政权需制定相应的方针政策，在全国范围内进行从上到下的改革。王安石虽然强调了国家政权在改革中的领导作用，但他并不赞成国家过多地干预社会生产和经济生活，反对搞过多的专利征榷，提出和坚持“榷法不宜太多”的主张和做法。在王安石上述思想的指导下，变法派制订和实施了诸如农田水利、青苗、免役、均输、市易、免行钱、矿税抽分制等一系列的新法，从农业到手工业、商业，从乡村到城市，展开了广泛的社会改革。与此同时，王安石为首的变法派改革军事制度，以提高军队的素质和战斗力，强化对广大农村的控制；为培养更多的社会需要的人才，对科举、学校教育制度也进行了改革，王安石亲自撰写《周礼义》、《书义》、《诗义》，即所谓的《三经新义》，为学校教育改革提供了新教材。

但是，变法触犯了大地主、大官僚的利益，两宫太后、皇亲国戚和保守派士大夫结合起来，共同反对变法。因此，王安石在熙宁七年第一次罢相。特别是由于变法的设计者王安石与变法的最高主持者宋神宗在如何变法的问题上产生分歧，王安石复相后得不到更多支持，不能把改革继续推行下去。加上变法派内部分裂，爱子的病故，王安石于熙宁九年第二次辞去宰相职务，从此闲居江宁府。宋哲宗元祐元年（1086年），保守派得势，此前的新法都被废除。政局的逆转，使王安石深感不安，当他听到免役法也被废除时，不禁悲愤地说：“亦罢至此乎？”不久便郁然病逝。

王安石的成就不仅仅在政治改革方面。在哲学思想方面，他的认识论路线属于唯物主义，他还继承和发扬了老子的一些思想，传统的朴素的辩证法思想得到了发展。《洪范传》、《老子注》是他在这方面的主要著作，后者已经散佚，仅在彭耜《老子道德真经集注》等书中还保存了若干条目。他的文章以论说见长，列于唐宋八大家。在诗歌方面，王安石早年写了不少反映社会现实的诗篇，同情民众疾苦；晚年的诗侧重于讲究技巧，雅丽精绝，为世所称。有集本传世，一是《临川先生文集》本，一是《王文公文集》本，两本都掺有他人的著作。此外还有《字说》，系有关文字学方面的著作，仅在他人著作中残存了若干条；《熙宁奏对日录》系王安石任宰执时有关个人政治生活的亲笔记录，主要保存在李焘《续资治通鉴长编》中，亦无传本。王安石曾封于舒、荆，死后又谥为文，故也称为王荆公和王文公。

总体上看，王安石的变法，能够针对北宋统治错综复杂的积弊大刀阔斧进行改革，这种勇于改革和敢于斗争的精神，是值得肯定的。王安石不愧是我国古代杰出的政治家、改革家。

秦桧

秦桧（1090年—1155年），字会之，江宁（今江苏南京）人，中国历史上有名的奸臣。宋徽宗政和五年（1115年）进士及第，曾做过太学学正、职方员外郎、御史中丞。他早年曾主张抗金，反对割地求和，后来归降金国，倡导议和，因此获得金朝廷信赖，在建炎四年（1130年）被金将完颜昌放回南宋。秦桧回朝后得宋高宗赵构信用，官至宰相。后因提出“南人归南、北人归北”的主张，罢相闲居。绍兴八年（1138年），秦桧重新拜相，力主和议，代表宋高宗向金使跪接诏书。绍兴十年（1140年），金朝都元帅完颜宗弼带兵入侵南宋，岳飞等军大举北伐，屡破金军，进逼开封。秦桧却怂恿宋高宗迫令岳飞班师。

绍兴十一年（1141年），宋高宗与秦桧解除岳飞、韩世忠等大将军权，诬构谋反罪状，杀害岳飞。秦桧后来独揽朝政，排除异己，大兴文字狱，极力贬斥主张抗金的官员，压制抗金舆论，篡改官史，奖励歌颂和议的诗文，犯下了累累罪行。

秦桧从小就一直怀有升官发财的梦想。他的父亲曾做过一些地方的县令，这在当时只是一个很小的官，这样的出身根本不可能马上就飞黄腾达。他常常悲叹说：“若是水田三百亩，不再做那‘猢狲王’。”这充分体现了他经常抱怨命运对自己不公，对自己没有升官发财的机会感到无奈。当然，他的志向绝对不是那“水田三百亩”。

秦桧生性阴险狡诈，两面三刀，阴一套，阳一套是他的拿手好戏。从他小时候在学堂的一件小事就可见一斑。一天，老师正在台上讲课，下面突然传来鸟叫的声音。老师问：“怎么回事？”同学们都看着秦桧。原来，秦桧在听课时看见窗外有几只小鸟在互相嬉闹，忍不住学了起来。而秦桧居然脸不红、心不跳地说声音是旁边的同学发出来的。他为了证明自己没有三心二意，居然将老师讲的课文内容一字不错地背了出来。害得旁边的同学成了他的替罪羊。

在太学读书的时候，他表面上看起来很好打交道，但一旦发生了对自己不利的事情，总是以恶人先告状的方法找个替罪羊来承担自己的责任。因此大家都称他为“秦长脚”，来讥刺他是个善于打小报告的小人。

秦桧后来拜了南宋著名奸相汪伯彦为师，更是从他的老师那里学到了一套玩阴耍狠的本事。

宋徽宗政和五年（1115年），秦桧考取了进士，当时他才25岁，从此步入仕途。开始他只是在密州任教授一职，但他凭着一点小聪明深得知州翟汝文的器重。后来通过翟汝文、安抚使张叔夜、翰林学士吴开等人的推荐，做了太学正。

他还娶了在神宗朝做过宰相的王硅的孙女为妻，王家也算是一个豪门显贵，在官场中有一些势力。王硅的女婿郑居中，是徽宗宠幸的郑后的兄弟，政和年间官至太宰。秦桧正是看中了王家在官场上的这些关系，他心里知道，只要攀上了这个高门，将可能成为他青云直上的梯子。正是通过这些关系，他在官场中竭尽投机钻营之能事，四处玩弄权术，没过几年，就当上了礼部郎。

靖康六年（1126年），金举兵侵略南宋，秦桧成了金国的阶下囚被送往金国。秦桧虽然成了俘虏，但他凭着阿谀献媚的本事，竟然受到了金国的宠遇。

秦桧此前曾致信粘罕，向金朝献媚，在粘罕的引荐下，金太宗召见了秦桧，金兀术还专门设宴对其加以款待，让一些美貌女子给他敬酒。秦桧就这样卑躬屈膝地投靠了金国，并为金国出谋划策出卖赵宋王朝。

汴京陷落后，宣和九年五月，徽宗的第9个儿子赵构在南京即位，是为宋高宗，南宋王朝由此建立。

宋徽宗知道儿子即位后非常高兴，希望赵构能够北伐把他救回。宋徽宗以赵构已即位为资本，请秦桧写信向金国求和。这时的金国一心只想以武力消灭南宋，根本不理会宋徽宗的求和要求。

宋高宗其实也是个软弱无能之辈，他只想偏安一隅做他的皇帝，根本无心北伐。他甚至愿意削去帝位，向金称臣，只求以一纸和约保住金朝属国的地位。

他一开始就排斥李纲等主战派，任用黄潜善、汪伯彦等一班宵小。他还撤去了黄河沿岸的防务，想以此讨得金国的欢心。金根本不理会他这一套，他们看到南宋防务空虚，有机可乘，就在建炎元年冬又举兵南侵。

虽然南宋朝廷惊慌失措，没有任何抵抗，但金人竟没想到南宋人民会纷纷组织抗敌。在南宋爱国军民的抵抗下，金人的进攻终于被击退。金统治者这时意识到，光凭武力侵犯还是不行的，必须派内奸进入南宋朝廷进行内部瓦解。金统治者首先便想到了秦桧。

在金国的精心策划下，秦桧回到了南宋，他谎称自己是从金兵手里逃出来的，再加之此前他曾向金国上书要求保存南宋政权，在朝野中还有一些“忠名”，因此他一回朝就得到了高宗的起用。

秦桧早已摸透了高宗急于求和的心理，就毫无忌惮地向高宗提出了“欲天下无事，南归南，北归北”的投降建议。这条建议正好对了宋高宗的胃口，绍兴元年8月，宋高宗将他提为右宰相，兼知枢密院事，秦桧一举掌握了南宋朝廷的军政大权。

秦桧当了宰相之后，就干起卖国求和的勾当来。因为遭到许多朝臣的激烈反对，曾经被罢免了宰相职位。但是昏庸的宋高宗还是把秦桧当作心腹看待，过了几年，又重新任秦桧为宰相。秦桧利用他的权力和地位，勾结金朝，千方百计破坏抗金将领的活动。在这期间，南宋爱国军民的抗金气势也愈演愈烈，尤其是著名爱国将领岳飞带领岳家军在前线勇挫金兵，甚至要准备直捣黄龙府。当秦桧听到岳飞的军队连战连胜，大为恐慌。因为金朝是他的后台，金朝一败，他在南宋也站不住脚。于是，他就唆使宋高宗发出命令，要岳飞从前线撤兵。

岳飞突然接到宋高宗的撤兵命令，弄得莫名其妙。他派人送奏章给高宗说：金兵已经丧尽士气，我军士气高涨，胜利就在眼前，时机不能错过。他请求高宗取消撤兵命令，允许他继续进军。

秦桧接到岳飞奏章，又想了一个恶毒的手段。他先命令张俊、刘光世等大将的人马从淮北前线撤兵，然后对高宗说，岳飞的军队在中原已经成为孤军，不能再留，叫宋高宗发出紧急金牌，叫岳飞撤军。

岳飞在前线等待高宗的进军调令，没想到接到的却是朝廷催促退兵的紧急金牌。岳飞接到第一道金牌，正在犹豫，送金牌的快马又到了。从早到晚，快马一个接一个，一连接到十二道金牌。岳飞知道要改变高宗的决定已经没有希望，气愤得泪流满面，说：“想不到我十年来的努力，竟然毁于一旦。”

岳飞要从朱仙镇退兵的消息一传出去，附近的百姓十分震惊，纷纷聚集在街头。他们拦住岳飞的马，哭泣着说：“我们顶着香盆，运着粮草，迎接官军，这是金人都知道的事。现在相公要回去，我们只有死路一条了。”

岳飞看到这个情景，也禁不住流下眼泪。他叫左右兵士拿出高宗的诏书给大家看，说：“朝廷下了紧急金牌，我不能擅自做主留在这里啊！”

百姓们见留不住岳飞，都放声痛哭；兵士们也个个心酸，掩着脸哭。整个朱仙镇响起一片哭声。

岳飞心里不忍，宣布暂缓5天撤兵，让愿意跟随他们的百姓一起走。过了5天，岳家军开始撤兵的时候，当地百姓成群结队随军南迁。后来，岳飞奏请朝廷，把这些百姓安置在南方安家垦荒。

金国军队一听说岳家军已走，马上重整旗鼓，向南进攻。本来被岳飞收复的河南许多州县，一下子又丢失得精光。

秦桧和宋高宗决心向金朝求和。他们恐怕受岳飞、韩世忠等人的阻挠，把他们召回京城，让韩世忠做枢密使，岳飞做枢密副使，名义上是提升，实际上是解除了他们的兵权。

秦桧夺了岳飞的兵权，就派人向金朝求和。1141年11月，金朝派使者到临安，谈判议和条件。谈判结果：宋、金之间，东面以淮河为界，西面以大散关（今陕西宝鸡西南）为界；南宋向金朝称臣，每年向金朝进贡银绢各25万。历史上把这次屈辱投降的和约叫作“绍兴和议”。

岳飞被解除了兵权后，秦桧怕他还会再坏自己的事。绍兴十一年（1141年）8月初，秦桧党羽、御史中丞何铸与殿中侍御史罗汝楫上章弹劾岳飞爵高禄厚、志满意得，藐视朝廷、目无君主，要高宗对岳飞“速赐处分，作就闲饲，以为不忠之戒”。并把副本交给岳飞，逼迫他辞去枢密副使之职。

然而这仍不能使秦桧罢手，他下了至死方休的决心。10月，秦桧又勾结贪功嫉贤的张俊，收买了岳飞的部将王俊，指使王俊诬告岳飞的长子岳云及其部将张宪谋反，把二人逮捕下狱。接着，又派人到庐山把岳飞骗至临安，以谋反罪下狱，由御史中丞何铸负责审讯。何铸曾受秦桧指使弹劾过岳飞，可当他真正面对这位精忠报国、凛然不屈的英雄时，听他义正辞严地谴责秦桧的卖国罪行，终于被岳飞的一身正气所慑服。他掉过头来开始同秦桧据理力争，为岳飞辩解不白之冤。秦桧恼羞成怒，撤掉何铸，改用万俟卨继续审理。

岳飞被关入大理专狱后，韩世忠对这种无端的陷害恨之入骨。他质问秦桧：“王俊告发岳飞有谋反之意，相国可曾查到了真凭实据？”面对这咄咄逼人的质问，秦桧半晌无言，许久才奸笑道：“莫须有（也许有吧）。”韩世忠听后愤愤说道：“‘莫须有’的罪证怎么使天下人信服呢？”

这真是欲加之罪，何患无辞！然而岳飞面对如此卑劣的行径和一系列惨不忍睹的严刑逼供却从未屈服，拒绝在所谓的“供状”上画押。

朝野上下的正义呼声使秦桧寝食不安，他深感事情拖延越久，自己越难下手。他白天黑夜在房间里走来走去，那群无耻的党羽也紧张地盯着他紧皱的两眉、阴鸷的双眼。他终于停下来，挥手做了一个“砍”的手势。

绍兴十一年十二月二十九日（1142年1月28日），正是旧历除夕的前一天，杭州城的百姓忙忙碌碌地准备迎接新的一年，祈盼着来岁的安康，从此不再妻离子散，不再国破家亡。然而就在这一天，岳飞被押上了风波亭。他北望中原，感慨万分，禁不住奋笔疾书“天日昭昭！天日昭昭！”八个大字，英勇就义。

一代忠臣良将就这样被秦桧以“莫须有”的罪名陷害致死。岳飞被害后，秦桧仿佛扫除了前进途中的最大障碍，从此眼前便是一马平川了。

秦桧窃据高位当了19年的宰相。他里通外国，陷害忠良，弄权营私，犯下了累累罪行。因此引起极大的民怨，全国军民无不对其咬牙切齿，人人都欲得而杀之。绍兴十二年正月，秦桧在上朝的途中，殿前司后军小校施全在望仙桥下准备刺杀秦桧，可惜只砍断了轿柱。秦桧似乎也知道自己的罪行，从此以后，他每逢出门都带50名士兵保护自己。没过几年，秦桧在全国人民的辱骂声中一病不起，这年10月22日，秦桧终于一命呜呼，结束了他罪恶累累的一生。

全国人民听到秦桧已死的消息，个个拍手称快，到处敲锣打鼓，一时间整个国家就像逢年过节一般喜庆非凡。这时，许多大臣纷纷向高宗上书揭露秦桧的累累恶行，对其进行控诉。宋高宗迫于举国上下舆论的压力，召回了一些受到秦桧迫害的大臣，并罢免了秦桧的一些亲信。可是高宗还是担心主战派的力量抬头，否定和议，仍以主和派万俟卨当宰相，并表明他议和的主张。同时他还认为秦桧议和有功，还加封他为申王，谥号“忠献”。宋高宗还想为他立碑刻字，表彰政绩，但秦桧实在是名声太臭，没有人愿意为他执笔撰写碑文，直到现在，秦桧的墓上依然“丰碑屹立，不镌一字”。

后来，秦桧的老婆王氏死后与他合葬在金陵（今南京），他们夫妇两人卖国求荣的罪行遭到世人唾弃。当地群众经常把粪便倒在他们的墓上，大家都称之为“秽冢”。时间过了200多年，人们对他们的憎恨仍然未能消除，后来有人挖开他们的坟墓，把这两个卖国贼的肮脏尸体扒了出来，扔到了臭水沟里，发泄对这对狗男女的愤恨。

为了纪念被秦桧等奸臣迫害致死的抗金名将岳飞，人们在杭州西湖为他修筑了一座坟墓，墓前跪着用生铁铸成的四个塑像：秦桧、秦桧的妻子王氏和担任审判法官的万俟卨、张俊。这四个铁像，一直到今天仍然跪在那里。游客们每每故意地便溺到他们头上，或锤击敲打，以泄心中愤怒，以致那些铁像必须不断重铸，才能保持完整。

长期以来，民间还流传着这么一个故事。据说后来一个叫秦润泉的人到杭州做官，因为他也姓秦，所以觉得自己的祖先跪在岳飞墓前任人便溺，感到脸上无光。于是，有一天晚上他派人悄悄地把秦桧铁像扔进了西湖。第二天，人们不见了秦桧的跪像，又见整个西湖的水都有臭味，就把这件怪事告到了秦润泉那里，说有人把秦桧铁像扔到西湖里去了。秦润泉假装不知，带着人到西湖边一看，秦桧的铁像竟然浮到了水面上，整个湖水也变成了红色。秦润泉非常害怕，又叫人把它打捞上来放回了原处。后来，他在和朋友一起祭拜岳飞墓时吟了一句诗以自嘲：“人从宋后羞名桧，我到坟前愧姓秦。”

功过是非自有后人评说，像岳飞这样的忠臣义士自然会受到人们的景仰，而秦桧这样的奸臣哪怕就是过了千秋万载，也将为人所不齿，世代受人唾骂。

秦桧的名声一直不好，因为他卖国求和、陷害忠良、贪污腐化。虽说宋代的巨奸有好几个，但与秦桧相比，简直是小巫见大巫。如果评选最贪婪狡猾、罪恶最大的官吏，秦桧绝对是毫无争议，名列榜首。近来虽屡有为秦桧翻案的声音抬头，但都被公众舆论予以强烈打压。秦桧已然成为“卖国贼”的代名词，奸臣的符号将永远地烙印在他的身上。

许多人不知道的是，秦桧可是个状元，但因名声太坏，史家亦为之避讳，从不提起。这个南宋前期的状元和文天祥相比，虽同是状元，但一个选择了卖国求荣、逢迎主上的道路，一个却是誓死上谏，为国但求一死。

在秦桧的一生中，1127年“靖康事变”不仅是国家命运的转折点，其个人命运也随之发生了重大变化。随着北宋的灭亡，秦桧和主子一起被劫持到金国，开始了耻辱的生涯。他为了生存，主动与金人示好，地位扶摇直上，三年后又莫名其妙重新南归，重新开始了权力生涯。秦桧两次拜相，前后加起来有十九年时间，他是高宗的得力助手，为这个朝廷的苟且偷安贡献了一份力量。

公元1155年，权倾一时的宰相秦桧逝去了，临死前加封为建康郡王，死后又谥为“忠献”，追赠为“申王”。孝宗时，太宗知道了秦桧的奸恶，但还未改变爵谥。直到宋宁宗时，秦桧叛国投敌案才得到处理，追夺了他的王爵，改赐“缪丑”。一忠一丑，可见历史之多变。

宋 慈

宋慈，字惠父，是我国古代杰出的法医学家。建阳（今属福建）人，祖籍河北邢台市南和县，唐相宋璟后人，与理学大师朱熹同乡。生于南宋孝宗淳熙十三年（1186年），卒于南宋理宗淳祐六年（1249年），享年六十四岁。早岁习儒，入仕后经历十余任地方官，多负刑狱之责，终于广东经略安抚使。一生经办案件数不胜数。逝世前两年（公元1247年）撰成并刊刻《洗冤集录》五卷。此书是其一生经验、思想的结晶，不仅是中国，也是世界第一部法医学专著。它比意大利人佛图纳图·菲得利写成于公元1602年的同类著作要早350多年。

宋慈生于一个中等的官僚家庭，父宋巩官至广州节度使。他少时拜朱熹的弟子吴稚为老师，受朱熹理学思想影响很深。又与当地名流学者杨方、黄干等交往，咨询经典，广记博览，颇能融会贯通。青年时期进入太学，史籍称他“善辞令，据案执笔，动辄千言”，平日喜欢诸葛亮著作，常以“治世以大德，不以小惠”自勉。

宋慈31岁中进士，正式开始仕宦生活。那时南宋已江河日下，外有蒙古军连年南侵，内有贾似道等奸臣当道。官场上有“为官容易，使吏最难”之说。当官容易因为谗佞专权，非亲不用，非财不取。做吏则要处处小心，一旦犯罪，轻则刺配，重则抄家杀头。当时江西南安、福建汀州、邵武等地发生农民起义，宋慈忠诚于封建统治阶级利益，率官兵镇压，因平定义军有功，改任长汀县令。

宋慈49岁（公元1235年）任南剑州行政官，办事精明仁爱，深得民心。时正值浙江西部遭遇饥荒，他深入民间调查灾情，了解当地豪强巨室，不但逃避赋税，还趁天灾囤积居奇，弄到“米斗万钱”的地步。他便上书宰相李宗勉，请求实行“济粜”法，按灾情轻重，“析人户为五等，上者半济半粜，次粜而不济，次济粜俱免，次增受济，下者全济之，米从官给。”朝廷采纳了他的建议，颁布了法令，打开富豪的粮仓，分给赤贫农户，并减免租税，使百姓顺利地度过了灾荒。

嘉熙三年（1239年），宋慈五十三岁，任广东提点刑狱（掌管刑法狱讼的官吏）。在这以前，那里的官吏多不作为，积留大量狱案。他一到任，便着手处理大批悬案积案，调查现场，验证材料。史称他“下条约，立期程，阅八月，决辟二百余”。宋慈办案严肃认真，执法如山，而且不畏权贵，决事果断，经八个月的检查，处决了一批犯人，昭雪了一批屈打成招的冤命案。解决了一大批疑案、积案，铁面无情地惩处了一些贪赃枉法的基层执法狱吏。他这种“雪冤禁暴”的事迹，在百姓中赢得了好名声，群众颂之为“清官”。

不久，宋慈改任江西提点刑狱兼知赣州。每到农闲，这里便有盐贩子武装贩盐，骚扰江西、福建、广东沿途州县。宋慈严加惩治，使道路畅通、秩序安定，民心大服。此情呈报朝廷，受到重视，批准宋慈所行，下达浙江西部诸州县，皆仿效执行。

此后宋慈按刑广右（考察广西刑狱工作），不辞辛劳，不避污秽，亲自深入各地，考查现场，从不敢轻忽怠慢。一次路旁出现一尸首，遍身被镰刀砍伤十余处，开始以为是强盗所杀，后来检点衣物俱在，遂对此案产生怀疑。经传讯死者的妻子，得知死者生前曾与一借债人发生口角。便急速差人分头命令借债人附近的居民，“各家所有镰刀尽底将来，只今呈验。如有隐藏，必是杀人贼。”一下子居民上交镰刀七八十把，都陈列在地上。“时方盛暑，内镰刀一张，蝇子飞集。”即查出此镰刀正是借债人所使，就擒讯问，犹不服。法官威仪凛凛，指着刀说：“众人镰刀无蝇子，今汝杀人血腥气犹在，蝇子集聚。岂可隐耶？”在场的居民失声叹服，杀人者终于叩首服罪。

淳祐年间（公元1245年左右），宋慈任湖南提点刑狱。任职期间他听讼清明，决事果断，对百姓施以恩泽，对豪强施以权威，以至穷乡僻野，深山幽谷之民都知道宋提刑的大名，因而所到之处地方官吏和豪强缙绅等人不敢为非作歹。他对狱事能够采取审慎的严肃态度，比较实事求是，以民命为贵，这在封建法官中是少有的。

宋慈为官一方明察秋毫，据实断案。除此之外，宋慈在法医学上也取得了伟大的成就，他采撷了前人著作如《内恕录》、《折狱龟鉴》等书中有关记载，参以自己的实践经验，吸收了当地民间流传的医药知识，于公元1247年编辑了5卷本《洗冤集录》一书，用以指导狱事的检验。宋慈的《洗冤集录》可称为我国现存最早的一部比较系统的法医专著。

宋慈在二十多年的仕宦生涯中，为官清廉，生活朴实，一生无其他嗜好，唯爱收藏异书名帖，喜金石刻。晚年更加谦虚谨慎，爱惜人才，虽是后生晚辈，凡有一技之长，皆提拔引荐。他年老有病在身，一切公务，犹亲自审察，一丝不苟，慎之又慎。他于淳祐九年（公元1249年）三月七日，卒于广州，终年六十四岁。第二年七月十五日，安葬在福建建阳崇乐里。南宋理宗赵昀评价他是“分忧中外之臣”，特赠“朝议大夫”。

总体上看，作为官员，宋词能秉公断案，执法如山，堪称公正廉明的清官。在医学方面，被称为“法医之祖”。本世纪五十年代，国外出版的《法医学史及法医检验》一书，尊称宋慈是世界上最伟大的法医学家之一。可见其影响力之深远。

文天祥

文天祥（1236年—1283年），南宋杰出的民族英雄和爱国诗人。庐陵（今属江西吉安）人，原名云孙，字宋瑞，又字履善，自号文山、浮休道人，著作有《文山全集》、《文山乐府》，名篇有《正气歌》、《过零丁洋》等。宋理宗宝祐四年（1256年）进士第一名（状元），与陆秀夫、张世杰被称为“宋末三杰”。他晚年的诗词，风格慷慨激昂，苍凉悲壮，具有强烈的感染力，反映了他坚贞的民族气节和顽强的战斗精神。

宋末年，朝廷偏安江南，国势弱小，北方蒙古族于1271年结束了内部争夺皇位的自相残杀局面，建立了元朝，接着把侵略矛头直指南宋。1273年，丞相伯颜统率20万大军攻下襄、樊，以此为突破口，顺江而下，两年不到，便兵临南宋首都临安的近郊。蒙古兵所过之处，尸横遍野，血流成河，农田荒废，百业凋敝。南宋面临着亡国灭种的严重威胁，文天祥就是在这种形势下出现的抗击侵略的伟大民族英雄。

南宋朝廷长期为投降派所把持。还在1259年，宰相贾似道便以称臣、割江北地区和岁纳银绢各20万两匹为条件，暗中屈膝求和。伯颜却意在灭宋，并不停止南侵。1275年，将贾似道十三万大军消灭，朝廷便再无可用之兵。此时宋恭帝在位，年仅四岁，太皇太后谢氏临朝听政，不得不发出“哀痛诏”，号召天下四方迅速举兵“勤王”。文天祥当时正担任赣州知府，他“捧诏涕泣”，并立即行动，在两三个月内便组织了第一支“勤王”队伍近万人，几经周折，赶到了临安。而在成千上万大小地方官中，带兵勤王的只不过他和张世杰三人而已，这个政权腐朽到什么程度，可见一斑。

1276年正月十八日，伯颜兵临皋亭山，左相留梦炎早已投降叛变，其他大臣或已投降。伯颜虽愿受降，却要右相陈宜中去元营洽谈，陈哪有这个勇气？当天晚上便逃之夭夭。谢太后唯一所派之人只剩下一个文天祥。他毅然临危受命，但不是去投降，他考虑是“战、守、迁皆不及施”，“国事至此，予不得爱身”，他甚至借此机会观察一下敌营的虚实以谋“救国之策”。但是他没有想到，正当他指斥伯颜扣押自己，不能返回宋营，他的义兵则在同时被投降派命令解散。敌人的凶残不曾使文天祥受困，昏庸的朝廷和无耻的投降派却使他内心充满挫败感。

1276年二月初九日，文天祥被押送去大都（今北京），行至京口（今镇江），在义士的帮助下，逃脱了虎口，据他在《指南录后序》所记，至少有十六次幸免于死，经过千辛万苦，于四月初八日逃到了温州，此时他听说度宗的两个儿子（即恭帝的两个兄弟）已逃到福州，于是立即上表劝进。不久，被诏至福州，任右丞相兼枢密院使，后又命为同都督。七月，文天祥便在南剑州（今福建南平）打起帅旗，号召四方英雄豪杰，个个起兵，收复失地。

1277年三月，文天祥统兵进军江西，收复南部数十州县，同时围困赣州，湖南、湖北皆起而响应，震撼了江南，鼓舞了人民的反侵略意志，使元统治者大为惊慌。元忙调40万大军来解赣州之围，另派兵五万追击文天祥。文部不过五千余人，这年八月，空坑一战，遂致大败，部将数人牺牲，文妻及子女皆被俘，赵时尝在紧急中假扮文天祥，吸引了元军，文天祥才得乘间逃脱。赵随即被杀。这是文天祥在一年多时间内所遭到的第二次重大挫败。

但是文天祥并没有灰心丧气，他下定决心抗元到底。1278年11月，他收拾残军，加以扩充，移兵广东潮阳，不幸于十二月二十日兵败五坡岭，文天祥自度难以逃出重围，当即吞服随带的冰片，以求一死，免遭污辱，但他并未死，而在昏迷中被俘了。这是他遭遇的最后一次严重的挫折。从此以后，文天祥便再也不能统领义军在战场上与元军拼杀了。

文天祥被俘后，打定主意，只求义死而不求苟生。

1279年十月，元平章阿合马来文天祥囚所劝降，文天祥长揖就座，不把他放在眼里，阿合马却要他下跪，文天祥说："南朝宰相见北朝宰相，何跪？"阿合马以胜利者自居，傲慢地说："你何以至此？"文天祥嘲讽地说："南朝若早用我为相，你去不了南方，我也不会到你这里来，你有什么可神气的？"阿合马用威胁口气对左右说："此人生死尚由我。"文天祥正义凛然道："亡国之人，要杀便杀，道甚由不由你。"阿合马自讨没趣，灰溜溜地走了。

同年年底，元丞相孛罗审问文天祥。孛罗一来就摆威风，要文天祥跪下，遭到文天祥拒绝，左右便用武力强使文天祥作跪拜状，文天祥凛然说道："天下事，有兴有废，自古帝王以及将相，灭亡诛戮，何代无之？天祥今日……至于此，幸早施行。"临刑前夕，皇帝忽必烈亲自出马劝降，以宰相之职作为诱饵，妄图使文天祥投降，但遭文天祥严厉拒绝。忽必烈只好问他，那你究竟要什么呢？文天祥回答说："愿以一死足矣！"文天祥这种以身殉国，视死如归的伟大精神使得敌人束手无策，一筹莫展。这实际上等于宣布了反侵略战争的胜利，是正义的胜利和他自己所赞颂的"正气"的胜利。

1283年1月9日，文天祥在大都柴市口英勇就义。他死后留下了大量诗文，其中如《过零丁洋》中的"人生自古谁无死，留取丹心照汗青"；狱中所作的《正气歌》以及死后从其衣带中发现的"衣带诏"（孔曰"成仁"，孟曰"取义"，惟其义尽，所以仁至，读圣贤书，所学何事？而今而后，庶几无愧）都已成为光照日月、气壮山河的绝唱，成为民族精神财富的宝贵部分。文天祥也因此成为永垂不朽的民族英雄。

完颜希尹

完颜希尹（？—1140年），金熙宗朝尚书左丞相。本名谷神，又名古新、兀室、悟舍、乌舍。女真族完颜部人，与皇族同姓。金开国皇帝完颜阿骨打的远亲。他追随金太祖完颜阿骨打起兵，南下伐宋多有战功，又平定叛逆，巩固了金的统治，却被人构陷而自杀。死后冤情得以昭雪，追赠仪同三司、邢国公。谥号“贞宪”。

完颜希尹祖上曾与阿骨打列祖列宗交往甚密。他的曾祖石鲁与昭祖石鲁同部同姓，士人呼他曾祖为贤石鲁，昭祖为勇石鲁，一贤一勇为完颜部落的壮大和女真民族的崛起发挥了重要作用。其父欢都在庙堂议事中多献智谋，在平定部族叛乱中屡立战功，深得阿骨打的信任和倚重，地位处于众亲之首。

完颜希尹天资聪颖，勤奋好学，在很年轻的时候就创造了女真文字。女真原来只有民族语言而无自己的文字，如需行文时只有借用契丹、汉字，很不方便。于是，他奉太祖之诏创制本国文字。经过潜心研究，参考契丹字和汉字的特点和优点，匠心独运地根据楷体汉字和契丹文字的结构，很快创制出了具有自己民族特点的女真字。天辅三年（1120年），呈报朝廷，太祖大喜，御赐马一匹、衣一袭。后来，他又积极参与制定礼仪制度，他“远引前古，因时制宜”的典制改革思想，继承与创新并举，值得肯定。

完颜希尹由于风华正茂，赢得天子的钟爱，又加上父亲是开国名将，因而娶挞懒之女曷罗晒。挞懒是金初的开国功臣和实权人物，又是贞惠皇后之弟，与之联姻无疑也为完颜希尹日后的仕途通达平添一块政治砝码。

从完颜阿骨打举兵反辽起，完颜希尹便跟随天子南征北战，成了完颜阿骨打的得力谋臣。完颜阿骨打在宁江州大败辽军后，他又力劝其南面称君，完颜阿骨打于次年称帝，定都上京，国号大金。完颜希尹在这一点上功不可没。

金朝建立之后，向辽发起了猛烈的进攻，完颜希尹率军征战于辽中京附近，采取战、抚相济的策略，使得一些部落闻风来降。完颜希尹不战而屈人之兵，威震四方。天辅六年（1122年），他随主帅完颜宗翰率兵追击辽主天祚帝，在古北口与辽军重兵相遇。完颜希尹大破辽军，斩首甚众，尽获辎重甲胄。接着，他与完颜宗翰乘胜前进，追袭辽主于五院寺。天祚帝闻风丧胆，落荒而逃。

天会二年（1124年），完颜希尹正率军巡视边地。天祚帝自流亡的夹山出兵，企图决一死战。完颜希尹以伏兵击败辽军，但天祚帝故技重演，再次溜走。完颜希尹不肯罢休，继续派兵追击。直至翌年二月，终将天祚帝擒获。

天会三年，完颜希尹刚拂去灭辽的征尘，又身任元帅右监军，与大将元帅完颜杲、完颜宗翰等开赴伐宋的战场，迅速占领北方诸多州府。天会五年，完颜希尹率军进入东京，执宋徽、钦二宗以及皇室、宫妃、仆从和大批金银财宝而返，灭了北宋。接着，又不辞劳苦，追击南宋高宗赵构，直抵扬州，未及而返。

完颜希尹班师不久，金皇室内部发生了激烈的立储之争。此时，金太宗又龙体欠安，皇权陷入危机之中，朝野党争四起。经过一番争斗，到天会十年（1132年）四月，太宗才正式下诏："合刺为太祖的嫡孙，所以立合刺为谙班勃极烈（即太子）。"完颜希尹为合刺取得太子地位尽了极大努力，从而也巩固了自己的地位。但是，此时金朝内部的政治斗争更加复杂而激烈，最终结果还是未定之数。

天会十三年（1135年），太宗驾崩，合刺即位，时年17岁，是为金熙宗。熙宗即位以后，大封群臣，完颜希尹以元帅右监军的身份晋升为尚书左丞相兼侍中，加开府仪同三司。完颜宗翰也以国右勃极烈、都元帅为太保，领三省事，封晋国王。但他们都位列完颜宗磐、完颜宗干之下，并被剥夺了实实在在的军权，并未取得天子信赖。完颜希尹只得尽心皇政，老老实实地效忠熙宗。

不久，金熙宗在宗磐、宗干指使下向宗翰一派开刀了。天会十五年六月，金熙宗利用派别矛盾，以贪赃罪处死完颜宗翰心腹高庆裔、刘恩，七月，完颜宗翰含恨而死。完颜希尹平时小心从事，没有什么把柄落到熙宗等人手中，避免了杀身之祸。宗翰死后，宗磐权势更大，天子又是年轻多疑，完颜希尹深感政途艰险，于天眷元年（1138年）主动乞求退休，颐养天年。金熙宗精明圆滑，挽留一番之后，把他降为兴中尹。

金熙宗利用完颜宗磐消除宗翰势力，自以为得计，岂知完颜宗磐更加专横跋扈，威胁到了皇权。天眷二年，天子下诏恳求完颜希尹复相。完颜希尹对于完颜宗磐的专横早有耳闻，完颜宗磐还与宗隽、挞懒等勾结，主张将河南、陕西之地归宋。更为阴险的谋乱活动正在酝酿之中。完颜希尹虽早有觉察并密奏，但由于完颜宗磐势力太大，天子又暧昧不决，完颜希尹也就无可奈何，只有等待时机。

时机终于到来了。天眷二年六月，完颜希尹找到了完颜宗磐、完颜宗隽谋反的证据。耶律吴士在太祖天辅七年（1123年）曾经谋乱被宽大释放。可他反心不改，再谋作乱，但很快事泄被捕，供出同谋完颜宗磐、完颜宗依等人。完颜希尹抓到铁证，上奏金熙宗。熙宗却感到很难处理。

完颜希尹、宗干抓住时机，再次密奏，请求天子尽快采取行动，否则当断不断，反受其乱。金熙宗终于下诏诛杀完颜宗磐、完颜宗隽。次月又诛其同党挞懒。完颜希尹、完颜宗干因助帝灭奸而获得银鼎的赏赐。

完颜宗磐、完颜宗隽等谋反获诛后，金熙宗先后以右副元帅完颜宗弼为都元帅，封越国王；以太傅、领三省事宗干为大师，领三省事如故，晋封梁国王。而完颜希尹虽功勋卓著，获银鼎之赐，但官位仍旧，只封了个空衔陈王，心中自然不快，但人在屋檐下不得不低头，只好忍气吞声地依然做他不让管事的左丞相。

天眷三年（1140年）九月，精明的太史洞察朝中秋毫，认为陈王完颜希尹将有大祸临头，便托人转告。可完颜希尹自恃才高聪颖，善于周旋，对此不以为然，放松了警惕，一如既往穿梭应酬于官场。一天，都元帅完颜宗弼将往祁州例行公务，百官前去拜会辞别，饯宴燕都檀州门。完颜希尹与他关系一般又位居其下，心中自有说不出的滋味，但还是面带笑容，照常前去辞别。深夜，百官散去，可完颜希尹似乎酒意正浓，迟迟不肯归去，醉后言语无所顾忌，说到激动之处，手舞足蹈，竟然放肆地说："你只不过是鼠窃之辈，岂是我的对手！你有多少兵马？天下的兵马都是我的耶！"他愈说愈激动，愈说愈不着边际，宗弼顿感问题严重，以手示意，假装解手去了。

完颜宗弼出来后骑上快马，直奔完颜宗干王府，添油加醋地转述了完颜希尹的话。宗干也感到有些紧张，可仔细一想，完颜希尹辅助金熙宗确是尽心尽力，联手除去完颜宗磐逆党，他也竭尽其忠，何况他也算是帝室之后，不会走得太远。于是为他辩护说："酒后戏言，不必当真！"

次日晨，完颜宗弼又借向皇后辞别之机，状告完颜希尹。完颜宗弼离京之后，金熙宗很快从皇后那里获得密报，心中暗暗吃惊，即令皇后召回宗弼，欲问个究竟。完颜宗弼回到京师，立即觐见天子，面奏完颜希尹反状。金熙宗怒目吼道："朕欲杀老贼久矣。宗干为何为他辩护！"于是，下了一道赐死密诏，赐死了完颜希尹，同难的尚有其子及僚属萧庆等。

皇统三年（1143年），即完颜希尹被害后的第四年，金熙宗发现完颜希尹并无谋叛异心，死非其罪，深感惋惜。于是，赠完颜希尹仪同三司、邢国公，重新殡葬，录其孙守道为应奉翰林文字。

天德三年（1151年），海陵王又封完颜希尹为豫王。正隆二年（1157年）按例降封金源郡王。大定十年（1170年），世宗追谥他为"贞宪"。

耶律楚材

耶律楚材（1190年—1244年），字晋卿，号湛然居士，又号玉泉老人。辽宗室。博学能文，元太祖定燕，召为相，历事两朝，凡蒙古陋风，悉为改革，元立国规模多出其手定。博览群书，旁通天文、地理、律历、医卜及释道之学，并善诗文。

耶律楚材秉承家族传统，自幼学习汉籍，精通汉文，年纪轻轻就已“博及群书，旁通天文、地理、律历、术数及释老医卜之说，下笔为文，若宿构者”。初仕金，为开州同知、左右司员外郎。

成吉思汗十年（1215年），蒙古军攻占燕京，成吉思汗得知他才华横溢、满腹经纶，遂派人向他询问治国大计。他早已对腐朽的金王朝失去信心，面对干戈四起、生灵涂炭的神州大地，他决定以自己的才华辅助成吉思汗，拯救水深火热中的人民。十四年，随成吉思汗西征，常晓以征伐、治国、安民之道，屡立奇功，备受器重。二十一年，又随成吉思汗征西夏，谏言禁止州郡官吏擅自征发杀戮，使贪暴之风稍敛。

窝阔台汗即位后，耶律楚材倡立朝仪，劝亲王察合台（太宗兄）等人行君臣礼，以尊汗权。从此更日益受到重用，被誉为“社稷之臣”。初执掌中原地区赋税事宜，建议颁行《便宜一十八事》，设立州郡长官，使军民分治；制定初步法令，反对改汉地为牧场；建立赋税制度，设置燕京等处十路征收课税所。

窝阔台汗三年（1231年），任中书令（宰相）。此后，他积极恢复文治，逐步实施“以儒治国”的方案和“定制度、议礼乐、立宗庙、建宫室、创学校、设科举、拔隐逸、访遗老、举贤良、求方正、劝农桑、抑游惰、省刑罚、薄赋敛、尚名节、斥纵横、去冗员、黜酷吏、崇孝悌、赈困穷”的政治主张。在政治、经济、文化各方面殚精竭虑，创举颇多，使新兴的蒙古贵族逐渐放弃了落后的游牧生活方式，采用汉族以儒教为中心的传统思想和制度来治理中原。使战争不断的乱世转为和平的盛世，使先进的中原封建农业文明得以保存和继续发展，也为后来忽必烈建立元朝奠定了基础。

耶律楚材不仅是一位杰出的政治家，而且多才多艺，是一个在文化艺术方面有卓越修养和多种贡献的人。他是我国提出经度概念的第一人，编有《西征庚午元历》，还主持修订了《大明历》。他酷爱诗歌，写过不少诗作，现存于世的有《湛然居士文集》共14卷。

耶律楚材在成吉思汗、窝阔台汗两朝任事近30年，多有襄助之功。后脱列哥那称制时，因屡次弹劾皇后宠信之奥都剌合蛮，渐被排挤。公元1244年5月14日，悲愤而死。“砥柱中流断，藏舟半夜移”，消息传出，倾国悲哀，许多蒙古人都哭了，如同丧失了自己的亲人。汉族士大夫更是流着眼泪凭吊这位功勋卓著的契丹政治家，他们的良师益友。蒙古国数日内不闻乐声。

耶律楚材是蒙元时期一位重要的政治家，他以其智慧与才干对蒙古政权在中原的稳定与发展作出了不可磨灭的贡献。

史天泽

史天泽（1202年—1275年），元世祖朝宰相。字润甫。燕京永清（今属河北）人。死后追赠太尉，谥号“忠武”。

史天泽之父史秉直，为当地豪族。木华黎率元军进入河北时，史秉直率家族乡人千余人投奔，受到木华黎的信任与赏识。史天泽为史秉直的第四子，身长八尺，声如洪钟，勇力过人，善骑射。起初，木华黎以史天泽之兄史天倪为真定府兵马元帅，而命史天泽为帐前总管。成吉思汗二十年（1225年），史天倪让弟弟护送母亲回北京，于是史天泽离开真定，护母北行。

史天泽刚离真定不久，真定兵马副元帅武仙以宴请为名，杀害了史天倪，占据真定而叛。史天泽闻讯，立志报兄长之仇，安排好母亲之事，当即更换甲衣旗仗，回马南行。史天泽等人行至满城，已得原来部属甚众。史天泽便命监军李伯佑去见国王孛鲁，告知其事，并请孛鲁派元兵援助。

国王孛鲁先命史天泽袭其兄职为真定府都元帅，然后派元大将笑乃碍领蒙古军3000人出援史天泽。元兵到后，史天泽遂率领人马先攻取庐奴城。武仙骁将葛铁枪率万人来战，史天泽带兵迎战。史天泽身先士卒，勇气百倍，众军士也个个奋勇向前，叛军不能抵挡，乘夜而逃。史天泽带兵追击，终于追上叛军，大败贼众，并生擒葛铁枪。元军获兵甲辎重甚多，于是军威大振。接着，史天泽又带兵攻下中山（今河北定县一带），横扫无极（今河北无极），攻拔赵州（今河北赵县），进军野头（地名）。这时，史天泽兄史天安也率兵来助，于是二人又合兵攻打武仙。武仙势困不能抵挡，遂败逃双门。史天泽收复了真定，又剪除了勾结武仙的大名（今属河北）府总管彭义斌。

武仙丢失真定后并不甘心，乘夜斩关，率军入城，又占据了真定。史天泽猝不及防，急引步卒数十人，从城东逃出。至藁城，史天泽求援于董俊。董俊拨给史天泽锐卒数百名，史天泽当即乘夜赶回真定，恰好笑乃碍也率蒙古兵赶来，于是二次合兵攻入真定，俘获叛军贼人三百余名，武仙仓皇出逃，退入西山抱犊寨自保。

当时，笑乃碍痛恨真定百姓反复从敌，驱赶万余人至城外打算杀掉。

经史天泽力争，笑乃碍释民还城。此后，史天泽修缮城池，建立楼橹，加强保卫；同时又招集流散之民，存恤贫困，真定方才人心安定。

史天泽认为西山抱犊寨是武仙的巢穴，不马上剪除，后必为患。于是率兵急攻。武仙不能抵挡，逃走。史天泽又率兵攻下蚁尖、马武等寨，军威远震，金相州、卫州的守官先后来降。

金正大六年（1229年），元太宗窝阔台继汗位。议立三万户（官职名），分别统领汉人军队。正巧史天泽入朝，朝见太宗窝阔台。于是便命史天泽为真定、河间（今河北河间）、大名、东平（今山东东平）、济南（今山东济南）五路万户。

第二年冬天，武仙又屯兵卫州（今河南汲县），史天泽会合诸军围之。金大将完颜合达以兵十万援助武仙。开始，元军进战不利，诸将逃走。史天泽独以千人绕出金军背后，打败一股金军，复又与元大军合，再攻武仙。武仙逃走，卫州收复。

金开兴元年（1232年），窝阔台由白坡渡黄河，诏命史天泽率兵由孟津（今河南孟州市南）会兵河南（今河南洛阳）。史天泽率兵至河南，拖雷（成吉思汗第四子）已率军在三峰山大破金军20万人。于是窝阔台又命史天泽在京东一带，招降太康、拓县、瓦岗、睢州等郡县，追斩金将完颜庆山奴于阳邑。夏天，太宗还北，留拖雷总领诸路军围攻汴京。

次年，金哀宗从汴京突围而出，命金大将完颜白撒率军袭击新卫（今属河南）。史天泽率轻骑驰赴新卫。待兵至，金军已将新卫城团团围住，待大军到来，合击金兵，金将白撒逃蒲城，史天泽尾追其后。当时白撒尚有兵八万人，但已军势不振，被史天泽等诸军俘斩殆尽。金哀宗乘船东逃归德（今河南商丘）。史天泽又追金主至归德，与诸军会合。

金哀宗又逃出归德，奔往蔡州（今河南汝南）。窝阔台命元帅倴盏率大军围攻蔡州。史天泽所率军驻扎蔡州城北。大军攻蔡，史天泽命士兵结扎木筏暗渡汝水，与守城金军血战连日。金天兴三年（1234年）正月，大军攻破蔡州，金哀宗自杀，金亡。史天泽还军真定。

南宋端平二年（1235年），元军伐宋。史天泽随皇子曲出攻打枣阳（今湖北枣阳）。史天泽身先士卒，先登枣阳城，遂破其城。之后，史天泽随皇子曲出进攻襄阳（今湖北襄樊）。宋军以舟船数千只陈列于峭石滩。史天泽仅以二船载敢死士直捣宋军船阵，宋军船阵遂乱，溺死者以万计。

南宋嘉熙元年（1237年），史天泽跟随宗王口温不花围攻光州（今河南潢川）。史天泽率兵先攻破外城，再攻子城，遂破光州。之后，又率军进攻复州（今湖北沔阳）。宋兵以3000艘舟船连锁，在湖面形成大栅。史天泽说："栅破，则复州自溃。"于是亲执桴鼓，督勇士40人攻宋船栅。不到一个时辰，宋船栅被攻破，复州守将害怕请降。

宪宗蒙哥即位后，忽必烈尚在藩邸。他深知汉地之民不易治理，而河南尤甚。于是忽必烈荐举史天泽为经略使，治河南诸地。史天泽奉命到河南后，兴利除害，政无不举。他果断处决了郡邑长中特别贪横的两个人，于是境内大治。

当时阿兰答儿负责朝廷南面的财赋之事，他对诸路官员严加催取，以致罗织罪状，无所不至。史天泽到河南后，因是勋旧之臣，所以阿兰答儿对他独加优容。一天，史天泽对阿兰答儿说："我现在是河南经略使，你不责备我，却给他人罗织罪名，我怎能心安呢？"阿兰答儿明白了史天泽的委婉劝告之意，于是略有收敛，河南诸官也因此而如释重负，获益匪浅。

世祖忽必烈即帝位，首召史天泽，询问治国安民之道。史天泽都忠心奏对。其大略云："朝廷当先立省部以正纲纪，设监司以督诸路，施恩泽以安反侧，退贪残以任贤能，颁俸秩以养廉，禁贿赂以防奸。这样才能上下相应，内外和睦。"忽必烈嘉纳其言。

元中统二年（1261年）五月，忽必烈拜史天泽为中书右丞相。史天泽掌管朝政后，以前所说的治国安民之术，均逐步施行。后又做出十条规定用以整顿日常事务。至元元年（1264年），加史天泽为光禄大夫，右丞相如故。三年，皇太子燕王领中书省，兼判枢密院事，以史天泽为辅国上将军，枢密副使。

至元六年（1269年），忽必烈因南宋未附，打算进攻襄阳。遂诏命史天泽与驸马忽剌出到边境考察筹划此事。史天泽与驸马到边境后，调查了解了宋朝边境的情况，并在要冲之处增设城堡，以割断宋人将来相援之势。至元十年，史天泽与平章政事阿术率军攻下樊城（今湖北襄樊北），襄阳随之降元。

至元十一年（1274年），忽必烈诏命史天泽与丞相伯颜总率大军，自襄阳水陆并进，征伐南宋。史天泽与伯颜受命而行。行至郢州（今湖北钟祥），史天泽有病，返回襄阳。忽必烈遣侍臣赐给葡萄酒。史天泽回到真定，忽必烈又派史天泽的儿子史杠与太医驰视，赐以药饵。史天泽附奏曰："臣大限有终，死不足惜。但愿天兵渡江，慎勿杀掠。"至元十二年二月七日卒。

当史天泽病逝的消息传至京师，世祖忽必烈为之震悼，众将臣亦为之惋惜。立庙祭祀。

世祖忽必烈即帝位刚两三年，史天泽便身兼将相重职。但史天泽在平日却未尝自矜其能，拜相之日，门庭悄然，如往日一般。

金朝末年，名士流离失所，史天泽接纳了他们，并始终以宾礼相待。后战乱平定，史天泽又尽力使这些名士各得其所。以后，这些名士多有显达者。

中统三年时，李璮暗中勾结宋人，占据益都（今山东昌乐南）叛元，继而又攻陷济南。忽必烈派亲王哈必赤讨叛，但贼势凶猛难抑。忽必烈复又派史天泽前往，临行责以专征，令诸将皆听其节制。但史天泽到军中后，未尝以世祖手诏示人，只是向亲王建议：用围而不打、令其自困之法战胜李璮。后李璮果然困厄而败，被元军生擒。回朝后，世祖慰劳封赏，史天泽将功劳都归于众将，而诸人方知世祖临行有手诏之事。

史天泽在宪宗蒙哥朝时就曾奏曰："臣起初继兄长史天倪担任军政之职，兄长的两个儿子也一个管民政、一个掌兵权。我们一家三人都担任要职，应当辞掉。臣可以退休了。"宪宗说："卿世代忠诚勤恳，于国有功，一门三职，何愧何嫌！"最终也未答应。李璮兵变后，朝中有人谓李之叛乱，是由于诸侯权力太大。史天泽遂奏曰："军权、民政不能同时归一人掌握，应该分开。请从我家开始实行。"于是史氏子侄，即日解兵符者共17人。

金亡之际，政繁赋重，百姓多向西北商人借钱，用来交纳赋税。但其所贷之钱，利息累增，竟高于本钱数倍，时谓之"羊羔息"。史天泽于是上奏，请官府为民偿还一年本息，并请废止羊羔息。太宗窝阔台准其奏。继而又逢灾年，岁饥缺粮，河北境内又有借贷充作贡赋者，积贷银至13000锭。史天泽倾其家资，并率族属官吏代为偿还，百姓无不感激。

史天泽出身当地豪族，父、兄都效力于蒙元王朝。他晓文习武，曾随窝阔台南下灭金，也曾从蒙哥人蜀攻宋，转战南北，战功卓著。史天泽功高德望，官至枢密副使、中书右丞相。在元太宗、宪宗朝时，他率军积极稳定了河北、河南的局势，使蒙元王朝无中原之忧。在元世祖时，他出将入相十几年，于朝政的治理及平定江南、早日统一全国，也做出了重要的贡献。

刘伯温

刘基（1311年—1375年），汉族，字伯温，浙江青田县南田乡（今属浙江省文成县）人，故称刘青田，元末明初的军事家、政治家、文学家，明朝开国元勋，明洪武三年（1370年）封诚意伯，故又称刘诚意。武宗正德九年追赠太师，谥号文成，后人称他刘文成、文成公。刘基通经史、晓天文、精兵法。他辅佐朱元璋完成帝业、开创明朝并尽力保持国家的安定，因而驰名天下，被后人比作诸葛武侯。朱元璋多次称刘基为："吾之子房也。"在文学史上，刘基与宋濂、高启并称"明初诗文三大家"。中国民间广泛流传着"三分天下诸葛亮，一统江山刘伯温"、"前朝军师诸葛亮，后朝军师刘伯温"的说法。他以神机妙算、运筹帷幄著称于世。

刘基自幼性情奇迈，神智过人。由父亲启蒙识字，十分好学。据说阅读速度极快，可以"七行俱下"。泰定元年，刘基遵照父亲的决定，离开了家乡，进入郡庠接受正式的学校教育，研读《春秋经》。泰定四年（1327年），当时著名的理学家郑复初到距离青田县七十里的石门洞讲学，在一次拜访中对刘基的父亲赞扬说："您的祖先积德深厚，荫庇了后代子孙；这个孩子如此出众，将来一定能光大你家的门楣。"后来，郑复初的预言，在刘基二十一岁时初步应验了。元顺帝元统元年（1333年），刘基到京城大都参加会试，高中明经科进士，开始步入仕途生涯。

他立志报国，但朝廷昏庸腐败，使他20余年的宦海生涯屡遭磨难贬抑。元至正二十年（1360年）三月，接受朱元璋的邀请，成为参赞军务的谋士。刘基自此之后，忠心耿耿地为朱氏政权效力，积极为明太祖出谋划策。他为朱氏制订了"先灭陈友谅，再灭张士诚，然后北向中原，一统天下"的战略方针。而明太祖得到刘基的辅助，正是如虎添翼。他基本上按照刘基为他定下的战略、战术行事。

例如，至正二十年五月，陈友谅攻下了南京外围的重镇太平，杀了朱元璋的养子朱文逊及守将花云。他还在太平立国，自称皇帝。调集舟师，从江州向东直指应天，声称此役有张士诚配合，攻陷应天，指日可待。在陈友谅的嚣张气焰面前，朱元璋的部将感到局势紧张。有的主张出城决一死战，有的主张弃城转移，也有的主张献城投降。诸说纷纭，莫衷一是。朱元璋也一时拿不定主意，便问站在一边默不作语的刘基。刘基斩钉截铁地回答，先斩主降者和言逃者，才能破敌获胜。他说，陈友谅劫主称帝，骄横一世，其心无日不忘金陵。现在气势汹汹，顺江东下，乃是向我示威，逼我退让。我们不能让其得逞，只有坚决抵抗。他又说，常言道，后举者胜，陈友谅虽兵骄将悍，但他们行军千里来犯我，既是疲军，又是不义，而我们后发制人，以逸待劳，待敌深入后，我以伏兵击之，自当必胜。这一仗对我们来说关系重大，一定要打好。刘基的一番话，坚定了朱元璋抗击的决心，他采纳了刘基的计策，巧出奇兵打败了陈友谅的进攻。朱元璋不仅取得了保卫应天的胜利，还一鼓作气收复了太平，巩固了金陵这块根据地。此役仅在刘基投奔后的两个月，充分显示了刘基卓越的军事才能。用诱敌之计大败陈友谅，挫其锐气，再于公元1363年在鄱阳湖与陈氏决战，将其势力彻底消灭。第二年，又依计将张士诚的势力消灭。然后，明太祖派部队北上攻打元朝首都北京，同时准备在南方称帝。

公元1368年，明太祖在南京登基称帝，正式建立大明皇朝，改元“洪武”。为朱氏最后平定天下、开创朱明皇朝立下了汗马功劳的刘基，作为开国元勋之一，被任命为御史中丞兼太史令。为了表彰刘基的特殊贡献和巨大功勋，明太祖还下诏免加刘基家乡青田县的租税。这是处州地区唯一不加税的一个县。不久又追封刘基的祖父、父亲为永喜郡公。

洪武三年（1370年），刘基被任命为弘文馆学士，受“开国翊运守正文臣资善大夫上护军”称号，赐封诚意伯，食禄241石。至此，刘基本人的事业和青田刘氏家族的发展，都如日中天，达到了最辉煌的鼎盛时期。

作为一代军师和智者，刘基料事如神，他深知自己平时嫉恶如仇，得罪了许多同僚和权贵，同时也深知“伴君如伴虎”的道理。因此，他在功成名就之后，毅然选择急流勇退，于洪武四年（1371年）主动辞去一切职务，告老还乡，回青田隐居起来。

刘基在青田过了2年的隐居生活，本来希望远离世间是非争夺。但是，他的智慧和才能实在太高，他的名声实在太大了，他甚至被民间百姓渲染成了一位活神仙般的人物，这就无法避免政敌的嫉妒和皇帝的猜疑。

洪武六年（1373年），刘基的政敌胡惟庸当了左丞相，指使别人诬告刘基，说他想霸占一块名叫“茗洋”的“有王气”的土地做自己的坟墓，图谋不轨。早就对刘基放心不下的明太祖，听到诬告后果然剥夺了刘基的封禄。刘基非常惶恐，于是亲自上南京向明太祖谢罪，并留在南京不敢回来。后来，胡惟庸升任右丞相。刘基更加忧虑，终于一病不起。

洪武八年（1375年），有病在身的刘基由皇帝朱元璋所派使者护送回家，不久在家忧愤而死，终年65岁。

刘基在南京时，胡惟庸曾派太医为刘基诊病送药，但刘基吃了他的药后，病情加剧。因此，当时人们怀疑刘基是胡惟庸下毒致死。他死后139年，即明武宗正德九年（1514年），被追赠太师，谥号文成。

刘基不但是一位谋略大师，也是一位著名的学者和文人，他的著作很多，流传于世的有《郁离子》10卷和《诚意伯文集》20卷。其中代表作《郁离子》一书在中国思想上和文学史上都占有重要地位。

李善长

李善长（1314年—1390年），明代开国宰相，太祖朝任左丞相，封韩国公。字百室。定远（今属安徽）人。他在朱元璋立国前就参与机要，深获朱元璋的信任。曾向朱元璋建议“行仁义，禁杀掠，结民心”。在战时，李善长常留守后方，调度兵食，有萧何之功。朱元璋立国后，他主持制定了明初的主要制度。后因胡惟庸案牵连被杀。

李善长，字百室，于元延佑元年（1314年）出生在凤阳府定远县（今安徽定远县）曲阳坊，家境尚可，无须为衣食担忧。他从小读书不多，只能算是粗通文墨，但为人机智，善谋划，“策事多中”，喜好法家学说。他虽没有得过功名，但在家乡，颇有些名气，很受乡人的敬重，曾被推选为祭酒（举行仪式时酹酒祭神的人）。

至正十一年（1351年）五月，在刘福通的号召下，有近20万农民在颍州（今安徽阜阳）发动起义，共同反抗元朝的腐朽统治。这就是历史上著名的“红巾军起义”。在转瞬之间，起义之风就席卷了中原各地，各处频频爆发新的起义。

李善长的妻兄王濂也参与到起义中去，当时他参加的是汝、颍红巾义军。这个消息令稳坐家中的李善长内心掀起了波澜。他从小没有吃过苦，也不曾亲身感受过流离失所的滋味，但他毕竟清楚元朝对百姓的残酷压榨，也曾亲眼看到穷苦的乡民被迫卖儿鬻女、卖房卖地的凄惨景象。作为一个热血沸腾，有着远大志向的年轻人，不禁油然产生了参加起义的想法。

至正十二年（1352年），红巾军郭子兴的部队攻占了濠州城，朱元璋投到郭子兴帐下当了一名护卫兵。因为朱元璋骁勇善战，又善于笼络人才，不过短短两年时间，他就创建了一支自己的几万人的军队，将士多半是同乡之人，其中不乏日后的名将如徐达、周德兴等人。在朱元璋严格操练及指挥下，这支军队变得善战而纪律严明，成为当时起义军中名声响亮的常胜军，影响力传播至方圆数百里的地区。许多文人志士，都被朱元璋纳贤的名声所吸引，纷纷投效于他，而朱元璋全都以礼相待，任命他们为幕府参谋，为己所用。

李善长对此也早有耳闻，并且在经过一段时间的观察后，他发现韩山童、郭子兴等人虽起兵较早，但没有大智大勇，不是成就大事业的人，而唯有智勇双全的朱元璋令他眼前一亮，李善长觉得这才是值得自己追随的不凡之人。

至正十四年（1354年），朱元璋率部队南下进军滁州（今安徽滁县），途中正好经过定远县，一直在等待时机的李善长立刻安顿好家事，与妻子姐弟告别，匆匆忙忙地去追赶朱元璋的队伍。

朱元璋听说李善长求见，不知他是何人，随从告诉他：此人是当地小有名望的人物。朱元璋很高兴，热情地以礼相待，两人促膝畅谈一番后，朱元璋感到李善长的思想见识和自己极为相近，不由得对年长自己十几岁的李善长又添几分好感。

朱元璋请教李善长说："请问先生，四方兵事何时才能平息，天下得以太平？"已经多次思虑过这个问题的李善长，从容地对答如流："秦末年，天下也是陷于混乱之中，汉高祖以布衣身份起兵，他有勇有谋，善纳贤士，并深知得民心者得天下的道理，不过五年时间，就已经平定战乱，一统天下，登基称帝。现如今，元朝已然没落，人心惶惶，已到了改朝换代之时。汉高祖之故居在沛地，距离你的家乡濠州很近。如果你以汉高祖为榜样，以天下苍生为己任，学习其长处和谋略，那么，定可平息四方战乱，还天下以太平。"

这番语重心长的话深深地打动了朱元璋，也使得李善长在他心里占据了特殊的位置。实际上，野心勃勃的朱元璋一直想要开创一份伟大的事业，但却未能找好自己的定位，而李善长适时出现，帮助他认清了自己。从那以后，朱元璋就以同为平民百姓出身的汉高祖作为自己的榜样，而李善长，同时也为自己树立了一个榜样——辅佐汉高祖的名相萧何。意欲重用李善长的朱元璋，也推心置腹地要求李善长："现在，群雄迭起，纷争不断，我希望你能做我最得力的幕僚，为我出谋划策。切不可学习群雄手下那些管理文书的谋士，总是轻视武将，甚至挑拨将领之间的关系，以致文武不和，扰乱军心，不能充分发挥将士的能力。将士就像是飞鸟的羽翼，失去羽翼的主帅孤掌难鸣，若是这样，军队最后必败无疑。请你以此为鉴，做我和文士、武将之间的桥梁，让我的部队团结而和睦。"

李善长心领神会，并且确实严格依照朱元璋的要求行事。他尽心尽力地当了一名幕僚，并注意调和文士、武将之间的关系，化解将士之间的误会和矛盾，从而令朱元璋的部队更加具有凝聚力，声名远扬，吸引了更多的投奔者。

李善长根据他们的实际才能，分派不同的工作，对他们的意见和建议都耐心地听取、采纳。对于那些徇私犯错或不称职的将士或谋士，他都施以相应的惩戒，以肃正军队之风。

每当朱元璋要发布新制度时，总是交由李善长，由他出面传达。当幕僚之间出现对立纷争时，李善长总是细致地了解双方矛盾的原因，再从症结下手，帮助他们解决问题，消除误会。为了进一步协调军中的各种人际关系，李善长经常主动地和将士、谋士沟通，也会找朱元璋畅谈己见、反映将士们的意见。正是在李善长的不懈努力下，朱元璋的军队中很少发生争执、吵闹，将士们都觉得心情轻松愉悦，打起仗来更加得心应手，配合默契，频传捷报。

朱元璋在起义之初，是投奔的郭子兴旗下。郭子兴生性猜疑，脾气暴躁、小气善妒，常常听信小人之言，为难手下将士。虽然朱元璋是他的干女婿，但是也难免经常受到他的责难和猜忌。尤其朱元璋后来者居上，自己创建了一支军队不说，还搞得有声有色，军威大振，这更引起了郭子兴的不满，竟然多次随意抽调他的良将、谋士以及部队。

有一回，郭子兴不知又听了何人的教唆，怒气冲天地大骂朱元璋，并且公开扬言要剥夺朱元璋的兵权，并特意点出了李善长的名字，打算将他调到自己的旗下，为自己所用。

这话很快就传到了李善长耳中，他急忙跑去找朱元璋，含着眼泪，情真意切地表示：除了朱元璋的帐下，他不愿意去其他地方。朱元璋安抚他说，主帅之命不可违，若真是被调走，还希望他能接受这样的安排。话虽这么说，但朱元璋心里却很为李善长对自己的忠诚而感动。

李善长此时投奔朱元璋不过几个月的时间，但其聪明才智和过人的才华已经令朱元璋对他宠信有加，自然是舍不得将他调离的。郭子兴果然派人来找李善长，但李善长态度坚决，不肯改投郭子兴旗下。最终，郭子兴也只得放弃了这个念头。

至正十五年（1355年）三月，郭子兴因病过世，朱元璋成为郭部的领导者，以副都元帅镇守和州（今安徽和县）。那时，元朝的军队实力还很强盛，王子秃坚、枢密绊住等经常率领精兵小队偷袭朱元璋的部队。

有一次，元军再次偷袭鸡笼山寨，朱元璋决定不再忍耐，亲自带兵前往反击。他命令李善长留守和州，只给他留下了极少的将士，并且叮嘱他，要是元军突然来袭，不必应战，只需把守好城池就可以。

朱元璋带部队离开后，元军探知和州城内兵力空虚，就进行了一次突然袭击。实际上，李善长对此早有预料，已经做好安排，他将军队埋伏在和州城周围，等到元军一进入包围圈，立即杀声震天，伏兵从四面八方一拥而上，元军既惊且恐，无心作战，大败而返。身为文人谋士的李善长，竟在兵力处于劣势的情况下，巧妙安排取得了胜利，朱元璋闻之大为惊喜，并夸赞李善长说："这一场胜仗，就连勇猛善战的武将也要钦佩你这位善谋略的文人啊！"

后来，元朝的军队多次发动袭击，都未能得逞。但是外扰虽不足惧，军中内部却出了大问题，军粮补给不足，将士们就要饿肚子了。与和州隔岸相对的就足著名的有"鱼米之乡"之称的粮仓——太平和芜湖。太平东北面和集庆（今江苏南京）相通，集庆既是江南第一大城，又处在南北交通的重要位置，是自古以来兵家的军事要地。

朱元璋和李善长商议，意欲渡江夺粮，想法虽然不错，却没有船只和水兵可用。就在他们对坐发愁之时，巢湖水寨首领俞通海、廖永忠等人带船千艘上门投效，一下帮他们解决了这个难题。六月初一，李善长和朱元璋同坐一艘大船，引领着水陆大军横渡长江。随即，大败元大将蛮子海牙军的防守，一举占据了芜湖，夺得大批粮食，解了燃眉之急。带着充足的粮草，朱元璋的部队直扑太平府。

李善长对朱元璋的部队非常了解，他已经想到一旦攻克太平府，将士们为了舒缓刚刚解决的饥饿感觉，一定会抢掠、烧杀。为了避免出现自己所反对的现象，以致民心大乱。李善长建议朱元璋提前采取措施，这恰恰也正是朱元璋所担忧的事情。经过主辅的商议，朱元璋让李善长写好许多张禁令："不许掳掠，违令必按军法处置。"一攻进太平城内，李善长立即命人在城内四处张贴禁令，还派人在大街小巷巡察，如若遇到将士违背禁令，那就当场立斩，毫不留情。这样一来，太平府的百姓都不再慌乱，民心安定。

朱元璋治军严谨的威名也更为世人所知，周边城池的平民百姓纷纷赶来加入部队。实力得到急速扩张的朱元璋，一鼓作气，顺流而下，于至正十六年（龙凤二年，1356年）三月，一举攻克了集庆。朱元璋当即改集庆路为应天府，从此，朱元璋就将集庆作为自己的根据地，不断向外扩张势力范围，也为最终统一天下打下了坚实的基础。

其后不久，朱元璋命令徐达为先锋攻打镇江。在此之前，将士们因为连连获胜，不免心生骄盛，也全然忘记了当初在太平府的禁令。不时地发生将士抢夺掳掠的事情，一时间，民心大乱，百姓人人自危。

朱元璋请来李善长，让他想个好计策来整顿军纪，安抚民心。李善长稍作思忖后，就提出要求徐达和朱元璋配合，上演一出“苦肉计”。李善长故意公开上报大将徐达的失误，朱元璋假装怒不可遏，不容辩驳，就将徐达五花大绑，准备送去刑场斩首。其他谋士和将领不知是计，赶紧上前劝阻，可朱元璋还是执意要杀徐达。就在这紧要关头，李善长充当调解人，百般求情，并提出了解决的办法，朱元璋这才同意饶恕徐达。但让徐达当着大家的面承诺：若以后攻下城池，必须不抢不杀，作为将功赎罪的条件。

很快，全军将士就都知道了这件事情，事实证明，李善长的这出“苦肉计”是卓有成效的。当徐达率部攻克镇江后，城内没有发生一起抢掠事件，将士们严格守法，不敢越雷池一步，镇江城内气氛祥和，人民生活一如往昔，丝毫看不出刚刚经过夺城之战。

此后，朱元璋的部队就养成了良好的习惯，每攻陷一座城池，都纪律严明，不伤害百姓，不抢不掠，朱元璋由此更加受到天下民众的欢迎。朱元璋也越发器重李善长，“军机进退，赏罚章程，多决于善长”。李善长逐渐在朱元璋心目中的重要地位更加牢固。

在攻克镇江之后，朱元璋派李善长留守应天府，自己亲率部队继续在前线作战。至正二十一年（1361年），朱元璋取得一系列胜利，先后攻克江州（今江西九江），洪都（今江西南昌）、救援安丰（搭救小明王韩林儿）、取得鄱阳湖大捷、攻破庐州和武昌。

在朱元璋在外作战的时期，奉命留守应天府的李善长，深知此地是朱元璋的重要根据地，只有管理好这个大后方，才能让朱元璋无所顾虑地全心征战。朱元璋之所以将应天府交给李善长，自然是出于对他的信任，而李善长也没有让朱元璋失望，他全力以赴，尽忠职守。将应天府管理得妥妥当当，百姓安居乐业，生产稳定，社会治安良好，各种行业都蓬勃发展，充足的军需补给不断地送往前线，让将士们毫无后顾之忧。

其实，在李善长刚刚留守时，曾经号称富庶之地的应天府早因连年战乱而遭到极大破坏，各种生产陷于停顿，经济状况也堪称糟糕。李善长在了解了具体情况后，积极谋求对策，重建应天府。

李善长十分清楚，当务之急是要将当地的农业生产恢复和发展起来，以保证前方军队的粮草补给。他遵照朱元璋所制订的屯田垦荒措施为基础，普遍推行屯田制度，同时大兴水利建设，鼓励农民耕种和开荒增加田地。

在帮助农民恢复、发展农业生产的同时，李善长还颇有远见地采取措施控制城市中的手工业和商业。他对比元制，并改革弊端，最终提出了一系列具有实效的措施，比如立盐茶课、制钱法、开铁冶、定渔税等。至正二十一年（1361年），在李善长的推动下，开始实施茶盐法，即统一由政府控制茶、盐产的买卖，商人可以出钱请引贩卖。盐税为二十取一，茶税每百斤纳钱二百。这一年，他还推行了制钱法，即在江西行省置货泉等三局，设大使、副使各二员，颁布大中通宝大小五等钱式，最初铸钱四百余万，短短两年后，这个数额就猛增了近十倍。至正二十七年（1367年），实行铁冶，一开始以湖广地区为主，由政府直接招募工匠冶炼。

针对各种重要的经济发展，李善长都深入调查，而后精心制定措施加以实行。这实在是一个细致而繁杂的工作，但李善长“裁取有衷”，条理分明，成效显著，使得朱元璋的临时政权“国用益饶，而民不困”。也为明朝建立后的经济典制，作了示范和先导，影响极为深远。

经过长期的征战，朱元璋消灭了各地的割据势力，已经具备了称帝的条件，以李善长为首的文臣谋士为朱元璋登基而积极筹备开来。刘基与陶安等人建议先行制定完善的律令，以整顿纲纪，获得朱元璋的许可，朱元璋还特别指出旧朝律法中的连坐法过于残酷，可考虑改变。李善长便提请自大逆以外都予以废止。随后，李善长与刘基等裁定律令，李善长为总裁官。至正二十七年（1367年）十二月，律令成，颁布于天下。

至正二十八年（1368年）的正月初四，朱元璋在六朝古都南京的南郊，于刘基事先勘选的一块“风水宝地”上祭祀天地，登基称帝，是为明太祖。李善长率领百官和百姓跪拜庆贺，连呼万岁。在登基仪式结束后，明太祖到太庙追尊四代祖父母、父母为皇帝皇后，再祭告社稷。封结发妻子马氏为皇后，世子标为皇太子，接着册封诸王。所有的仪式，都是由李善长充当大礼使来主持进行的。

朱元璋称帝后，李善长被任命为明朝第一位宰相，统领朝臣，他一跃而为一人之下，万人之上的开国勋臣。

洪武元年（1368年）五月，明太祖去汴梁（今河南开封）视察三个月，命李善长在京留守，其间大小事务都可由李善长按照律法来决断。后来，朱元璋将军事以外的朝中事务都交给李善长负责管理，如建置地方各级职官、制订官民丧服仪礼、三师朝贺东宫仪礼、规定朝臣大小服色、俸赐以及封建藩国、功臣爵赏、民间诉讼等，大事小事，细则烦琐，但李善长全都耐心处理，安排妥当。

明朝初期，军事作战还是暂居重要的位置，由于元朝的残余势力还在北方活动，明朝必须时时提高警惕，并且长期北伐。徐达、常遇春等开国大将常常在外征战，率部队北伐中原，南取闽越，仍然兵戈铁马、出生入死。

朝中有一些文臣武将，认为和徐达等大将相比，身为文臣的李善长，长期留守在安全的后方，却安享着高官厚禄，实在是不公平。其中，杨宪、高见贤等并非淮人的大臣，就常在明太祖前指责李善长不具备宰相的才能。但明太祖不为他们的议论所动，表示李善长在连年征战中身在后方却为前线将士做出了极大的贡献，其功劳不可磨灭。故而，明太祖在朝堂上当着满朝文武的面，坚持道："我既为君，善长当为相。"

洪武三年（1370年），明太祖大封功臣。他再次公开表示："善长虽无汗马功劳，然事朕久，给军食，功甚大，宜进封大国。"于是，授李善长开国辅运推诚守正文臣，特进光禄大夫、左柱国、太师、中书左丞相，封韩国公，岁禄四千石，子孙世袭。另外赐予铁券，可免两次死罪，子孙免一死。那一次，明太祖一共封了六位国公，分别为徐达、常遇春、李文忠、冯胜、邓愈及李善长，其中以李善长位居第一，但年给岁禄四千石，要比徐达少一千石。明太祖采用位比徐达高、俸禄比徐达少的方法，来求得文臣武将间的平衡。

另外，又特赐李善长文绮帛百匹。明太祖对李善长的厚爱，充分说明了他对李善长多年来忠诚奉献的认可。

朱元璋曾经在封赏功臣时，用赞许的言语评价李善长："东征西讨，目不暇给：尔犯守国，转运粮储；供给器杖，未尝缺乏；剔繁治剧，和辑军民，各靡怨谣。昔汉有萧何，比之于尔，未必过也。"

从这番话语可以看出，那时的朱元璋对李善长的信任和厚爱。但是随着时间的推移，明太祖朱元璋对李善长的态度也逐渐发生了微妙的改变。

洪武元年（1368年）明太祖视察汴梁时，李善长的亲信——中书省都事李彬贪污受贿，被人举报到御史刘基那里。刘基经过调查，掌握了大量确凿证据，就将李彬逮捕，关入大牢，按照律法，应当判其死罪。李善长多次找刘基求情，甚至送上厚礼，请求对李彬从轻发落，但素来公正清廉的刘基不肯姑息放纵罪犯，李善长却一味纠缠，逼迫刘基答应。出于无奈，刘基只好派人飞马奔至汴梁，上奏明太祖，请求问斩李彬，在获得明太祖的准许后，刘基立即将李彬处斩了。

李善长又气又急，一方面觉得未能救出李彬，心中黯然；另一方面，觉得刘基实在目中无人，竟不给自己堂堂第一丞相一点面子。好不容易等到明太祖从汴梁返回京师，李善长就会合了一群大臣，上奏诬告刘基，说他滥用职权，还说他想要独揽朝政。明太祖素知刘基的为人，并没有听信这些谗言。刘基本人也对此一笑而过，为了避免再生事端，刘基请求明太祖准许自己辞去官职，告老还乡。

李善长在处理李彬事件时，既不冷静，也未能保持公正，徇私徇情。并在事后诽谤排挤刘基，这也充分显露了他思想狭隘的一面，和权高位重的霸权意识。可李善长万万想不到，正是从这件事开始，明太祖对他萌生了反感，但碍于他以往的贡献和功劳，明太祖不动声色，就此作罢了。

在明朝初年的朝廷中，以李善长为首的淮人集团占据了统治阶级的核心位置，他们作威作福，凌驾于其他朝臣之上。尤其是晚年的李善长富贵骄奢，专横霸道，对文武百官颐指气使，不仅招致其他朝臣的不满，也令明太祖厌烦。

如今已经将焦点投注在守天下和帝位的明太祖，更为关注统治集团内部的变化。他曾经多次和朝臣谈论治国之道，也告诫群臣保持晚节。如果李善长能从中感觉到明太祖的用意，不再恣意妄为，任人唯亲，而变得谨慎持重一些，那或许也不会招致最后的不幸结局。

同乡观念很重的李善长，为了培植稳固淮人集团的势力，他在考虑朝政时，往往先从一己私利出发，而丝毫不顾及国家需要。在他举荐胡惟庸为相之前，明太祖朱元璋曾表示杨宪可居相位。胡惟庸得知此事，私下告诉李善长："杨宪为相，我等淮人不得为大官矣。"

杨宪曾多次在明太祖朱元璋面前指责李善长没有为相的才能，朝臣不服。如今，经由胡惟庸这么一提醒，李善长对杨宪的宿怨也涌上心头。他当即上奏弹劾杨宪，说其"排陷大臣、放肆为奸"，最终陷害了杨宪，也为他举荐同乡胡惟庸为相做好了铺垫。

因为攀附上了权臣李善长，狡诈奸猾的胡惟庸从宁国知县很快就做到了左丞相的最高职位，在李善长之后，全权掌管朝廷政务。胡惟庸被突如其来的权力冲昏了头，专横跋扈，结党营私，还意图独霸朝政，这正犯了明太祖朱元璋的大忌。他早就担心朝臣权力过大会威胁到帝位，如今，更促使他决心裁撤中书省衙门，不再设丞相一职。

洪武十二年（1379年），也就是胡惟庸当上左丞相两年之后，朱元璋找了一个罪名，将左丞相胡惟庸、右丞相汪广洋及与他们两人过往甚密的官员全都抓入了大牢，沦为阶下囚。其余朝臣猜度出明太祖的心思，纷纷积极上奏，揭发胡惟庸、汪广洋的累累罪行。虽然没有查到什么确实的证据，但明太祖还是先下旨处死了汪广洋，次年又处死了胡惟庸，那些受到牵连的官员基本也都被杀了。他们的罪名基本一样，都被指专横跋扈，以权谋私，结党营私，欺君犯上，危害社稷。就在处死胡惟庸的同时，明太祖终于裁撤了中书省，不再设立丞相一职。

虽然明太祖将与胡、汪二人有牵连的人都治了罪，但有一个与胡惟庸关系密切的人，明太祖却没有继续严加追究，这个人就是举荐胡惟庸为相的李善长。

想当初，李善长伴随在朱元璋的帐下，出谋划策，以多谋善断著称。明朝开国初，朱元璋和他关系如鱼水一般，还将他比作汉初萧何，称他为“功臣之首”，任命他为开国后的首任丞相。可是，一旦对他态度改变了，曾经夸赞的话语就成了相反的含义。朱元璋以前称赞李善长“处事果断”，如今却指责他是“独断专行”；以前特许李善长先行处理大事，再禀报自己，并称赞他为“为朕分忧”，如今却指责他是“目无皇上”。

但考虑到李善长位开国元勋，德高望重，明太祖朱元璋也不想轻举妄动。李善长觉察到明太祖对自己明显冷淡，为了试探明太祖的心思，一连几天，李善长都托辞生病，请了假，并且借机给朱元璋上了个奏章，请求致仕（退休）回乡颐养天年。未料，明太祖没有按照惯例下旨慰问、挽留，而是顺水推舟，即刻批准了李善长的辞官报告。不过，为了安抚李善长，也为了笼络人心，朱元璋把自己的女儿临安公主下嫁给李善长的儿子李本棋为妻，李家这下变成了皇亲国戚。

在胡惟庸案败露后，作为其举荐者的李善长，按律难辞其咎，应当连坐。但明太祖还是感怀其旧日的功勋，并没有查办他。

洪武十八年（1385年），有人告发说，李善长的弟弟李存义父子为胡惟庸余党，明太祖下诏免李存义父子一死，但徙置崇明。

洪武二十三年（1390年），胡惟庸一案已将相关人等追查殆尽，此时的李善长已古稀之年，“耄不检下”了。监察御史却再次状告他本人与胡惟庸案有牵连。偏偏此时，李善长向信国公汤和借调了三百士兵，来为自己营建私宅，这件事情也被人禀报给明太祖，并指称李善长私自借兵，心怀不轨。一直对李善长心怀不满的明太祖，终于决定痛下杀手。于是，他假称天生异象，必须要杀一名德高望重的大臣来消除天灾，以此为由逼李善长自杀。

年迈的李善长并不糊涂，他很清楚明太祖的用意，自觉“进亦疑，退亦疑，东西南北唯命是从，毋宁束身以听于上耳”。返回家中后，李善长当天就自缢而亡，终年77岁。

李善长是朱元璋的军中智囊，在他的主持下，转调兵饷之事井井有条，后方稳固，被朱元璋比作萧何。

明朝建立后，李善长制订礼制、官制，奉命监修《太史》、编《祖训录》、《大明集札》等书，位居六公之首。

晚年，李善长被牵扯进胡惟庸一案，惨遭灭门之祸。

徐　达

徐达（1332年—1385年），明代开国宰相。字天德，濠州（今安徽凤阳）人。徐达累官中书右丞相，封魏国公。追封为中山王，谥“武宁”。徐达长于谋略，治军严整，战功显赫，名列功臣第一。

徐达初为郭子兴部下，后归于朱元璋。他跟随朱元璋打下定远，攻克滁阳（今安徽滁州），占领和州，官授镇抚。后来他又领兵过长江，破采石、取太平、下集庆、战当涂，生擒元将陈林先，为朱元璋开辟了大块根据地。徐达在与陈友谅决战时，不仅是一支主力军统帅，而且是前线指挥者、组织者。至正二十三年，徐达率军大败陈友谅军于鄱阳湖。至正二十四年，朱元璋即吴王位，封徐达为左相国。至正二十六年八月，朱元璋拜徐达为大将军，常遇春为副将军，率水军20万分兵三路出击，攻下湖州，围困了张士诚的老巢平江（今江苏苏州）。次年九月，破平江，俘张士诚。

至正二十七年十月，徐达被任命为征虏大将军，北上灭元。至正二十八年元月，朱元璋即帝位，封徐达为右丞相，令他继续北伐。洪武元年（1368年），攻克大都（今北京），灭亡元朝，分兵定北方各地。攻克大都时，徐达获悉元代藏书均藏于宫中，下令加以保护。入京后，先封存库府图籍宝物，避免了被抢劫焚毁，保存了古代文化典籍。明代国家藏书悉以元代旧藏为基础。

明初，徐达多次率军远征漠北等地，戍守边疆，被朱元璋誉为“塞上长城”。洪武十八年二月，徐达病逝。朱元璋亲自送葬，为之辍朝，追封他为“中山王”，谥“武宁”。

徐达，字天德，安徽凤阳人。元至顺三年（1332年），徐达出生于一个世代务农的家庭，虽说没受过多少教育，但他天资聪颖，胸怀大志，贫寒的家境磨砺了他的体魄和意志。徐达身材魁梧，性格坚毅，遇事善动脑。他小时候曾同朱元璋、汤和等人一起为地主放牛，他们是在苦难中一起长大的好朋友。徐达比朱元璋小4岁，他刚毅武勇，少年即怀有大志。

元顺帝至正十一年（1351年），黄河泛滥成灾，一时间饥民遍地、民不聊生。由于元朝统治者的荒淫腐败，遂爆发了刘福通领导的大规模的红巾军起义。至正十二年（1352年），定远富豪郭子兴在濠州起兵响应。当红巾军揭竿而起的时候，元朝统治者对起义军进行了残酷的镇压。

至正十三年（1353年）六月，郭子兴麾下的朱元璋以亲兵九夫长的身份回到家乡招兵，与徐达再次会面，22岁的徐达听到消息后，赶去看望朱元璋，两人倾心交谈后，徐达立即决定从军。

徐达深感濠州地小，且郭子兴与孙德崖不和，便建议朱元璋趁早分兵别处，另谋发展。朱元璋采纳了他的建议。自此，徐达开始追随朱元璋南征北战。

至正十四年（1354年）春，朱元璋以所募700人转属他将，唯独将徐达、汤和等24位家乡兄弟留在身边，先用计降张空堡民兵3000人，然后夜袭元兵于横涧山，并迫使元兵元帅缪大亨率兵2万归降。朱元璋从此有了自己的军队，为其后的开创基业奠定了基础。这一切，是与徐达的精心谋划分不开的。

在军中，徐达杰出的军事才能和人格魅力，很快就显现出来。他跟随朱元璋相继攻克河州新塘、三汊河、阳泉等地，朱元璋部声势大振。第二年，朱元璋部又攻克了全椒、滁州。至正十五年（1355年）春，朱元璋令徐达与张天佑、汤和一道率军先行，进攻安徽和州。徐达等不负厚望，和州拿下后，徐达被郭子兴擢升为镇抚。

不久，义军中发生了这样一件事：同为义军的孙德崖部因缺粮，率军来到和州，请求朱元璋资助，朱元璋知道郭子兴与孙德崖有矛盾，但他考虑到他们共同的敌人是元军，便以大局为重，收留了孙德崖。

谁知郭子兴知道消息后，大发雷霆，亲自从滁州赶到和州，把他的女婿朱元璋狠狠地批了一顿。孙德崖一听说这事，担心郭子兴会对他有所不利，再说也不想让朱元璋为难，便带领部队准备撤走。朱元璋得知，赶忙来挽留孙德崖。孙德崖执意要走，朱元璋只好为其送行。为了让孙德崖部顺利出城，朱元璋与孙德崖讲好，他到前面为其开路，孙部随后而来。朱元璋带着孙德崖部，刚走出城外三十里，忽然城中有人来报，在城中的孙德崖尚未走脱，已被郭子兴扣押。朱元璋大吃一惊，准备回城解救孙德崖。

孙德崖部下却认为这是朱元璋策划的阴谋，一下把朱元璋拉下马，将他捆起来，并扬言把他杀掉，为他们的主帅报仇。

徐达在城里听说朱元璋被孙部下扣留，生死未卜，马上挺身而出。他跑到孙德崖军中请求，让他替代朱元璋做人质，换回朱元璋。徐达此举非常危险，完全置生死于度外，大家都为之感动。后来经过多方调解，事情解决了，孙、徐二人各自被对方释放。

患难见真情，朱元璋通过这件事深刻了解了徐达的忠勇，对其更加信任。

战争在继续。不久，郭子兴染病而亡。朱元璋掌握了这支起义军，成了这支起义军的首领，徐达的地位也日益攀升。

为了发展、壮大自己的势力，朱元璋决心以和州为根据地，然后渡过长江向南发展。至正十五年（1355年）六月，朱元璋养精蓄锐，调兵遣将，做好了渡江准备。他认为采石矶是个大镇，防守必然坚固；而位于今安徽马鞍山西南长江中的牛渚矶因为前临大江，元军很难防御，把这个地方作突破口，必能一举拿下。徐达等觉得很有道理，便与众将领命向牛渚矶进军。当时担任先锋的是常遇春。

常遇春也是世代务农，家境贫寒。他自幼习武，素有“勇力绝人，猿臂善射”之名。元末农民大起义爆发后，他先是投靠刘聚，后又投靠朱元璋，从此追随朱元璋南征北伐十四年，在兼并群雄、推翻元朝、统一中国的战争中，常遇春驰骋疆场，经历无数战役，屡建奇功。徐达很有御军、御将之才，常遇春非常尊重徐达，两人关系十分融洽，互相配合，相得益彰。

此时，常遇春投奔朱元璋不过半年，在战斗中，面对元军的如雨乱箭，他乘小船在激流中挥戈猛攻，率先登岸，杀入敌阵，左冲右突，如入无人之境。徐达乘势率军一拥而上。经过激烈战斗，元兵溃败逃窜，徐达等率军趁势占领了牛渚、采石。沿江一带元兵望风而降。

义军的这次大胜，达到了朱元璋的预期目标，他想一鼓作气，乘胜追击，继续进攻周围州县。

朱元璋对徐达等将领说：“今天我们一举渡江，幸能一战而胜，我军应当乘胜直取太平。否则，江东一旦非我所有，大事必去矣！”

徐达表示赞同。于是根据当时的形势，提出了继续进攻周围州县的计划。为坚定将士们前进的决心，朱元璋采取类似“破釜沉舟”之法，“置之死地而后生”，下令砍断渡江船的缆绳，把船推到江中，让其顺流漂下。

众军士一见大惊，朱元璋说道：“成大事者不规小利。我们这里距离太平很近，舍此不取，我们还能有什么作为呢？”

众人一听，群情激昂，当即饱餐战饭，经太平桥直抵城下，向元军发起猛攻。已接到牛渚矶、采石等城失守消息的元军人心惶惶，这时遭遇强攻，根本抵挡不住，死伤惨重。最后守将完者不花弃城而逃，太平就这样拿下来了。

攻下太平后，朱元璋所率军队锐不可当。休整数月，朱元璋就令大举进攻金陵（南京）。徐达被委以先锋重任，率水陆军队向江宁镇进发。

其部很快攻破陈兆先的防御，陈兆先率36000多将士投降。朱元璋得到捷报，喜出望外，令徐达再组织进攻金陵。金陵自古就是帝王之都，因此攻取金陵有很大的战略意义。徐达所部连破元军大营，直逼城下。原陈兆先部降兵被起用为攻城主力，效果非常好，降兵们感恩戴德，个个奋勇争先，令元军大为恐惧。

此时，元将福寿为江南行台御史大夫，奉命驻守金陵。他令士卒筑栅为垒，屯兵固守，但徐达、常遇春等率队攻栅，士兵们一个个接踵而至，很快便将栅栏拆毁，元兵四下溃散。福寿不得已屡屡亲自督军接战，但被杀退。徐达等终于攻破城门，两军又在城内交锋。徐、常合力围攻，一连数日，战况激烈。福寿坚持巷战到最后，直至筋疲力尽，见大势已去，举剑在颈上一横，自杀身亡，为气数已尽的元朝殉了葬。

金陵城破，朱元璋率众将入城，出榜安民。各处义军次第来归，水军元帅康茂才亦率军民归降，共得士卒50余万。朱元璋听从谋士的意见，决定以金陵为根据地，再图扩张，遂改金陵为应天府。

从此，金陵便成为朱元璋奠定基业的一个巩固的根据地，并开创了中国历史上由南向北一统天下的先例。这次战斗中，徐达的战功位于诸将之首，成为朱元璋打天下最重要的助手。

朱元璋踌躇满志地对徐达说：“金陵城险固，长江天堑，拥有天然地利。这里历来富庶，不但物产丰富，仓廪充实，而且百姓富足，现在这块风水宝地为我所有，诸公又能同心协力辅佐我，还有什么大功建不成的？”

这时，朱元璋已真正成为割据一方的枭雄，在群雄争霸的战乱中扮演着举足轻重的角色。徐达以其作战勇敢，指挥若定，功勋卓著，成为朱元璋手下的得力战将。

朱元璋进驻金陵之后，实力大增，与盘踞在大都（今北京）的元朝政府抗衡。当时，应天府的东面有义军张士诚部，西面又有义军徐寿辉、陈友谅部，南面还有势力较为弱小的元朝官军和地主武装，北面还有红巾军韩林儿、刘福通部。四面八方都是势力较为强大的抗元义军。针对这种群雄逐鹿的局面，摆在朱元璋面前的首要任务是集中一切优势兵力，扫除东南一线的元军力量，将江南根据地巩固起来。另外，向东、西两面设置军事警戒，以防止张士诚、徐寿辉的袭击。

朱元璋虽说已经有了根据地，粮食问题也基本解决，但军事形势极为严峻。为了获得更大的地盘，进而统一全国，就必须有一支过硬的队伍。

治军严明，是古今中外所有著名将帅共同的特征之一。没有纪律严明的军队，做不到令行禁止，也就不会有顽强的战斗力。此外，但凡军纪松散的队伍，每一次攻城略地之后，就会发生烧杀抢掠之事，从而大失民心。古人云："失民心者，失天下。"徐达明白这个道理，雄才大略的朱元璋更是深知这一点，所以整肃军纪是他们向来关注的事情。而此时，东边有元军扼守镇江，青衣军张明鉴占据扬州，张士诚占据苏州、常州以及浙江西部部分地区；南面有元军把守徽州、浙江丽水、金华以及衢州；徐寿辉则攻占了池州。为了摆脱军事上的不利境况，朱元璋遂命徐达为大将军，率诸将顺江东下，攻取镇江。

镇江的富庶天下闻名。为防止士兵进城后胡作非为，朱元璋和徐达在大军出发前合演了一出"苦肉计"。

当时，朱元璋故意找了个徐达的错处，将徐达五花大绑起来，并扬言要按军法处置。在军中，徐达以其严于律己、谦虚谨慎、战功卓著具有很高的声望，谁都知道朱元璋对他的器重、信任；何况大战在即，徐达担当重任，现在居然被缚，要接受军法处置，这令将士们个个心惊胆战。当然这事都是事先安排好的，谋士李善长当着众人的面苦苦求情，朱元璋才同意松绑，然后趁机告诫众人说："我自起兵，从来不曾妄杀过一人。现在你们率兵前往镇江，应当体察我的心意，严肃军纪，约束士卒。一旦攻占镇江城，切记毋要焚烧掠夺，毋要杀戮百姓。有违抗此令者军法处置。"

朱元璋、徐达此番"演出"之后，果真全军肃然。徐达等率军进攻镇江，不到两天，就打败镇守该城的元军，斩杀其守将。徐达率军从仁和门入城，部队纪律严明，号令整肃，百姓无扰，生活如常，这使得长期受元朝统治者欺压的百姓顿感解放，一致拥护朱元璋的义军，甚至连附近元军所占地方的百姓，都期盼他们早日到来。

徐达以镇江一役之战功升任统军元帅，镇守该地。徐达兢兢业业，尽职尽责，一方面安抚百姓，一方面分兵出击，攻下金坛、丹阳等地，以巩固镇江这个最东边的前哨阵地，防止张士诚西侵。

至正十八年（1358年）七月，朱元璋在应天自称吴国公，设置江南等处行中书省，亲自督办省事，任命李善长、宋思贤为参议，陶安、李梦庚等为左右司郎中、员外郎、都事等官，任命徐达等为行枢密院同佥枢密院事，这是一个军事管理机构。就这样，朱元璋建立了一套较为完整的行政机构，为立国做了初步准备。

至正二十三年（1363年）七月，朱元璋在统一江南之战中，率军在鄱阳湖击败陈友谅军，这次战役为明王朝的建立打下了坚实的基础。

这一年二月，张士诚派吕珍军围攻红巾军的据点安丰。安丰粮尽援绝，刘福通战死。救安丰就是保应天，朱元璋遂于三月率兵渡江救安丰。三战三捷，吕珍败逃。陈友谅江州兵败后，伺机收复江西，见朱元璋率主力救安丰，江南空虚，便于四月十一日亲率主力60万，围攻洪都，并迅速占领吉安、临江、无为州等地。洪都地处赣北平原，位于赣江下游，赣江向北经鄱阳湖与长江相连，军事地位非常重要。为了进攻洪都，陈友谅特地制造了几百艘巨舰，据记载，大的可载3000人，小的可载2000人。陈军登陆后，迅速对洪都发起猛攻。陈友谅军全力攻城，朱军将领赵德胜、牛海龙等先后战死，士卒死伤众多。洪都被围累月，与外阻绝。

朱元璋得到告急的情报后，立即派正在围攻庐州的徐达、常遇春回师驰援，并亲率舟师20万与之会合，共救洪都。七月十七日，朱元璋亲率舟师由松门进入鄱阳湖，与陈友谅进行决战。

这时陈友谅已围洪都85天，但由于久攻不下，士气甚为低落。朱元璋告谕诸将说："两军相搏勇者胜。陈友谅久围洪都，今闻我师至而退兵迎战，其势必死斗，诸公当尽力，有进无退，剪灭此虏，正在今日。"诸将受命之后，纷纷奋勇作战。陈军用巨舰列阵，迎战朱军。朱元璋又对诸将说："彼巨舟首尾连接，不利进退，可破也。"于是，把水军分成20队，每队配备大小火炮、火铳、火箭、火蒺藜、大小火枪、神机箭和弓弩等。并令各队接近敌舟时，先发火器，再射弓弩，靠近敌船时则短兵格斗。

七月二十一日，双方交战。朱元璋派徐达、常遇春、廖永忠等率军进击，一时矢锋雨集，炮声如雷，水色尽赤，焚溺死者一二万。激战中徐达率部勇猛冲击，击败陈友谅前军，毙敌1500人，缴获巨舰一艘，军威大振。此后，朱将俞通海乘风发炮再败陈友谅军，焚毁陈友谅战船20余艘，陈军被杀死及溺死者无数。谁知就在这节骨眼上，徐达座舰着火，幸亏朱元璋及时派舰赶去支援，才将陈军击退。陈友谅军骁将张定边，为扭转不利战局，率部猛攻朱元璋所乘指挥船。指挥船规避时，不意搁浅，陈军乘机围攻，朱军士兵竭力抵抗，陈军难以靠近。激战中朱军指挥韩成、元帅宋贵、陈兆先等相继阵亡。危急中，常遇春射中张定边，俞通海、廖永忠又以轻舟飞速来援，张定边见朱军来势汹汹，引军后退，朱元璋这才得以脱险。朱元璋初战获胜之后，担心张士诚乘虚进袭后方，命大将徐达回应天坐镇，以防不测。

二十二日，朱元璋亲自布阵，准备决战。陈友谅率全部巨舰出战，联舟布阵，旌旗楼橹，望之如山。而朱军舟小，不能仰攻，连战三日均受挫。这时，部将郭兴提出火攻，朱元璋采纳了这一建议，命七艘船满载火药，由勇士驾驶，扑入陈军阵内，焚陈友谅巨舰数百艘。一时烈焰飞腾，湖水尽赤，陈军死伤过半。陈军骁将、陈友谅之弟陈友仁、陈友贵及平章陈普略等全都被烧死。朱元璋又乘势挥军猛攻，毙敌2000余人。

二十四日，陈军先头部队的战船，被朱军围攻，全部被毁。相持三日，陈军屡战屡败，形势十分不利。陈军左、右将军见大势已去，相继投降朱元璋，陈军士气更趋低落。朱元璋乘机致书陈友谅劝降，陈友谅不降，为泄其愤，尽杀俘虏。而朱元璋则尽放俘虏，还把其中的伤员医治好，以此分化瓦解陈军士气。朱元璋判断陈友谅可能突围退入长江，于是移军湖口，在长江南北两岸设置木栅，并做火筏置于江中；又派兵夺取蕲州、兴国，控制长江上游。经过一个多月的激战，陈军归路被切断，缺乏粮食，部队饥疲交加，陈友谅于八月二十六日率楼船百余艘，冒死突围。陈军行至湖口时，陷入朱军的包围，朱军乘机以舟船、火筏四面猛攻。陈军一片混乱，争先奔逃，陈友谅中箭身亡。至正二十四年（1364年）二月，朱元璋攻下武昌，陈军投降，朱元璋的势力又得到了扩大。

鄱阳湖水战，是朱元璋为争夺南部中国而进行的一次战略决战，在中国水战史上影响深远。此战前后历时37天，其时间之长，规模之大，投入兵力、舰只之多，战斗之激烈都是空前的。这为朱元璋统一江南，进而建立明王朝奠定了基础。徐达在消灭陈友谅割据集团的这次战役中，身经数百战，建立了赫赫战功，至正二十四年（1364年），朱元璋称吴王后，擢徐达为左相国，地位在众将之上。

至正二十五年（1365年）十月，徐达奉命率领马步舟师水陆并进，攻打淮东、泰州等地。大军渡过长江，一举攻占了泰州海安坝，直围泰州。经过一个月的血战，终于攻克了泰州，生擒守将严再兴五千余人。之后，徐达又攻下了通州、兴化、濠州等地。徐达在这些战斗中，反应迅速，表现了卓越的指挥才能，更是受到朱元璋的赞赏。

陈友谅死后，接下来朱元璋攻打的对象就是张士诚了。

张士诚乘着朱元璋西征，大力扩张势力，控制范围渐广。张士诚本人也志得意满，不思长进，他的一帮属下每日围着他歌功颂德。张士诚自称吴王，建府第，设官员，一切政事交由弟弟张士信、女婿潘元绍办理。而张士信荒淫无耻，整天生活在纸醉金迷中。

徐达回到应天后，殚精竭虑，督促将士修缮城池，严防死守。他不但严格训练部队，加强守备力量，还加强排查工作，谨防奸细，张士诚始终不敢来进犯。

不久，朱元璋便派遣徐达、常遇春率军攻打淮东。张士诚为解围，暗中派遣数百艘舟船溯流侵犯江阴。江阴守将吴良、吴桢严阵以待，正要与张士诚交火，朱元璋亲率大军来援。两相夹击，大败张士诚的来犯水师，俘虏2000士卒。江阴捷报传来，徐达努力攻城，高邮守将不能敌，最后溃去。徐达即将高邮占领，转攻淮安。张士诚之将徐义率水师援助淮安，却被徐达夜出奇兵，掩杀一阵，夺取了百余艘战船，淮安守将梅思祖见大势已去，献城而降。此刻，徐达马不停蹄，一鼓作气攻下兴化。至此，淮东便都成为朱元璋的地盘了。徐达卓越的指挥才能在这些战役中得以充分表现，声誉一天比一天高了。

元至正二十六年（1366年）八月，朱元璋任命徐达为大将军、常遇春为副将军，率军20万讨伐张士诚。他们自太湖到湖州，一路交战，屡屡得胜，生擒张士诚将领若干。张士诚驻守昆山，闻风而逃。徐达等一路进发到湖州，他小心排兵布阵，在猛将常遇春的协助下，拿下湖州。湖州报失，张士诚不由心惊胆战，接着在朱军的凌厉攻势下，杭州、嘉兴、吴江失守。徐达将张士诚的老巢平江团团围定，朱元璋招降张士诚，张士诚不从。次年，徐达亲率将士攻破葑门，进入平江城内。张士诚收集残兵，进行激烈的巷战，但因寡不敌众，纷纷溃散。张士诚无奈，逃入内城，纵火焚死全家老小，身着龙袍上吊自杀！后被救下，将其押送应天。此后，张士诚不吃、不喝、不语，几番劝降不肯，最后乘人不备，自缢而亡。

徐达带领军队入城，纪律严明，秋毫无犯，深受百姓的欢迎。后徐达被封为信国公，是此次战役后被封赏的最高爵位。

为彻底消灭元朝的最后军事力量，朱元璋命徐达为征虏大将军、常遇春为副将军，率师25万，由淮河向北渡黄河，进军山东。北征进程不算太艰难，徐达军气冲霄汉，很快将山东全境收复。在北征军的节节胜利声中，朱元璋于元至正二十八年（1368年）正月在应天登基称帝，国号大明，改元洪武。徐达被封为中书右丞相兼太子少傅。

徐达取得山东的胜利后，接着与常遇春会师并进，平定河南，尔后直捣元都。元军毫无反抗之力，通州被一举拿下，元顺帝闻讯后，夜半北上逃遁。徐达遂率明军攻进齐化门，擒住留守众元将，尔后封存府库图籍宝物，派兵把守故宫殿门，不准人侵入。妃子、宫女也由其原来的宦官看护。在他的号令下，士卒纪律严明，秋毫无犯。有鉴于此，朱元璋曾对文武大臣评价徐达说："统率军队沉稳、持重，纪律严明，攻无不克，战无不胜，深得为将之精髓者，莫如徐达。"

徐达长年征战，马不停蹄，元都既平，他又受命西征取山西。

他抓住扩廓帖木儿北出雁门关，进攻北平之机，乘虚攻下太原，使其进退失据。

朱元璋接到捷报，心中大喜。他下令在江宁西北鸡笼山下，建立功臣庙，亲定功臣位置，在二十一位功臣中，徐达位居之首。

徐达平定山西后，奉命进图关陇。他乘元将李思齐、张思道不敢出击、观望之际，直捣奉元，进逼临洮，围困庆阳，威震关陇。猛将常遇春完成了自己的北上追击任务，准备驰回庆阳助攻徐达，走到柳河州时，竟染病而亡。徐达不胜悲伤，报知朱元璋，朱元璋痛惜不已，厚葬之。

关陇虽平，但扩廓帖木儿等在西北活动猖獗，还趁徐达班师回京之际，大举围攻兰州。在洪武三年（1370年），朱元璋遂令徐达为征虏大将军，率军北征。他此次进军取得较大胜利，逼使元朝残余势力北撤。从此，明朝北边的防御趋于稳定。

同年十一月，徐达班师回朝，朱元璋亲自到龙江迎接北征将士。随后，再次大封功臣，徐达因功授开国辅运推诚宣力武臣，特进光禄大夫、左柱国、太傅、中书右丞相参军国事，封魏国公，岁禄五千石，子孙世袭。

为了进一步打击残余元军，洪武五年（1372年）正月，徐达再次率军北征，并再败扩廓军。然而扩廓败逃后，与贺宗哲联合起来，在岭北布阵反攻明军。明军死伤严重。徐达一方面立即改变策略，紧急收缩战线，坚守营垒，以保存实力；一方面上奏朝廷，自我弹劾。好在朱元璋并未怪罪。之后，徐达整军而还，敛兵守塞。

朱元璋先后七次招降扩廓，扩廓均置之不理。在洪武八年（1375年）八月，扩廓病死，但蒙古的军事力量一直难以消灭，明朝对北方的战略遂以进攻为主转为以防御为主。因此，徐达长期在北平、山西一带练兵备边，镇守北平10余年。他前后移民35000多户，19万余人，建立屯田点250余个，垦田1300多顷。

徐达的这些措施大大减轻了北方军队的粮饷供应问题，使明朝北部边疆渐渐平静。同时，徐达严格训练士卒，加强守备，时时防备蒙古军队的侵扰，被誉为“塞上长城”。

朱元璋称帝后，徐达虽然战功卓著，但徐达仍然恭谨如故，每次征战回来，就把将军之印上呈归还。朱元璋对徐达非常放心，赐他沐浴，设宴欢饮，称他为布衣兄弟，而徐达却更加恭谨。朱元璋曾经很随便地对徐达说：“徐兄功劳甚大，还没有好居处，我赐给你一幢旧宅。”所谓旧宅，就是朱元璋称帝前做吴王时所住的地方，却被徐达坚决推辞了。

后来朱元璋与徐达饮酒，朱元璋强行将徐达灌醉，就把他用被子蒙住抬到原吴王宅中让他睡下。徐达醒来后大惊，急忙奔到台阶下，仆地自求免于死罪。朱元璋因此而大为快慰。

古人云：“飞鸟尽，良弓藏。”朱元璋从起兵到称帝以后，一直是以威猛严厉治军治国的。为了加强皇权，让他的子孙后代永远做皇帝，加上看到太子朱标性情仁善宽和，朱元璋怕他将来驾驭不了功劳卓著的元老重臣，于是大开杀戒，滥加株连。胡惟庸案和后来的蓝玉一案，就杀掉了几万人。即便是身为开国功臣第一、立下盖世大功，而且一直忠贞不贰的徐达也在劫难逃。

洪武十八年（1385年），徐达在北平身患背疽，这是一种恶疮，不能吃蒸鹅。朱元璋听说后，便召徐达回京城疗养。不久，他让宫中内侍给徐达送去赏赐的食物。徐达从病床上挣扎起来磕头谢恩，然后打开食盒，一只蒸鹅赫然眼前。

君命难违，徐达当着内侍的面吃下了蒸鹅，不几日便死去了，时年五十四岁。

徐达死后，朱元璋追封徐达为中山王，谥武宁，赐葬钟山，配享太庙，名列功臣第一。徐达有四子三女，长子徐辉祖才华横溢，徐达死后，继承了他的爵位。三个女儿都嫁给了朱元璋的儿子。

综观徐达的一生，他是一个近乎完美的人，作为开国功臣，没有一个人的功劳能比得过他，而且他自始至终忠诚不贰，做人做事谨慎小心，兢兢业业，从不居功自傲，更不参与争权夺利。他所辅佐的皇帝是中国历史上屠杀功臣最著名的皇帝，所以他也只能接受赐死的命运了。

从徐达的悲剧中，我们可以知道，权力是许多人一生追逐的东西，但其中充满危机，即使他考虑得再周全，即便你登上顶峰，说不定哪天还会从上面摔下。

明朝开国皇帝朱元璋在徐达生前送给他这样一副对联：破虏平蛮，功贯古今第一人；出将入相，才兼文武世无双。这是对徐达一生功绩的评价，也是徐达一生功绩的真实写照。

徐达是明朝开国重臣，也是中国历史上为数不多的杰出军事家和政治家之一。

徐达生逢乱世，在长期险恶的战争磨砺下，由一名普通的农民成长为名震天下的将领。他智勇双全，治军严谨，品行端正，赤胆忠心，为朱元璋一统天下立下了赫赫战功。徐达能征善战，所向披靡，后镇守北疆，被誉为大明的“万里长城”。他虽然居功不傲，但最终还是以“食鹅”而亡，用自己传奇悲壮的一生，照亮了中华帝国绚丽多彩的历史画廊。

人常说：“侍候君王不到头。”综观中国的历史，功高之臣是很少有善终的，徐达也不例外，尽管他有从小与皇帝一块放牛的特殊交情。

胡惟庸

胡惟庸（？—1380年），安徽定远人，早年参加朱元璋的起义军，担任朱元璋元帅府的文书工作。朱元璋建国之时，他还只是个小县令，后来依靠李善长，才爬到太常寺少卿的位子。朱元璋为了分化李善长的势力，让胡惟庸担任中书省参知政事，之后进一步担任丞相。

胡惟庸没有多大的政绩，他担任丞相期间，建立了一个很大的关系网，但很快便被朱元璋处死了。胡惟庸事件最大的影响，是朱元璋借此废除了一千多年的宰相制度，让皇权进一步膨胀。同时，从政治角度来看，胡惟庸确是中国历史上一个很重要的个案，权力的阴险狡诈在此案例中尽显无遗。胡惟庸案明显是桩冤案，但数百年来却无人为他平反，这更值得人们玩味。

胡惟庸，凤阳定远人，和明太祖朱元璋是同乡。胡惟庸自幼十分聪慧，饱读群书，时时怀有出仕为官之念。至正十五年（1355年），胡惟庸亲眼看见朝纲混乱、群雄并起的元朝混乱局面，便等待显山露水的机会。朱元璋克和州后，便归附了朱元璋，之后任宁国县主簿，后升知县，从此便迈出发迹的第一步。朱元璋看到胡惟庸聪慧伶俐的样子，便让他担任元帅府奏差之职，协助李善长处理日常事务。在李善长的大力提拔下，胡惟庸一步步在权力的阶梯上迅速迈进。

当时太师李善长柄握朝政，胡惟庸以黄金200两行贿李善长，从此青云直上。最初，胡惟庸迁吉安通判；至正二十四年（1364年），设湖广行省，又被擢升为湖广佥事。朱元璋称吴王时，由于李善长的推荐，胡惟庸被召为太常少卿，很快就升为太常寺卿。明朝建立后，更是步步高升，几年后便位极人臣。

洪武三年（1370年），入中书省，拜中书参知政事。洪武六年（1373年），胡惟庸以中书左丞任职数月，七月终于代替汪广洋升为右丞相。洪武十年（1377年）九月，胡惟庸又迁左丞相，汪广洋仍为右丞相。从洪武六年（1373年）汪广洋第一次罢相后，中书省的大权实际上由胡惟庸一人掌握。

徐达、刘基对胡惟庸的人品十分讨厌。胡惟庸一度想与徐达结好，但徐达对他十分鄙夷，不予理睬。他们向朱元璋进言，说胡惟庸不够资格做丞相。

洪武初年，朱元璋曾与刘基谈论谁适合当丞相，当问到胡惟庸是否可为丞相时，刘基说："能够为相的人如同驾车，胡惟庸要是做了丞相，是会把车辕都要摔坏的。"并说，天下何患无才，只要明主全心全意地求访，便可得到。就目前的人选来看，确实没有可以胜任的。但朱元璋并没有接受刘基的意见，不久还是擢升胡惟庸为相。刘基悲叹道："如果我的话得不到验证，那真是苍生的福了。"

明太祖朱元璋不听刘基的劝告，认为胡惟庸非常有才能，对胡惟庸格外宠信。胡惟庸也勤勉从事，常常曲意逢迎朱元璋，朱元璋对他更加宠爱。朱元璋对他的恩宠日盛，使他好些年独自担任丞相。甚至胡惟庸处死和黜陟某些官员，都不用奏请朱元璋，自己就可以直接决定。内外诸司大臣上书向朱元璋奏事，都要经胡惟庸将疏奏取来查看，凡是对自己不利的疏奏，胡惟庸就把它们藏匿起来，不报告给朱元璋。四方急于进取功名的人和那些失职的功臣武夫，争相到胡惟庸家门，行贿馈赠大量的金帛、名马、玩好等物，数量多得无法计算。大将军徐达对胡惟庸的奸行深为痛恨，在朱元璋面前历数胡惟庸的罪行。于是胡惟庸诱使徐达的看门人福寿图谋徐达，结果被福寿告发，其阴谋才没有得逞。

官场上的屡屡得势使得胡惟庸的权势不断增长，他贪恋权柄几乎达到一种丧失理智的程度。为满足自己的私欲，他狂傲无忌、结党营私，甚至发展到阴谋篡位的地步。

为了巩固权势，胡惟庸勾结太师李善长，将自己的侄女嫁给李善长的儿子为妻。从此，胡惟庸更加嚣张。他老家定远县的旧宅中有一口井，井里忽然长出了石笋，高出水面好几尺，阿谀奉承的人就说胡惟庸祖坟上夜里都有照亮夜空的火光，胡惟庸更是高兴得了不得，于是，图谋不轨的念头也渐渐产生了。

在自己的政敌中，除了皇帝以外，胡惟庸感到唯一有威胁的人便是刘基，加上刘基曾与朱元璋论相，胡惟庸对其更是耿耿于怀，伺机报复。

刘基家乡位于浙、闽交界处，有一个地方叫淡洋，这里峰峦叠嶂，常有贩运私盐的"不法"之人出没，社会秩序一直混乱。刘基曾奏请朝廷在此处设立巡检司，以对这里实行有效的控制。刘基命长子刘琏直接上奏朱元璋，没有经过中书省。这时胡惟庸刚刚以左丞掌省事，便指使刑部尚书吴云给刘基罗织罪名：淡洋一带有帝王之气，刘基因为要在此修墓，遭到百姓反对，他便请朝廷设立巡检司驱逐百姓，假手朝廷以图不轨。朱元璋知道刘基精通术数，料事如神，因此对刘基产生了怀疑，便剥夺了他的俸禄，向他发出警示。刘基为了打消朱元璋的疑心，立即入京谢罪。刘基很清楚，如果自己不主动赴京自责，便有可能招来杀身之祸。

就这样，洪武八年（1375年），朱元璋实在找不出借口来杀刘基，加之刘基病卧在床，只好遣使将刘基护归乡里。但刘基在南京卧病之时，胡惟庸曾派医生为他治病，当他饮过药后，曾自言顿感不适，回归青田一个月后，病情渐渐加重了，不久便离开了人世。刘基死后，胡还继续加害他的长子刘琏。洪武十年（1377年），刘琏出为江西参政，朱元璋很器重他，想把他放在一个重要的位置上，可惜后来竟被胡惟庸的党羽逼死。

洪武十三年（1380年），胡惟庸被人告发有逆谋，同时毒死刘基的事情也被人揭发出来。

洪武二十三年（1390年），朱元璋关于刘基被害的内幕，曾对刘基的次子这样说："你父亲在这里时，满朝都是党，只是他一个不从，所以吃他们蛊了。到如今，我朝自有分晓在，终不亏他的好名。"又说："你老子在这里时，胡家结党，只是你老子说不倒。"还说："后来胡家结党，他吃下了蛊，只见一日他来对我说：'上位，臣如今肚内一块硬结，恐怕看不好。'我差人送他回去，到家里死了，这正是着了蛊。"就这样，刘基在相互倾轧的宫廷政治斗争中，被胡惟庸给毒死了。

胡惟庸害死刘基后，便加快了培养自己党羽和势力的步伐。吉安侯陆仲亨和平凉侯费聚是他看好的两个干将。

有一次，吉安侯陆仲亨从陕西回来，竟然乘用四匹马拉的车子。明太祖朱元璋对他的行为感到非常气愤，斥责陆仲亨说："现在中原地区战火刚刚停息，人民刚刚恢复劳动生产，登记户口，购买马匹，生活十分艰苦。假使朝廷的官吏们都像你这样奢求，老百姓即便是卖掉全部子女，也满足不了你们的欲望！"便责令他到代县捕捉盗贼，以示处罚。

还有一次，朱元璋命平凉侯费聚安抚苏州的军民，费聚却整天沉湎于酒色之中，把朱元璋的意旨当耳边风。朱元璋对费聚很恼怒，责令他前往西北地区去招降蒙古人。费聚到西北后又没取得什么功绩，朱元璋便对他大加申斥。陆仲亨、费聚二人十分恐慌。胡惟庸暗地里胁迫引诱这两个人，二人看到胡惟庸手柄朝权，在朝里炙手可热，便与胡惟庸往来很勤。

有一次，胡惟庸邀陆仲亨、费聚到家里喝酒。喝到兴头上，胡惟庸把左右的人都轰走，然后对陆、费二人说："我们这些人所做的都是不法之事，一旦被皇帝发觉，那会有什么后果？"陆、费二人听了胡惟庸的话非常害怕，于是，胡惟庸就把自己的想法告诉给他们，让他们两个人在外面招兵买马，另立山头。

左御史大夫陈宁很有才气，但是性格凶残。他在苏州征赋时，曾以烙铁烙人肌肤。官员和老百姓深受其苦，因此他被人们取了个"陈烙铁"的绰号。朱元璋责备他，但他仍然不知改邪归正。他的儿子陈孟麟也屡次向他言及此事，陈宁非常愤怒，便将其子杖责致死。朱元璋对他的无情非常愤怒，说："陈宁对其子尚且如此，对君主与父亲又是怎么样呢？"陈宁知道后很是畏惧，于是他也与胡惟庸同谋不轨，从此，胡惟庸手下又多了一位"助手"。

太仆寺丞李存义是李善长的弟弟，也是他女婿的父亲，胡惟庸叫李存义暗中怂恿李善长谋反，但遭到李善长拒绝，在胡惟庸的花言巧语下，最后终于勉强同意。胡惟庸甚至还派人去勾结倭寇，让倭寇如期响应他，他甚至还派遣元朝的旧臣送书信给北元的继任者，请蒙古军队在外边响应他的叛乱。就在这时，却发生了一件意想不到的事情，他的儿子在街上骑马，不幸摔死，胡惟庸将驾车的人处死。朱元璋知道后非常生气，怒斥其为非作歹。胡惟庸非常害怕，于是就和御史大夫陈宁、御史中丞涂节等人密谋起事造反，并暗中通知全国各地以及追随自己的武将，让他们予以响应。

洪武十二年（1379年）九月，占城国来向明朝进贡，胡惟庸等人没有把这件事告诉给明太祖朱元璋。宦官出来见到占城贡使，入宫向朱元璋奏明情况。朱元璋知道后十分愤怒，下敕责怪有关机构的大臣。胡惟庸和汪广洋顿首向朱元璋谢罪，并把责任归咎于礼部，礼部尚书等官吏又推诿到中书省头上。朱元璋更加气愤，把诸位大臣都关起来，追问其主要责任。没有多久，朱元璋就赐死汪广洋，汪广洋的妾陈氏也殉葬而死。经过询问陈氏有关情况，朱元璋知汪广洋的妾陈氏，就是没入官府的陈知县的女儿，勃然大怒，说道："没入官府的妇人女子，只配给武将功臣家，文臣怎么能得到呢？"命令司法机构进行调查。于是，胡惟庸及六部堂属官员们都受牵连，按律应当抵罪。

洪武十三年（1380年）正月，御史中丞涂节上书朝廷，告发胡惟庸企图政变的罪行。另有一御史中丞，也把胡惟庸的秘密活动报告了朝廷。朱元璋知道后极为愤怒，下令把他和牵连官员交给廷臣严加审讯。供词中也涉及了陈宁和涂节两人。廷臣们说：“涂节本来也参与了胡惟庸等人的谋反计划，只是发现事情不能成功，这才开始揭发胡惟庸的谋反举措，涂节本人不能不处死。”于是，朱元璋下令诛杀胡惟庸、陈宁以及涂节等人。

胡惟庸虽已处死，但他谋反的行状还没有完全暴露出来。洪武十九年（1386年）七月，林贤的案件审讯确定后，胡惟庸同倭寇勾结之事才败露。洪武二十一年（1388年），蓝玉进攻沙漠地区，获得了胡惟庸勾结蒙古的信件。他上报当时的宰相李善长，但被李扣压。到洪武二十三年（1390年），这件事被人告发，朱元璋逮捕了李善长的管家卢仲谦，他证实了胡惟庸与李善长的勾结往来。不久又查明了陆仲亨、费聚、赵庸三侯与胡惟庸勾结图谋不轨的行为。得知这些宠信大臣的所作所为，朱元璋大怒，将所有参与阴谋的人及其家族全部斩杀，前后人数达3万余人，仅李善长一家就70余口被杀，胡惟庸家更是被诛灭九族。

继胡惟庸谋反案被揭发之后，朱元璋就开始了追查胡党的运动，每一次追查出参与胡惟庸一党的分子，朱元璋就会大开杀戒。胡惟庸案前后持续了10多年，成为明朝开国后的第一大案。朱元璋亲自敕撰《昭示奸党录》并将其布告天下。10多年里，受胡惟庸案株连而死或被革除爵位的开国功臣不计其数。

胡惟庸是明朝开国功臣，也是中国历史上著名的奸臣。胡惟庸自小聪明，是一个谄媚逢迎、枭滑阴险之人。他以贿赂宰相李善长起家，从小小的宁国县主簿一路攀升，直到攫取丞相之高职，成为朝中一人之下万人之上的显赫人物。他为官期间，陷害忠良，广结党羽，通倭、通元，密谋反叛，后因事泄被诛灭九族，受牵连者达3万余人，造成了名震古今的历史大案，史称“胡狱”。

古人云：“巧言令色，鲜矣仁。”胡惟庸以巧言令色进入仕途，这种人在天性里根本就没有什么仁德可言。明太祖在选择丞相的时候，刘基曾预言胡惟庸会祸乱明廷。可惜明太祖没有听他的忠告，暴怒之余，进行了史无前例的清洗。时至今日，透过这些凝结的文字，我们还可以感受到昔日封建暴政的血腥。

其实胡惟庸也不是一位平庸之才，他早年间跟随太祖朱元璋起兵，由一名小小的奏差直至官拜丞相，除了李善长的大力提拔之外，也与他个人的非凡才能有关。他为大明朝的建立与统一立下了不朽的功勋。但是封建专制使得君权与相权之间的矛盾变得不可调和，胡惟庸总想觊觎皇帝的宝座，再加上他自己贪恋权柄、专横跋扈的行为将这种矛盾进一步激化，以至于他最终脱出明太祖的慧眼，最终被诛灭九族，落得个身首异处的下场。

郑 和

郑和（1371年—1433年）不仅是明朝初期著名的太监，而且是中国历史上伟大的航海家。

郑和出身于元末一个显赫望族，父母死于元末明初的混战中，郑和遭受了残酷的阉割，从此沦为明军奴隶。“靖难之役”爆发后，郑和跟随燕王出生入死，表现出杰出的军事才能，立下了赫赫战功。朱棣登基称帝后，郑和任内宫太监，颇得朱棣宠幸。

自永乐三年（1405年）至宣德八年（1433年）的28年时间内，郑和率领当时世界上最强大的船队数百艘，载人数万，进行了史无前例的七次远航，最远到达东非洲红海和伊斯兰教圣地麦加，途经三十余国，将辉煌灿烂的中华文明洒向所经各地，使得各国相继派使访华，促进了中国与西洋各国的友好往来，让这一伟大的远航壮举成为中国人永远的骄傲。

孟子云：“以德行仁者王。”郑和代表明朝出使西洋，并不是凭恃武力恫吓西洋诸国，而是本着友好交往、互通贸易的宗旨与他们建立联系，以德行让海外诸国心悦诚服。

一国如此，一人也是如此，能够受成为人中领袖，其众望所归的德行是关键。

郑和，原名马和，字三保，洪武四年（1371年）出生于云南省昆阳州。

马和的家族是随着忽必烈蒙古军队征战，从遥远的西域迁徙到云南定居的，从此在滇池附近繁衍生息，代代相传。在元朝时代，他们是“色目人”中的一种。

到了元朝中期，家族诞生了一个大人物，那就是赛典赤·赡思丁，“赛典赤”为蒙古语，是“贵族”的意思。

至元十年（1273年），云南建行省，赛典赤为平章政事。他到任后，使政令一律出于行省，加强了元朝对云南的统治。他提倡儒学，修讲堂学舍，选官员、富民入学。他的子孙有很多，后裔中的昆阳马氏，是其中很出色的一支。

赛典赤·赡思丁，是马和的六世祖，马和的祖父和父亲也曾经袭封“滇阳侯”，所以说马和是出身于一个显赫的望族，他的少年是在优越的环境中度过的。

马和出生时，元朝早已经寿终正寝，朱元璋剿灭了割据一方的势力，建立了明朝。但是，明朝建立五年之后，昆明滇池一带仍属于元朝的梁王所控制，马和的父亲也在梁王手下任职。后来明军30万进攻云南，在滇池边与梁王大战。梁王败北后，全家人投滇池自杀。马和的父亲战死。

战后，明朝军队掳掠了一批小男孩做太监，其中就有马和。马和被掳掠到南京后，被施行了阉割，成为宫廷的一名小太监。

洪武十七年（1384年），少年马和便跟随朱元璋的军队征战南北，在战争中迅速成长起来。没过几年，马和被送往北京燕王府邸做奴隶。这时马和已经十七八岁，长得膀大腰圆，威武挺拔。燕王朱棣很喜欢他，随后把他选入内廷，充当内宫太监。马和对燕王忠心耿耿，赢得了燕王的欢心，主奴之间相互信任。

建文元年（1399年），燕王朱棣发动了“靖难之役”，在与惠帝长达四年之久的争战中，马和跟随燕王出生入死，表现出杰出的军事才能，立下了赫赫战功。“靖难”刚开始时，燕军的势力并不大，只有燕赵几座孤城。明将李景隆趁朱棣进攻大宁之机，包围北平，在郑村坝结九营。燕王还师交战，马和献计，并亲临战阵，出生入死，连破李景隆七营，斩首数万。李景隆败后，逃往德州。这一战，燕军获降军数万，战马两万匹，取得了“靖难”后的首次大捷，从此扭转了整个战局。建文四年（1402年），朱棣登基当上皇帝，是为明永乐帝。马和也被封官加爵，任内宫监太监，相当于四品官职。

永乐二年（1404年），永乐帝又因马和在郑村立下战功，所以赐其姓“郑”。从此马和改名为郑和。中国古代，赐姓是至高无上的荣耀，而宦官被赐姓则更是少有，可见郑和在永乐帝心中的位置是多么重要。

郑和既能运筹帷幄决胜千里，又能亲临战场杀敌，这在后来的航海方面也派上了极大的用场（在船队，他既是外交正使，也是兵将首领。航海途中，郑和率领的船队曾经历了三次极其险恶的战役，但凭着郑和杰出的军事才能，都化险为夷）。

此后，郑和便得到永乐帝赏识，并能够参与政务。这件事虽违反了朱元璋在世时立下的“凡阉竖宦官不得预闻朝政”的规矩，但雄才大略的永乐帝并不受其束缚，一直重用郑和，并让他积极发挥自己的才干。

不过，郑和虽身居高位，却沉默寡言。他并没有仗着皇帝的宠信无事生非，而是更加谨慎小心、兢兢业业地为皇家办事，以报永乐帝的知遇之恩。

江山已定，国家呈现出歌舞升平的盛世景象。永乐帝朱棣是个好大喜功的君王，现在大明江山已在他一人掌握之中，且国库充盈，百姓富足，他觉得应派人巡抚海外，扬大明天朝的国威，这样才不失为天之骄子。

永乐帝说："朕自即位以来，大明已一统江山，国富民强。朕欲派人出使海外，开拓贸易航道，以昭至德，并宣以礼教。不知你们哪位愿替朕出巡？"

众臣你看看我，我看看你，谁也不说话。过了很长时间，内阁中书舍人黄淮方奏道："启禀万岁，臣以为，陛下登基之后，风调雨顺，国泰民安，何苦不辞辛劳，去那些荒蛮之地呢？"苍茫大海，风云莫测，去那些孤岛洪荒之地纯粹是冒险之举，弄不好会把性命丢了，群臣们唯恐这种差事落在自己头上，都僵直地站着，不说话。

永乐帝正要发怒时，一个人走到殿前，跪倒在地，大声道："奴才愿往。"说话之人正是郑和。

郑和说："奴才自幼喜阅海图，我祖父和父亲都有航海经历，我也略知一二。故请陛下恩准。"

永乐帝沉默半天，想起了"宦官参政者死"的遗训，然后挥挥手："你先下去吧！"

过了几日，圣旨下达，命郑和出使西洋，由宦官王景弘为副使，率27800余名士卒，乘坐大小共208艘海船组成的庞大舰队，出使海外。

为了出航的顺利成功，永乐帝花了两年时间，征集全国各地的能工巧匠，在今江苏南京、太仓地开始航船的制造。

永乐三年（1405年），郑和从苏州刘家港启锚，开始了第一次远航。随行出使的人员除了水手外，还有负责护航的将士、担任翻译的通事、医官、买办、阴阳术士、军匠、民匠、火夫等。船上装备是当时世界上最先进的设备，如航海图、罗盘针等。

这些海船"体势巍然，巨无与敌，篷、帆、锚、舵，非二三百人莫能举动"。最大的船长达44丈、宽18丈，分上下4层，简直就是一个小型的宫殿。最小也长约13丈。这些船只有着明确分工，有指挥中心乘坐的最大的宝船，有防御和战斗功能的战船，有补充供给的粮船，还有一种负责补给和通信的马船。一支如此庞大的特混船队，如果在航行中没有一定队形是很难保持秩序和便于指挥的。郑和船队的指挥宝船位于中心，战船位于外围，粮船等则位于中围。这种队形与现代舰队大型编队的航行序列卫幕队形很相似，既便于指挥和统一前进，又具有良好的自卫能力。郑和船队是当时世界上最先进、最庞大的船队。

船队沿海南下，经过浙江、福建、广东、广西等地，最后到达占城（今越南南部）。

上岸之后，郑和在此进行贸易，还派人考察当地的风土民情。当时中国的科技文化领先其他国家足有三个世纪，中国的商品，这里的人根本没有见过，纷纷抢购。

在占城盘桓了几天，郑和找来王景弘，与他商量道："万岁叫我等来宣化德教，这里虽地属荒蛮，然尚知礼仪。依我之见，这里没有必要再住下去了。"王景弘道："如果是这样，我们不如回京复命吧。"

郑和摇摇头："此次出行，朝廷不知花了多少钱财，动用了多少人力，若我们就此而归，也没做出多少业绩，岂不是无功而返？临行之时，万岁曾嘱咐我，要威德加于异域，示中国之文明，我等敢不听从？"

船队离开占城后，继续南下，行至爪哇国（今印度尼西亚爪哇岛），在那里会晤了国王，并将许多赏赐物品留下，又向前航行了。到三佛齐岛国（古又称旧港，今印度尼西亚巨港）时，船队遇到了陈祖义为首的一群海盗。陈祖义是广东人，洪武年间跑到南洋，召集一伙人占领了旧港，干起了劫掠商船的勾当，许多国家的商人对之深恶痛绝。这一次，陈祖义见郑和船队船多兵众，就假意向郑和投降，暗地里却准备打劫船队。

郑和念他同是炎黄子孙，就欣然地接受了他的投降。陈祖义听说赏赐丰厚，马上亲自出城相迎，并设宴款待郑和。

宴席上，郑和道："你虽身处海外，但终属中国人。你身为一岛之主，从今以后必须向朝廷纳贡称臣。"陈祖义说："我陈某一不享受明朝的俸禄，二不在明朝的土地上居住，三不吃明朝的粮食，想让我纳贡称臣，做梦去吧！"

郑和闻言大怒，说了一声："好，敬酒不吃你吃罚酒，想要比比高低，那就战场上见吧！"说罢，拂袖而去。回到船上，郑和点兵进攻陈祖义。陈祖义手下是一群海盗，也是一群乌合之众，根本不是经过训练的明朝军队的对手。双方交手没有几个回合，海盗大败。郑和命令船队封死入海口，惊慌失措的陈祖义带领30人，乘船趁夜潜逃。郑和早在四面布下伏兵，等陈祖义一露面，便将其擒获。

郑和领兵上岸后，又另选一人作为岛主，然后留下许多赏赐，押着陈祖义，登船继续航行。舰队一路向西，途经苏门答腊、南渤里、锡兰山、古里，所到之处，无不遍施赏赐，并将所擒的陈祖义向众人展示。

在古里，郑和的访问获得了巨大成功。于是他便在此建立了交通、贸易中心转运站，为后来更进一步的远航做好了准备。

永乐五年（1407年），返航的船队在台湾稍作休整，九月返回应天。郑和将沿途经过禀报永乐帝，并将陈祖义交给永乐帝，让他处治。

郑和首次出海，就获得了意想不到的成果，令永乐帝大喜。郑和回来还不到半个月，急不可耐的永乐帝令郑和再次出航，于是郑和开始了第二次海上出巡。

这次郑和带去了大量物品（其中包括中国瓷器、铜器、铁器、金银和各种精美的丝绸、罗纱、锦绮、蚕丝等丝织品），打算对沿途诸国进行赏赐的同时，还与各国之间进行贸易往来。

这次出巡的使团和第一次一样，依旧从刘家港出发（七次均由此地入海）。此次出海，沿途各国以最高的礼仪来接待郑和等人。而郑和对他们的赏赐，也更为丰厚，更让这些国家深深地感到了大明王朝心怀和平友好的诚意。

在满剌加（今马六甲）稍作停留，郑和又率队来到锡兰。

锡兰酋长亚列苦柰儿听说郑和来访，率众出城相迎。由于身边带有翻译，沟通并无障碍，郑和只觉得这位酋长太过殷勤了，以为是他们好客，也没在意。酒宴之后，亚列苦柰儿赠送了很多礼物给明朝，郑和也回赠了他更多的东西。亚列苦柰儿陪同郑和四处游览。来到饲养动物的林苑，郑和发现在一间小屋里关着很多人。他不明白这是怎么回事，就问亚列苦柰儿。亚列苦柰儿不屑地一笑："这些人身犯重罪，囚于此，是用来喂养园中猛兽的。"

郑和大惊，道："他们到底是犯了什么罪，为什么要实施这样残酷的刑法？"

亚列苦柰儿道："他们中大多数人竟然直陈我的过失，这不是目无君主吗？还有偷鸡摸狗、打架斗殴的一些不法之徒，我就不用一一讲给你听了。"

郑和变色道："你这样做，未免太不人道了吧！"

亚列苦奈儿道："我等小国，是不能与君之天朝相比的。如不使用此种手段，我的那些虎豹狮狼就没有吃的食物了。"

郑和强压怒火道："难道天下百姓，还不如你所饲养的畜生重要吗？"亚列苦奈儿冷笑一声道："我们是化外之民，难道上国还要管理我这海外孤岛吗？"

郑和默然不语，气愤地回到了船队。

第二天一早，亚列苦奈儿就派人前来邀请郑和。郑和心想，昨天不欢而散，今日之邀，其中肯定有诈。于是便对来人道："烦请转告令主，郑某不胜酒力余醉未解，过几天一定去登门碰杯。"

果然不出郑和所料，来人刚走，郑和便派人去打探实情，侦知亚列苦奈儿见郑和船上金银满载，便想将郑和引入宫中杀掉，抢劫船队。郑和闻讯，马上带领2000名将士，对兵力空虚的锡兰都城进行了出其不意的攻打，亚列苦奈儿及其妻子官属被擒。领兵打劫船队的将领下令撤兵回救，郑和乘胜杀了个回马枪，带领军队又把敌兵打得溃散。敌兵投降后，郑和释放了投降的将士，把亚列苦奈儿扣留在船上，然后继续航行。

郑和使团一路又走过了古里、柯枝、暹罗等国，于永乐九年（1411年）六月返回应天。

郑和再一次成功而归，令永乐帝喜出望外。闻听郑和仅用2000名士兵就攻陷了一个国都，更是感到得意，赞扬郑和不辱使命。召见亚列苦奈儿之后，永乐帝将其斥责了一番，然后放他回国，命其不得再当国王，让其子继承了王位。

永乐十年（1412年）十一月，郑和在南京休整了一年多后，又受永乐帝之命，开始了他的第三次远航。

船队访问过占城、爪哇、满剌加后，来到了苏门答腊。郑和到这里访问时，苏门答腊刚刚经过一场大的事变。

原来，永乐六年（1408年），苏门答腊和西面的邻国那孤儿国打了一仗，苏门答腊国王中箭身亡。王后为了复仇，便晓谕全国：谁能领兵打败那孤儿国，我就嫁给他，并请他当国王。一个有本领的渔夫奋勇领兵打败那孤儿国的军队，并娶了王后，当上了苏门答腊国王。老国王的儿子很不甘心，他培植了一伙心腹勇士，刺杀了渔夫，自己登上王位。郑和到达苏门答腊后，向新国王赠送了许多礼品。渔夫有个儿子苏干剌，想替父亲报仇，发兵攻打苏门答腊，企图争夺王位，却被新国王所败，只得逃到一个叫邻山的地方当了山寨王。郑和到访，苏干剌满以为也会赠给自己一些宝物，结果大失所望。

郑和以国家使臣的身份访问诸国，怎会理会一个山寨之王？郑和的举动大伤苏干剌的心，他又忌又恨，便带兵去袭击郑和的船队。郑和得知军情，忙告诉了苏门答腊国王。国王答应派兵援助。

郑和带领两国兵将，布下埋伏，待苏干剌来到，立时将其包围。苏干剌的士兵本为一群乌合之众，几万人马很快覆没。郑和将苏干剌活捉后，将其押解在船。

离开苏门答腊后，船队又继续前行，并访问了阿鲁（今苏门答腊岛日里河流域）、锡兰山、小葛兰（今印度柯钦南）、柯枝、甘巴里（今印度泰米尔纳德邦的科因巴托尔）、阿拨巴丹（今印度阿默达巴德附近）、古里等国。然后折回满剌加，在那里修筑城塞后，于永乐十三年（1415年）七月返回应天。

永乐帝厚赏郑和及与他一起出行的将士，并将被俘的苏干剌处死。

郑和出海三次后，所到诸国纷纷派使者来华访问。永乐十四年（1416年），郑和第四次扬帆出海。

这一次航行前，郑和制订了庞大而周密的计划：他的船队要抵达今天印度洋西岸的阿拉伯半岛和非洲东海岸。这意味着船队将横渡印度洋。

郑和在航行前，曾专程来到泉州北方一个穆斯林村庄，目的是挑选一些人做穆斯林海员。因为这里人不仅熟悉阿拉伯地区的情况，而且对航海技术及星象学知识也谙熟。《郑和航海图》中附有四幅《过洋牵星图》，它们不仅可让我们重新目睹航海者站在甲板上观察到的天象，而且透露了许多航行的秘密。

在郑和时代，聪明的中国人已对北极星及其他星辰有了深入的了解。中国人用牵星板来测量星体高度，进而确定船的位置，这种技术至少领先欧洲二三百年。

克服了无数危险后，郑和率领的庞大船队终于越过大洋，抵达阿拉伯海岸。

此次出海，航线较长，途经占城、爪哇、满剌加、苏门答腊、南浮里、彭亨、急兰丹、锡兰山、加异勒、甘巴里、柯枝、古里、沙里湾泥、溜山、忽鲁谟斯，直至非洲东岸木骨都束、不剌哇、麻林迪、比剌、孙剌等亚非国家。

这次出使开通了中非航路，使团对东非沿岸国家的访问，取得了圆满的成功，这也是明朝鼎盛时代在外交上取得重大进展的标志。

永乐十七年（1419年），郑和使团回国。

永乐十七年（1419年）九月，郑和再次起航，第五次出海。这次出使期间，明王朝已决定迁都北京，需要各种珍禽异兽来充实内苑。于是郑和船队带回了许多奇珍异兽。这些珍贵的礼品是亚非国家同中国真挚友谊的证明。次年八月郑和返航。

永乐二十二年（1424年）正月，旧港酋长施济孙派人向明朝请旨，想承袭宜慰使一职。永乐帝欣然批准，让郑和第六次出海，带着款印前去赏赐。郑和这一次下西洋时，中国人已能使用磁罗盘导航，误差不超过正负两度。

此次途经忽鲁谟斯、阿丹、南渤利、苏门答腊、阿鲁、满剌加、甘巴里等16国，对所到达国家和地区又进行了友好访问。郑和使团与海外诸国的贸易往来也有了更深入的发展。

郑和的六次出海访问，使我国的海外贸易进入一个新阶段。

永乐帝派遣郑和大规模地进行海外出访，继续延续了在洪武末期被中止的海外贸易活动。从永乐三年（1405年）开始的郑和六次下西洋所取得的成果已超出预想。它不仅使明朝在南洋、西亚地区盛名远播，而且更加扩大了中国对外的视野。尽管郑和船队是当时世界上无与伦比的船队，但中国船队却没有成为“海上霸主”，一直充当着和平使者的角色。每次返航时，都有外使随船来华，多时达千人。

郑和船队厚往薄来，与各国既开展贸易，又结下友谊。在马六甲，中国船队在当地沿岸地区建造了一个仓库式的小城，四周用栅栏包围着，四角设有更鼓楼，里面设置仓库，作为航行的补给与运输的中途站。郑和下西洋不仅带回许多珍贵的贡品，更扩大了中国的影响。据相关资料的不完全统计，永乐一朝，仅南洋地区就有90余个使团访问中国。永乐和宣德三十多年间，外国使团更多达400多批，每次到访的少则六七十人，多则有五六百人。

在郑和第四次至第六次下西洋期间，各国相继来访，其中国王亲自来华的有以下几位：

永乐十五年（1417年）八月，苏禄国东王巴都葛叭答剌、西王麻哈剌吒葛剌麻丁、峒王巴都葛叭剌卜各率其家属、头目及随员共340余人来华访问。永乐帝以接待满剌加国王之礼接待他们。三王在返国途中，东王不幸病逝于山东德州，永乐帝闻讯后，不胜痛悼，以王礼厚葬。

永乐十七年（1419年），拜里米苏剌的儿子亦思罕答儿沙即位满剌加国王后，仍率领其王妃、王子访华。亦思罕答儿沙的儿子西里麻哈剌者即位后，也同样领其王妃、头目访华。

永乐十八年（1420年）十月，古麻剌朗国王干剌义亦敦奔率领其王妃、王子、陪臣，随太监张谦来华访问。

洪熙元年（1425年），郑和回国，永乐帝已经驾崩，明仁宗朱高炽登基。明仁宗在位时间不长，当年五月，便暴病身亡，明宣宗朱瞻基即位。明宣宗朱瞻基继承永乐帝遗志，为将航海事业发扬光大，便派遣郑和第七次下西洋。

宣德四年（1429年），他颁布《遣太监郑和等赍诏往谕诸番国诏》，郑和第七次奉诏出海。这一年，郑和已经60岁。他似乎预感到自己可能再也回不来了，出发前，他特意在太仓刘家港和福建长乐的天妃宫中树立了两块石碑，记述六次航海的经历。后来的事件证明了立这两块石碑的意义——这两块石碑几乎成为我们今天能够面对的有关郑和航海的仅有的珍贵的文字资料。

宣德六年十二月（1432年），郑和迎来了他生命中最后一次远航。此次航行的分船队一直抵达伊斯兰教圣地麦加和麦地那。宣德八年（1433年）九月，随船前来的各国使臣，包括苏门答腊国、锡兰国、古里国、柯枝国、忽鲁谟斯国、祖法儿国、阿丹国及其他阿拉伯国家，从北京紫禁城的午门鱼贯而入，在奉天殿进献贡品。

郑和的船队穿过曼德海峡，沿红海往北行进，驶往圣地麦加。郑和的第七次航海，对他个人来说，是最大的幸福和安慰。因为麦加是穆罕默德创立伊斯兰教的地方，素有伊斯兰教圣地之称。作为穆斯林教徒，一生能到此朝圣一次，向真主安拉献虔诚之心，就是最大的幸福。郑和一行终于来到梦寐已久的圣地。当郑和吻着那日思夜想的圣石时，不禁热泪盈眶，发出由衷的感叹：青年时代立下的朝觐麦加的誓愿，在此刻总算有了一个圆满结果。几十年藏于心底的梦，终于变成了现实。

这次航行，郑和率领船队来到了好望角，比1486年葡萄牙航海家迪·亚士早了50多年。宣德八年（1433年）四月初，郑和在前往古里的途中与世长辞。

郑和不幸辞世的消息传开，悲震全使团，所有的船只都扬起白帆。古里酋长闻讯后，亲率百官前来凭吊。

王景弘命人把郑和的遗体妥为装殓，准备回国安葬。

然而夏季气温正高，当船队航进爪哇时，郑和的遗体已出现腐败的征兆，眼看难以保存。无奈之下，王景弘与众人将郑和埋在当地。一生漂泊海外的郑和，从此长眠于异乡。

郑和逝世后，他的船队于同年七月，终于驶进刘家港。宣宗想让郑和永远守望着自己出海的始发点，于是将他的衣冢筑于南京牛首山南麓，并敕封郑和为“三宝太监”。

宣德十年（1435年），朱瞻基驾崩，至此，大明王朝的航海史彻底地画上了句号。英宗一登基就下令各船厂停止造船。当年郑和航海事业之初，明朝的强大水师拥有3500艘各型船只，仅浙江一省，就拥有超过700只船组成的船队。至正统五年（1440年），浙江的船只数量已下降到不到原来的一半。到15世纪中叶，该省船队仅为原来的一小部分。弘治十三年（1500年），孝宗下令，“军民人等擅造二帆以上违式大船，将带违禁货物下海入番国买卖”者，正犯处以极刑，全家发边卫充军。嘉靖二十年（1551年），连当年郑和船队宝船的数据都不存在了。

于　谦

于谦（1398年—1457年），字廷益，号节庵，汉族，明代名臣，民族英雄。官至少保，世称于少保。祖籍考城（今民权县），故里在今民权县程庄乡于庄村。于谦的曾祖于九思在元朝时离家到杭州做官，遂把家迁至钱塘太平里，故史载于谦为浙江钱塘人。

于谦少年立志，十二岁的时候，有个和尚惊奇于他的相貌，说："这是将来救世的宰相呀。"十二岁时于谦即写下明志诗《石灰吟》。

永乐十九年（1421年），于谦成为进士。宣德元年（1426年），汉王朱高煦在乐安州起兵谋叛，于谦随宣宗朱瞻基亲征。授御史，后官至兵部侍郎。

于谦在官位上锐意改革，清廉无私。到明英宗登基之后，宦官王振专权，肆无忌惮地招权纳贿。朝中的大臣为了巴结他，总带着礼品进京。可是于谦每次进京奏事都不带任何礼品。有人劝于谦说："您不肯送金银财宝，难道不能带点土产去？"于谦一笑，甩了甩他的两只袖子，说："只有清风。"他还特意写了一首叫《入京》的诗："手帕蘑菇与线香，本资民用反为殃。清风两袖朝天去，免得闾阎话短长！"后人就用"两袖清风"来形容清廉的官员。

正统十三年（1448年），于谦被升为兵部左侍郎。正统十四年（1449年）秋，瓦剌也先大举侵犯边疆，宦官王振建议英宗亲征。八月英宗在土木堡之变被瓦剌俘虏，京师震动。皇弟郕王朱祁钰监国，将于谦擢为兵部尚书，全权负责筹划京师防御。当时朝廷中有些人主张向南迁都避敌，于谦挺身而出，驳斥了各种投降主义的论调，提出"社稷为重，君为轻"，坚持保卫北京，继续抗敌。九月郕王即帝位，为明代宗。十月，也先挟持英宗破紫荆关威胁京师，于谦分遣诸将列阵九门迎敌，并亲自督战，击毙也先弟孛罗及平章卯那孩，取得京师保卫战的胜利。

景泰元年（1450年），也先请求议和，同意归还英宗。八月，明朝接回英宗，安置南宫，称上皇。当时闽浙有叶宗留、邓茂七，广东有黄肃养分别叛乱，湖广、广西、贵州等地均有少数民族作乱，都被于谦平定。

景泰八年，将军石亨、宦官曹吉祥等趁景帝病重，发兵拥立英宗复辟。英宗复位后，石亨和曹吉祥等诬陷于谦制造不轨言论，要另立太子，唆使科道官上奏。都御史萧维祯审理案件，判定于谦犯谋逆罪，判处死刑。英宗以于谦对国家有功，不忍心杀他，徐有贞奏道："不杀于谦，此举为无名。"遂以"意欲"谋逆罪处死，其子于冕充军，发戍山西龙门，其妻张氏发戍山海关。

《明史》载于谦"死之日，阴霾四合，天下冤之"，籍没时家无余资。锦衣卫发现于谦的正屋大锁牢牢锁着，里面放着皇帝御赐的蟒衣、剑器，看了也忍不住落泪。

成化年间，其子于冕获赦，上疏为父平反，明宪宗亲自审理，弘治二年（1489年），赠特进光禄大夫、柱国、太傅，谥"肃愍"。葬于杭州西湖三台山麓，赐祠于其墓曰"旌功"。万历年间，明神宗改谥号"忠肃"。留有《于忠肃集》。后世尊于谦为民族英雄。

于谦一生为国为民操劳。他和岳飞、张苍水并称"西湖三雄"。

王守仁

王守仁（1472年—1528年），字安伯，号阳明，世称阳明先生，明宣德二年生于浙江余姚。

王守仁出身显赫，其先祖可以追溯到东晋书法家王羲之。六世祖王纲以文学知名，受到明朝开国功臣刘基的赏识。王守仁的高祖王与准精通《周易》，曾祖王世杰曾贡入太学。祖父王天叙，在功名上没有什么成就，却是陶渊明、林逋一样的隐士。从六世祖到祖父，王守仁的家世似乎正趋没落。不过，家学的渊源，不仅在他父亲王华那里得到了体现，而且更在他的身上得到突出的发展。

据史书记载，王守仁的出生有一种传奇说法，他在母腹中待了14个月，胎养之期比一般孩子要长。出生的时候，他的祖母梦见有位神仙抱着一个小孩，送到他们家来。王守仁出生之后，长到五岁时还不会说话，家里人很着急，以为他是个哑巴。这一年，家里请来了一位奇人，在孩子背上拍了几下，从此，孩子就开口说话了，而且非常聪明。

成化十七年（1481年），王守仁的父亲王华中状元。这一年，王守仁才10岁。第二年，王守仁随父来到京师。在北京的岁月里，王守仁表现出一般少年少有的豪迈。他十二岁时，曾写下这样一首诗：

山近月远觉月小，便道此山大于月。

若人有眼大如天，还见山小月更阔。

此诗真是气度不凡。之后，王守仁练习骑射，甚至还想向皇帝上书，提出一些建议。他这样的举动，在父亲王华看来，自然非常诧异，屡次责备他。

王守仁的科举却不顺利，尽管他天资聪颖，早在弘治五年（1492年）就中了举人，可是以后的两次会试都失败了。直到弘治十二年（1499年），王守仁才考中进士，正式步入仕途。

进入仕途后，当时朝廷正在讨论西北边防大事，年轻的王守仁上书提了八条意见，朝廷都采纳了，不久便做了刑部主事，后来又做了兵部主事。

正当王守仁春风得意时，突然遭到了飞来横祸。明朝时候，出现了几个很得势的太监，刘瑾就是其中权倾朝野、飞扬跋扈的一个。虽然刘瑾也没招惹王守仁，可王守仁却引火烧身，把灾祸招到自己身上。

正德元年（1506年），太监刘瑾擅作威福，大兴冤狱，将南京的二十几位正直的官员抓起来，准备置于死地。满朝的文武大臣，慑于刘瑾的淫威，明知道是冤案，也不敢做声。

当时，任兵部主事的王守仁，对武宗过度宠信刘瑾、迫害官员的举动，深感不平，便向武宗上了一个奏疏。疏中说："我听说君仁则大臣善良。戴铣等人居谏官之职，以言为责。他们的话如果是对的，自然应当嘉纳；如果不对，也宜包容。"这篇劝谏的文字，还是引起了刘瑾和武宗的恼怒。于是，王守仁被投入诏狱，这年他35岁。不久，王守仁被廷杖四十，贬到贵州龙场驿，做了一个驿丞的小官。这是他出仕后，受到的首次打击。同时，他的父亲王华也被赶出北京，调任南京吏部尚书。

正德三年（1508年）春，王守仁来到贵州龙场驿。

龙场在贵阳西北山岭之中，环境非常恶劣。住在这里的苗人居多，由于言语不通，王守仁根本就无法与他们交谈。偶遇一个能够与之谈话的，也是从中原地区流放而来的人。王守仁初到那里时，居所尚无，他便教土人夯土架木，盖起一排可以居住的房子。由于他具有渊博的知识，为人又亲近下民，附近的土人逐渐对他信任了。之后，他建造了龙冈书院、君子亭等处所，用以开化当地土著。

王守仁在龙场的最大成就是"龙场悟道"。在龙场，王守仁带着不少随从。他是一名学者，很有涵养，在艰苦环境中，能坦然处之。他的随从们却都生病了，于是王守仁自己打柴担水，做饭给他们吃。他又担心他们心情不好，便和他们一起唱歌，以此忘掉烦闷。在这艰苦的环境中，王守仁却始终在问自己："如果是圣人，面对这种情况，他会怎么样呢？"经过反复思索，王守仁豁然开朗，悟得"圣人之道，吾性自足"的道理。在这之前，王守仁的认识只是在朱熹所强调的在外物中寻找至理，现在通过生活的历练，他便认识到应当向自己的内心去寻找"理"。后来王守仁提出的"心即理"，也是以现在的顿悟为基础的。

次年，年仅38岁的王守仁，又提出"知行合一"的命题，并以此育人。"知行合一"命题的提出，是针对当时社会上正流行着"知而不行"的社会现象所做出的思考。这一命题最初提出时，就受到很多人的怀疑。他的学生王栋说："阳明老先生初讲知行合一，辩者很多；后讲良知，听者反驳的人就不多了。”可以这样说，“心即理”与“知行合一”是“良知说”的理论基础。正德七年（1512年），王守仁正式提出“心即理”、“心外无理”的命题。

王守仁的学术，与禅宗接近，讲究悟性。以前在学术问题上，王守仁多年来没多大进展，到贵州以后，艰苦的环境使他的内心陷入孤独，心中所思便获得顿悟。

在贵州，王守仁和少数民族生活在一起。他尊重当地风俗，劝诱百姓从善，办了许多好事，和老百姓相处甚好。

人常说，恶人总有恶报。刘瑾干了很多坏事，终于被皇帝处死。对头没有了，王守仁的日子就更好过了，经朝里的朋友帮忙，皇帝恩准，不久便担任庐陵知县。后来又进京朝见皇帝，官职不断被提升。

正德十一年（1516年），在王琼的举荐下，王守仁升任都察院左佥都御史，巡抚南康、赣州地区。王守仁上任前，江西一带出现了大股匪乱。

当时，在南方共有六股土匪，首领分别是谢志山、池仲容、陈日能、高快马、龚福全、詹师富，各据一块地盘。而谢志山、高快马两股合一，进攻南康、赣州两地。前任巡抚文森吓得辞了官。

王守仁到任以后，得知敌人耳目众多，于是在自己身边也布下了许多暗探。通过观察，他发现盗匪的一个重要耳目就在自己的身边，证实之后，王守仁不但没有处分这位老吏，而是利用他的特殊身份，让他去做反间谍工作，为自己服务。通过他，王守仁掌握了敌人内部的各种情况。

然后，王守仁决定集中各处优势兵力，攻打大帽山的詹师富。这一场战斗打得很激烈。王守仁自己带领一支精锐部队屯于上杭地区，遇到强大的敌人，先假装后撤，然后出其不意地进攻，这样连破敌军40余寨，斩杀俘虏7000余人，詹师富被擒，首战告捷。

打完这一仗后，王守仁便上书皇帝，提出自己的意见。他认为朝廷给自己的权力不大，不能够命令将士，要求朝廷赐给他旗牌，明确地让他提督军务，关键时候不必奏明朝廷，可以根据自己意思行动（包括调兵和赏罚与生杀之权）。

在兵部尚书王琼的支持下，朝廷同意了王守仁的请求。接下来，王守仁开始改革军制。其方案是这样的：士兵25人编为一伍，长官为小甲；两伍为一队，长官为总甲；四队为一哨，长官为哨长，设两名副官，名为协哨；两哨为一营，长官为营官，设两名副官，名为参谋；三营为一阵，长官为偏将；两阵为一军，长官为副将。

这样，所有的将官，都由王守仁自己任命，于是王守仁就成了全军的权威。军中实行层层管理，下级对上级负责，形成了严格的指挥系统，作战时效率很高。

王守仁率军进攻大庾。这次战斗中，王守仁派四百人埋伏在敌人巢穴两边作疑兵，当敌军出击时，两面举旗呐喊，敌人以为官军已经攻破其巢穴，军心大乱，王守仁乘胜追击，夺取了横水左溪。

谢志山率残部退回桶冈。

桶冈易守难攻，王守仁就展开攻心战，派人去劝降。谢志山的部下蓝廷凤没有了斗志，和官军约好投降。而此时，王守仁的部队士气正旺，冲过了险阻，一举破敌，谢志山自缚投降。

经过数次战斗，叛乱的盗匪被消灭了几股。桶冈之战胜利后，就只剩下池仲容了。池仲容盘踞浰头，王守仁回师赣州后，和各部商议剿灭池仲容的事情。池仲容看见势单力薄了，就派他弟弟来请降，同时又加强战备，派人对王守仁说："已经投降的卢珂、郑志高等人，都是我的冤家对头，所以我得加强战备，来对付他们。"

王守仁将计就计，先把卢珂、郑志高抓起来打了一顿，然后解散他们的部队，做完样子之后，王守仁并没有急于向池仲容表示什么，池仲容侦知这些，并不知王守仁实施的是苦肉计。过年的时候，王守仁大事铺张，设花灯庆祝新年，并把池仲容当做归降之将对待，赏赐了他很多礼物。出于礼貌，池仲容带了90多人，亲自来道谢。王守仁非常客气，好好招待他们不说，还让他们在城里赏灯。池仲容快乐地过了大年，以后好几天照样都是酒宴招待，池仲容终于失去提防，王守仁乘这些人不在意，把他们全部杀掉了。

然后，王守仁立即向浰头进军。池仲容的部队群龙无首，被王守仁很快攻破，斩杀了2000多人，其残部逃到九连山。王守仁再设奇计，选了700名壮士，穿上敌人的服装，混进九连山，里应外合，将池仲容的残部全部消灭。

到这时，所有的匪患都平息了，境内一片平安。

王守仁自己以前也没有打过仗，他的部下都是下层小军官，但在王守仁的英明指挥下，没用几天时间，就把盘踞多年的叛匪剿灭了。朝廷内外为之震动，都为王守仁用兵如神的指挥艺术所折服。朝廷对王守仁升官晋爵，进右副都御史，给予世袭锦衣卫百户，不久再晋为副千户。

王守仁剿匪有功，天下扬名，于是朝廷又派他去福建剿匪。但部队刚走到丰城，忽然传来了南昌的宁王朱宸濠起兵叛乱的消息。王守仁便立即回师，赶往吉安，出兵征讨。

正德十四年（1519年），宁王朱宸濠叛乱的消息传到京师，朝中大臣震惊不已，只有王琼十分自信地说："王守仁在江西，叛贼肯定会让他擒获。"

王守仁回师后，积极备战，调配军粮，修治器械，然后发出讨贼檄文，公布宁王的罪状，要求各地起兵声讨。当时王守仁名声正大，大家看他站出来反对宁王，便纷纷来投奔他。

王守仁担心宁王挥师东下，占领故都南京。

鉴于这种情况，王守仁便虚张声势，来了个疑兵之计，利用假宣传假情报，扰乱宁王的视线，使其不能做出正确的判断，让宁王以为各路大军对他已成合围之势。同时，王守仁还使用反间计，使宁王猜疑自己部下进攻南京。他深知，如果宁王顺长江东下，那么南京肯定保不住。这样，叛军占领了南京，他们在政治上就会有了主动权，就会给平叛带来困难。所以，他发布檄文，声称朝廷派了边兵、京兵共8万，会同自己的部队及湖广、两广的部队，号称16万，准备合攻南昌。

宁王终于上当，有半个月时间处在犹豫之中，没有发兵攻南京。王守仁利用这个时机，已经做好了防守南京的准备，宁王再打南京已经失去战机。七月，宁王率6万人，攻下九江、南康，渡长江攻安庆。

王守仁这时已经调集了大军8万，号称30万。有人指出应该急救安庆，王守仁说："现在九江、南康已经被敌军占领，如果我们越过南昌跨江救援安庆，就会腹背受敌。现在南昌空虚，我军锐气正盛，可以一举攻破。敌军听说南昌失守，肯定会回师来救，这时我们在鄱阳湖迎击他，肯定能胜利。"

在南昌停了两日，王守仁便派诸将分五路迎击回援南昌的宁王大军。四路分兵迎进，宁王大军很快腹背受敌，被分割成几部分，大败溃逃。

宁王见局势不妙，急忙调九江、南康的精锐部队出击，王守仁派几路大军迎战南康。这一仗打得很激烈。官军一度退却，王守仁立即斩杀了后退者，命令诸军死战，终于打败了敌人。敌军退保樵舍地区，将大船结成方阵，宁王拿出金银珠宝犒赏将士，要求再努力一搏。

但是宁王的方阵，被王守仁一眼看出漏洞，于是王守仁决定采取火攻。第二天，宁王正在船上“临朝”，召集群臣商议对付官军的计策。王守仁大军杀到，用小船装草，顺风纵火，烧毁了宁王的副船，叛军的文武官员们纷纷跳水自杀。宁王的大船搁浅，仓促间宁王换小船逃命，被王守仁擒获。不久，南康、九江也被官军收复。宁王之乱，仅用了35天时间，就被全面平息。南昌很快被攻破，王守仁大军入城，民心随之归向官军。

对于平叛大功，武宗采取很平淡的态度。武宗身边有很多小人，平时与宁王关系很好，他们希望王守仁将朱宸濠释放，然后再让已经南巡的武宗亲自“擒获”朱宸濠，以满足武宗的虚荣心。面对这样的情况，王守仁激流勇退，以避免不测，便将朱宸濠交付给太监张永，然后称病回家。他的平叛之功，没有得到朝廷的封赏。

王守仁平定宁王之叛，虽然没有加官晋爵，但给他学说的传播带来巨大的转机。此前学者们都认定王守仁所讲的学说，只是由禅宗里变化出来的，但是王守仁没费多大力气便平定了数十年的匪乱和宁王的内乱，人们对他感到由衷的佩服。他的语录《传习录》，已在弟子的资助下出版发行。

王守仁的思想正在日趋成熟。

正德十五年（1520年），王守仁在赣州讲学时，正式提出了“致良知”的学说。从此，以这三个字作为自己讲学的宗旨。这三个字，糅合了儒家经典《孟子》与《大学》中的概念。王守仁所讲的“良知”，是认识的根源、是非的标准。合乎自己良知的，便是正确的。因此，“良知”之外的知识，都是不正确的。

据说，有一次有人请王守仁去讲学，便问他：“除良知之外，还有什么可讲的呢？”问话人的意思，是想要他讲些其他话题。但是，王守仁这样回答他：“除了良知之外，就没有什么好说的了。”就这样，他信心百倍地坚持着自己的学说观点。

朝廷上有许多官员说他的学说是“邪说”、“伪学”，甚至科举考试中的出题也影射王守仁。面对这种情况，王守仁始终保持着一颗平常心，从不予以反驳。他有一个弟子想要上疏为其辩解。王守仁对他说：“四方英杰，讲学异同，议论纷纷，这是很正常的事情！”他的大智若愚，对他的门人也发生了影响。他的门人参加会试，面对影射王守仁学说的策论试题，不答题就出来了。就这样，王守仁一直在绍兴讲学，培养了很多的学子。从学的门人中除了当地人外，还有江西、湖广、南直隶等地的外地学者。

王守仁在家闲居的这几年，朝廷似乎遗忘了他。

嘉靖六年（1527年），两广的思恩、田州两地的两位少数民族首领卢苏、王受起兵造反，朝廷在束手无策之际，又想到了王守仁，只好再次起用他。同时恢复他原来的官职，又加上了左都御史和两广总督、两广巡抚。王守仁在朝中的朋友趁机给王守仁说话，要求皇帝把铁券、岁禄给王守仁补上，平宁王的有功将士也应该封赏，所有这些嘉靖皇帝都答应了。

王守仁在奔赴两广途中，上疏说："对待少数民族不能只靠用兵，而应该以安抚为主。"朝廷经过讨论，觉得他的意见不妥，让他重新考虑上奏，王守仁决定还是按自己的计划行事。

王守仁到达浔州后，就解散了大部分军队，只保留了几千名少数民族籍的士兵，还让大家解甲休整。

叛乱首领卢苏、王受一直希望朝廷能够招安，但官军来了只有打仗。听说王守仁要来两广当总督，他们更为他的用兵如神感到惶恐。不过，当他们看到王守仁的举动后，真是喜出望外。

王守仁到达南宁，卢苏、王受便派人来投降。王守仁命令他们进见，这几个人害怕上当，带兵来见王守仁。

王守仁将卢、王二人教训了一顿，然后进入囤兵7万的卢、王大营，接见士兵。持续多年的卢、王之乱，就这样让王守仁摆平了。

嘉靖七年（1528年），广西平思田轩区爆发了大规模的农民起义。起义的农民英勇善战，利用熟悉地形，与朝廷的官兵周旋，朝廷的官兵屡屡受挫，告急文书一道接一道送向朝廷。

明世宗急得一筹莫展，已向广西派兵遣将三次，却一直没有得到捷报。世宗犯愁之际，又想起了王守仁。于是，传下圣旨，封王守仁为都察院左都御史，率兵赴广西除寇。

此时的王守仁已57岁，过度的操劳已使他的身体每况愈下，染病在身。临行前医生还为他开了一大堆中草药。就在这时，王守仁接到了圣旨，为了早日结束战争，让老百姓过上安宁的生活，王守仁再一次抱病挂帅，开往广西。

沿途，王守仁受到老百姓的欢迎。王守仁率兵行至南昌时，全城的老百姓早已把王守仁当圣人来供奉。沿途大大小小的巷子里全挤满了人，争相拜见王守仁，几次都因百姓太热情，而军马不能前行。

到了广西，王守仁通过调查，才知道这次少数民族反叛的原因。原来是明朝守边军官与少数民族的头目之间，因为互不尊重，伤害了少数民族的感情，才引发起战争。在这样的情况下，如果用武力硬打是不行的，将会增加汉族与少数民族的怨恨和隔阂，而缓解冲突，让汉族和少数民族重归于好才是上策。王守仁素知少数民族表面粗犷豪放，内心是非常重感情的，尤其是对父母的孝道。恰恰在这时，反抗首领哈吉的母亲久病在身，卧床不起。王守仁听到这种情况，就让跟随自己而来的名医，带上名贵的中草药给哈吉的母亲看病。不出几日，哈吉的母亲已能下床走路，能喝些粥了。母亲不停地让哈吉多谢名医，哈吉也心存感谢之情。从名医的口中，哈吉慢慢知道王守仁正直善良，带病领兵，母亲所服药皆是他本人必需的。哈吉对王守仁印象大大改观，更为他的高尚人格所感动。

恰在这时，王守仁又遣人送来书信，从国家的安邦、百姓的苦难讲到个人的作用，劝哈吉要从大局考虑，退出边界，这样汉族与少数民族才能和睦相处。他的话深明大义，态度谦虚，说到哈吉的心坎里，当下哈吉就决定撤兵了。就这样，王守仁未用一兵一卒，就让哈吉的大军撤出了边界。

然而，此时王守仁由于天天咳血，身体虚弱得不成样子。于是王守仁上书世宗，请求班师回朝。嘉靖八年（1529年），王守仁死于归途南安，终年57岁。王守仁死后三十九年，世宗诏赠新建侯，谥“文成”，故后人又称他为王文成公。

在中国历史上，王守仁是少有的在多方面取得成就的人物之一。他一生坎坷，有着坚定不移的道德信念，是中国知识分子的杰出典范。他天资绝伦，虽贬谪龙场，却能顿然悟道，所创“心学”独成一家，在中国哲学史上享有崇高地位。在军事上，他的才能更是得到了淋漓尽致的发挥。平盗匪，剿内乱，所到之处无不留下他用兵如神的手笔。

王守仁的一生，欲以仁覆盖天下苍生，欲以德使人皆归于善，可谓一世之圣也！王守仁字伯安，号阳明，浙江余姚人。也许很多人不知道王守仁，但肯定听过王阳明。古人认为，要永垂不朽可由三个方面来达成——立德、立言、立功。说白了，就是留下好品德，创造好作品，或者建立伟大的功勋。而这三方面，王守仁都达到了。在他的故乡余姚，还有纪念他的碑亭，横额就是四个字：真三不朽。

王守仁确实达到了三不朽。他的品德好得没话说，同时也是中国历史上重要的哲学家，还是一个战功赫赫的名将。

严嵩

严嵩（1480年—1567年），明世宗朝内阁首辅。字惟中。江西分宜（今属江西）人。严嵩窃踞首辅20年之久，贪污纳贿，陷害忠良，培植私党，造成嘉靖时期政治异常黑暗的局面，经济、边防均遭极大破坏，是历史上有名的奸臣。

严嵩，字惟中，明成化十六年（1480年）出生于江西分宜。父亲严准是一个穷秀才，在乡里以教私塾为生。严准一生立志于功名，但屡试不第，便把希望寄托在儿子身上，对严嵩悉心教育，立志要把儿子培养成才。严嵩凭借父亲的教诲，加上自己的天资聪慧，8岁时就书史成诵，且写得一笔好文章，吟诗作对也屡出奇语。

当时的县令曹忠知道了这位小才子后，很喜欢他，就让他跟自己的小儿子一起吃住，一同读书学习。

一天，曹县令看见严嵩手拿一把扇子，扇面上画着一群金鱼在戏水，突然想到个对联。他对严嵩道："我这儿有个上句，你来对个下句——画扇画鱼，鱼跃浪，扇动鱼游。"严嵩听了，就开始动脑子，工夫不大，他对曹县令道："大人，我对出来了——绣鞋绣凤，凤穿衣，鞋行凤舞。"小严嵩确实才思敏捷，想象丰富，对仗工整，众人都夸严嵩大了一定了不得。

严嵩在读私塾的时候，曾和他的老师、叔父对过几副佳联。如，"手抱屋柱团团转，脚踏云梯步步高"；"一湾秀水足陶情，流珠溅玉；四顾好山皆人望，削碧攒青"；"七岁儿童未老先称阁老，三旬叔父无才却作秀才"。一时之间，当地人都称他为"神童"。

弘治十八年（1505年），26岁的严嵩考中了进士，被明孝宗选为庶吉士，不久又被授予翰林院编修之职。就在他踌躇满志之时，一场大病却让他卧床不起。无奈之下，他只得回归故里休养，这病假一休就是十几年。这期间，朝中出现了专权的宦官刘瑾。朝野上下，一片乌烟瘴气。而明武宗朱厚照却整日沉湎于声色，不问政事。朝中奸佞得道，宦官专权，大小官员毫无作为。如此险恶的局势，远在江西的严嵩很有顾忌。权衡利弊之后，严嵩认为，此时出山，非但难以出人头地，甚至还可能搭上性命，于是他就继续在家赋闲养病，过着默默无闻的隐居生活。

正德一朝，严嵩顶着个七品空衔，一直在家乡刻苦读书。此时，严嵩已经打下了深厚的古文功底，并以一手漂亮的诗词文章而享誉天下。与此同时，他一直密切视意着时局的变化，耐心等待着出山的时机，以实现自己的政治理想。

正德五年（1510年）八月，在满朝文武的同仇敌忾下，武宗终于下令，将刘瑾凌迟处死。但严嵩仍在悉心观望，直到正德十一年（1516年），严嵩才北上进京，还朝复官。

严嵩初还朝时，被派往旧都应天。他先在翰林院任侍讲，后任国子监祭酒。两职均为学官，前者正六品、后者为四品。此时，严嵩虽然没担任过什么重要的官职，但宦海中的风浪磨炼了他，他对权力的作用也有了更深的体验。同时，他也学会了厚颜无耻、口蜜腹剑、欺下媚上这一套官场的"本领"，并开始四处钻营，相机而动，寻找门路高升。

正德十六年（1521年），武宗驾崩，由于身后无子，便由武宗的叔伯弟弟、兴献王的独子朱厚熜继承帝位，是为明世宗，次年，改元"嘉靖"。

明世宗有两个特点，一是迷信鬼神，幻想长生。即位后不久，就在宦官崔文等人的引诱下，整日打醮设斋。尽管大臣们一再劝谏，他也不听。搞斋醮这类仪式需要"青词"（词是写给"天神"的奏章表文，要求写成骈文的形式，并誊写在一种特制的青藤纸上，因此称为"青词"）。由于世宗每天热心斋醮，所以许多大臣都在琢磨着如何写好"青词"，而能得宠。世宗的第二个特点是刚愎自用，专横暴虐，独断专行。他刚刚即位时还能听进一些进言，没几年就听不进任何意见了。

严嵩善于见风使舵，且善于猜摸世宗的嗜好与个性，对其曲意逢迎，并进献"青词"，逐渐取得了世宗的宠信。他曾写过一篇让世宗大加赞赏的"青词"：

洛水玄龟初献瑞，阴数九、阳数九、九九八十一数，数通于道。道合元始天尊，一诚有感。

岐山丹凤两呈祥，雄鸣六、雌鸣六、六六三十六声，声闻于天。天生嘉靖皇帝，万寿无疆。

这首阿谀奉承、荒唐可笑的青词，却让世宗对严嵩另眼相看。

嘉靖五年（1526年），时任礼部右侍郎的严嵩，奉命到湖广安陆祭祀世宗生父兴献王。这是个能使自己升迁的好机会，于是严嵩想，该用个什么办法才能讨得皇上的欢心呢？

虔诚的祭祀礼仪之后，严嵩及时给世宗写了一道上书，详细汇报了祭祀的情况。他说："臣下完全按照陛下的意思祭祀恭穆献皇帝，其时，天气非常合乎人意，该雨即雨，须晴则晴。并且在祭祀前后，'石产枣阳，群鹳集绕；碑入汉江，河流骤涨'。请求陛下令大学士们撰写文章记载这些瑞兆，然后刊之于石，以示天下。"这一番话，说到了世宗的心坎上，当即下令升严嵩为应天吏部尚书、秩阶正二品。就这样严嵩得到了世宗的宠信。

这时严嵩已是二品大员了，但却不在世宗身边，对他的升迁很不方便。于是严嵩便设法将自己调进京城。

嘉靖十五年（1536年），严嵩以给皇上拜寿为由抵达京师，寻找留任京师的机会。不久，朝廷正想集中人力重修《宋史》，严嵩工于古诗文的名声很大，大学士们请求皇上让严嵩协助办理此事。过了一段时间，礼部尚书夏言入内阁，礼部尚书空缺，严嵩补得礼部尚书兼翰林院学士之职，在北京留任下来。

嘉靖十七年（1538年），在群臣的一致反对下，世宗准备将生父兴献王神主移入太庙。开始，严嵩也追随众议。但后来，他看到世宗脸色不悦，就马上改变主意，并精心策划了兴献王神主入太庙的仪式。世宗转嗔为喜，盛赞他的表现，并赐给他金币，作为奖赏。

嘉靖十七年（1538年），皇城上空飘过来一朵祥云，严嵩便借此大加渲染，请世宗入朝，接受群臣朝贺，又特意作《祥云赋》及《大礼告成赋》，极尽谄媚之态。其后不久，严嵩、夏言随世宗去安陆，谒兴献王陵墓。谒陵后，夏言请求回京，世宗不想回。严嵩则请世宗接受群臣贺拜的表章，世宗欣然同意。于是在那里又行了一番群臣贺拜的仪礼。之后，世宗更加宠幸严嵩。

嘉靖二十年（1541年），严嵩及有关官员，收贿3000两黄金的事被东厂发现，受贿的官员均被充军边疆，唯独严嵩无事。不久，永寿王庶子与嫡孙争位，该庶子以黄金3000两厚赠严嵩，严嵩表态支持其即位。永寿王妃知晓此事，派人进京击鼓奏诉。御史叶经弹劾严嵩有贪污罪。世宗一心偏袒严嵩，仍然让其安心任职。从此严嵩更加有恃无恐。

礼部尚书夏言极受世宗器重。他和严嵩是同乡，严嵩便把他当做一座升迁的靠山，百般巴结，曲意逢迎。其实，夏言是正德十二年（1517）中的进士，比严嵩整整晚了十二年，属于晚辈。但夏言的职务现在比严嵩高，权力比严嵩大，又是皇上眼前的红人，严嵩可不管这些，只要打通这条门路，不管受怎样的委屈都值得。

借着老乡的特殊关系，严嵩一有机会便巴结夏言。有一次，严嵩在家里摆好了酒宴，派人去请夏言不成，情急之下，严嵩手持请柬亲自前往夏府。夏言虽然为人方正，却又恃才自傲。严嵩深知夏言的性格，便打定主意攻克这座“堡垒”。严嵩将请柬交给门子，小心谨慎地等在门外。等了许久，也不见夏言出来。严嵩于是跪倒在夏府门前，双手展开请柬朗诵。他的语调诚挚委婉，令夏府的仆人为之动情。夏言见长跪的严嵩态度如此谦卑，对自己是如此恭敬，不由得被其感动了。他连忙出来将严嵩扶起，随后随严嵩一同赴宴。严嵩以柔克刚，终于为自己赢得了巴结夏言的机会。

酒席上严嵩竭力奉承夏言，每句话都在讨夏言的欢心。两人饮酒一直到半夜，夏言兴尽而归。从此，夏言把严嵩视为知己，还多方为其引荐。

当严嵩后来谋得高位，认为自己的势力已经强大的时候，便与夏言反目为仇，开始设计陷害他。

严嵩通过悉心观察，认为夏言有一件事令明宗心里不高兴。世宗看不惯旧式帽子，就命匠人制作了几顶香叶道冠戴在自己头上，还赏给那些善写“青词”的大臣们。但夏言觉得，头戴这种奇异帽子有些不合人臣礼仪，所以不愿意戴它。这件事情世宗嘴上虽未说，但严嵩早已猜透了世宗的心。一次，严嵩得了那种帽子，立刻就戴上去见世宗，还在上面罩了一层薄纱，以示珍爱。世宗见后心里大悦，特意将严嵩留下，陪他聊天。话没说几句，严嵩痛哭起来。世宗大惊，问他因何而哭，严嵩当即便编了一通夏言如何对自己进行凌辱的谎话。世宗闻言，龙颜大怒，当即下令免去夏言官职。

嘉靖二十一年（1542年）八月，严嵩被拜为武英殿大学士、兼礼部尚书，并入值文渊阁。

这年严嵩已经60多岁了。

年老的严嵩入阁后，为了赢得世宗的信任，在官运的刺激下，朝夕在西苑班房值班，连洗沐都不回去，呈现出一副老当益壮的样子。世宗好观经史，遇到不了解的问题便要内阁解答，由于严嵩时时不离西苑，世宗提出的疑问，都能及时得到解答。世宗奉玄修道，严嵩便在处理政务之余，精心斋醮祈祷，撰写“青词”，使得世宗一日都不能离开他。为了稳固自身地位，严嵩对世宗身边的宦官也进行拉拢。每次世宗派太监到严嵩那里，严嵩都要热情款待他们，并给他们送一点金银钱物，以示对他们的关怀、犒劳。宦官们得到严嵩的“照顾”，自然在皇帝面前给严嵩美言几句，宫中有了什么事情，他们也会悄悄告诉严嵩。

严嵩对权力的追求是没有止境的，做了内阁次辅的严嵩已开始算计着怎样登上首辅之位。入阁后，严嵩虽然排除了夏言这个障碍，但还有另一阁臣翟銮的地位比严嵩高，按资历应以翟銮为首辅。严嵩便伺机将之清除。

嘉靖二十三年（1544年），翟銮的两个儿子一起考中进士。严嵩诬其有弊，唆使给事中王交、王尧连日上疏弹劾翟銮。世宗听信了谗言，将翟銮罢去首辅，削职为民。这样，严嵩便顺理成章地取代了翟銮，做了首辅。

世宗补吏部尚书许瓒、礼部尚书张璧入阁，同严嵩一起参与机务。但是严嵩大权独专，根本不让许、张二人参与要务。许瓒感叹说：“为何夺去我的职务，使我成为旁观的闲人。”为了堵住许、张等人的嘴，严嵩上奏世宗说：“过去夏言与郭勋同为朝中大臣，却互相猜忌，有失臣子之道。请求皇上以后有事宣召，让内阁大臣们一同进见。”他的建议世宗虽然没有采纳，但内心却对严嵩更喜欢了。严嵩以退为进、诋毁对手，这一着实在是“很高”。不久，严嵩累进吏部尚书、谨身殿大学士、少傅兼太子太师。

不过，严嵩这次的首辅梦做了还不到两年，就被人打破了。

嘉靖二十四年（1545年），张璧去世，许瓒因年老多病辞职，世宗召回严嵩的老对头夏言入阁，并让夏言做了首辅，其职又在严嵩之上。夏言一上任，就将严嵩的党羽清除了几个。严嵩的儿子严世蕃骄横阴险，依仗父势作恶，在朝里名声不佳。夏言主张要揭发严世蕃的罪恶。这一下严氏父子吓坏了，一起到夏家，号哭求情，长跪谢罪，夏言这才放了他们一马。夏言一日不除，就一日对严嵩有威胁。他在时时考虑着陷害夏言的诡计。他打听到陆炳与夏言关系进入紧张状态，就与陆炳联合起来，对夏言进行陷害。

世宗的多疑是很出名的，他虽重新起用夏言，但暗中还分别去窥视严嵩和夏言的活动。严嵩买通了内监，每次窥视，他都事先知晓，便故意装出一副讨皇上喜欢的样子，在灯下朗读“青词”稿。夏言不知个中秘密，每次早早就入睡了。世宗对夏言的早早入睡很不满意，因而对严嵩更加宠爱。

不久，严嵩便抓到了搞倒夏言的把柄。

嘉靖二十五年（1546），夏言任用曾铣总督陕西三边军务。当时，蒙古俺答汗入明河套地区，经常纵兵杀人越货。俺答汗经常被曾铣打败，曾铣建议整顿军备，将失去的河套夺回来。曾铣的建议得到首辅夏言的鼎力支持。正当夏言、曾铣欲收复河套之际，宫中突然失火，接着皇后去世。迷信的世宗以为这是不祥之兆，对收复河套之事产生犹豫。严嵩利用这个机会大做文章，为了个人的恩怨，他便对国家和民族的利益不顾了，立即迎合世宗之意，言说宫中发生的火灾是曾铣开边启衅造成的。于是世宗态度急转，取消了收复河套的计划。

嘉靖二十七年（1548年），在严嵩的进谗下，夏言与曾铣先后被处死，严嵩如愿地当上了内阁首辅。

严嵩登上首辅之位后，执掌了明政府的大政，从此便将明王朝带进了灾难的深渊。

自从力主抗击蒙古的夏言、曾铣被杀之后，蒙古俺答汗更加频繁地向明朝边境发动进攻。

嘉靖二十九年（1550年），俺答汗侵犯大同，不久便攻入蓟州。蓟州失陷后，蒙古军很快对北京形成围攻之势，京城形势万分紧急。兵部尚书丁汝夔令京城五六万残兵出城待命。俺答汗到了北京城下，世宗催促兵部作战。丁汝夔问内阁首辅严嵩，严嵩说这儿是京师，和边疆不一样，在边疆打了败仗也可以谎报打了胜仗，如果在京师吃了败战，你能瞒得住皇上吗？严嵩千方百计阻挠应战，他告诉丁汝夔：“我们只需坚守就行了，俺答军抢掠够了，就会离去的。”于是兵部尚书丁汝夔下了禁止出兵的命令。国子监司业赵贞吉主张出兵保卫北京，其言辞强烈，惹怒了严嵩，同时也激怒了世宗，诬陷其为狂妄，将其廷杖后贬谪出京。在严嵩的控制下，各路军马坐观俺答军烧杀抢掠。数日后，俺答军满载着大批财物和人口，胜利而归。俺答军退走后，明将仇鸾在后面做出追击的样子，杀了几十个百姓，将他们的头提回来充功，竟还得到世宗的封赏。

不过，世宗觉得这次事变很丢人，便将满腔怒气发泄到守城不出的丁汝夔身上，下令将其下狱。丁汝夔向严嵩求救，严嵩害怕他供出自己，便假言假语地对他说："有我在，你一定死不了的。"世宗杀丁汝夔的决心已定，直到临刑时，丁汝夔才知道被严嵩出卖了，大声叫道："严嵩害了我啊！"

俺答汗在北方向明王朝发动疯狂进攻的时候，倭寇也在东南方大肆侵扰。嘉靖三十一年（1552年），倭寇登岸，在三四年的时间里，残杀江浙军民达数十万人。操纵朝政的严嵩无心整顿边防，驱除倭寇，却纵容通倭官僚，陷害抗倭将领。福建巡抚阮鄂通倭事发后，以重金贿赂严嵩，竟然免予治罪。在台州九败倭寇的名将俞大猷不愿逢迎严嵩，严嵩便制造事端，把他逮捕下狱，并判以死刑。后经当朝官员一起凑齐了3000两贿金，送给严嵩，俞大猷才幸免。

嘉靖三十三年（1554年），倭寇大掠通州、海门、如皋一带，前锋直达山东境内。江南一带也到处都是倭寇。总督浙福南畿军务的张经极力组织堵御。这年冬天，严嵩的义子赵文华上奏世宗，称倭寇猖獗，请祷祀东海，镇压暴寇。崇奉道教的世宗任命赵文华为东南督军。赵文华奉命南行，收取沿途官员贿赂，孝敬严嵩，导致倭祸更加猖獗。

嘉靖三十四年（1555年）五月，张经在王江泾大破倭寇，1900余贼寇被歼，取得了抗倭战争以来的首次大捷。但是张经不知讨好赵文华、严嵩，这两个人给张经捏造了一个罪名上疏皇上。不久张经被捕入狱，后来被杀害。

严嵩对外专权误国，对内则乱政害民。

由于严嵩的奸贪营私、倒行逆施，正直的抗战将领大多惨遭迫害，奸佞小人却得庇护。这样下来，明廷的边防废弛了，北部和东南部边防连连吃紧。

由于世宗醉心方术，不理朝政。除方术之士外，能够与他见面的大臣中只有严嵩一人。世宗下达的御札，也都被严嵩一人收留，内阁的同僚都不能获悉其内容，国家大权自然落入他一人手中。他利用手中的职权大肆卖官鬻爵、贪污受贿、鱼肉百姓，将皇宫的奇珍异玩、珍贵国宝据为己有，不顾百姓的饥苦与死活，正可谓：朱门酒肉臭，路有冻死骨。

吏部和兵部每次挑选官吏，严嵩都向每人索取贿赂数百金，朝里的文武官员差不多都出自严嵩门下。礼部员外郎项治元为了升得吏部主事，贿赂严嵩13000金。举人潘鸿业贿赂严嵩2200金，买了个山东临清知州。严嵩将这些收贿得来的“家资”运回老家江西，用车载珍宝，不可胜计。他把金、银铸成人形，每个金银人都高达两三尺，就连便溺的器具也是用金银做的。严嵩又在府中的后院藏满金银。除此外，他还对边饷进行贪污，戍边的人只能得四分，他却取了六分，很多兵士被饿死。明代边军战斗力弱，就有饥寒交迫的原因。一些来给严嵩送礼的人，未见严嵩，先贿赂他儿子严世蕃。严家的仆人严年，财富也在10万银两之上。

严嵩父子不仅贪污纳贿获取大量钱财，而且还到处掠夺良田美宅。他们不仅在北京附近侵占民间田产，而且脏手还伸向南京、扬州等地。在原籍江西，严家的田产遍布江西数郡。袁州一府四县的田地，竟有十分之七被严家侵夺。严嵩之子严世蕃酷爱古玩、字画，凡被他看中的，都会弄到手中。

由于严嵩父子的招财纳贿，巧取豪夺，其财产可与皇帝比富。后来严嵩事败被抄家时，籍没黄金3万余两，白银200余万两，甲第6600余栋，别宅57所，田塘27300余亩，其他珍宝珠玩不可胜计。严世蕃曾自夸说：“我比朝廷都富有啊！”严世蕃美妻爱妾，列屋群居，朝夜歌舞，荒淫无度，过着极其腐化糜烂的生活，他曾自鸣得意地说：“我过得比皇上还快乐啊！”

为了巩固自己的地位和权势，严嵩一直注重罗致亲信，培植党羽，作为自己的爪牙和耳目。由于严嵩有皇帝作为后盾，这些人又有严嵩作为强硬的后台，于是一个个都气焰嚣张，无法无天。为了逢迎讨好严嵩，朝中不少官员甘愿认严嵩为父，严嵩仅干儿子就有30余人。其子严世蕃是他结党窃权的最得力帮手。

严世蕃奸猾机灵，严嵩让他在各部门活动，结交一些无耻小人，使他们成为自己门下的奴才。尚书关鹏、欧阳必进、高耀、许烩等人都是严嵩的死党。对于朝廷重要部门的控制，严嵩毫不含糊。吏部文选和兵部职方是两个低职，但由于吏部文选负责办理官吏的升迁和调任，兵部职方负责军制的具体事宜，所以严嵩让亲信万寀和方祥分别担任这两个职务，将此二部门牢牢控制在自己手中。这两人常把文簿拿给严嵩，任他填发。通政司是负责呈送奏章的重要部门，严嵩自知坏事做得多，免不了受弹劾，如果在通政司安插上自己人，凡奏疏经手，便能事先获悉其内容，及时筹划应付之策。为了控制这个部门，严嵩保荐其义子赵文华做了通政使。每有上疏奏章，必先由赵文华将副本送给严嵩过目，再上奏皇上。

在培植同党的同时，严嵩残酷无情地打击异己势力。对于严氏父子的贪污受贿、专权乱政、结党营私、鱼肉百姓的恶行，许多正直的官员义愤填膺，纷纷上疏弹劾他们。严嵩则对这些人进行了既残忍又不露痕迹的打击。他常在世宗身边，摸透了世宗的秉性。严嵩想要解救某人，他就先顺着世宗的意思将此人痛骂一顿，然后委婉曲折地向世宗解释、求情，使世宗不忍治罪。他若要陷害某人，就故意触及世宗所忌讳之事，将世宗的喜怒控制在自己手中，往往能达到借皇帝之手诛杀异己的效果。因此，凡是反对严嵩的没有一个不遭受他陷害，轻则贬黜，重则杀头。在严嵩当政时，谢瑜、叶经、童汉臣、赵锦、王宗茂、何维柏、王哗等曾先后弹劾严嵩或其儿子严世蕃。这些人都遭到了严嵩的疯狂报复，有些人还被置于死地。

嘉靖三十年（1551年），沈炼弹劾严嵩十大罪，指出，俺答汗长驱直入北京是由于严嵩废弛边防所造成的。沈炼还历数严嵩纳贿揽权、陷害言官、专擅国事等十大罪，奏请皇上将之诛杀。在严嵩的策划下，沈炼被处以廷杖之刑后贬谪到保安。沈炼到保安后，感到非常气愤，做了三个草人当作李林甫、秦桧、严嵩，经常以箭射之。严嵩得知后，气急败坏，指使其党羽宣大总督杨顺等人捏造了一个罪名，将之杀害。

嘉靖三十二年（1553年），兵部员外郎杨继盛揭发严嵩有十大罪和五大奸。十大罪包括：坏祖宗成法、窃君上大权、掩君上治功、纵奸子僭窃、冒朝廷军功、引悖逆奸臣、误国家军机、专黜陟大柄、失天下人心、敝天下风俗等。杨继盛指出：严嵩凭靠五奸而得逞其阴谋，即收买皇帝身边的太监近臣做耳目，任用亲信赵文华掌要害部门通政司，勾结厂卫官员、牢笼科道官员、网罗各部官员以为心腹。杨继盛对严嵩的揭发可谓一针见血，全面而尖锐。在众多弹劾严嵩的奏疏中，以杨继盛的言辞最为激烈，此疏一出，满朝为之震荡。但是昏聩的世宗忠奸不辨，听信严嵩颠倒黑白、挑拨是非的谗言，将杨继盛处一百杖刑，投入牢狱。嘉靖三十四年（1555年），严嵩把杨继盛无中生有地牵扯到“张经冒功案”中，将之迫害致死。

严嵩老奸巨猾，作恶多端，不断遭到正直敢言大臣的参劾，他在朝中的地位发生了动摇。加之年老体衰，世宗逐渐疏远他，并对礼部尚书兼东阁大学士徐阶开始信任。

嘉靖三十七年（1558年），刑部给事中吴时来、刑部主事董传策同时上书参劾严嵩。他们分别揭露了严嵩柄政以来的种种罪行，一致请求世宗摒除严家父子。吴时来为徐阶学生，董传策为徐阶同乡。严嵩怀疑徐阶是幕后主使，他密奏世宗："二人同日诬陷于我，肯定有人幕后策划。"世宗于是下诏将两人投入监狱拷问，谁知他们都不承认有幕后主使，只是说："太祖神灵教臣等上书。"迷信神灵的世宗因而增加了对严嵩的反感。

根据明代制度，凡朝廷重要文书，由内阁首辅先拟好，然后送呈皇帝批准。严嵩因年老体衰，已不能胜任这一工作，往往要儿子代拟。严嵩有时候派人去找严世蕃，严世蕃却同诸妾在一起淫乐。严嵩没有办法，只得硬起头皮自己来干这事。但因老眼昏花，反应迟钝，所拟之辞，往往词不达意。有时送上去了，他又派人追回修改。这样，世宗对严嵩便越来越不满了。

嘉靖四十年（1561年），世宗所居永寿宫发生火灾，于是移居玉熙殿。这个地方使世宗不满意，想新建一所宫殿，他为此曾问严嵩该怎么办，严嵩要他住到南城离宫去，这是英宗当太上皇时幽禁的地方，世宗听了觉得很扫兴。他转而问徐阶的看法，徐阶说："臣以为重修永寿宫最好。"这正说到了世宗的心坎上。从此，世宗更加信任徐阶，凡军国大事都不让严嵩参与了。一次世宗问道士蓝道行："如今天下为什么不太平？"蓝道行知道世宗这时已对严嵩不满，便假占卜之口陈述严嵩父子的罪状。世宗说："如果这样，上仙为什么不除掉他们？"蓝道行又用扶乩之口说："上仙要留待皇帝自己去除掉他们。"御史邹应龙从太监那里了解这一情况，认为除奸的机会已到，于是上疏，数列严嵩父子及严氏家族的滔天之罪。奏疏送上之后，世宗令严嵩退休，严世蕃充军雷州。

严嵩去后不久，世宗追念他赞助修炼的功绩，心中郁郁不乐，传谕自己要传位，专祈长生，徐阶极力陈述不可。世宗说："卿等不要我传位，那就奉君命一同辅佐修炼才行。严嵩既退，他的儿子严世蕃已服刑，谁敢再劝定斩不饶。"严嵩知道世宗心里还有自己，于是贿赂世宗左右，揭发蓝道行的隐私，让刑部审问，以便牵出徐阶。蓝通行不承认，刑部的人只得把他放了。不久，正逢万寿节，严嵩让道士蓝田玉建醮铁柱宫。蓝田玉善于招鹤，严嵩因而取了蓝田玉的符瑞和自己的祈鹤文进呈世宗，于是严嵩又一次得到世宗的褒奖。严嵩因而又说："臣已经八十四岁了，儿孙都远戍边陲，乞陛下将他们转移到近地，以度过臣的余年。"严嵩的请求，世宗没有答应。

次年，南京御史林润上奏说：“严世蕃充军后，逃回家乡，天天诽谤时政。他还建造宅第，役使4000人，还传说他们通倭寇，臣恐发生不测之变。”世宗下诏将其门人逮捕，交法司论处，为此贬严嵩及诸孙为民。严嵩窃取政柄20年，人人指其为奸臣，其子严世蕃定为大逆不道之罪，被处死，得到了应有的惩罚。

被抄家后的严嵩一无所有，他住在墓地，靠吃别人的供品艰难度日。

隆庆元年（1567年），严嵩死去。这个罪恶累累的奸臣终于走到了生命的尽头。

严嵩不仅是明朝重臣，而且是中国历史上著名的奸臣之一。他靠献媚得宠于嘉靖帝，从而屡获升迁，升任武英殿大学士，入值文渊阁。之后，他诬陷内阁首辅夏言致死，并代其职，成为权倾朝野的一代奸臣。他秉权期间重用亲信，排斥异己，贪污受贿，致使民穷财尽，政治更加腐败黑暗，国力更加衰弱。

严嵩不仅从贪污纳贿中获取大量钱财，而且还到处掠夺良田美宅，其脏手伸向北京、南京、扬州等地。在原籍江西，他家的田产遍布数郡，袁州一府四县的田地，竟有十分之七被其据为己有。后来严嵩事败被抄家，籍没黄金3万余两、白银200余万两、甲第6600余栋、别宅57所、田塘27300余亩，其他珍宝珠玩不可胜计。明世宗令其辞官，其子严世蕃伏诛。晚年严嵩寄食墓舍，度过了凄冷的余生。

人常说：天下没有不散的筵席。严嵩在嘉靖朝这个丰盛的筵席上，饱食几十年，终于被清除出场。古人云：“善恶到头总有报。”严嵩晚年凄凉，正是这个作恶多端的老贼应得的惩罚。

海 瑞

海瑞（1515年—1587年），字汝贤，号刚峰，广东琼山（今属海南）人。明朝著名清官。历任知县、州判官、尚书丞、右佥都御史等职。为政清廉，洁身自爱。为人正直刚毅，职位低下时就敢于蔑视权贵，从不谄媚逢迎。一生忠心耿耿，直言敢谏，曾经买好棺材，告别妻子，冒死上疏。海瑞一生清贫，抑制豪强，安抚穷困百姓，打击奸臣污吏，因而深得民众爱戴。

海瑞虽然出生于官僚家庭，但童年时期的家境并不殷实，在他仅四岁时父亲不幸病逝，他和母亲相依为命，生活异常清苦。母亲很刚强，勤俭持家，教子有方，“苦针裁，营衣食，节费用，督瑞学"。在她的亲自督导下，海瑞自幼即诵读《大学》、《中庸》等书，加上母亲为他所请的良师指点及严格要求，海瑞得到了良好的家教与文化教育，这使海瑞很早就有了报国爱民的思想。

明朝隆庆三年，即公元1569年，海瑞升任右佥都御史、钦差总督粮道巡抚应天十府，即现在长江下游两岸，包括南京、苏州、常州等地，是个非常富庶的地方。但海瑞到任后却发现，人民在重赋和恶吏贪官的压迫下生活极为困苦。如果赶上当年发生涝灾，直到冬至的时候，还有一半田地被淹在水里。粮价飞涨，百姓不去讨饭就会饿死。于是，海瑞决定将治水与救灾一起解决，既为当前又为将来谋利。后来，终于弄清受灾原因是由于连接太湖通海的吴淞淤塞所致，海瑞便召集饥民，趁冬闲季节开工，疏浚吴淞江及其支流。又经上书请求，将应该上交的粮食留下一些解决灾民吃饭问题。这样就调动了百姓的积极性，工程很快完成，当地的百姓都很感激海瑞。

为了维护农民的利益，海瑞进一步惩罚恶霸，归还被强夺的土地。但对自己有恩的徐阶在当地占有的土地最多。徐阶怕一点不退也不行，于是就象征性地退了一些。海瑞则写信劝他应该作出表率，多退一些田，同时劝说自己的儿子也改正错误。许多京官纷纷为已经告老还乡的徐阶说情，但海瑞还是联合一些官员，迫使徐阶退了二分之一的田地。海瑞依照法律将徐阶两个违法的儿子充了军。其他地主们见此情景，赶忙将多占的田依数退还。

海瑞还在赋税方面减轻了人民负担。当时江南的赋税很混乱，有田的地主往往不纳或少纳，地少的农民却要负担很重的赋税，其实，加重的部分都是替地主所交的，由地方官平摊到每个百姓头上，这无疑加重了人民的负担。海瑞组织人清查土地，简化赋税制度，减轻百姓负担。地主阶级联合诬告他，说他支持倭寇，不久，海瑞被罢了官。

海瑞担任应天巡抚时，不但爱民抚民，还为民除害谋利，但他自己却生活得很俭朴清苦。所到之处不许鼓乐迎送，也不住豪华的住宅。地方上为迎接他大摆宴席，他却规定物价高的地方每顿饭不能超过三钱银子，物价低的地方不超过二钱银子。他一生很多时间闲居家中，只靠祖上留下的一点土地过活。他没有置买田产，只在母亲去世后靠别人帮助买了一块坟地，将母亲安葬了。

海瑞去世前几天，还退还了兵部多送来的七钱银子。他的妻子、儿子早已去世，丧事由别人料理，他的遗物只有八两银子，一匹粗布和几套旧衣服。靠同僚的帮助，他的灵柩才得以运回故乡。船在江上行驶时，两岸的百姓自动穿孝来哭送他，店铺也停了业，送行的队伍长达百里。如今，在人民心中，海瑞成了正义的象征，各地共有十几种地方戏在传唱着他的故事。

几百年来人们一代又一代的传颂着海瑞，百姓们为他修建祠堂庙宇，把他像神一样供奉起来。一缕缕香火弥漫的是人民对他的怀念和祈盼，他们祈盼着世间能再次出现像海瑞一样的清官，为天下的百姓造福，为天下的百姓主持公道。

张居正

张居正（1525年—1582年），字叔大，号太岳，汉族，明朝中后期政治家，改革家。

在中国封建社会，少有出身寒微而力挽狂澜的宰相，张居正就是罕见的一位。他从平民中崛起，当了十年首辅，推行改革，把衰败、混乱的明王朝，治理得国富民安，他与商鞅、王安石并立为我国封建社会初期、中期与后期最具盛名的三大改革家。

公元1525年，张居正出生于湖广江陵（今湖北省荆州市），他的祖先是朱元璋打天下时的士兵，祖父张镇在辽王府当护卫，父亲张文明一辈子只是一个秀才。而张居正从小就天资过人，加上好学不倦，十二岁时就中了秀才，二十二岁时又考上进士，从此踏上从政之路。

明代并没有宰相的职位，仅由内阁大学士中，找出一位资深者称作“首辅”。首辅十分受皇帝的礼遇与信任，权力很大，所以有很多人抢着做。而张居正初入仕时，正是严嵩和夏言争做首辅的时候。张居正拜徐阶为师，眼见严嵩担任首辅败坏朝政，就上奏本请皇上实行改革。可是皇帝并没有理会张居正所上的奏本，张居正只好告病请假回江陵。

三年后，穆宗即位，严嵩下台，任用徐阶为首辅。张居正立刻被提拔进入内阁，他和高拱一起合作，开始提拔人才、整顿吏治、平反冤狱、收拾人心。因为张居正做事踏实，徐阶就派张居正承担起边防重任，于是他就重用老将李成梁、王崇古镇守辽东，再调谭纶、戚继光加强边防，使得来犯的敌人都无功而返。

公元1572年，穆宗驾崩，张居正得到皇太后的支持辅佐少帝，并且有司礼监太监冯保的合作，得以大权在握，从事大改革，施展富国利民的愿望。

首先，张居正昭告百官：六部、六科采用“考成法”，京官、地方官定期考核。只要有法令订定就一定施行，而且赏罚分明，凡是征税粮不足九成，一律处罚。接下来又责由吏部将不管事的闲员，全部裁弃，因此确定行政系统的施行，进而澄清吏治。

接下来，张居正又推行“一条鞭法”简化赋役，因为明朝的税制除了田赋之外，还有徭役，项目之多常造成民众的不便，更给了许多士绅劣豪假公济私的机会。一条鞭法恰可以挽救这个缺失。因为张居正将赋役化繁为简：差役合并、役归于地；又清丈全国土地，依田亩多寡征税，官收官磅。这样一来，不仅百姓觉得很便利，逃税者也大大减少，增加国家不少税收。

此外，他又治理黄河、淮河，消弭水患，使得衰败的政治日有起色。但是因为为国辛劳成疾，于公元1582年病逝，享年五十八岁，追谥文忠。

张居正的改革使国家财政状况得到改善，也在一定程度上减轻了农民的负担，但改革也遭到官僚地主的强烈反对。死后为宦官张诚及守旧官僚所攻讦，籍其家。天启时，恢复名誉，予葬祭。

多尔衮

多尔衮（1612年—1650年），清太祖努尔哈赤第十四子，皇太极之弟，母为努尔哈赤大妃阿巴亥，清初杰出的政治家和军事家。

多尔衮天聪二年（1628年）以初次从征察哈尔多罗特部有功，赐号墨尔根代青（满语，聪明之意）。此后数次入明境内山西、河北、山东等地掠略，又征察哈尔、朝鲜，攻大凌河、锦州、松山等地，为清太宗皇太极所器重，逐渐跃居于后金军主要统帅之列。天聪五年执掌吏部，崇德元年（1636年）封为和硕睿亲王。

崇德八年，皇太极因病突然死去，因储嗣未定，清朝皇族面临王位之争。多尔衮以镶白、正白两旗势力拥立皇太极年仅六岁的第九子福临为帝（清世祖），由多尔衮与济尔哈朗共同辅政。不久，多尔衮集大权于一身，其地位越过济尔哈朗，各衙门关白政事、记录档册皆以多尔衮为先。

顺治元年（1644年）三月，李自成攻下北京，推翻了明王朝（见李自成起义）。清朝统治者抓住机会，立即向关内进军。四月，以多尔衮为大将军的满蒙汉八旗兵与明山海关总兵吴三桂互相勾结，共同镇压农民军。山海关之战，李自成军失利，退回北京后，率部西走。五月，多尔衮入京。十月，迎福临至，即位北京，正式宣布清朝对全国实行统治。多尔衮位崇功高，权势日增。是年加封为叔父摄政王，五年又尊为皇父摄政王，以皇帝之尊亲代行皇帝职权，成为清入关初年的实际统治者。

多尔衮摄政时期，以入关前已经建立的政治制度为基础，进一步仿照明制，加强封建专制政权。多尔衮在维护“权归满人”的同时，对汉族地主阶级、故明官员采取了“官仍其职，民复其业，录其贤能，恤其无告”的政策，令原明朝各衙门官员，俱照旧录用。顺治五年又设六部汉尚书、都察院汉左都御史各一员。为发挥汉族官员在政权中之作用，六年，下令禁止满洲诸王干预各衙门政事及指摘内外汉官。为广泛招徕汉族地主阶级，又礼葬明崇祯帝后，开科取士，网罗人才。

清代中央集权的加强，经历了皇帝与旗主、诸王之间的不断斗争而逐步实现。多尔衮采取措施限制由满族贵族、大臣组成的“议政王大臣会议”的权力，集权力于摄政王之手。又罢诸王兼理六部事务，以各部事务由尚书掌管。诸王有干预各衙门政事者即行治罪，从而又推进了皇太极以来的中央集权。

清军入关之后，李自成军退回陕西，张献忠驻军四川（见张献忠起义）。明臣史可法、马士英等拥立福王朱由崧于南京。多尔衮先以重兵追击李自成于陕西、湖北，复命豪格入四川攻张献忠。顺治二年，多尔衮派兵下江南，渡长江，破南京，福王政权亡。三年，清军入浙江，六月破绍兴，南明鲁王遁走入海；八月清军入福建，破延平、汀州，唐王被执。清军相继入湖南、江西、浙江、福建、广东、广西等省。多尔衮摄政七年，除西南之云贵等地尚有南明桂王政权及农民军之余部，海上有郑成功之抗清活动外，清军已占有全国之大半地区，为清朝建立全国政权打下初步基础。

为维护满族贵族利益，多尔衮摄政期间的一部分政策，激化了民族矛盾与阶级矛盾，尤以剃发令、圈地令、逃人法、易服、投充等项，在一定地区内造成社会的动荡不安。

顺治七年冬，多尔衮出猎边外，十二月初九死于喀喇城（今河北滦平东），年仅三十九岁，被追尊为“诚敬义皇帝”。顺治亲政后，被首告“阴谋篡逆”，诏削爵，平毁墓葬，家产籍没。乾隆四十三年（1778年），乾隆帝为多尔衮昭雪，恢复了多尔衮的封号，成为清代八家铁帽子王之一。

从大清帝国的利益看，多尔衮应该是功大于过，所以乾隆三十八年，乾隆皇帝阅看实录，认为多尔衮“定国开基，以成一统之业，厥功最高。”

刘墉

刘墉，清乾隆、嘉庆两朝重臣，官至体仁阁大学士，出生于1719年（康熙五十八年），字崇如，号石庵。以奉公守法、清正廉洁、峭直敢谏闻名于世。其书法味厚神藏，有廊庙气度，是清代最有名的帖学大家，作书喜用浓墨，故世人又称其“浓墨宰相”。

刘墉为大学士刘统勋之子。于乾隆十六年（1751年）中二甲第二名进士，改翰林院庶吉士，散馆授编修，再迁侍讲。乾隆二十年（1755年），刘统勋获罪，刘墉也被夺官下狱。

不久，其事解决，又赏编修，出督安徽学政，改任江苏学政。乾隆二十七年（1762年），任山西太原府知府，因失察下属“侵帑”，被发往军台效力。年余被放还，受命在修书处行走。不久，因受其父恩泽，仍以知府用，知江苏江宁府，任内有清名。次年升江西盐驿道，乾隆三十七年（1772年）迁陕西按察使。次年，其父统勋病卒，因丁忧去职。

乾隆四十五年（1780年），授湖南巡抚。时值湖南多处受灾，哀鸿遍野，无灾州县也盗案迭起，贪官污吏猖獗，百姓怨声载道。刘墉到任后，一面查明情由，据实弹劾贪官污吏，建议严办；一面稽查库存，修筑城郭，建仓储谷，赈济灾民，并准许民间开采硝石。仅一年余，库银充实，民粮丰足，刘墉赢得了百姓的爱戴。

乾隆四十六年（1781年），迁刘墉为都察院左都御史。次年三月，仍任职南书房；不久，又充任三通馆总裁。此时，御史钱沣弹劾山东巡抚国泰结党营私等。刘墉奉旨偕同和珅审理山东巡抚舞弊案。刘墉至山东，假扮成道人，步行私访，查明山东连续三年受灾，而国泰邀功请赏，以荒报丰。征税时，对无力缴纳者，一律拿办；并残杀进省为民请命的进士、举人9人。及至济南，经审问，查清国泰已知贪赃案发，遂凑集银两妄图掩饰罪行。刘墉如实报奏朝廷，奉旨开仓赈济百姓，捉拿国泰回京。此时皇妃已为国泰说情，有的御史也从旁附和，和珅亦有意袒护国泰。刘墉遂以民间查访所获证据，历数国泰罪行，据理力争，终使国泰伏法。在处理国泰一案上，刘墉不畏权要，刚正无私，足智多谋，与钱沣一起挫败了皇妃及和珅等人的阻挠而成功地执行了大清律法，为民除了害。国泰案结，刘墉被命署吏部尚书，兼管国子监事务。不久授工部尚书，仍兼署吏部，并充任上书房总师傅。后来，民间曾据此事写成通俗小说《刘公案》，对这位“包公式”的刘大人大加颂扬。

嘉庆四年（1799年）三月，刘墉加太子少保。后奉旨办理文华殿大学士和珅植党营私、擅权纳贿一案。刘墉不畏权势，很快查明和珅及其党羽横征暴敛、搜刮民脂、贪污自肥等罪行20条，奏朝廷。皇上处死了和珅，没收了他的家产。

嘉庆四年底，刘墉上疏陈述漕政，对漕运中的漏洞体察至深，忧国忧民之情溢于言表，嘉庆皇帝看后，深以为然。嘉庆六年（1801年），刘墉充任会典馆正总裁。

刘墉不仅是一位杰出的政治家，还是一位著名的书法家，是帖学之集大成者，清代四大书家之一（其余三人为成亲王、翁方纲、铁保）。清徐珂在其《清稗类钞》中称赞刘墉道：“文清书法，论者譬之以黄钟大吕之音，清庙明堂之器，推为一代书家之冠。盖以其融会历代诸大家书法而自成一家。所谓金声玉振，集群圣之大成也。其自入词馆以迄登台阁，体格屡变，神妙莫测。”刘墉是一位善学前贤而又有创造性的书法家，师古而不拘泥。刘墉书法的特点是用墨厚重，体丰骨劲，浑厚敦实，别具面目。刘墉之书，尤善小楷。后人称赞他的小楷，不仅有钟繇、王羲之、颜真卿和苏轼的法度，还深得魏晋小楷的风致。刘墉兼工文翰，博通百家经史，精研古文考辨，工书善文，名盛一时。著有《石庵诗集》刊行于世。

嘉庆九年十二月二十五日（1805年），刘墉在北京病逝，当天还到南书房当值，晚上宴会客人，“至晚端坐而逝”，享年八十五岁。朝廷追赠太子太保，祀贤良祠，谥文清。

总体上看，刘墉基本上还是秉承了乃父刘统勋的正直干练、雷厉风行的行事风格。对科场积弊、官场恶习进行了力所能及的整顿，为百姓做了不少实事。《诸城县志》称赞他：“砥砺风节，正身率属，自为学政知府时，即谢绝馈贿，一介不取，遇事敢为，无所顾忌，所至官吏望风畏之。”

鳌 拜

鳌拜（？—1669年），清初一员出色的武将，出身将门，武艺高强，驰骋疆场，战功卓著。

清朝建立后，鳌拜“改行”从政。虽然开始也屡次遭受多尔衮的迫害打击，但后来还是时来运转，在政治斗争中屡屡获胜，并得到顺治帝的宠信。然后又凭借种种机缘，最终爬升到皇帝的四大辅臣之一。

如果鳌拜能尽心辅佐少主康熙，即使没有太大才能和功绩，也会在历史上留下一个忠正之名。可是，鳌拜犯了历史上不少权臣同样的“毛病”，就是植树党羽，把持朝纲，打击异己，专权乱国。这样，鳌拜的整体形象就不是正面的了。

历史上往往有像鳌拜这样的权臣，治邦理政不足，祸民误国有余。他们一生的所作所为，留给后人的都是引以为鉴的教训。

鳌拜，姓瓜尔佳氏，出生于一个武将世家。伯父费英东在明万历十六年（1588年）随其父投奔努尔哈赤，天命建后金国前，位列五大臣之一。鳌拜英勇善战，曾被努尔哈赤誉为“万人敌”。到皇太极天聪八年（1634年），鳌拜已成为“管护军大臣”，职衔为镶黄旗护军参领，是清初军功卓著的战将。

崇德二年（1637年），清军征伐明朝的皮岛。鳌拜在战斗中带领前锋军殊死搏击，立下大功，受到皇太极的夸奖，并赐其“巴图鲁”勇号，晋升为三等男爵。

崇德六年（1641年），清军再次围攻锦州，鳌拜也随军征战。这次清军先是切断松山明朝援军的道路，又把洪承畴的援军击溃并包围在松山。在洪承畴率兵突围时，鳌拜与阿济格等先后出击，将明军斩杀过半。鳌拜在这次战役中因战功卓著，被提拔为护军统领。

在后来对李自成与张献忠农民军的作战中，鳌拜也英勇威猛，立下汗马功劳。顺治二年（1645年）考核群臣功绩时，他因战功卓著，忠勤戮力，被晋升为一等子爵。

鳌拜在战场上虽然军功卓著，为清朝的建立立下了殊勋。但是在清初多尔衮主政时期，在政治上却连遭背运，屡次受到无辜的迫害和打击。

皇太极死后，睿亲王多尔衮以摄政王的身份辅佐顺治。他与皇太极的长子肃亲王豪格是一对政敌，从清朝建立后就开始对他进行报复打击。在豪格率兵征讨张献忠的过程中，他的随军参领曾冒报军功，事泄以后被多尔衮抓住大做文章。他从随豪格征战的鳌拜入手，先是说由于鳌拜督管不力导致冒功之事发生，革去了他的世袭职位，后又构陷鳌拜此前曾想谋立豪格为帝，图谋不轨，要治他的死罪。虽然鳌拜后来捡得一条命，但已经身不由己地卷入了政治斗争的旋涡。

顺治五年（1648年）4月，有人讦告鳌拜擅自拨护军为遏必隆守门，这在当时是一条不小的罪状。于是多尔衮又借此对鳌拜处以死刑，后来幸亏顺治帝求告，才又一次捡回了性命。这一年的11月，鳌拜被赶出京城，派往大同驻防。

顺治七年（1650年），多尔衮病重，贝子锡翰等人请顺治帝驾幸睿亲王府探望，这使得多尔衮大怒，认为这是违令渎请，罪不在小。此时鳌拜已立功回京任职，多尔衮又以鳌拜知道内情不将其逮捕为由，再一次对他进行打击，将他的爵位降为一等男爵，并要其交付赎金赎罪。

顺治七年（1650年）12月，睿亲王多尔衮病死，顺治帝福临以14岁幼龄开始亲政。在顺治帝亲政期间，原来遭受多尔衮打击的豪格派得势，郑亲王济尔哈朗成为朝中最显赫的贵族，开始对多尔衮派进行疯狂的报复。

在济尔哈朗打击多尔衮派的过程中，鳌拜因其屡受多尔衮贬抑，颇得郑亲王济尔哈朗喜爱。多尔衮一死，鳌拜即被晋爵三等侯。顺治八年（1651年），又被任命为议政大臣，并晋爵一等侯兼一等云骑尉。从此鳌拜平步青云，逐渐成为朝中举足轻重的人物。

在顺治去世前，因为康熙年仅8岁，又遗命鳌拜与索尼、遏必隆、苏克萨哈四人，共同尽心进行辅佐。这样，鳌拜又一跃而成为辅政大臣。

在四大辅臣之中，居于首位的是索尼，第二位是苏克萨哈。如果索尼死去，苏克萨哈就有可能替补其位。鳌拜这些年随着官职的不断提升，权力欲也在急剧地膨胀，他一直暗中觊觎在今后成为首位辅臣，这样苏克萨哈就成了一大障碍。于是，鳌拜开始寻找机会制造事端，借以排挤打击苏克萨哈。

在清朝入关初期，对土地实行“圈地”政策，即把近京各府县的土地，分封给有功之臣和八旗。在圈地过程中，多尔衮凭借自己的权势，把本应属于镶黄旗的永平府（今河北卢龙）之地给了自己的正白旗，而在保定府（今河北保定）、河间府（今河北河间）、涿州（今河北涿州市）等处另拨土地给镶黄旗。多尔衮的这种做法当时在黄旗中曾引起不满，但到康熙时事情已隔20余年，由于拨土地引起的矛盾已被渐渐淡忘了。而鳌拜为了笼络黄旗大臣，孤立、打击苏克萨哈，这时又旧事重提，立即引起正黄、镶黄两旗大臣的共鸣。加之索尼一向与苏克萨哈不和，鳌拜遂于康熙五年（1666年）正月，指使两黄旗旗民上诉，要求更换圈地，意图造成八旗纷纷要求重新更换圈地的形势，给孝庄皇太后和康熙帝带来困扰。

这时，直隶总督朱昌祚、巡抚王登联交章上疏，指斥鳌拜胆大妄为，随意圈换土地，给各地百姓带来灾难，并予以抵制，要求中止此事。户部尚书苏纳海也认为此事欠妥，并决定撤回已派出的有关官员，停止大量换地。

鳌拜闻知了这些后，极其恼怒。他知道，如果圈地一旦中止，他的威信将一落千丈，以后不可能成为首位辅臣。为了保住自己的权势，鳌拜决定对敢反对自己的这三个人下手，要置他们于死地。

康熙帝心里清楚，这三个人本没有什么罪，只是因惹怒鳌拜才招致祸端。他没有听信鳌拜的话，不同意判处他们死刑。但是，鳌拜此时的权力欲已极度膨胀，他倚仗自己的权势，竟然不听康熙的旨意，而在暗中矫诏，将朱昌祚、王登联、苏纳海三人处以了绞刑。鳌拜在杀了这三个人以后，就继续强行推行大规模的土地圈换。这次圈换土地，给广大旗人和汉人带来灾难，而鳌拜却从中加强和扩大了自己的权势。

圈换土地事件结束后，鳌拜的权力欲望越加膨胀，图谋取得启奏权和批理奏疏大权，使自己超过遏必隆和苏克萨哈，成为仅次于索尼的二号人物。这时，鳌拜的野心引起了孝庄皇太后和年幼的康熙帝的高度警惕，对他开始产生戒备之心，处处小心谨慎。同时，孝庄皇太后和康熙帝也开始对鳌拜严加防范起来。

自从鳌拜挑起事端，重新圈换土地之后，朝内百官也惴惴不安，对四大臣辅政产生了恐惧和不安的心理，要求康熙帝亲政的呼声越来越高。这样，围绕康熙帝亲政之事展开了一场激烈的斗争，鳌拜在这场斗争中充当了一个不光彩角色，将自己的丑恶面目显露了出来。

首先上奏要求康熙帝亲政的是刑科给事中张维赤。他的奏疏得到百官的普遍响应。在众朝臣拥戴的情况下，首席辅臣索尼也上疏康熙帝，奏请他亲政。可是在随后不久，索尼就因病死了。索尼的死，让鳌拜有些想入非非，他想乘机越过遏必隆和苏克萨哈，成为首席辅臣。

康熙帝见鳌拜越来越专横，觉着辅政之制不能发挥原来的作用，反而对朝廷构成威胁。于是，在康熙六年（1667年）七月初三，康熙帝以辅臣屡行陈奏为由，往奏其祖母孝庄皇太后，要求亲政。在取得孝庄皇太后的同意后，定于七月初七举行亲政大典。

康熙亲掌朝政以后，由于鳌拜仍掌管批理章疏大权，尤其是依附有一大批身居高位的私党，在朝中专权跋扈，左右政局。所以，康熙帝实际上难以真正亲政，相反，却对爱新觉罗氏的皇权构成了潜在的威胁。

对鳌拜一向鄙视的辅政大臣苏克萨哈，不愿与之同流合污，见他在朝中势大，就产生了退隐的想法。因为苏克萨哈在辞职奏疏中表示愿回东北去守护先皇陵寝，康熙对此颇感疑惑，就派人前往去查问。

鳌拜对苏克萨哈本来就心怀怨恨，总想找机会进行陷害。这时，他借机抓住苏克萨哈辞职大做文章，不仅矫旨指斥他，而且不问青红皂白，给他编造了不欲归政等二十四项罪状，要求把苏克萨哈以大逆罪处于磔刑。

康熙帝这时才醒悟过来，知道鳌拜是挟怨构陷，不答应他的奏请。鳌拜骄纵蛮横，竟然在康熙帝面前攘臂上前，累日强行奏请。最后，苏克萨哈这位忠心为国的老臣到底死在鳌拜的恣意陷害之下，成了政治斗争的牺牲品。

苏克萨哈一家冤死之后，四大辅臣之中仅剩下鳌拜和遏必隆两人，而遏必隆遇事没有主见，又处处依附鳌拜，这就使得鳌拜真正成为一人之下万人之上的权臣。此时康熙帝深感不除鳌拜，将国无安宁，于是年轻的康熙帝准备铲除鳌拜这个后患。

鳌拜矫旨杀死苏克萨哈之后，更加目无康熙，恣意胡为。凡起坐班行，自动列于遏必隆之前，以首辅自居。对于朝中政事必先于私家议定，然后上奏施行。在康熙帝面前，凡事不按常理进奏，多以过去的疏稿呈上，逼其依允。更过分的是，鳌拜常常当着康熙帝的面，呵斥大臣，拦截奏章。在康熙帝的眼里，鳌拜的欺主乱政已经到了无法容忍的地步。

康熙七年（1668年）9月，侍读学士熊赐履上奏说："朝政积习未祛，国计隐忧可虑。"并引用宋代理学家程颐"天下治乱系宰相"一语提醒康熙帝要使朝政有序，必须除掉鳌拜。康熙帝认为当时时机尚不成熟，为了不让鳌拜发觉，便故意斥责熊赐履冒奏。实际上，康熙帝已经在悄悄部署各项工作，准备铲除鳌拜这个权奸。

康熙帝的除奸准备非常特别，他以自己的年轻作为掩护，特意精选了一些少年侍卫、拜唐阿（即执事人），平日里专为扑击之戏。所谓扑击，满语称为布库，也有称为角力、摔跤的。康熙帝之所以这样做，是因为他身边的侍卫受鳌拜的影响较大，非常不可信；他将自己特意精选的侍卫、拜唐阿另外组成一支更为亲信的卫队——善扑营。康熙帝这样做，果然迷惑了鳌拜，以为皇帝年幼，喜欢游戏，而没有在意善扑营的真实用途。实际上善扑营的成立，并非因康熙帝活泼好动，爱玩乐，而是他为自己铲除鳌拜在组织上做的准备。这样，一支真正属于康熙帝的人马聚集在了他的周围。

准备工作就绪以后，康熙就召来鳌拜。在他还没明白是怎么回事时，就被康熙喝令侍卫一举拿下了。

鳌拜被捕以后，康熙帝向众大臣列举宣布了他的罪状。经议政王会议讨论，拟定鳌拜革职立斩，其子亲、兄亲也问斩。后来康熙念及鳌拜为清朝开疆扩土立下汗马功劳，又搭救过清太宗皇太极，赦免了他的死罪，只革职拘禁，籍没了家产。

年轻的康熙帝在处理鳌拜案件中，表现出了极高的政治才能，他既从鳌拜手中完完全全地夺回了权力，又没有株连更多的人。虽然此案涉及的人事关系错综复杂，但康熙帝仅将9人处死，其余的人都宽大处理，使朝廷秩序得以迅速恢复了稳定。

后来，鳌拜病死于狱中。

鳌拜姓瓜尔佳氏，满洲镶黄旗人。鳌拜的伯父很早就追随努尔哈赤起兵。鳌拜则跟随皇太极起兵，担任过皇太极的护卫官，在攻占皮岛一役中作战勇敢，被封为三等男爵，赐“巴图鲁（勇士）”封号。

在清代开展的战争中，鳌拜可说是战功赫赫。松锦会战，他的勇猛发挥了很大的作用。凶暴的起义军将领张献忠就是被鳌拜杀掉的。

多尔衮死后，鳌拜与顺治关系十分融洽。顺治之后，他更担任辅政大臣，政绩虽不突出，但也没有太大的失策。康熙因为急于亲政，抓获了鳌拜，但晚年又主动为鳌拜平反，认为他是清朝争夺江山的大功臣。

和珅

和珅（1750年—1799年），中国历史上最大的贪官，其为官之大，所贪之巨，均创中国历史和世界纪录。

和珅之所以能做成最大的官，是因为他精于揣摩皇上的心理，投其所好，谄媚逢迎，极尽曲意阿谀之能事。和珅之所以能成为中国历史上最大的贪污犯，是因为他善于利用职权索贿纳贿，舞弊捞钱，其贪欲之强，胃口之大，为古往今来所罕见。如果以做官高低和捞钱多少论本事的话，和珅无疑是中国历史上乃至世界历史上最有本事的人。

然而，这种本事越大，等于其自掘坟墓的速度也就越快。古人说："多行不义必自毙，子姑待之！"和珅的死是必然的，同时也给后人带来沉重的警示。

和珅，字致斋，钮祜禄氏，满洲正红旗人。其父常保本是不知名的副都统。和珅少年时贫穷而无所依恃。至乾隆中叶还不过是八旗官学生，只中过秀才。由于和珅的高祖尼雅哈那有军功，故他在父亲死后承袭了三等轻车都尉之爵。这个世爵给和珅带来了相当可观的收入，同时也为他提供了一条接近皇帝的便捷之径。乾隆三十七年（1772年）和珅授三等侍卫，旋补粘竿处（其正式名称是"上虞备用处"）侍卫，其职责是协助侍卫处扈从皇帝。

乾隆四十年（1775年），是和珅一生的重要转折点。在这一年里，和珅巧逢机缘，得见天颜，奏对称旨，甚中上意，从此便攀龙附凤，飞黄腾达。这种突然的时来运转，可能和珅自己也未曾料到。

一日，乾隆帝大驾将出，仓促间求黄龙伞盖不得，乾隆帝发了脾气，问道："是谁之过欤？"皇帝发怒非同小可，一时间众朝臣瞠目相向，不知所措。而这时和珅在旁见了，却立时朗声应答道："典守者不得辞其责！"他声音洪亮，口齿清楚，言语利索。

乾隆皇帝不禁一怔。循声望去，就见说话人仪态俊雅，气质不凡，乾隆帝不禁更为惊异，叹道："若辈中安得此人！"问其出身，知是官学生，虽然学历不高，但毕竟是读书人出身，这在侍卫中也属凤毛麟角了。乾隆皇帝一向重视文化，对读过四书五经的满族生员，自然更另眼相看。所以一路上便向和珅问起四书五经的内容来。这和珅原本不学无术，可是对四书五经倒稍能记忆，居然“奏对颇能称旨”。至此，和珅进一步引起了乾隆帝的好感，遂派其总管仪仗，升为侍卫。从此他就官运亨通，扶摇直上。一次偶然的机遇便这样为和珅铺平了升迁之路。

和珅自从随驾蒙皇帝赏识，很快就青云直上，连连升迁。

可以说，他几乎无年不升，其升迁周期几乎是以月计算的，堪称创历史和世界纪录。到乾隆末期，和珅已经任过吏部尚书、兵部尚书、户部尚书，协办大学士、文华殿大学士，御前大臣、议政大臣、领侍卫内大臣等等职务，此外还有几十项兼职。

和珅之所以受到皇上如此宠信而位极人臣，并非因为他有什么出众的文韬武略；在大学士和军机大臣中，无论资历、人品和才干，哪一位都比和珅强。可是，和珅却自有着一套远非他人可比的特殊本事，这就是长于揣摩窥测，谄媚逢迎，玩弄权术。这些伎俩被和珅运用得出神入化，成为他得以步步晋升的利器。

乾隆皇帝虽然号称“英明老练”，但在晚年好大喜功，喜谀恶谏，贪财好货，爱摆阔气。和珅正是准确地揣摩把握了乾隆帝的心理意向后，投其所好，曲意迎合，极尽阿谀奉承之能事，所以才取得乾隆帝的欢心和宠信，并将其一直保持到乾隆帝升天之日。

有了皇上的宠信和庇护，和珅便肆无忌惮地专权纳贿，结党营私，聚敛财富。他的贪欲之强，胃口之大，古往今来，几乎无人可比。

和珅聚敛财富的主要方式是向官员索贿。内而九卿，外而督抚司道，不向和珅纳银献贿，职位即使得到，也不可能久任，甚至被和珅阴使诡计而遭革职遣戍，直至处死。

和珅受贿，数额巨大，“如以数万金进，不值一盼也”。宁羌人张某以守备罢归，陕西巡抚某让他以20万金馈和珅。投书后，日探不得消息。费银5千余，才见一华服少年奴仆从和珅府第出来，问所献之金是白是黄，张某以银对，这个奴仆不屑一顾，命人收在外库。他们视白银为粗货，视20万金为小数。行贿者以为这少年奴仆非司阍即和珅心腹，有人笑着告诉他说：“此重珅（被其他奴婢所驱使的奴婢）耳，其心腹司阍，岂数千金能见颜色？”此人奉上20万金，又付出5000余金的“关节费”，连和珅的真正奴婢都没得见上一面。

就连宫中的贵要、龙子龙孙都不得不向和珅行贿送礼。皇子永锡要承袭肃亲王的爵位，也被迫把前门外两所铺面房送给了和珅。

由于“和相专权，补者皆以赀进”，于是便形成了政以贿成、吏治败坏、贪风日炽的恶浊的政治局面。乾隆四十七年（1782年）七月，在查抄大贪污犯王亶望家财后，乾隆帝将抄家物品与抄家底簿相核对，发现不符之处甚多，且很少有值钱的东西。如抄家底簿上登记有金叶、金条、金锭共4748两，而实到内府者，却仅有金叶9两3钱。原来是闽浙总督陈辉祖从中捣鬼，将王亶望家财截留，因忘了将抄家底簿先行修改，这才露出马脚。陈辉祖连皇帝亲自过问的大案也敢从中舞弊，大捞一把，可见当时官员的贪污，已近于疯狂的程度。

和珅财货索之于官吏，官吏又取之于百姓，人民的血汗不断流入和珅的府库。和家的仓库盖了一个又一个，金银财物还是多得盛不下。

和珅利用职权，通过招权纳贿、欺蒙皇帝等手段，结党营私，结成一个庞大的贪官污吏关系网。他们紧密勾结，狼狈为奸，损公肥私，害民利己。从而给人民带来巨大的痛苦，同时也严重动摇了清帝国的根基，加剧了清代的政治和经济危机。

大凡奸恶之臣，不仅懂得如何去攫取权力，更懂得如何扩大权力。同样的职位，一到他们手里，就可以把权力发挥得淋漓尽致。他们的奸恶，令人生畏。无耻小人因畏而趋炎附势；守正君子虽不去趋附，但往往避而远之；而敢于反对他们的人则既难出现，又往往势孤力单，难以与奸恶较量。这也正是古来小人得势、君子屈困的原因所在。对于和珅的奸佞品性，连当时出使中国的朝鲜使臣都看得很清楚，称其“为人狡黠，善于逢迎”，“性又阴毒，少有嫌隙，必致中伤，人皆侧目”，故使国家政事“间多苛严”、“人怀不安”，朝廷上下一片紧张的气氛。和珅“机械百出，无形无声，非可意料”。对于不附于己者，他伺机激皇上之怒以陷害之；对于纳贿者，则巧为周旋，或故意拖延其事，待皇帝怒气平息后再去上奏或为之说情。

和珅嫉贤妒能，排除异己，挟私报复，屡兴大狱。如李侍尧曾以总督担任大学士、军机大臣，颇得乾隆信任。在其担任军机大臣期间，曾说“儿畜和珅”，故和珅对他恨之入骨。于是便寻机上疏弹劾李侍尧，说他贪私索贿。乾隆帝派他去云南查办，结果并未查出什么私弊，于是他就把李侍尧的仆人抓来，严刑拷打，终于从仆人那里逼出口供。和珅遂以“贪浊无厌”、收受属员贿赂为借口，将李革职下狱，并力请乾隆帝将其处死。后来，因李系功臣之后，才幸免一死，但家产全被籍没。

后来，随着和珅权势的不断增长，凡在军机处、内阁任职的所有高级官员，如阿桂、福康安、王杰、董诰、刘墉等，几乎都成了和珅攻击的对象。为免遭陷害，阿桂虽然德高望重，对和珅也是“刻刻防之”，其他官员更是“循循如属吏”。

尽管和珅尽得皇帝宠信，在当时红得发紫。但是，仍有不少忠正的大臣不惧其权势，愤而与和珅的奸恶相抗争，甚至不顾及性命安危，敢在太岁头上动土。

嘉庆元年，一个正直的御史冒死挺身而出，狠狠打击了和珅的嚣狂气焰。这时候乾隆帝虽已退位做了太上皇，但仍然大权在握；而和珅的权势更是越来越大。他的家里人仗着和珅势力，经常胡作非为。一天，和珅的一个妾弟在大街上驾着车横冲直撞，撞倒很多行人，恰被御史谢振定见到。谢御史见和珅的家人如此胡为，怒不可遏，当即把他的妾弟打了四十大板，马车也在当街烧掉。虽然谢御史因此被和珅构陷罢了官，但是他的骄横之气也不得不有所收敛。

乾隆帝在位60年后，退位为太上皇，皇太子琰即位，是为嘉庆皇帝。

乾隆虽然退了位，但仍然不肯放权，可毕竟年已80有余，记忆力大为衰退，这样和珅便成了出纳帝命之人。他所传的太上皇意旨是真是假，无从印证，于是和珅专擅更加日甚一日，甚至敢在嘉庆皇帝面前炫耀老皇帝给他的特权。就嘉庆帝来说，在太上皇的“训政”之下当皇帝，滋味已经很难受，再出来这么个“二皇帝”，怎能不让他愤恨和切齿？只是由于“投鼠忌器”，碍着太上皇的面子，无奈在表面上不动声色罢了。

尽管和珅恃宠狂傲，也深知太上皇来日无多，所以对嘉庆处处提防。嘉庆也知道，和珅再狂，毕竟是个奴才身份，所以在合适的场合，他也会抖抖皇上的威风，给和珅来个“偶尔露峥嵘”。

也许，正是因为和珅对嘉庆多少还惧怕几分，嘉庆的嗣皇帝才终于坐稳的吧。

和珅知道嘉庆深恨自己，一旦太上皇驾崩，他将不会有好的结果。于是，他常常千方百计地暗中打嘉庆的主意，想把他赶下皇位。嘉庆对此自是心知肚明，对和珅也就更加恨之入骨。他已经在心里盘算好，只要太上皇一死，就尽早除掉和珅这个心腹之患。

嘉庆四年（1799年）正月初三日，乾隆帝驾崩于乾清宫。嘉庆终于等到了机会，在第二天就宣布太上皇一切丧仪由和珅总理，把和珅和同党福康安安排在殡仪殿昼夜值班，不准擅自走动，乘机剥夺了他的军机大臣、九门提督之权。随后又颁布谕旨，暗示要查办那些在征剿川楚陕白莲教起义中通同蒙蔽的大臣。谕中说，出师之师，以负言胜，略一挫败，就大肆吹嘘，贪功求赏，居心已不可问；还有太上皇的近臣，与这些人狼狈为奸，上下欺隐，把朝廷的法律当成儿戏。长此以往，国体何存？威信何在？又说，历年兵部支出的军饷已达巨万，都被某些当权者吞没。长此以往，兵何能强？战何能胜？

此谕一下，举朝震惊，都知道所指就是和珅。平日那些痛恨和珅的大臣们，立即交章上奏进行弹劾。嘉庆帝就势将和珅革职拿问，并下令各部院大臣、各省督抚都起来揭发，然后就如何将和珅拟罪这事，据实复奏。最后又借直隶总督胡季堂之口，为和珅构筑了二十大罪状，要求将这个悖逆不法、蠹国病民、贪黩放荡、目无君上的权臣以大逆罪论处。这一套程序进行得丝丝入扣，显然嘉庆谋划已久。

据说和珅对指证的所有罪状，一一招认不讳。于是，嘉庆将这二十大罪状，交给京师三品以上的官员传阅。依嘉庆的本意，是要将和珅凌迟处死。可是，他的妹妹和孝公主已经下嫁和珅之子，再三涕泣求情，嘉庆帝按康熙除鳌拜的前例，“加恩”赐和珅于狱中自尽。随后又查抄了和珅的家产，竟然超过国家十年的财政收入。

一代巨贪和珅最终死于非命，这是他自作自受。但是丢的是和珅的狗命，苦的还是天下百姓。

和珅字致斋，钮祜禄氏，满洲正红旗人。和珅小时父亲便去世了，但他十分好学，勤奋使他抓住了碰到乾隆的机遇，迅速成为乾隆身边的红人。和珅作为乾隆的近臣也曾反腐败，抓了几个贪官。乾隆打仗的时候，和珅管理国家财务，他的行政能力也值得肯定。

和珅的学识不错，他懂得满、汉、蒙、回四种语言，放在今天，也算得上有知识、年轻化的领导者。和珅曾经担任过理藩院尚书，主持外交工作，英国大使马戛尔尼觐见乾隆时，就是和珅接待的，前者在自己所著的《乾隆英使亲见记》书中，对和珅的评价很高。

和珅的死，最大的原因是成为乾隆与嘉庆权力斗争的牺牲品。嘉庆作为太子兼皇帝，必然要扶持自己的势力，乾隆却要控制嘉庆势力的发展，和珅因此成了替罪羔羊。当然，和珅的财产之巨也是被杀的一个原因，只是相较权力而言，这个原因并不大。

林则徐

林则徐（1785年—1850年），福建省侯官（今福州市区）人，字元抚，又字少穆、石麟，晚号俟村老人、俟村退叟、七十二峰退叟、瓶泉居士、栎社散人等，是清朝后期政治家、思想家和诗人，官至一品，曾任湖广总督、陕甘总督和云贵总督，两次受命钦差大臣；因其主张严禁鸦片、抵抗西方列强的侵略，有“民族英雄”之誉。

林则徐于乾隆五十年七月二十六日（1785年8月30日）出生在福建侯官鼓东街（今福州市鼓楼区中山路）一个下层封建知识分子的家庭里。父亲林宾日，以教读、讲学为生。仅靠父亲教私塾的微薄收入无法维持生活，于是，母亲用手工劳动来分担家庭的困窘。

在科举时代，林则徐的父母指望自己的儿子能在仕宦之途发达上升。林则徐天性聪颖，在4岁时便由父亲“怀之入塾，抱之膝上”，口授四书五经。在父亲的精心培育下，较早地读了儒家经传。嘉庆三年（1798年），他14岁中秀才后就到福建著名的鳌峰书院读书，受教于具有实学的郑光策和陈寿祺。在父亲和亲友的影响下，开始注意经世致用之学。嘉庆九年（1804年），20岁中举人。父亲的谆谆教导使林则徐的学业取得了惊人的成就。但此后由于家庭日难，外出当塾师。在十一年（1806年）秋，应房永清之聘到厦门任海防同知书记。这里的鸦片烟毒引起他的注意。同年，受新任福建巡抚张师诚的赏识招入幕府。他在张幕中获知了不少清朝的掌故和兵、刑、礼、乐等知识以及官场经验，为他日后的“入仕”准备了些必要条件。

嘉庆十六年（1811年），林则徐会试中选，赐进士，选翰林院庶吉士，开始进入了官场，实现了父母所期望的入仕做官。从1820年起，他先后在浙江、江苏、湖北、河南、山东等地任地方官，所到之处，他惩办贪官，兴修水利，为民造福。他十分重视实际调查，在东河河道任总督时，徒步抽验秸料几千垛，尽力修治黄河。任江苏巡抚期间，上书陈述多年的钱税负担、民众之苦，请求上级暂缓征收赋税，并兴修水利。

19世纪初，英国殖民者走私了大批鸦片到中国，致使中国白银大量外流，人民吸食鸦片上瘾，身体素质急剧下降，军队也失去了战斗力，引起了严重的社会危机和民族危机。在这一背景下，道光十七年（1837年）初，林则徐任湖广总督，严禁鸦片，卓有成效。次年上奏道光帝，力主禁烟，遂受命为钦差大臣，节制广东水师，赴粤查禁鸦片。

1839年3月，林则徐到了广州，禁烟运动迅速展开。他一面加紧整顿海防，严拿烟贩；一面限令外国烟商交出鸦片。林则徐在给外国烟商的通知中说："若鸦片一日未绝，本大臣一日不回。"由于林则徐坚定的态度和有力的措施，再加上人民的支持，外国烟商被迫交出鸦片2万多箱。

林则徐下令在虎门将鸦片公开销毁，并带领大、小官员亲自监督。他令人将鸦片放入挖好的两个大池子里，池中放入卤水，鸦片浸泡半日后，再加上生石灰，生石灰将生水煮沸，就把鸦片销毁了。经过22天，才把缴获的鸦片全部销毁。这就是举世闻名的"虎门销烟"。

虎门销烟的正义行动，取得了广大人民的支持，虎门海滩每天都有上万人观看，人们无不拍手称快。外国人看到这情形，也对林则徐禁烟的果断表示钦佩。

虎门销烟是我国近代史上反帝斗争中的光辉一页，林则徐领导禁烟运动的胜利，是中国人民反侵略斗争史上第一个伟大胜利，这一壮举，维护了民族的尊严和利益，增长了中国人民的斗志。

林则徐在广州查鸦片的过程中，意识到英国会发动侵略战争。为了战胜敌人，需要知己知彼。他经过多方面分析研究，得出：变敌人的长处为自己的长处，即魏源归纳阐述的"师夷之长技以制夷"。于是林则徐亲自主持，组织翻译班子，把外国人讲述中国的言论翻译成《华事夷言》，作为当时中国官吏的一种"参考消息"；为了了解外国的军事、政治、经济情报，将英商主办的《广州周报》译成《澳门新闻报》；为了解西方的地理、历史、政治，又组织翻译了英国人慕瑞的《世界地理大全》，编为《四洲志》，这是我国近代第一部比较系统介绍西方地理的书；还翻译瑞士法学家瓦特尔的《国际法》。其中一条规定："各国有禁止外国货物不准进口的权利。"说明中国禁烟完全合乎《国际法》。在军事方面，着手改善和加强沿海一带防御力量。林则徐专门从外国买来200多门新式大炮配置在海口炮台上。为了改进军事技术，又搜集并组织了大炮瞄准法、战船图书等资料。林则徐敢于学习外国先进科学技术的精神，受到人们高度赞扬，被称为"开眼看世界的第一个人"。虽然林则徐对西方认识比较肤浅，接触西学的目的是出于外交、军事需要，但毕竟开创了中国近代学习和研究西方的风气，对中国近代维新思想起到了启蒙作用。

1840年6月28日，英国军舰正式封锁珠江海面，鸦片战争正式爆发。1840年7月6日，英军攻下定海，并北上大沽口。这时道光帝开始倾向妥协投降，并起用投降派人物琦善，满足英国惩办林则徐的要求，与英国握手言和。10月20日，林则徐被革职查办。此时，林则徐仍然尽其所能继续进行抗英斗争。他到处巡察，提出加强广州战备的建议，还自筹经费，招募士兵，以充实海防。1841年5月1日，林则徐被道光帝派往镇海协助海防，林则徐到达的第二天就投入以造炮制船为中心的防务活动。6月28日，林则徐背负好几种莫须有的罪名，被发配到新疆伊犁。

林则徐这位民族英雄虽然满腔热血，却终究报国无门。但他在鸦片战争中，积极抵抗外来侵略、维护中华民族尊严的民族气节，必将永留史册。

曾国藩

曾国藩（1811年—1872年）初名子城，字伯函，号涤生，谥文正，湖南长沙府湘乡（今湖南省双峰县）人。中国清朝时期的军事家、理学家、政治家，书法家，“中兴名臣”之一，也是文学家，晚清散文“湘乡派”创立人。官至两江总督、直隶总督、武英殿大学士，封一等毅勇侯。

曾国藩于嘉庆十六年（1811年）出生于湖南省双峰县井字镇荷叶塘的一个豪门地主家庭。兄妹九人，曾国藩为长子。祖辈以农为主，生活较为宽裕。祖父曾玉屏虽少文化，但阅历丰富；父亲曾麟书身为塾师秀才，作为长子长孙的曾国藩，自然得到二位先辈的伦理教育了。

曾国藩6岁时入塾读书，8岁能读八股文诵五经，14岁时能读《周礼》、《史记》文选，并参加长沙的童子试，成绩俱佳列为优等，可见他自幼天资聪明，勤奋好学。至道光十二年（1832年）考取了秀才，并与欧阳沧溟之女成婚。

曾国藩28岁便考中了进士，从此之后，他一步一阶地踏上仕途之路，并成为军机大臣穆彰阿的得力门生。在京十多年间，他先后任翰林院庶吉士，累迁侍读、侍讲学士、文渊阁值阁事、内阁学士、稽察中书科事务、礼部侍郎及署兵部、工部、刑部、吏部侍郎等职，曾国藩就是沿着这封仕途之道，步步升迁到二品官位。十年七迁，连跃十级，从七品一跃而为二品大员。

曾国藩的升迁和镇压太平天国起义是分不开的。咸丰二年（1852年），曾国藩因母丧在家。这时太平天国的起义已席卷半个中国，尽管清政府从全国各地调集大量八旗、绿营官兵来对付太平军，可是这支腐朽的武装不堪一击。因此，清政府屡次颁发奖励团练的命令，力图利用各地的地主武装来遏制革命势力的发展，这就为曾国藩的湘军的出现提供了一个机会。咸丰三年（1853年）借助清政府给予寻求力量镇压太平天国的时机，他因势在其家乡湖南一带，依靠师徒、亲戚、好友等复杂的人际关系，建立了一支地方团练，称为“湘军”。曾国藩残酷镇压太平天国起义，用刑苛酷，史称：“重则立决，轻则毙之杖下，又轻则鞭之千百。……案至即时讯供，即时正法，亦无所期待迁延。”不仅他自己直接杀人，他的父亲和四弟也杀人，有人责其杀人过多，称呼为“曾剃头”、“曾屠户”。据说，南京小孩夜哭，妈妈说“曾剃头来了”，小孩就不敢哭了。在和太平军作战中，曾国藩用劫掠财物、封官赏爵的办法来鼓舞士气，养成湘军凶悍的本性。湘军在军事素质落后的清朝武装力量中成为中国南方地区与太平天国军事力量作战的主力之一。曾国藩被封为一等勇毅侯，成为清代以文人而封武侯的第一人，后历任两江总督、直隶总督，官居一品，

此外，曾国藩本人也善于运用人才，清朝另外一些名臣如左宗棠、李鸿章都与他有密切关系。左宗棠、李鸿章等称呼曾国藩为老师。

当然，宦海沉浮，曾国藩风光过，也必然有受挫的时候。

自从太平天国运动失败后，太平军在江北的余部与捻军汇合，曾国藩带领湘军二万，淮军六万，配备洋枪洋炮，北上“剿捻”，他的方针是“重迎剿，不重尾追”，并提出“重点设防”等计划，妄图把捻军阻击在运河、沙河地区，使捻军无处可逃，然后加以消灭。但是捻军突破了曾国藩的防线，进入山东，使曾国藩的战略计划全部破产。曾国藩被免职，由李鸿章接代。这让曾国藩遭受了挫伤。

还有一件事：1870年6月21日，天津数千名群众因怀疑天主教堂以育婴堂为幌子拐骗人口、虐杀婴儿，群集在法国天主教堂前面。法国领事丰大业认为官方没有认真弹压，持枪在街上碰到天津知县刘杰，因发生争执开枪射击，当场击死刘杰仆人一人，民众激愤之下先杀死了法国驻天津领事丰大业及其秘书西门，之后又杀死了10名修女、2名神父、另外2名法国领事馆人员、2名法国侨民、3名俄国侨民和30多名中国信徒，焚毁了法国领事馆、望海楼天主堂以及当地英美传教士开办的4座基督教堂。事件发生后，英、美、法等国联合提出抗议，并出动军舰逞威。曾国藩到天津后，考量当时局势，不愿与法国开战，“但冀和局之速成，不问情罪之一当否”，在法国的要求下，商议决定最后处死为首杀人的18人，充军流放25人，并将天津知府张光藻、知县刘杰革职充军发配到黑龙江，赔偿外国人的损失46万两银，并由崇厚派使团至法国道歉。这个交涉结果，朝廷人士及民众舆论均甚为不满，使曾国藩的声誉大受影响，引起全国朝野的唾骂，连他的湖南同乡，也把他在湖广会馆夸耀其功名的匾额砸烂焚毁。

总体上，曾国藩在官场充分展现了自己的政治才华和军事才能，除此之外，曾国藩在文学上也是有所为的。曾国藩一生著述颇多，但以《家

书》流传最广，影响最大。光绪五年（1879年），传忠书局刻印了由李瀚章、李鸿章编校的《曾文正公家书》。

同治十一年二月初四（1872年3月20日），曾国藩在南京病逝。朝廷赠太傅，死后谥号“文正”。其家族后代多出官宦，如曾纪泽等。

李鸿章

李鸿章（1823年—1901年），晚清军政重臣，淮军创始人和统帅，洋务运动的主要倡导者。字子黻、渐甫，号少荃、仪叟。安徽合肥人。道光二十七年（1847年）中进士。同时，受业曾国藩门下，讲求经世之学。咸丰三年（1853年）受命回籍办团练，多次领兵与太平军作战。1858年冬，入曾国藩幕府襄办营务。1860年，统带淮扬水师。湘军占领安庆后，被曾国藩奏荐“才可大用”，命回合肥一带募勇。同治元年（1862年），编成淮勇五营，曾国藩以上海系“筹饷膏腴之地”，命淮勇乘英国轮船抵沪，自成一军，是为淮军。旋经曾国藩推荐任江苏巡抚。地方实权既握，又于江苏大力扩军，采用西方新式枪炮，使淮军在两年内由6000多人增至六、七万人，成为清军中装备精良、战斗力较强的一支地方武装。后淮系军阀集团在此基础上逐渐形成。李鸿章到上海后，同外国雇佣军（后组建为常胜军）出犯太平军。1863年和1864年他率淮军攻陷苏州、常州等地，和湘军一起镇压了太平天国。

梁启超说：“吾敬李鸿章之材，吾惜李鸿章之识，吾悲李鸿章之遇。”李鸿章才识过人，只是生不逢时，值得同情。至少李鸿章在中国经济的现代化和外交的现代化上还是作出了不可磨灭的伟大贡献。

作为政治家，李鸿章是晚清统治阶层里的杰出人物之一。署理两江总督，调集淮军数万人赴中原对捻军作战。1866年，继曾国藩署钦差大臣，专办镇压捻军事务。次年，授湖广总督。其后，采取“就地圈围”、“坚壁清野”等战略，相继在山东、江苏间和直隶（约今河北）、山东间剿灭东、西捻军。1870年，继曾国藩任直隶总督兼北洋通商大臣，从此控制北洋达25年之久，并参与掌管清政府外交、军事、经济大权，成为清末权势最为显赫的封疆大吏。张之洞、梁启超都认为李鸿章的见识超出同侪。此外，他较早地意识到中国面临前所未有的变局，已经到了非变不可的地步。1865年他便指出：“书生座谈误国，可为口叹！且外国猖獗至此，不亟亟焉求富强，中国将何以自立耶！千古变局，庸妄人不知，而秉钧执政亦不知，岂甘视其沈胥耶！”正是基于这种不甘心自己的国家沉沦的自觉，他以推行“自强新政”即洋务运动为己任。他力主以开放的态度去处理同外国的关系，以新的观念和措施去适应“数千年来未有之变局”，把“借法自强”看作救国的关键所在，把学西方作为救国急务，爱国赤诚溢于言表。

作为一个外交家，在处理、解决复杂、多变的外交时，有没有战略上的主张与决断是至关重要的。李鸿章非常了解清朝的实力，面对那些像饿虎扑食一般打算瓜分中国的外国列强，进行全面对抗显然无济于事，不可能获得胜利。李鸿章提出“以夷制夷”的战略思想就是摆脱困境的明智之举。在甲午海战惨败后，他看出日本侵吞中国的狼子野心，但中国并不是日本的对手。他在出访俄国时签订了秘密的“中俄条约”，就是针对日本侵略中国时能够得到俄国对日本的制约及援助。第二次世界大战的历史惊人地证明了这一方略的正确性：最后是苏联帮助中国战胜了日本！否则中国的抗日斗争也许还要增加八年时间，甚至更长。“以夷制夷”的战略意图不仅是针对日本。俄国乘人之危时，逼迫清朝签订了《里瓦几亚条约》，妄图吞并新疆的大片领土。面对严峻的形势，李鸿章请他的密友、英国人戈登出面游说英国、法国政府，给俄国施加了压力，最后使俄国没有如愿以偿。以智取胜是弱者对抗强者的好办法。

李鸿章的计谋虽然没有从根本上解决中国被欺辱的状态，是因为还有许多其他因素和条件的影响与约束。但是他能够高瞻远瞩地提出“以夷制夷”的方略，就足以证明他不是等闲之辈。日本首相伊藤博文视其为“大清帝国中唯一有能耐可和世界列强一争长短之人”，慈禧太后视其为“再造玄黄之人”。虽然他代表清政府签订了不少不平等条约，但这是在国力最弱的背景下据理力争所能取得的最佳方案，若让一人去背负整个国家的责任岂不有失公正？在当时国际大舞台错综复杂的状况里，李鸿章机智斡旋处理了很多震惊中外的大事件，在不断的巨大失败和微小的胜利之中，形成了自己独特的外交思想和外交手段。在与外国人的交往中，李鸿章个人的睿智和深刻、大气和幽默、仪表和举止都散发出浓浓的个人魅力，博得了洋人对他的敬佩和尊重。当时国际舆论对李鸿章评价颇高，日本人的评价是：知西来大势，识外国文明，想效法自强，有卓越的眼光和敏捷的手腕。美国人的评价是：以文人来说，他是卓越的；以军人来说，他在重要的战役中为国家作了有价值的贡献；以从政来说，他为这个地球上最古老、人口最多的国家的人民提供了公认的优良设施；以一个外交家来说，他的成就使他成为外交史上名列前茅的人。

李鸿章也是中国近代化事业的主要开创者。近代的机械制造、采煤、铁路、电报、轮船运输、纺织等工业、采矿和交通运输及信息企业，无一不同李鸿章的推动、支持有关。在办新式学堂、派留学生出洋等方面也有他不可磨灭的贡献。不可否认，这些官办或官督商办的企业存在着种种弊端，但西方的机器和科学技术进入中国就是对愚昧无知的打击，就播下了推动社会向前发展的种子。招商局轮船所到之处，商品经济总有大小不等的发展。正是江南制造局翻译出版的几百部西书，孕育了康有为、梁启超、谭嗣同等一代呼风唤雨的人物。李鸿章思想的开明和开放，吸引了一批新型知识分子，甲午战争前，不但严复、马建忠及其他留洋归来的技术知识分子绝大部分在李鸿章直接领导或势力所及的范围内服务，就是对其学西方的作法持激烈批评态度的郭嵩焘、王韬、郑观应等人，也是李鸿章的朋友或麾下的重要官员。

李鸿章个性严谨，“血气甚强，无论若何大难，皆挺然以一身当之，未曾有畏难退避之色，是亦其特长也。”“重纪律，严自治，中国人罕有能及之者”，有“东方俾斯麦”之称。对人，“其待属将也，皆以道义相交，亲爱如骨肉，故咸乐为用命，夫将将之才”。治事，“每遇一问题，必再三盘诘，毫无假借，不轻然诺，既诺则必践之，实言行一致人也”。李鸿章待人处事的态度，让人敬佩。

纵观其一生，为国为民不计艰辛和困苦，不畏诽谤和诋毁，一直埋头肯干、默默做事，直至生命即将结束之时，未尝口及家事。李鸿章不仅在“洋务”方面表现出了他卓越的才能，在经济方面也做出了突出的贡献，借着大清国的财力，更是凭借自己卓新的思想与观念，李鸿章创办了中国第一个近代军事企业——上海洋枪三局。不仅于此，由于李鸿章的主持与参与，洋务派还兴建了第一条铁路，第一座钢铁厂，第一座机器制造厂，第一所近代化军校，第一支近代化海军舰队。李鸿章为大清国国计民生近代化所奠基的所有事业，令他身后的国人一直在受益。他是对中国近代化产生了至关重要影响的洋务运动的中坚。李鸿章生逢大清国最黑暗、最动荡的年代，他的每次“出场”无不是在国家存亡危急之时，大清国要他承担的无不是“人情所最难堪”之事，因此，国人在咒骂痛斥之时，确实深深自省，确实不可放弃“国民之责任”。

第三章　军事将领

曹刿

曹刿即曹沫，亦作曹翙。生卒年不详，春秋时鲁国大夫（今山东省东平县人），著名的军事理论家。鲁庄公十年，齐攻鲁，刿求见请取信于民后战，作战时随从指挥，大败齐师，“一鼓作气”之典出于此。

曹刿的生平事迹，古文献中极少记载。他在军事方面的活动，仅参与长勺之战一事，见之于《左传》、《国语》等书。

长勺之战记载了春秋时期鲁国和齐国之间的一次战争。战争发生在鲁庄公十年（公元前684年）的春天。在这之前的一两年，鲁国和齐国的关系急剧地紧张起来，两国还曾经发生过军事战斗。原因是因为在早些年齐国发生内乱的时候，齐国的两个公子（公子小白、公子纠）出奔，离开了齐国。鲍叔牙扶助公子小白出奔莒国（今山东莒县一带），另一方面管夷吾（即管仲）和召忽扶助公子纠出奔鲁国。到庄公九年，齐国人杀了公孙无知，国内出现了“无君”的状态，这时鲁庄公便乘机伐齐，打算把公子纠送回齐国去做国君，可这时公子小白（即后来成为五霸之一的齐桓公）从莒国抢先回到了齐国，做了齐国的国君，并截杀了公子纠，杀死了召忽，俘获了管仲。然后齐桓公发兵与鲁庄公在干时（齐国地名）打了一仗，结果鲁军大败，鲁庄公狼狈而归。四个月以后，即鲁庄公十年，齐师来伐，可想而知当时鲁国将会是处于如何的紧张气氛之中。结果这次战中成就了一个著名的军事指挥家——曹刿。

鲁庄公十年（前684年），齐桓公不顾主政大夫管仲的竭力劝阻，派高傒、鲍叔牙、公子雍率大军伐鲁。此前，齐、鲁几次交战，鲁国都被打败。闻听齐大军压境，鲁庄公和群臣大惊失色，不知所措。这时，一直隐居梁甫山的曹刿求见庄公，主动提出为抵抗齐军出谋划策。

庄公问曹刿：“齐强鲁弱，我们能打胜吗？”曹刿反问：“国君感到自己为百姓办了哪些好事，能使百姓和您同心同德去战胜敌人吗？”庄公说：“寡人虽尽责不够，不过还是时时想到百姓。吃穿不敢独享，常常分给人们。”曹刿说：“这很好，但只靠施这些小恩小惠，百姓还不会真心实意跟国君去作战的。”庄公说：“祭神用的猪牛羊，玉器丝织品等，我从来不敢虚报夸大数目，一定对神说实话。”曹刿说：“小小信用不能取得神灵的信任，神灵是不会保佑你的。”庄公又说：“寡人还能时刻想到百姓疾苦，凡重要诉讼案件，都亲自考察，不因自己所爱而滥赏，不因自己所恶而加刑，一定按实情作出处理。”曹刿高兴地说：“好！真能做到这样，我们就可以和齐国一决雌雄了。”

庄公进一步问：“我们用什么方法才能战胜齐国呢？”曹刿说：“打仗要根据战场的千变万化随机处置，决不能事先凭空决定采用什么固定的战法。我愿和陛下一同率军前去作战，根据实际情况谋划。”庄公认为曹刿讲得有理，遂同曹刿一起带领大军迎敌。齐、鲁两军在长勺（今山东莱芜东北）摆开了阵势（参见长勺之战）。齐主将鲍叔牙因一路进军顺利，有轻敌之心，首先下令击鼓进军。齐军呐喊着向鲁军阵地冲来。庄公见状，也欲击鼓迎战。曹刿连忙制止，并要庄公传令全军严守阵地，不得乱动和喧哗，擅自出战者斩。鲁军纹丝不动，齐军冲不破阵势，只好退了回去。鲍叔牙又下令第二次击鼓进攻，齐军重振精神，再次向鲁军阵地冲来，鲁阵仍岿然不动，齐军又一次退了回去。鲍叔牙见鲁军两次不出动，以为是怯阵，下令第三次击鼓进攻。这时，曹刿果断地告诉庄公击鼓冲锋。随着鼓声，鲁阵中杀声骤起，士兵们像猛虎出笼般冲杀过去，其势如迅雷不及掩耳。齐军被杀得七零八落，丢盔卸甲，狼狈溃逃，公子雍也被鲁庄公一箭射死。庄公见齐军败退，欲下令立即追击。曹刿忙说：“别急。”他仔细察看了齐军逃走的车辙，又登上战车前横木向齐军逃跑方向瞭望了一阵，方要庄公下令全力追击。鲁军追杀了30余里，斩杀、俘虏了许多齐军，缴获辎重无数，全胜而回。

战后，庄公问曹刿为何直到齐军第三次击鼓进军时才要下令出击，曹刿说；“打仗主要靠士气，而击鼓就是为了鼓舞士气。第一次击鼓进攻，士气旺盛；第二次再击鼓进攻，士气就已经衰落了；待到第三次击鼓进攻，士气已消失殆尽了。而我军却是一鼓作气，勇气十足，当然就把对方打败了。”庄公又问：“为什么齐军逃走了，你不让马上追赶呢？”曹刿说：“大国之间交锋，虚虚实实，齐军虽退，也要特别提防有诈。我察看地面后发现他们的车轮印散乱，登上战车查看，发现齐军军旗已经倒下，所以这才下令追击。”庄公十分佩服，说：“你是真正的军事家啊！”立即拜曹刿为大夫，并把女儿嫁给曹刿。

早在西周，我国古代军事理论著作《军志》中，就已经有了“先人有夺人之心，后人有待其衰”的原则，曹刿正是根据齐、鲁两军的实际情况，将“后人有待其衰”的原则，具体化为“敌疲我打”的作战方针，从而获得胜利，为我国古代军事史创造了第一个有记载的在战术上“后发制人”获胜的典型战例。

从长勺之战前的形势看，虽然由于乾时之战的胜利，齐军的力量较鲁为强，但齐军是劳师远征，深入到鲁国腹地去欺侮人家，在民众、地理等条件上，都不如鲁军。所以齐、鲁的强与弱是相对的，并非绝对。在这种情况下，如果单纯地进行力量的较量，当然相对较强的一方获胜的可能性大。曹刿根据实际情况，运用“后人有待其衰”的理论，按兵不动，蓄锐以待，让敌人的战斗力消耗在加大了的接敌运动之中，候其疲惫、气竭时，再使用全部力量，“一鼓作气”压向敌人，胜利当然也就不是偶然的了。

通过曹刿和庄公的对话，可以看出曹刿是继承了我国古代军事思想自来就重视政治因素的优秀传统，懂得民心向背对战争的影响，和与他同时的军事家管仲一样，认为“凡兵之胜也，必待民之用也”。曹刿在决定追击之前，认真地查看车辙、旗帜，判断齐军是否真溃，有无伏兵。这一方面反映了曹刿重视调查研究，对战争态度慎重；另一方面也反映了当时战争的时代特点，随着社会的急剧变化，战争已开始向谋略化发展，出现了伏击战术。

此外，从“敌疲我打”的运用中，反映出曹刿的军事思想具有朴素的辩证观点。首先，他已意识到强与弱在一定条件下可以转化的道理，这既包括强弱双方自身的变化，也包括强弱双方对比的变化。战斗之前，本来齐强鲁弱，但经过齐军自身由强到弱的变化，到双方短兵相接时，双方对比变为鲁强齐弱了。其次，他懂得正确掌握时、空关节点的重要意义，恰到好处地选择了开始进攻——或者说反击的最优时机。战机的时效性特强，掌握不好，效果大不相同。曹刿选择在齐军三鼓之后、开始冲锋时进行反击，极为恰当。过早，则齐军战斗力还没有衰减到兵疲意沮的程度；过迟，则陷于被动，无法发挥一鼓作气的威力。当然，曹刿在理论上并非自觉地认识到上述各点，但他在实践中却已经做到了上述各点。对后世的军事理论影响甚大。“以逸待劳”、及“卷迹藏声，蓄盈待竭”等原则，都从长勺之战中得到过启迪。

毛泽东《中国革命战争的战略问题》中对长勺之战的评价：“春秋时期，鲁与齐战。当时的情况是弱国抵抗强国，鲁庄公起初不待齐军疲惫就要出战，后来被曹刿制止了，采取了‘敌疲我打’的方针，打胜了齐军，创造了中国战史中弱军战胜强军的有名的战例。”

先　轸

先轸（？—前627年），春秋时期晋国上卿。因其采邑在原（今河南济源西北），又称原轸。先轸知兵善谋，颇有军事才干，是春秋时期晋文公和襄公的主将，晋文公确立霸业的军事支柱。他初为晋公子重耳的近臣。晋献公二十二年（前655年），重耳被逼逃亡，先轸随行，流亡在外十九年。晋文公即位后，他便在晋国的政治、军事舞台上大显身手，屡升至中军元帅，掌握国政。在崤之战后，因晋襄公误听妇人之言放走孟明视等三位秦将，先轸出于忠愤而啐了晋襄公一口，晋襄公并未责怪先轸，然先轸却非常不安，为表明心志，晋襄公元年（前627年），在对狄人的战争中，脱去铠甲，战死沙场。

在史书中，先轸早期的生活没有太多记载，只知他是公子重耳的近臣。重耳是晋献公的第二个儿子，贤明豁达，有经世治国之才，因此，他身边聚集了一批贤能之士。先轸进入这群人中，说明他有志向有远见。晋献公晚年昏庸，他听信谗言，欲杀死重耳。重耳被迫出逃，过起了流亡的生活。在随从重耳出亡的人中就有先轸。

重耳虽有才学，但当时的环境对他非常不利。他是次子，按世袭制，长子即位，没他做国君的份儿。他又是戎族人（狐姬）所生，这就更降低了他的身份，不仅晋献公晚年要杀他，晋献公死后，继任者也不放过他。因此，重耳流亡他乡几遭追杀，颠沛流离。在这种条件下，先轸能够舍死追随流亡公子重耳，一方面说明他忠信，另一方面也说明他眼界开阔，追求明君。

重耳在外过了十九年的流亡生活，后来晋国发生叛乱，重耳在秦穆公的帮助下乘乱夺取了君位，是为晋文公。此后先轸便开始在晋国的政治、军事舞台上大显身手。

在先轸之前的战争，包括商汤灭夏和武王伐纣，战争双方都讲究“以战为礼”，是用一种类似“友谊第一，比赛第二”的现代体育比赛风格去打仗的。先轸开创了谋略战争的先河，他的这种作战风格在晋国吞并卫国时就有显露。晋国吞并卫国是城濮之战的前奏。

春秋初期，地处江汉之间的楚国和地处山西西南部的晋国都是强国，两国都意图称霸中原，并积极向中原小国扩张。周襄王十九年（前633年），楚国联合陈、蔡、郑、许四国攻打宋国，宋国向晋国求救。先轸认为应该去救宋国，因为宋国曾在晋文公重耳患难时给予厚待，理应报答。楚国虽然也对晋文公有恩，但当前只有打败楚国，才能建立霸业，所以绝对不能放弃这个机会。晋文公同意先轸的意见，决定发兵救宋。

为了增强实力，楚国在攻打宋国时还联合了许多小国。当时卫国和曹国刚刚叛晋投楚，为了给这次出兵找到充分的理由，晋国人决定拿卫国和曹国开刀，迫使楚国救援，这样不用和楚军交战即可解宋国之围。

晋文公五年（前632年）春，晋文公以郤縠为中军主将、先轸为副将，亲率大军出兵攻打曹、卫。晋军采取了各个击破的策略，即假意以伐曹为名，借道于卫。由于卫曹两国刚刚建立和睦关系，卫国必然不同意借道，这样晋军就可以出其不意攻下卫国，再挥师曹国。果然，当晋国向卫国请求借道伐曹时遭到拒绝，于是晋文公命令部队向南迂回渡过了黄河，然后派先轸等将领率军进攻卫国的重镇五鹿城。

在出发前，先轸命军士多带旗帜，经过山林高岭之时，便让士卒们大张旗帜，故意让敌军看见。五鹿城中的守军连同百姓但见旌旗布满山林，以为有许多兵将，于是争相逃窜。当先轸的部队到达时，五鹿城几乎成了空城。卫成公闻知五鹿城陷落，不得不逃出卫国。晋军一举占领卫国全部国土，紧接着灭了曹国，俘虏了曹共公，逼临宋境。

晋军攻下五鹿城不久，郤縠病故，先轸以他的品德和韬略被破格提拔为三军统帅。

晋文公虽然攻占了曹、卫两国，但楚军并未因此而移师攻晋，仍然强攻宋国都城商丘（今河南商丘南），宋国又向晋国告急。晋文公对当时的局面很感为难：通过外交途径呼吁楚国罢兵撤围，楚国肯定不会理睬；不救宋 时为他想出一个解决办法：把曹、卫两国的土地分一部分给宋国，让宋国去买通齐国和秦国，请求齐、秦两国出面向楚国说情，为宋国解围。楚国是曹、卫的靠山，对分割曹、卫两国的土地一定无法接受，必定不会答应齐、秦两国的说情。齐、秦两国既得了宋国的贿赂，而楚国又不给他们面子，那时必定会与晋国联合，共同对楚作战。晋文公采纳了这个计谋，把齐、秦两国放到了楚国的对立面。楚成王见不能取胜，只好引军回国。

楚成王撤军，楚国令尹子玉却不肯撤军，坚持要求楚王允许他同晋军作战。于是楚王给他留了少量军队，自己回国了。

子玉以善战闻名于诸侯，但骄傲自负，他带着为数不多的兵力继续围困宋国，并派使者告诉晋文公，如果晋国恢复曹、卫两国的国土，归还两国的政权，楚军就撤出宋国。子玉这一招很厉害，先轸称之为“一言而定三国”，如果晋国不答应，就把曹、卫、楚三国都得罪了。如果答应，那晋国不但白忙了，而且威信尽失。这时，先轸提出激敌之计，迫使子玉主动开战：首先把楚国使者囚禁起来，然后私下向曹、卫两国允诺恢复其国，条件是他们与楚国断交。曹、卫得到这样的承诺，马上断绝了与楚国的同盟关系。楚军主帅子玉大怒，撤去宋围，直逼晋军，拉开了著名的城濮之战的帷幕。

晋文公流亡楚国时楚成王对他有过厚待之恩。当时楚成王问他，如果他回国执政将用什么报答自己，重耳回答，两国交兵，“退避三舍”。此时晋文公不忘旧日许诺，下令“退避三舍”，一直退到卫国的城濮（今山东范县临濮集一带）才扎下营寨，等待楚军来攻。古时一舍为三十里，三舍就是九十里。“退避三舍”既是信守诺言，又可占据有利地形，将敌人诱入口袋阵。

晋文公五年（前632年），齐、秦、宋三国的助战军队与晋前军会合于城濮，子玉也率楚国大军进入城濮。交战之时，先轸命令下军进攻楚军较弱的右军。晋军下军给驾车的马统统蒙上虎皮，向前横冲直撞，楚右军驾车的马视对方如虎，被吓得迈不动脚步，全部伏卧于地，兵士惊慌不知所措。晋军下军径直冲入楚右军阵地，楚右军全军崩溃。

与此同时，晋右翼上军主将狐偃竖起两面大旗伪装主将后退，引诱楚左军出击。下军主将栾枝也在阵后用车拖曳树枝，扬起尘土，假装后面军队也在撤退，以引诱楚军。楚左军不知是计，放胆追杀，把侧翼暴露给晋军。先轸见时机已到，便指挥中军拦腰斩断楚军，狐毛、狐偃率领的上军也冲过来，下军在击败楚右军之后，回头包围了楚上军。楚军主将子西率领的部队被晋军团团围住。主帅子玉奋力解救，才保住楚军主力的突围。楚军大败而去，城濮之战至此结束。城濮之战后，晋国称霸诸侯，晋文公成为“春秋五霸”之一。

晋军于城濮之战大胜楚军是中国历史上第一次成功的谋略战，在此战中，马背上蒙虎皮、用马车拖树枝制造扬尘等现在看来很简单的计谋，在那个“礼兵”的时代是惊天动地的创举。从此，军队与仪仗队有了区别。

兵不厌诈，也开创了兵法的先河，为之后的孙武、吴起创造了丰富的想象空间。

崤之战是先轸指挥的第二个著名战役。

在晋国逐渐强盛起来并终于取代齐国而成为中原霸主的时期，西部邻国秦国也日渐强盛。先轸始终认为秦国是晋国的威胁，但因晋文公感恩于秦穆公，两国一直没有交兵。

周襄王二十四年（前628年）冬，晋文公去世，晋襄公即位。晋文公未发丧就发生了秦国出兵攻打郑国未成而一举灭掉归附于晋国的滑国之事件。先轸认为这是上天给予晋国的机会，建议晋襄公截击秦国军队。栾枝提出晋国无故进攻秦的军队是忘本（秦穆公曾救助过晋文公）。先轸则认为，秦国这次出师，国内许多有识之士不同意，不得人心；秦国这次行动，并未征求霸主晋国的意见，这是欺晋文公逝世不久，晋国无人；何况郑国与晋国是同姓，在道义上应该站在一起；再说"一日纵敌，数世之患"，进攻秦军是为子孙后代打算，不能说是忘本。

由于先轸的坚持，晋襄公下令截击秦军。先轸奉命整军出战，并请求晋襄公戴孝出征。先轸算定秦国远征军回师的时间，率军在崤（今河南陕县东南）的隘道设伏。晋文公九年（前628年）四月，秦国军队如期而返。秦军进入崤山险路，秦主将孟明视已经察觉到地势危险，于是，他催促秦军加速前进。可惜晚了，当秦军进入晋军伏击区后，先轸一声令下，堵住秦军退路，伏兵从两侧树丛中杀出。经过激战，秦军全军覆灭，孟明视等三位大将被俘。晋军以极小的代价换取了消灭秦军数百辆兵车和数万士兵的巨大胜利。这就是著名的崤之战。

在处理这三员秦将的问题上，先轸与晋襄公发生了争执。原来，晋襄公的母亲是秦穆公的女儿，出于私心，她对襄公说，秦穆公对战败很恼火，定要杀那三员秦将。如把他们放回去，满足了秦穆公的愿望，两国不会结怨过深。襄公听信了她的话，放了三员秦将。先轸听说后非常气愤，发怒说："武将花了很大力气才在战场上擒获他们，妇人说几句谎话就把他们赦免。毁伤战果而长敌人的志气，晋国要不了多久就会灭亡的！"他越说越气愤，竟至啐了晋襄公一口，然后头也不回地走了。襄公这才醒悟过来，急忙派人追赶三员秦将，但是为时已晚。结果不出先轸所料，三年后秦军仍由孟明视等三将率军两次攻晋，大败晋军，报了崤山之仇。这时，先轸已不在人世。

回头再说先轸怒啐晋襄公后，深知有罪，他请求晋襄公处罚他，但晋襄公原谅了他。先轸深感不安。

晋襄公元年（前627年），北方的狄国向晋国边界发起进攻。先轸主动提出愿上战场以死效君赎罪，但提出辞去元帅之职。他说，无礼之人，不足为帅，请君另择良帅。襄公不准，仍命他为帅。先轸率军迎敌，在箕城与狄族相遇。经过激战，晋军消灭了狄军主力，杀死了狄兵首领，狄兵只剩下些许残余势力。在晋军即将大获全胜之时，先轸却卸掉头盔甲胄，单车冲入狄军，战死在沙场。将士们都明白，他是自责其唾君之罪，假狄人之手以代君惩而已。

先轸可以说是中国历史上第一位既有元帅职衔，又有元帅实绩的军事将领。论头脑，他兼有军事家的韬略和政治家的睿智；论才能，他兼具筹谋策虑之长和临阵指挥之能；论人品，他性情暴烈不驯却耿正忠诚，是一位以身殉义的大丈夫。先轸一生的军事活动，主要是指挥了城濮及崤两次战役，并在作战指导上，采用了一些新的战略战术。

伍子胥

伍子胥（公元前559年—公元前484年），名员，字子胥，本楚国椒邑（今湖北省监利县黄歇口镇，一说今安徽省全椒县）人，春秋末期吴国大夫、军事家。伍子胥之父伍奢为楚平王子建太傅，因受费无极谗害，和其长子伍尚一同被楚平王杀害。伍子胥从楚国逃到吴国，成为吴王阖闾重臣，是姑苏城（苏州城）的营造者，至今苏州有胥门。公元前506年，伍子胥协同孙武带兵攻入楚都，伍子胥掘楚平王墓，鞭尸三百，以报父兄之仇。吴国倚重伍子胥等人之谋，西破强楚、北败徐、鲁、齐，成为诸侯一霸。

伍子胥生性刚强，青少年时，即好文习武，勇而多谋。周景王二十三年（前522），因楚平王怀疑太子“外交诸侯，将入为乱”，于是迁怒于太子太傅伍奢，将伍子胥之父、兄骗到郢都杀害，伍子胥只身逃往吴国。

伍子胥在入吴之前，跟随楚国太子建到齐国。后又到郑国。太子建和晋国君王私通，要做晋国攻打郑国的内应，伍子胥劝说建，郑国以忠义对待他们，他们怎么能背叛郑国呢？但是太子建说他已和晋国说好了，就不听伍子胥的劝说，后来被郑国知道后，郑国国君就把太子建杀了。

伍子胥之后逃亡到吴国去。在他还没到吴国时，出了郑国都城之后，出了昭关遇有一条河隔着。伍子胥看见没有船，内心非常焦急，这时突然出现一个渔翁，渡了伍子胥。下船之后，伍子胥就对渔翁说不要把事情说出去。渔翁非常伤心，他想他诚心渡伍子胥，但伍子胥还怀疑他，他非常敬重伍子胥，也没有抱怨他，渔翁就把船滑到江中心自沉了，以绝伍子胥的疑心。伍子胥看到后大哭，说是他害了渔翁。

伍子胥入吴后，知公子光有大志，乃用专诸刺杀吴王僚，夺取王位，得进用为“行人”（掌朝觐聘问之官），与谋国政。辅佐吴王阖闾修法制以任贤能，奖农商以实仓廪，治城郭以设守备。又举荐深通兵学的孙武为将，选练兵士，整军经武，使吴成为东南地区一强国。根据吴与周边各国的强弱形势及利害关系，与孙武等制定先西破强楚，以解除对吴之最大威胁，继南服越国以除心腹之患的争霸方略。

周敬王八年（前512），伍子胥针对楚国执政者众而不和，且互相推诿的弱点，提出分吴军为三部轮番击楚，以诱楚全军出战，彼出则归，彼归则出，“亟肆以罢（疲）之，多方以误之”（《左传·昭公三十年》），待楚军疲敝，再大举进攻。此后数年间，吴军连年扰楚，迫楚军被动应战，疲于奔命，实力大为削弱。随即展开大举攻楚的准备，争取与楚有矛盾的蔡、唐两国作为吴的盟国，使楚北方门户洞开，为尔后避开楚军防守正面实施突袭创造了条件。又出兵攻越，给楚造成吴不会大举攻楚的假象，并施反间于楚，使楚不用知兵善战的子期，而用贪鄙无能的子常为帅。

十四年，伍子胥与孙武等辅佐阖闾统领大军沿淮水西进，由楚防备薄弱的东北部实施大纵深战略突袭，直捣楚腹地，以灵活机动的战法，击败楚军主力于柏举（今湖北麻城东北，一说今汉川北），并展开追击，长驱攻入楚都郢（今荆沙江陵西北），终成破楚之功。由于怀有强烈的个人复仇愿望，伍子胥到楚国后，听说楚平王已死，就把楚平王的坟墓撬开，用钢鞭鞭尸三百，楚国人民看到吴国人如此复仇心强，全国百姓大惧。因此伍子胥在楚未能安抚民心，激起楚国上下反对，致使吴军难以立足。

阖闾死前并托伍氏辅佐少君，封他最高爵位称相国公。后继续辅佐吴王夫差。二十六年，吴、越夫椒之战，越惨败几于亡国，夫差急于图霸中原，欲允越求和之时，伍子胥预见到两国不能共存之势，又洞察越王勾践图谋东山再起之心，力谏不可养痈遗患，而应乘势灭越。夫差不纳，坐视越国自大。

三十六年，及见夫差欲率大军攻齐，越王勾践率众朝贺，伍子胥再度劝夫差暂不攻齐而先灭越，以除心腹之患，又遭夫差拒绝。知夫差昧于大势而不可谏，吴国必为越国所破灭，为避祸而托子于齐国鲍氏。伯嚭就在夫差面前进谗言，说伍子胥把儿子送到齐国就是背叛吴国。夫差用属娄剑赐伍子胥死。伍子胥视死如归，在死前对邻舍人说：“我死后，将我眼睛挖出悬挂在吴京之东门上，以看越国军队入城灭吴”，便自刎而死，死后仅十年，越灭吴，终应其言。

春秋末期吴国兴亡，伍子胥举足轻重。其治国用兵，以务实为旨，远见卓识，谋略不凡。《汉书·艺文志》著录兵书《伍子胥》十篇、图一卷，虽已亡失，当证伍子胥生前有其军事著作。

孙 武

孙武（约前551年—？），春秋时期吴国名将和伟大的军事理论家，字长卿，齐国乐安（今山东惠民）人。其曾祖父、祖父都是齐国名将，在对内对外战争中立过赫赫战功。家学的熏陶使孙武从小就喜爱兵法，渴望探求战争制胜之道，以备将来登坛拜将，沙场点兵，在战争舞台上干出一番惊天动地的事业。可惜当时齐国内乱不止，几大家族争权夺利纷争不休。孙武无意卷入到无谓的家族斗争之中，举家迁到了南方的吴国，躬耕隐居，潜心著兵书，寻求新的发展机会。

当时吴王阖闾刚夺得王位，一心想扩充军备，建立霸业，急需统兵征战的大将之才。孙武遂受好友、时任吴国大臣的伍子胥推荐入宫，并把自己撰写的兵法13篇呈献给吴王。吴王将这13篇兵法一一看完，赞不绝口，却不知孙武是否能将这些理论运用于实战，便问他："你的十三篇兵法，我都看过了。可以小试一下指挥队伍吗？"孙武回答说："可以。"吴王又问道："可以用妇女来试吗？"孙武答："可以。"于是，吴王派出宫中美女共180人，交由孙武操演。

孙武把180名宫女分成两队，以吴王宠爱的妃子两人担任两队队长，并命令所有人都拿着戟。问她们道："你们都知道自己的前心、左右手和后背吗？"宫女们回答："知道。"孙武又解释说："向前，就是看前心所对的方向；向左，看左手方向；向右，看右手方向；向后，转朝背的方向。"宫女们回答："是。"孙武命人将执法用的斧钺竖立起来，反复重申军法，然后击鼓发令向左，然而宫女们听见鼓声，觉得好玩极了，个个捧腹大笑。孙武说："是我规定不明确，你们军令军法不熟悉，错在将帅。"于是再次三令五申，击鼓发令。宫女们仍大笑不止。孙武说："规定不明确，军令军法不熟悉，是将帅之错；既然已反复地说明了，仍不执行命令，那就是下级士官的错了。"接着下令将两位队长斩首。吴王见孙武要杀掉自己的爱妃，慌忙派人来传命说："我已经知道将军善于用兵了。我没有这两个爱妃，连饭也吃不下，请将军不要杀她们。"孙武断然回绝道："臣既然已受命为将，将在军中，君命有所不受。"下令开刀问斩。接着任命两队排头的宫女为队长，重新击鼓发令，这下宫女们左右前后跪起，都合乎规定和要求。孙武派人向吴王报告说：“队伍已训练整齐，请吴王下来看看！这样的队伍，无论君王怎样使用它，即便是赴汤蹈火，也是可以的。”吴王失去爱妃，痛心不已，不想下去看。孙武说：“看来吴王只是喜爱兵法上的词句，并不想真正去运用它。”吴王虽不高兴，但却因此了解到孙武是一位既能著书立说，又能统兵作战的军事奇才，终于封孙武为将军，令他日夜练兵，准备伐楚。

公元前506年，吴国伐楚战争准备已经完成，吴王遂拜孙武为主将，率3万精兵，溯淮水浩荡西进。进抵淮汭（今河南潢州西北）时，孙武突然舍舟登陆，以3500精锐士卒为前锋，迅速地通过楚国北部大隧、直辕、冥阨三关险隘（今河南信阳南），直插楚国纵深。楚军措手不及，被迫在柏举（今湖北麻城）仓猝应战。楚军大败，吴军乘胜追击，先后用“半渡而击”等战法，11天行军700里，五战五捷，一举攻陷楚都郢都。楚昭王弃城仓皇南逃。柏举之战成了中国战争史上以三万人胜二十万人的快速取胜的光辉战例。战国时期军事家尉缭子赞道：“有提三万之众，而天下莫当者谁？曰武子也。”

阖闾去世后，夫差继承王位，孙武继续展现出其杰出的军事才能。公元前494年春天，勾践调集军队从水上向吴国进发，夫差率10万精兵迎战于夫椒（今江苏吴县西南太湖边），在孙武、伍子胥的策划下，吴军在夜间布置了许多诈兵，分为两翼，高举火把，只见在黑暗的夜幕中火光连成一片，迅速向越军阵地移动，杀声震天，越军惊恐万状，军心动摇，吴军乘势总攻，大败越军，勾践在吴军的追击下带着5000名甲士跑到会稽山（今浙江绍兴市东南）上的一个小城中凭险抵抗，由于吴军团团包围，勾践只得向吴屈辱求和，夫差不听伍子胥劝阻，同意了勾践的求和要求。

吴国的争霸活动在南方地区取得胜利后，便向北方中原地区进逼，公元前485年，夫差联合鲁国，大败齐军。公元前482年，夫差又率领着数万精兵，由水路北上，到达黄池（今河南封丘县南），与晋、鲁等诸侯国君会盟。吴王夫差在这次盟会上，以强大的军事力量为后盾，争得霸主的地位。孙武虽没有直接参加攻齐取胜、与晋争霸两事，但在此前孙武精心训练军队和制定军事谋略，对夫差建立霸业有不可抹杀的巨大贡献。

但使孙武享誉世界的，还不是他协助吴王争霸的这一仗，而是他所写的《孙子兵法》。这部兵书是全世界公认的最老的军事理论著作，它被誉为“兵经”、“兵学鼻祖”。这部兵书比古希腊的色诺芬的军事理论专著还要早，受到世界各国军事理论家的高度评价。比如，美国的约翰·柯林斯在《大战略》一书中这样写道："孙子是古代第一个形成战略思想的伟大人物。"在军事专家的眼里，孙武不仅是一位军事家，还是一位伟大的战略家。

司马穰苴

司马穰苴，春秋后期齐国著名军事家，本姓田，生卒年不详，是齐国贵族田完的后代，因官拜大司马，故被称司马穰苴。史书中关于司马穰苴的记载非常少，最有名的事迹发生在齐景公十七年（前531年）。当时晋国、燕国军队同时兵犯齐境，齐国守军屡屡败退。经晏婴的推荐，齐景公将穰苴由一介白衣提升为大将，命其率军抵御晋、燕。穰苴为整军纪，出兵前杀了不守军纪的监军庄贾，惩罚了乱闯军营的国君使者。随后他以怀柔政策治军，使士气急速高涨。由于惧于齐国的士气，晋军、燕军还未交锋即退兵，司马穰苴乘势追击，收复了已失去的齐国城邑和土地。司马穰苴因功被提升为掌管全国军事的大司马。后来由于齐国大夫鲍氏、高氏、国氏之辈的陷害，穰苴辞官归隐，专心撰写兵书战策，后病发而死。齐威王时，命大夫们追论古时的《司马兵法》，并将他的遗著附在其中，称《司马穰苴兵法》，后世称之为《司马法》。

《史记·司马穰苴列传》记载："司马穰苴者，田完之苗裔也。齐景公时，晋伐阿、甄，而燕侵河上，齐师败绩。景公患之。晏婴乃荐田穰苴曰：'穰苴虽田氏庶孽，然其人文能附众，武能威敌，愿君试之。'景公召穰苴，与语兵事，大说之，以为将军，将兵扞燕晋之师。"

司马穰苴是春秋齐国人，是比孙武还早的知名军事家。他的名字本来叫田穰苴，但由于齐景公时任掌管军事的大司马，因此后称为司马穰苴，所以他的后代也就稀里糊涂的姓了司马。

齐景公时（前547年—前490年），齐国的霸主地位已经式微，往往会受到其他国家的骚动。晋国于公元前531年派军侵入齐国的阿（今山东省西部东阿县）、甄（今山东省甄城县的济阴）地区，燕国也趁火打劫攻入齐国河上（故黄河南岸地区）之地，齐国守军被打成了"一坨屎"。齐景公闻报大惊，急忙召来相国晏婴商议。晏婴向齐景公推荐一位名叫田穰苴的民间隐士。晏婴说："穰苴虽是田氏庶族后代，但此人文能得到群众的拥护，武能使敌人畏惧，愿君王不妨用他试试。"齐景公派人将田穰苴请进宫来，和他讨论用兵之道，田穰苴应对如流，妙论百出，齐景公心中大定，当天就拜田穰苴为将军，率领五百乘，北上抗击晋、燕军队。穰苴却很有自知之明，对齐景公说："臣的身份素来卑贱，君王从闾伍下层之中将我提拔起来，位在大夫之上，士卒未能归附，百姓也不一定能信任我。我人微权轻，希望君王派一个你所宠爱的、在国内地位尊贵的大臣来做监军才行。"于是景公派自己宠信的大臣庄贾前往。刚刚开始合作，穰苴和庄贾约好："已奏准主公，定于明日正午祭旗发兵。我在军门中等你，务必不要迟到！"

第二天午前，穰苴先到军中，令手下军士立木设漏。漏是古时的一种计时工具。立木就是在营前竖一木杆以测日光，日影正中即为正午；他怕庄贾迟到，特地派了一名军吏前去催促。然而这位庄贾，一向为齐景公宠信，又兼出身娇贵，不把平民出身的田穰苴放在眼里，自以为监军为国君特使，军中谁敢怠慢？再者即将随军离京，一班亲朋僚属纷纷把酒话别，故对穰苴的催促不当回事。

阳光照在立木上，渐渐已到正午，三军静候多时。还未见庄贾前来，穰苴只得独自登坛，调兵布军，宣布军纪。一切完毕，日已近偏西，庄贾才姗姗来到。穰苴责问说："怎么第一次就迟到？"庄贾谢罪说："不才的亲戚朋友设宴相送，故而留下了。"但心里却很不以为然。

司马穰苴说："将军受命出征之时就应忘记家人老小，到了军中受纪律约束就应忘掉亲戚朋友，击鼓急进之时就应奋战不顾其身。今敌国侵犯深入国境，全国骚动，士卒暴尸于边疆，君王寝食不安，食不甘味，百姓的生命安危都悬担在你的肩上，你为何却大谈所谓亲友相送啊！"于是召来军中的司法官问："按军法，迟到的人该当何罪？"司法官回答说："当斩。"庄贾见要动真格的，恐惧万分，立即派人飞驰报告景公，请景公相救，报信人去了以后，还来不及返回，司马穰苴已将庄贾斩首于三军之前。三军将士无不为之震惊，过了一会儿，景公派遣使者拿着君王的符节凭证，驱车驰入军中，要穰苴赦免庄贾。穰苴对使者说："将帅在军中，君王的命令可以不予接受。"接着又问军正："在三军军营中擅自驱车奔驰，军法如何规定？"司法官答："依法当斩！"使节吓得面如土色，浑身发抖，高举节杖，叫道："下臣奉君命而来，并非有意冲撞军营。"穰苴说："既是君命所受，自当免死，但军法不可妄废！"说毕下令拆除使节车左驸，杀掉拉车的左骖，以代使节之死，并令中军官将如实向齐景公禀报。穰苴虽然强悍，但还是不敢随便杀君王所派的使者的，于是那个使者的仆人就倒了霉了，没做错什么事却被问斩了，万恶的专制制度惹的祸啊！这样一来，更没有人敢嚣张了，军威扎扎实实的立了起来。

春秋时代，礼崩乐坏，君子陵夷，小人崛起，平民出身而拜相封将者，仍是一件很常见的事情。在此动荡纷乱的时代，地方上的诸侯贵族，其跋扈不可一世的气焰，日益炽烈；身处中央的周天子，虽为天下重器，却无发号施令之实权，周郑交质、繻葛之战，周天子逐渐名失实亡。司马穰苴生在这样的时代，以他卑下低贱的身分，于国家危急存亡之秋，蒙受将军之重责高职，带兵抗晋抵燕，若不采取非常手段，立威建信，那么，即使有晏婴极力推举，也必然会大祸小患接踵而至；将兵扞燕晋之师，则迟滞多阻，甚而有所不可救者！

那时，齐国霸主地位十分微弱，而且还常常受到晋国和燕国的攻击，屡战屡败。此时，晏婴将司马穰苴推荐给齐景公，其实也就属于是临危受命。

司马穰苴那时的地位十分低下，他就向景公要求派一个宠信的人来监军。这说不定是司马穰苴的一个阴谋，估计他已经算准了景公会派那个庄贾来监军，抑或当时景公身边的宠臣都有些不地道。第二天，司马穰苴比约定的时间先到，立了个沙漏，到了时间庄贾没有来，司马穰苴就没有等他，开始进行操练。这些平素训练有素的军士们虽然不像吴王的那些嫔妃一样不听招呼，但心底可能还是有些不以为然。等到庄贾终于来了，司马穰苴义正辞严地斩了庄贾，并狠狠地威吓了一番被景公派来赦免庄贾的人。这样便可起到立竿见影的效果，全军的纪律立马得到了整饬。

此外，司马穰苴杀掉拉车的左修，而不杀使节，这是司马穰苴故意做的周密安排。杀了庄贾，景帝一定会不高兴，但这个问题比庄贾的问题更加严重，所以他把要杀庄贾的消息及时传到了景帝的耳朵里，他算定景帝必派人来，然后给景帝一个大面子：你看我连国家大臣都杀，但对你景帝还是很忠心的，对你的使节，我比对国家重臣还尊敬。这样景帝心里得到平衡，自然也就不会追究那么多了。

但冒这样的风险也实在太大了吧，庄贾是国家重臣，其手下忠心者必多，他们一定是瞪大眼睛，拿着放大镜来找司马穰苴的毛病。所以他在工作方面特别尽心尽力，士兵们安营扎寨，掘井立灶，饮水吃饭，探问疾病，安排医药，司马穰苴都亲自过问，还把自己作为将军专用的物资粮食全部拿出来款待士兵，自己和士兵一样平分粮食，官兵一致，不搞特殊。这样内部团结，外部就不容易攻破，再加上有战功，那么司马穰苴的地位自然也就显赫起来了。

当年司马穰苴敢于杀庄贾，那是因为他自知国君有求于他，需要他领兵保国。这与孙武“吴宫教战”异曲同工。吴王听说孙武善兵，就招他入宫谈兵，并让他用宫女演练。宫女们把军演当游戏，嬉笑不止，孙武申明军令三次，宫女依然故我，结果孙武把两个领头的宫女杀了，队伍一下子严肃整齐了。这两位宫女是吴王的心肝儿，吴王说没了她们自己吃饭都不香了，请孙武别杀她们，但孙武坚决要杀。因为不杀她们就显示不出自己的行兵布防效果，显示不出管理军队的水平。吴王阖闾虽然没了妇人吃不下饭，如果没有了江山恐怕连自己的性命都保不住了。

《史记·司马穰苴列传》记载：“余读司马兵法，闳廓深远，虽三代征伐，未能竟其义，如其文也，亦少褒矣。若夫穰苴，区区为小国行师，何暇及司马兵法之揖让乎？世既多司马兵法，以故不论，着穰苴之列传焉。”

司马穰苴整军之后，齐军面貌立即出现了很大的变化，成了纪律严明、军容整肃、令行禁止、悉听约束的能战之师。然后，他立即率师出发，奔赴前线。在军旅中，他对士卒们的休息、宿营、掘井、修灶、饮食、疾病、医药，都亲自过问和安抚，把供给将军的全部费用和粮食，都用以犒赏士卒，自己与士卒吃一样的伙食，对体弱士卒特别亲近，很快就得到了将士们的信任。三天后部署调整军队时，病兵都要求同行，士卒都争着奋勇参战。晋军得知这个消息，就撤兵走了。燕军得知这个消息，也回渡黄河而取消了攻齐计划。司马穰苴率齐军乘势追击，歼灭部分敌军，收复了已失去的齐国城邑和土地，然后率兵回来。未到国都就解散军队，废除军令，誓盟之后进入城邑。齐景公和诸大夫都到城郊迎接，举行慰劳部队的仪式后回到住所。随后接见穰苴，提升为掌管全国军事的大司马。田氏家族在齐国的地位也因此日益上升起来。

以后，齐国大夫鲍氏、高子、国子之辈陷害穰苴，在齐景公那里进谗言，景公罢了穰苴的官，穰苴离职后一心撰写兵书战策，不久病发而死。

司马穰苴无辜被免职，未免有些想不开。毕竟，他成为齐国的大司马，并非凭借田氏家族的势力，靠的是自己的才能和军功。如今，他却成了四大家族争权夺利的牺牲品，换作任何人都不会轻易想得通的。

如果人长期处于郁闷的状态，那么就会容易产生恶性疾病。可怜一代卓越的军事家，竟因此抑郁成疾、一病不起了。

司马穰苴抱恨临终之时，一定充满了惆怅与遗憾。本来，在动荡的年代里，正是英雄豪杰挥洒胸中才学、驰骋疆场建功立业的时候，谁料竟因几句谗言，齐景公竟自毁长城，使英雄无用武之地以致郁郁而终。

司马穰苴虽然死了，但田氏家族的势力并未因此而削弱。而且，由于田穰苴之死，田氏家族与鲍氏、高氏、国氏的矛盾日益加剧，闹到不可收拾的地步。

司马穰苴被罢黜，晏婴的态度如何史无记载。可以推测，晏婴对此是很矛盾的。一方面他爱惜田穰苴之才略，一方面又对田氏势力的尾大不掉而忧心如焚。他也曾向齐景公进谏，请齐景公限制田氏之权势。由此可见，田穰苴被罢黜，晏婴应该不会表示有太大的反对。

晏婴出使晋国时，与晋卿叔向私下谈起各自国家的政事，晏婴慨叹道："齐国之政，其卒归于田氏矣。"之后历史的发展证明了晏婴的论断。

司马迁在《史记·司马穰苴列传》中记载道："景公退穰苴，苴发疾而死。田乞、田豹之徒由此怨高、国等。其后及田常杀简公，尽灭高子、国子之族。至常曾孙和，因自立为齐威王。"

司马迁在这里记载是有错误的，田和不是齐威王，田和自立后，他的孙子才是齐威王。

无论怎样，齐景公罢免田穰苴，激化了田氏与鲍氏、高氏、国氏的矛盾，反而使田氏加速了夺取齐国政权的步伐，鲍氏、高氏、国氏以及晏氏后来均被田氏所灭。公元前391年，田和将齐康公迁于东海之上。又过了五年，周王朝承认田氏为诸侯，姜齐遂变为田齐，史称"田氏代齐"。

田氏代齐以后，齐威王命大臣整理古代兵法，将司马穰苴的军事论述附在其中，题名《司马穰苴兵法》，又称《司马兵法》或《司马法》。《汉书·艺文志》记载为150篇，《隋书·经籍志》和《唐书·经籍志》都注为3卷，而今存之《司马法》只有5篇：仁本、天子之义、定爵、严位、用众，其核心思想是治军以"仁、义、礼、让"为本。《司马法》包括了相当丰富的军事理论，书中论述了统率军队和指挥作战的经验，以及指挥员应具备的条件，同时也反映出春秋战国时期的某些军事制度和战争观点。它是我国古代战争实践经验的理论概括，也是对早期兵法理论的继承和总结，历来为兵家所重视。

穰苴整编行伍，修兵练武，破燕败晋，从凡夫俗子一跃而成位高权重的大司马；除了穰苴自身的才识过人、晏婴的慧眼识英雄与景公的因贤任能之外，庄贾就是他成就伟业的第一功臣。不过，以血肉器，实在有违反道义之嫌。天生万物，无所谓贫富贵贱之分；阶级等第皆是人为，目的在于便利统治。于是，当有德者在位，则百姓或可安居乐业，天下太平；倘若在位者失德，人民往往置身水火，生灵涂炭！尤其是春秋战国时代，各国争相倾轧，尔虞我诈，莫不以称霸天下为目标；所谓“人不染风尘，风尘自染人”，若有国家想“遗世而独立”，成为化外之国，恐怕永远都只是一个黄粱梦。齐国虽曾盛极一时，但传至景公时，却也成了其他各国极欲染指的对象；其中，晋燕最为积极，嚣张的气焰与齐国丧失的城池，形成讽刺的正比。这时，即使是能言善道、口齿伶俐的晏婴，也是无能为力。就在齐岌岌可危之际，出现了奇迹。虽然穰苴没有显赫的家世背景，没有治军经验；他所能依凭的只有自己的能力，以及国君和宰相对他的信任。“女为悦己者容，士为知己者死。”亟思回报的穰苴，必须在短短的时间内，将屡战屡败的齐军，训练成烈火焚身浑不怕，出生蹈死无怨尤的终极战士，他所肩负的责任之重，不言而喻。穰苴所面对的，是一群散漫骄傲、没有纪律、士气低靡的军队；没有人瞧得起他，也没有人愿意奋发向上。他怎么办呢？要建立起威信，但如何对待下属呢？如果对象是一般士卒，杀鸡儆猴所收之成效，势必有限而难以约束全军，更遑论令其脱胎换骨，所向披靡；若将矛头指向高官权贵，则恐怕未有功劳先遭横祸，兴国大计也将化为乌有，这其间的选择，真是难矣！

终于，穰苴决定冒一个最大的风险，把高高在上、恃宠骄矜的庄贾作为监军，并利用庄贾轻慢骄傲的心态，设计与其约定会面，约定时辰一到，立即在军中颁行法令以待庄贾的来临。最后姗姗来迟的庄贾，就在众目睽睽之下被穰苴杀了，因此，使每个士卒的心中都烙下了“军令如山”四个字！既然穰苴已立了威严，那么操兵练武也就事半功倍了，遂后使齐军脱胎换骨，甚而大破燕、晋，凯旋。

生命就是生命，不应该轻易抹杀他人生存的权利；可是，非常时期总有非常的做法。“治乱世用重典”曾被人们千百次地扬弃，却也被人们千百次地提振。谁对谁错呢？“宽容”应是最好的答案。穰苴出现以前，齐国饱受外患侵略，上至君王将相，下至贩夫走卒，人人寝不安稳，食不知味；穰苴出现之后，齐国收复失土，扬眉吐气。凡是行军作战，必有死伤；凡有死伤，皆非百姓之福。然而，站在保卫国家的立场，穰苴是功大于过的。可惜穰苴功成名就之后，却在不知不觉中成为另一个庄贾，恃宠而骄锋芒太露。

一个人的功过是非，并不是取于片面的，只有尽心尽力，俯仰无愧，谦冲自牧，有为有守，其人格精神方能可大可久，千古流芳；否则，短视近利，纵然叱咤一时，却仍会沉没于历史洪流之中，激不起任何的涟漪。

在齐国历史上，司马穰苴是一个近乎传奇式的人物，关于他的资料非常少。然而，他以一介布衣，在短时间内就树立威信，训练出一支钢铁之师，致使晋、燕闻风退兵，可见其军事造诣之高。司马迁对他的评价也为此做了佐证，司马迁说：“余读《司马兵法》，闳廓深远，虽三代征伐，未能竟其义。”

范　蠡

范蠡（生卒不详），春秋末期越王勾践时将军。字少伯，楚国宛（今河南南阳）人。范蠡是春秋末期卓越的军事家，他殚精竭虑地辅助越王勾践，成就了其霸业。在功成名就之时，他急流勇退，安度余生。

春秋末期的吴越争霸，由于其出人意料、峰回路转的结局，深为后人所知，更由于充斥其中的阴谋与阳谋的变幻，使得整段历史颇有跌宕起伏的戏剧性，在这个舞台上出场的人物，都值得去细细考察一番。在所有的角色当中，范蠡无疑是其中最为出色的一个。

范蠡，先秦著名的政治家、思想家和谋略家。字少伯，春秋末期楚国宛邑（今河南南阳）人，生于宛郡的内乡县，出身贫寒。父母早亡，由哥嫂抚养成人。范蠡小时天资聪慧，博闻强识，喜读书，抱负大，不喜耕作，众乡邻不齿。范蠡说：“你们怎么知道我的志向呢？”他苦读了《书》、《易》、《诗》等大量的书籍，学到了许多历史知识和治国安邦的理论。范蠡不仅弄通了风后的《握奇经》，还潜心钻研了姜太公的军事书籍《六韬》和《三略》。姜太公把大力发展农业、手工业和商业作为军事韬略的“三大法宝”，对这些范蠡都十分推崇。后来范蠡无论是治家还是治国，姜太公的思想对其影响都很大。

当时著名的理财家计然（计然，名研，姓辛，字文子，着有《文子》一书，春秋时期名人），到南阳云游，范蠡拜其为师，跟他学习经济知识和经商技巧。

范蠡在青年时就已经学富五车、满腹经纶，而且聪敏睿智、胸藏韬略，颇有圣人之资，再加上他精通剑法，可以说是文武双全。但当时楚国政治黑暗，选拔官吏，非贵族阶层不得做官。范蠡空有文才而不被任用。报国无门，使得范蠡放浪形骸，做事办事不合时宜，往往做出许多令人吃惊不已的事情，疯疯癫癫，行为怪异，被誉为有名的“楚国狂人”，乡邻们喊他为“范疯子”。

楚荆王时，楚国名士文种（字子禽，楚国郢人）到宛任令。他学识渊博、志向远大，本想在都城升迁，但由于不是贵族出身，被发配边陲小邑做了一个邑令（相当于今日县长）。文种之才可以治国，如今治邑，自然轻松。上任不久，宛邑民顺政清。文种闲暇，四处察访。一察施政，二访贤人。当听说百里长河弟子范蠡有奇才，便遣小吏去范公村召之。小吏去范公村，范蠡不见。小吏回文种说：“村人都说范蠡是个疯子，不必再召见了吧。”文种笑道：“吾闻贤俊之士，易招疯子之讥，内怀独见之人，外遭不智之毁，你不明白，明日备车，吾亲往谒之。”

到了次日，文种乘车到了范公村，询问范蠡家住处。村人告之在村西北角。文种下车，往范蠡家走去。走到范蠡家大门外时，突然一黑色大狗从门内窜出，“汪汪”地叫个不停。

文种和小吏先是一愣，仔细看时，却是一人披着狗皮学狗吠。手下人便说：“这就是范蠡。”众乡邻都围着看热闹。跟班的小吏恐怕文种听了感到羞惭，就拿衣服遮掩范蠡。文种不让遮，说：“我听说过狗只对着人叫，他是个人身，却对着我学狗叫，意思是说我是个人，是看得起我呀！”于是他从容下车拜见范蠡，范蠡已知文种不是昏官，戏笑太大，已不成礼，慌忙逃去。

村人大笑。笑文种太痴，笑范蠡太疯。

范蠡之所以要用狗吠迎客，目的就是为了试探文种。刚开始，他已知文种德政，但可交不可交，心里却没有半点把握。世事维艰，世态炎凉，心不相通，不可深交。小吏传文种召他，他避而不见，是试试文种是否诚心。若心诚，必亲自来。文种来时，他在村头早已望见，临时决定披狗皮狂叫，是试文种是否会心。文种果然悟出，谓他是圣人，在村人讥笑声中向自己行叩拜之礼，可谓大智若愚。范蠡揣测，文种既然诚心交友，会心达意，明日必定还会前来。那明日，就要试一试文种是否知心了。若是知心之人，即引为知己，赴汤蹈火，在所不辞，当今乱世，能交一心心相通的朋友，即便宏图不展，也不枉来一趟人世。

当晚，范蠡将思绪整理了一遍。次日早饭后，范蠡对其哥嫂说：“今天有贤人来拜访我，请借给我一套干净衣帽。”范蠡兄嫂均为老实厚道之人，私下也常为其前程操心，前日吏来不见，昨日装狗，实在弄不明白弟弟意欲何为。换了别人，早就跑到宛城去了。还坐等邑令来谒？昨日邑令在哄笑声中离去，岂不生气，今日还能再来？但弟弟说了，而且他说的话往往很准，俩人也就不再多说啥了。兄长范水掂起篮子上市去了，嫂子在屋内翻箱倒柜，看有没有合适衣服。终于找到一件范蠡父亲生前出门见客常穿的一件旧衣，虽然大了些，但比范蠡身上穿的破衣服好多了。

范蠡刚穿戴梳洗完毕，文种就来了。两人交谈后，都觉相见恨晚，结为终身知己。于是，文种把他推荐给楚王，范蠡从此开始步入仕途。但是后来，楚国忠臣伍奢被楚王杀害的事件给范蠡的心头蒙上了一层阴影，他认识到了楚国的衰落和政治的黑暗。最后，他找到文种，说出自己心中的感受，两人一同弃楚国而去，投奔了越国。当时正值春秋诸侯争霸，吴国、越国的气势已经很盛，长年战事不断，越王允常正求贤若渴。范蠡和文种的到来，使越王甚为高兴，与两人纵论天下大事，深契于心，随后越王便封范蠡和文种为大夫，成为越王勾践的左膀右臂。

从古至今，像范蠡这样的人实在是不多，“装狗迎宾”历来都是一件很罕见的事，当然，也只有满腹经纶、胸怀大略的人才会如此作为，正如文种所以说“有才之人做事，一定会有狂妄的举动，他们往往心怀独特的见解，行为上往往会给人一种狂妄无知的感觉。”是啊！哪有一个正常的人肯装作狗来迎接贵宾的，这样岂不是拿污水往自己身上泼吗？可又有几个人能够真正了解范蠡的苦心呢？

《史记·越王勾践世家》记载：“范蠡事越王勾践，既苦身戮力，与勾践深谋二十余年，竟灭吴，报会稽之耻，北渡兵于淮以临齐、晋，号令中国，以尊周室，勾践以霸，而范蠡称上将军。”

公元前496年，越王允常死后，他的儿子勾践即位。即位后，勾践用范蠡主持军事，文种主持政务，携手振兴越国。当时，吴王阖闾闻允常新丧，想趁越国人心不稳之际灭掉越国，便发兵攻打越国。但越军利用吴军的疏忽，采用偷袭战术把强大的吴国军队打得溃不成军，一败涂地，吴王阖闾也受了重伤，回到都城姑苏（今江苏省苏州市）后，便因重伤而死。随后他的儿子夫差即位，立志复仇。此后，吴国和越国便成无法化解的世代之仇。

公元前494年，越王勾践想趁吴国尚未准备妥当之时，先发制人，出兵伐吴，范蠡极力劝谏说：“吴国练兵快三年了。这回决心报仇，来势凶猛。咱们不如守住城，不要跟他们作战。”但勾践不同意，誓与吴国人拼个死活。越王勾践调动全国精兵3万人，北上攻吴，与吴兵战于夫椒（太湖中山名）。结果，勾践大败，仅剩5000残兵，退守会稽山（今浙江中部，主峰在嵊州市西北），且被吴军团团围住，身陷绝境，形势危急。

心急如焚的勾践，左思右想却无计可施。于是就问范蠡道：“因为不听您的话我落到如此田地，眼下我们该怎么办？”范蠡之高明终于体现，没有因为以前的事情甩手不管，他深谙大丈夫能屈能伸的道理，向勾践建议：“人待期时，忍其辱，乘其败……”“持满而不溢，则于天同道，上天会佑之；地能万物，人应该节用，这样则获地之赐；扶危定倾，谦卑事之，则与人同道，人可动之。”他向勾践概述“越必兴、吴必败”之断言，进谏：“屈身以事吴王，徐图转机。”如此，即可以屈求伸。勾践听从范蠡之计，派大夫文种赴吴求和，并以美女、珍宝秘贿吴国太宰，使吴王赦免越王，勾践夫妻人吴为质。于是，范蠡随越王入吴，为臣仆3年，备尝屈辱。公元前490年，勾践、范蠡终于被放回国。

获释归国后，范蠡与文种等，为勾践制定结好齐、晋、楚，表面卑事吴王夫差，暗中积聚力量的兴越灭吴九方略，是越国“十年生聚，十年教训”的策划者和组织者。为了实施灭吴战略，也是九方略之一的“美人计”，范蠡亲自跋山涉水，终于在苎萝山访到德才貌兼备的巾帼奇女——西施和郑旦，连同大批财宝献给夫差，以麻痹夫差。经过多年努力，越国大治。

公元前482年，夫差率吴军北上争霸，和晋、齐等国会于黄池，国内精兵为之一空。

勾践抓住这个机会，在国内举行誓师大会，出兵五万人突袭吴国，吴军措手不及，大败，连吴太子都丧命疆场。夫差闻得噩耗后，匆忙与齐晋订立和约，率军回救。勾践这次稳扎稳打，并不急于求成，他统兵避开吴国的锋锐，暂时撤回国内以待时机。

公元前478年，吴国发生特大旱灾，“士民罢弊，轻锐尽死于齐、晋”。勾践认为时机已到，便亲率大军攻打吴国。吴越两军战于笠泽（苏州附近），越军在此战中，首次采用时髦的“夜袭渡河”方式，并运用了“两翼佯攻”、“中央突破”的战术，使得吴军受到了惨重损失，几乎全军覆没。勾践连战连捷，顺势包围了吴都苏州。周元王三年（前473），越军围困吴都已达三年之久，夫差遣使求和，勾践欲许，范蠡认为，越国有幸不被吴国所灭，长期屈辱，志在灭吴，岂能失此良机而纵敌贻患，促使勾践定下决心，最终破灭吴国。夫差愧恨交加，自刎而死。

“卧薪尝胆”是在中国历史上是一个很具代表性的故事。这个故事虽然已经离我们有几千年了，但至今仍然被人们所津津乐道！

在这里面，每一步计划都有范蠡的谋略，他深知吴王好色贪财时，就建议勾践送一些美女与金银珠宝给夫差，这样夫差就有可能放掉他们，勾践以计行事，结果完全就在范蠡的预料之中。反之，如果没有范蠡这些明智的提醒，那么勾践必然会盲目地与夫差拼命，试想，在这种盲目冲动的情况下去打仗，怎么可能打得赢呢？这件事也与后来勾践大败吴军有着密切的联系。在现实生活中也有这样头脑发达的人，能够用的智慧使自己死里逃生。

在这场战争中，勾践之所以能打胜仗与他自身那种永不忘国耻的精神有关，他不像吴王夫差那样胜利了就得意忘形，而是胜不骄、败不馁：每天吃饭之前先尝一尝苦胆，他的衣着也很朴素，这体现了他要夺回大好江山的决心。

通过以上的种种分析，越吴这场战争是一种智慧上的较量，稍有一点疏忽、粗心，那么失败的矛头就会指向你！

在中国历史上，范蠡是一个富有传奇色彩的人物，不仅有文人的谋略，而且还具备商人的高超智慧，既能像儒者那样入世，又能像道家那样隐世。史书有关范蠡功成身退的记载，详见于《史记·越王勾践世家》：“还反国，范蠡以为大名天下，难以久居，且勾践为人可与同患，难与处安，为书辞勾践曰：‘臣闻主忧臣劳，主辱臣死。昔者君王辱于会稽，所以不死，为此事也。今既以雪耻，臣请从会稽之诛。’勾践曰：‘孤将与子分国而有之。不然，将加诛于子。’范蠡曰：‘君行令，臣行意。’乃装其轻宝珠玉，自与其私徒属乘舟浮海以行，终不反。”

范蠡艰辛劳苦、尽心竭力地帮助越王勾践消灭吴国，洗刷了当年亡国称臣的耻辱。之后，范蠡又辅佐勾践北上进兵，与中原的齐国、晋国争霸，并最终称霸诸侯，立下了汗马功劳，自己也被封为上将军。

但是，越王勾践当上霸主之后，范蠡就立即离开了越国，最后在陶地（今山东省定陶县西北）住了下来。后人所讲的陶朱公的故事，指的就是范蠡。范蠡本来可以做大官，享受荣华富贵，却为什么要归隐呢？

归隐充分表现了范蠡的远见卓识。古人云：“识时务者为俊杰”，范蠡看到伍子胥的命运结局，伴君如伴虎，伍氏于吴国的功绩何异与他于越国？那么自己最后的命运呢？范蠡看到这一点，但他并没有不辞而别，且辞别信写得委婉含蓄：“我听说，君王忧愁臣子就劳苦，君主受辱臣子就该死。过去您在会稽受辱，我之所以未死，是为了报仇雪恨。当今既已雪耻，臣请求您给予我君主在会稽受辱的死罪。”表面上看起来是求死，实际上是为了逼勾践放自己一条生路。试想，面对如此功臣，又没有治罪的借口，勾践无论如何是下不了手的。于是，他也假惺惺地说：“我将和你平分越国。否则，就要加罪于你。”勾践这一回答，也十分周全，明的逼范蠡要与他平分江山，实际上这是一个杀范蠡的借口。一旦范蠡留下来，真的与他一起坐享江山，那注定只有死路一条。于是，范蠡一再明志，回答说：“君主可执行您的命令，臣子仍依从自己的意趣。”言外之意，我范蠡对越王的江山毫无兴趣。正因为这样，最后他才能从容打点行装，与随从从海上乘船离去。否则，无论多精明、能干，范蠡最后都逃不出勾践的魔掌。

可与范蠡相提并论的功臣文种，在与君主处理关系上却远不如范蠡，他们往往目光短浅。范蠡在离开越王后，念在大家待在一起那么久，就从齐国给大夫文种寄来一封信。信上说：“飞鸟尽，良弓藏；狡兔死，走狗烹。越王是长颈鸟嘴，只可以与之共患难，不可以与之共享乐，你为何不离去？”文种看过信后，声称有病不再上朝，结果被越王安上“作乱”的罪名，赐剑而亡。文种收到信后如果能够立即逃跑，那么，即使不能闻达于诸侯，也不至于落个“兔死狗烹”的下场。相反，却自不量力地玩起装病不上朝的儿戏，结果招致杀身之祸。文种装病的原因，就是为了证明越王是不是在怀疑自己。结果，果然都在范蠡的意料之中。

作为臣子，武人或文人，功成身退应是一条明智的选择。古往今来，也不乏有人走这样的一条隐退之路，但却没有几个人能够走出这厄运的圈子的束缚，真是悲哉！就像在李白那首《悲歌》诗里说的一样：

……悲来乎，悲来乎，凤鸟不至河无图，

微子去之箕子奴。汉帝不忆李将军，楚王放却屈大夫。

悲来乎，悲来乎，秦家李斯早追悔，虚名拨向身之外。

范子何曾爱五湖，功成名遂身自退。剑是一夫用，书能知姓名。

惠施不肯千万乘，卜式未必穷一经。

还须黑头取方伯，莫谩白首为儒生。

所以，那些明智的人，总是能够以进退为由，逃出功高震主的怪圈，以免引祸上身。“名遂身退，明哲保身”表面看是“无为”，实则是“有为”，正如南怀瑾先生言：功成身退就如自然界的寒来暑往，秋去冬来，草木枯荣，生物之繁衍、新陈代谢，都是正常的现象。然后世，如秦之李斯，汉之韩信、明之刘基、李善长之徒都没有真正理解功成身退的意境，所以最终无一个能够善终的。范蠡进可辅国，退可守身，既能入世又能够隐世，真可谓高明之极！

范蠡之高明，不仅在于及时免祸，更在于他脱离政治领域之后，在经济领域同样取得巨大成功。他三次搬家，三次创业，均获成功，成为名副其实的敛财高手。他先是在齐国的海滨从事农耕，聚财达数十万，名声大振，齐国曾聘请范蠡为国相，他说："长久享受尊贵的名号不吉利。"范蠡毅然归还相印，散发家财，搬迁至陶地。在陶地，耕种之余他等待做买卖的时机，获取十分之一的利润，果然又获得成功，聚财万万，名震四方，人称陶朱公，受到广泛尊重，并留下"陶朱之富"的美谈。

说范蠡功成身退是无奈的选择，并不是说越王勾践是个生性恶劣的人，而是说专制权威必然会造成名臣能将的如此结局。否则，只有像伍子胥、韩信等人那样惨死。范蠡从求功成到求归隐，个中有不少辛酸、无奈。同样，这又是他人格上转变的一种标志。这一人格的转变，关键在于范蠡彻底认清权位不可弄，声名不可隆，与专制权威终于划清了界线，把自己从奴隶地位中解放出来。

不过，范蠡还没有像庄子那样，认识到财物也是奴役人身心的东西。所以，他一富再富，最后自身虽未遭殃，却导致次子犯罪被杀。此又可笑、可叹者也。唐人任华《寄李白》诗"庄周万物外，范蠡五湖间"，将庄周与范蠡同咏，似未看透范蠡。但若以此指李白既能弃名归隐江湖，又能任侠轻财散尽千金，倒也是妥帖的用典。范蠡的人格没有扭曲于专制权威，但多少有点逐于物的味道。不过我们只要记住范蠡"功成去五湖"是功成身退之士的原型亦足够了。

一言以蔽之，范蠡是贤能之人中的贤能之人。为官，能深谋远虑，运筹帷幄，富国强民；持家，能辛勤劳作，惨淡经营，富甲一方，被人称颂与景仰。像范蠡这样能上能下，能屈能伸，为官为民，样样都能做得最好，名扬四海，永垂后世，这在中国历史上可谓屈指可数。也难怪司马迁会对他有如此赞扬："范蠡三迁皆有荣名，名垂后世。臣主若此，欲毋显得乎！"

范蠡是春秋末期越国的军事家、政治家、外交家和商业鼻祖。楚国宛（今河南南阳）人。这位热血男儿佯狂倜傥，傲然负俗，与文种相偕入越，被越王勾践用为谋臣，以"十年生聚。十年教训"的韬略，协助勾践彻底击败吴王夫差而雪耻复国，继而助勾践北向称霸中原。完成任务后深知"飞鸟尽，良弓藏；狡兔死，走狗烹。"的生存规则，便急流勇退，悄然而去。

吴　起

吴起（前440年—前381年），中国战国初期军事家、政治家、改革家，兵家代表人物。卫国左氏（今山东省定陶县，一说山东省曹县东北）人。

吴起一生历侍鲁、魏、楚三国，通晓兵家、法家、儒家三家思想，在内政、军事上都有极高的成就。仕鲁时曾击退齐国的入侵；仕魏时屡次破秦，尽得秦国河西之地，成就魏文侯的霸业；仕楚时主持改革，史称“吴起变法”，前381年，楚悼王去世，楚国贵族趁机发动兵变攻杀吴起。后世把他和孙武并称为“孙吴”，《吴子》与《孙子》又合称《孙吴兵法》，在中国古代军事典籍中占有重要地位。

吴起出生于家有千金的富足家庭，早年在外求官不成，耗尽全部家产。同乡邻里的人笑话他，他就杀掉三十多个讥笑自己的人，从东门逃出卫国。吴起和母亲诀别时，咬着自己的胳膊狠狠地说：“我吴起如果做不了卿相，就绝不再回卫国。”后来吴起拜曾参之子曾申为师，学习儒术。吴起的母亲病逝，他没有回家奔丧，曾申恼怒吴起不孝，和他断绝了师生关系，吴起于是弃儒学兵，侍奉于鲁国季孙氏门下。

公元前412年，齐宣公发兵攻打鲁国的莒县（今山东省日照市莒县）和安阳。鲁穆公想任用吴起为将，但吴起的妻子是齐国人，鲁穆公对他有所怀疑。吴起渴望成就功名，于是杀掉自己的妻子，表示不偏向齐国。鲁穆公任命吴起为将，率军大败齐军。取胜后的吴起引起鲁国群臣的非议，有人在鲁穆公面前中伤吴起说：“吴起是个猜疑残忍的人，早年杀死乡人，又因为不孝被曾申逐出师门，君上对他有所怀疑的时候他就杀死自己的妻子。况且鲁国是个小国，一旦有了战胜国的名声，就会招致各国的攻打。鲁国和卫国是兄弟国家，君上重用吴起，就等于抛弃了卫国。”鲁穆公于是对吴起产生了怀疑，免去了吴起的官职。而吴起的主公季孙氏也因懈怠宾客被杀，经人劝说，吴起离开鲁国投奔魏国。

魏文侯向大臣李悝询问吴起为人如何，李悝说：“吴起贪慕功名而且好色，但是用兵连司马穰苴也比不上他。”魏文侯于是任命吴起为将军，辅佐乐羊攻打中山国。

吴起担任将领期间，跟最下等的士兵穿一样的衣服，吃一样的伙食，睡觉不铺垫褥，行军不乘车骑马，亲自背负捆扎好的粮食和士兵们同甘共苦。有个士兵生了恶性毒疮，吴起替他吸吮脓液。因此，他带领的士兵都誓死效忠，打仗时，勇往直前。

公元前409年，魏文侯任命吴起为主将，攻克秦国河西地区的临晋、元里并筑城。次年，吴起再次率军攻打秦国，一直打到郑县（今陕西省华县），攻克洛阴、郃阳并筑城。而秦国只能退守至洛水，沿河修建防御工事，并筑重泉城（今陕西省蒲城县东南）加以防守。在与秦军作战期间，吴起从不自视比普通士卒高一等，夜晚就睡在不加平整的田埂上，用树叶遮盖身体来躲避霜露的侵袭。这样加上前412年被公子击占领的繁庞（今陕西省韩城市东南），魏国全部占有原本属于秦国的河西地区，并在此设立西河郡。经翟璜推荐，由吴起担任首任郡守。

魏文侯死后，吴起侍奉他的儿子魏武侯。有一次魏武侯和大臣们乘船在西河郡巡视，魏武侯感叹道："河山这样的险峻，边防难道不是很坚固吗？"大臣王错在旁边附和道："这就是魏国强大的原因。如果您再修明政治，那么我们魏国称霸天下的条件就具备了。"吴起回答说："我们君侯的话，是亡国的论调，你又来附和，这就更加危险了。"魏武侯气愤地说："你这话是什么道理？"吴起回答说："河山的险固是不能依靠的，霸业也从来不因为山河的险固而产生。过去三苗居住的地方，左有彭蠡湖，右有洞庭湖，岐山居北面，衡山处南面。虽然有这些天险倚仗，可是政事治理不好，结果大禹流放了他们。夏桀的国家，左面是天门山的北麓，右边是天溪山的南边，庐山和峄山在二山北部，伊水、洛水流经它的南面。有这样的天险，但是没有治理好国政，结果被商汤击败了。殷纣王的国家，左边有孟门山，右边有漳水和滏水，面对着黄河，背靠着山。虽有这样的天险，然而国家治理不好，遭到周武王的讨伐。再说您曾经亲自率领我们占领、攻陷了多少城邑，那些城的城墙不是不高，敌兵不是不多，然而能够攻破它们，那还不是因为他们政治腐败的缘故吗？由此看来，依靠河山险固，怎么能够成就霸业呢？"魏武侯十分赞同吴起的观点，说："我今天才听到圣人的言论啊，河西政事都委托给你了。"

吴起担任西河郡守期间，威信很高。魏武侯继位后，魏国国相一职空缺，许多人都认为吴起能够顺利当选，但最终魏武侯任命田文为国相。吴起很不高兴，对田文说："我与您比一下功劳，可以吗？"田文说："可以。"吴起说："统率三军，让士兵乐意为国死战，敌国不敢图谋侵犯魏国，您能和我比吗？”田文说：“不如您。”吴起说：“管理文武百官，让百姓亲附，充实国库的储备，您能和我比吗？”田文说：“不如您。”吴起说：“拒守西河郡让秦国的军队不敢向东侵犯，让韩国、赵国都服从归顺，您能和我比吗？”田文说：“不如您。”吴起说：“这几方面您都不如我，可是您的官位却在我之上，这是什么道理呢？”田文说：“国君还年轻，国人疑虑不安，大臣不亲附，百姓不信任，在这个时候，是把政事托付给您呢，还是应当托付给我？”吴起沉默了许久，然后说：“应该托付给您啊。”田文说：“这就是我的官位比您高的原因啊。”

但是好景不长，当贤相田文死后，公叔出任国相。公叔非常畏惧吴起的才能，他的仆人向他建议说：“吴起为人有骨气又重视名誉声望。您可以对魏武侯说您的国土太小，容纳不了吴起这样的人才。当魏武侯问您怎么办时，您就建议魏武侯用下嫁公主的办法试探吴起，如果吴起有长期留在魏国的打算，就一定会迎娶公主，如果没有长期留下来的打算，就一定会推辞。然后您找个机会请吴起到家里来做客，在宴会中故意惹公主发怒，当她当面羞辱您，吴起看到公主这样羞辱您，就肯定不会娶公主了。”公叔采纳了他的建议，吴起见到公主如此羞辱国相，婉言谢绝了魏武侯联姻的邀请。

王错又不断在魏武侯面前进谗言，魏武侯于是派人召唤吴起。吴起行进至岸门（今山西省河津市南）时，停下车回头遥望西河郡，眼泪一行行流了下来。他的车夫对他说：“我私下观察您的心志，把舍弃天下看得就像扔掉鞋子一样。如今您离开西河郡，却流下了眼泪，这是什么缘故啊？”吴起擦去眼泪回答说：“你不知道，如果君侯信任我，让我尽自己的才能，那么我就可以帮助君侯成就王业。如今君侯却听信小人的谗言不信任我，西河郡被秦国攻取的日子不会久了，魏国从此要削弱了。”吴起于是离开魏国投奔楚国。

楚悼王平素听说吴起很能干，吴起一到楚国就被任为相。他严明法令，撤去不急需的官吏，废除了较疏远的公族，把节省下的钱粮用以供养战士。主要目的是加强军队，破除纵横捭阖的游说。于是南面平定了百越；北面兼并了陈国和蔡国，并击退了韩、赵、魏的扩张；向西征伐了秦国。诸侯都畏惧楚国的强大，而吴起的变法也招致了楚国贵族的怨恨，为自己埋下了杀身之祸。

前381年，楚悼王去世，楚国贵族趁机发动兵变攻打吴起。贵族们用箭射伤吴起，吴起拔出箭逃到楚悼王停尸的地方，将箭插在楚悼王的尸体上，大喊：“群臣叛乱，谋害我王。”贵族们在射杀吴起的同时也射中了楚悼王的尸体。楚国的法律规定伤害国王的尸体属于重罪，将被诛灭三族。楚肃王继位后，命令把射杀吴起同时射中楚悼王尸体的人全部处死，受牵连被灭族的有七十多家。阳城君因参与此事逃奔出国，其封地被没收。吴起的尸身也被处以车裂肢解之刑。吴起死后，他在楚国的变法宣告失败。

吴起在魏、楚两国军事、内政方面的成就在战国时期起到了深远的影响。吴起的军事思想主要集中于《吴子兵法》。在《吴子兵法》中，吴起主张把政治和军事结合起来，对内修明文德，对外做好战备，两者必须并重，不可偏废。在政治、军事并重的前提下，吴起更重视政治教化，用道、义、礼、仁治理军队和民众。吴起还从战争起因上将战争分为义兵、强兵、刚兵、暴兵、逆兵等不同性质，主张对战争要采取慎重的态度，反对穷兵黩武。

吴起是一名文武全才的将领，军事上他拥有卓越统帅能力、先进军事思想，他料敌合变、爱兵如子，吴起在军事方面的成就在历朝历代都享有极高的赞誉。此外，吴起作为一名政治家、改革家，通过改革使魏、楚两国富国强兵，他在政治上的贡献也得到广泛赞誉。但是吴起贪恋功名，为取得成功不择手段。他杀妻求将、为子不孝和好色的人格缺陷为这位文武全才的将领增加了人生污点，也成为文人墨客诟病的对象。此外，后人对于吴起执法严格、不近人情，用兵杀伐无度，造成横尸遍野、生灵涂炭的行为也多有非议。

孙 膑

孙膑，齐国阿（今山东阳谷东北）人，孙武的后代，大致与商鞅、孟轲同时，为战国时兵法家。他曾与庞涓同学兵法，当庞涓作魏惠王将军时，忌其才能，把他骗到魏国，处以膑刑（即去膝盖骨），故称孙膑。后经齐国使者秘密载回，被齐威王任命为军师，协助齐将田忌设计大败魏军于桂陵、马陵。著有《孙膑兵法》一书，也称《齐孙子》。

孙膑的先祖是陈国公子陈完，陈完的曾孙陈无宇有子陈书，因讨伐莒国有功，被齐景公赐姓孙，改名孙书，封于乐安作为食邑，是妫姓孙氏的始祖。孙书之子孙凭生孙武，孙武因躲避齐国国内发生的陈、鲍、高、国四族之乱而出奔吴国，有子三人，孙驰、孙明和孙敌。次子孙明有子孙顺，孙顺有子孙机，孙机有子孙操，孙操即为孙膑之父。

孙膑早年与庞涓为同窗，二人一起拜师学习兵法。庞涓后来出仕魏国，担任了魏惠王的将军，但是他认为自己的才能比不上孙膑，于是暗地派人将孙膑请到魏国加以监视。孙膑到魏国后，庞涓嫉妒他的才能，于是捏造罪名将孙膑处以膑刑和黥刑，砍去了孙膑的双足并在他脸上刺字，想使他埋没于世不为人知。当齐国使者出使至魏国首都大梁（今河南省开封市）时，孙膑以刑徒的身份秘密拜见齐国使者，用言辞打动了他。齐国使者觉得孙膑不同凡响，于是偷偷地用车将他载回齐国。逃奔到齐国的孙膑得到了田忌的赏识，于是他寄居于田忌门下担任门客。

田忌经常与齐国诸公子赛马，设重金作为赌注。孙膑发现比赛的马脚力都差不多，可分为上、中、下三等，于是建议田忌加大赌注，并且向他保证必能取胜。田忌于是与齐威王和诸公子设千金作为赌注，比试赛马。孙膑让田忌用下等马替换上等马，与齐威王的上等马比赛，首场大败；随后孙膑又让田忌用上等马替换中等马、中等马替换下等马，分别与齐威王的中等马及下等马比赛，结果田忌两胜一负，最终赢得齐威王的千金赌注，孙膑由此名声大振，这揭示了军事上一条重要规律：着眼全局，舍弃局部，出奇制胜。

后来，田忌将孙膑推荐给齐威王，齐威王向他请教兵法并让他担任自己的兵法教师。

公元前353年，齐军兵分两路，一路与宋国景敌、卫国公孙仓所率部队会合，围攻魏国的襄陵。一路由田忌、孙膑率领救援赵国。齐威王打算让孙膑担任主将，但孙膑以遭受过酷刑、身体有残疾为由拒绝。齐威王于是任命田忌为主将，孙膑为军师，让他坐在带着篷帐的车子中出谋划策。此时魏军主力已攻破赵国首都邯郸，庞涓率军八万到达茬丘，随后进攻卫国，齐国方面田忌、孙膑率军八万到达齐、魏两国边境地区。田忌想要直接与魏军主力交战，但被孙膑阻止。孙膑认为魏国长期攻打赵国，主力消耗于外，老弱疲惫于内，国内防务空虚，应当采用声东击西、围魏救赵的战术，直捣魏国首都大梁，迫使魏国撤军，魏国一撤军，赵国自然得救。孙膑于是建议田忌南下佯攻魏国的平陵（今山东省定陶县东北），因为平陵城池虽小，但管辖的地区很大，人口众多，兵力很强，是东阳地区（指魏国首都大梁以东的地区）的战略要地，很难被攻克；而且平陵南面是宋国，北面是卫国，进军途中要经过市丘，容易被切断粮道，佯攻此地能很好地迷惑魏军，造成庞涓产生齐军主将指挥无能的错觉。田忌采纳孙膑的计谋，拔营向平陵进军。接近平陵时，孙膑向田忌建议由临淄（今山东省淄博市）、高唐（今山东省高唐县）两城的都大夫率军直接向平陵发动攻击，吸引魏军主力，果然攻打平陵的两路齐军大败。孙膑让田忌一面派出轻装战车，直捣魏国首都大梁的城郊，激怒庞涓迫使其率军回援；一面让田忌派出少数部队佯装与庞涓的部队交战，故作示弱使其轻敌。田忌按孙膑的要求一一照办，庞涓果然丢掉辎重，以轻装急行军昼夜兼程回救大梁。孙膑带领主力部队在桂陵（今河南省长垣县西南）设伏，一举擒获庞涓。

桂陵之战并没有击溃魏军主力，齐国也没有正式进攻魏国首都大梁，赵国首都邯郸仍为魏国所占领。前352年，魏惠王调用韩国的军队击败包围襄陵的齐、宋、卫联军，齐国被迫请楚国大将景舍出面调停，各国休战。前351年，魏惠王与赵成侯在漳河边结盟，撤出赵国首都邯郸。大约在此时齐国将庞涓释放，使其回魏再度为将。

公元前342年，魏将穰疵在南梁（今河南省汝州市西）和霍（今河南省汝州市西南）击退韩将孔夜的军队，韩昭侯派使者向齐国求救。齐威王向大臣们询问应当及早救韩还是推迟救韩。张丐认为如果晚救韩，韩国必将转而投靠魏国，不如早救韩；田忌则认为趁韩、魏之兵还未疲惫就出兵，等于代替韩军遭受魏军的攻击，反而会受制于韩，不如晚救韩等待魏军疲惫，韩国危在旦夕一定会求救于齐国，这样可以名利双收。齐威王十分赞同田忌的观点，秘密与韩国使者达成协议，但没有立即派出援军援助韩国。而韩国自恃有齐国的援助，与魏国作战接连五次战败，不得不求救于齐国。齐威王于是派田忌、田肦为主将，田婴为副将，孙膑为军师，率军援助韩国。孙膑再次采用围魏救赵的战术，率军袭击魏国首都大梁。庞涓得知消息后急忙从韩国撤军返回魏国，但齐军此时已向西进军。孙膑考虑到魏军自恃其勇，一定会轻视齐军，况且齐军也有怯战的名声，应采用诱敌深入的战术，引诱魏军进入埋伏圈后加以歼灭。孙膑命令进入魏国境内的齐军第一天埋设十万个做饭的灶，第二天减为五万个，第三天减为三万个。庞涓行军三天查看齐军留下的灶后非常高兴，说："我本来就知道齐军怯懦，进入魏国境内才三天，齐国士兵就已经逃跑了一大半。"于是丢下步兵，只带领精锐骑兵日夜兼程追击齐军。孙膑估算庞涓天黑能行进至马陵，马陵道路狭窄，两旁又多是峻隘险阻，孙膑于是命士兵砍去道旁大树的树皮，露出白木，在树上写上"庞涓死于此树之下"，然后命令一万名弓弩手埋伏在马陵道两旁，约定"天黑能在此处看到有火光就万箭齐发"。庞涓果然当晚赶到砍去树皮的大树下，见到白木上写着字，于是点火查看。字还没读完，齐军伏兵万箭齐发，魏军大乱。庞涓自知败局已定，于是拔剑自刎，临死前说道："遂成竖子之名！"齐军乘胜追击，歼灭魏军十万人，俘虏魏国主将太子申。经此一战魏国元气大伤，失去霸主地位，而齐国则称霸东方。马陵大捷后，孙膑名声大昭。

但时任齐国相国的邹忌，曾多次讽谏齐威王。邹忌身高八尺，相貌堂堂，却心胸狭窄，私心极重。齐对魏两次大战之前，他都坚决反对出兵。待田忌、孙膑凯旋之时，他心中的醋意可想而知。

随着孙膑、田忌威望的提高，邹忌担心自己的相位不稳，因此欲除掉田忌、孙膑而后快。可能因为孙膑是个残疾人，同邹忌争夺相位的可能性不大，所以邹忌将目标首先对准了风头甚劲的田忌。

孙膑对此早有觉察，马陵之战后，孙膑对田忌说："将军有意做一番大事吗？"田忌不知所以。孙膑说："将军最好不要解除武装返回齐国，而是让那些疲惫老弱的士兵来把守住主地（今山东省淄博市西南）。主地的道路狭窄，车辆只能依次通行，碰撞摩擦而过。如果让那些疲惫老弱的士兵把守住主地，定能以一当十，以十当百，以百当千。然后将军背靠泰山，左有济水，右有高唐，辎重可直达高宛（今山东省桓台县境内），只需轻车战马就可以直冲齐国首都临淄的雍门。如此，齐国的大权就可以由将军掌握决定了，那时候邹忌必定出逃，否则将军有可能不能安全返回齐国。”但田忌没有听从孙膑的劝告。

后来邹忌派公孙阅令人携带重金招摇过市，找人占卜，自我介绍道：“我是田忌将军的臣属，如今将军三战三胜，名震天下，现在欲图大事，麻烦你占卜一下，看看吉凶如何？”卜卦的人刚走，公孙阅就派人逮捕占卜的人，在齐威王面前验证这番话。田忌闻讯后大为恐慌，被迫出奔至楚国，后被楚宣王封于江南（今长江以南的地区）。孙膑这时也随田忌来到楚国，有可能一起去了田忌在江南的封地，与弟子潜心著述。《孙膑兵法》的大部分篇章，可能是在楚国完成的。齐宣王继位后得知田忌被陷害，将田忌召回国内官复原职，而孙膑也于此时返回齐国。《太平御览》记载孙膑曾为齐宣王献上收服燕、赵两国来对抗秦国的计策。后孙膑返回故地乐安颐养天年。辞官隐居后的孙膑开始著书和教学，结合理论与实践，整理出《孙膑兵法十六篇》传世。

孙膑的军事思想主要集中于《孙膑兵法》。在战争观方面，孙膑主张重视、慎重地对待战争。他强调战争是国家政治生活中解决问题的一种重要手段，只有以强有力的武力作为保障，才能够使国家安定、富强。但是他反对穷兵黩武，指出作战胜利能够挽救濒临灭亡的国家，但战败也同样会失去土地、危害社稷，一味好战必然会灭亡，自取其辱，所以必须慎重地对待战争，不可不用也不可滥用。孙膑主张积极地做好战争的准备工作来获得胜利，这样才能做到以战争抑制战争。他指出政治和经济条件是决定战争胜负的基础，“强兵”必先“富国”，只有具备强有力的政治和经济作为后盾才能做到“事备而后动”。他又指出民心军心是取得战争胜利的决定性因素，所以战争必须顺应民心军心，要做到“得众”、“取众”。

战争认识论方面，孙膑提出将领要知“道”，“道”就是战争的规律。孙膑认为作战时人众、粮多、武器精良等因素都不足以保证取胜，只有掌握了战争的规律，了解敌我双方情况，指挥得当，才能保证取胜。为此他专门阐述了积疏、盈虚、径行、疾徐、众寡、佚劳六对相互对立又相互转化的矛盾，还对“奇正”进行了深层次的分析，认为将领只有真正认识到这些矛盾的作用，把握了这些矛盾的转化规律，才能利用微妙的变化出奇制胜。

战略思想方面，孙膑强调“必攻不守”。在敌众我寡、敌强我弱的情况下，积极主动地进攻敌人防守的薄弱环节，不仅能够有效地歼灭敌人的有生力量，而且能够转换攻守形势，掌握战争的主动权。战术方面，孙膑提出“因势”、“造势”的思想。充分利用敌我双方的条件，造成有利于我的态势，以扭转敌众我寡的不利形势。

在具体的战术方面，孙膑对阵法进行了专门论述，进而分析了攻击各种战阵的对策。他还专门论述了攻城的问题，把处在不同地形的城分为难攻的雄城和易攻的牝城两类，论述了当时攻城的策略与技术。

在军队建设、管理方面，首先，他对君主和将领的关系进行了分析。将领必须忠于君主，君主不应该干涉将领的具体军务，将领要有独立的军事指挥权。其次，他对将领的素质进行了较多的论述。将领应当具备义、仁、德、信、智五个要素，他还分析了能够致使将帅作战失败的品德缺陷。最后，他就管理队伍的问题进行了论述，可以概括为任用贤能、严明纪律、奖惩公平、赏罚及时。

但是，孙膑的军事思想也有其阶级和时代的局限性。他对战争的性质分辨不清，把士兵纯粹当作被驱使的工具，有些战略战术的表述过于简单片面，有时还夹杂着迷信观念，这也是应当指出的。

孙膑作为一名优秀的军事家，两次击败魏国帮助齐国成就霸业，并且著有《孙膑兵法》一书，为后世留下重要军事理论。历朝历代对于孙膑都有很高的评价。孙膑遭到庞涓陷害失去双足，身体残疾，但他没有自暴自弃，最终两次击败庞涓，得以报仇，孙膑身残志坚的精神也得到了后世的称赞。

廉 颇

廉颇（公元前327年—公元前243年），封信平君，战国末期赵国的名将，与白起、王翦、李牧并称“战国四大名将”。他曾在对齐国、魏国的战争中取得胜利。他的职业是将领，祖籍是晋阳。长平之战前期，他以固守的方式成功抵御了秦国军队。长平之战后，又击退了燕国的入侵，斩杀燕国的栗腹，并令对方割五城求和。晚年时，因不得志，他先后投奔魏国大梁和楚国，去世后葬于寿春（今安徽寿县境内）。

战国后期，齐、楚、燕、韩、赵、魏、秦七个大诸侯国，都想要称雄天下，相互兼并的斗争十分激烈，战争的烽火燃遍了整个中国大地。频繁的战争产生了众多的军事家，赵国的廉颇就是活跃在当时军事舞台上的著名将领。

赵国的西邻秦国在商鞅变法后，日趋强大，不断向东扩张势力，使赵国面临着被秦国逐渐蚕食的威胁。赵国以廉颇为大将，使秦国难以东进。他骁勇善战，名震天下，前后四十多年，为赵国的生存，建立了不朽的功业。

赵惠文王初，秦国欲东出扩大势力，赵国首当其冲。为扫除障碍，秦王曾多次派兵进攻赵国。廉颇统领赵军屡败秦军，迫使秦改变策略，实行合纵，于惠文王十四年（前285年）在中阳（今山西中阳县西）与赵相会讲和。以联合韩、燕、魏、赵五国之师共同讨伐齐国，大败齐军。其中，廉颇于赵惠文王（前283年）带赵军伐齐，长驱深入齐境，攻取阳晋，威震诸侯，而赵国也随之越居六国之首。廉颇班师回朝，拜为上卿（上卿为当时高级爵位），秦国虎视赵国而不敢贸然进攻，正是慑于廉颇的威力。此后，廉颇率军征战，守必固，攻必取，几乎百战百胜，威震列国。

周赧王三十二年（赵惠文王十六年，前283年），曾得和氏璧，强秦愿以十五城换之，赵派蔺相如出使秦国，蔺相如仅仅是宦官缪贤门下的“舍人”。经缪贤向惠文王荐举，身携“和氏璧”，充当赵使入秦。蔺相如以他的大智大勇完璧归赵，取得了对秦外交的胜利。

其后秦伐赵，占领了石城。赵惠文王十九年复攻赵，杀了二万赵军。这时秦王欲与赵王在渑池会盟言和（今河南渑池县西），赵王非常害怕，不愿前往。廉颇和蔺相如商量认为赵王应该前往，以显示赵国的坚强和赵王的果敢。赵王与蔺相如同往，廉颇相送，与赵王分别时说："大王这次行期不过三十天，若三十天不还，请立太子为王，以断绝秦国要挟赵国的希望。"廉颇的大将风度与周密安排，壮了赵王的行色，同时由于蔺相如渑池会上不卑不亢地与秦王周旋，毫不示弱地回击了秦王施展的种种手段，不仅为赵国挽回了声誉，而且对秦王和群臣产生震慑。最终使得赵王平安归来。

会后，赵王"以相如功大，拜为上卿"，地位竟在廉颇之上。廉颇对蔺相如封为上卿心怀不满，认为自己作为赵国的大将，有攻城略地，扩大疆土的大功，而地位低下的蔺相如只动动口舌却位高于我，叫人不能容忍。他公然扬言要当众羞辱蔺相如。蔺相如知道后，并不想与廉颇去争高低，而是采取了忍让的态度。为了不使廉颇在临朝时排列自己之下，每次早朝，他总是称病不至。有时，蔺相如乘车出门，远远望见廉颇迎面而来，就索性引车躲避了。这引起了蔺相如舍人韩勃的不满，蔺相如解释说："强秦与廉颇相比，虎狼般的秦王相如都敢当廷呵叱，羞辱他的群臣，我还会怕廉颇吗？强秦之所以不敢出兵赵国，这是因为我和廉颇同在朝中为官，如果我们相斗，就如两虎相伤，没有两全之理了。我之所以避他，无非是把国家的危难放在个人的恩怨之上罢了。"廉颇听后，深受感动，他身背长长的荆条，赤膊露体来到蔺相如家中，请蔺相如治罪。从此两人结为刎颈之交，生死与共。

正是由于廉、蔺和好，使得赵国内部团结一致，尽心报国，使赵国一度强盛，成为东方诸侯阻挡秦国东进的屏障。公元前269年，秦昭襄王不满赵惠文王违背盟约，出兵悍然攻赵地阏与（今山西和顺）。赵将赵奢率兵增援阏与，大破秦军。不甘失败的秦王又发兵攻赵地几（今河北大名），廉颇再破秦军。此后强秦长期不敢攻赵。

公元前266年，赵惠文王卒，孝成王立。这时，秦国采取应侯范雎"远交近攻"的谋略，一边跟齐国、楚国交好，一边攻打临近的小国。

周赧王五十五年（前262年），秦国进攻韩地上党。上党的韩国守军孤立无援，太守冯亭便将上党献给了赵国。于是，秦赵之间围绕着争夺上党地区发生了战争。这时，名将赵奢已死，执掌军事事务的只有廉颇。于是，赵孝成王命廉颇统帅20万赵军阻秦军于长平（今山西高平县西北）。当时，秦军已南取野王（今河南沁阳），北略上党（今山西中部地区），切断了长平南北联系，士气正盛，而赵军长途跋涉而至，不仅兵力处于劣势，态势上也处于被动不利的地位。面对这一情况，廉颇正确地采取了筑垒固守，疲惫敌军，相机攻敌的作战方针。他命令赵军凭借山险，筑起森严壁垒。尽管秦军数次挑战，廉颇总是严束部众，坚壁不出。同时，他把上党地区的民众集中起来，一面从事战场运输，一面投入筑垒抗秦的工作。秦军求战不得，无计可施，锐气渐失。廉颇用兵持重，固垒坚守三年，意在挫败秦军速胜之谋。秦国看速胜不行，便使反间计，让赵王相信，秦国最担心、最害怕的是用赵括替代廉颇。赵王求胜心切，终于中了反间计，认为廉颇怯战，强行罢廉颇职，用赵括为将。虽然蔺相如力谏，但赵王不听。赵括代替了廉颇的职务后，完全改变了廉颇制定的战略部署，撤换了许多军官。秦国见使用赵括为将，便暗中启用武安君白起率兵攻赵，大败赵括军于长平，射杀赵括，坑赵兵四十余万。

赵国自长平之战败于秦国之后，国力大大削弱。此后，不仅受到秦国军队的屡次进犯，而且其他诸侯国亦想乘机侵赵获利。十五年，燕国丞相栗腹以给赵王祝寿为名，出使赵国，侦探赵国虚实。回国后向燕王建议，赵国青壮年在长平均被秦将白起坑杀，国内尽是孤儿寡妇，无力再战，乘此良机攻赵必胜。燕王喜不听乐间劝告，决意发兵攻赵国。他派栗腹为将，领兵60万，战车二千乘兵分两路大举进攻赵国。栗腹令部将庆秦率军20万攻代，自率主力40万攻鄗。燕军到达宋子（今河北晋县南）后，赵孝成王令上卿廉颇、乐乘统兵13万前往抗击。廉颇分析燕军的来势后认为，燕军虽然人多势众，但骄傲轻敌，加之长途跋涉，人马困乏，遂决定采用各个击破的方略。令乐乘率军5万坚守代，吸引攻代燕军不能南下援救，自率军8万迎击燕军主力于鄗。赵军同仇敌忾，决心保卫国土，个个奋勇冲杀，大败燕军，斩杀其主将栗腹。攻代燕军闻听攻鄗军大败，主帅被杀，军心动摇。乐乘率赵军趁机发起攻击，迅速取胜，俘庆秦。两路燕军败退。廉颇率军追击500里，直入燕境，进围燕都蓟（今北京城西南）。燕王只好割让5座城邑求和，赵军始解围退还。战后，赵王封廉颇为信平君，任相国。

廉颇任相国前后约六七年，多次击退入侵敌军，并伺机出击。前245年，带兵攻取了魏地繁阳（今河南内黄县西北），说明赵国国力又有恢复。

赵孝成王二十一年（前245年），赵孝成王卒，其子赵悼襄王继位。襄王听信了奸臣郭开的谗言，解除了廉颇的军职，派乐乘代替廉颇。廉颇因受排挤而发怒，攻打乐乘，乐乘逃走。廉颇于是离赵投奔魏国大梁（今河南省开封市）。廉颇去大梁住了很久，魏王虽然收留了他，却并不信任和重用他。赵国因为多次被秦军围困，赵王想再任用廉颇，廉颇也想再被赵国任用。赵王派遣使者宦官唐玖去带着一副名贵的盔甲和四匹快马到大梁去慰问廉颇，看廉颇还是否可用。廉颇的仇人郭开却唯恐廉颇再得势，暗中给了唐玖很多金钱，让他说廉颇的坏话。赵国使者见到廉颇以后，廉颇在他面前一顿饭吃了一斗米，十斤肉，还披甲上马，表示自己还可有用。但使者回来向赵王报告说："廉将军虽然老了，但饭量还很好，可是和我坐在一起，不多时就拉了三次屎。"赵王认为廉颇老了，就没任用他，廉颇也就没再得到为国报效的机会。

楚国听说廉颇在魏国，就暗中派人迎接他入楚。廉颇担任楚将后，没有建立什么功劳。他说："我思用赵人。"流露出对祖国乡亲的眷恋之情。但赵国终究未能重新起用他，致使这位为赵国做出过重大贡献的一代名将，抑郁不乐，最终死在楚国的寿春（今安徽省寿县），年约八十五岁。

廉颇是战国时期一位杰出的军事将领，其征战数十年，攻城无数，歼敌数十万，而未尝败绩。为人亦襟怀坦白，敢于知错就改。他的一生，正如司马光所言："廉颇一生用与不用，实为赵国存亡所系。此真可以为后代用人殷鉴矣。"这一结论，既概括了廉颇一生荣辱经历的史实，又揭示了人才与国家盛衰兴亡的重要关系，确实值得后人深思。

赵奢

赵奢，生卒年不详，号马服君，汉族“马”姓起源。战国后期赵国名将，与赵王室同宗，当属贵族。战国八将领之一，也是“纸上谈兵”的赵括的父亲。主要生活在赵武灵王（前324年—前299年在位）到赵孝成王（前265年—前245年在位）时期。他早年做过税官，卓有成效。惠文王十九年（前280），赵奢被任命为将军，他带兵攻取了齐国的麦丘（今山东商河县西北），开始了早期的军事生涯。赵惠文王三十年（前269年），秦军派重兵围困阏与（今山西和顺县），赵奢力排众议，成功指挥阏与之战。赵奢为将，以出奇制胜闻名，与廉颇、蔺相如同位。

《史记·廉颇蔺相如列传》记载：“赵奢者，赵之田部吏也。收租税而平原君家不肯出租，奢以法治之，杀平原君用事者九人。平原君怒，将杀奢。奢因说曰：‘君于赵为贵公子，今纵君家而不奉公则法削，法削则国弱，国弱则诸侯加兵，诸侯加兵是无赵也，君安得有此富乎？以君之贵，奉公如法则上下平，上下平则国强，国强则赵固，而君为贵戚，岂轻于天下邪？’平原君以为贤，言之于王。王用之治国赋，国赋大平，民富而府库实。”

赵奢原来只是一名不见经传的普通的管理税收官员，历史上对他的评价只有八个字：“奉公守法，认真负责”。若用今天的话来说就是：有较强的事业心，思想好，业务精，作风硬，在税收工作中能较好地发挥自身的主观能动性，为赵国的经济发展筹集了大量的资金。

有一次，他的部下到平原君家去征收田税，平原君家里人依仗权势，拒交田税。赵奢知道后很生气，亲自登门征收。平原君的管家见赵奢前来收税，根本不把他放在眼里。管家态度非常骄横。他召来一伙家丁，把赵奢和几个手下人围了起来，不仅拒交田税，而且还无理取闹。赵奢见状非常气愤，他大喝道：“谁敢聚众闹事，拒交国家税收，我就按国法从事，不论他是谁！”管家仗着自己是平原君家的要人，对赵奢的话不以为然。结果，赵奢真的依照当时的国家法律，严肃地处理了这件事，杀了平原君家包括管家在内的9个参与闹事的人。平原君是谁呢？平原君名叫赵胜，是赵国的相王，又是赵王的弟弟，与齐孟尝君、魏信陵君、楚春申君合称为

"战国四公子"。食客三千指的就是他们这些公子所养的门客。一个能够养几千人的贵族，可见其当时的权势之大。赵奢杀了他的人，就等于是得罪了大贵族平原君。虽然赵奢也出身贵族，可比起赵胜来那就差太多了。

平原君听说这件事后，十分气愤，扬言一定要将赵奢革职查办，并且还要问死罪。一些好心人劝赵奢"三十六计，走为上计"，还是逃命去吧。但赵奢毅然拒绝，他认为秉公执未能，何罪之有！为何要逃跑呢！不仅不应逃跑，还要论个是非。

于是，他就自个儿去平原君的府上，说："我这样做，完全是为了维护赵国的利益，其中包括维护你平原君的前途。"

平原君说："你一连杀了我9个管事，还是为了我好吗？"

赵奢解释说："您是赵国的王公贵族，不应该放纵家人违反国家法令。如果大家都不遵守国家法律，都拒不交纳国家田税，那国家的力量就会遭到削弱。国家一削弱，就会遭到别国的侵犯，甚至还会把我们赵国灭掉。如果到了那一天，您平原君还能保住现在这样的富贵吗？像您这样身处高位的人，如果能带头遵守国家各项法令制度，带头交纳田税，那么上上下下的事情就可以得到公平合理的解决，天下人也会心悦诚服地交租纳税，那么，国家也就会强盛起来，赵国就会巩固。你平原君的势位富贵，就不会受到一丝一毫的损失。两者比较，怎样做对你有利，你应该比谁都清楚！"

平原君自知理亏，但还是辩解道："你处分闹事之人，为什么不事先向我请示？"

赵奢回答说："处理这事本来说是我的职权，难道执行法律还需请示吗？"

平原君被赵奢的一番话说得心服口服，也对赵奢以国家利益为重、秉公办事的态度十分赞赏。他认定赵奢是位很贤能的人，决定向赵王举荐。公元前271年，赵奢得到平原君的推荐，被任命为治理全国赋税的总管。

从此以后，赵国的税赋公正合理，适时按量收缴，谁也不徇私情，国库得到充实，老百姓也富裕起来，赵国进入"小康"状态。

在面对生命威胁的情况下，赵奢仍能镇定对之，这不是一般人能做到的。面对岌岌可危的处境，稍有不慎就会招致以身殉职的命运。倘若赵奢当时只是以对对方心思的揣测采取行动，则很难在这样的处境里做出正确的判断，更不用说以语言震慑对方了。赵奢之所以能使平原君折服，是因为他对当时的社会政治环境有着深刻的认识，有了这种认识思想才不会左右摇摆，行动就会显得勇敢无畏。赵奢心怀天下的宽阔胸怀和勇敢无畏的人格魅力在此已可见端倪。

赵奢不仅具有人格魅力，作为将帅，他还是一个善用计谋之人。

《史记·廉颇蔺相如列传》记载：“秦伐韩，军于阏与。王召廉颇而问曰：‘可救不？’对曰：‘道远险狭，难救。’又召乐乘而问焉，乐乘对如廉颇言。又召问赵奢，奢对曰：‘其道远险狭，譬之犹两鼠斗于穴中，将勇者胜。’王乃令赵奢将，救之。

“……秦间来入，赵奢善食而遣之。间以报秦将，秦将大喜曰：‘夫去国三十里而军不行，乃增垒，阏与非赵地也。’赵奢既已遣秦间，卷甲而趋之，二日一夜至，令善射者去阏与五十里而军……秦兵后至，争山不得上，赵奢纵兵击之，大破秦军。秦军解而走，遂解阏与之围而归。”

公元前280年，赵奢被任命为将军，跨进军事行列。他带兵攻取了齐因的麦丘（今山东商河县西北），赵王因得城大喜，为之加增进酒，以示权贺。至此，赵奢开始了他早期的军事生涯。

公元前270年，秦国将领胡阳率兵包围了赵国的阏与城（今山西和顺）。赵惠文王召集大臣研究对策。赵王先召见廉颇问道：“可以不可以去救援呢？”廉颇回答说：“到阏与去的这段路，既远而又险峻狭小，难救了。”赵王又召见乐乘来问这件事，乐乘回答的话跟廉颇一样。赵王又召见赵奢来问，赵奢说：“那条路的确是既远而又险峻狭小，这就好比两只老鼠在洞中相斗一样，由骁勇的将领统帅的军队能够获胜。”赵奢此议与赵王不谋而合。于是，赵王任命赵奢为将，领兵去救阏与。

当时，秦军在围困阏与的同时，已经做好了防止赵军出兵救援的准备。他们发兵一支，向东直插武安（今河北武安县西南），以成犄角之势，牵制赵军行动。赵奢得知秦军这一部署，从邯郸出发才30里就下令安营扎寨，命令军中加固营垒，在营区周围修筑了许多屏障，故意做出毫无进取的姿态。并在军中下达命令说：“有敢对军事行动进言的处死刑。”眼见秦军在武安（今河北武安县西南）西侧昼夜操练人马，磨刀霍霍，将士们都很着急。有个军吏实在忍耐不住，来见赵奢，请求速救武安，赵奢果然马上将他处以死刑。全军当场一片哗然，从此没有人再敢上前说一句如何行军的话。之后，赵奢加固军营的壁垒，一直驻守了二十八天而没有向前推进，反而不断地修筑营垒。无人能猜透他们这位统帅在想些什么，却又不敢问，因为没有人不想保住自己的脑袋。秦国派了间谍混入军营，以探听赵奢的意图。却被赵奢发现，但他不动声色，还用好酒好肉款待他，最后还客客气气地把他送出军营。间谍把看到的情况向秦国的将军做了报告，秦将大为高兴，说："离开都城不过三十里就屯驻大军不敢前行，只是一味地加固营垒，这一下阏与不再是赵国的地盘了。"于是，便放松了对赵奢的警惕。

在送走秦军间谍以后，赵奢突然做出决定，集合部队，卷甲而趋，向西急进。仅两日一夜即赶到阏与，赵奢还让善于射箭的军士迅速到距阏与五十里一带构筑营垒。秦将胡阳没想到赵奢会有此一举，他听了秦间谍的报告，还以为赵军驻足不前，自己指日便可夺取阏与。此时方知上当，气急败坏地率领全部人马赶到阏与。由于赵军远离后方，孤军独进，形势依然十分危险。这时，赵军中有一个叫许历的军士冒死来见赵奢，他说："秦人没有料到赵国的军队突然来到这里，被激怒的秦军来进攻的气势必然旺盛，将军一定要集中兵力严阵以待，不然的话，会吃败仗的。"赵奢曰："这个意见可以采纳。"许历说："请照军令把我处以死刑好了。"赵奢说："等回到邯郸以后再处理吧。"许历请求再发表意见，他说："能够先控制阏与北面的山头的一方必定能获得胜利，后去的一方必定失败。"

赵奢采纳了许历的主张，立刻派一万精兵火速抢占了北山。果然，秦军后至，与赵军争夺北山不得上，拥挤于山下，陷入十分被动的地位。赵军利用有利地势，居高临下，俯击秦军，把秦军打得大败。秦军溃散而去，阏与之围解除了。此次战役，使威行诸侯的强秦遭受了一次最大的挫折，多年后仍不敢轻举妄动，唯恐重蹈阏与之覆辙。班师回朝后，赵惠文王封赵奢为马服君，又封许历为国尉。

《史记》记载："后四年，赵惠文王卒，子孝成王立。七年，秦与赵兵相距长平，时赵奢已死，而蔺相如病笃，赵使廉颇将攻秦，秦数败赵军，赵军固壁不战。"文中所说的后四年是指渑池之会后的后四年。从这段文字里我们可以发现两件事，第一是赵奢当时的地位极高，可能有三个因素：1. 他是王室同族，深受信赖；2. 他在对秦的作战大胜后有马服君的威名。3. 他是赵武灵王的军事改革时期中的成员。另一件事是蔺相如在赵国也是一个能够领军作战，且深得信任之将军。上述内容也造就了赵奢、蔺相如、廉颇排名的感觉。

马服君也并非只是一个封号那么简单。在史记中有这样一段注解："虞喜志林云马，兵之首也。号曰马服者，言能服马也。"从这段并不难懂的文字中，我们可以知道，"马"的含意是各兵种之首。赵奢封为马服君，就是表示他是领导兵者之首的人，可谓是将中之首。其地位与廉颇、蔺相如相等，被后人列为东方六国的八名将之一。

事实上，在抗秦的军事行动上，赵奢的战绩确实居廉颇之上。在与秦的作战中我们可以知道，赵奢在抗秦的战争中取得了较为大的战果。其中，马服君的封号就是他在阏与之战后所受封的。廉颇在对秦的作战中虽有败绩，但总体而言还是立于不败之地的。这在当时已是很难得的了。

然而，在阏与之战中，有很多没有被人理解的地方，这主要是因为赵奢说了的没做，做了的没说，致使后人解释笼笼统统，不得要领。

赵王派赵奢去解阏与之围，是由于赏识他的才干。有些还以为后边要来一场勇斗呢，谁知道赵奢一下子坚壁28天，其中妙处却没有一个将士能够体会出来。

这要先从地理说起。阏与在邯郸正西北方向，地图直线距离为200里左右。这一直线距离，正好与豫晋古道相吻合。实际路途远远不止200里，因为中间是太行山。武安和峻极关都落在这一直线上。邯郸西北十点钟方向50里是武安，武安北面是摩天岭，摩天岭主峰玉皇岭海拔1478米。摩天岭北下侧为峻极关，是通晋古道关隘，峻极关在阏与东南一百里处。

这样一条天险古道，自然是"道远险狭"，秦国围了阏与以后，就分兵到这古道上阻止赵国救兵。面对这种形势，老将廉颇都认为阏与没救了。其实，战场就那么小，谁都没有退路，如果路只有五米宽，你纵有千军万马，打斗双方也就是两人交手，这时兵多兵少并不是主要的，勇气是决定胜负的关键。

然而，赵奢才出邯郸20里就扎营了，为什么呢？"秦师军武安西，鼓噪勒兵，武安屋瓦尽振。"武安西边是摩天岭，居高临下，"鼓噪勒兵，武安屋瓦尽振"表明秦军驻扎的地势高。赵奢才到太行山脚，前边秦军已经尽占地利了。赵军要救阏与，秦师军武安西正是其必经之路。

如果这时走进豫晋古道，那就等于是去送死。赵奢的惟一选择就是扎营坚壁，但与救阏与战略意图完全相悖，但战术的可行性是贯彻战略意图的保证，赵奢先在战术上站稳脚跟，为下一步打好基础。这有点像下象棋，无着可行之时，不妨车开河头，争取以后的腾挪手段。

赵奢的扎营就把秦军居高临下的优势变为了劣势。邯郸到武安五十里路，赵奢走了三十里，距离武安还有二十里，秦军在武安西，练兵的鼓声震武安屋瓦。如果秦军要攻赵就还得走二三十里路，如此就形成了一个均势，谁进攻谁吃亏。但军需后勤是赵军占便宜，赵军离邯郸三十里平原，粮草输送方便，而秦军运粮草时就要翻过摩天岭，从峻极关算起至少也得走四十里山路。且秦军还有一难，就是饮用水，到谷底是赵奢想要的战场，在山上则每天士兵得挑水上山，赵奢坚壁28天，把杀平原君九个家臣的狠劲拿出来了。面对这么好的局势，有人提议攻秦救武安，那岂不是找死？

两军相持下来，赵军是养精蓄锐，等待时机，而秦军却是天天劳碌，他们要整天忙着粮草和饮用水，连砍柴火造饭都要走十里远了。这是秦军犯的错误，秦军拒援，应该在太行山西边的峻极关，那才是兵家必争之地。峻极关守好了，阏与就等不到援军了。偏偏秦军跑到太行山东边的武安，整天忙于后勤，迟早都会露出破绽，这样就给赵奢留了可乘之机。

赵奢在战术上走得稳重，但要实现战略意图，还得再走一步。于是赵奢请秦国间谍参观了一下，那间谍一看，给蒙住了，这哪是去救阏与呀，算是白跟他耗了。就这一个看不透，在秦军还没想明白的时候，赵奢便乘机轻装急行军，从秦军的眼皮底下越过了峻极关五十里以西，解了阏与之围。

所谓“兵贵神速”，为什么叫兵贵“神”速而不叫兵贵“快”速？“神”者，鬼神不测是也。让敌人无法预测就叫“神”速。赵奢两日一夜翻越摩天岭是“神”速，出门三十里而坚壁二十八天也是“神”速。赵奢军令严禁以军事进谏，把军事意图隐得天衣无缝，因此才换来两个“神”速。后来赵军抢占北山高地，那叫“快”速，因为双方都知道对方要抢占，而赵军由于许历不避杀头之罪而抢先一步占得北山。

赵奢之所以能与廉颇和蔺相如平起平坐，就得于两个“神”速，而许历升为国尉则得于一个“快”速。这就体现出“神”速与“快”速的区别。

赵奢有着很高的军事造诣，他作战注意审时度势，料敌后动，坚持以因敌而变，灵活用兵为原则，这从他与大将田单的交谈中可以看出。

至于赵奢和齐国大将田单的论战，十分有趣，《战国策》中有相关记载。其中，赵奢列数了古今的人口数量、城市规模、军队规模等。最后使齐国的名将田单叹服，这也的确不容易。如果真的有八名将的称谓，赵奢完全可以入选。当时的情况是这样的：

齐国大将田单大摆火牛阵，复兴齐国之后，第二年出任赵国丞相。某日，田单对赵奢说：我佩服将军用兵，但是不服的是，将军用兵的规模太大。以前王者出兵，不会超过三万人，则天下平定。现在将军每次出战都带领一、二十万兵，这就是我所不服气的。赵奢反对田单这一看法，他认为田单并不懂得用兵之道。他向田单详细阐述了时势变化同作战方式、战争规模相互之间的关系。他说："古时代，四海之内被分为万国。最大的城市也不过只有300丈，民众再多也不过3000家。可是目前古代的万国都已经变成了七国，城市的规模已经有千丈了，上万家的城市都相对可以看到。既然发生了这么大的变化，那么带兵的数量也应作相对的变化。例如齐国动用了20万的军队攻打楚国，5年后再停止。赵国以20万的军队攻中山，五年后才回师。这时，齐韩两国实力差不多，如果要进攻，难道用3万人的军队就能行了吗？用3万人的军队，围规模千丈的城池，还不够围城的一角，如果用来野战，根本就不能用来进行包围。"赵奢的一席话，说得田单"喟然叹息"，表示诚服。

从与田单论兵法来看，赵奢重视对战争形势和特点的研究，最后使田单折服地说："单不至也。"

赵奢作为良将，有着高尚的品格。他不徇私情，"受分之日，不问家事。"赵奢极其注重与士卒的关系，而事实上，他和士卒的感情极深，就像他夫人所言："身所食饮而进者十数，所友者百数，大王及宗室所赏赐者尽与军吏士大夫。"因此，战士皆愿为之效命。在作战中，他执法如山，赏罚分明，再加上用兵如神，因此，带出了一支所向披靡的劲旅。军事家曹操曾说："苦者赵奢、窦婴为将也，受财千金，一朝散之，故能济成大功，永世流声。吾读其文，未尝不慕其为人也。"连这个一世枭雄曹操都给予赵奢如此高的评价，可见赵奢对后世影响之深。

可以说，赵奢是当时赵国的主要将领之一，在这里要提的是，在赵奢死后的几年，发生了一件大事。我们从中可以看出赵奢在赵国军事中的重要性。公元前265年，秦出兵攻打赵国，当时赵奢已经死了。赵国居然向齐求援。当时是在长平之战以前，赵国的国力应该算是不弱了。且多年前秦军还有惨痛的阏与大败。他们难道没有记性吗？并不是，而是赵国军队的栋梁之柱赵奢死了，所以秦军才敢大举入侵赵国。而曾大败秦国的赵国竟会落到如此地步，最后以长安君为质向齐求得援军，才解救了秦军之围。

这只是推断赵奢在赵国军事上的地位，至于真假无人能定。

赵奢有丰富的军事思想。从阏与之战中“告之不被，示之不能”、“能为敌司命”、“反客为主”、“居高临下”等战略战术来看，他显然吸取了孙武、孙膑的军事思想。从他在赵孝成王二年（前264）与田单论兵法来看，他重视对战争形势和特点的研究，最后使田单折服地说：“单不至也。”说明他有较高的军事造诣。

中华名人大传

高山 编著

〔第二卷〕

光明日报出版社

宋孝宗赵昚

宋孝宗名离（shèn慎），字元永，是宋太祖少子秦王赵德芳的后裔。宋孝宗被立为皇子，以至登上皇位、中间也颇曲折，并带有极大的偶然性。高宗赵构后宫妃嫔如云，儿子却只有元懿太子赵敷一人。建炎三年（1129年）秋天，年仅3岁的赵敷突然夭逝，使高宗大为悲痛。太子既死，高宗又在逃亡途中受惊，患了不育之症，一时之间，皇储乏人。可是储君乃一国之本，储君不立，朝野不能安心。大臣范宗尹首先上书奏请高宗早立太子，以安天下。高宗对范宗尹说："太祖皇帝以其神明英武平定天下，可是子孙却未享其成，以至零落，其情堪悯。我如果不能效法仁宗皇帝，怎慰太祖在天之灵！"高宗此言，指的是仁宗传位给侄子英宗赵曙之事。

绍兴三年（1132年），宋高宗派遣主管宫廷宗族事务的大臣知南外宗正事赵令畤在"伯"字行中访求宗室。太祖后代"伯"字行这时已达一千六百四十五人。先从这些人中选出了7岁以下的儿童十人。最后送给宋高宗定夺时，十人中只剩了两个人。这两人一胖一瘦，瘦的便是伯琮。高宗粗看以后，决定留胖去瘦，赐伯琮银三百两遣回原地。伯琮捧银正欲出门，高宗又说没看仔细。他让二人叉手并立，自己站在一旁反复端详。忽然一只猫从二人身旁经过，伯琮兀立不动，胖孩子飞起一脚向猫踢去，高宗皱着眉头说："此猫偶过此地，为何踢它！如此轻狂，怎能担当社稷重任！"于是又决定留瘦遗肥。这样，伯琮便以储君候选人的身份被养育在宫中。

伯琮于建炎元年（1127年），生于秀州。传说其母张氏有天夜里梦见有人牵着一只羊送给她，不久就怀了孕，所以伯琮小名叫羊。他人宫之年，方才6岁，需人护持，高宗领着他径入后宫，命张婕妤养育伯琮，赐名瑗。吴才人孤独无依，也想抚养一个孩子。高宗又找来了伯玖，赐名为璩，交由吴才人抚养。为了培育伯琮，高宗应大臣赵鼎之请，将行宫新建的书院作为资善堂，让他在那里读书学习，并派学富才赡的大臣作为赞读。伯琮天资聪颖，博闻强记，异于常人，颇受高宗钟爱。绍兴十二年（1142年）被加爵普安郡王。随着年岁的增长，伯琮也不免对政局发表一些意见，结果导致了奸相秦桧的不满。

绍兴三十年（1160年）二月，高宗宣布立伯琮为皇子，更名为玮，封为建王，并诏告天下。当时边陲不宁，金人屡次入寇，高宗下诏亲征，两淮又告失守，朝廷大臣畏敌如虎，争相提出退避之计。伯琮听了不胜气愤，上书请求率师御戎，充当讨金前驱。这时，卧病在家的建王府直讲史浩扶病求见高宗，认为皇子不能率兵亲征。高宗正为建王非分的举动生气，听了史浩的解释，怒意顿消。当即决定让建王随驾亲征，熟悉朝中将领。

绍兴三十二二年（1162年）五月，高宗下了一道诏书，正式册立伯琮为太子。接着便在紫宸殿行内禅之礼。高宗招来太子，当面劝他即位。太子不肯接受，退到大殿一侧的旁门，想返回东宫。高宗勉谕再三，太子方才答应。

宋高宗禅位时56岁。又做了二十五年的太上皇，直到81岁方才去世。以他的长寿状况推测，时年56岁的宋高宗断不能无力处理军国大事。“体倦神疲”只是他的借口，实际原因可能是宋金战场上虞允文指挥宋军在采石取得了重大胜利，完颜亮后院起火，无法继续南侵，率军退走，宋金战场上的形势发生变化，是和是战面临决择。宋高宗既不敢抗金，又无法继续推行投降政策，进退两难，只好把这副担子扔给孝宗，自己“以淡泊为心，颐神养志”去了。

孝宗做皇子时就主张抗金，即位后更锐意恢复。当年七月，孝宗召见抗金名将张浚，对他说：“久闻张公大名，现在朝廷所要依赖的就是您了。”张浚，汉州绵竹（在今四川）人，他身跨两朝，亲眼看到二帝蒙尘，生灵涂炭，因而誓与金贼不两立，一生不主和议，力求抗战。他主持南宋边防十年，后来因为说过秦桧昏唐无能，遭秦桧报复，二十年不受重用。朝野上下闻知张浚被贬，无不扼腕叹息。金人害怕张浚，唯恐他被重新起用，每次使者南来，必询问张浚所在。张浚被召见后，力陈和议的错误，劝孝宗坚持进取，对此，孝宗非常赞成，即任张浚为江淮东西两路宣抚使。同时，孝宗又下诏，追复抗金名将岳飞及其子岳云的官爵，依礼重新安葬，并且录用岳飞的子孙。朝野上下，为之一振。和议既久，积重难返，孝宗倡议抗战，难免遭到阻挠和反对，特别是右相史浩。金主完颜亮南侵的时候，吴璘从四川出兵，一举收复秦陇三路。史浩拜相后做的第一件事，就是要求孝宗下令，让吴璘放弃新收复的陕西州郡，退守四川。他对孝宗说：“官军西讨金兵，东不可过宝鸡，北不可过德顺。若离蜀太远，恐致敌人潜袭，保蜀反以亡蜀。”远在川陕的虞允文上书孝宗，剖陈利害："恢复旧疆，陕西应列在首位，陕西五路的命运又系于德顺的存亡。一旦抛弃，会使金人得陇望蜀，四川难保。"虞允文连续上疏十五次，反复劝谏，孝宗因有了先入之见，没有采纳这一正确意见，终于发出了令吴璘班师的诏书。虞允文昼夜兼程赶回临安，面见孝宗陈述弃利害，讲得激动，就用朝笏在地上比画起来，孝宗蓦然醒悟，惊叫："史浩误我！"急忙派出使者通知吴璘，授权他根据形势决定进止，但已经晚了。

陕西前线的吴璘接到班师的命令。感到愕然。手下将官也认为将在外，君命有所不受。此举关系重大，不能轻易还师。吴璘料知朝廷有人主和，再加上孝宗刚刚即位，自己握有重兵，不能抗命不遵，考虑再三，还是下达了撤军命令。金军乘隙邀击，吴璘惨败，伤亡部将数十员，士卒三万多人。将士们合营痛哭，声震原野。宋朝收复的三路十三州三军，尽数为金侵占。孝宗同金人较量的第一个回合，就这样遭到了失败。

隆兴元年（1163年）正月，孝宗传命张浚为枢密使，都督江淮两路军马，史浩为右相兼枢密使。孝宗召见张浚，询问恢复大计。张浚请孝宗即日下诏，进驻建康，鼓舞士气，进行北伐。但史浩百般反对，他说："目前形势下，先做防御，是良好的打算。而且议战议和，其权在彼而不在我，倘使听从浅谋之士的鄙见，不但不能恢复，反而会含冤万世。"张浚针锋相对，他告诉孝宗，史浩已经不可救药，不能再听他摆布，坐失良机。面对二位重臣的争论，孝宗左右为难。他同意张浚的意见，但又无力说服史浩，更不愿罢免这位恩师。无奈，他授权张浚应该乘金兵准备尚不充分之机，出师渡江。史浩从邵宏渊出兵的报告中得到这一消息，不由大怒道："我是宰相，出兵不和我商量，还当什么宰相！"上书攻击张浚、陈康伯，并请求辞相。至此，孝宗强硬起来，他同意了史浩的辞职，坚决支持张浚北伐。但是，战机早已被高宗、史浩的一再拖延而失掉。隆兴元年（1163年）四月，金朝内部已经稳定，主力纥石烈志宁所部调驻睢阳（河南商丘），仆散忠义前往南京（开封）指挥南侵的金军，金军已抢在南宋之前做好了军事准备。五月，张浚命濠州李显忠军，泗州邵宠渊军分道出击，开始了北伐。五月初，李显忠军按计划攻下灵壁县，邵宏渊围攻虹县，不能下。李显忠派灵壁降卒，招降虹县金守将。两军会师后，共同进攻宿州，宋军渡濠登城，攻进城中，奋勇巷战，杀敌数千人，擒敌八千余人，收复宿州城，捷报传来，举国欢腾，表示祝贺，并任命李显忠为淮南京东河北招讨使，邵宏渊为副。谁知邵宏渊心胸狭窄，他因攻虹县无功，位在李显忠之下，由此与李不和。此后，金兵纥石烈志宁部自睢阳反攻宿州，被李显忠击败。金兵继续增兵，李显忠请求宏渊合力夹攻。面对强敌，邵宏渊按兵不动。他对部将说："当此盛夏，摇着扇子都不凉快，怎么能在烈日下披甲苦战呢？"士卒听了这样的话，再也没有斗志了。有些军官见主帅不和，竟领兵临阵脱逃。金兵攻至宿州城下，李显忠尽力抵抗，邵宏渊却极力主张撤退。李显忠孤军难敌，只好乘着夜色撤离宿州，金兵追至符离，宋兵一轰而散，军资器械丧失殆尽。张浚组织的北伐就这样失败了。

符离战败，张浚上疏请罪，妥协派官员也乘机大肆诋毁，孝宗开始动摇。七月，他起用秦桧余党汤思退为右相，让其主持同金朝议和。汤思退延揽同党，排斥主战将领。张浚屡屡遭到弹劾，终被贬官，其他主战大臣也纷纷去官。宋孝宗求和的大局已定。

张浚被排挤出朝，在路上听说朝廷决定议和，继续上书抗争说："尹穑奸邪小人，必误国事。"人劝张浚不要再谈论时事，张浚反驳说："君臣之间的名分是无法逃避的。我身受两朝厚恩、重任，现在虽然离开朝廷，仍时时盼望皇上能够感悟，既然见到了，怎么能忍心不说呢？如果皇上重新起用我，我会即日起程，以赴国难，不敢以老病为托辞。你们劝我明哲保身，倒是安的什么心呢？"在场的人都大为感叹。途经余干，病情加重，临终还以不能恢复中原，洗刷祖宗耻辱为恨。

隆兴议和后，孝宗并不甘心妥协，继续做收复失地的打算，希冀改变宋金之间的不平等关系。孝宗独掌用人大权，亲自处理政事，每天早晨上朝，晚间还召大臣入宫议事。但这时朝廷上崇尚空谈的儒臣居多，抗战将领日见稀少。乾道三年（1167年），在当时算是凤毛麟角的名将吴璘也病死了。吴璘死后，抗金老将只剩下虞允文一人了。虞允文虽是个文臣，但自指挥采石之战取胜以后，又先后在川陕、荆襄独当一面，也曾任职枢密院，威望很高。当时，孝宗正苦于有志复仇，无人可托。这样，虞允文成了可以依靠的少有人才。乾道五年（1169年）四月，孝宗把他从川陕调回临安，出任枢密使。八月，又任命他为右相兼枢密使。在此前后孝宗积极修筑沿边城池，打造军器，训练士卒，选择将帅。他自己也练习武艺，以至有一次眼睛被弓的断弦击伤，成月不能上朝。乾道六年（1170年）夏，孝宗在虞允文的支持下派人出使金朝，要求归还河南的祖宗陵寝，并要求改订受书礼。在绍兴年间，金使携书至宋时，宋帝须降座受书，屈尽陪臣之礼。孝宗即位后，陈康伯为相，每当金使前来，只有宰相陪同使者携书进殿，孝宗不再降座。等到汤思退为相，又恢复了高宗时的旧例，孝宗极为懊恼，所以派范成大出使金国，面请金主更改，同时要求归还河南地。这个决定遭到一部分大臣的反对。吏部尚书陈良祐竟说，现在想要的河南地，以前也曾归入宋朝的版图，不久还是失掉，不如不要。听了陈良祐的谬论，孝宗当即下令，罢了他的官。这些要求虽被金廷拒绝，却表明了宋朝的强硬态度。几年的议和、议战，风风雨雨，使孝宗丢掉了幻想。他决心诉诸武力，收复中原，像唐太宗那样建立赫赫功业。他曾对允文说："丙午之耻，当与丞相共雪。"允文也慷慨陈词，以恢复为己任。乾道八年（1172年）；又任命虞允文为少保、武安军节度使、四川宣抚使，派他到四川整军备战。临行，孝宗又告以进军方略，约定将来会师河南。虞允文担忧会师之日内外不相呼应，孝宗回答说："若卿率先出兵而朕延误，即朕负于你；若朕出师而卿贻误，即卿负于朕。"相约君臣同心，东西并举。又择日举行盛大仪式，亲自把盏为虞允文饯行，欢送虞允文赴任。

此后，孝宗更加积极备战，多次亲自检阅军队。他决定以更改不平等的受书仪式为借口，寻机对金用兵。年底，金朝贺宋正旦使完颜璋来宋贺明年正旦，孝宗以受书仪式不合，下令改期。上皇听说，出面干涉，父在子不得自专，孝宗只好维持原议，暗中却派人潜进金使寓所，窃取了国书。为了堵住完颜璋的嘴，又重重地贿赂了一笔。不料事情被金主侦知，辱没使命的完颜璋被处分，宋金关系又紧张起来。孝宗火速派人持亲笔密信前往四川，督促出兵，特别谕令要面交虞允文。但这位抗金英雄已经赍志而殁，抱恨九泉。

形势虽然紧张，金世宗却无意对宋用兵。世宗是金朝的明主，在位期间，内修政理，外以完颜亮为戒，不轻易言战。淳熙元年（1174年）三月，另派梁肃为宋国详问使，携带国书前往临安，追问究竟。国书内容为："隆兴年间议定免除奉表称臣、称名、两拜之礼，又量减岁币，仍用旧仪，亲接国书。此例一定，已经十年。今年我国信使到彼，不按例引见，竟然令人夺走国书，这是侄国应当做的吗？"孝宗此时因虞允文逝世，再加上高宗的干预，只得恢复旧议，起立受书。孝宗的北伐再次宣告流产。中原的大宋遗民又一次失望。

淳熙年间，宋金重新维持相对和平的局面。孝宗虽然愤愤不已，不忘战备，但已经完全是守势了。

延至淳熙十四年（1187年）八月，81岁的太上皇高宗忽然得病，孝宗心急如焚，不再临朝处理政事，长留德寿宫侍奉汤药。无奈高宗寿限已到，孝心也无能为力，九月就去世了。孝宗眼见高宗驾崩，忘记了自己身为皇帝，捶胸顿足地大哭起来，两天之内，滴水不进。悲痛之中，下了哀诏，表示要效法晋孝武帝和魏孝文帝，为高宗服丧三年。每月的初一和十五，孝宗都要身穿孝服，亲到德寿宫举哀。服丧期间，孝宗只吃一点点素餐，形容越来越憔悴，连妃嫔们也替他担心。宫中有位姓吴的夫人，偷偷地让内侍在孝宗的素菜中掺上了一点鸡汁，孝宗发觉后勃然大怒，当即将吴夫人逐出宫门。

孝宗之孝在当时是妇幼皆知的。他虽是高宗的养子，但几十年来，父子相处极为融洽，感情笃厚。孝宗即位后，每月四次朝拜太上皇，曲意侍奉。那时，孝宗年轻气盛，很想有一番作为，恢复祖宗基业，高宗却素来主张安静，不赞成对金用兵。孝宗侍奉高宗时，每次都力陈恢复大计，高宗渐渐不快，有一次，他干脆说："此事待我百年之后，你再议论吧！"从此，孝宗在高宗面前就不再提及此事了。

高宗去世以后，孝宗也已60多岁了。在位多年，已经感到厌烦，有意借服丧之机退位，大臣们苦苦挽留，才暂时没有禅位，但退居幕后之意却是不可动摇了。一天退朝，孝宗留下丞相府和枢密院二府的长官，谈及自己已经倦于政事，流露出禅位的想法。在座的大臣多数赞扬孝宗的禅让之举，只有同知枢密院事黄洽一言不发。孝宗征求他的意见，黄洽回答说："皇太子圣德确能当此大任，只是太子妃李氏不能母仪天下，望陛下三思！"孝宗被说中心事，也暗暗地担忧起来。他早就对太子妃不满，经常加以教诲，不见起色，反而与儿媳结下了怨仇。

淳熙十六年（1189年）正月，金世宗完颜雍病死。他21岁的孙子完颜璟继承了皇位，按照"隆兴和议"的规定，金宋是叔侄之国，南宋皇帝对金朝皇帝自称侄皇帝。宋孝宗已经年过花甲，他不愿以老翁的身份向比自己小四十多岁的金章宗称侄。就在二月禅位给太子赵惇，自己退居重华宫当了太上皇。

光宗即位后，太子妃李氏被册为皇后。李氏正位中宫，千方百计离间孝宗父子，报复孝宗，父子之间越来越疏远。光宗甚至一年不朝拜重华宫，孝宗为此怏怏不乐。有一天，孝宗登上潮露台，听见小巷里的儿童在打闹，吵着喊叫赵官家（宋朝宫内称皇帝为官家）。孝宗听了，心里一酸，自语道："朕喊他尚且不至，你们白白地叫唤什么呢？"回到宫中，常常抚几长叹，知道问题出在李氏身上，很后悔没听黄洽的话。人也郁闷成疾，身体每况愈下。父子至亲，病中的孝宗很想见一下儿子的面，可直到病危，光宗也不出面探望。绍熙五年（1194年），太上皇孝宗病死，终年68岁。

宋光宗赵惇

光宗是孝宗第三子，与庄文太子赵愭、魏王赵恺是郭皇后所生的一母同胞。赵惇生于绍兴十七年（1147年）九月。孝宗即位时封为恭王。乾道元年（1165年），邓王愭被立为皇太子。不料，乾道三年（1167年），太子得了伤暑病，太医又开错药方，使病情加剧，三天后一命呜呼。赵惇见哥哥已死，太子未定，于是雄心勃勃，习文练武，每次在王府与侍讲官员评论前代帝王为政得失，常常发表出人意料的高见，连讲官也自以为不及。这些情况最后都汇集到孝宗那里。按说，二子庆王恺应继位太子，孝宗认为庆王过于懦弱，难当大任，恭王英武过人，很像自己，就想把他立为太子。因为要打乱皇位继承顺序，孝宗不愿草率行事，便暂且放下。

三年后，主管天文的太史上奏："根据天象的变化，应建立太子。"宰相虞允文也乘机请求孝宗早定储君，孝宗说："朕久有此意，太子的人选也早已确定。只是恐怕当了太子以后，容易骄傲，放纵自己，不再勤恳学习，反而渐渐变坏。朕迟迟不建太子，就是出于这样的考虑，想让他进一步熟习政务，博古通今，然后立为太子，不致将来后悔。"第二年，虞允文再次上书请求，孝宗见条件成熟，便册立26岁的恭王赵惇为皇太子，同时改封赵恺为魏王，出镇外藩。四月，孝宗又命太子兼任临安府尹。这段时间里，太子赵惇多方关心民政，熟悉民情，勤勤恳恳料理公务，多次受到孝宗的称赞和鼓励。

光宗即位后，尊孝宗为寿皇。这时金世宗已去世，即位的新皇帝章宗昏庸无能，宋金边境已经相安无事多年，这时更无大的战事发生，光宗很想趁国泰民安，励精图治，振作一番。可好景不长，皇后李氏是一个悍妒跋扈、喜欢弄权的人，她掀起一场场宫廷风波，把光宗搅得晕头转向，狼狈不堪。

光宗即位以后，看到宦官为非作歹，干预朝政，便想借机诛杀，整肃朝纲。但他优柔寡断，迟迟未能下手，消息却很快泄露出去。宦官们极为害怕，合谋离间三宫（高宗皇后吴太后、孝宗、光宗），并恳求李后保护，李后欣然答应。以后每逢光宗对宦官有所举动，李后便从中作梗。光宗郁郁寡欢，渐渐成了心病。寿皇听说儿子有病，焦急万分。一面让御医细心调治，一面亲自翻检医书，按照药方采购良药，做成药丸，有药到病除之效。本想派人送去，又怕李后阻挠，只好暂且收起，等光宗来问安时当面交给它。这一消息为宦官所知，便无事生非，在李后面前挑拨说："奴才们听说太上皇购得药剂，专等皇上过宫朝拜时服用。药能生人，亦能死人，万一出了意外，岂不危害大宋江山！"李后派人探察，果有此事，便极力阻止光宗到重华宫（寿皇宫殿）去省亲。光宗竟然听信了李后的话，坚决不肯去见太上皇。光宗原本没什么大病，调治了几天，也就痊愈了，但父子之间的嫌隙已很难弥合了。

光宗病好之后，李后特于内宫设宴庆贺。酒过三巡，李后突然说道："扩儿已经长大成人，陛下既已封他为嘉王，何不索性册立他为太子？再说扩儿也颇具才干，定能助陛下一臂之力。"光宗回答说："皇后所见极是，朕也久有此意，只是此事重大，应该禀报父皇，再做决定。"李氏听了，疾声厉色地说："陛下贵为天子，难道作不得主？何况册立太子，是国家定例，又何须禀报寿皇？"光宗还是不应，答道："太子乃一国之本，不同寻常之事。寻常百姓尚知道父在子不得自专，我身为皇上，岂能不禀告父皇，擅作主张？"李后见无法再争，便悻悻而去。光宗自来惧内，这次没有屈服李后的意志，实是因为立储关系重大，自已不能独断，才没有答应。

哪知，李后又将这口怨气出寿皇身上。隔了一天，爱子心切的寿皇听说光宗病体痊愈，便召他入重华宫赴宴，以叙父子之情，可是李后没有通知光宗，一个人偷偷跑到重华宫来。寿皇问她："皇上不是病好了吗？怎么没有同来？"李后显出很忧虑的样子，叹气说："真是天有不测风云，本来已经好了，今天又偶染风寒，臣妾只好一人前来见驾。"寿皇更为担心，忧虑地说："正在壮年，便如此虚弱，将来该怎么办呢？"李后一听，心中暗喜，趁机说："臣妾也正为此不安，依妾之见，皇上既然多病，不如册立嘉王扩为太子，也好辅佐皇上，为国分忧，不知父皇意下如何？"寿皇略略一想就反驳说："皇上受禅刚刚一年，就忙着册立太子，未免过于草率，嗣君事关社稷，应从长计议。再说你一个妇道人家，怎能随便议论国事？"李氏心愿未遂，又受了申斥，脸上勃然变色，怒气冲冲地说："臣妾系六礼所聘，扩儿是妾亲生，册为太子，名正言顺，有何不可？"原来孝宗不是高宗亲子，太后谢氏也是由贵妃晋升为皇后，并非明媒正娶。李后如此无礼，指鸡骂狗，直气得年迈的寿皇浑身颤抖，拂衣而起，李后也气鼓鼓地回宫去了。

转眼到了冬至，按照惯例，皇帝须在这一天祭祀祖宗，光宗不得已抱病前往斋宫。寿皇得知光宗病重，亲自到宫中探望。来时光宗还未醒，寿皇吩咐左右不得惊动。直到光宗醒来，小黄门才上前报告，说寿皇已来多时。光宗慌忙下床磕头请罪，寿皇好言宽慰，父子亲亲热热了一番。忽然，寿皇发现李后不在宫中，询问宫人，才知她越俎代庖，忙着替光宗批阅奏章。按照宋朝惯例，皇后、妃子不能干预朝政，李后竟敢违犯祖宗之规，寿皇大为恼火，派人把她叫来，狠狠训斥了一通。李后嘴里虽不说什么，心里却恨极了寿皇。

绍熙四年（1193年）重阳节，逢光宗生日。百官上寿完毕，便请光宗朝见重华宫。光宗没有得到李后的同意，不敢贸然答应。大臣谢深甫劝谏说："父子至亲，天理昭然。太上皇爱陛下，就像陛下爱护嘉王，人同此心，心同此理。太上皇春秋已高，倘不去朝见，千秋万岁之后，陛下还有什么颜面再见天下之人？"光宗听后，也觉几年来所做过分，当即传旨朝见重华宫。大臣们立即喜形于色，静候殿上，等待光宗出驾。不料光宗刚刚走出大殿后面的屏风，李后闪出身来，扯住光宗衣袖，说："天气寒冷，皇上久病初愈，还是快回去饮酒御寒吧。"光宗只得转身退回，大臣们一见，肺都气炸了。陈傅良急中生智，抢步上前，一把拉住了光宗的袍角，恳求说："车驾都备好了，百官也已集合完毕，陛下千万不要还宫。暮秋天气，并不严寒，陛下还是前往吧。"李后把眉一蹙，一把拽住光宗，转入屏风后面去了。陈傅良并不灰心，也跟到屏风里边。李后大声呵斥道："这里是什么地方，酸秀才难道不怕杀头吗？"陈傅良无奈，号啕大哭着走了出来。李后的恶行很快传遍了京城，从百官到百姓，都对她议论纷纷。"皇帝老儿怕老婆"成为临安市民的有趣话题。

寿皇在宫中两眼望穿，仍不见光宗前来探视，心中十分悲伤，寝食难安，渐渐抑郁成疾。绍熙五年（1194年）四月，68岁的寿皇病情越来越重。寿皇来日无多，群臣请光宗前往问候，光宗却与皇后到玉津园游玩去了。以后，不管大臣怎样挥泪苦谏，光宗只是置之不理，万不得已时才派嘉王前去探病。尽管如此，寿皇也感动不已。

六月九日，寿皇病逝。群臣向光宗报告了寿皇的死讯，光宗仍不出宫。几天以后，寿皇大殓，光宗还不肯出面主持寿皇丧礼。群情汹汹，丞相留正等人只好上书请求皇太后垂帘听政。太后没有答应，只同意代光宗主持丧礼。朝野上下，乱作一团。吴太后也认识到问题的严重性，决定次日在寿皇柩前接见执政大臣。消息传出，赵汝愚一面转告各位大臣，一面命人赶制皇袍，以备嘉王登基。

第二天，是禫（dàn）祭日，百官齐集，举行仪式，结束丧服。嘉王浑身缟素，前来主祭。赵汝愚率百官来到寿皇灵柩前，见吴太后垂帘而坐，就上奏说："寿皇去世，皇帝染病，不能执丧，臣等多次奏请皇上立嘉王为皇太子，安定人心。皇上先是批示"甚好"，继而又批"历事岁久，念欲退闲"八字，臣等不敢擅作主张，请太皇太后定夺。吴太后看了奏章后说："既然有皇帝的御札，你们就按皇帝所说的去办吧。"赵汝愚说："此事重大，必须由您亲自指挥才行。臣等已拟定一篇懿旨，请太皇太后过目。"吴太后接过看时，见上面写着："皇帝因为有病，不能亲执丧礼，曾有御笔，自欲退闲，皇子嘉王，可即皇帝位，尊皇帝为太上皇帝，皇后为太上皇后。"吴太后边看边点头应允："就照此办理吧。"群臣示意，让内侍扶嘉王进入帘内，吴太后勉励了他几句。嘉王一再推辞说："恐负不孝之名。"吴太后又召韩侂胄入帘，替太子披上皇袍。赵汝愚率群臣一再劝进，太子这才接受百官朝贺，当了新皇帝。

禅位大典举行完毕，光宗还被蒙在鼓里。直到第二天，新皇帝参拜他，方才知道。知道消息为时已晚，无法挽回了，只好对着随侍新君的韩侂胄大发脾气："你们这些做臣子的，事先竟不报告我，就做这样重大的决定。但既是我儿受禅，他无须再说别的了。"话虽如此，内心却久久不能平静。做了太上皇帝退居泰安宫，时时回忆往昔岁月，有时心血来潮，就像孩子似的，瞪目怒骂，痛苦流涕。"何以解忧，唯有杜康。"每逢这时，李后就为他把盏，借酒浇愁。久而久之，就形成了习惯。

为了避免引起他的烦恼，李后吩咐宫中所有人员要言语谨慎，不能谈及外面之事。有一年，宁宗完成郊祀之礼，车驾转回宫中，宫廷仪仗队的奏乐声传进了太上皇宫内。光宗闻乐伤情，眼前又浮现出当年君临天下的盛况，明明知道是皇上的乐队在奏乐，忍不住还是询问李后外面发生了什么事，李后轻描淡写地说："市井百姓在街上寻乐。"光宗一听，知是李后有意隐瞒，不由大怒，抬手就打，自己也失足跌倒，从此病情加重。庆元六年（1200年）八月，做了六年太上皇的光宗忧病而死，年仅54岁。

宋宁宗赵扩

宁宗赵扩是宋光宗第二子，生于乾道四年（1168年）十月。他的父亲光宗被立为皇太子后，他也于淳熙五年（1178年）被封为英国公。淳熙七年（1180年），开始从师学习。虽然他是王子，但并不娇惯骄横，从小就懂得尊师重傅，很守规矩。不过赵扩资质平庸，讷于言辞，以后当了皇帝接见金朝使者，有时甚至让宦官代答。

这期间，赵扩还曾就学于永嘉陈傅良，陈傅良思想守旧，他教导王子不能自作聪明，紊乱旧章。尊敬师傅的赵扩受了这种思想很大的影响，一生没有对祖宗之法做过大的变革。

淳熙十六年（1189年）三月，光宗继位，他又晋爵嘉王，光宗即位的第一年，也就是绍熙元年（1190年），皇后李氏就曾提议要将赵扩立为太子，由于太上皇还健在，光宗不敢自作主张，没有同意。这年春天，宰相留正奏请立嘉王为太子，也被否决。太上皇孝宗认为立储关系国本，不能仓促行事。不料，绍熙五年（1194年）六月，孝宗突然驾崩，由太皇太后主持，举行禅位大典，逼迫光宗退位，赵扩成为新君，史称宋宁宗。

宁宗即位不久，就陷入了大臣之间争斗的旋涡。

原来，宁宗能够早日登基，大臣赵汝愚和知阁门事韩侂胄功最大。韩侂胄是外戚，他的母亲是太皇太后的妹妹，他又是新任皇后韩氏的叔祖，身兼两重外戚，他渐渐地不安于位了。韩侂胄本想靠定策之功获得节度使的头衔，掌权的赵汝愚只奏知宁宗，赏赐了其他有功的定策人员，韩侂胄只加迁一级，兼任汝州防御使。这样的任命使韩侂胄大为失望。他负责为宁宗传递诏旨，受到了宁宗的亲幸，便想窥伺机会，对赵汝愚反戈一击。当时很多大臣看出了赵的失策，临安知府徐谊就曾对他说："侂胄将来必定成为国家祸害，应该满足他的个人私欲，使他远离宫廷，才能解除后忧。"赵汝愚不以为然。他要为叶适论功，叶适推辞说："国家有难，臣子效忠，这是为臣本分，怎敢以此邀功呢？我听说韩侂胄未能如愿，觖望不已，这恐怕不是国家的福气。他所希望的不过是个节度使的官衔，应该让他如愿以偿。"赵汝愚仍然不同意。叶适深知国家大祸就要开始了，叹息不已。

韩侂胄想插手朝政，常常往来宰相公堂，左丞相留正对此不满，派人告诉他说：“此间公事与知阁无关，不必仆仆往来。”韩侂胄对此大为不满。隔不几天，赵汝愚因为给孝宗挑选陵地与留正发生争执，韩侂胄趁机向宁宗说了留正的坏话，宁宗就用内批把留正罢免，把暂时还信任的赵汝愚任为右丞相。

韩侂胄将赵汝愚视为不共戴天的仇敌，开始结交外援，对他进行排挤。绍熙五年（1194年）九月，他把与赵汝愚不和的大臣京镗拉下水，宁宗接受了韩侂胄的推荐，把他任命为签书枢密院事。韩侂胄急于将赵汝愚赶走，只是无从下手，知阁门事刘弼因为不能参加定策，对赵汝愚不满，向韩侂胄献计，要他控制御史台、谏院，作为攻击赵汝愚的工具。之后，借用宁宗的内批，韩的党羽刘德秀、李沐、刘三杰很快进入台谏，霸占了言路。

朱熹见韩侂胄任用小人，恐怕会危害朝政，常借入宫应对之机，谏阻宁宗，宁宗不理。朱熹再次央求赵汝愚厚赏韩侂胄，让他出居外藩，杜绝他干政的门路。赵汝愚却把朱熹的建议束之高阁。人们对宁宗屡用内批除授大臣开始不满。为纠正这种做法，朱熹乘着讲经之机，对宁宗说：“陛下即位时间尚短，可是进退宰相，改任台谏官员，都由陛下独断专行，朝内外臣民都认为陛下左右有人窃权，臣子也担心主威下移，求治反而得乱呢？”宁宗这时倚重韩侂胄，看过上书，顺手交给了他，韩侂胄顿生怒气。他暗地派艺人扮成宽袍高冠的大儒，表演滑稽模样，取笑朱熹的性理学说。他还多次对宁宗说：“朱熹迂阔不能重用。”宁宗于是发出内批，告诉朱熹说：“朕念你耄耋老人，难以再侍立讲经，当授给宫观闲职，聊表体恤耆儒之意。”罢免了朱熹侍讲的职务。

罢免朱熹，引起许多大臣的反对，宁宗一意孤行，又将劝阻他的人一一罢斥。工部侍郎黄艾趁着进讲的机会，询问宁宗突然赶走朱熹是何原因，宁宗说：“本来只让他讲经，现在他什么事也想干涉。”黄艾反复解释，宁宗拒不收回成命。他觉得自己威福独断，正是皇帝本色，岂容别人置喙。然而有一个事实是他没有注意到的，自从他使用内批以来，他同朝廷重臣的接触越来越少，这些执政大臣们的想法根本无法传入他耳中，相反，小小的知阁门事韩侂胄的地位，在他心目中愈来愈重要了。这年十月，他下诏改明年为庆元元年，接着又任命韩侂胄兼任掌管传达皇帝诏敕的要职——枢密都承旨。韩侂胄已经取得了宁宗的绝对信任。

吏部侍郎兼侍讲彭龟年，见韩侂胄当权，权势比宰相还重，就上奏疏揭发他的罪状：“进退大臣，更换言官，对于新君是至关重要的，现在大臣都不知道的任免情况，韩侂胄却一清二楚。侂胄假借圣上的名义，窃弄威福，不除去此人，定会成为后患。”宁宗看了奏章大吃一惊，说：“侂胄，朕把你看作心腹，信任不疑，不会这样吧！”韩侂胄大表了一番忠心。彭龟年对宁宗说：“陛下放逐朱熹，十分仓促，所以也劝陛下赶快去此小人，免得使天下人认为陛下去君子易，去小人难。”韩侂胄见众怒难犯，也想暂时辞职以避风头。宁宗掂量再三，决定把两人各打五十大板，同时罢免，大臣陈骙对他说：“因为一个小小的阁门知事而罢免天子的侍讲官，怎么向天下人交代？”宁宗于是发出内批，令彭龟年出任外郡，韩侂胄加官一级，赐予他提举在京宫观。给事中林大中等人不同意这样的处理，宁宗却认为彭龟年出任外郡已算照顾，韩侂胄本无什么罪过，理当升迁，严厉地命令他们宣布任命。朱熹、彭龟年因为弹劾韩侂胄去职以后，贵戚吴琚对人说：“皇上本无坚留韩侂胄之意，如有人再接再厉，赶走韩侂胄易如反掌。”可是朝无正士，台谏官员和执政大臣多是韩的党羽，从此以后，韩侂胄更加骄横。

陈骙为彭龟年主持正义，引起了韩侂胄的不快，当月就被罢免。他又把同党京镗任为参知政事，安插进政府，分化赵汝愚。由于韩侂胄的排挤打击，赵汝愚在朝中孤立了。另一个党羽赵彦逾趁机上书指责丞相结党，并向宁宗呈报了名单，宁宗疑心起来，认为赵汝愚有心图谋不轨。韩侂胄看到皇帝已经动摇，就想把赵汝愚从宰相位上赶走，只是苦于没有罪名，党羽京镗说：“他是太宗皇帝的嫡系子孙，告他阴谋颠覆社稷，就能一网打尽。”庆元元年（1195年）二月，韩侂胄采用了京镗的建议，把与赵汝愚有仇的秘书监李沐安排到负责劝谏皇帝的右正言位子上，指使他诬告赵汝愚，说他以皇帝同姓担任宰相，不合祖宗家法，而且将对国家不利。宁宗在宫中，整日听的都是赵汝愚的坏话，这次终于决定把他罢免，但想到他毕竟有过拥戴自己的大功，还让他以观文殿大学士的身份出知福州。谢深甫等人对宁宗说：“赵汝愚本不该担任宰相，现在已经罢免，更不该担任此等大任，也不该加上殿阁大学士的美名，应该离职思过。”宁宗于是改变主意，只给了他一个提举洞宵宫的闲差。这一来，引起了太学生的不满。畅宏中首倡，五位太学生继起响应，火速上书为赵汝愚辩冤，言辞恳切。但此时的宁宗已经不辨忠奸，反而大为懊恼，顺手批道：“杨宏中等人不守本分，擅自上书，妄议国事，实在可恨，一律送到五百里外编管。”虽说这样的结局早就料到了，但接到皇帝的诏书，六人还是感到震惊，喊冤无门，只好挥泪离开了京城。同一天，李沐被宁宗超升右谏议大夫，韩侂胄的另一个党羽刘德秀也受到了提升。韩诧胄还担忧这位深孚重望的国家重臣会东山再起，一定要把他置之死地。

赵汝愚不拘小节，性情粗疏。孝宗死前，他曾梦见过孝宗亲手交给他一个宝鼎，然后背负白龙升天而去，当时不解，以后拥戴身穿孝服的宁宗即位，才恍然大悟。得意之际，信口带出，自己也不以为意，没有想到会成为谋反的口实。十一月，宁宗收到何澹的奏疏，攻击赵汝愚援引不法之徒，图谋不轨，说赵汝愚乘龙授鼎，假梦为符，暗与徐谊合谋，准备重新拥立上皇做绍兴皇帝。宁宗本来就恼恨他以定策元勋自居，当即下诏，将赵汝愚贬为宁远节度使副使，放逐永州，徐谊也受牵连，放逐到南安军。当时起草诏令的是韩侂胄的党羽汪义端，他用汉武帝诛杀宗室刘屈氂，唐肃宗杀李林甫的先例，鼓动宁宗杀掉赵汝愚，迪功郎赵师召也上书力请宁宗大开杀戒，但宁宗认为赵汝愚毕竟定策有功，没有点头。赵汝愚接到诏书，即刻起程，行至衡州就病倒了。当地长官钱鍪早就接到韩的暗示，对他凌辱倍至，赵汝愚病体恹恹，怎能受得了如此折磨，很快暴死衡州。噩耗传来，朝野内外，都认为赵死得冤枉。宁宗听了，并不悲伤，反而觉得韩侂胄真替他杜绝了奸源。人死灰灭，罪过不咎，为了做做样子，堵一堵臣民之口，宁宗追认了赵汝愚的原官。

赵汝愚死后，朝中已无人能够与韩侂胄争雄。为了巩固自己的权势，他对政治上的反对派极尽打击迫害之能事。在过去的韩赵之争中，道学名宿朱熹和他的追随者们，每每都支持赵汝愚，现在赵氏已死，道学家已成为他的主要反对势力。骨鲠在喉，不除不快。赵汝愚被害以后，右丞相京镗独揽了朝政。他是韩侂胄的党羽，看韩的眼色行事，便与何澹、刘德秀、胡竑一起制定了“伪学”的名目，要把赵汝愚、朱熹门下崇尚道学的士大夫一网打尽。“伪学”指的就是道学。韩侂胄的本意是借反道学的名义打击攻敌，不过宋时道学盛行，“道学”还是美名，用反道学的名义不足打动人心，党羽们便给道学加上了“伪学”的臭名。

京镗等人收集了道学门生的名单，准备奏请宁宗首肯，一一放逐。事为吴太后得知，力劝宁宗不能大兴党禁，这事才暂且搁置起来。京镗等人不肯罢休，唆使大理寺官员邹袠然上奏：“伪学风行，不但贻祸朝廷，并且延及场屋（科举），今后荐举官员及科举取士。必须先行具结，声明自己并非伪学。”宁宗居然准奏，下诏施行。庆元四年（1198年），阻止党禁的吴太后已死，宁宗下诏登记伪学名单，上有旧相赵汝愚、留正、名儒朱熹，下有一般士人杨宏中等共五十九人。这五十九人中，任官的即刻罢黜，未任官的不能录用，和这些人有瓜葛的也不许再任官职，这就是宁宗时期的“庆元党禁”。

打着反道学的幌子，正直之士受到迫害，几乎无一幸免，为害之烈不亚于东汉末年的党锢之祸。幸亏主持此事的京镗已成老朽，庆元六年（1200年），就一命呜呼了。到嘉泰二年（1200年），张孝伯劝韩侂胄说：“党禁打击面太大，如不及早放宽，恐怕很难幸免报复。”韩侂胄听了，吃惊不小。为了给自己留一条退路，他面见宁宗，要求放宽党禁。二月，朝廷即发出诏书，再次恢复赵汝愚原官，留正、周必大、徐谊等人亦官复原职，以前荐用官吏必须具明的“不系伪学”一节，也明令削去。伪党之禁渐渐化解了。

当时金朝在位的是章宗完颜璟。他自即位以来，沉湎酒色，不理朝政，宠妃李氏和丞相胥持国内外勾结，把持了朝廷大权，把金朝搞得乌烟瘴气，国内兵备不修，刑政废驰。战争连年，国库空虚，又激起国内动乱，金朝已衰弱不堪了。宋朝若能精心备战，发起北伐，倒确是一个雪耻的机会。可是，宁宗信任韩侂胄这样的人主持北伐，结果就大不一样了。

十月，金军主将仆散揆率兵十四万，分为九路，大举进攻，南宋的北伐战争一变而为金朝的南侵战争。一时，反战派塞满了朝堂，十二月，宁宗宣布改明年为嘉定元年，议和之势木已成舟。

嘉定元年（1208年）三月，出使金朝的使臣返回国内，带回了金朝的议和条件。条件之苛刻，连寡廉鲜耻的宁宗也感到耻于接受，因为金朝要求南宋用韩侂胄、苏师旦的首级赎回被金军占领的淮南之地，宁宗拿不定主意。吏部尚书楼钥说：“和议是国家大事，急需做出结论，已经毙命的奸臣头颅，还有什么值得惋惜的呢？”宁宗见他说得坚决，也觉得有理，就命令临安府长官劈开二人棺木，取出头颅，枭示两淮，然后函首送往金朝，交换金朝侵占的土地，宋金和议最后达成。南宋每年曾加岁币总数达三十万，称作犒师银的战争赔款为白银三百万两，金军从侵占的土地上撤走，这就是所谓的“嘉定和议”。和议以后，南宋由于执政的史弥远力主和议，已经形不成对金的威胁。宋宁宗已经怠于政事。

嘉定七年（1214年），金朝在蒙古的步步进逼下已经走投无路，不得已把都城从中都（今北京市）迁到汴京（今河南开封），版图只剩下黄河以南的一部分，靠着黄河天险苟延残喘。就在这种形势下，金主完颜璟还多次派遣使者来催促南宋交纳岁币，这种目中无人的态度，足以激怒任何稍有血性的南宋臣民。金朝迁都汴京的消息传到南宋后，起居舍人真德秀对宁宗说："现在应当乘金人将要灭亡之机，早图自立之策，不能侥幸敌人未亡，苟且，偷安，更不能再示敌以弱，应不失时机地停交岁币。"宁宗接受了他的提议。疆土大大缩小，财政困窘的金朝得不到南宋的岁币，更加陷入困境。金统治者历来看不起南宋，为解决国用不足的困难，扩充疆土，他们便想北面丢失南面补，进攻南宋。嘉定十年（1217年），金军分路大举南侵。战争伊始，宁宗惑于和战的争论，一直没有明确下诏反击，只是下令沿边将帅便宜行事。边防将领赵方、孟宗政等人屡屡获胜之后，宁宗才慷慨下诏伐金。史弥远主和不成，便不置可否，坐观成败。宋金之间的这次战争延续了六年之久，金宣宗利用蒙古军队主力西征，暂时放松对金进攻的时机，频频发动对南宋的进攻，宋军在这场战争中始终处于优势，金军损兵折将，迫使金朝新君金哀宗在嘉定十七年（1224年）派人同南宋通好，明令部下不得进攻南宋。宋金双方进入休战状态。

当时，太子赵詢已经病死，后宫妃嫔仍然没有生育，只好另选后嗣。燕王德昭的九世孙名叫贵和，是沂王赵柄的养子，宁宗看中了他，就把他立为皇嗣，赐名赵竑。另外又命史弥远选人继承沂王，于是选中了宗室子弟赵与莒，宁宗赐名贵诚，也养在宫中。

皇子赵竑看不惯杨后和史弥远的作为，痛恨史弥远专权误国，发誓即位之后，一定铲除他。史弥远得知消息，觉得皇子赵竑是自已的大敌，就想废掉他，另外挑选一个与自己关系好的人做皇子。沂王养子贵诚知书识礼，对史弥远非常尊敬，每次见了史弥远，一定自称小侄向他行礼。史弥远就挑选了贵诚刻意培养，准备取代皇子赵竑。趁着上朝机会，他不止一次地向宁宗诉说赵竑之短，称赞贵诚之长，宁宗一直莫名其妙，他虽然也很喜欢贵诚，可是并没有立他为皇子的打算，事情就这样拖下来了。

嘉定十七年（1224年）八月，宁宗染病卧床，史弥远加紧策划废立。过了五天，宁宗病情更重了，史弥远便矫诏立贵诚为皇子，改赐名为赵昀。五天以后，宁宗病死在福宁殿，史弥远勾结杨皇后废掉了皇子赵竑，把贵诚推上了皇位。

辽太祖耶律阿保机

耶律阿保机，姓耶律，汉姓刘名亿，字阿保机，辽开国君主，勇善骑射，明达世务。吞并契丹七部。任用汉人韩延徽等，制定法律，改革习俗，创造契丹文化，发展农业、商业。后梁贞明二年（916年），群臣及诸属国上尊号曰大圣大明天皇帝。建元神册。在位二十年，即帝位十一年，庙号太祖。病死，终年55岁，葬于祖陵（今辽宁省林西县木叶山）。

耶律阿保机出生于迭剌部霞濑益石烈（契丹语，乡）耶律弥里（今内蒙古阿鲁科尔沁旗东）的显贵家族。契丹名阿保机，字啜里只。

出身迭剌部这个家族拥有世选本部夷离堇的特权。而且从七世祖开始就掌握了联盟的军权，地位仅次于联盟首领。高祖耶律耨里思、曾祖耶律萨剌德、祖父耶律匀德实、父耶律撒剌的世为遥辇氏部落联盟的夷里堇（官名军事首领），执掌军事。

在阿保机出生时，契丹的贵族阶层正在为争夺联盟首领之位而打得不可开交。阿保机的祖父耶律匀德实在残酷的政治斗争中被杀，父亲和叔叔伯伯们也逃离出去，躲了起来。祖母对于这时出生的阿保机非常喜爱，但又担心他被仇人加害。因此常将他藏在别处的帐内，不让他见外人。阿保机自幼聪敏，才智过人。长大成人后，身体魁梧健壮，胸怀大志，而且武功高强，《辽史》上说他“身长九尺，丰上锐下，目光射人，关弓三百斤”，此时伯父耶律释鲁掌权，由于深得信任，任遥辇氏痕德堇可汗的挞马狘沙里（扈卫官），组建侍卫亲军。凭借这支精锐武装，阿保机迅速崛起。率领挞马部（扈卫队）战胜了近邻诸小部，阿保机的伯父被杀后，阿保机继承了伯父的于越（地位仅次于可汗，史称“总知军国事”，高于夷离堇，掌握联盟的军事和行政事务，相当于中原王朝的宰相）职位，并击溃以蒲古只为首耶律释鲁的部落豪强。相继降小黄室韦，破越兀、兀古、六奚诸部，被国人誉为“阿主沙里”（沙里，契丹语“郎君”），唐昭宗天复元年（901年），任本部夷离堇（军事首领），专事征伐，大破室韦、于厥及奚。进大迭烈府夷离堇。次年，领兵四十万南下，讨河东、代北（今山西北部），克九郡。三年（903年），北攻女直，南取河东怀远军，略地蓟北（今河北北部）。升于越，总知军国事，成为部落联盟的实际操纵者。905年，唐朝垂亡，他应晋王李克用之邀到云州（今山西大同）相会，结为兄弟，约定共讨梁王朱温和卢龙军节度使刘仁恭，但终因无利可图而没有践约。唐天祐三年（906年）十二月，痕德堇可汗卒，遗命推选阿保机为汗。按照传统制度，可汗之位要三年改选一次。阿保机的目标是像中原的皇帝一样建立终身制和世袭制，所以在他任可汗满三年时不肯交出大权，凭借他的实力和威望继续坐在可汗的宝座上，向皇帝的目标努力。次年（907年），阿保机废传统选汗制，在心腹支持下，燔柴告天，即皇帝位，上尊号天皇帝。

这就引起了本家族其他贵族的不满，因为按照习惯，可汗实行的是家族世选制，即可汗之位转入耶律氏后，可汗就都要由这个家族的成年人担任，所以阿保机不让位，其他人便没有机会当选。为了争取这个被选举权，阿保机本家族的兄弟们便首先起来反对他，由此发生了历史上的“诸弟之乱”。阿保机不忍心杀掉这些兄弟，就和他们登山杀牲对天盟誓，然后赦免了他们。兄弟们并没有领情，第二年，又在于越辖底的带领下，再次反叛。除了原来的几个人外，新任命的惕隐滑哥也参加了。这年的七月，阿保机征伐术不姑部，让剌葛领兵攻打平州（今河北卢龙）。到十月时，剌葛攻陷了平州，领兵阻挡阿保机的归路，想强迫他参加可汗的改选大会。阿保机没有硬拼，而是领兵南下，按照传统习惯赶在他们的前面举行了烧柴告天的仪式，即“燔柴礼”，再次任可汗。这样就证明他已经合法地连选连任，使众兄弟没有了反叛的根据。阿保机兵不血刃地平息了一场叛乱，体现了他超群的智谋。在第二天，诸兄弟便纷纷派人来向阿保机请罪，阿保机也就不再追究，只下令让他们悔过自新。但是，可汗宝座的诱惑究竟比兄弟之情要大很多，兄弟们在不到半年之后，于公元913年的三月，又一次反叛。这次发生了较大的武装冲突。他们先商议好拥立剌葛为新可汗，然后派迭剌和安端假装去朝见阿保机，想伺机劫持阿保机去参加他们已经准备好的可汗改选大会。除了本部落外，乙室部落的贵族也参加进来。阿保机发觉了他们的阴谋，解决了迭剌和安端，并收编了他们的一千名骑兵，然后亲自率领部队追剿剌葛。剌葛派的另一支部队在寅底石的率领下直扑阿保机的行宫，焚毁了辎重、庐帐，还夺走了可汗权力的象征旗鼓和祖先的神帐。阿保机的妻子看守大帐，领兵拼死抵抗，等到援军来后又派人追赶，但仅追回旗鼓。四月，阿保机领兵北上追击剌葛，他先派人分别在前面埋伏堵截，前后夹攻。这一次，侍卫亲军发挥了重要作用，最终将剌葛打败，剌葛将夺去的神帐丢在了路上。阿保机没有立即追击，而是先休整部队，因为他知道剌葛的部下不久便会思念家乡，等到士气低落无心恋战时再出兵，就会不战而胜。到五月，阿保机领兵进击，终于擒获剌葛。经过三次平叛，阿保机基本消灭了本家族的反对势力，但对部落的经济却造成了很大的破坏。

本部落的反对势力消除后，契丹其他七个部落的反对势力仍旧存在，他们以恢复旧的可汗选举制度为旗号，强迫阿保机退让可汗之位。阿保机只好先交出旗鼓，答应退位，然后以退为进，设下了计谋。他对众人说："我在可汗之位九年，下属有很多汉人，我想自己领一部治理汉城，可以吗？"众人都同意了。到了那里，阿保机率领汉人耕种，当地有盐铁，经济也很发达，阿保机采纳了妻子述律后的计策，派人转告诸部落的首领："我有盐池，经常供给各部落，但大家只知道吃盐方便，却不知盐池也有主人，你们应该来犒劳我和部下。"众人觉得有理，便带着牛和酒来了，没想到中了阿保机的诡计。阿保机布下伏兵，等大家喝得烂醉时，将各部落的首领全部杀死。内外的反对势力除掉之后，阿保机就在公元916年称帝，正式建国，国号契丹，建元神册。契丹的国号有过几次变动：947年改成辽，983年又改为大契丹，1066年改成大辽，此后不再改号，直到1125年被金所灭。有的书中为避免混乱，就通称为辽。耶律阿保机称天皇帝，妻子述律氏称地皇后，立长子耶律倍为太子。

称帝之后，阿保机继续扩张领土，这时漠北的游牧部落和契丹比起来势力都很小。东边的渤海和高丽也已经衰落。南边的李克用和刚建立后梁的朱温长年对立交战。这种形势对阿保机开疆拓土非常有利，阿保机想建立一个南到黄河，北至漠北的北方大国。为此，他首先南下，但两次都以失败而告终。

阿保机极想征服黄河以北地区，而这时北方的军阀们也想利用强大的契丹为自己捞取好处，这为阿保机进兵中原创造了良机。

新州（今河北涿鹿）将领卢文进不满李存勖征兵本部，用于进攻后梁，举兵投降契丹。阿保机于是就领兵对中原发动了第一次战争，和卢文进一起攻打新州和幽州，最后击败周德威，并将幽州城围攻了将近二百天。后来，晋军李嗣源的援兵到达，阿保机被迫撤兵，并让卢文进常守平州，守住契丹南下的一个重要通道。

不久，镇州防御使张文礼杀死节度使王镕，向阿保机求救，一同对付李存勖。阿保机第二次南下中原，攻陷涿州后进兵围困定州，和李存勖在沙河及望都（今河北望都）一带交战，这一次阿保机损失惨重，当时正赶上少见的大雪，下了十来天，地上的雪厚达数尺，契丹兵马粮草奇缺，伤亡很大，阿保机只好撤兵。契丹兵出征都是自己准备粮食和草料，战时让随军的后勤人员四处掠夺供应，所以，一旦中原兵围困他们或者打持久战，契丹兵就很难坚持了。两次南下都损兵折将，无功而回，阿保机便及时调整了战略方向，改向西北和东北。

天赞三年（924年），阿保机再次征吐谷浑、党项、阻卜诸部，打算先征服北方的游牧部落，攻下东北的渤海国，消除两侧的威胁之后再向南用兵，夺取河东及河北地区。阿保机召开军事大会，部署新的作战计划。然后亲自征讨党项、阻卜等部落，向北到达了乌孤山（今肯特山），还曾抓获回鹘都督毕离堇，回鹘乌主可汗只得派使臣纳贡谢罪，阿保机的势力最西到达了今阿尔泰山一带，国土面积大大扩展了。

天显元年（926年），为向东发展势力，阿保机又东征渤海国。渤海是东北地区的一个区域性的民族政权，政治和文化都在北方各民族之上，素有“海东盛国”之称，但当时的国力已经下降。阿保机集中全部兵力攻下了渤海国的西部重镇扶余城（今吉林农安），然后又围攻首都忽汗城（今黑龙江牡丹江东京城），国王率领几百名大臣开城投降，不久统一渤海全境，阿保机将渤海改为东丹国，意即东契丹国。让皇太子耶律倍任东丹王，管理东丹事务，这样，阿保机就将势力扩大到了渤海沿岸。同时，阿保机又在黑龙江和乌苏里江流域广置官府，实施实际管理，从而结束了唐末以来东北地区混乱的分裂局面，重新实现了统一，这对当地经济和文化的发展，促进各族人民的交流都有极其重要的作用。但在回师途中，阿保机却病死于扶余城，终年55岁，谥号升天皇帝，庙号辽太祖。

总体上看，耶律阿保机是一位很有作为的君主。他经过多年的征战，把北方各族统一在自己的政权统治之下，建立起幅员广阔的辽王朝。密切了北方各民族间的政治、经济和文化交流，推动了契丹及北方各民族的发展和进步。也为日后中国的统一奠定了基础。

夏景宗李元昊

西夏景宗李元昊（1003年—1048年），西夏开国君主。又名曩霄，因先世宋赐赵姓，故又称为赵元昊。雄毅大略，不甘臣服于宋，遂称帝，建国号夏。宋伐之，于三川口、好水川等战役给予宋朝沉重的打击。宋不能克，乃封为夏国主。曾制定官制、军制、法律及创制西夏文字。李元昊凶残暴虐，多疑忌，贪婪好色，1048年，酒醉回宫，被其子宁令哥刺杀，惊觉躲闪，被削去鼻子，惊气交加。不久，鼻创发作，不治而亡。谥武烈皇帝，庙号景宗。

元昊生于宋咸平六年（1003年）五月初五日。他出生的次年，祖父李继迁在同吐蕃首领潘罗支的作战中，身中流矢，伤重死去，由其父李德明继立为夏州定难军留后。其后，德明奉行联辽睦宋之策，使党项夏州李氏政权在和平的环境中得到迅速发展。

尚在髫龄的元昊，对父亲的睦宋政策，特别是同宋朝的经济贸易，不能理解。有一次李德明遣使臣到宋用马匹换取物品，因得到的东西不合他的心意，盛怒之下把使臣斩首。元昊对父亲的这种举动十分不满，劝诫父亲说："我们从军的人原来本是从事鞍马的，现在用不急需品交换已经不是上策，现在将使臣杀掉了，有谁肯被我们使用呢？"德明见年仅10余岁的独子就有这种见识，十分器重。

少年元昊，长了一副圆圆的面孔，炯炯的目光下，鹰钩鼻子耸起，刚毅中带着几分凛然不可侵犯的神态。中等身材，却显得魁梧雄壮，英气逼人。平素喜穿白色长袖衣，头戴黑色冠帽，身佩弓矢。常常带了百余骑兵出行，自乘骏马，前有两名旗手开道，后有侍卫步卒张青色伞盖相随，从骑杂沓，耀武扬威。元昊幼读兵书，对当时流行的《野战歌》、《太乙金鉴诀》一类兵书，更是手不释卷，专心研读，精于其蕴。他颇具文才，精通汉、藏语言文字。又懂佛学。尤倾心于治国安邦的法律著作，善于思索、谋划，对事物往往有独到的见解。这些都造就了元昊成为文有韬略、武有谋勇的英才。

元昊逐渐长大成人，对父亲的和宋政策，特别是向宋称臣日益不满，多次规劝父亲不再臣服宋朝。他对德明说："我们部落很繁华，当时财力用物不足。如果失去百姓，用什么守卫国家？如果不用所得俸赐，招抚恩养蕃族，习练弓箭。从小的方面看，可以向四周领邦征讨，往大的说，就可以侵夺封疆，上下丰盈，这正是计策索要得到的。”德明对元昊的意见，何尝觉得没有道理呢？只是时机还未成熟，年轻气盛的元昊还不太懂得“识时审务”的重要。德明不正面作答，只以言相激：“我们的兵一直征战都很疲惫了，我的民族三十年锦衣玉食，这是大宋的恩德，不可以辜负！”元昊驳斥父亲道：“穿着皮毛做的衣服，从事畜牧工作，蕃性所便，英雄之生，应该称王称霸，何锦绮为？”表现了青年元昊的方刚气概！

宋天圣六年（1028年）五月，德明派元昊攻甘州（今甘肃张掖）。甘州回鹘可汗夜落纥出逃，甘州首战成功。元昊攻取甘州之后，又采取声东击西的战术，出奇兵突袭西凉（今甘肃武威）。隶属于甘州回鹘的沙州（今甘肃敦煌）回鹘分部瓜州王曹贤顺归附德明，又重返瓜州（今甘肃安西）。这时元昊被立为太子，元昊生母卫慕氏立为后。天圣七年，德明又向辽朝为元昊请婚，辽兴宗封宗室女为兴平公主，嫁给元昊。明道元年（1032年）德明死，元昊继位，积极准备建国称帝。

宋明道元年（1032年）十月，元昊在兴州（今宁夏银川）继承了夏国王位。但元昊对宋、辽的封爵都不感兴趣，他在接待宋朝使臣时，不以臣礼事宋，对宋仁宗封赐的诏书，遥立不跪拜。勉强受诏，则心内愤愤，环顾左右大臣说：“先王大错，有如此国，而犹臣拜于人耶！”既而利用设宴招待宋使臣的机会，在宴厅后传出锻砺兵器的铿锵之声，给宋使制造精神威慑；在礼仪上又故意刁难宋使，意在激怒宋朝，挑起事端。

在正式称帝建国前，元昊采取了一系列新的文化措施。首先废除唐、宋“赐”给党项王族拓跋氏的李、赵姓氏，改姓“嵬名氏”，自己更名曩霄，号“兀卒”。宋明道二年（1033年），改宋建元明道为“显道”，以避父讳，次年，自建元开运，又改广运。改元显道的这年（1032年）三月，元昊向境内党项部族下达了“秃发令”。他率先自秃其发，即剃光头顶，穿耳戴重环饰。强令部族人民一律执行，限期三日，有不从者处死。一时党项部民争相秃发。在服饰上，元昊“衣白窄衫，毡冠红里，冠顶后垂红结绶”。官员则按等级职别规定服饰。庶民百姓，只准穿青绿色的衣服，以别贵贱。

其次是在他继位之后，即着手创制一种记录党项族语言的文字，即西夏文字。他在戎马倥偬中，还亲自筹划和主持创制文字的工作，命大臣野利仁荣等整理演绎，编纂成12卷。有的史书记载称之为“蕃书”。元昊下令尊为“国字”颁行，凡纪事尽用蕃书。又设立“蕃字院”，以传授学习，推广使用。在对辽、宋朝往来的文书中，都使用两种文字书写。此外，元昊对党项族原来的礼乐制度深受唐、宋的影响不以为然。他对大臣野利仁荣说：“王者制礼作乐，道在宜民。蕃俗以忠实为先，战斗为务，若唐宋之缛节繁音，吾无取焉。”他锐意改革，提倡以“忠实为先，战斗为务”讲求实效的精神来指导礼乐改革，在“吉凶、嘉宾、宗祀、燕享”诸场合中，“裁礼之九拜为三拜，革乐之五音为一音”。简化了礼乐制度，下令照此遵行，有不遵守者，格杀勿论。

元昊还在建国称帝之前，在政治、军事制度方面已开始进行一系列的建设。政权机构的建置，基本上是仿照中原的制度。元昊显道二年（1033年）五月，升兴州为兴庆府，定都城。他仿宋朝官制建立起一整套与宋朝大同小异的中央与地方官制体系。元昊十分重视军队的建设，在取得河西走廊之后，着手整顿军队，在原有部落军事组织的基础上，建设正规的军事制度。如规定成丁年龄，“抄”的组织，“正军”与“负赡”的任务与条件；军队的装备、设施；以步兵、骑兵为主，辅以炮兵、“擒生军”、侍卫亲军等的多兵种。为了战争和军政建设的需要，便于调兵遣将，采用地方军区性质的“监军司”设置，把军事指挥机构与地域性的防卫措施结合起来。仿宋朝军事单位“厢”、“军”制度，把全境划分为左、右两厢，共设有十二个监军司，各立军名，规定驻地，设置军事首领都统军、副统军和监军使等职。在全境广布兵员，重点是护卫首都兴庆府和对宋、辽的防卫上。对河西走廊肃州、甘州的吐蕃和回鹘聚居地区，升郡设府，置以重兵，镇抚并用，加强统治。元昊在继位后经过短短的六年时间，完成了建国的各项准备工作，一个“东尽黄河，西界玉门，南接萧关，北控大漠，地方万余里”的党项政权已具规模。

夏元昊大庆三年（宋景祐五年，1038年）十月十一日，元昊在野利仁荣、杨守素等亲信大臣的拥戴下，在兴庆府南郊筑坛，正式登上了皇帝的宝座，国号称大夏（史称西夏），改元天授礼法延祚。并大封群臣，追谥祖父和父母谥号、庙号、墓号。又封野利氏为宪成皇后，立子宁明为皇太子。谐西凉府祀神。次年正月，元昊以臣子的身份，遣使到宋给宋仁宗上表，追述和表彰他的祖先同中原皇朝的关系及其功劳，说明其建国称帝的合法性，要求宋朝正式承认他的皇帝称号。但遭到宋朝的严词拒绝。宋仁宗断然下诏削夺赐姓官爵，停止互市，并在边关张贴告示、榜文，悬赏重金捉拿元昊。元昊为逼迫宋朝承认西夏建国的事实，加紧整军备战，准备发动对宋朝的战争。

天授礼法延祚三年（1040年）至五年，李元昊亲率军队多次进攻北宋。主要的三大战役即天授礼法延祚三年正月延州（今陕西延安）附近的三川口战役；四年二月，镇戎军（今宁夏固原）东南六盘山地区的好水川战役；五年秋，镇戎军西北的定川砦战役，都以元昊大获全胜告终。

元昊对宋朝的战争，虽然取得了胜利，但也给夏国带来了严重的后果：如由于战争爆发，宋朝停止了对夏国大宗银、绢、钱的"岁赐"；关闭了边境榷场，禁止夏国所产青白盐入境，使夏国不仅失去了直接的经济实惠，境内的粮食、绢帛、布匹、茶叶及其他生活日用品奇缺，物价昂贵，"国中为'十不如'之谣以怨之"。连年战争使夏国民穷财尽，人怨沸腾，阶级矛盾与民族矛盾加剧，境内部族人民纷纷起而反抗，或逃奔宋朝。同时元昊也认识到战胜地广人多的宋朝绝非易事。宋朝在战略上的优势是夏国望尘莫及的。基于以上原因，元昊向宋朝试探求和。最终促成夏宋议和。天授礼法延祚七年（1044年）十月，双方达成协议：西夏向宋朝称臣；宋承认西夏的现有领土，册封元昊为夏国主，双方回到原来的朝贡与互市的关系。

在宋夏战争中，辽兴宗因宋朝之败，欲挟夏讹宋，也促成了夏宋和谈的实现。其时，辽欲图破坏宋夏和约，遭到宋朝拒绝，辽兴宗决定出兵讨伐夏国。辽重熙十三年（夏天授礼法延祚七年，1044年）十月，辽兴宗亲率骑兵10万，分三路渡过黄河，深入夏境，长驱直入400里。元昊率左厢军迎战于贺兰山北，兵败退守贺兰山中。元昊知不可力敌，乃向辽兴宗谢罪请和。元昊在兴宗未答应求和之际，连续向后撤退三次，凡百余里。"每退必赭其地"，断其粮草，辽因许和。但元昊有意拖延时日，陷辽军于危困饥饿之时，纵兵突袭辽营，被辽军掩杀钳夹。正在难解难分之时，忽然狂风骤起，飞沙扬尘，暗无天日，辽军被沙迷目，阵中大乱。元昊乘机猛攻辽军驻地德胜寺南壁，辽军大溃。元昊军俘获辽驸马都尉萧胡覩和近臣数十人，辽兴宗仅跟从数骑逃出。元昊在取得同辽作战的胜利之后，立刻遣使同辽讲和，同时又向宋朝献俘。显示了元昊在对宋、辽关系的处理上，善于把握时机，进退有度。

通过这几次战争，元昊在政治上取得了与宋、辽平等的地位，尽管西夏在形式上仍须向宋、辽称臣，但实际上已经是一个独立强大的国家，形成了与宋、辽两朝三足鼎立的局势。

但是，元昊和历史上许许多多的统治者一样，也有自身固有的和难以克服的缺憾和不足。他认为，皇权已经很稳固，陶醉于自己的赫赫战功，后期不理朝政，经常在贺兰山离宫和诸妃嬉戏、纵情声色。他给儿子宁令哥娶妻没（移）氏，见其貌美，就夺为己有，并立为“新皇后”。宁令哥难以忍受夺爱之恨，加上野心家没藏讹庞调唆，于是持戈进宫刺伤元昊。元昊被削去了鼻子，受了惊吓，又急又恼，鼻创发作，于夏天受礼法延祚十一年（1048年）正月初二死去。夏国的开国皇帝、党项族的一代英主，就这样中道而卒了。时年46岁，庙号“景宗”，葬于泰陵。

总体上看，李元昊是西夏的开国君主，英武天纵，有王霸之才，堪为一代雄杰。

金太祖完颜阿骨打

完颜阿骨打，女真族，是金朝开国皇帝（1115年—1123年在位）。虎水（今黑龙江省哈尔滨东南阿什河）女真族完颜部酋长乌古乃之孙，劾里钵之次子，完颜部首领，金朝的建立者。善骑射，力大过人。12世纪初统一各部，并消灭辽国，在位期间，定制度，立刑法，造文字，加强皇权，对女真政治、经济、文化的发展起到了极大的促进作用。在位9年，终年56岁。

早期女真族分为几十个不相统属的部落，完颜氏在女真诸部中地位并不突出。至乌古乃任完颜部长时，完颜氏发展成为强大的部落，并征服和联合十几个部族组成部落联盟。乌古乃成为部落联盟长，并被辽授予节度使称号。乌古乃利用辽朝的支持，加紧进行统一女真各部的活动。乌古乃死后，其子劾里钵继任联盟长。劾里钵与其弟盈歌又战胜活刺浑水的纥石烈部，巩固了部落联盟，这时的部落联盟已扩大到包括30个部落了。而且内部的阶级分化日趋明显，一个奴隶制国家的雏形已开始形成。从天祚帝即位以后，契丹贵族对于生女真各部落的压榨勒索越来越重。生女真地区的土产，如人参、貂皮、名马、北珠、俊鹰、蜜蜡、麻布等等，除依照定期定量向辽朝进贡而外，辽朝东北边境的官吏和奸商在朝廷的纵容下，还经常到榷场中用“低值”去强购，称为“打女真”，这早就在女真人民心里种下仇恨了。

1113年10月，劾里钵次子阿骨打继任联盟长，称都勃极烈。阿骨打曾为巩固完颜部联盟，多次作战得胜，接受辽朝惕隐的官称，是完颜部中掌握军事实力的重要人物。阿骨打继任时，女真各部落的联盟已经巩固，有足够的力量起来反抗辽的压迫。

1114年6月，辽天祚帝派使臣授予阿骨打节度使的称号。阿骨打派习古乃等去辽朝，索要逃奔在辽朝的星显水纥石烈部长阿疏，借以探听辽朝内部的虚实。习古乃回报辽天祚帝统治骄肆废弛。阿骨打建城堡、修器械，准备南侵辽朝。辽天祚帝命统军萧挞不野领契丹、渤海兵八百人进驻宁江州防备。阿骨打调集各部落军兵，决意攻辽。

1114年9月间，向宁江州进军。各部落兵在来流水会合，共有二千五百人。阿骨打率领兵士祭告天地，执梃誓师，说：“你们同心尽力，有功者奴婢可以作平民，平民可以做官。原先有官职的，可以按功劳大小进升。倘若违反誓言，身死梃下，家属也不能赦免。”次日，到达辽界，与渤海军相遇。阿骨打射死辽将耶律谢十。辽兵溃败，死者十之七八。1114年10月，女真兵乘胜攻克宁江州城。阿骨打又派人招降辽朝统治下的铁骊部渤海人和系辽籍女真人（编入辽籍的曷苏馆女真）。阿骨打俘获大量马匹和财物，胜利回师。

1114年11月，辽朝都统萧嗣先、副都统萧兀纳率领诸路大军进攻女真，集中于鸭子河北。阿骨打领兵三千七百抵敌。辽兵正准备渡河，女真军迎头击退，乘势渡河登岸。两军在出河店相遇。恰大风起，尘埃蔽天，女真军乘势进击，大败辽兵，掳获大批车马及兵甲、武器。阿骨打把俘虏的辽兵收编入女真军。女真军发展到一万人。出河店之战是一次决定性的战役，女真军顺利取胜，势不可当了。

女真军乘胜分路进兵。勃堇斡鲁古斩辽节度使萧挞不野，攻占宾州。吾睹补、蒲察败辽将赤狗儿、萧乙薛军于祥州东。辽斡忽、急塞两路军投降。斡鲁古又败辽军于咸州西，与完颜娄室一起攻占了咸州。女真部落联盟逐步统治了周邻的各部落，并在阿骨打时，进而攻占了辽朝统治下的宁江州、宾州、咸州等广阔地区。

女真奴隶制的发展和对外掳掠的扩大，越来越把氏族部落的旧制度推到了历史的尽头。建立一个阶级压迫的机关——国家的条件成熟了。当年，阿骨打出兵得胜，射死辽将耶律谢十后，国相撒改就派他的长子完颜宗翰和欢都子完颜希尹等（乌雅束时，欢都已病死）向阿骨打建言立国称帝。1114年，女真军连续攻下宾州、咸州后，阿骨打弟吴乞买和撒改、辞不失等拥戴阿骨打建国。1115年夏历正月元旦，阿骨打即皇帝位，建立起奴隶主的国家，国号大金，立年号收国。

建国之初，完颜阿骨打对内进行政治、军事等一系列的改革。

在金国的中央，废除部落联盟时的“国相”制，设立勃极烈四人，组成皇帝以下的最高统治机构。原国相撒改为国论（国）忽鲁（诸部统帅）勃极烈，辞不失为国论阿买（第一）勃极烈，阿骨打弟杲（斜也）为国论昃（第二）勃极烈，后又增阿离合懑（阿骨打叔）为国论乙室勃极烈，管理对外事务。女真部落制时代，部落长老在山野环坐，指画灰土议事。乌雅束时，有事仍要聚集商议。勃极烈的设置，保留有古老议事制的一些痕迹，但它实际上已是辅佐皇帝的统治机构，是全国最高的行政管理的中枢。

金国的军兵，仍由猛安谋克统领。但已经打破了古老的部落、氏族组织，而成为由女真大小奴隶主统帅的军事编制。占领辽东地区后，在辽东设置南路，咸州地区设咸州路，各路设都统或军帅，统领当地军兵，统治各族人民。南路系辽籍女真和东京州县（主要是渤海人），仍按照女真制度，设置猛安谋克。随着对外作战的发展，女真兵在不断增加。金太祖是金军的最高统帅，遇有战争，皇帝直接任命国论忽鲁勃极烈，统帅军队作战。

金太祖没有制定完整的法律，但在建国前后，陆续颁发了几项法令：（一）贫民负债不能偿还，多卖妻子为奴。金太祖建国前，曾下令三年内不准催督债务，三年以后再议。这个法令，显然旨在保护平民的利益，以减少反抗。（二）1116年二月，下令：由平民沦为奴隶者，可用两人（两个奴隶）赎一人作平民。原来约定用一人赎者，仍用一人赎。这个法令的用意仍在保护平民，巩固奴隶制的统治。（三）同年五月，又下令：在东京州县渤海人和南路系辽籍女真人中，“陈辽法，省税赋”，即废除辽朝的某些封建剥削制度，改用女真的制度。

此外，金太祖命欢都子完颜希尹创造女真字，在1119年八月正式颁行。在此以前，女真无文字，与邻族交往，都借用契丹字。完颜希尹依据由汉字改制的契丹字，拼写女真语言，制成女真字。女真字的创制，是汉族、契丹族和女真族文化交流的一个明显的事例。女真字颁行，从此成为金国官方通用的文字。

在进行内政改革的同时，完颜阿骨打也没有停止对辽的作战。金太祖在建立金国后，立即向辽朝的黄龙府进攻。金太祖亲自领兵进逼达鲁古城，大败辽军，掳掠而回。八月间，又乘辽军不备，向黄龙府进兵。九月，攻占了黄龙府城。黄龙府是辽朝北边的重镇。辽天祚帝得知黄龙府失守，统领契丹、汉军十多万人，大举伐金。金太祖领兵二万迎敌。金、辽两军在护步答冈相遇，辽军大败，死者相属，天祚帝逃跑。金军掳掠到大批兵器、财物、牛马。经此一战，辽军主力败溃，难以立国了。

收国二年（1116年）闰正月，渤海人高永昌据东京反辽。天祚帝先后派张琳、耶律淳募兵镇压。高永昌向金求援。金太祖乘机命斡鲁（撒改弟）统领内外诸军，攻讨高永昌。五月，高永昌兵败被杀。东京州县，全为金朝所占据。金太祖加号大圣皇帝，改明年年号为天辅。

1117年，国论昃勃极烈斜也领金兵一万攻取泰州。斡鲁古等攻占显州。乾、懿、豪、徽、成、川、惠等州相继投降。辽国灭亡之势已定。宋朝派使臣到金营，约夹攻辽朝（详见本书第五册）。辽朝派使臣来议和。辽使几次往返。1119年六月，辽太傅习泥烈奉册玺来，封金太祖为“东怀国皇帝”，金太祖不允，对群臣说：“辽人屡败，遣使求和，只饰虚辞，作为缓兵之计，当议进讨。”1120年四月，金兵向辽上京进发，命辽使习泥烈、宋使赵良嗣随行。金兵抵上京城下，金太祖亲自督战。早晨发动进攻，不到中午，即攻下上京城。辽上京留守挞不野投降。天祚帝逃往西京。金兵胜利班师。辽朝疆土已被金兵占领过半。1121年，辽都统耶律余睹来降。金太祖从而进一步得知辽国内部空虚，决定再度发兵。金太祖以忽鲁勃极烈完颜杲（斜也）为内外诸军都统。以完颜昱、勀者弟（勀孙之子）、宗翰（撒改长子）、宗干（太祖长子）、宗望（太祖次子）为副，统领大兵进攻。金太祖下诏说：“辽政不纲，人神共弃。今欲中外一统，故命汝率大军以行讨伐。”明确把夺取辽朝领土，作为这次作战的目标。

1122年，金完颜杲攻下辽中京，进据泽州。辽天祚帝逃往鸳鸯泊。完颜杲和宗翰分道向鸳鸯泊进击。天祚帝又逃往西京。金兵攻占西京，进而招降天德、云内、宁边、东胜等州。擒获逃奔辽朝的纥石烈部长阿疏。天祚帝逃入夹山。金兵大胜，完颜杲命宗望向金太祖报捷，朝中设宴庆贺。

六月间，金太祖亲自领兵自上京出发，追击辽天祚帝，直到大鱼泊。完颜昱和宗望部追及天祚帝，大败辽兵，天祚帝又逃走。归化、奉圣二州相继投降。金太祖率军到奉圣州。蔚州辽臣也来降服。十二月，金太祖统率宗望、娄室等部向辽燕京进发。这时，宋军自燕京南路配合攻辽。燕京的辽朝小朝廷中，耶律淳已死，萧德妃出逃。左企弓、虞仲文等汉臣开城门降金。金太祖入燕京城，接受官员们的朝贺。金兵获得大胜利。

1123年，金兵将燕京的工匠和财宝等掳掠一空。按照和宋朝约定的条件，金朝将燕京六州之地分给宋朝。斡鲁、宗望等继续追击天祚帝。金太祖领兵回师。

同年八月，金太祖在返回上京的路上病死。金太祖阿骨打，作为女真奴隶主的总首领，完成了建国、破辽两件大事。女真族的历史从而进入了一个新时期。

元太祖铁木真

铁木真（1162年—1227年），姓孛儿只斤，出生于蒙古乞颜部，其父名叫也速该，是乞颜部的首领。铁木真9岁时，他的父亲被仇敌毒死。十几岁时，铁木真娶特薛禅的女儿孛儿贴为妻。后来，孛儿贴被蔑儿乞人掠走，并配给该部人为妻。成年后，铁木真和札达兰部的首领札木合结为联盟，攻击了蔑儿乞人，夺回了妻子孛儿贴。但后来，铁木真和札木合因故决裂。约在12世纪90年代，札木合与铁木真各率十三部军队会战于答兰版朱思之野，铁木真败走，史称“十三翼之战”。1196年，铁木真和克烈部脱里汗出兵助金，于斡里札河（今蒙古东方省乌勒吉河）打败塔塔儿人。1201年，铁木真和克烈部王汗联兵，与札木合联盟（塔塔儿、乃蛮等部落联盟）大战，获全胜，札木合投降王汗。1202年，王汗攻打铁木真，铁木真仓促应战，被击溃。后来铁木真重整旗鼓，突袭克烈部，获全胜，王汗被杀。1204年，铁木真进攻乃蛮部并征服了它。1206年，蒙古贵族在鄂嫩河畔举行“忽里台”，一致推举铁木真为全蒙古的大汗，号称“成吉思汗”。1205 ~ 1209年，铁木真三次攻打西夏，西夏不得已纳女请和。1211年，铁木真亲率大军进攻金国，1215年攻破金中都，俘获了金主耶律楚材。1219年，铁木真率兵攻打花剌子模，1220年攻破花剌子模都城撒麻耳干（今乌兹别克斯坦撒马尔罕）。1226年，铁木真再攻西夏，西夏国王向铁木真投降。1227年，铁木真病逝于六盘山，终年65岁。

唐朝时候，在我国东北黑龙江上游、额尔古纳河和呼伦湖一带，居住着一个以游牧为生的少数民族，叫室韦蒙兀。室韦是一个很大的部落联盟，室韦蒙兀是其中的一个小部落。到唐朝末期，室韦蒙兀人开始向西迁移，在蒙古高原的肯特山一带定居下来，形成了蒙古部。随着时间的推移，蒙古部逐渐繁衍成许多小部，其中乞颜部又是这些部落的核心，乞颜部中的孛儿只斤氏是统治各部的首领，所以它被称为“黄金家庭”。到宋朝时候蒙古高原上除了蒙古部以外，还有强大的塔塔儿部、克烈部、乃蛮部、札答剌儿部、蔑儿乞部、汪古部、翁吉剌部等等数以百计的部落。在长时间里，他们之间相互争斗，互相残杀，结下了不解之仇。

公元1162年（金世宗大定二年、南宋高宗绍兴三十二年），蒙古乞颜部的酋长也速该的妻子诃额仑生了一个男孩。这个婴儿出生的时候，手中紧紧捏着一团凝固的血块，在蒙古人看来，这预示着这个婴儿将来一定是个不平凡的人物。当天，也速该带领部众袭击塔塔儿人，取得了胜利，抓到了两个战俘，才返回斡难河（现在蒙古人民共和国鄂嫩河）边的老营基地。这两个俘虏中有一个名叫铁木真，为了纪念这次胜利，也就把刚刚生下的儿子取名为铁木真。

因为蒙古部与塔塔儿等部常年互相攻打，所以铁木真的童年和青年时代，是在战争中度过的。铁木真九岁那年，也速该想替他物色一个未来的妻子，于是把他带到他母亲的亲戚那里去。途中，也速该遇到了翁吉剌部的德薛禅，德薛禅听说也速该要给儿子定亲，就把自己的女儿孛儿贴嫁给了铁木真。于是，也速该把铁木真留在德薛禅家里，独自回家去了。在回家的路上，他遇着一群塔塔儿人在举行宴会。这时候，他又渴又饿，便按照草原部落的习惯下马参加了他们的宴会。塔塔儿人认出了这是仇人也速该，就在饭菜中下了毒药。也速该吃完饭，忍着疼痛赶路，勉强回到家里，不久就死去了。

也速该死后，他的属部和武士们看到乞颜部的势力渐渐衰落，都纷纷离去了。过了几年，原来的属部泰赤乌部的奴隶主担心铁木真长大以后会来报仇，就采取突然袭击的办法把铁木真抓来，给他戴上木枷示众。有一天，铁木真乘泰赤乌部人举行宴会的机会，用枷锁打倒了看守人，在奴隶锁儿罕失剌父子的帮助下，逃回家中。为了防止再遭袭击，他把全家迁到肯特山去居住，并和孛儿帖结了婚，以便取得翁吉剌部的支持。可是，婚后不久，又遇到蔑儿乞人的袭击，在仓促逃命的时候，他连妻子也来不及带走，使孛儿帖成了蔑儿乞人的俘虏。

挫折和灾难磨炼了铁木真的意志，他决心恢复父亲的事业。他懂得单凭自己的力量是不能战胜敌人的，只有利用蒙古各部之间的矛盾，取得一些部落奴隶主的支持，才能壮大自己的力量，打败敌人。于是，他忍痛把妻子的嫁妆黑貂裘献给克烈部的脱斡里勒汗，称他为义父，又和札答剌儿部的首领札木合结为兄弟，取得他们的支持。果然，他们联合出兵打败了蔑儿乞人，夺回了铁木真的妻子。

这次战争也使铁木真的力量有了较大增长，但是与其他部族比较起来，仍显势单力薄。所以很长一段时间，铁木真表面上仍然依附于札木合，借助札木合的势力换取一个比较平和的环境，以加速壮大自己的力量。大约两年后，铁木真羽翼渐丰，便毅然摆脱了札木合的束缚，带领部众从斡难河中游的札木合营地，迁至怯绿连河上游的桑沽儿小河，建立了属于自己的营地。

铁木真的大旗一竖，立即吸引了众多的追随者，其中有兀良合人速不台兄弟、札剌亦儿人合赤温兄弟和阿儿孩合撒儿父子、速客客族人速客该者温等。此外，还有阿鲁剌族人斡歌来兄弟，蒙兀族人者台兄弟，晃豁坛族人速亦客秃，速勒都思族人赤勒古台、塔海兄弟等，共十几个氏族的部众。这些氏族大都非常弱小，处于被掠夺和被奴役的地位。投奔者中有不少还是人微位卑的奴隶和属民。铁木真不问出身，善于容众，各路好汉都慕名而投，一致拥戴他为领袖，并表示：愿为他砍断逞气力者的颈项，劈开逞雄勇者的胸膛。这些早期的追随者，后来都成了铁木真征服世界、成就帝业的骨干力量。

随着力量的迅速壮大，一些有名望的乞颜贵族也倒向了铁木真一边。合不勒汗的长支主儿乞氏的撒察别乞、泰出，忽图剌汗之子抽赤汗和阿勒坛，也速该之弟答里斡赤斤，兄捏坤太子之子忽察儿等人，皆挟其部众回到铁木真身边。为了便于统帅各部族，铁木真主持召开了部族长联席会议。会上，实力最强的铁木真理所当然地被推举为可汗，大家一齐表示服从他的指挥。面对新可汗，他们用游牧民族特有的语言向铁木真发誓：你做可汗，到战场我们率先突入敌阵，掠来的美女和良马都献给你。狩猎时猎得的禽兽连肠带肚全献给你。战时如果我们违背了你的命令，你可以拆散我们的妻室，割下我们的头颅，抛弃在大地上；如果我们平时不遵守盟约，你可以把我们的家属发落到人烟绝迹的地方。

就任可汗后的铁木真，立即着手建立了一套维护和巩固自己统治地位的制度。

一批早期追随铁木真的亲信，被放到了各个重要岗位上。这些岗位包括管弓箭的、管饮膳的、管牧羊的、管修造车辆的、管家内人口的、带刀的、掌驭马的、管牧养马群的、负责远哨近哨和守卫宫帐的等十多种。在这些岗位任职的不是铁木真的兄弟就是他的那可儿。最早的追随者博儿术和折里麦则被任命为那可儿之长（总管）。依靠这支精悍而忠实的骨干力量，铁木真牢牢掌握了部族的控制权，使他制定的纪律和制度得以顺利实施。通过实施严格的纪律和制度，又使自己的部众逐步放弃了游牧民族特有的自由散漫习气。铁木真的这些措施，为他日后指挥大兵团作战，统一蒙古，征服异国，打下了良好基础。

这次胜利使铁木真开始恢复元气，许多旧时的属部、勇士们，又纷纷回来了。金世宗大定二十九年（1189），一些奴隶主拥戴铁木真为汗（古代北方少数民族最高统治者的称号）。

铁木真的势力虽然有了较大的增长，并建立了以他为首领的乞颜氏政权，但在兵强马壮的蒙古高原，他的力量还显得过于弱小。不仅兵不够众，地也不够广。仅控制了怯绿连河上游的一块很小的地盘，和广袤的蒙古大草原比起来，甚至连九牛一毛也算不上。因此，铁木真清楚地看到，要想在激烈的部族纷争中站住脚，不断发展壮大自己的力量，离开了强大的克烈部首领的支持是万万不行的。所以，就任可汗后，他首先派使者向王罕报告了此事，取得了王罕的首肯。

但是，草原上并不是每个部族都像王罕一样对铁木真的崛起持欢迎态度。

札木合和泰赤乌贵族，已经从这一新兴力量不断壮大的脚步声中感到了威胁，并一直都在寻找机会，企图扼杀铁木真的乞颜氏政权。

正好札木合的弟弟由于抢掠铁木真的马群被蒙古部人杀了，札木合找到借口，便发动了他所属的十三部三万人进攻铁木真，铁木真也把自己的三万士兵分成十三翼迎战札木合。双方在克鲁伦河畔的答兰巴勒主惕展开了一场大战。这就是蒙古历史上著名的“十三翼之战”。

铁木真不愧为一个智勇双全的统帅。他针对敌强我弱的现状，采取避敌锋芒、以退为进的策略，成功地粉碎了敌人的企图。札木合达不到目的，恼羞成怒，竟残忍地将铁木真的捏古思族（第十三翼）族长们的70个孩子杀了。

没想到札木合的残酷引起了他部下的不满，他们毅然脱离札木合，投奔到铁木真部下。铁木真转祸为福，反而壮大了自己的力量。

不久，塔塔儿部首领蔑古真反抗金朝，金朝皇帝命令大将完颜襄率兵攻打塔塔儿。完颜襄约克烈部的脱斡里勒汗和铁木真联合出兵进攻塔塔儿，蔑古真兵败被杀。完颜襄封脱斡里勒汗为王，从此脱斡里勒汗就被称为“王汗”；封铁木真为“札兀忽里”（前线司令官），铁木真正式接受了金朝的封职。这次战斗，铁木真不仅报了仇，还掳获了塔塔儿的部民和牲畜，从此，他的力量更雄厚了。

金章宗泰和元年（1201），铁木真击败了札木合。第二年，又全歼了残余的塔塔儿人。这样，铁木真就统一了东部蒙古。

虽然铁木真统一了东部蒙古，但是在西边还有许多部落，其中离得最近的是强大的克烈部。尤其在这一段时间里，与铁木真比起来，王罕却在走下坡路。王汗脱斡里勒面对铁木真咄咄逼人的锋芒，感到自己受到威胁，因此双方的关系开始恶化。这时候，铁木真为他的长子术赤向王汗的孙女求婚，遭到王汗的拒绝，于是矛盾进一步激化。公元1202年春天，王汗假装同意铁木真的婚约，想骗他来赴宴，乘机把他杀死，不料计谋泄露，王汗立即对铁木真发动突然袭击。铁木真措手不及，只好带着十九个人仓皇逃走。他们退到班朱泥河（沼泽的意思）地方停驻下来。这里没有人烟，没有粮食，他们只得喝浑水止渴，射野马为食。这一段时间，是铁木真在统一全蒙古过程中最艰苦的日子。所以，当他完成统一大业以后，把“同饮班朱泥河水”的人都封为功臣。

后来，铁木真一直退到贝尔湖以东的地方，他一面向王汗求和，一面利用喘息时机，收集溃军。到这年秋天，他的军事实力又恢复了。王汗却骄傲麻痹，在自己的驻地欢庆胜利，整天欢乐歌舞。铁木真暗暗派兵包围了王汗的驻地，突然发起进攻。经过三天三夜的激战，占领了王汗的金帐，王汗逃到鄂尔浑河畔之后，被乃蛮人杀死了。

消灭了克烈部之后，铁木真在公元1204年夏天，亲率大军出征乃蛮，在一次激战中，杀死了乃蛮部的首领塔阳汗，从此，铁木真的威名震动了蒙古高原，其他部落再也不敢同他争锋了。蔑儿乞人闻风丧胆，他们的首领逃到很远的地方；汪古部主动前来归附；到处逃窜的札木合，被他的部下绑了送交铁木真，最后被铁木真处死。这样，铁木真就完成了统一全蒙古的大业。

公元1206年（金章宗泰和六年），全蒙古的奴隶主们在鄂嫩河畔举行忽里勒台（大聚会的意思），一致推举44岁的铁木真为全蒙古的大汗，并且尊号为“成吉思汗”。“成吉思”是蒙古语“强大”的意思。

成吉思汗成为全蒙古的大汗，标志着蒙古族的历史进入了一个新阶段。几个世纪以来，蒙古各部互相残杀的局面结束了；在东起呼伦贝尔草原，西至阿尔泰山的辽阔地域内，操着不同语言和具有不同文化水平的各个部落，逐步形成了勤劳勇敢的蒙古族。

成吉思汗统一全蒙古以后，建立了第一个蒙古政权——蒙古国。他在军事、行政、法律、文化等各方面，都开创了一套新的制度。他把全体蒙古牧民编为十户、百户、千户和万户，任命大大小小的奴隶主为十户长、百户长、千户长和万户长，凡是15岁以上、70岁以下的男子，都编为士兵，平时生产，战时打仗。他任命失吉忽秃忽为“札鲁忽赤”（断事官），把民事和刑事案例编成“札撒黑”（习惯法）；他还委派兀孙老人掌管宗教事务；命令畏吾儿（就是现在的维吾尔族）人塔塔统阿用畏吾儿文字书写蒙古语，让奴隶主子弟学习使用，使蒙古人第一次有了文字。

成吉思汗把濒临灭亡的蒙古人从金朝的桎梏下解救出来，把互相残杀的蒙古各部统一起来，使蒙古民族在中国和世界舞台上发挥重大的作用，这一巨大的历史功绩，使成吉思汗成了蒙古历史上当之无愧的民族英雄。

成吉思汗一生，视征服异族和掠夺财富为无上荣耀的事业。完成蒙古统一后，蒙古诸部的人口和牧场已按照等级分配完毕，不能再互相掠夺了。

于是成吉思汗又把目光移向了富饶的邻国。

成吉思汗立国后，势力益盛，开始对外发动大规模战争。经过二十余年的蒙夏战争，屡创夏军主力，迫使西夏国王乞降，削除金朝西北屏障，使蒙古军队得以顺利南下攻金。六年，成吉思汗亲率大军进攻金朝，开始了为时24年的蒙金战争。首战乌沙堡（今河北张北西北）获捷；再战野狐岭（今河北万全西北）、会河堡（今怀安东南），歼灭金军大量精锐；又战怀来（今属河北）、缙山（今北京延庆），大败金军十余万；还重创金军于东京（今辽宁辽阳）、西京（今山西大同）、居庸关等地。后来成吉思汗不断改变战法，分兵三路攻掠中原腹地及辽西地区。九年三月，集兵中都（今北京）城下。成吉思汗认为一时难以克城，遂遣使逼和，迫使金朝奉献岐国公主、金帛和马匹，引兵退出居庸关。六月，又以金朝迁都南京（今河南开封）而“违约”为借口，乘金国人心浮动及军士哗变之机，遣部将三摸合拔都、石抹明安率军，会合降蒙乣军进攻中都，以围城打援和招降之策，于次年五月克城。

为适应攻城需要，成吉思汗采纳部将建策，逐步建立了砲军，攻城以砲石为先。后来攻城作战，一次用砲即达数百座，迅即破城。同时，重视吸取各民族的先进技术，广收工匠艺人，一城即得数万。随后建立工匠军，设厂冶铁制造兵器。在通信联络上创建了“箭速传骑”，日速数百里，使军令传递和军队调遣速度增快。善于发挥骑兵之长，使蒙古骑兵疾如飙至，劲如山压，有“蒙古旋风”之称。

十二年，成吉思汗封木华黎为太师，指挥攻金战争，自率主力返回蒙古准备西征。次年，遣先锋将领哲别灭西辽屈出律势力，扫清西征障碍。十四年，以西域花剌子模国杀蒙古商人和使者为由，以军事扩张和掳掠财物为目的，亲率大军约20万分路西征。数年间先后攻破讹答剌（在今锡尔河中游）、布哈拉及撒马尔罕等地。遣哲别、速不台率军追击花剌子模国王摩诃末，迫其逃至宽田吉思海（今里海）中小岛（后病死）。再命哲别、速不台继续西进，远抵克里米亚半岛；自率一军追击摩诃末之子札兰丁至申河（印度河）。十九年，班师返漠北。二十一年，率军10万歼灭西夏军主力，次年西夏灭亡。

宝庆二年（1226年），成吉思汗兴兵大举侵入西夏。由于成吉思汗在射猎野马时再次落马负伤，蒙古军被迫驻营休息。年迈的成吉思汗没有采纳皇子、大臣们暂时后撤的建议，忍着锥心的伤痛决定先派遣使臣到西夏责其不派兵随从西征且出言不逊之罪。接着，继续攻打西夏。成吉思汗于宋宝庆三年（1227年）正月率军南下，进入金境，攻陷临洮府和洮、河、西宁、德顺等州，另遣一军攻入宋境掳掠。四月，驻夏于六盘山。六月，继续向南进兵，至秦州清水县。

宋宝庆三年（1227年）七月，成吉思汗身患重病，一卧不起。他自知死期临近，便招其三子窝阔台、末子拖雷于枕边，叮嘱兄弟之间要亲密相处，并面授征服金国的策略。他指出："金的精兵在潼关，南有群山，北临黄河，难以遽然攻破。如果向宋借道，宋与金是世仇，必定会应允，那就可以出兵唐、邓（两州均在河南），直指汴京。金危急，必定征召驻守潼关的军队，这时我们迎头痛击远来疲军，必能大胜。"他还吩咐："我死后要秘不发丧，以免被敌人知悉；待西夏国主和居民在指定时刻出城时，立即全部把他们消灭。"安排完军国大事，这位一代天骄带着丰采多姿的业绩结束了他的一生，终年66岁。

遵照成吉思汗的遗嘱，他的尸体被送回蒙古故土，埋葬在斡难、怯绿连、土拉三河发源的圣山——不儿罕山上。陵墓向北深埋，以万马踏平。后人在鄂尔多斯修建了"八间白室"，人称"成吉思汗陵"。

许多名人都是首先影响了中国，然后才影响了世界，而成吉思汗则正好相反，他首先影响了世界，然后才影响中国。换句话说，成吉思汗从一开始就是一个世界性的人物。在世界历史上，从来没有一个人像成吉思汗那样影响如此广大的区域。从时间上说，成吉思汗对中国的影响是间接的，因为在成吉思汗去世的时候，蒙古人联宋攻辽的战事尚未开始。但是，联宋攻辽的战略是成吉思汗亲自确立下来的，蒙古人平辽灭宋的进程均是成吉思汗谋划之中的事情。成吉思汗对世界的影响却是直接而强大的，更是广泛而深远的。因为成吉思汗的出现，有些民族遭受了灭顶之灾，有些本来强大的政权灰飞烟灭。成吉思汗的战争与扩张也带动文化的传播，从而影响了世界历史的进程。虽然成吉思汗对当代世界的直接影响甚微，但作为一个伟大的历史人物和民族英雄，其影响将永存世间。

成吉思汗是一个由苦难所造就的人物。在铁木真9岁的时候，其父也速该被塔塔儿人用毒药毒死，乞颜部落的绝大多数部众被泰赤乌部落裹胁而去。铁木真在少年时，泰赤乌人抓获了他，并准备将他处死。铁木真在一位泰赤乌部落老牧民的帮助下才侥幸脱险。铁木真成年之后，逐渐收服以前四散的部众，乞颜部落又逐渐恢复了生机。但正在这时，与乞颜部落有世仇的蔑儿乞部落袭击了乞颜部落，他的妻子也被蔑儿乞人掠去，铁木真再一次陷入困境。后来，铁木真在义父王汗和札达兰部首领札木合的帮助下，彻底击溃了蔑儿乞人。但铁木真和札木合最后分道扬镳，在乞颜部和札达兰部之间爆发了著名的“十三翼之战”。在此役中，铁木真被札木合击败。十三翼之战后，铁木真利用塔塔儿人与金开战的机会，联合王汗帮助金朝在斡里札河之战中消灭了塔塔儿部落，铁木真因此获得金朝皇帝封授的“札兀忽里”称号。与金的结盟，使铁木真获得了巨大的战略利益。1202年，铁木真在阙奕坛之战中击溃了以乃蛮部为首的十一部联军，从而基本上确立了自己在蒙古草原上的霸主地位。这时，铁木真和王汗之间的矛盾又逐渐显现出来，经过几次互有胜负的战争后，铁木真最终消灭了王汗的克烈部。1203年，铁木真征灭了草原上最后一个劲敌乃蛮部落。1206年，铁木真正式登基成为大蒙古国的可汗，并获得了“成吉思汗”的称号，一个统一的蒙古民族自此诞生。

成吉思汗的征伐直接导致了两个民族在历史上的消亡。第一个遭此厄运的民族是党项族。党项族建立的西夏王朝曾经在中国的宁夏、甘肃一带存在了将近200年，在国势强盛的时候甚至让宋朝向它纳贡。在成吉思汗的军事扩张过程中，西夏成为他征伐的第一个目标。成吉思汗发动了对西夏的大小六次进攻。在这些战争中，成吉思汗充分地发挥了他的军事才华，显现出他的足智多谋。在第二次攻夏战争中，蒙古人在久攻兀刺海城不下时，以解围为条件，让西夏人交出1000只猫和10000只燕子，然后将带火的猫和燕子放入城中，运用火攻战术取得了胜利。1227年，蒙古军队在灵州大破西夏军队，夏末帝献城请降。成吉思汗背信弃义地杀死了夏末帝，威震中亚一百多年的西夏国从此覆亡。更为严重的是，成吉思汗所采取的大肆屠杀政策还导致了西夏国的主体民族——党项族的消亡。

第二个遭到覆亡命运的民族是契丹族。契丹族建立的辽王朝曾经在中国的北部存在了二百多年，也曾经雄视一方。1125年，辽帝国被金帝国灭亡，契丹人逃到了现在的新疆北部一带立国，史称西辽，在一段时间内也曾经是中亚最强盛的国家。乃蛮部落灭亡后，太阳汗之子屈出律侥幸逃脱，投奔西辽末帝直鲁古，当了直鲁古的女婿。但屈出律却趁直鲁古年老多病的机会，篡夺了西辽的统治权。1217年，成吉思汗发兵攻打西辽，势如破竹，屈出律被当地民众俘获后献给蒙古军队，旋被斩首。至此，西辽国烟消云散，曾经显赫一时的契丹民族也在这场战争中湮灭在历史的尘埃里。

成吉思汗还灭亡了一个曾经强盛一时的中亚古国——花剌子模。本来，花剌子模和蒙古国之间存在通商关系，但是，在蒙金战争激战犹酣的时候，发生了花剌子模将领抢劫并屠杀蒙古商队的事件。蒙金战争结束后，成吉思汗带领20万蒙古军队开始了对花剌子模的征讨。成吉思汗命令哲别率领5000骑兵佯攻花剌子模的南境，引诱其主力南下。花剌子模军队果然上当。成吉思汗亲率大军主力越过浩瀚的基西尔库姆大沙漠，直逼花剌子模都城不花剌。成吉思汗采取网开一面的策略，诱使花剌子模军队突围，将冲出城的花剌子模军队尽数消灭。城破后，成吉思汗将守城军民尽数屠戮，将城市夷为平地。3个月后，成吉思汗的大军又攻破了花剌子模的新都撒马尔罕。成吉思汗命令哲别和速不台而率军追杀花剌子模国王摩柯末，二将行程两千多公里，终于剿灭了花剌子模军队残部。此后他们又继续西进北上，连续攻掠了波斯、阿塞拜疆等地，跨越高加索山脉，一举击溃了斡罗思（今译俄罗斯）和钦察联军10万人，旋即突入克里米亚半岛，这是蒙古大军第一次进入欧洲。蒙古大军于1225年凯旋。至此，一个曾经称雄中亚多年的古国花剌子模在历史上彻底消失了。

成吉思汗发动的对金朝的战争是他个人历史上最辉煌的一页。1211年，蒙古军队在乌沙堡之战中大破金国军队，取得了对金国作战的首场胜利。随后又在金河堡之战中消灭了金国的精锐部队。1213年，蒙古军队在晋山之战中击溃金国的20万大军，进逼居庸关下。此时，金国大将胡沙虎发动兵变，杀死了金帝完颜永济，另立新帝。蒙古军队绕道紫荆关从南方突袭居庸关得手，金中都就暴露在了蒙古军队的铁蹄之下。在久攻中都不下后，成吉思汗接受了金宣宗投降请和的要求。1214年，金国迁都南京（今河南开封）。1215年，蒙古军队在围城数月后，因金国守城将领投降，兵不血刃地占领了中都。在成吉思汗生前，他虽然并未完成灭亡金国的计划，但极大地削弱了金国的军事和经济力量，为后来灭金打下了坚实的基础。

成吉思汗不仅仅是一介武夫，他还非常重视文化建设。1204年，成吉思汗在对乃蛮部的战争中，俘获了畏兀儿（今译维吾尔）人塔塔统阿。塔塔统阿帮助成吉思汗创立了蒙古人自己的文字——畏兀儿字母的蒙古文。虽然后来忽必烈曾命吐蕃人八思巴创立吐蕃字母的蒙古文，但这种文字并没有最终流传下来。目前使用的蒙古文仍然是畏兀儿字母蒙古文的变体。后来，记录蒙古民族历史的史书《蒙古秘史》，就是用畏兀儿字母蒙古文写成的。这部史书至今仍然是研究蒙古民族历史最主要的文献。成吉思汗对蒙古民族文化的进步贡献至伟。另外，成吉思汗还利用新创制的蒙古文将以前仅仅口头宣布的法令“大札撒”记录下来，这就是蒙古民族历史上的第一部成文法典。成吉思汗的征伐虽然给亚洲各地人民带来了深重的灾难，但在客观上也促进了亚洲各个民族的融合。随着战争在欧亚大陆的推进，很多技术也通过战争传播开来，客观上也促进了世界的进步。

成吉思汗最为突出的是他的军事指挥天才。历史上从来没有一个军事家拥有像成吉思汗那样的谋略、胆识和实战经验。和成吉思汗相比，即使亚历山大大帝、拿破仑也只能甘拜下风。有人把成吉思汗与兵圣孙武并称，认为他们一位是伟大的理论家，一位是伟大的实践家。近代名将万耀煌说：“中国兵学，至孙子而集理论之大成，至元太祖成吉思汗而呈实践上之巨观。此二人者，遥遥相距千祀，一则援笔以言，一则仗剑以行，卒以造成历史上中国军威震烁欧亚之伟业，发扬数千年中国兵法蓄精养锐之奇辉。”这样的评价，成吉思汗当之无愧。成吉思汗在军事上的另一伟大贡献是他对蒙古军队制度的建立与改革。成吉思汗发明了极具战斗力、军民一体的“千户制度”，并创立了蒙古军队中战斗力的核心——怯薛军。这使得蒙古军队在欧亚大陆上所向披靡，无往不胜。

成吉思汗和横跨欧亚大陆的蒙古大帝国的出现是人类历史上的一个奇迹。这样的奇迹以前没有出现过，今后也不再会出现。蒙古帝国虽然历史短暂，但它毕竟在一段时间内影响了无数的土地和人口。如果把横扫欧亚的蒙古铁骑比喻为风暴的话，成吉思汗就是这风暴的中心。成吉思汗发起和引导了这场风暴，并把数十个民族和国家席卷了进来。成吉思汗对世界和中国的影响，将永远地被世界各国的历史学家们研究和评说下去。

元世祖忽必烈

忽必烈（1215年—1294年），蒙古族，元朝的创建者。是监国托雷第四子，元宪宗蒙哥弟。蒙古尊号“薛禅汗”，他青年时代，便“思大有为于天下”。忽必烈建立了幅员辽阔的统一多民族国家——元朝。他在位期间，建立行省制，加强中央集权，使得社会经济逐渐恢复和发展。他也曾多次派兵侵略邻国，但多遭失败。同其祖父成吉思汗一样，忽必烈是蒙古民族光辉历史的缔造者，是蒙古族卓越的政治家、军事家。在位35年，1294年正月，在大都病逝，谥号圣德神功文武皇帝，庙号世祖。

忽必烈为藩王时，便热心于学习汉文化。1251年，长兄蒙哥即大汗位，忽必烈以皇弟之亲，受任总理漠南汉地军国庶事，南驻爪忽都之地。他先后任汉人儒士整饬邢州吏治，立经略司于汴梁，整顿河南军政，并屯田唐、邓，收到积极效果。1253年，受京兆（今陕西西安）封地，忽必烈又在这里任诸儒臣兴立屯田，兴复吏治，恢复农业，建立学校，进一步取得北方汉族地主阶级对他的拥护，为元王朝的建立提供了社会基础。

同年，忽必烈受命与大将兀良合台远征云南，灭大理国。1258年蒙哥兴师伐南宋，授命忽必烈代总东路军。1259年9月，忽必烈率师抵淮河，蒙哥在合州前线病逝的消息传来，忽必烈仍挥军自阳逻堡渡长江，围鄂州（今湖北武汉），并以军接应从云南北上的兀良合台军。这时，得悉留守漠北的幼弟阿里不哥擅自征兵图谋汗位，忽必烈立即采纳汉人郝经的献计，与宋约和，轻骑北返燕京。

1260年3月，忽必烈在部分诸王的推戴下，即汗位于开平，建元中统。在中央设中书省，以王文统任平章政事，在各地分设10路宣抚司，任汉人儒士为使。同年五月，阿里不哥也在部分留居漠北的诸王拥戴下，称大汗于和林。忽必烈以汉地丰富的人力、物力为依托，出兵击败阿里不哥。在与阿里不哥鏖战的同时，中统三年（1262）春，益都行省乘机叛乱，被忽必烈迅速镇压。叛乱引起忽必烈对汉人的猜忌，于是采取了一系列措施，如废除汉人诸侯的世袭制度，削弱这些家族的军权，在地方上实行军民分治等等，一方面以加强中央集权，另一方面则可严密对汉人的防范。此外，又在各级政权中引用色目人分掌事权，使与汉人官僚相互牵制。中统五年八月，忽必烈又改元为至元。经过从中统元年到至元初年的增改损益，新王朝的各种制度大体上确立下来。

至元八年（1271年），取《易经》“大哉乾元”之义，建国号为大元。次年，确定以大都为首都。中央集权政治的重新确立，恢复了正常的统治秩序，对人民的赋役剥削限制在一定的数额之内，并采取了一些有利于农业和手工业生产的措施，如立司农司、垦荒屯田、兴修水利、限制抑良为奴等。但是，这个政权也保留了大量的蒙古落后旧制。这些制度在元代始终保留下来，严重地束缚了生产力的发展，使元代的社会矛盾愈益激化。同时，忽必烈又积极着手消灭南宋的战争，至元十一年，命伯颜大举伐宋。十三年，下临安，十六年最后消灭了流亡在崖山的南宋残余势力，完成了全国的大统一。元朝是中国历史上第一个少数民族统治全国的王朝，它初步奠定了中国疆域的规模。

全国统一后，忽必烈的保守、嗜利和黩武等消极因素都有了发展。他重用回回人阿合马。阿合马从中统初便主管中央财政，多方搜刮，权势日重。后阿合马独擅朝政。十九年，大都发生了王著、高和尚刺杀阿合马事件。此后，忽必烈又先后任卢世荣、桑哥专理财政，都以失败而告终。同期，忽必烈接连派遣军队远征日本、安南、占城、缅甸与爪哇，都遭到失败。但抗击海都、笃哇等西北诸王的侵扰和平服东北诸王乃颜叛乱，具有一定的积极作用。

至元三十一年，忽必烈病逝，年80岁。葬漠北起辇谷（在今克鲁伦河上游肯特山南麓）。

纵观忽必烈的一生，功绩还是很显著的。如：建立元朝，实现大统一，调整统治政策。重视农业发展，把农业生产的好坏，作为评定地方官政绩优劣的依据；中央设立负责农业和水利的大司农司；向全国颁发《农桑辑要》一书，指导农业生产。统一多民族国家进一步发展，今天的新疆、西藏、云南、东北地区、台湾及南海诸岛都在元朝的统治范围之内；民族大迁移，形成民族融合新高潮。健全统治机构，在中央，设中书省和枢密院为最高行政机构和最高军事机构，并设宣政院统领宗教事务和管辖西藏地区；在地方，实行行省制度，加强对地方控制，对后世影响深远。发展内河航运和海运，开凿会通河和通惠河。实行对外开放政策，丝绸之路重新繁荣，马可·波罗来华，泉州成为最大外贸港口。总之，忽必烈不愧为一代杰出帝王。

明太祖朱元璋

朱元璋，明王朝的开国皇帝。原名重八，后取名兴宗。汉族，濠州（今安徽凤阳县东）钟离太平乡人，25岁时参加郭子兴领导的红巾军反抗蒙元暴政，龙凤七年（1361年）受封吴国公，十年自称吴王。元至正二十八年（1368年），在基本击破各路农民起义军和扫平元的残余势力后，于南京称帝，国号大明，年号洪武，建立了全国统一的封建政权。朱元璋统治时期被称为“洪武之治”。1398年七十一岁去世，葬于明孝陵。

朱元璋生在一个普通农民的家庭，17岁那年，家乡流行瘟疫，他的父母及兄长都在这场灾难中死去，青年朱元璋只得出家当和尚，以求温饱。谁知和尚也并不好当，不久后的饥荒使得他不得不离开寺院外出化缘。这次外出可以说对朱元璋的一生影响非常大，不仅锻炼了他的意志，同时也使他初步接触了一些反元的思想。

回到家乡后不久，由小时的玩伴汤和介绍，朱元璋参加了郭子兴的红巾军。由于他的睿智与勇敢，很快成为了郭子兴的心腹，并娶了郭子兴的义女马氏为妻。在郭子兴部下期间，朱元璋不断扩大自己的势力，并掌握了一支真正属于自己的队伍，这使得在郭子兴死后，朱元璋很轻易地就打败了郭子兴的儿子，取得了这支队伍的控制权。朱元璋并不满足已得的地盘，他要大展宏图就要有稳定的根据地，这样南京（集庆）就走入了他的视线。1356年，朱元璋攻占集庆，并改名应天府，自称吴国公。同时采纳朱升的建议“高筑墙、广积粮、缓称王”，大力发展生产，为今后的更大的战争打下了坚实的基础。

接下来，朱元璋在南京外围大败陈友谅，鄱阳湖血战彻底击溃比自己强大的陈友谅军团，消灭浙江的张士诚，鸩杀韩林儿，派徐达、常遇春北伐。逐个消灭了各个势力。

至正二十八年（1368）正月，在北伐胜利攻克山东的凯歌声中，40岁的朱元璋在文武百官的欢呼声中于应天城中的奉天殿内正式登上皇位，改国号为“大明”，年号为“洪武”。同时，册封马氏为皇后，长子朱标为太子；任命李善长、徐达为左右丞相，刘基为御史中丞兼太史令。至此，一个出身农家、横笛牛背的牧童，经过奋斗，终于成了我国历史上继刘邦之后的又一位出身布衣的开国君主。

朱元璋登基以后，大刀阔斧地进行了一系列的改革，来巩固自己的统治。

他首先对地方政权机构进行了改革。朱元璋把行中书省改为布政司，设左、右布政使各一人。同时，地方还设置了掌管军事的都指挥使司和管理司法的提刑按察使司。这三个机构合称“三司”，彼此互不统辖，既各自独立，又相互牵制，都直接听命于朝廷的指挥，达到了朝廷收回大权的目的。

实现了对地方行政机构的改革之后，朱元璋又开始集中精力对中央政府机构进行改革，下令废除中书省，同时，提高吏、户、礼、兵、刑、工等六部的地位，由六部分理朝政，各部尚书直接对皇帝负责，奉行皇帝的命令。六部分任而无总揽之权，政务由皇帝亲裁。此时，朱元璋实际上在兼行宰相的职权，封建中央集权发展到了顶峰，他成了历史上权力最大的君主之一。此后，朱元璋又对中央监察、审判机构也进行了一系列改革调整。

这样一来，朱元璋的皇权确实强化了，但皇帝的政务也随之繁重起来了。过去，政务有丞相协助，现在，朱元璋一人独揽大权，事无巨细，一切事情都要他亲自处理。当时，国事待兴，政务十分纷繁，长此下去，或者要误大事，或者要把皇帝的身体累垮。朱元璋便在洪武十五年（1382年）设置了华盖殿、文华殿、武英殿、文渊殿、东阁等殿阁大学士，以帮助自己阅读奏章。这些大学士处理起草文书，襄助侍从，以备顾问，无丞相之名，实干丞相之事。昔日的忙乱现象逐渐得到了改观，工作效率也提高了不少。

其次，制定严格的法律，以法治国。洪武三十年（1397年），经朱元璋的授权，终于正式颁布了几经修改、已趋完善的《大明历》。法律规定：凡犯有贪赃罪的官吏一经查证属实，一律发配到北方荒漠地区充军；官吏贪污获赃白银60两以上者，处以枭首示众、剥皮实草之刑。后来，朱元璋根据《大明历》的施行情况，又差人编出了《大诰》。

为了大明王朝的长治久安，朱元璋同贪赃枉法者的斗争十分坚决，顶住了一切压力，毫不手软。他除了注意平时依法严查以外，还集中力量处理了几个权力大、根子深、影响坏的贪污案件，一查到底，严查严办，不给他们留有任何幻想，得到了全国百姓的广泛赞同。

此外，还重视发展屯垦　减轻赋役。朱元璋发展农业的主要措施是奖励垦荒和实行屯田。元末农民起义，由于地主逃亡，人口减少，留下了大量荒地。明朝建立后，为尽快开垦这些荒地，朱元璋采取了计民授田、奖励垦荒的措施。许多农民由奴隶变成了自耕农，社会地位和家庭生活有了极大的改善。农民的积极性提高了，明初的社会经济出现了繁荣向上的景象。

明初制定的赋役法，规定民田一般亩征税粮五升三合五勺。按当时亩产最低一石来计算，为三十税一。徭役一般是，有田一顷出丁夫一人，每年在农闲时节赴州县服役30天。这些都比元代赋役减轻了许多。

朱元璋还身体力行，带头倡导节俭。明朝建立后，按计划要在南京营建宫室。负责工程的人将图样送给他审定，他当即把雕琢考究的部分全去掉了。工程竣工后，他叫人在墙壁上画了许多触目惊心的历史故事作装饰，让自己时刻不忘历史教训。有个官员想用好看的石头铺设宫殿的地面，被他当场狠狠地教训了一顿。

1398年6月24日，71岁的朱元璋驾崩，葬于南京市东郊紫金山南麓的孝陵，谥号“圣神文武钦明应运俊德成功统天大孝高皇帝”，庙号“太祖”。

在中国所有的历史人物中，朱元璋可谓是个人奋斗的一个典型。他靠着自己的努力，从社会的最底层升到了社会的最顶端。朱元璋出生于一个雇农家庭，在1344年的一场瘟疫中，他的父母、兄长和侄子相继病亡，他家穷到连给亲人下葬的地方都找不到。但24年之后，朱元璋却成为了“普天之下莫非王土，率土之滨莫非王臣”的一国之君。这样的跨越，世上再没有第二个人经历过。朱元璋在历史上因为几件事而闻名：一是他废除了在中国实行了上千年的宰相制度，二是他建立了中国历史上最臭名昭著的特务统治，三是他在坐稳天下后大肆屠戮功臣。这几件事，都使后人对朱元璋的评判褒贬不一。

明成祖朱棣

明成祖朱棣是明朝第三代皇帝，1402年—1424年年在位。明太祖朱元璋第四子，生于应天，时事征伐，并受封为燕王，后发动靖难之役，起事攻打侄儿建文帝，夺位登基。死后原庙号为“太宗”，百多年后由明世宗朱厚熜改为“成祖”，明成祖的统治时期被称为“永乐盛世”。明成祖在位期间完善政治制度，发展经济，开拓疆域，迁都北京，编修《永乐大典》，派遣郑和下西洋，使明朝发展到顶峰，明成祖的统治时期被称为“永乐盛世”，明成祖也被后世称为永乐皇帝或永乐大帝。

朱棣十一岁就被父亲朱元璋封为燕王，并于二十一岁就藩北京。朱元璋将朱棣分封在北京，就是希望自己的儿子能代替功臣宿将掌握兵权，从而使明朝的政权更加稳固。燕王朱棣拥兵10万，在边塞负责筑城屯田、训练将兵、巡视要害、督造军器。燕王还多次出塞征战，打败元朝残余势力的军队，尤被重视，军中大将皆受其节制，尤其是燕王，由于功绩卓著，朱元璋令其“节制沿边士马”，地位独尊。可谁知就是这个四皇子，竟利用手中的兵权最终夺取了皇帝的位子，这是当初朱元璋无法预料到的了。

朱棣在北京期间，在众多忠臣猛将的指导下，迅速成长为了一位合格的军事指挥家，并在对元朝的作战中取得了重大的胜利，自己的军事实力得到了加强，在洪武末年已经成为北方最强的一镇诸侯。朱元璋去世后，皇太孙朱允炆即位，年号建文。

建文帝即位之初，除了进行一系列必要的改革之外，便在齐泰等人的提议下开始削藩。在先后削夺了五位藩王后，建文帝的矛头直指燕王朱棣。朱棣也立即采取行动，杀死了朝廷派到北京的驻守大臣。

由于洪武时期的功臣已经被朱元璋杀戮殆尽，因此朝廷只得派一些年轻将领挂帅。但由于朝廷的兵力强大，双方还是处在一个拉锯战的形势下。而此时建文帝的软弱就暴露了出来，由于它的一些决策错误，加之朱棣直捣南京策略的成功，建文四年，朱棣占领了南京，建文帝不知所终。在群臣的“劝说”下，朱棣在南京即位，年号永乐。

即位之初，朱棣注意社会经济的恢复与发展，认为“家给人足”、“斯民小康”是天下治平的根本。他大力发展和完善军事屯田制度和盐商开中则例，保证军粮和边饷的供给。派夏原吉治水江南，疏浚吴淞。在中原各地鼓励垦种荒闲田土，实行迁民宽乡、督民耕作等方法以促进生产，并注意蠲免赈济等措施，防止农民破产，保证了赋役征派。通过这些措施，永乐时“赋入盈羡”，达到有明一代最高峰。

永乐初年，为清除建文余党，朱棣采取了血腥的政策，“瓜蔓抄、杀十族”都是在这一时期产生的，有的文人犯了罪，不光他的亲戚九族，而且他的朋友也要被株连处死，这就叫杀十族。当时的恐怖气氛可见一斑。太监的势力在永乐朝也得到了充分的发展，许多太监都参与到了政治中来，并成为了举足轻重的人物。这也是明朝宦官专政的祸根。

朱棣的一个壮举就是建造紫禁城，当时北方还不安定，随时都有战争的可能，南京距离较远，指挥不便，因此朱棣下旨建造紫禁城，准备迁都。1416年开始修建阿北京宫殿，1421年正式迁都北京。

永乐时期的另一个重大事件就是郑和下西洋，郑和下西洋的目的有二，其中最重要的目的就是寻找失踪的建文帝，因为当时有人传说建文帝从海上逃跑了，朱棣担心建文帝会卷土重来，就派自己的心腹太监郑和下西洋去寻找。另一个原因就是朱棣为人好大喜功，当时中国被认为是世界中心，四海都应该来朝贺，因此他派郑和下西洋去接各国的国王来朝贺，以衬托盛世。

朱棣在文治上也颇有建树，《永乐大典》的编纂就足以证明。《永乐大典》是解缙等人组织编修的，被誉为古代类书之冠。与清代的《四库全书》相比，《永乐大典》更具价值，因为他对古代的书籍只是做了收集、整理、分类，并没有大的改动。而《四库全书》却有很多内容被编者修改了，使古籍的原貌遭到了破坏。因此《永乐大典》无愧于古代类书之冠的称号。

永乐十年以后，朱棣开始了北征，一生共发动了五次北征，除前两次有所斩获外，其余多为劳民伤财，使得刚刚恢复的经济又背上了沉重的包袱。

永乐二十二年（1424年），朱棣死于北征回师途中的榆木川（今内蒙古乌珠穆沁），葬于长陵，庙号太宗，明世宗嘉靖时改成祖。谥号“启天弘道高明肇运圣武神功纯仁至孝文皇帝”，简称文皇帝。

明成祖朱棣是历史上争议颇大的一位帝王，他立有不世之功，创造了明初盛世，但他好大喜功，多疑好杀，手上沾满了鲜血。是功大于过，还是过大于功？后人评判，褒贬不一。

明世宗朱厚熜

朱厚熜（1507年—1566年），明朝第十一代皇帝。其父兴献王朱祐杬是孝宗朱祐樘的弟弟，母蒋氏。公元1521年即位，在位45年。谥号“孝肃皇帝”，庙号“世宗”。

明正德十六年时朱厚熜只有15岁，他的父亲朱祐杬前年刚刚去世，按照明朝的礼法，朱厚熜13岁时就以世子经理王府事务，不久前又被特命承袭王位，小小年纪就已拥有了一个亲王的种种特权。

对于明宪宗朱厚照驾崩的消息，朱厚熜知道的不算太早，三月的最后几天，朱厚照已死的邸报传来，王府上下按照惯例举行了十分铺张的哀悼，此外他根本不曾想过这件事与自己还有什么关联。

替朱厚熜想到继承关系，并力主由他登极的，是远在京城的朝廷内阁首辅杨廷和。朱厚照死后，因为无子可继皇位，慈寿皇太后张氏命令内阁议所当立。早有准备的杨廷和第一个发言说：“兄终弟及，按序厚熜当立。”皇太后对杨廷和的建议没有提出异议，批准写进大行皇帝遗诏，立即执行。

四月二十二日，风尘仆仆的朱厚熜由安陆来到了京城郊外。内阁用对待皇太子的礼仪迎接他，但朱厚熜凭借掌握的礼仪知识，拒绝参加这个仪式，他责问叩问缘故的众臣说：“遗诏写得很清楚，我遵照兄终弟及的祖训嗣皇帝位，你们按照太子礼迎接我，难道我是来做太子的吗？！”新君的机敏和强硬态度，出乎大臣们的意料，大学士们只好重新做出安排，改由皇太后率文武百官上表劝进。劝进表上了三次，朱厚熜感到名正言顺后，才于中午时分起身，自大明门进入宫中。他先是派官员代表去祭告宗庙、社稷，然后拜谒列祖神位，然后去问候皇太后。即位典礼当日就在奉天殿举行，朱厚熜为自己选择的年号是嘉靖，意在平乱求治，力除弊政，繁荣帝国。

世宗年龄不大，不乏求治之心。他在安陆管理弹丸大的封地，积累了一些统治经验。朱厚照留给他的是一个烂摊子，内外交困，百废待兴，人心极不稳定。他明白治理朝政需要的是什么，由此他赏识和重用杨廷和。在杨廷和的辅佐下，世宗对武宗时期的弊政进行了一番改革：诛杀了武宗的佞臣江彬、钱宁，将太监谷大用、邱聚降职去司守孝陵，迫使太监魏彬、张永交出权力闲住；两次裁汰了锦衣卫及内监局的冒滥军校、匠役共18万余人；提拔了一些正直官员，委以重任；放走内苑的珍禽异兽，明令各地不许再献；减少漕粮153.2万石。对即位之前杨廷和调边军还镇、关闭不成体统的皇店、送还全国进献美女等举动，给予了肯定。当杨廷和因为从宫中驱逐朱厚照的义子、裁汰冗员引起失职之徒的仇恨、扬言要报复时，世宗的反应极其迅速，下令调拨了百余名军士，日夜对其进行特殊保护。元年十月，有大臣上疏，指出宦官出镇不足取，说他们平日里安享尊荣，肆毒百姓，遇变则心怀顾望，极不可靠。世宗非常赞同这一看法，不久就下诏将派驻在各州府的宦官召回京城，并且一直没有复派，时间长达40余年。在不长的时间里，世宗以世人眼花缭乱的果敢举动，显示了他的威仪，缓和了社会矛盾，天下臣民盛称新天子圣明，歌颂杨廷和功高，这种令人鼓舞的局面，一直持续到嘉靖元年（1522年）。

世宗是作为其伯父、孝宗朱祐樘的继承人当上皇帝的，即位后的世宗是要称自己的父亲为“皇考”呢，还是称孝宗为“皇考”？问题的核心就是当皇帝后还能不能承认生父为父亲，如果能，按封建礼制，就有一套礼仪问题。世宗的本意，当然是要尊奉生父。在即位典礼后的第五天，为了给死去的父亲一个比较高的封号，世宗下诏让群臣讨论这个问题，朝臣的意见发生了分歧。杨廷和恪守礼法，认为世宗既是以宗藩入统，就应称孝宗为“皇考”，而改称兴献王为皇叔父，他让礼部尚书毛澄将这个意见告诉世宗，并用坚决的口吻对左右的人说：“异议者即奸谀当诛。”世宗对“移易”父母非常不满，要求重议，但因群臣的反对，加上他的皇位还不巩固，只能搁下。

使事情起变化的是世宗的母亲蒋氏。大约过了四个月，蒋氏自安陆进京，听到朝中大臣们的意见，大发脾气，对陪同的朝使说：“你们受职为官，父母都得到了宠诰，我儿子当了皇帝，却成了别人的儿子，那我还到京去做什么？！”说完即停在通州，不肯再走。世宗闻报，哭着入禀张太后，说：“您另选别人作皇帝好了，我要与母亲一同回安陆，仍旧作献王。”张太后一面慰留，一面饬阁臣妥议。杨廷和无奈，只好代世宗草敕下礼部，尊朱祐杬为兴献帝，蒋氏为兴献后。礼官据此安排蒋氏由东安门入宫，奏报送上，世宗不待瞧毕就予掷还。礼官又建议改进大明东门，世宗仍感不合心意，竟奋笔批示道：“圣母至京，应从中门入，谒见太庙。”蒋氏听到这个决定后，才继续前进。蒋氏进京后，杨廷和利用手中的权力，授意吏部将迎合世宗想法的观政进士张璁贬为南京刑部主事，又把跟随自己发表“兴献王不宜称考”意见的官员，安排到吏部和工部。世宗对此没有干预，但他也没有放弃原来的主张。可惜的是与杨廷和的这场分歧，在世宗心里留下了芥蒂，他由此开始排挤、削弱反对派官员。

到了嘉靖三年（1524年）正月，被贬到南京的张璁和南京吏部主事桂萼，看到世宗立足已稳，揣测帝意，又上书重提旧案，要求“速下诏旨，循名考实，称兴献帝为皇考。”世宗见到疏奏，连连点头，叹赏说：“此疏太重要了，天理纲常，要仗它来维持了。”下诏廷臣集议。杨廷和见他故态复萌，料自己也无回天之力，决意辞职。与他一同要求辞职的，还有礼部尚书毛澄。世宗在辞呈上写了“听之去”三个字，言官们向他请求留下二人，世宗一言不发，用沉默表示了自己的强硬态度。最后杨廷和为此被削职为民。

杨廷和去职后，礼仪之争达到了白热化程度。新任礼部尚书汪俊对来自南京的疏奏坚决反对，但世宗再不肯放过这一机会，直逼到汪俊同意将兴献帝改为兴献皇帝仍不罢休，又下令让张璁、桂萼进京官复原职。张璁、桂萼动身之前又上一疏，提出“礼仪不在皇与不皇，而在考与不考。”世宗于是敕谕礼部，追尊兴献皇帝为本生皇考恭穆献皇帝，令礼部在奉先殿侧另建一室，安放皇考神主。汪俊不肯从命，辞职还家。世宗令席书继任。大学士蒋冕见世宗撇开内阁，一意孤行，也学了杨廷和愤然去职。世宗不为所动，让石瑶担任文渊阁大学士，石瑶不事阿谀，上任后即奏请世宗停召张璁、桂萼。张、桂这时正在半路，风闻让他们回任，再次上疏，说“从邸报上看到尊号上仍带有‘本生’二字，此与皇叔无异，礼官有意欺君，愿来京当面质询”云云。世宗看后急召二人火速入京。二人入京后立即被任命为翰林学士，专门负责仪礼事宜。七月，世宗根据二人的奏报，传谕内阁除去父母尊号中的“本生”二字，大学士毛纪等人力言不可，世宗怒气冲冲找到毛纪，责备道：“你们眼里没有我，难道还让我眼里没有父亲吗？！”接着将百官召到左顺门，颁示手敕，限四日恭上册宝。朝臣们从世宗不容置疑的口吻中，感到事态到了最后关头。七月十五日早朝后，修撰杨慎说：“国家养士百余年，节仗死义，正在今日！”当下得到许多大臣赞同，他与吏部侍郎何孟春等九卿以下237人，一齐跪在左顺门下，高呼孝宗皇帝。内阁大学士毛纪、石瑶听说后，也加入了跪伏的行列。世宗劝过两次后，不见收敛，大怒，遣锦衣卫逮捕了为首者8人，杨慎见此情景撼门大哭，众人也一起大放悲声，声震阙廷。世宗愈发恼怒，又指使厂卫抓了134人。两天后，他下令将为首者发配到边地，其余四品以上者夺俸，五品以下杖之，有16人因受刑过重，先后毙命。毛纪上疏营救，世宗毫不客气地斥责了他，说他要结朋奸，背君报私。毛纪受辱不过，负气辞职。就在一片棒打声中，朱祐杬的神主自安陆迎到北京，摆放进奉先殿旁新建的观德殿内，上册宝，尊号曰“皇考恭穆献皇帝”。至此，历时三年、震动朝野的“礼仪”一案以世宗的胜利而告一段落。

礼仪之事的后果是非常坏的。自此世宗动辄就将不如意的大臣下狱廷杖，开了顺昌逆亡的滥觞。支持世宗的张璁、桂萼，分别被授予礼部尚书兼文渊阁大学士和吏部尚书兼武英殿大学士，入主内阁，执掌大权。自此正直之士缄口，而一些侥幸之徒看到张璁等因顺从世宗而升迁，也纷纷进言，极尽巴结。从此朝风骤变，钩心斗角之事层出不穷，这种后果是世宗始料不及的。

嘉靖二年（1523年），天公不作美，夏季西北大旱，秋季南方大水，反常的气象变化，搅得世宗心神不定，寝食不安。这种失态，是因为他过于迷信，认为老天反复无常，大概要有灾难降临。太监崔文瞅准这个献媚的机会，告诉他修斋建醮祭告上天，可以避祸。世宗对这番鬼话深信不疑，于是下令在宫中设立醮坛。他亲自选了年轻太监20人，穿上道服，学诵经忏，所有乾清宫、坤宁宫、汉经厂、五花宫、西暖阁等，次第建醮，自此皇宫内香花灯烛，日夕不绝，锣钹幢幡，沸沸扬扬，把紫禁城变作了修真道院。当时的内阁首辅杨廷和与吏部尚书乔宇实在看不下去这种闹剧，苦苦劝谏世宗停止建醮，远离僧道，但世宗先是置若罔闻，后是疏远他们，对其他劝阻的职位较低官员则分别给予处罚。在杨廷和等一批重臣被罢免后，世宗崇奉僧道更是肆无忌惮，尤其登位几年后更是一心只想长寿，从此终日礼佛拜道，而将朝政几乎全部搁到了一边。

嘉靖三年冬，世宗听说江西道士邵元节有长生之术，下诏将他召进皇宫，交谈后大加宠信，敕封其为“至一真人”，为他在京城中建了真人府，总领道教。邵元节将宫中原设的斋醮重新整理了一番，上上下下跟着这个方士，忙得一塌糊涂。

斋醮仪式上，需用写给“天神”的奏章表文，一般为骈丽体，因用朱笔写在青藤纸上，故称为“青词”。世宗把能否写好青词作为衡量文臣学识高下的标准，许多大臣为了取得他的青睐，终日琢磨青词的写法。醮事不断，青词也就花样翻新，满朝之中，形成了攀比撰写青词高下之风。

嘉靖十八年（1539年）邵元节病死，世宗这时正在安陆谒墓，听到这一消息，哀恸不已，亲书手谕，派太监及锦衣卫护丧归籍。邵元节死前曾给世宗介绍了方士陶仲文。陶仲文教唆世宗用童女初至的经血做原料，制作“元性纯红丹”，说服后可以长生不老。世宗信以为真，传谕各处的地方官，挑选了300余童女入宫，为制药做准备。在不太长的时间里，陶仲文又赢得了世宗的宠信，平步青云，官至少保、礼部尚书，又兼少傅，食一品俸，总领道教之事，后来，又加封为少师。陶仲文的子孙、徒弟也被大批录用在朝廷做官。

世宗信奉道教，努力尝试各种成仙之术，自我感觉不错，从中获得了极大的乐趣。但他并没有遵循道家“清心寡欲”的教规，而是频频派人到民间挑选淑女，为数超过数千。进宫的女子兼有供他淫乐和奴婢的双重身份，备受欺凌侮辱。于是，爆发了一起宫女造反的事件。嘉靖二十一年（1542年）十月二十一日，世宗在端妃处寻欢作乐，过后精神不支，倒头大睡。趁端妃不在的当儿，宫女杨金英招呼了十几个姐妹，一拥而上，一个人用黄绫抹布蒙住他的脸，余下的将他按住。然后，杨金英用绳子系住他的脖子，由两个宫女各执一端，使劲地拉。但杨金英在结绳时误拴成死扣，因此几个宫女勒了半天只是把他勒昏，并没勒死。皇后方氏得到消息带了太监火急赶到，从宫女手中抢出了他。造反的宫女第二天就被处死，端妃曹氏和宁嫔王氏因受牵涉，也被处死在宫中。

宫婢造反给世宗敲了一记警钟，不过他并未觉悟，甚至认为大难不死也是尊崇天神的结果。但从此以后，他再也不敢住在乾清宫，并宣称自己是尘世外的人，郊庙不亲，朝纲尽废，专心奉玄修道，不与任何妃子和宫女见面，也不跟大臣们见面。满朝文武，也就是知道有这么位皇帝罢了。

严嵩本是礼部右侍郎，嘉靖七年曾奉世宗之命去安陆祭告兴献帝陵墓，事毕献媚说：“我走了一路，先祖家乡处处应时细雨霏霏，当载神主的船过河时，连河水都陡然高涨，真是天意啊。”世宗因此对他很赏识。这以后，严嵩一边巴结当时的内阁首辅夏言，一边又在世宗面前讲夏言的坏话，终于博得了世宗对他的充分信任，渐渐地铺平了进入内阁的道路。

严嵩入阁前，大权由夏言执掌，夏言得宠是由于祭醮青词写得好，祷祀的事情肯卖力气。但是夏言以后逐渐厌倦此事，并时有抵牾，世宗对此甚为不满。如世宗常常戴香叶道冠，打扮成道士模样，还命人刻制了五顶香冠赐给夏言、严嵩等五位大臣。夏言不肯戴，还对他密疏讽劝，而严嵩则在世宗召对时每每戴上，世宗自然更对夏言不满。世宗经常派太监到大臣府邸宣诏达事，夏言自恃位高，说话从不客气，待之如奴仆；严嵩则必抬手请坐，塞给来人黄金若干，于是这些人回来后争着向世宗说严嵩的好话。世宗觉着这样还不能说明两人的高下，又专门派人趁晚上到两人家里察看，结果发觉夏言往往是在家中睡觉，而严嵩却在灯下审看自己写的青词。世宗几次将两人送来的青词做了比较，发现夏言的多为僚属代写，有时还把用过的又拿来充数，而严嵩写得越来越精彩。世宗心里有了底数，对夏言的印象直落千丈。他多次将夏言送入西苑的青词掷于地上，愤愤地说："你就用这种玩意糊弄我，真是有负我的重用！"有负重用的人自然不能久留，嘉靖二十三年（1544年），夏言下了台，代之以严嵩主政。到嘉靖二十五年，在严嵩的挑拨下，夏言最终被砍了头。

世宗把内阁首辅换成了严嵩，但他并不认为严嵩有治世之才，而是赏识严嵩的顺从。世宗在西苑修炼，不想与朝臣见面，严嵩就住在西苑内，朝夕相伴，随时等候召见，连洗沐都顾不上。世宗对他的评价是"忠勤敏达"。正当世宗做着成仙的梦时，无能的严嵩内阁却没能让他如意。多年松弛的边防在崛起的北方民族的冲击下，终于溃散开来，蒙古慓悍的马队长啸着疾驰直入，京师宫阙为之震撼。

嘉靖二十九年（1550年）六月，北方鞑靼部首领俺答率军进攻大同，总兵张达和副总兵林椿皆在血战中丧生，守军全军覆没。八月，俺答移兵东去，由蓟镇攻破古北口，明军仓促迎战，又是一触即溃。俺答挥军前进，越过通州、密云，直抵北京城下。胜利者在安定门外扎下大营，大肆掠夺村落居民，焚烧庐舍，火光日夜不绝。世宗不理朝事，因此有关俺答进犯的消息，以前他一无所知。兵临城下后，经礼部尚书徐坚一再督请，他才到御天殿召集文武百官议事。大臣禀报实情后，他才意识到灾难已经降临，慌乱之中，竟记不起兵部尚书是哪位，当着兵部尚书丁汝夔的面，惊呼道："兵部尚书在哪里？赶快传旨出去，让他马上来见我啊！"

京城的防务落到了丁汝夔的肩上。他点阅京军册籍时，发现多系虚数，只有四五万老弱残兵拼成临时队伍，以应守城之急。幸好这时赶来了援军，世宗命令带兵而来的仇鸾为平虏大将军，统帅各路援军。仇鸾率领的十余万兵马，眼睁睁看着俺答纵兵大肆掠夺，没人出阵发射一矢一弹。

原因不是士兵怯战，而是他们接到了十分荒唐的避战命令。丁汝夔在援军抵达后，找到了严嵩，询问是主战还是主守。严嵩说："在边防上打了败仗，还可以隐瞒，在这里打败了，谁人不晓？当然是坚壁勿战，保存实力，等敌人掠夺够了，自然就会退走。"丁汝夔依计而行。俺答率军杀掠了八天，开始退军。临行前俺答差人送给世宗一封信，要求互通贸易，开放马市，通篇是威胁恫吓之词。世宗接到信后，误以为俺答攻城在即，急令礼部准备大量的皮币珠玉，打算屈膝求和。俺答不知明朝虚实，拔寨早了一些，没有得到这份丰厚的礼物，以后俺答又曾两次兵临京师城下，纵兵饱掠，世宗仍是听之任之，使京郊百姓饱受了兵燹之苦。

北部的边防漏洞百出，烽烟常起，南方也不那么平静，从辽东经山东到广东漫长的海岸线上，时时传来警号，弄得人心惶惶。给堂堂天朝带来麻烦的是隔海相望的日本浪人。日本在明初恰是诸侯争战时期，藩侯们在兼并战争中大打出手，互有胜负，因失败而失掉军职的武士，演变为萍踪无迹的"浪人"。藩侯为了满足自己的奢侈欲望，并解决财政困难，常常组织商人和浪人到中国大陆走私贸易和掠夺。落魄武士掠夺财富的欲望，一点也不比北方的俺答逊色。中国人把这些身材矮小、专干打家掠舍营生的不速之客，叫作"倭寇"。

明初朝廷曾在沿海设置防倭卫所，添造战船，所以倭寇未酿成大患。到了嘉靖时，海防糟到了不能再糟的地步，浙、闽沿海卫所，战船十存一二，士兵也只剩下原先的四成。日本人对朝廷的畏惧之心，已一扫无余。世宗对日益猖獗的倭患，缺少有效的打击措施。他认为平患的最好方法，就是关闭官方向海外进行贸易的大门，实行海禁。这个貌似决断、实则愚蠢的政策，从嘉靖二年起，就被沿海官吏实施，但收效适得其反，不同的是他们有的依靠"浪人"组成武装走私集团，能贸易就贸易，有机会就无本万利地大肆抢劫一把。还有的与中国沿海的匪徒勾结，抢掠地方，大发横财。

嘉靖三十一年（1552年），世宗同意了内阁的意见，在沿海一带设巡视大臣，对加强海防起到了一些作用。一年多之后，世宗又派南京兵部尚书张经总督沿海军务，委以平倭重任。张经到任后，积极筹划军事行动，准备一显身手。这时却来了工部右侍郎赵文华，问题变得复杂起来。赵文华是严嵩的义子，他上任后向世宗提出了七条平倭建议，第一条就是"请遣官祭告海神，以求平安。"世宗看后，立即批准，并让赵文华去办理此事。张经的职务比赵文华要高，不把新来的祭神官放在眼中，赵文华就一头扎到浙江巡按胡宗宪之处。赵文华屡次催张经出兵，张经因准备不足没有理睬他，于是世宗就接到了赵文华写来的密疏，诬告张经畏贼失机，应予惩处。世宗看后，召见严嵩征求意见，严嵩自然不会讲张经的好话，世宗就下令逮捕张经。这时已到了嘉靖三十四年（1555年）五月。就在逮捕令即将发出的时候，张经的军事部署已经妥当，他指挥士兵向倭寇的巢穴石塘湾攻击，获得大胜，并截杀了大量逃敌，将倭寇驱向了大海。捷报传来，世宗竟不肯收回命令，他斥退了劝说的言官，说："张经的罪过是不忠。他所以打这一仗，完全是听到赵文华揭发了他，想表现一下。"不久，张经被押到北京，十月份被斩首。赵文华见杀掉了张经，上疏冒功，说此次胜利来自自己和胡宗宪的"督师"，世宗就升其为工部尚书，加太子少保，升胡宗宪为巡抚。与赵文华相比，胡宗宪要好一些，赵文华先后两次出任浙江、福建，仗着提督军务的身份，凌胁百官、搜刮库藏，将两浙、江淮、闽广间的征饷，大半揣入自己的腰包，胡宗宪则在上任后，接连诱杀了几个里通外国的海盗，使倭寇的凶焰有些收敛，尽管这并不能从根本上解决问题。

正当倭寇长期不得平定的时候，明军里出现了名将戚继光，他与俞大猷、刘显等军事将领一道，精心组织战斗，终于解决了倭患。戚继光嘉靖三十四年（1555年）调任浙江，第二年升为参将，他感到海防士兵的战斗力太差，就在义乌招募了新军。戚继光对这支军队进行了严格的训练，创造了"鸳鸯阵"战术，使其成为能打硬仗的精锐之师，屡立战功，被誉为"戚家军"。"戚家军"在短短几年中，由浙东打到福建，几经征战，倭寇闻之丧胆。嘉靖四十二年（1563年），为了彻底解决福建的倭患，朝廷调俞大猷为福建总兵官，调戚继光为副总兵。戚继光再度由浙入闽，与俞大猷以及驰援的广东总兵官刘显，兵分三路进攻平海。戚家军首先登上敌垒，刘、俞的部队相继突入，"斩首两千余"。戚继光因战功升都督同知，世荫千户，并代俞大猷为总兵官。第二年春，戚继光又相继败寇于仙游、王仓坪、蔡丕岭等地，斩获甚多。福建平定之后，广东东部还有两万多倭寇，朝廷又命俞大猷为广东总兵，在两广提督吴桂芳的支持下，明军奋力掩杀，击败倭寇于海丰等地，将之擒斩殆尽。至此，倭寇一蹶不振，渐渐地退出了沿海一带，不足以构成倭患，南方趋于平安。

在沿海一带战事频仍、将士浴血奋战的这段漫长时间里，朝廷中无形的战场也在大力厮杀，血腥味十足。首辅严嵩虽然手段高明，掌权的时间也比较长，但最终败给了徐阶。徐阶也以善于炮制青词见长，世宗对他比较信任。由于夏言生前曾向世宗推荐过徐阶，严嵩对此人十分警惕。徐阶觉出了这一危险，耍了一个手腕，对严嵩假意逢迎，不露半点锋芒。时间久了，严嵩也就麻痹大意，不再事事监视这个潜在的敌手，让他顺利地升到了礼部尚书兼东阁大学士，参与机务。徐阶职务高了，自然与世宗接触也多了，因此，有可能对他加以影响。

世宗对严嵩的看法渐渐有了变化。严嵩掌权之时，正是“南倭北虏”最严重的时期，由于俺答的进攻，从嘉靖二十九年到四十二年，京师出现过三次戒严，倭寇的骚扰则遍及东南沿海各省，国家财政日益危机。嘉靖二十三年（1544年）户部报告：财政赤字达147万两，三十二年（1553年）赤字又上升到了373万两。这个责任，首辅是不可推却的。另外，严嵩的淫威能让朝臣侧目，却缄不住道士之口。有一个名叫蓝道行的道士很博世宗喜欢，信以为神。一日，世宗召道士扶乩，卜问神仙是否会降临，又问长生的诀窍，道士用乩笔胡写了几句话，无非是清心养性、恭默无为等等。世宗又问现在辅臣何人最贤，道士口中念念有词，乩笔写出严嵩是妨贤的大蠹，大蠹不除，何以有贤？世宗不相信，又问：“真如上仙讲的那样，何不降灾诛之？”道士又写：“留待皇帝正法。”世宗不便再问，内心微有所动。

嘉靖四十年（1561年），严嵩的妻子欧阳氏病逝，按理应由其子严世蕃护丧归故，可严嵩却一日也离不开他，此时严嵩已80有余，记忆和反应都很成问题，皇上的御札，还有诸司的请裁，如果没有严世蕃替他奏答、批改，则不可想象。于是，他硬起头皮向世宗请求将严世蕃留京“侍养”自己，以孙子代替，世宗表示同意。严世蕃平日里就好声色犬马，其母管束颇严，不敢放肆。母亲既已去世，正好寻欢作乐，门面上孝服在身，内庭里却红颜流连，关起门来尽意胡闹。严嵩在西苑值日，世宗有时下旨问事情，严嵩就派人飞马告儿子拿主意。严世蕃只顾与侍姬调笑滥饮，哪有心思管这些，见有来札，草草应答，马虎了事。世宗看了，多不如意。一些急要的御札，太监就在值房立取，严嵩无奈，只好硬撑着应对，往往语意模糊，前后矛盾百出，世宗看了，则大惑不解。在世宗的眼里，从前那善解人意、巧写青词的严嵩已不复存在了。

也就在这一年，世宗居住的永寿宫发生火灾，不得已移居到玉熙殿去住。玉熙殿又小又矮，世宗住不下去，就想再营建永寿宫。他把严嵩找来，询问意见。严嵩不摸底细，说可以暂居南城离宫。南城离宫是英宗失帝位时住的地方，世宗因此而不高兴。又问大学士徐阶，徐阶则请修永寿宫。不久永寿宫就拔地而起，且比原先愈发漂亮，改名万寿宫。万寿宫的营造，标志着严嵩政治生涯的结束，从此，世宗遇事就不再找严嵩了。

严嵩已经失宠，朝廷中想要扳倒严嵩的官员们就加紧行动起来。有一次天下大雨，御史邹应龙就便到一个太监家中躲避，两人闲聊之中，太监不觉提到了蓝道行的乩言以及皇上对严嵩的种种不满。邹应龙摸到底细，写了一个奏文弹劾严嵩父子，次日就送了上去。世宗展开来看，大抵是弹劾严世藩假父亲权势，贪赃枉法，扰乱朝政，不敬不孝，等等，连带着也奏严嵩溺子之过，疏奏最后写道“如有不实之辞，宁愿被斩首以谢严家父子。”世宗读罢奏疏，即召徐阶商议如何处理。徐阶将左右的宦官赶走，小心翼翼地对他说：“严家父子罪恶昭彰，陛下要果断处置，不然可能发生事变。”世宗于是发锦衣卫驰入严府，宣读诏书，勒令严嵩致仕回乡，并逮严世藩入狱，其后谪戍雷州（今广东雷州半岛）。严嵩布在朝中的心腹，尽被弹劾，陆陆续续被罢了官职。

严嵩倒台之后，徐阶代为首辅。世宗将严嵩值班用的房子赐给了徐阶。徐阶对世宗感恩不尽，研墨挥毫写了三句话，让人装裱起来挂在值房里面：以威福还主上，以政务还诸司，以刑赏还公论。他依照这三句话主持政务，做了一些好事，使嘉靖一朝在最后的五年里稍许有点像样，朝臣们推他为“名相”。世宗对他感到很满意，其信任程度，超过了严嵩。

世宗自嘉靖中年之后，于热衷方士方术的同时，又添了新的喜好，就是喜欢谈祥瑞。他的这一喜好，一直到了垂暮之年，仍乐此不倦。嘉靖三十七年（1558年），总督浙闽的胡宗宪因平倭不见大效，受到内阁的指责，就将在舟山捕获的一只白鹿，献给世宗。世宗见此转怒为喜，在玄极宝殿、太庙举行了隆重的告庙礼，百官也都纷纷称贺。胡宗宪听到消息，又将两只白龟献进宫来，还一同带来了五棵奇大无比的灵芝，世宗高兴地将这两样东西命名为“玉龟仙芝”。作为回报，他给胡宗宪提拔了官职，赐给若干银币，并赐金鹤衣一袭。献祥瑞既可讨好，百官何乐不为？

世宗醉心于祥瑞感应，晚年尤甚。督抚大吏争上符瑞，礼官动辄表贺，举朝重臣包括徐阶皆莫敢言半个“不”字。倒是小小户部主事海瑞，斗胆独自上了一疏，给世宗泼了一瓢凉水。嘉靖四十五年（1566年）二月，海瑞上长疏建言，说："陛下竭民脂膏，滥修土木，20余年不视朝，法纪坏到了顶点。由于你猜疑戮辱忠臣，使得贪官污吏横行，百姓困苦之极。虽然陛下处置了严嵩等坏人，但社会政治仍然不清明，老百姓说'嘉者，家也；靖者，尽也。'意思是民穷财尽。陛下试思今日之天下，是个什么样的天下？……人君自古就有犯错误的，但因有大臣匡正，不至一错再错。陛下如今仍修斋建醮，工部尽力经营，户部四处购香，竟无人指出陛下的错误，这也是大臣的失职。陛下的过错很多，其最大的在于求长生。陛下跟陶仲文求仙，连他都不能长生，何况陛下。陛下误信受骗，真是大错特错。"海瑞上疏之后，自知触忤了龙颜，命仆人买了棺材在家待罪，与妻儿留下遗言，并将僮仆一一遣散。世宗见到疏奏，大发雷霆，他将疏奏扔在地上，环顾左右咆哮说："此人大胆妄言，立即逮捕，不准他逃掉！"宦官黄锦对他说，海瑞为人素有直名，且根本不打算逃走，而是在家等候降罪。世宗听完略有所思，又取疏奏看了一遍。怒气稍平后，他把徐阶找来，说："海瑞说人不能长生，也可能是正确的。但我长时间生病，不能视事，吃点仙药有什么不可以？"又说："这也怪我平时不注意爱惜身体，若能出御上殿，何至被他如此毁谤呢？！"徐阶答道："海瑞虽然言过了，但心是好的，请陛下宽恕他吧。"世宗这时也不愿意多杀谏臣，命徐阶将海瑞下到诏狱，虽不治罪，但也不准放出，让其在狱中反省自责。世宗一生毫不留情地惩治了许多大臣，其中既有奸臣，也有孤直之士，对海瑞的惩罚，是他晚年在用人上犯下的最后一个大错误。

世宗服食的丹药，有不少是用水银制成的剧毒品，吃下去之后，造成的后果十分可怕。世宗的身体本来就不健康，长期的慢性中毒，使他四肢麻木，脸上呈暗灰色，走路摇摇晃晃，说话也变得相当困难。大臣们见到他，莫不从内心替他感到担忧，特别是徐阶。为了让方士们有所收敛，徐阶动用权力，杀掉了向世宗提供剧毒丹药的方士蓝田玉，并力劝世宗不要服食水银。世宗对徐阶没有责备，但也没听徐阶的苦劝。嘉靖四十四年（1565年）正月，陕西方士王金等人，伪造了《诸品仙方》、《养老新书》与炮制的金石药一起献给世宗。这些药成分不明，世宗吃下之后，顿时感到头晕目眩，鼻孔中流出鲜血，很快就不省人事了。经太医救治，世宗才苏醒过来。此后，他一直卧床不起。嘉靖四十五年（1566）十二月十四日清晨，世宗突然变得精神饱满起来，周身不再觉得疼痛。日夜守候在他身边的徐阶感到大事不好，连忙下令将他从西苑搬出，抬回乾清宫。

没有多久，世宗就咽了气，时年60岁。

世宗的陵墓称永陵，跟他前面的几个明代皇帝一样，选在北京昌平县的天寿山，庙号为“世宗”。

明世宗即位之初颇有作为，后来却宠信奸臣严嵩，迷信方术，乱杀忠臣，日渐腐败。

明思宗朱由检

明天启七年（1627年）八月二十二日下午，大明帝国的第十五位君主，年仅23岁的朱由校卧病两个月后“驾崩”。之后，其弟朱由检即位。

天启七年朱由校去世时，其弟朱由检只有17岁。但他比他的哥哥要成熟得多，这与他的身世有很大的关系。由检的母亲是一个平民的女儿，入宫后为光宗选侍。由检出生后，父亲就对母亲不好，由检四岁时，母亲便死了。由检的记忆中丝毫没有留下母亲的印象，这使他非常痛苦。母亲死后，由检被李选侍抚养长大。李选侍不为光宗所喜，始终没有生育，她将一个女人的爱全部倾注在由检身上。由检长大后，她将其生母的事情告诉了他，童年的不幸使由检早熟。

朱由检从他哥手中接下的是一个烂摊子，一个只保留着强大躯壳的腐朽政权。政治腐败、军事衰弱、经济崩溃、民心思乱、满目疮痍、百废待兴。千头万绪，从何做起？朱由检心里早已有打算，第一个应当解决的是天怒人怨的“客魏集团”。

朱由检要清除魏忠贤也没那么容易。朝廷中都是魏忠贤的人，他没有一个帮手，操之过急只能逼魏忠贤孤注一掷、狗急跳墙。力量的对比是不利于朱由检的，他要谨慎地、耐心地等待时机。

八月的最后几天和九月份是在紧张而微妙的气氛中度过的。表面上一切如故，实际上，双方暗中在交锋。

魏忠贤照常在皇帝面前值班。八月二十七日，由检问他和王体乾“立枷”是怎么回事？立枷是魏忠贤创造的惩处他的反对者的刑具，有一百五十多斤重，戴上者必死。王体乾小心地回答说，立枷是用来处理大奸大恶之人的。由检冷冷地看了一眼魏忠贤说：“虽然是这样，也太残酷了。这不是盛世所宜用的。”忠贤没敢答话。

九月一日，魏忠贤提出辞去东厂职务来试探由检的态度，由检没有批准。次日，客氏提出出宫，由检马上表示同意。第二天，天还未明，客氏素服到由校的灵前将她保存的由校的胎发、指甲焚化，痛哭一场，离开了紫禁城，住进由校赐给她的府第里。魏忠贤的主要爪牙王体乾、李永贞照样得到由检的信任，九月、十月两个月的登基恩赏照样给予他们。只不过，徐应元、曹化淳比魏忠贤更加得意。

朝廷大臣中那些忠贤党羽也心神不定，他们预感到形势将要变化，许多聪明人开始寻找退路。魏党的分化使形势开始明朗。九月十六日，南京通政使杨所修疏奏崔呈秀父丧不奔，夺情视事非制，请放他归籍丁忧守制，由检不允。十月十四日，魏党首恶分子杨维垣疏劾崔呈秀专权乱政，魏忠贤是听信了崔呈秀，被他所误。崔呈秀慌了，要求守制，由检还是不放他走。十月十八日，杨维垣再劾崔呈秀通内，连累了魏忠贤，并颂扬魏忠贤一心为公，矢忠体国。杨维垣疏中还弹劾了其他几个魏党人物，由检继续保持沉默。

十月二十三日，孑立于魏党之外的下级官员也行动了起来。工部主事陆澄源参劾崔呈秀，牵连魏忠贤建造生祠问题。由检薄责陆澄源越位擅言，但心里高兴，遂将崔呈秀放归。二十五日，兵部主事钱元慤直接弹劾魏忠贤，言辞激烈，天下震动。二十七日，海盐贡生钱嘉徵上疏，将魏忠贤罪行列为十项：一曰并帝，二曰蔑后，三曰弄兵，四曰无君，五曰无圣，六曰剋剥藩封，七曰滥爵，八曰腹民，九曰掩边功，十曰通关节。呼吁将魏忠贤明正典刑，以泄天下之愤。由检拿这本奏章让人读给魏忠贤听，魏忠贤知道事不好，马上以患病为由提出辞去东厂职务。由检令他出宫调理，随后传令将魏忠贤集中在宫中内操的军士解散。

解散了内操，驱逐了客、魏，由检开始放手大干，他首先点了几个魏党首要分子的名，下令吏部调查崔呈秀等人的罪行。同时，撤回各镇监军太监。十一月一日，由检发布上谕，公布了魏忠贤的罪行，宣布本应将魏忠贤斩首以谢天下，念先帝还未出殡，姑且安置于凤阳。客、魏二犯家产籍没，冒封的爵位革除，子孙人等俱烟瘴充军，同时也将徐应元赶出宫去做凤阳祖陵司香。

魏忠贤离京，带了许多人和车辆。由检以此为理由，令兵部差人将魏忠贤押解往凤阳。十一月六日，魏忠贤一行走到阜城县，闻知了由检的命令，知道末日到了，魏忠贤当晚上吊自杀于旅舍。崔呈秀在蓟州家中听到魏忠贤的死信也自缢身死。十一月七日，客氏被押往浣衣局打死。随后，客、魏两家子孙人等皆被斩首。

朱由检在剪除客、魏集团的斗争中没有一人相助，大获全胜，为大明帝国清除了最大的隐患，显示了他不可低估的行政才能。

魏忠贤除掉了，但把持朝政的魏党羽翼却不容易对付。当时，内阁、六部，各院寺首脑都是魏的死党，身居要职者都与魏忠贤有瓜葛。朱由检深知，魏忠贤如果没有朝廷中这些寡廉鲜耻之徒的帮助是不会造成这么严重的危害的。朱由检当然不会放过他们，让他们继续把持朝政。十一月份，他下令逮捕了魏忠贤的主要爪牙“五虎”和“王彪”，交法司议罪。从十二月到崇祯元年（1628年）五月，朱由检亲自主持选拔了四批共一百三十二个给事中、御史。这些新进言官除个别人依附魏忠贤外皆是与魏党无关联之人。他们以清除魏党为己任，言路渐趋清明，由检因此了解到更多的真实情况。

早在十一月，朱由检便下诏甄别被魏忠贤害死、削夺的官员。该平反的平反，该起用的起用。但起废工作遇到极大阻力。由于吏部、都察院及言路为魏党把持，他们千方百计顶住不办，实在拖不下去时，便起用一些失去魏忠贤欢心的魏党分子，而把杨涟、左光斗等人斥为与魏忠贤一样的大奸大恶。崇祯元年（1628年）正月初五，翰林院编修倪元璐上“方隅未化正气未伸”一疏，区别东林与崔、魏的忠奸。杨维垣等人竭力对抗，上疏辩驳。倪元璐二十四日再次上疏，淋漓尽致地揭露了杨维垣之流妄图维持残局的真实嘴脸，斥责了魏党分子打击正人，向魏忠贤献媚，牺牲气节换取富贵的可耻行径。由检迅速清除了内阁中的魏党分子，正派老臣刘鸿训主持内阁工作，起废得以顺利进行。崇祯元年（1628年）三月十五日，由检下令免除了对杨涟等人的“追赃”。吏部公布了受魏忠贤迫害应当平反起用的官员名单。四月二十五日毁掉了魏忠贤禁锢东林党人的《三朝要典》。五月，杨所修、杨维垣、李蕃、贾继春、霍维华等人被罢官，原来遭受客、魏迫害的各位后妃也得到平反和封号。

东林党人纷纷出山，他们对魏党分子的追究也随之开始。崇祯二年要搞京察，东林党人感到对逆党处分不够重，更不能让他们混入察典，应当专门列一个逆案，就像魏党的《三朝要典》一样。元年十二月，御史吴甡正式提出了定逆案的建议。被胜利冲昏了头、被逆党气昏了头的青年君主同意了这样做，这就为大明帝国的政治埋下了隐患。

由检让刚从原籍返京的首辅韩爌主持定逆案的工作。韩爌是一个冷静、头脑清楚的老臣，他不同意广搜苛求，增加逆案的人数。他知道，天启时真正害人的首恶分子是少数。全国各地许多官员对客、魏的献谀只不过是在强权之下不得不随人点缀，充其量是一个认识问题。如果将这些人全收入逆案，就等于断了他们的前程，宣布了他们政治上的死亡。就会造成新的冤案，甚至重新激化派别之争。可是，由检听不进他的话，他从宫中找出一大包全国各地官员献媚的奏疏让韩爌按名列入。韩爌无奈，只得大大增加逆案人数。崇祯二年（1629年）三月十九日，逆党名单确定、公布。由检亲自加了按语，自客、魏以下，罪分五等，列入二百四十四人。至此，对魏忠贤及其党羽的处分方告结束。

天启七年（1627年）除夕，正是崇祯元年的立春，这一巧合使由检感到高兴。他觉得这是一个吉兆，恶梦般的混乱就要结束，新春到来，万象更新，他将以帝国新君主的身份去治理这个千疮百孔的国家。朱由检怀着强烈的责任感以全部的精力和热情投入到工作中去。

崇祯元年（1628年）七月，袁崇焕从广东赶回北京。十四日，由检在建极殿东面的高台上（俗称平台）召见了他。由检看着这个黑瘦精干的中年人，对他忠心为国、长途赶来表示赞赏。袁崇焕非常激动，他表示受皇帝陛下特殊眷顾，刻骨铭心。倘若假以便宜，五年便可恢复全辽疆土。由检很是高兴，说："你能五年复辽，朕决不吝惜封侯之赏。"

袁崇焕提出，后金经营了四十年，要完成复辽任务，必须事事能得心应手，如钱粮、器械、用人等项。由检立即召来了户部尚书王家桢、工部尚书张维枢、吏部尚书王永光、兵部尚书王在晋，让他们表明态度，要事事支持，不许掣肘。袁崇焕深知官场习气，执政大臣成事不足，挑起毛病来却非常细致。如果皇帝听信他们的流言，自己将无法展布手足。于是，他对由检说："以臣之力制全辽有余，而调众口不足。臣一出国门，便成万里。有人忌功嫉能，专挑毛病，定会牵扯臣绝大精力。"由检听了这话，扫了一眼阁部诸大臣说："袁卿不必谦让，你不要担心，朝中自有我主持，朕做你的后盾。"内阁首辅刘鸿训奏请赐给袁崇焕尚方宝剑，假以便宜行事之权，原来辽东边臣王之臣等人的尚方剑撤回，以便统一事权。由检准奏，传令各部执行。赏赐袁崇焕酒饭，令他尽快出都赴任。

由检对袁崇焕抱有厚望，然而，就在袁崇焕还未到辽东之时，宁远士兵便因缺饷发生了哗变。哗变士兵将宁远巡抚毕自肃、总兵朱梅等人捆在樵楼上拳打脚踢。地方官从商民手中借来五万两白银暂时平息众怒，毕自肃引罪自杀。袁崇焕火速来到宁远，杀了为首士兵，并对那些造成哗变的责任官员进行了处理。士兵的缺饷自神宗以来日甚一日，九边军镇皆如此。有的缺几个月，有的缺一两年。由于财政的困难，明廷拿不出日益增长的军费，只好拆东墙补西墙，艰难地支撑着，每年发到各边的饷银都不足数。而且，军队将领都克扣兵饷，用以自肥或打点上下关系，还有的用虚报兵马数目的办法吃空额。宁远兵变后不久，锦州也发生了兵变，袁崇焕请饷的奏疏接连飞来，由检召阁部九卿追问为什么不及时发。礼部侍郎周延儒说："边饷应当发，以解救燃眉之急。但是，我们要寻找一个长久之计，彻底解决兵饷问题。东拆西补，火发救火，水来阻水最终将不可收拾。"

周延儒的话引起了朱由检的注意，他马上令户部将各边新旧兵饷数目、军费增加原因、解决的办法提出一个完整的报告来。不几天，朱由检根据户部的报告提出下列几项整顿财政的措施。

一、派专人前往各边镇，核实兵马实数，查出增饷根源，严格清汰老弱病残军士，节约兵饷。二、设立督饷侍郎，尽全力保证兵饷供应。三、在边区恢复商人输粟中盐之法，整顿士兵屯田，以缓解国家财政困难。四、令户部重新核查制定出天下新旧兵饷清册，检查天下赋额造册，户部编制新的《赋役全书》，以求均平天下赋额。五、严厉追缴各地逋欠的赋税八百余万两白银。各地方官将催征作为第一要务。

崇祯元年，由检做的另一件大事是组织新的内阁。

关于内阁人选，由检看中一人，那就是周延儒，崇祯元年十月底，由检令会推阁员。明中叶以来，内阁大学士皆由翰林院官或各部尚书中选拔，由吏部会同都察院、大小九卿、六科及河南道掌道御史会推。

十一月初，会推的结果出来了。列名者有成基命、钱谦益、李腾芳、王永光等十一人，独没有周延儒，由检于是怀疑到会推是否公正。就在这时，协理詹事府的礼部尚书温体仁上疏指出，礼部侍郎钱谦益主试浙江时曾通关节，受贿赂，不应当推为内阁人选，本次会推是钱谦益及其徒党一手把持所致。由检闻说大惊，立刻下令召对阁部科道诸臣。

钱谦益是万历三十八年科探花，当时二十九岁。钱少有文名，公认为是江南才子，文坛领袖。他与东林巨魁过从甚密，声气震动一时。魏忠贤时他罢官家居，由检即位召回。天启二年他曾典试浙江，他的仇人韩敬借他的名义出卖关节、索取贿赂。有个士子钱千秋中计上当，送了一千两白银，中了举人。事发后，查明了真相，钱千秋削籍，钱谦益也受了处分，久已定案。温体仁是万历二十六年进士，此人外曲谨而内猛鸷、机深刺骨。他本来想列名会推，但由于没人望未得入选。心中怀着忌恨。

会推风波后，周延儒、温体仁都成了帝国政治上的明星。受到由检的格外垂青。崇祯二年（1629年）十二月，延儒以由检特命入阁为辅，次年六月，他又把温体仁拉进内阁。此后，帝国政治进入温、周内阁时期。

崇祯元年（1627年）二月，明朝政治表现出两个倾向，一是东林党人穷追猛搜魏忠贤党羽，不但真正有劣迹的官员受到处理，名列逆案，那些没有劣迹的官员也被视为没有气节的人受到轻视，好象天下只有东林党人最光明磊落、最有气节、最忠于国家。这样做的结果，使许多官员对东林党人怀着敌对情绪，对自己的前途感到担忧，因此起而反对东林党人，产生新的党派之争。另一种倾向就是东林党人在起废工作中贯彻任人唯亲路线，凡是拥护东林的，不管这个人品质才能如何都引为同志，使许多贪官污吏混水摸鱼，弹冠相庆。东林党人名满天下，但是在治理国家方面并没有表现出特殊的才能，使朱由检大失所望。

治国必先治吏。自崇祯元年起，由检发布了许多诏令，要求中央及地方各级官吏同心同德共渡时艰。“为国节财，为民择吏。固圉者以封疆为重，守土得以民困为本。”告诫他们“如有挟私坏公，逞臆荧听，不从国家起念，专以窥妄营者，朕不时廉察，决不轻贷”。为振刷拖拉萎靡的官场风气，由检令各衙门章奏十日内必须处理，不容拖拉。令都察院慎重选择监察御史和各地抚按，以他们纠劾百司、表率群僚。令吏部从公纠举贪污枉法官员，在地方上复行久任之法。增强地方官吏的责任心。恢复举主连坐法，荐举人才，荐举人要负责到底。若出了问题荐举人同坐。

然而，腐败官僚制度是不容易重建的。由检虽然三令五申，各级官僚依然故我，法令根本得不到贯彻，两年来，帝国政治毫无起色。

崇祯二年九月，著名理学家、诗人、学者顺天府尹刘宗周上疏指摘由检两年来的失误，刘宗周认为由检励精图治是正确的，但成效太急，见小利而速近功，结果使本来混乱的国家更乱。刘宗周说的近功是兵事，即与后金的和战。他认为，目前兵事应以屯守为上策，简卒节饷，修刑政而威信布之，使后金不敢来犯。不应在此三空四尽之时与敌言战。小利为国计，亦即财政，眼下不应讲求聚敛掊克之政，造成小民无升斗之粟、卖妻鬻子，而应以养民为主。由于这两件大事的失误，庙堂之事日见繁杂。被劾罢斥者越来越多，贪风却禁止不住，对官吏应以仁义教育为主、导之以礼，恢复他们的信仰，使之奉公急国。大量的处理反倒使他们丧失了廉耻之心，更难得到有用之人。皇帝对臣下怀疑，必造成恃一己聪明，一人独断，孤立于上。

九月二十六日，刑部报来应处决的死囚名单，请由检勾决。惯例，皇帝总是从前面勾，最后赦免几个。故强盗杀人诸犯刑部一般放在前面，官犯，即官员犯死罪者放在后面。这次由检拿了名单，红笔先勾去后面的杨镐、渠家桢及逆案中倪文焕、田吉等人。中宫周皇后以皇长子出生请免行刑。由检说："生子是喜事，诛有罪亦为喜事，当并行不悖。"内阁诸臣面救杨镐等人，由检拂然而起说："不杀此辈，何以伸朝廷三尺之法！"由检认定了吏治必须靠铁的手腕来整顿。

崇祯二年十月，秋高马肥之时，后金十数万精兵分道由龙井关、大安口入犯，连下遵化等名城。山海关总兵赵率教回师救援，全军覆没。正在宁远的袁崇焕闻警兼程回救，屯于蓟州。但金兵却不攻蓟州，绕开袁崇焕，西掠三河、丰润、玉田，直扑北京。十一月初一，京师戒严。

面对气势汹汹的金兵，京师守卫益显薄弱，由检心中忐忑不安。待闻袁崇焕率师赶来才放下了一颗悬着的心。他任命名将满桂为武经略，总理各镇援兵，保卫京师。满桂与袁崇焕分屯于安定门和广渠门，打败了敌人的数次进攻，由检为此召见了袁崇焕。他向袁崇焕表示慰劳，并解下自己的貂裘赐给他，袁部下将领皆得到赏赐。袁崇焕向由检表示一定要尽快赶走敌人。十一月底，东便门之战，袁崇焕大破金兵，自己的兵力也损失过半，又因补给不及时，袁兵疲劳已极，要求入城稍作休整。就在这时，情况突变，由检中了皇太极的反间之计。

皇太极曾在北京城下俘获了两个太监，定下铲除袁崇焕的反间计。他让营中广泛宣传与袁督师有约在先，袁督师让路让我们来打北京，故意让两个太监听到，然后放了他们。太监回到北京便把这个消息报告了由检。本来，由检对袁已心中有气，倡言五年复辽，却把金兵给引来了家门口，听太监一说，心中不免起疑，袁崇焕又要统兵进城，是不是与金真有勾结？由检越想越觉的有可能，就在十二月一日召对时逮捕了袁崇焕。袁部在城外遂大溃，后为孙承宗收抚。孙承宗接替了袁崇焕的职务。十二月中旬满桂战死，孙承宗督各镇援兵力战克敌，解了京师之围。后金兵在畿内大肆抢掠，到次年四五月间，孙承宗克复迁安、滦州、永平、遵化等城，金兵退出关外。

此次金兵入关，明王朝倾全力才保住首都，近京的边境不用说，远在西陲的甘凉、延绥、榆林等镇亦勤王赴京，可以说集中了九边精锐，损折了几十员大将才将金兵赶出。借此机会，陕西的农民起义有了很大发展。

当时总督陕西三边军务主办剿灭农民军的是杨鹤。杨鹤很有学问，亦负清望，但不懂军事不知兵。他认为农民军皆是饥寒小民，抚之可以成为国家赤子，剿杀只能越杀越多，主张对农民军“招抚”。他一面调兵遣将，用洪承畴、杜文焕两员干将攻打农民军，一边打出招抚的旗号，招降了多股义军。杨鹤招抚农民军皆在城楼上设御座，令农民军跪拜设誓，然后宣布赦免其罪，令各归故里，形同儿戏，农民军根本不把他放在眼里。农民的起义是由于没有生路，要招抚必须解决农民的生活出路问题，否则，还要爆发。杨鹤只招不抚，只能是徒劳无功。崇祯四年（1631年），陕西农民军又起，山陕鼎沸。御史吴监疏劾杨鹤主抚误国。由检大怒，将杨鹤逮捕下狱，远戍袁州。任命洪承畴接任三边总督。洪承畴主张对叛乱的农民坚决镇压，只有刀剑才能将农民逼回土地。此后，明廷对农民军变抚为剿。

日益困难的国内局势使由检非常焦急。他下令将袁崇焕凌迟处死，重处了其他失事将领。围绕袁崇焕，朝廷又发生了激烈的党争。

就在官僚们狗撕猫咬忙于争斗时，太监集团的势力又有所回升。太监集团的死灰复燃是由检任用他们的结果，本来魏忠贤被诛后太监集团就没有伤筋动骨，魏派衰微后，信邸来的曹化淳等人代替了他，宫中的活动及与皇帝的关系一如既往，所不同的是由检不再派他们监督外朝的事务。近年来，由检对官僚很不满意，发现他们除了清谈、党争之外一事无成。崇祯二年后金入侵，兵部尚书王洽事先毫无所知，事发后连敌情也探不明，惊慌失措，调度无方。京畿地区文武百僚弃城而逃者有，开门迎敌者有，坐视敌人杀掠的也有。各地勤王之兵乱成一团，粮饷供应不上，有的部队几天也吃不上一顿饭，充分暴露了官僚的无能。无休无止的党派之争使由检烦躁，争来争去，国家的大事没有一项得到认真贯彻执行。出于无奈，由检再次想起太监可用。

崇祯二年底，京师戒严，由检令太监提督京城九门和京营，加强了对京师守卫部队的监视。崇祯三年又陆续任命太监到各边镇清核兵员、兵饷、裁革冒滥、催督饷银、监督将帅。崇祯四年八月，任命太监张彝宪总理户工两部钱粮，清核天下积欠赋税，太监的势力又上升到极点。由检用太监主要是用于兵马钱粮等重要事务上，监督官僚、杜绝官僚作弊。公平地说，这些太监没有辜负由检的厚望，确实起到了耳目的作用，使由检了解了许多原不知道的下情。这些太监都专疏奏事，对地方有司颇具权威，所以使一些难以进行的工作得以顺利开展。许多太监工作非常认真负责，如宣府太监王坤通过调查对首辅周延儒提出弹劾，张彝宪在户工二部经过彻底清查，查出天下逋赋达一千七百余万。

由检重用太监引起朝野上下议论纷纷，特别是张彝宪总理二部，两部堂官皆以下属礼见之。天下官吏报册都要跪拜，官僚们感到是受了莫大的侮辱，东林党人更引天启时的例子危言耸听，要求罢太监不遣。对官僚的喧嚣由检毫不退让。在一次召对中，由检对内阁六部大小九卿说："诸君公疏反对我遣用内臣。太祖明训，朕岂不知。只是成祖以来也有间用的，皆是一时权宜。朕为什么再用内臣，皆是文武诸臣几年来全不公忠体国，做事不堪，万不得已权宜用他。若诸臣肯实心任事，要撤又有何难。"由检的话暗含讥刺，使这些文武大僚再也讲不出话来。

由检对于官僚的卑视与失望养成了他自己的过分自信，事必躬亲，独断专行，其性格也越来越急躁。在用人行政各方面都表现出操切、轻率，不管何人，一言合则加诸膝，任以重事，限时责成。一有失误，重刑处理。以至于诏狱累累，犯者不绝。原来选拔使用人才的制度做了许多改动，产生了不少新的问题。贤者无以展布手足，小人则嗜进不已，吏治更加混乱。在行政方面，因为急于求治而大事小事一把抓，抓的过细过严，不能审时度势改变政策，因此事事僵硬，不会变通。

崇祯三年至九年，皇太极两次西征蒙古察哈尔部，臣服了察哈尔。数次亲征朝鲜，使明朝的属国朝鲜纳贡称臣，初步奠定了他的国家规模。崇祯九年（1636年）四月，皇太极仿造汉制建国家，改国号曰清，建元崇德，正式与明帝国分庭抗礼，摆开了一决雌雄的架式。

当年秋天，皇太极率兵由独石口、喜峰口入关，绕过北京，直插保定以南，连克明城十二座，俘获人畜十八万。明军坐视清兵攻城掠地，不敢一战。皇太极说："南朝君骄而臣谄，兵弱而民穷，亡无日矣！"力量的对比已经明显倾向于清国一方了。

随着军事的失利，明廷财政也越来越困难。崇祯初年的清军核饷雷声大雨点小的闹了一阵，收效甚微，有的地方根本就没有查，查过的依然如故。由检派太监往各边镇监饷也只是保证军饷发到士兵手中。国家要拿出的军费一个子不少，尚且不断增加。朱由检提出的几个摆脱困境的办法皆成泡影，怎样摆脱财政困难呢？只有再次加派。

崇祯十年（1637年）三月，由检起用杨鹤之子宣大总督杨嗣昌为兵部尚书。嗣昌博学多才，文笔与口才皆优，由检悔用其太晚，委他负责内外军政。对于剿灭农民起义，杨嗣昌提出“四正六隅”十面张网的战略。由总督和总理分别统兵，各负其责。总督由洪承畴担任，总理则是杨嗣昌推荐的两广总督熊文灿，嗣昌居中调度。整饬兵马，期以三月灭贼。

增兵就要增饷，根据杨嗣昌的计划，增兵十二万，增饷280万两。280万出自何方，当然还是百姓。崇祯十二年（1639年），杨嗣昌又以兵弱不可用，请抽练边兵以成劲旅，于是又加练饷，剿饷练饷总共1000万两，加上辽饷，加派达到1700余万两。远远超过正赋之数，民间私自呼崇祯为“重征”。

杨嗣昌掌兵部面对满清和农民军两大敌人。他认为明朝已经没有力量同时对付两个敌人，主张对清讲“款”，拿金钱换取和平，集中力量对付农民军，也就是“攘外必先安内”。对于与清讲和，自崇祯九年清兵入犯后由检曾想过这个问题，不再坚持收复故土政策。但是，他不愿意由自己提出这个问题，以免留下笑柄，想让大臣先提出来。大臣不知由检的心事当然不敢说，这样的大事从没在庙堂之上商量过。杨嗣昌深知由检虚荣，先不告诉他，令宣大总督方一藻暗中试行。由检有些风闻，装不知道。朝廷中东林党人闻知此事群起反对，黄道周等人专门为此上过奏章。杨嗣昌不敢触众怒，放不开手脚，更不敢用朝廷的名义。议和之事靠一个瞎子周元忠来回传报。边将私自馈送清方一些银两，形同儿戏。清方本有议和诚意，认为明廷这样做是对他们的嘲弄，所以，崇祯十一年（1638年）九月清军又大举内犯。

清军入关后残酷地蹂躏畿辅地区，然后长驱南下，由检慌忙调各镇军马拦截，令杨嗣昌居中调度。四处援军云集京津，建牙如山，却没有敢撄敌锋者。杨嗣昌、高起潜怕抵抗破坏了他们的议和，公然扬言清兵掠夺够了自然会退去。由检焦急中召见了入援的新任宣大总督卢象升，问以方略。卢象升坚决地说：“臣主战！”卢象升此言是为杨嗣昌的讲和而发，由检说：“和乃是外廷的议论，你不要听信。”旋即任命他为督师，与杨嗣昌，高起潜共御清兵，并赐以尚方剑。卢象升手中只有5000弱兵，杨、高处处对他掣肘，军饷兵粮皆不能保证供给，作战不给他配合。贾庄之役，卢象升为国捐躯，全军覆没。在嗣昌主持下，各镇皆龟缩城中，坐视敌骑焚掠。直到次年三月，清兵才从青山口班师。这一役，清军深入2000里，33战皆捷，下畿辅山东城池61座，俘获人口46万。而明军除卢象升外没有敢战者。杨嗣昌身为兵部尚书有不可逃脱的责任。事过之后，由检下令处决了失事总兵、巡抚等官员32人，削职下狱数十人，杨嗣昌却没受处分。杨嗣昌之所以有罪不罚是因为崇祯十一年他在剿灭农民军方面取得了很大进展。在江淮地区，总理熊文灿招降了张献忠，小股农军投诚者颇多。西北方面，总督洪承畴、陕西巡抚孙传庭穷追猛打李自成。在崇祯十一年年底将李自成部荡平，李自成捡了一条性命逃进了深山，由检赞扬杨嗣昌劳苦功高，不断给他加官晋级。

张、李两部的初步平安使由检松了一口气，误以为天下十几年兵戈就要结束了，急忙调洪承畴、孙传庭去辽东关外主持与清战争。孙传庭极言陕西义军还未根绝，秦兵必须返秦备寇。如果留秦兵戍边，不但秦兵必溃，陕西义军还将大起。他请求朱由检召见他，一吐衷曲。但杨嗣昌怕他揭了自己老底，阻止了这次召见。孙传庭一气之下耳朵聋了，杨嗣昌反说他是装病，由检大怒，将孙投入监狱。洪承畴则星夜驰往辽东赴任。

好景不长。崇祯十二年（1639年）五月，张献忠再叛于谷城，一时诸降明农民军皆云起响应。攻城掠地，天下又乱。由检心中非常气恼，明白杨嗣昌在许多事情上欺骗了他。处分杨嗣昌就等于自己认错，倒不如令杨嗣昌亲自出马督师，戴罪图功。杨嗣昌听到由检的旨意，也只得勉强答应。九月一日，由检亲自为他饯行，亲笔题诗以壮行色，对他寄于重望。杨嗣昌感激涕零，六日离京，前往襄阳。

自从剿饷、练饷加派后，天下财力已尽。崇祯十二年畿辅、山东、河南连年大灾，人民流亡、赤地千里。运河沿岸烽火并起，直接威胁到漕运畅通。廷臣屡屡呼吁尽快解决山东、河南饥民问题。为了长远利益，他改变了从来不赈灾的做法，从崇祯十三年（1640年）始，连续发银两赈济畿辅、山东饥民，并分别灾情，全免或半免了一百七十一个州县的三饷加派。同时下令清理刑狱，处理积案。这说明朱由检思想有了相当大的变化，开始客观地看待天下的问题，寻求解决办法。可是，以薛国观为首的内阁诸人却不能借机辅佐由检，减轻赋税，解天下倒悬。崇祯十三年（1640年）六月，薛国观的受贿问题被揭露了出来。薛国观罢官出都，重车累累，皆黄白之物。东厂抓住了薛国观的心腹爪牙王陛彦，一审问，便搞清了薛招摇纳贿之状，牵连逮捕各级官员十余人。十月份，由检下令逮捕了薛国观。次年八月，赐其死。明朝杀戮辅臣，嘉靖年间的夏言是第一个，百年后，再见于薛国观。

崇祯十三年秋冬之交，由检病倒了。由于情绪的消沉，他这一病就是半年，直到崇祯十四年（1641年）初才算痊愈，精神有所恢复。大量的国事等着他，由检立刻又投入到紧张的工作中去了，他面临的是更严峻的现实。

杨嗣昌到达军中，在襄阳建起大本营。积蓄粮草兵杖，整顿士卒，誓师扑灭张献忠。杨的“剿贼”实际上是“赶贼”。他想把张献忠赶到四川去，委过于四川官员。杨嗣昌督军跟在张献忠屁股后面鼓噪，却不积极进击。四川的军队被杨嗣昌调了出来，张献忠乘虚入川，连下重庆等几十个州县，由检急令嗣昌跟踪剿灭。待嗣昌赶到四川，张献忠却虚晃一枪又折回湖广，直奔襄阳。就在这个时候，李自成在陕西复起，率领十八骑出现在河南，饥民从者如流，旬日众至十万。崇祯十四年（1641年）正月打下洛阳，杀由检亲叔福王，其子由崧逃往江淮。朱由检刚得到洛阳失陷之报，张献忠已攻下襄阳，活捉了襄王。洛阳福王聚敛金银无数，襄阳有杨嗣昌积蓄的军马兵仗全被农民军缴获。时谓“洛阳国帑，襄阳军资”全归了张、李。杨嗣昌知道自己的死期就要到了，遂在军中服毒自尽。就在由检在农民军的巨大声势面前一筹莫展之时，东北方面又传来败报。洪承畴率领的支援宁远、锦州的十三万大军被清军包围。

面对如此严重的局势，朱由检心急如火，他向首辅范复粹问策，范却说：“此乃天数。”当时把由检气个半死。辅臣的庸怯使他想起周延儒来，倘周延儒在朝定能想出办法来。周虽然有许多毛病，毕竟还有些才干，考虑再三，他决定起复周延儒为首辅。

在治病治本的思想指导下，朱由检改变了过去敲骨吸髓、搜括钱粮的做法，更加关心经济的发展、社会的安定。由于运河的淤浅，当时有人重新提出开挖胶莱河的建议。由检亲自过问，研究胶莱河的可行性，并主持试行海运。有人提出解决兵粮最好的办法是在北方开设水田、增加粮食产量，他批准试行。设立了总理京东山西天津宣大屯务之官，发出银两、准备牛种，进行屯垦试验。又找来徐贞明的《潞水客谈》，亲自研究畿内水利。然而，这些都晚了，如同良药对于死人。辽东战场，中原战场陆续传来凶讯。

崇祯十四年（1641年）九月，原兵部尚书、陕西总督付宗龙在与李自成作战中兵败被杀于项城，关中精锐损失殆尽，河南州县几乎全陷。崇祯十五年（1642年）二月，继任陕督的汪乔年亦为李自成所败，被杀。张献忠横行江汉之间，湖广、四川基本被张献忠占领。辽东方面，洪承畴屡章求援，朝廷却一再催战。至崇祯十六年（1643年）二月，被包围了整整一年的洪承畴军终于被清军打败，宁锦松杏俱失。京中传说洪承畴战死。由检悲痛异常，设坛亲祭。其实，洪承畴被清军俘获，已经剃掉了头发。

大厦将倾。崇祯十六年（1643年）春，李自成在襄阳建立了他的政权，创建了中央政治机构，为夺取全国政权做好了准备。同年，张献忠在武昌建立大西政权，设置中央与地方机构，开科取士，接着挥师挺进四川，在重庆建立起基业。崇祯十六年九月，潼关之战，孙传庭兵败身死。由检手中最后一张王牌丢掉了，明廷再也无力对抗农民军了。李自成乘胜夺取西安，建立大顺国。随即，分兵夺取三边，掠占甘凉，得秦中河山，割据半壁天下。

崇祯十七年（1644年）正月初一，李自成誓师伐明，亲率四十万大军渡河北征，直扑北京。面对天下的四分五裂，李自成的猛烈进攻，朱由检已经无能为力了。

繁重的国事把由检搞得焦头烂额，精疲力竭。国家的重重困难使他非常苦闷。眼看着满朝文武结党营私，全不以帝国的命运为重，他觉得越来越孤独。但是，对祖宗江山的强烈责任心又促使他不得不拼命去挣扎。自崇祯十五年后，宫中人等都感到由检的性格越来越多疑、乖僻、暴躁、易怒，常常表现出不可控制的神经质，他快要支持不住了。皇冠给别人带来的是权势、荣誉、享乐，而给他带来的却是痛苦和劳碌。

崇祯十七年（1644年）正月初一，京城大风，黄雾塞天、黑气沉沉，凤阳祖陵又发生了地震。京师人心惶惶，人们都预感到帝国已经到了山穷水尽的地步，朝中有的官僚开始为自己打算后路了。

正月初十，李自成僭号西安。三月十五日，大顺军进攻居庸关，守关的唐通和、太监杜之秩投降。三月十六日打下昌平，当天便有部队到达北京城下。三月十七日，李自成率军包围了北京。这几天，由检心绪不宁。三月十六日召对群臣，无一人提出像样的建议来，由检神情恍惚，心不在焉，一会儿自己动手斟茶，自己磨墨，一会儿又莫名其妙地笑笑，失却了往日的风度，令群臣很是吃惊。三月十七日，闻知李自成已到城下，朱由检又召对群臣，大臣们或哑口无言，或信口胡扯。由检仰天长叹，绕殿环走，大叫“内外诸臣误我！”挥泪叱退群臣。他令附马巩永固以及舅舅刘文炳前来，问他们是否可以调家丁来护驾，二人回说平日不敢存养家丁，故手下无人。他又召集太监，令他们拿起武器上城守卫。

此时的北京乱成了一锅粥。京军在城外溃败，城上的守者有太监亦有官军，号令不一；兵部、五军都督府、还有太监各自为政，谁也管不了谁，没有个统一指挥。城上兵士吃不上，喝不上，士气低落。太监们回报由检，由检也没有办法。

三月十八日，李自成派投降的太监杜勋去与由检谈判，提出双方中分天下，由检拿出八百万两白银犒军，双方罢兵言和。守城太监曹化淳、王德化将杜勋带上城来，杜勋对由检说明了来意。由检当时未表示意见。他根本不想投降，但又不想放弃这个拖延时间的机会，于是令亲信太监与杜谈判，希望拖到各地勤王军兵来到解围。可是，李自成不想再等了。三月十八日晚上，农民军大举攻城，曹仁淳打开了城门迎降，李自成占领了外城。

由检听到外城陷落的消息，知道大势已去，他率领宫内一群太监在城内无目的地转了一圈，回到宫内，登上了煤山。看到外城烽火连天，由检长叹一声，潸然泪下。他默默地站了一会儿，便回宫去处理后事。

由检首先让人叫来了太子和永、定二王。看着十六岁的太子和一个十一岁、一个九岁的皇子，由检心里非常痛苦。他告诉他们，北京就要失陷，国破家亡了。你们要逃出去，将来有时机为我报仇。又令人拿来破旧的衣服给三个儿子穿上，由检说："今天你们是太子和王子，明天就是普通百姓。出去后，见到老者叫伯伯，年轻的叫先生。你们要学会保护自己，快、快去逃命吧。"由检说到这里哽咽了，三个孩子也哭也一团。由检挥手让太监分别将弟兄三个送到周、田二位皇亲家中。并随手写了一张上谕，令百官"俱赴东宫行在"，让人送到内阁，这时内阁已经没有人了。

送走了三个皇子，由检让太监王承恩给他拿了酒来，他自斟自饮，不多时便醉了。他走出宫门，怅望黑压压的紫禁城，内心百感交集。十七年的呕心沥血，十七年的惨淡经营，如今毁于一旦，他只能以死去祖宗灵前赎罪，对万民赎罪了。他要壮烈地像英雄一样地死去，自己及家庭不能受到任何侮辱。由检令身边的太监向各宫传旨，皇后嫔妃速速自裁。少顷，由检来到坤宁宫，周后哭得泪人一般，看到由检进来她止住哭声，二人泪眼相望，周后说："你不听我一句话，遂至今日，妾誓随陛下于黄泉。"周后指的是"南迁"一事，由检当然明白。他长叹一声，眼睁睁地看着爱妻自缢身亡。宫女回报说周后已崩，由检感到一阵晕眩，随即"哈哈"狂笑起来，提剑走出坤宁宫。

由检从坤宁宫到了袁妃的西宫，几个嫔妃都惊慌地躲在这里。由检看到袁妃已自缢，但从凳子上摔了下来，口中尚有呼吸。他抽出宝剑咬着牙向袁妃砍去，袁妃血流如注。由检似乎疯了，他挥动宝剑又连砍了几位嫔妃。然后直奔寿宁宫。

他的次女，十六岁的长平公主住在寿宁宫，十六岁正是如花似玉的年龄，由检很喜欢她。去年，他就在贵族子弟中替她物色附马的人选，初步选定了一位周姓贵族的公子，由于形势的突变，此事放了下来。此时，国将亡了，明天，乱贼将要入宫，一个少女怎么逃命？由检不敢想象爱女的命运。他宁愿让她去死也不愿她落入贼手苟活。由检到寿宁宫时，长平公主已准备自缢。看到爹爹浑身血迹，手提宝剑，长平公主大叫一声“父皇”，就朝由检扑过来。由检心如刀绞，怕爱女扑进怀中后他再也举不起宝剑，便声嘶力竭地大喊一声：“你为什么要生在我家！”一剑砍去，长平公主顿时倒在血泊中。杀了长平公主，由检又去昭仁殿杀了三女昭仁公主。他在宫中稍稍停留，便由太监王承恩架着出宫登上煤山。他跑掉了一只鞋子，沾有血迹的长袍也脱掉了，只穿着一件宽松的内袍。进了寿皇殿，他让王承恩在梁上搭上一根白绫，吩咐自己死后，王承恩可以逃命去。王承恩涕泪交流，表示要随皇上去死，由检心中稍觉宽慰。他最后望了眼宫城，望了一眼远处农民军点起的熊熊篝火，心中产生了一种解脱感，自己将白绫套上了脖子。王承恩看着君主死后，也吊死在他的对面。传十七帝二百七十六年的大明王朝终结。此时，正是1644年4月25日的黎明。

朱由检怀着深深的遗憾和愤懑离开了人世。他至死不认为是自己把大明王朝推向灭亡。三天后，人们发现了他的尸体，在他的内衣上写着这么几句话：“朕登基十七年，致敌入内地四次，逆贼直逼京师。虽朕薄德匪躬，上干天咎，然皆诸臣之误朕也。朕死，无面目见祖宗于地下，去朕冠冕，以发复面，任贼分裂朕尸，勿伤百姓一人！”可见，朱由检认为是文武百官灭亡了明朝。

由检死后，与周后一起由清方用柳木棺成殓，寄于寺庙。多尔衮下令以礼安葬，允许明朝遗老遗少哭临祭典。祭典完后，决定将由检夫妻殡入田妃的陵墓。由检与他心爱的周后、田妃便安息于此。

南朝建立后，谥由检为烈皇帝，庙号思宗。清谥为“庄烈愍皇帝”，无庙号，陵日“思陵”。

清太祖努尔哈赤

明代嘉靖三十八年（1559年），努尔哈赤出生在建州左卫苏克素浒河部费阿拉的女真中等贵族塔克世家中，努尔哈赤所属的女真族是我国东北最古老的民族之一。在中国古代，它先后被称为肃慎、挹娄、勿吉、靺鞨。到五代时，始有女真之称。公元1127年，女真族完颜部首领阿骨打建立金朝，统治淮河以北广大地区长达百余年。松花江下游的依兰地区，是努尔哈赤的祖先世代居住的地方。元朝统治时期，在这里设了三个万户府。努尔哈赤的祖先充任斡朵里万户府的万户。这是一个可以世袭的官职，从这时开始，努尔哈赤的先人便世代为官。

元明交替之际，女真部族之间纷争不已，东北地区的局势动荡不安。面对这种局面，努尔哈赤的六世祖猛哥帖木儿在无可奈何之中，遂于洪武年间率领部众迁徙到图们江下游斡木河畔（今朝鲜会宁）定居下来。与此同时，胡里改万户府的万户阿哈出也率族人南迁，在辉发江上游的凤州安家落户。永乐元年（1403年），阿哈出到南京朝贡，明朝当即设“建州卫军民指挥使司”，任命他为建州卫指挥使。永乐三年（1405年），猛哥帖木儿随明钦差千户王教化到南京入朝。明成祖也委任他为建州卫指挥使，仍然管辖斡朵里部。永乐十年，猛哥帖木儿再次入朝，明成祖赏识他的忠诚和勇武，特增设建州左卫，任命他为建州左卫指挥使。由于猛哥帖木儿为明朝忠心守边，功绩卓著，先后荣升都督佥事和右都督的职位，在努尔哈赤的家族史上留下了显赫兴隆的一页。然而不久，这个家族就被笼罩在不幸的阴霾之中。辽东女真豪族杨木答兀，原在开原任千户。永乐二十一年（1423年）六月，他逃离职守，在屠城剽掠后，又携眷率军逃到了斡木河。宣德八年（1433），明朝勒令猛哥帖木儿协助辽东都指挥佥事裴俊等招抚以杨木答兀为首的叛军。不料，杨木答兀非但不服招抚，反而纠合“七姓野人”，包围官军营寨和猛哥帖木儿等人的家，放火焚烧了房屋。猛哥帖木儿和长子阿古被杀死，次子董山被掳走。董山便是努尔哈赤的五世祖。猛哥帖木儿死后，明朝又任命他的弟弟凡察为建州左卫指挥使。不久，董山被赎回，他同叔叔凡察奏请明朝批准，率部族三百余户，移居到苏子河畔的烟筒山下（今辽宁新宾县），在这里耕耘创业。不久，建州左卫内部发生纷争。原来，此时的董山已经成长为一个体格魁伟，英俊威武的青年，极得部众的爱戴和拥护，他手中保存有父亲的卫印，理所当然应承袭建州的左卫的官职。他奏报朝廷，要以印为凭掌管卫事。但朝廷偏向凡察，欲以凡察为主、董山为副，同理卫事。朝廷命令董山将旧印交上，董山视旧印为传家之宝，不肯从命。朝廷无奈，转而命令凡察将新印交出，凡察也不答应。叔侄之间相持不下，简直到了剑拔弩张的地步。为了缓和矛盾，明朝将建州左卫一分为二，增设建州右卫。凡察和董山分别任右卫、左卫的都督同知。这场相持了两年之久的承袭之争总算平息下来。这样，连同原来的建州卫，就出现了女真历史上的“建州三卫”。

建州三卫在董山和阿哈出的孙子李满住等人的领导下，势力发展很快。相反，明朝方面自正统年间开始，朝政日益腐败，边官贪贿，常向女真提出一些苛刻要求，使董山等人大为不满。于是，董山、李满住经常率部众到汉族居住区和邻近的朝鲜掠取人口和财富，一年中竟抢掠边境近百次，杀掠边民十余万。成化三年（1467年），明朝的五万大军会同一万名朝鲜军，分路进攻建州三卫。董山部的屯寨在一个月内被血洗一空，千余人被杀。明军把被迫投降的董山押到广宁处死，李满住父子及部众近四百人也被杀死。经过这场极其残酷的剿杀后，刚刚振兴起来的建州女真元气大伤。

董山、李满住被杀后，明朝对女真人依然实行笼络的政策，建州三卫的官职仍由他们的后代承袭。这样，董山的大儿子妥罗做了继承人。妥罗死后，他的儿子又继承了父亲的官职。董山的第三子叫锡宝齐篇古，由于他不是大首领的嫡系长子，因而势力较弱，他仅有一个儿子，名叫福满。福满就是努尔哈赤的曾祖。

福满共有六个儿子，各自独立门户，分居在赫图阿拉附近。时人称之为“宁古塔贝勒”。“宁古塔”即满语的“六个”；“贝勒”是女真贵族的称号，意思是“大人”、“酋长”，也可译为汉语的“王”。觉昌安是福满的第四子，努尔哈赤的祖父。他在兄弟六人中出类拔萃，颇有才干和智谋。塔克世是觉昌安的第四个儿子。

同所有奴隶主贵族一样，努尔哈赤的父亲塔克世也把众多的妻子视为其尊贵身份的一个象征，他先后娶了三个妻子。努尔哈赤的生母姓喜塔喇氏，名字叫额穆齐，是部落首领王杲的女儿。喜塔喇氏生了努尔哈赤、舒尔哈齐和雅尔哈齐三个儿子及一个女儿。作为长子，努尔哈赤倍受父母宠爱，从小过着幸福快乐的生活。然而在他十岁的时候，母亲喜塔喇氏突然与世长辞。这个重大的变故从根本上改变了努尔哈赤的生活。他的继母纳喇氏是一个为人刻薄狠毒的女人，自从她主持家事后，努尔哈赤兄弟便失去了往日家庭的温暖，受尽了她的挑剔和冷遇。受了妻子的挑唆和影响，努尔哈赤的父亲对努尔哈赤兄弟也变得冷若冰霜。性格豁达的努尔哈赤本想以自己的宽厚和忍耐来打动继母的铁石心肠，却无济于事。由于生活所迫，少年时代的努尔哈赤就开始用自己的双手谋生。他常常翻山越岭，出入于莽莽林海，挖人参，采松子，拣榛子，拾蘑菇，然后把这些山货带到集市上换钱，用以维持自己的生活。

15岁那年，无情的生活之鞭迫使努尔哈赤带着10岁的弟弟舒尔哈齐离家出走，投奔到外祖父王杲门下。王杲是个汉化较深的女真人，他凭借着自己的智慧和才干在动乱的年代中发迹，成为建州女真中的著名首领。他自以为能调动建州各部，便无视朝廷边将的政令，常常扰边作乱。努尔哈赤的祖父觉昌安曾归附王杲作乱。后来觉察到如此干下去对自己不利，便背着王杲投靠了辽东边将。万历二年（1574年），王杲以明断绝贡市为由，大举进犯辽沈。明朝总兵李成梁率军攻破王杲屯寨，此时正在王杲家中的努尔哈赤兄弟也双双作了俘虏，聪明、机敏的努尔哈赤当即跪在李成梁马前，痛哭流涕，请赐一死。李成梁见他聪明伶俐、乖敏可怜，便把他留在帐下做了书童，专门伺侍自己。

在李成梁帐下生活了三年左右，努尔哈赤以父亲捎信让他回家成亲为由，借机离开李成梁，回到了阔别已久的故乡。遵照父命，十九岁的努尔哈赤与佟佳氏结了婚。按女真习俗，男儿成年就要另立门户。心肠歹毒的继母纳喇氏也正是以此为借口，唆使塔克世把新婚的儿子赶出了家门，只分给他非常可怜的一点家产。对于这些，努尔哈赤并未过于伤心和计较。独立生活后，有时他到长白山一带采集、狩猎，往来于抚顺马市和女真地区，换取生产和生活用品。有时他又辗转各地，为人佣工。有时则听从明廷的征调，从征参战。经过几年的闯荡，努尔哈赤有了更丰富的阅历。他对各民族的语言风俗、中原地区的形势以及宫廷、官场、官军等各方面的情况都有了进一步的了解，为他日后的发展奠定了良好的基础。

尽管努尔哈赤雄心勃勃，但是没有那场血洗女真的惨案将他推上历史舞台，他也只能是一个强悍的猎手，一个见多识广的女真人罢了。

事情发生在努尔哈赤二十五岁那年，当时，女真部族间和部族内部，为了争雄称霸，常常互相攻伐，互相残杀。在赫图阿拉城西北有两个城寨：一个是古勒城，城主是阿台；另一个是沙济城，城主是阿亥。这两个城主与宁古塔贝勒的关系都很密切。而阿台家与努尔哈赤家更是亲上加亲。阿台是努尔哈赤外祖父的儿子，阿台的妻子是努尔哈赤的伯父礼敦的女儿。王杲被杀后，阿台发誓要为父报仇，他凭借古勒城易守难攻的地理优势，依山筑城，设置壕堑，并屡犯明边，纵兵扰掠。这可激怒了明朝总兵李成梁，他决意发兵攻取古勒城，欲将阿台一部置于死地而后快。

赫图阿拉城北边的苏克苏护河部有个图伦城，城主叫尼堪外兰。他的兵马不多，却野心勃勃，总想吞并周围部族，称雄苏子河。为此他便极力讨好明朝边吏，并挑拨阿台、阿亥与明的关系。他向李成梁表示，自己愿意为明朝征服古勒和沙济两城作向导。尼堪外兰的一翻表白，对李成梁来说可谓正中下怀。利用女真各部的矛盾对他们分而治之，是他一贯采用的手段。他决定立即出兵，攻伐古勒、沙济两城，并许诺尼堪外兰：城下之日，便是他荣升建州部首领之时。

李成梁的大队人马分两路杀来，一路直逼沙济城，一路由他亲自率领，兵临古勒城下。沙济城主阿亥对官军的突然出击毫无防备，城寨不战而下，阿亥被杀。而古勒城则因阿台加意修筑，城池坚固，难以攻取。李成梁亲临督战两昼夜，仍未攻下。努尔哈赤的祖父觉昌安听说古勒城被围，便同儿子塔克世一同前去救援。当两人来到城外时，正值明军开始攻城。觉昌安见形势危急，就叫儿子暂且在城外等待，自己先进城去。塔克世见父亲一去不回，哪还有耐心等下去，也进入城内。但明军的攻势愈来愈猛，父子俩便都被围在城里。古勒城久攻不下，使李成梁极为恼火，他责怪尼堪外兰出了歪主意，要拿他治罪。为了保全自己，狡猾的尼堪外兰又想出了一条诡计。他欺骗守城官兵说，谁能杀死城主归降，就让谁作古勒城城主。阿台的部下听信了尼堪外兰的谎言，便杀死阿台，献城投降。李成梁进城后大肆杀戮，杀了觉昌安、塔克世等二千多人。

噩耗传来，努尔哈赤悲恸欲绝。他愤然来到辽东都司，义正辞严地质问明廷边吏，为何杀死他一向忠顺于朝廷的祖父和父亲。明朝边吏自觉理亏，一再解释这是误杀，并马上找出觉昌安和塔克世的遗体，交给努尔哈赤安葬。后来，又赐予努尔哈赤勒书三十道、战马十匹，让他袭任祖父之职，当了建州左卫都指挥使。努尔哈赤决不罢休，发誓要报杀祖杀父之仇。只因自己力量尚很单薄，眼下还无力与明军抗争，便先接受了明朝方面的抚慰。

努尔哈赤认为，自己的父祖双双被杀，全是由尼堪外兰唆使明朝出兵古勒城所致。因此，他要求辽东都司将祸首尼堪外兰捉拿后交给他，以报父祖冤死之仇。哪知明朝官员把努尔哈赤的要求视为得寸进尺，非但没有答应，反而将他揶揄了一番，还扬言要扶持尼堪外兰作建州女真的首领。尼堪外兰自恃有明朝作靠山，竟狂妄地派人向努尔哈赤劝降，努尔哈赤怒不可遏，努尔哈赤更清醒地意识到，不论是报父祖被杀之仇，还是要巩固自身的地位，都必须依靠自己的力量，而不能寄希望于明廷。相反，对明朝仅存的希望彻底破灭了，开始对明朝产生了强烈的敌意。为了报仇，努尔哈赤决定先举兵攻打尼堪外兰。但他势单力薄，处境又非常困难。为此，本族内部就有人反对。他的叔父龙敦到处散布攻打尼堪外兰如何危险的论调，一些原来已经对天盟誓要同努尔哈赤一同抗击尼堪外兰的人，背叛了盟誓，甚至投靠了尼堪外兰。但努尔哈赤决不退缩。他整点出父祖的十三副遗甲，率领不足百人的部众，向尼堪外兰居住的图伦城进发。尼堪外兰表面上神气十足，实际上胆小如鼠，听说努尔哈赤率兵打来了，他丢下部众，只身带着老婆孩子狼狈出逃到浑河部的嘉班去了。图伦城不攻自下，努尔哈赤凯旋而归。

不久，努尔哈赤又乘胜追击逃到嘉班的尼堪外兰。尼堪外兰闻讯后朝抚顺城南的河口台狂奔，遭到守台官军的阻拦后，他慌不择路，又转向鹅尔浑城（今抚顺河口台东南）逃去。万历十四年（1586年），努尔哈赤再次发兵，讨伐居住在鹅尔珲城的尼堪外兰。尼堪外兰再次闻讯出逃，希图在抚顺关得到边吏的保护。边吏将他拒于边台之外，暗中通告努尔哈赤派人前来捉拿。努尔哈赤派部将斋沙率兵40人到了抚顺关下。尼堪外兰再次极力请求入台躲避。明朝官吏撤下进入边台的梯子，切断了尼堪外兰的退路。斋沙等人赶到，将尼堪外兰砍死在边台之下。努尔哈赤除掉了自己不共戴天的仇敌，了却了一桩心愿。

努尔哈赤以十三副遗甲起兵，除了“为父祖报仇”的目的外，还有一个更重要的意图，就是要维护和扩大自己的势力。因此在追杀尼堪外兰的同时，他还毅然迎接了来自各个方面的反对者和竞争者的挑战。在他以十三副遗甲起兵后的两年内，就相继大败了界凡、萨尔浒、董佳、巴尔达四城联军和漠河、章佳、巴尔达、萨尔浒、界凡五城联军，并攻破了安图瓜尔佳、克贝欢和托漠河城。在斩杀了尼堪外兰之后，又乘胜平定了哲陈部，攻取了完颜部。在努尔哈赤日益强大的攻势面前，苏完部和董鄂部自动前来归附。到万历十六年（1588年），除长白山之部外，建州女真其他各部基本上被努尔哈赤统一了。5年之后，他又先后攻取了长白山讷殷、朱舍里和鸭绿江三部，整个建州女真统一在努尔哈赤的麾下。

为了扩展势力，兴立基业，在统一建州女真的过程中，努尔哈赤于万历十五年（1587年）在烟筒山下建费阿拉城称王。为了显示为王的尊严，他制定出一套初具规模的礼仪。每当他出入栅城，乐队便恭立在城门两侧吹打奏乐。费阿拉遂成为当时建州女真政治、经济和军事的中心，后来又成为努尔哈赤统一女真各部的基地。

随着建州女真各部统一的完成，海西女真便成为努尔哈赤攻取的又一个目标。

海西女真居住在开原以东和松花江中游一带，主要有叶赫、哈达、辉发和乌拉回部，又叫扈伦回部。叶赫和哈达两部势力较强。邻近开原、控制贡道的地理优势，使他们具有得天独厚的条件来争雄扩展。努尔哈赤在统一建州女真中的节节胜利，使他们早就感到不安。努尔哈赤势力的迅速发展，更被他们视为心腹大患。面临来自建州的巨大威胁，他们采取了种种手段试图限制、削弱努尔哈赤的势力。先是哈达贝勒扈尔干把女儿送给努尔哈赤为妻，接着叶赫贝勒纳林布禄的胞妹又同努尔哈赤结下百年之好。但是，这些联姻都没有起到牵制努尔哈赤的作用。于是叶赫贝勒纳林布禄又变换了手法。

万历二十一年（1593年）六月，叶赫先纠合海西其他三部对建州进行试探性的进攻，结果以失败告终。但叶赫并未从中吸收教训，同年九月，叶赫贝勒布斋、纳林布禄再次纠合海西女真的哈达、乌达、辉发三部，长白山朱舍里、讷殷二部和蒙古的科尔沁、锡伯、封尔察三部，共九部三万兵马，分三路向建州进攻。努尔哈赤闻讯，当即进行了军事部署，埋伏精兵，设置障碍。趁九部联兵全力进攻赫济格城之机，努尔哈赤率兵抢占了古勒山。古勒山易守难攻，努尔哈赤居高临下，地理形势对他十分有利。再说努尔哈赤早在赫济格城严密布防，九部联兵连攻了两天也没能攻下，见努尔哈赤占领了古勒山，便转锋来攻。努尔哈赤身先士卒，一路砍杀，连斩叶赫部九名士卒。见此情景，布斋气急败坏地冲上来，不料战马被木墩撞倒，将他掀倒在地。努尔哈赤的士兵赶上前去，一刀结束了他的性命。众兵士见首领丧命，顿时乱了方寸，无心再战，仓皇而逃。努尔哈赤率兵乘胜追击，直至哈达境内。这一仗俘获了乌拉首领布占泰和大批兵士，还斩敌四千余人，缴获三千匹马、近千副盔甲。

这一仗，在努尔哈赤统一女真的过程中具有重要意义。此后，叶赫逐渐走向衰落。努尔哈赤实行恩威并施、各个击破的策略，继续取得一个又一个胜利。

万历二十七年（1599年）九月，叶赫与哈达发生冲突。哈达首领孟格布禄自知不是对手，便把自己的三个儿子送到费阿拉城做人质，请求努尔哈赤派兵相助。这无疑给了努尔哈赤一个出兵的良机。他即刻派费英东、噶盖率领两千兵马前去救援。攻下了哈达城，生擒了孟格布禄。

随之，辉发部又成为努尔哈赤攻取的目标。万历三十五年（1607年），努尔哈赤先派精兵数十人装扮成商人混入辉发城，作为内应。随后，他亲率兵马逼近辉发城下，里应外合，一举灭亡了辉发。

辉发灭亡之后，努尔哈赤的目光又转向了乌拉部。乌拉可不同于哈达和辉发，它城池坚固，人多地广，努尔哈赤对其一直采取了招抚的策略。古勒山之战俘虏了布占泰后，努尔哈赤非但不杀他，反而将他奉养起来，礼遇有加。后来乌拉城主满泰被杀，努尔哈赤又把布占泰送回去继位。努尔哈赤还先后将侄女和女儿嫁给布占泰，希冀用联姻来笼络他。

布占泰也并非等闲之辈，他野心勃勃，极力想在女真各部的激烈争斗中求得自身的发展。他一方面治国强兵，一方面采取灵活多变的外交策略，周旋于叶赫与建州这两大部之间。努尔哈赤虽然对布占泰采取招抚手段，但也密切注视着他的动向，随时准备以武力来扫除这个统一女真的障碍。

万历三十五年（1607年）发生的乌碣岩之战，揭开了努尔哈赤武力征伐乌拉的序幕。乌拉部经常侵掠斐优部，其首领策穆特赫不堪乌拉的骚扰，请求努尔哈赤救援。努尔哈赤遂派遣其弟舒尔哈齐、长子褚英、次子代善及大臣费英东、扈尔汉等率兵前往。他们收取了斐优城附近屯寨的五百余户居民南迁。行至乌碣岩，为马拉大军阻截，双方厮杀起来。建州诸将奋力拼杀，大败乌拉兵，还缴获了一大批马匹和武器装备。万历四十年九月，努尔哈赤又亲率大军征讨乌拉。建州兵人强马壮，以迅雷不及掩耳之势连下乌拉六城。惊慌失措的布占泰乘小船逃到乌拉河上，他装出一副可怜相哀求努尔哈赤手下留情。努尔哈赤历数了他忘恩负义、屡背盟约的罪行，看在往日的情分上，赦他不死。努尔哈赤命令布占泰将人质送到建州，留下军士千人驻戍，遂率大军撤回。第二年，努尔哈赤以布占泰再次背约为由，又一次兵临城下。在来势凶猛的建州大军面前，布占泰丢盔弃甲，只身逃往叶赫。建州军击溃敌兵三万，斩杀一万，获甲七千副，灭亡了乌拉。至此，海西扈伦四部仅剩下叶赫一部了。

叶赫首领布斋在九部联军攻打建州时丧生，建州与叶赫部也就此结下了深仇。但是叶赫实力雄厚，又是明朝扶植的主要对象，因此，努尔哈赤不便将其作为自己早期攻取的目标，而是采取了时打时拉的策略。为了求得自身的安宁，叶赫也时常向建州表示友好。他们还通过联姻等方式维系相互之间的关系。努尔哈赤的爱妻纳喇氏，就是叶赫首领纳林布禄的妹妹。但是，这一切都不能使他们之间的根本矛盾得到解决。乌拉部首领布占泰逃到叶赫避难，使努尔哈赤找到了发动进攻的借口。努尔哈赤先是要求叶赫将布占泰交给建州处置，曾先后三次遣使交涉，都遭到叶赫拒绝。于是，努尔哈赤又统率四万大军讨伐叶赫，攻下了乌苏等大小十九个城寨。明朝得知这个消息后，一方面派人到努尔哈赤处阻止他的行动，一方面派遣游击马时楠、周大岐带兵保卫叶赫东西二城。在明朝的干预下，努尔哈赤只好焚烧庐舍、携带降民退回建州。

六年之后，努尔哈赤再次发动了攻取叶赫的战争。战前，他将诸王贝勒召集起来，商讨攻打叶赫的作战计划，并发誓不荡平叶赫，决不回师。万历四十七年（1619年）八月二十一日夜，代善、皇太极率部来到叶赫西城下，驻守西城的是叶赫首领布斋之子布扬古。第二天清晨，努尔哈赤的大队人马抵达叶赫东城，叶赫的另一位首领、纳林布禄之弟金台石占据在这里。叶赫的两位首领急忙出城迎战。虽然叶赫军队勇猛善战，精于骑射，但久经沙场、训练有素的建州兵士更是锐不可当。叶赫兵战了几个回合，见不是建州的对手，不得不退入城内坚守。他们在城上发射箭矢，投放巨石，抛掷火器，建州兵死伤惨重。而东城尤为难攻，最后建州兵士在城下挖洞，装上火药炸开了城墙，才攻入东城。叶赫兵随之又各自为战，据家死守。努尔哈赤采用攻心战术，传下命令：凡城内军民，一概不杀。此法果然奏效，叶赫军民闻讯后，纷纷前来投降。只有金台石继续负隅顽抗，带着家眷、近臣躲在八角楼上。他的外甥皇太极和儿子德尔格勒在楼下大声喊话，劝他投降，他却无动于衷。在无可奈何的情况下，努尔哈赤的兵士准备用斧子砍毁石楼，金台石见走投无路，又想放火自焚，结果建州兵士一拥而上将他俘获。金台石如此顽抗，努尔哈赤便下令绞死了他。

闻知东城被攻克，西城也乱了阵脚。布扬古的堂弟打开城门投降后，代善便将布扬古的住所围了个水泄不通。为了保全性命，在得到降后不杀的许诺后，布扬古也被迫向建州兵投降。努尔哈赤对布扬古以礼相待，用金杯斟酒为他压惊，以示宽大之意。但布扬古见了努尔哈赤却立而不跪，并无丝毫感激之情。努尔哈赤恐怕留下他终将成为后患，第二天便下令绞死了他。努尔哈赤对其他降民一律宽大，允许他们随身带着弓箭衣物，迁移到建州。

在统一建州和扈伦四部的同时，努尔哈赤对东海诸部也采取了征伐与招抚两手并用的策略。从万历二十六年开始，努尔哈赤从东海女真瓦尔喀部、窝集部和虎尔哈部先后向建州迁入5万多人。到万历末年，东海女真诸部基本上被努尔哈赤收复。

万历四十四年（1616年）正月初一，努尔哈赤建国称汗。宣告建立“大金国”，年号为天命。这就是我国历史上的“后金”。

建国称汗后，努尔哈赤花了很大精力整顿内部。与此同时，他又派兵征伐萨哈连部，招抚使犬路、诺洛路、石拉忻路路长十四人；还遣兵夺取了东海沿海散居诸部。当内外的一切障碍扫除之后，他将兵锋公然指向了明朝。而明朝当时的政治腐败与军备废弛，又是导致努尔哈赤实行战略转移的催化剂。

万历末年，明朝政治极为腐败，宦官当权，党争激烈。皇帝朱翊钧二十多年不问朝政，整日在深宫之间与宫女太监厮混，“穷耳目之好，极声色之欲”，其奢侈腐化已经达到登峰造极的程度。而广大人民由于土地的高度集中，早已挣扎在水深火热的痛苦生活之中。万历皇帝非但丝毫不念人民之苦，反而又派出大批宦官充当矿监税使，到全国各地搜刮民脂民膏，以满足自己穷奢极欲的生活。被逼上梁山的人民，纷纷揭竿而起，明朝的统治已是岌岌可危。

努尔哈赤窥清了明朝的内情，认为正是他南伐的大好时机。这时正逢辽东女真地区灾荒严重，饿殍塞路，努尔哈赤决定利用这个有利时机，将女真人的不满和怨恨引向明朝，通过对明战争掠夺汉人的财富，来缓和后金的危机。

天命三年（万历四十六年，1618年）春天，努尔哈赤召来众大臣，向他们宣布了自己准备出师伐明的决定。众大臣早有此愿，一听大汗做出决断，顿时群情激昂，纷纷表示愿意跟随大汗出征，即使是粉身碎骨，也在所不辞。

努尔哈赤率军向抚顺进发。濒临浑河的抚顺城，是明朝设防的要塞，又是明与建州互市的重要场所。青年时代的努尔哈赤常常出入这里进行贸易，因而对抚顺的山川形势和各方情况了如指掌。他决定以计智取，辅以力攻。他先派一人到抚顺，声言明日有三千女真人要来做生意。第二天，扮作商人的后金先遣部队就来到抚顺城内，诱使当地商人和军民与之贸易。抚顺守军做梦也没有想到，后金兵士已遍布集市，后金主力又接踵而至，乘机突入城内，与先遣部队里应外合，一举攻取了抚顺城。抚顺守将李永芳在毫无防备的情况下束手就擒。这时，努尔哈赤派往东州、马根单的一路大军也传来了胜利的捷报。辽东总兵张承胤闻讯率兵万人仓促来援，这时努尔哈赤已经撤出抚顺，在中途设下埋伏，全歼了张承胤的援军，缴获了大批武器辎重满载而归。

努尔哈赤起兵伐明，初战便大获全胜，兴奋不已，但他并未被胜利冲昏头脑。他深知明朝现在虽然江河日下，但毕竟还是一个庞然大物，还有相当的实力，不能贸然大举进犯。因此，他对明朝不断进行试探性的进攻。攻陷抚顺城3个月后，他又用计智取了清河城，杀死守将邹储贤、张旆及兵民万余人。随着接连不断的胜利，努尔哈赤的胆子也愈来愈壮。明朝派来使者求和，努尔哈赤借机向明朝提出了一系列要求。经济上，他要求给他和众贝勒、大臣加缎3000匹、金300两、银3000两，将他过去岁赏抚顺原有的500道敕书、加上开原的1000道敕书都赏赐给他的部属。政治上，他要求明朝尊他为王，承认他的所作所为是合法的，撤回明朝派驻叶赫的官兵。他声言只有满足了这些条件，方可罢兵谈和。显然，堂堂“天朝”是不会接受这样的要求的，双方的一场更大规模的战争已是箭在弦上、一触即发了。

努尔哈赤相继攻陷抚顺、清河，全辽震动，告急文件如雪片般飞向京师，一向置国家大事于不顾的昏庸皇帝万历坐立不安。他亲自颁布圣旨，交九卿科道会议辽事，并起用杨镐为兵部右侍郎兼辽东经略。为了进攻后金，明朝在全国加派辽饷，转输粮秣，以应军需；辽东都司咨文朝鲜，胁迫其出兵，合力征讨；制定军纪，颁布全军；晓喻天下：擒斩努尔哈赤者，奖赏万金；调集各地官兵八万八千多人，加上来自叶赫、朝鲜的援兵，共十几万人。

万历四十七年（1619年）二月，杨镐坐镇沈阳，调动十几万大军，号称四十七万人马，以四路大军分进合击的方略，进攻赫图阿拉。这时，适逢天降大雪，出师日期向后推迟了四天。杜松和刘綎分别以大雪迷路和未谙地形为由，请求再缓行期，但骄躁寡谋的杨镐只图侥幸取胜，在既不知己又不知彼的情况下，置天气、地理、军心和敌情于不顾，仍然大举进兵。

西路军以山海关总兵杜松为主将，率保定总兵王宣、原任总兵赵梦麟、都司刘遇节、原任参谋龚念遂等官兵二万余人，以分巡兵备副使张铨为监军，从沈阳出发，经抚顺关，沿苏子河谷，从西面进攻赫图阿拉。辽东总兵李如柏是南路军主将。他率领贺世贤、张应昌等官兵二万余人，从清河堡出发，路经鸦鹘关，从南面进军。开原总兵马林率领的是北路军，他手下有麻岩、郑国良等二万多名将士，由静安堡出发，奔开原、铁岭、三岔口，由北面攻打。东路军的主将是总兵刘綎，他统领康应乾等万名明军和一万三千名朝鲜兵，从东面向赫图阿拉进击。

明朝十几万大军压境，后金大臣慌忙向努尔哈赤报告。努尔哈赤听了依然镇定自若，亲率大军西进迎敌。东、北两路军由于山路崎岖等各种原因，拖延了进军的时间。唯独杜松一路昼夜兼程，日行百里，于三月一日来到萨尔浒。他们兵分两部：一部在萨尔浒山下扎营，另一部由杜松亲自率领向东北方向的吉林崖进军。努尔哈赤统帅八旗军近六万人前来迎战。大贝勒代善率先头部队来到萨尔浒，他与诸兄弟及大臣们察看了战场形势，也兵分两路，派右翼四旗追击赴吉林崖的明兵，左翼四旗围歼萨尔浒守军。代善等人正要分兵行动，努尔哈赤赶到了。他问明情况后，决定调整两路兵力的分配。他对代善等人说：“明兵人多势众，可以分散作战；我们人少，只能集中兵力逐路击破明军。吉林崖明军只派小股兵力去解决就行，萨尔浒的明军一定要好好对付，千万不能掉以轻心。只要打败了萨尔浒的明军，吉林崖的就会不战自溃。”他从右翼四旗拨出二旗兵力给左翼，由他本人率领这六旗兵力包围萨尔浒，派四贝勒皇太极率领右翼的其余两旗前往吉林崖，监视明军的动静。奉命在萨尔浒扎寨的明军，初至萨尔浒谷口便遭后金四百名埋伏者的袭击，后军又受到八旗军的拦截，兵伤马毙，锐气大挫。面对冲杀而至的六旗铁军，他们慌忙列阵，仓促迎战。开始，明军施放的火炮使没有火器的后金六旗兵暂时受阻。但精于骑射的六旗兵随之仰面扣射，顿时矢箭如雨，铁甲骑兵又乘机奋力冲击，打得明军四处逃窜，方阵大乱。在震天的呐喊声中，后金兵冲进明营，歼灭了驻守萨尔浒山的全部明军。

随之，努尔哈赤挥师前往吉林崖。原来驻守吉林崖的后金军队见杜松率部抵达山脚，便从山上冲下来迎击。此时，皇太极率领的两骑兵马正好赶到。杜松军腹背受敌，眼看就要招架不住，萨尔浒大营已破的消息又在这时传到，顿时军心动摇。杜松正待收拾残兵撤退，努尔哈赤的六旗军似从天而降，挡住了明军的去路。士气颓落的明军乱作一团，后金兵乘胜而战，士气高昂，杀得明军尸首遍野。明军主将杜松左右冲击，也未能杀出重围，最后矢尽力竭，落马而死。其他几支明军也接连战败。

在这次著名的萨尔浒大战中，努尔哈赤仅用五天时间，就大败明朝十几万大军，称得上是他军事指挥艺术的一次精湛表演。

萨尔浒大战之后，明朝在东北的统治日趋崩溃，而已经立住了脚跟的努尔哈赤，则开始由防御转入进攻。开原、铁岭地处辽宁北部，是明代防范蒙古和女真的重地，具有重要的战略意义。努尔哈赤要乘胜向开原和铁岭进军，为他日后最终夺取辽阳和沈阳剪除两翼之援。

大战萨尔浒后仅三个月，努尔哈赤便作好了攻取开原、铁岭的准备。这年六月十日，他亲率四万大军进攻开原。由于大雨不停，道路泥泞，行进艰难，有的将领建议屯留两天。努尔哈赤担心一旦有人逃走，就会泄露机密，坚持反对缓行。他采用声东击西的计策，派小股部队直奔沈阳，造成要进攻沈阳的假象，然后又派轻骑兵前去探路，探明通往开原的道路畅行无阻，努尔哈赤遂率主力于十六日突抵开原城。

这时在开原主城驻守的全是些贪官、败将。开原总兵是在萨尔浒战役中侥幸逃生的马林，推事官郑之范是个不得民心的贪暴之徒。城中守军腐败不堪，毫无斗志。努尔哈赤的军队抵达开原城下，立即摆开阵势攻城，兵士们争先恐后地攀上云梯杀进城内，守城明军不战自散，弃城而逃，后金兵将其开原逃兵堵截在城门前、城壕边，杀得血流成河。总兵马林等全部死于激战之中。后金在开原俘获了大批的人畜和财物。努尔哈赤在撤退之前，烧了这个边地重镇。

攻陷开原一个月之后，努尔哈赤又率大军出其不意地包围了铁岭城。与开原之战不同的是，努尔哈赤在这里遭到了守城将领喻成名等人的顽强抵抗。但因驻守沈阳的李如桢拥兵自保，坐视不救，经过六小时的激战，铁岭城也落入后金之手。

明军在萨尔浒大战中三路丧师、一路败逃，使朝野震惊，昏君庸臣也似乎有所醒悟。在严惩主帅杨镐和总兵李如柏的同时，他们起用因党争之祸回籍听勘的前任御史熊廷弼宣慰辽东，收拾败局。

接到朝廷的命令后，一向以国家大事为己任的熊廷弼立即动身，昼夜兼程，赶赴辽阳。此时，展现在他面前的是一副残破凋敝的景象：将领自上次战败，死者五六百，降者百余人，幸存者则闻风丧胆，畏敌如虎；兵士身无片甲，手无寸械，装死扮活，不肯出战，各营逃兵日以千百计；辽民百死而无一生，户户抱怨，存者思逃，甚至于无以度日，父子相食；军器一空如洗，粮饷连欠数月不发，战马羸弱，不堪使用。面对残局，熊廷弼力挽狂澜，采取了一系列整顿措施，决心竭尽全力反败为胜。他首先严肃军纪，斩杀逃将刘遇节等人，用他们的首级祭奠死亡的将士和百姓，又处死贪官陈伦，以杀一儆百。为了鼓舞士气、重振雄风，他杀牛置酒，犒劳将士；操练队伍，赏功罚过；还督令兵士修整器械，缮治城池。他亲自巡视各边防隘口，顶风冒雨来到抚顺。往日的边境重镇经过战争的浩劫已是一片废墟，面对遍地明军的遗骨，熊廷弼禁不住失声痛哭。在审度了辽东形势之后，熊廷弼上书请求集兵十八万，战马九万匹，在叆阳、清河、抚顺等要地设置重兵，划地而守。无警时进行操练，小警时自为堵御，大警时互相应援。他的计划得到了万历皇帝的批准。

熊廷弼镇守辽阳后的作为，使人心惶惶、准备外逃的百姓又安下心来，濒于溃散的军队重新焕发了斗志，一度陷于混乱的前线终于稳定下来。这一切也迫使努尔哈赤不得不谨慎从事，放慢了继续进军的脚步。

然而，明朝内部党争再起，又给了努尔哈赤可乘之机。万历四十八年（1620年），万历皇帝病死，一个月后，刚刚继位的太子朱常洛又吞红丸死于乾清宫。朱常洛的长子朱由校继承了皇位，是为熹宗天启帝。从此，统治集团内部的党争愈演愈烈。大臣之间结党营私，排斥异己，互相攻讦。熊廷弼虽然身居千里之外的边陲，但由于他性情刚直，不受贿循私，不巴结权贵，得罪了一些奸佞之人，遂被拉入党争的政治漩涡，成为被攻讦的对象。忌恨他的权贵们屡次上书，以莫须有的罪名弹劾熊廷弼。他先后五次上疏自辩，针砭弊政要害，并请求圣上信任边吏，用而不疑。但是，明廷气数将尽，已经不辨忠奸，自毁长城，罢免了熊廷弼，改派袁应泰任辽东经略。

袁应泰走马上任后，宽娇属下，随意撤换武将，很快造成了军纪松弛、军纪混乱的局面。他又不分良莠，收纳了许多蒙古和女真的降兵，大量敌探乘机混入，成了后金的内应。刚刚由熊廷弼恢复巩固起来的辽东防务，被袁应泰搞得一塌糊涂。

一直在拭目以待的努尔哈赤见时机已到，于天命六年（1621年）春，发动了辽沈之战。

努尔哈赤率领诸贝勒大臣，统帅左右翼步骑劲旅首先攻打奉集堡，揭开了辽沈之战的序幕。奉集堡位于辽沈之间，是明朝在辽东的战略要地，努尔哈赤把它作为进攻的第一个目标，实际上是想以武力探明辽、沈明军的虚实。防守奉集堡的明军和援兵与后金交战后，或大败而逃，或不战自溃。于是在进攻奉集堡一个月后，努尔哈赤便以举国之雄师直扑沈阳。

沈阳在明代是辽东重镇之一，它被作为辽阳的“藩镇”而受到重视。这里精心构筑了完备的防御体系。努尔哈赤的大军在城东七里处安营驻扎。他几次派少量兵士诱明军出战，每次都让他们佯装败退，以便麻痹明军。当努尔哈赤认为决战的时机成熟之后，便派后金的精锐骑兵设下埋伏，然后又派兵到沈阳城下挑战。贪功轻敌、有勇无谋的明总兵贺世贤果真中了圈套。他率千余名家丁出城南门迎战，后金兵假装败逃，贺世贤紧追不舍，进入了埋伏圈。当他发现自己中计时，为时已晚，身中数箭坠马，被后金兵杀死。努尔哈赤统军奋力攻击城的东北角。开始明军在城上使用火炮，重创后金兵。但火炮连发使炮身炽热，必须使其降温后才能再射。后金兵利用这个间隙，进逼城下，猛攻东门。激战之中，一些原先混入城内的女真降民突然将桥绳砍断，放下吊桥，后金兵一拥而入，攻占了沈阳城。这次战役，使明朝七万兵民丧生。

沈阳陷落后，明总兵官童仲揆、陈策等统帅的川浙援军赶到，与后金兵进行了殊死搏斗，杀死后金兵近三千人，总兵官童、陈二人也战死疆场。这是明朝与努尔哈赤交战以来，最为壮烈的一个战例。

击败明朝两路援军后的第五天，努尔哈赤召集诸贝勒大臣，宣布了向辽阳进军的重大军事决定，辽阳是东北政治、经济、军事和文化的中心，明朝对其极为重视，将城池修建得异常坚固，并有严密的防御体系。然而，沈阳、奉集的相继陷落，使辽阳失去了天然屏障，陷于孤立无援的危险境地。得知沈阳陷落，袁应泰急檄各路军马撤回辽阳守卫，下令引太子河水注壕，缘城密布防线，加强守备。三月十九日，后金大举向辽阳进攻。袁应泰督侯世禄、李秉诚等五总兵率军出城应战。皇太极率部冲入明军，往来驰突，将明军杀得溃不成军。后金军乘胜追击六十里，一直追到鞍山才收兵回营。明军五万主力被消灭，后金士气大振。第二天，后金军从东西两面进攻辽阳城。努尔哈赤命后金兵一面堵塞城东入水口，一面挖开小西门闸口排水。然后，又下令排列战车攻城。在明军的枪炮射击下，后金军在战车上无法站立，只好下车步行，呐喊前进。这时明骑兵首先动摇，开始逃散，步兵也紧步其后尘。在后金军的强攻下，明军被杀死溺死者不计其数。袁应泰退入城内，与巡按御史张铨分陴固守。与此同时，攻打小西门的后金兵遭到了明军的奋力抵抗。明军射箭放枪，投掷火罐，誓死守卫城门。后金军冒着密如雨点的箭矢，奋不顾身地前进，终于沿架设的云梯登城而上。双方展开了肉搏战，足足战了一个通宵。三月二十一日，后金军在努尔哈赤率领下发起总攻。明军出动战车应战，又被击败。傍晚，小西门火药库起火，烧毁了各军窝铺和城内草场，守城军士乱作一团。正在镇远楼督战的袁应泰见大势已去，城池难保，焚楼身亡。监军崔儒秀上吊自杀。总兵朱万良、副将梁仲善等在夜间的混战中已经丧命。几经奋战之后，后金终于占领了辽阳。接着，努尔哈赤将后金的国都迁到了辽阳。

辽、沈失陷，举国震惊。朝廷上下想起了免职在家的熊廷弼，熹宗皇帝也后悔当初不该用无能的袁应泰取代他。熹宗皇帝起用熊廷弼为兵部尚书兼右副都御史，驻山海关，经略辽东事务，但同时又任命魏忠贤的亲信王化贞为广宁巡抚，受经略节制。王化贞对军事一无所知，而且非常骄横跋扈，明朝对他的任命，埋下了导致日后惨败祸根。

熊廷弼再次上任后，提出了一整套固守辽西以图恢复的战略防御方案，熹宗当即批准实施，从全国调集军队增援辽西。在广宁城及其周围驻军十二万，重点设防。不到半年时间，熊廷弼已大体完成了对辽西的军事防御部署。这时，努尔哈赤将进攻的目标转向了辽东重镇广宁，只要再攻下广宁，辽西就不在话下了。为此，他一方面选取进军路线、准备水战所用的船只，一方面使用惯伎，派大批探子入明侦探。尽管明军对此已有所警惕，破获并处死了他派遣的部分探子，但这些人无处不在，无孔不入，很难清除干净。一切准备就绪，努尔哈赤于天命七年正月率领大军，向广宁城挺进。

然而此时因战略方针上的分歧，熊廷弼和王化贞正吵得难解难分，双方相持不下。熊廷弼主张先守再战，王化贞则主张以攻为守。掌握政权的魏氏阉党们偏袒同伙王化贞，将大部分兵马交给他指挥，身为全军统帅的熊廷弼徒有经略之名，手下却只有五千兵马。王化贞仗着自己阉党作后盾，愈加骄横恣肆。他破坏熊廷弼集中兵力固守广宁的部署，自作主张分兵沿辽河西岸一带布防，又在西平诸堡镇驻兵，他将渡河进攻视为自己的得意之举，却不知已经严重削弱了广宁的防御，并将带来自己的败亡。

对王化贞的所做所为，倔强刚直的熊廷弼已是忍无可忍。他自知不是对手，遂要求解甲归田。朝廷权贵一向对他没有好感，便打算借机收回他的兵权。不料这时传来了努尔哈赤大军压境的消息，朝廷一片慌乱。因担心这时更换主帅会动摇军心，朝廷决定仍让熊任弼留任。努尔哈赤打算不直接攻打广宁，而是先攻其前哨西平等处，诱使广宁明兵来援，然后将援军消灭在旷野之中。当后金军队逼近辽河时，明军防守的兵士见其来势凶猛，仓皇逃窜。后金的先锋部队轻而易举地跨过辽河，猛追二十多里，一直追到西平堡。王化贞搞的沿河防线就这样不战自溃了。努尔哈赤率领的大军赶到后，将西平堡团团围住。后金兵向城中守将罗一贯喊话，劝他投降。罗一贯仅有三千兵马，面对强大的后金军队他毫无惧色，表示要与西平堡共存亡，决不投降。努尔哈赤下令部下登梯攻城。罗一贯率领守城兵士奋力抵抗，后金兵死伤累累，但终因力量悬殊，寡不敌众。在火药用完，矢石已尽的情况下，罗一贯举剑自刎，守城明军也全部为国捐躯。这一仗，后金的损失也十分惨重，伤亡六七千人。

后金兵刚拿下西平堡，明朝的3万援军从广宁赶到了。两军在西平堡北面的沙岭相遇。王化贞派心腹孙得功任援军主将，其实孙得功早已暗中投降了努尔哈赤，答应在城中作内应。刚一交战，孙得功就大喊起来："败了！败了！"然后率先逃命，明兵见主将先逃，也都一哄而散，各自奔逃。后金军趁势追杀，三万多明军无一生还。临阵逃脱的孙得功，一心帮助努尔哈赤彻底打败明军。他逃回广宁后，又伙同党羽在城内散布谣言，说后金的大队人马马上就到。城内百姓、士兵纷纷夺路而逃，广宁城一夜之间成了空城。王化贞逃向山海关。

孙得功及党羽控制了广宁城后，立即派使者跪请努尔哈赤进驻广宁。他本人已经剃发，率部下在广宁城下夹道跪迎。就这样，努尔哈赤兵不血刃便得到了广宁这座边城要塞。这时，作为京城东大门的山海关已经完全暴露在后金面前了。

广宁之败使熹宗无比恼怒，竟将熊廷弼当作替罪羊处死，暴尸不葬，传首九边。这个愚蠢凶残的举动，丝毫无助于挽回明朝的败局，反而大失人心，使明朝失去了一位难得的杰出统帅，替后金除去了一个可以与之抗衡的劲敌。

天命十年（1625年），征明心切的努尔哈赤，未等兴建新宫室，就迁都沈阳。此后，他大兴土木，改建了沈阳城，使之成为后金新的统治中心。

孙承宗早在青年时就留意边防，常向材官老兵询问辽东形势，了解各险要阨塞的情况。广宁兵败后，他亲赴山海关考察，否定了兵部尚书王在晋于山海关外再修关城的计划。在朝廷无人愿往山海关前线督师的情况下，孙承宗毅然自请出任辽东经略，得到熹宗的同意，他上任后，重用部将袁崇焕，立即着手整饬边备。

袁崇焕少好谈兵，机敏豪壮，富有谋略，向来以边疆安危为己任。天启二年（1622年）正月，他独自一人到山海关一带巡视考察形势。回京后他提出："给我兵马钱粮，我一人就足以守关。"时值广宁刚刚陷落，满朝文武惊惧不安，不少人收拾珍宝细软准备出逃，袁崇焕不畏强敌、主动请战的豪举，就像给人们服了一颗定心丸。熹宗十分赞赏他的胆略，在他被破格提升为兵部职方司主事不久，又授予他山东按察司佥事山海关佥军的职务。

袁崇焕来到边关果然不负深望，很有作为，但在当时的辽东经略王在晋手下，他的雄才大略难以得到充分发挥。孙承宗上任后，袁崇焕提出要固守山海关必须先守宁远的建议，要求重新修建宁远城。宁远（今辽宁兴城），地处辽西走廊中段，它依山傍海，形势险要，是由沈阳通往山海关的咽喉要塞。孙承宗采纳了袁崇焕的建议，加意修筑宁远。按照袁崇焕的设计，宁远城新建的城墙高三丈二尺，底宽三丈，顶宽二丈四尺，宁远遂成为关外的军事重镇，孙承宗又修缮了锦州、松山、杏山、右屯及大小凌河等地的城池，遣兵分守。一条以宁远和锦州为中心的防线迅速建成了，辽西的局势重新稳定下来。

努尔哈赤此时正忙于迁都，探知孙承宗在辽西严阵以待，他一直没有贸然进攻。但不久明朝内部的党争再起，孙承宗尽管满腹韬略、守边有方，却因秉性忠直遭到魏忠贤一伙的忌恨和排挤。继任孙承宗的是魏忠贤的同党高第，他精于投机钻营，对打仗却是一窍不通。他对后金怕得要死，认为关外必不可守，只想躲在山海关内苟全性命。因此，他不顾袁崇焕等人的强烈反对，尽撤锦州等地的防务，将各城兵力强行调入山海关。孙承宗苦心经营的"宁锦防线"就这样被破坏了。只有袁崇焕坚决不撤，他斩钉截铁地说："我在宁远做官，就要在这里死守，决不撤退！"

努尔哈赤一直在寻找征伐明朝的时机，得知明军要换主帅全线撤防的消息，他喜出望外，决定立即出兵。天命十一年（明天启六年，1626）正月十四日，努尔哈赤亲率10余万八旗大军向辽西杀来。一路上。后金军队长驱直入，不费吹灰之力就占据了锦州、松山等大小城池，只剩下宁远这座孤城还由袁崇焕固守着。努尔哈赤认为，后金大军压境，宁远已是唾手可取，便派人给袁崇焕送去招降信，用高官厚禄引诱他献城投降。袁崇焕毅然拒绝了后金的招降，全力准备迎战，与宁远共存亡。

当时，袁崇焕的兵马还不到三万，要战胜努尔哈赤的十三万大军，谈何容易！他将城外的所有明兵调入城内，将武器兵力集中起来。又将城外的百姓动员进城，把房屋粮食全部烧毁，使后金兵在宁远城外一无所获，袁崇焕用佩刀刺破皮肉，写下血书，表示要誓死守住宁远。宁远军民为他的爱国热情所感动，同仇敌忾，决心同后金军队决一死战：将士们分别据守，老百姓也带着自备的武器登城防守，体弱的就帮助供应饮食，捉拿奸细。努尔哈赤见袁崇焕誓死不降，亲自指挥军马齐攻宁远城。后金的战车、骑兵、步兵铺天盖地，向宁远压来。努尔哈赤采用战车同步骑结合的战术几乎是所向披靡，不知攻下过明军多少城堡，但是在宁远城下，他们的战术失效了。袁崇焕指挥城上的大炮待后金兵冲至城下时一齐开炮，随着一声声巨响，后金兵成片倒地，连专门对付明军火器的楯车也被炸得粉碎。强攻失败了，后金兵又躲在加了厚板遮蔽的战车下靠近城墙，想凿洞进城。宁远的城墙本来就修筑得特别厚实坚固，又加上天寒地冻，凿城的进度很慢，但这毕竟是对宁远的一大威胁。袁崇焕又采用了火烧的新法子，来对付凿城的后金兵。他命令将百姓贡献的被褥一卷卷扔下城墙，后金兵不知其中厉害，蜂拥而上，你抢我夺。正在这时，明军投下的火把点燃了裹在被褥中的火药，刹时间烧成一片，不少凿城的后金兵葬身火海。努尔哈赤指挥后金军队整整攻了三天三夜，部下死伤无数，他自己也负了伤，但宁远城依然固若金汤，巍然屹立。努尔哈赤不得不承认自己无计可施。在凛冽的寒风中，他带着残存的兵力撤回沈阳。

努尔哈赤大概到底也没有搞清自己失败的真正原因：袁崇焕指挥有方，固然是战胜后金的重要因素。而宁远百姓不堪后金的暴虐统治，在袁崇焕的号召下，一呼百应，毁家相从，与宁远守军结成了坚不可摧的铜墙铁壁，更决定后金此次战败的命运。一系列的军事胜利使努尔哈赤头脑发热，难以进行冷静的思考，他本想在宁远重演当年轻下辽沈的一幕，并未进行认真的准备，便大举进兵，终于在众志成城的明朝军民面前败下阵来。

宁远一战的胜利打破了后金军队不可战胜的神话，使屡受挫败的明朝军民受到了极大的鼓舞。熹宗皇帝“朕心嘉悦”，特发币金十万两犒赏宁远守城将士。袁崇焕也得到重金赏赐，被提升为右佥都御史，他的功绩受到朝野的一致称颂。

败归沈阳不久，努尔哈赤又率兵征讨蒙古喀尔喀巴林部。他们受宁远之败的影响，背弃与后金的前约，转而与明朝修好。使努尔哈赤感到欣尉是，这一次后金大军重又取得了胜利。但是这并不能医治宁远战败给努尔哈赤造成的巨大精神创伤，袁崇焕嘲弄的话语始终萦绕在他的耳边：老将横行天下，今日败在小子之手，岂非天数耶！这时，努尔哈赤在辽沈地区长期实行的狂暴残杀、压迫异族的政策，开始导致后金社会的不景气，宁远之败又使民心涣散、兵将谈袁色变。蒙古、朝鲜也调整了亲附后金的政策，重新与明朝交好。面对这一切，努尔哈赤的心情一直忧郁不安，严重损伤了他的身体健康。

天命十一年（1626年，明天启六年），努尔哈赤因痈疽突发离开了人世，享年六十八岁。

清太宗皇太极

清太宗爱新觉罗·皇太极（1592年—1643年），满族，生于明万历二十年十月廿五，为清太祖爱新觉罗·努尔哈赤的第八子，母为孝慈高皇后叶赫那拉氏。在位17年（1626–1643年），在位期间发展生产，增强兵力，不断对明作战，公元1636年（明崇祯九年，清崇德元年），皇太极改女真族名为满族，在沈阳称帝，建国号大清，为大清迅速扩展入主中原打下了坚实的基础。崇德八年（1643年）八月初九晚十时入关前夕突然病故，年52岁。葬于沈阳昭陵，庙号太宗，谥号：应天兴国弘德彰武宽温仁圣睿孝敬敏昭定隆道显功文皇帝。

皇太极出生于1592年11月28日申时，母为叶赫纳拉氏，名孟古哲哲，是叶赫贝勒布斋和纳林布禄的妹妹。

1603年（明万历三十一年）秋季，孟古哲哲生病，想要见她娘家母亲一面，努尔哈赤派人去通知这事情，纳林布禄没有同意，同年九月孟古哲哲因病去世，皇太极时年12岁。孟古生前的时候，做大福晋时间较短，皇太极当了大汗后，尊奉孟古哲哲为孝慈高皇后。

皇太极自少年起常随父兄狩猎和征战，骑射娴熟。1612年（万历四十年），从父出征海西女真乌拉部，攻克六城。

1618年（天命三年），皇太极随父攻明，献计袭取抚顺（今属辽宁）。次年，在萨尔浒之战中，与诸贝勒率兵大破明军西路杜松部、北路马林部，与代善破东路刘綎部。不久随父攻取明开原、铁岭，灭叶赫部。1625年（天命十年），皇太极与兄阿巴泰率精骑5000驰援科尔沁，迫使察哈尔蒙古首领林丹汗远遁。

1626年（天命十一年）农历八月十一日，努尔哈赤因病去世。大妃乌拉那拉氏和两个庶妃殉葬。代善与其子岳托及萨哈廉拥皇太极嗣汗位。代善的长子贝勒岳托和三子贝勒萨哈廉，对诸贝勒大臣说出了拥戴皇太极的原因："才德冠世，当速继大位。"由于身为长兄的代善的鼎力支持，所以众贝勒乃合词"请上嗣位"，皇太极"辞再三，久之乃许"，被拥举为大汗。农历九月一日，皇太极在大政殿即汗位，焚香告天，宣布次年为天聪元年。

皇太极继位之初，后金面临的形势十分严峻。由于多次对外掠夺，处境孤立，受到明朝、蒙古、朝鲜的包围。内部由于贵族分权势力的矛盾，冲突日益严重。他虽继承了汗位，但实际上是同代善、阿敏、莽古尔泰三大贝勒“按月分值”政务。权力分散，事事掣肘，徒有“一汗虚名”。为了加强中央集权，推进封建化的改革，皇太极采取各个击破的手段，打击、削弱分权势力，提高汗权。

天聪四年，皇太极以阿敏弃守滦州、永平（今河北卢龙）、迁安、遵化四城的罪名，将其终身幽禁。五年，莽古尔泰同皇太极发生口角时，竟拔刀相向。皇太极借机以“御前露刃”之罪，革去莽古尔泰大贝勒衔。至此，四大贝勒，仅剩他和代善两人。六年，皇太极终于废除了与三大贝勒俱南面坐、共理政务的旧制，改成自己南面独坐，取得了大汗的独尊地位。

另外，皇太极仿照明制，逐步建立国家统治机构，以取代八旗制度所行使的国家权力。三年，建立了由满汉文人组成的“文馆”，职掌“翻译汉字书籍”，“记注本朝政事”，为皇太极推行汉化运筹帷幄。五年，设立吏、户、礼、兵、刑、工六部，分掌国家行政事务。十年，又将“文馆”扩充为内国史院、内秘书院、内弘文院，统称“内三院”，负责撰拟诏令、编纂史书、掌管和起草对外文书与敕谕、讲经注史、颁布制度等。稍后，又建立了都察院，改蒙古衙门为理藩院。皇太极通过这套政权机构，把权力集中到自己的手中。

皇太极继位后提出：“治国之要，莫先安民。”他知道汉官汉民备受虐待是祸乱之源，因此规定，凡国内汉官汉民即使从前想逃跑的及令“奸细”往来的，事属已往，不再追究，结果“逃者皆止，奸细绝迹”。皇太极非常强调满洲、汉人“均属一体”，审罪、服役，不要有差别。他了解到从前按满官品级分配被掠的汉人为奴，编庄服役，汉人常受欺凌，就改革为每个备御只给壮丁八人，牛二头，其余汉人，分屯别居，编为民。他还禁止诸贝勒大臣属下私至汉官家勒索财物及进行骚扰。这使汉人得到安定，感到后金统治下的地方是一块“乐土”。

此外，皇太极本人有很好的文化素养，这时他推行了振兴文教的措施。天聪三年首先提出“以武功戡乱，以文教佐太平”，一改其父努尔哈赤屠杀文人的政策，并于当年进行考试，选取了满、汉、蒙古生员二百人。他已认识到发展文教对治理国家的重要性，说不能认为不读书不会误事。规定从天聪六年起，凡贝勒大臣子弟年十五以下，八岁以上，俱令读书。

皇太极还非常重视吸收汉族的先进文化。至天聪六年七月达海逝世时，经他手已翻译成帙的汉籍有《刑部会典》、《素书》、《三略》、《万宝全书》及正在翻译中的《资治通鉴》、《六韬》、《孟子》、《三国志》等。后来又命达海之子继续学习汉书。天聪九年后，金的文馆诸臣翻译了辽金宋元四代史。

在吸收汉族的先进文化的同时，皇太极深知满族要想入主中原，必须取得汉族地主阶级的支持。因此，他十分重视汉族地主知识分子和明朝降官降将的作用，对他们采取招降收买政策。天聪三年，首次考试儒生，网罗了两百名汉族文人。此后又多次举行考试，分别优劣，量才录用。五年，大凌河战役后，对大批降将赐以庄田、奴仆、马匹，并委以官职。天聪七、八年间，孔有德、耿仲明、尚可喜、陈志祥等明朝将领纷纷自愿来投，皇太极对他们封王封侯，宠荣备至。随着蒙古的臣服，明朝将领的降顺，皇太极逐步建立蒙古八旗和汉军八旗，大大增强了军事力量。

在经济上，由于努尔哈赤晚年在辽东实行“抗拒者被戮，俘取者为奴”的政策，汉人纷纷逃亡和暴动，生产凋敝，社会动荡不安。为了缓和日益尖锐的社会矛盾，皇太极执政伊始，便提出“治国之要，莫先安民”的方针，把原先努尔哈赤所推行的汉人每十三壮丁编为一庄，按满官品级分给为奴的政策，改为每备御止给壮丁八人、牛二头、以备使令，其余汉人分屯别居，用汉官管理，使大量汉族奴隶取得了“民户”地位，成为后金政权下的个体农民。天聪五年，皇太极颁布《离主条例》，其中规定：凡奴隶主犯有私行采猎、擅杀人命、隐匿战利品、奸污属下妇女、冒功滥荐、压制申诉等罪，许奴仆告发，准其离主。这一条例，限制了满洲贵族的某些特权，有利于奴仆争取改变自己的身份和地位。为了促进农业生产，皇太极注意体恤民力，凡有妨农务的工程，一律不复兴筑，使百姓能“专勤南亩，以重本务”。经过几年的努力，农业有了较大发展，粮食基本上能够自给，社会矛盾得到缓和。

皇太极通过自身的努力以及实行的一系列行之有效的治国策略，巩固了政权，缓和了民族矛盾，发展了经济，加强了武装力量，为攻打明朝奠定了基础。

皇太极在国内大力实行改革时，并没有放弃努尔哈赤对外进行侵略扩张的政策。他认为要战胜明朝，首先要征服蒙古和朝鲜，这既可以解除后顾之忧，又可以利用他们的力量，共同对付明朝。天聪元年一月，皇太极不宣而战，命阿敏、济尔哈朗、阿济格等人，率三万大军入侵朝鲜，迫使朝鲜签订《江都和约》。1636年，皇太极又以朝鲜“屡败盟誓”，“助明害我”为由，亲率十万大军入侵朝鲜，包围南汉山城。国王被迫投降，称臣纳贡，允诺与明朝断绝往来，并将王子送沈阳为人质。对蒙古，皇太极采取“慑之以兵，怀之以德”的政策。首先争取与察哈尔林丹汗不和的科尔沁、喀喇沁等部的归附。天聪二年，达成共同征讨林丹汗的协议。经过几次征战，林丹汗势力大衰。八年，林丹汗在青海大草滩出痘病死。九年初，皇太极命多尔衮等率一万人渡黄河西进，至托里图，俘获了林丹汗子额哲及其部众一千余户，统一了漠南蒙古。为了笼络蒙古封建上层分子，皇太极用联姻、赏赐、封王封爵、定外藩功臣袭职例、崇奉喇嘛教、与西藏僧俗头领建立联系等手段，取得了蒙古诸部的支持和效忠。

天聪十年四月，皇太极在沈阳称帝，从此全力以赴地对明朝发动侵略。是年秋，他命阿济格统兵南侵，掠夺人畜十八万。崇德三年，又命多尔衮、岳托率军南侵。攻破城池五十多处，掳获人口四十六万，金银百余万两。为了从正面打开山海关，自五年三月起，发动了锦州战役。明廷派蓟辽总督洪承畴率十三万大军往援锦州祖大寿。皇太极指挥作战，后明军因塔山粮草被夺而决定分成两路突围。承畴等人突围未成，困守松山城，松山副将夏承德密约降清，以为内应。1642年二月十八日松山城陷，洪承畴被俘，祖大寿在锦州投降。至此，明朝在关外仅剩宁远一孤城。

公元1643年八月初九，皇太极在宫中猝然病死，葬沈阳昭陵（沈阳北陵）。庙号太宗。

纵观皇太极一生的文治武功，用“鹰扬天下”来概括，是恰当的。正是由他开始建立了汉八旗，重用汉族知识分子，学习汉族的政治制度，加强了中央集权，才使得内部开始稳定，能用极少的人口和资源来支持战争。这为后来清军入关、统一中原奠定了基础。《清史稿·太宗本纪》中对皇太极的评价是：“允文允武，内修政事，外勤讨伐，用兵如神，所向有功。”这个评论，大体公允。

清世祖福临

爱新觉罗·福临（1638年—1661年），清世祖，清朝第三位皇帝，也是清军入关以来第一位皇帝，年号“顺治”。于崇德三年正月三十日（1638年）戌时生于盛京，为清太宗爱新觉罗·皇太极的第九子，母为永福宫庄妃，博尔济吉特氏孝庄文皇后，在位18年（1643—1661年）。顺治七年，叔父摄政王多尔衮去世，很快十四岁的顺治帝开始亲政，顺治十八年（1661年）正月，逝世于禁宫内，时年二十四岁，遗诏传位于第三子玄烨，即康熙帝，葬于河北遵化清东陵的孝陵，庙号世祖，谥号：体天龙运定统建极英睿钦文显武大德弘功至仁纯孝章皇帝。

崇德八年（1643年）八月初九日深夜，长期罹患高血压和心脑血管疾病的大清帝国皇帝皇太极突发脑溢血，病逝于沈阳故宫的清宁宫，享年52岁。皇太极的突然去世，给正处在起步阶段的大清帝国带来了前所未有的混乱。尚未完全脱离野蛮与蒙昧的满洲勇士们关心的问题现实而迫切，那就是，谁将成为崇政殿上那张龙椅的下一任主人。

皇太极暴卒，由于未预定储嗣，所以在这一突发事件后，在其第十四弟、掌正白旗的和硕睿亲王多尔衮与其长子、肃亲王豪格之间展开了激烈的皇位之争。争夺者双方势均力敌，相持不下。精明的多尔衮随机应变，提出动议，以拥立皇太极第九子福临为帝，由和硕郑亲王济尔哈朗和他共同辅政，结果获得通过。

福临以幼小之年在激烈政治斗争中被拥上帝位，于八月二十六日登上盛京笃恭殿的鹿角宝座。次年改元顺治。这位年仅六岁的童子皇帝，虽然尚不谙世事，但在特有的尚武精神的熏陶下，却有一种好胜的性格和天然的优越感。

崇德七年（1642年）年底，皇太极出猎叶赫一带，携他前往，当行猎于噶哈岭时，福临曾“射中一麅”，那时他年仅五岁。在举行登位大典前，他出宫乘辇前往笃恭殿，乳母因其年幼欲登辇陪坐，他拒绝说“此非汝所宜乘”，显示出不可冒犯的帝王尊严。随着年龄的增长，福临愈益感到多尔衮的辅政对他的这种尊严实际上是很大的挑战和侵害。

多尔衮在宣誓辅政之后，就一步一步地将朝政大权掌握在自己的手中：第一步，取消了军国大事由八旗贝勒共议的制度，而由两位摄政王决断。这样一来，二位摄政王就凌驾于诸亲王、郡王、贝勒之上。第二步，独揽大权。谕告各衙门办理的事务，有需要向睿、郑二王报告的，都先向睿亲王汇报。这样一来，多尔衮实际上成了“首席摄政王”。第三步，分化黄旗。顺治元年（1644年）四月初一日，多尔衮利用都统何洛会等讦告豪格，把豪格定罪幽禁。通过这个案子，将豪格进行降罚。对像索尼这样的豪格的两黄旗亲信，或处以死刑，或籍没家产，或贬官远放。而对首先讦告者，给予升官、晋爵。这就严重地分化、削弱了两黄旗。第四步，整死豪格。豪格的存在，对于多尔衮来说，是最大的政治威胁。先是，尽管豪格被废降罚，但在清军入关用人之际，还是让豪格随军从征。豪格作战勇敢，立下大功。顺治在北京登极，分封诸王大臣，复封豪格为和硕肃亲王。不久，派豪格西征。豪格下西安，平陕西。又击败大西军，射死张献忠。顺治五年（1648年）二月，豪格凯旋归京，即被讦告。多尔衮借此又将豪格定罪，下狱。三月，豪格猝死，年仅39周岁。

经过一番经营，多尔衮真正做到了大权独揽，小皇帝也真正是孤立无援了。多尔衮的尊号从“叔父摄政王”到“皇叔父摄政王”，顺治五年再尊为“皇父摄政王”，成了名义上的“太上皇”，实际上的皇帝。而小皇帝的处境则危如累卵，只有仰人鼻息，任人摆布了。

多尔衮做了7年的摄政王，横征暴虐了7年，浴血拼杀了7年，也颐指气使了7年，更被福临咬牙切齿地记恨和诅咒了7年。顺治七年（1650年）十二月，这位在马背上驰骋一生的枭雄居然意外在喀喇城的围猎中坠马死亡，年仅39岁。

第二年正月，福临开始亲政，一个月后他就迫不及待地宣布了多尔衮10大罪状。之后福临没收了多尔衮的家产，罢免了他的封爵，剥夺了对他的奖赏，撤销了对他的国丧，诛杀了所有胆敢追随他的党羽。不仅如此，多尔衮的陵墓被掘开，他的头颅被割下，他的尸体在遭到棍杆和皮鞭的蹂躏之后被抛之荒野。

福临亲政之初，面临的军事、政治、经济形势都相当严峻。

顺治九年，李定国在华南发动强大攻势，孔有德、尼堪相继战败身亡，全国出现新的抗清高潮。十年五月，福临同大臣经过反复筹商，决定采取“抚”重于“剿”的策略；一方面向郑成功和各地抗清力量颁发诏书，宣布实行“招降弥乱”的怀柔政策；一方面重新起用老谋深算的洪承畴，命他经略湖广、广东、广西、云南、贵州等处。洪承畴到南方后，剿抚并用，使局势逐渐好转，为日后进攻云贵、统一全国奠定了基础。

清初因长期战乱，流民遍地，农田荒芜，不仅使清廷难以建立稳定的统治秩序，也严重影响了它的财政收入。顺治十年，福临采纳范文程等人的建议，设立兴屯道厅，推行屯田。十四年，又积极鼓励地主、乡绅招民垦荒。对地方官员制定《垦荒考成则例》，按垦荒实绩，分别予以奖惩。同年，编成《赋役全书》，颁布天下。这些措施，使濒于绝境的农业生产开始有了转机。

福临吸取明朝灭亡的教训，认为朝廷治国安民，首在严惩贪官，对整顿吏治甚为关注，命令督抚对属下官员务须严加甄别，并派监察御史巡视各地。对蒙蔽专擅、纵兵害民的总督、巡抚、总兵进行纠举。十一年，“大计天下”，对地方官员普遍进行甄别考核，并规定以后每三年举行一次。十二年，发生顾仁贪赃一案，福临极为震怒，下令杀了顾仁，并严令此后凡官员犯赃十两，衙役犯赃一两以上者流徙，赃重者斩绞，惩治了一批贪官污吏。

为了提高官僚机构的办事效能，福临比较注意发挥汉官的作用。他在争取汉人地主、提高汉官权力、重用汉官方面，进行大胆的尝试和努力。他已感觉到满汉的和谐对维系统治的重要，决心改变“各衙门奏事，但有满臣未见汉臣”的现象，于十年（1653年）正月谕内三院：“嗣后凡奏进本章”，要“满汉侍郎、卿以上参酌公同来奏”，以达到满汉的“一心一德”。尽管实际上难以完全做到，他对汉官的态度也总有反复，但他提高汉官权力的思想却有所发展。十六年十月，他谕吏部：“向来各衙门印务，俱系满官掌管，以后各部尚书、侍郎及院寺堂官受事在先者，即著掌印，不必分别满汉。尔部即传谕各衙门一体遵行。”这是破天荒的决定，不论实际执行情况如何，汉官权力地位有了明显提高。他还一再要求满汉官员和衷共事，“凡会议政事，原应满汉公同商榷，斟酌事理，归于至当”，“不拘满汉皆可具稿”，不许“满汉两议”的现象再出现。

在顺治的治理下，清军入关之初的混乱局面逐渐稳定，社会秩序也得到恢复，各民族开始和谐相处，为国家的稳步发展提供了有利条件。

福临在政治上敢于改革，在个人婚姻方面也很有主见。

顺治先后册立两位皇后。一位是他母亲的侄女博尔济吉特氏，由多尔衮做主订婚、聘娶。顺治亲政，册为皇后。二人性格不合，顺治废掉皇后，降为侧妃。另一位是孝惠章皇后，博尔济吉特氏，顺治十一年（1654年）五月，年十四，聘为妃。六月，册为皇后。她不久又受到顺治帝的斥责。但这位皇后能委屈圆通，又有太后呵护，才没有被废掉。

顺治真正视为国色天香、红粉知己的是董鄂妃。顺治帝对董鄂妃可谓是一见钟情，至死不渝。有几件事可以说明少年天子对董鄂妃的恩爱逾常。

一是晋升之速和典礼之隆重。董鄂氏在顺治十三年（1656年）八月二十五日被册封为“贤妃”，仅一月有余，即九月二十八日晋为“皇贵妃”。这样的升迁速度，历史上十分罕见。十二月初六日，顺治帝还为董鄂妃举行了十分隆重的册妃典礼，并颁恩诏大赦天下。在有清一代近300年的历史上，因为册立皇贵妃而大赦天下的，这是绝无仅有的一次。

二是尽改恶习、专宠一人。据当时的传教士汤若望记述，少年福临确实沾染了满洲贵族子弟那种好色淫纵之习。可是奇迹出现了，自从遇到董贵妃后，少年天子变得专一起来。两人情投意合，心心相印。可谓“长信宫中，三千第一”、“昭阳殿里，八百无双”，真是六宫无色、专宠一身。

可惜枕上春梦刚三年，贵妃撒手绝人寰。这种夫妻恩爱相偕的日子很快就消逝了。

董鄂妃本来就体弱多病，生了一个男孩儿又百日而殇，这种打击使得她一病不起，22岁就告别了深爱着她的少年天子。顺治得知噩耗，痛不欲生，“寻死觅活，不顾一切，人们不得不昼夜看守着他，使他不得自杀”。顺治帝辍朝五日，追谥其为端敬皇后。并在户部资金极为短缺的情况下，在景山建水陆道场，大办丧事。将宫中太监与宫女30人赐死，让他们在阴间侍候自己的爱妃。同时令全国服丧，官员一月，百姓三日。顺治帝让学士撰拟祭文，“再呈稿，再不允”。后由张宸具稿，“皇上阅之，亦为堕泪”。以顺治帝名义亲制的董鄂妃《行状》数千言，极尽才情，极致哀悼，历数董鄂氏的嘉言懿行。

贵妃辞世，留给少年天子无尽的哀思。4个多月之后，福临就溘然离世，追随爱妃稚子而去。

作为帝王来说，顺治皇帝亲政后，在其母孝庄文皇后的帮助下，整顿吏治，注重农业生产，提倡节约，减免苛捐杂税，广开言路，网罗人才，在各方面取得了很大成就。他为巩固清王朝统治作出了贡献，初创了清王朝走向强盛的新局面，为康乾盛世打下了基础。

清圣祖玄烨

康熙帝，即清圣祖仁皇帝、爱新觉罗·玄烨（1654年—1722年），清朝第四位皇帝、清定都北京后第二位皇帝。年号康熙：康，安宁；熙，兴盛——取万民康宁、天下熙盛的意思。康熙帝8岁登基，在位61年，是中国历史上在位时间最长的君主。他奠下了清朝兴盛的根基，开创出康乾盛世的大局面，是一位英明的君主、伟大的政治家。

玄烨是顺治帝福临的第三子，母孝康章皇后佟佳氏时为庶妃，顺治帝生前没有册立太子。顺治十八年，顺治帝接受汤若望的建议，因玄烨出过天花具有免疫力而把他选为继承人，以遗诏的形式册立玄烨为皇太子。顺治十八年正月玄烨即位时只有6岁（虚岁八岁），次年正月（1662年2月）改元康熙。遗诏同时指派索尼、苏克萨哈、遏必隆、鳌拜四大臣辅政。

康熙六年（1667年）六月，首辅索尼病故。七月初七，十四岁的康熙帝正式亲政，在太和殿受贺，赦天下。但亲政仅十天后，鳌拜即擅杀同为辅政大臣的苏克萨哈，数天后与遏必隆一起进位一等公，实际政局并不受康熙帝直接掌控。

康熙八年（1669年），康熙帝时常召集少年侍卫在宫中作扑击之戏，不过在五月十六日（6月14日），突然下令这些侍卫在鳌拜进见时将其逮捕。大臣商议鳌拜大罪三十条，请求诛其族，康熙帝念在鳌拜功劳，赦死罪而拘禁，但诛杀了鳌拜的很多弟侄亲信及党羽。仅存的另一辅政大臣遏必隆因为长期勾结鳌拜，被削去太师、一等公。康熙帝由此完全夺回朝廷大权，开始真正亲政的阶段。

康熙亲政不久后，便着手整顿吏治，恢复了京察、大计等考核制度。为了防止被臣下蒙蔽欺骗，康熙还亲自出京巡视，了解民情吏治。其中最著名的是六次南巡，此外还有三次东巡、一次西巡，以及数百次巡查京畿和蒙古，此举极大地促进了康熙对民情的了解。他还亲自巡视黄河河道，督察河工，并下令整修永定河河道。

在经济上，康熙认为“家给人足，而后世济”，在继续采取轻徭薄赋，与民生息的政策的同时，又采取了一系列措施，体现了他仁爱的一面。其一，是废止“圈田令”，即废止贵族圈近京州县田地的特权，将土地让与百姓耕种；康熙在诏书上说："自后圈占民间房地，永行停止，其今年所已圈者，悉令给还民间。"其二，延长垦荒的免税时间。清初规定垦荒三年内免税，以后改为六年；康熙十二年重申新垦荒田十年后征税。这一政策刺激了农民垦荒的积极性，使耕地面积迅速增加。其三，实行更名地政策。对于农民耕种的原先属于明朝宗室的土地，康熙下诏农民可以不必支付田价，照常耕种。

在文化上，康熙强调兴礼教。他在康熙十八年下诏说："盛治之世，余一余三。盖仓廪足而礼教兴，水旱乃可无虞。比闻小民不知积蓄，一逢歉岁，率致流移。夫兴俭化民，食时用礼，惟良有司是赖。"康熙自幼就对儒家学说充满浓厚兴趣，认为"殊觉义理无穷，乐此不倦"。康熙十六年十二月，他在御制《日讲四书解义序》中，明确宣布清廷要将治统与道统合一，以儒家学说为治国之本。他曾多次举办博学鸿儒科，创建了南书房制度，并亲临曲阜拜谒孔庙。康熙还组织编辑与出版了《康熙字典》、《古今图书集成》、《历象考成》、《数理精蕴》、《康熙永年历法》、《康熙皇舆全览图》等图书、历法和地图。

康熙在军事上也很有建树。

一是削藩成功。康熙十二年（1673年）三月，以平南王尚可喜请求归老辽东，但请求留其子之信继续镇守广东为引线，引发了是否撤藩的激烈争论。最后康熙帝认为"藩镇久握重兵，势成尾大，非国家利"，决定下令"撤藩"。同年十一月，吴三桂在云南发动叛乱，提出反清复明，并于次年派将率军进攻湖南，攻陷常德、长沙、岳州、澧州、衡州等地。他又派人四出散布檄文，声讨清朝。广西将军孙延龄、四川巡抚罗森等许多地方大员纷纷反清。接着，福建耿精忠亦反。在短短数月之内，滇、黔、湘、桂、闽、川六省丢失，一时间清帝国危在旦夕。随后，陕西提督王辅臣、广东尚之信等也相继反叛，叛乱扩大到广东、江西和陕西、甘肃等省。康熙十五年（1676年）十月，福建耿精忠在清军进攻下，被迫投降。广东的尚之信也于1677年投降。闽、粤以及江西都先后陷落。康熙十七年（1678年）八月，吴三桂死，其部将迎立其孙吴世璠继位，退居云贵。此后，清军先后收复湖南、广西和四川。康熙二十一年（1681年），清军攻破昆明，吴世璠自杀。

二是收复台湾。康熙二十二年（1683年），康熙以施琅为福建水师提督，出兵攻台，在澎湖大败刘国轩所率领的郑氏海军，收复了台湾。康熙二十三年（1684年），清政府在台湾设一府（台湾府）三县，即台湾县（今台南）、凤山县（今高雄）、诸罗县（今嘉义），隶福建省，并在台湾设巡道一员，总兵官一员，副将二员，兵八千。在澎湖设副将一员，兵二千。从而加强了中央对台湾的管辖，促进了台湾经济文化的发展。

三是平定准格尔叛乱。康熙二十七年（1688年），噶尔丹亲率骑兵三万自伊犁东进，越过杭爱山，进攻喀尔喀，占领整个喀尔喀地区。喀尔喀三部首领仓皇率众数十万分路东奔，逃往漠南乌珠穆沁（今内蒙古乌珠穆沁旗）一带，向清廷告急，请求保护。康熙一面把他们安置在科尔沁（今内蒙古科尔沁旗）放牧，一面责令噶尔丹罢兵西归。但噶尔丹气焰嚣张，置之不理，反而率兵乘势南下，深入乌珠穆沁境内。对于噶尔丹的猖狂南犯，康熙一面下令就地征集兵马，严行防堵，一面调兵遣将，准备北上迎击，先后在乌兰布通和昭莫多大破准噶尔。康熙三十六年（1698年）二月，康熙鉴于噶尔丹拒不投降，再次下诏亲征。噶尔丹在众叛亲离的情况下，服毒自杀而死。至此康熙时期平定噶尔丹叛乱之战始告结束，喀尔喀地区重新统一于清朝。

康熙晚年倦勤，导致官吏贪污，吏治败坏。康熙四十九年（1710年），御史参劾户部堂官希福纳等侵贪户部内仓银六十四万余两，牵连的官吏多达一百一十二人。康熙说“朕反复思之，终夜不寐，若将伊等审问，获罪之人甚多矣”。最后只把希福纳革职，其余官吏则勒限赔款。

康熙是清朝历史上在位时间最长的皇帝。他坐镇北京取得了对三藩、沙俄的战争胜利，消灭在台湾的汉族政权，显示了康熙卓越的军事指挥才能。另一方面，康熙少年时就挫败了政治对手鳌拜，年老时利用“文字狱”打击汉族异议人士。康熙创立“多伦会盟”取代战争，联络蒙古各部，意图以条约确保清朝政府在黑龙江的领土控制。他开创康乾盛世的大局面，是一位英明的君主、伟大的政治家。

清世宗胤禛

清世宗爱新觉罗·胤禛（1678年—1735年），满族，是清朝第五位皇帝，入关后第三位皇帝，清圣祖康熙第四子，母为孝恭仁皇后，即德妃乌雅氏，1722年—1735年在位，年号雍正。雍正在位时期，平定了罗卜藏丹津叛乱，设置军机处加强皇权，实行“改土归流”、“火耗归公”等一系列铁腕改革政策，对康乾盛世的连续具有关键性作用。去世后庙号世宗，谥号：敬天昌运建中表正文武英明宽仁信毅睿圣大孝至诚宪皇帝，葬清西陵之清泰陵。

胤禛于康熙十七年十月三十出生于北京紫禁城永和宫，是康熙帝第四子。德妃乌雅氏所生。康熙皇帝曾评价幼年的胤禛“喜怒不定”，后经胤禛请求，于康熙四十一年（1702年）撤此考语。因性情急躁，父皇康熙用“戒急用忍”训喻他。胤禛早年随康熙巡历四方。康熙三十七年（1698年）封贝勒。

康熙四十八年（1709年），封胤禛为雍亲王。此间诸皇子为谋求储位，各结私党，极为激烈。当时的太子胤礽两立两废，康熙诸皇子储位的传奇猜疑很多。胤禛善于治国、懂得韬光养晦。他尊释教道学，自称“天下第一闲人”，与诸兄弟维持和气，与年羹尧和隆科多交往密切，同时向父亲康熙表现诚孝，画西藏于版图，赢得康熙的信赖。康熙帝曾说：“雍亲王皇四子胤禛，人品贵重，深肖朕躬。”

康熙六十一年（1722年）十一月十三日，康熙帝在北郊畅春园病逝，胤禛继承了皇位，次年改年号雍正。

雍正即位，立志“振数百年颓风”，为此，针对康熙末年的种种积弊，从恢复中央集权，强化皇权入手，实现了国家的政治稳定。

雍正帝在祖先基础上继续加强皇权，从两方面入手：第一、强化密折制度，扩大密折的范围和内容。密折起于康熙二十年。密折有助于皇帝更好地了解下情，掌握动态，有针对性地制定措施，有效地实施统治。为充分发挥密折作用，雍正帝把递密折的范围扩大到布政使、按察使、学政等，内容则扩大到生计、风俗等方面。第二、设军机处。雍正七年，因用兵西北，以内阁在太和门外，恐漏泻机密，始于隆宗门内设置军机房，选内阁中谨密者入值缮写，以为处理紧急军务之用，辅佐皇帝处理政务。十年，改称“办理军机处”，简称“军机处”。军机处的大臣由皇帝挑选，由内阁大臣兼任，他们直接听命于皇帝，跪受笔录，他们的活动都是在皇帝的监督下的，旨意完全是按皇帝的话记录的。可见，军机处本为办理军机事务而设，但因它便于发挥君主专制独裁，所以一旦出现之后，便被皇帝抓住不放，不但常设不废，而且其职权愈来愈扩大。

在政治上，雍正以高压政策维护和巩固自己的统治，着意于反对朋党的斗争，消除康熙末年夺嫡之争造成的统治集团内部矛盾，以及随之而来的统治合法性危机。为此雍正镇压和惩处了塞思黑、阿其那集团和隆科多、年羹尧集团，继之又严厉整饬以李绂、杨名时为代表的科甲朋比现象。与此同时，不放过一切机会，对社会上关于他矫诏篡立的怀疑和攻讦进行反复辩解和打击。雍正六年，抓住曾静投书谋反案，雍正出奇料理，颁布宣讲《大义觉迷录》，兴起了一场清算吕留良“华夷之辨”的文字大狱。综观雍正一朝的文字狱，真正因文字获罪者少，而多数是同当时尖锐复杂的政治斗争紧密联系在一起的政治案件，如汪景祺、钱名世、查嗣庭等案即是如此。要特别指出的是，从吕留良之狱开始，清朝文字狱的性质发生了变化，成为统治者整治民心风俗，钳制人民思想，进行文化专制的工具。从此，文字狱与封建专制更为紧密地联系在一起，并从庙堂之上蔓延到了陋巷细民之间。此外，雍正在思想领域，大搞“神道设教”，推崇迷信，用愚昧来维护统治。

雍正皇帝虽说为登上并巩固自己的帝位用了许多残忍手段，但以治国而言他是一个出色的帝王。

与康熙帝一样，雍正帝勤于政事。他宵衣旰食，夙夜忧勤，按照今日事今日毕的原则办事。后人收集他13年中朱批过的折子就有360卷。经过13年的励精图治，使清帝国各方面在康熙时期的基础上更上一层楼，为康乾盛世的创建作出了巨大贡献。

雍正还重用汉官，除重用年羹尧外，雍正一朝还宠信四位臣工：李卫、田文镜、张廷玉、鄂尔泰；其中李卫和张廷玉为汉人，田文镜为汉军旗人，足见雍正确实了解也重用汉人。

雍正上任后，既不容忍“贪”，又不容忍“懒”，两手抓，两手硬。他首先诛杀贪官，保持高压，让官员们听到“钱”字就发抖。在对贪官执行死刑时，常组织官员到场观摩，他认为现场警示教育，比让官员学习

《论语》管用得多。与此同时，雍正奖掖勤能、责罚慵懒，逼迫官员改变作风，不换脑筋就换人。大家如梦初醒，意识到不是现在官不好当了，而是过去当官太容易了；谁再像以前那样混日子，就是跟自己过不去。于是，各级官员很快适应了新形势，纷纷行动起来。官场风气迅速扭转，号称“雍正一朝，无官不清”，这实在是中国封建社会的奇迹，也为推进各个领域的改革提供了保障条件。

关于雍正的死因，历来众说纷纭。正史载：雍正十三年（1735年）八月二十三日子时，在圆明园猝然去世。据《清世宗实录》和《张廷玉年谱》记载：雍正十三年八月二十日，雍正偶感违和，仍照常听政，并召见臣工。二十一日，病情加重，照常理政。大学士张廷玉每日觐见，未尝间断。皇四子宝亲王弘历，皇五子和亲王弘昼等，御榻之侧，朝夕侍奉。二十二日，病情恶化，太医抢救。二十三日子时，进药无效，龙驭上宾。

纵观雍正一生，他深谙“小不忍则乱大谋”的道理，在重大事务中，以坚忍的毅力锻炼耐性。因此，在康熙末年两废两立太子及众阿哥夺嫡纷争的激流漩涡里，他动心忍性，韬光养晦，很好地掩饰、保护、排解自己的政治欲望，取得了最后的成功。他有清醒的政治头脑，灵敏的政治嗅觉。对于政治形势、政治气候及其走向，能明察秋毫，审时度势。但他为了达到目的，不择手段，也有阴险、残忍，心狠手辣的一面，他推行酷政，骨肉相残，屠戮功臣，遂有“酷君”之名。

清高宗弘历

清高宗爱新觉罗弘历（1711年—1799年）清朝入关后第四代皇帝。满族，为清世宗胤禛第四子。雍正十一年（1733年），封和硕宝亲王，十三年八月即位，年号乾隆，习称乾隆帝。在位六十年。嘉庆元年（1796年），传位第十五子颙琰（嘉庆），自为太上皇帝，仍掌军国大政，直至去世，实际统治六十四年，是中国历史上掌权时间最长的皇帝。

弘历即位前，封为宝亲王，少年的他聪颖过人，能文能武，行事恩威并施，十分有才干。雍正对他的寄予厚望，这在皇子中是无人可及的。早在雍正元年八月，弘历就被以"秘建皇储"的方式立为皇太子。皇子弘时曾与之争宠，却被削除宗籍。但雍正接受康熙的教训，不让皇子参与政治，同样弘历登基前未曾参与过朝廷政事，也未曾出任过军政要职，只于雍正十三年参与了苗疆改土归流的事物处理。1735年，雍正驾崩，乾隆顺利继承皇位。

乾隆即位之初，重视经济发展。

首先，重视发展农业生产。他要求北方向南方学习耕种技术。以前贵州遍地桑树，但不养蚕纺织，他责成贵州地方官向外省招募养蚕纺织能手传授技术。他令地方官注意植树造林保持水土。他还鼓励开荒，扩大种植面积。雍正二年，全国可耕面积683万余顷，乾隆三十一年扩大到741万余顷。乌鲁木齐地广人稀，他资助甘肃贫民前去垦种。

其次他关心水利建设。下令完成的水利工程，较大的有：河南南阳至商丘黄河河堤新筑170余里，清口及江南运河疏浚，江南淮阳运河疏浚，清河千里堤岸培筑。此外，在他关心下，修了江苏宝山至金山242里长的块石篓塘和浙江金山至杭县500里海塘。这些水利工程起了防洪、保护农业生产的作用。

再有，他也采取了一些恤商政策。规定商人到歉收的地方销售粮食，可以免关榷米税，允许百姓贩运少量食盐（这在雍正朝是不允许的）。金融机构（经营汇兑和存款、信贷的票号）在乾隆朝也开始出现。

由于生产的发展，国家财政收入从乾隆二十八年开始逐年提高。原来每年财政收入是三四千万两，二十八年就达到47063610两，四十二年达到最高点81824044两。后来降低一些，但也达到六七千万两。

在军事方面，乾隆在位期间，多次用兵统一疆土，使统一的多民族国家得到巩固发展。

即位之初，值西北用兵，又有贵州苗民起义。鉴于西北两路出师均告失利，而准噶尔内部稳定，一时难以取胜，乃暂时议和，采取守势，而专力镇压苗民起义，以号称知兵的张广泗经略苗疆。不久，苗民起义被镇压。乾隆十八年（1753年）前后，准噶尔内部分崩离析。杜尔伯特部三车凌率部众六千于十八年内附。十九年辉特部台吉阿睦尔撒纳又率部众万余人内附。高宗于是年冬天自北京赶到承德，亲自接见，详询准噶尔内部情况，认为解决准噶尔部割据势力时机已经成熟，乃力排众议，在大学士傅恒等少数亲信大臣的赞助下，决定于第二年春天两路出兵伊犁，为一举荡平之计。二十年五月，两路清军进抵伊犁，准噶尔部首领达瓦齐败奔乌什，为乌什维族首领霍集斯擒献清营。不久，归降清廷的阿睦尔撒纳因统治厄鲁特蒙古四部的野心未能得逞，又聚众叛乱，高宗随即派军征讨，准部割据势力乃告平定。二十二年至二十四年，复以兆惠为将军，平定了南疆大小和卓之乱。随即设置总统伊犁等处将军（简称伊犁将军），统辖全疆军政，建立起军府统治。于塔尔巴哈台（今新疆塔城）、喀什噶尔（今新疆喀什）各置参赞大臣，受命于将军，分统天山南北路。于南疆各城置办事大臣或领队大臣，管理一城之事。于北疆移住满洲、锡伯、厄鲁特、绿营等军兵垦荒屯田，为久驻之计，并移民入疆，陆续建置州县以管民事。明朝以来长期割据之地，从此牢牢置于中央政府直接管辖之下。

与此同时，他还加强了对西藏的管辖。清初以来，西藏政局经常动荡不定。由于厄鲁特蒙古诸部信奉黄教，西藏为黄教宗主所在，而西藏内部不同集团皆需要援引厄鲁特蒙古武力以自重，矛盾错综复杂，变乱时有发生。乾隆十五年，珠尔墨特那木札勒勾结准噶尔发动叛乱，杀害驻藏大臣傅清、拉布敦。高宗乃派兵入藏，平定叛乱后对西藏政权结构作了一些调整，稍增驻藏大臣权力，但仍然无法控制局势。五十三年，廓尔喀（今尼泊尔）入侵西藏。五十六年复派兵入侵。乃授福康安为将军，率兵入藏将其击退。次年颁布《钦定西藏章程》，集民政、财政、军政、外交大权于驻藏大臣之手。达赖、班禅之重大决定需经驻藏大臣同意。同时规定金瓶掣签之制，并规定大贵族及蒙古贵族不得参与掣签。大活佛之继承也处于清政府监督之下。从此西藏政局方趋稳定，而中央对西藏之政令也得以贯御执行。

对云南、贵州、广西、四川、湖南、湖北各土司统治地区，高宗继续推行改土归流政策。经过两次金川之役，川西南地区也实行改土归流。

乾隆也十分重视文化事业，以国家财力纂修书籍甚多。乾隆三十八年开馆编纂《四库全书》，历时十载，共收书三千四百五十七种近八万卷，大量中国古代书籍，借此得以保存，是中国最大的丛书。武英殿所刻书籍甚多，且刻印精美，又用木活字印书，称为“聚珍版”，刊布流传。他又喜爱书法字画、铭器古砚，命臣下搜罗进献。故内府所藏珍贵字画、古器、书籍甚富，于古代珍贵文物之保存颇有贡献。他一生诗文之作甚多，有《乐善堂诗文全集》、御制诗五集、御制文三集、御制诗文余集。

由于弘历对文化事业的热心，汉学从乾隆朝愈益兴盛，至嘉庆朝，形成了著名的“乾嘉学派”。

此外，在建筑艺术方面，乾隆也有建树。乾隆在北京及京畿保护、扩修、兴建的皇家宫殿园林，如皇宫的宁寿宫及其花园、天坛祈年殿（换成蓝色琉璃瓦）、清漪园（颐和园）、圆明园三园、静宜园（香山）、静明园（玉泉山）、避暑山庄暨外八庙和木兰围场等，其中清漪园改瓮山为万寿山，上建大报恩延寿寺（排云殿），又建佛香阁。这些皇家园林，无不体现着清代园林文化的辉煌，是园林艺术史上的一串串璀璨的明珠。除圆明园被英法联军焚毁外，多成为世界文化遗产。

乾隆一生，武功显赫，多次进行战争。其中有加强国家统一、抵御外来侵略的战争，也有对内镇压人民起义与对邻国扩张之役。性质各不相同，战争也有胜有败，但却自诩为十全武功。他巡游无度，土木繁兴，耗费大量人力财力。官吏又借机肥私，大大加重人民负担。中期任用于敏中，官吏贪污之风渐炽。晚年又宠信和珅，吏治更趋败坏，大贪污案层出不穷。屡诛不止。加之土地高度集中，人口增殖过快，阶级矛盾日渐尖锐。民间流传的带有浓厚政治色彩的秘密宗教迅速发展。自乾隆三十九年山东王伦起义以后，连续发生多次起义，最后终于爆发了长达九年的川楚白莲教起义。

嘉庆四年正月，乾隆驾崩。

纵观乾隆一生作为，确为一代雄主。乾隆帝即位后，政治上矫其祖宽父严之弊，实行“宽严相济”之策，整顿吏治，厘定各项典章制度，优待士人，安抚雍正朝受打击之宗室。经济上奖励垦荒，兴修水利，全国呈现出一派繁荣昌盛之势。从乾隆初年至中期左右，是乾隆帝政治生命中最有活力，备受后人称颂的时期。乾隆在内政方面最大的成绩是继续施行雍正时期的“摊丁入亩”、“改土归流”等政策，并以个人的威望维持统治高层的稳定，使社会经济在稳定发展中达到繁荣。这一时期也是清朝国力最鼎盛的时期。

清仁宗颙琰

嘉庆帝颙琰，清高宗弘历第十五子。生于乾隆二十五年（1760年）十月初六，五十四年被封为嘉亲王，六十年九月被册立为皇太子，次年（1796年）元旦即帝位，改元嘉庆。在位二十五年。卒于嘉庆二十五年（1820年）七月二十五日，终年六十一岁。谥号“睿皇帝”，庙号“仁宗”。

清高宗弘历遵世宗家法，秘密建储，于乾隆元年七月初二亲书密旨，定皇次子永琏为皇太子，缄名于乾清宫“正大光明”匾额后。乾隆三年，永琏夭亡，弘历的密旨即被取出。以后三十年未提此事。直到乾隆三十八，弘历已是六十多岁的老人，建储之事已不能再缓，于是，他再次密藏御书，立十四岁的皇十五子永琰为太子。为表示慎重，他在冬至南郊大祀时，特意将永琰之名祝告“苍昊”，并默祷说，如永琰不能克当太子，请天降罚以另“简贤良之人”。后来，弘历在盛京谒祖陵时，将此事又祭告太祖、太宗。

乾隆六十年九月初三，弘历在勤政殿召集王公大臣、文武百官，当众取出密缄，正式宣布立嘉亲王永琰为皇太子，命将太子名上一字“永”改书“颙”字，同时拟于冬至传位。后因当年十二月初一有日蚀，改为次年元旦归政。弘历确定永琰为嗣皇帝。

为表示对弘历的敬重，已受命承继大统的颙琰表面上仍不得不谦恭一番。九月初四，颙琰和诸皇子、王公大臣上疏弘历，请他继续秉政，不必改元传位。弘历因自己初即位时曾许下心愿：如能在位六十年，就传位给嗣子，不敢超过皇祖康熙在位六十一年之数。现在六十年届满，理当实现前言，决定传位。但又表示归政后，凡遇军国大事及用人等事权，还要亲自处理。

嘉庆元年（1796）正月元旦，在太和殿举行了授受大典。弘历亲将宝玺授予颙琰。颙琰即位，尊弘历为太上皇帝，诏告天下。宫内时宪书，仍用乾隆年号，各省改用“嘉庆”年号。弘历退位后，本应移居宁寿宫，让新皇帝住养心殿。但他以自己居住养心殿已六十年，安全吉祥，且便于召见群臣，不愿迁出，而让颙琰居毓庆宫，赐名“继德堂”。

弘历归政后，以太上皇名义训政。正如他对朝鲜使臣所说：“朕虽然归政，大事还是我办”。他经常御殿受百官朝贺或赐宴，颙琰完全处于陪侍地位。每逢初一、十五，颙琰还要亲自朝见弘历。嘉庆四年正月初三，弘历崩逝于乾清宫，颙琰亲政。四天之后，下令将秉权达二十余年的军机大臣和珅逮捕入狱。大丧之日，颙琰迫不及待地采取这一措施，使朝廷内外大为震惊。

嘉庆元年至九年（1967年—1804年）爆发的川楚农民大起义，是鸦片战争前清朝规模最大的一次农民起义。起义的基本队伍是白莲教徒。当时白莲教在河南、湖北、陕西、四川等省广泛传播，入教的有荆襄的流民、棚民，长江的盐户，川东的逃兵等。他们互通声气，“穿衣吃饭，不分尔我”，形成与清王朝对抗的强大力量。因此，这次起义又称白莲教大起义。

早在乾隆五十九年，在川楚一带活动的白莲教教首宋之清、齐林等被清廷查获。清廷下令继续搜捕，“亲民之吏，多方婪索”，“株连罗织达数千人”，许多农民弃田逃走，盐户也纷纷失业。六十年冬，刘之协、王聪儿（齐林妻）、姚之富、刘起荣、张汉潮等白莲教主要领导人在襄阳聚会，提出了“官逼民反”的口号，决定分东、中、西三路于次年辰年辰月辰日（丙辰年三月初十）同时起义，并派人分赴各地准备。这时，在湖北长乐、长阳、枝江、宜都传教的张正谟、聂杰人等，因另一头目黄庭柱被捕，于嘉庆元年正月提前发动起义。起义队伍很快发展到一万余人。各地纷纷响应，占据山寨，攻拔县城，惩办贪官。同年三月，刘之协、王聪儿、姚之富、刘起荣、樊人杰、张汉潮、张天伦等率领一万人在襄阳黄龙挡起义，进攻枣阳、襄阳等地，起义军人数很快发展到四五万人。四川、陕西两省白莲教组织也风起云涌，响应起义。

清廷调兵遣将，派湖广总督毕沅、陕甘总督宜绵、四川总督福宁、湖北巡抚曹龄、西安将军恒瑞等率兵“围剿”，但起义军很快即蔓延于河南、湖北、四川三省。嘉庆二年，王聪儿、姚之富等出河南，攻入陕西，在川东的起义也声势浩大。嘉庆三年，王聪儿、姚之富回至郧西，为清军所困，跳崖自杀，其余部即与川东起义军结合，继续在各地作战。同年，川东起义军首领王三槐被清军诱擒至北京处死，其他一些首领也先后牺牲。但起义军的力量并未因此而消沉，一个领导人牺牲，又涌现出另一个领导人，此伏彼起，仍以“官逼民反”为号召，领导广大群众继续斗争。嘉庆五年，起义军过涪江、嘉陵江、袭川西，成都震动。另一支起义军复穿过岷山草原，转战甘肃秦州、岷州。清廷见起义军“愈剿愈炽”，而官军又屡被击败。于是，一面以大量金钱为诱饵，招募乡勇，驱之为前锋，一面又采取“坚壁清野”、“筑塞团练”的办法，尽驱乡民入塞，断绝起义军的粮饷接济。在激烈的战斗中，起义军的重要首领、白莲教起义发动者之一张汉潮、高均德等壮烈牺牲。起义军首领冉天元与徐天德、王登廷等会聚四川，清军将其包围于苍溪，开始一场规模较大的决战，结果起义军大胜，歼毙清军副将以下军官二十四名，冉天元联合各路起义军强渡嘉陵江，进入川西，将主力集中于川西江油县的马蹄岗，准备用伏击战术全歼德楞泰率领的清军。德楞泰仅率数十亲兵据守山巅，以为必死，可惜正当冉天元率众登山即将活捉德楞泰的时候，冉天元的乘马中箭跌入山涧，被俘遇害。义军失去指挥，溃不成军，转胜为败。嘉庆六年，川东起义军首领徐天德、王廷诏战死，起义军分散为六支，至嘉庆九年陆续被镇压。起义军的樊人杰部在湖北房县战败，樊人杰和五百名起义军战士投河而死。苟文明在宁陕厅花石岩被围困，跳崖牺牲。

在清廷自诩胜利在望的时候，潜伏在南山老林之中的苟朝九等部起义军，联合被遣散回籍、谋生无路的乡勇，声势又壮大起来。他们忽川忽陕，忽聚忽散，利用奇袭、埋伏和化装成清军的办法打击敌人。颙琰诏令额勒登保以钦差大臣赴陕，会同德楞泰、杨遇春“进剿”。直到十年正月，苟朝九战败牺牲。

颙琰亲政之前，一切“剿捕”白莲教起义事宜均由太上皇弘历亲自调度指挥。嘉庆四年正月，弘历临死时拉着颙琰的手，“频望西南，似有遗恨”。颙琰亲政以后，处治了大学士和珅、达州知州戴如煌、武昌府同知常丹葵等贪官，将“官逼民反”的罪责归之于这些贪官，以息民愤。颙琰指出军事上的失败是“从前军营带兵各大员皆以和珅为可恃，只图迎合钻营，并不以军事为重，虚报功极，坐冒空粮，其弊不一而足”，告诫统兵将领应革除积弊。他面对川、楚、豫、陕、甘五省遍地烽烟的严峻局势，声称“若军务一日不竣，朕即一日负不孝之疚，内而军机大臣，外而领兵诸将，同为不忠之辈”。他在宫中卜了一卦，兆卦的占词说：“三人同心，乃奏肤功”，于是，任命都统勒保为经略大臣，节制五省军务，以明亮、额勒登保为副都统、参赞大臣，会同德楞泰、惠龄等将领，除了集中五省兵力之外，先后又调动京营满兵、蒙古兵、陕甘回兵、苗疆兵、广东兵，火器军资，不计其数，所耗军饷在二万万两以上。嘉庆四年，对没有作战能力和战场失利的将领责以“纵贼”之罪，“上负两朝委任之恩，下贻烝民倒悬之苦”，其中督抚将军如湖北永保、惠龄，河南景安，陕西宜绵、蔡承恩，四川英善、勒保或被处死，或革职充军。他并利用“但治从逆，不治从教”的宣传瓦解起义军，亲自撰写《邪教说》一篇，申明：习教而奉公守法者不必查拿，聚众犯法者方为惩办。“苟能安静奉法，即烧香治病，原有恻怛之心，在朝政所不禁。若借此聚众弄兵，渐成叛逆之案，则王法之所不容”。这些措施虽然不能马上收效，但对起义军的活动造成很大困难。由于起义军比较分散，长时期内没有建号称王，没有攻取城市，更没有提出更高的革命目标，清统治者说他们“并未易衣冠，立国号”、“尚无要结人心之术”，而且支派林立，各自流动作战，结果先后被清军各个击破。

白莲教起义沉重地打击了清王朝的封建统治，成为它由“盛世”到衰落的转折点。

紫禁城是皇帝居住的宫禁重地，向来戒备森严，但是，就在颙琰统治时期，这里发生了有清一代前所未有的谋刺皇帝和百余名破产农民冲进“大内”造反的事件，即陈德行刺和紫禁城之变。

陈德行刺颙琰的事件发生在嘉庆八年闰二月十六日。陈德，有的史籍写作成得或成德，大概都是因音近而误称。其父陈良，原为汉军镶黄旗人，山东青州府海防同知松年之契买家奴。陈德一生被压在社会的底层，跟官服役，饱尝人间的辛酸，也亲眼看到了皇室、贵族的腐朽生活，更加认识到社会的不公平，从而激发了反抗情绪。嘉庆八年二月底，他被主人解雇，断绝了一线生路，“心里愈觉气忿”。闰二月十六日，他看见街上以黄土垫道，得知颙琰二十日斋戒回宫，决心届时进宫谋刺皇帝。这天早晨，陈德怀揣小刀，带着儿子陈禄儿潜赴神武门，隐蔽在西厢房南山墙后，只等颙琰的到来。不久，颙琰在大队人马的簇拥下进了神武门，下轿后正待步行至顺贞门时，陈德猛地冲出，手持小刀，直扑颙琰。这突如其来的袭击，吓得颙琰匆忙逃入顺贞门，不敢回视一眼。守护在神武门内东西两侧的一百多名侍卫、护军，个个竟呆若木鸡，没有一个上前拦阻捉拿。只有御前大臣定亲王绵恩、乾清门侍卫丹巴多尔济等数人上前拦挡，捉拿陈德。陈德奋起反抗，即用小刀刺破绵恩的袍袖，刺伤丹巴多尔济，但因寡不敌众，力竭被擒。

陈德被捕后，颙琰立即命令军机大臣会同刑部严审，令将陈德“备受诸刑，再行磔死”，同时还要清查同谋者。陈德在酷刑之下英勇不屈，声言“惊了圣驾，皇上自然诸事都由我了”，颙琰只得伪托宽仁，说：“若一味刑求，反肆狂吠，所言之人如何存活？即不究问，终成疑团，所损者大矣！朕所惭惧者风化不行，必有失德，始有此惊予之事。当谨身修德，勤政爱民，自省己咎耳。”于是下令将陈德凌迟处死，将他的两个未成年的儿子陈禄儿、陈对儿处绞。颙琰还以失察的罪名，把护卫守候在神武门、东华门的十七名文武官员分别给以罚俸、发往热河披甲当差的处分。

紫禁城之变发生于嘉庆十八年（癸酉年）九月。这时，京畿和直隶、河南、山东三省交界地区爆发了天理教起义。起义分为京畿和直鲁豫三省交界地区两个战场。其中，京畿百余名起义者打进了紫禁城，给予清廷以极大震动。史称“癸酉之变”或“紫禁城之变”。

天理教属于白莲教支派，是京畿大兴县人林清和河南滑县人李文成、冯克善等将散在京畿的红阳教、坎卦教、白阳教和直鲁豫三省交界地区以震、离二卦为核心的八卦教联合起来成立的一个民间秘密宗教。基本群众是贫苦农民和小生产者，也有少量的小地主和下层官吏入教，仅黄村一地即有万余家。起义之前，教首林清、李文成和冯克善等进行了周密的准备，广泛宣传打天下的思想，制造了“单等北水归汉帝（林清义称刘林），大地乾坤只一传”，“若要红花开，须要严霜来（李文成号）”等谶语，扬言星象示变，有星射紫微垣，主兵象，将要大动干戈，为起义制造“天意”的依据。嘉庆十七年正月，各地教首聚会于滑县的道口镇，决定“应在酉之年，戌之月，寅之日，午之时，故以十八年九月十五日午时起事”。以后，李文成至大兴县黄村会见林清，约定李文成先在滑县发动起义，河南、山东、直隶同时揭旗造反后，立即直趋京畿；林清则在京师城内响应，与李文成等起义军里应外合，夺取京城，占领清朝统治中心。

嘉庆十八年八月底，九月初，由于滑县天理教徒人多势众，铸造军械机密失泄，李文成、牛亮臣被知县强克捷逮捕入狱。为了营救李文成，起义被迫提前于九月初七进行。这一天，天理教首领宋元成、冯克善等人聚集教徒五千多人，一举攻下滑县城，从狱中救出李文成等人，强克捷逃到封邱后被迫自杀（一说被杀）。接着，李文成在滑县署内设羽帐，帐后树一面大旗，上书“大明天顺李真主”七个大字，以牛亮臣为军师，宋元成为大元帅，又攻下了附近的军事据点桃源、南湖，以及屯粮要地道口镇，与滑县形成犄角之势。起义军还用重兵围困与滑县咫尺相隔的濬县，力图扩大影响，号召各地教徒响应。九月初八及初十，直隶的长垣，山东的定陶、曹县天理教徒也纷纷响应。起义声势十分浩大。

李文成提前发动起义，由于清军的堵截拦阻，队伍未能迅速北上。林清在北京对滑县之变毫无所知，仍按原计划进攻紫禁城。十五日一早，参加起义的京畿200多名天理教徒分成东西两队，乔装改扮，潜伏在东华门、西华门外，由太监接应，夺门入宫。冲进东华门的五名起义者被司阍官兵发觉，经过激烈搏斗，寡不敌众，均被擒杀。西路的30多名起义者在冲进西华门后，由尚衣监、文颖馆打到隆宗门。这时，有几名起义者企图由门外诸廊房越墙进入养心殿。正在尚书房读书的皇次子旻宁（即后来的道光帝），闻变戎装上阵，登城垣，以鸟枪射击起义者。午后，留京的礼亲王昭梿等人带兵由神武门增援，又临时将准备派往滑县镇压李文成起义的一千多名火器营官兵调入宫内阻击起义军。最后才把起义者残酷镇压下去。

颙琰在镇压京畿天理教起义的同时，惧怕八年前已被扑灭的白莲教起义重演，一方面急忙派陕甘总督那彦成为钦差大臣，率兵前往滑县等地扑灭起义烈火；另一方面对起义军采取了分化瓦解的政策，多次下令对起义地区豁免钱粮，抚优赈济难民，指令地方官吏把习教和“谋逆”严加区别，声称只抓习教谋逆的首犯，而对广大习教者一律不究。这就在一定程度上割断了农民和起义军的联系。

从九月下旬至十一月初，在清军和地主团练的攻击下，直鲁起义军主力基本被消灭，起义地盘只剩下河南滑城、道口、桃源三个据点，双方最后决战的时刻来到了。

还在十月初八，那彦成抵达河南卫辉，因见滑县、道口一带起义军声势浩大，乃不敢冒险前进，上书颙琰要求派兵增援。求胜心切的颙琰对此大为恼怒，严斥他“畏葸迁延”，“非朕之臣”。立即加派托津为监军，驻守直隶开州督战。在颙琰的再三督促下，那彦成在十月二十一日占领了道口，接着率军进抵起义军的大本营滑县。以一万三千余兵力围其东、西、南三个城门，正北、西北二门因缺乏兵力尚未围堵。颙琰得知后，急调陕甘官兵增援，并令那彦成在援兵到后，督率将士将滑城严密围堵，使起义军无路奔逃，然后用大炮毁其垣壁，全歼起义军。他还警告那彦成说，如滑城义军散窜各地，则唯他是问。那彦成接到颙琰的谕令，不敢怠慢，经过一个多月的围剿，终于攻克了滑城，把李文成起义镇压下去。

颙琰亲政之后，立即令他的老师朱珪来京供职，任吏部尚书。朱珪一到京，就在一件奏折中向颙琰提出建议，希望他身先节俭，崇将清廉，这样做自然“盗贼不足平，财用不足阜”。颙琰采纳他的建议，提出了“咸与维新”的方针，力图清除乾隆朝的各种积弊，恢复清朝的鼎盛局面。

大力整饬内政，是挽救颓势的关键。颙琰采取的措施主要有：勤政戒惰。颙琰指出，作为国家的官吏，应该克尽职守，办事毫不松懈，“君克勤则百度惟贞，臣克勤则庶司无缺”。为此，他自亲政之后，身体力行，“一切皆求之于实，所谓为政不在多言，顾力行何如耳”。每天天未明即秉烛批阅章奏，早膳后召见臣工多至十余人，披鉴奏疏几十件。遇有巡幸日期，必于当日早起数刻办事。但当时的各级官僚唯知恋位食禄，苟且墨守，不以政务为重。办事拖拉，模棱观望，效率低下，已成官场恶习。颙琰深知此弊，认为不加严惩则不足示以儆戒。嘉庆十三年四月，颙琰喜得皇孙，内阁见皇室浸沉于一片欢乐之中，不便打扰皇帝，两天未呈递奏章。颙琰非常不满，他指责说：“似此频繁积压，势必渐形丛脞，决不符合勤政本意”。可是没过几天，朝臣又因端阳节不递奏章，更使他恼怒，除了下谕旨申斥外，还亲自对各部院逐一查核，令将刑、吏、工等部有事不奏的官员，分别交都察院议处。十八年七月，颙琰从御史冯大中的奏疏中了解到京外各衙门办事迟延懈怠，立即下令“将科钞咨文何日到部，该衙门于何日具题”，都要在“本尾声明”；题本奉旨后行文以及咨行外省之件，都必须令各衙门设立号簿登记；外省遇有待交咨交审办各案件，如实有不能依限完结者，均著分别奏咨，以备查核；即声覆部院咨查事件，亦著将接准日期、部文咨覆日期一并详叙，违者一概参处。二十五年五月，他又鉴于嘉庆十二年“恩赏”的直隶兵丁半月钱粮，竟拖延十三年之久方才题销，命令吏、兵二部“会议题销迟延处分条款”。颙琰通过自己的言行，表示了要有所作为的决心。

惩办贪吏。颙琰亲政后，决心整顿吏治。嘉庆五年十月，他在上谕中指出：“整饬吏治，以清廉为本”，“贪墨之风，首当严惩”。此后20年间，他惩处了许多贪官污吏。

此后，颙琰还亲自处理了一些官吏的贪污案件，以表明他整饬吏治的决心。

体察民情。颙琰亲政后，许多朝廷大臣和地方官员，往往热衷于歌功颂德，粉饰太平。他对此深恶痛绝，而把自己的注意力较多地放在体察民情上，“夙夜孜孜，亦惟以军务、民生、雨旸、水旱为念”。他声称“总要真知小民疾苦”，对官吏讳灾不报或故意缩小灾情的行为十分痛恨。嘉庆九年六月的一天早上，他正在宫中批阅奏章，突然一只飞蝗落在桌上，太监也随即捕获了十余只。他由此想到，蝗虫既能飞入宫禁之中，可以想见郊外田亩间的蝗虫为患。于是，令直隶总督颜检“查明覆奏”，并派人到广渠门外查看情况。不几天，颜检回奏说，北京郊外蝗虫已捕捉净尽，并称飞蝗不伤禾稼，只食青草。这使已掌握真实情况的颙琰十分恼怒，训斥颜检的奏报“殊不成话”，广渠门外“田禾被蝗食者已有十分之四，尚得云不伤禾稼乎！”

他对官吏随意加赋扰民也是深恶痛绝的。嘉庆十七年八月，两江总督百龄等在《通筹南河善后工需折》中，要求增加赋税作为修河费用，并具体建议说，江南、江北地亩如果按康熙时靳辅旧议“每田一亩，出银一钱计算，可得银三百一二十万两”。颙琰拒绝了这一建议，指出：“今令按亩出银，非加赋而何？”他决定从淮商捐输的四百万两中拿出三百万两解决南河善后工需，其余一百万两仍还给淮商。这样既解决了修河的费用，又不致增加一般百姓负担。

颙琰还通过赈灾、蠲免等方式解决百姓疾苦。他在位的二十五年间，赈灾、蠲免的事例是很多的，但都是就个别地区而言，而未能像弘历那样，普免天下的钱粮。究其原因，主要是镇压白莲教起义以及修治黄河的十余年间，所费帑金数逾亿万，致使国家财赋入不敷出。因此他在五旬大寿时也未能仿效其父，实现“恩蠲”。十年后，由于社会秩序相对安定，“河流顺轨，久庆安澜”，“以正供所入谨制国用，尚无可虞匮乏”，决定在他六旬寿辰时，将各省积赋银两千一百二十九万余两、米谷四万五千二百余石全部蠲免。

颙琰对有关“民生运务”的河防工程也是颇费心计的。他不惜多用帑金，仅南河一项工程，用银不下四千余万两。对于大臣的河防请款，均“全行拨给”。他还对治河提出了一些很好的见解，认为：“全河扼要之处，全在海口畅流”，河防多事，皆由海口淤塞，下壅上溃。他严厉斥责河防大臣总不肯认真疏导，其节次挑挖，亦皆有名无实，白白浪费大量的帑金，而河水却漫溢如常。这些见解，都是很切合当时的实际情况的。

提倡封建礼教。颙琰和清代历朝皇帝一样，十分懂得“文教治天下”、“以孝治天下”的道理，竭力用尊孔和提倡封建礼教来完善和巩固其统治，力求在人民心目中树立自己作为传统道德捍卫者的形象。嘉庆九年，颙琰亲到翰林院，在先师（孔子）牌位前行礼。按旧制，要行二跪六拜礼，为表示对孔子的虔敬，特行三跪九拜礼。此后，他还数次或亲自或派皇次子曼宁“释奠先师孔子”。嘉庆十四年、二十四年（即颙琰五十、六十寿辰）时，特准孔子七十三代孙孔庆镕两次赴京祝寿。孔庆镕在京期间，颙琰对他关怀备至，多次召见，详细询问他本人及其家庭、孔庙的有关情况，赏给他许多珍宝、书籍，还说自己因为频年动乱、水旱灾害，始终未能到孔庙朝圣，十分遗憾，一再告诫他：“你诗礼承家，好生承先圣世业，总要忠孝存心”。颙琰对孔子后代及孔府的关怀备至，是为了加强孔子儒家思想在中国的统治地位。

清代，文昌君向不列于祀典中。嘉庆五年，四川总督勒保上奏说，某次起义军数骑“进梓潼，见七曲山旗帜森列，遂退，以为神佑昭然”。颙琰立即亲笔御书“化成耆定”匾额，颁于七曲山祠。又发帑金三千余两，并“各官输银一万有奇”，修复京城地安门外的文昌君废祠。六年五月，文昌君祠告成，他亲临荐香，行三跪九拜礼。命礼官依关圣祠典礼，厘定春秋秩祀。又御制七言诗一章，传谕镌刻于石，永志纪念。

颙琰还大力提倡孝道。嘉庆六年三月，云南巡抚初彭龄以双亲俱已年迈，上疏乞请回京侍养。颙琰允准，令其改补京职。总督尹壮图上疏说：“初彭龄莅任一年有余，清介率属，实惠在民，能假以岁月，则滇省元气可复。若骤易生手，则拊循未几，即匆匆去任，殊失赤子之望”，恳请恩准初彭龄留任。颙琰在谕旨中指出，初彭龄呈请归养父母，亦属人子之情，“朕方以孝治天下，自难不允所请”。斥责尹壮图说：“若各省绅士相率效尤，纷纷保留，成何政体？”

崇俭黜奢。乾隆中后期，随着社会商品经济的发展，统治阶级过着穷奢极欲、一掷千金的豪华生活。颙琰亲政后，表示要提倡俭朴，以期转移社会风气。嘉庆四年正月，颙琰在查处和珅时就知谕内阁说，每年外省督抚所进的贡物，内廷不过“赏收”一二件，其余皆入和珅腰包。他质问道：试想外省所备办的玉、铜、瓷、书画、插屏等物，都是取之州县，州县取之百姓，“稍不足数，敲扑随之，以闾阎有限之脂膏，供官吏无穷之朘削，民何以堪？”他告诫大臣说：此等古玩，饥不可食，寒不可衣，直若粪土一般，怎么能当奇货对待呢？为此郑重宣布：“经朕此次严谕之后，诸臣等有将所进之物呈进者，即以违制论，决不稍贷。”不久，他又获知上年底从叶尔羌采解的大块玉石正在运送途中，立即命令各地方官，一接到此谕，不论玉石行至何处，即行抛弃。

颙琰本人素习俭朴。早在乾隆四十年前，即他当皇子时，书房中每遇年节，他与师傅、诸昆弟互相馈赠，不过如意、荷包、食物，而“从未有以陈设玩器相持赠者”。亲政后，他又表示“朕躬行节俭，为天下先”，把节俭看作遏制奢侈之风、恢复国家元气的重要措施。嘉庆四年五月，他令“各省督抚司道署内，俱不许自养戏班，以肃官箴，而维风化”。嘉庆十四年，是他五旬寿辰之年。为了防止奢靡之风盛行，前一年就预饬直省督抚不准进献珍宝。十四年五月，他在上谕中说：“万寿正日”，准许督抚各呈献一柄如意，此外惟年例应进土贡及预先准备的书册字画准许呈递，珠玉陈设等件则一概不准进献；民间也不准广陈戏乐，“巷舞衢歌”。十六年，御史景德上疏，建议万寿节时令北京城内演戏设剧10日，“岁以为例”，遭到颙琰的严厉训斥，并被立即革职。

颙琰到各地巡幸也较少。他为皇子时，曾随其父弘历巡幸江南。即位之后，多次巡幸盛京、热河等地。嘉庆十年九月，他在东巡（盛京）返回途中，一路上与同行大臣津津乐道地议论各地风景之美。大臣吴熊光上奏说：“皇上此行，欲稽祖宗创业艰难之迹，为万世子孙法，风景何足言耶？”颙琰颇不以为然，说：“汝苏州人，朕少扈跸过之，其风景诚无匹。”吴熊光又回答说：“皇上所见，乃剪彩为花。苏州惟虎丘称名胜，实一坟堆之大者！城中河道逼仄，粪船拥挤，何足言风景？”颙琰很高兴地质问说：“如汝言，皇考何为六度至彼？”吴熊光赶紧叩头，依然谏道：“皇上至孝，臣从前侍皇上谒太上皇帝，蒙谕‘朕临御六十年，并无失德。惟六次南巡，劳民伤财，作无益害有益。将来皇帝如南巡，而汝不阻止，必无以对朕。’仁圣之所悔，言犹在耳。”颙琰后来未能南巡江浙，恐怕与吴熊光等大臣的谏阻及国库空虚很有关系。

乾隆年间，英国曾经派马戛尔尼使团来中国，但谈判毫无结果。嘉庆即位，正是18世纪最后几年和19世纪初，西方资本主义国家力图把中国变成它的商品市场和原料供应地，侵略活动日益频繁。外国军舰在中国沿海武装巡弋，屡次炮击沿海村庄。许多侵略分子藐视中国政府和中国法律，肆意杀害中国居民。嘉庆五年，英国船只“天祐号（Providence）驶往黄埔，无端向中国民船开枪，以致一人受伤，一人落水淹死。中国官府向英人索要凶手，英人拒不交出，其事不了了之。嘉庆七年，英国兵船六艘停泊在澳门外洋面数月，进行窥伺。嘉庆十二年，英国船只海王星号（Neptune）水手在广州纵酒行凶，被送回商馆，又于当晚外出寻衅斗殴，打伤中国居民数人，打死一人，英国方面极力袒护凶手，仅以过失杀人罪缴纳四英镑罚金得释。

颙琰对西方殖民主义者的野心有一定的认识。嘉庆十三年九月，英国借口与法国在欧洲发生战争，法国将侵夺澳门为词，派海军少将度路利（Drury）带领兵船九艘侵入广东香山县属鸡颈洋面上，并派三百名英军在澳门登岸，占据澳门三巴寺、龙嵩庙及东西炮台。颙琰认为这是对中国领土主权的严重侵犯，立即谕令两广总督吴熊光前往澳门交涉，驳斥英国的荒唐借口，严厉警告他们“即速撤兵开帆，尚可曲恕尔罪，仍准尔国贸易”，否则当封禁进澳水路，断绝粮食供应，调军前往围捕。这一年的十二月，度路利率领英军撤出，事态没有扩大。

但是，颙琰毕竟不了解世界的发展，不了解外国资本主义的性质和活动方式，缺乏对付资本主义的正确策略。他继续执行闭关政策，以各种清规戒律、繁文缛节极力限制中外交往。他在上谕中说：“天朝富有四海，岂需尔小国些微货物哉？”封建的自然经济是清王朝统治者故步自封、虚骄自大、闭关自守的根本原因。在这种思想指导下，颙琰使英国第二次派来中国的专使阿美士德的聘问也是毫无结果。

英国政府派遣以阿美士德勋爵（William Pitt Lord Amherst）为首的使团前来中国，嘉庆二十一年闰六月初六抵达大沽口。颙琰和其父乾隆帝一样，把使团看成是向中国“进贡”的，因此，使团刚到天津，觐见皇帝的礼节又成了争执的焦点。颙琰派理藩院尚书和世泰、礼部尚书穆克登额往通州迎接，希望劝说阿美士德在觐见时行三跪九叩首之礼。颙琰在上谕中说：“务将该贡使等礼节调习娴熟，方可令其入觐”。而阿美士德从本国得到的是相互矛盾的不同指示。英国政府曾授以便宜行事之权，对于清方提出的要求，若能借此而完成使命，则不妨照办。但是东印度公司的董事们却劝他在觐见的礼节问题上不作任何让步，以免贬损英国的威望。阿美士德勋爵本人则拒绝在这个问题上让步，在与清方官员会谈中，表示“不能同意行鞑靼礼节”，只同意跪单膝，脱帽鞠躬。清廷负责接待的大臣不敢将英使的态度如实禀报颙琰，企图含糊了事，且谎称英国使节已同意行跪拜礼并进行了练习，“起跪虽小不自如，勉强尚可成礼”。颙琰闻知十分高兴。准备七月初七在圆明园接见英国使节。不料届期阿美士德到达圆明园门口，拒绝入内行礼。这时清廷王公大臣都已穿戴齐全，集合等候；颙琰也准备御殿受礼。但门外为三跪九叩首引起的争执还没有解决。和世泰等极为狼狈，坚持要立即引领阿美士德入园朝见，甚至连拖带推。阿美士德以身体极度疲惫，礼服亦未准备，没有携带国书为理由，不顾而去。清廷官员向颙琰谎称阿美士德突然得病，不能觐见。颙琰令副使觐见，副使也不肯入园。官员们这时再也无法掩盖真相。颙琰十分懊恼，将负责接待的和世泰等“交部严加议处”。责令将英国使团入京沿途一切费用由官员们摊赔；令即日遣送英国使团起程回国。

英国在两次遣使聘问失败之后，继续派遣商船在中国沿海进行走私活动，不仅把大批商品如棉纱等源源运来。也将鸦片输往中国。

对鸦片输入及其危害，颙琰也有较为清醒的认识。鸦片最初是作为药物输入中国的。雍正时每年输入仅有二百余箱。乾隆时吸食者增多，输入激增至四千余箱。嘉庆五年，颙琰下令禁止鸦片进口，规定凡外国商船到广东，须先由行商具结，保证进入黄埔的货船不夹带鸦片。但外国鸦片贩子用贿赂和走私的办法使禁令成为具文，鸦片的输入有增无减。

嘉庆十五年三月，京师广宁门巡役盘获一杨姓身藏鸦片烟六合。此事转奏颙琰后，他在上谕中指出：鸦片烟性最为酷烈，食之既久，必致“戕贼驱命，大为风俗人心之害”，特命步军统领、五城御史于各门严密查访，一有缉获即按律惩治，并将其烟物毁弃。嘉庆十八年七月，颙琰再次重申严禁私贩鸦片，并制定了处分官民服食的条例。嘉庆十九年五月，他更明确地指出，鸦片的危害“比白莲教为尤甚”。但由于鸦片走私猖獗，行销地区日广，吸食者越来越多。嘉庆二十五年时有人估计，仅苏州一城吸食鸦片者不下十数人。嘉庆在位25年，虽然对鸦片走私并没有严历的措施加以禁止，但他关于禁烟的言论对道光朝却产生了很大的影响。

颙琰于嘉庆二十五年七月二十五日戌刻在承德避暑山庄“龙驭上宾”。留京的孝和皇后闻听此讯，即派王大臣“驰寄懿旨”，命扈从的皇太子绵宁“即正大位，以慰天下臣民之望”。八月十二日颙琰的梓宫用一百二十八人大桢由避暑山庄启行，奉移入京，沿途十宿，二十三日到达，在乾清宫停放。道光元年三月，葬于昌陵（今河北省易县）。谥号为“受天兴运，敷化绥猷，崇文经武，孝恭勤俭，端敏英哲，睿皇帝”。

颙琰在位时先后有两个皇后。一是孝淑睿皇后，姓喜塔腊，副都统、内务府总管和尔经额之女。乾隆三十九年，她被乾隆帝弘历册封为颙琰的嫡福晋。四十七年八月，生下皇次子绵宁。嘉庆元年，颙琰即位，册封她为皇后。一年后病逝，谥为孝淑皇后，道光时加谥为孝淑睿皇后。另一位是孝和睿皇后，姓钮祜禄氏，礼部尚书恭阿拉之女。颙琰为皇子时，她为侧福晋，即位后被封为贵妃。嘉庆二年五月，颙琰奉太上皇弘历的敕谕，命她继位中宫，先册封为皇贵妃。六年四月，颙琰又正式册立她为皇后。二十五年八月，颙琰在热河病逝。孝和皇后传旨命旻宁（即绵宁）嗣位，是为道光帝。旻宁尊她为皇太后，道光二十九年十二月病逝。咸丰时加谥为孝和睿皇后。

清宣宗旻宁

道光帝旻宁是清朝入关后第六代皇帝，生于乾隆四十七年八月初十（1782年9月16日）卒于道光三十年正月十四日（1850年2月25日）。在位三十年，终年六十九岁。庙号宣宗，葬慕陵。

旻宁原名绵宁，爱新觉罗家族传至他这一代，是为“绵”字辈。乾隆帝在世时曾经说过：“绵字为民生衣被常称，尤难回避，将来继体承绪者，当以绵作旻”。故绵宁继统之事成为定局。即遵照乾隆帝当年的谕旨改名（为了方便起见，我们在文中一概作“旻文”）。在中国历史上，帝王姓名的避讳问题，曾引起不少风波。让皇帝以比较冷僻的字取名，不失为聪明的办法。

旻宁的生母喜塔腊氏，是总管内务府大臣和尔经额之女，嘉庆帝颙琰为皇子时，乾隆三十九年册封为嫡福晋，嘉庆元年立为皇后，翌年去世，死后称孝淑皇后。在清代所有的皇帝中，嫡出的只有旻宁一人。他曾经有过一个长兄，但出生仅三个月就病死，连名字都来不及起，所以旻宁实际上又可以算是长子。清朝不立储君，康熙帝曾一度学习汉人立嫡长子为皇太子。不久即废。雍正帝创设秘密立储之法，也不是立嫡立长。但嫡长子在继承皇位上，当然具有一定的优势。

旻宁六岁开始读书，授读的是翰林院编修秦承业和检讨万承风。成年以后，旻宁又与礼部右侍郎汪廷珍、翰林院侍讲学士答颋“朝夕讲论”。汪氏为嘉、道年间名臣，史传称其“风裁严峻，立朝无所亲附”，“多闻渊博”。旻宁对其十分敬重，称其讲学“非法不道，使朕通经义、辨邪正，受益良多”，“于师道、臣道可谓兼备”。旻宁所受的传统教育是十分严格而系统的，而且似乎也颇以此自诩。在他当上皇帝之后，在文华殿的经筵上常常是侃侃而论儒家的经典。

生活在乾隆朝的繁华气氛中，旻宁是无忧无虑的。乾隆五十六年，他有了一个对一生十分关键的机遇。这一年秋，他初次随扈行围威逊格尔，引弓获鹿。乾隆帝大喜，赋诗有“老我策骢尚武服，幼孙中鹿赐花翎”之句。诗中所云“所喜争先早二龄”，是说他本人十二岁初次随扈行围得熊，而曼宁这次初猎获鹿，年仅十岁。尽管我们完全有理由怀疑被射中的熊和鹿究竟死于何人之手，但从这个自称为十全老人的君主的诗中，确实可以体会到他为江山后继有人的预兆而喜悦万分。

嘉庆帝即位时，旻宁已十四岁。第二年，他的父亲即为他指定了一门亲事，娶的是户部尚书布彦达赉之女钮祜禄氏。长大成人的旻宁，“颀身隆准，玉理珠衡”，仪表高贵，举止得体。他既有祖父的真心宠爱，又有父亲的着意栽培，由他来承继爱新觉罗氏的帝统，实在是顺理成章的事。嘉庆四年四月初十，旻宁正式被立为皇储。“由是寿皇展拜，则命随行；裕陵敷土，则命恭代；隐然以神器攸归，顺稽列圣，寅承对越，胥寓深心。”

嘉庆年间，白莲教起义闹得翻天覆地，种种社会矛盾也日趋激化，但旻宁的生活没有受到多少影响。他在嘉庆帝赐名的园居“养正书屋”一住就是20多年。作为皇储，他既要表现出对朝政国事的判断力，又不能有过分热心的言行，也不能随意结交官员；他不能明确地表达自己的看法，更谈不上付诸实施了。旻宁成为皇储之时，正值血气方刚的青年时代，所以嘉庆帝屡屡嘱其“屏窥测，杜猜疑”，“见于毓庆宫题咏者，不啻再三”。旻宁这一段日子是如何渡过的？史籍中称其“日与诗书相砥砺”，最后写成了《养正书屋诗文》40卷。他亲笔书写了“至敬、存诚、勤学、改过”四个条幅，挂在屋中，即位后又移至自己的寝殿。之所以要写这些条幅，一半是出于修身养性，另一半可以说是向皇父表露心迹。

这种长期的韬晦生活对旻宁的性格形成有一定的影响。道光二年五月，仓场侍郎莫晋因盘查仓场事与户部等意见不合，回奏又“负气辩论”。顶撞冒犯。旻宁在其奏折上写了一些措词严厉的批语，而后又写道：“尔大臣等阅此，必谓朕勃然矣。不然。朕自幼承受鞠育之恩，择师诲导，涵养有年。虽不敢自信恢宠，亦不知粗厉偏狭。事愈大，心愈小；情愈争，气愈和。此朕自励之常规也。”旻宁后来成为清朝帝王中一位典型的守成之主，一举一动，莫不恪守祖制，循规蹈矩，与他在潜邸中的常年磨炼当不无关系。

嘉庆十八年九月，旻宁随其父巡狩木兰，因连天阴雨绵绵，故先期回到京师。他这一回来，正赶上一件震惊朝野的大事变。嘉道年间，北方地区的白莲教诸门派活动频繁，统治者虽然采取了残酷的剿灭手段，但始终未能平息，甚至京畿重地的百姓也纷纷传习。这一年，久居京郊的天理教坎卦教主林清策动了一次起事，准备在内廷信教太监的接应下，攻入皇宫，一举推翻清帝的统治。九月十四日，林清教徒二百余人潜入京城，翌日在太监的引导下，分为两路，由西华门、东华门攻入紫禁城。时旻宁正在上书房读书，闻讯即命侍者携鸟枪入，并下令看好四门，敦促官兵入内剿捕。攻入西华门的一支义军，已杀到隆宗门，并逾墙进入皇城。旻宁立于养心殿阶下，以鸟枪击中两名已经爬上房顶的教众。此时清廷上下乱作一团，但义军准备不足，组织很差，起事终于失败。这一事变，使得旻宁在内廷上下人等心目中威望大增。或赞其沉着冷静，或誉其勇武果敢。嘉庆帝在回京途中得到奏报，即封旻宁为智亲王，增俸银一万二千两，连他所使用的那枝枪也命名“威烈”。事后，旻宁上奏着实自谦了一番，声称自己当时“事不由己”，“事后愈思愈恐”，所以一切奖励均不敢当。

在对皇父的去世表示了一番沉痛哀悼和对自己继位表示了一下自谦后，曼宁登上了皇帝的宝座。八月十二日，嘉庆帝的灵柩从避暑山庄启运回京，在紫禁城的乾清宫停放。旻宁跟随梓宫而行，并已开始处理政务。八月二十七日，旻宁正式即位于太和殿，颁诏天下，改明年为道光元年，成为清朝入关后的第六代皇帝。

这时，他已是四十三岁的盛年。他亲身经历了乾隆朝的太平盛世和嘉庆朝的战乱动荡，对他说来，守住祖宗传下来的这份“家业”比什么都重要。他告诫自己必须做好，相信自己一定能够做好。

登基后的第十天，他抓住枢臣的一次过失进行人事更迭。事情是由拟定嘉庆帝的遗诏引起的。在热河由随同行在的军机大臣所拟的遗诏中，有乾隆帝生于避暑山庄之语。此说与《实录》及御制诗文集所载乾隆帝生于雍和宫大有出入。却与民间流传的雍正帝丑闻合拍。事发之后，道光帝大发雷霆，下令军机大臣明白回奏。起草遗诏的军机大臣声言是根据《嘉庆帝御制诗文初集》第十四、第六卷的诗注写的。诗注称乾隆帝于辛卯岁诞生于“山庄都福之庭”。道光帝当然不会对这种解释满意。他说，这句话语意“系泛言山庄为都福之庭，并无诞降山庄之句”，当日拟注者系误会诗意”；乾隆实录秘藏深宫，说未读尚属可谅，但乾隆的御制诗文集久颁天下，不可诿为未读。话说到这个地步，廷臣自然不会再有分辩的机会。于是，原来的军机大臣一律交部严议，托津、戴均元两人以“年老”为由开缺，被派去修大行皇帝的实录，卢荫溥和文孚两人虽然留任，亦受到“降五级，六年无过方可开缺”的处分。

新入职军机的是大学士曹振镛、吏部尚书英和和礼部尚书黄钺三人，其中曹振镛因“小心谨慎，一守文法”而“最被倚任”。曹氏安徽歙县人，乾隆年间任职翰林院，嘉庆年间屡屡升迁，官至体仁阁大学士。上述“遗诏事件”，就是翰林院编修刘凤诰发现后告诉曹，由曹在召对时转奏道光帝的。曹氏历官三朝，在三个很难侍候的皇帝手下当差，居然没有犯下什么过失，在道光朝充军机首辅十余年，倍受信任，屡有褒奖，被称为“股肱心膂之臣”，实在可以说是一个老滑头。皇帝心腹近臣的言行常常可以反映出皇帝的想法和旨趣。曹氏抱定“多磕头，少说话”的做官要诀，处处小心老成，事事不逾旧制，这与以“守成”为指归的道光帝是极为相契的。

不过道光帝即位之初，也颇有一番振刷朝纲的宏愿。嘉庆二十五年九月十一日他下令各省督抚藩司将所属陋规逐一清查，“应存者存，应革者革，秉公详议”。越五日又谕：“此次议存之款，因其相沿已久，名为例禁，其实无人不取，无地不然。与其私以取之，何如明以与之，且示以限制，使此后不敢加增。”据道光帝后来自己说，这个主张是他自热河返京召见英和时，由英和提出的。“彼时朕在谅阴之中，甫奉皇考仁宗睿皇帝梓宫回京，心绪瞀乱，又值初亲政事，于天下吏治民生情形未悉。英和人本明白，性复敢言，听其言似为近理。因降旨令各省督抚体察情形，详议具奏。”

陋规是清朝官场的一大弊端。清代官员俸禄过低，又无必要的行政经费支出，故“办公”之类费用莫不取给于陋规。陋规名目繁多，各地征收地丁赋税中提取的“火耗”、“银耗”为其大宗，余下的就是各种行贿受贿的代名词。如地方官员向中央官员的馈赠，夏有“冰敬”，冬有“炭敬”；京城官员出差路过地方，索取“程仪”；地方官署办差，有津贴、月费等开支；水师巡洋，商贾渔民要孝敬“水礼”，等等。雍正年间曾对陋规有过一番整顿，“耗羡归公”，划为养廉，但并未从根本上解决问题。陋规之妙，就在于它表面上是不合法的，但实际上成为官僚机器正常运转的润滑剂；表面上是违反道德准则的，但实际上是官场中人的一种非正式收入，谁也离不开它。清代官场贪污受贿，上下其手，风气腐败，黑幕重重。要整顿吏治，首先必须整顿陋规，但整顿必须和整个官僚体制的改革结合起来，方能收到成效。这样的改革一旦付诸实施，必然引起大小官僚的极大震动，以道光帝的胆量和见识，他是万万下不了这种决心的。

新皇帝要整顿的虽然只是地方钱粮征收中的一些陋规，还不包括其他，但谕令一下，立即引起官场一片混乱，遭到齐声反对。在吏部侍郎汤金钊、山西学政陈官俊、礼部尚书汪廷珍等人反对的奏折上递后，道光帝开始明白自己太冒失了。“以朕意本以爱民，不能不兼恤吏，务当计及万全，不可从兹流弊，心已悟此举之非矣”。接着，直隶总督方受畴、四川总督蒋攸铦等入对时，“更力陈其不可”，两江总督孙玉庭的奏折给了这个改革方案致命的一击。反对者的意见归纳起来不外乎三点：第一，陋规本干例禁，现在虽然不能不用，但亦不能让其合法化，垂为令甲；第二，清查陋规事涉琐屑，尤失政体，以后能获得什么好处尚不清楚，而目前的纷扰混乱已经严重；第三，自古有治人无治法，吏治贵在得人，关键在于督抚举措公明，不是立法所能限制的。

在官场的一片反对声中，道光帝只好屈从。十二月十三日，他明发上谕，说自己“于天下吏治民生情形未悉”，“此事不但无益于民生，抑且有伤于国体”，“著即明白宣示各督抚，停止查办”。对反对此议甚力的臣属，他温言褒奖，呼为“诤臣”，交部议叙，而倡议此事的英和，则以“冒昧建言”的过失令其退出军机处。

道光帝提倡“实政”，不是故作姿态，而是与清廷当时所遇到的一系列社会问题有关。在经历了“康乾盛世”之后，清朝原来相对平缓的社会矛盾逐渐尖锐起来，民间秘密社会的活动频繁，对朝廷统治构成了不小的威胁；官场腐败，社会风气亦随之趋向侈靡；军武不振，八旗、绿营的战斗力大为下降；自然灾害亦连年不断，河工失修、漕运不畅、盐政疲弱，加上鸦片烟毒泛滥成灾，边陲、海疆时有警报；所有这些，构成了一种“末世”的图景。作为封建王朝的最高统治者，道光帝真有点疲于应付。他希望通过倡导“实心实力办事”，使已经发生故障的官僚机器正常运转起来，以维持王朝的长治久安。为此，他起用一些以办事认真精细著称的官员，如陶澍、林则徐等，在解决某些具体问题上，也取得一些成果。朝廷提倡“实政”，对士林风气的转变有一定的影响，促使一些有见识的士大夫从书斋中走出来，思考社会问题，“经世致用”学风在道光年间开始兴起，与此似有关系。

不过，道光帝的“实政”施行起来也不顺利。除了官僚阳奉阴违、巧言搪塞外，他自己也常常事与愿违。道光帝心目中的理想是恢复“康乾盛世”，恪守祖制就成了他施政的基础。他即位时宣布：“规模制度，典册具存，朕曷敢更易？一守成宪，犹惧不及，何好恶之有？”道光二年正月，他又声言："朕办理庶务，咸遵旧制。"他处理政务的主要依据是深藏宫中的祖先历朝实录，谕旨中常常引经据典，奉若神明。《宣宗实录》的编撰者说他"述七圣之隆规以贞厘百度，累朝实录，夙与绎诵，动遵前矩，事鲜更张"，决非虚语。所以，他所提倡的"实政"，只能在"祖制"允许的范围内存在。恪守祖制的道光帝常常会出来反对提倡实政的道光帝，在"实政"与"祖制"发生矛盾的时候，"实政"就要放在一边。

道光帝执政三十年，问题成堆，积重难返，他虽然痛下决心施行"实政"，收效却不明显，这常常使他困惑。他对朝政不可谓不认真，成天忙忙碌碌，却总是顾此失彼。他感到各级官员在蒙骗他，不肯求实，不肯认真，却从不在自己身上找原因。他在起用新人时总是满怀希望，指望他们能一举廓清积弊，求得国泰民安，但最后带给他的大多是失望，甚而是痛苦。他弄不明白，优秀的人才和有效的措施为什么那样难以寻觅。在他去世前两年，他对一个即将赴任的地方官员说："汝此去，诸事整顿，我亦说不了许多，譬如人家一所大房子，年深月久，不是东边倒塌，即是西边剥落，住房人随时粘补修理，自然一律整齐，若听任破坏，必至要动大工。此语虽小，可以喻大，即曲突徙藉之论也，汝当思之。"他虽然感到祖宗留下的这份"家业"已经破旧，但总想依据"祖制"修修补补，从不思考另觅新法。所以，他只得在各种现实问题的矛盾中苦苦周旋，日复一日，年复一年，眼睁睁地看着清王朝衰落下去。

嘉庆二十五年九月初七，道光帝正式登基才十来天，就传来了西北边陲发生动乱的消息，这是扰及道光帝执政最初十年间边疆骚动的先声。

事端是由当地大和卓搏罗尼都的后裔张格尔纠集闹事挑起的。博氏在乾隆朝曾经参与发动反清叛乱，事败被杀。其子萨木克逃匿浩罕，生有三子，张格尔为其次子。张格尔的玛赫杜米家族曾长期统治天山南麓广大地区，在政治上、宗教上都有广泛的影响。清廷统一天山南北后，玛赫杜米家族的后裔逃亡至浩罕，他们时时刻刻都在策划恢复失去的天堂。张格尔的闹事，得到浩罕统治者的支持。浩罕利用清廷争取边境地区安宁的愿望，不断在贸易特权等问题上纠缠，要求得不到满足，就放出了一直声称要打一场"圣战"的张格尔，以收渔人之利。张格尔闹事的背后还有英国殖民主义者活动的影子，其队伍的装备和训练都与英国人有关。而清廷地方官员的腐败和荒淫，正好为民族分裂叛乱的发生埋下了祸根。

八月间，张格尔率三百余人骚扰边卡，领队大臣色普征额带领清军很快将其击溃，待张格尔狼狈逃回浩罕时，仅剩残兵败将二三十人。道光帝接到边疆滋事的奏报后，最初的反应是“匆妄杀戮，以安众心而靖边圉”，希望地方官员能稳妥谨慎地处理。所以，他在听到参赞大臣斌静已将擒获的俘虏一概处死的消息后，心里就起了疑惑，即令伊犁将军庆祥前往调查。不久，斌静等人种种腐败不法的行为陆续被揭露出来，道光帝遂于道光元年二月将其革职，发往黑龙江效力。对张格尔叛乱的严重性，他没有给予足够的重视，只是认为他们“实因穷苦起意抢掠”，朝廷既然已经严办了失职的官员，事端大约就可以平息了。

道光帝很快就为自己的这种轻敌思想付出了代价。已经继承了宗教首领身份的张格尔没有停止活动，他依然“以诵经祈福传食部落”，积蓄力量，以图再起。道光四、五年间，他脱离了浩罕的控制，不断组织布鲁特（柯勒克孜人）前来骚扰，而清军的无能也逐渐暴露。五年九月，清军二百骑兵出塞追捕张格尔，不遇，便屠杀了布鲁特一个游牧营地的妇孺百余人。这个营地的首领随即带领二千余人将这支清军围困于一个山谷，全部杀死。这次血腥事件给了张格尔一个极好的借口，由此势力迅速扩充。道光帝为避免这场冲突旷日持久，他认为：“生令逆夷往来自若，而我官兵时有损伤，以我堂堂大清，屡挫锐于小丑，成何事体？”下令务必要将张格尔等闹事头目抓获严惩。但在策略上他还是谨慎从事，多次指示“我兵不宜深入”，“不可冒昧轻进”，因为“外夷居心叵测”，最好的办法是“以夷制夷”，“设法诱擒或令自相残食”。显然，他对形势的迅速恶化并没有准确的估计。

道光六年六月，张格尔率五百多人入侵，当窜至喀什噶尔附近的祖先陵墓（称“玛杂”）祭扫时，被清军包围。羽翼已经丰满的张格尔设法突围而出，“各回响应，旬日万计”。清军虽然顽强抵抗，但最终只能退守喀什噶尔。这时，一支近万人的浩罕骑兵也开到了喀城，领兵的正是浩罕的统治者穆罕默德阿里。他们是应张格尔原先的要求而来的，张格尔曾答应破城之后“子女、玉帛共之，且割喀城酬劳”。两个强盗之间很快就由猜忌发展为公开的不和。浩罕军队全力攻城，终因伤亡惨重，不得不撤围而去。张格尔说服一部分浩罕兵留下助战，并继续围城。两个多月后，清军弹尽粮绝，城破，庆祥自缢身死。随后，英吉沙尔、叶尔羌、和阗三城相继失陷。

南疆军事形势急剧逆转的状况，道光帝七月中旬才知道。他即以钦差大臣关防授陕甘总督杨遇春，令率陕、甘兵五千人前往进剿。下旬，因所调各路兵马达二万余名，遂授伊犁将军长龄为扬威将军，令其“恩威并用，首先效顺者，许以自新；负嵎不悛者，尽行剿灭”。此后的两个月内，他对此次西北用兵下达了一系列上谕。他最关心的是要擒获张格尔，下令“广张告示”，声明大军云集，只为张格尔，献缚者封王爵，赏十万金。他担心张格尔等祸首逃窜，不能一举歼灭，几乎每道上谕中都要提及此事。还在七月下旬，他就令长龄等“熟商一出奇制胜之策，或诱之使来。或就地擒戮，或设法绕在近卡地方，分出奇兵，要截去路”。八月中旬，他在批览乾隆朝西北用兵的舆图时，发现由乌什的巴什雅哈玛山有路可通喀城的巴尔曷山草地，立即通知长龄可派人领兵由此包抄，与正面主攻的大军夹击。虽然他告诉长龄不必拘泥于此，“朕断不为遥制”，但显然认为这是个好主意，故在以后的上谕中不断地提及。十月十二日，道光帝才获悉西四城失守的确切消息，同日，他下令河工“可停则停，可缓则缓”，以便节省银两，用于军需。粮饷开支和运输是道光帝关心的又一个问题。鉴于嘉庆年间镇压川楚白莲教起义军费靡费的教训，他强调这次必须定则例，绘图说，以备稽核。

张格尔在攻陷西四城后，即宣布自己为“赛亦德·张格尔苏丹”，裂土称王。他横征暴敛，抢掠杀戮，很快激起当地居民的不满。他的部队虽然人数不少，但多为临时凑集，缺乏组织和训练。当清军为收复失地而发动进攻时，张格尔的军队节节溃退。八月，清军在浑巴什河击退了企图进犯东四城（乌什、阿克苏、库车、辟展）的叛军。十月，兵力得到加强的清军在阿克苏以西的柯尔坪大败叛军，打通了西进的道路。翌年二月，清军全线出击，长驱直入，连战连捷，于三月初收复了喀城，并次第收复英吉沙尔、叶尔羌、和阗三城，但狡猾的张格尔又一次逃匿。

张格尔的逃逸使道光帝愤懑不已：“览奏实深痛恨，殊失朕望”。五月初，他接到和阗收复的奏报，又谕：“现在四城虽已收复，而逆酋逃逸无踪，眼看莫大之功赏，汝等不能承受，曷胜愤懑”。他动用了近千万两帑银，组织了几万人的大军，为的就是要捉住张格尔，一扬国威，现在首恶却跑得不知去向。“试思兴师动众，若不速得首逆，作何了局？”闰五月，张格尔的下落终于打听到了，道光帝总算能颁示中外，宣布班师。八月，他命德英阿派人调查伊犁及喀什噶尔的草地抄近捷路；九月，又命鄂山、卢坤密饬长龄等为何不兵分两路等事，“总要还朕一实字”。深感失望的道光帝对领兵大臣起了疑心，如果张格尔迟迟不能抓到，他是要找替罪羊的。

道光八年正月廿二日，长龄等“红旗报捷，生擒首逆张格尔”，朝廷上下这才松了一口气。五月，张格尔被监送至京。十二日，道光帝终于有机会登上午门，主持来之不易的“受俘”仪式。两天后，道光帝在圆明园廓然大公殿廷讯，命将张格尔“寸磔枭示”。为了纪念西北用兵的成功，他下令勒碑太学及喀尔铁盖山（俘张格尔处），又亲自为有功将士图形紫光阁，作序称：“朕志先定，默叩天祖，勉竭寸忱，非敢邀功拓土，只以失守旧疆是惧。”

这次西北用兵实际上已经暴露出清廷对边疆地区的统治及清军作战、应变能力的诸多弊病。为了对付张格尔一伙乌合之众，清廷动用了近四万人的军队，花费了一千多万两银子，并且前后折腾了七年。但道光帝似乎不愿意对这些令人心烦的问题多作思考，而只是把善后事宜草草交给当地官员筹划处理了事。他渴望一次完全的胜利，用成功的光环来装点自己治理下的泱泱“天朝”，使它看上去华丽如旧。第二年九月，道光帝起銮赴盛京谒陵。自从他随父亲嘉庆帝来过这里后，已经过去十一年了，旧地重游，心里真是感慨万千。他要将西北边疆安然无恙的消息告诉长眠于地下的祖先英灵，也借此机会向天下宣告他不是一个无所作为的继统者。

在祖宗的发祥宝地，他沉浸在成功的喜悦之中。他没有想到，一个更为棘手的问题——如何对付汹涌而来的鸦片烟毒，已经悄悄地但十分严重地摆在他的面前，并且像一个做不完的恶梦一般，在此后十年中时时刻刻纠缠着他。

鸦片原产于南欧和小亚细亚，自古被视作药材，用于麻醉和镇痛。大约从唐代以后传入中国，在明代医书中已有记载。明清之际，鸦片的吸食法由爪哇传入台湾，又由台湾传入福建，逐渐流毒社会。英国殖民机构东印度公司垄断印度的鸦片生产和专卖后，这种毒品销往中国获得极大利润，并成为中国的一大社会问题。

清廷禁止吸食鸦片，至迟在雍正七年已有明确规定。当时每年进口不超过二百箱（每箱重约为100或120市斤）。乾隆四十五年，又明确禁止药用以外的鸦片输入与贩卖，此时每年进口数增至一千余箱。到了嘉庆元年，清政府宣布完全禁止鸦片输入，但鸦片走私有增无减，每年输入已在四千箱以上了。道光帝即位之初，重申了嘉庆时的禁令，把注意力更多地放在严查海口、禁止运入方面。广州方面的鸦片贸易一度吃紧，中外鸦片贩子在澳门的屯积和黄埔的买卖均感受到威胁，于是，烟贩设趸船于零丁洋。为了督饬各级官员厉行禁烟，道光帝于道光三年下令吏、兵二部制定了《失察鸦片条例》，上谕称："鸦片烟一项，流毒甚炽，总由地方官查拿不力所致。"在这以后，由于河工吃紧，漕运危急，加上西北用兵，道光帝几乎没有时间来过问这个问题，鸦片走私入口的数量很快就突破了一万箱。道光初政时的禁烟活动，没有收到成效。

随着鸦片走私数量剧增，白银外流的问题引起了清朝统治集团的注意。早在道光二年，御史黄中模就提出过鸦片"耗财伤生，莫此为甚"，道光九年正月御史章沅则报告说，鸦片"每年易银至数百万两之多"，吸食者"渐染十数省之广"。道光帝即令广东方面的大员李鸿宾、卢坤等妥议章程，结果订立了《查禁官银出洋及私货入口章程》，十年五月又订立了《查禁纹银偷漏及鸦片分销章程》，将打击矛头对准各地走私烟贩以及包庇他们的书役兵丁。道光帝认为："鸦片流毒内地，较纹银出口为尤甚"，警告制定章程的广东官员"无得视为文告故事，日久又致有名无实"。十年六月，御史邵正笏奏称内地多有种卖鸦片事，有台浆、葵浆、建浆、广浆、芙蓉膏等名目。此折引起道光帝的注意，他下令各省督抚确查严惩，妥议章程，在全国范围查禁鸦片种卖。他所提出的办法是地方官于抽查保甲时随时稽查，由道府出具印结，督抚每年年终具奏一次。从这年十月到次年二月，各地官员多有复奏。

如果说道光帝对于禁烟敷衍了事，明禁暗纵，那实在有点冤枉了他。即位之初，他对烟毒之害还只是从道德纲纪角度来考虑，认为鸦片烟"大为风俗人心之害"，以后即把禁烟与官场整肃联系起来，禁烟是为了整饬民风，察除奸弊。到了30年代初，鸦片走私造成大量白银外流，道光帝对禁烟也就更加重视。他的国库已经相当空匮，开销左支右挪，异常拮据，岂能容鸦片再来换走大批白银？因此，他除了继续下令广州口岸严防走私外，对内地贩卖及民间种植者亦严谕查拿，对鸦片吸食者的处罚，也因给事中刘光三的要求而加重了。他把查禁鸦片的区域由东南沿海地区扩展到全国，并为此动员起从督抚到道府州县的整个地方行政机器。不过这时道光帝对鸦片到底每年走私入口多少，并不清楚。他希望一切能够遵循旧例办事，在各个方面再增订出一些新章程，各级官员切实照章执行，烟毒之浊流自然可以遏制。即使官员们办理时有因循玩忽之处，总还不至于一无成效。

道光帝花费了许多时间和精力，督促臣属制定了一系列禁烟章程。其中既有外禁（严查海口），又有内禁（严禁种植）；既有全国性的，又有地方性的；既惩办失察官员，又惩办鸦片贩子，还惩办众多的吸食者。令他感到痛心和难堪的是，这些看起来防范周密的条例，在施行中全部成为具文。他没有料到，各级官员的疲沓敷衍、欺蒙推诿已经到了极其严重的地步，而沿海地区的官员早已将鸦片走私视作充实私囊的利薮。拿道光十一年全国性的鸦片种卖普查来说，在复奏的十五省中，除浙江、广东、云南、四川四省明确承认部分地区有种卖之事，其余各省有的一口否认，有的含糊其词。当然，一封封奏折都用极为严肃的口气表示了对鸦片的深痛恶绝和肃清其害的决心。到了这年年底申报时，陕西、安徽、湖南、湖北、直隶、热河、河南、山西八省均报地方没有种植，但有兴贩；其中六省说官署吏役无吸食，一省说虽有吸食但已惩办，一省说难保必无。上报朝廷的情况丝毫没有反映出当时全国年走私销售鸦片已达一万六千多箱，道光帝执政后第二阶段禁烟完全失败。鸦片烟泛滥于中国愈演愈烈，正好与清朝从强盛走向衰败的过程同步。看上去不可一世的清廷，却治不了小小的鸦片贩子。鸦片烟之所以禁而不绝，是因为吏治废弛，官场腐败。而公班、白皮、红花之类烟土源源不绝地行销于市，又变本加厉地侵蚀着各级官府，败坏着社会风气。在查禁鸦片问题上，道光帝陷入了一个无形的泥潭，举步维艰。他需要整个官僚机器积极运转起来，方能实施他的种种禁烟方案，而这部机器实际上已经失灵。

到了道光十五年年底，皇帝终于对各地官员每年报告“平安无事”的奏折感到厌倦，说既然没有吸食、私栽鸦片之人，那年终的奏报就可以免了。他的这一举动，使一些官员认为朝廷对禁烟的态度有了变化，于是公开提出弛禁鸦片。主张驰禁的议论，最早是由广东地方士绅开始的，并以《粤士私议》为名，由地方官作为奏折的附片上报朝廷，道光帝对此未置可否。十六年四月二十七日，太常寺卿许乃济专门上了一个折子，主张恢复嘉庆以前的鸦片进口征税制度，以货易货，控制白银外流；各地只要不妨碍农业，罂粟亦可栽种，以便使鸦片输入渐绝。尽管道光帝后来说自己当时就感到这个建议“不得政体”，但实际上他当时并没有申饬许乃济，而是要广东官员“会同妥议具奏”。看来，许乃济的奏折中以弛禁来解决银漏问题的方案有点使道光帝动心。广东方面很快就奏复皇帝，表示同意许折的说法，并制定出相应的实施章程九条。这时，内阁学士朱嶟、给事中许球强烈反对弛禁的折子也已递上，于是道光帝再次寄谕广东官员，说："近日言者不一，或请量为变通，或请仍严例禁，必须体察情形，通盘筹划，行之久远无弊，方为妥善"。对弛禁问题仍然不置可否。皇帝不明确表态，官员们也就跟着装糊涂。广东方面十一月二十日发出的复奏中对朱、许的反对意见不以为然，说"建言者倡论于局外，故抵掌较易敷陈；当事者肩任于局中，则措手宜有分寸"。对于道光帝要求的"通盘筹划"，他们说"当今急务，无论申禁弛禁，总以杜绝纹银出洋为第一要义"，"总以一年为期，相机酌办"，"不在此时争执虚名，屡劳宸厘也"。道光帝对这种看法表示赞赏，上谕称："该督所奏能见及此，著即同心协力，认真巡察，惩汉奸之勾串，杜夷商之贪饕，总期银不出洋，行之有效，毋得徒托空言，务使名实相副。"他以为这样一来，银漏之事就可解决，禁烟政策可以继续，而自己也就不必在弛禁严禁上作出选择了。殊不知广东方面连鸦片走私都无法查绝，又岂能截回漏银？自我欺骗、自我解脱的结果，是鸦片走私数量突破了三万箱。

在接下来的一年多时间里，各地查获鸦片之事时有所闻，而白银外漏也未见遏止。按当时一些御史的估计，鸦片进口每年要耗银七八千万两之多。他们不断在奏折中报告这些数字，使道光帝感到"纹银出洋，于国计民生，大有关系"。鸦片走私已经不是一个道德风气问题，而是一个十分严重的经济问题了。十八年闰四月，鸿胪寺卿黄爵滋上《请严塞漏卮以培国本折》，提出重治吸食者，甚至将吸食者处死。这是百余年来最严厉的禁烟主张。道光帝让各地官员对这份奏折表示看法。到九月份，29名封疆大吏陆续奏复，其中8人完全同意黄爵滋的主张，另外21人不同意采取极端措施，而提出严查海口、重治烟贩等各种意见，但无一人说要弛禁。于是，道光帝支持禁烟的态度开始明朗。九月初，他命令大学士、军机大臣会议各地的回奏和章程；初八，将吸食鸦片的庄亲王奕赉和辅国公溥喜削去爵位，同时令各地更严厉地查拿烟贩；初九，下令京师严查鸦片；十一日，处分了主张弛禁的许乃济。在他的主持下，持续数年的禁烟活动开始进入高潮。

九月十九月，清廷接到了署直隶总督琦善的奏报，称查获广东运抵天津的烟土十三万一千余两。这个消息使道光帝极感震动。二十二日的一则上谕称："鸦片烟流毒最甚，现在天津地方于一船之内，搜获如许之多，此外浸灌海口者，更不可以数计。”他已经感到，查禁鸦片光靠旧对照章办事那一套看来不够，非得采取更为激烈的行动不可。二十三日，他下令要林则徐立即进京见陛。

早在道光初年，林则徐就以自己的才能引起了道光帝的注意，以后的仕宦生涯中，屡次受到道光帝的褒奖，对他寄予极大的希望。道光帝心目中的林则徐，“品学俱优，办事细心可靠”，“善体朕心”，实为不可多得的人才。林则徐在湖广总督任上查拿烟贩、收缴烟具的成果，也被道光帝视作“地方公事，果能振刷精神，实心查办，自可渐有成效”的楷模。十一月初十，林则徐到达北京，道光帝在八天中连续召见八次。十五日，已经称鸦片为“中国一大患”的道光帝，任命林为钦差大臣，“驰驿前往广东，查办海口事件。所有该省水师，兼归节制”。他要林则徐“竭力查办，以清弊源”，将“种种弊窦”“净绝根株”。

道光十九年一月林则徐到达广东后，雷厉风行地采取了一系列严厉措施，迫使英人交出鸦片20280余箱。四月二十二日（1839年6月3日），在林则徐主持下，将这批鸦片在虎门海滩全部销毁。道光帝称赞林则徐“此次查办粤洋烟土甚属认真”，并亲笔将部议“加一级”的奖励改为“加二级”。六月十八日，道光帝在林则徐等报告收缴鸦片已全部销毁的奏折后，批道：“可称大快人心一事”。先是，他已于五月五日批准了大学士等会议的《严禁鸦片章程》，下令“纂入则例，永远遵行”。这个章程共有三十九条，条禁之细，惩办之严，都是空前的。纷至沓来的缴获鸦片烟泥烟具、拿获鸦片贩子和吸食者的报告，使道光帝感到大规模的禁烟已收到成效，今后的事情只是督饬各级官员“随时随地实力稽查，历久不懈，庶几根株净尽，力挽浇风”。

在此以前，道光十八年五月二十二日，正当清廷大力禁烟之举方兴未艾的时候，英国驻印度海军司令马他仑（F·Maitland）率领的一支舰队到达广东海面示威。这是一个信号，表明英国当局为了维护其贸易利益（其中主要部分为鸦片），是不惜动用武力的。不幸的是，“天朝”没有人理解这个信号的含义。远在数万里之外的英夷，除了桀骜不驯的性格、制作精巧的器物，以及从事鸦片买卖的可恶行为，没有给天朝人士更多的印象。

在这期间，英国侵略者不断对中国实行武装挑衅。五月，英国水手在九龙尖沙咀行凶，打死村民林维善，打伤妇女儿童多人。林则徐多次要求英方交出凶犯，英方抗不交出；同时，鸦片走私更加猖獗。六月二十日英国兵船进迫九龙，发炮攻击清军，发生冲突，道光帝并未感到战争正在降临。他告诉林则徐等人："朕不虑卿等孟浪，但诫卿等不可畏葸，先威后德，控制之良法也。"九月底十月初在穿鼻、官涌中英冲突升级，道光帝听到的奏报是大获全胜，所以下令断绝对英贸易，驱逐所有英船。他做梦也没有想到，英国内阁在1839年10月1日（道光十九年八月二十四日）已经作出发动侵华战争的决定。他即将面临的敌人是一支武装精良、训练有素的远征军，与历朝历代入寇骚扰的"边夷"完全不同。

清王朝封建统治者长期以来昧于世界大势。平定张格尔叛乱和以后与浩罕交涉的成功使道光帝充满信心，断定朝廷能够应付由外夷骚扰而引起的一切麻烦。

道光二十年六月二十二日（1840年7月20日），英军入侵定海的消息传到北京，道光帝轻蔑地说："此等丑类，不过小试其技，阻挠禁令，仍欲借势售私，他何能为？"他马上调兵遣将，相信"不难即时扑灭"。他的这种态度，在七月十六日接到直隶总督琦善关于英人在天津"投递字据，声称诉屈"的报告后开始变化。打仗要花费大笔银子，又要冒一定的风险，既然英人北上"诉冤"，道光帝主观以为，凭借天朝上国皇帝至高无上的权威，就能平息事端。七月二十日，琦善将英国公文《巴麦尊照会》送到北京，道光帝在"详加披阅"后，只对英人要求"昭雪伸冤"留下深刻印象，至于赔款、割地等要求，则被看作"乞恩"，不必为此多费脑筋。他认定英人是由于通商不成和烟土被没收而起衅闹事的，"正可乘其贪恋之私，藉用羁縻之法"。琦善在报告与英人接晤的折子中，将英人要求归纳为"雪冤乞恩两大端"，更使道光帝相信自己看透了英国人的心思。他给在广东忠心耿耿地执行他的严禁鸦片政策的林则徐安上"受人欺蒙，措置失当"的罪名，让琦善劝英国人先退回广东，准备推出林则徐治罪，以安抚"夷人"。他所感到棘手的问题，似乎只有烟价索赔一项。夷船平静地起碇南下，使道光帝深感"羁縻"的成功。八月二十二日，他任命在天津谈判中显露"外交"才能的琦善为钦差大臣，前往广东查办事件，又令各海岸不许对英舰开火。他相信"抚局"之成已指日可待，要沿海各省赶紧裁撤，以节縻费。

这种丝毫不了解英军进犯意图和目的的一厢情愿的想法，很快使道光帝付出了惨重代价。十一月，琦善赶抵广州，马上发现事情不妙。对于英人提出的议和条件十四项，他根本不敢上报，只是含糊其词地说英人语气傲慢，态度恶劣。这时，道光帝也因英夷并不恭顺，不仅不交还定海，还开炮轰击广东师船，开始调兵备战。十二月十四日接到英国索要香港的奏折后，他决定“痛加征剿，以张国势”，但这时广东的局势早已一塌糊涂了。英军攻占了沙角、大角炮台，惊慌失措的琦善在炮口之下答应赔款并奏请割让香港。道光二十一年正月初五，道光帝通谕中外对英作战。八日，授奕山为靖逆将军，户部尚书隆文、湖南提督杨芳为参赞大臣，赴粤征剿。十九日，令积极主战的两江总督裕谦为钦差大臣赴浙江前线，替换在收复定海问题上“游疑畏葸”的伊里布。二月初六，就在英军攻占横档、虎门等炮台的同一天，怡良揭发琦善私割香港的奏报到京，道光帝下令将琦善革职锁拿押解来京。这个经皇上“面授机宜”而风头十足地来到广州的钦差大臣，在一百多天之后，就作为犯人戴着镣铐离开了这里。道光帝发现在对英夷“羁縻”了半年之后，不仅没有收回定海，广州也岌岌可危。

这时的道光帝不但宣称要“一意进剿”，而且希望“务使片帆不返，尽数歼灭”。他所任用的将帅，都有在西北边疆供职的背景，杨芳就是直接捕获张格尔的将军，以功封三等果勇侯。皇帝显然指望他们能运用旧有的经验来对付蹂躏东南海疆的新敌人。英国人船坚炮利，道光帝已有耳闻，但在陆地上作战，他相信“天朝”的将士一定能获胜，就像猖獗一时的张格尔最后束手就擒一样。他怕的是英人“远遁外洋”，想“断其后路，四面兜擒，克复香港”，“缚献义律，明正典刑”。自从大军云集广东，他天天“伫候捷音，焦切之至”。四月十八日以后，广东方面的捷音果然传来了，可惜全是假的。明明是清军溃败，谎报说英军被击及溺水而死者不计其数；明明是交“赎城费”六百万元，偏要饰称是代还商欠。急于想用胜利来洗刷英人给自己蒙受的耻辱的道光帝，意然相信这些弥天大谎，嘉奖打了败仗的“胜利者”，并很快下令沿海各省酌量撤兵。他还不至于糊涂到一点看不出这些奏报中的虚假成分，但战局如能就此了结，他准备不予深究。所以在广州方面报告已经通商后，上谕称：“朕谅汝等不得已之苦衷”，表示理解。

英国当局对这种局面并不满意，认为攫取的利益太少，就在琦善为“私割香港”而锁逮回京后，义律因只索得香港和少许赔款而被召回。六月间，新任英国全权大臣璞鼎查（H·Pottiger）来到中国，他带来了英国政府扩大对华战争，务期完全达到侵略目的训令。这时，道光帝正为飓风袭击香港给英军造成损失而感谢“神明默佑”，“欣幸何似”。直到出现在福建洋面的英军于七月初十攻陷厦门后，他才感到“逆焰犹然凶恶，陆路亦不可不加严备”，并重新在各海口布防。负责浙江防务的裕谦是一个勇敢但缺乏智谋的人物，他曾经以割下英国俘虏身上皮筋制成座骑缰绳，表示自己与“逆夷”不共戴天的仇恨。道光帝虽然嫌他智谋不足，但仍把取胜希望寄托在他身上，多次嘱咐倘有捷报，一定要600里加紧驰奏。九月初四，浙江方面的600里奏报到了北京，但这是报告镇海失守、裕谦殉难的噩耗。“愤恨之至”的道光帝只得再次组织讨伐大军，令奕经为扬威将军，哈哈哴阿（后改特依顺）、胡超（后改文蔚）为参赞大臣。颁赐将军的称号与平定张格尔叛乱时相同，决不能视作偶然的巧合。他已隐约感到前景并不乐观，“有将不可恃，有兵不可用”，“将懦兵疲，全无斗志”，希望以这种方式召唤胜利之神再次降临。

浙东的反攻过了四个多月以后才展开，清军又是一触即溃。道光帝除了哀叹“英夷实堪发指”外，再也无力组织新的攻势了。道光二十二年二月十七日，他在接到浙江巡抚刘韵珂关于大局可危的奏折后，命耆英署杭州将军，又将那个据说深为英人敬重的伊里布请出来作为其副手。攻剿既不得手，他又想试试安抚。与英作战已经两年，道光帝突然发现自己对于敌手几乎一无所知。三月二十一日，他在听说可以审讯英俘后，向奕经等提出了一大串问题：

“唤咭唎国距内地水程，据称有七万余里，其至内地经过者几国？克食米尔距该国若干路程，是否有水路可通，该国与哄咭嘣有无往来，此次何以相从至浙？其余来浙之嗌咖唎、大小吕宋、双鹰国夷众，系带兵头目私相号召，抑由该国王招之使来？是否被其裹胁，抑或许以重利？该女主年甫22岁，何以推为一国之主？有无匹配，其夫何名何处人，在该国何职？又所称钦差提督各名号，是否系女主所授，抑系该头目人等私立名色？至逆夷在浙鸱张，所有一切调度伪兵及占据郡县，搜刮民财，系何人主持其事？义律现已回国，果否确实，回国后作何营谋，有无信息到浙？该国制造鸦片烟卖与中国，其意但欲图财，抑或另有诡谋？”这张问题单子反映出道光帝竭力想要弄清对手的底细，经便重新考虑政策方针。这时道光帝心里，仍以一败英军为念，哪怕只是一个小小的胜利。所以他虽然派出了耆英和伊里布，但在公开场合闭口不提“羁縻”之事，只是含糊地说耆英“另有委用之处，果否施行，俟朕随时裁夺，无非备其一端而已也”。怕的是将士窥伺，军心涣散，连讨价还价的本钱也没有。因为一旦在军事上完全失败再讲“抚夷”，对方索要的条件会更高。为了安定人心，他甚至下令让耆英赴广州将军之任。直到英军兵临江宁城下，他仍希望战局能突然出现转机，以增强自己的谈判地位。

乍浦失陷后，道光帝接到他派出去弘扬国威的将帅要求“羁縻”的奏折，心里的滋味真是一言难尽：“朕之忧愤苦衷，将谁言之？惟有仰叫天恩，敬祈祖祐，加护大清，殄逆安民，以宥朕辜”。四月二十七日，他在令耆英暂缓赴粤、专办羁縻事宜的同时，通谕中外办理洋务前后情形，称自己不愿“止顾目前苟安无事，不思大者远者”，要求各级官员激发天良，力挽危局。以后几个月里，英军沿长江而上，直逼江宁（今南京），到达下关。而耆英、伊里布尾随在英舰后面求和，到处投书联络，屈辱已极。道光帝这时的心思全在天津、盛京等处的防务问题上，调兵遣将，细审章程，诸事纷繁。六月初九，他接到耆英密奏后，指示称：英人如“于通商而外别无所求”，可以割让香港，闽、浙口岸亦可停泊售货，但不得羁留。六月十八日，他通过江宁将军德珠布的奏折知道英人提出的三大条件，还想讨价还价。江南局势的变化已经使他无可奈何。七月初五，他告诉耆英：“两载以来，沿海生民，突遭蹂躏，朕心实有所不忍，与其兵连祸结，何如息事安民？”命耆英“妥为筹办，不必他有顾虑也”。

中英之间在南京举行的会晤，与其说是谈判，不如说是英国人单方面要挟。耆英等人的奏折，与其说是向皇上请旨，不如说是语气婉转地表达了英国的最后通牒。道光帝只是签字画押，以致发出了“何至受此逼迫”的感叹。他心灰意冷，在上谕中说：“朕惟自恨自愧，何至事机一至于此？于万无可奈之中，一切不能不勉允所请者，诚以数百万民命所关，其利害不止江、浙等省，故强为遏抑，各条约准照议办理。”

对道光帝来说，如何处理战争失败所带来的一系列对外交涉问题，无疑是更大的难题。就在战争即将结束的前夕，他曾谕令东南沿海省份制造战船。九月，广东的地方官员建议停修原有的师船，仿照夷船式样改造战船，终因所造战船不适用而停止。道光帝下令毋庸雇夷匠制造，亦毋庸购买。二十三年七月，耆英进呈洋枪至京，道光帝使用后，认为是绝顶奇妙之品，灵便之至，但不愿仿造，认为“必成望洋之叹”。在这种思想支配下，师夷长技以整军备的机会也消逝了。沿海各省修葺炮台、拟订防务章程的工作尽管也在进行，但大多是表面文章，并未收到实效。道光帝对洋人怀有一种既恨又怕的复杂心理，既然再打一场战争是不可想像的，那就只能乞求“民夷相安”。他认为：“西洋各国，以通商为性命，制驭之术，全在一切持平，务存大体，尤宜筹及久远，勿得仅顾目前。”什么叫“筹及久远”，他从来没有详细阐述过，根据他的言行分析，似乎是指尽量限制各通商口岸洋人的活动，并防止因夷务变迁而造成国内局势的动荡。至于真正涉及“久远”的问题，如中英、中美、中法等条约中的片面最惠国待遇、领事裁判权、协定关税等危害中国社会近百年的条款，他压根儿连想也没有想过有何不妥。

英国人的暂时退让使道光帝自认为终于找到了制服夷人的办法，那就是“联官民为一气，民心日固，斯夷情益服”。这种想法在几年之后又一次被证明是一厢情愿的。不过，他已经没有时间再次忍受希望破灭所带来的痛若了，他把痛苦留给了自己的儿子咸丰帝奕泞。

道光帝素以节俭著称。作为一代帝王，这方面表现出来的品德，是难能可贵的。在民间有关清朝皇帝的传说中，他从来没有风流艳事。私家记载他的一些轶闻，几乎都与“节俭”有关。翻检一下《清宣宗实录》的官方记载，他倡导节俭的言行几乎随处可见。

他不是一个昏庸的君主，所以知道国库的拮据状况，也知道统治阶层以豪华相尚之风甚烈。他希望通过自己“节俭”的言行，煞住侈靡风习的蔓延，人人都来当安贫乐道的君子。他虽然知道“世变风移”有“不期然而然之势”，却仍然执拗地呼唤“淳朴”旧俗的再现。可是，他的善良愿望在实际中常常受到嘲弄。登基伊始，按成例营建“万年吉地”之事就提上日程，道光帝既然要在节俭方面率先垂范，自然不会忽略这项开销很大的工程，“是以节经降旨，概从撙节”。墓地经勘察风水，选在东陵的宝华峪。五年二月，他亲自阅视后表示满意。负责工程的是素称敢于任事的英和，他曾对道光帝侃侃而谈汉文帝薄葬之事，很对皇上的胃口。工竣之后，七年九月孝穆皇后的灵柩放了进去，看来诸事顺利。不料一年之后，发现陵寝木门外墙根潮湿，显然有漏水迹象。八年九月十一日，道光帝亲自赶到现场踏勘，此时积水竟深达一尺六七寸之多。经调查，才知动工时土内即有石母滴水，但英和没有重视；经办人原议安龙须沟出水，英和也不同意。为了节省开支，工程质量草率粗糙，如石券旁未设叠落石格漏，砌墙海墁等石工于碰楞处仅用松香、白蜡搀和石面拘抹等等。愤怒的皇帝下令严惩办事各员，只是因为太后说了一句“不欲以家事诛大臣”，英和才捡回一条性命。十一年二月，道光帝亲至西陵，选定龙泉峪为“万年吉地”，命穆彰阿等办理，“一切俱从简约，以副朕之素志”。四月，他下令酌改宝城规制，方城、明楼、穿堂诸券、琉璃花门、石像坐俱著撤去，大殿三间单檐成做，甬路不必接至大红门，太监营房也不建造。这项工程直到十五年九月才完成，据说“坚固整齐”。他造了一个相对说来显得简朴的墓地，却花费了造两个墓地的时间、人工和银子。

力崇节俭，为道光帝个人德行赢得了声誉，但也仅此而已。他这种值得尊敬的品行，对现实生活似乎没有什么影响。他的言行连自己的儿子奕詝和儿媳叶赫那拉氏也没能潜移默化，更不必说别人了。侈靡之习是统治阶层腐朽没落的象征，这岂是道德感召所能挽回的？当他的亲属和统治集团中人一面恬然自得地继续过着奢侈的生活，一面齐声称赞大行皇帝俭朴崇实的“圣德”时，这种颂扬还不如说是讽刺更为恰当。

与他的祖辈一样，道光帝有一个相当宠大的家庭。他的妻妾共达二十人，前后册立为后的有钮祜禄氏孝穆皇后、佟佳氏孝慎皇后、钮祜禄氏孝全皇后和博尔济吉特氏孝静皇后，剩下的有些贵人之类，连姓氏、卒年都无可考。他的妻妾为他生下了九男十女。长子奕讳在二十四岁那年病故，次子奕纲和三子奕继均在婴儿时夭折。四子奕泞即继承皇位的咸丰帝；五子奕誴，过继给道光帝的弟弟绵恺为嗣，袭封惇亲王；六子奕訢和七子奕譞，一为恭亲王，一为醇亲王，均是晚清历史上赫赫有名的人物；八子奕詥和九子奕譓，后均封郡王，但知名度大大不如他们的几位兄长。十个女儿中，只有五个长大成人，其中只有一人活到三十四岁，余皆在二十多岁便相继去世。

道光二十九年十二月十一日，嘉庆皇帝的遗孀孝和皇后钮祜禄氏去世。道光帝十五岁时生母即病故，故对这位继母十分尊敬，她的去世，给道光帝的精神打击颇大。在料理皇太后的丧事之后，他终于病倒了。《精史稿》说他是“居丧哀毁”。三十年正月十四日，病势加重，遂召宗人府宗令载铨，御前大臣怡亲王载垣、郑亲王端华、科尔沁王僧格林沁，军机大臣穆彰阿、赛尚阿、何汝霖、陈孚恩、季芝昌和内务府大臣文庆“公启鐍匣”，宣示御书“皇四子立为皇太子”、“封皇六子奕訢为亲王”。待奕许入内，“上取缄匣朱旨传示，并谕勉诸臣”，随即死于他的寝宫圆明园慎德堂，终年六十九岁。四月上谥号，庙号宣宗，咸丰二年二月葬慕陵。

清文宗奕詝

奕詝是道光帝旻宁的第四子，他生逢其时。道光帝所生的前三个皇子先后夭折。皇长子奕纬，最受道光帝宠爱，至二十三岁，已经落落成人，却在奕泞出生前两个月忽得急病死去。皇二子奕纲，皇三子奕继，两三岁时就已病死。三位皇子相继死去，使年近半百的道光帝十分悲痛。这一方面是父子亲情，更重要的是膝下犹虚，将来清王朝大统由谁来继承。皇长子过世时，奕詝生母钮祜禄氏正身怀六甲，她时年二十三岁，也盼望自己能生下一位男婴。这样，奕詝虽是皇四子，但实际上处于皇长子的地位。他备受宠爱，就连他的名字，也同他三个哥哥不同，不再用“纟”字旁，而用了“言”字旁。但他的来世，好像是一个兆头。六天之后，祥贵人生下皇五子奕誴；第二年，静贵妃博尔济吉特氏生下皇六子奕訢；至道光二十年，琳贵人生皇七子奕譞，此后她又于道光二十四年生皇八子奕詥、道光二十五年生皇九子奕譓。皇子众多，使道光帝日后的立储问题变得复杂起来。

道光帝时有五子，皇七子、皇八子、皇九子年龄太小，难以入选。皇四子、皇五子、皇六子年龄相近，但皇五子既不聪明，也不老成，生母又不为道光帝所喜，也不能入选。入承大统只能在皇四子和皇六子之间抉择。就聪明才智和胸怀为人，奕訢略胜一筹。奕詝还是个跛子。据私家笔记，奕詝曾从猎南苑，坠马伤骨，经上驷院正骨医治疗后，“行路不甚便”。跛子也似不太符合真命天子相。在封建社会，皇太子被视为国本，关系甚大，因此，道光帝在两人之间长期犹豫不决。皇子们虽觊觎皇位，但决不能显露出来。兄弟争夺，既非悌友之道，更非君王之道。道光帝也不能听任康熙朝故事重演。而奕詝、奕訢同养于静皇贵妃，还得顾忌于这一层。

道光二十六年，道光帝已六十四岁了，决心立储。立秋这一天（六月十六日），他亲写“御书”：

“皇六子奕訢封为亲王

皇四子奕詝为皇太子”对于后一条，道光帝还特意用满文书写。在清代秘密建储的御书上，同时写入两人，此是仅有的一例。对于一贯注重守成的道光帝说来，这一破例行为，正反映他平素对皇四子、皇六子同样喜爱，而在抉择过程中的踌躇难定的心理。“御书”写就后，道光帝仍在犹豫，第二天才藏入鐍匣。至于皇五子奕誴，道光帝在这一年让他嗣其三弟惇恪亲王绵恺之后，袭惇郡王，干脆使他排除在帝系之外。

天平终于倾向一边。皇四子战胜了皇六子。道光帝的这一历史性的决定，具有重大的意义。奕詝才识平平，少谋无断，在一个平静的年代中，他也许不算是一个坏皇帝，但难以经历咸丰一朝的危局大任；而奕訢却颇具才识，庚申之托显示他处理危机的能力，兴办洋务又表现了洞观世变的远见。后来的历史已经证明，如果道光帝此时选择的是奕訢而不是奕詝，19世纪下半叶的历史很大部分将会改写。

道光二十九年入春之后，道光帝多次病倒。至道光三十年正月十四日清晨，道光帝已将垂死，特召宗人府宗令载铨，御前大臣载垣、端华、僧格林沁，军机大臣穆彰阿、赛尚阿、何汝霖、陈孚恩、季芝昌，总管内务府大臣文庆至寝宫慎德堂，公启鐍匣，宣示建储“御书”。此时，道光帝还挣扎起身，亲笔朱谕：“皇四子奕詝著立为皇太子，尔王大臣等何待朕言，其同心赞辅，总以国计民生为重，无恤其它。”字迹草乱，可以想见其垂危的痛苦。待到中午，奕詝奉召至慎德堂，悲恸流涕。未久，道光帝便死去了。

当日起，奕詝即开始听政，正月二十六日，他在清宫太和殿行登基大典，王公百官朝贺如仪，改明年为咸丰元年。此时他尚不满十九岁。

咸丰帝奕詝登基之时，毫无政治经验可言。昔日所接受的儒家典籍与诗文习作的教育，与错综复杂的现实政治举措，有着相当遥远的距离。但这似乎无关紧要。清入关二百年，封建王朝的统治已经规范化、格式化了。只要照章办事即可，况且清朝又特别强调恪守“祖制”。于是，他仿效列祖列宗成例，即位后首先是下诏开言路、求人才。在他登基后的第十一天，成丰帝特旨通行晓谕，“凡九卿科道，于用人行政一切机宜，皆得据实直陈，封章密奏……以副朕集思广益之意。”接着，他下令各省督抚查看下属，如有才德兼优、诚心任事者，“酌保数员，候朕简用历任”。又下令在京部院大臣保奏品学纯正、才德出众之员，并允许向例不得奏事的各省布政、按察两使，“各抒所见”，密封交本省督抚代呈。三道谕旨下发，各地奏章纷至沓来。在这些奏章中，通政使罗惇衍、左副都御史文瑞、礼部侍郎曾国藩、鸿胪寺少卿刘良驹等人的奏折，颇得咸丰帝之意，受到通谕褒嘉；在被保举的官员名单中，有林则徐、姚莹、江忠源、张亮基、谭廷襄、周天爵、李棠阶等人。

封建政治的首要之务在于用人。咸丰帝在此之后开始了人事上的变动。他下令地方官查明林则徐“能否来京候简”，为而后起用林则徐作张本；起用在鸦片战争主持台湾抗战后被降职的姚莹办理两淮盐务；批准军机大臣陈孚恩、大学士潘世恩退休。至年底，他亲颁朱谕，革去深受道光帝信任的文华殿大学士、首席军机大臣穆彰阿的职务，将文渊阁大学士耆英降为五品顶戴，以六品员外郎候补。并将闽浙总督刘韵珂病免。咸丰元年，将福建巡抚徐继畬解职召京；后又革去陕甘总督琦善的职务。在此期间，他在部院大臣的安排上也作了一些调整。从上述人事调整来看，他重用的是对外持强硬态度的官员，罢黜的是对外持和议的人士。就契机原因而言，是咸丰帝登基未久，英国派舰到天津大沽，送交英国首相兼外交大臣巴麦尊（H，J，Palmerston）致穆彰阿、耆英的信，引起了清政府的一场虚惊。透过这些表象可以看出，新皇帝在对外政策上与老皇帝的差异，说明鸦片战争这场“千年奇变”在新皇帝心中引起的屈辱感受。感丰帝通过这些人事变动，向中外朝野显示，新君不可蒙，欲有振作。

然而，时代不同了。咸丰帝当政时的清王朝，已经从康、雍、乾三世鼎盛时期败落到谷底，危机四伏，险象环生，其荦荦大端者有三，而咸丰帝的对策皆不过尔尔，并无惊人之笔。

鸦片战争后，来自海上的西方列强的威胁已为清王朝所直接感觉。第二次战争随时有可能发生。有识之士魏源已发出了“师夷之长技以制夷”的呼喊，提出依照西方办法制舰造炮、训练军队的建议。咸丰帝并没有感受到世界大势，并没有认识到学习西方的必要，只是按传统的方法整顿海防。他颁发了一道上谕，令沿海各省督抚筹办海防，“断不可稍存大意”，此后他又多次下令整顿海防；但是，他又害怕整顿海防会刺激西方列强，谕旨中强调“不动声色”，“断不可稍有泄漏，以启衅端”。这种既仇恨又恐惧的矛盾心理，使得他不可能采取任何果断措施。对于外来武力侵略的抵御，在于国家的强盛，国防力量的增长，不是罢免几个主和的人就可以解决得了的。结果，历时一年的海防整顿，各地官吏只是虚应故事，没有任何效果。此后，咸丰帝一直没有对西方列强的步步进逼，采取相应的海防措施。

清王朝在乾隆末年时，国库存底白银达七千万两，经嘉庆、道光朝耗用（仅道光后期战费、河工等临时项开支达七千万两），所剩无几。咸丰帝即位时，户部库银仅存一百八十七万两。大学士管理户部大臣卓秉恬在咸丰帝上台未久，向他报告财政情况，称“入不敷出，为数尚钜”。清王朝的财源，主要为地丁漕粮、盐课、关税。根据祖宗“永不加赋”的规定，地丁漕粮上面已无文章可做；关税数额较小，又牵涉到那些惹不起的“洋人”；可以动动脑筋的只是盐课一项，咸丰帝立即派人整顿盐务，期望增加收入，但毫无成效。

最为危险者，要数当时的社会矛盾。由于人口猛增，土地兼并激烈，大量的过剩劳动力从土地中抛荒出来，社会流民数量激增。大量的民众聚集在白莲教、三合会、拜上帝会等会党、宗教的旗帜下，成为对抗官府的强大势力。十四行省，“窃贼”公行。同时，封建官僚阶层已经腐败，政治上因循守旧，无所作为。许多官吏又以“浮收”（不按《赋役全书》规定的科则，擅自加收钱粮）、“勒折”（应当征收的粮食，却以高价折收银钱；应当征收纹银，却以高价折收制钱）等种种名目，中饱私囊，祸害乡民。在地主、官府的压榨剥削下，民众的纳税能力下降，清政府的税收减少，社会经济陷入恶性循环的漩涡，社会秩序遭到毁灭性的破坏。对此，咸丰帝曾发出过一些整顿吏治的谕旨。但这些不伴随实际行动的空洞言论，一下子就淹没到黑暗政治的尘网之中，丝毫不起作用。

在严重的危机面前，咸丰帝不是毫无认识，而是认识不深刻；不是毫无对策，而是对策不力。这并不是说咸丰帝的水准在当时寻常人之下，从当时官吏们的奏折文书来看，他们也无高明招术，咸丰帝还算是“择善而从之”的“明主”。但是，危局需英主，没有雄才大略的君主，要想振衰起弊是十分困难的。

年轻的咸丰帝，在其当政的最初日子里，曾在用人上显示其欲以振作；但在实政的处置显示其才智平平。热情撞上了现实，振作即作罢论。

咸丰帝临朝理政的第一天，遇到的第一项政务，就是广西巡抚郑祖琛报告湖南天地会李沅发起义部众进至广西的奏折，他指示命郑祖琛率领文武“分路兜剿”，擒拿李沅发。历时四个月，李沅发起义终于被镇压下去，咸丰帝满心欢喜，向有功大臣颁赏加衔。

这时，更大的起义爆发了。首先是广西、广东的天地会众纷纷起事，占州据县十余座，势力大张；其次是广西拜上帝会众约两万人在洪秀全的命令下向桂平金田村集中“团营”，起兵反清。对于后一项，咸丰帝一开始是不清楚的，只是看见广西地方不靖，“匪”势猖獗，于是他三次诏令广西巡抚郑祖琛实力剿捕。随后，他见郑祖琛镇压不力，便改派最受信任的两广总督徐广缙前往广西剿办，并调镇压李沅发起义有功的湖南提督向荣为广西提督。不久他又起用林则徐为钦差大臣，命驰赴广西督理军务，镇压拜上帝会，并调湘、黔、滇兵弁各二千入桂。林则徐在广东潮州途中病卒的消息传到北京，他再派前两江总督李星沅为钦差大臣，办理广西军务。接到了李星沅等人的奏报后，他才朦胧地了解太平天国的情况。于是，他以文华殿大学士、首席军机大臣赛尚阿为钦差大臣，并先后调广州副都统乌兰泰、湖北盐法道姚莹、江苏淮扬道严正基、军机章京丁守存、在籍知县江忠源等入桂，襄办其事；同时又派兵一万三千名增强兵力，拨放军费银一千万两。在为赛尚阿举行的送行仪式上，他亲授其清初名将遏必隆的“神锋握胜刀”以壮其行，坐盼红旗捷报传来。

就调兵而言，在广西的客省兵近二万人，加上募勇，总兵力在三万以上。兵力不可谓不厚。就遣将而言，林则徐、周天爵、李星沅、徐广缙都是当时的名臣，姚莹、严正基、丁守存、江忠源都是当时的干才，乌兰泰、向荣都是当时的勇将，而且乌兰泰、丁守存还是清政府最有名的火器专家，连官拜首席军机的赛尚阿亦亲自督战。特别难办的是军费。咸丰帝倾出户部家底，指派各省筹款，并发内帑以百万计。对于用兵部署，他每次都在上谕中不厌其详，何方进攻，何方围堵，如何擒首，如何离间，倾注了大量心力。对于败军之将，他予以严惩，对于获胜之师（许多是谎报的）予以重赏，可谓是赏罚严明。可咸丰帝的这般努力的结果却是：广西的天地会起义并未平息。洪秀全领导的拜上帝会自“团营”之后，多次击败官军。咸丰元年十二月初十（1851年1月11日），正式建号“太平天国”，随后入武宣，占象州，据永安，分封诸王，厘定制度。咸丰二年三月（1852年4月），太平军从永安突破清军包围，攻桂林不克，转攻全州。咸丰帝一看赛尚阿不行，急命徐广缙再次带兵入桂，协助赛尚阿。四月，太平军进湖南，占据道州。咸丰帝急令赛尚阿尾追，并调川、赣兵共六千入湘支援，调豫、陕兵共三千入鄂防堵。他还下了一道严旨，嗣后统兵大员有临阵脱逃，或托病迁延以致贻误军机者，“著赛尚阿等据实参奏，请旨正法”，至参将、游击以下官弁，“一面奏闻，一面军前正法”。七月，太平军攻克郴州，进窥长沙。十一月，太平军因久攻长沙未克，引兵北上，占岳州（今岳阳），陷武汉，随即引军东下，浩浩荡荡，势如破竹。

面对此凌厉攻势，咸丰帝一下子乱了方寸。咸丰三年初，他下了《罪己诏》，称："朕为天下之主，不能察吏安民，致令盗贼肆行，闾阎警扰"，"每念生民涂炭，抚育无方，即再三引咎自责，亦属虚文。惟有恐惧修省，叩吁昊苍，宥予之辜，拯我穷黎。"他还下令礼部及各地大吏将《罪己诏》刊刻誊黄，宣示中外。

《罪己诏》下达后，局势仍向不利清王朝的方向发展。咸丰三年一月十一日（1853年2月18日），沿长江东进的太平军攻破九江，六天之后，再破安庆。咸丰帝下令将钦差大臣陆建瀛革职逮问，以江宁将军祥厚署理钦差大臣；而次日起，太平军已围攻南京，至二月初十，南京城破，未遭拏问的钦差大臣陆建瀛为太平军所杀，未及接印的钦差大臣祥厚中炮死。二月二十日，太平天国建都南京，改名天京。咸丰帝得闻此讯，已不知有何妙方可用。自太平天国起义至此，咸丰帝已先后从十八行省调集外省兵丁八万四千七百余名，连同本省征集兵丁近十万人，随时雇募的壮勇还不在内，拨放军费银达二千五百一十万两，精心策划一系列方略部署，全部遭到失败。他气无可出，先后批准将赛尚阿、徐广缙定为斩监候，秋后处决。赛尚阿的三个儿子亦遭连坐而被革职。他还下令让广西巡抚劳崇光派人密访太平天国各首领家族的祖墓，"尽行掘发，以消逆焰而除戾气"。这种幼稚的举动，丝毫无益于大局。

太平军定都南京后，开始了悲壮的北伐和西征。

咸丰三年四月（1853年5月），林凤祥、李开芳率太平军精锐两万余人，自扬州开进，突入安徽，先后克滁州、临淮关、亳州。五月进至河南，渡黄河，围怀庆。咸丰帝命文渊阁大学士、直隶总督讷尔经额为钦差大臣，督办河南河北军务，以对付北伐军。太平军转入山西，连克州县，咸丰帝又以内阁学士胜保代讷尔经额为钦差大臣，赐"神雀刀"。此时，太平军转入直隶（约今河北），下临洺关，九月，占深州，迫近北京。咸丰帝闻讯大惊，他任惠亲王绵愉为奉命大将军，任御前大臣科尔沁郡王僧格林沁为参赞大臣。在乾清宫举行的隆重的授印仪式上，还赐绵愉"锐捷刀"，赐僧格林沁"讷库尼素光刀"。同时，北京城戒严，派其弟奕訢成立京师巡防处，以防万一。北伐军东攻沧州，进逼天津，顶住了胜保、僧格林沁两支大军的进攻，坚守待援，直至咸丰四年二月（1854年3月）才南撤至直隶阜城。这足使咸丰帝提心吊胆四个多月。

太平军北伐的同时，西征军由南京出发，再占安庆，围攻南昌，分占赣、皖各属。九月进入湖北，据汉阳、汉口。十二月攻占庐州，安徽巡抚江忠源负伤投水死。四月，西征军兵锋再进湖南，六月，再占武昌。对此后的太平天国形势发展而言，西征的意义重于北伐。对于咸丰帝来说，西征的威胁就不如北伐那么大。全国能够抽调的兵力，大多已先后抽调给钦差大臣向荣、琦善，组成两军营，琦善亦统军东移，在扬州城外结扎江北大营，咸丰帝命两军营围攻天京，剩下不多的兵丁，又尽力抽调给钦差大臣胜保、参赞大臣僧格林沁军营，对付北伐军。对于西征一路，咸丰帝未派统帅临阵，只是酌调兵弁协助当地官员防堵，并命向荣、琦善两军营派兵支援。咸丰帝的这一无可奈何的漏着，致使太平军顺利地建立起皖赣根据地，开始了长期的斗争。

就在咸丰帝一筹莫展，消极应付局势的时候，清王朝的一些官员由下而上地办起两件大事：一为厘金，一为湘军。

太平军兴，使咸丰帝最为头痛的就是无钱。无钱即不能调兵，不能募勇，不能继续作战。他多方筹措，开捐输，清家底，挪闲款，迫令各省交钱。他甚至还下令将内府所藏的乾隆年间御制的三口大金钟（分别重800斤、700斤、580斤）镕化，取金以充军需。这些方法用了三年，到这时已无法再维持下去了。太平军兴至咸丰三年六月，咸丰帝共拨军费银将近三千万两，而户部库存正项待支银仅二十二万两，就连京城官兵的俸饷也开不出来了。为了解救财政危机，咸丰帝批准通行官票，后又批准印制钱票（又称宝钞、钱钞），又以纸代银、钱。同时，他又批准铸造当十、当五十、当百、当二百、当三百、当四百、当五百、当千大钱。咸丰四年，他因铸大钱的铜料不足，还批准了铸造当一、当五、当十的铁大钱，甚至批准铸造铅钱。此类票、钱、顿时引起金融市场的极大混乱，严重地破坏了社会经济。咸丰帝对这些后果事先完全清楚，为了挽救财政困局，筹措军费，他不得不这样做。

即使如此，中央财政仍然处于无银可放的困境。咸丰三年，户部曾奏请停发在京官兵俸饷一年。咸丰帝考虑再三，认为王公大臣，收入素优，可以停发，其他官兵不能断饷，遂决定：文职四品以下，武职三品以下仍发春季饷俸饷。户部无银，他发内帑五十万两以应急需。咸丰四年，户部奏准官兵的俸饷，以银两改折钱、票，不再以白银充兵饷了；而各衙门的公费等项银两，改折银、票对半。清朝的货币由此大乱。

自咸丰三年下半年起，各军统兵大员（僧格林沁一路除外），再也收不到中央财政拨发下来的银、钱，只是收到咸丰帝指省拨款的命令。各省奉旨指拨也往往不能如数如期照解。统兵大员只得自想办法。他们一方面裁减兵勇，以节其费，一方面自筹款项，起初主要靠捐输。负责琦善军营粮饷的帮办江北军务刑部侍郎雷以諴，根据幕客钱江的建议，在扬州创办厘金，以济军需。厘金是对各类商品抽取百分之一的税，初办时对米行、店铺征抽，称为“坐厘”，后又在各交通要道设关置卡，抽收厘金，称为“行厘”。咸丰四年三月，雷以諴扩大厘金范围，向里下河各州县征抽，同时上奏以闻。咸丰帝据此命令江苏省筹办厘金。时年底，咸丰帝又根据户部的建议，下令用兵各省推行，尔后遍于全国。厘金制度的实行，为清政府筹措了大量的军费。据不完全统计，清政府为镇压太平天国共耗费军银一万七千万两以上，若无厘金的支持是绝不可想象的。

湘军的组建，是在太平军围攻武昌时，咸丰帝命丁忧在籍的前礼部右侍郎曾国藩办理湖南团练事宜开始的。此后，咸丰帝四次任命免官在籍的三品以上大员共四十三人，办理安徽、江苏、河南、直隶、山东、浙江、江西、贵州、福建等省团练。团练是一种地方性的地主武装，任务是护卫乡里身家，无事仍为民，有警则为兵，不远行征调。团练的经费由当地绅耆筹办掌管。曾国藩一眼看出此种武装对付太平军完全无效，他在办团练的谕旨后面放手大干，编练出一支完全不同的军队——湘军。

咸丰三年初，曾国藩将湘乡团丁约千人，按照明代戚继光的束伍成法，编成中、左、右三营。此后陆续扩充。时年夏，他派湘军两千人随江忠源守南昌，并开始编练水师。咸丰四年正月，湘军正式编成，共有陆军十三营、水军十营，全军员弁长夫丁役共计一万七千余人，配炮五百位，配大小船只四百余艘。曾国藩编练的湘军是完全出乎咸丰帝意图之外的；而他闻知后颇为赞许。其时，咸丰帝抽调全国的兵力已达十二万，正感到无兵可用。邻国廓尔喀（今尼泊尔一带）国王曾致书表示愿出兵“剿贼”，此种外夷之兵，咸丰帝当然不敢用，连忙谢绝。因此，当太平军西征入湖北时，咸丰帝就调曾国藩带湘军救援。曾国藩以军未练成而不肯赴命。不久，咸丰帝又命曾国藩率部援皖。曾国藩仍不发兵。咸丰帝很生气，在其奏折上朱批：“今观汝奏，直以数省军务一身克当，试问汝之才力能乎？否乎？平时漫自矜诩，以为无出其右者，及至临事，果能尽符其言甚好，若稍涉张皇，岂不贻笑于天下，着赶紧设法赴援，能早一步即得一步之益。”此谕可见咸丰帝非识臣之君，也未能预料日后湘军的力量，同时也可看出咸丰帝到处找不到可用之武力的心态。曾国藩仍不为所动。至湘军编成，正值太平军再入湖南，曾国藩才引军自衡阳北上，初败后胜，迫太平军退出湖南。咸丰帝予曾国藩三品顶戴。八月，曾国藩督湘军攻陷武汉，咸丰帝喜出望外，在曾的奏折上朱批：“览奏感慰实深，获此大胜殊非意料所及”，即命曾国藩署理湖北巡抚。他对军机大臣们说，军兴以来，出征将帅连战皆败，而曾国藩以一书生竟能建此奇功，对曾颇为赞许。军机中有人言，曾国藩以侍郎在籍，犹如匹夫，匹夫居乡里振臂一呼，从之者万余人，恐非国家之福。咸丰帝闻之立即变脸，对曾国藩由嘉许变为疑虑。不久，他不再让曾国藩署理鄂抚，改予兵部侍郎的空衔。曾国藩在接到署鄂抚之命后，照例以丁忧请辞，而咸丰帝竟以谢辞的奏折未书官衔为由，下令“严行申饬”。曾国藩“闻之黯然”，“怆叹久之”。湘军非经制兵（国家正式军队），曾国藩兵权在握，作皇帝的自然放心不下；而太平军威胁未除，下令解散湘军又无兵以对付“长毛”。咸丰帝两相为难。后来，尽管军机中有人常提到遣散湘军，以防尾大不掉，咸丰帝一直未从；同时他对曾国藩长期不加信任，不予实缺。咸丰七年，曾国藩以丁父忧请辞，并怕咸丰帝不明其意，后又上了《沥陈办事艰难仍恳终制折》，以退为进，要挟咸丰帝给一巡抚官职。咸丰帝也装聋卖傻，非但不夺情，就连兵部侍郎的底缺也开革了。次年，太平军进入浙江，咸丰帝不得已才命其复出，一直到咸丰十年才授曾国藩为两江总督、钦差大臣的官职。尽管如此，曾国藩所统湘军，兵力不断扩张，后来发展至十余万，出现了胡林翼、左宗棠等谋勇俱全的统帅，成为清王朝镇压太平天国的主力，也是清王朝最有战斗力的部队。

厘金和湘军，是咸丰一朝的两大变局。银与兵，是咸丰帝当政初期日夜焦虑耗尽心力的两件事。厘金与湘军正应朝廷之急而生，可以说它们挽救了清王朝的危亡。可是，财权和兵权这两项封建王朝极为重要的权力渐渐地落在地方督抚的手中，朝廷的权力也慢慢只剩下了任官命将一项（这一项权力后来也受到了很大的侵蚀）。厘金和湘军开始了晚清中央权经、地方权重的新格局，封建的统治秩序从内部开始变异。

咸丰四年，发展迅猛的太平军攻势受阻。在南方，湘军占据湖南，反攻湖北得手后，继续进逼江西，太平军西征受到挫折。在北方，僧格林沁、胜保军迫北伐军一退再退，将林凤祥、李开芳包围于直隶东光连镇和山东高唐，并消灭了已进至山东临清的太平天国北伐军。而东南、江北大营正分攻天京、瓜洲。战争的双方，由初期的攻、守两势转为对峙状态。咸丰五年的战争，使咸丰帝有喜有忧。喜在北方，僧格林沁终于消灭了北伐军，咸丰帝晋僧格林沁为博多勒噶朗台亲王并世袭罔替，在乾清宫为僧举行了隆重的凯旋仪式，并诏告天下“北省军务告蒇”。忧在南方，湘军攻九江不克，反在湖口大败，曾国藩寻死不成。太平军乘胜进击湖北，攻占武昌。咸丰帝先后命西凌阿、官文为钦差大臣，督办湖北军务。西凌阿多次战败。官文无才无德，靠的是胡林翼所辖湘军。咸丰帝心中明白，就是不将权柄授予湘军，咸丰六年，太平天国东王杨秀清巧施计谋，先后调兵攻破江北大营、江南大营，太平天国的势力达于鼎盛。

自咸丰四年起，咸丰帝对前线的战事不再充满着热心和信心了，显得有点倦厌。他想不出办法，找不到能臣，放着一个曾国藩又不敢重用。每日的上谕只是头痛医头，脚痛医脚，看不到前期在命将、调兵、战略以至战术方面的果断的大动作。好在厘金和湘军已经创办，饷与兵的难题已经趋于缓解。战事不利，一些统兵大员受到革职逮问，以至开刀问斩，使许多统兵大员视宦途为畏途，纷纷托病请退。咸丰帝不用这批人，又用何人？他只得改变办法，采取革职留任，命其戴罪立功。居住在北京的咸丰帝，对于南方的战事感到越来越遥远，他不关心长江流域的一城一地的得失，注重的是京畿地区的稳定。自太平天国北伐军被消灭之后，他松了一口气，但时时关注太平军是否会再度北上。湖北一危急，他立即调兵赴河南预防；江南大营因兵员单薄而无力攻破天京，向荣向咸丰帝请调江北大营兵勇助攻。咸丰帝恐太平军北上，破口大骂：“汝必欲江北兵，可将汝首送来！”到江北、江南大营俱败，他除了“愤懑”之外，一无良策。

正在此时，太平天国内部发生了激烈的权力斗争。东王杨秀清逼宫谋权，北王韦昌辉杀杨秀清。翼王石达开闻讯领兵“清君侧”，天王洪秀全杀韦昌辉，迎石达开回京辅政。然石达开因遭洪秀全疑猜，于次年六月领兵出走。天京内讧，使太平天国军势大损，丢失了湖北根据地和天京北部屏障瓜洲、东部堡垒镇江。清军重建江北、江南大营，进围天京；湘军攻破九江。太平天国的局势从盛转衰。

咸丰帝连续收到天京内讧的奏报，曾特意去瀛台涵元殿拈香。他在上谕中称：“虽探报情况不一，而贼匪内乱当属可信”，他急命钦差大臣、督办江南军务和春与钦差大臣、督办江北军务德兴阿等“务当趁此机会”，“迅奏肤功，朕不胜盼望”。接着，他闻报石达开与韦昌辉失和，命曾国藩设法招抚石达开。此后前线传来的消息，自然使咸丰帝格外高兴，他以为制服太平天国的时日已经不远。但是，到了咸丰八年七月（1858年8月），太平军陈玉成部再克庐州，咸丰帝急命胜保为钦差大臣，督办安徽军务。八月，陈玉成部会同李秀成部再次摧毁江北大营，咸丰帝立即将钦差大臣德兴阿革职，并撤消江北大营，江北军务由和春节制。十月，陈玉成、李秀成部在安徽三河歼灭湘军李续宾部，挫败湘军东犯的图谋。太平军由颓势再度转入振兴。咸丰帝的美愿如同肥皂泡沫一样，又破灭了。

就在清王朝与太平军进行长期战争的同时，全国各地民众亦纷纷揭竿而起，其中规模较大者有：

捻军嘉庆初在安徽、河南、江苏、山东等省的私盐贩夫、贫苦农民和无业游民中存在着分散的秘密组织，称为“捻”。咸丰元年起，皖北、豫的“捻”党纷纷起事，其中最大的为由张乐行领导的在安徽雉河集起事的一股。咸丰五年秋，豫皖边地区的捻军各首领在雉河集“会盟”，推张乐行为盟主，建立了五旗军制。咸丰七年，捻军接受太平天国封号，此后，活跃于淮河两岸，并进击豫东、苏北，兵力达十万以上，坚持斗争18年。

天地会是南方各省的民间秘密组织，始创于乾隆年间，内称“洪门”，有小刀会、红钱会等支派。咸丰三年起，各地天地会起义进入高潮，最著名的有：黄德美领导的福建小刀会起义，曾占漳州、厦门等地，后退海上；林俊领导的福建红钱会起义，有会众数万，曾占德化等十余县；刘丽川领导的上海小刀会起义，有会众数万，曾据上海、嘉定等县城；何六、陈开、李文茂领导的广东天地会起义，号召会众十万，称“红巾”，围攻广州半年，后退入广西桂平，号“大成国”，曾占柳州、梧州、南宁；朱洪英、胡有禄领导的广西天地会起义，曾占灌阳等地，号“升平天国”，众数万，活跃于湘、桂、黔三省边区。

这些起义，配合了太平天国，形成了全国规模的“造反”浪潮。18行省中，已有14行省战火正炽，相比之下，稍稍平静一些的直隶、山西、陕西、甘肃也不时爆发一些小规模的聚众抗官的事件。“造反”！“造反”！咸丰帝的脚下，再也没有一片平静的土地。这是清朝立国以来前所未有的“混战”局面。

仅仅是一个太平天国，就使咸丰帝无以应付；面对着如此众伙的“逆贼”，咸丰帝的负担更加沉重了。他已经非常倦怠，也确实无此心力。他常常想到天意，曾多次祈天求神，但局势总是那么坏，只得愁绪满怀，真正感到自己无力回天了。

正当咸丰帝在内战的沼泽中苦苦挣扎的时候，外患又来了。

道光朝的鸦片战争以及其后的中外交涉，给咸丰一朝留下了两宗遗案。一是广州入城，一是“修约”，根据《中英南京条约》，“大英国君主派设领事、管事等官住该五处城邑”。英人据此多次要求入城，皆被拒。根据《中美望厦条约》，“至各日情形不一，所有贸易及海面各款恐不无稍有变通之处，应俟12年后，两国派员公平酌办。”（《中法黄埔条约》也有类似条款）英国据此及最惠国条款，以《中英南京条约》为时限，于咸丰四年要求“修约”，法国、美国也据最惠国条款，同时要求“修约”。他们的修约要求主要有：一、开放中国沿海城市及长江；二、鸦片贸易合法化；三、废除进出口货物的中国内地子口税；四、公使驻京。

至于前一宗遗案，即广州入城问题，反映出中西文化观念上的差别。咸丰帝和清政府的官员坚持“夷夏之防”，认定英人入城居住会给他们的统治带来极大的破坏作用。至于后一项遗案，即“修约”问题，牵涉国家利益甚大，尤其是第二、三项，对中国利益极有损害。此时，咸丰帝对中国以外的世界，在认识上还是混沌一片。他将这些对外事务，交给了曾在道光二十九年反入城斗争中名噪一时的两广总督叶名琛办理（两广总督当时例兼处理对外事务的钦差大臣）。咸丰帝以为叶名琛深知“夷务”，办事干练。而叶名琛却是一个刚愎自用的官员。他对各国的“修约”要求拒不理睬，对于各国使节的会晤要求，以军务在身而拒不相见。曾与外人多次打交道的江苏巡抚吉尔杭阿看出此事不会轻了，上奏请咸丰帝另派重臣妥善办理，结果挨了咸丰帝的一顿痛斥。由于英、美等国来不及准备战争，咸斗咸丰四年的各国“修约”活动毫无结果。

咸丰六年，美国公使在英、法的支持下，以《中美望厦条约》已满12年，照会叶名琛，并扬言北上。叶名琛仍不相见，并要求咸丰帝下令各省督抚拒收美使文件，迫美使回粤，以由他来“设法箝制”。咸丰帝因南方太平天国战事新败，恐引起衅端，口气已经软下来，指示叶名琛“可择其事近情理无伤大体者，允其变通一二条”，“以示羁縻。”

就在这年，中外交涉出现了两件事。一是广东水师于九月在广州黄埔港查拿了走私船“亚罗号”，英国领事巴夏礼声称该船在香港登记（实际已过期），是英国船，并诬水师官兵扯下了该船的英国旗。英国公使包令趁机大做文章，向叶名琛提出了“惩凶”、“入城”、“修约”三项要求。英国驻香港的海军随后出动，攻破广州外围数处炮台，于十月初一攻破广州外城，旋因兵力不足而退出。英国政府决定扩大战争，第二次鸦片战争开始。二是法国传教士马赖非法入广西西林县传教，于时年正月被当地政府处死。法国政府闻讯，准备出兵开战。

咸丰帝对这次战事完全懵懂无知。叶名琛欺骗了他。对开战的失败，叶名琛奏报中谎称已获大胜，击毙英军司令及以下官兵四百余人。对英、法派额尔金、葛罗各率远征军前来扩大侵略，叶名琛奏报中说成是英国以包令、巴夏礼不应开战，“另派新酋来粤定议”。对于咸丰七年五月英军在珠江上击败清军水师，焚烧师船一百余艘，叶名琛的奏报完全不提，反称他调集兵勇两万余人，防堵极有把握。咸丰帝对此竟然全信。叶名琛并不能一手遮天，言官闻知广东战事的确切情况上奏，咸丰帝置之不理。两江总督怡良听到消息，见叶名琛为咸丰帝宠臣，不敢重词，婉言上奏，咸丰帝斥责为英国造谣耸听，命怡良“勿为所惑”。他多次下令叶名琛尽早了结此事。咸丰七年十二月初三，他收到叶名琛最后一份奏折，称其正与额尔金、葛罗详细理论，可将各项修约要求，“一律斩断葛藤，以为一劳永逸之举。”咸丰帝总算放心了，认为“大局已经初定。”十天后，他又收到广州将军穆克德纳等人的奏折，声称广州已于十一月十四日失陷，叶名琛被俘。他大惊失色，在奏折上朱批：“览奏实深诧异！”

战火已经烧了一年多，可咸丰帝在叶名琛的蒙骗下一点战争准备也未进行。朝廷的兵、饷已用于对内战争，此时又何以进行对外战争？他一面下令将叶名琛革职，以四川总督黄宗汉继任；一面命令在籍侍郎罗惇衍等密集团练，将英军驱逐出广州，然后再由广东地方官府出面调停转圜。他认为，英军只有数千，团练能集数万，以十当一，必能制胜。且不论以松散的民团来对抗训练有素的英法联军在军事上是多么错误，更荒唐的是，在咸丰帝的眼中，中英两国的战争（他此时尚不知法国也参加了战争）可以转化中国民众与英国的战争，清政府竟然可以充当中立者出面调停。咸丰帝的指令在现实中是完全行不通的。可圣旨一下，谁又敢出面抗旨？广东的官员们还是继续上奏欺瞒实情，而罗惇衍等团练大臣则以经费无出等困难来延宕时日。

咸丰八年三月，英法联军及英、法、俄美四国公使抵达天津大沽口外，要求“修约”。四国合伙上门抢劫，咸丰帝又搬出以夷制夷的“法宝”，令直隶总督谭廷襄进行分化：对俄表示和好，对美设法羁縻，对法进行劝导，对英严词责问。谭廷襄奉旨行事，结果处处失败。特别是俄国，以同情相示，以说客自居，乘机提出了划界（为尔后强占中国领土为张本）、通商的要求。咸丰帝对四国的要求一概拒绝，同时又不许决裂开战。这种交涉难死了承办交涉的官员。

四月初八，英、法两国不愿再继续交涉下去，联军出动，攻占大沽炮台，进逼天津城下，八九千清军溃散。咸丰帝此时只得根据英法的要求，派大学士桂良、吏部尚书花沙纳前往天津谈判。此时，他还想起曾被他狠狠刺痛的耆英，想利用耆英同英人签署《南京条约》、办理广州入城事件的老“交情”，在谈判中讨一些便宜。他密谕桂良、花沙纳对各国要求“作第一次准、驳，留耆英在后”，“该夷尚未满意，著耆英酌量，再行允准几条。”英法联军此时已劫获两广总督署档案，深知耆英当年两面卖弄的手法。两国公使拒见耆英，英方译员对他大加羞辱。耆英只得灰溜溜地返回北京。就在天津谈判的紧要关头，咸丰帝收到黑龙江将军奕山的奏折，称其在俄国武力的胁迫下，与俄国东西伯利亚总督订立了《瑷珲条约》，将黑龙江以北60万平方千米土地割让给俄国，并将乌苏里江以东的40万平方千米的土地改为中俄共管。这种越权违法的条约，本应立即废除，奕山也应治以重罪，而咸丰帝居然认可。在他的眼中，几千里外的不毛之地，比起近在百里的军事威胁，自然算不上什么。他还竟然让谈判代表告诉俄国公使：黑龙江已定约，俄国“理应为中国出力，杜其不情之请，方能对得住中国”。这种卖国的举动，愚蠢幼稚至极！

炮口下的谈判，其结果必然是屈服。五月，桂良、花沙纳只得按照英、法、俄、美四国的要求，与其分别签订了《天津条约》。俄、美两国不战而得利，这不能不归罪于咸丰帝以夷制夷外交策略的失败。条约样本传京，咸丰帝愤愤，但又不得不批准。他只能把气出到替罪羊身上。他下令耆英自尽，罪名是“擅自回京。”

当英法联军撤出天津之后，眼下的威胁消除了，咸丰帝开始反悔。他一面以钦差大臣僧洛林沁进防天津海口，修筑大沽炮台；一面令在上海进行税则谈判的桂良等，向英、法等国宣布大皇帝的“新恩惠”：全免关税，开放鸦片烟禁，让“各夷感服”，然后再谈取消公使驻京、长江通商、内地游历等项条款。咸丰帝认为，外国人最重利，有此获利无穷的恩惠，一切中外争端自可消弭，外国人不用上天津“诉冤”，公使也不用常驻北京。再说，知恩不报，外国人还有良心吗？咸丰帝的这一招，以国家的最大利益换取皇家的最大面子，可谓惊人的误国之举。两江总督何桂清一看此事体大，不顾抗旨罪名，立即上奏：轻改前约，必起波澜，税则不可轻免。桂良亦奏称：免税得利为商人，以此而罢《天津条约》，势必不行。咸丰帝收到这两份奏折，虽不再提免税之事，却下了一道严旨，命桂良“激发天良，力图补救”，将公使驻京等项条约，“概消弭”，否则“自问该当何罪？”

桂良在咸丰帝的再三严旨催令下，再次向英法等国求情，请他们放弃公使驻京要求，对外事务可以从广州改到上海来办理。英使额尔金经此等恳求，觉得公使驻京并无实际意义，同意改驻他地，有事进京，但坚持在北京换约。咸丰帝的口气也有所松动，称言若不能阻止进京换约，则各国使节随员不得超过十人，不得坐轿摆队，换约之后，即行回帆。

咸丰九年五月，英国新任公使普鲁斯、法国新任公使布尔布隆，率舰队从香港北上，到大沽口外要求进京换约。美国公使亦随行北上。咸丰帝见势不可回，命钦差大臣僧格林沁等派员劝说英、法等国公使不走大沽，改走北塘，进京换约。他还有过一个设想，即英法入口不依规定，“可悄悄击之，只说是乡勇，不是官兵。”此种掩耳盗铃之术，僧格林沁是无法实行的。

英、法公使拒绝从北塘入京，反发出最后通牒，要求通过大沽。五月十五日，英、法炮艇十三艘强行入口，拆除防具。僧格林沁督部交战，击沉英艇三艘，重创三艘，毙伤侵略军四百四十八人。第二次大沽口之战，是中西军事交往中第一个大胜仗。战后，美国公使从北塘进京换约。因美使不行跪拜礼，国书由桂良接收，条约在北塘互换。英、法两国公使率舰队南下，准备调兵再战。

咸丰帝见大沽获胜，尽悔《天津条约》。他谕令两江总督何桂清：若英、法“自悔求和”，须由英法赔偿兵费，并需另订新约，在上海互换。时年底，苏淞太道吴煦见英法联军复来，私下与外商拟议停战条件：承认《天津条约》、大沽撤防，另赔银一百万两等。何桂清上奏探询口风，咸丰帝严词拒绝。

此时，双方都在调兵遣将，准备决战。根据僧格林沁的请求，咸丰帝先后调兵一万三千人，合之原防兵、大沽、营城、天津、山海关一带清军兵勇达两万九千人（其中大沽驻兵一万人）。英军派出军舰七十九艘，地面部队达两万五千人，法军派出军舰四十艘，陆军七千人。咸丰十年四月，英军占领了大连湾、法军占领了芝罘。双方剑拔弩张，一触即发。

此时，南方太平天国的形势发生急剧变化。太平军将领李秀成统军由皖入浙，攻其必救，取杭州以调动清军分散兵力，然后回师攻破江南大营，解围天京。咸丰十年闰三月，他率部东征，攻取苏州、常州，准备进攻上海，太平天国的局势自天京变乱后再次达到鼎盛。

在这样的形势下，咸丰帝开始退让了。一是见英法联军兵势太盛，他恐清军抵挡不住；二是怕英法联军与太平军联合（双方控制地区已经连接），这将使清王朝命运不保。他下令僧格林沁不得首先开炮；并谕直隶总督恒福，若英法前来换约，“大皇帝宽其既往”，“由北塘进京换约”。他已不再要求废除或修改《天津条约》了。

六月十五日，英法联军避开防卫严密的大沽，由北塘登陆，随即进袭大沽侧背的新河、塘沽、大小梁子。钦差大臣僧格林沁奉命不得先行开炮，坐待英法联军进攻。此次他看后路被抄，毫无胜利信心，上奏表示要在大沽拼死一战。咸丰帝见奏万分着急。僧格林沁是咸丰帝的爱将，此时又掌握着京津地区清军的精锐，僧部尽失于大沽，何来兵将保卫北京？咸丰帝下了一道朱谕：“天下根本，不在海口，而在京师”，他让僧“万不可寄身于炮台”，若有所失，退守天津。他还下了一道自欺欺人的上谕，派员前往北塘，“伴送英法使臣进京换约”。

七月，英法联军攻占大沽、天津，继续北进，咸丰帝先后派大学士桂良、怡亲王载垣前往谈判。因不能容忍英法等国的条件，他曾准备决战，前方将领军情不利的奏报使他改变了主意。他又想逃离北京，但又怕失掉皇帝的威严，于是下了一道朱谕给军机大臣，“朕今亲统六军，直抵通州，以申天讨而大张挞伐”。同时与朱谕下发的是僧格林沁奏请巡幸木兰折片，让军机五大臣共同讨论，想以五大臣出面请求移驾。结果各大臣讨论的结果是都不同意，称言：“时无寇准，亲征不可轻试；势河无险，土木之变堪虞。”

英法联军的推进，使谈判的地点由天津移至通州。桂良、载垣一让再让，已经同意英法的全部要求。此时，英方译员巴夏礼又提出了换约时须亲向咸丰帝递交国书。这下子刺到了咸丰帝的痛处。不跪不拜的觐见是他决不能容忍之事。他从谈判大臣的奏报中，竟然认为巴夏礼为“谋主”，下旨“勿令折回”。八月初四，谈判破裂，僧格林沁奉命载拏巴夏礼等三十九人，双方大战于张家湾。僧部战败，退往八里桥（在今北京通县境）。初七，双方再战于八里桥。清军再次失败。

军事一败如水。英法联军进京。清王朝已无军可战。咸丰帝手中已经无牌可打。他授六弟奕訢为钦差便宜行事全权大臣，办理和局。初八，他以“秋弥木兰”为名，仓皇从圆明园起程出奔热河。临行前的匆忙，使他无法再仔细看一下北京。他后来再也看不见了。

侵略者完全如愿以偿。奕訢先后与英法签订了《北京条约》。咸丰帝对这些条约并无异议，他担心的只是“亲递国书”一节，几次下令让奕訢设法消弭。跪拜的礼仪，在他的心目中的重要地位是无与伦比，从而成为最大的“国家利益”。沙俄再次趁火打劫。以“兵衅不难再兴”为威胁，迫使清政府与之签订了《中俄北京条约》。该条约承认了《瑷珲条约》，又将乌苏里江以东四十万平方公里的土地划归俄国，还规定了西北“勘界”。此后的《中俄勘分西北界约记》又夺去中国西北44万平方公里土地。咸丰帝对此竟“照议办理”。

侵略者的肆虐并未结束。为了所谓的“报复”，他们在劫掠圆明园后，又下令焚园。冲天大火数日不熄，耗银上亿两的东方名园一毁而尽。只剩下那些烧不掉的石头记载着侵略者的暴行和中华民族的耻辱；铭刻着咸丰帝未能整军经武保卫国防的大罪和企图以夷制夷保全颜面的外交的失败。

咸丰帝即位后，仍用老皇帝留下的军机班底。时年底，他经过准备后罢免首席军机穆彰阿。军机中以赛尚阿、祁寯藻为领班。对于国家大政及大臣进退，咸丰帝仍先询杜受田而后行。因此，杜氏虽未入军机，职权却重于军机。穆彰阿、耆英两相罢斥，林则徐、周天爵等人起用，向荣兵败后获保全，以及黄河堤决发漕米六十万石赈灾等事，无不反映出杜氏的胸襟和政治头脑。杜受田虽不是聪颖过人，但也老成持重，朝野中颇得崇信。

咸丰二年，杜受田亡故，咸丰帝痛失良师干臣。赛尚阿已赴广西督师，军机中以祁寯藻领枢务。祁氏为朴学之士，兼通义理和训诂，一时被士大夫推为儒宗。他为政尚属清廉，但遇事不免迂腐，尤其是对湘军及曾国藩多加诋毁，更见其不能办事识人。咸丰此期政务不能显达，与他不无关系。咸丰四年，祁氏称病求退，咸丰帝允之。按例，大学士病退、丁忧，其位暂空一月，表示对老臣的慰抚。而祁退的当天，咸丰帝即授贾桢为大学士。此种特例，亦可见咸丰帝对祁氏的态度。

接替祁寯藻领枢务的是奕訢，但在咸丰五年因兄弟嫌猜而罢斥。咸丰命文庆继任。文庆曾在道光朝两次入军机，四次受黜。咸丰帝登位后复出，由五品顶戴擢至尚书。他办事方式，一反祁寯藻，不重虚名，推崇实在。他虽为满人，但主张重用汉人，保全曾国藩，荐举胡林翼，重用袁甲三。在他管理户部时，特别看重主事阎敬铭（正六品，司官中最低一级，后官至大学士、军机大臣），有事不耻下问。文庆为相时期，正遇咸丰帝倦怠政务，他为咸丰帝排忧解难，颇费心力。

咸丰六年底，文庆卒。军机处以彭蕴章为首揆。彭氏以军机章京入值，以资深为领班。他为人廉谨小心，无大志向亦无大建树，但对湘军集团颇多微词。若按彭氏之意办理，湘军早被裁撤，清朝亦被断送。而在此时，肃顺已经崛起。

肃顺（1816—1861），字雨亭，宗室，郑亲王乌尔泰阿第六子。咸丰初年入职内廷。他以卑微之身与咸丰帝谈论军国大事，知无不言，直抒己见，显示了其机敏聪颖的才能和勇于任事的性格，因而颇得咸丰帝的赏识。肃顺由此官运亨通，历任内阁学士、侍郎、都统、尚书、协办大学士等职。但他更重要的职务，却是御前侍卫（咸丰四年）、御前大臣（咸丰八年）、署理领侍卫内大臣（咸丰十一年）。此类内廷职务，本属带领引见，随护宫跸的差使，并不负实际政治责任，却给肃顺经常与咸丰帝接近的机会。

肃顺虽出身于皇族，但十分轻视庸碌无为的满人，认为满大爷糊涂不通，唯知要钱。他十分推崇湘军将帅，主张让汉人执掌兵符。咸丰八年，钦差大臣湖广总督官文指使下属参劾湘军将领左宗棠。咸丰帝密谕官文，“如左宗棠果有不法情事，可即就地正法。”肃顺得讯，嘱幕客外泄，授意他人上疏援救。咸丰帝询问肃顺时，他历数左的功绩，将其保全。咸丰十年，太平军东征苏常，两江总督何桂清获罪革职。咸丰帝欲调湖北巡抚胡林翼督两江，询问肃顺。他称胡氏在鄂举措尽善，未可轻动，不如用曾国藩，长江上下游皆得人。对于汉人的态度，肃顺与文庆相同，而他们两人皆为满人。祁寯藻、彭蕴章虽为汉人，却多维护满人，加害汉人。这种反常的现象，不能不说是清朝文化专制而引起的汉人的心理和思维的异化；不能不说是清中叶后满洲贵族迅速腐败而引起的满人的自我觉察。

肃顺办事，敢于用险着，大胆泼辣，雷厉风行。咸丰初年，财政困窘，他主张发钞票，铸大钱，裁减八旗俸饷，并将之强制推行。对于外患，他主张持强硬态度。咸丰九年，他代表清政府与沙俄政府代表互换《天津条约》，沙俄代表突然提出订立《补续和议》，要求承认《瑷珲条约》。肃顺意识到《瑷珲条约》严重后果，断然拒绝。谈判桌上，他据理力争，称《瑷珲条约》只是一纸空文，并建议咸丰帝奖奕山革职。结果，中俄谈判完全破裂。对于当时吏治的败坏，他又主张用严刑峻法以挽颓风。在他的谋划下，咸丰朝兴起两桩大狱。

咸丰八年，文渊阁大学士、军机大臣、户部尚书柏葰主持顺天府乡试。家人靳祥从中舞弊，传递条子。事发后，咸丰帝命肃顺参与办理此案。肃顺穷究严讯，牵连官员数十人，逮问地位比自己高出许多的柏葰。按清朝法律，柏葰只是失察的罪名，当受革职处罚。按当时社会情况，此事已成普遍风气，人们不以为是大罪。而肃顺主张用极刑。咸丰帝因柏葰老臣宿望，不愿杀之，打算从宽发落。而肃顺进言，认为取士重典，关系至重，应用严刑治积习。咸丰帝正因吏台败坏，意图整饬，遂听从了肃顺的意见。咸丰九年二月，咸丰帝召集军机王大臣、六部尚书，宣布其不得已用重刑之，垂泪下令将柏葰问斩，并派肃顺监刑。这一处决，远远超出了柏葰的意料。他以为以自己的地位，至多是发军台或戍新疆。得此令后，知之必是肃顺所为，临刑前愤愤而言，肃顺他日也将同我一样。是为轰动一时的“戊午科场案”。

咸丰九年，肃顺派员核查户部宝钞处所列一笔欠款，发现与存档数不符，立案穷究，查出司员勾结商人侵吞，遂籍没官员、商人数十人，牵连数百人。体仁阁大学士翁心存曾任户部尚书，因与肃顺不和，已讫病开缺。肃顺将他也牵连入案，请咸丰帝下令褫夺顶戴归案讯质，想效法柏葰再次下手。咸丰帝因此时（咸丰十年）多难艰辛，不愿再兴大狱，遂下令以“失察”究处，免翁心存传讯，降五级，待补官时革职留任。是为著名的“户部宝钞案”。

“科场”、“宝钞”两案，反映出肃顺锐意求治，不惜求助于严刑峻法；其中又有铲除异己、张扬权势之用意。肃顺因此积怨甚重，人必欲去之而后快。他仍毫不顾忌，上恃帝宠，下结党人，为所欲为。

咸丰帝上台后，在内廷重用三位亲王：惠亲王绵愉、怡亲王载垣、郑亲王端华。绵愉为嘉庆帝第五子，为人平稳温和。咸丰帝登基时，近支叔伯仅剩此人，遂重用之。咸丰三年还派其统兵出征。自肃顺崛起，对绵愉多有谗言，绵愉终在咸丰八年因保全耆英而获咎，内廷地位下降。载垣、端华皆为名王（允祥、济尔哈朗）之后，道光时任御前大臣，受顾命之托，地位自然与其他亲王不同。咸丰帝年轻，政治经验不足，不愿在军机大臣面前露怯，故多询内廷亲王。载垣、端华庸愦无才，便转询之肃顺。肃顺是端华的弟弟，也是由载垣、端华荐入内廷的。三人结成死党，一切以肃顺为主谋，相为附合。他们虽未入军机，但以领侍卫内大臣、御前大臣的职差供奉内廷，晋见咸丰帝比军机大臣还要方便，权势日益扩张。杜受田、祁寯藻时期，肃顺羽翼未满。奕訢、文庆时期，肃顺才望不敌，至彭蕴章执柄军机，权力已由军机处转入内廷，实际上转到肃顺手中。彭蕴章名列首辅，不过伴食而已，军机大臣们完全拱手听命。由于肃顺的举荐、扶持、帮助，以及一批官员趋权附势，至咸丰十年，大致形成了以肃顺为主谋，包括载垣、端华、穆荫、匡源、杜翰、焦祐瀛、黄宗汉、陈孚恩等人的“肃党”。他们结交名士，联络湘军集团，在宫内外、京内外有着极大的权势。

咸丰十年八月，咸丰帝出逃热河，载垣、端华、肃顺为内廷大臣，随驾前往。军机处五大臣中（穆荫、匡源、文祥、杜翰、焦祐瀛）除文祥留京，协助奕訢办理和局外其余皆随侍。但是，京师的六部九卿几十个衙门无法搬至热河，仍留京办事。清政府分成了两半，头脑在热河，身体却在京师。

在热河，是清一色的肃党，他们挟天子以令诸侯。在京师，又出现了新的格局，奕訢再度崛起。

先是在咸丰三年夏，太平天国北伐军打到直隶，朝廷危急。咸丰帝在困难之际起用了奕訢。奕訢在咸丰帝继位后的第五天，即以先皇遗诏被封为恭亲王，并在内廷行走。但咸丰帝自知才智天分不敌，对他敬而防之。此次奕訢初授管理京师巡防处，负责北京安全，不久又入军机，以位尊而领枢务。奕訢的才能分担了咸丰帝的许多难事。咸丰帝亦先后授其为都统、宗人府右宗正、宗令等职。咸丰五年四月，太平天国北伐军被消灭，诏命恭亲王优叙。

咸丰五年六月，奕訢的生母博尔济吉特氏病危。咸丰帝因童年受养，感恩不尽，登基后尊为康慈皇太贵妃，并一直坚持按礼仪定制请安。闻其病危，他每日赴康寿宫（康慈皇太贵妃寝宫）探视。一日，咸丰帝前往探视，适遇奕訢出，询问病况。奕訢回答："已经不行了，求封号以瞑目。"咸丰帝心不在焉，随口诺诺两声。奕訢以为咸丰帝已同意，立即去军机处办理皇太后尊号事宜。咸丰帝见到军机处的拟旨，大怒。清朝无嗣皇帝尊先皇帝妃嫔为皇太后之先例，只有尊嗣皇帝生母为皇太后之定例。顺治以降，康熙、雍正、乾隆、嘉庆，接连五位皇帝皆庶出，生母均尊为皇太后。此时咸丰帝尚未生子，奕訢生母封太后，自然要引起咸丰帝的疑忌。然康慈皇贵太妃毕竟抚育多年，咸丰帝见拟旨，不得已而六月二十七日发下，尊她为康慈皇太后。九天后，康慈皇太后病故。七月二十一日，咸丰帝与奕訢摊牌，亲颁殊谕："恭亲王奕訢于一切礼仪，多有疏略之处，著勿在军机大臣上行走，宗人府宗令、正黄旗满洲都统，均著开缺。"他还不让奕訢办理其母丧仪，让他在上书房读书，"俾自知敬慎，勿再蹈愆尤，以副朕成全之至意"。不久，咸丰帝又减杀康慈皇太后的礼仪，谥号不系道光帝，不附庙，这又开了清代皇太后丧仪的特例。

皇四子与皇六子的这次冲突，因封号而起，以礼仪为由，实质上显示了咸丰帝对奕訢的妒忌和猜忌。稗官野史中还有一种说法，可作为注脚：康慈皇太贵妃病危时，咸丰帝前往探视。皇贵太妃老眼昏花，误将咸丰帝视为奕訢，执其手而言，当年父皇本意立你，今天已如此，是天命所定，你要自爱。言毕发现是咸丰帝，顿时窘极。咸丰帝叩头自誓，必当保全奕訢。此说的可靠性难以确定。但北方军情的平定，王朝危机的缓和，却又是咸丰帝可以不用奕訢的外部条件。此后奕訢长期未出。

咸丰十年，英法联军兵临北京城下，奕訢再度临危受命。他与各国签订了《北京条约》，致成了中外和局。外国军队退出了北京。奕訢由办理和局的"钦差便宜行事全权大臣"渐渐变为"在京办事王大臣"了。在奕訢的主持下，建立起总理各国事务衙门，选定李泰国（后改为赫德）办理（海关）总税务司事务，奏定京营八旗添习火器，雇请洋匠在上海制造西式枪炮，选八旗子弟学习外国语言文字，等等，办起了许多封建王朝的新鲜事情。同时，在奕訢的支持下，清王朝内部开始讨论"借师助剿"事，想借用西方军事力量镇压太平天国。

由于肃顺飞扬跋扈，积怨甚重，在京的官僚阶层积聚在奕訢的周围，形成了以奕訢为首，包括桂良、文祥等一大批人的政治势力。热河和京师，存在着两大政治力量的对立。肃顺和奕訢，都排行第六，两位"老六"暗地里开始较量。

清代的一切权力均出于皇帝。热河那头，拥天子自重，权势自然占有压倒的优势。据敬事房档案，咸丰十一年大年初一，咸丰帝净面冠服在前殿升座，“章京希绷阿用楠木樱奶茶碗呈送奶茶，肃中堂揭碗盖。”亲揭碗盖这一举止，可见肃顺与咸丰帝关系之密切，可见肃顺一党权势之熏灼。

在京师的这派政治力量，为了使咸丰帝能摆脱肃顺等人的暗中控制，也为了使封建王朝的统治秩序能恢复常态，多次奏请咸丰帝返回北京。咸丰十年十月，咸丰帝对奕訢等人的奏请予以驳责，称驻京公使“请递国书”一事尚未完全罢议，恐有纠缠；又称“天气渐居严寒”，决定“暂缓回銮”，“明岁再降谕旨”。在递交国书、天气严寒的理由的背后，可以看出肃顺的阻挠。在热河，咸丰帝身边全是其党人，回銮北京后，他们就不能完全独占局面。

京师这派得旨后继续上奏。兵部尚书沈兆麟的奏折，请咸丰帝“宸衷独断，弗为众论所游移。”钦差大臣胜保的奏折言词更为激烈：“欲皇上之留塞外者，不过左右数人，而望皇上之归京师者，不啻亿万计。我皇上仁武英明，奈何曲循数人自便之私，而不慰亿万来苏之望乎。”严词直攻肃党。至咸丰十一年正月初四，咸丰帝下令二月十三日回銮。到时又改变行期。二月二十二日，咸丰帝下谕：“本日王大臣等，以朕躬尚未大安，奏请暂缓回銮，情词恳切不得已而勉从其请”，“俟秋间再降谕旨。”此中提到的王大臣，正是载垣、端华、肃顺等人。

京师这派见咸丰帝迟迟不回北京，热河那边又不时传来咸丰帝病危的消息，十分紧张。奕訢于是奏请赴热河探望。咸丰帝在其折上手批：“别经半载，时思握手而谈。惟近日咳嗽不止，时有红痰，尚需静摄，未宜多言，且俟秋间再为面话。”言辞虽十分亲切，但是断然拒绝奕訢来热河。

热河与京师之间，京师处于下风。咸丰帝在世，“肃老六”压“六爷”一头。看来咸丰帝对奕訢的戒心仍未消。

咸丰帝17岁为皇子时，娶克达萨氏为福晋。未久，克达萨氏去世。登位后，他立钮祜禄氏为皇后（即后来的慈安太后、东太后）。他有妃嫔贵人共十九人，答应、常在以下，人数不可考。其中，咸丰帝所喜欢者有懿贵妃叶赫那拉氏（即后来的慈禧太后、西太后）、丽妃他他拉氏、祺嫔佳佟氏、婉嫔索绰络氏、玟嫔徐佳氏。宫内格局，在清代的皇帝中，属正常现象。

咸丰帝当政初年，尚能注重政事，召对批章，从不间断。皇后钮祜禄氏，颇符封建的“妇德”，见咸丰帝偶尔游宴，婉言进谏；外省军报及廷臣奏疏至寝宫，促其即刻省览。咸丰帝初时也无不相从。

咸丰三年，咸丰帝在宫中偶遇选秀女。众女哭泣不止，太监怒叱。其中一女称：天下不靖，天子不谋将求帅，而犹留情女色，强攫民家女，幽禁宫中，以纵自己一日之欲，弃宗社不顾。咸丰帝路闻此语大惊，十分感慨，称她为“奇女子”。他将此女指配给某王公，并罢此次所选秀女，放他们回家。

太平军兴，英法联军之役起，时政艰难。咸丰帝绞尽心力以求治，而天下局势却越来越坏。他束手无策，中夜彷徨，不能自己，于是转向醇酒妇人来排遣愁闷。早年的优美英发之姿，至此时转变为风流滑稽之态。对于他的荒淫生活，野史中有一些反映。

咸丰十年秋，咸丰帝避难热河行宫，对政事更加心灰意冷。自清王朝入主中原后，他是第一个被逐出北京的皇帝。清朝的皇运，到此时也败坏到了极点。塞外的荒凉，行宫的冷清，使他一时感到不适。但是，他摆脱了紫禁城里的种种规矩，摆脱了那些烦人心境、搅人不安的政务。难以对付的“夷人”已交由聪明能干的六弟奕訢办理，江南的“长毛”也已委之于曾国藩，豫皖的“捻匪”，他又派了僧格林沁为钦差大臣，统兵南下前往“弹压”。于是，他从行宫的荒凉冷清中似乎得到了某种超脱，使他感到前所未有的轻松，使他能在苦中寻到乐处。他甚至写“且乐道人”四个字，并命张挂，终因皇后劝阻而未悬露。

在热河的时候，咸丰帝似乎尤其醉心于戏剧。他把宫内升平署（宫廷戏班）分批召来行在承差。十月起，行宫的“烟波致爽”开戏。此后，几乎每两三天就要唱一次。有时上午已经花唱，又传旨中午还要清唱。每次的戏目、角色均由咸丰帝朱笔钦定。热河行宫此时还有嘉庆帝时召来的老伶人。咸丰帝时常召见抚慰，并亲往观看他们向太监们传授戏文。一次，一位老伶人将唱名中的“凭”字念作上声，咸丰帝立即指出应为去声。老伶人回答说是按旧曲谱之声念的，咸丰帝告之旧曲谱就已经错了。此事可见他对戏剧的嗜迷和用心。除观戏外，行宫距围场不远，他还时常游猎打围。至于女色，行宫免去了宫中的种种规矩，咸丰帝的兴趣也就更大了。

咸丰帝本来体质素弱，即位初年的劳心劳力，体质更虚。自倦怠政务娱情声色后，纵欲自戕，身体败坏。他得病咯血，日饮鹿血以治之。咸丰帝的医案，用今日的医学知识来判断，很可能是肺痨。咸丰十一年春，他在热河行宫病倒。此后的日子里，他的身体时危时安。在病情稍安时，他仍然看戏取乐。五月十四日，他传旨升平署：次日由升平署总管带领人员去“如意洲”一片云试演戏台。如意洲是行宫中的一处建筑，一片云为水上戏台，供夏季使用。因已停用数十年，咸丰帝故派人试演。此后，他看戏均改在如意洲，傍水取凉，抱病支撑。六月初九，是他30岁生日，按向例升座受贺，摆宴游乐，病情随即转剧。七月初，他病情稍安，又于十四日传旨升平署，“如意洲花唱照旧。”十五日，他又病倒，仍抱病坚持看戏。十六日的早餐，他点了鸭丁粳米粥，午餐又要了羊肉片白菜，脍伞单，炒豆腐，羊肉丝炒豆芽等，但传谕“如意洲”的戏不必再唱。晚餐后，他突然昏倒，一直到深夜才醒来。

是夜，咸丰帝在寝宫召见载垣、端华、景寿、肃顺、穆荫、匡源、杜翰、焦祐瀛，承受顾命。咸丰帝谕令：“立皇长子载淳为皇太子。”又谕令：“皇长子载淳现为皇太子，著派载垣、端华、景寿、肃顺、穆荫、匡源、杜翰、焦祐瀛尽心辅弼，赞襄一切政务。”载垣等请咸丰帝朱笔亲写，以昭郑重。而咸丰帝此时已经手软，握不住笔，遂命廷臣承写朱谕。第二天清晨，咸丰帝病逝，时为咸丰十一年七月十七日寅时（1861年8月22日）。在咸丰帝病逝前，他还授予皇后钮祜禄氏“御赏”印章，授予皇子载淳“同道堂”印章。

热河与京师之间，热河战胜了京师。“赞襄政务王大臣”八人，全为肃党，“在京办事王大臣”无一人在内。肃党控制了全权，奕訢一派将遭到灭顶之灾。但是，两党相争尚未决出最后的胜负。懿贵妃，这位肃顺不放在眼中曾建言咸丰帝效法“钩弋故事”杀之的妇人，却瞒过眼线，内联皇后钮祜禄氏，外通恭亲王奕訢，发动政变，垂帘听政。

清穆宗载淳

同治帝载淳为清朝入关后第八代皇帝，是咸丰帝奕詝与叶赫那拉氏的独生子。生于咸丰六年（1856年）三月二十三日，十一年十月初九即帝位，时年六岁，由咸丰帝的皇后钮祜禄氏和叶赫那拉氏垂帘听政。年号同治。同治十二年（1873年）载淳十八岁亲政。次年十二月初五卒，年十九。谥号“毅皇帝”，庙号“穆宗”。

载淳的生母叶赫那拉氏于咸丰二年五月入宫，赐号兰贵人。四年晋升为懿嫔。六年二十二岁生载淳于储秀宫，母以子贵，分娩的当天就晋升为懿妃。七年，再晋升为懿贵妃。十年，英法联军攻陷天津，直接威逼京师，载淳随其父母仓皇逃到热河承德避暑山庄。十一年七月，奕詝在承德病危，召怡亲王载垣、郑亲王端华、御前大臣景寿、协办大学士肃顺、军机大臣穆荫、吏部侍郎匡源、署礼部右侍郎杜翰、太仆寺卿焦祐瀛等至榻前，宣布立载淳为皇太子，命载垣等八大臣赞襄政务。同时规定以“御赏”、“同道堂”两颗印章为日后下达诏谕的符信，“御赏”章为印起，“同道堂”章为印讫。将“御赏”章交皇后钮祜禄氏掌管，“同道堂”章由皇太子载淳掌管。载淳年幼，实际上是由其生母叶赫那拉氏掌管。奕詝的决策就是在他死后由皇后钮祜禄氏、懿贵妃叶赫那拉氏及八大臣联合执政，而钮祜禄氏、叶赫那拉氏的权力更大于八大臣，她们均拥有对一切军国大事的否决权。她们只要不盖印章，一切诏谕就不算合法，概不能生效。

咸丰十一年七月十七日，奕詝病死于避暑山庄。二十六日，新皇帝载淳建元年号奉旨用“祺祥”二字。宫廷的权力之争迅速达到白热化的程度。八月初一，皇弟恭亲王奕訢从北京赶到承德，钮祜禄氏、叶赫那拉氏立即召见，他们密谋发动政变，商定了计划，决心从赞襄政务王大臣手中夺取清朝统治大权。次日，兵部侍郎胜保明知清廷已下达谕旨不准许各地统兵大臣赴热河吊丧，仍然奏请到热河去“哭奠”，甚至不待清廷批准，迳自率兵经冀州、河间、雄县一带兼程北上。正在这个关键时刻，山东道监察御史董元醇呈递奏折“奏请皇太后权理朝政并另简亲王辅政”。此折递上后，初十日并未发下，说是叶赫那拉氏留阅。次日，皇太后钮祜禄氏、叶赫那拉氏抱着新皇帝载淳召见载垣、端华、肃顺等赞襄政务王大臣，会议董元醇“垂帘听政”的请求。皇太后与八大臣发生了激烈的舌战。八大臣方面“哓哓置辨，无人臣礼”，咸丰帝的师傅杜受田之子杜翰“尤肆言无忌”，“声震殿陛”。叶赫那拉氏气得手战不已，载淳惊怖太甚，小便失禁，将皇太后的衣服都尿湿了。叶赫那拉氏当时斗不过八大臣，不得不同意发出切责董元醇的上谕：“我朝圣圣相承，向无皇太后垂帘听政之礼。”九月二十三日，按照清代礼制，载淳在避暑山庄丽正门外跪送咸丰帝奕詝的灵柩起程回京，然后即随皇太后钮祜禄氏、叶赫那拉氏间道先行。因为灵柩既大且重，行进十分迟缓；载淳等以快班轿夫兼程返京，所以提前四天抵达。这就为叶赫那拉氏发动政变赢得了时间，准备了条件。在叶赫那拉氏和奕訢的精心策划下，九月二十九日，载淳等回到京师，次日就爆发了震惊中外的“祺祥政变”。大学士管理兵部事务贾桢、大学士管理户部事务周祖培、户部尚书沈兆霖、刑部尚书赵光等在奕訢的“风示”之下，联名奏请皇太后亲操政权以振纲纪。叶赫那拉氏立刻颁发谕旨一道，著王、大臣等妥议皇太后亲理大政并另简近支亲王辅政。又颁一道上谕，正式宣布“载垣、端华、肃顺著即解任，景寿、穆荫、匡源、杜翰、焦祐瀛著退出军机处。”接着，将载垣、端华、肃顺拿问治罪，任命恭亲王奕訢为议政王，在军机处行走。大学士桂良、户中尚书沈兆霖，户部右侍郎宝鋆均等在军机大臣上行走。鸿胪寺少卿曹毓瑛著在军机大臣上学习行走。户部右侍郎文祥著仍在军机大臣上行走。朝廷要害部门的人事安排就绪，叶赫那拉氏把清王朝的最高统治权全部攫取到自己手里。十月初六，载垣、端华、肃顺分别被处死。原来准备改元使用的“祺祥”二字改为“同治”。十月初九，载淳即位于太和殿。如果从努尔哈赤算起，他是清朝的第10个皇帝；如果从清朝入关以后的顺治帝福临算起，他是清朝的第8个皇帝。载淳尊称钮祜禄氏为母后皇太后（或慈安皇太后），尊称叶赫那拉氏为圣母皇太后（或慈禧皇太后）。

咸丰十一年十月十六日，礼亲王世铎等会议奏准《垂帘章程》。十一月初一，载淳与慈安皇太后、慈禧皇太后同在养心殿开始“垂帘听政”，王爵以下大学士、六部九卿等官员在养心殿门外行跪拜礼。从此，两宫皇太后日日召见军机大臣，对于内外臣工的奏章亦复一一加以批阅。至于“垂帘听政”的具体细节，举例以见一斑。

两江总督曾国藩调任直隶总督，同治七年十二月十四日入都觐见。他在当天的日记中也曾详细地记载。他写道："入养心殿之东间，皇上向西坐，皇太后在后黄缦之内；慈安太后在南，慈禧太后在北。余入门跪奏：'臣曾某恭请圣安。'旋免冠叩头奏称：'臣曾某叩谢天恩'毕，起行数步，跪于垫上。

太后问：'汝在江南事都办完了？'

对：'办完了'。

问：'勇都撤完了？'

对：'都撤完了'。

问：'遣撤几多勇？'

对：'撤的二万人，留的尚有三万。'

问：'何处人多？'

对：'安徽人多，湖南人也有些，不过数千，安徽人极多。'

问：'撤得安静？'

对：'安静。'

问：'你一路来可安静？'

对：'路上很安静，先恐有游勇滋事，却倒平安无事。'

问：'你出京多少年？'

对：'臣出京十七年了。'

问：'你从前在京，直隶的事自然知道!'

对：'直隶的事臣也晓得些。'

问：'直隶甚是空虚，你须好好练兵！'

对：'臣的才力怕办不好。'

旋叩头退出。"

曾国藩对这次接见印象并不好，认为"两宫才地平常，见面无一要语。皇上冲默，亦无从测之。"

钮祜禄氏和叶赫那拉氏垂帘听政，由于钮祜禄氏的作风"和易，少思虑"，"见大臣呐呐如无语者，……或竟月不决一事"，实际上叶赫那拉氏独揽大权。载淳虽然年幼无知，仍然必须每日临朝，召见文武官员，在皇帝宝座上正襟危坐。他对王公大臣奏对的军国大事一概不懂，也就感到索然乏味，又不得不力加克制，以防稍微放肆随便，有失"人君"之仪度。此外，每年正月初一日，还必须率王公大臣至慈宁宫向慈安、慈禧两位太后行礼。十二月，还要到抚辰殿向蒙古王公赐宴。都是一些使他不得不拘谨从事的礼仪。因此，幼年的载淳认为作皇上是“当差”，并且当的不是美差而是苦差。

载淳在作应景皇帝的同时，每天还要用半天时间读书。咸丰帝对于载淳的教育原本十分重视，早在咸丰十年载淳五岁的时候，已经调河南学政李鸿藻来京，专教载淳读书。李鸿藻随载淳至承德。咸丰十一年三月初八，咸丰帝决定载淳于四月初七正式入学读书，特派翰林院编修李鸿藻为大阿哥师傅，礼部侍郎伊精阿为大阿哥谙达。谙达专授满文，地位在师傅之下。李鸿藻教授了一段时间之后，对载淳的评论是“姿性平常，亦不乐攻苦。”有一次，李鸿藻督课甚严，载淳想要请假入内以避，李不允许，载淳即将书本怒掷于地，表示抗议。李为了维护师道尊严，不稍让步，坚持要求他把书本拾起，相持好久之后，他才勉强将书拾起。

载淳随其母慈禧太后回京后，慈禧为了加强对爱子的教育，又于同治元年二月初二发出上谕：派礼部尚书前大学士祁寯藻、管理工部事务前大学士翁心存、工部尚书倭仁、翰林院编修李鸿藻均在弘德殿授皇帝读书，礼部尚书倭什珲部为总谙达，与礼部左侍郎伊精阿、兵部尚书爱仁均在弘德殿教习满文。惠亲王绵愉在弘德殿常川照料，专司督责，其子奕详在弘德殿伴读。恭亲王奕訢总司稽查。载淳日常作息时间及功课内容，已经奕訢先期奏准：每日至书房，先拉弓，次习蒙古语，读满文书籍，然后读汉文书籍。先系半功课，至八岁时改为整功课。既有诵读，又有讨论。三年后练习步射。十岁后练习打枪。自入学后，每隔五日，于下书房后即在宫中长街学习骑马，令是日教读满文书籍之御前大臣一人压马，大臣三四人进行教习。

二月十二日，载淳入学。先到圣人堂向至先师孔子行礼。各位师傅均在上书房廊下北向站班。然后，载淳到弘德殿坐上宝座，接受绵愉、奕訢及各位师傅、谙达、御前大臣、内务府大臣的礼拜，再向每位师傅作揖还礼，即入室面向东北，祁寯藻面向西坐，展书授读。其他师傅皆坐室内门旁，伴读奕详则坐西壁下。这些师傅都是饱学之士，又各有所长，课读时十分尽心。倭仁呈进所辑古帝王事迹及古今臣工奏议二帙，名《启心金鉴》，陈列弘德殿中，供载淳随时翻阅；景其浚则呈递《历代君鉴》；李棠阶奏请讲解《御批通鉴辑览》及《大学衍义》。祁寯藻教书总喜欢引述许慎《说文解字》。倭仁是著名理学大师，“言必称程朱”。李鸿藻则调停于二者之间。载淳罢读之后必谒见慈禧，慈禧往往要询问什么书什么句作什么解。有一次，载淳答称倭仁所教之“太极图说、西铭之类艰深莫从获解，”慈禧即转告绵愉、奕訢等，“于是，罢习性理书，日诵唯五经四书，《通鉴辑览》。经皆宋、元人注；鉴则高宗御批也。”

同治三年之后，李鸿藻对载淳的学习成绩颇感满意，在日记中常常记载说：“功课甚顺”，“功课尤顺”，“功课尚顺”，“功课极顺”。同治四年二月初四，慈禧又命翰林院检讨徐桐在弘德殿行走，教皇帝读书。八月初王，慈禧命太常寺卿奕庆在弘德殿行走，教授满文。十一月十一日，慈禧命詹事府右中允翁同龢在弘德殿行走，教皇帝读书。当时朝野人士对幼帝的学业均抱有极其殷切的期望，也有片断的传闻记载：例如赵烈文在同治六年五月廿日的日记中这样写道：“是日闻竹庄言：今上聪慧而不喜读。一日，与师傅执拗，师傅无可如何，涕下以谏，时御书适读至，‘君子不器’，上以手掩器下二口，招之日：‘师傅看此句何解？’盖以为君子不哭也。其敏如此。又读‘日若稽古帝尧，日若稽古帝舜，’帝字皆读屁字。”

同治八年，李鸿藻面奏慈禧，谓“圣学宜勤，今年须学作论。”慈禧也对李鸿藻说：“讲书不必太多，以能记为主”。皇帝应当服从师傅们的教导。李鸿藻给载淳出了一道作文题，让他写一篇《任贤图治》。他用了差不多一个钟头，才写出如下几句：“治天下之道莫大于用人，然人不同，有君子焉，有小人焉，必辨其贤否，而后能择贤而用之，则天下治矣。”字数不多，可以说只是一篇文章的写作提纲，但是思路还是很清楚的，李鸿藻等相当满意。朱学勤写信给曾国藩，对幼帝的学业称道了几句，曾国藩也立即复信说：“圣学日益精进，不胜大幸！”

同治十年，载淳已经16岁了，行将亲政，处理军国大事，但学习成绩却愈来愈差，使慈禧、李鸿藻、翁同龢等极为不安。

小皇帝的功课不仅十分繁重，而且古文艰涩难懂，虽然有状元宰相充当他的师傅，师傅们也极尽其循循诱导之能事，小皇帝仍然对功课缺乏兴趣，甚至表现厌倦，更进而“认字不清”，“见书即怕”。教育严重失败。他虽然已经十六岁，读书已有十二年之久，仍然是一个文理不通的纨袴公子，整天无精打采，难期振作。他认为读书学习也是一项苦差使。

载淳年龄渐长，选后婚娶，亲临朝政已经提上了日程。在选后的过程中，载淳与其生母慈禧又发生了冲突。因为慈禧喜欢员外郎凤秀之女富察氏，慈安喜欢侍讲崇绮之女阿鲁特氏，无法定议，乃令载淳自定，载淳选中了崇绮之女阿鲁特氏。同治十一年二月初三发出上谕："钦奉慈安皇太后、慈禧皇太后懿旨：……兹选得翰林院侍讲崇绮之女阿鲁特氏，淑慎端庄，著立为皇后。……又奉谕旨：皇帝大婚典礼，……于本年九月举行。……又奉谕旨：员外郎凤秀之女富察氏著封为慧妃；知府崇龄之女赫舍里氏著封为瑜嫔；前任副都统赛尚阿之女阿鲁特氏著封为珣嫔。"

十一年九月十四日，同治帝大婚，正式册立阿鲁特氏为皇后。同一天，册封富察氏为慧妃。十月，又册封赫舍里氏为瑜嫔，阿鲁特氏（皇后之姑）为珣嫔，西林觉罗氏为贵人。载淳的正式妻妾已达五人之多。

载淳大婚之后，慈禧与皇后之间婆媳不和，因阿鲁特氏"体微丰，趋蹡弗便，乃故令奔走以劳苦之；复以其不娴仪节责让之。尤异者，谓帝行将亲政，国事繁颐，宜节欲，勿时宿内寝"。于是，载淳在婚后经常独宿乾清宫。婚后生活的不美满，促使他微服出游，传出一些风流韵事。

清廷内外，对于杜绝载淳的生活放荡，极尽其防微杜渐之能事。早在同治元年五月，前太常寺卿李棠阶已经奏请"于师傅匡弼之余预杜左右近习之渐"。同治二年十月，祁寯藻、倭仁、李鸿藻等又奏请"黜浮靡以固圣德"。慈禧、慈安也为此颁下诏旨，称"屏斥玩好、游观、兴作诸务，祁寯藻等其各朝夕纳诲，养成令德，以端治本而懋躬行"。同治四年六月，御史穆缉香阿奏，"请慎选侍御仆从"，慈禧立即命"内务府稽查，有便僻侧媚者举实严惩"。同治八年六月，武英殿发生火灾，倭仁、徐桐、翁同龢等再奏请"勤修圣德，以弭灾变"。而事实上仍然是防不胜防。在其伴读者中，奕详奕询作风比较端谨。其他侪辈，奕新之子载澂则"敏捷有口给，独得其欢"，常引导载淳出游酒肆剧馆，曾被倭仁撞见于什刹海，被爱仁撞见于崇效寺，被广寿撞见于大宛试馆。而爱仁、伊精阿等也"颇拾市井间情状语帝"，王庆祺更"进诸小说淫词，秘戏图册，帝益沈迷"。"于是伶人小六如、春眉，娼小凤辈皆邀幸"，"又有奄杜之锡者，状若少女，帝幸之。之锡有姊，固金鱼池娼也。更引帝与之狎。由是溺于色，渐致忘返。"

同治十二年正月，慈安、慈禧发下懿旨，勉励载淳"祇承家法，讲求用人行政，毋荒典学"。勉励廷臣及中外臣工"公忠尽职，宏济艰难"。载淳于正月廿六日正式亲政，也立即降诏，表示"恪遵慈训，敬天法祖，勤政爱民"。慈安、慈禧再颁懿旨："皇帝每日办事召见后，仍诣弘德殿与诸臣虚衷讨论。李鸿藻、徐桐、林天龄、桂清、广寿均照常入值，尽心讲贯”。这一天，在各口岸的中国船只有史以来第一次在桅杆上挂起龙旗，以示庆贺。

载淳亲政以后，也办了一些事情。例如，外交方面，在他亲政的第二天，俄、德、美、英、法等国公使即联衔照会总理各国事务衙门，请求觐见，面达庆忱。总理衙门复称俟总署大臣文祥病瘥面谈。二月初七，俄、德、美、英、法等国公使再行照会总理衙门，请求定期会议觐见之事。二月十三日，文祥赴俄国使馆与俄、德、美、英、法等国公使会商觐见问题，坚持见皇帝必须行跪拜礼。各国公使只答应行免冠五鞠躬礼。载淳命李鸿章妥议觐见之礼仪，李鸿章认为各国使臣觐见应宽其小节，示以大度。于是，决定免除使臣跪拜。六月初五是星期日，各国公使在五点半于“北堂”会合。六点，由崇厚引导前往皇城的福华门，在那里受到了文祥的接待，款以茶点。八点半钟，他们又被引到一个行幄中，受到恭亲王奕訢的接见。九点整，同治帝载淳在紫光阁升上宝座，当时作为唯一的特派大使日本副岛种臣首先被单独接见。然后全权公使和代办按照他们到达北京的日期先后为序，一同进入，有俄国公使倭良嘎哩、美国公使镂斐迪、英国公使威妥码、法国公使热福理、荷兰公使费果荪。他们由作为翻译的俾士麦陪同。俾士麦既是使馆中资格最老的翻译官，也是暂时缺席的德国公使的代表。倭良嘎哩以外交使团团长的身份人表各国使节致贺词。接着，每位公使依次将该国国书呈递在同治帝面前的案上。同治帝通过恭亲王奕訢的口，对使臣们所代表的国家元首表达了亲睦之谊。联合觐见一共用了半小时。

在内政方面，主要是镇压农民起义。十二年正月，云贵总督刘岳昭、云南巡抚岑毓英等攻陷大理，回民起义领袖杜文秀、杨荣、蔡廷栋等兵败身亡。同年闰六月，刘岳昭等又攻陷腾越。载淳都分别论功行赏。为了缓和尖锐的阶级矛盾，他还下诏免去同治十一年以前云南全省的积欠粮赋，并永远停征济军厘谷。命刘岳昭慎选牧令，察吏安民。

除云南外，清军左宗棠等部正在西北地区镇压回民起义。十二年二月，刘锦棠部攻陷大通向阳堡。金顺部开抵肃州与回民起义军作战。三月，杀西宁回民领袖马桂源。四月，攻陷肃州塔尔湾。六月，陷循化，杀马玉连等多人。八月，清军至哈密、巴里坤等地作战，为了加强领导，特调锡纶为乌鲁木齐领队大臣，以明春为哈密帮办大臣。十月，清军攻陷肃州，杀回民领袖马文禄。载淳十分高兴，特意到慈安、慈禧住处分别贺捷。

这时，宫廷中的权力之争，也波澜起伏，几起几落。第一回合是载淳母子与恭亲王奕訢的较量。同治四年三月，慈禧为了打击奕訢，指使署日讲官还不满一月的蔡寿祺出面弹劾，要奕訢罢官引退。奕訢晋见时，慈禧对奕訢说："有人劾汝"，并示以奏折。奕訢追问是何人所奏？慈禧答以"蔡寿祺。"奕訢说："蔡寿祺非好人"，并欲将蔡寿祺逮捕治罪。次日，慈禧即以同治帝载淳的名义亲笔起草了一通错别字连篇的"朱谕"。次日，恭亲王奕訢即被罢去了一切职务。但是，当天即有惇亲王奕誴为奕訢申辩。惇亲王奕誴及肃亲王华丰、通政使王拯、内阁学士殷兆镛、左副都御史潘祖荫、给事中谭钟麟、广成，御史洗斌、王翼谋，学士维珍等亦纷纷上疏，皆为奕訢缓颊，认为"被参各款本无实据"。于是，诸王大臣再次会议此事，众论皆倾向恭亲王奕訢，慈禧乃另下上谕，使奕訢仍在内廷行走，仍管理各国事务衙门。奕訢谢恩召见，伏地痛哭，乃又恢复军机大臣职务。慈禧母子与奕訢的这场斗争，经过了39天的折冲起伏，才算告一段落。最终只是解除了奕訢的"议政王"的职位。

同治八年七月，又发生了安得海案。安得海为慈禧的亲信太监，祺祥政变之前，慈禧拉拢侍卫荣禄为己用，为之通消息者即安得海。慈禧密召奕訢，为之通消息者，亦安得海。垂帘之后，安得海恃宠渔利，为慈禧造戏园，取得她的宠幸。慈禧常着戏装游于西苑，走到哪里，安得海都随侍在侧。安得海既得势，声势喧赫，同治八年夏，受慈禧指派，到南方织办龙衣，一路耀武扬威，毫无顾忌。按清朝家法规定，太监不许擅出皇城，违者格杀勿论。安得海公然出远门，沿途骚扰地方，引起朝廷内外大臣强烈不满。安得海一行抵达山东，巡抚丁宝桢援引国家大法，发兵追捕，并请示朝廷严惩。奕訢、文祥、李鸿藻力主严办，办务府大臣中有为安得海缓颊者，慈禧碍于祖宗成法，也只好表示："此曹如此，'该杀'二字。"八月初七，丁宝桢将安得海等二十余人在济南正法。这一次是奕訢抓住了慈禧的把柄，暂时占了上风。

同治九年，在处理天津教案的过程中，双方再次发生摩擦，奕譞、李鸿藻、奕誴、翁同龢、倭仁等站在慈禧、载淳一边；曾国藩、李鸿章、文祥、宝鋆、沈桂芬、董恂等站在奕訢一边。六月十九日，召见李鸿藻时与宝鋆、沈桂芬发生争执，载淳支持李鸿藻。宝鋆说："津民无端杀法国人，直是借端抢掠。"极端守旧的李鸿藻与之力争，认为不能"抑民奉外”。慈禧也说：“民心不可失，李鸿藻之言非无见地。”六月廿五日，再次召见于乾清宫西暖阁，讨论曾国藩的奏折。曾国藩力言洋人无迷拐事，挖眼剖心，并无确据，教堂蒙了不白之冤，请降明旨昭雪，并请将天津知府张光藻、知县刘杰交刑部治罪。奕谅、奕譞是皇族中的极端守旧派，侃侃而谈，表示反对。奕訢本如曾国藩所请，亦持之甚坚。双方辩论了一个多钟头，与会者汗出沾衣，甚至有跪不能起者。慈禧先是说；“此事如何措置，我等不得主意。”奕谅说：“曾国藩亦不得已。惟民为邦本，民心失则天下解体。奕谡、奕淙以为腐朽的封建统治势力能够把人民群众动员起来一举把洋人势力赶走。奕譞说：“民心宜顺，天津知府、知县无罪，陈国瑞忠勇可用。”“并诋及总理衙门照会内有‘天津举事者，及‘大清仇人’之语，斥为失体。”宝鋆、董恂进行辩驳，与奕譞“语相侵”。慈禧无可奈何，为双方调解，只好照奕訢一派的意见加以处理。天津教案以惩凶道歉了事，奕譞深为不满，愤而请辞一切差使，不愿与“汲汲以曲徇夷心为务”的人共事。经慈禧温谕挽留，始于十年正月廿六日销假上朝，亲递手书密折，虽然只字未提奕訢，却句句皆攻击奕訢，挑拨奕訢与载淳母子的关系。如说：“欲尽君臣大义，每伤兄弟私情”，“办夷之臣即秉政之臣”。所谓“兄弟私情”，因为在道光帝诸子中，奕訢排行第六，奕譞排行第七，奕訢是兄，奕譞是弟“办夷之臣即秉政之臣，”奕訢既是总理衙门大臣，又是军机大臣。同时，也明确要求慈禧（奕譞的妻姐）在载淳亲政之前，先将奕訢罢黜，“措天下磐石之安。”慈禧母子虽然也深恶奕訢，但他们权衡利弊，认为罢黜奕訢的时机尚不成熟，所以没有接受奕譞的意见。但是，天津教案之后，奕訢的重要助手文祥还是被开去了国子监、理藩院、阅兵大臣、响导处的差使。

载淳亲政以后，奕譞在奏折中再次挑拨慈禧、载淳与奕訢的关系，声称：“去年是军机大臣拟旨，现在乃天子当阳，迥不相侔。”奕訢阅后甚怒，遂上自辨奏折。奕譞这次挑拨离间，经奕訢婉言批驳，并无明显的效果。但是，加深了慈禧、载淳对奕訢的嫉恨。

十二年九月，载淳秉承慈禧的懿旨下令重修圆明园。十月初一，御史沈淮奏请缓修，载淳大怒，立即召见，责以大孝养志之义。初八日，内务府员司督促民工拆除残垣断壁。奕訢在思想矛盾之中，还率先报效工银二万两。御史游百川又上疏谏阻，以恐“夷人生心”立言。载淳下朱谕革其职务，并告诫群臣不准再行谏阻。慈禧对重修圆明园兴致极高，甚至还亲自绘制御园图样。十三年正月十九日，各处工程正式开工。三月十二日，载淳视察园工，盘桓整日。该月下旬，又传旨准备再幸圆明园驻跸，并诣黑龙潭拈香。三月廿四日，奕譞、伯彦讷谟祜、奕劻、景寿等御前大臣合疏谏阻，载淳不为所动。四月初九，又幸安佑宫视察工程。五月十一日，再次视察园工。载淳如此关心重修圆明园，引起一些大臣的反对。五月二十日，总师傅李鸿藻乃上疏奏称：皇帝："每月书房不过数次，且时刻匆促，……不几有读书之名，无读书之实乎？"并认为载淳召见臣工每次只一二人，每人泛问三数语，人才之贤否，政事之得失，皆不得深悉。六月初四，侍讲徐桐、广寿再以星象示警为言，吁请载淳慎起居、严禁卫。奕訢等人此时也忍无可忍，乃于七月十六日递上《敬陈先烈请皇上及时定志用济艰危折》，历举清朝开国以来诸帝创业之难，说明守成不易，从而又引起了一场载淳与奕訢等人的激烈政争。

在奕訢这个奏折上署名的，计有御前大臣、军机大臣等10余人。奕訢等怕载淳看不完就置之一旁乃请召见。载淳不许。再三请求，乃于七月十八日召见。载淳阅奏折未数行，便说："我停工何如！尔等尚有何哓舌？"奕沂回答："臣等所奏尚多，不止停工一条，容臣宣诵！"遂从靴中取出折底，逐条讲读，反复指陈。载淳大怒，斥责说："此位让尔何如？"文祥见此情景，悲从中来，伏地痛哭，喘息几绝。载淳命人扶之出。奕訢继续泣谏，至"微行"一条，载淳坚问何从传闻？奕沂指实时间、地点，载淳始沸然语塞。最后，载淳说园工一事本为承太后欢，故不敢擅自做主，允为转奏。这次廷争，前后达两个半钟头。

七月廿七日，载淳召见其七叔奕谡（同时也是他姨丈），适奕譞至南苑验炮未回。遂召见其六叔奕訢，再次询问微行一事闻自何人？奕訢以"臣子载澂"对。载淳更怒，并怒及载澂。七月廿九日，载淳召见军机大臣、御前大臣及弘德殿师傅，首先责备翁同龢为什么保持缄默，又责备御史、给事中等言官，再与奕訢、奕譞往复辩难，说他们，"离间母子，把持政事"，奕訢、奕譞叩头申辩不已。后来，翁同龢说："今日事须有归宿，请圣意先定，诸臣始得承旨。"载淳说："待10年，或20年，四海平定，库项充裕时，园工可许再举乎？"各大臣齐称"如天之福，彼时必当兴修。"遂决定停止园工，改修三海而退。诸大臣同至军机处拟旨，然后互相传阅，斟酌完毕呈递。后来，载淳写朱谕一道，尽革恭王所兼军机大臣及一切差使，降为不入八分辅国公，交宗人府严议。七月三十日，载淳又写朱谕称："朕自去岁正月二十六日亲政以来，每逢召对恭亲王时，语言之间，诸多失仪，著加恩改为革去亲王世袭罔替，降为郡王，仍在军机大臣上行走，并载澂革去贝勒郡王衔，以示惩儆。"八月初一，载淳再写朱谕：尽革惇王奕誴、恭王奕訢、醇王奕譞，御前大臣伯彦讷谟祜、景寿、奕劻，军机大臣文祥、宝鋆、沈桂芬、李鸿藻等10人官职，指责他们"朋比谋为不轨"，遍召六部尚书、侍郎、左都御史、内阁学士，准备当众宣布此谕。慈禧、慈安知道后，急至弘德殿面见群臣，"两宫垂涕于上，皇上长跪于下"，慈禧说："十年以来，无恭王何以有今日？皇上少未更事，昨谕著即撤销。"奕誴、奕譞等当然也就不用罢官了。

当天的另一道上谕就是停止园工，改修三海。慈禧母子与奕訢的政治权力之争，再次告一段落。

从八月初一下令停止园工，到十月廿一日同治帝生病，在这五十天中，同治帝仍然没有接受奕訢、奕谖、李鸿藻、奕劻等人的劝告，对学业仍深厌倦。在翁同龢的日记中，连日都记载着："传无书房，遂出"；"传自今至初八俱无书房"，"传今日至十六皆无书房"。只在八月十九日记载说："上至书斋，作《南苑阅武》七律一首，有细柳长杨一联，甚工。"此外，对于修建三海、游览歌舞仍甚热衷，翁同龢在日记中仍屡有记载。同时，传说导引同治帝微服冶游的王庆祺和小太监也有一些迹象在翁氏日记中出现。

此后不久，载淳即生病，病情迅速恶化。

在载淳生病的过程中，皇宫内外还大办封建迷信活动。十一月十二日，从大光明殿接痘神娘娘，从奉于养心殿，亲王、贝勒及内务府诸臣皆有执事。宫内皆挂红联。内务府还行文给礼部，"诸天众圣"皆加封号。乾清门上阵设纸作龙船九条，大清门外砌洗池，方径十丈许。十五日，慈禧、慈安亲至寿皇殿行礼，送痘神娘娘。恭亲王等内务府大臣皆进九九合。王公大臣均穿花衣，直至次年二月十一日为止。送痘神娘娘于大清门外，典礼十分隆重，仪卫甚盛。

此外，载淳又连降诏旨，有恭上两宫皇太后徽号之旨；有加封慧贵妃及诸嫔御之旨；有推恩内廷诸王公食双俸，枢臣双眼花翎，内府诸臣双眼花翎……及弘德殿诸臣花翎，王庆祺二品顶戴，南斋或花翎或侍郎，或应升侭先及中外臣工各加二级之旨。

从接送痘神娘娘的迷信活动到恭上慈禧、慈安徽号和封赏文武官员，这一切并未使载淳的病减轻，反而日渐加重了。他的病在初期应为天花，从十一月十八日起翁同龢在日记中几乎逐日记载，其中有“头眩发热，”“便秘筋挛，”“腰间肿疼，作痈流脓，项脖臂膝皆有溃烂处，”“烦躁少寐”等语。廿三日写道：“晤太医李竹轩、庄某于内务府坐处，据云：脉息皆弱而无力，腰间肿处两孔皆流脓，亦流腥水，而根盘甚大，渐流向脊，外溃则口甚大，内溃则不可言，意甚为难。”廿八日，“至奏事处，适太医李德立、庄守和在彼，询以两日光景，则云：腰间溃处如碗，其口在边上，揭膏药则汁如箭激，丑刻如此，卯刻复揭，又流半盅。前进温补，并未见效，而渴，嘈杂，作呕，万一阳气过旺，阴液不生，谁执其咎？今日改用凉润法，但求守住，徐看，实无把握。”廿九日，翁同龢与军机大臣、御前大臣、内务府大臣同被召见。至东暖阁，见载淳拥坐榻上，慈禧、慈安亦坐榻上，命诸臣一一上前看视，载淳病容憔悴，目光炯然，痂还有一半未落。问：“今日何日？”并谈及腊月应办各事。诸臣请他毋庸虑及。翁同龢奏称：“圣心宜静。”载淳回答说：“胸中觉热也。”然后，大家都退至明间，慈禧站着对大家说：因现在流汗过多，皇帝精神萎顿。问诸臣可有良方？“圣虑焦劳，涕泗交下。”大家退下，坐在奏事处。不久，传诸臣再入，见载淳侧身而卧，御医为他揭膏药挤脓，脓已半盂，色白而气腥，漫肿一片，腰以下皆平，色微紫，看上去病势已深。群臣再出至明间，慈禧涕泣垂泪。大臣们心情沉重，谁也抬不起头来。

后来，痘疹余毒导致“走马牙疳”，毒热内陷，至十二月初五，病死于养心殿东暖阁，年19岁。

对于皇位继承问题，慈禧决定不为载淳立嗣。因为为载淳立嗣，阿鲁特氏就成了皇太后，慈禧就成了太皇太后，实行“垂帘听政”的应该是阿鲁特氏而不是慈禧了。因此，慈禧在载淳病死之际，立即宣布以四岁的载湉入承大统，不为载淳立嗣，由她继续垂帘听政。她发布懿旨称：“醇亲王奕譞之子（载湉）著承继文宗显皇帝为子，入承大统为嗣皇帝。”于是，又从而引发了同治帝立嗣问题的纠纷。

先是，内阁侍读学士广安奏请召集王公、大学士、六部、九卿会议，颁立铁券，载明皇上将来生有皇子，必继承大行皇帝为嗣，接承统绪。慈禧认为以前的诏旨，已经明白宣示俟嗣皇帝生有皇子，即承继大行皇帝为嗣，中外咸知。广安冒昧渎陈，著传旨加以申饬。

接着，皇后阿鲁特氏见慈禧不为载淳立嗣，深感以寡嫂居宫中不成体统，亦于载淳病死后75日绝食自尽。李慈铭在日记中就此事写道：“闻昨夜漏三下，穆宗皇后阿鲁特氏崩，年止十九。后幼读书，知大义，端静婉肃，内外称贤。及正位六宫，每闻谏阻，自奉俭约，时手一编。然道路之言，谓入选时圣母意在慧妃，而母后以后庄重，力赞成之。圣母终不慊也。故宫中服食供御，妃后略等。去冬十一月，穆宗以天花将愈，加恩宫廷，即晋妃为皇贵妃。及穆宗病甚，圣母颇责让后。上崩，后即服金屑欲自杀以殉，救之而解。……然自大丧后即寝疾，屡闻危殆，竟以弗疗从先帝于地下”。当时已给载淳上谥号为“继天开运受中居正保大定功圣智诚孝信敏恭宽毅皇帝”，庙号为“穆宗”。已封阿鲁特氏为嘉顺皇后。于是，慈禧发出上谕：“嘉顺皇后于同治十一年作配大行皇帝，……毁伤过甚，遂抱沈疴，于本日寅刻崩逝。”直到光绪二年五月，御史潘敦俨借口岁旱上言，还公然声称：“后（案：当时已称‘孝哲毅皇后’）崩在穆宗升遐百日内，道路传闻，或称伤悲致疾，或云绝粒殒生，奇节不彰，何以慰在天之灵？何以逼兆民之望？”请求表扬阿鲁特氏的“潜德”，更改其谥号。慈禧责潘敦俨出言无据，斥其谬妄，并罢其官职。

光绪五年三月，同治帝载淳与孝哲毅皇后阿鲁特氏合葬于清东陵的惠陵。吏部主事吴可读自请随往襄礼，归途至蓟州，宿于废寺中，自缢未死，复仰药而绝，于其怀中搜得遗疏，其内容仍然是进行尸谏，坚请为载淳立嗣。吏部将其遗疏上奏，“诏悯其忠，予优恤。下群臣议，遂定以继德宗之统为穆宗之子”。

清德宗载湉

光绪帝名载湉，同治十年六月二十八日（1871年8月14日）出生于北京宣武门太平湖畔醇王府的槐荫斋。其父奕譞是道光帝旻宁第七子，其母叶赫那拉氏是慈禧太后的胞妹。载湉生在这种特殊的家庭环境，使他在同治帝病故之后被指定继承皇位，成为清王朝入主中原后的第九代皇帝，建元光绪。他在位三十四年，光绪三十四年十月二十一日（1908年11月14日）病死，终年三十八岁，庙号德宗，葬于河北易县崇陵。

同治十三年十二月初五日（1875年1月12日）是一个不同寻常的日子。从这一天开始，载湉继承同治帝登上皇帝的宝座。

入宫的第二年，光绪帝开始在毓庆宫就读，由学问渊博、颇著声名的翁同龢、夏同善等授读。有清一代，皇子读书抓得最紧，历朝均如是。所不同的是，光绪读书时已不是皇子而是在位的帝王。幼年的光绪帝，常常是睡意朦胧中被太监送往毓庆宫。既入书房，读诗作文，每日皆有课程，除了汉文功课外，还有满洲师傅教授满文以及练习骑射等事，忙忙碌碌，薄暮始休。

枯燥乏味的书房生活是一般的少年儿童难以忍受的，更不用说贵为天子的光绪了。幼年无限的乐趣全部被艰涩的说教所代替，因此，在毓庆宫里不时有些风波。为了摆脱清规戒律的束缚，幼年的光绪也有过不少次反抗，有时竟闹到把课本抛在地上，半晌不开口念书的地步，然而，这些反抗终归是无济于事。为了平息书房的风波，慈禧曾下令皇帝的生父醇亲王奕譞到毓庆宫常川照料。天长日久，终于使小皇帝变得服服帖帖了。他不但适应了单调的学习生活，而且竟有些着迷。

每年十月初十，是慈禧太后的万寿庆典；六月二十六日，是光绪帝自己的庆寿活动。除此之外，宫中还有春节，端阳、中秋等重要节日的庆祝活动。每逢遇到这种喜庆的日子，或是在大内，或是在西苑，照例要张灯结彩，唱戏庆贺。宫中锣鼓喧天，欢声笑语，光绪却不管这些，黎明即“到书斋朗诵书史，作字，未尝间断”。或在别人看戏时，他“略一瞻瞩，便至后殿读书写字”。他对翁师傅说：“钟鼓雅音，此等皆郑声，随从人皆愿听戏，余不愿也。”甚至于连皇太后也夸赞他：“实在好学，坐立卧皆诵书及诗。”不难看出，幼年的光绪帝已对学习产生了浓厚的兴趣。

光绪帝即位的时候，清王朝已经是内外交困、百孔千疮。幼年的光绪帝在毓庆宫所受的教育与熏陶，与他一生的事业和坎坷的命运都结下了不解之缘。

帝德教育是毓庆宫的必修课。翁同龢将《孔子家语》中所说的“君者舟也，庶人者水也，水所以载舟，亦所以覆舟”的论说，当作座右铭向光绪帝灌输。因为只有懂得了这个十分浅显的道理，才能为在风雨飘摇中的清王朝筹划补救之策。因此，在光绪帝早期思想中，“民惟邦本，兢兢求治”的思想占有十分重要的地位。他批评历代帝王“或耽于安逸，或习于奢侈，纵耳目之娱而忘腹心之位者”，是造成水覆舟的重要原因。他认为，当皇帝的只有爱民，国家才会长治久安，人君只有孜孜求治，才会使天下臻于太平。

从这种认识出发，光绪帝很厌恶官吏巧立名目，对人民实行盘剥。他反对“用度奢靡，漏卮不塞，”认为“剥民以奉君，犹割肉以充腹”。他十分强调节用民力与藏富于民。他在一篇评论唐元宗理财的文章中写道：“善理财者，藏富于民；不善理财者，敛富于国；国之富，民之贫也。……以帝王之尊，而欲自营其筐箧之蓄，其为鄙陋，岂不可笑也哉。”

除了爱民求治思想外，光绪帝在毓庆宫还树立了“求贤若渴，破格用人”的观念。在选用人才问题上，他认为，天下之大，绝非一人所能治，“必得贤人而共治之”，他不主张把一切权力都集中在皇帝一个人手里，而是认为“权者，人君所执以治天下者也。人君无权，则天下不可得而治，然使权尽归于人君，而其臣皆无权，则天下亦不可得而治。”这种认识虽然与西方的民主思想还不是一回事，但是他反对权力过于集中，把选贤任能当作关乎国家长治久安，兴衰存亡的一件头等大事，无疑是正确的。

光绪一反论资排辈、循资提升和以门户取人的陈腐观点，极力主张循名责实，破格拔擢和唯才是举。他非常精辟地指出：“用人之道，不拘资格，惟其贤而已矣。其人贤，即少年新进，亦不妨拔举之；其人不贤，既阅历已久，安得不除去之？此朝廷用人之权衡也。”他对于当时的大臣权位，骄居自喜，却千方百计地压抑新生力量非常不满，认为“为政者当综核名实，不次而拔之，不测而罚之，庶几可以磨砺而成大器。”

他还认为，作为人君，最重要的职责就是知人善任；主张通过实践，“明试以功”来进行考察。他甚至对于当时通行的科举取士的传统办法已开始产生怀疑。他曾撰文指出："今乡会试士子，皆历试三场，登诸甲科，然后服官，其于文字盖能通晓矣，至于德行政事，犹必明试而后知之。故艺文者，取士之权舆也。"他把八股取士当作"权舆"的办法，说明他已经看出这种取士制度的弊端，而一时又设想不出用更好的办法来取而代之。

光绪帝不但自己重视人才，他也希望大小臣工都能做发现人才、启用人才的伯乐，"察之于言，洞之于微，考之于心术之隐"，尽快把天下的人才发掘出来，广为罗致，共图大业。他曾尖锐批评嫉贤妒能，践踏人才的庸臣说："人臣之事君也，忠莫忠于推贤让能，奸莫奸于妨贤病国"，显然，他已经把人才问题提到了一个十分重要的高度。

光绪帝在毓庆宫所受的教育是多方面的，除了上述认识外，他还非常强调当人君的应该"虚怀能纳谏，旁求常侧席"。他不满于官吏的巧为饰词，以逢君恶的阿谀作风，欢迎尖锐刺耳的忠言，提出了"有真是非，无私喜怒"这一非常有价值的见解。他甚至还接受了我国古代"不期修古，不法常可"的思想，已经初步认识到了穷则思变的道理，认为要治理好国家既要"以古为鉴"，又不能拘泥于"古人之成法，刻画而步趋之"。他还十分强调"因时设教"、"法令无定"的原则，对于顷刻千变的事物，不要"相顾徬徨"，而应激流勇进等等。这些闪光的思想，对于光绪帝后来的政务活动都产生了深刻的影响。

翁同龢等人在毓庆宫十多年，向光绪帝传授了大量知识和行政经验，尽管这些知识与经验有许多不足之处，有不少脱离实际的空洞教条，但是，与同治朝相比，无疑是取得了很大的成功。这些知识给年轻的皇帝插上了双翅，他雄心勃勃，踌躇满志，决心要搏击云天，一显身手。

光绪帝长大成人后，逐渐感觉到，在自己的人生旅途中，有着难以克服的障碍。他所面临的头一个难以对付的人物就是自己的"亲爸爸"慈禧。慈禧手腕圆滑，权欲极强。眼看光绪已长大成人，而朝政仍不欲下移。光绪帝想要施展自己的政治抱负，首先要通过慈禧这一关。另一个难以处理的关系就是自己的生父奕譞。据史家记载，奕譞"仪表俊伟，工骑射，负气敢任事，聪颖弗逮其兄訢，而爽劲过之"。然而，这位"负气敢任事"的亲王在慈禧面前却显得唯唯诺诺，小心谨畏，不敢越雷池半步。他从内心希望光绪帝早日"乾纲独断"，当一个名副其实的皇帝，但是又不敢以此触犯慈禧的利益，反而对慈禧一味迎合，给光绪留下了许多难以弥合的后患。

光绪十年（1884）中法战争期间，慈禧同奕谡合作，以迅雷不及掩耳的手段将以奕訢为首的原军机大臣全部罢黜，代之以才能平庸的礼亲王世铎和孙毓汶等人，而由奕譞隐操枢府大权，史称“甲申易枢”。甲申易枢的结果是将奕訢赶下台，政务概由奕訢“遥总其成”。奕譞以为这样做的结果，将会为光绪帝的亲政掌权铺平道路，但事情远不象奕譞所想象的那样简单。随着光绪帝长大成人，慈禧的垂帘听政愈来愈显得不合时宜。

光绪要亲政了，这本来是一件值得庆祝的事，但是奕譞不能不违心地和军机大臣一道，“再三沥恳”，希望慈禧能在皇帝“亲政后亦必随时调护，遇事提携”，“再行训政数年”。这种请求正中慈禧下怀，因为她所颁布的归政懿旨，只是为了应付朝野的舆论压力，并非是真心实意地要把权力交给光绪帝。

而且，为了进一步加强对光绪帝的控制，慈禧还强行将自己弟弟、都统桂祥的女儿立为光绪帝的皇后，这样做，“一则于宫闱之间，可刺探皇帝之动作，一则为将来母族秉政张本”。即使有一天光绪帝“乾纲独断”了，而他的一举一动仍将归于慈禧的耳目监督之下。

光绪十五年正月二十六日（1889年2月15日），紫禁城张灯结彩，锣鼓喧天，大清门内彩棚林立，灯烛交辉。这是光绪皇帝册立、奉迎皇后的日子，洋溢着喜庆气氛。然而，坐在殿堂里的光绪帝却心绪烦乱，愁上眉头。因为按他本人的意愿是无论如何也不想让桂祥的女儿来作自己的皇后。对于慈禧出于政治需要一手包办的这桩婚事，他极为反感，却又无力摆脱。按照清朝的礼制，在册立、奉迎典礼结束后，皇帝还要在太和殿宴请皇后的父亲乃至整个皇后家族。由在京的满汉大员陪同庆贺。光绪帝由于心绪不佳，竟然借口有病，将这规模盛大的宴请撤销了，后来把宴桌分送给在京的王公大臣时，竟然“未提后父、后族”，以致京师街头巷尾，议论纷纭。年轻气盛的光绪帝想用这种方式发泄胸中的忿闷，表示他对这场包办婚姻的抗争，但他却没有料到，这种缺乏忍耐的举动竟成了日后悲剧之嚆矢。

大婚后不几天，慈禧便颁布懿旨，宣布将政权交给光绪帝，但是，就在二月初三（3月4日）举行亲政典礼前夕，慈禧还同光绪的父亲奕譞暗中达成了另一项协议。据礼亲王世铎等人所上《酌拟归政事宜折》奏称：光绪帝亲政后，在京各衙门每日具奏折件，拟请查照醇亲王条奏，皇上披阅传旨后，发交军机大臣另缮清单，恭呈皇太后慈览；每日外省折报，皇上朱批发下后，根据醇亲王意见，由军机大臣摘录事由，及所奉批旨，另缮清单，恭呈皇太后慈览；简放一般官员，由皇上裁决；其简放大员，及各项要差，拟请查照醇亲王条奏，由军机大臣请旨裁定后再由“皇上奏明皇太后，次日再颁谕旨”。

这件至关重要的奏折，军机大臣们于光绪十四年十月初十（1888年11月13日）递上，并声称是事先已“与醇亲王面商，意见相同。”慈禧于十五日批示“依议”，并交军机处在《要事存记档》中注明，应“永远存记”。奏折没有说到何日终止实行，实际上是只要皇太后还活在世上，就永远有效。它清清楚楚地显示了慈禧太后虽然允诺光绪帝亲政，但对于朝廷的用人行政仍具有最终的裁决权力。醇亲王的这一举措使慈禧的干政举动制度化、合法化。这个章程像一条无形的绳索，把光绪的手脚紧紧地捆住了。

奕譞顶着朝野的压力筹资兴修的颐和园，堪称是世界上第一流的皇家园林，湖光山色，风景迷人。尤其是春季来临，谐趣园里花似锦，知春亭前柳如烟。奕譞的一片苦心就在于用这风光绮丽的环境来转移慈禧太后对朝政的兴趣。但是，他的目的并未能达到。慈禧虽然在表面上“归政”了，“实则未尝一日离去大权，身虽在颐和园，而精神时时关注于紫禁城也。”根据军机大臣所条拟的归政章程，凡朝中大事，“帝与大臣皆知，必须禀白而后行”。该退位的不退位，对于在毓庆宫受了多年教育，饱读诗书，满腹经纶的光绪帝来说，不能眼看着这种状况长期存在下去。他要起来做一定程度的抗争，尤其是在光绪十七岁时，醇亲王奕譞郁郁死去，他的这种念头与日俱增，终于在甲午战争中酿成了轰动一时的帝后之争。

早在甲午战争爆发之前，日本侵略者已经制定了先征服朝鲜，然后再侵略中国的战略决策。光绪二十年（1894）朝鲜半岛上掀起了“东学党”起义的浪潮，日本政府以狡猾的手段，一面竭力怂恿清政府派兵赴朝镇压“东学党”起义，一面又以保护日本使馆与侨民和协助朝鲜平乱为口实，先后派遣了大批军队自仁川登陆，四、五月间日军兵力已远在清军之上。因此在“东学党”起义被平息之后，清廷以乱事之由，照会日本同时撤兵。日本非但不予理会，又以改革朝鲜内政为理由，要求长期赖在朝鲜，并且不断地进行挑衅，滋生事端，处心积虑地点燃战火。

对于日本所要挑起的战争，光绪帝主张予以严厉回击，六月十四日他在寄给李鸿章的上谕中指出："现在倭韩情事，已将决裂，如势不可挽，朝廷一意主战，李鸿章身膺重寄，熟谙兵事，断不可意存畏葸……若顾虑不前，徒事延宕，训致贻误事机，定惟该大臣是问。"

六月二十三日日本舰队在丰岛海域袭击中国的运兵船只，随后，中日战争便逐步升级。起初，光绪曾指出"南北夹击"的战略主张，命令已进入朝鲜北部的清军与牙山一带的南路清军叶志超部同心协力，夹击日军。使日军两面受敌，难以应付，为此他三令五申要李鸿章电催平壤各军星夜兼程，直抵汉城，与叶志超合力夹击，"相机进取，力挫凶锋"。

然而，主持前方战事的直隶总督李鸿章却有恃无恐地将光绪帝的督战上谕置之脑后，采取了保存淮军实力的作战方针，声称要"先定守局，再图进取"，"步步稳慎，乃可图功"，致使在平壤的清军虽有29营之众，却迟迟不敢南下接应，使"南北夹击"的作战计划变成泡影。李鸿章在消极避战，畏葸纵敌的同时，幻想依赖俄国、英国等帝国主义国家出面调停。光绪对这种做法一开始就表示担心，他在上谕中明确提出，"俄使喀西尼留津商办，究竟彼国有无助我收场之策，抑另有觊觎别谋？李鸿章当沈机审察，勿致堕其术中，是为至要。"随着战争的发展，光绪帝更进一步明确了他对"以夷制夷"方针的态度，他说：

"不宜借助他邦，致异日别生枝节。即如英国处此时势，如出自彼意，派兵护商，中国亦不过问。若此议由我而发，彼将以自护之举，托言助我，将来竞以所耗兵费向我索偿，中国断不能允。李鸿章此议非但示弱于人，仍贻后患，殊属非计，著毋庸议。嗣后该大臣与洋人议论，务宜格外审慎，设经率发端，致误事机，定惟该大臣是问。"

光绪帝的这些言论表明了他不想依赖他国，而是希图凭借本国的军力战胜日本的愿望。同时也说明了他对中日双方的力量对比，缺乏真正的了解。因此他所制定的作战方案亦有不少空想成分。加之清军武备废驰，指挥失当，因此在九月下旬，日本侵略军即长驱直入，突破鸭绿江防线，深入到中国境内作战，面对着"水陆交绥，战无一胜"的败局，光绪束手无策，只能仰天长叹。

战场上的失利导致了统治集团内部矛盾的激化。当这场战争的炮声刚刚响起时，慈禧同光绪帝一样，对日本侵略军的力量估计不足，以为蕞尔岛国，难以与大清王朝匹敌，因此光绪帝在召见军机大臣时表示："朝廷一力主战，并传懿旨亦主战"，同时不许向外洋借债，故时人均谓"上主战，派翁（同龢）、李（鸿藻）会议，内外臣尚合拍。”在慈禧看来，只要天朝上国赫然震怒，区区小寇就会一鼓荡平。故在战端甫开之际，她对光绪的主战并不介意。随着战事的发展，慈禧便认为当初的主战是一种错误的决定。因为甲午年是慈禧的六旬庆典，她准备大张旗鼓地举行庆祝，而这场旷日持久的战事势必会影响到她的庆典活动。

特别使她不能容忍的是，她发现光绪帝的周围，已经逐步形成了敢于同自己抗衡的政治势力。这股势力除了包括毓庆宫的师傅翁同龢之外，还有汪鸣銮、志锐、文廷式、李盛铎等台馆诸臣。这些人遇事生风，无所顾忌，已明显地构成了对慈禧的权力威胁。他们秉承光绪的旨意，甚至竟敢提出停办慈禧庆典的点景以移充军费的建议，认为“羽书旁午时，为此娱目骋怀，似与哀惧之意相背，将何以申警将士，振发庸愚？”故要求将“所有点缀景物，一切繁仪，概行停止”。这无异于公然向慈禧进行挑战！

尤其是这些言官敢于对慈禧的宠臣孙毓汶、徐用仪进行直言不讳的攻讦，指斥军机大臣孙毓汶刚愎成性。任意指挥，“方日人肇衅之时，天下皆知李鸿章措置之失，独孙毓汶悍然不顾，力排众议，迎合北洋；及皇上明诏下颁，赫然致讨，天下皆闻风思奋，孙毓汶独泱泱不乐；退后有言，若以皇上为少年喜事者”。徐用仪则性情柔猾，与孙毓汶狼狈为奸。他们要求将孙、徐二人立予罢斥，退出军机。讲这番话的不是别人，正是珍妃的胞兄志锐。

志锐等人的这些言论反映了光绪帝的看法。为了说服慈禧，光绪帝还曾利用召对的机会，鼓动词臣上书，吁请甲申年被罢黜的恭亲王奕訢重新出山，处理政务。八月底慈禧经过斟酌之后，同意了帝党的请求，让奕訢“管理总理各国事务衙门，并在内廷行走”。然而，这位老态龙钟的亲王已经失去当年同慈禧抗争的锐气，唯唯诺诺，毫无生气。光绪帝开始对他抱有很大希望，“久之，乃竟不足恃，天下之望亦愈孤。”

光绪二十年十月二十四日（1894年11月21日）日本侵略军攻陷旅顺，并提出了停战议和的条件。美国驻华公使田贝也表示愿意充当议和的调停者。慈禧、奕訢和孙毓汶等人都迫不及待地希望尽快停战，即使条件苛刻亦在所不惜。光绪帝不愿意接受这种不光彩的城下之盟，他认为，“冬三月倭人畏寒，正我兵可进之时，而云停战，得毋计误我耶？”他非但不主张停战，而且惩处作战不力，贻误大局的李鸿章，“拔去三眼花翎，褫去黄马褂。”并告诫李鸿章说：“旅顺既为倭据，现又图犯威海，意在毁我战舰，占我船坞。彼之水师可往来无忌，其谋甚狡，敌兵扑犯，必乘我空隙之处，威海左右附近数十里内，尤为吃紧。著李鸿章、李秉衡飞饬各防军，昼夜梭巡，实力严防，不得稍有疏懈。”

光绪帝对战争的态度及其对李鸿章的处分，都深深刺痛了慈禧的心。光绪帝对她不恭敬、不孝顺的苗头，她早有觉察，但是，她没有想到会发展到如此严重。慈禧不能不认真考虑对策了。终于在光绪二十年十月二十八日（1894年11月25日）爆发了晚清宫廷最为严重的一起冲突事件。

是日清晨，光绪帝如同往日一样，来到慈禧的住地纯一斋来请安。当他走进纯一斋的院门时，已经发觉气氛有些异常。太监们的脸上已经失去了往日的笑容，一个个神色紧张地站立两旁。光绪走向东暖阁向慈禧下跪请安，慈禧坐在宝座上，连光绪看都不屑于看一眼，半晌没有说一句话。光绪帝跪在地下，不敢抬头。殿堂里静得出奇。这种局面一直保持了一个多时辰，慈禧才开口发话说：“下去吧。瑾妃、珍妃的事，你不管，我可要管。不能让她们可着性子不遵家法，干预朝政，胡作非为了。”

光绪跪在那里，唯唯称是，然后退出，回到养心殿。这时，才有人告诉他，是日清晨，皇太后已下令太监总管李莲英对瑾妃、珍妃进行杖责处罚。珍妃位下太监也受到处分。

珍妃姓他他拉氏，幼年聪慧明敏，光绪十四年（1888年）十月，年仅13岁的珍妃与其姊瑾妃同时选为“嫔”，次年二月一起入宫。甲午年（1894年）二月，又以慈禧太后“六旬庆典”，二姊妹同时晋封为“妃”，半年多之后，就闹出了这么一场“大病”。这时的珍妃刚刚是一位年仅18岁的青年。因为她年轻貌美，性格活泼，很快赢得了光绪帝的宠爱，而位于正宫的隆裕皇后却显得相形见绌，丝毫也引不起皇帝的兴趣，甚至引起了反感。于是乎，宫闱之间，风波渐起。隆裕皇后因失宠而产生了妒忌，又因妒忌产生怨恨，于是，她利用自己是慈禧亲侄女的特殊地位，“频频短之于慈禧”。这也许是珍妃闹病的起因。

光绪帝对珍妃的深情厚爱，招致了慈禧的怨愤，但是，如果仅以此来处罚珍妃，毕竟还不能算作正当的理由，于是慈禧又通过李莲英等耳目，搜集到了珍妃的种种劣迹。

慈禧不仅处置了珍、瑾二妃，而且还对珍妃位下的太监也进行了严惩。

本来晚清政局已十分腐朽，卖官鬻爵已是司空见惯，慈禧之所以大发雷霆，借题发挥，正是为了向光绪帝施加压力。据翁同龢所记，除了由内务府扑杀高万枝外，慈禧还下令惩处太监永禄、长泰等人。十一月初三还颁谕将在热河招募团勇的志锐撤差，贬斥到乌里雅苏台。志锐为珍妃之胞兄，亦为帝党阵营中一活跃分子，甲午战起，频频上书言战，颇为慈禧所愤恨。

慈禧与光绪帝之间的矛盾已表面化了。

随着前方战败的消息不断传来，紫禁城内的气氛也变得十分紧张。光绪二十一年正月十八日（1895年2月12日）日本侵略军攻陷刘公岛，清王朝经营数十载的北洋海军全军覆没。随后即派出李鸿章赴日本乞和。

这一连串的事件都是对光绪帝的沉重打击，出现这样的局面是他原先所没有料到的。按照光绪帝的本意，他是不愿意接受屈辱和局的，他甚至想到悬不次之赏，严后退之诛，重振军威，再与日本决战。但是，慈禧和恭亲王奕訢都不赞成这样做，军机大臣孙毓汶再三强调“战字不能再提”。甚至提出，只要日本肯讲和，就是割让土地，赔偿巨款，亦在所不惜。强敌兵临城下，内臣诸多掣肘，光绪帝报仇雪耻之志不能伸张，迁都再战的计划难以实现，他陷入深深的苦闷之中。翁同龢在日记中写道：光绪帝因“时事如此，战和皆无可一恃，言及宗社，声泪并发”，真实地反映了光绪帝已处于进退维谷的尴尬境地。

三月二十八日（4月22日）李鸿章在日本签署的《马关条约》文本送到北京，需要光绪帝在条约上“用宝”后，再送往山东烟台与日本换约。条约定得极为苛刻，除赔偿日本军费白银二万万两之外，还要割让台湾及澎湖列岛，开放更多的口岸通商，让日本人在中国的土地上设厂制造。这是中华民族从来没有遭受过的奇耻大辱。消息传出，如同晴天霹雳，举国为之震动。北京的大街小巷，掀起抗议的怒潮。大小臣工，“章疏条陈，流涕谏阻，市肆行人，聚谈偶语，咸惴惴惧和议即成，……皆裂眥切齿。”

正当北京城里“拒和迁都，毁约再战”的呼声振撼人心之际，紫禁城内却完全是另一番气象。三月二十九日（4月23日）《马关条约》送到京师的第二天，光绪帝像往日一样，在养心殿的东暖阁召见军机大臣。在他的宝座前面跪着翁同龢、孙毓汶、徐用仪等军机大臣，孙氏将条约文本递给光绪帝，然后奏称：“请皇上无论如何应在今日将此约批准。”光绪帝说：“条约要割台湾，而台湾一割，天下人心皆去，朕何以为天下主？”孙氏奏：“前线屡战屡败，皇上如不签约，则倭人将犯京师，奈何？”光绪帝十分生气地斥责道："前敌屡败，皆由赏罚不严所致。此约关系重大，汝欲逼朕签约不成？应先请太后懿旨，再作定夺。"

光绪帝要军机大臣向慈禧面陈和战利害，不料老于世故的慈禧却闭门不见，她让内监传懿旨说："今日偶感冒，不能见，一切请皇帝旨办理。"显然，慈禧不愿为此承担责任，故推托不见，她要把这个难题留给光绪帝来处理。光绪帝百般无奈，内心矛盾重重。他有心毁约再战，但慈禧、奕䜣、孙毓汶都不会允许他这样做；如果签约，则分明是挖肉补疮，饮鸩止渴，故再三犹豫，"徘徊不能决，天颜憔悴"。在此期间，他曾寄希望于俄国、德国和法国出面干预，废止条约，但这种不切实际的希望，很快化为泡影。因为俄国只关心它自己在东北的利益不受日本侵略，至于割不割台湾，对俄国来说是无关紧要的。

四月初八由于慈禧与奕䜣已"意有所归"，决意签约，故光绪帝只好颁谕批准《马关条约》。在召见军机大臣之后，他回到自己读书的毓庆宫，见到已在那里等候的师傅翁同龢，彼此"战栗哽咽"，"相顾挥涕"。战争的悲惨结局使他们痛不欲生，深感对不起全国的臣民，特别是台湾人民。本来在这场战争刚刚开始时，他们满以为通过对日作战，既可以扬国威于海外，又可以在朝野树立起皇上的威望，现在看来这一切都将付诸东流。悲痛之余，翁同龢还向光绪帝进呈了陈炽撰写的《庸书》和汤震的《危言》，他希望通过这些宣扬新思想的书籍来启迪皇上，探求救亡、振兴的新途径。

十天以后，光绪帝下达命令，让所有大学士、六部九卿、翰詹科道等大小官员，一律到内阁去阅看皇上亲笔书写的朱谕。这是光绪在条约用宝后十天时间里反复思索而写成的。在这短短的十天里，光绪帝简直度日如年，他昼不甘食，夜不安寝，每天黎明他都在养心殿前的庭院里徘徊。他苦思冥想：战争打输了，如何向内外臣工交代？堂堂天朝上国，怎么败到了蕞尔日本手下？战败后如何振兴？所有这些问题都包含在不寻常的朱谕中了。朱谕写道：

"大学士六部九卿翰詹科道等，近自和约定议以后，廷臣交章论奏，谓地不可弃，费不可偿，仍应废约决战，以期维系人心，支撑危局，其言固皆发于忠愤，而于朕办理此事，兼权审处，万不获已之苦衷，而未能深悉者。自去岁仓猝开衅，征兵调饷，不遗余力，而将少宿选，兵非素练，纷纭召集，不殊乌合，以致水陆交绥，战无一胜。至今日而内外情势更迫，北则竟逼辽沈，南则直近京畿，皆现前意中之事。陪都为陵寝重地，京师则宗社攸关。况廿年来，慈闱颐养，备极尊崇，设一朝徒御有惊，则藐躬何堪自问，加以天心示警，海啸成灾，沿海防营，多被冲没，战守更难措手，用是宵旰徬徨，临朝痛哭，将一和一战，两害孰权，而后幡然定计，此中万分为难情事，乃言者章奏所未详，而天下臣民皆应共谅者也。

兹当批准定约，特将前后办理缘由，明白宣示，嗣后我君臣上下，惟当艰苦一心，痛除积弊。于练兵筹饷两大端，尽力研求，详筹兴革，勿存懈志，勿骛空名，勿忽远图，勿沿故习，务期事事核实，以收自强之效。朕于内外臣工，有厚望焉。”

光绪帝在朱谕里说“去岁仓猝开衅”，说明了他已认识到在战争开始时存在的轻敌思想。其实，打这场战争的主动权并未操在中国手里，因为战前日本早已制定好了“征服大清国”的战略方针，清廷即使不开衅，日本也会挑衅的，朱谕的最后是光绪帝制定的发奋图强的方针，他要大小臣工们痛除积弊，详筹兴革，落脚点却只是对“练兵筹饷两大端尽力研求”，可见，这时的光绪帝眼光只是局限于增强军事实力上，还只是就事论事，新思想、新认识还没有在他头脑中生根。

正当光绪帝苦苦探求报仇雪恨、振兴朝政的时候，一种新的力量正在神州大地上生成，这就是以康有为、梁启超为代表的维新势力。其实，康有为早在光绪十四年（1888年）时，就曾以布衣身份，伏阙上书。这个社会地位低下的书生目睹朝纲败坏，上兴土木之工，下习宴游之乐，已经发出了国事蹙迫，“在危机存亡之间，未有若今日之可忧也”的警告。他甚至已经预见到六七年后所要发生的中日战争及其可悲的结局。他在《上清帝第一书》中写道：“窃见方今外夷交迫，自琉球灭，安南失，缅甸亡，羽翼尽翦，将及腹心。比者日谋高丽，而伺吉林于东；英启卫藏，而窥川滇于西；俄筑铁路于北，而迫盛京；法煽乱民于南，而取滇粤……”这位书生还特别强调指出：“今海外掠地已竟，合而伺我，真非常之变局也。日本虽小，然其君臣自改纪后，日夜谋我，内治兵饷，外购铁舰，大小已三十艘，将翦朝鲜而窥我边……。”

他的这些高瞻远瞩的断言，居然在六年后变成了现实。朝臣中几乎没有一个人能像康有为这样洞察外情，熟谙西学。他的这次上书已经递到了翁同龢手里，可惜翁氏胆小畏事，怕因此而招致非议，以致于使光绪帝错过了这样一个千载难逢的好机会。此后，在公车上书运动中康有为又撰写了奏章，并且联络了千数百名举人联名呈递都察院，只是因为孙毓汶等人的从中干涉阻挠，致使此书只能在坊间刊刻流传而不能迳达御览。

但是，一个多月后光绪帝终于有机会见到了康有为亲手撰写的奏章，这就是著名的《上清帝第三书》。这次上书是在《马关条约》签署后一个月递上清廷的，康有为看到和约签订后，“肉食衮衮，举若无事，其一二稍有人心者，亦以为积弱至此，天运使然，无可如何，太息而已”。康有为认为，先事不图，临事无益，亡羊补牢，犹为未迟，中国只要当机立断，速图自强，同样可以拯救，于是他再度上书，陈述变法图强的方略。

这篇一万数千言的奏章密密麻麻地写在长达十余尺长的奏折上，光绪帝看得十分仔细认真。康有为的奏章像磁铁一样把这位年轻的皇帝吸引住了。康有为在上书中写道：“窃以为今之为治，当以开创之势治天下，不当以守成之势治天下；当以列国并立之势治天下，不当以一统垂裳之势治天下。盖开创则更新百度，守成则率由旧章；列国并立则争雄角智，一统垂裳则拱手无为……。不变法而割祖宗之疆土，驯至于危，与变法而光宗庙之威灵，可以强大，孰轻孰重，必能辨之者。不揣狂愚，窃为皇上筹自强之策，计万世之安，非变通旧法，无以为治。”

康有为这些精辟的论说是光绪帝闻所未闻的。“穷则变，变则通”的观点在这位年轻皇帝的心灵深处引起强烈的共鸣，这种共鸣正是在经历了甲午战争的创痛之后才产生的。光绪帝在这份上书中学到了如何筹划自强之策，看到了振衰起弊的前景。他立即下令将这份不同寻常的上书抄写三份，以一份送呈慈禧，以一份留乾清宫南窗以备时时省览，以一份交军机处存记。

光绪帝的思想已经冲破了紫禁城的重重高墙，开始同中国的先进思想潮流沟通。六天后，他在朝臣的奏章中，又发现了顺天府府尹胡燏棻的《条陈变法自强事宜折》，这份由维新思想家钟天纬代拟的条陈与康有为的奏折一样，充满了发人深省的新思想。他指出，处当今之危局，舍变法之外，即使是孔孟复生也难以为治。这些论说与康有为的警句异曲同工，在光绪帝心中荡起了难以消失的涟漪。此后，光绪帝又从内外臣工的奏折中选出了南书房翰林张百熙《急图自强敬陈管见折》等七篇奏章，有的建议兴修铁路，有的条陈开办矿藏，从不同的角度提出了发愤图强的建议。然后，他下令军机处将康有为、胡燏棻、张百熙等九个条陈，发到全国各地的将军、督抚手里进行讨论。是日光绪颁谕称：

“自来求治之道，必当因时制宜，况当国势艰难，尤应上下一心，图自强而弭祸患，朕宵旰忧勤，惩前毖后，惟以黜除痼习，力行实政为先。叠据中外臣工，条陈时务，如修铁路，铸钞币，造机器，开矿产，折南漕，减兵额，创邮政，练陆军，整海军，立学堂，大抵以筹饷练兵为急务，以恤商惠工为本源，皆应及时举办……当此创巨痛深之日，正我君臣卧薪尝胆之时，各将军督抚，受恩深重，具有天良，谅不至畏难苟安，空言塞责。”

光绪帝所颁的上谕，已不像从前那样只强调“练兵筹饷”，他已经注意到“恤商惠工”了。这是一个新的飞跃，这么许许多多的新政项目，一下子都成了他要催促办理的要政，不难想见，光绪帝在甲午战后思想变化之迅速已是相当惊人的了。

光绪二十三年十月（1897年11月）德国侵略军借口山东巨野发生的教案，悍然出兵侵占了胶州湾。这是一个危险的信号。沙俄的军舰紧急动员，开足马力向旅顺海面驶来。英、法、日等国无不虎视眈眈地注视着事态的发展。列强已张开血盆大口，等待时机一旦成熟，就要将诺大的神州瓜分吞食。

正是在此局面下，康有为再度来到北京。他在向光绪帝的上书中警告说，当前的局面已是“地雷四伏，药线交通，一处火燃，四面皆应”，如若再高卧不醒，不图变法，“恐自尔之后，皇上与诸臣，虽欲苟安旦夕，歌舞湖山而不可得矣，且恐皇上与诸臣求为长安布衣而不可得矣。”这份措辞尖锐的上书，由于守旧朝臣的阻挠未能递到光绪皇帝的手里。康有为还试图发动台谏官员联合起来伏阙吁请清廷变法，可惜响应者寥寥。

时年十一月十八日（1897年12月11日）清晨，古都北京风霜弥漫，寒气袭人。在宣武门外米市胡同的南海会馆门前，人们正在紧张地把书籍行李往车上装。康有为要起程南归了。正在此刻，由远处来了一乘绿呢大桥，轿内坐的是光绪帝的老师翁同龢。翁氏已经看到了在社会上广为流传的《上清帝第五书》，并被书中那火热的爱国激情所感染。他的突然到来，给康有为带来了无限的喜悦。他挽留康有为不要离说，并转达了光绪帝对他的殷切期望。

于是康有为改变了回广东讲学的计划，决心不辜负光绪帝的一片厚望。为了挽救危局，促进变法高潮早日到来，他除了鼓动言官递折，吁请清廷变法外，还组织了以“保国、保教、保种”为宗旨的保国会。他们还利用这年春天各省举人来京会试的机会，鼓动成百上千的举人到都察院上书，反对德国对山东的侵略，敦促朝廷奋起救亡。由于有了光绪帝的支持，维新派理直气壮的宣传鼓动，变法的声浪此起彼伏，震动京畿。神州大地开始显露出新的生机。

然而，守旧势力对于行将到来的改革疾首蹙额，对于康有为组织的保国会也极为切齿。而对于光绪帝同情支持维新派一事，更是感到十分痛心。因为，在君权“乾纲独一断”的封建社会里，皇上的倾向是至关重要的。于是，他们联合起来，纷纷向光绪帝进言，以图耸动圣听，使之回心转意。

他们告知皇帝说，祖宗成法千万不可变。军机大臣刚毅在奏折中声称：“我朝成法尽善尽美，皇上仍应遵祖宗旧制，不可轻易更张，而驱入夷狄之教……。”他们还痴人说梦一般地告诉光绪帝，西学远不若中学。认为“洋人之富强，不过以杂霸小术，捣中国之空虚，以欺中华无识之人，邪说淫词流布中外”，只要皇上访求海内“老师宿儒”，游明义理，务使人勉于忠义气节，则国耻可雪，皇威可振。

面对这些陈腐不堪的说教，光绪帝感到十分好笑，因为这些老掉牙的伦理纲常，既不能使中国免于危难，更不能使中国奋发振兴，这是他在十几年的政治生涯中领悟出来的经验教训。因此，他把这些守旧大臣的奏章统统留中不发，不予理睬，但是，有如此众多的大臣出来阻挠新政，却也使他深感变法前途的艰难。

光绪二十四年闰三月十二日（1898年5月2日）早朝时，军机大臣刚毅向光绪帝尖锐提出要惩治保国会及康有为。因为守旧派对保国会极为痛恨。荣禄曾公开扬言：“康有为立保国会，现在许多大臣未死，尚不劳他保也。其僭越妄为，非杀不可。”浙江举人孙灏甚至刊刻小册子，在京师广为散发，对保国会的章程逐条批驳，指斥康有为在京师立会，就是心怀叛逆，将欲为民主教皇，并指责康有为的民权之说，必定会使天下大乱。而御史潘庆澜则直接向皇上递折，严参康有为立保国会的“劣迹”，故刚毅一再请光绪降旨，对康有力进行严惩。而光绪帝的态度十分明确，他反问刚毅“会能保国，岂不大善，何以要惩处？”将守旧派杀气腾腾的言论，通通都驳了回去，亮明了他一意维新的鲜明立场。他甚至通过庆亲王奕劻向慈禧捎话说：“太后若仍不给以事权，我愿退让此位，不甘作亡国之君。”表白了他横下决心，要把变法提上日程的志向。

光绪二十四年四月二十三日（1898年6月11日），是近代中国历史上一个不同寻常的日子。就在这一天，光绪帝经过了长时间的努力，终于向全国颁布了明定国是诏书。诏书略谓：

“数年以来，中外臣工讲求时务，多主张变法自强。尔者诏书数下，如开特科，裁冗兵，改武科制度，立大小学堂，……朕惟国是不定，则号令不行，极其流弊，必至门户纷争，互相水火，……即以中国大经大法而论，五帝三王，不相沿袭，譬之冬裘夏葛，势不两存。用特明白宣示，嗣后中外大小诸臣、自王公以及士庶，各宜努力向上，发愤为雄。以圣贤义理之学，植其根本，又须博采西学之切于时务者，实力讲求，以救空疏迂谬之弊，专心致志，精益求精，毋徒袭其皮毛，毋竟腾其口说，总期化无用为有用，以成通经济变之才。”

这道明定国是诏书，大体上体现了维新派的政治要求，宣布了要变更成法，博采西学，达到发愤为雄的目的。但是，其中也掺杂了一些折衷，甚至是守旧派的观点，比如诏书既宣称“五帝三王，不相沿袭”，如同冬裘夏葛，势不两存，但同时又要“以圣贤义理之学”当作根本，这是自相矛盾。这种情况说明，变法在刚一开始就面临着严重阻力，光绪帝的上面还有慈禧。没有慈禧的允诺，一切都无从谈起。

国是诏书颁布后的第五天，光绪帝在颐和园的仁寿殿召见康有为。这是光绪帝盼望已久的事情，他有许多疑难问题需要询问康有为。因此，尽管仁寿殿光线黑暗，而光绪帝已经被康有为滔滔不绝的谈吐所慑服，被康氏所构画的大誓群臣以定国是、立对策所以征贤才，以及开制度局以议新政的方案所吸引；尤其是康有为描绘日本明治天皇的改革时，“重起天地，再造日月”，“气象维新，举国奋跃”的情景，更给了这位年轻帝王以极大的启迪。两个多小时的交谈很快结束了，可是，康有为的话犹如洪钟般在光绪帝的耳边回响。光绪帝兴奋极了，他决计按照康有为所设计的“假日本为向导，以日本为图样”，对传统的祖宗之法进行彻底的变革。

在古今中外的历史上，任何大规模的政治改革总是有人赞成，有人反对。有些明明是错误的东西，但是，一但要改掉它，就会有人出来大唱反调。百日维新也是如此。例如，八股取士是一种禁锢士人头脑的腐朽制度，在中国已有数百年的历史，康有为及维新派多次上书痛陈八股危害，认为它禁锢士子的智力发展，要求尽快废除。因此，光绪帝于五月初五颁布上谕，命令自下科为始，乡会试及生意岁科各试，废除八股文，一律改试策论。但是，谕旨颁布不久，北京就乱作一团。有志之士酌酒庆贺，认为是英明之举，废除八股后必定会人才辈出，中国富强有日；但也有人怕因此失掉这个往上爬的拐棍，极为不满，有的人甚至怀揣利刃，准备要对康有为等人行刺，以发泄他们对新法的仇恨。浙江学政陈学棻公然上疏朝廷，表示不赞同废除八股，声称："自制义取士以来，父师以是教，子弟以是率，一旦猝改，子弟无所师承，士心为之涣散。……近日民情浮动，借端生事，不一而足，若此等无业之士，簧鼓煽惑；下愚之民，摇动附合，势必酿为不测之祸。"

显然，陈学棻是在用危言耸听的手法，试图让光绪帝收回成命。光绪帝十分生气，立即下令陈学棻离职回京，不许他再当学政。同时还颁布上谕，强调了对那些阳奉阴违，或阻厄新政的要进行严惩，才将这股歪风平息下去。

言路之开塞，关系朝政的治乱。光绪帝为了打破清代只准少数臣僚上书的特权，屡颁明诏，准许道府州县官员上书言事，要他们"各抒谠论，以备采择"。他还鼓励一般士民呈递条陈，由都察院呈递，并指示该衙门"毋得拘牵忌讳，稍有阻格"；最后还废除了"先行抄录，再为呈递"的老规矩，要他们对"士民上书，原封进呈，毋庸拆看"，"随到随递，不准稽压"。

为了使广开言路的上谕真正得到贯彻执行，光绪帝还将狃于积习，百般阻挠礼部主事王照上书的礼部六堂官统统罢斥，给不畏强御、勇于上书的王照以破格之赏。他的这一裁决，虽然有些不够策略，但给那些守旧的官僚以极大的震慑，一个个相顾惊愕，不知所措，而对维新势力却是莫大的鼓舞。光绪帝这种旁采人言无所不至，总期民隐尽能上达的言行，在全国上下引起了不小的反响，很快出现了"人人封章，得直达于上，举国欢蹈，争求上书，民间疾苦，悉达天听"的局面。每日每署封奏皆有数十篇。光绪帝黎明即起，日晡乃罢，览阅奏章，犹不能尽，"种种新式，杂沓可笑，至有野人渔民上书，纸有二尺长条，言及皇上，亦不抬头"，光绪帝览之欣笑，亦不加责怪。这种局面从根本上改变了以前那种小民有冤，呼号莫达，积弊如山，疾苦如海，"皇上九重深邃，帝远堂高"的隔绝状况，是中国长期的封建社会中从来没有出来过的生动活泼的政治局面。

百日维新期间，光绪帝在康有为进呈的《日本变政考》、《列国政要比较表》以及《波兰分灭记》等书的影响下，了解到在“大地既通，各国争雄竞长”的时代，欧美列强相争进逼，日进无已，中国经济如不尽快振兴，必然会败亡立至。尤其是康有为把中外经济分项列表进行比较，更使光绪帝阅后心骨悚然，增添了“民生之不易，祸至之无日”的紧迫感和危机感。明定国是诏书颁布的第二天，光绪帝即下令各省整顿商务矿务、广开利源；尔后又在京师设立了农工商总局、铁路矿务局。为了培养人才，广开风气，劝励工艺，奖募创新，他还颁布了振兴工艺给奖章程，对各省士民著有新书及创行新法，制成新器，果系堪资实用者，悬堂奖励；量其才能，或授以实职，或赐以章服，表以殊荣。所制新器，颁给执照，准其专利售卖。他甚至不惜触动旗人的寄生特权，让他们自食其力，准许自谋生计，废除以前的计口授田成案。为了富强至计，光绪帝日夜焦思，千方百计促使中国经济繁荣，保其固有之利权不被掠夺。在这一系列政策感召下，中国的民族资本主义经济获得了长足进展。

进入农历七月之后，光绪帝变法的步骤比以前有明显的加快。他不顾守旧官僚的强烈反对，下令对叠床架屋的官僚体制进行大刀阔斧的改革，将詹事府、通政司、光禄寺、鸿胪寺、太仆寺、大理寺等京内各衙门进行裁撤；并对各地的行政官员，候补捐纳的冗员及通同佐贰等闲员下令要在一月之内裁汰净尽，不得借口体制攸关，进行阻格；并不得以无可再裁，敷衍了事。这些严厉的措施在中央和地方遇到了前所未有的阻力。守旧派官员群起出动，与新政为敌，他们造谣说：“皇帝吃了康有为的迷魂药”；有的直接上书，请光绪帝诛杀康有为、梁启超，以平息“民愤”，保全国体。有的不顾利害，摆出“誓死以殉”的架势。光绪帝见到奏折后十分生气，他不但不加罪康、梁，还怕慈禧看见，令谭嗣同将其折逐条驳斥，竭尽全力保全维新力量。

政治改革的深入与新旧两党的尖锐冲突同步进行，进入戊戌七月之后，光绪帝深知守旧大臣与自己誓不两立，于是益放手办事。他不理睬守旧大臣的反对，而将谭嗣同、林旭等四人拔擢为军机章京。在这一重要的人事任命即将颁布之前，光绪帝心潮翻腾，久久不能平静。他在养心殿的御案上，亲笔写了下面一段文字：“昨已命尔等在军机章京上行走，并令参与新政事宜。尔等当思现在时事艰危，凡有所见及应行开办等事，即行据实条列，由军机大臣呈递，俟朕裁夺，万不准稍有顾忌欺饰。特谕。”写好之后，他将这通朱谕珍藏在一个非常精致的黄匣之中，然后转到谭氏等人手中。表明了他在环境十分险恶的情况下，寄希望予维新志士将改革进行下去的决心与勇气。

七月二十六日（9月11日）在光绪帝的御案上出现了礼部右侍郎徐致靖的《保荐袁世凯折》。徐致靖是维新派的忠实同伴，变法中多次代替康有为递折，这是光绪帝早已深知的。徐致靖的请求，就是康有为的意思。这封奏章说：边患日亟，宜练重兵，袁世凯年力正强，智勇兼备，皇上应深观外患，俯察危局，特予召对，使之独挡一面。光绪帝当时正因为自己手头没有可靠的武装力量，作为推行新法的后盾，因此，一见徐氏的奏折，当即召袁进京。他原以为有袁世凯的这支新军赞同变法，守旧势力当会有所收敛。他万万没有料到，康有为并没有看透袁世凯的奸诈，而是被其花言巧语蒙蔽，在生死存亡的时刻，走了一步错棋。

刚刚进入农历八月，京师的气氛已变得十分紧张。朝局向何处发展？新法能否继续推行？成了古老京城里人们议论的中心话题。不管是守旧官僚，还是维新志士，人人手中都捏着一把汗，注视着光绪帝与慈禧太后将会如何动作。

七月二十九日（9月14日）上午，光绪帝乘轿来到西直门，在倚虹堂稍息片刻，登上龙舟，朝颐和园驶去。他怀里揣着军机章京拟好的开懋勤殿的上谕以及宋伯鲁、徐致靖、王照等人保荐康有为、康广仁、梁启超、杨深秀等维新派人士作为懋勤殿顾问人选的奏折。他考虑该如何说服太后，因为这是一个极为敏感的问题。早在康有为正月初三递上的奏折中，即提出了设立制度局于宫中，拔擢通才以议新政的重要建议，但遭到守旧势力的坚决抵制。光绪帝曾三番五次地催促议复，守旧势力却是软顶硬抗，寸步不让。后来，维新派又改换机构的名称，或叫立法院，或叫议政处，这个机构一旦设立，旧有的军机处就会被架空。因此，长期以来围绕要不要拔擢维新志士的问题，争论不休，迄无成议。康有为告诉光绪：若以成立制度局的建议为狂谬，则当加以褫斥；若以此议可采纳，则当尽快付诸实施，“哀莫大于心死，病莫重于痿痹”，方今事势之急，间不容发，制度局不开，一切挽救危亡的措施都无效用。对于重用维新派的主张，光绪是双手赞成的，无奈手中没有实权，力不从心。他准备再次向慈禧备陈利害，争取在宫中设立懋勤殿，以便安插维新党人。他万万没有料到，这次最后的尝试大大触怒了慈禧，慈禧甚至指责他要把祖宗的家业葬送于康有为之手。

从慈禧的住地乐寿堂出来，光绪帝已是面色苍白，大汗淋漓。在慈禧的话里，他似乎已经感到一种前所未有的恐惧。他担心守旧派会在近期内采取非常举动，因为自从进入七月以来，京师流言蜚语到处传播，而“换皇上”又是这些谣言中的主要内容。光绪帝回到玉澜堂后，很快写下了赐给军机章京的“密诏”。光绪帝的密诏称“朕位几不能保”，说明局势已经十分严重。他似乎看到了守旧势力正磨刀霍霍，形势危如垒卵。他要维新派妥筹“良策”，但是，无权无勇的书生又有什么“良策”能够挽回危局呢？

八月初一（9月16日），光绪帝在颐和园召见了袁世凯，破格授予侍郎候补的头衔，让他专管练兵。八月初三（9月17日），康有为的同乡，维新派的同情者张荫桓，在宅邸设宴款待前日本首相伊藤博文，新党试图请外国人说服慈禧容忍新政。伊藤博文已约好八月初五同光绪帝会见。八月初二（9月18日），守旧派的鹰犬，监察御史杨崇伊通过奕劻递上了请太后立即训政，防止维新党人同东人（指伊藤）勾结乱政的折子。是日傍晚，光绪帝离开颐和园回到大内养心殿……就在这天深夜，谭嗣同按照康有为的布置，在法华寺策动袁世凯率兵包围颐和园，“锢后杀禄”，结果被袁氏出卖。八月初四（9月19日）傍晚，光绪帝正在养心殿焦急地徘徊，筹划着保存新政的策略。突然传来太后已回宫的消息，他急忙外出迎接，不料慈禧连理也没理他，而是直接带着几名亲信直抵光绪寝宫，尽括章疏携之去，并怒气冲冲地指着光绪说：“痴儿，今日无我，明日安有汝乎？”从这天晚上起，光绪帝即被幽禁在瀛台涵元殿。此后，他虽然还有些活动，但已处在慈禧及其爪牙的严格监禁之下。

在三个多月大刀阔斧的改革失败之后，光绪帝的生涯大部分是在瀛台渡过的。他用西法来挽救中国的宏图已变为泡影。他曾对别人说过：“朕不自惜，死生听天，汝等肯激发天良，顾全祖宗基业，保全新政，朕死无憾。”充分流露了他眷恋新政，不忘变法的意愿。

在光绪帝被囚禁的岁月里，慈禧耿耿于怀，几次欲废掉光绪的帝位，但因为内外势力的反对，因而只是在光绪二十五年冬演出了一场“己亥建储”的丑剧，将顽固派载漪之子溥俊立为“大阿哥”，以俟时机成熟再行为立。然而，后党的这些举动遭到了英法等列强的抵制与反对，这就使得在慈禧当权势力与列强之间的矛盾更趋尖锐。慈禧、荣禄一伙极力推行排外政策，并企图利用正在兴起的义和团运动达到其独揽政权的目的。

光绪二十五年五月间，京津义和团如火如荼，守旧的当权势力利令智昏，他们一面策动义和团众围攻使馆，一面掀起了一股排外的狂潮。当时围绕要不要对列强宣战，清廷连续召开数次御前会议进行讨论。光绪帝虽已处于无权的地位，却在会上力陈使馆不可攻，洋人不应加害，并极力反对向列强宣战。他认为："战非不可言，顾中国积弱，兵又不足恃，用乱民以求一逞，宁有幸乎？"并反驳顽固派散布的义和团有神术，枪炮不入等谬说，称："乱民皆乌合，能以血肉相搏耶？且人心徒空言耳，奈何以民命为儿戏"，千方百计地阻止同时向诸国宣战的愚蠢做法。

光绪将义和团称作"乱民"，固然暴露了他仇视民众运动的立场，但是，他对形势的分析显然比顽固派高明得多，他反对以国家命运作为儿戏，无疑有其正确的一面。可惜他的这些正确的呼声都被掌权的顽固派置若罔闻，在慈禧排外政策指导下，中国变成了一架发狂的机器，有的顽固派大臣公然叫嚷，要杀掉中国境内的一切洋人，以为从此会天下太平。

然而曾几何时，八国联军攻陷了北京。慈禧一伙惶惶然如丧家之犬，匆忙出逃。当时珍妃提出要光绪帝留京与洋人议和，以减少国家损失，不料此举竟触怒了慈禧，她下令将珍妃投入井中。这种粗暴的毫无人性的举动深深刺痛了光绪。光绪怀着无比沉重的心情，随同慈禧先是到太原，随后又逃往西安。直到一年多后，才结束了这种流亡生活。

从西安行在回銮之后，慈禧似乎有些感觉到戊戌年光绪所推行的新政，对于大清王朝的基业巩固不无稗益；而"戊戌政变"带来的后果几乎都与灾难相连，于是又挂出了新政的招牌，废除科举，大兴学堂，仿行宪政……这些举措甚至比戊戌年更要激进些。无奈大势已去，人心已散，收效极微。在这些重大事件中，发布上谕的虽说还是光绪，但他只是傀儡而已，真正的主宰是慈禧。

政敌的陷害，疾病的折磨，和一些目前人们也许还尚未明了的原因，使颇想有所作为的光绪帝在慈禧死去的前一天不明不白地离开了人世。从此清王朝急剧衰败，迅速滑向毁灭的深渊。不到三年，清帝的皇冠便在辛亥革命的烈火中化为灰烬。

清宣统帝溥仪

溥仪（1906年—1967年），清朝入关后第十代皇帝。醇亲王载沣之子，母苏完瓜尔佳氏。公元1908年即位，在位两年多，保留帝号15年。因其年号为宣统，故史称“宣统（帝）”。

光绪三十二年（1906年）正月十四日，北京城里醇王府邸，一位新生婴儿呱呱坠地，这就是中国的末代皇帝——爱新觉罗·溥仪。

光绪三十四年（1908年）十月二十日，光绪帝病危，慈禧颁发了“醇亲王载沣著授为摄政王”的懿旨，同时令将载沣年满三岁的长子溥仪送进皇宫教养。从而为大清王朝的皇统接续做好了安排。

光绪三十四年（1908年）十月二十一日，光绪驾崩，慈禧面谕王公大臣：摄政王载沣之子溥仪，“著入承大统为嗣皇帝……著摄政王载沣为监国，所有军国大事，悉秉予之训示裁度施行……”这时慈禧并不认为自己也要紧随光绪而去，二十一日这天，她“终日料理大事，至晚乃获休息，虽极辛苦，而体力反较佳。翌日，仍于六点钟起召见军机与皇后、监国摄政王及其福晋即荣禄之女，谈话多时，以新帝之名下一谕，尊皇后（光绪皇后隆裕）为太后”。不意午饭时分突然晕倒，醒后感觉异常，自知末日已至，急诏隆裕皇太后暨监国摄政王等，谓：“现予病势危笃，恐将不起，嗣后军国政事均由摄政王裁定，遇有重大事件必须请皇太后懿旨，由摄政王随时请而施行。”做好了这样的安排之后，慈禧才放心地归天去了。她满以为有光绪亲兄弟摄政监国，有自己的亲侄女裁决“重大事件”，大清王朝的江山就万无一失了。

光绪、慈禧去世之后，经过半个多月的准备筹划，王公大臣们拟定新帝于光绪三十四年（1908年）十一月九日举行“登基大典”，年号“宣统”，改明年为宣统元年。

宣统三年（1911年）八月十九日，革命党人武昌首义成功，南方及西部数省闻风响应，辛亥革命风暴席卷了大半个中国。在辛亥革命风暴的致命打击下，隆裕太后和王公大臣们为了保住大清皇帝称号和各自的身家性命，于穷途末路之中接受了袁世凯的《优待条例》。1912年2月12日，隆裕太后颁发了清帝溥仪的退位诏书。次日，袁世凯公开声明赞成“共和”，孙中山向南京临时政府参议院提出辞职。15日，袁世凯接替孙中山，当上了中华民国临时大总统。

清王朝灭亡了，但宣统皇帝的称号保存下来了。此后，不但民国历任总统如袁世凯、黎元洪、徐世昌等，无论在私函抑或公文中，都赫然称溥仪为“大清皇帝陛下”，紫禁城外的遗老遗少、各地一些大小军阀政客以至像胡适那样著名的“新潮人物”，更是毕恭毕敬地尊称溥仪为“皇上”。

1917年，辫帅张勋复辟帝制，率数千辫子军扶溥仪“重登大宝”，不过，溥仪这次也仅仅当了12天“真正的皇帝”，便再次摔下了“宝座”，宣告复辟破产。

随着年龄的增长，溥仪对紫禁城以外的世界的好奇心越来越大，玩得也越来越新潮另类。为了锁住小皇帝的心，太妃及王公们决定尽早为溥仪完婚。经过多方协商并得到“皇帝恩准”，人选很快就确定下来。1922年12月1日，紫禁城中的“宣统皇帝”举行了隆重的大婚典礼。民国总统黎元洪派出了大批军警卫队保驾，并先以民国政府的名义送上贺礼万元，而后又和其他军阀、政客们以个人名义亲致祝贺，赠送厚礼。当时尽管共和已10年多了，可“大清皇帝”的名号在社会上还有相当声威和吸引力。溥仪作为“皇帝”，一次成婚，两个妻子：皇后，满洲正白旗郭布罗氏荣源的女儿，名婉容，字慕鸿，17岁；淑妃，满洲额尔德特氏端恭的女儿，名文秀，14岁。

1924年11月5日，溥仪终于离开了那个他日夜想离开的紫禁城。但这既不是他自己计划的成功，也不是太妃和王公们让步的结果，而是参加第二次直奉战争、跟随吴佩孚进兵山海关的冯玉祥突然倒戈，发动“北京政变”，将小朝廷赶出了紫禁城。至此，溥仪结束了他15年的“大清皇帝”生活。

1931年“九一八”事变后，日本帝国主义要溥仪去东北建立以他为首的“新国家”。1931年11月10日夜，还是在日本军警特务的特别“保护”下，悄然离开日租界潜往东北。

1931年11月13日晨，溥仪在营口登陆。

稍后，日本人没有按约带他去沈阳，而是以确保“宣统帝安全”为理由，将他秘密转移到旅顺，送进了一家日本人办的旅馆，不分昼夜地由日本军警“保护”起来，不得出居处半步。

三个月后，日本军政各界最终统一了认识，决定在东北建立“满洲国”，暂行“共和制”：“国都”命名“新京”，设于长春；“国家元首”称“执政”，由溥仪出任。

1932年3月9日，在日本帝国主义的精心策划下，溥仪正式出任伪满洲国执政。

然而，溥仪三度登极称帝后，享有了日本人需要他享有的“尊荣”，同时也遭受了日本人给他带来的屈辱、痛苦和灾难，形同傀儡。

1945年8月15日，日本宣布投降，溥仪的傀儡皇帝生涯宣告结束。16日，他在随关东军要人准备乘飞机逃往日本时做了苏联红军的俘虏。翌日，作为第二次世界大战的重要战犯，溥仪被押往苏联。

溥仪被押往苏联后，先在赤塔一处疗养院住了两个月，而后便与相继押送到这里的其他伪满战犯一起，被转移到了离中国不远的伯力收容所，在这里度过了五年的拘留生活。

1950年7月，苏联政府将溥仪及其他伪满战犯全部移交给了中国政府。从此，溥仪开始了为时九年脱胎换骨的改造和自我改造生活。“皇帝”战犯的脱胎换骨与常人有所不同，溥仪在九年的改造与自我改造过程中，经历了一个比普通伪满战犯更为艰苦复杂的过程。

被引渡回国之初，溥仪只想到死。从在苏联听到回国的消息后，他就认为这次必死无疑，共产党决不会轻饶了他这个皇帝加头号战犯。

然而，自从他到了中国土地上后，溥仪所经历的一切都令他大惑不解：政府没有立即处死他，而是把他送到抚顺战犯管理所。同别的战犯一样，战犯管理所安排他洗了澡，换了衣服，发给了一些生活必需品，甚至还配给了香烟。朝鲜战争爆发时，中国政府出兵援朝抗美，伪满战犯们几乎一致认为美国人会打进来，共产党会像历代王朝一样，在关键时候要先处理掉所有关押的重大犯人，结果是美国人没打进来，共产党更未把他们处理掉。

经过长达两三年之久的默默观察，到抗美援朝战争胜利又回到抚顺时，溥仪已经意识到他不会被处死，可以和其他人一样活下来了。“真龙天子”和常人原本也没有什么两样，溥仪从此开始考虑如何度过以后的时光。

死的问题解决了，对其他伪满战犯来说，已不再有过不去的关口，绝大部分人都不再怀疑共产党的政策，开始努力学习，积极改造，争取得到政府宽大处理。可是对“皇帝”战犯来说，情况就大不相同了。

溥仪前半生虽然在政治上三起三落，特别是伪满14年，无异任人摆布的木偶。但在个人生活方面，他却始终是按照皇帝标准，拿着皇帝的架子，即使是在苏联的五年间，也从不曾自己穿过衣服、叠过被子，甚至连脚都没自己洗过。成为战俘前，自然有人服侍，成了战俘后，他的弟弟溥杰、侄子小秀、小固、小瑞以至岳父荣源，都曾自觉自愿地以臣仆的身份为他端饭、铺床叠被，穿衣洗脚。在家族中，溥仪依然是“皇上”，所不同的只是这些人不再明着称他“皇上”，而是悄悄地叫他“上边”了。因此，当战犯管理所为了使溥仪获得改造，把他与家族成员分开，安排其他伪满战犯和他住在一起时，这位“皇帝”战犯便遇到了有生以来未曾遇到的“难题”：他不但要自己端饭、整理床铺、穿脱衣服、洗脚、洗衣服，而且还要和别人一样轮流做值日，打扫房间卫生，甚至还要提马桶！起初，溥仪觉得这是所方故意要他难看，因为这些事他从未做过，也不会做，以致早晨起床时，他还没穿好衣服，别人已经跑操去了，他未洗漱完，别人又开始吃饭了。每当溥仪感到自己无能、为自己事事落于人后而痛苦时，战犯管理所的同志就来帮助、开导他，同时也循循善诱地引导他认识过去，反复讲明共产党和人民政府的政策，鼓励他好好改造自己，争取做个新人。

自1955年起，战犯管理所一方面带着溥仪一行伪满战犯到东北各地参观工厂、矿山、农村、学校，请各方面的人诉说日本帝国主义和伪满政权的种种罪行，一面在加强思想教育的同时，允许战犯们的亲属写信和前来探望，促使他们认识自己的过去，看到光明的前途。溥仪同其他人一样，在这一过程中，他亲眼看到了新中国的成就，亲耳听见了那些伪满时期受尽非人折磨的人们，在诉说了他们这些过去的魔鬼的罪行后，又说出了希望他们能改造成一个正常人的动人心魄的话语。慢慢地，溥仪有了正常人的感情，开始认识自己的过去，并暗中盘算自己是否也能在什么时候过上一个正常人的生活。

1957年，溥仪与七叔载涛的会见，终于燃起了他重新生活的希望之火。时年69岁的载涛，是溥仪嫡亲长辈中仅存的一人。这位清末的“涛贝勒”、“军谘大臣”告诉十几年未见面的侄“皇上”：爱新觉罗家族的老人，新中国成立后都各尽所长，生活得很幸福；青年一代更是朝气蓬勃，为建设新中国积极贡献力量，他这个“皇叔”已当选为全国人民代表大会的代表和全国政协委员，多次见到毛泽东、刘少奇、周恩来等党和国家领导人，毛泽东主席要他来看看“皇上”……从此以后，溥仪真的变了。

1959年，中华人民共和国建国10周年前夕，根据中国共产党中央委员会的建议，中华人民共和国主席刘少奇发布了特赦令。是年12月4日，溥仪被特赦释放。

获释后，溥仪回到了阔别35年的北京。短短的两个多月的时间，他遍游了北京各名胜古迹，会见了爱新觉罗家族在京的所有成员，亲眼看到他们在新社会过着无忧无虑的生活，尽情地发挥自己的聪明才智。在此期间，中国共产党中央委员会主席毛泽东为他举行了家宴，详细询问了他的个人生活问题，并郑重地建议他重新建立一个幸福的家庭；中华人民共和国国务院总理周恩来亲自征求他的意见，对他今后的工作和生活做了周到细致的安排。这一切都使溥仪增添了重新生活的无限勇气。

自1960年3月起，溥仪开始了自食其力的新生活。他先在中国科学院植物研究所北京植物园半日学习，半日做些力所能及的工作，主要是熟悉新的生活环境。一年后，他到了全国政协文史资料研究委员会，任专员职，负责清理清末和北洋政府时代的文史资料，但仍坚持每周到植物园去劳动一二天，工作闲暇，撰写自传《我的前半生》。在人民政府和各方面人士的共同关心帮助下，1962年4月29日，溥仪与北京关厢医院的一名普通女护士李淑贤重新建立起幸福美满的小家庭。婚后，56岁的溥仪对李淑贤温情脉脉，体贴入微，夫妻感情可谓如胶似漆，形影难分。年过半百，溥仪终于尝到了人间真正爱情生活的甜蜜和幸福。

为了表示对党和政府的感激之情，也为了使自己后半生成为一个有价值的人，溥仪努力工作，勤奋学习，从各方面严格要求自己，在邻里之间、工作单位、国内各界名流以至国际上，都产生了良好的影响。在邻里之间，他正确对待自己和别人，和普通人一样自觉地打扫街道卫生，热情地为群众排忧解难，有时孩子般地把街道上的少年儿童成群结队地领到家里玩耍、游戏。在工作单位上，他学会了正确处理个人与集体及国家的关系，时时以一个普通公民的标准要求自己，国家特发的几套制服除会见外宾及参加重要宴会外，平时总舍不得穿。结婚时，政府特批费用可以公款报销，可他体谅国家经济困难，仅为新娘买了一套衣裙。在国内各界名流中，溥仪影响颇大，特别是在他的一些“旧臣”中。这些人最初见到特赦后的溥仪，总觉得还有那么一层说不出的关系，不少人仍旧表示跟他走。

每当这种时候，溥仪总是坚定地说他跟共产党走，勉励他们为建设社会主义祖国贡献力量。前国民党政府代总统李宗仁在美国看了溥仪的《我的前半生》一书，感触极深，觉得一个封建皇帝和伪满战犯在新中国都能生活得很好，何况自己一个民国总统，从而坚定了回到大陆报效祖国的信心和决心。在国际上，溥仪特赦后短短几年时间会见了几百名国际友人、各国记者，向他们宣传中国共产党和政府的宽大胸怀，表示他对新中国前途的信心和为建设自己祖国尽力的决心。他的切身经历和感人话语，赢得了国际友人及各界人士的信任和赞誉。有的西方记者说，西方人理解溥仪比理解雷锋容易得多。溥仪以他特殊的身份，为中国政府和人民做出了他所能做出的特殊贡献。

正当溥仪沉浸在新生活的幸福和欢乐之中时，可怕的病魔悄悄向他袭来。其实，溥仪前半生长期的非正常人生活早已糟蹋了他的身体。1962年新婚后不久，溥仪就不时溺血，经名医诊治，暂时抑制了病情的发展，加之新生活的愉快，冲淡了疾病折磨的痛苦，表面看上去，身体一直很健康。1964年底，溥仪病情开始恶化，尽管在周恩来总理的直接关怀和特别保护下，专家为他进行特殊的精心治疗，使他减少了一些痛苦，也基本避开了随后刮起的“文化大革命”旋风的袭击，但肾癌这一恶魔终于在1967年10月17日凌晨吞噬了他的生命。

溥仪去世之时，正值“史无前例”的“文化大革命”风暴席卷神州大地，后事极难处理。周恩来总理为此做出特别指示，说“溥仪遗体可以火化，也可以埋葬。根据家属意见，可以选择革命公墓、万安公墓和另一处墓地的任何一个地方安葬或寄存骨灰”。爱新觉罗家族主要成员在年过八旬的载涛的主持下，聚会讨论决定将溥仪遗体火化，骨灰寄存八宝山人民骨灰堂。

“文化大革命”十年动乱结束以后，新中国政府和人民不会忘记每一个为国家为人民做出贡献的人，对末代皇帝溥仪特赦后的工作给予了充分肯定，并于1980年5月29日为他举行隆重的追悼大会。会后，根据中国共产党中央委员会的指示，溥仪的骨灰盒移至八宝山革命公墓，在安放已故党和国家领导人及为中国革命做出卓越贡献的人们的骨灰盒的第一室副舍。

溥仪是中国最后一个封建王朝的最后一个皇帝。他前半生虽为皇帝，却如同囚徒；后半生变为普通公民，为国家做出了贡献。

第二章　千秋名臣

姜 尚

姜尚，名望，吕氏，字子牙，或单呼牙，也称吕尚. 生于公元前1156年死于公元前1017年，寿至139岁，先后辅佐了六位周王，因是齐国始祖而称“太公望”，俗称姜太公，东海海滨人。西周初年，被周文王封为“太师”（武官名），被尊为“师尚父”，辅佐文王，与谋“翦商”。后辅佐周武王灭商。因功封于齐，成为周代齐国的始祖。他是中国历史上最享盛名的政治家、军事家和谋略家。

传说姜尚的先世为贵族，故为吕氏，曰吕尚。至姜尚时已沦为贫民。为维持生计，姜尚年轻时曾在商都朝歌（今河南淇县）宰牛卖肉，又到孟津（今河南孟津县东北）做过卖酒生意。他虽贫寒，但胸怀大志，勤苦学习，始终不倦地研究、探讨治国兴邦之道，以期有朝一日能够大展宏图，为国效力。直到暮年，终于遇到了施展才华之机。

当时，正是东方大国殷商王朝走向衰亡的时期。殷纣王暴虐无道，荒淫无度，朝政腐败，社会黑暗，经济崩溃，民不聊生，怨声载道。而西部的周国由于西伯姬昌（后为周文王）倡行仁政，发展经济，实行勤俭立国和裕民政策，社会清明，人心安定，国势日强，天下民众倾心于周，四边诸侯望风依附。

壮心不已的姜尚，获悉姬昌为了治国兴邦，正在广求天下贤能之士，便毅然离开商朝，来到渭水之滨的西周领地，栖身于磻溪，终日以垂钓为事，以静观世态的变化，待机出山。一天，姜尚在磻溪垂钓时，恰遇到此游猎的西伯姬昌，二人不期而遇，谈得十分投机。姬昌见姜尚学识渊博，通晓历史和时势，便向他请教治国兴邦的良策，姜尚当即提出了“三常”之说：“一曰君以举贤为常，二曰官以任贤为常，三曰士以敬贤为常。”意思是，要治国兴邦，必须以贤为本，重视发掘、使用人才。姬昌听后甚喜，说道：“我先君太公预言，‘当有圣人至周，周才得以兴盛。’您就是那位圣人吧？我太公望子（盼望先生）久矣！”于是，姬昌亲自把姜尚扶上车辇，一起回宫，拜为太师，称“太公望”。从此，英雄有了用武之地。

姜尚在辅佐周文王期间，为强周灭商制定了一系列正确的内外政策。

对内，实行农人助耕公田纳九分之一的租税，八家各分私田百亩，大小官吏都有分地，子孙承袭，作为俸禄等经济政策，促进了生产的发展，打下了灭商的经济基础。对外，表面上坚持恭顺事殷，以麻痹纣王，暗中实行争取邻国、逐步拉拢、瓦解殷商王朝的盟邦，以翦商羽翼，削弱和孤立殷商王朝的策略。在姜尚的积极谋划下，归附周文王的诸侯国和部落越来越多，逐步占领了大部分殷商王朝的属地，出现了“天下三分，其二归周”的局面，为最后消灭纣王，取代殷商，创造了条件。

周文王死后，周武王姬发继位，拜姜尚为国师，尊称师尚父。姜尚继续辅佐周国朝政。

武王十一年，殷商王朝统治集团核心发生内讧，良臣比干被杀，箕子被囚为奴，微子启惧祸出逃，太师疵、少师强投降周武王。武王问姜尚：“殷大臣或死或逃，纣王是否可伐？”姜尚答道：“天与不取，反受其咎；时至不行，反受宾殃。”武王闻言，决意举兵伐纣。他遍告诸侯说：“殷有重罪，不可以不毕伐。”遂以姜尚为主帅，统领兵车300乘，虎贲（猛士）3000名，甲士4.5万人，以“吊民伐罪”为号召，联合诸侯各国，出兵进取商都。

姜尚亲自援袍而鼓，率众先涉河，二月甲子（二月五日），周武王率领大军会合庸、蜀、羌、微、卢、彭、濮等方国部队战车四千乘陈师牧野（今河南淇县南），与纣王的17万大军展开决战（参见牧野之战）。拂晓，进行庄严的誓师——这便是历史上有名的“牧誓”，誓词历数纣王听信宠姬谗言，招诱四方罪人和逃亡奴隶，暴虐地残害百姓等罪行，说明伐纣的目的乃代天行罚，宣布战法和纪律要求，激励战士勇猛果敢作战，武王使尚父亲统百名精锐勇士“致师”——发起挑战，接着指挥戎车三百乘、虎贲三千人，甲士四万五千乘势驰逐冲击。纣师虽众，皆无斗志，而且“前徒倒戈”——前面的士卒调转枪头指向商军，给武王开路。武王见此情景，指挥全军奋勇冲杀，结果，商纣王的十几万大军，当天就崩溃瓦解。纣王见大势已去，在鹿台投火自焚，至此，殷商王朝宣告灭亡。

牧野之战所以能大获全胜，多赖姜尚英明的组织指挥。在作战时机的把握上，选择在纣王麻痹松懈、众叛亲离之时；在力量的组织上，以“吊民伐罪”为号召，联合诸侯共同伐商；在作战指挥上，首先以兵车、猛士从正面展开突击，尔后以甲士展开猛烈冲杀，一举打乱了商军的阵势，夺取了战争的胜利。

周朝建国之后，姜尚因灭商有功，被封于齐，都城营丘（今山东昌乐县营邱镇驻地）。姜尚东行到自己的封地去，路上每宿必留，走得很慢。有人对他说："我听说过时机难得而易于失去，作为一个客人，安于路边旅店中的享乐，恐怕不像到自己封地上任的样子。"太公听了，夜里穿起衣服马上前行，天亮时到达营丘，正好遇到莱国的人来与他争夺营丘。

姜尚在齐国政局稳定后，又开始改革政治制度。他顺应当地的习俗，简便周朝的繁文缛节。大力发展商业，让百姓享受鱼盐之利。于是天下人来齐国的很多，齐国成为当时的富国之一。在周成王时，管叔、蔡叔作乱，淮河流域的少数民族也趁机叛乱（参见周公东征），周王下令给姜尚说："东到大海，西到黄河，南到穆岭，北到无棣，无论是侯王还是伯男，若不服从，你都有权力征服他们。"从此，齐国成为大国，疆域日益广阔，使之成为后来的春秋"五霸"和战国"七雄"之一。

太公姜尚活了一百多岁而卒，但葬地不详。为逃避战乱，子孙后代改姓了丁（因北方的姜与南方的丁同音）位于湖南常德一带。

相传兵书《六韬》为姜尚所作，后人考证系战国时人依托于他的作品。但从现存的内容看，基本上反映的是姜尚的军事实践活动和他的韬略思想。司马迁在《史记·齐太公世家》中指出："后世之言兵及周之阴权皆宗太公为本谋。"由此看来，姜尚实为中国谋略家的开山鼻祖。

周公旦

周公旦，汉族（华夏）姓姬，名旦，氏号为周，爵位为公。西周政治家。因采邑在周，称为周公，因谥号为文，又称为周文公。出生年月不详，卒年不详，享年大约六十多岁。文王之子，排行第四，亦称叔旦，史称周公旦。周武王之弟。武王死后，其子成王年幼，由他摄政当国。其兄弟管叔、蔡叔和霍叔等人勾结商纣子武庚和徐、奄等东方夷族反叛，史称三监之乱。他奉命出师，三年后平叛，并将国家势力扩展至东海。他后建成周洛邑，称为“东都”。

文王死后二年，周公佐武王东伐殷至孟津。四年，他和太公望、召公奭佐武王灭殷杀纣，三分商王畿地。封纣子武庚于邶以续殷祀，封文王子管叔于鄘，蔡叔于卫，防范之。名义上合称三监，以监殷民。

克殷二年后，武王重病，遗命周公继位。但周公告天请代武王死，告天策文藏于金漆箱内。武王死后，“天下闻武王崩而叛”。周公为应付危难，立武王年幼之子诵为周成王，又自己执政称王，以致引起内部争权斗争。管、蔡也乘机散布流言，引起成王对周公的怀疑。最后成王开金漆箱，看见策文，周公才获得信任。于是管、蔡勾结武庚起兵反周。

武庚利用时机，联络东、奄、薄姑、徐戎、淮夷、熊（祝融）、盈（嬴）诸族共图复国，声势远比新起而内部分裂的周强大。周公和召公“内弭父兄，外抚诸侯”，经过三年东征，平定了三监叛乱。《逸周书·作雒》说武庚北奔，管叔自杀，蔡叔被囚；周公征服熊、盈之族十七国，俘维（淮夷之族）九邑。《孟子·滕文公》则说其灭国五十。地居河汾之东的唐也起事策应武庚的叛乱，后为周公诛灭。这次战事是武王灭殷后周公为彻底征服殷族及其同盟作出的最大功绩，周王朝的统治由此奠定下来。

为了进一步巩固周朝政权，周公旦“制礼作乐”，制定和推行了一套维护君臣宗法和上下等级的典章制度。主要有“畿服”制、“爵谥”制、“法”制、“嫡长子继承”制和“乐”制等。其中最重要的是嫡长子继承制和贵贱等级制。在殷商时，君位的继承多半是兄终弟及，传位不定。周公确立的嫡长子继承制，即以血缘为纽带，规定周天子的王位由长子继承。同时把其他庶子分封为诸侯卿大夫。他们与天子的关系是地方与中央、小宗与大宗的关系。周公旦还制定了一系列严格的君臣、父子、兄弟、亲疏、尊卑、贵贱的礼仪制度，以调整中央和地方、王侯与臣民的关系，加强中央政权的统治，这就是所谓的礼乐制度。

周公秉性仁厚，礼贤下士。传说，周公唯恐失去天下贤人，洗一次头时，曾多回握着尚未梳理的头发；吃一顿饭时，亦数次吐出口中食物，迫不及待地去接待贤士。

作为臣子，周公竭尽忠诚，绝无二心。他无微不至地关怀年幼的成王，有一次，成王病得厉害，周公很焦急，就剪了自己的指甲沉到大河里，对河神祈祷说："今成王还不懂事，有什么错都是我的。如果要死，就让我死吧。"成王病果然好了。周公摄政七年后，成王已经长大成人，于是周公归政于成王，自己回到大臣的位子。

后来，有人在成王面前进谗言，周公害怕了，就逃到楚地躲避。不久，成王翻阅库府中收藏的文书，发现在自己生病时周公的祷辞，为周公忠心为国的品质感动得流下眼泪，立即派人将周公迎回来。周公回周以后，仍忠心为王朝操劳。周公辅佐武王、成王，为周王朝的建立和巩固作出了重大贡献。特别是他在受成王冤屈以后，仍忠心耿耿，为周王朝的发展呕心沥血，直至逝世，终天下大治。

周公临终时要求把他葬在成周，以明不离开成王的意思。成王心怀谦让，把他葬在毕邑，在文王墓的旁边，以示对周公的无比尊重。

周公为后世为政者的典范。孔子的儒家学派，把他的人格作为最高典范，最高政治理想是周初的仁政，孔子终生倡导的是周公的礼乐制度。

晏婴

晏子是春秋后期一位重要的政治家、思想家、外交家。曾奉景公之命，与晋联姻，曾预言齐国政权终将为田氏所取代。传世有《晏子春秋》一书，当是战国时人搜集有关他的言行编辑而成。灵公、庄公、景公三朝，均在齐国为官，是名副其实的“三朝元老”。传说晏子五短身材，“长不满六尺”，貌不出众，但足智多谋，刚正不阿，为齐国昌盛立下了汗马功劳。

晏子历任齐灵公、齐庄公、齐景公三朝，辅政长达五十多年。这五十几年，齐国国君平庸昏聩、骄奢淫逸，国力相对衰弱，而内有天灾和百姓的不满，外有强大的秦、楚威胁。晏婴凭借着自己的聪明才智，竭尽全力扶挽危政，使得齐国重新能与秦、楚两大国抗衡，形成了三强鼎立的局面。

晏子内辅国政，屡谏齐王。主张以礼治国，反对祈福禳灾等迷信，关心百姓，曾智谏省刑。因景公滥用刖刑，无数人被割去了脚，使临淄城市场上出现了一种十分奇怪的现象，鞋子很便宜，都卖不出去，假脚很贵，却买不到，叫做“踊贵履贱”。晏婴借景公为他迁府之机，机智地向景公进谏，省去了刖刑。

晏子也曾赈济灾民。由于齐景公“好治宫室、聚狗马、奢侈、厚赋重刑”而出现了人民劳动所得公室征去三分之二，只剩下三分之一供老小食用。国库的粮食腐烂生虫而老百姓受灾冻饿而死。一年临淄连降几天大雨，晏婴先把自己家中粮食分给灾民，三次进谏景公开仓济民。

晏子还身体力行，倡导廉洁。晏婴身为三朝宰相，竟始终过着清贫生活，穿粗衣，吃粗粮，居陋室，骑劣马，景公给他新房，他拒绝搬迁，给他金银裘皮、好车好马，他坚辞不受，景公见他的妻子又老又丑，把女儿赐给他，晏婴更是婉言谢绝。晏子拒赐成为千古美谈。也许正是这样高尚的品格，才使后来的司马迁发出这样的感慨：“假如晏子还活着，我就是为他执鞭驾马，也是心向往之啊！”

晏子还以有政治远见和外交才能闻名于诸侯。他博闻强识，思维敏捷、能言善辩。对外交往既有灵活性，又能坚持原则性，出使不受辱，捍卫了齐国的国格和国威，使齐国在诸侯各国中赢得了应有的地位。

有一次，晏子出使楚国。楚国君臣知道晏子身材矮小，在大门的旁边开一个小门请晏子进去。晏子不进去，说："出使到狗国的人从狗洞进去，现在我出使到楚国来，不应该从这个洞进去。"迎接宾客的人带晏子改从大门进去。

晏子拜见楚王。楚王说："齐国难道没有人了吗？怎么派你来呢？"晏子回答说："齐国的都城临淄有七千五百户人家，人们一起张开袖子，天就阴暗下来；一起挥洒汗水，就会汇成大雨；街上行人肩膀靠着肩膀，脚尖碰脚后跟，怎么能说没有人呢？"楚王说："既然这样，那么为什么会派遣你来呢？"晏子回答说："齐国派遣使臣，要根据不同的对象，贤能的人被派遣出使到贤能的国王那里去，不贤能的人被派遣出使到不贤能的国王那里去。我晏婴是最没有才能的人，所以只能出使到楚国来了。"楚王哑口无言，自取其辱。

诸葛亮曾在他的《梁甫吟》中称赞晏子说："力能排南山，文能绝地理。一朝被谗言，二桃杀三士。谁能为此谋，国相齐晏子。"

公元前500年，晏婴病逝。葬在齐国都城临淄北门外（今山东淄博市临淄区齐都镇永顺村东南）。

晏子死后，后人对晏子都非常崇敬，对于他的足智多谋和高风亮节都表示了深深怀念。当时孔丘曾赞道："救民百姓而不夸，行补三君而不有，晏子果君子也！"

晏子生活于春秋中期，作为一个从政半个世纪的政治家，做出了他自己应有的贡献。他是统治阶级内部的改革派。他的思想受君权的限制，没有全部实现。他的谏君及推行的一系列改革措施，坚决惩处一些统治者的腐败行为，限制齐君过度榨取百姓血汗，虽然是为了姜齐政权的巩固，为了统治阶级的长远利益，但同时，他的这些措施，也有利于发展社会生产，有利于保护百姓生命、改善百姓生活。春秋中期，产生了许多进步思想家、政治家，齐国的管仲、晏子，郑国的子产就是这些进步势力的代表，他们是促进社会进步的力量。

文种

文种（？—前467年），字会、少禽，一作子禽，楚国郢（今湖北省江陵北）人。春秋末期著名的谋略家。越王勾践的谋臣，为勾践灭吴制定了七种方案，和范蠡一起为勾践最终打败吴王夫差立下赫赫功劳。灭吴后，自觉功高，不听从范蠡劝告继续留下为臣，却被勾践不容，受赐剑自刎而死。

《史记·越王勾践世家》记载："三年，勾践闻吴王夫差日夜勒兵，且以报越，越欲先吴未发往伐之。范蠡谏曰：'不可。臣闻兵者凶器也，战者逆德也，争者事之末也。阴谋逆德，好用凶器，试身于所末，上帝禁之，行者不利。'越王曰：'吾已决之矣。'遂兴师。吴王闻之，悉发精兵击越，败之夫椒。越王乃以余兵五千人保栖于会稽。吴王追而围之。

越王谓范蠡曰：'以不听子故至于此，为之奈何？'蠡对曰：'持满者与天，定倾者与人，节事者以地。卑辞厚礼以遗之，不许，而身与之市。'勾践曰：'诺。'乃令大夫种行成于吴，膝行顿首曰：'君王亡臣勾践使陪臣种敢告下执事：勾践请为臣，妻为妾。'吴王将许之。子胥言于吴王曰：'天以越赐吴，勿许也。'种还，以报勾践。勾践欲杀妻子，燔宝器，触战以死。种止勾践曰：'吴太宰嚭贪，可诱以利，请间行言之。'于是勾践以美女宝器令种间献吴太宰嚭。嚭受，乃见大夫种于吴王。种顿首言曰：'原大王赦勾践之罪，尽人其宝器。不幸不赦，勾践将尽杀其妻子，燔其宝器，悉五千人触战，必有当也。'嚭因说吴王曰：'越以服为臣，若将赦之，此国之利也。'吴王将许之。子胥进谏曰：'今不灭越，后必悔之。勾践贤君，种、蠡良臣，若反国，将为乱。'吴王弗听，卒赦越，罢兵而归。"

俗话说："君子报仇十年不晚。"这是春秋战国时期文种所奉行的信条。公元前494年，越王勾践听说吴王夫差日夜练兵，将要攻打越国，为父报仇。勾践本是一个好战之人，当他了解到这种情况时，于是就想先发制人，攻打吴国。范蠡和文种觉得时机还不成熟，这一战是输是赢没有半点把握，于是劝阻道："战争对于任何一个国家来说都一件是十分残酷的事情，无端斗杀更是违背德信，这是上天所忌讳的，更何况这场战争发起的不是时候，天时、地利、人和不占一项，应该慎之又慎，万万不可轻举妄动。”勾践说：“我已经决定了，不要再说了。”

于是，调动精兵三万人，北上攻吴，与吴兵战于夫椒（太湖中山名）。结果勾践大败而归，仅剩五千残兵，退守会稽山（今浙江中部，主峰在嵊县西北），又被吴军团团围住。

勾践在无奈之下，只好求助范蠡和文种说：“我不听先生之言，才落到如今的下场。能否请先生赐教，现在该如何？”

范蠡冷静进谏说：“持满而不溢，则与天同道，上天是会保佑的；地能万物，人应该节用。这样才会受地之赐；扶危定倾，谦卑事之，则与人同道，人可动之。为今之计，只有卑词厚礼，贿赂吴国君臣；倘若不许，可屈身以事吴王，徐图转机，这是危难之时不得已之计。”勾践无奈，只好派大夫文种前往吴军大营请求议和。

文种初次到吴营并没有收到什么好的效果，因为伍子胥早就看出了文种的目的，于是从中极力的阻挠，说：“大王，越国是上天赐给吴国的，机不可失，时不再来，如果你答应了文种的要求，就失去这次机会，失去这次机会，就很难再得到越国了。”

勾践得知了文种出使后的消息，痛不欲生，想要杀了自己的妻子毁掉自己的宫殿，然后与吴王决一死战，至少保住自己的名誉，免得自身受到侮辱。范蠡、文种劝阻了他。文种说：“我在出使吴国时，发现权臣太宰伯嚭是一个贪财好色之图，是个可以利用的角色，只要我们给他多一点好处，相信还是有余地的。”勾践没有办法只好让文种带上美女、宝器到吴去买通伯嚭。使之转献吴王夫差，然后再派文种前去乞和。

俗话说：“拿人手短，吃人嘴软。”拿了别人的好处，就要为别人办事，自古以来也正是因为有伯嚭这种小人当道，才使许多忠臣志士们抛头颅、撒热血也换不回君王的信任，而这里的忠臣就是伍子胥。

文种见到吴王，说道：“大王如能放过勾践，越国将大量的珍宝、美女送上，而且越国上下将会尊称大王。倘若大王硬是不放过勾践，勾践将会杀尽自己的妻子，毁掉珍宝奇器。然后率领剩下的五千名士兵和大王决一死战。如若战争打起来大王必定会受到损失，杀掉一个勾践，反而毁掉整个越国人民的心，更多的稀世珍宝，还望大王三思。”

谗臣伯嚭也在一旁帮腔说：“大王，臣觉得文种说的极是，越国已经降服为臣民，若能赦免越王，的确对吴国大有利，反之则对吴国有百害而无一利，可谓是损人不利己，何必为了一个勾践而毁掉你在越国人民心中的形象呢。”吴王听了文种和伯嚭的说词非常动心，便要许和。这时，大臣伍子胥谏阻说：“树德行善，莫如使之滋蔓；祛病除害，务必断根绝源。现今勾践为贤君，文种、范蠡为良臣，君臣同心，施德惠民，一旦返国，必为吴国大患。吴越两国水土相连，一旦结成世仇，兴亡成败不可不虑，如今既克越国，倘若使他复存，实在是违背天意，养寇留患。”吴王不听，终与越国讲和，罢兵而去。就这样勾践逃过一劫，去吴国当吴王夫差的奴仆。

在这里，文种本来是外来之客，但最后文种却说服了夫差放过勾践，这到底是为什么呢？经过反复的分析和推测，才发现文种之所以能够顺利地谈判成功是因为他掌握了敌人的弱点——伯嚭、吴王。

1. 伯嚭是个十足的小人，文种的成功就在于他成功利用了伯嚭这样的小人，小人可以说是一个“双重间谍”，也可以称之为“墙头草随风倒，哪边有利哪边倒”。像伯嚭这样的人是最好打发的，因为他的弱点就是贪婪——金钱和美女，只要抓住了他的弱点，给他足够的金钱和美女，满足他的贪婪，那么想要把事办成就容易多了。

2. 掌握了吴王的弱点。吴王之所以能够打败越王勾践，争的是一口气，为父报仇，侮辱勾践。现在他打败了吴国，已经出了气，意在侮辱，而并非真的想杀勾践。而文种就是看透了吴王的这一点想法，才用珍宝和美女，再加上越国人民的服从，以及勾践的服从来当作和他谈判的筹码。大家都知道，高明的谈判家从来都不会因为一时的利益而放弃长远的利益，也不会因为眼前的一点侮辱而失去耐性，他们会以过人的耐力抓准敌人的弱点，满足敌人的欲望和条件，不断地和敌人周旋，模糊敌人的意愿，击破敌人的意志力，完成谈判，而文种正是因为满足了吴王的欲望和条件，才让吴王觉得自己占了便宜，从而答应了自己的要求，即使是忠臣伍子胥的劝告也不听。

本来夫差只要再进一步地攻击勾践，越国军队就会彻底地被击溃，占领越国。但经过文种这么一搅和，又使本来已经没有退路的勾践，重新获得了东山再起的机会，可见，文种对勾践复国做出了卓越的贡献！

《史记·越王勾践世家》记载：“范蠡遂去，自齐遗大夫种书曰：‘飞鸟尽，良弓藏；狡兔死，走狗烹。越王为人长颈鸟喙，可与共患难，不可与共乐。子何不去？’种见书，称病不朝。人或谗种且作乱，越王乃赐种剑曰：‘子教寡人伐吴七术，寡人用其三而败吴，其四在子，子为我从先王试之。’种遂自杀。”

春秋末年，越王勾践在范蠡和文种的辅佐下，苦身劳力二十年，终于灭掉吴国，而且兵临中原，号令诸侯，成为霸主。灭吴之后，越国君臣设宴庆功，群臣皆乐，独有越王勾践面无喜色。机警聪慧的范蠡察微知著，立即识破了越王的心思：越王为雪会稽之耻，灭掉吴国，不惜卑身事下，愿与臣下同甘共苦，共渡艰难。然而现在勾践已经大功告成了，他能与他的臣下们同甘吗？很明显不能。尤其是我与文种，位高权重，深得人心，他能放过吗？范蠡经过深思熟虑，认为大名之下难以久居。

于是，范蠡向勾践奏道：“大王，臣听说：‘君忧臣劳，君辱臣死’。当年大王在会稽被围受辱，臣本该赴死，之所以苟延残喘，只是图今日。如今旧耻已雪，越国已强，请求大王治臣当日之罪！”

勾践哈哈大笑，身子前倾，朗声道：“上将军何出此言？若无将军，勾践焉有今日？我还要把这越国分一半给你呢，若不遵寡人，将身死名裂，妻子为戮！”

范蠡当然知道越王的所谓“共分越国”纯属虚语，而“身死名裂，妻子为戮”，越王是肯定做得出来的。于是他回答道：“君行其法，我行其意。”事后，范蠡不辞而别，抛弃家业，带领家眷，驾一叶扁舟，出三江而入五湖。后来定居于陶，成为巨富。

范蠡临走之时，托人给大夫文种送了封信，信上说：“你还记得吴王说过的一句话吗？他说‘狡兔死，走狗烹，敌国破，谋臣亡。’越王勾践的为人你是知道的。他脖子长得很长，嘴巴像鸟嘴一样尖。他既能含垢忍辱，又忌妒别人的功劳。这种人，只能与他共患难不能与他共安乐。如果你不相信我的话，现在不赶快辞职引退，以后必定要遭他的毒手。”

然而，文种并没有把范蠡的话放在心上，没有离开。而后，事实果如范蠡所预料，勾践消灭吴国之后，并不论功行赏。而且还与曾经一起患难过的旧臣们疏远了，连见面的机会都越来越少。许多大臣看见如此情景纷纷辞职引退。文种虽然对范蠡说的话有几分相信，但不相信问题有这么严重，对勾践还存有幻想，便没有听范蠡的话，只是抱病不朝。

这时便有奸佞之臣诬陷文种自恃功高，对大王心怀不满，所以借故不朝，说不定会对大王心存异心。

勾践深深地了解文种的才干，但他觉得自己先前为了打败吴国，在吴国受辱的那段时间，都是由文种代理国政，许多大臣和百姓对他都非常尊重，而现在自己已经灭了吴国，越国也已称霸，文种对自己已经没有用处了，如果还留着他，难保他不会篡位，万一造反作乱，是没有人能够制服得了的，最好还是将其杀死。于是，勾践整天冥思苦想，最终想出了一条杀死文种的计谋。

有一天，勾践亲自去探望文种，文种装作病得很严重的样子，勉强支撑着迎接越王。勾践解下身上的佩剑放在座位旁边，坐下来同文种谈话。谈了一阵之后，勾践对文种说："你教寡人伐吴七术，寡人才用了其三就把吴国打败了；剩下的其四在你那儿。不如，你去地下，跟着先王试试剩下的四招灵不灵，帮先王在九泉下称霸吧。"说完起身走了，走时有意将佩剑留了下来。

文种取过剑一看，只见剑匣上刻有"属镂"二字。这是吴王夫差赐伍子胥死时，用的那把刀，文种叹息道："我不听范蠡的劝告终于被勾践所杀，我是多么的愚蠢呀！"说完就用剑自杀了。有人对此事写道："悲哉文种，治国之杰，三术亡吴，一身殉越。"

文种是一个典型的迂腐的老夫子，他被"知遇之恩，非肝脑涂地无以为报也"的观念束缚太紧。当越王勾践兵败，远走他国为人质的时候，代替勾践治政，几乎是倾囊而出。在一个又一个的365个日子里，使原本国民弱，缺少优势的国家慢慢的富裕起来，有了国家的根基。同时，他又想出各种办法帮助勾践和范蠡脱困。勾践回国后，他又向勾践进献了灭吴的"九术"，从此掀开了"十年生聚，十年教训，卧薪尝胆，复国沼吴"伟大事业波澜壮阔的一幕。

作为君与臣的关系，文种做到了肝脑涂地，一心为越国，不负勾践所托，越国慢慢的强盛起来，这时文种所献的七术仅用了三术，可见文种是何等的治国天才。但也正因为他过人的才能，才会使他遭到勾践的猜疑和忌妒，接受其悲剧的命运。

老子曾经说过："功遂身退，天之道也"，也就是说"功成身退"，这是天的道，人要符合天的道，功业已经成了，就该引身后退，这是一种自然的规律。何况是皇帝，帝王视天下为其大产业，视谋臣猛将为自己创业守业的工具。这是亘古不变的真理，作为谋臣猛将更应该清楚地认识到这一点。他们凭借自己非凡的本领，在帮助帝王达到了创业、守业的目的后，也就丧失了自身的价值，更何况是能够忍辱负重也要完成霸业的勾践呢？他更不容许有任何人强过自己，不容许有人威胁到他的地位。

当初，范蠡苦劝文种一定要功成身退。但文种爱国，更不相信勾践会是一个忘恩负义之人，于是就拿自己的生命赌勾践的品性，最终他看清了勾践的真面目，但也输掉了自己的生命！

天生聪明，算尽天下的文种，今番严重的失算，招至杀身之祸！

张 仪

张仪（不详—前309年），魏国安邑（今山西万荣）张仪村人，魏国贵族后裔，本姓魏后改姓张。战国时期著名的政治家、外交家和谋略家。中国纵横家鼻祖，张仪曾与苏秦同师从于鬼谷子先生，学习权谋纵横之术，饱读诗书，满腹韬略，连苏秦都自叹才能在张仪之下。张仪曾两次为秦相，前后共11年，亦曾两次为魏国国相，第一次4年，第二次仅一年余，即卒于任上。去世后葬于开封市东郊宴台河村。

战国时，列国林立，诸侯争霸，割据战争频繁。各诸侯国在外交和军事上，纷纷采取“合纵连横”的策略。或“合纵”，“合众弱以攻一强”，防止强国的兼并，或“连横”，“事一强以攻众弱”，达到兼并土地的目的。张仪正是作为杰出的纵横家出现在战国的政治舞台上，对列国兼并战争形势的变化产生了较大的影响。

秦惠文君九年（前329年），张仪由赵国西入秦国，凭借出众的才智.被秦惠文君任为客卿，筹划谋略攻伐之事。次年，秦国仿效三晋的官僚机构开始设置相位，称为相邦或相国，张仪出任此职。他是秦国置相后的第一任相国，位居百官之首，参与军政要务及外交活动。从此开始了他的政治、外交和军事生涯。

张仪拜相后，积极为秦国谋划。他采用连横术迫使韩、魏太子来秦朝拜，并与公子华（桑）攻取魏国蒲阳（今山西隰县）。又游说魏惠王，不用一兵一卒，使得魏国把上郡15县，包括少梁（今陕西韩城南）一起献给秦国。秦惠文君十三年（前325年），张仪又率军攻取魏国的陕县（今河南陕县）。这样，黄河天险为秦所占有。随着秦国威势的不断增长，张仪辅佐秦惠文君于同年称王，秦国国势日益强盛。

秦惠文王更元二年（前323年），秦国为了对抗魏惠王的合纵政策，进而达到兼并魏国国土的目的，张仪运用连横策略，与齐、楚大臣会于啮桑（今江苏沛县西南）以消除秦国东进的忧虑。张仪从啮桑回到秦国，被免去相位。

秦惠文王更元三年，魏国由于惠施联齐、楚没有结果，不得不改用张仪为相，企图连秦、韩而攻齐、楚。由于连横威胁各国，秦惠文王更元六年（前319年），魏国人公孙衍受齐、楚、韩、赵、燕等国的支持，出任魏相，张仪被驱逐回秦。

秦惠文王更元八年（前317年），张仪再次任秦相国。九年，秦惠文王接受司马错的建议，遣张仪、司马错等人率兵伐蜀，取得胜利，旋即又灭巴、苴两国。这样秦国占据了富饶的天府之国，有了巩固的大后方，为秦国的经济发展和军事战争提供了有利条件。

秦惠文王更元十二年（前313年）秦惠文王想攻伐齐国，但忧虑齐、楚结成联盟，便派张仪入楚游说楚怀王。张仪利诱楚怀王说："楚诚能绝齐，秦愿献商、於之地六百里。"楚怀王听信此言，与齐断绝关系，并派人入秦受地，张仪对楚使说："仪与王约六里，不闻六百里。"楚国的使臣返回楚国，把张仪的话告诉了楚怀王，楚怀王一怒之下，兴兵攻打秦国。秦惠文王更元十三年（前312年），秦兵大败楚军于丹阳（今豫西丹水之北），虏楚将屈丐等70多人，攻占了楚的汉中，取地600里，置汉中郡（今陕西汉中东）。这样秦国的巴蜀与汉中连成一片，既排除了楚国对秦国本土的威胁，也使秦国的疆土更加扩大，国力更加强盛。

张仪诳楚之后，又于秦惠文王更元十四年（前311年）前往楚、韩、齐、赵、燕等国进行游说，使得五国连横事秦。同一年，张仪因功封得五邑，封号为武信君。

张仪在商鞅变法的基础上，"外连衡而斗诸侯"，与秦国的耕战政策相配合，运用雄辩的口才，诡谲的谋略，纵横捭阖，游说诸侯，建树了诸多功绩，在秦国的政治、外交和军事上成为举足轻重的人物。他在风云多变的险恶环境中，主要凭借外交手段，采用连横策略，使秦国的国威大张，在诸侯国中产生了巨大的威慑作用。张仪使用军事和外交手段，使得秦国东"拔三川之地，西并巴、蜀，北收上郡，南取汉中"，这为秦国的霸业和将来的统一起了积极的作用。秦惠文王更元十四年（前311年），秦惠文王卒，子秦武王即位。张仪素为秦武王不满，离秦赴魏，卒于魏。

纵观其一生，张仪不愧为一代政治家、外交家和谋略家。

范　雎

范雎（生卒不详），字叔，战国时魏国人。早年家境贫寒，后出使齐国为魏中大夫须贾所诬，历经磨难后辗转入秦。公元前266年出任秦相，辅佐秦昭王。他上承孝公、商鞅变法国强之志，下开秦皇、李斯统一帝业，是秦国历史上继往开来的一代名相，也是我国古代在政治、外交等方面极有建树的谋略家。

《史记·范雎蔡泽列传》记载："须贾为魏昭王使于齐，范雎从。齐襄王闻雎辩口，乃使人赐雎金十斤及牛酒，雎辞谢不敢受。须贾知之，大怒，以为雎持魏国阴事告齐，故得此馈。令雎受其牛酒，还其金。既归，心怒雎，以告魏相。魏齐大怒，使舍人笞击雎，折胁折齿。雎详死，即卷以箦，置厕中。雎从箦中谓守者曰：'公能出我，我必厚谢公。'守者乃请出弃箦中死人。魏齐醉，曰：'可矣。'范雎得出，更名姓曰张禄……王来而宦者怒，逐之，曰：'王至！'范雎谬为曰：'秦安得王？秦独有太后、穰侯耳。'欲以感怒昭王。"

范雎是一位充满矛盾的历史人物。他一方面小肚鸡肠，"每饭之德必赏，睚眦之怨必报"；另一方面，他又富于深谋远虑，能够忍辱负重，终成大事。他一方面对过去的恩怨耿耿于怀，设计仇杀；另一方面，却又具有战略眼光，提出了"远交近攻"的战略方针。事实证明，"远交近攻"的战略方针是行之有效的，秦国就是在这一方针指引下一步步强盛起来，一步步完成连横大业的。从这个角度看，说范雎是秦国霸业的奠基人，并不为过。范雎侍秦纯粹出于偶然，并没有必然性。

范雎是魏国中大夫须贾的门客。一次，范雎随须贾出使齐国，齐王听说范雎辩才无碍，很想结交他，赐给范雎十斤黄金和肉食酒馔，范雎婉言谢绝。须贾知道后大怒，认为范雎把魏国的情报提供给了齐王，齐王才会这么优待他。回国后须贾把这件事告诉了相国魏齐。魏齐派人把范雎抓起来，让人用棍棒抽打，最后打落了门牙，打折了肋骨。任范雎百般解释求饶，魏齐终是不依，欲将他活活打死。范雎为了免死脱生，相继采用了两条计策，其一是佯装死去，迷惑魏齐。魏齐对范雎是不打死决不罢休，范雎看到这一点后即用此计，让魏齐要达到的目的在表面上实现，以此来遏止魏齐的摧残手段。范雎既无法改变魏齐的致死目的，又无力制止魏齐的致死手段，那么，佯死一计就成了他自我保护的最后一着。范雎相继的第二条逃生之计是贿赂守卒，争取协助。守卒乃奉命守尸，彼此无仇，范雎对其诱之以利，遂将其化作自己暗中的帮手。由于此计的实施，才使自己脱离虎窟，实现逃生。

范雎逃出后，投奔了一个叫郑安平的人，郑安平把范雎藏匿了起来，更名为张禄，以躲避魏齐的追捕。

当时的秦国国君是已上任三十多年的秦始皇的太爷爷——昭襄王，但实际上他没有实权，主要实权都在宣太后和穰侯魏冉手中。提起魏冉，他既忠心又能干，是当时秦国的定海神针，历任要职，也是他把昭襄王扶上宝座，消灭了所有抢夺王位的对手。在宣太后的支持下，他把内政外攻搞得虎虎生风，特别是白起，是他一手提拔起来的战神，当时权倾朝野，威震六国。

按说不用自己操心国事，有人搞得很好，是很好的福气。但是，昭襄王已不想再过这样的日子，对权力的渴望越来越大，已不满足于做配角的昭襄王想做导演来主宰剧情了。就在这个时候，范雎出现了。

范雎来到秦国，在王稽的安排下，去见秦王。从此，改变了战国时代的政治格局。他故意在宫中走错地方，候在秦王经过的地方。果然，秦王来了，太监驱逐不相干的人，看见范雎道：“快滚开，大王来了！”范雎故意大声道：“什么，秦国还有大王吗？”正在争吵的时候，秦昭襄王到了，只听见范雎还在那嘟囔：“只听说秦国有太后、穰侯，哪儿有什么大王？”这句话正中秦王的心病，于是秦王屏退众人，极其恭谨地请求指教，连问三次，范雎只是“嗯嗯啊啊”地应付两下。秦王道：“先生硬是不赐教寡人吗？”

范雎表示歉意说：“不敢如此啊。我听说当初吕尚和文王相遇时，身为渔夫在渭阳河边钓鱼。那时，他们很陌生。后来，吕尚一谏言，就被尊为太师，和文王同车回去，这是因为他谈得很深入的缘故。所以文王终因吕尚而建立了功业，拥有了天下。假如文王因与吕尚关系生疏，不和他深谈，周朝就不可能有天子的圣德，而文王、武王就不可能成为帝王了。”

在这里，范雎故意把秦昭王与古代的圣贤相提并论，既满足了秦昭王的虚荣心，又激励他礼贤下士。范雎还以吕尚自夸，将自己置于贤相之位。昭王却之，即等于自贬到桀、纣行列，这无疑可以让对方就范。

接下来二人之间的谈话自然而然就顺着他的意思进行了。范雎说道："现在我是寄居旅途的臣子，与大王关系疏远，而所想要陈述都是纠正中君偏差错失的事，而且还会关系到君王的骨肉之间，我虽然愿效愚忠，却不知大王心意如何，所以大王三问而不敢作答。我并非有所畏惧而不说，即使知道今天说了，明天就会被杀死，也在所不辞。大王真能按照我的计谋去做，死不足成为臣子的祸殃；流亡不足成为臣子的忧虑；浑身涂漆像生癞疮，披头散发装作发狂，不足成为臣子的耻辱。五帝是天下的圣人，但终究要死；三王是天下的仁人，但终究要死；五霸是天下的贤人，但终究要死；乌获是天下的大力士，但终究要死；孟贲、夏育是天下的勇士，但终究要死。这是人人都不可避免的，这是自然界的必然规律。如果能够稍补益于秦国，这就是我最大的愿望，我还有什么可顾虑的呢？伍子胥当年逃亡时，晚上出行，白天躲藏，到了凌水，吃不上饭饿着肚皮，双膝跪地，双手爬行，在吴市讨饭度日，但终于帮助阖闾复兴了吴国，使吴王阖闾建立了霸业。如果我有伍子胥一样能呈献计谋，即使遭到囚禁，终身不再出狱，只要能实现我的计谋，我还有什么可忧虑的呢？当初殷韩的箕子，楚国的接舆，漆身为癞，披发为狂，却终究无益于殷、楚。如果使我与箕子、接舆有同样的遭遇，也漆身为癞，只要有益于圣明的君王，这就是我最大的光荣，我又有什么可感到耻辱的呢？我所担心的是我死了以后，天下人见到我尽忠但身败，因此而闭口不言、裹足不前，没有人敢投奔秦国了。"这番慷慨悲壮之词使范雎更进一层，先是披肝沥胆，以情来感召秦王，接着说以利害，以杀贤误国震慑昭王，给自己的人身和地位争取了更大的安全系数。

经过充分的铺垫之后，范雎才道出实质问题，一下点出了秦国的弊端隐患："大王上怕太后的威严，下受奸臣的伪装迷惑，居深宫之中，左右不离师傅呵护，终身受到蒙蔽，没有人帮助鉴别奸邪，大则王室覆灭，小则自身陷于孤单危险的境地。这是臣最恐惧的。"

事实上，范雎的上述之弊端虽确有之，但不是治理秦国的当务之急。范雎之所以要大论此事，意在用"强干弱枝"来迎合昭王。同时，也借以推翻范雎将来立足秦廷的政敌，从而确立自己在秦国的地位。只要确定了地位，别的都可以顺理成章，范雎的良苦用心，由此可见一斑。

秦昭襄王推心置腹地说道："秦国偏僻遥远，寡人又笨拙而不贤明，先生竟能光临此地，这是上天让寡人打扰先生，从而使先王的宗庙得以保存啊。寡人能够受到先生的指导，这是上天宠幸先生而不抛弃我啊。先生怎么说这样的话呢！事不论大小，上至太后，下至大臣，都希望先生教导寡人，不要怀疑寡人。”范雎拜了两拜，秦王也拜了两拜。

下面的一席话，更是具有改写历史的重大意义，奠定了范雎在历史上的地位。

秦昭襄王很诚恳地说：“我诚恳地请先生指教。不管牵涉到谁，上至太后，下至朝廷百官，先生尽管直说。”

范雎游说秦王说：“凭借秦国的广阔疆域，士兵的骁勇善战，对付诸侯是轻而易举的事情。然而闭关自守十五年，不敢出兵去崤山以东的地方，这说明穰侯治理上存在着问题，而大王的策略也有一些失误的地方。”

秦昭襄王说：“希望先生指出我失策的地方。”

范雎说：“穰侯越过韩、魏两国去攻打齐国，这个计策不好。大王现在不如攻打邻近的诸侯，交好远方的国家，这样得到的领土就不容易丢失。现在韩、魏两国，地处中原，是天下的枢纽。大王要想夺取天下，就必须亲近韩、魏，以此威胁楚国和赵国。楚、赵两国一定会依附大王。楚国、赵国依附我们，齐国心里必然恐慌，如果这样的话，韩、魏两国当然能攥在手心里了。”

秦王点头称是：“你分析得太好了！”

当下，秦昭襄王就拜范雎为客卿，并且按照他的计策，把韩国、魏国作为主要的进攻目标。过了几年，秦昭襄王把相国穰侯撤了职，又不让太后参与朝政，正式拜范雎为丞相。

至此，范雎得志，忠心辅佐秦昭襄王成功统一之大志。

《史记·范雎蔡泽列传》记载：后五年，昭王用应侯谋，纵反间卖赵，赵以其故，令马服子代廉颇将。秦大破赵于长平，遂围邯郸。

范雎不仅是一位政治家，更是一位杰出的军事家。公元前260年，秦军大举北进，进攻赵国。赵国老将廉颇率兵迎敌，秦、赵两军相持于长平。秦兵虽然勇武善战，怎奈廉颇行军持重，坚筑营垒，等待时机与变化，迟迟不与秦兵决战。就这样，两军相持近两年，仍难分胜负。秦国君臣将士个个焦躁万分，却又束手无策。秦昭王问计于范雎：“廉颇智多，知秦军强而不轻易出战。秦兵道远难以持久，战事如此久拖不决，我军必将深陷泥淖，无力自拔，为之奈何？”范雎早已清醒地认识到问题的严重性，作为一名谋略家，他很快找到了问题的症结。他对赵国文臣武将的优劣了如指掌，深知只有除掉廉颇才会有所转机。于是，他沉吟片刻，向昭王献了一个有名的“反间计”。

范雎暗地里派人从便道进入赵都邯郸，用重金贿赂赵王的近臣，散布谣言说：“秦军最怕的是赵将赵奢之子赵括，年轻有为且精通兵法，如若为将，恐难胜之。而廉颇老且怯，屡战屡败，现已不敢出战，又为秦兵所迫，不日即将出降。”赵王听了之后，偏听偏信。忙派人向廉颇催战，而廉颇依旧“坚壁”之谋，不肯出战。赵王对廉颇先前损兵折将本已不满，今派人催战，却又固守不战，又不能驱敌于国门之外。于是轻信流言，顿时大起疑心，不辨真伪，匆忙拜赵括为上将，赐以黄金彩帛，增调20万精兵，持节前往以代廉颇。

赵括虽为名将赵奢之子，却也精通兵书，但仅限于纸上谈兵，呆板拘泥不知变通，而且骄傲自大。赵奢在死前曾上书告诫赵王，不要使他儿子为主将，可惜赵王没有听进去。

赵括到长平前线后，尽改廉颇往日约束，易置将校，调换防位，一时弄得全军上下人心浮动，紊乱不堪。秦国范雎得知这一消息后，知道赵国已入圈套，于是便暗中派武安君白起为主将，火速驰往长平，并约令军中：“有敢泄露武安君为将者斩！”

说起白起，他可谓是战国时期无与伦比的久经沙场的老将，能征善战、智勇双全。论帅才，赵括远不能与之相比；论兵力，赵军绝难与秦兵抗衡。范雎之所以秘行其事，目的就是使敌主松懈其志，以图出奇制胜。两军交战，白起佯败，赵括喜出望外，率兵穷追不舍，结果被秦军左右包抄，断了粮草，陷入重围。秦昭王闻报，亲自来到长平附近；尽发农家壮丁，分路掠夺赵人粮草；遏绝救兵。赵军被围困达46天，粮草断绝，士兵自相杀食，惨不忍睹。迫不得已，赵括把全军分为四队，轮番突围，均被秦军乱箭击退，赵括也中箭身亡。长平一战，秦军大获全胜，坑杀40万赵兵。此次战役，秦军先后消灭赵军45万，大大挫伤了雄踞北方的赵国的元气，使赵国从此一蹶不振。虽曾有赵国名士毛遂自荐，赴楚征援，又有魏国信陵君窃符救赵，也只能是争一时之生存，无法挽回赵国败亡的厄运。长平之战，在秦国历史上具有划时代的意义。而战后的秦国则是更加强大，雄视天下。

赵军长平大败，与范雎离间之计不无关系，他故意散布虚假情报，又买通赵国权臣巧言进谏，泄露给赵王，以至于后来换下久经沙场的老将廉颇，起用只会纸上谈兵的赵括，导致后来赵军惨败，也使赵国遭受了一次最沉痛的打击。

长平之战之所以全胜，可以说是范雎的功劳，因为正是他用反间计，使赵王临阵换掉名将廉颇，代之以只会纸上谈兵的赵括，从而获胜。

范雎为秦国的统一大业做出了杰出的贡献。然而“金无足赤，人无完人”，范雎由于其坎坷的经历和个人性格，就暴露出一些缺点。范雎是一个十分自私的人，为了一己私利犯了许多不可饶恕的罪过。他入主秦国进说秦王废太后，逐穰侯，安知他不是想坐穰侯的位置。其实这些还不算什么，所谓“人不为己，天诛地灭”为了达成自己的抱负，这也许只是范雎的一种手段。

范雎犯的第一个错误就是以权谋私，这与他早年所蒙受的无辜迫害有一定联系。我们知道，范雎曾被魏中大夫须贾所诬，受到相国魏齐的迫害，后来逃到秦国。范雎得志后，就利用职权报私仇，先廷辱须贾、后计杀魏齐，但对王稽与郑安平却非常关心。在他的精心安排下，王稽被任命为河东太守、郑安平被任命为将军，他还安排郑安平接替白起率兵攻赵，结果不但被赵国打得大败，郑安平还率两万士兵投降了赵国。

范雎所犯的最大罪过就是妒杀白起，这是纯粹的嫉贤妒能，正因这一缺陷，导致了在范雎执政后期秦在军事上的一系列失利。战役之后，正当白起欲乘胜追击，一举灭掉赵国时，范雎却嫉贤妒能，害怕白起的功劳超过自己，于是，说服秦昭王收兵。白起获知范雎暗中作梗后，就与之结怨。后来，在范雎的挑拨下，秦昭王先将白起贬为士卒，随后又令其自杀。

公元前257年，范雎廷辱须贾、智赚魏齐、妒杀白起后便遣亲将郑安平率兵进攻赵国。魏国信陵君无忌大破秦军于邯郸城下，郑安平率2万士卒降赵。依照秦法“任人而所任不善者，各以其罪罪之。”范雎当株连降敌大罪，受三族连坐之治。秦昭王念其功大，法外施仁，不但没有治范雎的罪，反而加赐食物，慰勉范雎。谁知，事隔仅两年，即公元前255年，范雎的另一亲信王稽，身为河东太守却与诸侯私通，事败后被赐以弃市重刑。

范雎还犯了一个错误，就是错用人。当时，他任用的王稽也不争气，竟“里通外国”。在当时，按照秦律，这些罪过应受到株连，并祸及三族，秦昭王念其功劳大，并没有追究。

追根究底，一切都源于私心。对于范雎，太史公是这样评价的：“一饭之德必偿，睚眦之怨必报。”或许范雎就是这样一个人，他既有功于秦国，同时也做了一些不可饶恕的事。

范雎犯了那么多不可饶恕的罪过，尽管秦昭王仍未追究其责任，但范雎却深深感到了害怕，因为白起之死与王稽、郑安平的被提拔重用，都是他一手策划的。此后，他经过再三考虑，不得不放弃荣华与权力，称病辞去相位，退出政治舞台。而其中有一个起决定性作用的人，那就是蔡泽。其实，在决定让位之前，范雎一点让位的动机也没有。士人蔡泽来自燕国，所谓士人就是平头百姓。战国时期出了很多了不起的士人，像苏秦、张仪、孙膑等等都是。

当然，范雎在让出相位时，郑重地向秦王推举了蔡泽。蔡泽从此完成了自己由平民到宰相的蜕变。历史往往就是如此，有时候一个言论一项举措就能改变其命运。

《史记·范雎蔡泽列传》记载：“昭王欲以激励应侯。应侯惧，不知所出。蔡泽闻之，往入秦也……使人宣言以感怒应侯曰：‘燕客蔡泽，天下雄俊弘辩智士也。彼一见秦王，秦王必困君而夺君之位。’应侯闻，曰：‘五帝三代之事，百家之说，吾既知之，众口之辩，吾皆摧之，是恶能困我而夺我位乎？’使人召蔡泽……蔡泽复曰：‘富贵显荣，成理万物，使各得其所；性命寿长，终其天年而不夭伤；天下继其统，守其业，传之无穷；名实纯粹，泽流千里，世世称之而无绝，与天地终始：岂道德之符而圣人所谓吉祥善事者与？’应侯曰：‘然。’……范雎免相，昭王新说蔡泽计划，遂拜为秦相。”

范雎接连涉嫌，秦昭王虽未深究，然范雎心中自是别样滋味，言行举止格外小心谨慎。一天，秦昭王临朝兴叹：“现今武安君既死，郑安平、王稽等或叛或降，外多强敌而内无良将，吾恐楚国铁剑利而将士勇，倡优拙而思虑远，借以图秦，实堪忧虑！”范雎听出弦外之音，情知失宠，地位岌岌可危，且惭且惧，不得不思谋退身之计。于是，借病退避，闲居家中，不肯上朝。

当蔡泽听说范雎的手下犯了重罪，马上意识到正在鼎盛时期的范雎已开始有了隐患。深明盛极则衰道理的他，知道自己说服权臣、飞黄腾达的机会终于来临。于是，蔡泽来到秦国。此人其貌不扬，且身无分文，然其才华出众，尤其擅长辩才。他曾广游列国，屡以其学干政，但是始终无人赏识他。此时获悉范雎失意，于是急忙赶至相府。如同当年范雎语激昭王一般，他扬言：“燕客蔡泽，为天下雄辩之士。如果他受到秦王接见，必可夺取范雎相位。”应侯范雎听说后，很想见识见识这位口出狂言大语者。于是，他召见了蔡泽，傲然问道：“先生有何术竟能夺我相位？”蔡泽很镇静地回答道：“唉！您的见识多么的落后啊！众所周知，君明反直为举国犬福，父慈子孝、夫信妻贞为一家大幸。然而，比干忠正却不能存于殷，申生孝敬却不能完于晋。原因何在？性命和功名都能获得的人，是上等人；功名可以被后人效法，牺牲了性命的人，是下等的人；功名蒙受耻辱，并丧失了性命的人，是下下等人。”讲到这里，范雎连连称是。蔡泽把范雎的这一举动看在眼里，认为有机会了，接着说：“商鞅、吴起、文种诸人，竭力尽忠，功高盖世，然而却惨遭诛戮，不得身名俱全，甚为可悲。现以君侯而论，声名功绩不如上述三子，然而禄位贵盛、私家富厚却有过之而无不及。再看秦王信君侯，又不如秦孝公信商鞅，楚悼王信吴起、越王勾践信文种。当此之时，尚不知进退之术，我诚恐君祸患深于商鞅等人。君岂不知：一年四季，运转不息，无功者来，成功者去，这是十分简单的道理；日中则移，月满则亏，物盛则衰，这是天地常数；进退盈缩，与时变化，这是圣人大道。可惜凡夫俗子，惑于私利，以致昏聩不悟。正如鸿鹄、犀、象，所居之处本远离险地，但为香饵引诱，终不免于死。书中有言：成功之下，不可久处。君侯相秦，计不下座席，谋不出廊庙，坐制诸侯，利施三川，以实宜阳；决羊肠之险，塞太行之道，斩断三秦通途，令六国不得合纵；栈道千里通于蜀汉，使天下皆畏秦。秦之欲已得，君之功至极，正当秦国分功之时，却不思退避，则有商鞅、吴起、文种之祸。君何不让归相印，择贤者而授之。”

蔡泽论人事、谈安危，句句动人，字字惊心。范雎到底是位智者，一点即通。最终，被蔡泽所说服。

一天，范雎向秦王谏言道：“臣结识了一位关东的贤者，名叫蔡泽。此人能言善辩，博古通今，能力远在微臣之上，能够更好地辅佐您治理国家。为此，臣冒昧地向您荐举此人代替臣之相位。”秦昭王五十二年，范雎称病辞去相位，不久死于其封地应城。

范雎只是听了蔡泽一番建议，就决定卸下官服，在那个时代，实属大气。

尽管他也难以避免政治品格上的瑕疵，仍不失为秦国历史上的名相。在他相秦的十余年，对秦国的历史发展起到了继往开来的推动作用，给中华民族的外交奇计宝库增添了光彩。他的退出，也算是功成身退了。

在辅佐秦昭王时，他的作用主要表现在两方面：

第一，在秦国推行“远交近攻”的方针，从而事半功倍，驾驭了复杂的局势。

第二，帮助秦昭王独揽大权，政出一门，为专权打下了基础。当时，范雎是这样劝说秦王的：诗曰：“木实繁者披其枝，披其枝者伤其心；大其都者危其国，尊其臣者卑其主。”可以说，如果没有范雎这个人物的出现，历史或许就是另一番景象。真是如此的话，也许秦昭王仍是暗弱无力的君王，更别说统一诸侯国了，权力尽失也不是不可能。范雎改变了一切，甚至也改变了历史的进程。范雎呼风唤雨，如鱼得水，从他进谏秦王杀死头号功臣白起就可以看出，他在秦国的权力之大足可见证。范雎替赵国人报了白起坑杀40万赵国降卒的深仇大恨。六国的人杀死原先的头号敌人，而且是不费吹灰之力，也幽默得可以。

秦国之所以能吞并六国，靠的就是吞并方针，这正是六国之一的魏国人——范雎所制定的。由此可见，六国——至少是魏国，实乃自掘坟墓。有暴秦虎视眈眈，危若累卵，六国仍继续着他们的窝里斗，直到把一流人才赶到敌人那里去。从这一点看，七国归于统一，实在是早晚的事。当时，对于诸侯国来说，让他们和平相处、相安无事，几乎是不可能的。试想一下，如果当年没有范雎被须贾、魏齐陷害之事，魏国重用范雎，魏国或许还有强于一时的可能性，但要改写历史是绝对不可能的。

正所谓：“顺之者昌，逆之者亡。”范雎相于秦，正好顺乎中国政治的大形势，所以才被写上了重重的一笔。

蔺相如

蔺相如，籍贯及生卒年不详，赵国宦官头目缪贤的家臣，后代为战国时期著名的政治家、外交家、军事家。

蔺相如作为一名舍人，按正常升迁，很难位居国相地位，但秦赵之间的尖锐斗争，为其提供了脱颖而出的机会。

秦昭王（前307年—前251年）于赵惠文王十六年（前283年）向赵提出以15城易赵之“和氏璧”。这是强国对弱国进行的一场政治讹诈。消息传来，赵国君臣明知是讹诈，却无可奈何。如作应允，显然“秦城恐不可得”。如不应允，秦便轻易得到出兵赵国的借口，赵便面临战争的威胁。这种被动情况，正是弱国外交难以为继的必然形势。

蔺相如在这紧要关头，出面打破僵局。他对比秦赵实力，说明赵虽不能以武力相抗，但可从道义的曲直着眼，采取“宁许以负秦曲”的策略，来揭穿秦的骗局，使秦得不到出兵的借口，而赵在道义上取得主动。策略得到赞成，蔺相如自报“愿奉璧往使”，并保证：“城入赵而璧留秦，城不入，臣请完璧归赵。”

蔺相如到秦国后，将和氏璧献上，秦昭王大喜，却全无将城邑给赵之意。蔺相如诓说玉上有一小疵点，要指给秦昭王看，拿回了宝玉。他在廷柱旁站定，说：赵王担心秦国自恃强大，得和氏璧而不给城邑，经过我劝说方才答应。赵王斋戒5天，然后才让我捧璧前来，以示对秦国威严的尊重和敬意。不料大王礼仪简慢，毫无交割城邑的诚意，现在若大王一定要抢走宝玉，我宁可将脑袋与宝玉一起在柱子上撞碎。秦昭王无奈，只得划出15座城邑给赵。蔺相如估计秦昭王不过是假意应付，便提出要秦昭王也应斋戒5日，再郑重其事地交换。秦昭王只好应允。蔺相如便派随从怀藏和氏璧，偷偷从小道返回赵国。秦昭王斋戒完毕，举行交换仪式时，蔺相如才把送和氏璧回赵之事告诉秦昭王，从而保全了和氏璧。

赵惠文王二十年（前279年）的秦赵“渑池会’，是秦对赵的又一次政治胁迫。当时，秦已连败赵国，故赵王畏秦，在秦约赵王赴会时，赵王“欲毋行”。蔺相如认为：“王不行，示赵弱胆怯也。”故自报奉陪赵王赴会。在会谈中，以其机敏和雄辩，阻止了秦的欺侮，挫败了秦的胁迫，再次获得外交斗争的胜利。

廉颇为赵之良将，屡立战功，威震诸侯，拜为上卿。蔺相如的两次外交斗争的胜利，与廉颇的统军镇守密不可分，秦仅以外交活动试探虚实，也正是慑于廉颇的武力。对此，蔺相如有清醒的认识，而居功自傲的廉颇却不识大体，在相如因功大拜为上卿，且位在自己之上时，极为气愤，公然宣言："吾见相如，必辱之。"拉开了较量的架势。

针对廉颇的挑战，蔺相如的对策是：每遇上朝，常称病不去，不与廉颇争位次；道遇廉颇，多引车避匿，以免发生冲突。当门人认为受到侮辱，纷纷要求离去时，蔺相如向他们表白了心迹："强秦之所以不敢加兵于赵者，徒以吾两人在也。今两虎相斗，其势不俱生，吾所以为此者，以先国家之急而后私仇也。"

这顾全大局、感人肺腑的剖白，不仅使门客恍然大悟，深受感动，就是蓄意折辱相如的廉颇听后，也顿觉无地自容。他悔恨交加，立即负荆请罪，于是二人成刎颈之交。将相之和，保证了赵国在之后15年内，团结一致，共同抗秦。

赵惠文王死后，赵孝成王继位，年少，太后用事，赵国的另一上卿赵奢已去世，蔺相如病重。秦国于赵孝成王四年（前262年）动用大军进攻赵国之长平（今山西高平县西北），为避开秦军的强大攻势，廉颇屯兵固壁不战。在双方相持3年之久后，秦派人离间赵王，促使赵王起用毫无作战经验的赵括代替持重稳健的廉颇，这一阴谋逃脱不了蔺相如的慧眼，他带病劝说赵王："王以名使括，若胶柱而鼓瑟耳。括徒能读其父书传，不知合变也。"但赵王不听，终于导致了长平惨败，损兵45万，元气大伤，从此赵国每况愈下，于代王嘉六年（前222年）为秦国所灭。

蔺相如的一生，是在维护祖国的尊严，保卫赵国政权的斗争中度过的。就其行事来看，显然是一位有着深厚政治素养和卓越识见的政治家，而他与廉颇"将相和"的故事，又谱写了一曲精忠爱国的赞歌。这支歌，人们世代相传，激发着强烈的爱国情感，起着净化人们心灵世界的重要的教育意义，已成为我国传统文化中最为宝贵的精神财富。

苏 秦

苏秦（？—前284年），字季子，雒阳（今河南洛阳）人，战国时期著名的纵横家、外交家和谋略家。

苏秦出身寒门，却少有大志。据传他随鬼谷子学游说术，“东事师于齐，而习之于鬼谷先生。”学成之后，苏秦曾先后游说周、秦、赵等国，然而均不为所用，遭受到很多困难、挫折，只得回家。家里人看到他趿拉着草鞋，挑副破担子，一副狼狈样。他父母狠狠地骂了他一顿；他妻子坐在织机上织帛，连看也没看他一眼；他求嫂子给他做饭吃，嫂子不理他扭身走开了。

苏秦受了很大刺激，决心争一口气。他咬牙决定一切从零开始，发愤读书，将各国之间的利害关系吃透；他找来古代的《阴符经》，日日苦读，揣摩其中博大精深的谋略，并与当时七国的种种利害冲突联系起来研究。在足足一年的苦读期间，苏秦没吃过一顿饱饭，睡过一次好觉，每当打瞌睡的时候，就拿铁锥子刺痛自己，鲜血随即流下来，一直淌到了大腿上。一年后，苏秦已对时局了如指掌，便制定了一系列针对时势的战略。连他自己都得意地说：“这真是能够说动当世君侯们的策略啊！”

苏秦再度出山游说，这次他首先来到相对来说最为弱小的燕国。晋见燕文侯时，他陈述了燕与别的国家结盟的必要性：燕之所以能够安乐无事，不受到强秦的侵犯，是因为南面有赵国作屏障。秦要攻燕，必须经过赵而跋涉千里，赵要攻燕，不需百里即抵燕都。赵国之所以不攻打燕国，全因为强秦在后面牵制，而燕却正好可以利用这个机会与赵国结盟，共同抵抗强秦，防患于未然。所谓“夫不忧百里之患而重千里之外，计无过于此者。”于是，苏秦建议燕侯先与赵国结好，然后再与其他各国联盟抗秦，这样，燕国就可保安全。出色的口才和一语中的的言论打动了燕文侯的心，于是燕文侯拿出车马金帛助他去赵国游说。

苏秦来到赵国之后，便以燕国使者的身份晋见赵侯。他向赵肃侯指出，秦国强大，早就有入侵中原之念。凭各国的实力，都难以单独抵抗强秦，如若各国都争相讨好秦国，将来势必被秦国各个击破。若各国联合，则“地五倍、兵十倍于秦”，攻一国而各国援助，则秦虽强，亦不敢轻举安动。各国亦可相安无事。因此，苏秦请赵侯出面倡议六国合纵抗秦。赵侯当即就采纳了他的建议，并且拜苏秦为相国，派他去游说各国，以订立合纵盟约。苏秦遂又以赵国使者的身份，去其余各国说以利害，并成功地得到各国君主的赞同。回到赵国之后，被封为武安君。至此，苏秦可谓是“不鸣则已，一鸣惊人”。单凭自己那三寸不烂之舌，竟促成了前所未有的六国同盟。他的身价也随之提升百倍。

当苏秦被浩浩荡荡的车马簇拥着前去出使楚国时，途中经过了故乡洛阳。他的父母听说他回来了，赶紧雇人来粉刷房子，把路打扫干净，准备了音乐、宴席，跑到13里外的地方去迎接。他老婆见到他时毕恭毕敬，不敢抬头正眼看他。当初虐待他的嫂嫂从地上爬过去，跪在他的面前向他道歉，请求他原谅自己当年的怠慢。苏秦对世态炎凉感慨不已，他深深地感受到了富贵权势的重要性。

不久之后，六国国君于赵国洹水（今河南境内）之上，歃血为盟，合纵抗秦。封苏秦为“从约长”，佩六国相印。并派人将六国盟约之事向秦国通报。

秦国得知六国合纵抗秦之后甚为吃惊。随即，秦惠文王采纳了大臣们的建议，用软硬兼施的方法引起六国之间相互猜疑，以拆散合纵。首先派人去最近的魏国，归还了从魏国夺来的几座城池，然后又派人去最远的燕国，将女儿嫁给了燕国太子。于是，魏、燕两国同秦国和好起来。赵侯得知之后，责问苏秦为何会出现这种情况。苏秦十分惶恐，立刻出发，去平息这场同盟中的“内乱”。

苏秦首先又来到燕国。此时，燕文侯已死，太子即位，是为燕易王。齐国趁燕国办丧事之机攻燕，连克城池十余座。燕王便以齐国归还城池为条件，命苏秦以“从约长”的身份出使齐国。如若齐国归还城池，燕国便同秦国断绝来往。

苏秦去齐，晋见齐威王，先行祝贺之礼，接着又行哀悼之礼。齐威王不解，问其原因。苏秦道，人饿得再厉害也不会去吃有毒的乌头籽，吃得越多，死得也就越快。燕和秦是联姻之国，齐国占领燕国的城池就等于是与强秦结下了仇怨。这就如同饥饿之人去吃乌头籽一样！齐国实在是大难即将临头。齐威王闻言大惊，忙向苏秦请教解危之法。于是苏秦就建议齐威王归还夺来的城池，这样燕王喜欢，秦王也一定会高兴。齐威王以之为是，竟然立刻照办。

回到燕国之后，苏秦又受到了燕王的封赏。这却引发了一些嫉妒他的人在燕王面前说了他许多坏话。苏秦见自己再呆在燕国不安全，就假装得罪燕王，逃到了齐国。齐威王用他为客卿。谁知后来齐国一些疑忌他的大臣竟然雇佣刺客向他行刺。临终之前，他向齐王建议，在他死之后，以大罪车裂于市，并悬赏行刺之人，这样就一定能抓到刺客。齐王依计行事，果然不久刺客就伏法就诛。一代纵横家也就以这样惨壮的形式结束了他传奇的一生。

作为一个纵横家，苏秦是成功的，作为一个历史人物，苏秦确有其值得称道之精神。当然，我们也不难看出，贯穿苏秦奋斗过程的内在动力是其对功名利禄的热衷与追求。因此从这一点上也许可以说苏秦不过利欲熏心之人。但从当时历史条件来看，战国时期，诸侯争霸，战争和外交活动频繁，以高官厚禄招纳谋臣策士成为当时诸国君的时尚，身负过人韬略及进取精神，自觉地选择追求功名利禄是苏秦实现自我价值的最好也可能是唯一途径。世态炎凉、人情淡薄也是苏秦重名重利可以原谅的一个原因。

吕不韦

吕不韦（约前290年—前235年），中国战国时代卫国著名商人，卫国濮阳（今河南濮阳南）人。战国后期著名政治家，后位及秦相，在秦为相十三年。广招门客以“兼儒墨，合名法”为思想中心，合力编撰《吕氏春秋》，有系统性地提出自己的政治主张，后为先秦杂家代表人物之一。

吕不韦原为阳翟大商人，因“贩贱卖贵”而“家累千金”。在赵国邯郸经商时，结识了在赵作为人质的秦公子异人（后改名子楚），认为得到此人是“奇货可居”，决定帮助嬴异人返回秦国，又将妻子赵姬夏莲送给嬴异人，资助子楚千金，将嬴异人接返秦国。

吕不韦一方面用金钱帮助异人，为异人安排好生活，另一方面又到秦国游说，为异人争取得到继承王位的资格。当时，秦国在位的是秦孝文王，他的宠妻华阳夫人无子，吕不韦通过华阳夫人的弟弟阳泉君，买通华阳夫人，立异人为太子。

秦孝文王去世了，子楚继位。他就是秦庄襄王。庄襄王尊奉为母的华阳王后为华阳太后，生母夏姬被尊称为夏太后。庄襄王元年（前249年）任命吕不韦为丞相，封为文信侯，河南洛阳十万户作为他的食邑。

庄襄王即位三年之后死去，太子赵政继立为王，尊奉吕不韦为相邦，称他为“仲父”。秦王年纪还小，太后常常和吕不韦私通。吕不韦家有奴仆万人。

在那时魏国有信陵君，楚国有春申君，赵国有平原君，齐国有孟尝君，他们都礼贤下士，结交宾客。并在这方面要争个高低上下。吕不韦认为秦国如此强大，把不如他们当成一件令人羞愧的事。所以他也招来了文人学士，给他们优厚的待遇，门下食客多达三千人。那时，各诸侯国有许多才辩之士，像荀卿那班人著书立说流行天下。吕不韦就命他的食客各自将所见所闻记下，综合在一起成为八览、六论、十二纪共二十多万言。自己认为其中包括了天地万物、古往今来的事理，所以号称《吕氏春秋》。并将之刊布。在咸阳的城门上面，悬挂着“一字千金”的赏金，遍请各诸侯国的游士宾客，若有人能增删一字，就给予一千金的奖励。

过了几年，秦王政越来越大了，但太后一直淫乱不止。吕不韦唯恐事情败露，灾祸降临在自己头上，就暗地寻求了一个叫嫪毐的人去引诱太后。太后很是喜欢他。吕不韦又暗中对太后说："你可以让嫪毐假装受了宫刑，就可以在供职宫中的人员中得到他。"太后就偷偷地送给主持宫刑的官吏许多东西，假装处罚嫪毐，拔掉了他的胡须，假充宦官。这就得以侍奉太后。太后暗地和他通奸，特别喜爱他。后来太后怀孕在身，恐怕别人知道，假称算卦不吉，需要换一个环境来躲避一下，就迁移到雍地的宫殿中居住。嫪毐一直跟着太后，得到的赏赐非常丰厚，而太后凡事也都由嫪毐决定。

秦王政九年（前238年），有人告发嫪毐实际并不是宦官，常常和太后淫乱私通，并生下两个儿子，并把他们隐藏起来，还和太后密谋说："若是秦王死去，就立这儿子继位。"于是秦王命法官严查此事，把事情真相全部弄清，事情牵连到相国吕不韦。这年九月秦王下令把嫪毐家三族人众全部杀死，又杀死太后所生的两个儿子并把太后迁到雍地居住。

秦王政十年（前237年十月），免去了吕不韦的相邦职务。等到齐人茅焦劝说秦王，秦王这才到雍地迎接太后，使她又回归咸阳，但把吕不韦遣出京城，前往河南的封地。

又过了一年多，各诸侯国的宾客使者络绎不绝前来问候吕不韦。秦王恐怕他发动叛乱，就写信给吕不韦说："你对秦国有何功劳？秦国封你在河南食邑十万户。你与秦王有什么血缘关系而号称仲父？你与家属都一概迁到蜀地去居住。"吕不韦一想到自己已经逐渐被逼迫，害怕日后被杀，就喝下鸩酒自杀而死。

纵观吕不韦的一生，他没有在治国的大政方针上出现失误，是从政的高手；却在情感的小圈子里丧失理性，迷失方向，导致身败名裂，令人深思。

李　斯

李斯（约公元前284年—公元前208年），李氏，名斯，字通古。战国末期楚国上蔡（今河南上蔡）人。秦代著名的政治家、文学家和书法家。

李斯早年为郡小吏，，后拜荀子为师，学习帝王之术、治国之道。学业完成以后，他分析了当时的形势，认为“楚国不足事，而六国皆弱”，唯有秦国具备统一天下，创立帝业的条件，于是他决定到秦国去施展自己的才能与抱负。

公元前247年，李斯来到秦国，先在吕不韦手下做门客，取得吕的信任后，当上了秦王政（嬴政，即秦始皇）的侍卫。李斯利用经常接近秦王的机会，给秦王上了《论统一书》，劝说秦王抓紧“万世之一时”的良机，“灭诸侯成帝业”，实现“天下一统”。秦王政欣然接受了李斯的建议，先任命他为长史，后又拜为客卿，命其制定吞并六国，统一天下的策略。

公元前237年，秦国宗室贵族借口韩国水工郑国在秦搞间谍活动，要求秦王下令驱逐六国客卿，李斯也在被逐之列。李斯在被逐离秦途中，写了《谏逐客书》，劝秦王收回成命。他在《谏逐客书》中，列举大量历史事实，说明客卿辅秦之功，力陈逐客之失，劝秦王为成就统一大业，要不讲国别，不分地域，广集人才。秦王看了《谏逐客书》深受感动，立即取消了逐客令，并恢复了李斯的官职，不久又提升了他当廷尉。《谏逐客书》不仅是具有重要价值的历史文献，而且也是一篇脍炙人口的优秀文章。鲁迅先生曾说：“秦之文章，李斯一人而已。”

李斯重新受到秦王政的重用后，他以卓越的政治才能和远见，顺应历史发展的趋势，辅助秦王政制定了吞并六国，实现统一的策略，并努力组织实施。结果仅仅用了十年的时间，就先后灭了六国，于公元前221年建立了我国历史上第一个统一的、中央集权制的封建国家，第一次完成了统一大业。

秦朝建立以后，李斯升任丞相。他继续辅佐秦始皇，在巩固秦朝政权，维护国家统一，促进经济和文化的发展等方面屡建奇功。他建议秦始皇废除了造成诸侯分裂割据、长期混战的分封制，实行郡县制。把全国分为36郡（后增加到41郡），郡下设县、乡，归中央直接统辖，官吏由中央任免。在中央设三公、九卿，分管国家大事。这一整套封建中央集权制度，从根本上铲除了诸侯王国分裂割据的祸根，对巩固国家统一，促进社会发展起了积极作用。所以，这一制度在秦以后的封建社会里一直沿用了近两千年。

秦统一后，由于过去各诸侯国长期分裂割据，语言、文字有很大差异，对于国家的统一和经济、文化的发展极端不利。李斯及时地向秦始皇提出了统一文字的建议，并亲自主持这一工作，他以秦国文字为基础，废除异体字，简化字形，整理部首，形成了笔画比较简单、形体较为规范，而且便于书写的小篆（也称秦篆和斯篆），作为标准文字。他还亲自用小篆书写了一部《仓颉篇》，作为范本，推行全国。小篆的出现是汉字发展史上的一大进步。鲁迅先生说：李斯在我国文学史上是有“殊勋”的。现在，中国历史博物馆还收藏有李斯亲书的琅玡刻石，山东泰山岱庙现存有李斯篆书的秦二世诏书刻石的残片。这些刻石虽已严重残损，但它是我国已发现的最早文字刻石，实为稀世珍宝。

李斯还在统一法律、货币、度量衡和车轨等方面付出了巨大努力，做出了重大贡献。此外，人们所熟知的“焚书坑儒”，也是李斯建议为打击儒生以古非今、诽谤朝政的倒行逆施，为巩固中央集权所采取的非常措施。这在当时历史条件下，不无积极作用，但它毕竟是我国文化史上的一次大浩劫，对我国秦以前文化典籍的破坏是极其严重的。

公元前210年，秦始皇死后，李斯为保全自己的既得利益，附和赵高伪造遗诏，立少子胡亥为帝，赵高篡权后又施展阴谋，诬陷李斯谋反，将其处以五种酷刑：黥刑（在脸上刺字）、劓刑（割掉鼻子）、断舌、砍趾后，腰斩于市，并夷灭三族。

李斯的处世哲学是“老鼠哲学”。人是一只老鼠，同样是老鼠，但有粮仓老鼠和过街老鼠之分。我要当一只粮仓里的老鼠。为这一目标，李斯奋斗了一生。临死的时候长叹一声：“仓鼠上越高，摔越远。”

曹参

曹参（？—前190年），汉初丞相。秦末泗水沛（今属江苏）人。封平阳侯。谥“懿侯”。他早年与萧何一起追随刘邦。继萧何为相后，他遵循“萧规曹随”的原则，维护了国家政策的连续性，从而维持了汉初的繁荣稳定。

《史记·曹相国世家》记载：“平阳侯曹参者，沛人也。秦时为沛狱掾，而萧何为主吏，居县为豪吏矣。

高祖为沛公而初起也，参以中涓从。将击胡陵、方与，攻秦监公军，大破之。东下薛，击泗水守军薛郭西。复攻胡陵，取之。徙守方与。方与反为魏，击之。丰反为魏，攻之。赐爵七大夫。击秦司马夷军砀东，破之，取砀、狐父、祁善置。又攻下邑以西，至虞，击章邯车骑。攻爰戚及亢父，先登。迁为五大夫。北救阿，击章邯军，陷陈，追至濮阳。攻定陶，取临济。南救雍丘。击李由军，破之，杀李由，虏秦候一人。秦将章邯破杀项梁也，沛公与项羽引而东。楚怀王以沛公为砀郡长，将砀郡兵。于是乃封参为执帛，号曰建成君。迁为戚公，属砀郡……”

在刘邦起兵反秦时，曹参以中涓的身份跟随刘邦。曹参率军进击胡陵、方与，攻打秦朝郡监的军队，大破敌兵。他向东拿下薛县，在薛县外城的西面进击泗水郡郡守的军队。然后又攻打胡陵，夺取了它。曹参率军转移去守卫方与。方与已经反叛，投降了魏王，曹参就进击方与。丰邑也反叛投降魏王，曹参又去攻打丰邑。刘邦赐给曹参士大夫的爵位。曹参在砀县东面进击秦朝司马夷的军队，打败了它，夺取了砀县、狐父和祁县的善置驿。曹参又攻打下邑以西的地方，一直到虞县，进击章邯的军队。攻打爰戚和亢父时，曹参最先登上城楼。曹参官职升为五大夫。他向北救援东阿，进击章邯的军队，攻陷陈县，追击到濮阳。他攻打定陶，夺取临济。他往南救援雍丘，进击李由的军队，打败了它，杀掉李由，俘虏秦朝军侯一人。这时秦将章邯打败项梁的军队，杀死项梁，沛公与项羽率军东归。楚怀王任命沛公为砀郡长，统领砀郡的军队。沛公封曹参为执帛，号称建成君。后来，曹参又被提升为爰戚县县令，隶属砀郡。

此后，曹参跟随刘邦攻打东郡郡尉的军队，在成武南面打败了敌军。

在成阳南面进击王离的军队，在杠里又跟王离军队交锋，结果使王离大败。追击败逃的敌军，向西到了开封，进击赵贲的军队，打败了它，把赵贲围在开封城中。向西在曲遇进击秦朝将领杨熊的军队，打败了它，俘虏了秦朝的司马及御史各一人。曹参升为执珪，跟随刘邦攻打阳武，拿下辕、缑氏，封锁黄河渡口，回军进击赵贲的军队，在尸乡的北面打败了它。跟随刘邦向南攻打犨（chōu，抽）邑，在阳城外城以东与南阳郡郡守吕交战，攻破了吕军队的阵列，夺取了宛县，俘虏了吕，完全平定了南阳郡。跟随刘邦向西攻打武关、峣关，夺取了这两个关口。就在蓝田的南面攻打秦朝的军队，又在夜间攻打蓝田的北面，大败秦军，随即到达咸阳，灭亡了秦朝。

项羽到关中，封刘邦为汉王。刘邦又封曹参为建成侯。曹参跟随汉王到了关中，升为将军。又跟随汉王回军平定三秦，起初攻打下辩、故道、雍县、台县。在好畤的南面进击章平的军队，打败了它，包围好畤，夺取了壤乡。在壤乡东面和高栎一带进击三秦的军队，打败了它。又包围了章平，章平从好畤突围逃跑。于是进击赵贲和内史保的军队，打败了它。向东夺取了咸阳，把咸阳改名叫新城。曹参率兵守卫景陵20天，三秦派章平等人进攻曹参，曹参出兵迎击，大败敌军。刘邦把宁秦赐给曹参作食邑。曹参以将军的身份领兵在废丘包围了章邯，以中尉的身份跟随刘邦出临晋关。到了河内，拿下修武，从围津渡过黄河，向东在定陶进击龙且、项伯的军队，打败了它。向东攻取了砀县、萧县、彭城。进击项籍的军队，汉军大败逃跑。曹参以中尉的身份包围夺取了雍丘。汉将王武在外黄反叛，程处在燕县反叛，曹参率军前往进击，都打败了他们。柱天侯在衍氏反叛，曹参又击败叛军，夺回了衍氏。在昆阳攻打羽婴，追击到叶邑。回军攻打武强，随即又打到荥阳。曹参从汉中做将军、中尉，跟随刘邦扫荡诸侯，到项羽战败，回到荥阳，前后用了两年的时间。

公元前205年，任命曹参代理左丞相，领兵进驻关中。过了一个多月，魏王豹反叛，曹参与韩信率军向东在东张攻打魏将军孙遬的军队，大败孙遬的军队。乘势进攻安邑，捕获魏将王襄。在曲阳进击魏王，追到武垣，活捉了魏王豹。夺取了平阳，捕得魏王的母亲、妻子、儿女，全部平定魏地，共得52座城邑。刘邦把平阳赐给曹参作食邑。曹参后来又跟随韩信在邬县东面进击赵国相国夏说的军队，大败夏说的军队，斩杀了夏说。韩信与原常山王张耳率兵至井陉，攻打成安君陈余，同时命令曹参回军把赵国的别将戚将军围困在邬县城中。戚将军突围逃跑，曹参追击并斩杀了他。于是曹参率兵到敖仓汉王的营地。这时韩信已经打垮了赵国，做了相国，向东攻打齐国。曹参以左丞相的身份隶属韩信，击溃了齐国历下的军队，于是夺取了临淄。回军平定济北郡，攻打着县、漯阴、平原、鬲县、卢县。不久跟随韩信在上假密进击龙且的军队，大败敌军，斩了龙且，俘虏了他的部将周兰。平定了齐国，总共得到70余县。捕获了原齐王田广的丞相田光、代替丞相留守的许章和原齐国的胶东将军田既。韩信做了齐王，领兵到了陈县，与汉王会合，共同打败了项羽，而曹参留下来平定齐国尚未降服的地方。

刘邦打败项羽后，曹操以功食邑平阳630万户，号平阳侯。刘邦拜他为齐相国，辅佐刘肥。齐是大国，刘肥“王七十余城，民能齐言者，皆属齐”。齐国民情“伪诈多变”，加之多年战争的破坏，经济凋敝，民不聊生。在这种情况下，如何治理齐成了一个重大的难题。于是决定让曹参去治理齐国，到了齐国后曹参未用武力，便使齐治得井井有条。

曹参戎马一生，“身被七十创，攻城略地，功最多。”“凡下二国，县百二十二；得王二人，相三人，将军六人，大莫敖、郡守、司马、候、御史各一人。”《史记》、《汉书》对曹参的战功记述颇多，可以说，曹参的野战之功最大，即使平生战无不胜的韩信也无法与之匹敌。所以，汉朝建立后，论功行赏时大臣们都推荐曹参为首功大臣，但刘邦因为处人因素让曹参屈居于萧何之下。曹参到底有何过人之处，竟得到众大臣的一致认可？

曹参是刘邦集团中的骨干人物，与萧何一内一外并称当世俱是刘邦股肱之臣。相比萧何，他的历史影响逊色不少，甚至很少人能够记得住他的战功，也许正是因为有个“萧规曹随”的成语，才使世人对他有些记忆。这对一个攻取70余城的出色战将以及治国能相来说，无疑是个最大的耻辱。

曹参战功累累，却不能显于天下，这是为什么呢？据了解，与他属于沛县利益集团一员有一定关系，因为他要和刘邦一起抵御来自项羽的进攻，毫无疑问没有人能抵御战力处于巅峰期的项羽所率领的楚兵。至于战败后收拾一些不堪一击的城池，显然不能为其正名。曹参就是如此挣扎在项羽的光环里，等到有了机会把项羽围在垓下后，却又出来一个能征善战的韩信。在万般无奈之下，曹参只能领着一千人马在齐地扫荡，拱手让出了歼灭项羽的荣誉。世人无人不知韩信主导了十里埋伏打垮项羽的战局。

但又有多少人能了解，在此之前项羽已经被刘邦大部队攻得人困马乏了，只是碍于项羽的声威才没能一举击溃之。从某种意义上说，韩信占了个大大的便宜。而曹参可以说是功不可没，然而却不能像萧何、张良、韩信那样璀璨地展现在人们的眼前！

当然，曹参生在那个风起云涌的秦朝末年，走进了波澜壮阔的反叛大潮中，他是幸运的，能够一展自己才能。同时他也是不幸的，因为他处于萧何和韩信的夹缝中，战功虽显赫，但没有韩信的大谋略，治国虽拿手，却没有萧何的大手笔。于是徒拥有出将入相的能耐却不能成就一世的盛名。当然，不管如何，曹参璀璨的人生还是在历史中留下了印记。

《史记·曹相国世家》记载："孝惠帝元年，除诸侯相国法，更以参为齐丞相。参之相齐，齐七十城。天下初定，悼惠王富于春秋，参尽召长老诸生，问所以安集百姓，如齐故诸儒以百数，言人人殊，参未知所定。闻胶西有盖公，善治黄老言，使人厚币请之。既见盖公，盖公为言治道贵清静而民自定，推此类具言之。参于是避正堂，舍盖公焉。其治要用黄老术，故相齐九年，齐国安集，大称贤相。"

曹参本来是个将军，汉高祖封长子刘肥做齐王时，又封曹参为齐相。那时，天下刚安定下来，但是经过秦末战乱再加上四年的"楚汉战争"。社会经济一片破败凋敝，当时百姓穷困，国库空虚，人口锐减。曹参面对这样一个烂摊子，怎么才能使经济发展、社会稳定呢？他认识到摆在他面前的头等大事，就是要让老百姓摆脱战争的苦难，给以休养生息的机会。他清醒地感到，过去是靠在马上用武力夺取了天下，现在天下统一了，不能再凭借武力来治理天下了。于是，曹参到齐国后就立即把一些德高望重的长者和一批有才干的知识分子召来，虚心地向他们请教，如何才能把百姓安抚？如何才能把破败的国家治理好？因为召集来的有好几百人，每个人只是按照自己的认识来谈，所以提出的办法也五花八门，有的竟不着边际。这么大的事，众说纷纭，搞得曹参无所适从，时间很难做出决断。

后来，曹参打听到当地有一个挺有名望的隐士叫盖公，擅长于研究道家黄老"无为而治"的学说，有治国的才能。思贤若渴的曹参就立即派人带着厚礼恭敬地把胶西盖公请来。盖公来了以后，曹参礼贤下士，亲自拜见，向盖公请教治世安民之道。盖公看到曹参竟是如此的真心诚意，深深地感动了，于是就向他建议当前治理齐国应该采取清静无为的方法。

盖公对曹参说："只要上面的官府清静，不生事，不扰民，那么下面的老百姓自然生活就安定了。百姓安定后，社会经济随之就能得到恢复和发展，国家自然就可治理好了。”

曹参听了盖公的话后，如“拨云见日，茅塞顿开”，于是决定留盖公在齐国，并把自己住的正房让出来，请盖公住，以便随时为他治国出谋划策。曹参在齐国担任相国的九年中，按照黄老“无为而治”的办法制定各项政策，不准官员去打扰百姓，严惩做坏事祸害百姓的官员，起用一批老成持重又爱护民力的官员，使齐国经济很快得到恢复和发展。原来动荡不安的社会日趋稳定，百姓也因此过上了太平、安稳的日子，曹参因此被齐国人称颂为贤明的丞相。

俗话说：“新官上任三把火”，刚刚上任的新官往往喜欢推翻原来的计划和做法，不然怎么显得自己有领导水平。而曹参却没有这样做，他遵照道家的“无为”之说，老老实实地按照前任萧何的规章来办。

当然曹参这样做并不是无所作为的，史书中说：“参为相国，遵何之政。择郡国吏谨厚者则除为丞相史，其文刻深务声名者，辄斥去之。”（东汉荀悦撰《前汉纪》）从这几句话中我们可以看出，曹参对官员的选拔是很慎重的，选择忠厚谨慎的人当官，巧嘴滑舌好浮华的人都被炒鱿鱼。其实这正是最重要的地方，国家的腐败和灭亡往往就是从吏治的败坏而开始的。曹参做好了人才选拔工作以后，他并没有像诸葛亮一样事必躬亲，也没有整夜批改文件，而是整天喝酒取乐，这就是一种黄老之术。

后来，窦太后和文景二帝也都喜欢道家的黄老之术，也正是因为这样，使得汉朝当时的经济高速发展，人民奔上了幸福的小康路！

《史记·曹相国世家》记载：“曹相国参攻城野战之功所以能多若此者，以与淮阴侯俱。及信已灭，而列侯成功，唯独参擅其名。参为汉相国，清静极言合道。然百姓离秦之酷后，参与休息无为，故天下俱称其美矣。”曹参开启了无为而治的先河。现在人们提到汉朝，便会想到“文景之治”，论及“文景之治”，便会想到无为而治的黄老之学。真正实践无为而治并取得巨大成效的，曹参算是中国历史上的第一人。

惠帝二年（前193），萧何死后，曹参被任命为汉朝的第二代丞相，仍然以治齐之术治汉朝，施政办事，一遵萧何约束，无所变更。对萧何时所任用的官员，一个也不加以变动，原有官员依然各司其职。曹参从不加以干预他们按职权范围该处理的事情。因此在朝廷丞相变动的关键时刻，没有引起一丝波动，朝中君臣和原来一样的相安无事，朝政也和原来一样井然有序。

在齐国任丞相时，曹参就选用了一批老成持重、不扰民的官员，按照无为而治的方针治理齐国所以取得了显著成效。从他上任后，就慢慢地把一些能言善辩、油嘴滑舌、沽名钓誉、舞文弄墨的刀笔吏都调走或斥退了，并从各地方的官员中挑选了一些不会夸夸其谈而崇尚实干，稳重忠厚又爱民的人到丞相府来任职。他担心官员扰民、害民，就苦心地把自己装扮成一个什么事也不管，什么事也不做，成天只是喝酒、聊天的丞相，许多官员都不理解。有几个朝中大臣，看到新丞相来了以后，对朝廷的事什么也不管不问，一天到晚就和人在丞相府喝酒聊天，十分着急。有些性急的官员就到丞相府来求见，想对曹参提出忠告，同时为他献计献策。曹参对这些官员来的目的早已洞察于心，所以凡有客人来，他不等他们开口谈朝廷大事，就把他们拖到酒桌上，并打岔说："先喝酒，喝酒，有什么事喝完酒再慢慢地谈。"几杯酒下肚后，曹参还不想谈正事，客人心想不能白来一趟，总想抓住机会谈正事。可曹参一看客人要开口谈正事了，就马上叫人敬酒，不让客人有任何开口的机会。他一杯接一杯地劝客人喝酒，直到把客人灌醉。

不久，吏多仿效曹参，日夜饮酒高歌。从官对此很反感，但无可奈何。他们借相舍后园与吏舍靠近的条件，请曹参游后园，让他听到醉吏的狂叫，想乘机请求他惩治那些人。曹参非但不惩治醉吏，反而"取酒张坐饮，亦歌呼，与相应和。"

汉惠帝看到曹丞相一天到晚都请人喝酒聊天，好像根本就不用心为他治理国家。惠帝感到很纳闷，又想不出所以然来，只以为是曹相国嫌他太年轻了，轻视他，不愿意尽心尽力来辅佐他。惠帝左想右想总感到心里没底，为此很着急。

有一天，惠帝就对在朝廷担任中大夫的曹窋（曹参的儿子）说："你回家的时候，找个机会问问你父亲，高祖归了天，皇上那么年轻，国家大事全靠相国来主持。可他天天喝酒，不管事，这样下去能够把国家治理好吗？看看你父亲如何回答。"

曹窋回家把惠帝的话一五一十跟曹参说了一遍。曹参一听恼羞成怒，骂道："你这种毛孩子懂什么，国家大事哪里有你说话的份。"说着，竟叫仆人拿板子来，把曹窋打了一顿。曹窋莫名其妙地受了责打，非常委屈，回宫后当然向汉惠帝诉说了此事。汉惠帝更莫名其妙，弄不清到底是怎么回事。

第二天下了朝，汉惠帝把曹参留下，责备他说："你为什么要责打曹窋呢？他说的那些话是我的意思，也是我让他去规劝你的。"曹参听了惠帝的话后，立即摘帽，跪在地下不断叩头谢罪。汉惠帝叫他起来后，又说："你有什么想法，请照直说吧！"曹参就大胆地说出了自己的想法："请陛下好好地想想，您跟先帝相比，谁更贤明英武呢？"惠帝马上回答道："我怎么敢和先帝相提并论呢？"曹参又问："陛下看我的德才跟萧何相国相比，谁强呢？"汉惠帝笑着说："我看你目前还比不上萧相国。"

曹参又说道："陛下您说得十分对，既然您的贤能不如先帝，我的德才又比不上萧相国，那么先帝与萧相国在统一天下以后，陆续制定了许多明确而又完备的法令，在执行中又都是卓有成效的，难道我们还能制定出超过他们的法令规章来吗？"接着他又诚恳地对惠帝说："现在陛下是继承守业，而不是在创业，因此，我们这些做大臣的，就更应该遵照先帝遗愿，谨慎从事，恪守职责。对已经制定并执行过的法令规章，就更不应该乱加改动，而只能是遵照执行。我现在这样照章办事不是很好吗？"汉惠帝听后为曹参的真诚所感动，说："我知道该怎么做了，你不必再说了！"

从这段对话中，如果说曹参是一个有自知之明的人，倒不如说他是一个具备老子大智慧的人。敢于直面皇帝否定自己的能力，试问普天之下有几个人做得到。只有真正自信的人才能很坦然地面对自己的不足，一个能认清自己不足的人是伟大的人。当然曹参虽然自谦地认为自己才能不及萧何，但并不一定他真的不如萧何，而是为了说服孝惠帝行无为之政。

曹参用他的黄老学说，做了三年相国。由于那时正处于长期战争的动乱之后，百姓需要安定，他那套办法没有给百姓增加更多的负担。他死后，百姓们编了一首歌谣称颂他说："萧何定法律，明白又整齐；曹参接任后，遵守不偏离。施政贵清静，百姓心欢喜。"历史上把这件事称为"萧规曹随"。

然而，有一些无知的世人总是拿萧何和曹参做比较，而品评的惟一结果就是曹参远不如萧何有能耐。世人会说，曹参只能跟在萧何的屁股后头转悠会有什么本事啊！其实世人哪里知道其中的真谛啊！曹参之所以不改萧何定下的规矩，并不说他没有本事定出一部新的规定来，而是他深深知道凭萧何的能力就可把汉朝治理好了，没有必要为了自己的名声而搞出一套新的体制。曹参跟随的不是萧何的规定，而是老庄的无为无不为的思路。

的确，曹参要诡计阴谋不及陈平，论攻城略地不及韩信，讲运筹帷幄不及张良，谈制定政策不及萧何，若论综合方面的才能在汉臣之中却无人能及。但也因其没有某一方面的过人才能，以至于世人不能很好地认清他的才能，从而多看轻他的作为。不过这也许正合了曹参的心境吧，相信信奉老庄的曹参了解大名无名的人生至高境界。

曹参是一个杰出的政治家，这无须怀疑。凭萧何的行事风格，他会把一个庸才推荐给刘邦吗？更何况，凭刘邦识人用人的本领也不可能将一无能之辈推上相位的。

经过以上分析，一个清晰的曹参出现了。攻战勇猛，治国沉稳，淡泊名利。由此可看出，曹参真正对汉有大贡献的不是他当初跟随刘邦攻城拔寨野战之功，而是他奠定了汉初执政的基调，直接带来了大汉的盛世。

曹参这种秉承前人，无所作为的政治哲学，是一种大智慧。既然前人已有较好的规制和大政方针，那为什么还要再折腾呢？按照做就是最好的方针。

大智慧与小聪明有很大的区别。大智慧行于可行，止于当止，审时度势，尤以不玩小聪明为最。小聪明则以不知为知，前不见古人，后不见来者，天低吴楚，眼高手低，折腾些小玩意为“大手笔”。《论语·卫灵公》说：“无为而治者，其舜也与？夫何为哉？恭己正南面而已矣。”意思是说，从容安静而使天下太平的人，从古至今也只有舜了，他到底怎样做的？恭敬、端正地坐在朝南面的天子位上而已。

世事向前，有所作为，想弄些新的东西不能说不好，但有时，尊重前任的既有成果，“无为”而治，比自己的“创新”，更难能可贵。

一切从实际情形出发。“为赋新词强说愁”似的硬做，不仅没必要，而且劳民伤财。有时，像曹参一样，照着前人既定的做就行了。守成平实如水，有时却是一种了不起的智慧和聪明。

曹参为西汉王朝开国功臣。继萧何为相国后，举事无所变更，按照萧何制订的成法行事。在他任相国的三年里，收到了很大的成效。汉初的安定局面得到了巩固和发展。当时百姓歌颂说：“萧何为法，讲若画一；曹参代之，守而勿失。载其清靖，民以宁壹。”经曹参的提倡，道家的无为之说遂成为汉初封建统治者的指导思想。其后出现的文景之治，与此不无关系。曹参作为汉初推行“无为而治”的代表人物，对于恢复经济，“安集百姓”的贡献，至少不下于他的军功。

陈　平

陈平（？—前178年），阳武（今河南原阳东南）人，汉朝初期重要谋士之一，为刘邦建立汉朝立下汗马功劳，吕后死后又与将军周勃匡扶汉室。到了汉文帝时，先任右丞相，之后又任左丞相。

陈平小时候家境十分穷困，父母早丧，与哥哥和嫂子一起过日子。但他酷爱读书，醉心于黄老学说、治世之术，还经常到处游学。陈平的哥哥陈伯见其喜欢交游，便承担了家中的全部劳动，使其有时间出外游学。有一年，正逢社祭，人们推举陈平为社庙里的社宰，主持祭社神，为大家分肉，陈平把肉一块块分得十分均匀。为此，父老乡亲纷纷赞扬他说："陈平这孩子分祭肉分得真好，太称职了！"陈平却感慨地说："假使我陈平能有机会治理天下，也能像分肉一样称职。"

秦朝末年，各地农民起义风起云涌。陈平曾先后跟随过魏王和西楚霸王项羽，因不受重用与信任而离开，后来经人引荐才投靠了刘邦。二人纵论天下，言语之中非常投机，刘邦就留他在身边做参乘（陪刘邦出行，驾驭马车的官员），监护三军将校。虽然刘邦阵营里不乏聪明才智之人，但陈平奇计多且善于谋略应变的才能，深得刘邦信任。陈平跟随刘邦征战时，在紧要关头出了六次妙计，解除了刘邦的困境，化危机为转机，为建立西汉王朝和巩固江山立下了汗马功劳。

公元前203年，楚汉战争到了最激烈的时刻。刘邦被项羽围困在荥阳城内达一年之久，并被断绝了外援和粮草通道。陈平买通了楚军的一些将领，散布谣言说："在项王的部下里，范增的功劳最大，但却不能裂土称王。他已经和汉王约定好了，共同消灭项羽，分占项羽的国土。"这些话传到项羽的耳朵里，使他起了疑心，再也不相信范增，迫使范增告老还乡，郁闷而死。"反间计"是陈平"六出奇计"中的第一计。公元前203年5月，项羽猛攻荥阳，形势十分危急。陈平献计让一个将军化装成刘邦的样子，率领2000名年轻妇女从东门出去投降。楚兵都争先恐后地涌向东门观看年轻妇女，等"刘邦"慢慢走到楚营近前，项羽才发现此人不是汉王。而真正的刘邦则乘着东门一片混乱，从西门逃去了。"乔装诱敌"，是陈平"六出奇计"中的第二计。公元前203年11月，汉军大将韩信在山东节节胜利，军威大振。在刘邦与楚军交战失利时，韩信却派遣使者前来，要求刘邦封他为假王，刘邦听后勃然大怒。但陈平、张良深知韩信文武全才，又手握重兵，并且远在山东，刘邦根本没有能力阻止他称王。最终，刘邦听从了陈平、张良的建议，顺水推舟封韩信为齐王，稳住这支十分重要的力量，避免了汉军分裂。“联齐灭楚”，是陈平“六出奇计”中的第三计。看到项羽准备东渡淮河，陈平料到项羽已到了穷途末路，因此对刘邦说：“现在我们已经占据了大半个天下，而且各路诸侯也都诚心诚意地来依附我们。相反楚军连年作战，疲惫不堪，粮食也快吃光了，此时正是灭掉楚国的大好时机。假如不抓住时机去攻打楚军，将‘养虎遗患’！”刘邦采纳了陈平的建议，立即发兵攻打项羽。公元前202年12月，项羽的军队被围在垓下，汉军采取“十面埋伏”之计，击溃项羽，迫使他退至乌江自刎而亡。至此，结束了将近四年的楚汉战争。“乘胜追击”是陈平“六出奇计”中的第四计。公元前202年2月，有人上书告发楚王韩信谋反，刘邦随即准备发兵讨伐韩信。陈平献计说：“古时，天子时常巡狩四方，会见各地诸侯。南方有一云梦泽，陛下何不声言出游此地，会诸侯于陈。陈是楚地西界，韩信必然到此迎驾。那时，陛下欲擒拿韩信，只需一个力士就足以成功。”刘邦依计而行，果然一举擒缚韩信，将其贬为淮阴侯。“计擒韩信”是陈平“六出奇计”中的第五计。汉朝新建，忙于安抚国内，无暇顾及塞外。这时，长城北面的匈奴乘机南下。公元前200年冬，刘邦统率32万骑兵、步兵亲征，却被匈奴冒顿单于率40万精锐骑兵包围于白登山（今山西大同市东面）。陈平忽生妙计，他派遣使臣乘雾下山向阏氏（单于的王后）献上了许多的金银珠宝和一幅美人图画，并说：“汉帝被单于包围，非常愿意罢兵言和。所以把金银珠宝送给您，请您代向单于求情，可又怕单于不答应，准备把国中的第一美人献给单于。因为美人现在不在军中，所以先把她的画像呈上。”醋意大发的阏氏想方设法劝说冒顿撤了兵“白登解围”是陈平“六出奇计”中的第六计。陈平因功先后受封为户牖侯和曲逆侯。

汉高祖死后，吕后以陈平为郎中令，教惠帝。惠帝六年（前189），与王陵并为左、右丞相。王陵免相后陈平擢为右丞相，但因吕后大封诸吕为王，陈平被削夺实权。吕后死，陈平与太尉周勃合谋平定诸吕之乱，迎立代王为文帝（见汉文帝刘恒）。文帝初，陈平让位周勃，徙为左丞相，因明于职守，受到文帝赞赏。不久周勃罢相，陈平专为丞相。孝文二年死。

陈平是西汉王朝的开国功臣，自从跟随了刘邦，陈平将自己的聪明才智发挥到了极致，屡屡为刘邦献上重要计谋，在刘邦开创大汉王朝的历史中写下重重的一笔。

萧 何

萧何（前257年—前193年），汉族，沛丰人，早年任秦沛县狱吏，秦末辅佐刘邦起义。攻克咸阳后，他接收了秦丞相、御史府所藏的律令、图书，掌握了全国的山川险要、郡县户口，对日后制定政策和取得楚汉战争胜利起了重要作用。楚汉战争时，他留守关中，使关中成为汉军的巩固后方，不断地输送士卒粮饷支援作战，对刘邦战胜项羽，建立汉代起了重要作用。萧何采摭秦六法，重新制定律令制度，作为《九章律》。在法律思想上，主张无为，喜好黄老之术。汉十一年（前196年）又协助刘邦消灭韩信、英布等异姓诸侯王。刘邦死后，他辅佐汉惠帝。惠帝二年（前193年）七月辛未去世，谥号“文终侯”。

萧何，生于周赧王五十八年（公元前257年），年轻时任沛县（今江苏沛县）功曹，就是县里狱吏。他平时勤奋好学，思想机敏，对历代律令颇有研究。萧何生性勤俭节约，从不奢侈浪费。性格随和，很善于识人，结交了许多好朋友。其中秦泗水亭长刘邦，屠夫樊哙，狱掾曹参，车夫夏侯婴，还有吹鼓手周勃（名将周亚夫的父亲），由于他们年龄相近，性格相同，不久便成了莫逆之交。尤其是对刘邦，感情更不一般。他见刘邦器宇轩昂，风骨不凡，谈吐也有别于众人，是大贵之相，所以对他格外佩服，并曾多次利用职权暗中袒护他。

公元前206年10月，刘邦率大军兵临咸阳城。秦三世子婴设计杀了奸相赵高，献出玉玺，向刘邦投降，秦朝宣告灭亡。刘邦大军进入咸阳后，将领们都争先恐后地奔向储藏金银财宝的仓库去分东西，唯独萧何把秦朝的法律诏令和图书文献收藏起来。紧接着，项羽率部也来到咸阳，赶走了刘邦，屠杀了秦三世，放火烧了阿房宫，然后离去。而萧何所收藏的这些秦朝重要资料，则幸免于难。同年，刘邦入巴蜀，为汉王，他让萧何当丞相。萧何就利用这些秦朝的国家信息，使刘邦对全国各处的险关要塞，户口多少，兵力强弱，风俗民情等等了如指掌，为日后楚汉战争的胜利和西汉政权的建立，起到了巨大的作用，这也足见萧何的深谋远虑。

刘邦被封为汉王后，萧何劝说刘邦以巴蜀为基地，与民休息，招纳贤才，然后还定三秦，再与项羽争夺天下，并推荐韩信为大将军。楚汉战争时，萧何以丞相专任关中事，他侍从太子，为法令约束，使关中成为汉军的巩固后方。楚汉相持于荥阳、成皋时，刘邦屡遭挫败，失军亡众，军无现粮，萧何及时调遣关中兵卒驰援，并转漕供给军用，保证了前线兵员粮饷的供应，促使战局发生了根本转机。公元前202年2月28日，刘邦称帝，他深有感触地对群臣说："运筹于帷幄之中，决胜于千里之外，我不比张良；镇国家、抚百姓、供军需、给粮饷，我不比萧何；指挥百万大军，战必胜，攻必克，我不比韩信。这三个人都是人中豪杰，他们为我所用，所以我能取得天下。项羽只有一个范增还不去重用，因此失败。"刘邦认为张良、萧何、韩信是他最得力的功臣，这三人亦被称为"汉初三杰"。刘邦称帝后，以萧何功最高，位次第一，食邑八千户，悉封其父母兄弟十余人皆食邑。刘邦又以原订的三章约法不足以"御奸"，命萧何重新制订律令。萧何采摭秦法，酌加新律，作为《九章律》。高帝十一年（前196），因助吕后定计收捕淮阴侯韩信，被拜为相国。

除了在政治上的作为，萧何与韩信还有一段"成也萧何，败也萧何"的故事。

韩信年轻时带剑投奔项梁，默默无闻；后隶属项羽，也只做个郎中，他多次献策以求重用，项羽都未采纳。刘邦入蜀时，韩信弃楚而投汉，依然默默无闻，只任迎宾小吏，却因犯法被处斩刑，刀口下出狂言，惊动滕公夏侯婴，荐为治粟都尉；是萧何发现了韩信这奇才，但仍未获重用。军至南郑，韩信自觉出头无日，便随众将逃亡。萧何未及请示，便月下追韩信。有人向刘邦报告丞相也逃亡了，刘邦惊怒。过了两天，萧何回来，刘邦且喜且怒，怒曰："你为何也逃跑？"萧何曰："我不敢逃跑，是去追逃跑的人。"刘邦得知他去追韩信，曰："将领们跑了数十人，你不去追，却偏偏只追韩信一个，难道不是假的嘛！"萧何曰："诸将易得耳。至如信者，国士无双。大王若只想称王汉中，就用不着韩信；若要争夺天下，除了韩信，没有第二个人可同您共谋大事的了！"于是劝刘邦选择吉日良辰，斋戒设坛，隆重拜韩信为大将。一夜之间，韩信从一无名小卒继位上将军。一统三军，这就是"成也萧何"。楚汉战争中，韩信是"一人之下，万人之上"的齐王；公元前202年二月，刘邦做了皇帝以后，为了巩固新兴的西汉政权，便开始了逐一地翦灭异姓王的斗争。他见韩信功高望重，且握有兵权，便首先从他身上下手。其实，早在韩信为大将军后，刘邦便对韩信有所疑忌。他一方面巧妙地利用韩信攻城略地，为汉王朝的开创立下了赫赫战功；另一方面，待自己羽翼丰满、实力雄厚之后，便开始一步步地排挤、贬低韩信。在楚汉战争中，当韩信在北线破魏平赵，收燕伐齐后，便虚抚韩信，封他为齐王；待汉军兵围楚军于垓下、最后消灭项羽后，刘邦旋即改封韩信为楚王，使其远离根基深厚的齐地；其后又借巡游云梦泽之机，设计擒住韩信，并以谋杀罪将其押回京都，软禁起来，同时削去了韩信的兵权，最后将其降为只有虚名的淮阴侯。公元前197年，阳夏侯陈稀举兵谋反，自立为王。刘邦亲率大军前去征讨。当时韩信推说自己有病，没有随同前往。谁知，韩信手下的人上书告发，说陈稀造反是韩信的主意，韩信与陈稀秘密约定，里应外合，由韩信做内应，准备在一天夜里，假传圣旨，释放囚在牢里的所有奴隶和犯人，干掉吕后和皇太子刘盈，然后共取天下。吕后一听事关重大，便急忙秘密召见丞相萧何，商量对策。二人商定对策后，由萧何去执行。

萧何回到家中，心中百感交集，依计派出一名心腹，打扮成军人模样，偷偷绕到北边转了一圈，回来故意称是皇上派来报信的，说陈稀已全军覆没，皇上就要凯旋回朝。众臣听到捷报，都来宫中贺喜，只有韩信称病不出。第二天，萧何就派人请韩信到相府赴宴，谁知韩信自称有病，婉言谢绝了。于是，萧何便亲自来到韩信府上，以探病为由，直接进入韩信的内室。韩信见萧何已经来了，再也无法推托，只得与萧何寒暄一番。萧何说："我和你向来是好朋友，请你去赴宴，是有话对你说。"韩信忙问有什么话。萧何说："这几天皇上从赵地发来捷报，说征讨大军大获全胜，陈稀已经逃至匈奴。你称有病不上朝，已经引起人们的怀疑了。现在皇上打了胜仗，大家都去朝贺，你不去，这样恐怕不好吧。"萧何说得很有道理，韩信才勉为其难。何况萧何是他原保之人，更是深信不疑，便跟着萧何来到长乐殿向吕后道贺。岂不知宫里早已埋伏着刀斧手，吕后一见韩信中计，喝令刀斧手将韩信绑翻在地。韩信见事不妙，急忙呼叫："萧丞相快来救我！"哪知萧何早已避开，哪里还呼喊得应？吕后坐在长乐殿上，尽数了韩信如何与陈稀暗约谋反，如何欲害她和太子等罪，也不容韩信申辩，便令刀斧手把他拖到殿旁钟室中杀死。随后，吕后又下令将韩信的父、母、妻三族一股脑捕杀净尽。这就是"败也萧何"。

萧何辅助吕后，诛杀韩信，很符合汉帝"固根基"的方略，是为刘邦除去了一块心病。刘邦对萧何更加恩宠，加封五千户。

汉高祖刘邦病逝后，太子刘盈即位，是为惠帝。萧何继任丞相。不过这时，萧何年事已高。这期间，萧何在“约法三章”的基础上，参照秦法，制定了汉朝《九章律》，成为汉朝律令的开端。

公元前193年，汉惠帝亲自探望卧病不起的萧何，并征求他对丞相接班人的意见。萧何力荐曹参。实际上，萧何与曹参的矛盾很深，但是萧何为国举贤，不计前嫌，是真正的“宰相肚子能撑船。”

惠帝二年（前193年）七月辛未，萧何去世，谥号“文终侯”。

周恩来说：“刘邦百战百败，却屡败屡起，靠的就是萧何为他当宰相，经营关中做他的根据地，要人有人，要钱有钱，要粮有粮。项羽百战百胜，却经不起一败；一败涂地，一败就亡，原因之一是没有萧何这样的宰相。”可见，萧何为汉朝的建立立下汗马功劳，对历史的发展具有重大贡献。

张　良

张良（约公元前250年—前186年），字子房，汉初政治家、军事家，西汉开国元勋，史称“汉初三杰”之一。生于阳翟（今禹州市），故居在城南张得乡张得村。

张良的爷爷名叫张开地，父亲名叫张平（传说张平乳名张得），两代为韩国宰相，辅保五代韩王。韩国被秦灭后，张良在淮阳找到一位大力士，恰遇秦始皇东游，他便与大力士埋伏在博浪沙中（今河南原阳县东南），待秦王经过时，力士以锥击之。可惜误中副车，没有杀死秦王。秦王求索刺客，张良遂改名换姓，逃亡到下邳（今江苏睢宁县北）。

张良年轻时曾步游在圯桥上，有个老头走近张良，把脚上的鞋踢落到桥下，对张良说：“年轻人，下去把鞋给我拾上来。”张良见是个老人，就到桥下把鞋给他拾了上来。老者又伸脚说：“给我穿上。”张良就跪在地上给他把鞋穿上。老者笑笑说：“孺子可教，五天后平明在此与我相会。”到第五天平明，张良来到圯桥时，老者已先在那里。老人说：“你与老人约会，怎么后到！再后五天，早点来。”五天后，五更鸡叫时，张良便赶到圯桥，老人又先到了。老人说：“怎么又后到！再五天后早来。”再五天后，张良半夜前往。稍候，老者来了。他给了张良一本书，对张良说：“读此，可当王者之师。后十年，你将兴起。后十三年，你在谷城山下（今山东平阴县西南），见一块黄石，那就是我。”说罢就不见了。天明后，张良看这本书，书名是《太公兵法》。

十年之后，陈胜起兵，张良也聚了一百余人，到留城（今江苏沛县东南），遇见沛公刘邦带领起义军几千人，占领了下邳一带。张良归从了刘邦。刘邦封张良为厩将，到薛城（今山东省南部）见了另两位起义军领袖项梁和项羽。他们立楚王之孙为楚怀王，以便号召百姓。张良又建议立韩国公子韩成为王，以便树党略地。韩成被立为王之后，组建了武装，西掠韩地十余城。项、刘便相互约定，分路指向咸阳，先至者为王。项军走北路，在巨鹿遇秦军，鏖战数日，才获胜利。刘邦令韩王成守阳翟（今禹州市）。自与良引兵南下，过南阳，至武关，遇到强势秦军据险固守。刘邦欲击秦军。张良说：“秦军尚强，不可轻取。可先给秦将贾竖送去金银，以懈其军心，然后击之。”刘邦照计办理，果然速获全胜，就先到了咸阳。秦王子婴向刘邦投降。

刘邦入秦宫，见重宝、妇女，数以千计，欲践“先至者为王”之约。张良说：“秦王无道，你才能战胜他而来到这里。现今项羽更强，有实力，你入秦就享其乐，为形势所不许可。”于是，刘邦就把秦宫封存起来，自己还军霸上（今西安市东），据隘固守，等待项羽。

项羽随后经函谷关来到咸阳，驻扎在鸿门下（今陕西临潼县东北），打算击灭刘邦。张良劝刘邦央求项伯对项羽说：“刘邦不敢背叛，据隘防守，是防范其他盗贼，请把汉中地封给刘邦。”项羽假意答应了，请刘邦到鸿门赴宴。宴席前，让项庄舞剑，意在刺杀刘邦。张良给刘邦递了个暗号，刘邦假意如厕，离席逃回霸上，史称“鸿门宴”。

“鸿门宴”后，项羽置刘邦于不顾，率兵血洗咸阳，焚烧阿房宫，大火三月不灭。秦人大失所望。第二年，项羽自立为西楚霸王，都彭城（今徐州市），封刘邦为汉王，居汉中、巴蜀之地。为防止刘邦东归，项羽又封原秦国的三员降将：章邯为雍王，领咸阳以西；司马欣为塞王，领咸阳以东至黄河以西；董翳为翟（dí狄）王，领上郡之地（今陕西北部，古翟人聚居地）。项羽如此三分关中，史称“三秦”。张良看透了项羽的心思，便劝刘邦烧掉了从汉中通往咸阳的栈道，并由张良去对项羽表白说，刘邦安居巴蜀，无心外出。然后趁项羽不加提防时，刘邦却从汉中暗度陈仓小道，占领了三秦之地。紧接着，刘邦又策划东征楚霸王项羽。张良劝刘邦先封赏黥布、彭越、韩信三员骁将，而后东征。刘邦听从张良的建议，遂赖此三将打败了项羽。

汉刘邦三年（公元前204年），刘邦打算封六国之后。张良说：“天下游士从你征战，应得封赏。你把国土封给六国之后，无地封赏你的群臣，他们便去保那六国之后。六国之后若去从楚，便没人保汉朝了。”刘邦遂止。后韩信破齐，欲自立为王，刘邦怒，张良附其耳曰：“你能挡住韩信自立为王么？不如先封他，落个人情。”刘邦遂封韩信为“三齐王”，避免了一场大分裂。项羽军至垓下（今安徽省灵璧县南）被汉军包围，张良献计，让士兵在夜间都说楚地的方言，唱楚地的民歌。项羽听了大惊，以为汉王尽得了楚地。他的八千子弟兵也勾起了乡思，无心恋战，楚军便突围四散，项羽的霸业最后失败。此即“四面楚歌。”

刘邦封功臣，以张良能“运筹帷幄之中，决胜千里之外”，要封他为齐三万户侯。张良说：“我不敢接受这样厚的封赏。我初见皇上是在留城，但愿封到留城那个小镇就可以了。”于是，被封为留侯。

张良在去世后，谥为文成侯（也称谥号文成），此后世人也尊称他为谋圣。

张良以出色的智谋，协助汉高祖刘邦在楚汉之争中最终夺得天下。待大功告成之后，张良及时功成身退，避免了韩信、彭越等鸟尽弓藏的下场。张良作为一个谋士，他在后世广为人传诵的却是他那孺子可教、不慕名利、功成身退的强烈人格魅力，德才智勇四绝。刘邦曾赞其“运筹帷幄之中，决胜于千里外，子房功也”。

贾 谊

贾谊（公元前200年—公元前168年），是西汉著名的大儒，人称贾生、贾子、贾长沙。

汉高帝七年（前200年），贾谊出生，这个时代正是西汉政权刚刚建立的年代，它既给贾谊带来了施展才华的机遇，也给他的人生带来了坎坷和痛苦。

贾谊的童年和少年时期，基本上生活在一个和平稳定的环境之中，他的生活也基本上是以读书习文为主。18岁时，他便以能诵诗书擅写文章而闻名于郡中。当时的名士河南守吴廷尉欣赏他的才学俱优，将他列置门下。

公元前180年，汉文帝刘恒即位。听闻河南守吴公颇有学识，且政绩卓著，便征召吴公为廷尉。汉元帝元年（前179年），贾谊在老师吴廷尉的推荐下，被征召入朝，立为博士。一年之中，又被破格晋升为太中大夫。从此，22岁的贾谊便踏上了仕途，成为西汉政治集团中的一员。

汉文帝对贾谊很器重，在把他破格提升为太中大夫，又与诸大臣商议，想把他升为公卿，但遭到群臣的反对。此后，汉文帝开始有意疏远贾谊，并将他派去当长沙王的太傅。

在政治上受挫的贾谊辞别了京城，来到了地处偏远的长沙。他听说长沙地势低，湿度大，自认为此去长沙将寿命不长，而且又因为是被贬谪，心情非常不好，常常拿自己与屈原作比。在这种情况下，他便写下了千古流传的《吊屈原赋》。

汉文帝七年（前173年），文帝思念远在长沙的贾谊，于是将他召进皇宫。当文帝听完贾谊的一番宏论后，十分感慨地说："吾久不见贾生，自以为过之，今不及也。"过不多久，汉文帝拜贾谊为梁怀王的太傅。在任梁怀王太傅期间，贾谊仍对政事十分关注，而且敢于发表自己的见解，写下了如《治安策》、《过秦论》等名篇。在《过秦论》里，贾谊比较全面地论述了秦朝速亡的惨痛教训，他认为秦国吞并六国实现统一的原因是用了"诈力"。在统一完成之后，他认为秦应该及时改变统治方式，但是，秦还是推行法家所提倡的严酷法制，对轻罪也是施以重罚，最终导致矛盾激化，短期内便灭亡了。《治安策》则是对于社会的黑暗面进行了全面而深刻的剖析，然后提供了比较中肯的对策。在他看来，封建统治的长治久安，仰赖于统治者对农业的重视和农民的积极性。他还力主建立等级制度，维护君主尊严，也使家族内部能亲近团结。礼教与刑罚也要并重，同时再倡导礼乐，对百姓进行道德教育。针对当时诸侯王和中央对抗的实际情况，贾谊主张尽早设法限制，具体的措施便是再多封诸侯，分散其力量。后来，文帝也采纳了他的建议。

汉文帝十一年（前169年），梁怀王刘揖入朝，不幸坠马而死。贾谊认为自己作为梁怀王的太傅而没有尽到责任，因此非常伤心。一年以后，由于伤感过度，贾谊也去世，死时年仅33岁。

贾谊一生虽然短暂，但是，就在这短暂的一生中，他却为中华文化宝库留下了一份珍贵的文化遗产。他是骚体赋的代表作家，代表作是《吊屈原赋》、《鹏鸟赋》。在西汉政论散文的园地中，贾谊的散文也堪称文采斐然。刘勰《文心雕龙·奏启》称其奏疏是："理既切至，辞亦通畅，可谓识大体矣。"其最为人称道的政论作品是《过秦论》、《治安策》和《论积贮疏》。

晁错

晁错（前200年—前154年），西汉政治家、散文家。颍川（今河南禹县）人。

汉高祖七年（前200年），晁错出生于颍川（今河南禹县），年少时学习法家思想。汉文帝时期，因能文任太常掌故。朝廷征召研究《尚书》之人，晁错受太常派遣，奉命去济南跟随伏生学习《尚书》，接受儒家思想。学成归来后，被任命为太子舍人、门大夫，后升为博士。

晁错任博士时，上《言太子宜知术数疏》，陈说太子应通晓治国的方法，得到文帝赞赏，拜为太子家令。由于晁错能言善辩，善于分析问题，深得太子刘启的喜爱和信任，被太子家誉为“智囊”。

晁错人虽在太子门下，心却在朝廷之上。数次上书孝文帝，言削诸侯事，及法令可更定者。从晁错留下的少数几篇政论散文看，晁错的上疏事关国计民生、政权安危。切中时弊、政见深远。不仅一针见血地指出当前弊病，而且提出解决问题的具体措施。

晁错的《论贵粟疏》，从中可以看出，晁错十分了解民事社情，针对“地有遗利，民有余力，生谷之土未尽垦，山泽之利未尽出，游食之民未尽归农”。农夫卖田宅，鬻子孙，以偿赋税债务、商人兼并农人，农人流亡的社会问题，提出了“务民于农桑，薄赋敛，广蓄积，以实仓廪”。并向文帝提出了切实可行的解决办法：“方今之务，莫若使民务农而已矣。欲民务农，在于贵粟；贵粟之道，在于使民以粟为赏罚。今募天下入粟县官，得以拜爵，得以除罪。如此，富人有爵，农民有钱，粟有所渫”。晁错的“贵粟”建议得到了汉文帝的采纳。文帝十三年，下诏：“农，天下之本，务莫大焉。今勤身从事而有租税之赋，是为本末者毋以异，其于劝农之道未备。其除田之租税。”

晁错的《守边劝农疏》，首次提出了屯田戍边的建议，得到了汉文帝的采纳，定为国策。晁错的屯田戍边策略不仅对当时，以至对后世都起到了重大作用。直到今天策略依然被采用。

公元前157年，文帝驾崩，皇太子刘启即位，是为汉景帝。晁错身为太子家臣也随之显贵，他不断上书景帝，以实现自己“削诸侯”的主张，解决日益严重的诸侯割据问题。晁错指出：“今削之亦反，不削之亦反。削之，其反亟，祸小；不削，反迟，祸大。”在策略上，他主张“请诸侯之罪过，削其地，收其支郡”。

景帝前元三年，御史大夫晁错建议削藩，景帝听从，引起那些早就想反叛的诸侯王们的不满，于是以吴王刘濞、楚王刘戊为首的七国之乱开始了。七国诸侯王以“诛晁错，清君侧”为借口叛乱，欲夺天下，景帝在袁盎等众臣的压迫下，诱晁错上朝，即押出腰斩。但晁错死后，七国之乱不但没有停止，反而越演越烈，占领了不少土地。景帝无可奈何，只得派大将周亚夫镇压，前后三个月即平定七国之乱。

当初晁错父见儿子更改法令，得罪诸侯，特地来京城质问他：“上初即位，公为政用事，侵削诸侯，疏上骨肉，口语多怨，公何为也？”晁错不以父亲的话为然，大义凛然地回答父亲七个字：“为国家稳固而已。”他完全没有考虑过自己将来的下场，而觉得一切理所当然，绝望的晁父只能感叹：“刘氏安而晁氏危，吾去公归矣！”然后服毒自尽。

景帝在袁盎等众臣的压迫下，为平息叛乱，诱晁错上朝，事先晁错自己毫不知情，还在处理政务，忽然被人拖出东门斩首，死时四十六岁。

晁错虽然牺牲了，但他为之奋斗的事业还是被继续下去了。汉景帝在平息吴楚七国叛乱之后，仍以削藩为目的进行了一番改革，晁错的夙愿最终实现。

中华名人大传

高山 编著

〔第一卷〕

光明日报出版社

图书在版编目（CIP）数据

中华名人大传：全6卷/高山编著. -北京：光明日报出版社，2015.6（2021.3重印）

ISBN 978-7-5112-8598-0

Ⅰ.①中… Ⅱ.①高… Ⅲ.①名人—列传—中国 Ⅳ.①K82

中国版本图书馆CIP数据核字（2015）第161606号

中华名人大传

ZHONG HUA MING REN DA ZHUAN

编　　著：高　山

责任编辑：曹　杨　刘景峰　　　　责任校对：傅泉泽

封面设计：张婷婷　　　　　　　　责任印制：曹　诤

出版发行：光明日报出版社

地　　址：北京市西城区永安路106号，100050

电　　话：010-63139890（咨询），010-63131930（邮购）

传　　真：010-63131930

网　　址：http://book.gmw.cn

E - mail：caoyang@gmw.cn

法律顾问：北京市德恒律师事务所龚柳方律师

印　　刷：北京德富泰印务有限公司

装　　订：北京德富泰印务有限公司

本书如有破损、缺页、装订错误，请与本社联系调换，电话：010-63131930

开　　本：170mm × 250mm　　　　印　　张：102

字　　数：1560千字

版　　次：2015年6月第1版

印　　次：2021年3月第2次印刷

书　　号：ISBN 978-7-5112-8598-0

定　　价：680.00元（全6册）

前　言

中华文明，是世界上最古老的文明之一，其历史源远流长，从盘古开天地的远古时代，到封建文明极度繁荣的唐宋、明清时代，中华民族创造了无数的辉煌与成就，也经历了无数的苦难与挫折。数不清的英雄豪杰、文人志士在历史的长河水中留下了自己的足迹，如道家创始人老子、千古一帝秦始皇、西楚霸王项羽、三国名相诸葛亮、田园诗人陶渊明、唐代诗圣杜甫、精忠报国岳飞、一代天骄成吉思汗、民族英雄郑成功、中流砥柱曾国藩等，他们都是历史中的佼佼者。或引领了历史的方向、或渲染了历史的色彩、或点缀了历史的天空。历史由他们书写，由他们创造。他们曾站在时代的风口浪尖上奋力拼搏，以其叱咤风云的文治武功深刻地影响了历史的进程，以其深邃的思想睿智推动了中华文明的进步。

中华民族文化博大精深，这几百位不同阶层、不同领域的中华名人就是杰出代表。他们的灿烂人生就是中华文明历史的缩影；他们的思想智慧、精神气脉深深地融入到了我们民族的血液中，成为代代相袭的中华魂魄。

所以，名人总是因他们传奇而光辉的人生、深厚而伟大的专业造诣、高尚纯朴的人格魅力征服着一代又一代人的心灵。他们的辉煌、他们的成功，离不开他们高尚的道德情操。他们每一个人的成功都是一个个说不完的传奇。

阅读这些名人传记，揭开历史之谜，追寻中华名人的足迹，既是对我们现实生活的追问，也是向在这片华夏热土上生活过的杰出先辈致敬。同时，能够让我们一览名人的人生风采和成功智慧，激发我们的斗志和勇气，增强克服困难与抵抗挫折的能力，为我们今后的成功铺平道路！

正是抱着这样的愿望，本书在总结众多历史书籍的基础上，以历史时期为线索，选取了中国几千年来最典型、最有影响的一些著名人物，详述其生平功绩，并联系历史事件，力求回到人物所在时代，探寻其成功的轨迹和奥秘，生动展现人物的内心世界，全面、深入而客观地展现他们不平凡的一生。其中有皇帝君王，也有贤臣名将，还有在思想、文化、科学等领域取得卓越成就的名家，基本按照人物的生卒年月排列次序，时间跨度从先秦到近现代，从侧面展现了三千余年的中国历史进程。可以说拥有它，就等于拥有了整个中国历史的人物精华。

这项原创的纪实体文学工程，共收入了四百多位历代名人的生平传记，规模可谓空前。编委会与各方专家反复研讨，甄选出在中国历史发展史上产生过重大影响的名人。在文章叙述篇幅上，根据每个人的历史影响，文章的篇幅长短、详略也不一；在作者选择上，我们选择有文史功底、有创作经历，擅长传记文学创作的作家进行创作；在写作手法上，必须在尊重史实基础上进行文学艺术创作，力求生动传神，追求真实的历史原貌，塑造出饱满的人物形象，具有引人入胜的故事性和可读性。作家对名人生平要有客观的价值判断，对人物精神概括要有独到的心得。

为了保证本书的高品质，我们特意聘请了学有专长、卓有成就的史学和文学专家，对书稿的材料真伪、价值取向、人物刻画和文学表现等方面总体把关。从人物的选择、作者的认定、写作大纲论证、书稿专项审定直至编辑、出版等，层层论证把关，力图使本书经得起时间的检验，从而达到传承中华文明之目的。

本书编写过程中得到了广大专家、学者的支持，同时借鉴了国内一些名人传记书籍的观点，使得本书得以顺利出版。在此，对这些理论的倡导者表示感谢。

由于该书文字量大，涉及史实众多，疏漏在所难免，敬请各位读者提出宝贵意见。

目　录

第一章　古代帝王

第二章　千秋名臣

第三章　军事将领

第四章　思想家与革命家

第五章　文学大家

第六章　科学巨匠

第七章　艺术大师

第一章　古代帝王

黄 帝

黄帝，华夏民族始祖，人文初祖，中国远古时期部落联盟首领。姬姓，号轩辕氏、有熊氏。黄帝为少典之子，因他以土德称王，土色为黄，故称作黄帝。相传黄帝时期有许多创造和发明，如养蚕、舟车、文字、音律、算数、医学等。黄帝正妃为西陵氏，名嫘祖。黄帝生有二十五个儿子，得姓者十四人，共十二姓。黄帝死后葬于陕西省黄陵县的桥山。

《史记·五帝本纪》记载："黄帝，少典之子，姓公孙，名轩辕"（详见轩辕丘）。一般认为轩辕之丘在今日河南郑州轩辕丘，也有人认为在今日的山东曲阜等地。古为有熊国都城，其父少典为有熊国国君。

关于黄帝的传说很多，其中，关于黄帝出生地的说法有三：

传说一：黄帝出生在中华大地西北黄土高原的沮水河畔的沮源关降龙峡，时间是农历二月初二。在传说中，黄帝的母亲是黄土高原上的一名少女，一天傍晚（也有说是夜晚）突然看见北极光，然后就怀孕、生下了黄帝。

传说二：在公元前4856年前，在今河南新郑的轩辕丘有个龙图腾的国家，君主名为少典。他是伏羲和女娲直系的第七十七代，他的夫人有二，长妃叫女登，次妃叫附宝，她们是姐妹，是有砾氏之女。在今新郑市区北关的轩辕丘的有熊国的宫殿里，传来了婴儿出生后呼吸大自然之气时的哭啼声。这个婴儿即是后来的黄帝。

传说三：黄帝生于山东省曲阜市，这一认定是目前古代历史学家和地理学家的通论。据古史记载"黄帝生于寿丘"，而寿丘位于曲阜城东四公里的旧县村东，宋真宗赵恒尊奉黄帝为赵姓始祖，诏令改曲阜县为仙源县，并于曲阜寿丘建造景灵宫、太极观进行祭祀。景灵宫建筑群规模宏大，有殿、堂、亭、庑等1320间，占地1800亩，是今天曲阜孔庙的三倍还多，是当时礼制最高的庙宇。元代忽必烈入主中原后，推崇黄帝，下令重修景灵宫，准许汉人祭祀黄帝，后景灵宫毁于元末战乱。而目前，曲阜市正在重建景灵宫，重建黄帝城，为黄帝正名，曾邀请陕西黄陵政府来祭奠黄帝，并向社会宣布一代文化宗师孔子的故里同样也是中华民族始祖黄帝的故里。

农历二月初二是中和节（又称龙抬头、龙头节），也是传说中黄帝诞辰的日子，是炎黄子孙共同的节日。中和节是唐德宗李适在贞元五年（789）所制定的，又名二月二日“龙抬头”。

文献中记载的有关黄帝的主要故事，有与蚩尤的涿鹿之战及与北方荤粥族的斗争，还讹传过一个与赤帝的阪泉之战。蚩尤与黄帝之战，载籍所见，有三种说法：一说是黄帝战胜炎帝之后，再胜蚩尤而巩固帝位，黄帝与蚩尤之战似为黄炎之战争的余波；另一说是蚩尤驱逐赤帝（炎帝），赤帝求助于黄帝，二帝联手杀蚩尤；三说是蚩尤带兵攻黄帝，兵败被杀。

第一种说法如《史记·五帝本纪》载：“轩辕乃修德振兵，治五气，艺五种，抚万民，度四方，教熊罴貔貅貙虎，以与炎帝战于阪泉之野。三战，然后得其志。蚩尤作乱，不用帝命。于是黄帝乃徵师诸侯，与蚩尤战于涿鹿之野，遂擒杀蚩尤。”太史公言黄帝名轩辕，国号有熊。轩辕本意为车，应是指发明制作车的技术而得名的氏族及其首领的名称，如发明制作农耕工具技术称作神农氏，发明制作捕捞工具技术而称伏羲氏，发明钻燧取火技术就称燧人氏。有熊国号，当时的“国”，实为部落。熊、罴、貔、貅、貙、虎为六种兽名，应是有熊部落中六个氏族的名称，或谓图腾。阪泉，水名，在今北京市延庆县。涿鹿，山名，在今河北涿鹿县，与阪泉相距不远。

第二种说法见于《逸周书·尝麦解》：“蚩尤乃逐帝，争于涿鹿之阿，九隅无遗，赤帝大慑。乃说于黄帝，执蚩尤，杀之于中冀。”广平之地曰“阿”。战争发生在涿鹿山下的开阔地带，“隅”指角落，“九”意指多，并不限于具体数目。“九隅无遗”是说蚩尤驱逐赤帝（炎帝）部落不留余地。“冀”指中原冀州。《尔雅·释地》：“两河间曰冀州。”郭璞注：“自东河至西河。”当时把黄河入海处称为东河，河套向南流处称作西河。《周礼职方》记：“正北曰并州。”今山西太原、河北正定、保定皆属之；“东北曰幽州”，今北京市属之。上古冀州位于幽、并之南，地在今山西南部及河北西南部。传说蚩尤被杀之处，在今山西运城解州。

第三种说法如《山海经·大荒北经》载：“蚩尤作兵伐黄帝。黄帝乃令应龙攻之冀州之野。应龙蓄水，蚩尤请风伯雨师纵大风雨。黄帝乃下天女曰魃，雨止，遂杀蚩尤。”风伯雨师是农耕蚩尤部落专司气象的巫师，后为农业气象神，立有庙，岁时奉祠。《韩非子·十过篇》说：“昔者黄帝俣鬼神于泰山之上……蚩尤居前，风伯进扫，雨师洒道。”反映了风伯雨师与蚩尤部落之密切关系，因为农业部落生产的丰收都是与风调雨顺分不开的。

黄帝与赤帝阪泉之战，可能是涿鹿之战在传说中的分化。梁玉绳《史记质疑》指出：“阪泉之战即涿鹿之战，是轩辕勤王之师，而非有两事，故《逸周书·史记解》称蚩尤曰阪泉氏，斯为确证。”按《水经·漯水注》云：“涿水出涿鹿山，……又东北与阪泉合。”《魏土地记》曰：“下洛城东南六十里有涿鹿城，城东一里有阪泉，泉上有黄帝祠。”阪泉与涿鹿实即一地，而蚩尤又有阪泉氏之称，可证阪泉之战即涿鹿之战。

根据中国史书的记载，黄帝在炎帝之后，统一了中国各部落。建都在曲阜、新郑、涿鹿三种说法。他推算历法；教导百姓播种五谷；造文字；作干支，制乐器，创医学。在纪时方面：帝使大挠作甲子，以十天干配合十二地支以纪时，沿用至今。在数学方面：隶首作数，定度量衡之制。在军队管理上：风后衍握奇图，始制阵法。在音乐方面：伶伦取谷之竹以作箫管，定五音十二律，合于今日。在服饰方面：元妃嫘祖开始养蚕以丝制衣服。在医药方面：与岐伯讨论病理，作内经。在文字方面：仓颉开始制文字，具六书之法。在铸造方面：采首山（河南襄城县南五里）之铜以造货币。贡献之多，范围之广，不一而足。

黄帝在位时间很久，国势强盛，政治安定，文化进步，有许多发明和制作，如文字、音乐、历数、宫室、舟车、衣裳和指南车等。相传尧、舜、禹、汤等均是他的后裔，因此黄帝被奉为中华民族的共同始祖。黄帝与炎帝都是华夏民族的始祖，故中国人有时自称“炎黄子孙”。

大　禹

禹，姒姓，名文命，夏后氏首领，传说为帝颛顼的曾孙。他的父亲名鲧，母亲为有莘氏女修己。相传禹治黄河水患有功，受舜禅让继帝位。禹是我国传说时代与尧、舜齐名的贤圣帝王，他最卓著的功绩，就是历来被传颂的治理滔天洪水，又划定中国国土为九州。后来，大禹的儿子启创建了我国第一个世袭王朝——夏朝，因此，后人也称他为夏禹。

《山海经·海内经》说："洪水滔天。鲧窃帝之息壤以堙洪水，不待帝命。帝令祝融杀鲧于羽郊。"传说中，鲧死后尸体三年不腐烂，后来不知道是谁，有说就是祝融，用吴刀剖开了他的尸体，这时禹就出来了，而鲧的尸体则化为黄龙飞走了。一说黄能，所谓黄能相传是一种三足鳖，在《山海经》中有记载。

大禹长大成人后，继承了鲧的传统和个性。《史记》说："禹为人敏给克勤；其德不违，其仁可亲，其言可信；声为律，身为度。"意思就是说，大禹性格坚毅而且勤奋勤快，有很高的道德品质，仁爱可亲，他说的话就像法律一样一定会做到，并且身体力行，以身作则。

这个时候洪水还是很大，尧已经死了，由舜主持部落联盟的大事，舜要各个部族推荐治理洪水的人才，大家仍然推荐善于治理洪水的大夏部族首领大禹，可见，夏部落是一个黄河边的农耕部落，定居已久，农业生产发达，水利技术很高。他们还推荐了益和后稷，协助大禹治理洪水。

《史记》说"禹乃遂与益、后稷奉帝命，命诸侯百姓兴人徒以傅土，行山表木，定高山大川。"他扩大了鲧的做法，发动各个部族一起参与治理水患。"傅土"就是挖土筑堤，挡住洪水，不让洪水向大河两边泛滥。"行山表木"就是考察黄河的走向，依照哪一座山川要好一些，用木料标明走向，然后让大家按照标明的线路筑堤。这就是疏浚与堵塞相结合的治水方法，当时没有人找到第三条治水方法，这都是继承了鲧的治理方法。

在继承父亲的方法的同时，大禹治水又有所创新。"洪水滔天，鲧窃帝之息壤以堙洪水"，鲧是用堵塞、阻隔的方法来治理水患，结果"九载绩用弗成"。而禹"使大章步东西，坚亥度南北"，察六扈，脉地理，"畅八极之广，旋天地之数"，在调查思考的基础上，改堵为导，"因水之力”，“泻流沙于西隅，决弱水于北汉，青泉、赤渊分入洞穴，通江东流之于碣石；疏九河于涽渊，开五水于东北；凿龙门，辟伊关。平易相土，观地分州”。大禹正是在父亲失败的基础上，重新审视地理形势，根据水土流向特点，变阻为导，因水之力，才开创了治水的新局面。大禹能够不墨守成规，因地制宜，开拓创新，这正是大禹治水的成功之处。

《史记》说“陆行乘车，水行乘船，泥行乘橇，山行乘暐。左准绳，右规矩，载四时，以开九州，通九道，陂九泽，度九山。”可见，大禹为了迅速到达指定位置创造了很多交通工具。“准绳”“规矩”是木匠用的工具，大约用来衡量大家的工程做的质量如何。“载四时”说明大禹时间观念很强，规定必须完成的时间限制。“九”是表示多的意思，“州”就是洲，把黄河中间的沙洲挖开，很多道路都重新开通了，很多水泽都填起来了。

大禹把天下划分为九大区域分别治理洪水，这九大区域就是后来的九州，它们是冀州、兖州、青州、徐州、荆州、豫州、梁州、雍州、扬州，规定了各个地方的洪水入海的方向，让人们按照自然的规律治理洪水。

大禹治水成功后，大家推举他担任部落联盟的副首领，辅佐舜。过了十七年，舜逝世。大禹想让位给舜的儿子商均，但是，人们更加推崇大禹，以为非大禹他们不予接受。于是，大禹才继承舜的位置，为大家服务。

大禹学习前辈尧舜的做法，举荐皋陶做部落联盟的副长官，不久，皋陶去世，然后又举荐益担任副首长。

传说大禹巡狩到了涂山，大会九州诸侯，命令大家贡献青铜，然后铸造九鼎，每一个鼎象征一个州。于是，以后九州象征天下，九鼎象征掌握九州统治权。

大禹死后，本来应该益担任部落联盟首领的，但是，大禹的巨大功绩使大夏部落迅速膨胀，实力已经超出了所有部落，终于凌驾于整个部落联盟之上。于是，传说中的夏王朝诞生了。

大禹，以他彪炳的功勋，赢得了时人的称赞；以他卓越的精神品格，赢得了几千年来世人的敬仰。尽管后人对他治水的区域有所争论，但对他的治水精神，则无不流露出崇高的钦佩之情。大禹，以其高贵的精神成就了自己，也塑造了中华文明。4000多年来，禹祭绵绵不断，上至帝王将相，下至市民百姓，都对大禹怀有深厚的感情，这是因为大禹精神早已融入世人的灵魂血液之中，成为中华民族强大的精神支柱！

夏启

夏启创建了中国历史上第一个奴隶制国家——夏朝。禹病死后，启破坏了禅让制，自行袭位，成为中国历史上由“禅让制”变为“世袭制”的第一人。从此，原始社会宣告结束，开始了奴隶社会，启也成为中国历史上第一个帝王（有的史学家认为禹是第一个帝王）。启在位9年，病死，葬于安邑附近（今山西省夏县西池下村里）。

启，母涂山氏。屈原的《天问》中载有传说：禹巡治洪水，走遍四方，一次，偶然与涂山氏相遇于台桑，旋即分别。怀孕的涂山氏女在伤念中生下启后就死了。

启渐渐长大，夏禹觉得王权应该由自己的儿子来接管。可是伯益功劳卓著，威望极高，首领会议上推举他做自己的继承人。为了这件事，禹王越发烦躁，寝食难安。后来他想到：“自己所以能顺利地继承舜位，一是当年治水有功得到了人们的尊敬和爱戴，二是舜选定自己做继承人之后，就让自己行使治理天下的大权。如果我也效法当年舜的做法，把治理天下的大权让儿子去执行，而只给伯益一个继承人的名义呢？"于是禹王让启参与治理国事。过了几年，他的儿子启由于把国事处理得很好，禹王死后，夏启就真地行使起王权来了。而多数部族的首领，也都表示效忠于启。

伯益看到事情成了这个样子，大怒。他召集东夷部族率军向启杀来。而启早有防备，经过一场大战，打败了伯益的军队。夏启为了庆祝胜利，在钧台（今河南禹州）举行了大规模宴会，公开宣布自己是夏朝第二代国君。从此，父亡子继的家天下制度便取代了任人唯贤的公天下制度。

启夺位后，和启同姓的有扈氏部落（在今陕西省户县）不服，启发兵攻伐，被有扈氏打败。为了赢得民心，启便严于律已，过着粗茶淡饭的俭朴生活；还尊老爱幼，任用贤能，然后在人民的支持下，他再次出兵攻灭了有扈氏，巩固了王位。这以后，他日渐骄横，生活变得腐化起来，整日饮酒作乐，歌舞游猎。传说他曾创作了名为《九韶》的大型乐舞。

启渐渐老了，他的几个儿子激烈地争夺继承权。小儿子武观（一说为幼弟）因为争得最凶，启就将他放逐到黄河西岸。武观聚众反叛，启派大将彭伯寿带兵将他打败，并押来见启。武观只好认罪服输。不久，启因为荒淫过度而病死。

夏启建立了中国历史上第一个朝代——夏，从此，原始社会宣告结束，开始了奴隶社会。原始社会的氏族公社制度已经彻底瓦解，开始出现了国家的雏形，奴隶社会取代原始社会，是人类历史上一次划时代的进步。到了奴隶社会，农业和手工业有了分工，社会生产力得到很大提高，生产得到很大的发展，人们的生活也得到很大改善，为文化的繁荣创造了条件，这是历史的向前发展。夏启在夏朝建立初期的治国策略，对有扈氏成功地发动甘之战，都说明了他在中国历史上是一位有作为的君主。

秦始皇嬴政

秦始皇（公元前259年—公元前210年），即嬴政。中国历史上最伟大的政治家、战略家、改革家、军事家。首次完成中国统一，秦朝开国皇帝，秦庄襄王之子，13岁即王位，39岁称皇帝，在位37年。秦始皇创立皇帝制度，在中央实施三公九卿制，地方废除分封制，实行郡县制，统一文字、货币和度量衡等，北击匈奴，南征百越，修筑万里长城，奠定了今日中国版图的基本格局，把中国推向了大一统时代，为建立专制主义中央集权制度开创了新局面，对中国和世界历史产生了深远影响，奠定了中国两千多年政治制度的基本格局，被明代思想家李贽誉为“千古一帝”。

秦始皇的身世充满传奇。当时正是战国末年，秦、楚、齐、赵、魏、韩、燕七雄并立，互相攻伐。蔺相如“完璧归赵”后，秦昭襄王和赵惠文王在渑池相会，为了显示秦、赵通好，便互相交换人质。秦昭襄王将自己的孙子异人送到赵国的都城邯郸居住。战国期间的交换人质极少起到真正消除战争的作用，数年之后，秦赵之间爆发长平之战，秦国的大将白起打败了赵国“纸上谈兵”的将军赵括，坑杀了四十万的赵军。赵王几乎想杀掉异人，但在大臣的说服下打消了这个主意，却也大幅降低了秦国王孙异人所受的待遇。

阳翟有个大商人叫吕不韦，家里很有钱。他在邯郸碰到了秦国的王孙异人。他发现异人虽然在落魄之中，但气度仍很高贵，便打听异人的来历。在得知异人的身份后，他感叹着说：“此奇货可居也！”接下来，吕不韦倾家荡产地想办法结交异人，并且使用了很多游说和诡诈权谋，让当时秦昭襄王的太子安国君立异人为嗣子，并把异人送回了秦国。在把异人送回秦国之前，吕不韦在邯郸用重金买了一位美人赵姬。吕不韦先使赵姬怀孕后，将赵姬送给了异人。《史记》上说，赵姬怀孕12个月才生下了儿子，取名叫赵政，这个人就是后来扫灭六国、统一天下的秦始皇。由于赵姬嫁给异人十个月后才分娩，因此异人认为赵政是自己的儿子，实际上却是吕不韦的骨肉。赵政童年就是在赵国度过的，当人质的日子当然每日提心吊胆。吕不韦在把异人送回秦国的时候并没有带上赵政和赵姬。异人回国后不久，在位五十多年的秦昭襄王病死，太子安国君嗣位；安国君三天后就死了，异人嗣位。异人做了三年的秦王后也死了，秦国于是去赵国迎回了赵政，让他即位，这一年赵政十三岁。赵政恢复了自己的姓氏，改称嬴政。

嬴政做了秦王之后，吕不韦的权势更大了。吕不韦不但继任相国，而且还取得了“仲父”的尊号。他封大邑万户，还拥有上万名家奴，财富巨万。同时，为了扩大自己的影响，他又召集很多的门客，让他们搜集史料，最后辑成了《吕氏春秋》。随着时间推移，秦始皇已经长大，吕不韦也害怕和太后私通的事被发现，引来杀身之祸，于是便给赵太后找了个替身，这就是嫪毐，嫪毐混入宫后，很是得太后的宠幸，被封为长信侯，又得到山阳（太行山东南，今河南修武一带）和河西、太原作为封地，一时权力大增。至此，对嬴政政权构成威胁的人，一个是吕不韦，一个就是嫪毐。

秦王九年（前238）四月，嬴政到故都雍城蕲年宫（今陕西凤翔县）举行加冠礼。嫪毐趁此机会偷了秦王的御玺和太后的玺印，在咸阳发动政变。叛军正想向蕲年宫进发，却被早有戒备的嬴政发觉了，嬴政立刻命令相国吕不韦和昌平君、昌文君等人袭击叛军。两军在咸阳交战，叛军溃散，嫪毐逃走，但很快被秦军抓获，最后被处以车裂酷刑，诛灭三族。赵太后和嫪毐生的两个私生子也被诛杀，赵太后则被软禁起来。后来经过群臣的劝说，秦始皇亲自把母亲接回咸阳。

除掉嫪毐的第二年，嬴政借口吕不韦和政变有关，罢了他的相国职位，赶出咸阳，让他到自己的封地洛阳。两年后，秦始皇为了避免吕不韦和其他国家串通作乱，派人给吕不韦送去绝命书，信中对吕不韦大加斥责：“你对秦国有什么功劳，却能封土洛阳，食邑十万？你和秦国又有什么亲缘，却得到仲父的称号？你快给我滚到西蜀去吧！”吕不韦知道自己去了也是难免一死，干脆服毒自杀。

此后，嬴政继续施行自秦孝公以来变法革新、奖励耕战的一系列政策。接着，嬴政采取李斯等人的策略，以重金收买关东六国权臣，离间其君臣关系，远交近攻，从公元前230年起到公元前221年止的10年间，先后灭韩、魏、楚、燕、赵、齐六国，结束了自春秋战国以来长达数百年之久的分裂割据、混战不已的局面，创立了中国历史上第一个统一的封建中央集权国家。

除了政治体制改革外，秦始皇还采取了一系列的措施来巩固集权统治。第一，修造长城。秦始皇下令将原来六国的首都和各自修造的长城拆毁，然后统一修建抵御北面匈奴的长城。秦的长城西起临洮（现在的甘肃岷县），东到辽东（现在大同江一带），东西长达万里。第二，没收天下的兵器，然后熔化铸成十二个巨大的铜人，防止天下人作乱。第三，修建官道，即驰道。以咸阳为中心，共修成三条：一条向北通到了内蒙，叫做直道；一条通向东面的河北和山东，直到海边；一条向南，通两湖和江苏。驰道宽达五十步，两旁每三丈远就种一棵青松树。驰道的建立，大大缩短了信息传播的时间，有利于中央集权的加强和政令的及时传达。第四，为了根绝先前六国后裔的反叛行动，秦始皇将后裔贵族们连同富豪一块迁到了咸阳，这样便于监视，同时也繁荣了都城的经济。秦始皇还改革并统一了原来混乱的度量衡和货币，汉字也得到了统一，促进了各地文化的交流。

此外，嬴政在位时期徭役繁重，刑罚苛严。人民除了将收获物的三分之二上缴作赋税外，还得负担沉重的徭役和兵役。嬴政又好大喜功、浪费无度，他在即帝位的12年间，先后进行五次大规模的巡游，沿途刻石颂德，以表示他的不朽之功。为求长生不老之药，派方士徐福率童男女数千人至东海求神仙等等，耗费了巨大的财力和人力，加深了人民的苦难。这都使得秦朝一建立，阶级矛盾就开始激化，出现了小规模的农民起义。

秦始皇在公元前210年的七月暑热季节，在沙丘平台（现在河北广宗县大平台村南）病死了。但他没想到，赵高竟伙同李斯阴谋害死了扶苏，拥立了次子胡亥为帝，是为秦二世，最后也在秦二世手里断送了自己辛辛苦苦打下来的江山。

应当说，秦始皇是对中国历史发展有巨大贡献的杰出的历史人物，同时也是一个残酷的暴君。他的功绩是主要方面，但不能因此掩盖罪恶；他的罪恶是深重的，但也不应因此否定其巨大的历史功绩。

秦二世胡亥

胡亥（公元前229年—公元前207年）是秦始皇的少子。他生于秦灭六国的战争年代，到秦始皇完成统一称皇帝的时候，已经9岁。

赵高是宫中的一位宦官，因为他精通狱法、身高力大，又能写一手好字，被秦始皇提拔为中车府令，掌管皇帝的车马仪仗队。赵高生性狡诈，深藏不露，文巧舌如簧，善于奉迎。他教胡亥书法和判案，很快取得胡亥欢心，二人结下深密关系。

始皇三十七年（前210年），秦始皇安排右丞相冯去疾留守京师，料理政务，自己带左丞相李斯、将军蒙毅、中车府令赵高等人巡游天下。胡亥年已20岁，玩心正盛，极力请求随行，秦始皇宠爱少子，也就答应了他的请求。这是秦始皇最后一次巡游，路线曲折，时间长久，当行至平原津（今山东平原附近）后，已经历时半年多，行程数千里。由于旅途劳累和心情沮丧，秦始皇在平原身得重病。他一面派将军蒙毅去祈祷山川神灵，一面命乘舆继续前进。

一路上，秦始皇的病越来越重。当时朝中未立太子，长公子扶苏还在北部边郡监兵，后事如何安排？群臣虽然都很担心，但因皇帝忌讳“死”字，没人敢于向他提出这个问题。不过，随着病情的沉重，秦始皇已经明白死亡是不可避免的了。临死之前，他遗嘱命令扶苏把兵事移交将军蒙恬，急赴成阳主办丧事。明确地把皇位继承权交给了长子扶苏。这一重大遗嘱加盖玉玺密封以后，存在中车府令赵高处，还没来得及交予使者送出。七月，秦始皇在沙丘平台（今河北广宗西北）去世。

丞相李斯见秦始皇死在途中，恐怕咸阳诸公子争夺帝位和天下叛乱，密不发丧。将尸体载在辒辌车中，由宦官陪伴，照常呈送饮食，百官奏事如故，宦官在车中批示。只有李斯、胡亥、赵高和几个亲近宦官知道内情，对其他人一概严守机密。乘舆继续向前行进，居心叵测的赵高便乘机策动了一场篡改遗诏、扶立胡亥的政变。赵高首先对胡亥游说：“皇帝驾崩，没有留下分封诸位公子的诏书，却单独赐给了长公子一封玺书。长公子一到咸阳就是皇帝了，而你却没有一寸土地，怎么办呢？”胡亥本不是长子，又胸无大志，听了赵高的话，就说：“是啊，这是理所当然的。我听说明君知臣，明父知子。现在父亲死去，他不分封自己的儿子，还有什么可说呢？”赵高说：“不对！现在如何安排天下，关键就在于你、我和丞相三人。望你早做打算。别人对自己称臣和自己向别人称臣，控制别人和受别人控制，难道可以同日而语吗？”

胡亥经赵高一番蛊惑，动了夺位之心，但仍顾虑重重，觉得父亲病逝的消息还没公布，丧事还没举办，不好在这个时候去搞篡位的阴谋。于是，赵高又来游说丞相李斯。在赵高这番威胁利诱和蛊惑煽动下，李斯经过激烈的思想斗争，害怕丢失荣华富贵，终于向赵高屈服，同意支持胡亥继承皇位。

于是，胡亥、赵高、李斯三人进一步策划政变行动。他们毁掉原来的遗嘱，诈为始皇帝遗诏丞相，立胡亥为太子，又伪造一封遗书给扶苏和蒙恬，这封假遗诏说：“朕巡行天下，祷告名山诸神，为的是延长寿命。现在扶苏和将军蒙恬率领几十万军队屯驻边疆，已经十多年了，不但不能开拓疆土，耗费巨大，没有功劳，反而几次上书对我进行诽谤攻击，又因为不能回京做太子，日夜怨恨。扶苏作为儿子是不孝的，现赏赐宝剑自裁。将军蒙恬不进行规劝，与扶苏同流合污，作为大臣是不忠的，现命令把兵权移交偏将王离，然后自杀。”假遗诏加盖皇帝玉玺后，派胡亥的亲信为使者，日夜兼程，前往北边送交扶苏。

扶苏拜读诏书，泪如泉涌，当即进入内舍，打算自杀。蒙恬对扶苏进行了劝阻，他认为皇帝出巡在外，朝中未立太子，命令自己率三十万军队镇守边疆，让公子监军，这是关系国家安危的莫大重任，现在一介使者到来就自杀，怎么能知道其中无诈呢？所以他劝扶苏先不要自杀，应该再请示一下，请示属实再死，也不算晚。使者站在旁边不断催促，扶苏为人仁义，见此情景，对蒙恬说：“父亲命令儿子死，还何必再请示呢？”说罢，含冤自刎。蒙恬不肯立即死去，他深疑其中有诈，想拖延时日，看个水落石出。使者见蒙恬不肯死，便把他关进了阳周（今陕西子长北）的监狱，去向胡亥复命。

胡亥、赵高、李斯听说扶苏已死，非常高兴，急忙返回咸阳，发布秦始皇逝世的消息。接着，胡亥便举行了即位大典，是为秦二世皇帝。赵高升任郎中令，全面掌管宫中警卫，并成为二世身边最亲近的决策人物。

二世做皇帝后，每日吃喝玩乐。一天，他对赵高说：“人生在世，就像骑着快马穿过一堵墙的缺口，实在是太短暂了。我既然做了皇帝，富有天下，就打算随心所欲，享尽一切快乐，你看如何？”赵高说：“好主意！只有贤明君主才能这样干，那些愚蠢的君主才禁止这么做。不过陛下应该注意，沙丘之谋，诸公子和大臣们都在怀疑。诸公子都是陛下的兄长，大臣们又都是先帝任命的，现在陛下刚刚即位，他们都很不服，恐怕要搞暴乱。蒙恬、蒙毅兄弟长期带兵，他们虽已入狱，但人还未死。想到这些，我就吓得发抖，唯恐性命难保。陛下怎么能在这时高枕无忧呢？”二世听赵高这么一说，觉得问题很严重，自己一时还不能尽情享乐，就问赵高有什么办法来对付大臣和诸公子。赵高合盘端出了他的计策，计策的内容是变换刑法，使法律更苛刻更严酷，让犯罪的人连坐受诛，乃至灭族，消灭大臣而疏远骨肉，使贫困的人豪富起来，使卑贱的人高贵起来，统统除掉始皇帝任命的大臣，换上二世的亲信。赵高扬扬得意地对二世说：“这样可以铲除祸害，杜绝奸谋，德归陛下，群臣拥护。到那时，陛下就可以高枕而卧，尽情享受人间乐趣了。再没比这更高明的办法了。”二世一听，非常高兴，于是便按赵高的计策修改律令，严刑峻法，向大臣和骨肉兄弟扬起了屠刀。蒙氏兄弟首先遭到杀害。

蒙氏兄弟死后，二世让赵高主管办案，赵高罗织罪名，大批朝臣被杀。右丞相冯去疾和将军冯劫认为“将相不辱”，相继自尽。屠戮中，赵高乘机安插亲信，兄弟赵成任中车府令，女婿阎乐为咸阳县令，其他如御史、谒者、侍中等要职，多更换为赵氏人。

在大臣们受害的同时，二世的骨肉兄弟和同胞姐妹们死得更惨。有一位公子高，看到兄弟姐妹们都惨遭毒手，自知难免一死，想逃走又怕连累亲人，为了保存亲友，就上书一封，向二世提出为父皇殉葬骊山脚下的要求。二世见书大喜，批准他的请求，赏赐十万钱殉葬骊山。在二世众多的骨肉兄弟中，公子高可谓是一个“善终”者了。

二世以为，自己年少，又刚即位，要威服海内，必然像秦始皇那样巡游天下，如果待在咸阳不到全国各地去，就表现自己怯弱，无从统治天下，于是便在即位的次年，即二世元年（前209）年初，开始东巡郡县。这次出巡，南到会稽（今苏州），北至碣石（今河北昌黎北），然后由辽东（今辽宁辽阳）而返，四月回到咸阳。巡途中，赵高对二世说：“现在陛下出巡，应该趁机诛杀一批郡县官吏，这样既可排除异己，又可威振天下。当今时代不是崇文，而是尚武，望陛下赶上时代步伐，不要多虑。”二世说：“好！”于是法令日急，诛杀累累，群臣人人自危，官吏个个不安，老百姓更是手足无措，整个秦朝帝国到处都成了屠场。

赵高唆使二世进行大屠杀，自己任郎中令也杀人甚多，引起朝内外的普遍怨恨。为了避免大臣朝奏时的指责和进一步控制国柄，他对二世说："天子之所以高贵，就是因为只许群臣闻声，不准他们见面，故号称为'朕'。况且陛下还很年轻，未必精通全部政务，现今坐在朝廷上会见群臣，一旦某事处理不妥，就在大臣面前暴露了短处，这不是向天下人显示自己神明的办法。如果陛下取消朝会，深居禁中，由我和个别精通政务的侍臣协助陛下处理，那么大臣们就不敢欺骗陛下，凡事均可处理恰当，天下臣民就会都称陛下是圣明君主了。"赵高的用意非常明显，企图彻底架空二世和专擅朝权，但二世深以为然，他取消朝会制度，日居深宫之中，群臣奏事皆由赵高代行处理，成了一个名副其实的孤家寡人。

二世深居禁中，打量着宫殿建筑，忽然想起了阿房宫。于是下令开工营建阿房宫，并继承修筑直道、驰道、骊山墓和各项土木工程。又调征五万精兵屯卫咸阳，演习射猎。命各地郡县向咸阳转运粮草，转运者自带食物，不得食用咸阳三百里内的谷物。赋敛日趋沉重，徭役越来越多，这样肆无忌惮地狂征滥调，民力枯竭，渐渐地就使国家到了无人可征的程度。

二世元年（前209年）七月，北边渔阳郡（郡治今北京密云西南）需要一批戍卒。朝廷见无人可征，便开始征发闾左。当陈胜、吴广等九百名楚地阊左走到大泽乡（今安徽宿县附近）时，正赶上一场大雨，耽搁了行期。按照二世更改后的律条，戍卒不能及时到达指定的戍守地点，要处以斩首的死刑。陈胜、吴广毅然举起了武装起义的旗帜。不久，反抗秦朝统治的武装斗争就遍布了关东各地。六国名号复起，诸侯林立，各自称王，矛头共同指向秦朝官府。陈胜的部将宋留打到武关，另一部将周文则率数十万大军直奔函谷关而来。

对于这一严重局势，深居禁中的孤家寡人二世皇帝竟一无所知。丞相李斯这时被富贵荣华的沉重包袱压得头脑昏昏，无所适从。他参与了沙丘政变，因而暂时未遭杀害，在二世、赵高乱挥屠刀的时候，他不知是否应该谏阻。他觉得如果沙丘阴谋暴露，自己必然也会遭殃。但是，面对东方形势，他却不免忧心忡忡，几次请求二世赐给一个进谏的机会，由于二世忙于玩乐，无暇允许。

当时，李斯的儿子李由任三川郡（今河南洛阳东）守，吴广向西进军，李由没能将吴广击退，有人指责李斯，李斯心惊胆战，不知如何是好，就阿谀二世心意，写了一篇“行督责之术”的文章，作为良策上呈二世，李斯把督责之术提到极端重要和万能的地步，要二世高度集中权力，独断专行，用深罚重刑控制臣民，实行极端残酷的血腥统治政策。文章最后说；“只要推行督责之术，皇帝就能随心所欲，得到想要得到的一切。群臣百姓躲避过失都来不及，哪里还敢图谋不轨呢？如果做到这一步，也就完备了帝道，精通了君臣之术，就是申子、韩非复活，也不能再添什么了。”

二世见书大喜，不禁拍案称奇，于是严督重责，峻刑酷法。本来秦律就相当严苛，经二世变本加厉，更为凶恶。官吏对民残忍算是明吏，二世说：“这么干就可说是能督责了。”官吏杀人多算是忠臣。二世说：“这么干就可说是能督责了。”刑徒塞满道路，每天杀人无数。赵高听说李斯上了督责书，就鼓动李斯去向二世进谏，让他取消阿房宫的营建和狗马无用之物，认真考虑一下关东的“群盗”问题。李斯本有进谏之心，正愁没有机会，赵高答应为李斯留心，一旦二世空闲，就来通知。赵高专等二世拥娇娥，挽美姬，燕乐狂欢兴致正浓的时候派人通知李斯，说二世闲暇无事，可入宫进谏。李斯至禁中求见，二世很不高兴，他只好退出。这样反复了三次，二世生气了，说：“我闲着的时候，丞相不来；我一燕私，他就来了。难道丞相看我年少，想轻视我、束缚我吗？”

赵高趁机表示吃惊，说要是这样可就危险了。接着，他从三个方面捏造了李斯的危险性：第一，沙丘之谋，丞相是参与的，现在陛下做了皇帝，而丞相的富贵却没增多，他的意思是想分土为王；第二，丞相的长子李由任三川郡守，楚地群盗陈胜等人都是丞相的邻县之党，所以楚盗公开行动，经过三川郡，李由闭门不肯出击，据说李由还与他们有书信来往；第三，丞相居外治事，权力大于陛下。三个方面加在一起，李斯怎么能不危险呢？二世一听，就想逮捕李斯，但又怕情况不实，于是派人对李斯父子进行督察。

李斯听到消息，非常气愤，上书揭发赵高，说赵高就像战国时期齐国的田常，不及早铲除，迟早要杀君篡位。二世说：“哪有这事儿？赵高是我的故人，他行为清正，在平安中不放肆，在危险中不变心，以忠得升，以信守职，我实在认为很好，你却怀疑他，这是为什么？我少年丧父，所知甚少，缺乏治国经验，而丞相你又年迈，说不定哪一天就会告别辞世，我不寄托赵君，又靠谁呢？况且，赵君精明能干，对下熟知人情，对上能顺我心，请丞相不必怀疑。”李斯又奋力争辩一番，但就像东风吹马耳，二世根本听不进去。不仅如此，他还怕李斯杀死赵高，悄悄地把情况转告了赵高。赵高说：“丞相担心的人只有赵高，赵高一死，他就可以放胆干田常所干的事儿了。”二世一听，便下命令：“将丞相李斯逮捕，交郎中令赵高审察治罪！”

李斯身戴刑具，关在狱中。二世全权委命赵高审理丞相狱案。赵高指责李斯父子通贼谋反，收捕了李氏的全部宗族宾客，每日痛打李斯，逼他招认。李斯受刑不过，只好一面含屈供认，一面给二世上书申辩。申辩书落到赵高手中，赵高把鼻子一哼：“囚徒哪能上书！”他把申辩书毁掉，又派十多批亲信冒充二世的使者前来复查，李斯一改口供，必挨一顿痛打。后来二世派使者前来察问，李斯误以为又是赵高的人，坚持假供未改。使者回报二世，二世高兴地说：“没有赵君，朕就被丞相卖了。”于是判处李斯族刑，夷灭三族。

二世二年（前208年），李斯已死，二世拜赵高为丞相，事无大小都由赵高决定，赵高成了实际的独裁者。八月，他想踢开二世自己做皇帝，又担心群臣不拥护，就导演了一场“指鹿为马”的荒唐剧，来检验群臣的态度。赵高趁群臣朝会之机，把一只鹿牵来献给二世，声称是一匹马。二世大笑，说：“丞相真会开玩笑，这不是鹿吗？你却指鹿为马。”他问群臣左右，左右慑于赵高的淫威，大都附和赵高说是马，有的沉默不语，只有少数人说是鹿。事后，凡是说鹿的人都被赵高杀害。从此群臣更加畏惧赵高。

赵高指鹿为马一事使二世产生了心理错觉，他误以为自己得了迷惑病，召来太卜算卦，太卜胡说二世指鹿为马的迷惑病是由祭祀时斋戒不明引起。于是二世便到上林苑中斋戒。名为斋戒，照常贪欢，一天他在上林苑中游玩弋猎，见一个人误入苑中行走，就亲自搭箭开弓，当场将他射死。赵高知道这事后，让女婿咸阳令阎乐上奏二世，说不知是谁杀了人，把尸体移入了上林苑中，然后乘机对二世说天子无故杀死没罪的人是上帝所禁止的，连鬼神也不容忍，必定会降下灾殃，建议他到远处的行宫躲避一下。二世不假思索，便住进了咸阳城外的望夷宫中。

章邯的投降对二世是一个沉重的打击。移居望夷宫后，他终日闷闷不乐。想到赵高经常说“关东群盗成不了事”，现在却形成了天下背叛的混乱局面，不由得对赵高埋怨起来，于是便派使者去责问赵高。经二世这一责问，赵高决定立即动手。就在二世移居望夷宫的第三天，赵高布置掌管宫廷警卫的郎中令弟弟赵成为内应，女婿咸阳令阎乐组织吏卒，诈称追捕盗贼，径闯望夷宫殿门，采取突然袭击的手段进行逼宫。阎乐率领一千多吏卒奔至殿门，向守门卫士大声吼问："强盗进入殿门，你们为什么不制止？"守门卫士都莫明其妙，说："宫殿内外戒备森严，哪有强盗敢进殿门呢？"阎乐不容分辩，挥刀杀死卫士，带吏卒冲入殿中。他们到处射箭，见人就杀。殿内的郎官和宦官惊慌失措，有的逃走，有的格斗，顿时血肉横飞，死了好几十人。赵成和阎乐直逼二世，向他的座位上下发箭。二世吼召左右，左右多已四散而逃，其余惶恐失态，无人敢出来格斗。只有一个宦官，仍然像往常那样，恭敬地站在旁边侍候，不敢离去。二世起身进入内室，问这个宦官为什么不早向他报告内情，以至搞到这种地步！

宦官说："臣平时不敢说话，所以才能活到今天。如果从前我告诉你，早就掉了脑袋，哪能活到今天呢？"

阎乐执刃逼近二世说："你横暴凶残，全国人都痛恨你，反对你，你自己拿个主意吧。"二世要求见一下丞相赵高。阎乐说："不行！"二世表示愿意让出帝位，得到一郡为王。阎乐摇头拒绝。二世说："那就当一个万户侯吧。"阎乐仍然没有允许。二世目光哀怜，绝望地乞求说："我愿意和妻子去当平民百姓，这总可以了吧？"阎乐冷笑一声，说："我奉丞相命令来杀你，你说得再多也是白费唇舌。"说完，挥动吏卒逼向二世。此时，这位昏庸的年轻皇帝才明白，把他逼到这步境地的人，正是他平时最尊重和最信任的人。二世求生无路，悔恨莫及，只好拔剑自尽。

二世皇帝在位三年，终年23岁。死后照平民百姓的身份和礼节葬埋在了杜南（今陕西长安西南）的宜春苑中，没有庙号和谥号。

汉高祖刘邦

汉高祖刘邦（公元前256年—公元前195年），字季（一说原名季），沛郡丰邑中阳里（今江苏丰县）人，汉族。秦朝时曾担任泗水亭长，起兵于沛（今江苏沛县），称沛公。秦亡后被封为汉王。后于楚汉战争中打败西楚霸王项羽，成为汉朝（西汉）开国皇帝，庙号为高祖，汉景帝时改为太祖，自汉武帝时期司马迁开始，多以最初的庙号“高祖”称之，谥号为高皇帝，所以史称汉高祖。

刘邦出生于沛郡丰邑中阳里（今江苏省丰县）的一个农户家里。刘邦之父刘太公刘煓，母亲刘媪。根据官方史载：刘邦未出生之前，刘媪曾经在大泽的岸边休息，梦中与神交合。当时雷鸣电闪，天昏地暗，太公正好前去看她，见到有蛟龙在她身上。不久，刘媪有了身孕，生下了刘邦。

刘邦外貌隆准，美须髯，面呈龙相，左腿上还有72颗黑痣。年少时的刘邦性格豪爽，却不喜欢读书，为人豁达，不喜农事，只喜欢喝酒。其父太公训斥他为“无赖”，并说他不如哥哥，但刘邦还是我行我素。刘邦长大后，经考试做了泗水亭的亭长，和县里的官吏们混得很熟，在当地也小有名气。

刘邦的妻子是吕公的女儿吕氏。据传当时的县令和吕公是好友，很多人听说了他和县令的关系，于是，人们便来上门拜访，想套套近乎。刘邦听说了也去凑热闹。当时主持接待客人的是在沛县担任县主簿的萧何，他宣布了一条规定：凡是贺礼钱不到一千钱的人，一律到堂下就座。刘邦根本不管这些，他对负责传信的人说：“我出贺钱一万！”吕公听说了，赶忙出来亲自迎接他。一见刘邦器宇轩昂，与众不同，就非常喜欢，将他盛情留下，提出将自己的女儿嫁给他为妻。刘邦巴不得结成这门亲事，征得父母同意之后，便和吕氏结了婚，吕氏就是以后历史上有名的吕后。

公元前209年，秦末农民起义爆发，陈胜、吴广率领起义军攻占了陈（现在河南淮阳）以后，陈胜建立了“张楚”政权，和秦朝公开对立。这时，沛县的县令也想响应“张楚”政权，来继续掌握沛县的政权。萧何和曹参当时都是县令手下的主要官吏，他们劝县令将本县流亡在外的人召集回来。县令觉得有道理，便让刘邦的妹夫樊哙去把刘邦找回来，刘邦便带人往回赶。但回头县令又后悔了，害怕会被刘邦杀害。所以，他命令将城门关闭，还准备捉拿萧何和曹参。萧何和曹参闻讯赶忙逃到了城外。刘邦则将信射进城中，鼓动城中的百姓起来杀掉出尔反尔的县令，一起保卫家乡。百姓平时就对不太体恤他们的县令很不满，杀了县令后开城门迎进刘邦，又推举他为沛公，领导大家起事。刘邦便顺从民意，领导民众举起了反秦大旗。这一年是秦二世元年九月，刘邦也有48岁了。

秦末农民战争中还有一支强大的力量，这就是原来楚国贵族的后代项羽和叔叔项梁。他们在吴中（现在江苏的吴县）起兵，兵力很快达到了近万人。同时，其他被秦国灭掉的六国贵族后裔们也纷纷起兵，加入了灭秦的行列。公元前208年，秦二世二年四月，刘邦投靠项梁，屡次与项羽协同作战。项梁死，刘邦被封为武安侯、砀郡长。后九月，刘邦奉令收集陈胜、项梁散卒西向攻秦。刘邦仅率数千人自砀郡出发，转战半年，手下士卒才超过万人。公元前206年十月进抵霸上。秦王子婴投降，秦灭亡。刘邦废秦苛法，与关中父老约法三章："杀人者死，伤人及盗抵罪。"因此受到人民的欢迎。

项羽击溃秦军主力后，也引兵入关。听说刘邦已定关中，项羽大怒，进驻鸿门，欲攻刘邦。刘邦因为兵力不敌，听从张良的意见，亲至鸿门，卑辞言好。项羽封刘邦为汉王，统治巴蜀地及汉中一带。刘邦不甘心灭亡秦的胜利果实被项羽独占，率军东出，发动了长达四年的楚汉战争。战争前期，刘邦处于劣势，屡屡败北。但他知人善任，注意纳谏，能充分发挥部下的才能，又注意联合各地反对项羽的力量，终于反败为胜。

公元前203年，韩信降服了齐国，拥兵数十万，而此时刘邦正被项羽军紧紧围困在荥阳。这时韩信派遣使者前来，要求汉王刘邦封他为"假齐王"，以镇抚齐国。刘邦大怒说："我在这儿被围困，日夜盼你来帮助我，你却想立为王！"张良、陈平暗中踩刘邦的脚，凑近他的耳朵说："目前汉军处境不利，怎么能禁止韩信称王呢？不如趁机立他为王，安抚善待他，让他镇守齐国，不然可能发生变乱。"刘邦醒悟，又故意骂道："大丈夫平定了诸侯，就该作个真王，何必做个假王呢？"于是就派张良前去宣布韩信为齐王，征调他的军队攻打项羽军，很快就使汉军摆脱了不利局面。

由于刘邦得到了萧何从关中派来的增援部队，韩信也收拢打散的军队来会合，汉军又重整旗鼓，在荥阳的南边打败了项羽的军队，两军在荥阳一带开始对峙。后来，刘邦策反了项羽的大将英布，分化了项羽，也使项羽因为要分兵镇压而削弱了兵力。但项羽毕竟不是一般人物，他派兵侵扰汉军的运粮通道，最终将荥阳的汉军围困起来。刘邦无奈，只好向项羽求和，提出以荥阳为分界线，荥阳以西为汉。项羽想答应刘邦，但范增却不同意，说现在正是消灭汉军的好时机，错过这个机会，放虎归山，就后患无穷了。项羽于是又开始攻打荥阳。刘邦见范增从中作梗，就采用了陈平的离间计。等项羽派使者来劝刘邦投降时，刘邦就让人先摆出盛情招待的样子，送去精美的食品，等见了使者，就故意惊奇地说："我们听说是亚父（指范增）的使者来了，原来是项王的使者啊。"接着就将精美的食品拿了下去，换来不好的饭食。结果使者非常生气，回去便告诉了项羽。项羽不知其中有诈，轻易就上当了，不仅从此不再听范增的意见了，而且怀疑他背叛自己，私下和刘邦交往。

范增得知内情，勃然大怒。他对项羽说："现在天下局势已定，大王您自己多保重，我还是回家做一个平民百姓吧！"范增负气离开了项羽，但还没到达彭城，就因背上生疮病死在半途。可见刘邦善于用人，这也是他夺得天下的重要原因。

楚汉双方又对峙了十个多月，因为有关中和蜀地的支援，刘邦逐渐占了上风，而项羽兵源缺乏，粮草不足，难以和汉军抗衡。在侯公的撮合下，项羽和刘邦定下了停战协定：楚汉以鸿沟（现在河南荥阳、中牟和开封一线）为分界线，东西分治。协定达成之后，项羽将刘邦的父亲和妻子送还。

项羽领兵向东返回，刘邦也打算领兵回关中。张良和陈平则极力劝说刘邦趁机灭掉项羽，因为这时项羽兵不精、粮不足，万一他回到彭城，等于是纵虎归山。刘邦听了赶紧命令追击，同时派人命韩信和彭越火速集结，合击项羽。公元前202年的十月，刘邦追上了项羽，但到了固陵时，韩信和彭越的军队还没有到达。项羽向汉军猛烈反击，将汉军击溃。刘邦只得坚守不出，并马上派人许诺韩信和彭越，在击败项羽后立即封他们为齐王和梁王，于是韩信和彭越立即进兵。同时，楚的大司马周殷也被刘邦派人劝降，淮南王英布领兵也赶来会师。汉军会合各路援军共30万，和项羽决战垓下。夜里，围困项羽的汉军唱起了楚国苍凉的歌，使项羽以为汉军已占有全部楚地。虞姬自刎，项羽亦在乌江自刎。楚汉之争就此结束。

刘邦做了皇帝后，在洛阳南宫摆酒宴，说："各位王侯将领不要隐瞒我，都说出真实的情况，我得天下的原因是什么呢？项羽失天下的原因是什么呢？在大帐内出谋划策，在千里以外一决胜负，我不如张良；平定国家，安抚百姓，供给军饷，不断绝运粮食的道路，我不如萧何；联合众多的士兵，只要打仗一定胜利，只要攻城一定取得，我不如韩信。这三个人都是人中豪杰，我能够任用他们，这是我取得天下的原因。项羽有一位范增而不任用（他），这就是被我捉拿的原因。”众大臣心悦诚服。刘邦能够调遣大将，能够最大限度地使用人才，知道把手下的人才放在最合适的位置，这就是刘邦的用人之道。

纵观刘邦的人生可知，争霸中的项羽与刘邦都有统一江山的大志，项羽禀赋优于刘邦，可惜的是他不注重自我管理，动辄大怒，遇事率性而为，毫无克制，这是成功的大忌。相反，刘邦在起初表现平平，但他善于在追求目标的过程中，不断以高标准来完善和要求自己，培植优秀品质，克制天性中的不良因子。他的成功不是偶然的，绝不只是靠运气得来的。

汉惠帝刘盈

汉惠帝刘盈，是高祖刘邦长子，秦始皇三十六年（公元前211年）生于沛郡丰邑阳里（今江苏省丰县），母亲为高祖吕后。

惠帝年幼时，父亲只是小吏，家境并不丰裕。因此，他曾经常和母亲、姐姐一起到田里做活。秦始皇末年，高祖私纵刑徒逃亡隐于芒、砀山泽间，惠帝与父亲一别数年。至公元前209年（秦二世元年），高祖响应陈胜在沛起兵，父子虽重逢，但很快高祖转战南北，惠帝又只好与母亲留在家乡。以后，一直到汉王元年（前206年），楚汉战争爆发，刘邦经过沛郡，才派人去寻找他们。不巧的是，他们由于逃亡，没被找到。后来惠帝和姐姐在路上遇见父亲，但祖父太公和母亲却已走散，被楚军俘虏。惠帝姐弟虽与父同行，由于楚军紧追，也险遭不测。他们曾被刘邦三次狠心地推下车去，以尽快逃跑。太仆夏侯婴看了不忍心，下车把他们抱了上来，并责备高祖说：车子本来就跑不快，把两个孩子扔了又能起多大作用？刘邦非常恼怒，拔出剑来要砍杀夏侯婴和孩子，夏侯婴抱着两个孩子绕着车子跑，刘邦追不上，只好作罢，惠帝姐弟因此幸免于难。

惠帝来到关中后，汉王二年（前205年）被立为王太子。住在栎阳（今陕西临潼），名为留守，实则由丞相萧何照看。汉王五年（前202年），刘邦打败项羽称皇帝，惠帝即被改立为皇太子。时年仅9岁。

惠帝即位后，尊母亲吕后为皇太后。当时他希望母亲能和睦亲属，实际上吕后非常残暴。高祖在世时，诸姬多幸，她受到冷落，就对高祖嫔妃极力迫害。诸子封王者除史载代王母薄姬因为很少见到刘邦允许随王就藩，其余王母皆不准随子。对戚夫人的凶残更是令人发指。她下令把戚夫人囚禁在永巷中，拔掉头发，戴枷具，穿着红色囚衣舂米。戚夫人当时曾悲愤地唱歌说："子为王，母为虏，终日舂薄暮，常与死为伍！相离三千里，当谁使告女（汝）？"但就是这样，吕后还心犹不足。她为了斩草除根，下令把赵王如意骗至京师，用药酒毒死。然后斩断戚夫人四肢，挖眼熏耳，让她吃哑药，扔在厕所里，称为"人彘"。吕后这些所作所为，使为人"仁弱"的惠帝在精神上受到强烈刺激。他看到所谓"人彘"，知道是戚夫人后，大哭了一场，生病有一年之久，从此不理朝政，每日饮酒淫乐。惠帝在位七年，至汉惠帝七年（前188年）就早早离开了人世，死时才22岁。惠帝死后葬安陵（今陕西长安），谥号“孝惠”。惠帝的谥号所以称“孝”，是因为所谓“孝子善述父之志”。所以，在惠帝以后，除光武帝有“中兴”之功例外，其余汉代皇帝死后谥号也都称“孝”。

惠帝为太子时，因年幼没有娶妃。立为皇帝后，在汉惠帝四年（前191年）由吕后做主选立皇后张氏。其婚礼当时很隆重，仅聘金史载就用了黄金两万斤。但这个婚姻实际很荒唐，皇后张氏是惠帝亲外甥女。吕后为了亲上加亲，就把她嫁给惠帝。张氏被立为皇后以后，吕后曾想方设法让她生子，但张氏却始终没有怀孕。无奈，吕后就让她谎称怀孕，取后宫美人子作为儿子，杀其母而立为太子。后惠帝去世，即立为皇帝，由吕后临朝听制。张皇后的命运后来很悲惨。汉高后八年（前180年）诸吕叛乱被平定后，她因党与吕氏，被废处北宫，死于汉文帝后元元年（前163年）。

惠帝同母所生只有一个姐姐，就是长公主。长公主的生年无考，史载少时曾与惠帝多年患难。长大后，约在汉王五年（前202年），嫁给张耳子赵王张敖为后。为后三年，她又险些被作为“和亲”的牺牲品，嫁给匈奴冒顿单于。当时由于吕后强烈反对，才改以宗室女为公主去“和亲”。惠帝即位后，汉惠帝二年（前193年），她被齐王刘肥尊为王太后，称“齐太后”，汉高后元年（前187年）去世，死后谥号“鲁元公主”。长公主曾生有一子一女：子张偃，惠帝死后以母为齐太后，被吕后立为鲁王；女即惠帝张皇后。

除了鲁元公主和上文提到的赵王如意，惠帝还有六个异母兄弟，他们是刘肥、刘友、刘恢、刘建、刘长和刘恒。刘恒，即孝文皇帝。

惠帝在位七年，任用过四名丞相，他们是萧何、曹参、王陵和陈平。其中除萧何外，曹参最为知名，他对惠帝时的统治政策曾产生极大影响。

惠帝统治的七年，是西汉王朝更加巩固的时期。为了恢复、发展经济，他大力推行轻徭薄赋、休养生息政策。惠帝即位伊始，就下诏减天下田租，恢复“十五税一之制”。由于平定异姓王、抗击匈奴需要大量经费，高祖曾加征田租。到惠帝时，异姓王基本削平，匈奴也重结和亲，就重新恢复十五税一。公元前191年，惠帝又下诏“举民孝弟力田者复其身”，对努力耕田者免除徭役，鼓励农民耕田。同时，还减免刑罚，“省法令妨吏民者”，以调动农民的生产积极性。到公元前189年，惠帝为使人口迅速发展，又下诏：“女子年十五以上至三十不嫁，五算。”汉代规定：15岁以上的成年人都要交人口税，每人是一百二十钱，为一算，称为“算赋”。惠帝这时规定女子15岁以上到30岁不嫁，交人口税五算，实际就是强制女子到十五岁时就要结婚生育。这对发展人口和恢复经济，起了很大作用。

除了以上措施，在经济上惠帝还下令“驰商贾之律”。西汉初年，对商贾还采取一定的抑制政策。这对工商业的发展显然是不利的。到惠帝时，为繁荣经济，西汉王朝下令放宽对商贾的限制。除了不准做官、商人的人口税比平民重一倍外，其他都予废除。这对经济的恢复和发展同样起了很大的作用。

惠帝时的思想、文化政策更做了较大调整。在当时，不仅黄老思想已取代秦的法家思想在政治上占据主导地位，而且对各种思想也开始解禁。公元前191年惠帝废除“挟书律”。“挟书律”原是秦始皇三十四年（前213年）秦始皇下令“焚书”颁布的一条法令。这条法令规定：只要不是由秦的博士官所掌管，全国有藏《诗》、《书》、百家语的，都要交给郡守和郡尉一齐烧掉。如果谁胆敢私藏，就处以族刑。它极大地遏杀了当时思想、文化的发展。惠帝明令废除了这项法令。“挟书律”的废除使得思想文化的发展摆脱了一定限制，民间藏书当时纷纷出现，特别是秦代受到压制的儒家思想又重新开始抬头，为以后汉武帝的“独尊儒术”奠定了基础。

惠帝时，西汉王朝对民族关系尤其是对匈奴的关系也处理得比较得当。汉惠帝三年（前192年），惠帝仿照高祖，以宗室女为公主，继续与匈奴冒顿单于和亲。表面上看，这不过还是高祖和亲的办法，实际却有着很多曲折。因为高祖时虽与匈奴和亲，并赂送大批财物，但以掠夺为主事的匈奴对此并不满意。他们在和亲始定之日就已不断骚扰边境，惠帝继位后和亲已完全破裂。当时匈奴冒顿单于竟写信侮辱吕后说：“我没有妻子，你没有丈夫，咱们两人干脆和亲。”吕后大怒，她想斩杀来使，发兵征讨匈奴。但当时经济凋敝，人心思定，中郎将季布建议吕后还是忍辱以宗室女和亲为上策。吕后权衡利弊，最后决定与匈奴和亲。冒顿单于也感到惭愧，表示自己不懂得中国礼仪，希望吕后原谅，于是向汉廷献马再结和亲。这次和亲的缔结不仅使得汉匈关系有了进一步的改善，也使汉匈两族人民特别是中原地区人民得以免于战患。对当时恢复、发展经济有着重要意义。

此外，惠帝在位期间还有一件事情值得称道：这就是长安城的修建。高祖采纳娄敬建议定都长安后，在长安开始修筑宫殿，建造了长乐宫和未央宫，但没有修筑城墙。惠帝开始大规模地修筑长安周围的城墙。这项工程从公元前194年（汉惠帝元年）开始动工，到公元前190年完成，先后进行了五次修筑。其中有两次比较大的修筑，一次征发了十四万六千人，一次征发了十四万五千人。长安城建成后，周围有六十五里（实测为25100米），是当时世界上规模最大的都城，只有欧洲的罗马城可与它媲美。长安城四面有十二座城门，每面有三座，其中以宣平门最为重要，是当时出入最频繁的城门。而每个城门又都有三个门道：左道为出，右道为入，中间是“驰道”，专供皇帝使用。在城墙修筑完工后，第二年又在城中修建了“西市”，并对秦时最大的粮仓——“敖仓”进行了改建。可以说，汉长安城的规模在惠帝时已经基本完成。

惠帝在死后被谥为“孝惠皇帝”。

汉文帝刘恒

汉文帝刘恒（公元前202年—公元前157年），汉朝的第三位皇帝，谥号“孝文帝”。公元前180年—公元前157年在位。他是汉高祖刘邦第四子，汉惠帝刘盈之弟，母亲是薄姬，最初被立为代王，建都晋阳。惠帝死后，吕后立非正统的少帝。吕后死，吕产、吕禄企图发动政变夺取帝位。刘恒在周勃、陈平支持下诛灭了诸吕势力，登上皇帝宝座。与汉景帝并列为“文景之治”。后葬于灞陵，庙号太宗。

文帝即位后继续惠帝的与民休息的政策，这是他开创“文景之治”的重要原因。在即位之初，他就连续下了两道诏书，表达了自己爱护百姓、体恤民情、关心老人的意愿。管理民政的政府机关向各县发布了命令：对八十岁以上的老人，每人每月可以赐给米一石，肉二十斤，酒五斗；九十岁以上的老人，每人再加赐帛二匹，絮三斤。赐给九十岁以上老人之物，必须由县丞或者县尉送达；其他由啬夫（乡的官吏）来送达。

文帝对农业非常重视，认为农业是天下的根本，为了劝农耕种，文帝还亲自耕作，以作表率，后来，他还采纳了晁错的建议，允许以粮食换爵位，或者用粮食来赎罪。重农最典型的措施还是减轻农民的赋税，在公元前167年，即文帝十三年，文帝宣布免除了农民的租税。

文帝很慎于用法。他在即位之初，曾对群臣说：“法者，治之正也，所以禁暴而率善人也。”就是说，用法当正，以禁暴导善。他不同意那种一人犯法、株连全家的做法，强调法用得正才能使民诚实，罪定得恰当才能使民服从。官统治民，本应导之为善，既不能导，又用法不正，定罪不当，这是反而害民为暴，怎能禁民为非？文帝废除的首先是连坐法，当时叫做首孥连坐法。当时的大臣陈平和周勃开始不同意，但在文帝的坚持下，只好按照文帝的意思起草了诏书，终于将连坐法废除了。其次是对肉刑的废除，改为处以笞刑和杖刑，因为次数太多，有的三百，有的五百，还是太重，经常把人打死，于是又减轻次数，最终达到了减轻刑罚的目的。

文帝在历史上还是个以节俭著名的皇帝。他曾严责各地各级官员要节省，防止扰民。在公元前178年，即文帝即位的第二年，他下诏清点长安的公用马匹，将多余的一律送到驿站使用。文帝在位二十多年，一直这样节俭。宫殿、皇苑等都是使用以前留下来的，从来不嫌简陋。他本来想造一座供宴游的露台，但看到工匠的预算，要用“百金”，就说道：“这等于十个中等人家的财产，我本来用先帝的宫殿就觉得很奢侈了，露台就不用建了。”后宫所用的衣服器物也因为文帝的监督和表率，没有任何奢侈攀比之风。

文帝还能虚心纳谏，通过纳谏，文帝纠正了自己错判将军魏尚一案。魏尚原是云中郡的太守，他爱护将士，多次击败匈奴，使匈奴一直不敢轻易南下。但后来因为在上交敌人首级时比原来报告的少了六个，文帝一气之下就罢免了他的官职，还判了刑。文帝在一次和郎署长官冯唐聊天时，得知冯唐祖先是赵国人，父亲住在代郡，文帝曾经做过代王，于是二人便很投机地谈起来；自然谈到了赵国有名的将军廉颇。文帝便很高兴地说，如果他能得到像廉颇那样的将军，就不怕匈奴入侵骚扰了。冯唐听了很不以为然，很不客气地说，如果陛下能得到廉颇那样的将军，恐怕也不能很好地重用。文帝听了很生气，就问为什么。冯唐说，廉颇之所以能经常打胜仗，是因为赵王信任他。但现在将军魏尚仅仅因为上交的首级比报告的少了六个，就落得个罢官入狱的结局。所以由此知道陛下就是得到了廉颇那样的将军也不能很好地使用。

文帝听了，转怒为喜，同一天就派使者释放了魏尚，恢复了他原来的官职，对于敢直言的冯唐也给予了奖赏，提升他做了车骑都尉。

另外一个例子就是和铁面无私的法官张释之之间的故事。张释之以正直、敢于和文帝争辩出名，文帝让他做了廷尉，即最高司法官。一次，文帝出巡路过中渭桥，结果拉车的马被一个行人惊吓，这在当时叫做犯跸，即触犯了皇帝的行为。张释之经过审理得知，犯法的行人原来听到了行车的声音，因为来不及躲闪，就躲到了桥下边。一会儿后，他觉得车马应该走远了，就从桥下出来，结果却恰好撞上了文帝的车驾。他惊慌得拔腿就跑，就这样使马受惊。张释之依照法律规定，罚金四两。文帝听说了很不高兴，嫌他判轻了，张释之据理力争：“国法应该是天子和天下百姓一起遵守，如果违背律条，轻易重判或者轻判，就会使法律失去信用。既然陛下让臣来处理，就要按照国法办事，如果我带头任意行事，那岂不是给天下的法官们起了坏作用吗？”文帝觉得有道理，就承认了自己的错误，不再追究了。

文帝还十分重视有识之士，听取和采纳他们有利朝廷的建议。思想家贾谊提出农业生产是立国的根本，只有把粮食贮存得多了，才能攻能守。政治家晁错提出重农轻商的主张，提出使农民附着于土地的观点，文帝都采取了措施加以实行。

西汉建立后，诸侯王国势力的强大，成为统治集团内部的重大问题。文帝入朝为帝，自然不会忽视这个问题。他听取了贾谊的建议，在原来的封地上增加封君的数目，以分散其实力，使朝廷跟他们的关系可以像身之使臂，臂之使指。文帝于六年以谋反罪废了淮南王刘长，又于十六年立刘长三子为诸侯王，以原淮南王之地“三分之”。表面上以示对宗室的怜悯，实际上以大化小，一分为三，便于控制。悼惠王死后，文帝也采取了同样的做法，将齐地分给悼惠王的六个儿子。这一议案的采用，在一定程度上打击了诸侯王的分封势力，加强了中央集权的统治。

文帝在位共二十三年，他开创的稳定局面为此后景帝时的经济繁荣奠定了坚实的基础，他自己也成为一代名君载入史册。

汉景帝刘启

汉景帝刘启，汉文帝刘恒第五子，母孝文皇后窦氏（即窦太后），西汉第四位皇帝。刘启在位期间，推行“削藩策”，削诸侯封地，平定七国之乱，巩固中央集权，勤俭治国，继续奉行“与民休息”政策，发展生产、减轻赋税。刘启在位16年，汉景帝后元三年（前141年），刘启驾崩，谥号孝景皇帝，葬于阳陵。

刘启初即位后，针对地方各诸侯割据势力越来越大而直接威胁到中央权力的情况，采用晁错之策，着手削藩，削弱各诸侯王的权力，结果引起以吴王刘濞为首的以“请诛晁错，以清君侧”为名的七国之乱。景帝派遣周亚夫率军抵抗，于公元前154年平定叛乱。之后，下令把诸侯王任免官吏的权力收归中央，打击了割据势力，巩固了中央集权。

通过这个事件可看出，景帝在政治上很有魄力。他的为政之道被评价是“清静恭俭”；“清”是为政少事；“静”是安定百姓；“恭”是善待臣民；“俭”是节省汰用。汉景帝之所以获得这样好的评价，主要是采取了一系列行之有效的治国措施。

景帝在经济上实行重农抑商政策。景帝说：“农，天下之本也。黄金珠玉，饥不可食，寒不可衣，以为币用，不识其始终。”因此，他多次下令郡国官员以劝勉农桑为首要政务。

景帝允许居住在土壤贫瘠地方的农民迁徙到土地肥沃、水源丰富的地方从事垦殖，并“租长陵田”给无地少地的农民。同时，还多次颁诏，以法律手段，打击那些擅用民力的官吏，从而保证了正常的农业生产。景帝曾两次下令禁止用谷物酿酒，还禁止内郡以粟喂马。

为了发展经济，景帝还下令轻徭薄赋，实行约法省禁。景帝时期，对农民的剥削（赋役）、压迫（法律），较以前有所减轻。所谓约法省禁，就是法令要帛书简约，刑网要宽疏。前元元年（前156），景帝即位伊始就颁布了诏令：“令田半租”，即收取文帝时十五税一之半，即三十税一。从此，这一新的田租税率成为西汉定制。在降低田租的第二年（前155），景帝又下令推迟男子开始服徭役的年龄三年，缩短服役的时间。这一规定一直沿用至西汉昭帝时代。

一系列政策的实施，使文景时期的社会渐趋稳定，物价日益低廉，据学者统计，在整个西汉时期，文景统治的近40年内，直接关系到国计民生的米价下跌的幅度最大，这就为其他各项社会事业的发展奠定了良好的基础。

景帝在法律上实行轻刑慎罚的政策：其一，继续减轻刑罚，如前所述，对文帝废肉刑改革中一些不当之处的修正。其二，强调用法谨慎，增强司法过程中的公平性。其三，对特殊罪犯给予某些照顾。

弘扬文教，打击不法豪强。景帝时期，由于社会经济的恢复及发展已达到相当的程度，所以统治阶级上自景帝、下至郡县官员都逐渐重视文教事业的发展。当时在教育领域中最突出的就是文翁办学。文翁，庐江郡舒人，年轻时就好学，通晓《春秋》，以郡县吏被察举（即郡国守相经过考察后向朝廷推荐）。景帝末年任命他为蜀郡太守。文翁首创了郡国官学，对文化的传播起了重要作用。

景帝一面弘扬文教礼仪，一面又打击豪强。为了保证上令下达，景帝果断地采取了多项措施，重要的有两项：一是在修建阳陵时，效法汉高祖迁徙豪强以实关中的做法，把部分豪强迁至阳陵邑，使他们宗族亲党相互分离，削弱他们的势力，以达到强干弱枝的目的。二是任用酷吏，如郅都、宁成、周阳等，严厉镇压那些横行郡国、作奸犯科者，收到了杀一儆百的功效，使那些不法豪强、官僚、外戚等人人股栗，个个惴恐，其不法行为大大收敛，这便局部地调整了阶级关系，有利于社会的发展。

汉景帝推行的上述措施，进一步促进了社会经济的稳定和发展。人口翻番，国内殷富，府库充实。汉景帝统治后期，国库里的钱堆积如山，串钱的绳子都烂断了；粮仓满了，粮食堆在露天，有的霉腐了。但是，文景时期社会经济的发展，又带来了贫富悬殊的分化。这种状况，既为后来汉武帝实施“雄才大略”提供了雄厚的物质基础，也给西汉中期带来了新的社会问题。

汉景帝后元三年（前141年）正月，景帝刘启患病，病势越来越重，他自知不行了，于是病中为太子主持加冠。临终前，对刘彻说：“人不患其不知，患其为诈也；不患其不勇，患其为暴也。”不但要知人、知己，还要知机、知止。景帝似乎已经感觉到儿子有许多异于自己的品质，把天下交给他是放心的，路还是让他自己走吧，多嘱咐也无益。不久，景帝病死于长安未央宫，享年48岁。葬于阳陵（在今陕西省咸阳市渭城区正阳乡张家湾村北），谥号“孝景”皇帝，“景”为布行刚义的意思。太子刘彻即皇帝位，这就是汉武帝。

汉景帝刘启在西汉历史上占有重要地位，他继承和发展其父汉文帝的事业，与父亲一起开创“文景之治”；并为其子刘彻的“汉武盛世”奠定基础，完成从文帝到武帝的过渡。

汉武帝刘彻

汉武帝刘彻（公元前157年—公元前87年），幼名刘彘，是汉朝的第五代皇帝。汉武帝是汉景帝刘启的第十个儿子、汉文帝刘恒的孙子、汉高祖刘邦的曾孙，其母是皇后王娡。7岁时被册立为太子，16岁登基，在位54年，建立了汉朝最辉煌的功业之一。他的雄才大略、文治武功使汉朝成为当时世界上最强大的国家，他也是中国历史上伟大的皇帝。

汉武帝即位之初，一方面政治形势比较稳定，国家经济状况也相当好，另一方面诸侯王国的分裂因素依然存在，潜在威胁还不小。所以，他在继续推行景帝各项政策的同时，采取了一系列强化中央集权的措施。

在政治方面，首先颁行“推恩令”，使诸侯王多分封子弟为侯，使王国封地被分割，以进一步削弱诸侯王国势力，潜移默化地消除了威胁，其次建立中朝削弱相权，巩固了皇权的神圣地位；再设置十三部刺史，加强了对地方的控制。在军事方面，主要是集中兵权，充实了中央的军事力量。在经济方面，整顿财政，颁布“算缗”、“告缗”令，征收商人资产税，打击富商大贾；又采取桑弘羊建议，将冶铁、煮盐收归官营，禁止郡国铸钱；设置平准官、均输官，由官府经营运输和贸易，大大增强了国家经济实力。同时兴修水利，移民西北屯田，实行“代田法”，有利于农业生产的发展。在思想方面，采纳董仲舒的建议，罢黜百家，独尊儒术，使儒学发展为中国社会的统治思想，对后世中国政治、社会、文化产生了深远的影响。汉武帝也非常注重人才的开发，他确立了察举制度，是中国有系统选拔人才制度之滥觞，对后世影响很大。

武帝在内政统一稳定的同时，大力开拓疆界，巩固对边疆地区的统治。

首先，对匈奴的征战。至武帝时期，为显示汉王朝的强大和威严，为了边疆地区人民的安居乐业，汉武帝对匈奴进行了大规模的征伐，其间大大小小战役十余次。其中前127、前121、前119年三次对匈奴的大规模征伐，卓有成效。前127年，汉武帝派卫青、李息率兵出云中，收复河南地区，解除了匈奴对长安的威胁；前121年，汉武帝派霍去病出陇西，越过焉支山西进，入匈奴境千余里，大获全胜，缴获休屠王的祭天金人，汉武帝设置河西四郡，此后，“金城、河西到南山（祁连山）至盐泽（罗布泊），空无匈奴”，打通了通往西域的道路，加强了内地与西域各国的文化、经济交流。其后，匈奴又不断向南侵扰。为彻底击溃匈奴，前119年汉武帝派大将军卫青、骠骑将军霍去病率领10万大军，分别从定襄、代郡深入匈奴境内，大败匈奴，基本上消灭了匈奴的军事主力。是后，匈奴远遁，而“幕南无王庭”。至此，不但陇西、北地、河西一带荡清了匈奴之敌，而且这几次战役的胜利进一步切断了匈奴与西羌的联系，打开了西汉通往西域的道路。西汉对匈奴的战争，也使汉初以来北方农业地区所受到的威胁基本解除，内地和边郡的交往大大加强，边郡地区的经济、文化也随之发展起来。

其次，汉武帝时期，也加强了对边疆地区的经营和开发，强化对边疆地区的控制。在当地设立中央直属的行政机构，曾派司马相如出使西南地区，在那“置一都尉，十余县，属蜀”。汉灭南越后，将其故地分设为九郡，元封二年（前119年）发兵至滇，降滇王，以其地为益州郡。此后西南大部分地区都在汉的直接管辖之下。汉武帝加强对我国西南夷、南越、闽越的经略，奋力拓展中国在东南、西南、东北的疆域，巩固、强化了汉政权在边疆的军事防务，同时，也推进了东南、西南、东北少数民族地区的社会经济文化的发展，促进了民族融合。汉武帝时期是汉代边疆地区和内地联系大发展时期。统一的多民族国家的规模在这一时期得到进一步的扩大和发展。

此外，武帝采取比较开放的外交政策，积极发展与其他民族的交往。他派张骞于公元前138年、公元前119年两次出使西域，后来又数次派出使者。他们到达了中亚和西亚诸个古国，如：大宛、大月氏、大夏、安息等。自张骞通西域后，中西交通日见发达，除交往活动外，商业贸易也日益频繁。张骞出使西域以及丝绸之路的开辟，加强了西汉与中亚各国的密切往来。为了适应中西交通往来和经济文化交流的日益频繁，西汉政府在西边设立亭障，以便各国使节和商人往来。据《史纪·大宛列传》记载：“西至盐水，往往有亭。而仑头有田卒数百人，因置使者互田积粟，以给使外国者。”对西域的沟通交流，开启了西域各国与汉朝频繁交往的时代。张骞两次奉命出使西域，最终凿通西域。西域各国纷纷派人到长安，中西交流日盛，从此以后，汉朝先进的铸铁、凿井、丝织品以及农业先进生产技术西传至中亚诸国，西域的各种物产和文化也沿着丝绸之路输入中国，丰富和充实了华夏文明。此外，汉朝还与朝鲜、越南、印度、缅甸、日本等东亚南亚国家进行经济文化交流，提高了汉朝当时的社会地位。

汉武帝晚年杀戮太过，颇思悔悟。李广伐匈奴不利，全军覆没，求神仙又不成，又因巫蛊之祸造成父子相残，太子刘据自杀，种种打击使武帝心灰意懒，对自己过去的所作所为颇有悔意。在登泰山、祀明堂之后，武帝在轮台宫殿里下《罪己诏》：“朕即位以来，所为狂悖，使天下愁苦，不可追悔。自今事有伤害百姓、靡费天下者，悉罢之。”以表示承认自己的错误，汉朝天下因此又逐渐归于和谐这为昭宣中兴的盛世奠定了基础。

公元前87年2月，汉武帝去世，享年70岁，葬于茂陵，庙号世宗。

汉武帝是我国封建社会开创初期的一位杰出的封建帝王。他雄才大略、深谋远虑，领导汉帝国的人民和官吏创造了伟大的历史功绩。他雄心勃勃，既建设、巩固内政，又开拓疆土，奠定了祖国疆域基础。同时，他打通了中原与周边广大地区的联系，传播了先进的中华文明，促进中西文明的共同发展，对世界文明的进步也起了推动作用。虽然他难免有帝王“好大喜功”、“居功自傲”、“奢侈享受”的弊病，但从当时的历史条件和整个社会发展的进程来看，他足以被视为有功于历史的杰出帝王。

汉新帝王莽

西汉初年，有个叫王遂的，家居济南郡东平陵（今山东章丘西）。王遂生子贺。王贺在汉武帝朝做了个专门逐辅奸宄的小官——绣衣御史。后来，王贺与乡人终氏结怨，举家迁至魏郡元城（今河北大名东）委粟里。王贺生子禁。王禁妻妾众多，生有四女：君侠、政君、君力、君弟，八男：凤、曼、谭、崇、商、立、根、逢时。王政君是王禁嫡妻李氏所生。政君18岁入宫廷。大约过了一年，皇太子刘奭（shì）的爱妃司马良娣去世，宣帝命皇后另选宫中的宫女送去侍奉太子。政君入选。宣帝甘露三年（前51年），王政君生一子，名骜，字太孙。刘骜三岁那年，宣帝去世，太子刘奭即位，是为元帝，立刘骜为太子，政君为皇后，她的父母、兄弟、姐妹成了皇亲国戚，封爵授官。王禁封为阳平侯。元帝竟宁元年（前33年），汉元帝死，太子刘骜即位，是为成帝，尊皇后王政君为皇太后；任命帝舅王凤为大司马大将军领尚书事，总理朝政；封王崇为安成侯，王谭、王商、王立、王根、王逢时为关内侯，唯王曼已卒，未得封赏。

成帝大封诸舅以后，王氏外戚一个个贵显无比，趾高气扬，过着骄奢淫逸的贵族生活。唯王莽一家过着孤贫寒酸的生活。王莽字巨君，生于元帝初元四年。父王曼因早殁未能蒙受皇恩。但王莽恭俭有礼，拜名儒、沛郡陈参为师，孜孜不倦地攻读经书。在家里，他恭谨地侍奉早寡的母亲和嫂嫂，教育亡兄留下的侄儿。在社会上，他广交名人儒士，小心翼翼地侍奉执掌朝廷大权的伯父与叔父。与那些唯声色是娱的王氏贵公子相比，洁身自好、恭谨有礼的王莽，引人注目，颇受赞誉。阳朔三年（前22年），王莽的伯父王凤生病，王莽在侧侍候，不离左右，亲自尝药，照顾备至，几个月未解衣带。这更加强了王凤对他的好感。这位权臣弥留之际属托元后和成帝授给王莽一官半职。就在这一年，王莽做了黄门郎，不久升为射声校尉，秩二千石。其时他年仅24岁。永始元年（前16年），王莽的叔父成都侯王商上书成帝，愿分自己的户邑以封王莽。长乐少府戴崇、侍中金涉、胡骑校尉箕闳、上谷都尉阳并、中郎陈汤等一班名士，也都盛誉王莽。于是，成帝封王莽为新都侯，食南阳新野之都乡1500户，晋升为骑都尉光禄大夫侍中。年方30的王莽，成为朝中很有权力的大臣。王莽爵位越尊，节操愈谦，散舆马衣服，赈施宾客，家无所余；收赡名士，交结将相卿大夫。有时也做出一些沽名钓誉、哗众取宠的事来。

王莽的哥哥王永早死，遗下一个儿子叫王光。王莽让他拜一位儒学博士为师。王莽办完朝政出来，沐浴净身，整饰车骑，跑到这位博士家里，奉上酒肉，连王光的同学也一起招待。王光的年龄比王莽儿子王宇小，王莽给他两人同日娶妇。在宾客盈门、觥筹交错的筵席上，有侍者告诉王莽："太夫人感到某个地方痛，要吃药。"王莽三番五次离席去后堂探视，服侍母亲吃药，举座为之叹息。

王莽曾经偷偷地买了一个漂亮的侍婢。这在当时达官贵人圈人里，是司空见惯的事。但当王莽得知这件事让他的昆弟知道了后，当机立断，煞有介事地对他的昆弟说："我听说后将军朱子元没有儿子，这个女子是宜于生子的，我特地为朱将军买下了。"当天便派人把这个侍婢送到朱子元府上。

绥和元年（前8年），王莽的叔父、任大司马大将军的王根处在重病之中，他数次上疏请求离职养病。王根推荐王莽代己辅政。绥和元年（前8年），成帝擢莽为大司马，代王根辅攻，这年王莽30岁。

王莽当上大司马的高位后，仍旧克己修行，延聘贤良名士幕僚，赏赐的钱财全用来享士，而自己更加俭约。他母亲生病，公卿大臣派其夫人前来探视，出来迎接客人的王夫人、穿着短衣布裙，那些贵夫人竟把她当作王莽的奴婢了。

哀帝无子嗣，太皇太后下令把汉王朝的军政大权交给王莽。王莽奏免了大司马董贤，自己重登了大司马的宝座。继立的平帝年幼，王后临朝称制，委政王莽。王莽以成帝赵皇后杀害皇子、哀帝傅皇后骄奢的罪名，迫令她们自杀，又把丁、傅两家外戚赶出京师。他还不准平帝的母亲卫氏入京。这样，王莽大权独揽，玩平帝于股掌之上。他排斥异己，结党营私；又沽名钓誉，广施恩惠；同时，不断向太皇太后要更尊贵的名号。平帝元始元年（公元元年），他获得"安汉公"的称号。

当时，年迈的太皇太后仍握有相当大的权力。他指使爪牙上书，说太后至尊，不宜操劳过度，一些小事就不必新躬了。太皇太后采纳了这个建议，规定唯有封爵一事须奏闻于她，其他事皆有安汉公和公卿大臣平决。自此之后，朝政大权完全为王莽所把持。

刘衎入继大位时，王莽担心卫氏外戚分享他的权益，重演哀帝登基时的覆辙，勒令平帝母亲卫姬、帝舅卫宝、卫玄等卫氏外戚留居中山，不得进京。扶风功曹申屠刚感到这样做太绝情了，就在对策时要求太皇太后让卫氏入京。王莽以歪曲经义、违背大义的罪名罢免了申屠刚的官职。王莽的长子王宇也认为王莽如此对待卫氏外戚有点过分了，担心平帝长大后怨恨王莽，危及王氏宗族。于是，王宇派人偷偷送信给卫氏，示意让卫氏上书太皇太后，请求入京。复遭王莽拒绝。王宇见此法不通，便和他的老师吴章、妻兄吕宽密谋新法。吴章认为，王莽刚愎自用，不可劝谏。但王莽迷信鬼神，可伪造鬼怪变异来吓他，然后由己出面以推演灾异之法委婉地劝说王莽，容卫氏外戚入京。于是，王宇派吕宽在夜间把一些鲜血洒在王莽府第的大门。结果，被门吏发觉。王莽探知事情真相后，大怒，将王宇送进监狱，王宇饮药自杀。宇妻怀子，也被抓进监狱，待分娩后再处决。接着，王莽穷治吕宽之狱，从中央到地方，凡王莽认为异己者，一律指为吕宽党羽而逮捕治罪。连元帝的妹妹敬武公主、梁王刘立、红阳侯王立及平阿侯王仁，也都被胁迫自杀。曾与王莽争夺大司马一职的前将军何武，忠于汉室不附王莽的前司隶鲍宣，与卫氏相善的护羌校尉辛通、函谷都尉辛遵、水衡都尉辛茂及南阳太守辛伯等都下狱致死，牵连被处死者达数万人。

为进一步稳固自立的权位，王莽费尽心机，使女儿成为汉平帝的皇后。女儿立为皇后不久，王莽便获得了“宰衡”的称号，位上公。王莽十分得意，让御史给他刻了一枚“宰衡太傅大司马”的印章。受此殊礼后不久，王莽觉察出日渐长大的平帝对自己的不满，便先下手鸩杀了平帝，拥立了年仅2岁的刘婴做“孺子”，自己做起“摄皇帝”来。王莽代汉自立之心，已是路人皆知。东郡太守翟义、长安男子赵明等起兵反莽，相继被镇压。年迈的太皇太后有名无权，已经没有什么力量能阻止王莽代汉自立了。

居摄三年（8年），梓潼县一个无赖哀章见王莽有代汉而立之势，决定来一次大的政治冒险。他伪造了两个铜匮，一个上写着“天帝行玺金匮图”，另一个上写着“赤帝行玺某传予皇帝金策书”。“某者”，指汉高祖刘邦。书中说，王莽继汉而立，为真天子，太皇太后应尊奉天命。图、书中都写着王莽八个大臣的字，又自造了王兴、王盛两个名字，还有他自己的名字，说这十一个人是新王朝的辅佐。一天黄昏，哀章穿着黄衣，拿着铜匮，跑到汉高祖刘邦的祀庙，把两检铜匮交给仆射。仆射马上报告王莽。次日清晨，王莽郑重其事地来到高庙，拜受铜匮，又戴上皇冠去谒见太后，说明自己将承天命代汉而立。然后，来到未央宫前殿，在皇帝的宝座上坐下来，宣布自己代汉而立，定国号为“新”，以十二月为台建国元年正月。

始建国元年（9年）元旦，在未央宫前殿隆地举行了新朝皇帝登基大典。王莽率公卿朝见太皇太后，奉上“新室文母太皇太后”的玺绶，去掉汉朝的封号。立妻子王氏为皇后。王莽有四子：宇、获、安、临。王宇、王获皆已自杀，王安神志恍惚不清，王莽便立王临为皇太子，封王安为“新嘉辟”；封他的孙子、王宇的六个儿子皆为公。大赦天下。又下诏策命孺子婴为“安定公”，以平原（今山东平原西南）等五县百里之地，人万户，作为安定公的封邑，在那里立刘氏宗庙，奉汉正朔；以孝平皇后为安定太后。宣读完策令之后，王莽拉着年仅5岁的刘婴流涕唏嘘，说：“当初周公居摄，成帝长大后便还政了。我原也欲效法周公，无奈天命难违，不得如意。”哀叹良久，中傅把刘婴带下殿，北面称臣。接着王莽从太皇太后手里拿到了“汉传国玺”，最终代汉而立，建立了他的新朝。

王莽代汉而立后，依照《周礼》设计了一套对社会进行“复古”改革的蓝图，试图缓解自西汉中叶以来的社会危机，巩固新朝地主阶级的统活。登上帝位不久，王莽便依照夏、商、周三代的井田制模式，进行土地改革，颁布了“王田令”：更名天下田地日“王田”；禁止土地买卖；一家男口不满八人，而田过九百亩者，把多余的土地交出来，分给族人邻里；过去没有土地的，按一夫一妇一百亩受田。敢有违犯此令者，流放边远地区。

与“王田令”相辅相成的另一项改革，是关于奴婢的“私属令”。奴婢，是奴隶社会的产物。进入封建社会后，奴隶制作为封建补充形式而保留下来。随着土地兼并的加剧，自耕农纷纷破产，沦为奴婢，生杀予夺任主人所欲为，封建国家也丧失了越来越多的劳动人手和剥削对象。王莽称帝后，为了抑制奴婢的增多，在颁布“王田令”的同时，又颁布了“私属令”：更名奴婢为“私属”，禁止买卖奴婢。不听令者，流放边远地区。

始建国二年（10年），王莽又依据《周礼》颁布了“五均”、“赊贷”和“六管”。“五均”，是由政府来管理工商业经营和物价。在长安和全国五大城市——洛阳、邯郸、临淄、成都、宛（今河南南阳），设置“五均官”。长安分东、西两市，设“市令”；五城市各设“市长”。

令、长兼任“五均官”，称为“五均司市师”，下设交易丞五人，钱府丞一人。“五均官”在每一季度的中月，定出各种货物的标准价格，叫作“市平”。物价高于“市平”，把库存物资平价出售；物价低于“市平”，则任其自由买卖。“赊贷”，是发放贷款。贫民遇有丧葬、祭祀，或欲经营工商业而无资金，可向钱府丞贷款。祭祀限十天归还，丧事限三个月归还，不收利息；工商贷款岁息十分之一，或月息百分之三。后来，王莽又下令由国家专卖盐、酒、铁；由国家铸钱；由国家管理山林川泽，收山泽税。这五项国营实业，加上国家办理“五均”和“赊贷”，合称“六管”。

在官僚制度上，王莽也进行了改革。他以传说中的上古官制为蓝本，兼采汉代官制，融合贯通，制定了新朝的官僚制度。在中央，设置四辅、三公、四将、九卿和六监；在地方，分全国为九州、一百二十五郡、二千二百零三县。州，设州牧；郡的长官，按爵位的高低分为卒正、连率的大尹；县，设县宰。

王莽还对币制进行了改革。早在做“摄皇帝”时，王莽就着手进行这项改革。居摄三年（7年），他下令在汉代的五铢钱之外，另增发大泉、契刀和错刀三种货币。在他称帝那年，又进行了第二次币制改革。他说，“刘”这字的造形，是“卯、金、刀”，五铢、契刀和错刀三种货币的名称，都与“刘”字有关，为了表示改朝换代，这三种货币都应废除，只保留大泉一种，另增发小泉，二品并列。始建国二年（10年），王莽又抛出了第三次币制改革方案，发行“宝货”，计有五物（金、银、铜、龟、贝）、六名（钱货、黄金、银货、龟货、贝货、布货），共二十八品。由于品类众多，面值不一，换算困难，仅一年就被废除，只保留小泉与大泉两种继续流通。到天凤元年（13年），王莽宣布进行第四次币制改革：废除小泉和大泉，改行货泉和货布。

王莽这些改革，特别是“王田令”和“私属令”，的确抓住了问题的核心。但是，他没有提出切实的改革措施。他的改革方案过于荒诞，富于幻想。他的“王田令”根本行不通。他的“私属令”，只是规定不得买卖奴婢而已，并没有改变奴婢当牛做马的悲惨处境。况且，巧立名目的赠送、转让仍可堂而皇之地进行。五均、赊贷、六管和币制改革，也没有带来什么好处。相反，扰乱了社会经济。加重了人民群众的负担。他逆货币规律而动，频繁地更改，在短短的六年内，竟四次更改币制。每改一次，就带来一次经济动乱，大批人破产失业，富人不能自保，贫者无以自存。他的官制度改革更为荒唐。一方面，官制改革侧重于改官名，劳神费力，毫无益处。另一方面，他所任用的官吏，大多是无耻小人。官居四辅之一的国将，是无赖哀章，他靠伪造两个符命而得到这个大官。哀章伪造的符命中，还有王兴、王盛两个人名，取“王氏兴盛”之意。王莽称帝后，在全国找到十几个名叫王兴、王盛的，其中，一个做过管城门小官的王兴，一个卖大饼的王盛，容貌合卜相，便平步青云，当上了卫将军和前将军。由于分赃不均，引起一些爪牙的不满，导致他们背叛王莽。王莽的“新政”不但加重了劳动人民的负担，也触动了官僚地主、富商大贾的利益，一场危机正在酝酿。

在汉族的周边，居住着若干少数民族，东北，有高句丽等；北方大漠上有匈奴人；西方有西域诸族；西南有诸“夷”；南面有诸越。他们当中，以匈奴人最强大。王莽称帝后，认为天无二主，土无二王，少数民族首领称王违反古典，背于一统。始建国二年（10年），王莽连下三道诏令，更名匈奴单于为“降服单于”。分匈奴为十五部，立呼韩邪单于的子孙为十五单于。征发各郡国士兵，分六路进军匈奴。六路大军并出，战线东西绵延三千多里，为了进行这场不义之战，共募天下的囚徒、丁男、男卒三十万人。江淮到北部国防线上，出征的将士，运饷的役夫，络绎不绝。三十万大军无法同时集结，先期到达的便屯留边境，等待后续部队的到来。这些屯居边境的将士，大肆骚扰当地百姓，抢劫财物，勒索钱粮。内地各郡催征军饷，搜尽锱铢，民不聊生。

这样，对匈奴的战争还未开战，边境和内地就先乱了起来。为了对付混乱局面，王莽给他的大臣加授将军称号，遣著武将军逯并等镇抚要害城镇，派中郎将、锈衣执法各五十五人到达边陲做监军使者，整饬军纪。谁知这些官员到达边境后，与那些带兵的将领串通一气，索取贿赂，劫掠百姓。一群饿虎又加上一帮饿狼，边陲鸡犬不宁。一些有识之士看出此战宜停不宜开，上书王莽，请求罢兵。但王莽一意孤行。对匈奴的战争旷日持久；对周边其他民族，王莽又寻衅挑起事端，妄动干戈。

地皇三年（22年），以绿林、赤眉为主体的各路农民起义军，铺天盖地向王莽统治的腹心地带——洛阳、长安杀奔而来。时年二月，王莽派到东方前线的军事统帅景尚，做了义军的刀下鬼。王莽再派太师王匡、更始将军廉丹到东方督军围剿起义军。官军烧杀抢掠，无恶不作。一首民谣说："宁逢赤眉，勿逢太师；太师尚可，更始杀我。"那些尚未起义的农军也纷纷举起了义旗。

连年的兵火，如狼似虎的官吏的敲诈勒索，官兵的抢掠，造成空前的全国饥荒，饿莩遍地，尸骨狼藉。王莽派出很多大夫谒者教黎民煮草木为酪，煮出的酪又不能吃。王莽又叫人建了一个大谷仓，置卫士荷戟守卫，美其名曰："政始掖门。"饥民从四面八方拥入京师长安。王莽煞有介事地设"养赡官"救济饥民，这些"养赡官"都是吸吮民脂民膏的好手，他们把象征性的一点点所谓赈济粮米也都中饱私囊，饥民饿死者十有七八，王莽任命的管理长安市场交易的中黄门王业，乘机勾结富商大贾，贱买贵卖，大发横财。一天，王莽听说长安城中饿莩满地，就问王业这是怎么回事。王业说："那只是一些流民。"他拿来一个粱饼肉羹给王莽看，说："城中居民都吃这个。"王莽信以为真。

王莽军队在东方前线连连失利，更始将军廉丹也被杀，二千石以下死者不计其数。无赖出身的国将哀章上书王莽，愿赴东线指挥作战，王莽大喜，又遣大将军阳浚防守敖仓，司徒王寻统兵十万屯军洛阳。王寻大军从长安出发，夜宿于长安城东的霸昌厩，把象征权力的黄钺给弄丢了。王寻手下一个官吏哭着说："这是经书上所说的'丧其齐斧'者也！"自劾而去。王莽派人追杀了这个官吏。眼见军事上连吃败仗，王莽玩了一个新花招：遣风俗大夫司国宪等分行天下，宣布废除井田、奴婢、山泽、六管之禁。王莽本人也搞不清哪些该废除，干脆说："自即位以来，凡是不利于民的政令，全部收回。"但为时已晚，地皇四年（23年），绿林军拥立刘玄为皇帝，年号"更始"。王莽听说后，犹五雷贯顶。为了掩饰内心的惊恐不安，他在四面楚歌声中举行了盛大的婚礼。他把胡须染成黑色，以示自己富于春秋。用三万斤黄金聘娶杜陵史家的女儿为皇后，王莽亲自到未央宫前殿迎接皇后，成同牢之礼于西堂。同时，册立了和嫔、美御、和人，位视三公；嫔人九名，位视九卿；美人二十七名，位视大夫；御人八十一人，位视元士。就在大婚之日，狂风夹着暴雨，骤袭而来，屋塌树倒。搞得新郎官胆战心惊，思绪沉沉。爪牙们见状，立刻杜撰出一套谎言，说这是祥瑞，兆示新皇后温和、慈惠，反叛者的殄灭无余和五谷丰登。新郎官这才转忧为喜。王莽遣大司空王邑驰往东方前线，与司徒王寻合力围剿。王莽孤注一掷，发郡兵一百万人，号称"虎牙五威兵"。给王邑以专封赏的特权；倾府库钱财以授王邑，让他带着若干珍宝，以示新莽帝国的富饶；又搞了很多猛兽让王邑带去，用来恐吓起义军；还征集了六十三家懂兵法的学者，各带图书，随军前往。王邑到洛阳后，州郡各选精兵，牧守自将，集结军队四十二万，奔波于路的人马，络绎不绝。“车甲士马之盛，自古出师未尝有也。”时年六月，王邑、王寻统帅的莽军主力在昆阳（今河南叶县）与绿林军展开决战。莽军大败，王寻被杀，王邑带着数千残兵败将，惶惶如丧家之犬，失魂落魄地逃回了洛阳。昆阳一战，莽军主力丧失殆尽。义军乘胜进击，直逼长安，王莽君臣惊慌失措，举朝震恐。眼见大势已去，厄运降临，臣子们各找出路。卫将军王涉，豢养了一个叫西门惠君的道士，此人好天文谶记。他对王涉说：“星孛扫宫室，刘氏当复兴，国师公姓名是也。”国师公是指刘歆。王涉立即找大司马董忠密谋，两人一拍即合。之后，他们两人多次到国师府动员刘歆反判。刘歆没有答应。一次，王涉独自一人找上门来，涕泣言道：“我是诚心诚意地与您商量一个保全宗族的万全办法，为什么您对我这么不相信呢？”刘歆看出王涉是出于至诚，就给他分析了一通天下大势，说东方的义军必胜。王涉赞同刘歆的分析，他说：“王曼从小就有病，其妻嗜酒淫逸。我想，皇上不是我们王氏生的。董忠掌管精兵，我领宫廷卫士，您的长子叠是侍中五官中郎将，掌管殿中侍卫。倘若我们同心合力，一起劫持皇上，东降更始皇帝，可以保全宗族。不然的话，我们都要遭灭族之祸。”刘歆一则对王莽杀害他的三个儿子心怀怨恨，一则更慑于义军的声威，认为也只有这条路可走了。于是，刘歆、董忠、王涉密谋劫持王莽投降更始皇帝。刘歆是个文人，办事斯文，非常讲究阴阳变异。他说，要等到太白星出来后，才可发难。事情就这样拖了下来。这期间，董忠看到司中大赘孙假也是主管军队的将领之一，就拉他入伙。孙假胆小怕事，从董忠那里回府后，脸色大变，饭也吃不下去。他的妻子很奇怪，问他为什么，孙假说出了密谋的全部计划。他妻子感到事关身家性命，便找他的弟弟陈邯商量该怎么办。陈邯是王莽死党，他说服了孙假，两人一同向王莽告发。王莽立即部署了对策。他不动声色地以各种名目分别召见董忠等进宫议事。当时，董忠正在操练军队，使者突然来召，他手下的护军王成感到蹊跷，推测是走漏风声，就劝董忠杀掉使者，发兵冲入宫中，劫持王莽。董忠麻痹大意，以为不会出什么问题，拒绝了王成的建议，随使者入宫。董忠、刘歆、王涉一一被捉。董忠被杀，刘歆、王涉被迫令自杀。

王莽虽然诛杀了三两个“乱臣贼子”，却无力阻挡义军的攻势。

地皇四年（23年）秋，王莽的七公于士隗嚣大将军，攻杀雍州牧陈庆等，发布檄文，痛斥王莽倒行逆施，比之历史上的著名暴君夏桀和殷纣，有过之而无不及。其他地方官员也纷纷竖起反叛的旗帜。这时，南阳（今河南南阳）人邓晔、于匡率领的一支起义军渡丹水西进，进攻武关。武关都尉朱萌投降。战火已烧到长安附近。

王莽的大爪牙崔发献上一计："据《周礼》和《春秋左氏传》，国有大灾，则哭以厌之。《周易》也说：'先号眺而后笑。'应哭天以求救。"黔驴技穷的王莽率领群臣来到长安南郊。王莽仰天叹息说："上天既然授命于我，为什么不歼灭众贼？若是我的过错，请打雷劈死我！"说完，号啕大哭，昏了过去。醒来后，又伏地叩头不已。为了壮大哭天的声势，王莽命令太学生和黎民百姓每天早晚两次到南郊哭天，派人做粥招待哭天的学生和百姓。凡是哭得悲伤，并能诵读王莽告天策文者，授予郎官的职位。几天之内，就有五千多人得到这个官职。哭声并没有感动苍天。王莽一面下令继续大哭，一面又任命了九个将军，都以"虎"为号，号曰"九虎"，统率精兵数万人在长安城东设防。为防止这些将领和士兵叛逃，王莽把他们的妻子儿女扣做人质。王莽又拿出钱来赏赐将士。他的府库里金银财宝堆积如山，光金子就有六十多万斤。但王莽只赏给出征临敌的将士每人四千文钱。众人愤慨，毫无斗志，同邓晔、于匡部刚交锋，便溃不成军。"九虎"之中"两虎"自杀，"四虎"逃亡，剩下"三虎"领着残兵败将狼狈逃窜。绿林军逼近武关，邓哗、于匡开关迎入。起义军将一座长安孤城团团围住。

困在城中的王莽，竭尽全力负隅顽抗。他分遣使者打开狱门，宣布赦免所有的刑徒，把他们武装起来，杀猪饮血，要他们宣誓效忠。当更始将军史湛带领他们渡过渭水桥与农民起义军交战时，他们便一哄而散，只剩下史湛一个光杆司令狼狈不堪地逃回城中。愤怒的农民起义军掘了王莽父亲和妻子的坟墓，烧棺焚尸。王莽劳民伤财修建起来的九庙、明堂等，也被义军放火烧掉。地皇四年（23年）十月一日，起义军攻破长安城的宣平门，拥入城中。王莽的爪牙、符命专家张邯被杀，王邑、王林、王巡等王莽死党负隅顽抗。日薄西山，官邸府第大都落入义军之手，只有皇宫尚未攻下。次日，长安城中的两位少年朱弟和张鱼率领一些人火烧宫门，用斧头劈开敬法殿的小门，冲入皇宫。他们大呼："反虏王莽，何不出降？"这时的王莽，逃出宣室前殿，熊熊的大火燃及宣室，宫人惊呼："怎么办？”王莽身穿深青透赤的衣服，佩戴着玺鞍，手里握着虞帝匕首，天文郎捧着占时刻的栻站在他身旁，不断报告时刻的进度。威斗随时刻转动，王莽随斗柄而坐，号叫着：“天生德于予，汉兵其如予何！”三日凌晨，群臣拥簇着王莽出了西白虎门，逃入渐台，欲凭借周围的池水进行最后的挣扎。王莽抱着符命、威斗，随从的公卿大臣有千余人。王邑昼夜血战，士卒死伤殆尽，也逃到渐台。他刚跑到渐台，看见他的儿子侍中王睦脱了衣冠想逃跑，王邑喝令他回渐台。义军攻进皇宫，不见王莽，便大呼：“反虏王莽安在？”有一个美人从房间出来说：“在渐台。”义军追到渐台，围了数百重，与据台顽抗的王莽党徒激战，强弩对射，矢下如雨。王莽党徒们的箭射尽了，义军渡水冲上渐台，双方展开肉搏战。王邑父子、王巡、王揖、赵博、苗䜣、唐尊、王盛等都死于乱枪之下。王莽躲进了一个小房间。时至黄昏，长安商人杜吴冲进王莽藏身的房内，一刀结果了这个独夫民贼的性命，摘去了王莽的绶带。有个校尉叫公宾就，学过《礼经》，见杜吴拿着一副绶带，认出是皇绶，就问王莽何在。杜吴告诉了他。公宾就跑进那个房间，割下王莽的头。义军争先恐后地跑上前去，把王莽的尸身斫成肉酱。公宾就把王莽的头交给王宪。不久，又送到更始皇帝刘玄那里。刘玄下令悬挂在宛市（今河南南阳）的城门上。黎民百姓提起王莽的头，掷来掷去，还有人把王莽的舌头切下来吃了，因为王莽说了很多谎话，害苦了他们。

汉光武帝刘秀

刘秀（公元前6年—57年）是东汉王朝的建立者，字文叔，南阳蔡阳（今湖北枣阳西南）人。父亲刘钦，母亲樊氏。刘秀28岁起兵加入绿林起义军，30岁称皇帝，在位32年，卒于建武中元二年（57年），终年62岁，葬于原陵（地在汉代洛阳城西北15里，今河南孟津县境），谥号光武，庙号世祖。在位期间，削平各地割据势力，统一全国，以柔道治国，偃武修文，精简官吏，加强中央集权，轻徭薄税，与民生息，释放奴婢，积极发展经济，为汉王朝的复兴奠定了基础，史称"光武中兴"。刘秀是中国封建社会历史上影响颇大的一个帝王。

刘秀是汉高祖刘邦的九世孙。其五世祖刘买，按王子封侯的惯例封为舂陵侯。舂陵，地在今湖南省宁远县北。汉武帝初元四年（前45年），袭爵的刘买之孙刘仁嫌舂陵地方潮湿，有山林毒气，上书经得汉元帝同意，偕同族人到了南阳郡蔡阳县白水乡。袭爵的刘仁是个小侯，食邑只有476户，并不显贵。刘秀的祖父刘回只是刘仁的从弟，无爵可袭，只当了个都尉（在郡里掌管守卫的武职）。为了标志自己的皇族血统，刘仁他们仍把新居称为舂陵。后来刘钦担任南趸县令，刘秀随父亲生活在南顿。刘秀9岁时，刘钦去世，留下夫人樊氏和三男三女。刘秀由叔父刘良抚养长大。

传说刘秀出生时，有赤光照堂中，尽明如昼，刘钦为之惊异，就找了个叫王长的人占卜，王长避开众人对刘钦说："这个兆头不可言！"生刘秀那年，济阳县有个地方的谷子一根茎生九个穗。按字义，谷类抽穗开花曰秀，刘秀的名字便因此而来。又传王莽担心天下不稳，便派人四处侦察危险人物和危险地带，有个叫苏伯阿的"望气者"到了南阳就遥见舂陵上空有一种特殊的气，不禁赞叹道："气佳哉！郁郁葱葱然。"到刘秀起兵时，他的住宅南边有道火光直冲天空，一会就不见了。

年轻时的刘秀，处事谨慎，讲信用，高个头，高鼻子，前额有点突出，仪表堂堂。他性情温和，大约在二十五六岁时去游历京都长安。在长安他跟一个叫徐子威的庐江人学习《尚书》，学的并不怎么好，只是略通大义。他很大方，同学们没钱花，他就和同宿舍的一个叫韩子的同学出钱买了些驴来，让仆人赶着驴子搞运输，挣了钱供给同学们的花费。有一次他在新野（今属河南省）听说那里阴氏家中有个名叫阴丽华的女子长得漂亮，心中爱慕，到长安时见到执金吾（负责监督检查京都及附近地区治安的长官）出行时有很多车子随从，声势烜赫，就大为感慨地说："仕宦当作执金吾，娶妻当作阴丽华。"志愿不过如此。

时值新莽天凤五年（17年），天下大乱，赤眉军与绿林军各自起兵反抗王莽。地皇三年（22年），刘秀因卖谷而至宛（今河南省南阳市），经李通劝说在宛起兵。地皇四年（23年）二月，刘縯、刘秀兄弟与绿林兵共同拥护刘玄称帝，国号仍为汉，改元更始，史称更始帝。同年刘秀率绿林军1万以少胜多于昆阳灭王莽军42万，杀其主帅王寻，取得昆阳大捷。

此后刘縯、刘秀兄弟威望大盛，遭到刘玄的猜忌。刘秀有所察觉，但刘縯不以为意，终被刘玄借故杀死，同被杀死的还有同宗刘稷。此时刘秀也处于危险之中，只得向刘玄谢罪，并不敢为哥哥服丧，饮食言笑如常。刘玄心有所惭，故而拜刘秀为破虏大将军。后刘玄占据洛阳，派刘秀巡视黄河以北，刘秀始得脱离险境。刘秀遂在河北积蓄力量，日益壮大，被刘玄封为萧王。刘秀率吴汉、邓禹等手下大将，继续在北方大破铜马等割据势力，被关西人号为铜马帝。由于刘秀与刘玄心生二意，自此刘秀手下便不断劝进。

更始三年（25年）六月，赤眉军立刘盆子为傀儡皇帝。同月二十二己未日，刘秀于鄗城即皇帝位，改元建武，国号仍为汉，史称东汉。九月，赤眉军击败刘玄，刘玄投降，同年十二月被杀。

次年刘秀迁都洛阳，改洛阳为"雒阳"。刘秀先后荡平赤眉、张步、隗嚣等割据势力，然割据一方的卢芳，刘秀屡次派遣吴汉、杜茂前往攻击，均不能攻克。建武十二年（36年），卢芳进攻云中郡，留守九原的部将随育胁迫卢芳降伏刘秀。卢芳放弃军队，逃往匈奴。同年十一月十九己卯日，吴汉攻克成都，割据四川的公孙述成家政权灭亡，东汉统一中国。

光武帝刘秀建立东汉王朝以后，鉴于西汉后期权臣当政、外戚弄权以致王莽改朝换代的历史教训，决定效法武帝刘彻，加强中央集权，并以柔道治国。在统一全国之后，他从保持政权长期稳固经济长足发展的角度确立大政方针，保证国家机器的正常运转。他为了国家的长治久安，主要是在政治经济领域采取了以下行之有效的举措。

一、退功臣，进文吏

刘秀是靠着血与火的激烈争战创立帝业的。在这个过程中，一大批足智多谋、骁勇善战的将军立下了赫赫战功。其中，最著名的是“云台二十八将”。刘秀深知，历史上的开国皇帝，周围都会聚集着一批共同创帝业打江山的功臣。开国皇帝与开国元勋之间往往有着十分复杂的关系，如果处理不好，就会使之或骄纵妄为，尾大不掉，甚至危及皇权；或心存疑惧，产生二心，甚至另立旗号。在这方面，西汉初的历史留下了深刻的教训，以致韩信发出“狡兔死，猎狗烹；飞鸟尽，良弓藏；敌国破，谋臣亡”的感慨，道尽了众多开国元勋的辛酸史。刘秀深知，这些人擅长打仗，但懂得如何治理国家得的人却为数不多，不少人还往往自恃功高，不听命令，不遵法纪，为所欲为，如果继续受到重用，他们身居高位，对东汉政权是一大威胁。

为了合理安置功臣。刘秀对于那些开国元勋——“云台二十八将”和“三百六十五功臣”采取了削实权、给厚禄的做法。为达此目的，刘秀开始大封功臣，一次加封了功劳最大的有一百多名列侯，在政治上给予尊荣的地位，赐给他们以耕地，但削去他们的实权，叫他们当不问朝政的闲散官员。而在食封的数量上，大的有四县，小的有几百户，比西汉初期大大减少。经过削权封侯，汉光武帝有效地控制了这些将领的军事力量。封完功臣之后，刘秀又特地下了一道诏书，大致内容是：希望大家不要恃宠而骄，对自已要求要严谨，节制自己的行为，这样就不会有什么危险，并能把爵位传给子孙。光武帝就这样控制了众臣。

在退功臣的同时，重用大批无功可恃，无勋可夸，骤然提升，容易控制的文吏。光武帝认为文吏们熟悉封建典章制度，懂得治理国家并且情操高尚。他为了得到一批有高度文化修养的文吏，多次亲自访求名贤。建武六年、七年，刘秀连续两次下诏，命令各地官吏推举贤良，到京城参加选官考官。在诏书中，刘秀严格规定了选官的条件：第一，品德高尚，身世清白；第二，要有知识，是通经的博士；第三，熟悉各种法令，能熟练地依法办事；第四，具有魄力才干，遇事不惑，能独当一面。各地官吏在选择人才时，必须严格按照这四条标准，如有违者，必将依法治罪。

于是在刘秀政权中，除高密侯邓禹等少数功臣仍参与军国大事外，其他功臣或只以“奉朝请”身份参加朝会，或退回封地衣食租税而已。刘秀不让功臣干预朝政，一个直接的后果是没有让他们卷进权力斗争的漩涡中，而得以善终。刘秀不以功臣任职，实际上是防止功臣（尤其是他们没有战功的子孙）势力膨胀而乱国。因此，刘秀“退功臣而进文吏”其意义不仅仅是“全功臣策”，也是“安国之策”。

二、非刘氏不王

鉴于西汉吕后违背刘邦“非刘氏不王”之约，企图建立吕氏王朝和外戚王氏由公而王，继而居摄、称帝的教训。刘秀采取了限制外戚权力的措施。在建国之初，他考虑到外戚是他进行统一战争和巩固政权的依靠力量，因而对外戚也多加任用和封赏。如皇后阴丽华异母兄阴识，在刘秀即位后被任命为骑都尉，改封为阴乡侯；皇后同母弟阴兴一直追随刘秀征战，赐爵关内侯。但统治稳定之后，刘秀便开始抑制外戚势力，防止他们结党营私。如卫尉阴兴和新阳侯阴就，地位显赫，又非常敬重和结交有才能的人，冯衍就是其中的一个。冯衍能诗善文，尤擅辞赋，颇得阴氏兄弟赏识，彼此多有来往，诸王也格外敬重他。刘秀鉴于西汉外戚交接宾客、扰乱朝政的教训，下令将外戚结交的宾客，皆依法治罪，重者处死，轻者贬官。冯衍也因此得罪，罢官归家，潦倒而死。这样，宾客不敢轻易结交外戚，外戚也不敢轻易招揽宾客了。到他统治后期，对外戚的限制就更加严厉了。在太子太傅的选择上，他明确表示不用外戚阴识，而用正谏之臣。在临终前四个月，他甚至派司空告礼高庙，降太后吕雉尊号，宣布她不宜配食高庙。这样，外戚的参政权力得到了有效的控制，皇权便得到了巩固。

三、宗室不得理司

对宗室采取何种政策，自西汉初以来一直令统治者绞尽脑汁。因此，刘秀中兴汉室后，鉴于西汉“七国之乱”的教训，对宗室的态度很为谨慎。开始，主要是重用他们，但在政权大体稳定后，他将其与各方面政策综合考虑，决定采取既重视又限制的政策。从朝廷一方来说，这是以经济利益来换取政治稳定。刘秀对宗室既重视又限制的政策，后为继承者所遵循，使朝廷没有遭到来自宗室的威胁，宗室也得以保身全家。

四、虽置三公，事归台阁

在“进文吏”的过程中，他又得考虑君权与相权、中央与地方、各级官吏之间错综复杂的诸种关系。为了加强中央集权，光武帝在政治制度上采取了“虽置三公，事归台阁”的统治措施。

东汉初年，中央的最高官职是三公，即司徒、司空和太尉。司徒是由丞相改称的，管民政，权力比丞相小得多；司空是由御史大夫改称的，不再管监察，而是管重大水土工程；太尉管军事。三公职位虽高，却徒有虚名，并无实权。刘秀为了把权力集中到自己手中，设置了尚书台机构，并加强尚书的职权，扩大机构，增设官吏。尚书台设尚书令一人，尚书仆射一人，尚书六人，合称“八座”。他们直接听命于皇帝，分掌全国政事。尚书的官位不高，俸禄不多，他们的地位和待遇远不能同三公相比，但实际权力远在三公之上。尚书台是最重要的行政决策机构。

五、强化监察机构

刘秀为加强对百官的监察，将西汉时的御史府升级为御史台。长官为御史中丞，其权力仅次于尚书令、职掌解释法令、察举违法官员、主持祭天、寺庙等大典。刘秀又提高司隶校尉的职能，负责纠检除“三公”以外的百官犯法行为。每当公卿百官朝会时，尚书令、御史中丞和司隶校尉均可坐专席，时称“三独坐”。刘秀又分全国为十二州，各州设刺史一人，作为朝廷派驻地方的巡察官，每年八月奉命巡视所属郡国，考察各地方官吏政绩及刑狱案件，年终奉告皇帝，以加强中央对地方的控制。

六、集军权于中央

为了防止地方割据，刘秀十分注重削弱地方的军事权利，首先他下诏撤销郡国都尉，裁减地方常备兵力；其次，扩大中央军力，把军队分为南北二军，南军由卫尉统领，负责宫廷警卫，北军由中侯统领，护卫京都安全。如有重大军事行动，皇帝临时委任将帅统率南北军出征。对于边防军队，则由中央委任军官，作为直属中央的军队，以据守边境。

七、无为而治

天下大定以后，刘秀采取了“无为而治”的黄老学说，在恤民和安民上，实行休养生息的柔道政策。

第一、解放奴婢，转为庶人。为了增加社会劳动力，发展生产，增加国家税收，刘秀下诏把当时农民因破产转向贵族、官僚、地主、商人家内的奴婢从他们手中解放出来，化为庶人，同时他又下诏释放除死罪以外的犯人，并给予土地进行耕种。这样一来，大大增加了社会劳动力，对于恢复和发展社会经济与缓解阶级矛盾都起到了重大作用。

第二、裁减军队，安置流民。统一战争胜利后，刘秀采取了裁减军队的措施，使大批复员军人回到了农业生产上来。同时下令召回在外流浪的流民，给予土地、山林、川泽，享受三到五年的免税政策。这些惠民的举措，对于发展生产、稳定社会都是十分有利的。

第三、裁减官吏，精简冗员。为了节省国家的财政开支，刘秀采取了裁减官吏的措施，仅建武六年就裁并了四百多个县，减少了大小官员数万人。

第四、减免赋税，实行度田。统一战争期间，刘秀实行的是“十税一”制，后在军队实行屯田取得实效后，令全国实行“三十税一”制。说明了国库重组，社会稳定。实行度田，清丈全国土地，增加了部分国家税收，但度田因遭郡国反对而搁浅。

以上这些措施，对于稳定社会秩序，巩固封建统治和维护多民族国家的统一曾起过积极作用。这些措施是秦西汉以来加强中央集权的继续，也为后代王朝的统治提供了借鉴。总的来说，东汉王朝建立以后，刘秀虽然是封建地主阶级最高统治的代表，但他仍能从封建统治者的长远利益出发，做到一切从宽从简，以缓和社会矛盾。他所实行的上述一系列举措，使在他统治的三十三年中，耕地增多，粮食增加，国库充盈，人民安居乐业，打拼出了历史上的“光武中兴”。

光武帝在生活上，克勤克俭，登基多年，身为一朝天子依然严格身穿大练，色无重彩，耳不听郑卫之音，手不持珠玉之玩。多次下诏提倡薄葬。群臣屡次提出封禅泰山，他都认为是劳民伤财之举，不予答应。可在建武三十二年（公元66年）正月初，却因图箴而主动提出封禅泰山。二月，率领诸王，百官登泰山举行封禅仪式。四月，光武帝大赦天下并将建武32年改为建武中元元年，以纪念泰山之行。次年二月，其病逝于洛阳南宫前殿，时年63岁，葬于原陵，庙号世祖。

刘秀是两汉之际这个乱世涌现出来的最杰出的英雄人物，他直接参与了反对王莽政权的斗争，为推翻王莽建立了功勋。在九州分崩之际，他承担起了安抚集天下的重任，历经艰难曲折，终于恢复了社会的秩序和国家的统一，为社会经济和文化的发展创造了许多条件，使西汉有过的繁荣得以继续，使中国历史上的两汉盛世连为一体，这是他对历史发展的重大贡献。

魏文帝曹丕

魏文帝曹丕（187年—226年），字子桓，三国时期著名的政治家、文学家，曹魏的开国皇帝，公元220年至226年在位。沛国谯（今安徽省亳州市）人，魏武帝曹操与卞夫人的长子。去世后庙号高祖（《资治通鉴》作世祖），谥为文皇帝，葬于首阳陵。由于文学方面的成就而与其父曹操、其弟曹植并称为“三曹”。

曹丕的青少年时代，正是东汉王朝走向没落、军阀割据混战的时期。曹丕4岁时就开始学习骑射，自幼随父南征北战。东汉建安二年（197年），曹操遭张绣围攻，勇将典韦战死，曹丕长兄曹昂和堂兄曹安民也战死，而十岁的曹丕竟能乘马逃脱，可见其机警过人和善于骑射。戎马生涯不仅使曹丕增长了见识，也使他产生了统治天下的雄心。

建安十三年（208年），赤壁之战以后，曹操和孙权、刘备逐渐形成了三分天下的局面，东汉政权已经名存实亡。建安十八年，曹操被封为魏公、加九锡，随后又封为魏王，以丞相领冀州牧。东汉朝廷一切政务，皆由曹操处理。不少文武官吏劝曹操自立为帝，但曹操考虑到自己一直以汉丞相身份收聚人心，为避免众叛亲离，没有这样做。他决定把开国称帝的使命留给自己的后代。

曹操儿子可不少，有25个。曹操不仅是个枭雄，也确实是个伟大的父亲，他培养出了好几个优秀的儿子。其中最出名的有3个，曹丕、曹植和曹冲。长子曹昂在被张绣围攻时战死后，次子曹丕就成了长子。25个儿子中，只有曹丕、曹彰、曹植和曹熊是正室夫人卞氏所生，其他都是庶出，没有资格成为继承人。按照嫡长子继位的传统，曹丕是最有优势的。何况他能文能武，24岁已经是五官中郎将和副丞相。不过，曹操不是普通的父亲，他雄才伟略，有敢于灭汉自立的魄力，就不会拘泥于嫡庶之别。况且曹丕还有几位同样文韬武略、雄心勃勃的兄弟。

在这种情况下，立谁为将来承续基业的王太子，就成了十分重要的问题了。虽说父亲最钟爱最聪敏的小弟曹冲（庶出）已经病逝，三弟曹植却也是个强劲的竞争对手。曹植也是能文能武、胸有大志的人物，并且才思敏捷、生活俭朴，每当曹操询问军国大事，他都能应声而答，因此特别受曹操的喜爱。当时，杨修、丁仪、贾逵、王凌等人都向曹操进言，劝曹操立曹植为太子。曹丕见曹植及其同党如此活动，不敢懈怠，也与一帮亲信官吏积极谋划。曹丕看重、团结的是那些明于政治韬略而且掌握实权的官僚人士，这与支持曹植的多是些文人学士大不相同。支持曹丕为太子的有贾诩、崔琰、吴质、桓楷、卫臻等，他们根据封建社会立嫡以长的传统做法，力主立曹丕为魏王太子。

面对曹植的威胁，曹丕问太中大夫贾诩，如何才能巩固自己的地位。深有谋略的贾诩告诉他，长子要宽厚仁德，简朴勤勉，朝夕兢兢业业，不要违背传统道德。曹丕反复琢磨贾诩的教导，谨言慎行，深居简出，不议政务，不滥交游，使曹操对他越来越看重。而曹植却一直纵情任性，饮酒无度，言语狂放，行为嚣张，多次犯了曹操的禁忌，渐渐失宠。

曹操深知人才对于事业成败的重要性，在立太子的问题上仍是举棋不定。一天，曹操屏退左右，就立太子之事单独征求贾诩意见。贾诩只是微笑，并不回答。曹操说："问你问题，你不回答，这是为什么？"贾诩说："我正思考一件事，还不能马上回答。"曹操问："你想什么？"贾诩答："我正想着袁绍、刘表父子的事呢。"贾诩委婉提醒曹操：如果像袁绍、刘表那样废长立幼，难免日后诸子纷争，内乱不休。曹操大笑，于是立曹丕为太子的事在曹操心中最后定了下来。建安二十二年（217年），曹丕终于被立为魏王太子，时年31岁。

建安二十五年，曹操在洛阳病逝。曹丕继任丞相、魏王，领冀州牧。曹丕上任之后，首先提升贾诩为太尉，华歆为相国，王郎为御史大夫，把大权牢牢掌握在自己一党手里。曹丕听从吏部尚书陈群的建议，创立九品中正制，按才能品评选拔人物，使用人才。然后南攻孙权，西防刘备，想方设法提高威望，巩固权力地位。

东汉延康元年（220年）十月，在众臣威逼下，汉献帝让御史大夫张春持节奉玺绶禅位曹丕。曹丕假意谦让一番，然后举行禅让典礼，正式登基称帝，定国号为魏，改元黄初。这年，曹丕33岁。

曹丕在实权派官僚集团的帮助下，在权力争夺中接连获胜，却没有忘记那些曾给自己带来很大威胁的兄弟，尤其对三弟曹植和他身边的文人耿耿于怀。丁仪在帮助曹植争夺太子之位时，积极参与谋划，并在曹操和众人面前多次称赞曹植的才干。曹植封临淄侯后，丁仪又时常与曹植在一起饮酒赋诗，过从甚密。因此，曹丕一立为魏王，就将丁仪收捕入狱。曹植托夏侯尚向曹丕说情，丁仪兄弟也对夏侯尚叩头哀求。但曹丕毫不留情，下令把他们杀掉，并且尽诛其族中所有男人。

接着，曹丕又分遣诸兄弟们回各自的封地。曹彰以为曹操在世时，他攻城略地、多受重用，现在仍旧能得到曹丕的任用，但曹丕对他极为防范。曹彰看出了曹丕的心思，不等他下令，就交出了军队，回到封地中牟县，但最后还是被曹丕毒死了。曹植更为惶恐，他不敢有任何违逆的表示，离开京城前，曹植要求去祭告一下父亲曹操再走，曹丕没有批准，曹植也不敢违背，战战兢兢地离开京城，去当他的临淄侯。曹植在封地借酒浇愁，地方官即奏称他“醉酒悖慢，劫胁使者”。曹丕大怒，立刻下令把他擒拿到京。他们的母亲卞太后连忙求情，说曹植只是文人习气，恃才放旷，念在是同胞兄弟，希望能饶他一命。曹丕虽然想杀曹植，但也不好拒绝母亲的请求。他就说：“子建（曹植的字）是我兄弟，我也爱惜他的才华，我只是想治一治他的疏狂脾气，不会真的杀他。”曹丕的心腹华歆劝曹丕除去曹植这个心腹大患。因为有了太后求情，曹丕不好答应。华歆就帮他出主意，说：“人人都说子建才高，能出口成章，我看是吹牛，皇上可以试试他的才华，如果传言是假，正好杀了他；如果他真有才，就贬谪他。”曹丕也觉得这是个好办法。曹植被抓到京城，自知情况不妙，就赶紧向曹丕请罪。曹丕说：“你我虽为兄弟，朝堂上却是君臣。你竟敢恃才无视礼仪，实在罪不可恕。先王在时，你就自诩文章第一，我怀疑那些都是旁人代笔。现在你若七步之内能赋诗一首，我就相信你有真才，免你死罪。如若不能，就从重处罚！”曹植请他出题，曹丕说：“你就以‘兄弟’为题吧，但不许涉及‘兄弟’二字。”曹植脱口而出：“煮豆燃豆萁，漉豉以为汁，萁在釜下燃，豆在釜中泣。本是同根生，相煎何太急！”曹丕听了，想到两人毕竟是一母同胞的兄弟，也不禁心软下来，于是贬曹植为安乡侯。后来虽然曹植郁郁而终，但曹丕始终没有杀他，除了因为他文人习气，对自己威胁不大外，这首七步诗或多或少也有一定的影响。

曹丕在铲除异己之后，为进一步巩固统治，在政治上采取了一系列措施：坚持大权独揽，设立中书省，其官员改由士人充任，原由尚书郎担任的诏令文书起草之责转由中书省官员担任，机要之权渐移于中书省；下宦人为官者不得过诸署令，限制了宦官的权力；下令妇人不得预政，群臣不得奏事太后，后族之家不得当辅政之任。在经济文化上：重视文教。221

年，下令人口达十万的郡国每年察举孝廉一人。同年又重修孔庙，封孔子后人为宗圣侯。224年恢复太学，设立春秋谷梁博士。修复洛阳，营建五都，推广儒学文化。采取战略防守，恢复生产，与民休息，提倡薄葬。发展屯田制，施行谷帛易市，稳定社会秩序。黄初末年，魏国国库充实，累积巨万，基本解决战争造成的通货膨胀问题。在军事外交上，派遣军队大破羌胡联军，平定河西之地。多次击败鲜卑骚扰，巩固北疆边防。遣使复通西域，继承了东汉在西域的统治，并设置了西域长史府。

总体而言，曹丕的一些措施体现了他在政治上的才能，然而在军事才华上他远不能和父亲曹操相比，三次率大军南下伐吴没有取得太大的效果。但他的文学有相当高的成就，是中国三国时代第一位杰出的伟大诗人。其《燕歌行》是中国现存最早的文人七言诗；他的五言和乐府清绮动人；所著《典论·论文》，在中国文学批评史上占有重要地位，是我国文学批评史上第一篇专题论文，所论的“文”是广义上的文章，也包括文学作品在内，涉及了文学批评中几个很重要的问题，虽不免有些粗略，但在文学批评史上起了开风气的作用。

黄初七年（226年）正月，曹丕南征东吴失败而归，将要进许昌城时，城南门却突然崩塌。曹丕认为这是不吉之兆，命车驾转向洛阳而去，曹丕到洛阳就病倒了。弥留之际，曹丕下令立曹叡为太子。黄初七年五月，曹丕在洛阳嘉福殿病逝，终年40岁，葬于首阳陵。

曹丕虽代汉建魏，但在与吴、蜀争雄中，曹丕并没有什么佳绩可言。然而其在文学上的造诣还是有口皆碑的。在父亲的影响下，曹丕和弟弟曹植长期学习，都有很高的文学造诣，他们同集合在曹氏政权周围的孔融、王粲、陈琳、刘桢、徐幹、杨修、邯郸淳等才华横溢的文人长期交往，诗文均大有长进。曹操连年在外征伐，常以曹丕留守邺城。曹丕在公务之余，与文友饮宴歌舞，赋诗唱和，隐隐领导着邺城文坛。曹丕撰写了一部《典论》。在其中的《论文》篇中，对“建安七子”和其他文人的文学成就和诗文特色做了公正的评说，认为文章是“经国之大业，不朽之盛事”，把文学的地位和价值提到前所未有的高度。

蜀汉昭烈帝刘备

刘备（161年—223年），字玄德，东汉末年幽州涿郡涿县（今河北省保定市涿州市）人，三国时期蜀汉开国皇帝，谥号昭烈皇帝，史家又称为先主。根据《三国志·先主传》，刘备是汉朝的宗室，汉中山靖王刘胜的后代。公元221年3月15日（农历二月初五）在成都称帝，国号汉，年号章武，史称蜀或蜀汉，占有今四川、云南大部、贵州全部，陕西汉中和甘肃白龙江一部分。公元223年病逝于白帝城，终年63岁，谥号昭烈帝，庙号烈祖，葬于惠陵。

刘备，汉景帝之子、中山靖王刘胜的后裔。刘备的祖父刘雄被举为孝廉，官至东郡范令。刘备的父亲刘弘早亡，少年刘备与母亲以织席贩履为业，生活非常艰苦。刘备家屋舍东南角篱上有一桑树高有五丈余，从远处看上去就好像车盖一样，来往的人都觉得这棵树长得不像凡间之物，认为此家必出贵人。刘备小时候与同宗小孩在树下玩乐，指着桑树说："我将来一定会乘坐这样的羽葆盖车。"

公元175年（汉灵帝熹平四年），刘备十五岁，母亲让他外出行学，刘备与同宗刘德然、辽西公孙瓒一起拜原九江太守同郡卢植为师学习，刘德然的父亲刘元起常常资助刘备，将他和刘德然同等对待，但遭到刘元起妻子的不满，刘元起说："我们宗中有这样一个孩子，不是个平常人。"公孙瓒与刘备结交为好友，公孙瓒比刘备年长，刘备将公孙瓒视作兄长。

刘备不怎么爱读书，喜欢狗马、音乐、美衣服。身长七尺五寸，两手下垂直到膝盖，能看见自己的耳朵。不爱说话，能善待下人，喜怒不形于色，喜欢结交豪杰，当地豪侠都争着依附刘备。中山大商人张世平、苏双等携千金，贩马来到涿郡，见到刘备，于是给其资助，刘备得以用来集结到很多人。

公元184年（汉灵帝中平元年），爆发黄巾起义，刘备有意拯救百姓，与河北人张飞、山西人关羽情投意合，决定共同干一番事业。三人选定张飞庄后一座桃园，准备了青牛白马，作为祭品，焚香礼拜，宣誓完毕，三个人按年岁认了兄弟。刘备年长做了大哥，关羽第二，张飞最小做了弟弟。这便是典故"桃园结义"的来历。

后来，23岁的刘备因镇压起义军有功被封为安喜县县尉。朝廷有令：如因军功而成为官吏的人，都要被精选淘汰。该郡督邮要遣散刘备。刘备知道消息后，到督邮入住的驿站求见，督邮称疾不肯见刘备。刘备怀恨在心，将督邮捆绑起来鞭打两百下后，与关羽、张飞弃官逃亡。后来，大将军何进派毋丘毅到丹杨募兵，刘备也在途中加入，到下邳时与盗贼力战立功，任为下密县丞，不久又辞官。后来又任高唐尉、高唐令等职。不久高唐县被盗贼攻破，刘备于是投奔公孙瓒，被封为别部司马。

公元191年（汉献帝初平二年），刘备与青州刺史田楷一起对抗冀州牧袁绍，刘备因为累次建立功勋而升为平原县县令，后领平原国相。刘备外御贼寇，在内乐善好施，即使不是身为士人的普通百姓，都可与他同席而坐，同簋而食，不会有所拣择。刘备当平原相时深得人心，郡民刘平不服从刘备的治理，唆使刺客前去暗杀。刘备毫不知情，还对刺客十分礼遇，刺客深受感动，不忍心杀害刘备，便讲出实情离去。兴平元年（公元194年）陶谦病故，遗命将徐州交与刘备。刘备又得到糜竺、陈登、孔融等人拥戴，遂领徐州牧。第二年，吕布被曹操打败来投靠，刘备善待礼遇他，让其屯于小沛。

建安元年（公元196年）曹操封刘备为镇东将军，封宜城亭侯。袁术率大军进攻徐州，刘备迎击，两军在盱眙、淮阴相持。这时，吕布偷袭了下邳。刘备回军，中途军队溃散，于是率领余军东取广陵，为袁术所败，转军海西，困顿至极，得到从事东海糜竺以家财助军。于是向吕布求和，吕布让刘备驻军小沛。其后袁术派纪灵领步骑三万攻小沛，吕布也知道唇亡齿寒的道理，用“辕门射戟”使两家罢兵。不久，刘备再度招募了万余人的军队，吕布非常忌惮，于是率军进攻小沛。刘备战败，前往许都投奔曹操。曹操表奏刘备为豫州牧，又益其兵，并给予粮草，让刘备屯军沛地。其后人称刘备为“刘豫州”。

建安三年（公元198年），吕布派高顺和张辽进攻刘备，曹操虽派遣夏侯惇相救，但被击败。沛城最终被攻破，刘备妻子被掳，单身逃走。刘备在梁国国界中与曹操相遇，于是与曹操联合进攻吕布，吕布投降后，刘备力劝曹操杀死吕布。其后刘备与曹操回到许都，被封为左将军，“礼之愈重，出则同舆，坐则同席”。

建安四年（公元199年），车骑将军董承受汉献帝衣带诏，刘备起初未加入。后曹操与刘备“煮酒论英雄”，曹操对刘备说：“今天下英雄，唯使君与操耳。本初之徒，不足数也。”刘备心惊，筷子掉落。此事后，刘备知道曹操难容自己，遂与董承等人同谋。恰逢当时曹操派刘备与朱灵一起攻击袁术，其后刘备进军下邳，杀徐州刺史车胄，留关羽守下邳，行太守事，自己还小沛。东海昌豨以及诸郡县多从刘备，刘备遂有兵数万，于是北连袁绍抗击曹操。曹操派司空长史沛国刘岱、中郎将扶风王忠往攻，被刘备击退。

建安五年（公元200年）衣带诏事发。曹操决定亲自东征刘备，虽然曹军中将领多认为袁绍才是大敌，但曹操却觉得刘备是英杰，必要先行讨伐，郭嘉亦赞同曹操。刘备战败，北投袁绍。

建安五年（公元200年）秋七月，汝南黄巾军首领刘辟等叛归袁绍。袁绍使刘备领兵助之，不久为曹仁打败。刘备回到袁绍处，以结盟刘表为由，带兵再次到汝南，联合黄巾余党龚都，斩杀曹操派来平乱的将领蔡阳。

建安六年（公元201年），曹操亲自讨伐刘备，刘备前往投奔刘表。刘表亲自到郊外迎接刘备，待以上宾之礼，遂屯于新野。

建安七年（公元202年），刘表命刘备带领军队北上，到叶县，夏侯惇、于禁、李典率军抵挡。刘备假装撤退，设下伏兵，李典觉得有诈，于是劝说之，夏侯惇不听，被刘备打败，幸好李典及时赶来，刘备军力过少，知道相持下去占不到便宜，于是退军。刘备在荆州数年，自觉老之将至而功业未建，遂有“髀肉之叹”。刘备向刘表提出趁曹操进攻乌桓时偷袭许都的建议，刘表没有采纳。建安十二年（207年），刘备前往隆中拜访诸葛亮，三顾茅庐之后，诸葛亮向刘备献上了隆中对。

建安十三年（公元208年），刘表病死，曹操此时亲率大军南下。刘表次子刘琮投降曹操，长子刘琦联合刘备。刘备从新野撤往江夏，路经襄阳时，很多荆州士人投靠刘备，有人劝说刘备抛弃他们，轻骑前进，但刘备说：“夫济大事必以人为本，今人归吾，吾何忍弃去！”到当阳时，竟有十余万众，辎重数千辆，日行十余里，被曹军追击，败于长坂。

建安十三年（公元208年），刘备联合孙权，与周瑜率领联军大败曹操于赤壁，又向南攻取荆州四郡。两年后，刘备从孙权手中借的荆州江陵（南郡），占据荆州五郡。

建安十六年（公元211年），刘璋听从张松建议，派遣法正邀请刘备入川襄助自己对付张鲁，法正、庞统趁机劝告刘备谋图夺取益州。刘备于是留诸葛亮、关羽等守荆州，自己率领步卒万人入蜀，与刘璋会于涪。期间张松、法正、庞统皆劝刘备袭杀刘璋，刘备以初来到蜀地，人心尚未信服，不宜轻举妄动为由拒绝。刘璋上表推荐刘备代理大司马，兼领司隶校尉，配给刘备士兵，督率白水军，令他攻击张鲁。刘备北至葭萌，驻军不前，施予恩德以收众心。

建安十七年（公元212年），张松事情败露被杀，刘备于是与刘璋反目。刘备依庞统提出的计谋，召白水军的杨怀到来并将其斩杀，吞并其部队。派黄忠、卓膺率军南下进攻刘璋，占领涪城。

建安十八年（公元213年），刘璋派遣刘璝、泠苞、张任、邓贤、吴懿等在涪阻击刘备，都被刘备打败，吴懿投降。刘璋又派李严、费观统帅绵竹诸军阻击刘备，李严率众投降。刘备军力益强，分军平定各县。同时调诸葛亮、张飞、赵云等率军入蜀。张任、刘循退守雒城，刘备率军进攻，张任出击，被刘备军斩杀，刘循遂坚守不出，庞统率军攻打雒城时为流矢所中，战死城下。

建安十九年（公元214年），雒城被围近一年才被攻克，刘备乃与诸葛亮、张飞、赵云等共围成都。时刘备派建宁督邮李恢劝降马超。马超来到成都，刘备命他率军屯城北，一时城中震怖。刘备于是派简雍劝降了刘璋，遂领益州牧，启用蜀中诸多人才。

建安二十二年（公元217年），北攻汉中，两年后，公元219年，在汉中之战中大将黄忠斩杀曹操名将夏侯渊，又迫使曹操退军，完全占据了曹操的汉中。同年进位汉中王，使刘备集团达到了最为鼎盛时期。

建安二十四年（公元219年），刘备占领汉中后不久，关羽孤军北伐，虽然水淹七军、擒于禁、斩庞德、威震华夏、围曹仁于襄阳，达到军事上的最高峰，但是荆州后方空虚，东吴吕蒙以白衣计乘机夺取荆州（主要是江陵和公安），最后关羽被吴军擒获，遭到杀害，“失荆州”使得刘备元气大伤，蜀汉政权也开始走下坡路。

公元221年，刘备在曹丕篡汉建魏后，于成都称帝，国号“汉”，以汉室宗亲的身份重新建立汉朝，继续东汉大统，年号“章武”。同年，刘备以为关羽报仇的名义，发兵讨伐东吴，意图夺回荆州，但于公元222年夏被吴将陆逊在夷陵之战中打败，最终撤退到白帝城。

刘备虽然大败，但是余威仍在，孙权听说刘备驻扎在白帝城，非常害怕，慌忙遣使请和，刘备出于对全局的考虑，同意孙刘再次联盟。

公元223年，刘备逝世于永安宫，终年63岁，谥号为昭烈皇帝。

总体上看，刘备为人谦和、礼贤下士，宽以待人，志向远大，知人善用，素以仁德为世人称赞，是三国时期著名的政治家。

吴大帝孙权

孙权（182年—252年），字仲谋，吴郡富春（今浙江富阳）人。父亲孙坚，汉末被封为乌程侯、破虏将军；兄孙策，曹操表为讨逆将军、吴侯。建安五年（200年），孙策遭刺杀身亡，孙权继而掌事，成为一方诸侯。黄龙元前（229年）建国称帝，在位24年。谥号“大皇帝”。

孙权少年时期就随父兄转战南北，见多识广。他又十分喜欢读书，不仅阅读了《诗经》、《尚书》、《礼记》、《左传》等儒家经典，而且浏览了许多历史和国事方面的书籍。十岁那年，孙坚因帮助袁术争夺荆州而中箭身亡。从此之后，孙权就随长兄孙策寄寓军旅，开始了他的军营生活。丰富的生活经验和系统的文化修养，使孙权很快成长起来。

孙权虽然年轻，但性格开朗，胸怀宽广，度量恢宏，好侠养士，仁义而又果断，因此名声很快就赶上了他的父兄。孙策出兵江东时，孙权经常帮他出谋划策，孙策十分惊奇，以为自己的智谋赶不上这位弟弟。因此，每次宴请宾客，孙策总是对孙权说：“在座的各位谋臣猛将，将来都会成为你的部下僚佐。”孙策见孙权确有才能，便委任他为阳羡（今江苏宜兴一带）县长。这时，孙权才15岁。不久又担任了仅次于将军的军职。

东汉建安五年（200年），孙策遇害，临死之前，孙策将官印授予孙权，对他说：“若论率江东之众冲锋陷阵，与天下英雄争高下，你不如我；若论举贤任能，使众人齐心协力保有江东，我不如你，你当善自为之！”当夜，孙策身亡，年仅26岁。

孙权继位吴侯、讨逆将军，领会稽太守，开始统领江东。建安八年至建安十三年（203年—208年），三伐江夏太守黄祖，并于其间收得大将甘宁。同年，汉丞相曹操南征，大败宜城亭侯、左将军、豫州牧刘备。曹操占领江陵（南郡治所）后，给孙权写信，执意要攻下东吴。东吴内部分为主战和主和两派，主战派以鲁肃、周瑜为首，主和以张昭为首。张昭在当时是很有说服力的，但孙权却有意与曹操一战。此时，鲁肃从江夏带来刘备的军师诸葛亮，表明刘备联吴抗曹的决心。周瑜及时返回，说明曹操的种种弊端，战有望获胜。孙权果断决定，以周瑜、程普为左右都督，与曹操决战。周瑜用黄盖之谋，以三万人于赤壁大破曹操。这便是历史上有名的“赤壁之战”。

此役之后，孙权与曹操又多次在合肥、濡须一带对峙，各有胜负。东汉建安二十年（215年）八月，孙权乘曹操出征张鲁之际，调动10万大军，围攻合肥。这一次，孙权吃了大亏。曹军守将张辽、李典、乐进，皆有万夫不挡之勇，虽只有7000守军，临危不惧。张辽、李典乘吴军新到，立足未稳，连夜招募敢死之士800人，杀牛宰羊，犒赏一顿。第二天天刚放亮，张辽披甲持戟，率敢死队冲入孙权阵内。张辽身先士卒，冲锋陷阵，连斩孙权两大将，军士数十人，并乘势冲至孙权大帐附近。孙权惊惶失措，连忙逃至高岗，令众军将以长戟围住。张辽自报姓名，呼孙权下来应战。孙权被张辽气势震慑，不敢下来。后来，孙权见张辽兵单力薄，便调兵将张辽等人围住。张辽毫不惧怕，率几十人冲出重围，见尚有余众在重围中，便重入阵中，救出兵将，一同突围而走。孙权军将失魂落魄，无人敢加以阻挡。从日出杀到日中，吴军锐气大减。

孙权围合肥十余日不能取胜，便撤军南返。张辽等见吴军撤退，随即率军追击。等孙权撤到一条河边，却发现桥面上有一丈多长没有桥板。原来张辽早派人撤了桥板，孙权急得不知如何是好，幸亏亲信谷利急中生智，让孙权放松缰绳，谷利在马后猛抽一鞭，骏马疼痛，长嘶一声，跃过断桥，孙权才得以脱险。张辽见有人马已过桥，追问吴军降兵，降兵回答说：“正是孙将军。”张辽等人追悔不迭，全军亦顿足叹恨。

孙权进入大船饮酒压惊，大将贺齐流泪道：“将军为至尊之人，应谨慎持重。今日之事，几乎丧败，使我们臣下震恐，好像失去天地。愿您以此作为终生之诫！”孙权上前替他抹去眼泪，说道：“惭愧！惭愧！我已刻骨铭心，当永世不忘此事。”

其间孙权联合刘备，将妹妹嫁入荆州。又从鲁肃之计，将所据荆州部分的南郡暂与刘备。215年五月，征战皖城，虏获庐江太守朱光。同年刘备取地成功，孙权讨还荆州，刘备不从。盛怒下的孙权以吕蒙为将，连下长沙、桂阳、零陵三郡。刘备亦起兵五万奔赴公安，关羽将三万于益阳与鲁肃对峙，大战一触即发。然曹操于此时攻占汉中，刘备面临着极大的威胁，与孙权议和，归还长沙、江夏、桂阳以东土地。

219年，刘备荆州守将关羽发动襄樊之战。这时的孙权看着刘备逐渐做大，并以相当的兵力对自己构成威胁，旋即改变战略，向曹操称臣联盟，拔掉门口这颗定时炸弹。以吕蒙为都督取下刘备所据荆州地，潘璋、朱然擒杀关羽。220年，曹丕取代汉称帝，建国号大魏，史称曹魏。221年，刘备称帝，国号汉，史称蜀汉，并随即兴兵问罪讨伐东吴。孙权果断任命39岁的陆逊为大都督，迎击刘备，于彝陵之战大破蜀军。

222年，曹丕赐给孙权九锡，册封其为吴王、大将军、领荆州牧，使其节督荆、扬、交3州诸军事。同年，曹魏三路伐吴，其中两路各有胜败，魏军整体局面占优，然朱桓重创曹仁军，扭转了整个战局，魏军不如预期，只得引退。

223年，刘备病逝，蜀、吴互通使臣，关系缓和。226年，曹丕病逝，孙权乘机攻取江夏，不克而还。

229年，孙权于武昌（今湖北鄂城）正式登基为皇帝，建国号大吴，孙吴王朝正式成立，旋即迁都建业（今南京市）。

234年，孙权响应了诸葛亮的最后一次北伐，御驾亲征合肥，却败于扬州都督满宠。229年后，孙权多次出兵北伐，战役较多，各有胜负。

孙权称帝后曾大规模派人航海，加强对夷州（今台湾）的联系。又设置农官，实行屯田；并在山越地区设立郡县，促进了江南土地的开发。

孙权早期与群臣推诚相处，君臣和睦，上下同心。他不仅知人善任，而且善抚将士，能得臣下死力，将士都愿以身事主。贤臣如林，猛将如云，故能保江东几十年基业。孙权还虚怀若谷，从善如流，对臣下的正确谏诤，勇于采纳。孙权对自己说过："天下没有纯白的狐狸，而有纯白的狐裘，是集众狐而成的。能用众人之力，则无敌于天下；能用众人之智，则无畏于圣人。"孙权曾在武昌临钓台饮酒，与群臣喝得酩酊大醉，还醉眼朦胧地说："今日大家都要畅饮，一醉方休！只有醉倒台中，才能停下！"老臣张昭正色不语，径直走出台外，端坐车中，孙权派人将张昭唤回说："不过是一起作乐，你何必生气？"张昭答道："过去商纣王作酒池肉林，竟长夜之饮，当时也认为是作乐，而不觉得是作恶。"孙权听后，默然不语，思虑再三，深感惭愧，遂命罢酒。

但孙权到了晚年，刚愎自用，猜忌群臣，信用奸佞，排斥忠良，与前期英雄作为相比，简直判若两人。而且，随着猜忌心的日益加重，孙权专门设置了校事、察战两职，用以监视文武百官。吕壹为中书校事，诋毁大臣，罗织罪名，构陷无辜，使无罪有功之臣，互相纠举，横受大刑，而孙权对他却十分宠信。丞相顾雍无故被诬陷，遭到软禁。江夏太守刁嘉被陷害，几乎受诛。太子孙和数次劝谏，孙权不听。大将军陆逊见吕壹窃柄弄权，擅作威福，而无人可禁，与太常等人同心忧思，以至流涕。骠骑将军步骘多次上书，揭露吕壹罪行，请求孙权改变虽有大臣而不能用的状况，重新任用顾雍、陆逊等忠贞股肱之臣，孙权却置若罔闻。潘濬见孙权如此不进忠言，百般无奈，竟想铤而走险，借宴会之机袭杀吕壹。后吕壹虽因陷害左将军朱据，事情泄露被杀，但校事等官仍然不废。

此外，立嗣之争，孙权也犯下极大错误，多数名臣死于非命。自孙登夭折后，孙权先是废了孙和，又赐死孙霸，最后立幼子孙亮，这为日后的吴宫政变埋下了祸根。

东吴太元元年（251年）冬十一月，孙权出南郊祭天地，回宫之后，就中了风。十二月，孙权将大将军诸葛恪召回，拜为太子太傅，开始安排后事。东吴太元二年（252年）夏四月，孙权病死，时年71岁。太子孙亮即位，谥号孙权曰“大皇帝”。

孙权自200年继位吴侯统领江东到逝世为止，前后共52年，长达半个世纪左右，是三国时代在位最久、最长寿的帝王。他称帝后在位23年，开创了吴国大业，一生既为枭雄，又为昏君，不过后人对他褒扬的还是占多数。

晋武帝司马炎

晋武帝司马炎（236年—290年），字安世，河内温（今河南省焦作市温县）人，晋朝开国君主，265年—290年在位。司马炎是司马懿之孙，司马昭嫡长子。265年袭父爵晋王，数月后逼迫魏元帝曹奂禅让给自己，国号晋，建都洛阳。279年又命杜预、王濬等人分兵伐吴，于次年灭吴，统一全国。建国后采取一系列经济措施以发展生产，太康元年，颁行户调式，包括占田制、户调制和品官占田荫客制。太康年间出现一片繁荣景象，史称“太康之治”。但灭吴后，逐渐怠惰政事，奢侈腐化。290年病逝，谥号武皇帝，庙号世祖，葬峻阳陵。

司马炎曾出任中抚军；但是司马昭却有意让幼子司马攸继承，但在重臣的反对之下，司马炎于265年5月被封为晋王太子。同年8月司马昭过世之后，司马炎继承晋王的爵位。次年1月，司马炎逼迫魏元帝曹奂禅让，即位为帝，国号晋。

西晋成立之初，晋武帝为了收买人心，大封功臣，许多大家族都被封为公侯。短短几年时间，晋武帝共封了57个王，500多个公侯。蜀汉灭亡不久，晋武帝为了稳定巴蜀人心，又任用了一批原在蜀汉供职的官吏为朝官。晋武帝没有采取“一朝天子一朝臣”的惯用手法，而是采取拉拢、收买人心的办法，稳定各级官吏，以确保社会稳定地过渡。因为晋武帝还看到，蜀汉虽亡，东吴未灭，全国还未统一。于是他开始运筹帷幄，准备击灭东吴，结束全国的分裂局面。

早在三国鼎立之时，魏的势力已超过蜀、吴，如以人口计，魏约占全国人口4/7，蜀、吴合占3/7。公元263年，魏灭蜀之后，三国鼎立变成了南北对峙，魏的力量更加强大。晋武帝代魏之后，雄心勃勃，“密有灭吴之计”，准备出兵灭吴，统一全国。西晋全国正处于一种积极的态势之中，然而吴国却是在走下坡路。吴主孙皓的荒淫、残暴使吴国丧失了重整旗鼓的机会。孙皓手下的将领们也对他丧失了信心，纷纷投降西晋。西晋的大臣们见吴国国力下降，政局不稳，也纷纷劝说司马炎趁机灭掉吴国。

但是，晋武帝受到了以太尉录尚书事贾充为首的保守派的反对，他们认为：吴有长江天险，且善水战，北人难以取胜。且近几年来西鲜卑举兵反晋，此时对吴作战，并“非其时”。而羊祜、张华、杜预等人则认为：吴帝孙皓腐化透顶，他不但对广大人民残酷剥削、镇压，而且在统治集团内部也排除异己，用刑残酷。孙吴目前是“上下离心”，如此刻出兵，“可不战而胜”。如果错过机会，“吴人更立令主”，励精图治，再去灭吴就相当不容易了。

两派意见，针锋相对。这样，一个极其严重的问题就摆在了晋武帝面前：是否出兵灭吴，统一全国？晋武帝意识到，自秦汉以来，统一已成为人类历史的主流，广大平民百姓要求统一，渴望和平。因此，晋武帝坚定地站在主战派一边。

为了完成灭吴大业，晋武帝在战略上做了充分准备。早在公元269年，他就派羊祜坐守军事重镇荆州，着手灭吴的准备工作。羊祜坐镇荆州后，减轻赋税，安定民心，荆州与东吴重镇石城（今湖北钟祥县）相距最近，晋军采取了“以善取胜”的策略，向吴军大施恩惠。由于孙皓挥霍无度，部队士兵常常领不到军饷，连饭也吃不饱。羊祜命人向吴军送酒送肉，瓦解吴军。这样，不时有吴军前来投降，羊祜下令说：吴军来要欢迎，走要欢送。有一次，吴将邓香被晋军抓到夏口，羊祜部下坚持要杀掉，羊祜不但不杀邓香，而且还亲自为其松绑，把他送了回去。有时，吴军狩猎打伤的野兽逃到了晋军领地，晋军也把这些野兽送到吴军帐内。正是由于这样的“厚”爱，东吴将领们的心已经一步步趋向晋军。

晋武帝在襄阳一边命羊祜以仁德对吴军施加影响，一边在长江上游的益州训练水军，建造战船。经过长达10年时间的充分准备，公元279年，晋军开始向东吴展开大规模的进攻。为了迅速夺取胜利，晋军分5路沿长江北岸，向吴军齐头并发。第6路晋军由巴东、益州出发，沿江东下，直捣吴军都城建业。20万晋军直扑东吴。东吴守军在巫峡钉下了无数个锋利无比的、长十余丈的铁锥，在江面狭窄处用粗大的铁链封锁江面。晋军先用大竹排放入长江，晋军在船上载了无数根数丈长的用麻油浇灌的火炬，熊熊烈火能够把铁链烧断。就这样，东吴长江的防守设施被一个个排除了。

在第6路晋军进攻东吴时，为了分散、吸引守卫建业的吴军兵力，安东将军王浑率一路晋军，由北向南，直取建业。孙皓忙命丞相张悌统率主力渡江北上，迎击王浑，结果沿江东下的晋军乘机攻占了建业。

由于晋武帝准备充分，时机恰当，战略正确，前后仅用了四个多月，便夺取了灭吴战争的全部胜利。从此，东吴的全部郡、州、县，正式并入晋国版图。

公元280年，三国鼎立的局面完全结束了。晋武帝司马炎终于统一了全国，结束了长达近百年的分裂局面。

全国统一后，西晋政治上趋于安定，但由于多年战争的创伤，老百姓生活依然很艰苦。特别是皇室和权贵们无限制地霸占土地，更加重了农民的苦难。西晋初年，晋武帝把解决土地问题作为发展经济的重要内容之一。为此，他制定了“户调式”的经济制度。实行户调制的诏书发布之后，遭到了豪门世族的抵制。他们或是隐田不报，或是反对农民占有耕地。

尽管晋武帝的户调式遭到了种种阻碍，但这一制度从一定程度上，用行政的手段将大量的流动、闲散人口进行安置，从事生产，这对于稳定社会秩序，促进社会经济的恢复与发展，起到了积极作用。

此外，晋武帝很注意开垦荒地，兴修水利。如在汲郡开荒五千多顷，郡内的粮食很快富裕起来，又修整旧陂渠和新开陂渠，对于灌溉和运输都起到了重大作用。

晋武帝在强调发展生产的同时，反对奢侈，厉行节俭。有一次，太医院的医官程据献给晋武帝司马炎一件色彩夺目、满饰野雉头毛的“雉头裘”，这是一件极为罕见的华贵服饰。晋武帝把这件“雉头裘”带到朝堂，让满朝文武官员欣赏，朝臣见了这件稀世珍宝，个个惊叹不已。不料，晋武帝却一把火把这件“雉头裘”烧成了灰烬。他认为，这种奇装异服触犯了他不准奢侈浪费的禁令，因此要当众焚毁。他还下诏说，今后谁敢再违犯这个规定，必须判罪。

晋武帝采取了这样一系列有力的经济措施，使农业生产逐年上升，国家赋税收入逐年充裕，人口逐年增加，平吴之后不到三年时间，全国人口就增加了130多万户，出现了“太康繁荣”的景象。

历来许多皇帝打天下时都气吞万里如虎，可一旦坐稳了天下，便沉迷于享乐之中，大多数都善始不能善终。司马炎也一样，天下统一，国家安定了，随着时间的推移，励精图治的皇帝不见了，取而代之的是挥霍无度，荒淫享乐的君主。

晋武帝领先作了荒淫纵欲的表率，《晋书·胡贵嫔传》称：晋武“多内宠，平吴后，复纳吴王孙皓宫人数千，自此掖庭殆将万人，而并宠者甚众，帝莫知所适，常乘羊车，恣其所之，至使宴寝。”以中国史上开国皇帝而论，实未有如是荒怠纵欲者。同时，司马炎在奢侈风气中又起了带头作用。司马炎在女婿王济家吃饭时，有一道菜是乳猪，非常好吃，司马炎就问王济是怎么做的。王济偷偷告诉他，乳猪是用人的乳汁喂养大的，做的时候又用人的乳汁烹制，所以很好吃。司马炎听了不高兴，觉得女婿超过了自己，结果宴席还没有结束他就借故走了。

这种风气上行下效，以致小人当权，奢侈浪费，风气日渐败坏。公卿贵族也跟着竞富争豪，大臣何曾每天吃饭用一万钱，还“无处下箸”，他的儿子何劭一定要吃四方珍异，一天膳费二万钱。王恺是武帝的母舅，曾与当时首富石崇比赛炫耀财富。为维持这种奢靡腐化的生活，必然加紧聚敛，因此贪污纳贿习以为常。当时有人指出：“奢侈之费，甚于天灾，”可见危害之大。

大臣们见司马炎变得昏庸荒淫，便找机会劝谏。一次，司马炎和众人去洛阳郊外祭祀，完了他得意地问司隶校尉刘毅：“你说我能与汉朝的哪个皇帝相比？”司马炎觉得他肯定会说高祖刘邦、武帝刘彻以及光武帝刘秀之类有名的皇帝，没想到刘毅却说他只能和桓帝、灵帝相比。司马炎很不高兴，因为这两个皇帝统治时期是东汉政局最混乱的时候。司马炎不甘心地问：“我怎么会和他们一样呢？”刘毅直言不讳地说：“当年桓帝时也有卖官的事，但桓帝让人把钱都归入了国库，陛下您现在卖官所得的钱却都进了自己的腰包。”司马炎无法狡辩，只好讪讪地替自己找个台阶说：“爱卿所言极是，不过在桓帝时却没有你这样的直言之臣，但我身边却有，这说明我还是比他们好一些啊。”

司马炎晚年因为荒淫过度，身体状况逐渐下降，西晋的开国皇帝不得不考虑继承人的问题。司马炎立的太子是长子，但却是个痴呆，原来他也犹豫过，觉得这个痴呆的大儿子不太合适，但有一次，傻儿子的小儿子却让西晋的开国皇帝司马炎下决心让他继续做太子。一天晚上宫中着了火，司马炎到城楼上观看火情，这时，傻儿子年仅五岁的儿子却拽着爷爷的衣服，说夜里危险，不能让光亮照到皇帝身上。司马炎听了又感动，又惊讶，如此小的孩子竟有这样的智力。司马炎从此坚定了让傻儿子做太子的决心，希望孙子以后能有大的成就。

公元290年的四月，司马炎病逝，他活了五十五岁，不算长寿。死后葬在了峻阳陵。

晋武帝司马炎是西晋的开国皇帝，功过各半。他的功绩是：280年统一了全国，结束了东汉末80多年的纷乱的三国局面。在位前期为巩固政权废屯田、行分封、颁律令、奖良吏，对经济民生的发展起了很大的恢复作用。这些都顺应了历史潮流。他的过错：晚年颓废无比，不理朝政，沉湎女色，使朝政紊乱，庸臣当道，种下“八王之乱”的祸根。

晋元帝司马睿

东晋元帝司马睿（276年—322年），字景文。为司马懿曾孙，琅邪恭王司马觐之子。

司马睿于咸宁二年（276年）生于洛阳，据说降生时有神异之光，将室内照得通明。而且长相奇特，额骨中央隆起，左边生有白毛，目光如电，有帝王之相。15岁时继承父爵为琅邪（治开阳，今山东临沂县北）王。时值西晋惠帝之时，朝政腐败，王室混乱。司马睿恭俭退让，与世无争。不露锋芒，以求免祸。故而当时之人对他并未特别看重。只有侍中稽绍以奇异的目光看待他。对人说："琅邪王相貌不同寻常。前途无量，不会久在人臣之位。"

惠帝元康二年（292年），西晋朝廷拜司马睿为员外散骑常侍，累迁左将军。他与东海王司马越的参军、世家大族王导成为至交。王导是很有见识的人。看到西晋诸王同室操戈，互相残杀，各族人民不断起义，朝廷处在风雨飘摇之中，又见司马睿颇有政治才干，就每每劝他早日离开京城，回到自己的封国琅邪去，观天下之变，以图大业。

永兴元年（304年）七月，东海王司马越等奉惠帝北征盘踞邺城的成都王司马颖。司马颖急忙召开会议，议论对策。司马睿的叔父、东安王司马繇说："既然天子亲征，只得放下武器，缟素出迎请罪，不能以兵戎相见。"司马颖不甘心束手就擒，派大将石超在荡阴（今河南汤阴县西南）大败帝师。惠帝中三箭伤颊，丢失玉玺，和跟随他北征的司马睿等朝官一起做了俘虏，只有司马越侥幸逃走，跑回自己的封国东海（治郯，今山东郯城县北）。八月三日，司马颖杀了劝他投降的司马繇，司马睿恐祸及自身，逃到河阳，津吏见他行色匆匆，疑其为逃跑的朝官亲贵，将他阻住，欲加盘查。正在危险之时，他的随从人员宋典从后面追来。机智地举起马鞭，指着他笑着："舍长，官家禁止贵人通过。连你也要被拘查吗？"津吏一听，以为他真是一名小小的舍长，就放行过关。司马睿如漏网之鱼，拼命逃回洛阳。此时，因惠帝被俘，洛阳城里一片混乱。司马睿乘机迎其母太妃夏侯氏，匆匆回到自己的封国琅邪。

司马睿的封地琅邪国与司马越的封地东海国相邻。司马越一度掌握西晋政权。司马睿是他的党羽。在他率军北上参加宗室混战时，就把自己的后方军事根据地下邳（今江苏睢宁县西北古邳），交给司马睿镇守。加司马睿平东将军、监徐州诸军事的头衔。其后，北方少数民族贵族的军事势力日益发展。北方局势日益恶化。而下邳又是“四战之地”，不易防守。司马睿遂采用王导的计谋，请求司马越允许他移镇建业（今江苏南京市）。当时在洛阳掌握西晋政府大权的东海王司马越和世家大族的代表人物王衍，也打算在江南培植自己的势力，做以后的退步之地，遂欣然同意。于永嘉元年（307年）七月，迁司马睿为安东将军，都督扬州江南诸军事、假节，镇建业。与司马睿移镇江东的同时，大批北方流民向江南迁徙，形成南迁狂潮。司马睿任安东将军后，立即请他的密友、智囊人物王导作为安东司马，为他出谋划策。到永嘉五年（311年）五月，司马睿进位镇东大将军。成为江南地区的最高军政长官。

司马睿移镇建邺后，由于缺乏威望，吴人对他不予理睬。过了一个多月，还没有人来拜见他，表示欢迎和拥护。司马睿甚为尴尬和失望。王导也很着急。恰巧王敦来。王导对他说：“琅邪王仁德虽厚，但名望犹轻。兄威名远震。请你帮助宏扬威德。”于是商定在三月三日民间修禊事时，为琅邪王大事宣扬一番。按民间习俗，这一天，男女老幼均到水边嬉游，以消除不祥。此时，人山人海，热闹非凡，声名卓著的王导、王敦及许多名流贤达，骑着骏马毕恭毕敬地簇拥着乘坐肩舆的司马睿。在威严的仪仗陪伴下，到水边观看修禊。江东世家大族的头面人物纪瞻、顾荣，在人群中见了，十分惊奇。才带头拜于道左。归来后，王导又向司马睿献计说：“现在天下丧乱，九州分裂。大王在江南草创基业。当务之急是网罗人才。顾荣、贺循是江东土著大族，应罗致来以结人心，只要这两人倾心拥戴大王，其他人自然望风而归服。”司马睿十分赞赏这些意见。派王导敦请顾荣、贺循。二人十分高兴地应命而至。于是江南土著地主阶级皆表示拥护司马睿。北方侨迁来的世家大族更是司马睿政权的主要支柱。当黄河流域大批士人渡江南下避乱时，王导力劝司马睿选取其中有才干的士人，为自己正在草创的政权服务。并妥善安置南下的世家大族及其宗族、部曲、佃客。以确保南迁世家大族的利益。北方的世家大族和南方的土著世家地主就联合起来，支持司马睿。加之南方经济发展的物质条件和凭恃长江天堑的优越地理条件和防卫条件，使他得以在江南成功地建立了侨寓的东晋政权。琅邪王司马睿是与西阳王、汝南王、南顿王、彭城王同时渡江南下的。他们同是宗室藩王，而只有司马睿创建了江南的政权。故当时有童谣说："五马浮渡江、一马化为龙。"五马即司马氏五王。一马化为龙，比喻只有其中的琅邪王成皇帝。

建武元年（317年）三月，司马睿即晋王位，改元。建武二年（318年）三月，愍帝被害的凶讯传到建康。百官请上尊号，司马睿故作忞态，表示不允许。然而，当奉朝请周嵩上疏说："现在皇帝的梓宫未返，旧京未清。当务之急是延纳嘉谋，训练军队，雪社稷大耻，安天下人之心。何必汲汲于皇位呢！"司马睿却十分恼火，立刻把他贬为新安太守。还不解心头之愤，又借口其怨望不满，加以治罪。群臣见此，明白了晋王的真意，于是，再请上尊号。司马睿也就不再推让，于三月十日即皇帝位，为晋元帝，改元太兴，成为东晋的开国皇帝。

在司马睿创业江南的过程中，南迁来的世家大族王导兄弟起了重要的作用。司马睿始镇江东，王导与从兄王敦同心翼戴，司马睿亦推心任之。王敦总管征讨，于永嘉五年（311年）为扬州刺史，加都督征讨诸军事。曾讨华轶、杜弢、王机、杜曾等，多立大功。王导录尚书事，专掌机要大政。群从子弟，布列显要。故当时人说："王与马，共天下。"司马睿在即位大典上，心中着实感激帮助他开创基业的王导兄弟。命王导到御座上和他共坐。对这一超乎寻常的宠遇，王导一再推辞，说道："太阳高悬，才能光照天下。如果下同万物。苍生如何仰望！"说得司马睿十分受用，这才不再勉强他来同坐。

司马睿登基得意之时，没有忘记向他劝进的人。赏赐劝进的官吏，每人加位一等。百姓在劝进书上签名的，共二十余万人，皆安排吏职，散骑常侍熊远进谏说："还是按汉朝的老规矩为好。皇帝即位，民赐爵一级。不要单单赏赐劝进之人。"司马睿不允。

东晋是偏安于江南一隅的政权。当时，黄河流域广大国土被许多少数族贵族占领和统治。政权的更迭如同走马灯一样来去匆匆。广大汉族人民陷入水深火热之中，忍受着战乱、掳掠、杀戮的灾难。民族矛盾十分尖锐。他们盼望东晋北伐，恢复统一。在当时那种分裂对峙时期，国家统一是广大人民的强烈要求。由东晋封建政权去统一文化落后的、由奴隶主贵族统治的北方少数族政权，更加有利于社会的进步和发展。但是以司马睿为首的东晋政权却志如燕雀，目光短浅。醉心于内部争权夺利；沉湎于新政权带来的安逸和享乐；苟安于江南的形胜之地。对北方人民的哀号和呼唤充耳不闻。尤其是司马睿，唯恐北伐不利，动摇他苦心经营的基业。故对北伐消极、冷漠、敷衍塞责。只限于发发檄文，故作声势，欺骗舆论而已。

建武元年（317年）六月，司马睿又一次传檄天下。宣称“石虎敢帅犬羊之兵，渡黄河荼毒百姓。今派遣琅邪王司马裒等九军、锐卒三万前往讨贼”。俨然真要北伐。但事过不久，即召司马裒还建康。

司马睿不但自己不敢北伐，对北方军民的反抗斗争也从不给予支持。在北方沦陷区，有爱国志士邵续归顺元帝，与后赵石勒进行着艰苦的战斗。被司马睿封为平原、乐安太守、右将军、冀州刺史，后进为平北将军。当他被包围于厌次时，吏部郎刘胤向司马睿建议：“北方藩镇，俱已失败。唯余邵续。如被石勒所灭，北方就没有火种了。请赶快发兵援救。”但司马睿不答应。待邵续兵败被俘，才虚送人情，下诏将邵续的官位转授其子邵缉。

对于东晋朝廷对北伐的消极态度，当时即有人提出尖锐批评。早在太兴元年（318年）十一月，御史中丞熊远上疏，指出：“胡人乱华夏，梓宫未迎回，而朝廷不能派军进讨，这是第一失。群官不以报仇雪耻为意，而沉湎于花天酒地，是第二失。”这一批评切中要害。但司马睿此后的行动，说明他没有接受这一批评而有所改过。

王敦出身世家大族，娶司马炎之女襄城公主为妻。曾任青州刺史，后转为扬州刺史，为东晋立国的功臣。任统帅全力经营长江上游。灭杜弢后，任都督江、扬、荆、襄、交、广六州军事、江州刺史，镇守武昌。即掌握了上游军队。长江上游为甲兵所聚。其经济和军事力量，有控制下游的可能。上游的镇将往往因军事、经济优势，孕育野心，威逼京都所在的下游。王敦控制上游大权后，政治野心与日俱增，逐渐威胁东晋朝廷。司马睿自感危机，慌忙调兵遣将，暗作军事部署，充实中央的军事力量。任命戴渊、刘隗为军事统帅，各率万人，分驻合肥、泗口（泗水入淮之口，今江苏清江市西南）。以北讨石勒为名，一面防御王敦，一面牵制祖逖。祖逖死后，王敦认为无人是敌手，遂于永昌元年（322年）正月，举兵于武昌，以讨刘隗为名发动叛乱。声称：“奸臣刘隗必须斩首。其头朝悬。诸军夕退。”王敦党羽沈充同时在吴兴起兵以为配合。王敦兵至芜湖，又上表大谈刁协的罪状。元帝大怒，下诏说：“王敦竟敢如此狂逆，把我比作太甲，欲加幽囚。是可忍，孰不可忍！我要亲率六军，以诛大逆。有杀王敦者，封五千户侯。”王敦兄王含，本在朝廷为官，忙乘轻舟逃归王敦。

二月，元帝征调戴渊、刘隗入卫建康。王导帅子侄二十余人每早诣阁请罪。元帝客气地召见了王导。王导谢罪说：“乱臣贼子，历代都有。想不到今天出在臣族之中。”元帝非但不怪罪，反而加意劝慰、笼络。三月，司马睿以王导为前锋大都督，加戴渊骠骑将军。以刘隗率军守金城，以右将军周扎率军守石头城。元帝披甲戎装，亲帅军队驻于郊外。王敦帅叛军一路披靡，势如破竹，很快打到石头城下。首先猛攻周扎军。周扎开门投降。王敦遂据有石头城。元帝忙命刁协、刘隗、戴渊等率军去攻夺石头城。同时，王导、周颛、郭逸、虞潭等三道出战，但均大败。刘隗逃往后赵；刁协逃跑，中途被杀。元帝无奈，只得让百官到石头城去看望王敦。王敦得意而又心虚地问：“天下之人，如何看待我的举兵？”戴渊献媚说：“只看表面，认为是叛逆。如能体察诚意，当认为是忠于国家之举。”王敦高兴地笑道：“你可真会说话。”司马睿不得不忍着怒气，给叛军首领加官进爵，以王敦为丞相、都督中外诸军、录尚书事、江州牧，封武昌郡公。王敦却辞而不就。

王敦因太子司马绍有勇有谋，为朝野所信重。想诬以不孝而废之。百官皆不从，只得作罢。王敦将周颛、戴渊杀死，也不朝见司马睿，于四月回到武昌，遥控朝政。与沈充、钱凤狼狈为奸，为所欲为。四方贡品多入其家，将相岳牧皆出其门。沈充等人都是贪鄙凶险小人。侵人田宅，营造甲第，剽掠市场，抢劫道路，无所不为。不久，王敦自领宁、益二州都督。并以王邃为都督青、徐、幽、平四州诸军事，镇守淮阴。以王含都督沔南诸军事，领荆州刺史。军政大权皆集于其兄弟之手。

司马睿眼睁睁地看着王敦飞扬跋扈，逼辱朝廷，却无可奈何。史称元帝“恭俭有余而明断不足，故大业未复而祸乱内兴”。他没有平定王敦之乱的才干，遂忧愤成疾，于永昌元年（322年）闰十一月抱恨死去。时年47岁。葬于建平陵，庙号中宗。

成武帝李雄

晋泰始十年（274年），巴氐族首领李特的妻子罗氏又生下了一个儿子，他就是李雄。

李雄身高八尺三寸，仪表堂堂。据说，道士刘化曾对人说："关陇的人以后都会南迁，李氏中只有李雄最终会成为君主。"李雄确很幸运。李特在四川起兵时，李雄被封为前将军。晋太安二年（303年），李特战死，李雄叔父李流准备向晋军投降。李雄和叔父李骧轮流劝说李流，但李流根本不听。这时，李离要求李雄袭击晋军，李雄哭丧着脸说："此计可取，但叔父不同意又怎么办呢！"李离果断地说："挟迫他干。"李雄马上和李离一起鼓动流民攻击晋军。流民个个摩拳擦掌，跃跃欲试。于是，李雄便带兵攻打晋建平太安孙阜，一举取胜。通过这次军事行动，李流对李雄刮目相看，把军权全部交给了李雄。同年九月，李流病死，李雄自称大都督、大将军、益州牧。不久，李雄攻克了成都。但是，成都城内早就断粮，李雄进城后无法维持官兵的生活，只好又带兵到郪县（今四川广汉）就食。

隐居在西山的道教首领范长生德高望重，很受蜀人推崇，李雄早就对他十分看重。范长生先要观望一阵，怎么也不肯下山。李雄见此，便在晋永兴元年（304年）十月自称成都王，建元建兴，封李骧为太傅，李始为太保，李离为太尉，李云为司徒，李璜为司空，李国为太宰，阎式为尚书令，杨褒为仆射。李离、李国有智有谋，李雄有事就向他们请教。建兴三年（306年）三月，范长生从西山到达成都，李雄亲自出城迎接，把他封为丞相，尊称范贤。同年六月，李雄称帝，改元晏平，国号大成，封范长生为天地太师、西山侯，并给了他许多优厚待遇，包括对他的部曲免征租税和兵役。建国伊始，没有什么法规，不少大臣经常为争官位高低闹得不可开交。李雄采纳了尚书令阎式的建议，建立百官制度，这才平息了争官闹剧。虽然没有人再争官了，但是，由于财政入不敷出，李雄便默认部下可以用金银买官。买官的门一打开，马上又发现弊病太多，于是又严禁买官。为了解决财政危机，李雄开始注意发展农业生产，并适当减轻租调徭役，规定每个男丁每年交纳三斛谷子，女丁交纳一半，有病的只交四分之一，每户交绢数丈，绵数两。几年以后，实力便大大增强。

成汉晏平五年（310年），李雄的两位得力助手李离、李国分别被他们的部下杀害，梓潼、巴西重新成了罗尚的地盘。李雄十分恼火，对大将张宝说："你能夺取梓潼，我就把李离的官衔授给你。"张宝以杀人犯罪为名逃到梓潼，取得信任，不久，乘梓潼守将出城迎接罗尚使者的机会，关上城门，轻易夺占了梓潼。李雄也不食言，把张宝封为太尉。不久，罗尚病死，李雄乘机派李骧攻陷涪城，俘虏梓潼太守谯登。成国玉衡四年（314年），汉中的杨虎和梁州的张咸也先后投奔了李雄。于是，汉嘉、涪陵、汉中地区也都成了成国的领地。这大概是成国最强盛的时期了。

李雄共有十个儿子，但没有一个合他的心意，所以想立侄子李班为太子，但大臣们都极力反对，李雄费了一番口舌，才算说服大家，终于立了李班为太子。成玉衡二十四年（334年），李雄头顶生疮，脓水四流，他的儿子看后直感恶心，躲得远远的，只有李班不分昼夜地在身边侍候，经常用嘴为他吸脓水。李雄病了六天就去世了，时年61岁，葬在安都陵，谥号武帝，庙号太宗。

前凉昭公张寔

前凉政权的奠基者是张轨，张寔是张轨的儿子。

张轨，字士彦，安定乌氏人。家世以儒学显。西晋末年任散骑常侍，征西军司。当时天下大乱，张轨暗中图谋据有河西走廊地区，故请求到凉州任职。永宁初，西晋朝廷任他为护羌校尉，凉州刺史。张轨到凉州后，一方面用武力讨平反叛势力，同时又大兴文教，招贤纳士，其势力越来越巩固。为了更好地扩展势力，巩固政权，张轨始终奉晋朝正朔，不仅按时遣使朝贡，而且多次派出军队到关内勤王。这样，尽管中原地区长期为胡族所占领，陇西及河西走廊地区却始终是晋的势力范围。但在当时东晋政权偏安一隅，与凉州万里隔绝的情况下，凉州走向独立是一种必然。

西晋建兴二年（314年），在凉州经营了十三年的张轨病重将亡。他在遗令中说："我无德于人，如今疾病弥留，这大概是命数已尽了。我死之后，文武将佐都应当尽心尽力，安抚百姓，上思报国，下以宁家。素棺薄葬，不要埋藏金玉。要好好辅佐安逊（张寔的字），听候朝廷的处置。"这样，张轨的儿子张寔接替了父亲的职位。

料理完父亲的丧事，张寔及时派人向晋愍帝做了汇报，晋朝很快给了答复，让张寔接替凉州刺史的位子，管理凉州。张寔和父亲一样。也是晋朝的一个忠臣。建兴三年（315年），凉州军士张冰得到一块赫然刻着"皇帝行玺"四个字的玉玺，献给了张寔。张寔的大臣们看后不约而同地向张寔祝贺，暗示张寔称帝。张寔突然交了脸，气愤地说："父亲之所以能在凉州平安无事，完全由于他对晋朝皇帝忠心耿耿。父亲临终时明确告诉我们要报效国家，我们怎能把他的话当作耳旁风！玉玺虽是好东西，但不是臣民应当收留的。"当天就派人把它送到长安。同年，汉国将领刘曜攻陷长安，消息传到姑臧（今甘肃武威）后，张定立即派韩璞、张阆、贾骞、陈安等将领带着万人大军前去勤王。

韩璞出发后，张寔又给晋相国司马保写了一封信，信中说："王室有难，作为臣民有责任分担忧愁。起先我曾派贾骞去配合你的行动，后来按你的意见准备撤军，但是，没过多久，就听说敌军围困长安，胡崧观望不前，便临时决定让贾骞继续前进，和敌军血战。不幸长安失陷，道路堵塞，我们无法效忠于朝廷。每想到这些，我就悔恨至极，痛不欲生。现在重新派韩璞等将领去配合你的行动，以表我对朝廷的赤诚之心。我的将领也是你的将领，由你全权指挥。”尽管张寔对晋廷赤胆忠心，但是，由于氐、羌沿途拦截，韩璞等人无法继续前进，只好中途折回。

张寔既有喜欢独断专行的一面，又有不同的一面，就是知错能改。一次，张寔下令人们坦率地指出他的过失，并表示对批评他过失的人赏给多少不等的布帛羊米。命令刚下达，曹佐隗瑾就很不客气地说：“自你执政以来，事无巨细全由你一个人说了算。大臣们惧于你的威严，什么事情只是点头而已。即使你赏给他们千金，他们也不敢表态。恕我直言，你不要以为自己是天下最聪明的人，其实好多事情还不如大臣，所以，以后处理军政大事时如果能倾听一下大臣们的意见，那么，有利于国家的言论不用赏赐，也会源源不断地送到你的耳中。”张寔听后没有发火，表示以后虚心听取大臣们的意见。

凉州由于是一块远离战火的安全地带，所以云集了形形色色的人。京兆人刘弘也到了凉州。刘弘用左道骗人，客居天梯第五山，在山洞中燃灯悬镜，欺惑百姓。一千多人都受到了他的蒙骗。张寔的部下阎沙、赵印是刘弘的老乡，轻易被刘弘收买过去。刘弘对他二人说：“上天与我神玺，应当在凉州称王。”阎沙、赵印相信了他的话，和十几个人密谋刺杀张寔。晋大兴三年（320年）六月，张寔的弟弟张茂得知后告诉了张寔，张寔先派人将刘弘抓获杀死，又派牙门将史初去收捕阎沙等人。史初刚离开张寔，阎沙就怀揣利剑进了宫殿，一刀刺进了张寔的心脏。张寔在位六年，私谥曰昭公，晋文帝赐谥曰元。

前赵刘曜

刘曜是匈奴族人，幼年丧失了父母，由堂伯父刘渊收养。刘曜8岁那年，跟随刘渊到西山打猎，途中碰到倾盆大雨，刘渊一行只好到树下避雨。一道闪电过后，强烈的雷声把避雨的人个个都震得心惊肉跳。跌倒在地，唯有刘曜神色自若。刘渊见状，对周围的人自豪地说："这是我家的千里驹。"从此以后，对他非常器重。

刘曜身高九尺三寸，有两只很长的胳膊，手垂下去能超过膝盖。刘曜还长着奇特的胡须，虽然总共不过百八十根，但根根都长达五尺。长期的孤儿生活，使刘曜养成了孤僻的性格，平时很少和人来往。从小喜欢读书，但对文史之类书籍只是浏览一下，了解一下大体内容，从来不管书中的遣词造句，对军事书籍却大都能背诵如流。刘曜也喜欢射箭，由于身高力大，射箭时竟能把挺厚的铁皮穿透，被人们称为"神射"。20岁时，刘曜到了洛阳，犯了死罪。由于事先得到消息，刘曜便和曹恂星夜投奔了刘绥。刘绥先把刘曜藏在一个书柜里面，等风声过后，用车把刘曜送给了王忠，王忠又把刘曜送到了朝鲜。又过一段时间，刘曜碰到了天下大赦，重新回到了洛阳。他考虑到自己长相特殊，生怕遭到别人的暗算，便到管涔山隐居，整天弹琴读书。一天深夜，有两个童子对他说："管涔王派我们谒见赵皇帝，献上宝剑一把。"刘曜点起蜡烛时，只见那把剑足有二尺长，后背刻有"神剑御，除众毒"六个字，刘曜爱不释手，又天天练习刺杀。刘渊建立汉国时，刘曜历任要职，后被封为相国、都督中外诸军事，镇守长安。刘渊死后，刘聪继承帝位。嘉平元年（331年），刘曜被刘聪封为车骑大将军、中山王，在南征北战中为汉国立下了汗马功劳。刘聪病危时，嘱托刘曜和石勒共同辅政。麟嘉三年（318年）七月，刘聪病死，太子刘粲继位，刘曜仍然镇守长安。八月，大司空靳准发动叛乱，杀害了刘粲。

刘曜听到靳准叛乱的消息后，马上率兵进军平阳（今山西临汾西南），讨伐靳准，很快到达赤壁，在太保呼延晏和太傅朱纪的拥戴下即皇帝位，改元光初，然后与石勒联军攻打勒准。靳准见状，急忙派侍中卜泰向石勒求和。石勒让人把卜泰关进囚车，押送给刘曜。刘曜温和地对卜泰说："刘粲竟敢与父亲的皇后乱搞，这也太不像话了。大司空发难也情有可原。只要大司空能幡然悔过，我仍把军政大权全部委托给他。请你回城转达我的意思。"靳准听了卜泰的汇报，内心十分矛盾，一时犹豫不决。同年十二月，乔泰、王腾、靳康等人杀掉靳准，拥立靳明，派人向刘曜投降。刘曜乐得眉笑颜开，可石勒却勃然大怒，向靳明发起了进攻。勒明自知不是对手，连忙向刘曜求救，刘曜派人迎接，于是勒明所率领的一万五千多名平阳人投降了刘曜，但不久就被刘曜全部杀害。

刘曜将靳氏全部消灭后迁都长安，改国号为赵，史称前赵。光初二年（319年）二月，刘曜借故杀了石勒左长史王脩，石勒气得暴跳如雷，宣布与前赵公开决裂。

光初三年（320年）六月，刘曜将领解虎和长水校尉尹车准备联合巴酋句徐、厍彭发动叛乱，夺取前赵政权。刘曜闻讯后立即斩杀了解虎、尹车，囚禁了句徐、厍彭等五十多人，并准备把他们杀死，光禄大夫游子远苦口婆心地劝谏刘曜，刘曜勃然大怒，以包庇罪犯之名把游子远关进临狱，然后把句徐、厍彭等人处死，刘曜的滥杀激起了巴人的强烈反对，巴人推句渠知为大秦王，建元平赵，氐、羌、羯族的三十多万人积极响应，关中重新陷入了动乱之中。狱中的游子远听到这一消息后，又给刘曜上表劝谏，刘曜没看一眼就奏表撕毁，厉声说："大荔奴！你的命都难保，还有时间关心他人之事！你是嫌死得太晚了吧！"喝令士兵马上把他拉出去杀掉。刽子手正要动手时，刘雅、郭汜、朱纪、呼延晏等人一齐跪在刘曜面前说："陛下，游子远身在监狱还不忘劝谏，这是难得的忠臣啊！如果陛下非要杀游子远不可，那么我们也不想活了，前赵的人民都将舍你而去！刘曜一听，始感问题严重，这才宣布赦免游子远。不久，刘曜又要亲征句渠知，游子远又劝刘曜释放解虎、尹车同党，宣布大赦，这样，叛乱者会主动投降。当天，刘曜宣布大赦，封游子远为车骑大将军。游子远到了雍城、安定，叛乱都纷纷投降，西部又重新安定下来。

但刘曜与氐、羌的冲突只停息了不长的时间。光初五年（322年）二月，刘曜又亲征氐、羌，一路势如破竹，氐族首领杨难敌接连败退，最后龟缩到仇池。仇池的氐、羌和陇西太守梁勋不愿再为杨难敌卖命，便主动放下武器，投降刘曜。刘曜一方面把陇西一万多户迁到长安，同时向仇池发起猛烈进攻。在即将攻下仇池时，军中发生疾病，刘曜也染病在身。刘曜见状，既想马上撤兵，又怕遭到杨难敌的追打，派王犷去和杨难敌讲和。杨难敌这时已经精疲力尽，原意向前赵称臣。刘曜便回兵长安。途中，秦州刺史陈安要求拜见刘曜，前赵以刘曜病重为由拒绝会见。陈安下令抢劫前赵的辎重，回到上都（今甘肃天水），自称凉王。

次年七月，刘曜又亲征陈安，很快将陈安捕杀。留守陇城的大将杨伯支、留守上邦的宋亭见陈安被杀，先后投降了刘曜。刘曜安抚好这一带人民后，又亲率二十八万大军在黄河岸边安营扎寨，声言将分兵百路渡河袭击前凉。前凉闻讯惊慌失措，整个凉州立即戒严。过了几天，刘曜的部下有些沉不住气了，纷纷请求渡河袭击前凉。刘曜笑着对他们说："我军虽然强大，但其中有三分之二的人是勉强而来的，况且，经过征伐陈安的战争都已疲惫不堪，所以直接交战是很难取胜的。现在只能按兵不动，靠我们的兵威吓唬前凉。前凉军心已经动摇，不用多久就会送来投降书。不信的话就走着瞧吧。"不出刘曜所料，没过几天，张茂果然派人送了三千头牛，一千五百匹马，十万只羊，三百八十斤黄金，七百斤白银，二十个女妓表示投诚。刘曜眉笑颜开，凯旋而归。

刘曜对反对他的人心狠手辣，对臣民也常常大发淫威，唯独对皇后百依百顺，言听计从。光兴二年（311年），刘曜与王弥、石勒一起攻陷洛阳时，俘虏了晋惠帝的羊皇后。羊皇后是个美人，刘曜便把她带回家中，封为妃子。光初二年（319年），刘曜迁都长安后，又把羊氏立为皇后。羊皇后生了刘熙、刘袭、刘阐三个儿子，刘熙被刘曜立为皇太子。一次，刘曜问羊皇后："我与司马衷相比谁优谁劣？"羊皇后说："你是开国之君，他是亡国之君，怎能想提并论！司马衷虽是一个帝王，但连他的皇后、儿子和自身都保不住，其他就可想可知了。我在当他的皇后时对他厌烦透了，实在不想再活下去了，认为天下男人都是一个德行。自从跟了你以后，才知道天下还有真正的男子汉大丈夫。"刘曜听后对羊皇后更加宠爱。羊皇后死后，刘曜悲痛欲绝。光初八年（325年）三月，刘曜又立刘氏为皇后。刘皇后当了皇后还不到一年就卧床不起。刘曜去看刘皇后时，问她有什么要求，刘皇后泣不成声地说："我叔父刘昶无儿无女，我自幼就由他抚养。他对我百般照顾，令我终生难忘，我没有什么可以报答他，只有求陛下使他富贵了；我另一个叔父叫刘皑，他的女儿刘芳德貌双全，希望陛下把她召进后宫。"刘皇后死，刘曜就把刘昶提拔为侍中、大司徒，不久，又封为太保，立刘芳为皇后。

自光初二年（319年）二月与石勒分道扬镳后，与石勒经常发生战争。

光初八年（325年）五月，刘曜派中山王刘岳进军孟津，镇东将军呼延谟自崤、渑东进，攻取了石勒的盟津、石梁两个军事据点。石勒侄子石虎见状，率领四万名士兵与刘岳交战，刘岳败后退保石梁；呼延谟被石虎斩杀。刘曜亲自率兵援助刘岳时，因军队夜间受惊溃散，只好回到长安；刘岳及其将佐八十人被石虎坑杀。这次惨败使刘曜十分丧气，回到长安不久便积愤成疾，卧床不起。光初十一年（328年）七月，石虎率兵四万人向前赵的蒲阪发起猛烈进攻。身体刚刚恢复的刘曜亲率水陆大军营救蒲阪，在高侯原之战中把石虎军打得丢盔卸甲，狼狈跳跑。刘曜乘胜进军，从大阳攻金墉，挖开千金堨灌金墉城。

刘曜自以为稳操胜券，整天只顾喝酒，对军队的一切都不闻不问，有人出来劝谏时，刘曜以扰乱军心的罪名把他们杀掉。就在这时，后赵国君石勒已经渡过黄河，向刘曜扑来。刘曜见状，急忙下令增兵洛西，堵击石勒。刘曜是个酒鬼，和石勒即将交战时，一边喝了几斗酒，摇摇晃晃跨上战马指挥战斗。战马刚跑出不远，就跌倒在地，再也抬不起头，刘曜只好又换了匹小马，临上马时又喝下了一斗半酒。还没和后赵兵开战，前赵军队已经逃散，刘曜昏昏沉沉往后退却，不料那匹马陷入了石渠，把刘曜摔在冰上，刘曜束手被擒。

刘曜在被押送到襄国（今河北邢台）的途中，北苑市三老孙机送给刘曜一杯酒，借机嘲讽刘曜说：“仆谷王，关右称皇帝。当持重，保土疆。轻用兵，败洛阳。祚运穷，天所亡。开大分，持一觞。”到了襄国，刘曜被软禁在永丰小城内。不久，石勒让刘曜写信劝刘熙马上投降，刘曜表面上答应了，但信中只是说：“挽救社稷为重，千万不要牵挂我。”石勒看后十分生气，就把刘曜处死。

后赵高祖石勒

石勒，字世龙。他的祖先是匈奴别部羌渠的后裔，祖父耶奕于，父亲周曷朱也叫乞翼加，都曾当过部落小帅。家道中衰，为生活所迫，年仅14岁就跟随老乡常到洛阳做一些小买卖。一天。石勒背靠上东门不住地发愣，不时长吁短叹。晋太尉王衍见后，感到有些奇怪，过了一会儿，回头对随行的人说："这个小胡的声音有些奇特，恐怕以后会给天下带来灾难。"当王衍让人骑马去抓石勒时，石勒已经离开了上东门。

家庭环境的熏陶和常年累月的商贩生涯，培养了石勒的惊人胆量和高超的骑马射箭水平。石勒父亲周曷朱十分粗鲁，对部下动辄打骂，部下对他非常反感。为了缓和一下关系，周曷朱让石勒代管这个部落。由于石勒管理有方，得到了部下的信任和尊敬。

晋太安年间，并州一带发生饥荒，不少人活活饿死，生存下来的为了填饱肚子，东跑西颠，到处流浪。石勒为了活命，便和几个人一起从雁门逃到阳曲，投奔宁驱。北泽都尉刘监想把石勒抓起来卖几个钱，但宁驱不同意，便把石勒藏了起来，石勒虽然感到宁驱是个很讲义气的君子，但在兵荒马乱的年代总躲在家里也不是长久之计，于是又离开宁驱家中，偷偷地投奔都尉李川。一路上生怕被别人发现，石勒只好从野地里行走。最后实在饿得受不了，便壮起胆到大路上拦行人索要果腹的东西。等了好久，石勒碰到了邬人郭敬，流着眼泪向郭敬诉苦。郭敬把所带东西低价卖掉，给石勒买了一些吃的和穿的。石勒吃饱了肚子后，对郭敬说："现在饥荒十分严重，我们不能一直这样挨饿。依我之见，应当诱骗胡人到冀州就食，乘机把他们抓起来卖掉，这样，我们可以发一笔大财。"郭敬感到此话有理，不料正要行动时，碰到晋建威将军阎悴向东嬴公司马腾提出了捕捉胡人卖到山东以解决军队供给的建议，司马腾当即命令将军郭阳、张隆动手，一大批胡人被用木枷锁住送到冀州，石勒也被抓。张隆把石勒全身搜遍也没找到半点值钱的东西，故意找碴，动不动就殴打石勒。石勒对殴打还能忍受下去，可一天吃不上几口粮食就受不了了。有时饿得昏在路上。郭敬见石勒实在太可怜，便向族兄郭阳求情，郭阳心眼不错，多次为石勒说情，使他能多吃一点。这样，石勒活着到了冀州。

到了冀州，石勒被卖给了山东茌平人师欢。石勒到了师欢家，就开始了早出晚归的耕作生活。一天，有一个老头悄然来石勒身边，对石勒说："从你的头发梢来看，以后你肯定会大富大贵。"石勒感激涕零，说："如果的确如你所说，我终生不会忘记你的大恩大德。"石勒还没来得及问老头的尊姓大名，老头却悄然走开了。石勒在田地耕作时，经常会听到鼓角之声。石勒告诉同伴，同伴告诉师欢，师欢感到石勒有些特殊，便填写了一张放免书，让石勒当一个平民百姓。

离开师欢不久，石勒便招集了王阳、夔安、支雄、冀保、吴豫、刘膺、桃豹、逯明八名骑兵当了盗贼。后来，郭敖、刘征、刘实、张瞌仆、呼延谟、郭黑略、张越、孔豚、赵鹿、支屈六十人也加入了这支小队伍，号称"十八骑"。永兴二年（305年），公师藩起兵反晋，石勒率领"十八骑"投奔公师藩，被任命为前队督。公师藩在白马被濮阳太守苟晞杀掉后，石勒率领牧民冲击附近郡县的监狱，收编了一些犯人当兵，又到处招集逃在山林沼泽的流民，建立了一支军队。晋永嘉元年（307年）五月，石勒配合汲桑攻进了邺城（今河北临漳西南）。同年八月，石勒在与晋将苟晞、王讚等人交战时被苟晞打败，逃奔乐平。不久，又投奔了胡部大（胡人一部之长）张訇督、冯莫突。

石勒在新主人面前百依百顺，很快受到了新主人的器重。一天，石勒对张訇督等人说："汉王刘渊出兵攻晋时，你们都没有任何反应，难道你们能长期独立下去吗？"张訇督等人异口同声地回答："不能。"石勒接着说："既然不能长期独立，那么总得有个归属。现在各个部落都已经被刘渊收买过去，不少首领想背叛你们，归附刘渊，你们不能无动于衷啊！"张訇督等人无智无谋，生怕部下背叛自己，经石勒这么一提醒，便于永嘉元年（307年）十月暗中跟着石勒投靠了刘渊。石勒被刘渊封为辅汉将军、平晋王，张訇督被封为亲汉王，冯莫突被封为都督部大，张、冯二人均受石勒调遣。

石勒在刘渊那里无意之中听说刘渊曾多次向乌桓伏利度招降，伏利度就是不听。石勒为了博取刘渊的欢心，便假装得罪了刘渊，投奔伏利度。伏利度信以为真，和石勒结为把兄弟，让石勒率兵侵扰其他胡人。石勒在用兵过程中，十分注意收买人心，把不少人拉到了自己一边。石勒见时机已到，便借赴宴之机抓起伏利度，然后领着伏利度的兵马向刘渊报功领赏。刘渊为了嘉奖石勒，提拔石勒为督山东征讨诸军事，并把伏利度的兵马分配给石勒管理。从此以后，石勒的兵众开始强盛起来。

晋永嘉二年（308年），一年之内，石勒先后攻陷了魏郡、汲郡、顿丘、鄴城、赵郡、中丘。到第二年时，石勒的兵众已经发展到十多万人，石勒把其中的衣冠人物集中起来，建立君子营，对他们实行优待政策。

永嘉五年（311年）四月，石勒在苦县宁平城打败晋军，放纵骑兵把晋兵围起来肆意射击，十多万西晋官兵惨死于此，尸体堆积如山。晋太尉王衍、襄阳王范、任城王济、武陵庄王淡、西河王喜、梁怀王禧、齐王超、吏部尚书刘望、廷尉诸葛铨、豫州刺史刘乔、太傅长史庾凯等都被石勒俘虏。王衍等人贪生怕死，争死恐后地把东晋的内部情况告诉了石勒，并劝石勒及早称帝。襄阳王范很有骨气，呵斥王衍等人认贼作父。石勒见此，对孔苌说："我见到的人很多，很少像他这样有骨气，应当把他留下。"孔苌说："他是西晋的忠臣，留下对我们也没有什么用处。"当天夜里，石勒命令把司马范住所的墙推倒，把司马范砸死。与此同时，把其他王公卿士拉到野外杀掉。次日一早，石勒下令把东海王司马越的棺材砸开，拖出尸体点火焚烧，并扬言："乱天下的是司马越，我为天下人民报仇雪恨，所以焚烧他的尸骨以祭无辜死者的在天之灵。"

永嘉五年（311年）九月，石勒被汉王刘聪封为幽州牧，王弥被封为大将军。同年十月，石勒在已吾大摆宴席，邀请王弥参加。待王弥饭饱酒醉时，石勒举刀向他刺去，鲜血喷了一地，王弥摇摇晃晃地倒在地上。王弥咽气后，石勒改编了他的部队，并上表刘聪，宣称王弥准备叛乱。刘聪见表勃然大怒，立即派人去责备石勒说："你擅自杀害大臣，心中根本没有国君。"但是，刘聪考虑到石勒兵多马众，不好公开得罪，所以，在责备完之后，又给他增加了几个头衔，表示安慰。

永嘉六年（312年）年底，石勒派支雄、夔安等七位大将攻打受王浚调遣的游纶、张豺。王浚派督护王昌及鲜卑王就六眷、末柸、匹碑等五万兵马攻击襄国。当时襄国城墙还没修好，石勒多次派兵反击都被鲜卑兵打败，像热锅上的蚂蚁急得团团乱转，身边的大将说："现在城墙还没修好，存粮又不多，在敌众我寡又无援兵的情况下只好把军队全部拉出去和他们决一死战了。"众将纷纷说："不如坚守，等敌军疲劳后自动撤退，然后我们出城追击，必定胜利。"张宾、孔苌说："我们暂不出城，假装胆怯，同时把北城开凿出二十多个突门，等敌军到来还没有排列成行时，我们以迅雷不及掩耳之势直冲末柸帐中，末柸一败，其他兵众就会不攻自破。”石勒听完，下令秘密开凿突门。不久，石勒登城远望，见末柸官兵中不少人坐在武器上睡觉，知道末柸军心已经松散，于是命令孔苌出击，活捉末柸。就六眷见状，狼狈逃回渚阳，派人向石勒求和，并把末柸的三弟送去做人质，要求放回末柸。众将都劝石勒杀掉末柸，石勒不听，说：“鲜卑与我们前世无怨后世无仇，只不过是为王浚所利用罢了。现在杀害一人结怨一国，太不合算。不如放掉末柸，让他对我们感恩戴德，不再为王浚卖力了。”于是派石虎到渚阳与就六眷结盟，并设宴欢送末柸回到辽西。末柸对石勒感恩不尽，途中一天朝南大拜三次，回去后一心一意归附石勒。游纶、张豺也主动投降了石勒。这样，王浚的势力大为衰落。

晋建兴元年（313年）四月，石勒派石虎攻破邺城，三台流民纷纷投降石勒。不久，又在上白袭击乞活李恽，并准备坑杀李恽的部下。正要动手，石勒认出了自己的救命恩人郭敬，翻身下马，紧握郭敬的手激动地说：“今日相逢全是天意安排。”当即发给郭敬衣服、车辆，提拔他为上将军。接着，石勒命令孔苌出兵定陵，杀掉兖州刺史田徽，很快，整个山东的各个郡县相继被石勒占领。

晋建兴元年（313年）年底，石勒见王浚的势力越来越弱，便想吞并王浚。石勒采纳了张宾的建议，写了一封信交给舍人王子春、董肇送给王浚，信中说：“石勒本来是个小胡，碰到天下大乱跑到冀州，纠集民众以救苍生。现在晋室衰落，中原无主，殿下（指王浚）是中原大族，受四海人推崇，称王称帝非你莫属。石勒舍生忘死讨伐暴乱，全为你效劳。希望殿下顺天应人，早登帝位，石勒愿鼎力拥戴。”王浚正为就六眷背叛自己而恼火，见到石勒信后顿时眉笑颜开，用试探的口气问王子春：“石公占据赵魏，也算一个豪杰，现在竟向我称臣，可信吗？”王子春答：“石将军确有才能，但你是中原有名望的人物。况且，自古以来出身于少数民族的人只配当名臣，不能当帝王。石将军并非憎恶帝王才让给你，怕当了会遭到苍天和天下人民的反对。希望你不必多疑。”王浚听完，马上派人带着厚礼酬谢石勒。不久，王浚司马游统准备背叛王浚，派使者向石勒请求投降，石勒杀掉使者送给王浚，以此表示对王浚的忠诚。从此，王浚对石勒的疑心完全解除。

晋建兴二年（314年）石勒消灭了王浚，幽、冀逐渐安定了下来，石勒便于建兴二年（314年）秋天下令各州郡统计人口，向农民按户征收租税，规定每户交纳赀布二匹，租二斛。晋建兴四年（316）十一月，刘琨派将军姬澹率领十多万大军讨伐驻扎在坫城的石勒，石勒准备抵抗，有人劝谏说："姬澹兵强马壮，来势凶猛，不可直接迎击，应当深沟高垒以挫其锐气。"石勒气愤地说："姬澹虽然兵强马壮，但远道而来，精疲力尽。现在敌军即将赶到，我们无论如何不能离开。假如姬澹乘我们撤离时急起直追，我们逃跑都来不及，还谈得上什么深沟高垒！"说完，马上把劝谏的人杀掉、占据险要之地，然后出动骑兵与姬澹交战，刚一交战，石勒的人马假装逃跑，引诱敌军。姬澹下令追击，进入了石勒的埋伏圈内。石勒前后夹击，大败姬澹。姬澹狼狈逃往代郡。与此同时，孔苌正与马严、冯腊打得难分难解，不分胜负。为此，石勒又向张宾询问计策，张宾答："严、腊本来就不是你的仇敌，现在应当撤军，派好的官吏去招抚他们，这样，幽冀之敌可以迅速消灭，辽西流民就会相继而来。"石勒立即召回孔苌，提拔武遂令李回当易北督护兼高阳太守。马严士兵早就恨透了马严，听说李回到来，纷纷脱离马严归附李回，马严恐惧，投水自杀，冯腊也率领兵众投降李回，流民流水般地投向了石勒。

晋太兴元年（318年），汉王刘聪病死，其子刘粲继位，大司空靳准发动叛乱，杀了刘粲。同年十月，刘渊侄刘曜继承帝位，石勒被封为大司空、大将军。石勒亲率五万骑兵讨伐靳准，靳准一看来势凶猛，马上派侍中卜泰向石勒请和，石勒抓起卜泰就送给了刘曜。石勒虽效忠于刘曜，但刘曜对石勒却不怎么信任。太兴二年（319年）二月，刘曜听信谗言。杀害了石勒的左长史王脩。石勒听到这一消息后，气得脸色发青，对部下说："为了刘氏我出生入死，浴血奋战，立下了汗马功劳。但是，他们反而暗算起我来了！本来我还指望他们给我封王，现在看来全是一厢情愿。我也太傻，由我自己来称王称帝就行了，何必由他们来封！"于是便设置了太医令、尚方令、御府令等官职，并让参军晁讚负责造正阳门。但是，正阳门建起没有几天就突然倒塌，石勒恼羞成怒，一气之下把晁讚杀掉。事过之后，石勒又后悔用刑不太慎重，便赐给晁讚一副棺材，将他隆重安葬。

张宾、张敬等人看出了石勒想称帝的野心，于是便联名请求石勒称帝，开始，石勒假惺惺地不同意，到太兴二年（319年）十一月，石勒心安理得地自称赵王，建立后赵政权。然后命令法曹令史贯志制定了法律条文——辛亥制度，在襄国四门增设了宣文、宣教、崇儒、崇训等十多所小学，又建筑社稷坛、宗庙、东西宫；提拔理曹参军续成为律学祭酒，中垒将军支雄、游击将军王阳为门臣祭酒，专门负责管理胡人的诉讼，严禁胡人欺负汉族官僚；提拔从事中郎裴宪、参军傅畅、杜嘏为经学祭酒，任播、崔浚为史学祭酒，张宾为大执法，总管朝政。为了给自己树碑立传，石勒还命令记室佐明楷、程机编写《上党国记》、中大夫傅彪、贾蒲、江轨编写《大将军起居注》，参军石泰、石同、石谦、孔隆编写《大单于志》。从此之后，石勒接见大臣时常用天子礼乐，出门则穿起了天子的服装，俨然成了一个真龙天子。

后赵太和三年（330年）二月，石勒在大臣的劝说下自称大赵天王，将儿子全部封王，大臣按功加爵。九月，石勒称帝，改元建平，将妻子刘氏立为皇后，又规定了昭仪、夫人、贵族、贵人、三英、九华、淑媛、淑仪、容华、美人的等级和数额。

后赵建平二年（331年）夏，石勒到达邺城，准备在此建都，廷尉续咸上书劝谏，石勒勃然大怒，说："不杀这老家伙我的宫殿就很难建成。"下令把续咸抓进监狱。中书令徐光对石勒说："他的话是否采用全由你来决定，何必把他杀掉呢？！"石勒摇了摇头，自我解嘲地说："当了皇帝是这样不自由！普通老百姓家中有百匹资产还想买幢新房，何况我是一国之君！这宫殿终归要建，但现在暂时停下来，以成全直言的好意。"不久，中山西北暴雨成灾，冲下许多料，石勒对大臣说："苍天让我营建邺都，给我送来了这么多本料，这还有什么可说的呢！"邺都破土动工。

后赵建平三年（332年）春节过后，石勒设宴招待高句丽、宇文屋孤使者。到了酒酣时，石勒问徐光："我可以和前代哪位皇帝相比？"徐光答："陛下的英明高于汉高祖刘邦。"石勒笑着说："人贵有自知之明，你说得太过分了。如果我遇到汉高，一定向他称臣。如果遇到光武帝，则未知鹿死谁手。大丈夫做事情应当光明磊落，不能像曹孟德、司马仲达那样靠欺负孤儿寡母夺取天下。"大臣们听完，少不了高呼几声："陛下万岁。"

后赵建平四年（333年）六月，石勒突然病倒卧床不起。石虎有夺位野心，假称诏令不让太子石弘和大臣去看望石勒，并把石宏、石堪从外地叫到襄国。过了几天，石勒的病情略微好转，见到石宏，吃惊地问："你怎么回来了？是自己来的还是有人叫的？有叫你的应当斩杀。"石虎骗石勒说，是石宏想念父亲暂时回来看看，马上就回封地。七月，奄奄一息的石勒口授了一份遗嘱："我死后三天就葬，在这期间不准禁止婚娶、祭祀、饮酒、食肉，征镇牧守不准前来奔丧；送丧时只用一般车辆，坟墓内不准埋葬金宝、器玩。”不久去世，时年60岁。当天夜里，石虎就把石勒偷偷地埋到山谷深处，过了十二天才为石勒发丧，称其墓为高平陵，谥号明帝，庙号高祖。

前燕文明帝慕容皝

慕容皝是鲜卑族的一支强大势力，世居辽东。慕容皝的父亲慕容廆，曾在辽东建立割据政权，被晋封为平州牧、辽东郡公。慕容皝被父亲立为世子。慕容皇皝身高七尺八寸，性格刚毅，通晓天文历法，善于玩弄权术。晋咸和八年（333年），慕容廆病死，慕容皝继位。

慕容皝刚继位时，生怕别人对自己的位子有非分之想，对谁都不信任，导致了前燕内部的一场混乱。慕容皝兄慕容翰，弟慕容仁、慕容昭都智勇双全战功卓著，慕容皝不但不重用他们，反而对他们一再猜忌，迫使慕容翰投奔了鲜卑人段辽。慕容皝先把慕容昭杀掉，然后派人监视慕容仁的一举一动。不久，又派弟弟慕容幼、慕容稚和司马佟寿等人到平郭袭击慕容仁。但幼、稚弟兄俩都被慕容仁俘虏，佟寿举手投降，整个辽东地区变成了慕容仁的势力范围。段辽和鲜卑诸部也和慕容仁遥相呼应。

晋咸和九年（334年）二月，段辽派其弟段兰和慕容翰一起攻击柳城。慕容皝派慕容汗和司马封奕去营救柳城。慕容汗和司马封奕临出发时，慕容皝告诫他们说：“敌军骄横，不可与他们争锋，条件不成熟时，千万不要轻举妄动。”慕容汗是个急性子，到了柳城时已把慕容皝的话忘得一干二净，急忙带着一千多名骑兵进攻，结果被段兰打得一败涂地，一半多人死于沙场。同年十一月，慕容皝亲征辽东，攻克了襄平。这时，慕容仁的居就令刘程，新昌人张衡先后投降了慕容皝。慕容皝想把已经投降的辽东人全部坑杀以解心头之恨，后经高诩的劝谏才没有发泄淫威。晋咸康二年（336年）一月，慕容皝率三军从海路经过三百里直达平郭城下。慕容仁见状，把所有的军队都拉到城西北做好了交战准备，但恰在这里，慕容军背叛慕容仁，率领所部投降了慕容皝，慕容皝乘慕容仁官兵突然骚乱之机，活捉了慕容仁，当即逼他自杀。慕容皝凯旋而归。

慕容皝回到棘城不久，段辽就派李咏、段兰袭击慕容皝；慕容皝率领五万大军反击，段兰不战而逃。慕容皝并没有被胜利冲昏头脑，而是十分冷静地对各位大将说：“敌军决不甘心失败，必将重新向我们反扑，我们应当在柳城附近设下埋伏，等待敌军。”于是派封奕带着几千名骑兵埋伏在马兜山。不出慕容皝所料，不久，段辽的骑兵就回来骚扰，封奕突然出击，大败段辽骑兵。次年十月，慕容皝自称燕王，立妻子段氏为王后，儿子慕容俊为太子，封封奕为相国，韩寿为司马，然后派宋回出使后赵，以向后赵国君石虎称臣为代价向石虎请求援兵，消灭段辽。石虎同意出兵。晋咸康四年（338年）三月，石虎出兵段辽，段辽逃奔密云山。但慕容皝不讲信用，不是按约去和石虎会师，却带兵抢劫了数不胜数的畜产和段辽的五千房居民回到了棘城。石虎见状，十分恼火，一气之下率兵攻打慕容皝，临近棘城时，慕容皝的三十六座城的官吏纷纷投降石虎。守在棘城的部分文武官员见石虎来势凶猛，便劝慕容皝向石虎投降。慕容皝气愤地说："我现在正想夺取天下，怎能投降！"命令儿子慕容恪在东方欲晓时袭击石虎。石虎军睡得正香，忽听燕军到来，顿时一片慌乱，个个丢盔御甲，狼狈逃跑。慕容恪乘胜追击，杀死后赵三万余人。晋咸康六年（340年），慕容皝又率大军袭击后赵，攻破武遂津，进入高阳，一路烧杀抢掠，最后掳了后赵的三万户百姓回到棘城。晋咸康八年（342年），迁都龙城（今辽宁朝阳）又亲率四万大军征伐高句丽，轻而易举地进入了高句丽王的居住地——丸都。慕容皝对没有抓到高句丽王钊感到很不是滋味，便下令挖开钊父利的坟墓，烧钊的宫室，然后把利的尸体、钊的母亲、妻子以及五万多名高句丽臣民弄回龙城。次年二月，慕容皝又出兵鲜卑宇文归部，俘虏了宇文相国莫浅浑的全部兵马。

宇文归在遭到重创后，投向了后赵的怀抱。决心彻底消灭宇文部的慕容皝见此，深感再次向宇文部用兵已刻不容缓。晋建元二年（344年）一月，慕容皝再次亲征宇文归。当前锋将军慕容翰快要接近宇文归的南罗城时，宇文归命令涉夜干全军反击。慕容皝见状，马上命令慕容翰暂时离开战场，慕容翰不听，直冲战场，在慕容霸的协助下，杀死涉夜干。宇文归的士兵见涉夜干已死，纷纷逃命，宇文归也跑到了漠北，葬身于沙漠之中。慕容皝下令把宇文部的牲财物全部拉走，把五千多户迁到昌黎。

慕容翰在这次战斗中身中流矢，回到棘城后一直在家养伤。多年的戎马生涯使他与马、箭难舍难分，待身体恢复一些后，又在家中练习骑马、射箭。这事被人密告给慕容皝，并被诬陷为图谋不轨。慕容皝便顺水推舟，不容慕容翰做任何辩解，就把他赐死。

慕容皝在这几次战斗中虽然显示了国威，但另一方面也消耗了国力，使国家财政拮据。为了增加国家收入，晋永和元年（345年），慕容皝把苑囿租佃给贫民百姓，准备按二八分成收租，国家得八成，百姓得二成。记室参军封裕感到分配比例不合理，便上书劝谏慕容皝，慕容皝虚心采纳了封裕的意见，下令把苑囿无偿地分配给无地或少地的农民，如果农民一无所有，国家发给一头耕牛，如果劳力多想多垦田，可以用国家的牛耕种，按四六分配，国家得六，农民得四。为了培养人才，慕容皝在旧宫建立学校，招收学生一千多人，慕容皝还经常亲自到学校讲课，考问学生，成绩优异的提拔成近侍，不合格的则予以裁减下来，燕国的实力大大增强。

晋永和四年（348年），慕容皝不幸染病，病危时对儿子慕容俊说："现在中原没有统一，需要依靠贤能之士。慕容恪智勇双全，可以委以重任；阳骛品行好又有一颗忠心，可以委托大事。"不久就告辞人世，时年52岁，谥号文明皇帝。

代王拓跋什翼犍

东晋太兴四年（321年），游牧在代北（今山西、河北北部及内蒙一带）的鲜卑拓跋部发生了一次严重的内乱，酋长拓跋郁律被杀。他的妻子急中生智，将正抱在怀里的二儿子藏到裤中，暗暗祷告："天若存你，就别出声。"这孩子果真一直没有啼哭。这个大难不死的孩子，就是后来的代王拓跋什翼犍。

什翼犍的青少年时代是在后赵都城长大的，长期受到中原汉族封建文化的熏陶，因此，即位以后，采取了一系列促进封建化的措施。在不断完备国家机构的同时，什翼犍进行了大规模的对外掠夺战争，建国二十六年（363年）对高车的征伐，俘获一万余人，马牛羊百余万头；第二年讨没歌部，又获牛马羊数百万头；建国三十年（367年）伐匈奴刘卫辰部，又俘其口十分之六七，马牛羊数十万头。所获的人畜均作为战利品按功劳大小分给臣下，使部落内部贫富迅速分化，出现了一批拥有大群牛马羊，富比国君的贵族。建国三年（340年）什翼犍定都于云中之盛乐宫，第二年又于其南八里筑盛乐新城（今内蒙和林格尔西北）为都，开始有了固定的政治中心，农业也逐渐发展起来。

正当拓跋部迅速崛起于北方的时候，氐族的前秦和慕容部的前燕已经成为雄踞中原的东西两强。什翼犍和前燕虽然偶有冲突，但基本上还是一种互相和亲、比较密切的关系。什翼犍和前秦的关系比较生疏，然而，自前秦灭了前燕之后，代国便开始成为苻坚吞灭的目标之一。苻坚首先派了牛恬出使代国，进行实地观察。作为礼尚往来，什翼犍也于建国三十六年（373年）夏派燕凤出使前秦。苻坚亲自接见燕凤，问道："代王是什么样的人？"燕凤说："宽仁和爱，经略高远，一时之雄主，常有并吞天下之志。"苻坚笑笑，又问："你们都是北方之人，没有钢甲利器，敌弱则进，敌强即退，怎么能够兼并？"燕凤马上答道："北方之人强悍，骑着马，带上三件兵器，驱驰如飞。主上英勇，已经征服北方各部，拥有骑兵百万，号令统一。军队没有辎重樵炊的麻烦，轻装前进，快速敏捷，从敌人那儿夺取给养。这就是南方之所以疲弊，而北方之所以常胜的原故。"苻坚又问："你们究竟有多少人马？"燕凤不无夸张地说："骑马射箭的战士数十万，马百万匹。”苻坚不信：“你说人多就可以了，说有那么多马匹，不过是虚张声势吧了！”燕凤并不退让：“云中川自东山至西河二百里，北山至南山百余里，每年秋季马群满川，以此推算，我说百万匹还是少了呢！”这一番唇枪舌剑的对话，使苻坚对代国不仅暂时打消了吞灭之心，而且怀有三分敬意，因而当燕凤归国的时候，苻坚特意赐给许多礼物，以示友好。此后，苻坚从东晋手中夺取了汉中、益州、南中等地，又灭了前凉。于是，北方仅剩的代国再次成了吞并的目标。

建国三十九年（376年）十月，苻坚以匈奴刘卫辰部受到代国攻伐向前秦求救为借口，派幽州史苻洛率兵十万，并州史俱难和将军邓羌、张蚝、郭庆等率兵二十万分路进攻代国。十一月，什翼犍派出抵抗的白部、独孤部被击败，南部大人刘库仁亦被击败，什翼犍正在患病，不能亲征，只得率诸部逃往阴山之北，不料当地的高车等族也纷纷叛变，到处劫掠，无法放牧，什翼犍只得重新回到大漠之南。幸好秦兵已南撤，什翼犍遂于十二月返回云中。

外患未息，内乱又起。年届58岁的什冀犍，体力渐衰，疾病缠身，继承人却尚未确定。由于嫡长子拓跋寔及其弟翰都已死去，他所喜爱的拓拔之子拓跋珪又年仅6岁，慕容妃所生六子和庶长子寔君虽然都已成人，却又一个也看不中，因此，继承问题就一直拖了下来。什冀犍的侄儿拓跋斤自父亲拓跋孤去世之后，失去了治理半个国家的特权，一直十分不满。这时便乘机挑拨，对寔君说：“代王要立慕容妃的儿子，打算先把你杀掉。所以近来慕容妃诸子每夜戎服领兵，围着代王大帐转，一有机会就要劝手了。”当时，因秦兵尚在君子津，离云中仅二百余里，随时可能来到，所以慕容妃诸子每夜值勤警卫。愚蠢的寔君听信了拓跋斤的话，以为真的是准备要杀他，便先下手杀了慕容妃诸子，连什翼犍也一起被杀。诸子的妻子和部下连夜逃奔秦营，秦将李柔、张蚝立刻领兵赶往云中。代国大乱，部众纷纷逃散。

秦王苻坚把燕凤召去，问他代国内乱的缘由，燕凤如实相告。苻坚有过苻柳、苻双、苻幼、苻庾、苻武五公之乱的体会，因而深有感慨地说：“天下的恶行都是一样的！”于是，下令把拓跋寔君和拓跋斤押到长安，车裂而死。分代民为两部，河东属刘库仁，河西属刘卫辰，代国遂告灭亡。

前秦宣昭帝苻坚

苻洪死后，苻健继位，苻坚被封为龙骧将军。皇始五年（355年），苻健病死，苻生继承帝位。苻生是个天下少有的暴君，把杀人当作儿戏，宗室、功臣几乎全被杀光。在位的大臣官员都怕他恨他，要么以身体多病为由辞职回家，要么暗中巴结苻坚弟兄。苻坚乘机结交了王猛、吕婆楼、强汪、梁平老、薛瓒、权翼等人，把他们当作心腹，密谋杀掉苻生。但是苻坚深知苻生力大无比，弄不好会被苻生杀掉，所以迟迟不敢动手。

苻生也许已经听到了风声，感到情况不妙，寿光三年（357年）六月的一个深夜，苻生突然对侍女说："阿法弟兄很不可靠，明天我要杀掉他们。"侍女等苻生睡熟后到了苻坚处，把苻生的话告诉了他们，苻坚弟兄商量后立即行动，分两路冲入苻生的宫殿，苻生在酣睡中被吵醒时，苻坚已带士兵进了他的寝室，苻坚令士兵把苻生拉到另一间屋杀掉。

杀死苻生后，苻坚在太极殿即位，把母亲苟氏封为皇太后，妻子苟氏立为皇后，儿子苻宏为皇太子，成了名正言顺的前秦皇帝。

在苻坚在成为皇帝之前心中已经有了夺取帝位，整顿国家，吞灭群雄，统一全国的宏伟计划。不过，这一计划仅凭苻坚个人是无法实现的，苻坚十分清楚地认识到了这一点，他把希望寄托在当时很有影响的谋士王猛身上。

王猛字景略，北海剧（今山东寿光东南）人，家境十分贫寒，幼年靠贩卖簸箕挣几个钱维持生活。但是，王猛人穷志不穷，不管是在风天雪地，还是严冬酷暑，只要有时间他就坚持自学，读了不少儒家书籍和兵书，开阔了视野，增长了才干。东晋大将桓温入关时，王猛穿着破衣烂衫去见桓温，一面与桓温侃侃而谈，一面用手捉虱子，捉到虱子后就用嘴把虱子咯嘣咬碎，接着再谈。桓温听完他对时局的精辟分析，对他刮目相看。临回东晋时，再三邀请王猛到东晋去，王猛心中明白，东晋是高门士族的天下，虽有桓温赏识，他也难以施展抱负，故而没有答应。

苻坚听到王猛的大名之后，让吕婆楼去请王猛。王猛也早就看准了苻坚是个有作为之人，前途无量，跟着他可以干出一番事业，因此，一请就到。苻坚见了王猛就如同见到多年未见的亲人，非常亲切，谈得十分投机。王猛对时局精辟透彻的分析，使苻坚心服口服。很快，两人情同手足，无话不谈。苻坚杀掉苻生继承帝位后，把王猛提拔成中书侍郎。当时，始平是豪强的老巢。这些豪强横行霸道，无恶不作，光天化日之下肆意抢劫，拦路强奸，百姓大受其害，苻坚感到需要好好治理一下，于是任命王猛为始平令。王猛风尘仆仆地到了始平，还没有来得及抖掉身上的尘土，就令人用鞭子把一个民愤极大的官吏活活打死。始平的豪强本来就看不起王猛，现在更把王猛当成眼中钉肉中刺，于是联名向苻坚告王猛的状。执法官与豪强狼狈为奸、不问青红皂白就用囚车把王猛押进了监狱。这事惊动了苻坚，苻坚亲自到了监狱，见到王猛后用责备的口吻说他："当官要把仁义道德放在首位，而你才上任没几天就大开杀戒，未免太残酷了吧！"王猛没有半点媚骨，十分坦率地说："陛下只知其一，不知其二。我听说过，对安宁的国家就要用礼来治理，对混乱的国家就要靠法来治理。陛下是因为我有才能，才把我委以重任。就我个人来说，做事情也非常谨慎，很想为陛下剪除豪强。现在才杀了一个奸吏，还有成千上万的奸吏在扰乱社会治安。如果您嫌我不能消灭奸吏，整顿社会治安，那么我现在死了也心甘情愿，至于说我太残酷，那也实在太冤枉人了。"苻坚听完，对随行的大臣说："王猛是夷吾、子产一类的人。"当即赦免王猛，对他更加信任。王猛更把消灭不法豪强作为当前自己的首要任务。

甘露元年（359年）八月，王猛又向特进强德开刀。强德是苻坚伯父苻健的小舅子。此人喜欢喝酒，每次喝酒都要大发酒疯，胡作非为，抢劫财物，夺人妻女，长安市民非常不满。一天，王猛见到强德又在大街上胡闹，便下车把他绑了起来，没等向苻坚报告，就砍掉了强德的头，把尸体仍在大街上任人们践踏。王猛趁热打铁，和邓羌在几十天之内又接连不断地杀掉了二十多个豪强、贵戚。这一招见效很快，豪强、贵戚，不法分子开始老老实实，循规蹈矩，社会风气也大为好转，出现了路不拾遗、夜不闭户的良好秩序。苻坚把这些事情看在眼里、喜在心上，深有感触地说："现在我才知道天下有法制的好处，才尝到了当天子受人尊敬的滋味。"

建元五年（369年），东晋大将桓温出兵前燕。当东晋大军到达枋头时，前燕国君慕容暐急忙派散骑侍郎乐嵩向前秦请求援助，答应把虎牢以西的土地割让给前秦。大臣们一致认为：过去桓温出兵关中时，前燕见死不救。现在桓温讨伐前燕，我们也应该袖手旁观。况且，前燕始终不愿向我们称臣，我们何必要多管闲事！王猛对苻坚说："前燕不是东晋的对手。如果桓温占据山东，进兵洛阳，出击崤、渑，问题就严重了。依我之见，不如和前燕联兵打退桓温。桓温一旦撤兵，前燕也就精疲力尽了，然后我们乘机消灭前燕，不是更好吗？！”苻坚立即派将军苟池、洛州刺史邓羌带着两万人援救前燕，打退了桓温。

东晋大军南撤之后，慕容暐感到前燕已经平安无事，便对割让土地表示反悔，派人对苻坚说：“割让土地之事并不是我的意图，全是使者的一派胡言乱语。当然，对你的出兵援助我表示衷心感谢，不过，我们都是一国之主，分灾救难本是人之常情，我想你也不会让我拿国土来报答你。”苻坚大怒，于是派王猛、梁成、邓羌率领三万大军进攻前燕洛阳。王猛给镇守洛阳的慕容筑写了一封信，劝他识时务者为俊杰，慕容筑果然交出了洛阳。第二年（370年）四月，苻坚再次派王猛率杨安等十将、步骑六万伐燕，苻坚一直把王猛送到灞上，对王猛说：“现在把大军交给你，这担子可不轻啊！你应当先破壶关，平定上党，然后以迅雷不及掩耳之势长驱直入，夺取邺城（今河北临漳西南）。我随后也要出发。”王猛激动地说：“消灭前燕如同秋风扫落叶般容易，何必还要劳你大驾。”苻坚十分高兴。

王猛告别苻坚后，和杨安分头行动，王猛攻壶关，活捉了上党太守南安王越；杨安攻晋阳，因晋阳兵多粮足，一时难以攻下。王猛见状让苟苌留守壶关，亲自带兵援助杨安。王猛命令士兵挖了一条通向晋阳城内的地道，派虎牙将军张蚝带领一支几百人的敢死队从地道潜入晋阳，打开城门，迎接前秦大军进城。受命抵抗前秦军队的前燕太傅慕容评一听到王猛的名字就吓得浑身颤抖，根本不敢与王猛交锋，只好躲在潞川眼睁睁地看着前燕的土地一块块被前秦占领。王猛先派将军徐成侦察敌人的情况，约定中午务必回来。徐成到黄昏时分才赶回来。王猛一见误了时间，就要把徐成杀掉。邓羌感到这样做太过分，便对王猛说：“敌众我寡，我们明显处于劣势，况且，明天就要交战，理应把徐成赦免。”王猛气愤地说：“如不杀掉徐成，就无法严肃军纪。”邓羌也气乎乎地说：“徐成耽误了时间理应杀掉，但我和他拼出老命打败敌人不就行了吗？”王猛仍不答应。邓羌回到军营一气之下准备发动兵变攻打王猛。王猛听说后大吃一惊，急忙派人追问邓羌，邓羌十分坦率地说：“我受命讨伐远贼，远贼还没有消灭又出了自相残杀的近贼，应当把近贼干掉。”王猛马上派人对邓羌说：“将军息怒，我现在就赦免徐成。”徐成被放出，邓羌乐滋滋地到王猛那里表示谢意，王猛紧拉邓羌的手，笑着说："我和你开个玩笑，何必当真呢！将军对郡国的官员都如此爱护，更不用说对国家的爱护了。有你这样忠心爱国的将军，我再也不用担心敌人了。"说完，便和邓羌仔细研究攻打慕容评的作战方案。

慕容评实在愚蠢到了极点。前秦大军几乎扼住了他的咽喉，他还把山林泉水占为己有，大做出卖木材、泉水的生意，大发横财。士兵见此都气昏了头，王猛听说后，笑着说："慕容评真是个奴才，消灭他太容易了。"于是派游击将军郭庆带着千名骑兵，星夜从小道绕到了慕容评的军营，放火烧掉了慕容评的辎重。慕容暐在邺城见到火光，吓得心惊肉跳，急忙派人把慕容评骂了一顿："你身为高祖之子，应当以社稷为重，决不能只顾发财不管士兵的死活。再说，国家财物堆积如山，我和你共同分享，难道你还怕受穷吗？如果前秦继续进军，我们国破家亡，你的东西再多又有什么用呢？现在你务必把金银财宝分给官兵，以便调动他们的迎战积极性。"慕容评从来没见过慕容暐发这么大的脾气，只得出兵与王猛交战。

王猛正巴不得慕容评出兵，便对官兵们说："现在到了报效国家的时候，我们应当竭尽全力消灭来敌，建立功名。"士兵早就摩拳擦掌跃跃欲试，听到王猛的命令，个个都欢呼雀跃，直冲敌阵。到了中午，前秦已杀死杀伤五万多燕兵，日落西山时又杀伤、俘虏了十万多人。王猛乘胜东进，包围了邺城。

王猛给苻坚汇报了战绩，苻坚提笔给王猛写了一封信，信中说："将军按时达到目的，为国立了大功。我现在准备亲率六军，奔赴邺城。你先休兵养马，等我到后再攻邺城。"十一月，苻坚到了安阳。王猛偷偷地赶到安阳，去见苻坚，苻坚说："从前周亚夫不出军营去迎接汉文帝，今天将军为什么面对敌人而抛下军队到这里呢？"王猛答："周亚夫不迎汉文帝是为了沽名钓誉，对这种行为我历来嗤之以鼻。况且，我借助陛下的威灵，不费吹灰之力就可以消灭前燕。慕容暐现在好像瓮中之鳖，随时都可捉拿，根本不必担心。我所担心的是太子年龄太小，留在都城管理国家，倘若有点风吹草动，恐怕他招架不了。"

苻坚下令猛攻邺城。前燕散骑侍郎余蔚见攻势很猛，自知难免被俘，便带着扶余、高句丽和上党的人质在深夜打开城门，迎接秦军入城。苻坚进了邺宫后，听说慕容暐已乘混乱之机向龙城（今辽宁朝阳）逃去，便派游击将军郭庆急起直追，在高阳活捉了慕容暐。苻坚见到慕容暐，让人给他松了绑，让他回宫带着文武大臣出城投降，然后将他们带到了长安。

前燕宗室慕容冲的姐姐清河公主年仅14岁，长得如花似玉，楚楚动人，苻坚一见就动了心，当夜便强迫她与自己同床共枕。慕容冲当时仅有12岁，长得眉清目秀，也常常遭到苻坚的鸡奸。这件丑事很快就传到宫外，长安大街上到处流传着"一雌复一雄，双飞入紫宫"的歌谣，王猛听到后，委婉地劝说苻坚，苻坚便把慕容冲放出宫去，但仍把清河公主留下。

鲜卑族拓跋部从沙漠迁到盛乐（今内蒙古和林格尔北）以后，于建兴三年（315年）建立了代国，占有了今内蒙古中部和山西北端的广大地区。建元十二年（376年）十月，苻坚命令幽州刺史苻洛率领十万大兵攻打代国，代国国君什翼犍很软弱，刚一交战就被打得一败涂地，先后逃到弱水、阴山，在阴山被他的儿子什翼珪抓起来送给了苻坚。这样，苻坚基本上统一了北方地区。

建元十四年（378年）新年一过，苻坚便开始把扩张的矛头转向了南部，命令儿子苻丕与慕容暐、苟苌带着七万大军进攻东晋的襄阳。由荆州刺史杨安率领樊、邓兵众打先锋，征虏将军石越带着一万名装备精良的骑兵从鲁阳关出发，京兆尹慕容垂、杨武将军姚苌带着五万士兵从南乡出发，领军将军苟池、右将军毛当、强弩将军王显带着四万士兵从武当出发，会攻襄阳。

同年四月，前秦军队到达沔阳北。东晋梁州刺史朱序认为秦军没有船只，无法南下，所以不做任何防备，直到看见石越率五千骑兵浮渡汉水时，才慌了手脚，急忙固守襄阳中城，石越占领外城后，用掳获的一百余艘船把前秦大军渡过汉水，苻丕便集中兵力向中城发起猛烈进攻，但苟苌却说："我军十倍于敌，军粮堆积如山，只要把汉、沔一带的百姓迁到许、洛，堵住襄阳援兵，朱序就成了笼中之鸟，还怕抓不住他！何必多牺牲将士，急于求成呢！"苻丕觉得此话在理，也就放弃了猛攻的计划。

苻坚一直等到年底仍没听到前方传来捷报，有点忍耐不住了。御史中丞李柔乘机弹劾苻丕说："苻丕等人带着十万大军，一天耗费万金，这么长的时间连个襄阳小城都攻不下来，请陛下按军法处置他们。"苻坚一边踱步，一边说："苻丕耗费了大批军饷却一事无成，理应贬官的贬官，处死的处死。不过，他们已经耽搁了不少时间，如果半途而废，那就更划不来了。现在唯一的办法是让他们立功赎罪，拿下襄阳。”于是派黄门侍郎韦华带着一封信和一把剑去见苻丕。韦华把信和剑交给苻丕，并对他说：“陛下已经说了，到明年春天再攻不下襄阳你也别去见他了，这把剑就是为你准备的。”苻丕看着寒光逼人的剑，浑身一颤，虽是寒冬腊月，后背仍流出了汗水。待内心稍微平定后便集中全力向襄阳发起了进攻。

苻坚虽以杀头来吓唬苻丕，但对苻丕能否攻下襄阳心中仍然没有底。建元十五年（375年）二月苻丕终于攻下襄阳，活捉朱序。与此同时，兖州刺史彭超、后将军俱难也分别攻取东晋的彭城、淮阴、盱眙，转而向距广陵仅有百里的三阿进攻，东晋孝武帝大为震惊，急忙沿长江设立军事防线。就在前秦军队接二连三旗开得胜之时，东晋兖州刺史谢玄从广陵赶到三阿，很快将彭超、俱难打退。坐镇长安的苻坚听说后气得暴跳如雷，立即下令用囚车把彭超抓进监狱。彭超畏罪自杀，俱难被贬为庶人。这次对东晋的试探性战争，从总体上讲，前秦是占了上风，虽然最后吃了败仗，苻坚还是好好庆贺了一番。

苻坚通过夺取襄阳，错误地认为东晋可以轻而易举被消灭，统一中国的时机已经成熟。建元十八年（382年）十月，苻坚把在京的文武大臣召集到太极殿，对他们说：“我继承帝位已近三十年了，现在四方基本平定，只有东南一隅还没有统一。我粗略算了一下，全国总计有九十七万军队，我想亲自率领他们去讨伐东晋，你们以为如何？”

苻坚的话音刚落，秘书监朱肜就站起来说：“陛下亲自出征，执行天意，必定不用打仗，东晋皇帝不是乖乖投降，便是逃到江海里去死掉。这可是千载难逢的好时机。”苻坚听了这话笑出了声，说：“你说的正合我的心意。”左仆射权翼却不同意伐晋，慷慨激昂地说：“现在东晋虽然衰弱，但还没有重大的罪恶，君臣和睦，内外同心。谢安、桓冲都是江南的英雄豪杰。依我之见，还不可对东晋用兵。”大家七嘴八舌，议论纷纷，有赞成的，也有反对的，但是持反对意见的占了绝大多数。最后，苻坚很不耐烦地说：“如此争论下去，永远也不会成功。是否出兵，我自有主张。”

苻坚见朝臣都反对伐晋，气乎乎地说：“以我强秦去伐一弱晋，犹如劲风之扫秋叶，而朝廷内外都说不可伐，真是不可理解！”苻坚心中烦闷，便让人将道安和尚请来一起到东苑散步。两人默默地走了一段时间后，苻坚突然停下脚步，对道安说：“我将和你一起到江南游玩，拜谒虞陵，瞻仰禹穴，泛舟长江，漫步海边，岂非人间一大乐事！”道安很受苻坚的器重，事先已受群臣委托来劝说苻坚，于是便说：“陛下在中原就可以操纵四方，何必非要餐风露宿远到江南呢！况且，东南一带低洼潮湿，气候恶劣，虞舜大禹去了都没能归来，希望陛下还是不要劳动大驾吧！”

苻坚平时很尊重道安的意见，所以这次没有对他发脾气，只是冠冕堂皇地说：“苍天安排我管理天下，我怎能害怕劳苦呢！说心里话，我出兵的目的并不是因为我的土地不广，人口不多，只是想统一中国，把处于东晋统治下的百姓拯救出来。希望你能体谅我的心情。”道安见苻坚说到这个地步，也缓和了口气说：“陛下一定要亲征东晋，驻扎在洛阳也就行了，不必亲自跋涉江淮。”苻坚连这也听不进去。

苻坚的小儿子中山公苻诜一向最受苻坚的喜爱，以为父亲也许会听自己的劝谏，便对苻坚说：“国家兴亡全凭贤人是否支持。阳平公苻融是国家最高明的谋士，而陛下违背他的意见；东晋有谢安、桓冲，而陛下非要伐它。我真想不通。”苻坚只当耳边风，说：“天下大事，小孩子懂什么！”在一片反对声中，慕容垂却与众不同，赞成伐晋。他对苻坚说：“弱并于强，小并于大，乃是十分自然的事情，并不难懂。以陛下的英明威望，又有雄师百万，良将满朝，小小江南竟敢违抗，怎么可以继续留着它，《诗经》上说：‘参谋越多，越拿不定主意’。陛下自己决定就够了，何必广泛征求大家的意见！晋武帝平吴，依靠的不过是张华、杜预两三个大臣而已。要是依从了朝廷众人的意见，怎么能实现统一！”苻坚非常高兴地说：“和我一起平定天下的，只有你一人啊！”特此赏给他帛五百匹。

转眼之间到了第二年的阳春三月。一个风和日丽的日子，苻坚请大臣灞上春游。苻坚直截了当地说：“轩辕是头号圣人，其仁如天，其智如神，还随时都想征伐不听号令的人。现在天下基本平定，只有东南一隅还在兴风作浪。我每想到桓温北侵，就深感东晋不可不灭。现在我有强兵百万，消灭东晋还不是轻而易举的事情！可你们都说不行，我真不知道是为什么。晋武帝如果听从大臣的意见，不去伐吴，天下怎能统一！我的主意已经决定，不再和你们讨论了。”

经过几个月的准备，这年七月，苻坚下令大举伐晋。百姓每十人出一人当兵，把20岁以下有力气有胆量的良家子弟都封为羽林郎。慕容垂和羌族人姚苌料到此行必败，暗中都在等待着复国的机会。

一个月之后，苻坚带着步兵六十万，骑兵二十七万，浩浩荡荡离开长安。由于兵马太多，战线拉得很长。苻坚到了寿阳，和苻融研究了一下作战方案后，两人便登上寿阳城楼，远望东晋的军事设施。只见东晋军队排列整齐，精神焕发，斗志昂扬，霎时，苻坚眼前不知不觉地模糊起来，结果把八公山上的草木都当成了晋兵，回头对苻融说："没想到东晋会有这么多的劲兵。"

苻坚心中虽像揣了个兔子一样上下乱跳，但仍然命令官兵把军队拉到淝水岸边，做好交战准备。东晋谢玄在淝水对岸见秦军壁垒森严，便派人对苻融说："你远道而来是想速战速决，但从你逼水列阵的架势来看又想打持久战。既然我们都想交战，那么请你的部队暂时退却一下，让我的士兵过了淝水，我们再决一死战，这样不是更好吗？"

前秦的各位将领不愿意让晋兵渡过淝水，便对苻坚说："敌寡我众，应当堵住他们，怎能让他们上岸呢！"苻坚在打自己的如意算盘，于是便对将领们说："你们怎么这样糊涂，我们先让军队后撤，等他们渡到淝水当中，我们再收拾他们，这样不是更好吗？"于是下令后撤。苻坚的军队一后撤就乱了起来，朱序乘机在后面大叫："秦兵败了！"秦军信以为真纷纷奔逃，一发不可收拾，再也无法使他们稳住。谢玄、谢琰、桓伊见状，立即下令渡过淝水攻打秦军。苻融跃身上马喝令军队停止撤退，不料战马跌倒在地，苻融也被晋军杀死。秦兵见苻融被杀，个个如惊弓之鸟，抱头鼠窜，跑到青冈，又被晋军打败，秦兵自相践踏，满山遍野都是死尸，剩下的昼夜不停，露行野宿，又冻又饿，前后损失了十分之七八。苻坚身中流矢，一个人骑马跑到了淮北。

这时，前秦的各路大军都已溃败，只有慕容垂所统帅的三万人没受任何损失。苻坚在淮北稍微休息了一会儿，便带着一千多名骑兵到了慕容垂的军营。慕容垂的儿子慕容宝和弟弟慕容德等劝慕容垂杀掉苻坚，慕容垂却认为这样干并非上策，仍把自己的军队交给了苻坚。从淮北回到长安的途中，慕容垂一直在思索着脱离苻坚、自立门户的办法，走到渑池，已经有了主意，便对苻坚说："北部一些人听说我们出师失利，都蠢蠢欲动，请您让我去安抚他们，并顺便瞻仰一下祖父的陵庙。"苻坚被淝水之战搞得心烦意乱，也没有多加思考便答应了慕容垂的要求。慕容垂离开苻坚不久，就与前秦分道扬镳，建立了后燕政权。

建元二十一年（385年）一月，苻坚和慕容冲在长安城西经过一场激烈厮杀，将慕容冲追赶到阿城。当时，众将都要求乘胜打进阿房城内，但苻坚害怕中计，不声不响地回到长安，让儿子苻晖和慕容冲交战。但是，苻晖根本不是慕容冲的对手，结果多次被慕容冲打得人仰马翻，苻坚恼羞成怒，把苻晖臭骂一顿：“你拥有大军，反而被慕容冲打败，真是个废物。”苻晖性格刚烈，一气之下自杀身亡。到了五月，慕容冲再次向长安发起猛烈进攻。这场战役打得非常残酷，苻坚鲜血淋漓，浑身上下全是箭头，就像刺猬一样。这时，长安附近的三十多个坞堡主冒着生命危险，援助苻坚。苻坚很感动，对他们说：“现在遍地都是敌军，并不是几个人能把它们消灭掉的。为了国家的长远利益，你们应当厉兵秣马，等待时机。慕容冲这些人就像秋后的蚂蚱，蹦跶不了几天了。”三辅的老百姓也主动与苻坚联系，希望苻坚反击慕容冲，他们愿做内应。直到这时，苻坚还打肿脸充胖子，对他们说：“我的官兵猛如虎豹，我的武器精锐无比，现在被这些乌合之徒围困，全是天意。”在老百姓的一再要求下，苻坚才勉强派七百多名骑兵配合他们的行动。但十分不幸的是，这些百姓本想点火烧毁慕容冲的军营，不料风向掉转，大火烧到了他们自己的头上，十分之八九的人被烈火烧焦。

恰在这时，长安城内传出了“帝入五将方长久”的谣言。苻坚平时很讨厌此类谣言，但接二连三的失败，又使他想求助这些谣言摆脱困境，于是对太子苻宏说：“苍天有意给我指出了一条活路，我准备到五将山躲避一下灾难，你先留在长安，好好防守。”

苻坚怎么也不会想到，自己和张夫人、儿子苻诜、女儿苻宝、苻锦进了五将山后，被姚苌所包围，随从的士兵见势不妙，纷纷逃跑。苻坚似乎已经意识到大难将至，变得异常镇静，一动不动地坐在那里。一会儿，姚苌的部下吴忠赶来，把苻坚捆绑起来押送到新平，关进佛寺。姚苌厚颜无耻地向苻坚索要玉玺，苻坚瞪大眼睛，骂道：“怎么也没想到你这个小羌竟然敢逼迫天子。你也不想想自己在五胡中算老几。玉玺已送给了东晋，有能耐你自己去向他们要。”姚苌很有耐心，遭到苻坚臭骂后又派尹纬劝说苻坚，把帝位让给姚苌，苻坚怒不可遏，把姚苌再次痛骂一顿，不久，就被姚苌杀害。

后秦武昭帝姚苌

升平元年（357年），姚襄被前秦苻生杀害，其弟姚苌率领兵众投降了前秦。姚苌很能干，也肯动脑筋，很快得到了苻坚的信任和器重，先后当上了杨武将军，左卫将军，陇东、汲郡、河东、武都、武威、巴西、扶风太守，宁、幽、兖三州刺史。在南征北战中战功卓著。淝水之战苻坚被东晋打得一败涂地，次年三月，慕容泓背叛苻坚，苻坚派儿子苻叡讨伐慕容泓，苻叡出师不利，死于战场。姚苌当时任司马，协助苻叡，姚苌感到苻叡之死，自己也有责任，于是便派长史赵都去向苻坚请罪。苻坚由于儿子被杀，情绪正坏到极点，听说赵都来请罪，立刻便把赵都杀了。

赵都被杀使姚苌大吃一惊，他马上意识到这是苻坚要向自己开刀的危险信号，为了避免杀身之祸，姚苌一口气逃到渭北，然后又跑到马牧。不久，姚苌向北地进军，北地、新平、安定的十多万羌胡纷纷投奔姚苌，姚苌在此厉兵秣马，以观时局的发展趋势。同年十月，姚苌见西燕慕容冲围攻长安，便召集大臣讨论下一步行动计划，大臣们都认为应先夺取长安，建立根据地，然后经营后方。姚苌却认为，西燕并不会在关中久留，应当把军队暂时拉到岭北，等前秦灭亡，西燕撤兵，就可以不费吹灰之力占领长安，于是让儿子姚兴留守北地，自己率领军队攻克新平，夺取了岭北诸城，次年五月，苻坚在西燕的追逼下逃进了五将山中，姚苌趁火打劫，派强骑将军吴忠包围五将山，抓获苻坚。姚苌向苻坚索取玉玺，遭到苻坚的拒绝，又要求苻坚禅让，遭到苻坚的痛骂，姚苌恼羞成怒，派人把苻坚勒死在新平佛寺内。

姚苌对局势的判断十分正确。西燕不久便撤离长安东去，姚苌乘机消灭了卢水郝奴，进入长安。太元十一年，姚苌自称皇帝，改元建初，国号大秦，史称后秦。又立妻子她氏为皇后，儿子姚兴为太子，并将安定的五千多户迁到长安。不久，姚苌带兵到了安定，在此打败了平凉胡金熙，鲜卑没奕于后，又到秦州征服了前秦秦州刺史王统，然后从上邽（今甘肃天水）回到安定，在此下令尽量减少不是急用的开支，破格提拔有用人才。

建初四年（389年），前秦高帝苻登攻克后秦的平凉，向安定逼进。后秦大将都劝姚苌与苻登决战，姚苌却决定用计取胜，他让尚书令姚曼留守安定，自己率领三万人在深夜袭击苻登在大界的辎重，俘虏了前秦的几十位名将和五万多人。

建初五年（390年），前秦镇东将军魏揭飞和镇军将军雷恶地分别攻打后秦的杏城和李润，姚苌想带兵出征，大臣都说：“你不怕距我们仅有六十里的苻登，为什么怕离我们六百里的魏揭飞？”姚苌说：“我们不可能马上消灭苻登，苻登也不能马上攻取长安，但是雷恶地非常聪明，如果他勾结魏揭飞，东连董成，占领杏城、李润，那么长安东北地区恐怕就不是我们的了。”于是带领一千六百人出击揭飞、恶地。揭飞、恶地见姚苌兵马不多，便集中全力攻击姚苌。姚苌坚壁不战，暗地里派儿子姚崇率领骑兵出其不意地插到他们的背后，魏揭飞的士兵顿时一片骚乱。姚苌乘机出兵，斩杀魏揭飞及其一万多名官兵。雷恶地见状，主动向姚苌投降。

建初七年（392年），姚苌在长安患病，召太子姚兴到跟前。姚兴听了在身边的征南将军姚方成的谗言，离开长安时，先把王统、王广、苻胤、徐成、毛盛杀掉。然后才去见姚苌。姚苌见了姚兴，破口大骂：“王统弟兄是我的老乡，徐成等人是前朝名将，你为什么无辜杀害他们！”这年十月，姚苌病情加重，打算回长安养病。走到新支堡时，病情更加危险，几乎每夜都做噩梦，梦到苻坚率领天官使者、鬼兵追捕自己。神经常常失常，嘴里不住地唠叨：“苻坚陛下，杀你的是我哥姚襄，与我毫不相干，请你千万不要冤枉我。”到长安以后，姚苌把太尉姚曼，仆射尹纬、姚晃，将军姚大目、尚书狄伯支叫到禁中，受遗诏辅政。又对姚兴说：“不管有什么谗言诋毁这几位大臣，都一定不要听信，你对待骨肉兄弟要讲情义，接待大臣要讲礼仪，与人交往要讲信用，对待百姓要讲仁义。这四样若都能做到，我就没有什么担心的了。”姚晃流着泪问姚苌如何消灭苻登，姚苌生气地说：“姚兴的才智足以消灭苻登，还问我干什么？”建初八年（393年）十二月，姚苌死于长安。时年64岁。葬于原陵，谥号武昭皇帝，庙号太祖。

后燕成武帝慕容垂

前燕主慕容皝的第五个儿子慕容垂，原名霸，字道业。身高七尺七寸，两臂下垂过膝，是慕容皝最喜欢的一个儿子。慕容皝常指着慕容垂对其他几个儿子说："这孩子豁达好奇，既能破灭人家，也能成全人家。"由于慕容垂有勇有谋，在消灭宇文归部的战斗中屡立战功，被封为都乡侯。

太子慕容俊见父亲喜欢老五超过了自己，心中不平。等到即位之后，便给老五改名为垂夬，表面上是用了名人却垂夬的名，其实是讨厌原来那个霸字。不久，又因为垂夬字应了谶记之文，又去掉了右半边的夬，以垂为名。

石虎死后，后赵大乱，慕容垂感到消灭后赵的时机已到，便对哥哥慕容俊说："机不可失，时不再来，现在正是消灭后赵的大好时机。"慕容俊开始不同意，后在慕舆根的劝说下才决定出兵。攻克幽州后，慕容俊准备将俘虏全部坑杀。当时任前锋都督的慕容垂感到这样做太过分，便对慕容俊说："现在我们刚开始平定中原，应当以安抚为重，不宜滥杀。"慕容俊觉得此话在理，便把俘虏全部放走。慕容俊称帝后，慕容垂被封为吴王，先后镇守信都、荆、兖等地，政绩卓著，到处都留下了美名。慕容暐承帝位后，太宰慕容恪极力向慕容暐推荐慕容垂，慕容垂成了前燕朝野瞩目的人物。建熙十年（369年），东晋大将桓温出兵前燕，到达枋头（今河南浚县西南）时，慕容暐和太傅慕容评准备向和龙（今辽宁朝阳）逃命。慕容垂临危不惧，主动请战，出师告捷，打退了桓温。

慕容垂虽然对国家立下了汗马功劳，但对个人来讲却是一场悲剧。太傅慕容评早就对慕容垂嫉妒得要命，在慕容暐面前极力谗毁慕容垂；太后可足浑氏平时就对慕容垂很反感，也跟着慕容评贬低慕容垂，并和慕容评商量杀死慕容垂。慕容恪的儿子慕容楷和慕容垂的舅舅兰建听到风声后，立即告诉了慕容垂，并劝慕容垂先下手为强，慕容垂说："骨肉之间互相残杀将会给国家带来灾难。"过了一会儿，慕容楷、兰建再次劝他快拿主意，慕容垂摇了摇头，说："如果实在无法挽回这种局面，我只有到外面躲避一下了。"

躲了几天，慕容令觉得总这么躲藏下去不是长久之计，便劝慕容垂袭击慕容评。慕容垂说："这样干如果能成功当然是好事，如不成功，后悔就来不及了。依我看，不如投奔苻坚，可以万无一失。"说完，便悄然离开邺城，向河阳前进。到了河阳，津吏不让通过，慕容垂便杀掉津吏强行渡河，然后经洛阳逃到了前秦境内。

前秦苻坚久仰慕容垂大名，听到他的到来，如同得到了稀世之宝，亲自到郊外迎接。苻坚的谋士王猛对慕容垂却没有好感，劝苻坚及早干掉慕容垂。苻坚不仅没有干掉慕容垂，反而把他封为冠军将军、宾徒侯。王猛气不过，设计诬陷慕容垂。慕容垂见最终会受到王猛的暗算，便偷偷逃离长安，向东逃命，到了蓝田时被前秦的骑兵捕获。苻坚没有责怪慕容垂，对他仍然十分信任。

建熙十一年（370年），前燕被前秦消灭，慕容暐和前燕文武大臣被苻坚俘虏。慕容垂看到他们，心中不禁产生了伤感之情，当着他们的面流下了泪水。慕容垂在前秦虽然很受苻坚的器重，但随着时间的推移，伺机恢复燕国的思想也越来越强烈。

淝水一战，前秦的各路大军都被打得一败涂地，唯有慕容垂所率领的三万人安然无恙。苻坚在淝水之战中身中流矢，狼狈逃到淮北，在此胡乱填饱肚子后便带着一千多名骑兵奔赴慕容垂。慕容垂将自己的兵马交给苻坚，然后从淮北向长安前进。到达渑池时，慕容垂对苻坚说："北部的一些百姓听说陛下出师失利，都蠢蠢欲动。我想去安抚他们，顺便看一下我的祖坟。"苻坚便派三千人护送慕容垂离开了渑池。

慕容垂到达邺城，被苻坚的儿子苻丕安排在邺城西部的一所宾馆里休息。慕容垂天天秘密地和前燕的旧臣商量重建燕国的事宜。恰在这时，丁零翟斌背叛前秦，起兵攻打洛阳。苻丕得到情况后，立即派慕容垂去镇压。慕容垂接到命令后，对苻丕说："我是你的鹰犬，唯命是从。"苻丕给了他两千兵马，又派自己的心腹将领苻飞龙率领氐族骑兵一千为副，让苻飞龙暗中监视慕容垂。慕容垂杀了苻飞龙之后，翟斌带兵和慕容垂会师，劝慕容垂称帝，慕容垂假惺惺地说："慕容暐才是燕国的正统，我的国君。"又对部下说："洛阳四面受敌，不是我们的立足之地，不如夺取邺城，控制天下。"于是带兵向邺城挺进。到达荥阳时，自称燕王。

燕元元年（384年）正月，慕容垂兵临城下。镇守邺城的苻丕见状，便派姜让出城劝慕容垂及早悔过撤兵。慕容垂对姜让说："回去告诉苻丕，赶快带兵离开邺城，我将在邺城重建燕国。如果苻丕执迷不悟，那就不要怪我对他不客气了。”苻坚气得暴跳如雷，后悔自己养虎遗患，但又鞭长莫及，无可奈何。

燕元二年（385年）四月，慕容垂被东晋救苻丕的援兵打败后再次撤离邺城。同年八月，苻丕放弃邺城西撤到晋阳，慕容垂占领邺城后，又派兵北取龙城，东略勃海清河。到十二月，慕容垂定都中山（今河北定县），次年二月，在中山称帝，改元建兴，史称后燕。

八个月后，西燕主慕容永也进占了长子（今山西长治南），当了皇帝。慕容垂和慕容永本是同根生的堂兄弟，但在慕容垂看来，天上不能有两个太阳，必须立即灭掉西燕。当时，众将都认为后燕连年用兵，官兵已经疲惫不堪，不宜出兵。只有慕容垂的小弟慕容德却说：“慕容永是燕国的枝叶，怎能容忍他擅自称帝，蛊惑人心！从后燕的长远利益着想，应当先消灭西燕，统一人心。”慕容垂听完慕容德的话，笑着对大家说：“我的主意已定，决不动摇。我虽然是快70岁的人了，但凭我的智谋足以夺取长子，抓住慕容永。”

建兴八年（393年）十二月，慕容垂带兵到了邺城，次年二月，又从沙庭攻打西燕。慕容永闻讯匆忙把军粮集中到台壁，然后兵分多路抗击后燕。慕容垂对慕容永摆起了迷魂阵。慕容垂先在邺城西南逗留一个多月，制造从太行大道向长子进军的假象。慕容永不明真相，把防守在台壁的军队调到了轵关，堵住太行山口。慕容垂见慕容永已落入了自己的圈套，便率领大军从滏口经天井关到达台壁南部。慕容永自知已经上当，马上从太行山调兵反击慕容垂。慕容垂先让骁骑将军慕容国带着一千名骑兵埋伏在山涧当中，待慕容永到来时，慕容垂巧妙地把慕容永引入埋伏圈内。西燕官兵一到，后燕伏兵突然出击，把慕容永的军队一分为二，很快把他们打得人仰马翻。慕容永狼狈逃回长子。慕容垂乘胜进军，于同年八月攻克了长子。将慕容永及西燕的王公大臣三十多人全部斩杀。

消灭西燕，令慕容垂忘乎所以。又于建兴十年（395年）五月向北魏用兵。慕容垂派太子慕容宝和慕容农、慕容麟带上八万名士兵向北魏国都平城（今山西大同）挺进。后燕和北魏在黄河两岸相持十多天，由于后燕将军慕舆嵩等人企图发动叛乱，慕容宝便于半夜时分烧掉战船撤离战场。北魏急起直追，在参合陂打败燕兵，八万名燕兵被杀。

建兴十一年（396年）三月，慕容垂亲自带领后燕大军秘密离开中山，越过青岭，经过天门，开山劈路，出其不意地穿过云中，攻陷平城，俘虏了北魏三万多人。

慕容垂在离开中山时，身体就已欠佳，攻陷平城后马上带着战利品撤离平城。路过参合陂时，慕容垂见到去年被北魏杀害的几万后燕官兵的尸骨堆积如山，伤感之情油然而生。士兵们见到尸骨，不禁想起了自己死去的父兄、亲戚和战友，放声痛哭，顿时哭声震天动地。慕容垂听到哭声，悲伤、气恼、懊丧、愤愤齐涌心头，鲜血泉水般从口中流出，病情因此加重。走到上谷之沮阳时，已经奄奄一息，十分吃力地口授了几句临终遗言："现在国家多难，丧礼从简。为了防止强敌伺机捣乱，到京师以后再发布讣告。"说完，就与世长辞了。时年71岁，谥号成武皇帝，庙号世祖。

北燕文成帝冯跋

后燕光始元年（401年），慕容熙当了后燕皇帝，长平信都（今河北冀县）人冯跋躲进了深山老林，他经常派人下山打听后燕的消息。后来听说后燕赋役繁重，民不聊生，便对弟弟说："慕容熙暴虐无道，又欺负我们弟兄，我们不能坐以待毙，应当见机行事，建立公侯大业。如不成功，我们也死而无憾。"于是和二弟坐上车子，让一位妇人驾车掩护他们潜回龙城（今辽宁朝阳），藏在北部司马孙护的家里。光始七年（407年）七月，慕容熙出城为皇后苻氏送葬，冯跋乘机关闭城门，发动政变，推高云为首领，然后派人把躲在龙腾苑里的慕容熙抓起来杀掉。

高云虽被推为北燕王，但只是一个空架子，什么事情都由冯跋弟兄们做主，高云不满，暗地里纠集了一些大力士，以便对付冯跋弟兄。高云大臣离班、桃仁负责禁卫军，因高云无法满足他们永无止境的欲壑，便于正始三年（409年）十月杀害高云。冯跋正在弘光门观察形势，帐下督张泰、李桑说："这两个家伙想干什么！让我们替你斩了。"随即提剑下去把离班、桃仁杀掉，冯跋顺顺当当地在昌黎（今辽宁义县）即天王位，史称北燕。冯跋将妻子孙氏立为王后，儿子冯永立为太子，兄弟侄子冯素弗、孙护等均分居要职。

万泥和乳陈二人自以为是宗室，协助冯跋杀慕容熙立过大功，冯跋即位后应该把他们请到昌黎，委以重任，但冯跋考虑到幽、平、并、青四州是军事重镇，不能轻易换人，所以仍让他们镇守原地，二人不满，便在太平二年（410年）十二月发动叛乱，不久就被冯跋平定下去。

冯跋在位时，特别注重政府的清廉，即位不久就下令全部废除后燕的苛政，明确规定官吏不得侵害百姓，并让兰台都官随时检查。李训在慕容熙失败时曾从后燕的国库里偷了数以万计的金银财宝，然后向北燕吏部尚书马弗勤行贿，被马弗勤提拔为方略令。冯跋知道这件事情后，除把马弗勤狠狠训了一顿外，又把李训杀掉，并下令严禁行贿受贿。从此以后，北燕行贿受贿的事情极少发生。

冯跋深知选拔和培养人才对治理国家的重要性，即位以后，提拔了德才兼备的郝越、张买成、周刁、温建德、何纂等人。又建了一所太学，选拔二千石以下官吏的子弟入学学习，任命长乐刘轩、营丘张炽、成周翟崇当博士郎中，管理太学。

冯跋执政时，北方的柔然正在兴起。北燕太平三年（411年）七月，柔然汗斛律派人向冯跋求亲，想把冯跋的女儿乐浪公主娶为妻子。当时北燕的大臣或多或少都有狭隘的民族偏见，对冯跋说："按照过去的规矩，只能将宗室的女儿嫁给少数民族，我们应当把妃嫔的女儿嫁给斛律。如果把乐浪公主嫁给斛律，我们北燕不是太掉架子了吗！况且，柔然距我们很远，乐浪公主怎能受得了颠簸呢？"冯跋苦口婆心地对他们说："女人出嫁随从丈夫，千里也不算遥远。我现在正想在柔然中树立威信，怎能把妃嫔的女儿说成乐浪公主欺骗他们呢？"于是派游击将军秦都率领两千名骑兵把乐浪公主送给斛律。太平六年（414年），斛律被他的弟弟大但赶下汗位，全家跑到北燕，冯跋隆重接待了他们，并把斛律的女儿接到后宫，封为昭仪。同年五月，斛律要求回到塞北恢复汗位，冯跋对他说："这里距柔然太远，你又没有人迎接，如果我派大军护送你，运输粮食很成问题，如果派人太少，你又不可能夺取汗位。"后在斛律的一再要求下，冯跋只好派单于前辅万陵带着三百名骑兵护送。万陵害怕远征，走到黑山就把斛律杀掉，跑了回来。

太平六年（414年），契丹、库莫奚归附了北燕，北魏拓拔嗣派于什门到北燕谈判，冯跋乘机把他们扣留在北燕。太平十年（418年），太史令张穆劝冯跋放回于什门，冯跋正在犹豫之中，拓跋嗣东巡途中派兵攻打和龙（今辽宁朝阳），冯跋集中兵力防守，和龙才幸存下来，但一万多燕民被魏抢走。

北燕太平二十一年（429年），冯跋身患重病，将次子冯翼立为太子，代管国事。冯跋妾宋氏想把自己生的儿子受居立为太子，便不让冯翼和冯跋的其他儿子看望冯跋，只让她的心腹中给事胡福一个人出入冯跋病室。太平二十二年（430年）九月，冯跋已经奄奄一息，胡福神使鬼差似的把宋氏的阴谋告诉了冯跋弟弟冯弘，冯弘带兵闯进冯跋病室。冯跋由于受惊，一会儿就断了气。谥号文成皇帝，庙号太祖。

西燕济北王慕容泓

慕容泓是前燕国君慕容俊的儿子，慕容暐的弟弟。前燕建熙十一年（370年），苻坚灭燕，慕容泓和燕主慕容暐都被押送到前秦国都长安。他们受到了苻坚的优待，慕容暐被封为新兴侯，慕容泓被封为北地长史。然而，苻坚对他们越优待，他们就越感到压抑和耻辱，内心对前秦也越仇恨。这种压抑和仇恨一直持续了十三年。到前秦建元十九年（383年）苻坚亲征东晋，淝水一战被打得一败涂地。前秦的失败，为前燕宗室恢复燕国提供了有利条件，慕容暐的叔父慕容垂首先举起了反秦大旗。

慕容泓听到这一消息急忙从北地跑到关东，纠集几千名鲜卑人起兵响应慕容垂，然后占据华阴，推慕容垂为丞相、吴王，自己则称大将军、雍州牧、济北王。苻坚对慕容泓的起兵非常气愤和恐惧，匆忙派儿子苻叡带兵讨伐慕容泓。慕容泓听说前秦军队即将到来，想带兵向关东转移。但还没行动，苻叡已向慕容泓开战。慕容泓利用了苻叡麻痹轻敌的心理，在华泽打败秦军，杀掉苻叡。恰在这时，在平阳起兵反对前秦的慕容泓的弟弟慕容冲被苻坚大将窦冲打垮，带着八千名骑兵投奔了慕容泓。

慕容冲的到来使慕容泓的恐惧心理顿时烟消云散，不自量力地想和苻坚平起平坐。慕容泓派人对苻坚说："吴王慕容垂已经平定关东，中原将是我们慕容家的天下，望你认清形势，及早把我家兄慕容暐皇帝送来。如果你答应这一条件，我们将以虎牢为界，建立友好关系。否则，就不要怪我们对你不客气了。"苻坚听后勃然大怒，恨不能把慕容泓千刀万剐。但苻坚也深知鞭长莫及，只好威胁慕容暐劝慕容泓、慕容冲和慕容垂向前秦投降。慕容暐惧于苻坚的淫威，表面上满口答应，但暗地里却派人告诉慕容泓马上称帝。

慕容泓也有称帝的野心，听了大哥传来的口信立即向长安进军，改元燕兴，建立了一套官吏机构。史称慕容泓建立的政权为西燕。慕容泓命运不佳，才品尝了两个多月当皇帝的滋味，便因为用法苛严，不得人心，于燕兴元年（384年）六月，被大臣高盖杀害。

西秦宣烈王乞伏国仁

前秦建元十九年（383年），前秦国君苻坚不顾大臣们的强烈反对，准备向东晋大举进攻。陇西鲜卑人乞伏国仁被苻坚封为前将军，正要带领骑兵冲锋陷阵时，前秦后院起火，乞伏国仁的叔父步颓在陇西起兵公开反对苻坚。苻坚听到这一消息后，轻蔑地说了一句："跳梁小丑成不了大事"，便让乞伏国仁带兵去平定步颓。

乞伏国仁接到命令后，不声不响地离开了南征队伍。

步颓听说国仁来镇压自己，心里就像喝了蜜一样甜滋滋的，急忙率领部下到大路迎接。乞伏国仁见到他后说："苻坚穷兵黩武，已占领八个州。现在又虚张声势，驱兵远征，常言说物极必反。依我之见，苻坚这次出征必败无疑。我们应当乘机占领一块地盘，发展势力。"于是便招兵买马，拉起了一支十多万人的队伍。苻坚被后秦姚苌杀死后，国仁对部下说："我虽德薄，但凭借几代的根基也能干一番轰轰烈烈的事业。"于是便于太元十年（385年）建立西秦政权，自称大部督、大将军、大单于，建元建义。封乙旃音望为左相，屋引出支为右相，独孤匹蹄为左辅，武群勇士为右辅，弟乾归为上将军，设立武城、武阳、安国、武始、汉阳、天水、略阳、漒川、甘松、匡朋、白马、苑川等十二个郡，并建勇士城作为国都。

第二年，南安豪谊强秘宣率领羌、胡五万多人从四面八方包围勇士城。乞伏国仁见状，不慌不忙地说："既然他们来了，我们总不能坐以待毙，应当杀一杀他们的威风。"于是带着五千多人出其不意地打败了秘宣。不久，秘宣带着三万多户投降乞伏国仁。同年，乞伏国仁又在六泉袭击了鲜卑大人密贵、裕苟和提伦三个部落，迫使这三个部落相继归附。西秦建义四年（388年），乞伏国仁病死，谥号宣烈王，庙号烈祖。

后凉懿武帝吕光

吕光虽出身略阳（治今甘肃庄浪县西南）的名门望族，但自幼不喜欢读书，愿意摆弄鹰犬。10岁那年，吕光突然厌烦动物，开始与邻居小伙伴玩打仗游戏。青年时期，吕光修养得非常深沉、持重，喜怒哀乐不形于色。苻坚的谋士王猛感到吕光是个人才，能成大器，便把他推荐给苻坚。苻坚先把吕光提拔成美阳令，后来又把他封为鹰扬将军。

吕光不负王猛、苻坚的厚望，出任鹰扬将军后，先跟苻坚出征张平，在铜壁刺死张平养子张蚝；后跟王猛消灭前燕；又受命讨平四川李焉；率兵消灭发动叛乱的苻洛，很快升到骁骑将军。

苻坚统一了北方的大部分地区后，又想经营西域，吕光就挑起了这副重担。建元十八年（383年）正月，吕光告别苻坚，离开长安。苻坚的儿子苻宏紧握吕光的双手说："你的气度非同一般，将来一定会大有作为，好自为之吧！"吕光率领七万大军经过一年的艰苦跋涉，到达高昌时，听到了前秦大举攻晋的消息，想立即停止西进，等待苻坚的调遣。这时，杜进对吕光说："你受命西征，应当加快速度，苻坚南征与我们西征毫不相干。"吕光也感到天高皇帝远，应该各走各的路，再往前走，就要经过三百里无水无草热风灼人的荒沙地带。官兵们见到一望无际的流沙，都大惊失色。恰在这时，苍天保佑了他们，流少地带普降大雨，使西征军顺利地过了流沙，向焉耆挺进。

焉耆国王泥流见来势凶猛，便主动联络了一些国王向吕光投降。但是，龟兹国王帛纯却很顽固，严兵把守城门，抵抗吕光。吕光毫不示弱，在龟兹城南安营扎寨，准备与龟兹打持久战。半年之后，帛纯先熬不住了，不惜花重金向龟兹西部的狯胡求救。狯胡深知唇亡齿寒的利害，便联合了温宿、尉头等国的七万多人马营救龟兹。这些小国大都是游牧民族，士兵都是骑马射箭的能手，而且战甲非常坚硬，箭头很难射进去；他们用皮绳结成套，骑在马上套人几乎套一个中一个。吕光部下见了新鲜东西，个个都心惊肉跳，向吕光建议各个军营按兵不动，敌来则打，敌去则追。吕光把敌军的战术仔细研究一番后，对众将说："本来就敌众我寡，如果各军营再各自为战，势力会更加分散，这不是制敌取胜的好办法。"于是命令各个军营都集合到一起。在骑兵的掩护下，用长钩钩取敌军的绳套。这种方法很见效，轻易就把龟兹的联兵打垮。龟兹王帛纯逃跑，三十多个小国投降。吕光走进了龟兹城内，在此大大庆贺一番。西域的各个小国国王从此对吕光刮目相看，争先恐后地向吕光进贡。吕光见西域广阔富饶，各国都听他的话，于是产生了留居西域的念头。天竺沙门鸠摩罗什对吕光说："这里是自取灭亡之地，千万不可留在此地。再说，东归途中自然会有适合于居留的地方。"吕光对鸠摩罗什本来就很敬重，鸠摩罗什的这些话正合吕光的口味，于是便于建元二十年（385年）三月，用两万头骆驼驮着一千多种珍奇的西域货物，带着一万多匹骏马撤离西域。

离开西域究竟要到哪里去呢？吕光心里并没有底。到了宜禾时，高昌太守杨翰怕吕光会乘中原混乱之机夺取凉州，便劝凉州刺史梁熙堵住高桐、允吾两个关口，不让吕光东进。梁熙怎么也不听杨翰的劝告。杨翰的话传到了吕光的耳中，吕光大吃一惊，不敢再进一步。杜进对吕光说："梁熙机灵不足，文雅有余，总不会采纳杨翰的建议。我们应当乘他们的意见没有统一之机，快速前进，夺取凉州。"吕光想到苻坚已在淝水之战中失败，长安不知现在能否幸存下来，即使回到关中也没有多大用武之地，现在夺取凉州也不失为一条好的出路，于是下令向高昌挺进。到达高昌时，杨翰就乖乖地归降了。

吕光从高昌东进玉门关时，梁熙才如梦初醒，匆忙发布檄文，声讨吕光，并派儿子梁胤、振威将军姚皓、别驾卫翰带领五万人马到酒泉抗击吕光。吕光以牙还牙，也发布檄文声讨梁熙，又派彭晃、杜进、姜飞在安弥打垮梁胤。武威太守彭济见状，把梁熙抓起来送给吕光，吕光大摇大摆地进了姑臧（今甘肃武威），自称凉州刺史。

吕光主簿尉祐十分阴险毒辣，吕光并没有看清他的本来面目，对他十分器重，把他提拔成宁远将军、金城太守。尉祐野心很大，根本没把将军、太守放在眼里，而是想和吕光平分秋色。吕光进入姑臧后，尉祐占据允吾，发动叛乱，后在吕光所派大军的追击下逃到兴城，在此煽动了一批人反对吕光；吕光拿他毫无办法。

凉州地处边陲，消息十分完闭塞。太初元年（386年）九月，苻坚被杀的噩耗才传到凉州。吕光听到噩耗后如丧考妣，悲痛欲绝，命令所有凉州人都为苻坚披麻戴孝。一个月之后，吕光便宣布改元太安，自称凉州牧、酒泉公。

但是，吕光的日子并不好过。就在他宣布改元的时候，前秦的长水校尉王穆称凉州牧，与吕光分庭抗礼；吕光的西平太守康宁也自称匈奴王，反对吕光。最使吕光伤心和恼火的还是与吕光同甘共苦的彭晃与吕光大将徐炅也勾结起来反对吕光，吕光决心亲征彭晃。于太安二年（387年）十二月，率领三万大军攻取张掖，杀掉彭晃，接着攻取酒泉，消灭了王穆。吕光次年二月即三河王位，改元麟嘉，设置百官，把妻子石氏立为王妃，儿子吕绍立为太子。

康宁、彭晃对吕光的背叛，使吕光改变了过分信任功臣的态度。即三河王位没过多久，吕光的外甥石聪从关中到河西，吕光问石聪："中原人对我有什么评论？"石聪随口回答："人们只知道有杜进，哪里还听说有您呢？"经石聪一提醒，吕光立即把杜进杀掉。后来，吕光在和大臣喝酒时由于喝得太多，说话没有分寸，便把这个事说了出去。参军段业听后劝吕光用刑要持平，不要滥杀无辜，吕光说："商鞅靠的是严刑峻法兼并了诸侯，吴起对亲人都不讲请面却使楚国强大，看来就是要严刑峻法。"经段业给吕光反复申明严刑峻法的弊端后，吕光才换上了愉悦面孔，引咎自责。

吕光随着地位的日益巩固，对三河王这一头衔已不感兴趣，又于麟嘉八年（396年）六月改称天王，改元龙飞。次年正月，吕光因西秦乞伏乾归出尔反尔。想教训一下西秦。派太原公吕纂攻克金城（今甘肃兰州），天水公吕延攻克临洮、武始、河关，西秦大为震惊。但是，吕延由于麻痹轻敌，中了乞伏乾归的奸计。被乞伏乾归杀害，其他将领撤回枹罕（今甘肃临夏）。吕光只好灰溜溜地回到了姑臧。

吕光回到姑臧，感到败得很窝囊，整天郁闷不乐，后来不知听了谁的谗言，把失败的罪名加到跟随吕延出征的尚书沮渠罗仇的头上，把罗仇和罗仇弟沮麹粥杀掉。罗仇的侄子沮渠蒙逊要为两位叔父报仇，便纠集了一万多人攻克临松郡，占据金山，公开与吕光决裂。与此同时，蒙逊的堂兄男成也起兵反对吕光，拥戴建康太守段业为凉州牧。吕光十分恼火，派将军赵策、赵陵讨伐男成，二赵不是对手，不幸死于战场。吕光又命令吕纂讨伐段业，合离一战，吕纂军队也被打得人仰马翻。

年老多病的吕光正在为这次失败而恼怒的时候，他的散骑常侍郭麐与仆射王详勾结在一起，在深夜时分点燃了洪范门，准备杀害吕光。由于计划不周密，王详被杀，郭麐占据东苑城发动叛乱。吕光急忙派人把纂叫回姑臧，平定叛乱。郭馨被吕纂打败后，后凉的后将军杨轨又自称大将军，凉州牧。

吕光经过一系列的失败深知靠硬打显然无法平定叛乱，于是改用了软招。吕光给杨轨去了封信，劝他能认请形势，幡然悔悟，杨轨自恃兵强马壮，根本没有理会吕光，仍然带兵北赴郭馨，到达姑臧时，想和吕光决一死战，便主动向吕纂挑战，不料被吕纂打败。郭馨听说杨轨失败，便投奔西秦乞伏乾归；杨轨听说郭馨逃跑，也南奔廉川。

龙飞四年（399年），吕光病情加重。见没有恢复的希望，便将太子吕绍立为天王，自称太上皇，把吕纂封为太尉，吕弘封为司徒。吕光告诫吕绍说："现在国家处于多难时期，南凉秃发乌孤、西秦乞伏乾归、北凉段业都想伺机吞并我们。我死之后，你让吕纂统帅六军，吕弘管理朝政，你自己无为而治，这样也许会渡过难关。如果你们互相猜忌，祸起萧墙，你们都会很快完蛋。"吕光又对吕纂、吕弘说："吕绍并不是块拨乱救世的材料，只是因为他是嫡长子才让他当天王。现在我们内外交困，你们弟兄们更应当和睦相处，如果你们自起干戈，大祸会马上降到你们头上。"吕纂、吕弘哭着说出了"不敢"二字。吕光又拉着吕纂的手说："你性格粗暴，很让我担心。你要好好辅佐昌绍，不要听信任何谗言。"当天，吕光病死，时年63岁，葬于高陵，谥号懿武皇帝，庙号太祖。

南凉武王秃发乌孤

后凉麟嘉六年（394年）正月，后凉国君吕光派人封占据河西的秃发乌孤为冠军大将军、河西鲜卑大都统。乌孤收下委任诏书的第二年七月，带兵把西部的乙弗、折掘两个部落打败后，开始在廉川堡建筑都城。次年六月，吕光又派人到廉川堡封秃发乌孤为征南大将军、益州牧、左贤王。乌孤早就想与吕光分道扬镳独立门户了，于是对吕光派来的使者毫不客气地说："凉州本来是我们的地盘，吕光算个老几！再说，吕光的几个儿子贪婪成性，三个外甥十分残暴，郡县分崩离析，百姓艰难度日，我怎能不顾百姓的死活，接受不义之爵呢！常言说得好，有德者昌，无德者亡，吕光无德，即将灭亡。回去告诉吕光，我将称王称帝！"

骂走吕光使者半年之后，也就是龙飞二年（397年）正月，秃发乌孤自称大单于、西平王。然后出兵后凉，攻克金城（今兰州），在街亭打败后凉将军窦苟。对后凉用兵的旗开得胜，使乌孤顿时有了精神，决心兼并整个凉州地区。太初三年（399年）正月，秃发乌孤对部下沾沾自喜地说："陇右、河西本来才有几个郡的土地，碰到战乱，分裂成十多个小国。在这十多个小国当中，吕光的后凉、乞伏乾归的西秦、段业的北凉力量最强，我想一个个把它们吞掉，不知先向哪个开刀合适？"杨统不紧不慢地说："乞伏乾归本来是我们的部落，最后还得归附我们，段业是个白面书生，没有能力和我们抗衡，况且还与我们关系不错，如果向北凉用兵也太不仁义了。吕光年老多病，他的继承人吕绍是个笨蛋，他的另外两个儿子吕纂、吕弘虽然文武双全，但弟兄两个又钩心斗角，如果轮番向后凉用兵，使其疲于奔命，不用两年就会让它内外交困，我们就可以轻而易举地攻取姑臧（今甘肃武威），一旦攻下姑臧，北凉、西秦就会不攻自破。"秃发乌孤听完杨统的话，笑着说："好！就这么干。"

但是，乐极生悲，同年八月的一天，乌孤喝得醉如烂泥，从马背上摔了下来，两胁被摔伤。乌孤被人扶起后，幽默地说："差点给吕光父子送去笑料。"回宫后不久，病情加重，很快就死去。谥号武王，庙号烈祖。

南燕献武帝慕容德

慕容德字玄明，鲜卑族人，是前燕主慕容皝的小儿子，生于东晋咸康二年（336年），慕容德不到20岁，已经身长八尺二寸，体格健壮魁伟，相貌英俊。他博览群书，有勇有谋，谦虚谨慎，十分讨人喜欢。慕容德自18岁被前燕主慕容儁封为梁公之后，历任幽州刺史、左卫将军。慕容暐继位后，改封范阳王，不久又迁任魏尹，加散骑常侍。他的才干和卓识，很快就显示了出来。

慕容宝继位后，遵照遗命，以慕容德为都督冀、兖、青、徐、荆、豫六州诸军事、车骑将军、冀州牧，镇邺（今河北临漳）。实际上把保卫后燕南部领土的重担交给了慕容德。

隆安元年（397年）三月，燕主慕容宝等逃往龙城。乐浪王慕容惠、中山侍郎韩范，员外郎段宏、太史令刘起等率工伎三百跑到邺城投奔了慕容德。慕容德手下的文武群臣，纷纷劝他称帝。慕容德心中明白，时机尚未成熟，便故作谦让。不久，有人从龙城跑回来，说燕主慕容宝尚在，称帝之议搁置起来

隆安二年（398年）正月，慕容德便率领文武兵将、鲜卑部民和汉族士庶百姓共四万余户，车二万七千辆，向滑台转移。抵达华舌后，以慕容麟为首的文武高官九十八人便联名劝进。慕容德也不再谦让，欣然允诺以燕王代行帝制，改后燕永康三年为永康元年，设置百官。

燕军顺利控制山东全境，开进广固，按照既定方针，慕容德将广固定为南燕国都，并在南郊举行了正式的登基大典，宣布大赦，改元建平。

南燕蒸蒸日上，东晋却江河日下。东晋内部的矛盾愈演愈烈。桓玄为了篡权，大肆诛杀异己。竺谦之、刘袭等北府旧将先后被杀。使得其余北府将领也都恐慌起来。刘袭兄长冀州刺史刘轨便邀集了襄城太守司马休之、征虏将军刘敬宣、广陵相高雅之等投奔了南燕。南燕君臣自然兴高采烈，精神百倍，高雅之等随即建议出兵讨伐桓玄，上表说："即使不能取江南，起码也可得到江北之地。"中书侍郎韩范也说："拓地开疆，正在今日。失时不取，岂但建康不可得，江北也无望了。"慕容德笑着说："朕据三齐之地，操练兵马，提倡礼义，等待时机，为时已经很久了。本

想先定中原，然后饮马长江，西取关陇，故而一直没有南征。今日之事，还请王公百官详加讨论。”群臣都认为桓玄新近得志，暂时不宜出兵。于是决定加紧备战，待机而动。慕容德在广固城西亲自阅兵，计有步兵三十七万，战车一万七千辆，铁骑五万三千。只见漫山遍野，旌旗招展，人呼马叫，战鼓咚咚，声震天地。慕容德在高处观望这威武雄壮的场面，不觉喜形于色，回顾围在身边的刘轨、高雅之等说道：“卿等能投身有道，朕定当使卿等无愧于人。”

不久，听说桓玄失败。慕容德立即下令以慕容镇为前锋，慕容钟为大都督，配以步兵二万，铁骑五千，剋日待发。就在这时慕容德从前的一个老部下赵融，忽然从长安来到广固，带来了慕容德母兄均已亡故的不幸消息。慕容德悲不自胜，大哭一场。这些年来操劳过度，身体虚弱，经不起这个刺激，竟连吐几口鲜血，从此染病在身。司隶校尉慕容达见慕容德病到，以为机会来到，企图篡权夺位，派牙门将军皇谬率众攻打端门，殿中侯赤眉从里边开门响应。中黄门孙进见势不妙，赶紧扶着慕容德翻越宫城城墙，躲进孙进家中。段宏等听说宫中有变，立刻带兵守住四处城门，然后，慕容德亲自带了卫队入宫，诛侯赤眉等。慕容达见大势已去，便投奔了北魏。宫廷政变平息不久，泰山有位叫王始的农民，聚集了几万人起来造反，自称太平皇帝，封自己父亲为太上皇，兄长为征东将军，弟弟为片西将军，设置了一批公卿百官。慕容德立即派慕容镇领兵前去镇压，这些未经战阵的乌合之众自然经不起鲜卑铁骑的打击，迅速瓦解。王始及其妻子被擒后带到广固，押往市场斩首示众。临刑，问他父兄都在何处，王始从容答道：“太上皇流亡在外，征东征西被乱兵所害。唯朕一身，现在无所事事。”他的妻子不高兴，王始说：“皇后！自古哪有不破之家，不亡之国！”行刑的刽子手用刀把打他，他面不改色地说：“崩（皇帝死称驾崩）即崩矣，终不改帝号。”

建平七年（405年）四月，侄儿慕容超从长安回到广固，慕容德高兴万分，立即封慕容超为北海王、侍中、骠骑大将军，司隶校尉。到了八月，慕容德病势转危，为了不让他人觊觎皇位，便下诏立慕容超为皇太子。当夜，慕容德就死去。为了严格保密，防备日后被人盗墓，特地用了十余口一模一样的棺材，真真假假，于当夜分别从四个城门运出城外，秘密埋葬于山谷之中，以至后人竟不知这位皇帝的尸骨究竟埋在何处。慕容德在位六年，谥号献武皇帝。

西凉武照王李嵩

李嵩字玄盛，小字长生。从小好学，通经博古，尤其长于诗赋。为人沉着机敏，宽容和善。而且通孙吴兵法，练就一身高超的武艺。龙飞二年（397年），后凉建康（今甘肃高台西）太守段业自称凉州牧，李嵩被封为效谷县县令，很受远近百姓的爱戴。三年之后，原敦煌太守孟敏因病去世，敦煌护军郭谦、沙州治中索仙见李嵩名气很大，便推李嵩出来当敦煌太守。开始，李嵩觉得名不正言不顺，便推推诿诿不想干。这时，在国都张掖任中散常侍的宋繇赶到敦煌，对李嵩说："段业胸无大志鼠目寸光，最终是要完蛋的，难道大哥忘记了夜宿驿站时郭磨对我们说的话了吗？白色额头的马驹已经生了，机遇已经到了，你不要再犹豫了。"经宋繇的提醒，李嵩便自称敦煌太守。没过几天，李嵩觉得这样做不太妥当，便派人请求段业正式任命，段业没有远见，便十分痛快地任命李嵩为安西将军、敦煌太守。

段业很糊涂，可他的左卫将军索嗣却十分清醒，对段业说："李嵩在敦煌培植了不少私人势力，怎能让他留在敦煌呢？"索嗣的话如同一盆冷水泼醒了段业，于是段业又改派索嗣去当敦煌太守，索嗣架子很大，离敦煌二十多里就命令随行的五百名骑兵就地休息，派人通知李嵩前来迎接。

李嵩不知索嗣胡芦装的什么药，心中既吃惊又犯疑，对是否出城迎接犹豫不决。宋繇和效谷令张邈对李嵩说："段业稀里糊涂，正是英雄豪杰大显身手的时候，你已经占有一块地盘，怎能拱手让给他人！索嗣自恃是当地人，人们都会买他的账，不会做任何准备。如果你现在向他公开挑战，就会轻而易举地把他打垮。"李嵩于是先派宋繇去见索嗣。宋繇嘴巴很巧，一番甜言蜜语把索嗣乐得眉飞色舞。宋繇回到城内，对李嵩说："据我观察，索嗣本人很骄横，官兵很松散，消灭他们易如反掌。"李嵩当即派宋繇、张邈、李歆、李让向索嗣发起猛烈进攻，索嗣不堪一击，狼狈逃回张掖。

庚子三年（402年），北凉的西郡太守梁中庸发动叛乱，前来投奔李嵩，又为李嵩添加了兴奋剂。兴奋之余，自然会东扯西扯，当扯到索嗣时，李嵩问梁中庸："你和索嗣非常熟悉，你说心里话，我和索嗣哪个本事大？”梁中庸很聪明，说了句模棱两可的话：“无法比较。”李嵩听出了梁中庸的话外音，激动地说：“索嗣如果比我才能大，为什么在千里之外就让我用一根长绳勒下了脑袋呢？”梁中庸没拍李嵩的马屁，说了一句公道话：“智谋有短长，成败命中注定。至于你和索嗣的才能究竟哪个大。我实在不敢妄加评论。但是，如果以生死来论胜负，那就大错特错了。”李嵩听完梁中庸的话低头不语，过了一会儿，转换了另一个话题，说：“有没有才能我心里明白，但我要消灭北凉。”

想要消灭北凉，李嵩觉得敦煌离张掖太远，应把国都迁到酒泉以便向北凉步步逼近。于是建初元年（405年）让宋繇当护军，儿子李让为太守，留镇敦煌，把国都迁到了酒泉。

李嵩迁都酒泉以后，劝课农桑，轻徭薄赋，国泰民安。如此过了五年，还没向北凉出兵。可是北凉却于建初六年（410年）先向西凉发起了进攻。在马庙打败了西凉太子李歆，活捉了西凉将军朱元虎。李嵩听到这个消息，大为震惊，急忙派人带着两千斤银子，两千两黄金到张掖把朱元虎赎了回来。

沮渠蒙逊得到了金银，认为李嵩软弱可欺，第二年八月又带兵去袭击西凉。这次李嵩对文武官员们说：“沮渠蒙逊不是东西，去年得了咱们的金银，与我们订立了互不侵犯的盟约，现在又来袭击我们，真是欺人太甚。我们关紧城门，不与他们交战，等他们的锐气消失后，我们再出击。这样，胜利一定会属于我们的！”果然不出李嵩所料，过了几天，北凉带的军粮已经吃完，只好撤兵回师。这时，李嵩命令李歆迅速出击，七千名骑兵个个如出弦的箭直扑北凉官兵，把北凉兵打得一败涂地，狼狈逃跑。

建初十三年（417年）二月，李嵩不幸病逝，时年67岁，谥号武昭王，庙号太祖。

南齐高帝萧道成

萧道成（427年—482年），字韶伯，原籍东海兰陵（今山东枣庄市）人。东晋初年，其高祖萧整率家南迁江南，在晋陵武进县（今江苏常州）定居下来，经过多年的繁衍生息，逐渐形成了庞大的萧氏家族。东晋曾在这里侨置兰陵郡，故萧氏遂为南兰陵人。

465年，宋明帝刘彧继前废帝刘子业被弑后即位，统治集团内部立即爆发了一场大混乱，一方是以晋安王刘子勋为首的孝武帝系诸王，另一方是以明帝为首的文帝系诸王。四方州郡大多举兵应晋安王刘子勋，可谓是天下同叛，明帝势单力薄，形势危急。在多年的南征北战中，由于作战勇敢，又有胆略谋识，萧道成步步高升，至明帝初年，已官至右军将军。经过多年征战的锻炼，他不仅具备了丰富的作战经验和指挥才能，而且成为了一名目光远大的谋略家。在宋皇室内部爆发的这场大规模混战中，他审时度势，不随波逐流，坚定地站在明帝一边，被授以辅国将军，与张永等前去讨伐东境叛军。

明帝平定四方之乱后，萧道成与其他忠于明帝的将领迅速崛起，成为国家的重臣藩将。

元徽二年（474年）五月，江州刺史、桂阳王刘休范举兵反。萧道成加平南将军，率前锋兵出屯新亭，张永屯白下，沈怀明戍守石头城，袁粲、褚渊入卫殿省。因事起仓促，来不及授甲，临时打开南北二武库，由将士任意拿取兵器。

萧道成率军至新亭，立即修治城垒，尚未完工，刘休范前军已至新林浦。萧道成先是解衣高卧以安军心，随后派将率水师与敌交战。刘休范舍舟登陆，派将丁文豪攻台城，知率大军猛攻新亭。萧道成率众全力拒战，敌军攻势越来越猛，将士皆惊慌失色，萧道成鼓励大家："贼虽多却乱，我们不久就将破贼！"

越骑校尉张敬儿向萧道成献计：他与屯骑校尉黄回打算诈降，刘休范现时正率数十人在城南临沧观，如诈降成功，伺机斩刘休范，其部可望立时溃败。萧道成听了，非常赞赏，与张敬儿等详细商讨了诈降计划，便派二人依计行动。黄回、张敬儿出城南，丢下兵器逃奔刘休范处，口中大呼投降。刘休范大喜，将二人召至所乘肩舆旁。黄回假称萧道成有归降之意，刘休范深信不疑，将两个儿子送萧道成处为人质。张敬儿乘刘休范饮酒毫无防备时，夺其防身刀，将其斩首，随后驰马持首级直奔新亭。

萧道成见张敬儿带回了刘休范的首级，大喜过望，速派队主陈灵宝将刘休范的首级送给台城。陈灵宝途中突遇刘休范的军队，慌乱之中将刘休范的头扔到了水中，空手突入台城，报告“刘休范已平”，但无证据验证，台城中众人皆不相信。

褚渊的弟弟褚澄开东府门纳南军，中书舍人孙千龄开承明门出降，南军长驱直入，朝廷军心涣散，莫有斗志。南军又诈称刘休范在新亭，士民惶惑，前往新亭垒投名刺求见者达千人。萧道成命人将名刺全部焚烧，登北城告众：“刘休范父子昨已被杀，尸在南冈下。身是萧平南，诸君仔细认认！名刺已全部焚毁，请勿忧惧。”为解台城之危，萧道成派陈显达、张敬儿率将士入卫宫省。袁粲慷慨激励诸将，陈显达引兵出战，大破杜黑骡于杜姥宅，张敬儿等又再破杜黑骡于宣阳门，斩杜黑骡与丁文豪，进而攻克东府，平定叛军余党。

萧道成整军凯旋归建康，百姓沿道聚观，纷纷称赞：“保全国家全仗此公！”

昇明二年（478年）三月，萧道成进为相国，封为齐公，加九锡。齐国的官爵礼仪全模仿朝廷而设。

四月，萧道成为齐王。不久，刘备下诏禅位于齐。司空兼太保褚渊等奉玺绶，率百官至齐宫劝进，萧道成辞让不受。百官又再三恳请，有人进符命说，“六”是亢位，东汉历一百九十六年禅于魏，魏历四十六年而禅晋，晋历一百五十六年而禅宋，宋自永初元年至昇明三年，共六十年。历代皆以六终六受，这就是天命。因此，他们请萧道成顺天时，膺符瑞称帝。在群臣的再三恳请下，萧道成才勉强答应，择日于南郊举行了即位大典，回宫后宣布大赦，改元建元。齐朝正式建立。

为了稳固基业，萧道成广开言路，要群臣议政，大臣们有的建议废除宋时苛政细制，有的建议停止讨伐交州，有的建议减免宋时的苛捐杂税，限制贵族富民封略山湖侵渔百姓。萧道成皆加以褒赏，并下诏：“二官诸王，悉不得营立屯邸，封略山湖。”又下令减免百姓逋租宿债，减轻市税。针对宋奢侈浪费之风，萧道成特别强调节俭。一次，他发现主衣库中有玉导，很不高兴，马上命人击碎。又命人翻检有何异物，凡认为能助长豪华奢侈风气的，全都销毁。他常说：“使我治天下十年，当使黄金与土同价。”

萧道成有十九个儿子，其中六个早夭，余下的十三个儿子，有的勇猛过人，有的谋略出众，几个年长的还为他创业立下了功劳。可以说，儿子们是萧道成的骄傲。

萧道成登基之初，曾问政于刘瓛，刘瓛答：“政在《孝经》。凡宋氏所以亡，陛下所以得者，皆是出于此。陛下如能戒前车之失，加之以宽厚，虽危可安；若循其覆辙，虽安亦必危。”萧道成听了，感触颇深，叹道：“儒者之言，可为万世之宝！”

建元四年（482年），萧道成病重期间，特地把太子叫到跟前，嘱咐说：“宋氏若不骨肉相图，其他族岂得乘其衰弊而取代之！汝深戒之。”

三月，这位一生叱咤风云的南齐开国皇帝逝世，终年56岁，在位四年。庙号太祖，谥曰高皇帝。葬于武进县泰安陵。

梁武帝萧衍

梁武帝名萧衍，字叔达，南兰陵中都里（今江苏武进西北）人。萧衍出身于贵族之家，其父萧顺之，是齐高帝族弟，因功封临乡县侯，历官侍中、卫尉、太子詹事、领军将军等。萧衍本人于宋大明八年（464年）生于秣陵县同夏里三桥宅。萧衍自幼酷爱读书，博学多通，加上天资聪颖，年纪轻轻就在文学方面崭露头角。当时与之交往甚密的有沈约、谢眺、王融、范去等七人，他们经常出入于竟陵王萧子良的西邸，被世人称为“八友”。八友之中文才以沈约最长，有《宋书》、《齐纪》等书传行于世，然而若论胆略才识，却又首推萧衍。王融向以识鉴过人自傲，但私下里对其亲近之人却常常夸赞萧衍：“将来安定天下的，一定是这个人。”

齐明帝萧鸾在位只有五年就病死了，他的儿子萧宝卷即位，这就是无能的东昏侯。东昏侯治国无术，却很残忍，做皇帝后杀掉了很多大臣，对于一些功臣也不知道爱护，妄加杀戮。萧衍逐渐和他对立起来。

萧衍联合了南康王萧宝融一起举兵，后来南康王在江陵即位，这就是齐和帝。他们共同和东昏侯争夺齐的政权。最后，萧衍领兵到达了建康城下，和守军激战，攻下了外城，将齐宫城团团围住。萧衍占领建康后，即派诸将征讨四方，各地刺史、太守相继投降。中兴二年（502年）正月，迎宣德太后入宫，临朝称制，进萧衍为大司马，都督中外诸军事，可以带剑上殿，无须叩拜仪式。其时萧颖胄已经因萧衍战无不克自己却无所建树，忧愧生疾而死，萧衍由此掌握全部军国大权，下一步就要废主宝融，受禅称帝了。

萧衍当上大司马，已是众望所归，登基称帝似乎已经不成问题。但萧衍仍不敢贸然行事，故也不好向臣下提起。范云没当上左仆射，心中怏怏不乐，总想伺机于萧衍受禅时再立一功。谁知迁延几十天，竟不闻萧衍再提受禅之事。细究其因，原来萧衍入宫之后，陈东昏侯的潘贵妃被领军王茂诛杀之外，尚有余妃和吴淑媛两个美女，全都据为己有。由是萧衍竟为女色所迷，所有政事一概置之度外了。范云对此非常着急，几次进谏，总不见效。这天，范云特邀领军王茂一同入殿来见萧衍，落座后范云便大声说道：“过去沛公刘邦入关定秦，财帛无所取，妇女无所幸，范曾因此畏其志大，后来终至成功。现在您刚定建康，天下百姓正想看您风采，您为什么要袭取乱王之迹，被迷恋女色所累呢？”萧衍默默不答，王茂即起身下拜，说：“范侍中所言极是。明公如一定以天下百姓为念，则不宜留下这亡国之妇。”萧衍只好应允，范云又趁势说道：“前时放出宫人两千名，分赏将士，只有王领军没有得到。现在您即有意放出余吴二姬，愿将其一赐给王茂。”萧衍因吴氏已经有娠，遂将余氏赐与王茂。为表明心迹，次日萧衍又当众赐范云、王茂钱各百万。

从此以后，萧衍乃决计篡齐，准备受禅。为消除称帝隐患，萧衍又借口邵陵王宝信、晋熙王宝嵩、桂阳王宝贞三人与湘东王宝晊谋反有关，于一日之内下令自尽。其时三王年龄都不过10岁上下。还有庐陵王宝玄，虽暗弱无能，也不免忧惧而死。再就是鄱阳王宝寅，年方16岁，跳墙逃出，昼伏夜行，最后到达寿阳，被北魏扬州刺史王澄收留。至此，明帝诸子，仅剩下晋安王宝义和齐和帝宝融。萧衍这才奉表宝融，请其东归建康。宝融乃诏令萧衍之弟萧儋为荆州刺史，都督荆、湘等六州军事。萧儋虽年纪不大，但却少年老成。当时荆州正处军旅之后，公私空乏，儋励精图治，广屯田，省力役，体问兵死之家，诚接天下贤士，于是人人得尽其意，民心尽归萧氏。及宝融起程以后，东西遥相呼应，声称上天之意，已让萧衍为帝。又作“行中水，为天子”的谶语，让各地儿童传唱，造成舆论攻势。在此态势下，宝融手下中领军夏侯祥接沈约、范云书，教他迫帝禅位。夏侯祥见风使舵，至姑孰（今安徽当涂）逼齐和帝下诏禅位。和帝之诏到了建康，宣德太后亦下令表示同意，萧衍至此反故作谦恭之态，几次抗表谦让，于是豫章王元琳率齐宫八百一十九人，范云领梁臣一百一十七人，一并再三上书称臣，乞请践祚，太史令蒋道秀陈天文符谶六十四条，萧衍才勉强接受。于是选吉日良辰，即位南郊，祭告天地，登坛受百官朝贺。改齐中兴二年为梁天监元年，大赦天下。

萧衍登基之后，鉴于齐亡教训，总是勤于政务，孜孜不倦。即使寒冬腊月，也是五更即起，批改公文，以至双手破裂。又注重纳谏，特诏令于东府前谤木肺石旁各置一函。凡布衣处士，欲指陈时事，有所建议，可投书于谤木函中；凡功臣材士，如有功劳未达，才不尽用，可投书于肺石函中。萧衍还率先勤俭，“一冠三载，一被二年”，其所用衣物，均已洗濯数次，平常吃饭只以菜蔬豆羹粝食为主。并且每日只吃一餐，遇有事务繁忙，便喝点稀汤充饥。每当简选长吏时，务心求选廉平，并亲自于殿前召见，勉之以为政清廉之道。又特下诏全国，如小县令有才干政绩者，即迁大县；大县令有才干政绩者，即迁两千石。当时朝臣中有到溉、刘黪二人，皆以廉洁著称，分别提拔为内史、太守。由是上行下效，吏治有了不少起色。

太清二年（548年）八月，侯景以诛朱异为名，在寿阳举兵造反。萧衍闻报，毫不惊慌，拈须笑道："侯景有何作为？我一扬鞭，就够侯景受的了。"说毕即传旨授台州刺史鄱阳王萧范等人为东西南北四道都督，由侍中、邵陵王萧纶为统帅，持节督军合讨侯景。侯景闻大军将至，连忙向王伟问计。王伟说："如果萧纶率军来到，我们必受因扰，所以不如决志东向，直捣建康。侯景即率军东进，连下谯州、历阳，兵锋不日即达江边。这时尚书羊侃请带两千人占据采石，截住侯景。萧衍问于朱异，朱异却断然说："侯景戎狄小儿，必无渡江之志。"萧衍一向对朱异言听计从，所以不理羊侃请求。羊侃出宫叹息着说："梁朝这回就要败亡了！"

过了不久，侯景在萧正德协助下渡过长江，率兵到达板桥，为探明城中虚实，侯景特派徐恩玉入朝求见萧衍，萧衍当即宣召恩玉入内。恩玉入宫后将侯景奏书呈上，内言："朱异等弄权内外，乞允许我带兵入朝，以除君侧之恶。"萧衍看后，交给朱异，朱异显得非常尴尬，赧然不知所答。萧衍又派中书舍人贺季、主书郭宝亮随恩玉去慰抚景军。贺季见到侯景。问道："今天将军此举，究竟有什么要求？"侯景毫不掩饰地回答："想当皇帝！"王伟连忙打岔说："朱异等人乱政，所以兴师除奸。刚才将军所言，不过戏言罢了。"侯景见语有所失，便拘禁贺季，独遣郭宝亮还报。

侯景率部众渡过秦淮河后即将台城团团围住，擂鼓鸣角，全力攻城。羊侃诈称得邵陵王书，说援兵不日到业，守城将士内心少安，于是奋力守城。两下相持数日，侯景为号召天下，萧正德扶为皇帝，自任大丞相。

邵陵王萧纶军至钟离，得知侯景已经渡江，便昼夜兼程，回军入援。不料过江时风起，人马淹死十分之一二。乃率步骑精锐三万，自京口西上。前淮州刺史赵伯超向萧纶献策说："如果我们走黄城大路，必然会遭侯景抗拒，不如径去钟山，占领广莫门，出贼不意，城围立即可解！"萧纶按计行事，但因迷路迂回二十多里，至次日拂晓始至钟山立营。侯景见萧纶突然到来，不禁大为惊骇，急忙分兵三路攻击萧纶。萧纶击败侯军，进至爱敬寺。侯景也收兵驻于覆舟山北，到了傍晚，侯景收兵徐退，萧纶部将安南侯萧骏以为侯景怯阵，即带兵追赶，侯景回军反攻，击败萧骏。骏逃入纶营，侯景趋势杀来，竟将萧纶战败。萧纶仅收余部不足千人逃往朱方（今江苏武进县）。

侯景打败萧纶之后，再次向台城发起攻势。此时羊侃已经病死，城中将士不免更加恐慌。正当危急之时，右卫将军柳津从容镇定，率众抵抗，城防赖此复安。又过几日，诸路援军已到，公推柳仲礼为大都督，指挥全局。柳仲礼部分诸将择地扎营，又专令衡州刺史韦粲驻守青塘，并亲入韦粲大营对他说："青塘正当石头中路，向来是兵家必争之地。如此重任，非兄不能承当。你要是觉得兵力不足，我可以派人相助。"语毕即传令直阁将军刘叔胤助战。

太清三年（549年）正月，韦粲遵令出发，恰遇大雪，迷失道路，等到了青塘，夜已过半。寨栅尚未建好，就被侯景发现，侯景率兵来攻，刘叔胤不战而逃，韦粲等力战阵亡。柳仲礼这时已迁营大桁，闻韦粲败讯，当即投箸披甲，率手下百骑往救，大败景军。仲礼正追杀侯景，不防侯景部将支伯仁从后面猛砍一刀，正中仲礼左肩，部将急救回营。从此侯景不敢南渡，仲礼却也气馁，再不谈论战事，整日以饮酒嫖妓为乐。其父柳津登城对仲礼说："你君父皆在危难之中，你却不竭力相助，百世之后，人们如何评说你呢？仲礼仍不以为意，诸将请战并皆不许。萧衍问策于柳津，津愤然说道："陛下有邵陵，臣有仲礼，不忠不孝，怎么能平贼呢？"到了三月，侯景见各路援军已无斗志，遂尽力昼夜攻城。城中守将董勋和熊昙朗见大势已去，暗中接应侯景入城。永安侯萧确力战不胜，只好走还宫中，对萧衍说："城已被贼攻陷了！"萧衍时已86岁高龄，闻听安卧床上不动，说："还可以一战吗？"萧确说："不可。"萧衍遂轻声叹息说："梁朝天下，自我得之，自我失之，我有何怨吗？"

不一时侯景派王伟来见萧衍，萧衍令侯景在太极东堂陛见。其时侯景带五百甲士自卫，萧衍神色安详，问话说："你在军中时间很久了，一定很辛苦吧？"侯景不敢仰视，汗流满面。萧衍见了不觉好笑，继续问道："你是哪一州人，怎么敢兴兵犯阙？妻子儿女还在北方吗？"侯景惶恐不知所对，其部将任约在旁边代答说："臣景妻子儿女全被高氏屠杀，今天唯以一身归服陛下。"萧衍又问："刚渡江时有多少人马？"侯景稍缓过劲来，亲自答道："千人。""围台城时呢？""十万。"萧衍再问："现在已有多少人呢？"侯景回答："率土之内，莫非己有。"萧衍用抚慰的口气说道："你既然有忠事我朝之心，就应约束军士，不得骚扰百姓。"侯景允诺而去。

侯景退出后对亲信王僧贵说："我常常跨鞍马征战，矢刃交加，从无怯心。今见萧衍却有惧怕之意，难道果真是天威难犯吗？"话虽如此，侯景入城后，还是派军士入值省中，他们或驱驴牵马，或佩剑带刀，出入宫廷，无所顾忌。萧衍见而怪之，左右说是侯丞相的甲士。萧衍大怒说："不就是侯景吗？怎么说是丞相！"此话传到侯景耳中，侯景大怒，立即派私党监视萧衍一举一动，即使平常饮食，也都加以克损。萧衍有所要求，多不能得到满足，因此忧愤成疾，竟至不能起床。勉强延至五月，萧衍卧于净居殿，口中觉苦，索蜜不得，自呼："荷！荷！"无人应答，随瞑目而逝，享年86岁。庙号高祖，谥号武帝，葬于修陵。

后梁宣帝萧詧

萧詧，字理孙，是梁昭明太子萧统第三子。自幼好学，善于文辞，尤其长于佛经义理，因而深得武帝萧衍赏识。梁中大通三年（531年），昭明太子死后，武帝立三儿子晋安王萧纲为太子，使萧詧兄弟都失去了嗣位的机会，为此，萧詧一直愤愤不平。武帝内心也总觉得有点愧疚，因而将他们先后安排到人物殷阜的会稽一带做官。萧詧从中大通三年进封为岳阳郡王后，就先后担任过知石头戍事，南琅邪、彭城二城郡守和东扬州刺史等职。尽管武帝对他们经常给予特别关照，萧詧却并不以为满足。他见武帝日益衰老，朝廷又多弊政，显示出将要败亡的迹象，便着意蓄聚货财，交通宾客，招募勇士，凡是去投靠他的人，都给以优厚待遇，因而他府上收罗的各类人物竟多达数千人。中大同元年（546年）十月，萧詧又调任持节，都督雍梁东益南北秦五州、郢州之竟陵、司州之随郡诸军事，西中郎将，领宁蛮校尉，雍州刺史。雍州治所襄阳，形势险要，又是武帝创业基地，世道太平可以奠基树本，天下大乱可以进图霸业。萧詧决定在此大干一番。因而，他克己为政，延纳规谏，务修刑政，多施恩惠，安抚百姓，颇有治绩。

太清二年（549年）三月，侯景攻陷台城，以武帝名义诏令各路援军返回本州镇。萧誉从巴陵回长沙，信州刺史、桂阳王萧慥打算在江陵等萧绎回来见过之后再回信州，张缵乘机给萧绎写信挑拨说："河东王扬帆上行，欲袭江陵，岳阳王留在雍州，共谋不逞。"张缵又指使江陵游军主朱荣遣使向萧绎报告："桂阳王在江陵，欲作誉、詧内应。"萧绎连接警报，大吃一惊，连忙凿船沉米，斩缆断索，从陆路赶回江陵，不分青红皂白，便把萧慥杀掉。

萧绎和萧詧本来已有矛盾。当初萧绎入援建康，片调萧詧兵马，萧詧派司马刘方贵领兵赴援，萧绎要萧詧亲自出马，萧督不去，而且言辞颇不恭敬，萧绎因此记恨在心。恰好刘方贵虽是萧詧司马，对萧詧也有意见，便也萧绎暗中勾结，准备约期袭击萧詧。还没有发兵，萧詧因为临时有事召刘方贵回襄阳，刘方贵以为走漏了风声，不敢回去，便在樊城拒守。萧詧马上派兵讨伐，方贵让儿子迁超去江陵求援，萧绎便顺势推舟，让张缵去襄阳赴任，同时救援方贵。张缵行至襄阳南边的大堤，萧詧军队已经攻下樊城，杀了刘方贵。张缵到襄阳，萧詧因为他是奉旨前来上任，不敢明抗，便采取推拖方针，把张缵安置到城西白马寺中，以礼相待，却并不交权。后来听说台城已被侯景攻陷，便公开拒绝承认张缵的任命。萧詧部将杜岸哄骗张缵："看岳阳王的架势，不会容纳阁下，你不如暂且往西山避祸。"张缵信以为真，果然换上女装，逃入西山。随即被萧詧派兵追上，捉回襄阳；张缵表示愿出家为僧，请求萧备饶他一命。得到萧詧允许之后，张缵便改名法缵，仍被留在襄阳。从此以后，萧詧就牢牢地控制了雍州这块地盘。

同年六月，萧绎又因为萧誉在入援建康时不服调遣，派世子方等和少子方矩率兵两万去讨伐萧害。行至麻溪，被萧誉击败，方等溺水而死，萧绎又派信州刺史鲍泉去讨伐，萧誉连战皆败，被围于长沙城内。九月，萧害见形势危急，遣使向三弟萧詧告急。萧詧接到消息，留谘议参军蔡大宝守襄阳，亲率步卒两万、骑兵两千，进攻江陵，以救萧誉。萧绎急忙以王僧辩为城中都督，总管城防，又派参军庾复去责问萧詧："以姪伐叔，逆顺安在？"萧詧也很干脆地说："家兄无罪，屡被围攻。七父（萧绎乃萧衍第七子）如能退兵湘水，吾便回师襄阳。"萧詧筑十三营，全力攻城，不料天降暴雨，平地水深四尺，营地全被大水所淹，士气大为低落。部将杜崱与其兄杜岌、杜岸、弟幼安及兄子杜龛等率部投降萧绎，杜岸还自告奋勇率五百骑昼夜兼行，奔袭襄阳。离襄阳三十里时，被城中发觉，守将蔡大宝连忙把萧詧母亲保林（女官名）龚氏请出来坐镇，指挥守城，同时飞骑报告萧詧。萧詧闻讯，连夜赶回襄阳。杜岸见袭城失败，转往广平投奔其兄南阳太守杜巘。萧詧又发兵攻拔广平，擒杀杜岸、杜巘兄弟及其母妻子女。

萧詧既与萧绎为敌，又见二哥萧誉已被萧绎所灭，怕势单力薄，不能自存。便向西魏求援，表示愿做魏的附庸。西魏丞相宇文泰欣然接受，并派东阁祭酒荣权出使襄阳，表示支持。萧詧又将妃王氏及世子萧寮送去作为人质，以示忠诚，要求西魏出兵。这时，萧绎已派司州刺史柳仲礼率兵进攻襄阳，宇文泰便命开府仪同三司杨忠和行台仆射长孙俭领兵南下救援萧詧。杨忠连克义阳、随郡，大败柳仲礼，尽俘其众。安陆、竟陵也相继投降。于是，汉东之地尽归西魏。大宝元年（550年）二月，杨忠乘胜进抵石城，准备攻击江陵。萧绎赶紧把儿子方略送去作为人质，请求当西魏附庸，杨忠这才凯旋班师。

萧詧保住了襄阳，开始图谋当皇帝。自武帝在太清三年（549年）五月死了之后，虽然侯景扶植萧纲接位，但萧氏诸王大都不肯承认，萧詧看出这是天赐良机，便暗示部下纷纷议论，要他即位称帝，然后，他又以没有玺命为理由，表示不敢接受。宇文泰派驻襄阳的特使荣权明白萧詧的意思，立即回长安报告，宇文泰觉得扶植一个傀儡皇帝有利于削弱梁朝，便让荣权和郑孝穆两个带着策命，于大宝元年（550年）六月回到襄阳，立萧詧为梁王，设置百官，作为称帝的第一步。萧詧受宠若惊，于七月去长安朝见，宇文泰盛情招待，住到九月，萧詧才返回襄阳。

两年以后，萧绎平定侯景，在江陵即位称帝，改元承圣。第二年又消灭了武陵王萧纪的势力，梁朝的日子似乎又过得兴旺了一些。可是，地盘和侯景之乱以前相比，却大大减少了，尤其是富庶的益州、汉东等地，都已落入西魏手中，对此萧绎并不甘心。承圣三年（554年）三月，魏、齐同时遣使到江陵聘问，萧绎对魏使的接待就不如对齐使那样热情，还要求与西魏按照旧图重定疆界，言辞也颇不逊。宇文泰见萧绎好了伤疤忘了疼，居然如此无礼，便开始秘密准备伐梁。当年十月，宇文泰派柱国将军常山公于谨、中山公宇文护、大将军杨忠等率兵五万，大举伐梁。萧詧亦领雍州兵马与魏军会合，联兵进攻江陵。十一月，梁湘州刺史王琳入援江陵，行至长江，派长史裴政由小道先去江陵报信，裴政走到百里洲，被魏军俘获。

西魏大将于谨等将府库珍宝搜刮一空，尽驱梁王公百官及男女百姓数万口返回长安。临走前，立萧詧为梁主，让他居住江陵东城，又设置防主，率魏兵居于江陵西城。留给萧詧的，只有一座江陵空城和荆州一州之地，其余各地包括萧警原有的襄阳在内，全部归魏所有。

第二年（555年）正月，萧詧正式在江陵即位称帝，年号大定，仍称为梁。为了和原来的梁朝相区别，历史上把这个附庸于魏的梁朝称为后梁。萧詧虽然称了皇帝，对魏上疏时，仍继续称臣，并用魏年号。后梁的官爵均依梁朝旧制，只有勋官兼用魏制。萧詧所依靠和信任的文臣武将主要有两人：一个是蔡大宝，任侍中、尚书令，此人颇有谋略，熟悉政事，文辞敏捷。萧警赖以作为谋匿；比之为诸葛孔明；另一个是王操，任五兵尚书，掌管军事。

后梁建立的最初几年，与梁将王琳仍时有交锋，双方互有胜负。后梁大定元年（555年）五月，王琳派遣部将侯平率舟师攻陷后梁武、巴三州。大定四年（558年），萧詧又乘王琳主力东下与陈军交战，后方空虚，派大将军王操率兵略取长沙、武陵、南平等郡。第二年，王琳部将雷又柔又袭夺了后梁的监利郡，直到大定六年（560年），王琳在芜湖与陈军决战，被歼灭殆尽，投奔北齐，战事才告平息。

萧詧少年时代便胸怀大志，在位期间，生活俭朴，不好酒色。虽好猜忌，而能知人善任，待部下宽厚，因而都愿为其出力拼命。但作为一个小小的附庸皇帝，只能仰人鼻息。江陵残破，疆土狭小，干戈不息，眼见岁月消逝，却又无力改变，因而一直郁郁不得志。烦闷之时，常以吟诗解忧，尤爱吟诵曹操名诗《龟虽寿》。每当诵至“老骥伏枥，志在千里。烈士暮年，壮心不已”数句时，总要慨叹良久。

俗话说：愁则生病。大定八年（562年）正月，萧詧果然疽发于背而死。时年44岁，葬于平陵，谥号宣皇帝，庙号中宗。

陈武帝陈霸先

陈霸先，字兴国，小字法生。生于天监二年（503年），少年时就意气雄杰，风流倜傥，胸怀大志，长于谋略，不喜欢从事任何生产劳动。读过大量的史书和兵书，至于纬侯、孤虚、遁甲之术也多有涉猎。他身材高大魁梧，练就一身好武艺，再加处事明达果断，故深为当时人所推服。

陈霸先初登仕途，不过是乡中里司小官，后来到了梁都建康做油库吏，因其识文断字，不久迁为新喻侯萧映传教。陈霸先忠于职守，深受萧映赏识。梁大同年间，萧映被朝廷任命为吴兴太守，即指名带陈霸先赴任，僚佐皆不以为然。萧映认真地对他们说："霸先此人不可小视，他将来必定有我们大家不可企及的远大前程。"后来萧映转任广州刺史，又举荐陈霸先为中直兵参军，监理宋隆郡，并令招兵买马，所部达千人。不久陈霸先又因讨平安化二县之功升任西江督护、高要太守。

太清二年（548年）冬天，侯景乱起，陈霸先整装准备率兵北上勤王。这时，有人告诉霸先，广州刺史元景仲因嫉妒霸先才干，打算谋杀他。陈霸先闻听此事，即召成州刺史王怀明，行台选郎殷外臣等密议对策。太清三年（549年）七月，陈霸先集数州义兵于南海，驰檄远近声讨景仲。景仲走投无路，自缢身亡。陈霸先便把萧勃请来当了广州刺史。这年十一月，陈霸先又与始兴豪族共谋讨侯义举，当地豪强侯安都、张偲等率众千余人来归附。萧勃听说陈霸先要起兵征讨侯景，急派钟休悦来对霸先说："侯景是当今骁勇，天下无敌。先前各路援兵十万，士马精壮强盛，然而都无人敢当其锋。将军以此区区之众，能有什么作为呢？依我愚见，将军不如暂住始兴，遥张声势，保住此地，将来必定大有好处。"陈霸先泪流满面，对钟休悦说："我本是一介武夫，蒙朝廷厚爱达到这样高位，怎敢不思报答呢？现在京都沦陷，主上蒙尘，君辱臣死，谁又能爱惜自己的性命？我已决计成行，请君复报刺史。"为表征讨决心，陈霸先当着休悦的面，遣使由小道赴江陵联络。萧勃见陈霸先决心已定，便派心腹谭世远为曲江县令，与盘踞在南康的蔡路养勾通，企图共同遏制义军。

大宝元年（550年）正月，陈霸先兵发始兴，至大庾岭，蔡路养率两万人驻所南野，依山傍水筑起四座城垒截击霸先。蔡路养有一妻侄萧摩诃，年仅13岁，单骑出战，无人敢当其锋。霸先部将杜僧明恃勇出陈与萧摩诃交战，不料被他一槊戳中马眼，那战马受惊仰起，将僧明摔落地上。陈霸先见状急忙出战，杀退萧摩诃，救起杜僧明。杜僧明受此一挫，不由热血沸腾，坚决要求再次出战。陈霸先非常高兴，当即赐酒壮行，并将自己坐骑让给杜僧明使用。僧明上马复战，陈霸先麾兵跟上，跟养大败，单身落荒而逃。萧摩诃投降，陈霸先尽收南康属地。湘东王萧绎闻报捷音，承制授陈霸先明威将军、交州刺史、封南野县伯。

次年二月，王僧辩、陈霸先等接受萧绎命令，东讨侯景，在白茅湾登岸设坛，誓师会盟。其后东征军连克芜湖、姑孰、蔡洲、抵达建康城下。侯景登上石头城观看形势，霸先阵容严整，心中泛起一丝恐惧感，便对左右随从说："此军上有紫气，恐怕不易抵挡。"遂决计防守，用舟船贮石，沉塞淮口。又沿淮水筑城，自石头城至青溪，楼墙相接，绵延十余里。王僧辩见此形势，派杜崱问计于陈霸先，陈霸先说："我们要攻下石头城，必须抢占北岸。诸将如果不敢当其锋，霸先愿先去立栅。"王僧辩大喜，立即表示同意。陈霸先便去石头城西落星山，择地筑栅，众军相随共立八城，直出石头城西北。侯景怕通往西州路断，令侯子鉴于石头东北果林筑造五城控制大路，又自率众万余人、铁骑八百，列阵西州西隅，欲待机而进。陈霸先对众将说："《孙子兵法》上说，'善用兵者，如常山之蛇，使首尾相应，困而无暇'。现在我军人多，敌军人少，应分贼兵势，才能以强制弱。"说毕即命诸将分处置兵，大张声势，以便迷惑敌军。

侯景令骑兵直冲西军（因江陵在建康西而名）偏将王僧志营，僧志抵挡不住，向后退缩。陈霸先派部将徐度率弓弩手两千，从侧面阻击，迫使侯景骑兵退却。陈霸先趁机与王琳、杜龛等将，麾动铁骑，冲入敌军，侯景慌忙退入栅中据守。石头城守将卢辉略，见西军势盛，侯景又败还回营，知大势已去，便开门出降，王僧辩遂入据石头城。陈霸先在城外与侯景相持，连拔其果林五城。侯景率军还击，夺回其所失城栅。陈霸先大怒，亲自出阵攻杀，士卒无不感奋，争相腾栅而入，侯景军再次败走。侯景仍不甘心，自率百余骑，弃槊执刀，左冲右突、不能得手，只得返回阙下，派心腹亲兵取其二子出逃。

承圣三年（554年）十二月，梁元帝萧绎死于西魏之手。陈霸先与王僧辩等商议，决定迎立晋安王萧方智。次年二月，年仅13岁的萧方智由寻阳来到建康，登上帝位。给陈霸先加了个征西大将军的头衔。

太平二年（557年）八月。进位太傅，加黄钺，剑履上殿，入朝不趋，赞拜不名，并给羽葆鼓吹一部；九月，进位相国，总百揆，封十郡为陈公，备九锡之礼，加玺绶、远游冠、绿綟绶，位在诸陕之上；十月，进爵为王，以会稽、晋陵、豫章等十个郡。益封陈国，并前为二十郡。就在这个月，梁敬帝萧方智被迫“禅让”，陈霸先即位称帝，改元永定，宣布了又一个新王朝——陈朝的诞生。

曾经当过梁湘州刺史的王琳一向不大听话。陈霸先曾以司空征辟，王琳却不仅不受征调，反而大造船舰，准备进攻陈霸先。霸先命周文育、侯安都率舟师至武昌，进击王琳。征讨王琳大军开拔不久，陈霸先便在建康受禅称帝。安都听说后毫无喜色，反仰天叹息说：“我师此行必败！”左右问是什么原因，安都说：“我们以王琳不应朝廷诏命而征讨，如今师出无名了！”当时侯、周两将互不统属，部众亦彼此交争，互不服气。大军至郢州，王琳部将潘纯陀在城中用强弓硬箭，遥射城外。安都前队多被射伤，安都大怒，督军围攻，数日不下。此时王琳已屯弇口，安都乃弃郢州，移兵趋沌口，与文育兵会合，据守西岸，王琳据守东岸。两下相持数日，王琳获胜，竟将安都、文育等将领悉数擒获。

王琳把安都、文育等人用一条长链锁住，置于后舱，令亲信宦官王子晋看守，自己领兵驻于湓城白水浦。安都、文育甜言蜜语，许以重赂收卖王子晋。子晋为利所诱假装用小船垂钓，靠近后舵，将安都等三人移入小船，连夜载渡上岸，从荒野草丛中偷偷逃回陈军驻地。陈霸先得知安都军败，非常惊慌，后见安都等逃回建康请罪，不禁转忧为喜，当即下诏赦免败军之罪，各还其官如故。

永定二年（558年）正月，王琳兵据湓城，有众十万。为东进建康，特授北江州刺史鲁悉达为镇北将军。悉达乐得两边接受，其实迁延观望，皆不应征。王琳欲引兵东下，却被悉达截住中流，琳派人诱说，悉达始终不从。王琳无计可施，只得派记室宗虢求援于齐，且请以梁元帝萧绎的孙子永嘉王萧庄主梁。齐从其请，发兵送萧庄于江南，继承梁祀，册拜王琳为梁丞相、都督中外诸军、录尚书事，王琳奉庄即位称帝，改元天启。

陈霸先命司空侯填，领军将军徐度、率舟师为前军讨伐王琳。这次出师时侯安都等人尚未回建康，陈霸先亲自至石头城送侯填出征。这时，江州刺史周迪打了一个胜仗，捉住王琳战将李孝钦、余孝顷等，霸先见是个好机会，便派史部尚书谢哲去劝王琳归顺，王琳大约因为战事不利，周文育、侯安都等人又都逃走，便答应西还湘州。八月，谢哲还报，霸先即令众军还师。

陈霸先在文育被害之前，又派了侯安都率兵去接应。安都半途得知文育已死，即引师退还，恰好遇上王琳部将周灵、周协，略一交手，便将他们捉住。这时孝劢弟孝猷率所部四千家也来归降，安都又乘胜进军至左里，击败了曹庆和常众爱，活捉王琳从弟王袭、主帅羊脿等三十余人，众爱逃入声山，不久也被当地百姓所杀。同年六月，安都凯旋回朝。然而，不断的忧患和战争，已经搞得陈霸先精疲力竭，就在这个月，他病倒了，不到半月，便病逝于璿玑殿，时年57岁。时年八月，葬于万安陵，谥号武皇帝，庙号高祖。

北魏孝文帝元宏

孝文帝（467年—499年），本姓“拓跋”，名宏。是拓跋弘的长子，471年—499年在位，为北魏第六位皇帝，谥号孝文皇帝。484年孝文帝下令实行俸禄制，使吏治贪污腐败现象有所好转，485年冯太后、孝文帝颁布了均田令，495年正式迁都洛阳，命鲜卑贵族汉化，采用了汉族统治阶级的政治制度。

北魏献文帝皇兴三年（469年）六月，不满两周岁的拓跋宏被立为皇太子。按北魏皇室规定，凡后宫生的男孩为太子时母亲必赐死。拓跋宏为太子时就失去了母爱，由其祖母冯太后抚养。冯太后是汉人，具有一定的汉文化素质，又聘请了汉人为太师傅。从小学习汉文化，使拓跋宏有了较高的汉文化基础。

皇兴五年（471年）八月，拓跋宏即皇帝位，是为孝文帝，太和十四年（490年）九月，冯太后去世，孝文帝亲政。

孝文帝亲政后的第一件大事就是迁都洛阳。鲜卑贵族安于现状，不愿离开平城。孝文帝在其叔父拓跋澄的支持下，于北魏孝文帝太和十七年（493年）八月，亲率30万大军南下，声称南下攻齐。九月，到达洛阳。在洛阳停了7天，雨还在下。孝文帝站在大雨之中，号令三军南下，文武大臣齐跪下，苦苦劝阻，不再南行。孝文帝乘机宣布迁都洛阳。十月，孝文帝命令李冲、穆亮、董尔立即组织人力物力修建洛阳宫，命令拓跋澄回平城传达迁都的决定。太和十八年（494年）十一月，孝文帝由金墉城迁入洛阳宫，并开始推行汉化政策。太和十八年（494年）十二月，孝文帝下诏，禁止鲜卑人穿胡服，一律改穿汉人服装。同时，礼仪、官制、朝服，都用汉制。

太和十九年（495年）六月二日，孝文帝下诏书，禁止鲜卑族人说北语，南迁来的一律改说汉话。30岁以下的官员必须说汉话。违者，降职或罢官。30岁以上的官员也要尽快改正过来。十九日，孝文帝又诏令，凡迁来洛阳的人，一律改籍贯为河南尹洛阳人；死后一律葬在河南，不得北还。太和二十年（496年）正月，孝文帝诏令，改鲜卑族的姓氏为汉姓。改拓跋氏为元姓，共改9氏118姓。孝文帝由此改称“元宏”。

孝文帝还提倡鲜汉互通婚姻，亲选汉人女子入宫为妃。又把公主嫁给汉族大姓。他的六个弟弟也都以汉人女子为妻，又将汉人褚澄的女儿纳为太子妃。鲜汉联姻，对鲜卑族的汉化都起到了重要的作用，客观上促进了北方各民族的大融合。

孝文帝的迁都与推行汉化政策，不是一帆风顺的。太和二十年（496年）八月，孝文帝东巡嵩山，命太子元恂留洛阳监国。元恂反对改革，常想返回平城，于是乘机发动政变，企图拉拢一帮守旧大臣返回平城，分裂北魏。孝文帝闻报返回洛阳，废太子元恂，囚禁于洛阳无鼻城（今洛阳市白马寺东北）。太和二十一年（497年）正月，立皇子元恪为太子。四月，以谋逆之罪，赐元恂死，葬于河阳。孝文帝在处理太子恂的同时，派任城王元澄回平城平定了贵族穆泰、陆睿的叛乱，沉重打击了鲜卑贵族的保守势力，为继续推行汉化政策扫清了道路。

孝文帝重视汉文化教育，太和十九年（495年）八月，下令在洛阳设立国子学、太学、四姓小侯学，还有宫廷学校。又广收书籍，兴办图书馆业，为北魏政权培养人才。

孝文帝重视汉字书法。北魏的书法，刚劲有力，气势雄浑，别具风格，后人称之为“魏碑”体，魏书艺术的发展，同孝文帝的提倡是分不开的。

孝文帝提倡佛教，佛教在北魏发展到了高峰，全国佛寺3万余所，僧尼200万人之多，仅洛阳城内外就有佛寺1367所，洛阳龙门石窟就是这个时期开始营建的，其中，北魏开凿的古阳洞，内有书法艺术十九品，是魏碑的代表作。

孝文帝志在灭齐，统一全国。太和二十一年（497年）八月，孝文帝亲率大军20万人南下伐齐，直到樊城，大败齐军。因孝文帝病重，返回洛阳。太和二十三年（499年）三月，北魏与南齐在马圈城（今河南省邓县东北）交战，北魏失利。孝文帝抱病率军南下，到达马圈城，打败南齐，斩杀齐兵3万余人。北魏虽然获胜，但孝文帝病情加重。四月，北魏撤军至谷塘原，孝文帝安排了后事后病故。遗体运回洛阳，葬于长陵（今河南省孟津县朝阳乡官庄村东南）。

北魏孝文帝是一位卓越的少数民族的政治家和改革家。他崇尚中国文化，实行汉化，禁胡服、胡语，改变度量衡，推广教育，改变姓氏并禁止归葬，提高了鲜卑人的文化水准。这是西北地区各民族陆续进入中原后民族融合的一次总汇，对中华民族的形成和发展起了重要的作用。

东魏孝静帝元善见

北魏孝武帝元脩逃奔关中宇文泰后，北魏开始分裂为东、西魏。高欢明知元脩不可能再回来，出于政治计谋，假惺惺地派和尚道荣送一封书信给元脩，敦促他说：若陛下还有归心，臣一定会率领文武百官，躬迎陛下返回洛阳。陛下若放弃国土，不恤百姓，天下君位将另有所归，臣等宁愿得罪陛下，也不敢得罪人民、社稷，望陛下三思。

过了一些日子，高欢见元脩一直没有回音，便开始进行他盘算已久的计划。把元宜的大儿子、年仅11岁的元善见推上皇位，称孝静帝，改年号为天平元年。

元善见刚一即位，东边的兖州刺史樊子鹄、青州（今山东青州）刺史大野拔起兵，西边的宇文泰、元脩等人乘东魏动乱，多次寇掠边境；南梁特意委任元庄和为镇北将军，率军攻打东魏。元善见虽然年少，为事有胆有谋，而且臂力过人，他能挟住一头石狮子跃过宫墙。但父亲的遭遇，逼他不得不将自己的本性掩藏起来，苦中作乐，一切唯丞相命是从。元善见一即位，高欢对他说：首都洛阳西近宇文泰，南临梁朝，地理位置很不安全，应该将首都迁往黄河以北的邺城（今河南安阳北）才安全。元善见二话没说，第三天就上路，洛阳四十万户人家同时狼狈北移，繁华的洛阳顿时成为一座空城。元善见到荒凉的邺城后不久，城里便出现了一首童谣："可怜青雀子，飞来邺城里，羽翮垂欲成，化作鹦鹉子。"青雀暗指元善见，鹦鹉指高欢。

高欢因为是靠讨伐叛逆的尔朱氏、复辟君位起家的，所以一直不敢轻易篡位称君，表面上对元善见还是十分礼貌的。事无大小，高欢都要上奏元善见，得到许可后才敢施行。元善见每次设宴款待群臣高欢总是带头下跪祝寿。元善见去寺院做法会，高欢总是手捧香炉，一步一趋地跟在元善见的辇车后面。其他大臣见丞相如此谦恭，也都不敢对孝静帝元善见耍什么威风。天平四年（537年），高欢和行台郎中阳休之等人去汾阳天池游玩，天池边有一块奇异的石头，石头上有一行模糊的条纹，看上去像"六王三川"四个字。高欢不知是什么意思，阳休之解释说："六，是您的名字（高欢鲜卑名叫贺六浑）；三川，是指汉、洛、伊三川。丞相应当顺应天命，自立为王。”高欢长叹道：“世人一直都说我有逆反之心，万一这事泄露出去，等于火上烧油，你就别再提这桩事了。”行台郎中杜弼有一天劝高欢尽早行禅代礼，登基称帝，不料高欢一把举起棍杖，杜弼吓得连忙逃了出去。

高欢去世后，高澄继承他的所有职位，继续垄断东魏朝政。东魏皇帝已是名存实亡，事无大小，处处受高澄掣肘。有一次，孝静帝和高澄一块去郊外打猎。孝静帝一时兴起，策马扬鞭，驰逐如飞，把高澄远远抛在后面。高澄有点不高兴，监卫都督乌那罗受工伐一看丞相脸色铁青，马上追赶孝静帝，大声呼喊：“天子别跑那么快，大将军生气了！”孝静帝气得咬牙切齿，但还是不得不遵命怏怏而归。有时，孝静帝的怨气也会在某些场合不自觉地显露出来。

有一次，孝静帝宴请诸位大臣。高澄举起酒杯说：“臣下高澄敬天子一杯酒。”已有八分醉意的孝静帝乜斜双眼，讥讽高澄：“天下没有不亡的朝廷，我就是宁愿亡国也不愿受你这种小人的摆布！”高澄也毫不示弱，冲上去一把将孝静帝拎起，破口大骂：“天子，天子，狗也不如！”

孝静帝并非懦弱，他满腹雄略，但无法施展。身为天子，却与笼中困兽没什么两样。悲愤之余，他常咏颂东晋谢灵运的诗来解嘲：“韩亡子房奋，秦帝仲连耻。本自江海人，忠义动君子。”常侍、侍讲大臣荀济听到这首诗后，明了孝静帝的心思，偷偷和祠部郎中元瑾、长秋卿刘思逸等人密谋讨伐高澄。他们在皇宫日夜挖掘秘密地道通向城外，计划和孝静帝逃出皇宫后，组织兵马，和高澄决一死战。地道挖到城门外，即将露出出口时，过路人听到脚下土地有响声，不知是怎么回事，便将此事告诉了高澄。高澄大吃一惊，全身披坚执锐，气冲冲闯进皇宫，责问孝静帝：“陛下为什么要谋反？我父子两代为国家忠心耿耿，尽职尽责，难道还有什么对不起你的事？这大概是陛下左右的嫔妃们怂恿您这样干的吧！”高澄说罢，就要左右士兵捕杀孝静帝的嫔妃。孝静帝怒不可遏，厉声反问：“自古以来只听说臣下谋反，还没听说过皇上谋反。你想要谋反，尽管干好了，何必装模作样！我真恨不得把你宰了，你死了，国家就安宁。你不死，国家死亡是指日可待的事。我自己性命都旦夕难保，那还顾得上什么嫔妃，要杀要活，随你的便！”

孝静帝义正词严的一番话把高澄驳得哑口无言。高澄一声不吭，悻悻而还。第二天，高澄明白裂痕已无法弥合，干脆一不做，二不休，把孝静帝软禁起来。时机一旦成熟，就杀君篡位。然而，天公不作美，高澄的美梦并没实现。武定七年（549年）八月，正当高澄伙同杨愔、崔季舒等人在房内密谋篡位行禅礼事的时候，一个往日与高澄有私仇的厨奴——兰京，利用向高澄进饭菜的机会，把匕首塞在盘子下面，高澄一见兰京擅自进入室内，非常生气："你这奴才，我没叫你送饭菜，你怎么敢私自闯进来！"兰京抢前一步，拔出匕首，大声喊道："不为别的，特意来杀你！"高澄吓得屁滚尿流，慌忙钻到床底下去，兰京一把把床掀起，把高澄杀了。

高澄一死，等候多时的高澄胞弟——高洋立即继承父兄的权位，统摄朝政。孝静帝听说高澄被人刺死，心中暗喜，得意扬扬地对身边的大臣说："高澄之死是天意啊！看来上帝是要把权力归还给我了。"话音刚落，高洋手提宝剑，率领全副武装的士兵八千多人闯进皇宫，个个手按宝剑，瞋目相对，俨然如临大敌。高洋双拳一抱，对孝静帝说："臣下有家事还没处理完，须立即回晋阳一趟，现来告辞。"说罢昂首阔步走出皇宫。孝静帝目瞪口呆，满怀喜悦顿时化为乌有，胆战心惊地说："这人又是一个不好对付的角色，看来我是必死无疑了！"

高洋一回晋阳，立即纠合杨愔、魏收、张亮等人筹办禅代准备事宜。一方面，叫魏收把禅代、劝进等文书草拟好；另一方面，厉兵秣马，日夜不息。万事俱备后，高洋率领十万大军杀回邺城。张亮、赵彦深等人闯入皇宫，对孝静帝说："五行相运，有始有终，丞相高洋德高望重，才智超人，万方归心。希望陛下仿效尧舜，禅位给丞相。"

孝静帝担心的事终于发生了，他不慌不忙地答道："高氏父子篡位之事已经酝酿很久了，既然如此，按照惯例你们先得写一份禅代制书给我。"杨愔把早已准备好的制书递上，孝静帝在制书上签名后，问杨愔："你们把我安排到哪里居住？"杨愔答道："丞相早已在城北为陛下准备了一套房子。"

孝静帝于是从御坐上站起，走出昭阳殿后，孝静帝回头问道："临走之前，我去和嫔妃们告别一下行吗？"高隆之答道："今天的天下还像往常一样，仍然是陛下的。陛下自便。"孝静帝进入后宫，和嫔妃们抱头痛哭。孝静帝明白，这一去生死难卜，前途多舛，他叫太尉高韶把玺绶交给高洋。高洋当即行禅代礼，登基为帝，建立新朝，国号齐。

高洋初即位的时候，对孝静帝还比较客气，封他为中山王，食邑一万户。在封地内可以悬挂天子旌旗，用天子年号，文书可以不称臣。孝静帝的三个儿子也都封官食邑，孝静帝整日无事，只是和妻子饮酒、赋诗，聊以解愁，日子倒还平静。一年以后，高洋根基已牢，孝静帝已成了一个累赘。天保二年（551年）十二月，高洋设宴款待孝静帝，高洋在杯中偷偷下了毒药。孝静帝毫无察觉，酒入腹中，随即毒死。他的三个儿子也被杀害。

北齐文宣帝高洋

武定七年（549年），年仅29岁的大丞相高澄被他的厨奴刺死，事出仓促，朝中一片混乱。这时，19岁的高洋挺身而出，安慰大家说："几个不法之徒叛乱，大将军受害，算不了什么大事，大家不必惊慌。"高洋雷厉风行，一方面亲自指挥卫队，搜捕刺客；另一方面亲理朝政，大小军事之事，井然有序。混乱的政局又得到控制。

高洋继承父兄职位后，一心想将东魏取而代之。当时，他的心腹高德政、徐之才、宋景业等人都敦促高洋尽早登基，但反对高洋"禅让"的人也很多。高洋曾为此事去征求母亲娄氏的意见，娄氏坚决反对："你父亲像龙，哥哥像虎，他们这样有能耐的人都不敢妄自篡位，你是什么人物，敢仿效舜禹禅代？"

为了尽量争取到一些当朝大臣的支持，高洋特派高德政去都城探探大臣们的意向，结果是大臣们一个个"王顾左右而言他"。高洋心急如焚，也等不及高德政回话，径自率领大军向首都挺进。既然文取不行，只好以武力相逼了。

武定八年（550年）五月，高洋一到邺城，就派司空潘乐，侍中张亮、黄门侍郎赵彦深等人去见孝静帝，要他遵循天意，仿效尧舜，禅位给齐王。然后由杨愔把早已拟好的禅位制书递了上去。孝静帝含泪在制书上签了名，又与嫔妃告别之后，即被赶出皇宫。高洋遂登基称帝，年号天保，国号齐。

天保元年（550年）十一月，高洋即皇位的消息一传到西魏宇文泰耳朵里，宇文泰便亲率大军东进，他想试探试探这位年仅20岁的新皇帝是否像他老对手高欢一样骁勇善战。西魏大军一直推进到建州（今山西绛县东南），为了显示自己的实力和才能，高洋趁机纠合六州鲜卑，举行了一次大规模庞大的军事演习。漫山遍野，刀枪林立，鼓声喧天。宇文泰不由感叹万分："高欢并没有死啊！"说罢急忙班师。宇文泰觉得自己力量不如北齐，所以也一直偃兵息武，不敢轻易东向。高洋时期，东西方之间基本趋于平安无事，南北之间却时常烽火遍野。

天保六年（555年），南梁大将王僧辩在内讧中被陈霸先谋杀，王僧辩外甥徐嗣先闻讯后愤愤不平，秘密串通谯州（今安徽蒙城）、秦州（今江苏六合）刺史徐嗣徽和南豫州（今安徽当涂）刺史任约，将所辖各州献给北齐。他们乘陈霸先离开首都建康（今江苏南京市）去义兴（今浙江宜义）的机会。率领五千精兵偷袭建康，血战一天，攻下了建康城郊的石头城。高洋知道后大为高兴，立即派出五千精兵渡过长江，声援徐嗣徽等人，南梁局势一时十分危急。

陈霸先匆忙赶回建康，和群臣商议如何应战。大臣韦载说："建康虽然岌岌可危，但北齐还没有占领建康以东和淮南地区，所以还有取胜的希望。现在应该兵分二路，一路赶紧把守淮南，保卫我们的运河粮道；另一路从北齐部队背后包抄过去，切断他们的粮食运输线。这样，北齐兵就可能不攻自乱。"陈霸先立即按韦载建议布置兵力。

南梁兵力布置完毕后，陈霸先便对北齐发起了反攻。陈霸先命令大将侯安都进攻秦州，徐嗣徽大败，秦州城重新被南梁收回。陈霸先率领大军将石头城包围得水泄不通，石头城顿时成为一座孤城。城内北齐兵坚持不到几天，粮食和淡水都严重缺乏，水上涨到一升水换一匹绢。北齐大将达摩见势不妙，便请求与南梁讲和，并且主张互换人质。陈霸先一开始不答应，但南梁的多数大臣都主张尽快讲和，并要求陈霸先把自己的侄子陈昙朗当作人质。陈霸先迫于压力，百般无奈地说："现在各位都想和北齐讲和，我如果违背大家愿望，你们又会指责我爱惜自己的侄子，而不爱惜国家。现在我已决定把我的侄子当作人质，换取和平。不过，大家都明白，北齐向来不讲信用，他们一旦羽毛丰满，就会伺机反扑的。我只希望到那一天，大家能和我一起，尽心尽力保卫国家。"陈霸先说罢，便戎装率兵和北齐大将达摩订立了城下之盟，双方交换人质，疲惫不堪的北齐兵日夜兼程，逃回中原。高洋见达摩灰溜溜回来，不由分说，将达摩斩首。北齐兵休养一段时间后，天保七年（556年）三月，高洋委派肖轨、库狄伏连、尧难宗、东方老等大将率领十万大军向南梁扑去。北齐兵一路势如破竹，一直南下攻入南梁首都建康郊外的倪塘。南梁举朝上下一片恐怖。南梁大将陈霸先、周文育、侯安都等人匆忙应战。两军刚要开战，忽然刮起狂风，北齐军处于顺风，南梁军处于逆风方向。陈霸先顿生恐惧："兵书说：军队不能逆风作战，否则不利。现在可如何是好？"周文育腾身上马，大声吼道："危急关头，还讲什么兵书！"说罢率领大军向北齐军扑去，北齐大败而溃，北齐将领乞伏天劳被俘。北齐军被迫往后退到玄武湖一带，两军一时又处于对峙状态。

北齐军本想好好休养几天再战，不料连日大雨，平地涨水十多丈，军营全被大水浸湿，士兵无奈，只好日夜蹲在泥泞之中，很多士兵手脚开始溃烂。南梁由于北齐在长江以北布满防线，以至于粮食无法运送到建康城内，城内士兵饥寒交加，大多甚至连拿起武器的力量都没有了。陈霸先急中生智，派人从郊外农户中搜刮出几千只鸭子，下令将士每天都以鸭子为食。三天以后，陈霸先主动发起进攻，兵分两路，一路截住北齐兵前锋，另一路包抄北齐后路。北齐士兵连日饥寒，加上将领只逞勇武，不讲战略，致使军队首尾难应，两头受敌。数千北齐士兵被杀，其余仓皇败逃，人马相践，不可胜计。北齐大将肖轨、东方老、王敬宝等将帅四十六人被俘。往北败逃到长江南岸的北齐士兵相互争抢竹筏，由于所载超重，竹筏一到江中就解体沉没，士兵数以万计淹死。一时之时，长江南北布满尸体，船只无法航行。高洋一时怒起，将南梁人质陈昙朗杀死，以解心头之怒。平静后又认识到自己实力确实难以制服南梁，因而在高洋在位期间，再也没有发生过类似的战争。

高洋即位六七年后，随着四邻安定，犬权统摄，高洋意志开始松弛，由勤勉走向荒淫、暴虐。高洋常常涂脂抹粉，穿着妇女的衣服在大街上招摇过市。或者招纳一大批妇女进宫，供自己和亲信日夜放纵。高洋曾有一个非常宠爱的薛嫔，容貌倾国，姿色万千。高洋和她如胶似漆，整日厮守在一起。一天，高洋喝得酩酊大醉，忽然想起薛嫔曾和昭武王高岳有过暧昧关系，一时妒心大发，抽出匕首把薛嫔杀了，然后把尸体揣在怀里，又醉醺醺地去找人喝酒。酒过三巡，高洋忽然从怀里把尸体掏出，然后若无其事地将尸体一一肢解，把薛嫔的髀骨做成一个琵琶，自弹自唱起来。在座者个个毛骨悚然，全身战栗。

高洋母亲娄太后看到高洋整天沉溺于酒色之中非常生气。有一次，她举起手杖朝高洋打去，大骂："什么样的父亲生什么样的儿子！"高洋满嘴酒气，毫不示弱："你这老太婆还敢骂我，明天我把你嫁给胡人去当老婆。"娄太后气得昏厥过去。高洋还不甘休，到晚上一个人偷偷钻到太后床底下，等太后上床后，高洋双手将床板举起，娄太后惊慌失措，从床上滚了下来。

荒淫的高洋有一次在街上问一个妇女说："你看当今天子怎么样？"那位妇女嗤之以鼻："疯疯癫癫，像什么天子！"高洋立即把她杀死。高洋到晚年十分暴虐，最喜欢杀人取乐。杨愔为了满足他的欲望，特意制作了长锯、碓、大镬等刑具，陈列在朝廷，并且从死囚中挑选一批强壮的当作御囚，供高洋发泄杀人之欲。

天保十年（559年），高洋忽然问身边的大臣："当年汉武帝为什么经吕后之乱后还能中兴？"大臣问答说："那是因为当年吕后上台，没有将刘氏斩尽杀绝，所以后来刘氏又中兴了。"高洋深以为然，想起自己虽然代魏建立了北齐，但北魏的皇族元氏还大量存在，他觉得这是一个隐患，便下诏将姓元的全部杀死。前后杀害七百二十一人，甚至连婴儿也不放过，放纵士兵用长矛将婴儿挑起，扔向空中作乐。元氏尸体全都扔进漳河，结果漳河两岸捕鱼的人剖鱼的时候常常发现鱼腹中残留人的脚指甲，恶心得漳河两岸的居民很久都不敢再吃鱼。

高洋晚年由于过于荒淫、暴虐，身体虚亏，结果在天保十年（559年）十月就得病死去，时年31岁，葬于武宁陵，庙号显祖，谥号文宣帝。

西魏文帝元宝炬

永熙三年（534年），高欢攻下洛阳，孝武帝逃往关中，投靠宇文泰。高欢就立元善见为帝，建立了东魏。这年年底，孝武帝在长安被毒死，宇文泰立元宝炬为帝。第二年正月，在长安城西举行了隆重的登基大典，按照鲜卑族的传统方式，元宝炬拜天地之后，正式宣布继承皇位，改年号为大统，建立西魏。立妃子乙弗氏为皇后，长子元钦为太子，又封宇文泰为丞相，安定公。

西魏建立初期，国土只有今天陕西、甘肃的一隅之地。势单力薄，经济脆弱，对外还要时刻提防着东魏的进攻和少数民族的侵扰，充满着忧虑和危机。面对这样严峻的形势，元宝炬和宇文泰君臣首先抓紧内部调整，革新财政，千方百计地发展生产，从而壮大国家的经济实力。在宇文泰的主持下，西魏政府制定了二十四条新制，在实施过程中又增补了十二条，共三十六条，形成明文在全国范围内颁布执行。他们还求贤若渴，任用苏绰这样有胆识的政治家改革财政制度，在全国普查人口，一一登记入册，并实行租赋预算的方法，来平均赋役，同时，大量裁减不称职的官员；集中力量发展农业生产。为了充分挖掘土地的潜力，又在全国大力推行均田制。这些措施收到了良好的效果，活跃了经济，加强了国力，使西魏初步具备了与东魏抗衡的条件。

东西魏之间的争夺，实际上从大统元年（535年）正月元宝炬登基的当月就开始了，东魏高欢派司马子如率兵攻打西魏的潼关。宇文泰亲自率兵驻守在灞上。东魏军为了避其锋芒，转攻华州，华州正在修城，梯子都还靠在城墙外面，东魏兵卒乘机于凌晨爬梯入城，刺史王罴还没有起床，听到外面吵吵嚷嚷，袒胸露背，鞋也没穿，提了一根白棍子就大喝一声跳到门外。东魏士卒见他这副架势，反倒被吓得纷纷后退，王罴乘机招集人马，大败东魏军队，司马子如等没占到便宜，便撤了回去。

大统二年（536年），关中地区遭到严重的自然灾害，粮食几乎颗粒无收，百分之七八十的人死于饥饿。高欢乐不可支地说："天助我也！"他决定立即行动，抓住时机大举进攻西魏。当年年底，高欢屯兵蒲坂，造浮桥准备渡黄河，令高敖曹攻上洛，窦泰攻潼关。第二年天月，宇文泰采取声东击西的战术，率军东出长安四百里，长途奔袭窦泰，将其全部消灭，高欢被迫撤军。这年闰九月，高欢又亲自率兵二十万开往蒲津，西渡黄河，在华州受到刺史王罴的拦击之后，高欢又调转部队渡过洛水，屯扎在洛水南岸的许原。十月，宇文泰征集不足万人的兵力来到渭北沙苑。先派大将达奚武带着三名骑兵，化装成东魏将士，混入东魏军营，摸清了东魏军的布置情况及行动计划，然后采纳了李弼的战略，屯军渭曲。渭曲一带是一片泥洼地，芦苇丛生，不便行走。宇文泰把部队分为左右两翼埋伏在芦苇荡中，等待时机。高欢自恃兵强马壮，没有听取部将围魏救赵、直取长安的建议，却想生擒宇文泰。高欢一声令下，士兵们潮水般往前涌，他们看西魏兵少，都想抢立头功。东魏军进入渭曲之后，忽听一阵急促的击鼓声，只见芦苇丛中西魏兵蜂拥而出，一时间，杀得东魏军晕头转向，四处逃窜，腿脚慢的，就变成了刀下鬼。高欢一看部队乱了阵脚，只顾个人逃命，损失了八万多兵力。这一仗，宇文泰以少胜多，西魏军凯旋渭南以后，每人栽柳树一棵作为纪念。

本来这次出兵，高欢是胸有成竹能够消灭宇文泰的，没想到反而被打得屁滚尿流，他越想越不甘心，于大统四年（538）又派侯景、高敖曹等领兵进攻西魏。宇文泰再次率兵迎敌，并请西魏文帝元宝炬亲自督战。两军在邙山一带展开了决战，宇文泰战马中了流箭，一下子跌了下来。这时东魏追兵逼近，都督李穆见情势危急，灵机一动，跳下马来，上前抓住宇文泰边打边骂："败兵走卒，你家主子跑哪儿去了？！"追上来的东魏兵以为是个小兵毛卒，根本不予理睬，继续向前追赶。宇文泰死里逃生，接着又重新组织部队进行反攻，转败为胜，大破东魏军，杀了高敖曹。

宇文泰是位足智多谋的政治家。他深知要想在残酷的兼并战争中占据稳固的席位，就必须拥有强大的经济和军事实力。大统十六年（550年），宇文泰在军事上推行了一项重大改革，在全国设立了八个柱国大将军，自任最高统帅。广陵王元欣挂了个虚名，每个大将军又领两开府，每个开府共二十四军，这种新的军事制度称为府兵制。这一改革使西魏军队的战斗力越来越强了。

就在这一年，东魏高洋废掉孝静帝自立为帝，建立了北齐，宇文泰立即率兵讨伐，大军进到建州，宇文泰见北齐军容严盛，不敢轻举妄动，只好等待时机。不巧又逢雨雪连绵，瘟疫流行，被迫无功而归，老百姓看北齐能够自立，也就安定下来。于是洛阳以南，平阳以东的地区都归了北齐。大统十七年（551年）三月，西魏皇帝元宝炬病死，终年45岁，葬于永陵，谥号文皇帝。

西魏文帝在位的十七年间，国家大事实际上操纵在丞相宇文泰手中，元宝炬基本上是一个傀儡皇帝。不过，他能和宇文泰长期配合默契，这也表明，他们对内政、外交和国事方面的许多问题，有着共同的认识。

北周孝闵帝宇文觉

宇文觉，字卤罗尼。是宇文泰第三子，生于大统八年（542年）。宇文觉9岁时就被封为洛阳郡公。

鲜卑习俗行早婚，宇文觉不到15岁便娶了西魏文帝的公主元胡摩为妻。西魏恭帝三年（556年），宇文觉以太师世子的身份被任为大将军。当年年底，宇文护逼西魏恭帝将帝位“禅让”给宇文觉，第二年正月，宇文觉在长安即天王位，改国号为周，史称北周。这时，宇文觉才16岁。军政大权实际上掌握在堂兄大司马宇文护手中。

对于宇文护辅政，一部分元老大臣心中不服。所以，北周建立后，政局并不稳定。当年二月，太傅赵贵准备谋杀宇文护，找太保独孤信商议，独孤信阻止了他，但也没去告发他。事情被皇弟宇文盛得知，告诉了宇文护。宇文护立刻杀了赵贵，独孤信也被免官，不久又被赐死。宇文护把朝中要职都安排亲信担任，自己也由大司马迁为大冢宰（宰相）。

宇文觉虽然尚未成年，却也想亲自执政。对宇文护不满的大臣司会李植、军司马孙恒和宫伯乙弗凤、贺拔提等，看出了小皇帝的心思，便密谋策划，请求宇文觉除掉宇文护。宇文觉心中很赞成，但不敢贸然行动。于是，召集了一批武士在皇家花园讲习武艺，演练擒拿捆缚本事。当年八月，这一伙人怕势单力薄，又由李植去拉宫伯张光洛入伙。张光洛偷偷向宇文护告了密，宇文护料知这些人成不了气候，没有杀他们，只把为主的李植贬为梁州刺史，孙恒贬为潼州刺史，把他们从小皇帝身边调走，也就搞不成名堂了。谁知宇文觉并不罢休，老想召回二人。宇文护只得耐着性子向小皇帝进行“哭谏”，他说：“天下至亲莫如兄弟，若是兄弟互相猜疑，那世间还有可信之人吗？叔父嘱托我帮陛下治理国家，如果陛下能独立料理朝政，名扬天下，为兄也就死而无憾了。可是陛下现在年纪尚小，我担心除掉了我以后大权落到奸臣手中，那时候非但对陛下不利，连国家也将灭亡，叫我有何面目去见地下的叔父！我既是陛下长兄，又当了宰相，还能有什么想法！望陛下三思，切勿听信谗言，疏远骨肉。”这一席话说得恳切合理，宇文觉只得停止召回李、孙二人。

仍在宇文觉身边的乙弗凤怕日子长了，一切都成泡影。便加紧谋划，准备由宇文觉设御宴招待群臣，乘机干掉宇文护。此事又被张光洛告密。宇文护立刻召集柱国贺兰祥、领军尉迟纲商讨对策。贺兰祥等劝宇文护废掉宇文觉，杀其同党。当时尉迟纲掌管禁军，很容易办到。宇文护便派尉迟纲进宫通知乙弗凤等去商议国事，等他们一到，便一个个被活捉生擒。接着下令撤销了宫廷宿卫，宇文觉才发觉形势不妙，忙命宫女太监操起兵器自卫，宇文护派贺兰祥逼宇文觉退位，废为略阳公。乙弗凤、孙恒等也都成了刀下之鬼。一个月后，宇文觉又被杀，葬于静陵，谥号孝闵帝，前后只当了九个月皇帝。

隋文帝杨坚

隋文帝杨坚（541年—604年），隋朝开国皇帝。弘农华阴（今陕西华阴东）人。世居武川（今内蒙古武川西）。父亲杨忠，是西魏十二大将军之一，赐姓普六茹氏，北周时官至柱国大将军，封隋国公。公元581年即位，在位24年。谥号“文皇帝”，庙号“高祖”。

杨坚生于西魏大统七年（541年），据《隋书》记载，杨坚出生时有紫气满室，手上的掌纹成一个“王”字。他一出生就有高人（是一个神秘尼姑）说他来头很大，预言其必得天下。更神的是，据说他母亲一次抱他时突然发现他“头上角出，遍体鳞起”，大惊之下将他摔落在地，如果不是这么一摔，杨坚还可以更早地夺取天下。

杨坚之父杨忠是西魏和北周的大将，参与指挥过对齐国和梁国的多次大规模作战，号称健儿。杨坚因父亲功劳的荫庇，自幼便出入西魏、北周官场，十五岁就被封为成纪县公，不久又升为大兴郡公。

杨忠去世前，北周的大权实际掌握在权臣宇文护的手中。而当时的皇帝周武帝虽然是宇文护扶植的，但却不甘于傀儡地位，不断暗中积蓄力量准备夺回权力，两派之间暗潮汹涌。宇文护看中杨坚的才能，向他示好要拉拢他。这时宇文护的势力占绝对优势，如果换个缺乏政治远见的人，那一定会兴高采烈地投入宇文护的怀抱。但杨忠、杨坚父子并非常人，杨忠遗言告诫杨坚说“两姑之间难为妇”，杨坚因此在皇帝与权臣间严守中立。

事实证明杨氏父子的政治嗅觉是如此敏锐，杨忠去世后第四年，周武帝发动宫廷政变，暗杀了宇文护，然后将其党羽一网打尽，幸亏当初杨坚没受拉拢，不然一定没命了。皇帝虽然夺回了政权，但由于本身的心腹并不多，也就不得不大力拉拢那些原来的中立派，这就给了杨坚很好的发展机会。政变后的第二年，周武帝为自己的太子娶了杨坚的大女儿当太子妃。太子是未来的皇帝，杨坚成了未来的国丈，政治地位大大提高。

周武帝为人英武果断，是北周极有作为的皇帝，在他当政的时候，杨坚勤勤恳恳地演好他忠臣的角色，还跟随周武帝参与了消灭北齐的战争，并在这一战中立下大功。

之后第二年，周武帝病故，杨坚的女婿周宣帝即位，杨坚的女儿被封为皇后。这个周宣帝并无治国之才，一登基就克制不住地胡作非为，朝中有能力的老臣被斩尽杀绝，而新贵们又是些没本事的弄臣，杨坚就升级成了最有能力最有声望的大臣。皇帝轮流做的想法可能就是在这时萌生的。

公元580年，机会来了，皇帝决定出兵南伐，任命杨坚为扬州总管。但是，还没有等出征，周宣帝便一病不起，而且很重。在郑译的参与下，杨坚他们做了一个假诏书，以宣帝遗诏的名义宣布：杨坚总管朝政，辅佐刚八岁的周静帝宇文衍。

宣帝死后，杨坚等人趁机用假诏书夺取了军政大权，以及京城部队的指挥权。等一切准备就绪后，这才发布了皇帝去世的消息，辅佐小皇帝即位。

杨坚做了辅政大臣后，首先建立了新的领导班子，吸收了一些有才干的人，稳定政局。然后又向威胁他地位的宗室各王展开了攻势。平定了地方上反对他的军事力量，为自己的政变之路扫清了障碍。

581年3月4日，北周的静帝以杨坚众望有归下诏宣布禅让。杨坚登基称帝，定国号为大隋，改元开皇，宣布大赦天下。

杨坚称帝后，于开皇七年（587年）灭了后梁，一年后下诏伐陈。开皇九年（589年）灭南陈，统一了中国，结束了西晋末年以来近三百年的分裂局面。同年琉球群岛归降隋朝。隋文帝结束了中国长期混乱的局面，使中国又回到了和平年代。

隋朝建立初期，是一个百废待兴、百乱待治的局面。隋文帝一登上金銮宝座，就施展他的雄才大略。对政治制度进行了一系列重大改革。

（一）确立三省六部制：中央设尚书、门下、内史三省，以尚书令、纳言、内史令为长官，行使宰相职能，辅助皇帝处理全国事务。内史省和门下省是机要之司，内史省负责起草并宣行皇帝的制诏；门下省负责审查内史省起草的制诏和尚书省拟制的奏抄；尚书省是国家最高行政机关。其下设吏部、礼部、兵部、都官、度支、工部6部。每部设尚书为长官。尚书令下有尚书左、右仆射各一，左仆射判吏、礼、兵三部事，右仆射判度支、都官、工部三部事。尚书令与左、右仆射及六部尚书合称八座。开皇三年（583年），改度支为民部；都官为刑部。除三省外，又设秘书和内侍二省，负责图书修撰及宫内供奉等事。另设御、都水二臺，负责监察和水利。记这样不仅加强了中央集权，而且开创了中国封建社会政治体制的新阶段。

（二）简化地方官制：隋初，杨坚在确立了三省六部制的中央机构后，又对地方机构进行了改革。南北朝以来，由于郡县设置过滥，形成了“民少官多，十羊九牧”的局面。隋初沿袭北齐、北周制设置州、郡、县三级地方机构，开皇三年，杨坚从河南道行臺兵尚书杨尚希的建议，废郡，改为州、县二级制。州设刺史，县设县令。

（三）修订“开皇律”：对前代八十一条死罪、一五零条流罪、千余条徒、杖等酷刑以及灭族等都一概废止。同时，又减轻了许多法律的内容，如“流役六年，改为五载；刑徒五岁，变从三祀；其余以轻代重、化死为生。”对犯人处置采取审慎态度，而不是草菅人命，有效地防止了冤案的发生。文帝对法律的改革，使法律减轻了残酷和野蛮性，在中国法制上具有划时代的意义。为了使隋朝早日繁荣富庶，隋文帝大力发展社会经济。

（四）实行均田令：隋初，在北齐、北周均田制的基础上，继续实行均田制，均田令规定：丁男、中男受露田（种植五穀）80亩，永业田20亩，妇女受露田40亩。奴婢5口给1亩。永业田不归还，露田在受田者死后归还。对一般农民，采取轻徭薄赋鼓励农桑的政策，对于豪犟贵族兼併土地的行为则给予打击，以保证农民的正常生产。从而提高了农民劳动生产的积极性。均田制实行后，国家可以控制更多的劳动力，增加赋税收入。

（五）设置粮仓：文帝时所设的仓，可分两种，即官仓和义仓。官仓的粮储，用以供养军公人员。设置官仓的目的，即是在增加关东漕运的效率；也就是把原来关东各州对京师个别直接的输粮办法，改为集中和分段运输的办法。并在黄河沿岸设置米仓，先把关东各州的食粮集中在这些仓里，然后利用黄河及广通渠运到京师。因此，时间及人力物力都节省不少。据唐人的估计，文帝末年诸仓所存的食粮，已可供政府五六十年之用。义仓又称社仓，设置于乡间，其储粮由人民捐纳，以备饥荒时赈济灾民。百姓军人捐出的粮食，存入当地的社仓里由社司专管赈目和储存等事宜。如遇某地收成不好发生饥馑之时，便以某地社仓中的储粮赈济饥民。并规定民户捐粮于社仓的标准：“上户不过一石，中户不过七斗，下户不过四斗。”义仓之设，对人民的生活来说，自是一项有力的保障。

杨坚代周建隋，在政治、经济等领域进行了一系列成功的改革，北抚突厥，南灭陈朝，完成全国统一，是一个很有作为的皇帝。但是，杨坚也有其平庸的一面，猜疑、苛察、喜怒无常、迷信佛道、不学无术、废除学校等等。

杨坚晚年误行废立，加速了自己的死亡。杨坚废长子杨勇，立口蜜腹剑的次子杨广为太子。仁寿四年（604年）正月，杨坚要到仁寿宫游玩，便把朝廷日常工作全部交给了杨广。不久，杨坚病重，召杨广等入仁寿宫侍候。在此期间发生了两件事，让杨坚勃然大怒。一是杨广没等杨坚寿终就开始策划即位问题，为此他写信征求杨素的意见，不料杨素的回信却被人误送到了杨坚手中。二是杨坚最宠爱的宣华夫人陈氏报告说杨广在夜里调戏了她。杨坚盛怒之下，埋怨已故的独孤氏怂恿他废杨勇而立杨广，便让人赶快召杨勇入宫。杨广听说此事，立即派亲信进宫把侍候杨坚的人全部赶出去。同一天，杨坚就不明不白地死去了。

纵观隋文帝的一生，功大于过。隋文帝精心治理，使隋朝迅速强大繁荣起来。他不仅完成统一中国的大业，还使隋朝成为政权稳固，社会安定，户口锐长，垦田速增，积蓄充盈，文化发展，甲兵强锐，威动殊俗的强盛国家。后人一般将隋文帝的大治誉为“开皇之治”。

隋炀帝杨广

隋炀帝，名杨广（569年—618年），隋文帝次子，他杀死文帝及兄长杨勇后继位。在位14年，被农民大起义的浪潮困于江都（今江苏扬州市），为部下宇文化及等发动兵变缢杀，终年50岁。

杨广又名杨英，小字阿摩，公元581年封为晋王，在南下灭陈和抵御北方突厥的过程中，他立有大功，并笼络了一批人才，一心要取代兄长杨勇的太子地位。杨勇由于生活奢侈，渐渐失去了隋文帝的欢心。杨广就迎合文帝的心意提倡节俭，伪装出生活俭朴，不好声色的样子。每当文帝到他府中，他就把浓妆艳抹的姬妾锁进里屋，王府中只安排几个又老又丑的妇人，穿着粗布衣服，在左右侍奉，他又故意将乐器的弦弄断，使乐器上布满了灰尘，放置在引人注目的位置上。文帝见了以为杨广像自己，十分称心。有一次，杨广外出狩猎，正逢大雨。侍卫给他送上油衣（雨衣），他拒绝着说道："兵士们都在大雨中淋着，我一人岂能穿上独自避雨呢？"文帝听了以为杨广还具备仁爱之心，日后能成大事，更加喜爱。与此同时，杨广又勾结和杨勇不和的越国公杨素，在文帝和独孤皇后面前极力中伤杨勇，诬陷杨勇，说他盼望父皇快死。文帝听后逮捕了杨勇，于公元600年废为庶人，改立杨广为太子。杨广篡位的第一步成功。

公元604年7月，文帝病重卧床，杨广认为登上皇位的时机已到，迫不及待地写信给杨素，请教怎样处理将要到来的文帝后事。不料送信人误将杨素的回信送给了文帝。文帝读后大怒，马上宣召杨广入宫，要当面责问他。此时，宣华夫人衣衫不整地跑进来，哭诉杨广趁她换衣时无耻地调戏她，使文帝更醒悟到受了杨广的蒙骗，拍着床边大骂："这个畜生如此无礼，怎能担当治国的大任，皇后误了我的大事。"急忙命在旁的大臣柳述、元岩草拟诏书，废黜杨广，重立杨勇为太子。杨广得到安插在文帝周围的爪牙的密报，忙与大臣杨素商量后，带兵包围了皇宫，赶散宫人，逮捕了柳述、元岩，谋杀了文帝。杨广又派人假传文帝遗嘱，要杨勇自尽，杨勇还没有作出回答，派去的人就将杨勇拖出杀死。就这样，杨广以弑父杀兄的手段夺取了皇位，史称炀帝。第二年改年号为"大业"。

杨广一夺到帝位，就显露出荒淫奢侈，残虐人民的本性，成为中国历史上著名的浪子、暴君。具体表现为：

第一，不顾人民死活，滥用民力，无休无止地征发人民，担负徭役。炀帝修建东都洛阳时，每月役使二百万人，由于劳役过重，人民死者占十分之四五。又征发百余万人修筑长城，人民死者大半。至于开凿运河所用的民力更多，以致男子服役不够，又征妇女服役。此外，隋炀帝三游江都（今江苏扬州），所征民夫也不少，如第一次游江都时，仅挽船夫就用了八万人。

第二，穷奢极侈，挥霍无度，无穷无尽地搜刮与浪费民财。隋炀帝在东都洛阳建造西苑，周围二百里，苑内有人工海，周围十余里，沿海筑有十六院，每院以四品夫人主之。他在位十四年间，东西巡游，无时休息，留居一城不过一年。他每次巡游，都是兴师动众，有十余万人随从，沿途一切消耗，都由各州县供给。特别是第一次游江都时，他率领诸王、百官、后妃、宫女等一二十万人，船队首尾相接长达二百余里，凡所经过州县，五百里内都要贡献食物，吃不完的临走时都丢掉。所有这些活动，不知搜刮和浪费了人民多少财富。

第三，穷兵黩武，三次进攻高丽，加重人民的赋役负担。隋炀帝以高丽王不肯入朝，连续三次大举进攻高丽。第一次在公元612年，由涿郡出军，军队总数一百一十三万余人，号称二百万。而运输粮饷器械的民夫，约有二百多万。但这次战争的结果却是大败，计有十余万人渡过鸭绿江，生还者仅二千七百人。第二次进攻高丽，在公元613年，这次战争无结果，因为国内发生杨玄感反隋的事件，隋炀帝仓皇从高丽前线撤军而归。第三次进攻高丽，在公元614年，此时国内起义反隋事件已如火如荼，这次战争以高丽议和结束。隋炀帝大兴劳民伤财的土木工程，发动“扫地为兵”的对外战争，各地农民被征发来担负徭役和兵役的不计其数，农村的劳动力几乎被抽空了，农业生产大受破坏，耕稼失时，土地荒芜。同时，隋炀帝时赋税也大为加重了，广大人民要预交未来十年赋税。因此人民到了倾家荡产、求生不得的地步，除了实行反抗以推翻隋朝统治之外，再没有别的生路可走了。

隋炀帝有残暴的一面，但我们应该客观、全面、辩证地评价隋炀帝的统治。

隋炀帝即位以后，下诏征发数百万人挖通了通济渠、永济渠、邗沟和江南河，即隋朝大运河（著名的京杭大运河的前身）。大运河的开凿，给人民带来沉重负担，但成了南北交通的大动脉，加强了南北联系，对国家的统一和经济文化的发展起了很大的作用，运河水利运输，成为当时社会经济发展需要，至今仍造福人民。

魏晋以来，采用九品中正制，官员大多从各地高门权贵的子弟中选拔。许多出身低微但有真才实学的人，却不能到中央和地方担任高官。为改变这种弊端，隋文帝开始用分科考试来选举人才。隋炀帝时期正式设置进士科，考核参选者对时事的看法，按考试成绩选拔人才，我国科举制度正式诞生。科举制度在中国实行了整整一千三百年，对隋唐以后中国的社会结构、政治制度、教育、人文思想，产生了深远的影响。

公元618年，即隋炀帝即位的第十四年的三月，侍从的卫士们推举宇文述的儿子宇文化及为首领，发动了兵变，隋炀帝最后被勒死，时年五十岁。后来的谥号是“炀帝”。

隋炀帝虽属亡国之君，却也是有为之主，他确有种种恶政，但也有不容忽视的历史功绩。

唐高祖李渊

唐高祖李渊（566年—635年），唐朝开国皇帝，杰出的政治家和战略家。李渊出生于北朝的关陇贵族之家，七岁袭封唐国公。隋末天下大乱时，李渊乘势从太原起兵，攻占长安。公元618年5月，李渊称帝，国号唐，定都长安，不久之后便统一了全国。玄武门之变后，李渊退位成为太上皇。

李渊，字叔德。西汉前将军李广、十六国时期西凉国开国君主李暠之后裔。汉族，陇西成纪（今甘肃秦安县叶堡乡）人，祖籍赵郡隆庆（今邢台市隆尧县）。祖父李虎，西魏时官至太尉。父亲李昞，北周时历官御史大夫、安州总管、柱国大将军。母为隋文帝独孤皇后姐，故特见亲重。

隋炀帝即位后，李渊任荥阳（今河南郑州）、楼烦（今山西静乐）二郡太守。后被召为殿内少监，迁卫尉少卿。大业十一年（615年），拜山西河东慰抚大使。十三年，拜太原留守。当时，隋末农民起义遍布全国，李渊自知无力镇压农民起义，又深晓炀帝猜忌嗜杀，政局动乱，难于自保，便与次子李世民在大业十三年五月起事，并从河东（今山西永济西）召回长子李建成和四子李元吉。李渊起兵后，一面遣刘文静出使突厥，请求始毕可汗派兵马相助，一面招募军队，并于七月率师南下。次年五月，李渊称帝，改国号唐，定都长安。不久唐统一了全国。

李渊称帝后，百废待举，他一面组织力量进行统一全国的战争，一面注意加强政权建设。唐朝前期的政治、经济、军事制度，在李渊时期基本上初具规模。

首先，建立各级统治机构。李渊建唐伊始，一切政权组织皆因袭隋制，直到武德七年（624年），才为适应全国统一后的历史形势，根据前代制度，确定了唐代的政权组织系统。

在中央实行三省六部制。三省即中书省、门下省、尚书省。中书省的长官是中书令，僚属有中书侍郎、中书舍人等，是决策机关，负责草拟有关军国大事的诏敕。门下省，长官是侍中，僚属有黄门侍郎、给事中等，是审议机关，主管审核中书省的决定，并有权驳回。尚书省的长官是尚书令（太宗时废尚书令，另设左右仆射），僚属有左右丞、左右司郎中等，是执行机关，负责执行中书、门下二省的决定。三省的长官都是宰相，他们共同商讨国家大事，共同对皇帝负责。六部即吏、户、礼、兵、刑、工六部。吏部主掌官吏的考核与升降，户部主掌户籍及赋税，礼部主掌礼仪及科举，兵部主掌军事，刑部主掌刑法诉讼，工部主掌土木工程。各部长官都称尚书，直属于尚书省，每部又领四司，计24司，分别执行中书、门下二省制订的政令。

唐代的监察机关为御史台，长官是御史大夫，负责纠察百官，权力极大。

唐代的地方统治机构，基本上是州县两级制，州设刺史，县设县令。刺史每年一巡属县，考课官吏，访询治安，催督赋役，保举人才。县令主一县之事，县以下有乡，乡以下有里，里是最基层的政权单位，置里正一人，辖百户左右，其职责是检查户口、劝课农桑，检查非违，催驱赋役，对人民进行直接统治。

唐代中央和地方各级政权机构的建立，在中国封建社会历史上有着承前启后的重大意义。各级政权组织比较严谨，分工比较明确，和过去相比更有利于皇帝集权。

其次，实行均田制和租庸调制。唐初，经隋末战乱，人口减少，武德初年仅有200余万户，不及隋朝最多时户数的1/4。由于缺乏劳动力，大量土地荒芜，在这种地广人稀的情况下，唐政府要保证赋税收入，稳定政权，就必须把流亡的人口固定在土地上，迅速恢复和发展生产。为此，唐朝继承了北魏、隋朝的均田制和租庸调制，并稍加损益，颁布全国。

武德七年（624年）四月，唐高祖李渊颁布均田令：①对百姓授田的规定。丁男（21~60岁为丁男）和18岁以上的中男（满16岁为中男）各授田一顷，其中口分田80亩，永业田20亩。老男（60岁以上为老男）、笃疾、废疾者授口分田40亩，寡妻妾授口分田30亩，这些人若作户口，则每人授永业田20亩，口分田30亩。尼姑、女冠各授田20亩、工商业者减丁男之半，一般妇女、部曲、奴婢不再授田。②对贵族官僚授田的规定。有封爵的贵族按品级的不同授给不同数量的永业田，从亲王到公侯伯子男，授田数量由100顷递降至5顷。在职官员从一品到八九品，授田数由30顷递降到2顷。有战功的勋官也分别授田30顷至60亩不等。此外，各级官吏还有职分田，其地租作为官俸的补充。官府有公廨田，其地租充作办公费用。③对土地买卖的规定。官僚贵族的永业田和赐田，可以自由出卖。百姓在无力丧葬时准许出卖永业田，若百姓从人多地少的狭乡迁往人少地多的宽乡，亦准许出卖。

在地主土地私有制的情况下，要实现真正的“均田”是不可能的。均田令在当时并没有认真地执行。但均田令的颁布，对于唐初农业生产的恢复和发展起了积极的推动作用。

唐初在均田制的基础上，还实行了租庸调制。它初定于武德二年（619年）二月，修订于武德七年（624年）四月。租庸调制规定：凡是授田的农民，每丁每年向国家纳粟2石，叫做租。又随乡土所产，每年交纳绢2丈、绵3两，或交纳布2.5丈、麻3斤，叫做调。还规定每丁每年要服役20天，如不亲自服役，可每天折绢3尺或布3.75尺，叫做庸。如果政府额外加役，加役15天，免调，加役30天，租调全免。每年的额外加役最多不得超过30天。唐代的租庸调和隋朝相比，以庸代役的条件放宽了，从而使农民有更多的时间从事农业生产。

第三，实行府兵制。府兵制始创于西魏宇文泰时期，历北周、隋而至于唐。李渊太原起兵时有兵3万，进军关中后，众达20余万，为了使这支军队归心于唐和解决军粮问题，李渊把军队逐步纳入府兵组织系统，基本具备了府兵制的雏形。武德元年（618年），李渊在长安称帝不久，即置军府，任用功臣和招降军将为卫大将军、将军，完全因袭隋制。当时十二卫所属有骠骑、车骑两将军，是事实上的领兵者。武德二年（619年）置十二军，每军有将、副各一人，以督耕战。武德六年（623年），废十二军，武德八年，因突厥入侵，又重设十二军。十二军是唐初关中比较固定的基本禁卫部队。此外，李建成、李世民、李元吉各开府领兵。

府兵制建立在均田制之上，是一种兵农合一的制度。兵士平时在家生产，农闲时由兵府加以训练。府兵的经常性任务，是轮流到京师宿卫或到边境戍守，称作“番上”；若遇到战争发生，则出征打仗。府兵在服役期间，可免除本身租调，但“番上”、“出征”时的兵器、衣服、粮食均需自备。这种“寓兵于农”的兵制，从均田农民中征兵，保证了兵源，资粮甲杖自备，减少了国家的经费开支。同时，练兵权与将兵权分离，防止了将帅拥兵跋扈，对于加强专制主义中央集权起了一定的作用。

第四，实行科举制。科举制始创于隋朝，到唐朝时更为完备。李渊初即位，就设立京师和地方学校，收揽人士。但同时也恢复了隋朝废除的中正官，以本州高门士人充任。这是对士族的让步，不过大中正只是名誉职务，用人权仍在吏部，而吏部用人的主要途径就是科举。士人仕进不再专凭门第高低，而是主要依据学才德识，从而使唐代的用人比以前有所改进。

唐初，主持科举考试的是吏部考功员外郎。参加科举考试的生员主要有两种，一是国子监所属各学校的学生，称为“生徒”；二是各地私学中由州县保荐的学生，称为“乡贡”。

唐代的科举分常举和制举两种。常举即每年举行的定期考试，考试科目一般为秀才、明经、进士、明法、明算等科，其中明经、进士两科为热门。明经科主要考帖经，重在儒家经典的背诵记忆；进士科主要考诗赋和时务策，需要独立思考。进士科较难考，但一旦考中进士科，就取得了做官的资格，因此人们称中进士为“登龙门”。所谓制举，就是皇帝根据需要亲自主持的考试，科目多临时设置，考试时间也不固定，录取人数较少，在科举制度中不占重要地位。

科举制的最后确立和进一步完备，有着重要意义。和九品中正制相比，一般的中小地主都有了应试资格，为他们入仕开了绿灯，打破了士族门阀垄断仕途的局面，从而扩大了统治基础。

第五，制订《武德律》。隋朝末年，统治者滥用刑法，民无所措手足。李渊攻下长安后，就学着汉高祖刘邦的样子，约法为十二条。李渊称帝后，宣布废除隋朝的《大业律令》，并令裴寂、刘文静等依隋《开皇律》重新修订法律。在“务在宽简，取便于时”原则的指导下，制订了新律五十三条。到武德七年，正式颁布新律，即《武德律》。从内容上看，《武德律》较隋律用刑有所减轻，但对劳动人民的反抗制裁更严酷了。

在建立和初创唐朝的过程中，李渊不但有着过人的军事谋略，还有宏大的政治谋略，正是他全面的治国安邦，才使李世民的贞观之治有了坚实的基础。但是唐高祖，像许多帝王一样，李渊也有过失。

在对待后宫嫔妃的问题上，李渊没有处理好，在有的妃子挑拨李建成和李世民之间的关系时，没能及早制止，反而听信谗言，致使兄弟之间兵戎相见，发生流血事件。

他作为父亲，在立皇太子的问题上反复不定，没有明确的主意，使得兄弟相争不已。在刘武周大举南下，攻陷太原威胁长安的时候，李渊亲自为儿子李世民送行，还许诺得胜回来后立他为太子。但李世民回来之后，他又反悔，听信后妃们的求情，保留了李建成的太子之位。这直接导致了兄弟之间的不和，成了激烈争夺太子的导火线，可以说，玄武门之变李渊也要承担一定的责任。

在玄武门之变发生之后，李世民让大将尉迟敬德入宫向李渊通报情况。这时的李渊正和裴寂等人在南海池中泛舟，见尉迟敬德一身铠甲地站到岸边，非常惊慌。尉迟敬德说，太子李建成和齐王李元吉谋反，秦王已经将他们处死，为防不测，派我来护驾。李渊吃惊得说不出话来，最后只得下诏命令太子李建成和齐王李元吉的部下听从李世民的调遣。

六月一日，李渊颁布诏书正式立李世民为皇太子，八月，李渊只好将皇位让出来，自己去做了太上皇。

635年（贞观九年），李渊病逝，享年七十岁。大臣们议请上谥号太武皇帝，庙号为高祖。高祖临死时让死后薄葬。最后大臣们商议仿效光武帝刘秀的原陵，造六丈高，即献陵。

李渊是唐朝开国创业的军事统帅，是深谋多算、善于决断，既富远见、又善施行的政治家和军事家。李渊实施的治国措施，为唐太宗“贞观之治”打下了非常重要的基础。

唐太宗李世民

唐太宗李世民（598年—649年），唐朝第二位皇帝，627年9月4日—649年7月10日在位，年号贞观。李世民在位23年，是唐朝杰出的军事家，率部平定了薛仁杲、刘武周、窦建德、王世充等军阀，最终统一天下。626年发动玄武门之变杀死自己的兄长太子李建成、四弟齐王李元吉二人及二人诸子，被立为太子，唐高祖李渊不久被迫退位，李世民即位。李世民为帝后，积极听取群臣的意见，以文治天下，并开疆拓土，使社会出现了国泰民安的局面，开创了中国历史上著名的“贞观之治”。649年逝世，享年52岁，初谥文皇帝，庙号太宗，葬于昭陵。

李世民出生在关陇的世家大族。其曾祖父李虎是西魏北周时期的八大柱国之一，父亲李渊袭爵唐国公，隋炀帝时被封为太原留守。李世民得到良好的教育，而且像其他关陇贵族一样，从小就娴熟弓马，通晓军事。在李世民刚刚步入成年之时，似乎特意为他准备的隋末乱世就给了他淋漓尽致发挥的舞台。

在进军长安的过程中，面对复杂的形势，李渊等人曾产生过退缩的念头，但在李世民坚决向前的鼓动下，终于617年11月顺利占领长安。第二年，李渊称帝，建立唐朝，李世民被封为秦王。

在此后的群雄逐鹿中，唐朝面临的最主要对手，包括薛仁杲、刘武周、王世充、窦建德等，都是由李世民亲自率军消灭的。李世民堪称中国历史上最出色的军事家之一，他最行之有效的战法是，首先避免与敌方主力对阵，等到敌方出现疲惫和戒备心下降时，以己方优势兵力迅速出击，出其不意地击溃敌方主力。

在一系列战役中，最有决定意义的是与王世充、窦建德的郑夏联盟的决战，在战斗中李世民几度陷入敌方优势兵力的包围中，但他出色的战斗能力加上些许运气，使他每次都能化险为夷。唐王室在621年就消灭了全国各主要割据势力，到624年分散的反抗力量也铲除殆尽。在此过程中，李世民虽不是全局的统筹者，但他对统一的贡献显然要超过任何一个人。

“故天将降大任于是人也，必先苦其心志，劳其筋骨，饿其体肤，行拂乱其所为”对于李世民来说，真正的考验还在后头，也就是和兄弟间的太子之争。

624年（武德七年）六月，庆州总管杨文干叛乱，牵涉到了太子李建成，李渊命令李世民讨伐，还许诺在平定后立他为太子。但事后，李渊又听从李元吉和后妃的话，改了主意，这无异加剧了兄弟之间的争夺。

626年（武德九年），双方已成剑拔弩张之势。有一次，太子李建成晚上找李世民去喝酒，在酒里下了鸩毒，幸亏淮安王李神通将李世民送回秦王府才得救。这次谋害可能使李世民下了决心除掉对方，大臣长孙无忌和房玄龄、杜如晦也表示支持。

李建成和李元吉并没有就此罢休，相反加紧了行动。在激烈争夺继承权的时候，恰逢突厥南侵，李建成和李元吉觉得时机到来，便由李建成建议让李元吉代替李世民北伐突厥，李渊同意了。然后，他们就进一步提出，调秦王的部下大将尉迟敬德和秦叔宝等人随同出征，还要求将秦王的精兵划归李元吉统领。李建成和李元吉还商议在出兵饯行的时候，派人将李世民刺死。李建成的一个属官得知后，马上向李世民报告了这个机密消息，李世民决定先下手，以免后患。

六月三日，李世民向李渊报告了二人的阴谋，还趁机告发他们淫乱后宫的事情，李渊答应第二天早朝时对质。李世民并没有将希望寄托在父亲的处理上，因为先前父亲总是偏袒他们。他果断部署了行动计划。

六月六日清晨，李世民命属将伏兵于长安宫城北门口即玄武门。李建成没有收买成李世民的将领，李世民却成功地收买了李建成的将领。当李建成和李元吉走到临湖殿时，发觉守门的士卒不是自己的属下，便想回头。但此时李世民骑马赶来，双方发生了激战，李元吉射了三箭没有射中李世民，李世民却一箭将李建成射死，尉迟敬德也领骑兵将李元吉射死。然后，尉迟敬德向李渊报告说李建成和李元吉要造反，已经被秦王杀死，李渊只好下诏平息了两派的激战。

六月六日，李世民被立为太子。八月，李渊传位给李世民，自己做了太上皇。这血腥的一幕成为李世民辉煌的“贞观之治”的开始。

继位之后，唐太宗李世民充分吸收了隋末的教训，在多年战乱民生凋敝的情况下，密切地注视着民心、民情和民意，紧紧地团结周围的文武大臣，先后实行了一系列比较开明的政策。

太宗轻徭薄赋，以民为本。他从波澜壮阔的农民战争中认识到人民群众力量的伟大，吸取隋朝灭亡的原因，非常重视老百姓的生活。他强调以民为本，常说："民，水也；君，舟也。水能载舟，亦能覆舟。"太宗即位之初，下令轻徭薄赋，让老百姓休养生息。他爱惜民力，从不轻易征发徭役。他患有气疾，不适合居住在潮湿的旧宫殿，但他一直在隋朝的旧宫殿里住了很久。他还下令合并州县，革除"民少吏多"的弊利，有利于减轻人民负担。

太宗勇于纳谏，兼听则明。为了鼓励大臣进谏，唐太宗还有一句名言："直言鲠议，致天下太平。"626年（武德九年），唐太宗即位不久，命人点兵。当时的唐制规定，年满二十一岁才能入选，但大臣封德彝却说十八岁以上高大健壮的也可以点兵，并得到唐太宗的同意。魏征却驳回了诏令三四次，不肯签发。唐太宗大怒，召见他质问。魏征说："您常说要以诚信治天下，但即位以来，仅几个月就几次失信于民，这怎么能说是以诚信治天下呢？"太宗听了转怒为喜："过去我总以为你很固执，不懂政事，今天听你分析国家大事，都很切中要害，我确实是错了。"太宗不但改正了错误，还赏赐给魏征一只金瓮。

魏征去世后，唐太宗异常悲痛，他说："人用铜做镜子，可以纠正衣冠；用古代历史做镜子，可以明辨国家的兴盛与衰亡；以人做镜子，可以知道自己的得失和过错。现在魏征走了，朕便失去了一面宝贵的明镜。"唐太宗还去凌烟阁，对着魏征的画像做诗一首："劲条逢霜摧美质，台星失位天良臣。唯当掩泣云台上，空对余形无夏人。"

太宗在位20多年，进谏的官员不下30人，其中大臣魏征一人所谏前后200余事，数十万言，皆切中时弊，对改进朝政很有帮助。

太宗十分注重人才的选拔，严格遵循德才兼备的原则。太宗认为只有选用大批具有真才实学的人，才能达到天下大治，因此他求贤若渴，曾先后5次颁布求贤诏令，并增加科举考试的科目，扩大应试的范围和人数，以便使更多的人才显露出来。由于唐太宗重视人才，贞观年间涌现出了大量的优秀人才，可谓是"人才济济，文武兼备"。正是这些栋梁之才，用他们的聪明才智，为"贞观之治"的形成作出了巨大的贡献。

太宗还十分注重法治，他曾说："国家法律不是帝王一家之法，是天下都要共同遵守的法律，因此一切都要以法为准。"作为一位万人之上的君主能够说出这样一番话来，唐太宗不愧是一位开明的皇帝。法律制定出来后，唐太宗以身作则，带头守法，维护法律的划一和稳定。在贞观时期，真正地做到了王子犯法与民同罪。执法时铁面无私，但量刑时太宗又反复思考，慎之又慎。他说："人死了不能再活，执法务必宽大简约。"由于太宗的苦心经营，贞观年间法制情况很好，犯法的人少了，被判死刑的更少。据载贞观三年全国判死刑的才29人，几乎达到了封建社会法制的最高标准——"刑措"即可以不用刑罚。

正是由于唐太宗的以身作则及一系列政策的实施，在短短的数年时间内，唐王朝的经济和文化也随之得到较好的恢复和发展，出现了所谓"路不拾遗，夜不闭户"的良好社会风气。史学家们把这一段历史时期誉之为"贞观之治"。

636年（贞观十年），辽东战役回来时，唐太宗得了痈疮，开始服用金石丹药。到647年（贞观二十一年），唐太宗又得了"风疾"，烦躁怕热，便让人在骊山顶峰修建翠微宫。第二年，派人从中天竺求得方士那罗迩娑婆寐，吃了这个外国骗子的"延年之药"，结果使病情恶化。649年（贞观二十三年）五月，丹药的毒性发作，终于不治身亡。

李世民是中国历史上出类拔萃的政治家，他被后世称为"千古一帝"不是偶然的。李世民文韬武略俱全，是唐王朝的真正开国之君。他在位期间，采取了轻徭薄赋、与民生息、疏刑缓法的政策，使唐朝的经济很快恢复并走向繁荣。唐太宗懂得"水可载舟，亦可覆舟"的道理，故采取措施缓和阶级矛盾。在勇于纳谏这一点上，历史上没有一个君王可以与唐太宗相比，他因此也就成为仁德之君的代表和符号，他和魏征，至今仍是中国古代君臣关系的佳话。李世民建立了一个伟大的朝代，这个伟大的朝代也成就了李世民的英名。

唐高宗李治

李治（628年—683年），字为善，小名雉奴，唐太宗李世民第九个儿子。

唐太宗李世民共生十四个儿子。其中，长子承乾、四子泰、九子治为长孙皇后所生，其余均出于后宫妃嫔。根据嫡长子继承制，李世民在做皇帝的当年便把8岁的承乾确立为自己的接班人。儿时的承乾非常调皮，常带领一帮人偷老百姓的牛马，杀死后大家煮着吃。承乾又喜欢模仿突厥人的习俗挑选一批人，把头发编成辫子，身穿羊皮衣服，举着突厥的旗帜，集体去劫掠牛羊，然后各自用佩刀割煮熟的肉吃。有时候，承乾还扮成突厥可汗（王），装死，让众人躺在地上哭，模仿突厥人的殡葬仪式。年龄稍长，承乾又爱上声色，当时皇宫戏班中有一个十几岁的男孩，长得很漂亮，深得承乾喜爱，号为“称心”，两人日夜在一起厮混。对承乾的嬉戏无度，李世民很恼火，令人杀死“称心”，并罢免一批教育太子失职的大臣。但承乾并没有因此改过，对“称心”仍久久不能忘怀，在宫中为他修墓、立碑、雕像，并供奉车马木俑等物。后来，承乾又发明了新的娱乐方式，与七叔汉王元昌在宫中各领一队人马，手持兵器，身披铠甲，双方布阵交战，有不愿真刀真枪参加作战者，马上就被绑在树上吊死，致使每次交战都要出现伤亡。东宫能够调集的人马毕竟有限，承乾对这种小规模的战争场面渐不满意，说：“我如果做了皇帝，要在皇宛中设置万人营，那时再与汉王分兵打仗，坐观岂不痛快！若人劝谏，就杀掉他；只要杀几百人，别人再也不敢干涉！”起初，承乾对父亲还有所顾忌，也尽量不让负责教育太子的大臣们抓住把柄，但随着年龄的增长，根本不再把大臣们放在眼里，有人劝谏，他不但不听，有时还派人去暗杀。承乾自幼脚残，不甚受父亲喜爱，只是作为长子，才取得太子资格。李世民对承乾越来越不满意，便生废太子之心。

李泰是承乾的亲弟弟，以文笔见长，颇受父亲宠爱，得到的赏赐往往厚于太子。李泰得知哥哥失宠，因二、三哥都没有继承皇位的资格，便想尽快挤掉承乾而自代。他拉拢在自己府中管事的韦挺、杜楚客等，让他们广泛结交朝中大臣，为自己做太子造舆论，又与驸马都尉柴令武、房玄龄的儿子驸马都尉房遗爱等二十余人结成死党，形成颠覆太子的一大势力。承乾本来就因父亲的偏爱而害怕失位，又觉察到弟弟的活动，更担心被挤掉。但是，他此时已无法挽回自己的影响，想得到父亲的宠爱已不可能，要保住自己的地位，只有设法除掉弟弟。于是先派人冒充李泰府中的人到太宗面前密告李泰有种种不法行为，结果被李世民识破；再派人去暗杀李泰，也没有成功。承乾眼看大势已去，便暗中召募刺客死士，联络对父亲有不满情绪的李元昌、侯君集等人，密谋杀入皇宫，发动武装政变，直接夺取皇位。但是，承乾的刺客中有一个人叫纥干承基，因李祐事件受到牵连，在接受审讯中，主动交代了太子的政变计划。太宗大惊，立即命人囚禁承乾，派人核查情况属实，一举清洗了太子党。李世民征求大臣对如何惩治承乾的意见，来济建议："陛下不失慈父的形象，太子又可以活命，便是最好的办法。"太宗接受这项建议，废承乾为庶人。政变阴谋流产。

承乾被废，李泰似乎成为理所当然的太子人选。他每天都到宫中侍候，进一步讨父亲的欢心；太宗本来就喜欢他，便当面表示要立他为太子。但这时大臣们的意见却有两派：岑文本、刘洎等主张立李泰，在朝中地位显赫的长孙无忌和褚遂良等人却主张立九子晋王李治。太宗拿不定主意，既不愿为立李泰使这几位功臣现在或以后受害，也不想使李泰失去元老派的支持。为消除父亲的顾虑，李泰表示在自己临死前杀掉自己的儿子，再把皇位传给九弟李治。李世民很赏识李泰的宽宏大度，便再次征求大臣们的意见，褚遂良对李泰的许诺表示疑议："若魏王（李泰）以后真做了皇帝，还肯杀掉亲生儿子，传位晋王吗？"李世民对此也不能保证。褚遂良紧接着提醒太宗："当初承乾被立为太子，陛下却厚爱魏王，待遇过于太子，才酿成后来兄弟争立、太子图谋政变的悲剧。这可是血的教训。如果你立魏王为太子，为避免以后悲剧重演，请您先给晋王一个妥善的安置，才能大家平安无事。"这番话入情入理，若李泰做皇帝，李治和几个元老大臣很难幸免；这种结局是可以预料的，故太宗又陷于困惑。贞观十七年（642年），立晋王李治为太子，这一年李治刚15岁。

李治的儿童时代性情温和，很听话，颇受父亲喜爱。被立为太子后，李世民为巩固他的地位和培养他的治国才能花费了不少心血。太宗在废掉承乾和李泰的同时，清洗了他们各自的同党，消灭了颠覆李治的隐患；让当时最有权势的大臣都兼东宫官职，名义是让他们教育太子，其实是为培养他们与未来皇帝的感情。

太宗虽然确立了李治的太子地位，也为他日后做皇帝做了各方面的努力，但内心对这个性情温和天赋却不高的儿子不甚满意。李世民清楚地认识到，一个懦弱的君主是不能驾驭群臣的。在长孙无忌的坚持下，李世民才没有取消李治的太子资格。

太宗东征高丽，留太子镇守，李治表现得很出色；太宗回来后，身上长一个疮，李治亲自为父亲把疮里脓血吸出来，并一直抚着太宗随车步行，一步也不离开。为了养病，太宗让太子暂代自己处理日常政务，李治除上朝时间外，终日守护在父亲的身边，侍候喂药、吃饭，太宗让他出去休息一会儿，他都不肯。

贞观二十三年（649年）四月，唐太宗病重，对过于懦弱的太子仍放心不下，要为他做好人事安排。太宗在临死前，把积极支持李治做太子的长孙无忌和褚遂良叫到床前，用充满感情的语调对他们说："现在我要把以后的事情全部托付你们。太子生性宽厚，你们都知道，希望能善加辅佐。"又对李治说："有长孙无忌和褚遂良在，你对天下事不必过分忧虑。"太宗与世长辞，李治即位，时年22岁。

李治即位后，严格按照父亲的遗训，重用长孙无忌和褚遂良，把李世绩调回来做了右仆射，对他们非常信任，有人诬告长孙无忌有谋反意图，李治根本没做任何调查，便下令把诬告者处死。李治虽然不太精明，经过太宗多年的苦心培养，毕竟掌握一些治国本领，特别是对太宗的言传身教，对他影响很深。长孙无忌、褚遂良、李世绩、于志宁都是贞观时代的重要谋臣，对治国都有一套经验，李治全面听从他们的安排，实际上也就是继承了李世民的治国路线。故李治初做皇帝的几年中被后世誉为有贞观遗风。即使在武则天参予政事以后，李治经常有病，又贪于声色，但在对政事的处理中仍遵循着太宗的遗训。

李治非常勤于政事，确有治理好国家的愿望。太宗在后半期一般是每三天朝见一次百官，处理日常政务。李治则坚持每天上朝，及时解决各种随时遇到的问题，他说："我年龄不大就做皇帝，必须一天到晚孜孜不倦地工作，犹恐有些需要及时处理的事情被挤压拖延。"直到显庆二年（657年）五月，宰相李义府提出：现在是太平盛世，每天上朝也并没有多少要紧的事情可做，请改为隔日上朝。李治接受了这个建议，才改为每两天朝见一次。

李治在执政期间，虽没有惊天动地的功绩，也没有表现出特殊的治国才能，却由于他基本继承了太宗的治国路线，本人也比较谨慎，故政治局面基本稳定，经济仍保持持续繁荣的势头，人口也不断增加。永徽五年（654年），因风调雨顺，粮食大面积丰收，洛阳地区的粟米每斗只卖两个半铜钱，粳米每斗也只能卖十一个铜钱。贞观年间全国人口三百万户，至永徽三年（652年），已有三百八十万户。

李治即位，立王氏为皇后。王皇后不会生育，渐失宠于李治，萧淑妃受宠。武则天原是太宗妃，曾得到当时的太子李治的好感。太宗死后，武则天随众嫔妃削发为尼。李治在一次进香时，二人相见，旧情复萌。出于对萧淑妃的嫉妒，王皇后鼓动李治让武则天蓄起头发，重新纳入宫来。武则天进宫后，王氏在李治面前又一再称赞她的种种好处，李治越发喜欢武则天。随着武则天的受宠日增，王皇后虽然达到了排挤萧淑妃的目的，但自己并未因此受宠，地位反而更趋低下。所以，王皇后又把攻击矛头指向武则天。不久，王皇后与母亲魏国夫人诅咒武则天的事情暴露，李治大怒，下令魏国夫人以后不许出入宫廷，王皇后的舅舅中书令柳爽也因此被罢免，李治始有废立皇后之意。

不久，武则天生了个女孩，王皇后不会生孩子却喜欢孩子，有时逗着小姑娘玩。武则天为达到自己做皇后的目的，等王皇后与小姑娘玩过走后，自己掐死亲生的孩子，又把她蒙在被子里。等李治来到，与武则天一起看孩子，共同发现了小姑娘的尸体，武则天号啕大哭，借此诬陷王皇后。这次事件坚定了李治废掉皇后的决心。

为得到顾命大臣们的支持，李治亲带武则天去登门拜访舅舅长孙无忌。酒饭间，李治宣布封长孙无忌的三子庶子为朝散大夫，并赏赐大批财物，希望以此堵住舅舅的嘴。但当李治刚一提废除皇后时，立即遭到长孙无忌的拒绝。李治没有达到目的，便在朝见百官时突然宣布封武则天为宸妃。唐承隋制，在皇后之下，有贵妃、淑妃、德妃、贤妃各一人，为夫人；又有昭仪、昭容、昭媛等九人，为九嫔；又有健仔九人，美人九人，才人九人，宝林、御女、采女各二十七人。武则天在太宗时为才人，被高宗纳为昭仪，现又独出心裁封为宸妃，以示特宠，以此提高武则天的地位。韩瑗、来济等当场谏阻，李治不听。

这时，皇帝要重新废立皇后的意图已为百官共知。善于察言观色、为人笑里藏刀、人称“李猫”的中书舍人李义府，因正受长孙无忌排挤，欲借此报复，并图谋飞黄腾达，正式奏请李治废掉皇后王氏，立武则天为皇后。这个奏本深得李治赏识，赐给珍珠一斗，提拔为中书侍郎。同时，许敬宗、袁公瑜、崔义玄等人也都成为李治废立皇后的支持者。在朝廷内部，围绕皇后废立，明确分为两大阵营。长安令裴行俭等因私下与长孙无忌议论此事，流露出不满情绪，也被降职。

永徽五年（654年）冬，李治正式宣布废掉王皇后和萧淑妃，罪名是她们要用毒药害人；同时宣布立武则天为皇后。李治利用皇帝权威的绝对优势取得了斗争的胜利。褚遂良被数次降职，一贬再贬，不久死于外任。韩瑗、来济被贬到边州，并永远不许进京。于志宁、柳奭被彻底罢免。长孙无忌被疏远，显庆四年（659年），以谋叛罪被杀。同时，因受这几个人的株连，又有一大批所谓朋党被贬职、罢免或杀头。经过皇后废立事件，贞观时代留下来的元老派大臣除李世绩外，大部分被罢免或疏远。由支持武则天做皇后的李义府、许敬宗等人组成新的统治中心。

显庆五年（660年）冬，李治开始生病，头痛眩晕，两眼模糊，难以主持日常政务，故上朝时往往委托武则天代为处理。武则天生性聪慧，又有很好的文史修养，对朝政的处理往往使李治感到满意。

在做皇后前后的一段时间里，武则天对李治百依百顺；当皇后地位巩固、并拉拢一批心腹之后，特别经过直接处理政务对自己的能力有了新的认识，武则天便开始控制李治，皇帝的一举一动都受到她的监视。王氏和萧氏废后被关在别院，一次偶然的机会，使李治目睹她们的处境，昏暗的小房子只留下一个传递食物的小孔，李治突然萌发同情之心，答应想办法给她们自由。李治的许诺马上被武则天得知，二人各自挨一百棍后，武则天令人砍掉她们的手脚，投入酒瓮中淹死。李治对自己的处境也渐不满意。麟德元年（664年），李治与上官仪商议，准备废掉武则天的皇后地位，并立即由上官仪草拟了诏书。但这次密谋的内容很快就由武则天布置在皇帝周围的人报告了武则天，武则天立即找李治质问。李治的怕老婆毛病早已养成，一见到武则天，满腹怨愤早化为恐惧心理，又赶快向武则天献媚讨好，把责任全部推给上官仪。结果，上官仪与儿子被杀；上官仪曾做过东宫官员，旧太子李忠也因此受害。李治对武则天的反叛宣告失败。从此，李治每次上朝，都由武则天垂帘听政，事无大小，都要征求她的意见。朝野内外都恭称“二圣”。实权已转移到武则天手中。李治长期有病，有时让太子监国，有时则使武则天直接听朝。上元二年（675年），李治准备把政权正式移交给武则天，由于部分大臣的反对，才把皇帝的牌子仍带了下去。

李治共生八个儿子：忠、孝、上金、素节、弘、贤、显、旦。王皇后不会生育，前四子均为后宫嫔妃所生，后四子出于武则天。

李治即位时，王皇后在舅舅柳奭的劝说下，请李治立李忠为太。李忠虽为长子，却是后宫刘氏所生，本没有做太子的资格。王皇后利用这一点，希望他在成人后能亲近自己，巩固皇后的地位。柳奭也打通了长孙无忌和褚遂良的关节。永徽三年（652年），10岁的李忠被确立为太子。

一年后，武则天的长子李弘出生。武则天做皇后以后，她的儿子应是法定的皇位继承人。许敬宗根据嫡长子继承制的原则，建议更换太子。李治采纳。显庆元年（656年），李忠被废，4岁的李弘被立为太子。

龙朔三年（663年），11岁的李弘开始接受做皇帝的培训。李治每五天带他上一次朝，听大臣们汇报工作，并让他直接处理一些不太紧要的事情，借此培养他在群臣中的威信。随着年龄的增长，李弘对各种事情逐渐有了自己的见解。李忠因受上官仪株连被害，引起李弘的同情，要求父亲收尸安葬，得到应允。此时，武则天正逐步独揽朝政，儿子的成熟使她感到威胁。一次偶然的机会，李弘突然发现囚禁萧淑妃两个女儿的所在；看到这两个同父异母的姐姐已年过30尚未出嫁，心里非常同情，便请求父亲把她们释放出来，然后择婿嫁人。萧淑妃是武则天的情敌，囚禁两个姑娘是武则天的报复手段。李弘的建议当然不合母亲的胃口。不久，24岁的李弘突然病死，当时和后世都有人怀疑是受武则天毒害，但也没有令人信服的证据。

李弘死，其弟李贤被立为太子。李贤自幼聪明，读书极多，深得父亲喜爱。这时的李贤也已20余岁，又自负才高，武则天更怕难以驾驭，亲自撰写了《少阳正范》和《孝子传》二书，赐给太子，让他安分守己，恭听父母之命。武则天常对李贤横加责备，使李贤常怀恐惧。后来，宫中有传闻说李贤本是武则天的姐姐所生，李贤对此也有怀疑，母子感情不好。深受李贤夫妇信赖的术士明崇俨又常对武则天吹风，说李贤的弟弟英王李显（又名李哲）相貌最像太宗，另一个弟弟相王李旦也有贵相，鼓动武则天再度废立太子。调露二年（680年），明崇俨被人暗杀，李治严令缉拿凶手，没有结果，武则天便怀疑是李贤所为。李贤颇好声色，武则天以此为借口，令人搜查东宫，找到盔甲数百件，成为太子谋反的罪证。李治想赦免太子，不做穷究，武则天坚决不同意。同年，李贤被废，武则天的三子即李治的七子李显被确定为李治的接班人。

永淳二年（683年）冬，李治病情加重，头痛得厉害，眼睛也看不见。御医秦鸣鹤诊断后说："须在头部针刺出血，才可望痊愈。"不知是有意让李治早死，还是不懂针灸所致，武则天在帘后喊道："这个医生真可杀，皇帝头上怎能随便扎出血来！"李治已顾不了许多，对医生说："你尽管用针，刺出血来未必不是好事。"经秦鸣鹤扎针后，李治顿感好转，眼睛也能看见。武则天亲负彩缎百匹赏赐给医生。

李治并没有真正好转，为了养病，他让太子监国，并拒绝接见朝廷百官。同年十二月，李治到洛阳，确定改元弘道，并大赦天下。不久，李治病危，令再度扎针也无效了，令太子在灵前即位，让宰相裴炎辅政，凡军国大事有疑难处，可听从天后（武则天）处置。死时56岁。第二年，李治的灵柩从洛阳运到长安，埋葬在今陕西乾县，墓曰乾陵。

唐中宗李显

永隆元年（680年）八月，继长兄李弘被杀之后，李贤又被废为庶人。按次序，时为英王的李哲（显）被立为皇太子。这时，唐高宗的身体越来越坏，次年七月，高宗决定破釜沉舟，“服饵”（金石之药，性烈，唐太宗即因饵金石中毒暴亡）治病。为防不测，服药前，任命裴炎为侍中，负辅相之责，辅佐太子哲监国。

永淳二年（683年），高宗溘然长逝，享年56岁。遗诏皇太子于柩前即皇帝位，军国大事听从天后旨意。这样，已掌握实权的武则天又从名义上获得了操纵朝政的权力。于是，李哲迁入正殿，即皇帝位。改元弘道，立妃韦氏为皇后，尊母后武则天为皇太后，临朝称制。以裴炎为中书令，受遗诏辅政。这一年，李哲28岁。然而，翌年二月，继位不足两月的唐中宗李显被废黜，改由他的四弟雍王李旦为天子（是为唐睿宗）。原来，中宗打算把自己的岳父韦玄贞升为宰相，并授给自己乳母的儿子一个五品官。武则天立即召集百官到乾元殿，裴炎与中书侍郎刘祎之，羽林将军程务挺、张虔勖带兵入宫，宣太后令，废中宗为庐陵王，幽于别所。

圣历元年（690年）武则天称帝，后因李武两姓储位之争激烈。武皇不得不及早解决储位问题，并决定立李氏为皇储。

圣历元年（698年）三月，李显秘密回到神都。复立庐陵王为太子，这是武则天晚年的一项重要的明智的决策。李显虽不是当皇帝的料，但是复立他，表示了武则天在李、武两姓之间的最后抉择。这种合乎士庶民心的决定，平息了李、武两姓间长达八年的争夺，与结束酷吏政治一起，消除了不安定因素，开创了女皇最后一段新的政治局面。

神龙元年（705年）初，武则天病情恶化，身边只有男宠张易之兄弟，宰相、太子难得见女皇一面，诏令皆出自二张之口。在这种情形下，假传诏命篡夺帝位不是不可能的。因此宰相们非常担心，他们感到，事到如今，唯一可行的办法就是清君侧，迫使女皇退位，即使诉诸武力，也要拥立太子为天子，复兴唐室大业，安抚民心。以宰相张柬之、崔玄暐为首，联络中台右丞敬晖、司刑少卿桓彦范及右台中丞袁恕已，迅速组成了政变集团，积极拉拢掌握军权的将军。使羽林大将军李多祚很快加入了他们的行列，成为政变的主要军事力量。张柬之又分别推荐桓彦范、敬晖及右散骑侍郎李湛（李义府之子）为左右羽林将军，掌握禁军，控制宫城。这时，姚崇也回到洛阳，参与密谋。正月二十二日，张柬之、崔玄昞、桓彦范、左武卫将军薛思行等人，率右羽林兵五百余人，到达玄武门，李多祚、李湛及太子宫中掌勤务之官内直郎，即后来的驸马都尉王同皎去迎接太子共同起事。

政变部队很快攻下玄武门，直抵迎仙宫。张易之、张昌宗兄弟尚未反应过来，便做了刀下鬼。杀死二张，众人簇拥着李显轻轻迈进皇帝寝殿，远立龙床伫立着。张柬之小心翼翼地向女皇解释："张易之、张昌宗谋反，臣等奉太子令诛之。愿陛下返政太子，顺从天意。"

第二天（二十三日），则天被迫下制命皇太子监国。第三天（二十四日），武则天正式让位给太子显。二十五日，唐中宗复位。已年近50岁的李显登上阔别十八年之久的御座，重操国祚，再度为天子。

唐中宗复位，武则天被迫迁往皇宫城西南的上阳宫静养。唐中宗虽然是一个昏昧懦弱的君主，但由于有以张柬之为首的一批贤臣的辅佐，新朝廷很快走上轨道。照理说，新王朝的诞生，必定会出现新的局面。但是，武则天的存在毕竟太不平凡了，使得后人一下子难以超越她。这样一位稀世的女性，一旦突然崩溃，所造成的大变动和余波荡漾，是不可避免的。因而，唐室真正的复兴，其前途风云变幻。

神龙元年（705年）二月十四日，唐国号恢复第十天，唐中宗册立韦妃为皇后，即日又追赠韦后的亡父韦玄贞——这位曾导致自己下台的岳父——为上洛郡王，岳母崔氏为郡王妃。

韦后本来就是个争强好胜的女人，只是由于武则天的存在，抑制了她的野心。在长期的幽禁生涯中，代替李显成为一家的精神支柱；在忍耐中磨炼出了坚强阴狠的性格。她极为憎恨婆婆武则天，但对武则天的巨大能量又十分崇拜和敬畏。她自忖，武则天以女性当上女皇，自己为什么就不能呢？但是，在艰苦的前途未卜的幽禁之中，她实在不敢奢想自己的野心会有实现的那一天。然而，这一天毕竟到来了。充满野心的韦后，首先要获得权力欲望的满足，她要中宗和她共同处理国家大事，中宗也巴不得坚强的妻子扶持自己。于是中宗端坐御座之上，听群臣奏事，韦后坐在帘后听取朝政进行的情形，恰似武后垂帘听政的重现。中宗对韦后的话总是坚信不移。

中宗的懦弱和傀儡地位，为野心家们的活跃大开了方便之门。韦妃自从被册立为皇后实际执掌政权以来，千方百计地扩大韦氏家庭的势力，企图造成韦氏家天下的形势。首先追亡父韦玄贞为上洛郡王，又改为邦王，建庙称为“褒德陵”，“陵”是天子、皇后、太上皇和太后坟墓的名称，连太子的墓都不可称陵。武则天虽也曾将其父母的墓改称为“陵”，但那也是在她称帝以后的事。而韦后竟然在皇后位上，就做了天子才能做的事，这种僭越行为，朝廷群臣敢怒不敢言。随后，韦后借中宗之手，封堂兄韦温为鲁国公礼部尚书，韦温的弟弟韦胥为曹国公左羽林将军，又将成安公主嫁给韦胥之子韦捷。外戚韦氏一族的势力开始膨胀起来。

但是，韦后并不因此满足。看到唯诺懦弱毫无男子气的夫君，韦后感到无限惆怅。在获得权力欲的同时，她更渴望着女人身心欲望的满足。这时的韦后大约刚过40岁，正是一个女人身心、精力最旺盛的时期。既然中宗无力满足韦后的要求，她就只得寻求外欢了。这时，武三思正想攀附中宗夫妇，特别是韦后对自己早就有好感，因而韦后、武三思不谋而合，迅速勾搭成奸。自此以后，韦后便如鱼得水，全身充满精力，对政治的干预程度，也更加猖狂。

如果说韦后的活跃是利用了与中宗的夫妻感情的誓言和中宗的懦弱尚可说得过去，而以武三思为首的武氏一族的再度崛起，则是令人意外了。当年，武三思等为争夺皇嗣，联合酷吏大杀李氏子孙，与李氏宗室结下了不解之仇。后来又依附于张易之兄弟，成为二张的忠实帮凶。但是，以诛杀二张集团为目的的神龙革命，对以武三思为首的诸武竟没有丝毫的损伤。从此，忐忑不定中的武三思等人的胆子迅速大起来，重整阵容，在没有武则天的现在，武氏一族的势力比以前更加壮大。神龙元年（705年）二月，武三思以太子宾客荣升为三公之一的司空，正一品，兼同中书门下三品，成为名副其实的首席宰相。武攸暨也由右散骑常侍升为司徒，受封定王。武三思因与韦后的关系，进而成为操纵中宗的“真天子”。

中宗对武三思的信赖不亚于对韦后的信赖。常常有这种情况，韦后和中宗并排听政后，回到后宫，韦后便和武三思在皇帝的龙床上下棋，中宗在一旁观战，与他们一起嬉戏调笑。

中宗统治之下，韦后、武三思把持朝政，韦后、武三思、安乐公主、上官婉儿以及宰相宗楚客等相互勾结，沆瀣一气，形成了中宗朝极度腐败的政治。

神龙二年（706年）七月，中宗迁都长安之前，册立卫王李重俊为太子。但是，韦后、武三思、安乐公主等对新太子既轻蔑又愤恨，安乐公主仪仗韦后的势力，一直想取代皇太子而成为皇太女。重俊感到形势的发展对自己极为不利，必须采取先下手为强的策略。

神龙三年（707年）七月，重俊请求右羽林大将军李多祚帮助，率千骑兵发动了政变，武三思、武崇训及部分同党当场毙命。接着攻入后宫，追杀韦后、安乐公主。韦后与婉儿挟持中宗躲到玄武门楼上。婉儿向中宗献计，悬赏诛杀太子和李多祚。太子、李多祚被反戈的乱军斩杀。中宗立10岁的小儿子重茂为太子。

重俊政变清除了实际掌握朝政的武三思，这对武氏集团无疑是沉重的打击。但韦后集团的势力和气焰却丝毫未减，反而更加肆无忌惮起来，他们与宗楚客密谋，诬告相王李旦和太平公主参与了太子重俊之乱的策划，要求中宗将他们问斩。对这种过分的苛求，中宗甚感惊愕。他实在拿不定主意，便去找吏部尚书兼御史中丞萧至忠商量，萧至忠泪流满面地对中宗说："难道陛下就容不下一弟一妹吗？"相王李旦、太平公主才算免杀头之祸。

神龙二年（706年）十二月，突厥默啜可汗对唐属地鸣沙（今宁夏灵武）发动了大规模的入侵，突破唐朝灵武军大总管沙吒忠义的防线，直入唐境。与此同时，吐蕃又在青海和西域对唐展开了猛烈的军事行动，骚扰唐朝西境。神龙三年（707年），中宗被迫将养女金城公主下嫁给吐蕃赞普，通过和亲暂时获得西部边境的安宁。

景龙二年（708年），西部战事再度兴起。已归顺唐朝的突厥突骑施部的酋长娑葛因与部将阿史那忠节不和，互相攻击，唐经略使周以悌不但不进行调解，反而唆使忠节到朝廷贿赂宰相宗楚客和纪处纳。宗楚客接受贿赂，按照忠节的要求，准备派兵消灭娑葛。

娑葛得悉这一密谋，大为震怒，遂自立为可汗，发兵攻破安西，唐将或被擒，或被杀。接着，娑葛上表唐朝廷，索要宗楚客的首级，诛奸以谢百姓。中宗只得出来和事调解，宣告娑葛无罪，加封他为十四姓可汗。

经过这些波折，自太宗以来在西域苦心树起的大唐国威一落千丈，唐朝对边境各族的统治和精神上的威信，自此以后徒有空名而已。

国势的衰微，并没能让中宗清醒，因而整日和韦后等沉湎于享乐侈靡之中。景龙二年（708年）十一月，中宗敕准安乐公主改嫁武延秀，以皇后大典的规格举行盛大的婚礼，耗资巨万，国家所藏几于殆尽。中宗与韦后、安乐公主等一起登上玄武门，观看宫女们拔河。中宗在宫内设置模拟市场，让扭捏的宫女与百官公卿们演出市场交易的情景。中宗与韦后等微服出行其中，寻求乐趣。此后，中宗更热衷于游乐，如同顽童一般。如果没有这些游乐，中宗就感到空虚。

景龙四年（710年）六月，韦后、安乐公主假手马秦客、杨均在中宗最喜欢吃的馅饼内，放入毒药，将其毒杀。这位愚昧天子糊涂了一生，最后又糊里糊涂地归了西天。终年55岁，谥号为孝和皇帝，葬于定陵。天宝十三年（754年），又加谥为大和大圣大昭孝皇帝。

唐睿宗李旦

唐睿宗李旦，是武则天的亲生儿子。高宗龙朔二年（662年）六月，李旦出生在长安，同年即被封为殷王，并且遥领冀州大都督、单于大都护、右金吾卫大将军之职，之后，又曾受封为豫王、冀王和相王。李旦的原名是李旭输，后来改为李输，仪凤三年（678年），被母后武则天改为李旦。

唐中宗嗣圣元年（（684年），22岁的李旦被他的母亲武则天立为大唐帝国的第五代皇帝，以取代他的哥哥中宗李显。哥哥的遭遇、母后的专横，使一向怯懦的李旦不寒而栗。他虽然被母后立为天下至尊的万岁皇帝，但并没有丝毫的喜悦心情，反而对自己的命运和前途产生了深深的忧虑和不安。

李旦即位以后，由母后武则天下诏，改年号为文明，并将他的妃子刘氏册封为皇后，长子李成器为皇太子。在这些仪式结束之后，还没有坐热龙椅的李旦果然被他的母后武则天赶下了皇帝的宝座，同他的皇后一起，被软禁在皇宫之中，所有国政不得与闻。由母后武则天临朝称制，裁决一切政事。没有母后的谕旨，李旦还不能随意出入宫廷，甚至在皇宫中也不能自由行动，整天陪伴他的只有刘皇后和几个宫女、太监。从此以后，李旦开始了他有名无实甚至是囚徒般的傀儡皇帝的生活。

李旦从开始即位到被降为皇嗣，总共做了六年的傀儡皇帝。在这六年里，他虽然被软禁在宫中不得与闻政事，但整天仍然是提心吊胆地生活，唯恐在哪一方面触犯了母后，遭致不测之祸。在母后武则天大肆诛杀李唐宗室和王公大臣，准备篡唐称帝的时候，李旦为了寻求生计，甚至违心地上表母后，要求赐姓武氏。690年，母后武则天改唐为周，自称神圣皇帝，将李旦降为皇嗣，赐姓武氏。迁居东宫。从此以后，李旦认为自己不做皇帝，可以过上一个安逸宁静的生活了，他哪里想到更大的祸患却在向他逼来。

睿宗景云元年（710年），唐中宗李显被皇后韦氏和女儿安乐公主合谋毒死。随后，韦后又与安乐公主阴谋拥立中宗少子温王李重茂为皇太子，由韦后临朝称制，处理一切国政。与此同时，韦氏集团还广派亲信控制军队，并密谋加害于相王李旦和李旦的妹妹太平公主，准备效法武则天，篡夺唐室江山，做第二代女皇帝。在这关系到唐朝社稷安危的关键时刻，李旦的第三个儿子李隆基与姑母太平公主密谋讨逆，由李隆基发动羽林军杀入宫中，将韦皇后、安乐公主以及韦氏集团的党羽亲信一网打尽。政变成功以后，王公百官纷纷上奏，认为现在国家多难，人心未靖，应该拥立年长者为君，以安天下。相王李旦仁慈敦厚，德高望重，速请取代少帝即位。经文武百官和李隆基等人的一再劝谏，李旦见众望所归，乃决定即位称帝。随后由太平公主出面，劝逼少帝李重茂下诏退位，将皇位让于叔叔李旦。于是李旦第二次登上了皇帝的宝座。

李旦登基以后，遇到的第一个大问题就是立谁为皇太子。根据立嫡以长的传统，应该立长子宋王李成器为皇太子，但是按功劳而论，成器不如三子李隆基。因此，立嫡问题，使李旦久久不能决定。长子李成器深知父亲的苦衷，便对父皇说："国家安定时可以立长子，国家危难时就应该按功劳大小来册立，如果不这样做，就会使天下人失望，我情愿让弟弟做太子。"李旦虽然很赞赏长子成器这种深明大义的行为，但还是决定不下来，于是又征求大臣们的意见。大臣们也都认为李隆基有大功，应该立为太子。宰相刘幽求说："我听说除天下祸的人，应当享天下福。平王隆基拯救社稷和陛下的危难，论功最大，论德最高，况且宋王已经表示愿意让贤，陛下应该立平王为太子。"最后，李旦终于决定立三子李隆基为太子，同时又诏令长子成器为雍州牧兼太子太师，比较恰当地处理了皇位的继承权问题。

李旦继位的第一年，根据太子李隆基的建议，任命姚崇和宋璟为宰相，并让他们分别负责兵部和吏部这两个重要的部门。姚、宋二人都是当时的名臣，李旦在他们的辅佐下，裁减冗官，整修纲纪，使朝政呈现出一派振兴气象。当时人们称赞说："姚宋当国，邪不如正，朝政颇有贞观、永徽之遗风。"

但是，这种好景并没有持续很久，李旦即位的第二年，就失去了即位初期的进取精神，做出了一些昏庸无道的事情，使朝政出现了腐败和混乱的现象。

李旦被重新推上了皇帝的宝座后，又被夹在了自己的儿子李隆基和妹妹太平公主两大政治势力之间，不能够施展自己的抱负。李旦上台的第一年，太子派占了上风。从景云元年六月到二年五月，经过一年的争斗，最后太平公主取得了胜利：李隆基辞去了政事；他的左右手姚崇、宋臻被罢了相；太平公主的党羽窦怀贞、肖至忠、岑羲、崔湜被任命为宰相，文武官员中也大多数依附太平公主。这样，在李旦执政的第二年，公主派在朝廷中占了上风。

李旦既对做皇帝没有兴趣，又无法调和太子和公主之间的矛盾，因此想及早禅位，做一个安逸宁静的太上皇，景云二年二月，李旦根据宰相张说的意见，下诏令皇太子李隆基监国，六品以下官吏的任免和徒刑罪以下案件的判决，都由李隆基负责处理。

先天元年（712年）八月，李旦传位给太子李隆基，自己称太上皇，自称为“朕”，下达的诏书叫作“诰”，五天一次在太极殿处理政事。太子李隆基自称为“予”，下达的诏书叫作“制”或“赦”，每天在武德殿处理政事。三品以上官吏的任免和大案件大政事，都由太上皇李旦亲自处理，其他的都由李隆基处理。

李隆基虽然正式掌权做了皇帝，但是太平公主在中央的权力依然很大。当时的七个宰相中，有四个是她的党羽，文武百官也大多数依附于太平公主，这些阳奉阴违，表面上听李隆基，暗地里却听太平公主的。因此，李隆基和太平公主的斗争依然没有停止。

先天二年（713年）六月，李隆基和太平公主之间的斗争已经达到了白热化的程度，双方都在聚集力量，准备发动政变。最后，李隆基先发制人，首先举兵发难，迅速扑灭了太平公主及其全部党羽的势力，完全控制了中央政权。政变发生以后，李旦见人心已归顺李隆基，便下诏宣布正式禅位，国家的一切政务均归李隆基处理，自己只做清闲安静的太上皇，在百福殿颐养天年。

李旦前后两次称帝，但真正在位的时间只有两年，禅位以后为太上皇约四年，玄宗开元四年（716年）驾崩，终年55岁，庙号睿宗，谥号为玄真大圣大兴皇帝，被安葬在桥陵（今陕西蒲城县丰山）。

周圣神皇帝武曌

武则天（624年—705年），名武曌，又被称为武则天或武后，并州文水（今山西文水县东）人，中国历史上唯一得到普遍承认的女皇帝。唐高宗时为皇后（655年—683年），尊号为天后，与唐高宗李治并称二圣，683年12月27日—690年10月16日作为唐中宗、唐睿宗的皇太后临朝称制，后自立为武周皇帝（690年10月16日—705年2月22日在位），705年退位以后，成为中国历史上唯一一位女性太上皇。武周一朝结束，唐朝复辟，恢复以神都为东都。神龙元年农历十一月二十六日（705年12月16日），武氏在上阳宫病死，年八十二，后与高宗合葬乾陵，留无字碑。

武氏为唐开国功臣武士彟次女，母亲杨氏，祖籍并州文水，生于长安（今陕西省西安市）。少女时期，武则天随做官的父亲在四川生活，后来，父亲去世，同父异母兄长对她们母女很刻薄，因此武则天在长安和姐妹、母亲有过一段很艰难的生活。

到了公元636年，即唐太宗贞观十年，太宗的皇后长孙氏病逝，第二年，太宗听说武则天美貌出众，于是将她召进宫中做了才人，这时的武则天只有十四岁。进宫之后，太宗赐给她武媚的称号。由于她性格倔强，不善于施展女人的温柔手段，所以不受太宗的宠爱。

武则天的机会实际上来自于太宗的儿子李治，即后来的高宗。在太宗在世的时候，武则天便和李治产生了感情。贞观二十二年，即公元649年，唐太宗去世，按照惯例，没有生育过的嫔妃们要出家做尼姑，生育过的则要打入冷宫，为死去的皇帝守寡。就这样，武则天被迫到感业寺出家，但她并没有安心念佛，而是处心积虑地想出来。到了第二年，太宗的忌日，高宗李治到感业寺里来进香，武则天紧紧把握住了这次机会。她使高宗又回忆起了先前的恋情，武则天的美貌加上旧情，促使高宗不再顾忌佛教教规和礼教的约束，将武则天带回了皇宫。

武则天进宫之后，基本上让高宗只宠爱她一人。她前后生了4男2女，而高宗总共才有12个子女，后边的6个都是武则天生的，可见武则天的受宠程度是其他嫔妃无法相比的，这连主张让他进宫的王皇后也没有料到。

武则天的性格决定了她不甘于居人之下，她的目标是皇后。等她的地位稳固之后，便开始有心计地活动了。她在后宫里想方设法笼络太监、宫女，特别是和皇后、萧淑妃关系不好的人。第一步，武则天联合王皇后打击萧淑妃。等高宗把萧淑妃废为庶人后，武则天便开始对皇后下手了。

武则天生下的第二胎是个女孩儿，非常可爱，王皇后也很喜欢。武则天为了皇后之位，将女儿掐死，然后利用一般的推理来嫁祸皇后，母亲或者父亲杀死婴儿，这只是在穷困或者走投无路时才有的事情，可爱的女儿，又是公主，谁也不会怀疑是武则天所为。高宗一气之下，把皇后打入冷宫，并起了废后的念头。

最终，在公元654年，即高宗永徽五年的十月十三日，高宗正式下诏书废王皇后、萧淑妃为庶人，6天后，即十九日，正式立武则天为皇后。武则天对被废的王皇后、萧淑妃也没有放过，后来将二人各责打了一百杖，然后残忍地砍去双脚，泡在酒瓮里活活折磨至死。

武氏自立为皇后之后，开始参与朝政，与高宗并称“二圣”。683年，高宗患病，委托武则天处理朝政。于是她渐渐地独揽了大权。她为了保住权力，废掉了太子李弘、李贤。高宗死后，她又废掉了唐中宗李显，立年幼的睿宗李旦。她希望自已能继续控制国家大权。在她掌权时期，也确实做了一些对国家有利的事情。

则天称帝后，更重视人才的选拔和使用。她认为“九域之广，岂一人之强化，必伫才能，共成羽翼”。凡能“安邦国”、“定边疆”的人才，她不计门第，不拘资格，一律量才使用。为了广揽人才，她发展和完善了隋以来的科举制度，放手招贤，允许自举为官、试官，并设立员外官。此外，她还首创了殿试和武举制度，为更多更广地发现人才，搜罗人才创造了有利的条件。比如，中唐名将郭子仪，就是“自武举异等出”。这样，在她施政的年代里，始终有一批“文似仁杰”、“武类休武”的能臣干将为其效命，有力地维护着武周的政权。

对于农业生产，则天也非常重视。她说：“建国之本，必在务农”，“务农则田垦，田垦则粟多，粟多则人富”。她规定，能使“田畴垦辟，家有余粮”的地方官升任；“为政苛滥，户口流移”的“轻者贬官，甚至非时解替”。这样，在她执政的年代里，农业和手工业都得到较大的发展，人口不断增加。据当时统计，永徽时全国户数为380万户，到则天临终的神龙元年，渐增为615万户，几乎增长一倍。仅此一点即可看出这一时期的农业经济发展情况。

在抗击外来入侵，保护边境安宁，改善相邻各国的关系方面，武则天施政时期也做了很多努力。对吐蕃贵族的入侵和骚扰，则天给予坚决的抵御和反击。长寿二年（692年）她派大将王孝杰击败吐蕃，收复安西四镇，复置安西都护府于龟兹。之后，又在庭州设置北庭都护府，巩固西北边防，打通了一度中断的通向中亚地区的“丝绸之路”。在她施政的年代里，坚持边军屯田的政策。天授年间，娄师德检校丰州都督“屯田积谷数百万，兵以饶给”。大足元年（701年），郭元振任凉州都督，坚持屯田五年，“军粮可支数十年”。武氏的这种大范围的长期屯田，对边区开发、减轻人民转输之劳，以及巩固边防都有着积极的作用。

当然，在武则天掌权近半个世纪的较长时期内，也有很多过失。她重用酷吏，奖励告密。使不少污吏横行一时。他们刑讯逼供，滥杀无辜，诬陷于人，使不少文臣武将蒙受不白之冤。虽然对武周政权的巩固起过一些作用，但是，搞得统治集团内部矛盾激化，人人自危，必然影响国家的治理和生产的发展。她放手选官，使官僚集团急剧增大，官僚机构膨胀，必然要加重人民的负担。她晚年好大喜功，生活奢靡，耗费大量财资和劳力。这都不同程度影响和延缓了生产力的发展。不过，这些错误和过失，毕竟是武则天政治生涯中的支流。她作为中国历史上唯一的女皇帝，能够排除万难，在统治长达半个世纪的年代，形成强有力的中央集权，社会安定，经济发展，上承“贞观之治”，下启“开元盛世”，革除时弊，发展生产，完善科举，破除门阀观念，不拘一格任用贤才，顺应历史潮流，大刀阔斧改革的历史功绩相比，难以同日而语。她的历史功过，恰如她给自己立下的那块“无字碑”一样，只能由历史去作出评论和判断。

唐玄宗李隆基

唐玄宗李隆基（685年—762年），亦称唐明皇。712年至756年在位。唐隆元年（710年）六月庚子日申时，李隆基与太平公主联手发动“唐隆政变”，诛杀韦后。712年李旦禅位于李隆基，后赐死太平公主，取得了国家的最高统治权。前期注意拨乱反正，任用姚崇、宋璟等贤相，励精图治，他的开元盛世是唐朝的极盛之世；在位后期宠爱杨贵妃，怠慢朝政，宠信奸臣李林甫、杨国忠等，加上政策失误和重用安禄山等佞臣，导致了后来长达八年的“安史之乱”，为唐朝中衰埋下伏笔。756年李亨即位，尊其为太上皇。

垂拱元年（685年）秋八月戊寅，李隆基生于东都（今河南省洛阳市）。出生时其父李旦为帝，母亲窦氏为德妃。689年，武则天命令将李隆基过继给李弘为子，继其香火。载初二年（690年），李隆基五岁时，父亲李旦被祖母武氏废除帝位，迁居东宫。

李隆基英俊多艺，仪表堂堂，从小就很有大志，在宫里自诩为“阿瞒”，虽然不被掌权的武氏族人看重，但他一言一行依然很有主见。在他七岁那年，一次在朝堂举行祭祀仪式，当时的金吾大将军（掌管京城守卫的将军）武懿宗大声训斥侍从护卫，李隆基马上怒目而视，喝道：“这里是我李家的朝堂，干你何事？竟敢如此训斥我家骑士护卫！”随之扬长而去，武则天知道后，非常惊讶，不仅没有责怪，反而更加宠爱他，8岁便被封为临淄郡王。

神龙元年（705年）中宗李显即位，恢复了唐国号，但政柄却旁落在皇后韦氏手中。中宗去世后，韦后立温王李重茂为帝，是为少帝。李隆基与其姑母太平公主发动政变，诛杀韦后。少帝被迫逊位，相王李旦即位，是为睿宗。李隆基以除韦后功，被立为太子。延和元年（712年）八月睿宗传位太子，退为太上皇。李隆基即位，改元先天，是为玄宗。不久太平公主又欲发动宫廷政变以废玄宗，李隆基乃与郭元振、王毛仲、高力士等人于先天二年（713年）先发制人，赐太平公主死，尽诛其余党，改元开元。从此唐代进入了开元至天宝长达40余年政局比较稳定的鼎盛阶段。

玄宗早年英明果断。他深知安定升平的政局来之不易，所以即位以后，擢同州刺史姚崇为相。开元四年（716年）姚崇罢相以后，玄宗又重用宰相宋璟。在姚、宋执政时期赋役宽平，刑罚清省，天下富庶。此后玄宗所用诸相张嘉贞、张说、韩休及张九龄等亦堪称贤良，各有所长。玄宗在开元初年提倡节俭、毁乘舆服玩，沙汰僧尼，禁民间铸佛像写经，选京官有才识者为地方都督、刺史；以后又在行政、财政、军事诸方面进行了一系列改革，促进经济的发展和社会繁荣。但与此同时，土地兼并盛行，农民逃亡日多，社会政治危机也已经伏下。

从开元末年起，玄宗在长期升平殷富的盛世中逐渐发生变化。在政治上，他以为天下无复可忧，便深居禁中，怠问政事。自开元二十二年起，奸臣李林甫专权达19年之久，宦官高力士亦日见重用；玄宗热衷于开边，对吐蕃、南诏、契丹不断发动战争，不仅恶化了民族关系，而且财政上也用度不足，故而又任用聚敛之臣，对人民加紧搜括；同时大量扩充边军，导致了军事布局上的外重内轻，中央集权被削弱；他专以声色为娱，天宝二年后宠幸杨贵妃，放纵杨氏姐妹穷奢极欲，而李林甫死后杨贵妃从祖兄杨国忠又成了专权的朝臣。玄宗一再受李林甫、杨国忠、安禄山等人的蒙蔽，终于酿成了安史之乱。

安禄山发动叛乱之后，直逼长安。唐玄宗于天宝十五载六月急忙率从官及杨贵妃等离长安西逃。行至马嵬驿（今陕西兴平西），禁军哗变，杀杨国忠，玄宗被逼缢杀杨贵妃，军情始定。此后，太子李亨率一部分禁军北趋灵武（今宁夏灵武西南），七月即位，改元至德，是为肃宗。李隆基率另一部分禁军南逃成都，后被尊为上皇天帝。至德二载，玄宗由成都还长安，居兴庆宫（南内）。宦官李辅国曾因劝肃宗即位之功而深受肃宗宠信。安史之乱平定后，他自以出自微贱，为玄宗左右所轻视，就离间玄宗与肃宗的关系，迫使玄宗迁居太极宫（西内）甘露殿。玄宗晚年忧郁寡欢，去世后，葬于泰陵。

唐玄宗李隆基是中国历史上十分特别的一位皇帝。他一手创造了开元盛世，将唐朝推上了历史的巅峰，然而在位后期又因贪图享乐，重用奸臣，爆发安史之乱，使唐朝慢慢衰落下去，走向万劫不复之深渊。

后梁太祖朱温

后梁太祖朱温（852年—912年），宋州砀山（今安徽省砀山县）人，出身贫苦家庭，从小不务正业，是乡里的地痞。后和兄朱存一起加入黄巢起义军，受到黄巢的重用，封为东南面行营先锋使，同州防御使。黄巢入长安后，他负责防守东线。因为屡次为河中节度使王重荣所败，请求增援，黄巢没有答应，朱温遂于公元882年9月，在黄巢危急之时，背叛了黄巢，率军投降唐朝，被唐僖宗封为左金吾卫大将军，充河中行营副招讨使，赐名全忠。公元883年，封为宣武（治汴州，今河南省开封市）节度使，与李克用等联合镇压了黄巢起义，并被提升为检校司徒，同中书门下平章事等职。此后，他以河南为中心，扩张势力，和李克用父子等人长年混战，致使黄河中下游地区的社会经济遭受严重破坏。混战中，他先后吞并了秦宗权、朱瑄、朱瑾等藩镇，成为唐末最大的割据势力。

公元901年，他趁唐统治集团内乱之际，带兵进入关中，击败凤翔节度使李茂贞，夺得唐昭宗，控制了中央政府。不久，杀尽了朝廷内的宦官。公元904年，他又挟持唐昭宗迁都洛阳。在离开长安时，他还逼迫官吏、百姓一起东迁，并拆毁了长安的宫室，官衙和民房，将材料运往北方。不久，他派人杀死了唐昭宗，立李柷为帝（即唐昭宣帝），并在一天深夜，将唐朝的三十几名大臣集中起来杀死，尸体扔进黄河。

公元907年2月，他逼迫昭宣帝退位，自己称帝，建国号为梁，定都汴，建年号为“开平”。史称后梁。

朱温称帝后，改名朱晃，改革了唐末的一些弊政。但因连年用兵，又经常杀戮将帅功臣，使统治集团内部矛盾日益尖锐，政权不稳。

朱温酷爱女色，淫乱如禽兽，连儿媳们都得入宫陪伺他，儿子们也借此谋取继承权。公元912年5月，朱温在病中应允曲意伺候他的儿媳王氏的要求，要将皇位传于其丈夫（朱温养子朱友文）。三子朱友珪和妻张氏听到后，十分妒恨，决心干掉朱温，夺取皇位。

六月戊寅日，朱友珪和家将冯廷锷带着五百牙兵，假称奉旨入宫，混入皇宫，暗杀了朱温。

朱温的父亲朱诚是乡村的私塾教师，祖父也是如此。朱温排行第三，长兄为朱昱，次兄为朱存。父亲早亡之后，因为家贫，兄弟三人随母亲一同投靠萧县刘崇家。在低人一等的环境中，朱温没有形成软弱的性格，反而变得狡猾奸诈，再加上他和次兄朱存都蛮勇凶悍，时常在乡里惹是生非，不肯勤于正事，所以乡亲们很讨厌他们，朱温也为此没少受主人的责打。但是主人刘崇的母亲却是个虔诚的信佛人，经常护着朱温，并经常说："朱三不是一般人，应该好好对待。"佛教提倡慈悲为怀、宽容忍让的思想，老太太对待众人讨厌的朱三也是一视同仁。

朱温的性格应归因于他的生长环境：作为家中最小的一个，母亲当然要宠爱一些，但是寄人篱下，母亲又少不了经常斥责，恨他不争气。在母亲面前，既有宠爱又有斥责，在主人面前又有鄙视责打，狡猾奸诈的品性自然比一般人多了很多。但狡诈用于军事，却变成了智谋，在军阀混战中屡屡获胜，或许朱温的身世成全了他的帝业。

25岁时，朱温和哥哥朱存一起参加了黄巢起义军。在日常生活中，不被人看重常遭冷眼的朱温参军之后却如鱼得水，不久就因为作战骁勇，屡立战功，被升为队长，朱存却在广州之战中阵亡了。

黄巢起义军最后攻陷了长安（今陕西西安），建立了"大齐"政权。朱温被任命为东南行营先锋使，驻守在东渭桥（今西安东北），并招降了唐夏州节度使诸葛爽。后来又奉命转战河南一带，攻占了邓州（今河南邓州），从而阻断了唐军由荆襄北攻起义军的道路，使"大齐"政权东南面局势稳定下来。朱温得胜回长安时，黄巢还亲自到灞上犒赏三军。接着，黄巢又调朱温到长安西面，抗击纠集起来的唐朝军队，朱温又获大胜，然后挥师击败了唐将李孝昌等军。不久，朱温受命任同州（今陕西大荔）防御使，并攻下了同州，经过短短的五年的南征北战，三十而立的朱三已经成了"大齐"政权的功臣，成为起义军中的一员大将，但是顺心的朱温很快又陷入了困境。

和朱温隔河对峙的唐朝河中节度使王重荣有精兵数万，他投降过起义军，在唐僖宗逃到蜀地后号召各地将领围攻起义军时又重新叛归唐朝。由于兵少，朱温几次战败，只得向黄巢求救，但书信总是被负责军务的孟楷拦阻扣压，再加上起义军内部混乱腐败，朱温一筹莫展。

谋士谢瞳趁机进言献策道："黄巢起家于草莽之中，只是趁唐朝衰乱之时才得以占领长安，并不是凭借功业才德建立的王业，不值得您和他长期共事。现在唐朝天子在蜀，各路兵马又逐渐逼近长安，这说明唐朝气数未尽，还没被众人厌弃。将军您在外苦战立功，政权内部却为庸人所制约，这就是先前章邯背叛秦国而归楚的原因。”朱温看谢瞳说得句句在理，正合自己的心意，为了生存，为了自己的前途，便杀掉监军使严实，率部投降了对面的王重荣。

唐僖宗在得到朱温归降的消息后，不禁大喜，兴奋地说：“这真是天赐我也！”他似乎看到了复兴祖业的希望之光。但万万没有想到，引进来的却是一只真正的“狼”。唐僖宗喜过之后，立即下诏任命朱温为左金吾大将军、河中行营招讨副使。还赐给朱温一个名字：全忠。但朱温并没有完全忠于他，忠于唐朝，就像原来没有忠于黄巢、忠于大齐一样，而是完完全全地叛了唐朝、灭了唐朝。

朱温投降唐朝廷后，唐朝廷任命朱温为汴州（今河南开封）刺史、宣武军节度使，但要等收复京城长安后才能去赴任。朱温便与各路唐军合围长安，和昔日并肩作战的兄弟军队兵戎相见。黄巢无法抵挡，只得退出长安，突围后向南转移，然后又奔向河南。黄巢在攻打蔡州（今河南汝南）时，唐蔡州节度使秦宗权投降，在黄巢死后，他取而代之，继续反唐。这种朝秦暮楚、反复无常的叛变行为不仅唐末存在，五代中也是比比皆是。乱世之中，什么正义和良心都抛之脑后了，兄弟相杀，朋友反目，五代时期成了中国历史上最黑暗的一页。

朱温乘胜追击黄巢军，一直打到汴州，此后，朱温便以汴州为他的根据地，汴州最后成了后梁的首都。

以后，朱温又为解陈州（今河南淮阳）之围，和黄巢军作战大小四十余次，取得全胜。又与唐河东节度使的精锐骑兵合击黄巢军于郾城（今河南郾城），再败黄巢军于中牟（今河南中牟北）北面的王满渡，黄巢大将葛从周等归降朱温。因为追剿黄巢有功，朱温被加封为检校司徒、同中书门下平章事为使相，封沛郡侯，后又进封吴兴郡王，地位显赫。所谓使相是一种合称，使指的是节度使，相指的是宰相，而唐朝没有宰相这一官名，同中书门下平章事的职权就相当于宰相，所以朱温此时称为使相。

在黄巢败亡之后，降将秦宗权继续反唐，但却到处骚扰残害百姓，还妄自称帝，并攻占了河南的许多地方，成为与朱温在中原较量的首要对手。朱温虽然兵少，却毫不示弱。一面派人到山东募兵壮大队伍，一面向兖州（今山东兖州）的朱瑾、郓州（近山东东平西北）的朱宣寻求支援。先后多次战胜秦宗权的骄纵部将，尤其是在汴州北面孝村一战取胜之后，秦宗权开始居于下风，并走向衰落。

大敌已破，朱温又狡诈地对付小敌，甚至对曾经相助的朋友也不放过。因为西面秦宗权的威胁已除，朱温将目标对准了东边，他制造借口，诬陷帮他打败秦宗权的朱宣诱他的兵士背叛他，在书信中对朱宣横加指责，朱宣无法忍受他这种恩将仇报的行径，回信中也毫不相让。然后朱温便抓住这些他自己制造的把柄，令朱珍、葛从周袭击曹州（今山东曹县），击败朱瑾兄弟，两人仅以身免。紧接着，朱温又将矛头指向了淮南地区。原先的淮南节度使高骈在争战中被杀，唐朝廷任命朱温兼淮南节度使、东南面招讨使，遭到了淮南实力派杨行密（即十国之一的吴国的创立者）的反对，也受到占有徐州（今江苏徐州）的时溥的抵制，朱温和他们的矛盾日益激化，但朱温还是先集中兵力解决了西面的秦宗权。

朱温被唐僖宗任命为蔡州四面行营都统，负责对秦宗权的围攻。不久，唐僖宗病逝，其弟弟唐昭宗即位。朱温此时并没有立即进攻处于劣势的秦宗权，而是四处扩张自己的势力。派人北上，拉拢魏博兵变的获胜者，建立起黄河以北东面的同盟者。又派大将葛从周北上救援被李克用围攻的张全义，建立黄河以北西面牵制对抗河东势力的同盟者。

北方之患稳定后，恰好唐昭宗为促使朱温早日解决秦宗权，又加封他为检校侍中，朱温便顺水推舟，调集大兵强攻蔡州。城破之时，秦宗权被部将拘拿送给朱温。秦宗权被押到长安处死，朱温则进封东平郡王，并加检校太尉兼中书令。

秦宗权势力消灭后，西面之忧解除，朱温又回师向东，对付时溥和原先逃脱的朱瑾兄弟。朱温率兵攻克徐州，时溥及其家眷自焚于燕子楼。第二年，多次取胜的朱温又与朱瑾兄弟大战，以火攻取胜，最后擒杀朱宣，朱瑾逃奔杨行密。

经过多年的征战，朱温扫清了一个个对手，完全控制了黄河以南淮河以北的中原大地，超过李克用成为最大的地方势力。

朱温的霸业之所以能够成功，主要得益于两个人，一个是他的军师敬翔，另一个就是他的妻子张惠。虽然史书上对张惠的记载并不多，但从字里行间可以看出，张惠对朱温所起的作用是很大的。

张惠和朱温是同乡，都是砀山人，张惠家住在渠亭里。她家在当地是有名的富裕之户，父亲还做过宋州的刺史。

张惠生于富裕之家，既有教养，又懂得军事与政治谋略，可见从小父亲对她的传教也是很多的。张惠既有温柔的一面，又有英武的一面，体贴照顾朱温的同时常有让朱温钦佩的计谋。在这位刚柔相济、贤惠机智的妻子面前，朱温的狡诈反而显得粗浅，暴躁的朱温也收敛了许多。不但内事做主，外事包括作战也常让朱温心服口服。凡遇大事不能决断时朱温就向妻子询问，而张惠所分析预料的又常常切中要害，让朱温茅塞顿开。因此，对张惠越加敬畏钦佩。有时候朱温已率兵出征，中途却被张惠派的使者赶上，说是奉张夫人之命，战局不利，请他速领兵回营，他就立即下令收兵返回。

朱温本性狡诈多疑，加上战争环境恶劣，诸侯之间你死我活的争夺，更使朱温妄加猜疑部下，而且动不动就处死将士。这必然影响到内部的团结和战斗力，张惠对此也很明了，就尽最大努力来约束朱温的行为，使朱温集团内部尽可能少地内耗，一致对外。朱温的长子朱友裕奉命攻打朱瑾，但没有追击俘获朱瑾，回来后朱温非常恼怒，怀疑他私通朱瑾，意欲谋反，吓得朱友裕逃入深山躲了起来。

张惠为让父子和好，就私下派人将他接了回来，向父亲请罪。朱温盛怒之下命人绑出去斩首。这时，张惠光着双脚从内室匆匆跑出来，拉住朱友裕的胳膊对朱温哭诉道："他回来向你请罪，这不是表明他没有谋反吗？为何还要杀他？"

朱温看着妻子和儿子，心软了下来，最终赦免了儿子。

一波暂平，一波又起。朱瑾战败逃走之后，他的妻子却被朱温得到，张惠见朱温动了邪念，便让人把朱瑾的妻子请来，朱瑾妻赶忙向张惠跪拜行礼，张惠回礼后，对她推心置腹地说："我们本来是同姓，理应和睦共处。他们兄弟之间为一点小事而兵戎相见，致使姐姐落到这等地步，如果有朝一日汴州失守，那我也会和你今天一样了。"说完，眼泪流了下来。

朱温在一旁内心也受到触动，想想自己也愧对朱瑾。当初如果没有朱瑾的援兵相助，他也不会大败秦宗权，在河南站稳脚跟。这次开战也是自己用了敬翔的计谋，妄加指责朱瑾诱降自己的将士才出兵的。此时已占领朱瑾领地，目的已经达到，何必再强占他的妻子呢。况且妻子已经知道内情，不如顺水推舟做个人情。

最后，朱温将朱瑾的妻子送到寺庙里做了尼姑，但张惠却始终没有忘记这个有些不幸的女人，常让人去送些衣物食品，或许也算为朱温弥补一点过失。

张惠和朱温共同生活了二十余年，在朱温灭唐建后梁前夕却染病去世。朱温得到张惠病重的消息，急忙赶了回来。

临终前，张惠还对朱温劝道："既然你有这种建霸业的大志，我也没法阻止你了。但是上台容易下台难，你还是应该三思而后行。如果真能登基实现大志，我最后还有一言，请你记下。"

朱温忙说："有什么尽管说，我一定听从。"

张惠缓缓说道："你英武超群，别的事我都放心，但有时冤杀部下、贪恋酒色让人时常担心。所以'戒杀远色'这四个字，千万要记住！如果你答应，那我也就放心去了。"

张惠死后，不仅朱温难过流泪，就连众多将士也是悲伤不已。由于朱温多疑，常滥杀属下，杀人时没有人敢出来求情，只有张惠得知后时常来解救，几句温柔在理的话就使朱温暴怒平息，因此许多被救的将士都对张惠感激不尽，其他将士对张惠这种爱护将士之情也充满了敬仰。

张惠为人和善，对朱温的两个妾也是如此，没有丝毫嫉妒，更不用说加害她们了。朱温因为张惠的贤惠，也没有像其他人那样娶三妻四妾。但是，张惠死后，朱温却放纵声色，忘了妻子临死时的忠言，后竟然和儿媳乱伦，终于是不听忠言，惨死刀下，遭了报应。

张惠为朱温生有一子，即梁末帝朱友贞，朱温被唐朝封为魏王时，张惠也被封为魏国夫人。朱温称帝后，一直没有立皇后，大概是怀念这位贤惠而又有智谋的妻子吧。等到梁末帝即位时，才将母亲追加谥号为"元贞皇后"和"元贞皇太后"。

经过了20余年的奋斗之后，朱温的个人志向终于有了全面实现的可能：张惠已成为他的妻子，还为他生下未来的梁末帝朱友贞。帝位也已向他频频招手，为达到最终称帝效法光武帝刘秀的目标，朱温一步一步地做了起来。朱温最先走的一步棋就是挟天子以令诸侯。

在唐朝末年，掌权的宦官刘季述等人幽禁唐昭宗，历数其罪过，将他锁到屋里，还熔铁浇在锁上，防止有人放他出来。饭食则从墙根挖的小洞里送进去。然后拥立太子李裕为帝。第二年，与朱温关系颇好的宰相崔胤诛杀了宦官刘季述等人，唐昭宗复位，改年号天复，封朱温为东平王。

崔胤想借朱温之手诛灭专权误国的宦官势力，而韩全诲等宦官则依靠占据凤翔（今陕西凤翔）的李茂贞作为后盾。崔胤先采取了行动，假造诏书命朱温领兵进京护驾，朱温则顺势率兵一路攻到了长安郊外。韩全诲等人慌忙劫持唐昭宗投奔凤翔的李茂贞。朱温紧追至城下，要求释放唐昭宗。韩全诲也仿效崔胤假造诏书，命朱温退兵。由于凤翔久攻不下，加上粮草救济等原因，朱温暂时撤去。但不久之后又重新围攻凤翔，多次打败李茂贞的军队。这次有备而来，朱温的目的就是要回唐昭宗归自己控制。

凤翔被围久了，城内粮食已尽，冻死饿死的不计其数。万般无奈，李茂贞为保实力，只得将韩全诲等二十多人杀掉，和朱温罢兵言和。朱温大获全胜，挟唐昭宗返回长安，昭宗成了他的掌中之物。第一步实现了，朱温又开始设想第二步：踢开皇帝，自己登基。

唐昭宗很清楚自己的地位，昔日能被几个宦官幽禁，今天在掌握重兵的朱温手里更无法逃脱了。他曾经低三下四地对朱温说："宗庙社稷是爱卿所再造，朕和诸亲属也是爱卿再生。"为保持自己名存实亡的帝位，昭宗对朱温言听计从，成了朱温的盖章"大臣"。

为防止宦官再生事端，朱温干脆将其铲除干净，共杀掉宦官700多人。这样一来，从唐朝中期开始出现的宦官专权现象被彻底消灭。大概是报答朱温为自己报了被幽禁吃苦之仇吧，昭宗任命朱温为诸道兵马副元帅，相当于军队副总司令。又加封朱温为梁王，并赐"回天再造竭忠守正功臣"的荣誉称号，还有御笔《杨柳词》五首。这些荣誉和帝位比较起来肯定不会让朱温满足，相反，却催化了朱温的欲望，梁王的封号恰好被他拿去做了国号。

在称帝之前，朱温不允许任何人对他的地位构成威胁。在任命他为诸道兵马副元帅前，商讨正元帅的人选时，崔胤听从朱温的意见，建议任命辉王李祚为兵马元帅，昭宗却看好濮王李长，由于李祚年幼又容易冲动，崔胤在朱温的支持下坚持让昭宗任命了李祚。

为了使称帝活动更为保险，朱温再次请昭宗迁都洛阳，到他的根据地中原地区去。当昭宗的车辆行驶到华州（今陕西华县）时，百姓们夹道高呼万岁。昭宗涕泪交流："勿呼万岁，朕不复为汝主矣！"昭宗还对他的左右侍臣们诉说道："朕今漂泊，不知竟落何处！"离开久居的都城，昭宗心中忐忑不安，迁移地洛阳虽然是唐朝的东都，武则天时曾长期居住这里，但此时已经成为朱温的领地和独立王国。此次出行，正如唐昭宗所担心的，他走上了一条死亡之路。

昭宗虽已在朱温掌握之中，但他仍不放心，害怕昭宗再寻找机会利用李克用或者李茂贞等地方势力，再次对自己构成威胁，说不定会是杀身之祸。狡诈的朱温效法了曹操：宁负天下人，不让天下人负我。他密令朱友恭、氏叔琮等人弑杀昭宗，但他并不想担此历史罪名，部署好后他便领兵出洛阳讨伐异己去了。事后又回到洛阳演戏，假装不知内情。开始听到消息时他仆地大声嚎哭："奴辈负我！令我受恶名于万代！"又回洛阳到昭宗的灵前恸哭流涕，以此笼络人心，表明自己是唐朝的忠臣。

朱温借皇后之命立年仅13岁的李柷为帝，即昭宣帝。然后杀掉朱友恭和氏叔琮，一方面灭口，另一方面标榜自己的清白正直。第二年，朱温又大开杀戒，为称帝铺路。二月，杀李裕等昭宗的儿子共9人。六月，又杀裴枢、独孤损等异己朝臣30多人，然后将尸首在滑州（今河南滑县）白马驿附近的黄河边投入滔滔黄河，原因是他们常自诩为"清流"，死后要让他们和黄河水一样变成"浊流"。

对不听话的朝臣滥杀不止，对顺从的朝臣也不放过。为早日称帝，朱温命令宰相柳璨、枢密使蒋玄晖等人加紧谋划。在柳、蒋等人的策划下，昭宗任命朱温为相国，进封魏王，并以21道为魏国，兼有九锡之命。柳、蒋的苦心准备并没有让朱温满意，相反，他认为这是他们故意拖延时间，图谋不轨，因此大怒，拒不受封，并杀掉了这两个没功劳也有点苦劳的大臣。

后来，唐宰相张文蔚率领百官向朱温劝进，朱温稍作"谦让"，便迫不及待地坐上了宝座，正式称帝，更名为朱晃，意为如日之光。定国号为大梁，改年号为开平，建都开封。将昭宣帝废为济阴王，迁到曹州（今山东曹县）济阴囚禁。第二年，干脆派人将其杀掉，以绝后患。

朱温虽然登上皇位，但是，昔日的对手纷纷以他为敌，以讨贼复兴唐朝为口号，联合起来对付他。晋王李克用是反对的核心力量，岐王李茂贞也以唐朝的忠臣面目出现，号召讨伐朱温。蜀王王建干脆在成都称帝，公开自立。吴王杨行密死后，其子杨渥不肯归附，仍以唐朝为正宗。朱温与李克用互为主要对手，李克用为报昔日之仇，更是屡次与后梁血战不止。

朱温称帝之前与李克用反复争夺泽州（今山西晋城）、潞州（今山西长治），因为二州战略地位极其重要，是入晋的门户。称帝不久，朱温即派兵再战潞州，结果大败而归。此后在柏乡（今河北柏乡）之战中又损兵折将，再次出兵时，自己所率部队竟被晋军区区几百骑兵骚扰突袭得仓皇逃窜，终致全局失利，从此他忧急成病，死前才认清形势："我经营天下三十余年，没想到李克用之子比他父亲更为难制，我看这小子其志不小，上天又不让我长寿，我死后，诸子不是他的对手，大梁一灭，我哪有葬身之地！”

总结朱温一生，在治理国家方面还是做了一些事情的，这应该肯定。但朱温的滥杀无辜，荒淫无耻也是历史上极为突出的，为历代人所不齿。

朱温称帝后，对外作战时，也实施了一套安邦定国的措施，以期江山永固。他转变了只重军事的做法，认识到民众和土地对稳固政权的重要性。因此，他尽最大努力去恢复生产，奖励农耕，采取了一些与民休息的宽容政策，中原的经济得到一些恢复。同时，为保证地方行政的顺利，朱温又下令给各地将领，不论其军阶多高，部队多少，在行政事务方面一律居地方官之下，听从地方官吏管束、安排。这样就从根本上保证了地方治安的稳定，使军队的作用发挥在保民上，而不是割据一地扰民乱国。朱温又吸取唐末地方将领无法节制终成大祸的教训，对手下大将严加防范，一旦有骄横的人出现，立即除掉，或杀或囚，以绝后患。但朱温却没有自己约束自己这种多疑和嗜杀的品性，相反，自始至终还滥杀无辜。

朱温对部下、战俘、士人均滥杀成性。战争时期为整肃军纪，利于调遣，从严治军是应该的，但朱温却严得残酷，杀得残忍。五代时期的法律严酷得令人发指，在中国法制史上五代就是以法律严酷而出名的。为保证战斗力，朱温对待士兵极为严厉，每次作战时，如果将领战死疆场，所属士兵也必须与将领与阵地共存亡，如果生还就全部杀掉，名为“跋队斩”。所以，将官一死，兵士也就纷纷逃亡，不敢归队。朱温又让人在士兵的脸上刺字，如果思念家乡逃走，或者战役结束后私自逃命，一旦被关津渡口抓获送回，必死无疑。无独有偶，现代史上的直系军阀吴佩孚也是在这种方法的基础上加以改造，以这种野蛮的方式提高战斗力。只不过吴佩孚的“效率”更高，让督战队手持大刀到前线执行任务，一遇退缩者，就地砍头。吴佩孚就这样在军阀混战中扩张自己的势力，但最终败在了勇猛无敌的叶挺手下，虽然枪毙许多连营长也无济于事。

在诛杀骄横的魏州兵时，朱温残忍的本性暴露无遗。魏博罗绍威几次请求朱温帮他除掉难以控制的牙兵（即长期形成的节度使亲兵），朱温和罗绍威有姻亲关系，于是就趁自己女儿（即罗绍威的儿媳）病死的机会，以奔丧为掩护，先派精兵装扮成担夫，进入魏州城，然后由大部队跟进。内外夹攻，将八千牙兵全部杀死，连妇女儿童也不放过，城里显得空空荡荡。正和梁军一起围攻沧州的魏博军闻讯反击梁军。梁军攻下魏博军的城池后，又将军民杀得一个不留，激怒了当地百姓，因为魏博军都是当地人出身。百姓纷纷抗击梁军，动荡局面之到半年以后才平息。

其次就是乱杀战俘。朱温率军在钜野（今山东巨野）南边击溃朱宣部将万余人，清理战场的时候，突然间狂风大作，沙尘弥天漫地。朱温杀性顿起，借机对众将说："这是因为杀人不够！"于是命将士把战俘悉数杀死。有一年，朱温命朱友宁攻打青州博昌县（今山东博兴），打了一个多月仍未攻克。朱温盛怒之下，命友宁驱使俘虏的十万民众背着石头木料，牵着牛驴，在城南筑土山攻城。到了城下，竟将人畜木石合在一起筑成攻城的道路，惨不忍睹，喊冤之声几十里之外就能听到。不久，城被攻陷，朱温又命令屠城，尸首遍野，清河竟也被阻塞不流。历来战争成名的只有将领，受害的总是百姓，所谓"一将成名万骨枯"绝不仅仅是一句卖弄文采的七言诗！

对待士人，朱温也是残忍至极。有一年的六月，朱温与众多幕僚及当地游客在大柳树下乘凉。朱温望了望柳树枝，自言自语道："这柳树正好可以做车毂（古代车轮子的中心部分，圆形有孔，可以插车轴的一端）。"众人都未及回应，几个书生游客顺口应道："是啊，正好做车毂。"没想到朱温勃然变色，斥责道："书生们只知道顺嘴戏耍人，什么东西！车毂要用榆树做才耐用，柳木中看不中用！"然后冲着左右卫士们喊道："还等什么？"数十名卫士亮刃向前，将答话的几个书生全部砍杀。

朱温幼年丧父之后，家境穷苦，随母亲帮佣刘崇家，估计难以有读书人私塾的机会，后来从军，征战几十年，大概内心中对书生士人既有一些自卑，更有因此而长期郁积心中形成的嫉妒。此时的朱温称雄天下，又多了一些鄙视，书生为避免朱温独语尴尬，搭讪回应，没想到撞到奸诈残忍的朱温手上，死于非命。从滥杀士人可以看出，朱温的滥杀已经走向了极端。

综观朱温一生，更让他遗臭万年的是他的荒淫，而且是前无古人，后无来者，空前绝后的荒淫。朱温未叛黄巢时，曾娶妻张惠，张惠既贤惠又有智谋，军国大事也常常言听计从。有时候已经出兵多时，只要召回派的人追上他，说战机不对请他回师，朱温肯定听从。照此看来，说朱温妻管严也不为过。

妻子在朱温称帝前不幸病故，未能当上皇后。没有了约束，朱温便放胆纵情声色。他喜新厌旧，今天宠爱这个，明天又喜欢那个，多多益善，只要娇媚有姿色，便来者不拒。

乾化二年（912年），朱温兵败路上生病，回师洛阳后，住到大臣张全义家的会节园里避暑，前后十多日。张家的妻妾都被他召去侍寝，淫乱终日，毫不顾惜君臣之礼，连张全义已是半老徐娘的继妻储氏也被他召来强与交欢。张全义的儿子愤恨至极，持刀要与朱温拼命，被张全义死死拉住，说不要忘了昔日朱温对他全家的救命之恩。为了高官厚禄，屈辱至此，张全义的隐忍可算是到了极点。

朱温尤让人不齿的是他荒淫到了乱伦的程度。在他的儿子外出征战时，他便将儿媳召入宫中，命为侍病，实为侍寝与之乱伦。更让人吃惊的是，他的儿子们对父亲的乱伦不但不愤恨，反而毫不知耻地利用妻子在父亲床前争宠，讨好朱温，以求将来继承皇位。父子这种丑闻，在历史上恐怕独一无二了。

朱友文是朱温的养子，其妻王氏姿色出众，美艳无双，朱温尤为喜欢。开始以侍病为名被召入宫内，最后知道实为陪枕留寝时王氏竟也不推辞，反而极力逢迎，更助长了朱温召纳其他儿媳的淫心。

朱温为满足自己的欲望，枕席之间答应王氏将来传位给朱友文，这又引起了亲生儿子朱友圭的不满。而朱友圭的妻子张氏也常常侍奉朱温左右，为了丈夫的前途，甘心献身，随时注意年老多病的朱温的一举一动。

后来，朱温病情加重，就告诉王氏，让她通知朱友文来见他，以便委托后事。友圭的妻子张氏知道后，赶紧密告友圭："朱温已将传国宝交给王氏去找友文，我们就快完了。"催他先采取行动。朱友圭得到消息后，立刻利用他掌握的宫廷卫队及其他亲信所率的部队发动了政变，连夜杀入宫中。朱友圭的随从冯廷谔一刀刺入朱温腹中，刀尖透出背部。朱温的荒淫败行，终有惨死这一下场，也算是"死得其所"吧。这一年是乾化二年（912年）六月，朱温终年61岁。朱友圭见他已死，用破毡裹住尸首，埋在了寝殿的地下。

作为五代时期的第一个皇帝，朱温起家于乱世。在乡里被人视为不务正业的朱温在从军之后发挥了他悍勇的长处，步步高升。其狡诈多疑的性格也不为邻里所称道，在战乱中却能助他取得一个个胜利。随着地位的升高，随着生存的需要，他扫除了一个个对手，最后为生存防不测，他将唐朝皇帝也踢开，自己登基，以为安然无恙了，没想到最安全的帝王寝宫成了最危险的地方。更没有想到奸狠的自己也有奸狠的儿子。近朱者赤，近墨者黑，朱温不朱反而心黑手辣，离他最近的儿子们也变黑了，手也变狠了。死于儿子之手也算合乎情理了。十一年后，正如朱温病中所言，他的儿子朱友贞不是其死敌李克用之子李存勖的对手，后梁终被后唐灭掉了。

朱温建立的后梁，暂时结束了黄河流域藩镇割据和军阀混战的局面，使社会经济有所起色。

后唐庄宗李存勖

李存勖（885年—926年），中国后唐开国皇帝，军事统帅。出生于晋阳（今山西太原西南），沙陀部人。唐河东晋王李克用之子。

善骑射，少时随父出征凯旋，唐昭宗授检校司空、隰州刺史。后梁开平二年（908年），袭晋王位。面对后梁、契丹的威胁，他剪除企图篡权的叔父李克宁，继而领兵击退围潞州（今山西长治）之梁军。

他采取举贤、减税、安民等措施，治理河东，并把以沙陀部人为骨干的军队，整顿成为一支劲旅。针对当时藩镇割据之势，他先联合成德、义武（治今河北正定、定县）两镇以对抗后梁，待晋力量壮大后，灭大燕，兼并成德、义武两镇。后梁龙德三年（923年）四月，在魏州（今河北大名东北）称帝，建后唐，改元同光。后唐同光元年（923年）十月，亲率大军奇袭汴州（今河南开封），灭亡后梁。三年，灭前蜀。

后唐统治确立后，他心满志骄，大修宫殿，疑忌将臣，亲信宦官，优宠伶人，日趋腐败。四年，刘皇后密令太子李继岌杀害谋臣郭崇韬，激起魏州等地兵变，李存勖在洛阳，因亲军哗变，中流矢而死。

李存勖是李克用的长子，小名亚子，幼时体貌出众，而且忠厚沉稳，喜欢独来独往，很受李克用的喜爱。11岁时便跟随父亲出征作战，得胜后随父亲进见唐昭宗。昭宗见了他，非常惊讶："这孩子真是长相出奇！"然后轻抚着他的背说："小儿日后必定是国家的栋梁之材，不要忘了为我大唐尽忠尽孝啊！"接着，昭宗又赏赐他翡翠盘等物。因为昭宗对李存勖说了一句"此子可亚其父"，意思是说使他的父亲成为亚军，超过其父，因而得名"亚子"。

李克用对聪明出众的李存勖寄予了厚望，一次，李克用出征凯旋，在上党（今山西长治）三垂岗打猎，岗上有唐玄宗庙，李克用便在庙前置酒，听伶人们奏乐，演奏的《百年歌》到了老年时期的歌辞时，声调极为苍凉凄苦，大家的心情很沉闷。这时，李克用却捋着胡子指着身边刚五岁的李存勖笑道："老夫虽然壮志未酬，但二十年后，他肯定和我一样在此地征战，完成我的大业！"

渐渐长大的李存勖几乎是文武全才，善于骑马射箭，又精通《春秋》，喜欢音乐，懂音律，听戏演戏都很在行。称帝后与伶人同台演戏，还取了艺名“李天下”。

李存勖比起他的父亲来，谋略更胜一筹。李克用的部将多年随他征战，经常赏赐，加上他的姑息迁就，致使兵将骄悍，肆意扰民。李存勖比父亲看得远一些，请求父亲严肃军纪，李克用却置若罔闻，依旧听之任之。等到李克用病死后不久，李存勖便立即整顿军队，提高了战斗力。再如，幽州的刘仁恭是在李克用全力扶持下才得以占据幽州地区的，后来却反复无常，忘恩负义，李克用向他征兵时竟不发一兵一卒。等再次遭到朱温军队围攻时又厚着脸皮向李克用求援。李克用恨他毫无信用，不肯发兵。李存勖则劝父亲：“现在看天下形势，归顺朱温的有十分之八九，到现在黄河以北地区能和朱温对抗的只有我们和幽州、沧州了，而这两州朱温早就想吞并，如果我们不相救，日后就难有机会了。图大业者不应计较小恩怨，现在他有难，我去解救，他一定会感恩归顺于我，这是我们河东重振雄风的良机，千万不可可错过。”李克用终于听从了儿子的话，出兵解了幽州之围，阻止了朱温势力的发展。

还有一次，李克用与朱温争战居于下风，战事吃紧，李克用满脸愁容。李存勖就又分析形势劝说父亲：“凡事物都有盛衰的规律，我们三代尽忠于王室，纵使势力衰微无法报效也问心无愧。物不极则不反，恶不极则不亡。现在朱温已经有了篡位之心，陷害忠臣，妄称神灵暗助。但依我看来，他已经走到了极点。父亲大人应当静心休养，等他衰退之时再趁机进军。不必这样轻易就沮丧忧愁。”李存勖说得句句在理，李克用听了儿子的话，忧愁尽散，又和大家一起举杯同乐。

在李克用病死后，李存勖又充分施展了自己的谋略，不但除去内患巩固了自己的地位，而且出奇兵在潞州大破梁军的夹城，让朱温慨叹不已。

初继晋王之位，李存勖并未锋芒毕露，而是静观其变。叔父李克宁受李克用的委托，掌握军政大权，起初李克宁协助侄子李存勖内外治理，但后来却在别人的怂恿下欲取而代之，加害李存勖。李存勖在危难时刻得到了父亲旧臣张承业的大力支持，最终果断地除掉了李克宁，地位初步稳固。然后，李存勖便集中力量对付梁军，机智果敢地解了潞州之围，给朱温一个下马威。

李克用死的时候，晋军与梁军对峙潞州，李存勖想立即出兵解围，有的人认为服丧期间不宜出兵，李存勖则对众人分析道：“敌人以为我们正在服丧，肯定不会出兵作战，况且又认为我年轻，刚刚接替父亲之位，肯定没有治国能力，更不用说领兵打仗了。这样，敌人一定会精神懈怠毫无防备，如果这时我们突发奇兵，先发制人，那一定会成功的。”说服了众人，李存勖立即整军出发，直扑潞州的梁军。部队出发后，路过三垂岗，不由得想起二十年前父亲在此地饮酒所说的那番话，李存勖异常感慨，暗下决心要将梁军彻底击溃。趁着漫天浓雾，率领周德威等将领分兵直捣梁军的营寨，梁军果然毫无防备，被李存勖杀得丢盔弃甲，狼狈逃窜。这次奇袭成功大大挫掉了梁军的锐气。朱温闻讯，惊讶得张大了嘴，半晌才挤出一句话来："生儿子就应当生李亚子这样的！李克用虽死犹生，我的儿子们与之相比，都是些猪狗之类无用的东西。"

得胜之后，李存勖回到了晋阳，也就是太原，紧接着又开始了系统的整顿改革。其实在他刚继晋王之位时就已开始了，先任命李存璋为河东马步都虞候兼军城使，负责整顿军纪。李存璋立即部署，打击扰乱军纪的将士，诛杀了几个首领，没过几天，军纪大振，百姓们拍手称快。等破了潞州之围，李存勖又进一步全面整顿，不仅是军纪，而且涉及政治与经济各个方面。命令各州县保举贤良之人充任官吏，罢黜地方的贪官污吏。同时减轻人民的租赋税收，抚恤孤儿与老人，为民平反冤狱，严厉打击盗贼。李存勖身体力行，每当路上遇到饥寒的百姓，就下马亲自慰问。从此，河东地区民心依附，百姓开始安居乐业。经济的发展反过来又为李存勖的作战提供了有力的物质保障。

对于军队的整顿更是重点，为提高战斗力，他制定了严格的军纪，下令骑兵在见到敌人之前不准乘马，步兵和骑兵战斗部署已定时，必须保持严整的队形和阵式，不得随意跨越防区地界，以防止发生混乱，给敌人以可乘之机。分路进军时，到达集结地的时间不得延迟，违者斩首。这次改革收到了极大的效果，三军将士作战都勇猛向前，以一当百。同时，李存勖还将自己的音乐才能用于军队，自写歌词，自谱曲子，让将士一起放声高唱，称为御制军歌，作战前不论上一次是胜是败，都要齐唱军歌，所以将士们在作战时都忘掉了生死，唱歌打仗可算是李存勖用兵之一绝。再加上河东兵都穿着黑衣，铠甲也用黑衣包裹，所以被称为"鸦军"。不过，他们唱的军歌肯定比乌鸦唱得好听。

经过努力，不但军队的战斗力大增，经济实力也有了很大的提高，李存勖的力量比父亲李克用时要强很多，所以才能在和朱温的对抗中逐渐地占了上风，为日后夺取山东，灭掉后梁打下了坚实的基础。此后，李存勖便和后梁展开了对黄河以北地区的争夺。河北的战略地位极为重要，占据了河北，向西就可以攻击河东，向南则可以压服后梁。当时的河北地区主要有三支割据势力：王镕占据镇州（今河北正定），为成德节度使；王处直据有定州（今河北定县），为义武节度使；刘守光在幽州（今北京城西南），为卢龙节度使。三人当中，刘守光的势力最大，而王镕和王处直较弱。朱温称帝建立后梁时，三镇为保持自己的割据势力，均表示臣服归顺。而李克用也极力拉拢三镇，想趁机将河东的势力扩张到河北。

王镕和王处直由于不满朱温的猜疑与滥杀，反梁而投向了河东，朱温发兵征讨，王镕和王处直急忙向李存勖请求援兵。李存勖立即派周德威率兵作为先锋出发相救，自己亲率大部队随后增援。中途俘获了梁军士兵，得知朱温派兵遣将时曾经下令："镇州就算是用铁铸成的，也要给我拿下来！"李存勖为激励两州将士死守的决心，派人将俘虏送到了镇州和定州。后来两军在柏乡一带展开激战，周德威与其他将领奋勇冲杀，机智调兵，最终大败梁军，取得了柏乡大战的胜利。

后来，幽州的刘守光在囚禁父亲刘仁恭夺取节度使之位后，发兵攻打镇、定地区，李存勖率军救援，而朱温则应刘守光的请求趁机再次和河东军开战，由于柏乡惨败的阴影还没有忘记，进军路上心情暴躁，以至于交战之前就杀死了几个文官，勇将李思安也被斩首。朱温自己泄了些怨气，但却使部下心神不宁，导致又一次惨败。还未碰上晋军，就有流言说晋军大部队已经铺天盖地而来。朱温如惊弓之鸟，竟丢下自己的行营大帐，奔逃到枣强（今河北枣强），与大将杨师厚一起攻城，因为守军抵抗，在攻陷后梁军竟血洗该城。河东的援兵在李存审的率领下，仅以几千人对付朱温的强兵五万。李存审在夜里先以数百名骑兵突袭梁军，朱温不敢恋战，又烧大营逃命。惊慌之中又迷失了方向，走错了路。跑出一百五十里后才发现。对滥杀成性的朱温早已恨之入骨的河北人民听说梁军又来，纷纷拿起武器到处袭击梁军，有的在地里劳动的农民也举着锄头痛击梁军。朱温这次败退，因为并没有和河东军主力交锋，所以更觉得窝火，结果一病不起，退回之后被儿子杀死。

朱友圭杀父即位后，众兄弟都不服，特别是朱温和张惠所生的朱友贞，身为嫡子，更是打起了"除凶逆，复大仇"的旗号，联合魏博节度使杨师厚兴师问罪。在杨师厚的帮助下，朱友贞得到宫中禁军的配合，最后杀死朱友圭，夺取了皇位。在五代时期，他是通过兵变夺取皇位的第一人，从此为以后的兵变提供了效仿的先例。

但朱友贞并没有遏止后梁衰亡的趋势，相反，却加强了这种趋势。朱友贞重用为他夺取帝位出谋划策的赵岩，而且赵岩又是父亲朱温的女婿，关系亲密。但赵岩没有治国之才，只会弄权乱政，败坏风气。中央政治被他们弄得腐败了，一些老臣在他们的纵容下横行霸道，基层的官吏更是敲诈剥削，任意加重百姓的负担。朱友贞不善用人，派朱友能任陈州刺史，朱友能却只会横行乡里，纵容下属骚扰百姓，最终逼出了陈州农民起义。起义虽然被镇压，但说明后梁统治已经到了穷途末路。本来陈州是后梁的财赋重地，当初朱温能称霸中原，打败并消灭秦宗权，正是靠张全义经营陈州，全力供应才得以实现的。朱友贞却反其道而行之，这又怎么不加速自己的灭亡呢?

就在后梁矛盾重重国势日益衰微之时，李存勖却步步得胜，集中力量灭掉了刘守光。

刘仁恭在朱温灭唐之前取得了沧州，便命长子刘守文为沧州节度使，接着进兵镇州、定州与魏博，被朱温打败后向李克用求救。朱温领兵大举进攻沧州，刘仁恭由于兵少，竟命令男子15岁至70岁的全部自备粮食和武器参军，男子的脸上刺“定霸都”三个字，士人则在臂上刺“一心事主”四个字，以防止逃亡。共得兵20万，但战斗力很差。沧州被围困得出现了吃土吃人的惨剧，最后由于梁将丁会降晋，削弱了梁军，加上朱温急于称帝而退兵，刘仁恭才得以维持其势力。但回到幽州后，刘仁恭却一下子昏庸起来，在西边大安山修建宫殿，广招美女，醉心于声色之中，又召僧道炼长生不老之药。儿子刘守光在后梁军再次侵扰时趁机领兵进入幽州城，派人将父亲抓回来，囚禁起来。刘守文从沧州起兵讨伐大逆不道的弟弟。最后被心狠手辣的弟弟杀死。在刘守光妄自尊大，想要当北方的盟主的时候，李存勖便施了骄兵之计，和王镕、王处直一起尊刘守光为“尚父”，但刘守光并不满足，最后竟登基称帝。在刘守光派兵南下时，李存勖便趁机派周德威端了他的老巢，将刘守光和父亲刘仁恭一并抓获，押回河东处死。一对反复无常的父子得到了应有的下场。

李存勖至此完成了父亲交给的一支箭的遗命，灭掉幽州和沧州后，李存勖便扫除了后顾之忧，在他正要南下夺取魏博时，恰好魏博发生了兵变，李存勖借势出兵，唾手而得魏博。从而使河东的势力逼近了后梁的生命线：黄河。

朱友贞得帝位全赖杨师厚相助，因此对杨师厚大加封赏，封邺王，加中书令衔。杨师厚手握重兵，权倾朝野，日久渐生异心。谁知未来得及行动便重病染身，一命归西了。这倒使朱友贞大快其心，还在宫中摆宴庆贺。然而，赵岩的几句话却使后梁丧失了河北重地。赵岩劝朱友贞趁杨师厚病死军中无主的机会，将魏博镇一分为二，削弱其力量，以免后患。朱友贞便下诏将魏博镇分成天雄和昭明两个镇，天雄镇仍在魏州，昭明镇则在相州（今河南安阳），然后将财物和将士均分给两镇。为防止发生变乱，先派兵北上监视，实为伺机平叛。魏州将士世代据守本地，不愿奔走他乡，于是发生了兵变，并向李存勖投降，李存勖见此良机，不禁大喜，连忙亲自领兵赶赴魏州，立即捕杀了兵变的头目八人，斩首以威慑兵变将士。同时又将杨师厚的亲兵收为自己的亲兵，以示恩宠。然后又下令严惩扰民的士卒，整顿军纪。

安定魏博内乱之后，李存勖率兵与刘寻展开了决战。刘寻在梁将当中是最有智谋的，在魏县（今河北魏县东南）受挫后，认为晋军的主力集中于魏州，其大本营晋阳（今山西太原）必定空虚，便想用奇兵直捣河东的腹心，再回头取镇州定州，然后平定河北地区。刘寻为迷惑晋军，让人做了许多草人，然后在草人的手上绑上旗子捆在驴背上，驴往返活动在城墙上，就像人在城墙上活动一样，自己则率领主力秘密地去奇袭晋阳。李存勖知道刘寻用兵诡诈，号称“一步百计”，见好几天刘寻不出战，便派人侦察实情。得知刘寻已经弃城而去时，料到他必定袭击晋阳，因为他知道刘寻擅长袭击，不擅长决战的弱点。李存勖立即派骑兵从后边急追，同时派将日夜兼程走大路赶回晋阳做防守准备。

刘寻这次偷袭并未成功，先是途中遇上阴雨天气，太行山本来就险要，加上雨天更是泥泞难行，士卒因腹泻及脚肿而死亡的高达百分之二三十之多。后又得知晋阳已有准备，只好转兵突围，想东进占领临清（今河北临西），切断晋军的粮草供应线。但晋将周德威此时已经领兵来增援，绕过刘寻军队抢占了临清，同时对刘寻又形成了夹击之势。刘寻退居莘县（今山东莘县）坚壁不出，想伺机再动。梁末帝朱友贞不懂军事，反而下诏催促刘寻速战，刘寻上报情况，认为晋军善于骑射，不宜速战，请求增发军粮，以便持久抵抗。朱友贞却斥责刘寻要粮不是破敌，而是“疗饥”，还派了宦官到前线督战。

刘寻固守半年之后，李存勖为诱其出战，放言要回晋阳，刘寻以为有机可乘，便领兵出战，在晋军优势兵力夹击之下，7万梁兵大部分被歼，刘寻和几十个骑兵逃脱。李存勖乘胜追击，扩大战果，除黎阳（今河南浚县东）外，将河北之地全部占领。

李存勖占据了河北地区之后，又经过长达七年的战争，与尚有实力的后梁军队争夺黄河沿岸各个战略要点，时间之所以这么长，重要原因之一是北边的契丹常常南下骚扰幽州等地，威胁河东的安全，李存勖不得不北向抗击契丹，击败契丹势力后再整顿休息补充物资和兵员，无形之中灭后梁的时间便拖延了很久。还有后梁的大将王彦章等人勇猛善战，更增加了灭梁的困难。但是李存勖最后还是果断地出奇兵奔袭后梁首都，灭了这个宿敌。最终将父亲李克用所交付的三支箭的遗命全部都完成了。同时也建立了后唐，登上了帝位。

我们常说一句话：大风大浪都闯过来了，小河沟里却翻了船。李存勖百战而完成了父亲的三桩心愿，平定中原，面南称帝。但从此之后，李存勖却陡然一变，从智勇一下子滑入了昏庸，变化之大，令人惊讶。灭梁后不久，李存勖又派兵夺取了关中和两川，疆土的广阔在五代居于首位。这使得南方的吴和楚等国也惊恐不已，但统一大业未成，李存勖却命归九泉之下了。

李存勖平定中原，称帝建国之后，却一无治国之才，二无用人之法，全然没有了往日英勇之气。对待文臣武将，李存勖或者昏庸或者骄横，以致无法团结众人之心。对于后梁的功劳李存勖曾经归于自己一人，说天下是他用十指取得的，抹杀了众将的战功。对于战功赫赫的李嗣源他也妄加猜忌，忠良之将郭崇韬被刘皇后害死时，他听之任之。

远离忠臣良将的李存勖对唐朝末年的腐败士人却格外器重，重用苏循就是一个典型的例子。苏循本来是唐朝臣子，朱温称帝前后，鞍前马后地效劳不止，被敬翔等人鄙视，骂他为“唐之鸱枭，当今之狐魅”，贬斥回乡。李存勖建后唐时，由于以兴复唐朝为旗号，曾下诏寻访唐朝的衣冠，苏循又重新出山，见到李存勖即用唐朝见皇帝的礼拜见。当时文武众臣都没有用朝贺之礼，苏循却跪拜高呼万岁，涕流称臣，使李存勖喜形于色，欢于内心。第二天，苏循又敬献三十管大笔，说是“画日笔”。画日笔原为皇帝专用，李存勖更是高兴，立即任命他在旧任礼部尚书的基础上兼任河东节度副使。除了苏循，李存勖又招纳唐朝旧臣，钻营之徒纷纷再现，像豆卢革等人任职后不但败坏了政治，还陷害了一些将领，唐末时的腐败世风又重在后唐弥漫起来。

李存勖不但用唐末旧臣，而且还像唐中后期那样重用宦官和伶人。当初朱温诛灭宦官，河东却成了宦官的避难所，虽然张承业是宦官中的杰出者，辅佐李克用父子尽心尽力，但李存勖恢复招用大批宦官却使政治日益腐朽，宦官多时曾达到上千人。李存勖宠用宦官，并当成心腹来重用，委以军国大事。他又设置监军一职，派宦官充任以监督驻外将领。李存勖不懂得时代变化情况，片面效仿唐朝，非但不能用宦官加强中央集权，反而受尽其害。三年之中，李存勖从河东变到了河西，而且一路向西走去，即从勇猛善战，变到了昏庸荒淫，命丧乱军之中。

至于宠信伶人，李存勖更是花样迭出，本来他从小就喜爱音律，爱看伶人演戏。称帝前，就曾任命伶人做官以致贻误战机。灭梁之后，原被梁军俘获的伶人周匝见到李存勖，向他保举曾保护他的后梁教坊使陈浚做一郡长官，李存勖见到周匝，异常欢喜，对周匝保举的陈浚连人也不看立即应允。由于李存勖的宠信，伶人们出入宫廷内外，傲视戏弄贵族大臣。众人气愤之余又不敢向李存勖告状，有的甚至反过来巴结伶人，以保求富贵。四处的节度使们也争相重金行贿。伶人中为害最深的就是景进。李存勖想知道宫外之事就问景进。景进由此大进谗言，干预朝政，文武大臣对他都很畏惧。同时伶人与贪官污吏又相互勾结，不但使朝廷日益腐败，还陷害忠臣良将，鱼肉百姓，搜刮民财。李存勖用人不当，直接将自己推上了灭亡之路。

但是，伶人中也有个别忠直的，敬新磨就是其中的一个典型。他不但忠直，而且很机智。李存勖喜欢和伶人们一起演戏，还给自己起了个艺名“李天下”。有一次，他玩得竟乱喊道：“李天下！李天下在哪儿？”敬新磨走上去便给了他一个耳光，李存勖被打得直发蒙，其他的伶人见了，顿时变了脸色，敬新磨却斥责道：“李天下只有一个，你又叫谁呢？”说得大家笑了，李存勖也转怒为喜，重赏了敬新磨。

李存勖喜欢打猎，但又常常踏坏庄稼。一次在外围猎时当地县令上前劝谏：“陛下，凡是拥有国家的人都应该爱民如子，以民为立国之本。必须不应该为图一时快乐而践踏农田，伤害民心。陛下如同万民父母，怎么能这样做呢？”

李存勖听了大怒，命人将他绑了起来，想砍头问罪。敬新磨和其他伶人见状赶忙上前扭住县令，佯装斥责道：“你身为县令，对下可以驱使百姓。既然知道陛下喜欢打猎，就应该多多留出空地，怎么又让百姓在这里锄地劳作，妨碍陛下的鹰犬飞走呢？现在犯了错又不能自责，反而敢对陛下乱说，我看你是该死啦！”

众伶人听了都跟着笑了，李存勖知道是自己的错，听了这种反话，怒气消了大半，一会儿又下令释放了县令。

用人不当导致了政治腐败与黑暗，而其中任用善于剥削百姓的孔谦之类的酷吏更是弄得民怨沸腾，再加上李存勖那位吝啬贪财、为富贵竟不认生身父亲的刘皇后，朝廷上下离心离德，将士百姓怨气冲天。李存勖最终自食恶果，在兵变中被流箭射中而死。

李存勖任命孔谦为租庸使，孔谦为敛民财供奉李存勖挥霍，便绕过藩镇将领直接下令到州县催交赋税。虽然有的藩镇上奏弹劾孔谦违反朝廷制度，李存勖却一方面下诏表示照制度办事，一方面又对孔谦姑息纵容，致使其横征暴敛民心大失。由于暴敛无度，魏州百姓常有拖欠，李存勖责问魏州官员赵季良，赵季良反问他想何时平定河南，李存勖怒而斥责道：“你的职责是督交税赋，做事不力，反而敢干预我军国大事！”赵季良却说：“要谋取河南却不爱护百姓，一旦失去民心，恐怕河北也不属于您了，更何况河南呢？”李存勋被赵季良的话惊醒了，怒气顿消，这才收敛了一些，缓征赋税。

李存勖不但对百姓十分苛刻，而且对曾经有功的大臣也任意诛杀。郭崇韬被冤杀就是一大错案。郭崇韬原是灭梁的功臣，后来曾几次进谏，使李存勋非常不快，加上伶人诬陷，使李存勖对他猜疑更深，到郭崇韬平定四川又立下战功，随军的宦官们因为没捞到好处便造谣说郭崇韬聚财谋反，李存勖犹豫的时候，刘皇后已经派人前去杀他了。得知郭崇韬被杀后，李存勖竟无动于衷，不辨是非。

此后，李存勘又听信伶人景进的谗言，冤杀了功臣朱友谦一家，这样，朝廷中的功臣们都惶恐不安，尤其是将校军士生活日益困顿，妻子儿女不得温饱，怨气更大。当时，平定四川有功的大将康延寿打着为郭崇韬和朱友谦复仇的旗号造反，四川大乱，康延寿兵败身亡之后，四川继续混战，这使后唐局势也陷于混乱之中。此时，镇守瓦桥关的魏博镇将士戍守期已满，回镇途中经过贝州时，李存勖突然下令不准回乡，就地驻守。在这种情况下，加上四川战乱，人心浮动，士兵便发生了哗变，以刀胁迫赵在礼为将，大举南下攻入邺都（即魏州，后唐建立后改名），李存勖闻讯忙派元行钦领兵镇压，却一触即溃。李存勖只得再派平日猜疑较多的李嗣源率领侍卫军征讨，李嗣源到后被形势所迫，举兵反攻，打进洛阳。而李存勖这时也到了生死关头。

李存勖的侍卫军又名“从马直”，是他在军队中挑选强壮士卒组成的，指挥使为郭从谦，原是伶人，因军功而升职。他平时视郭崇韬为叔父，而且又是睦王李存义的养子，郭崇韬和李存义都被李存勖冤杀后，郭从谦恨恨不平，私下结交从马直军校，准备复仇。从马直在洛阳由于饥寒交迫，一部分想兵变造反，由于泄密而被镇压。李存勖在和郭从谦闲谈时，开玩笑地问他为什么依靠郭崇韬和李存义，为什么教唆兵士造反。这使郭从谦以为李存勖有所察觉，心里更是异常不安，就暗中对士卒们说，李存勖连亲军都不信任了，等平定北边魏博兵变后，回过头来也要全部杀死他们，以防后患。谣言传出，人人自危，兵变一触即发。这时，李存勖又要他们随李嗣源出征，等于自己将自己送上绝路。这些亲军到达邺都时便劫持李嗣源发动了兵变。李嗣源最后听从了石敬瑭的劝告，没有再回来向李存勖表白自己，而是整军回攻。

到这时李存勖才想到用财物赏赐将士，让他们为自己卖命，士卒们背着钱物，没一点感激之情，反而大骂：“我们的妻子儿女已经饿死了，要这些干什么！”李存勖领兵去开封抵挡，中途听说开封已经被李嗣源占领，又慌忙撤退。而士卒已经逃亡了一多半。李存勖低三下四求士卒护驾回洛阳，许诺重赏，士卒们却说：“陛下赏赐太晚了，我们不感激圣恩！”部队刚回到洛阳，郭从谦就发动了兵变，和京城的驻守军队陷入混战，乱军之中李存勖被流箭射中，不久便气绝身亡。众人都逃散了，只有一个伶人拣了些丢弃的破烂乐器放在李存勖的身上点火焚尸，宠信伶人的李存勖也只是得到这么一个下场。

李存勖统一的混乱的北方地区，却志骄意满，不思处理朝政，终日淫逸，致使叛乱又起。

后晋高祖石敬瑭

石敬瑭（892年—942年），后晋的建立者。沙陀族（属西突厥）人，父臬捩鸡。公元936年即位，在位7年。

石敬瑭出生的年代是一个天下大乱、争战十分剧烈的时代。李唐王朝名存实亡，藩镇割据愈演愈烈，兵连祸结，岁无宁日。在当时，武夫悍将主宰一切。石敬瑭长大以后，随其父学习了一些刀枪骑射的本领。他性格沉着，寡言少语，练武之暇，竟能读点兵法书籍，逐渐知道了前代名将李牧、周亚夫的事迹。沙陀人向来尚武，不重视文化，石敬瑭的举动显然与众不同，当时任代州（今山西代县）刺史的李克用的干儿子李嗣源非常器重他，将他招为女婿。李存勖听说石敬瑭擅长射箭，也把他擢居左右。后来，李嗣源又命他督领亲兵部队左射军，倚以为心腹亲信。

石敬瑭随李存勖出生入死，冲锋陷阵，立下了汗马功劳，但李存勖当上皇帝之后，却没有封他一官半职，他仍然在李嗣源的麾下当个心腹小校，待遇未免太不公平。石敬瑭心中怨恨不已，然而嘴上却丝毫未流露出不满，他在默默地等待着局势的变化。他看到，像他一样被遗忘冷落的功臣宿将不乏其人，而最受猜忌的就是他的丈人，功居第一的李嗣源。

同光三年（925年），赵在礼在魏州发动叛乱，朝廷遣元行钦招抚失败，群议均以为非用李嗣源不可，李存勖不得已命李嗣源为统师，率侍卫亲军前往讨伐。哪知兵到邺都（今河北大名）城下，当晚发生哗变，士兵挟持李嗣源，要他当皇帝，李嗣源不从，士卒纷纷散逃而去。李嗣源这时手中只剩下常山一军共5000人，马2000匹。李嗣源欲明其不反的心迹，屡次上表申诉，都被元行钦扣下，不得达于朝廷，李嗣源更加疑惧。正在进退两难的时刻，石敬瑭悄悄地附在李嗣源的耳朵上说："大事成于果断而败于犹豫，天下哪里有上将与叛卒共入贼城，日后尚保平安无事的呢？大梁乃天下之要津，假若给敬瑭300骑兵，先往占据，公再引兵急进，以此为根据之地，方能保全无虞。"一席话说动了李嗣源，遂命石敬瑭率五百骑兵直捣大梁。石敬瑭星夜兼程，渡过黄河，赶到大梁城下，先使裨将李琼以劲兵突入封丘门，自已紧跟其后自西门而入，占领了大梁。接着石敬瑭向西挺进，李存勖被乱兵射死。李嗣源进入洛阳，旋即帝位，是为后唐明宗。

老丈人当了皇帝，石敬瑭既是驸马，又是功臣，地位比以前大不相同，官职一年数变，先由总管府都校升为光禄大夫、检校司徒，任陕州保义军节度使，赐号为“竭忠建策光复功臣”。次年，加检校太傅兼六军诸卫副使，晋封开国伯。不久又升为宣武军节度使，侍卫亲军马步军都指挥使兼六军诸卫副使，晋封开国公，赐号为“耀忠匡定保节功臣”，掌握了后唐朝廷的军事大权。

在后唐明宗统治期间，石敬瑭仗着自己是皇亲国戚，功高勋重，在朝廷内部激烈的权力斗争中，始终立于不败之地。到明宗末年，他被任命为河东节度使、蕃汉兵马车总管等。在内他是后唐军事力量的最高统帅，在外又是镇守边关要塞的封疆大吏。

长兴四年（933年），后唐闵帝即位，闵帝优柔寡断，大权旁落，统治集团内部矛盾激化。明宗养子李从珂在凤翔发动兵变，前来夺位。闵帝慌忙召姐夫石敬瑭赴阙御敌。石敬瑭与诸将合计一番，决定不妨前去观望形势，再作决断，遂率兵迤逦而来。四月初一，在卫州（河南汲县）东七八里的地方遇上了仅带50名卫士仓皇逃跑的闵帝。闵帝见到姐夫，大喜，以为得到了救星，连忙向他求救，问以社稷大计。哪知石敬瑭不做正面回答，却反问：“听说陛下已遣康义诚西讨，战局如何？陛下又何以至此？”闵帝哭泣着说：“康义诚也叛变了。”石敬瑭顿时变了脸色，他看到闵帝那失魂落魄的样子，低头打起了算盘：李从珂骁勇善战，名震军中，现在又招降纳叛，实力大增，而自己羽翼未丰，强弱悬殊，恐怕难以与他相争。与其保这个丧家犬似的皇帝，引火烧身，还不如自己保存实力，暂避风头，窥伺时机。想到这里，他假装长叹了几口气，不阴不阳地对闵帝说：“卫州刺史王弘贽乃是精明练达的宿将，陛下还是与他共图大计吧。”闵帝卫士朱洪进听后勃然大怒，指着石敬瑭厉声斥责：“你是明宗的爱婿，与之共享富贵，也应与之共承忧患，今天子蒙难，向你求救，你却说三道四，推卸责任，这不是想要附和叛贼，出卖天子吗？”弓箭库使沙守荣也义愤填膺，拔出佩刀要刺石敬瑭。幸亏石敬瑭的亲将陈晖在侧，上前格住，斗过几个回合，沙守荣被一剑劈死，朱洪进自刎。石敬瑭索性指使指挥使刘知远引兵入驿，将闵帝左右随从全部杀死，把闵帝撇在驿舍，扬长而去。

石敬瑭的谋反已成为司马昭之心，当时明眼之人都看出这一迹象来了。李从珂也并不糊涂，他命武宁节度使张敬达为北面行营副总管，屯兵代州（山西代县），以分石敬瑭之权，又命羽林将军杨彦洵为北京副留守，监视石敬瑭。清泰三年（936年）正月，李从珂过生日时，石敬瑭的妻子入宫祝寿，告辞时，李从珂说："你急着回去干什么？难道要和石郎造反吗？"石敬瑭听到这些，更加疑惧，决心举兵叛变。

清泰三年五月，叛乱爆发了。石敬瑭首先发动政治攻势，上表指责李从珂即位非法，要他自动下台。石敬瑭之所以不敢贸然南下直取洛阳，是因为他担心自己的力量不够强大，不可能一举成功，他坐在太原城里用笔墨挑衅，是在等待对方的分裂和契丹的援兵。

好容易熬过夏天，直到秋高马肥的时候，才盼来了契丹救兵。九月，耶律德光亲率5万骑兵，号称30万，自扬武谷而南，不日抵太原城下。第二天，契丹纵兵追杀，唐军大败，步兵死者近万人，只有骑兵保全，逃回晋安寨。唐军投降了千余人，石敬瑭下令全部杀死，太原之围始解。

当天晚上，在太原城北门外，44岁的石敬瑭由众官簇拥着，口称："儿臣叩见父皇。"拜倒在年仅33岁的耶律德光脚下。礼毕，两人携手入城。耶律德光喜形于色，石敬瑭毕恭毕敬、低声下气。

接着契丹和石敬瑭合围晋安寨，又是一连数月对垒不下。

既然举起了叛旗，就应该有一个号召天下的样子。石敬瑭恨不得马上当上皇帝，可又不敢向耶律德光明说。十一月的一天，耶律德光对他说："我千里来援总要成功，看你相貌器量，真像个中原之主，我就立你当天子吧。"石敬瑭辞让了几次，在将吏的一再劝说下，才假装勉强地答应下来。耶律德光作册文，授石敬瑭为大晋皇帝，筑坛于太原北门外的柳林，择日举行登基大典。届时耶律德光亲手脱下自己的袍服衣冠，替石敬瑭穿上，石敬瑭就穿着一身契丹服装，不伦不类地南面就座，接受群臣的朝贺，当上了契丹的儿皇帝，改元天福。

不久，晋安寨中的唐将杨光远、安审琦杀死张敬达举兵投降，石敬瑭拔掉这颗钉子，就率师南下，一路上，后唐将官纷纷投降。李从珂见大势已去，登楼放火自杀。石敬瑭开进洛阳，后定都汴梁，从此开始了五代的第三个王朝——后晋。

石敬瑭仰仗契丹的支持当了皇帝，自然对耶律德光感激涕零、言听计从。当初在太原时，耶律德光说："桑维翰对你尽忠，你应用之为相。"石敬瑭就任命桑维翰为门下侍郎、同平章事。石敬瑭准备南下洛阳，想留个儿子留守太原，也向耶律德光求旨，耶律德光令他把各个儿子排成一队，亲自挑选，指着他的养子石重贵说："这小子眼大，就留下他吧。"石敬瑭立即照办。

石敬瑭在位的七年间，始终对契丹媚事奉承，柔顺得像只绵羊。他给耶律德光写信，每次都用"表"，还称耶律德光为"父皇帝"，自己称臣，称"儿皇帝"。契丹使臣来到后晋，他总是拜见接诏，克尽儿臣之礼。天福三年（938年）十月，契丹遣使册给他徽号曰"英武明义皇帝"，夸奖他深明"父子大义"，他高兴万分，命左右金吾、六军仪仗、太常鼓吹出城，像迎天书一样将册封诏书吹吹打打、轰轰烈烈地迎到崇元殿前，陈列供奉。

石敬瑭给契丹进贡的财物不可胜计。当初契丹军队回国之时，他遣威塞（今河北涿鹿）节度使翟璋在管区内筹集10万缗犒军钱，此州土地贫瘠，百姓穷困，石敬瑭为让契丹满意，仍严令搜刮，以致民不堪命。此后，他每年除了依照原约贡献金帛30万之外，逢年过节、吉凶庆吊都额外奉送礼物。从中原到契丹，一年到头，满载玩好珍异的车子络绎不绝，耶律德光以外，契丹的太后、皇后、皇子皇亲、将相大臣都有财物可得。后晋承兵火之余，府库殚竭，所有贡献给契丹的财物负担都转嫁到了百姓头上。

在石敬瑭的残酷剥削下，后晋人民生活在水深火热之中，当时天灾人祸也极其严重，水旱、蝗灾接连不断，仅仅天福七年（942年）五月的一个月里，就有五个州郡发大水，十八个州郡遭旱灾。天福六年（941年）九月，黄河在滑州决口，东泻千里，百姓扶老携幼，登上丘陵，然而躲得过大水，却躲不过人祸，被饿而死者难计其数。即使这样，石敬瑭一伙仍不放松对人民的盘剥，一时之间，饿殍盈野，流民遍地，有些想安定下来从事生产的百姓也因州县徭役繁重，责之重赋，威以严刑，不得已重新踏上流浪的道路，社会经济遭到了严重破坏。

取皇位难，保皇位更难。石敬瑭既是皇帝又是奴才，既是绵羊又是豺狼，是一个集高贵与卑贱、软弱与凶残于一身的人物。他在位七年间，像范延光一样不服他领导、觊觎皇位的人层出不穷，好多藩镇只是表面上供奉他罢了，暗地里对他并不多么恭顺。契丹的父皇帝更不把他放在眼里，稍不如意就加斥责。他整天就像睡在丛棘烈火上一样，辗转反侧，不得安生。在内外交困之下，天福七年，石敬瑭生起病来，到了六月就在保昌殿一命呜呼，死时51岁。

石敬瑭依托契丹势力登上帝位，对契丹奴颜婢膝，成为历史上臭名昭著的"儿皇帝"。

后周世宗柴荣

后周世宗柴荣（921年—959年）是五代时期后周皇帝。954—959在位，在位6年。邢州尧山柴家庄（今河北省邢台市隆尧县）人，父柴守礼。祖父柴翁是当地望族，柴荣年轻时曾随商人颉跌氏在江陵贩茶，对社会积弊有所体验。史载其“器貌英奇，善骑射，略通书史黄老，性“沉重寡言”，他是周太祖郭威的养子（柴荣本身是郭威的内侄）。庙号世宗，谥号睿武孝文皇帝。

柴荣是后周太祖圣穆皇后兄柴守礼的儿子。因幼年时期被姑母收养，逐渐委以管家，被姑父郭威收为养子。柴荣小时候聪明伶俐，为人谦虚谨慎。当时姑父家并不富裕，柴荣就经常帮姑父姑母料理家务。由于从小跟从贫寒的姑父，行商走贩去过许多地方，接触了很多社会中下层各行各业的人，为日后的飞黄腾达积累了丰富的经验。

郭威在混乱的战争时期投靠了后晋大将刘知远，并且因为帮助刘知远建立了后汉政权，立下大功，被封为枢密副使，一跃成为了后汉统兵大将，柴荣也因为跟随姑父立功得到了左监门卫将军的头衔。这对柴荣来说是一个千载难逢的机会，为他开创大业奠定了坚实的一步。在这以后，柴荣随姑父东征西讨，屡立奇功，在姑父郭威心中的地位也越加提高。

公元951年，后汉主刘承佑被部将杀死，众将士拥戴郭威称帝，改国号为周，史称后周。柴荣则以皇子身份担任潭州节度使、太原郡侯、晋王等爵位。这预示着柴荣有着无量的前途。

显德元年（954年），郭威去世，柴荣即位，柴荣发现后周政权存在着诸多不妥，于是他果断采取行动，广泛收罗人才，继续推行改革。

周世宗从军事改革入手，同时向政治、经济纵深扩展，成效卓著。

周世宗刚即位，北汉与辽合兵四万余人南侵。周世宗力排众议亲征，途中亲军一指挥使赵晁认为北汉军势盛应该持重前进，世宗把他囚于怀州狱中，由是没有人敢再说退却的话。北汉军屯于高平（今山西高平县）南，中军在巴公原列阵，北汉骁将张元徽列阵在东，辽将杨衮列阵在西，樊爱能、何徽率右军在东，向训、史彦超率精骑在中央，周世宗亲自骑马上阵督战，张永德（周太祖女婿）率亲军护卫。周军后援未至，人数较少，特别由于右军将士态度消极，樊爱能、何徽小战即引骑兵逃走，步兵降北汉，形势变得十分危急。幸而张永德和亲军将领赵匡胤各率二千人力战击杀张元徽，才扭转不利形势，辽军不敢救援退回代州。刘词率后援至，追击北汉军到高平，北汉军大败不可收拾，刘崇逃回晋阳（今山西太原市）。

高平一战是后周政权存亡的关键。周世宗采纳张永德建议，杀樊爱能、何徽及将校七十余人，又杀降北汉步兵。同时大赏有功将士数十人，赵匡胤因功封为殿前都虞侯，也树立了周世宗的威信。回到开封后周世宗下决心整顿军队，检阅禁军，留用精锐老弱，又招募天下壮士到京城，令赵匡胤考校武艺，挑选优异者组成特别精锐的军队称为殿前诸班。接着下令全国步骑兵诸军都按照禁军的示范挑选，从此老弱残兵被裁汰，节省了政府的财政支出，各地勇猛军士被挑选到京城，加强了中央政府控制的武装力量，开始扭转藩镇兵强而中央力弱的状况。

政治改革表现为知人善任，不拘一格但要求恪尽职守。周世宗亲自执掌赏罚权，群臣有功不吝厚赏，但如果误事失职往往要处死刑，用法较为严峻。955年下令翰林学士、两省（中书、门下）荐举低级地方官吏，“授之日，各署举主姓名，若在官贪浊不任，懦弱不理，量事状重轻，连坐举主”。对百姓则较为宽松，为防止官吏舞文弄法残害百姓，令宰相与御史令合作将文字难懂、条目繁杂的五代相沿律令一百五六十卷详定为二十一卷《大周刑统》颁行天下，使全国遵守统一的律令。

周世宗注意通过各种途径选拔地主阶级人才，同时以信令御群臣，严惩贪污，如宦官孙延希克扣工役被处斩，右屯卫将军薛训贪污被贬遂，左羽林大将军孟汉卿向农民税外加征被赐死。周世宗作为封建帝王，能够以身作则“性不好丝竹珍玩之物”“闲暇则召儒者读前史，商榷大义”，因此“文武参用，各尽其能，人无不畏其明而怀其惠，故能破敌广地，所向无前”，史家在周世宗用人方面评价很高：“作器者，无良材而有良匠；治国者，无能臣而有能君，盖材待匠而成，臣待君而用。……知其用而置得其处者胜，不知其用而置非其处者败。……世宗之时，外事征伐，内修制度……所用者皆五代之士也，岂皆愚怯于晋汉，而才智于周哉？惟知所用尔。”

在经济改革方面，周世宗的目的在于恢复生产，发展地主经济，为此主要采取三个方面的措施。

首先，处理逃户庄田均定田租。发布诏令对限番人户回归给予一定优惠，解决一方面是土地荒废，另一方面是人口逃亡的严重矛盾。956年，鉴于历朝不等收获纺织完毕就征收谷币的情形，下诏从当年开始夏税到六月，秋税到十月开始征收，民众得到很大方便。958年制成《均田图》，颁给诸道节度使、刺史各一份作均田准备，不久派出左散骑常侍艾颖等朝官三十四人分行诸州，均定黄河以南六十州的田租，连历朝受到优待的曲阜孔家——孔子后裔也被取消特权照平民例纳租。又将替府放债收息提供俸给的富户编入州县民藉，州县及所有幕职由朝廷发给俸钱米麦，扫除唐初三百多年来的弊政，抑制地方豪强势力，增加封建国家税收，加强中央政府财政的力量。

其次，限制佛教打击寺院经济。955年周世宗令天下寺院非朝廷特许的一律废除，禁私度僧尼，只许在两京、大名府、京兆府、青州五处设戒坛，不得家长允许不许受戒出家，禁止僧俗舍身和自残肢体。令造僧帐，有死亡、还俗随时销账，结果“是岁，天下寺院存者二千六百九十四，废者三万三百三十六，见僧四万二千八百四十四，一万八千七百五十六”，还俗僧尼数不详。为使封建政府能控制较多的劳动力，不使劳动力任意流入寺院扩大其经济势力，周世宗限制佛教逐年逐月减少僧尼数是切实可行的办法。同时认为“佛志在利人，虽头目犹舍以布施，若朕身可以济民，亦非所惜也”，下令寺院除钟磬钹铎之类留用外，所有铜佛像一律送官府作铸钱原料，初步解决当时流通领域钱币缺乏的问题。

第三，治理黄河减轻民众负担，唐末五代以来黄河连年为灾，“幅员千里，水潦为沴”，“飘荡户口，妨废农桑”、“河自杨刘至于博州百二余里，连年东溃，……流民采菰、鱼以给食，朝廷屡遣使者不能塞”。954年周世宗命李谷到澶、郓、齐等州按视堤防，发丁夫六万人修理了三十天。后来黄河又在原武（今河南南阳县）决口，再派吴延祚去修理河堤，多少减轻了黄河水灾，使流民生活初步安定。减轻民众负担如采纳兵部尚书张昭等人建议，祭祀时“由是贺丘、方泽及太庙用太牢，余皆以羊代之”。959年开封府奉称，旧有税田十万二千余顷，现查出隐税田四万二千余顷，令减少三万八千顷来抵消官府多报数，利民之心可谓良苦。

周世宗即位时三十四岁，正当年富力强，自称希望做三十年皇帝，用十年开拓天下，十年休养百姓，十年致太平，认为“既不能躬耕而食，惟当亲冒矢石为民除害，差可自安”。周世宗首先派向训和王景伐蜀，取得秦、凤、阶、成四州，接着亲征南唐。“其御军，号令严明，人莫敢犯，攻城对敌，矢石落其左右，人皆失色而上略不动容。应机决策，出人意表”。到958年春取得淮南江北光、黄、蕲、舒、寿、庐、滁、和、濠、泗、楚、海、阳、泰共十四州六十县，二十二万六千二百七十四户。得到南唐犒军银十万两，绢十万匹，钱十万贯，茶叶五十万斤，米二千万石，并且每年须向后周纳贡，大大提高了中原王朝的声威。

周世宗959年亲征收复北方失地，令孙行友守定州西山路防北汉扰大军后路，韩通等率水陆军先发。当时的契丹国主述律号称“睡王”，连忙派使者日驰七百里到晋阳，叫北汉出兵牵制周军，还自我安慰道“此本汉地，今以还汉，又何惜哉。”周世宗到沧州即日率步骑数万直向辽境，令韩通为陆路都步署，赵匡胤为水路都步署，西行益津关，辽守将降；赵匡胤军到瓦桥关，辽守将降。周世宗入瓦桥关，辽莫州刺史、瀛州刺史相继来降，孙行友也攻取易州。周大军乘胜直逼幽州，辽国急忙撤兵后退。不幸周世宗突患重病，只好停止前进，在瓦桥关设雄州，在益津关设灞州，派陈思让、韩令坤分别把守，自率大军回开封。此次北伐出兵四十二天，“王师数万，不亡一矢，边界城邑皆望风而下”，得三州十七县，一万八千三百六十户。

公元959年，后周显德六年，农历5月，柴荣正准备乘胜夺取幽州，遇疾而返。农历6月，柴荣班师回到汴京，解除张永德殿前都点检职务，升赵匡胤为检校太傅、殿前都俭点。立魏王符彦卿女为皇后；以皇长子宗训为特进左卫上将军，封梁王；以第二子宗让为左骁卫上将军，封燕国公。农历6月19日柴荣驾崩，终年三十九岁。

周世宗在位仅五年零六个月，但却以坚定的意志，用得当的措施和方法在内政与征伐上都取得相当成就，在“敬天法祖”是金科玉律的封建时代是极为不易的。从周世宗改革进程中我们可以得到一个历史启示：改革难免艰难与曲折，而只有改革是发自人民群众的强烈呼唤，并且在改革中得到巨大利益的情形下，改革才会取得成效。

南唐烈祖李昪

李昪（888年—943年），十国之南唐建立者。徐州（今属江苏）人，亦说海州人（今江苏连云港西）人。字正伦，小字彭奴。公元937年即位，在位7年。谥号“光文肃武孝皇帝”，庙号“烈祖”。

李昪六岁那年，家乡遇到战乱，他那位成天拜佛念经的父亲竟没能得到老佛爷的保佑，在混乱中死于非命。于是伯父李球将他一家带到濠州避乱，但不久，母亲刘氏又去世了。李昪小小年纪就成了孤儿。伯父李球也因无力负起养育侄儿的责任，干脆把他送进了濠州的开元寺。

李昪虽然姓李，但后来却有很长一段时间改姓为徐。乾宁二年（895年），后来建立吴国的江淮军阀唐淮南节度使杨行密攻克濠州，掳走了小和尚李昪，收为义子养着。但杨行密的儿子却不容他。杨行密无奈，乃转送给其手下的大将徐温，这样，李昪就成了徐温的养子，以后就改姓为徐，改名为徐知诰。徐温的妻子也姓李，她更是把徐知诰看作自己所亲生，悉心抚养。

及至年长，徐知诰长得身长七尺，四方大脸，标准身材，说起话来声音有如洪钟一般，远远望去有点吓人，近处交谈却十分可爱。他的两条腿长得修长，快步如飞，即使是慢慢地走，跟他的人也得气喘吁吁地小跑才能赶上，有算命相面的人说：“这是龙行虎步。”徐知诰20岁那年，徐温为他聘王氏为妻，王氏很贤惠。养父有病，小两口总是自晨至夜侍候在旁，衣不解带，悉心照料。杨行密亦对徐温说：“知诰真是一个俊杰，别的儿子都难以比肩啊！”

徐知诰荫养父之恩而逐渐发迹，年稍长即任职杨氏幕府，成为统兵的牙将。随着徐温权势的扩展，徐知诰也步步高升，22岁时已任元从指挥使。他的命运沉浮已和养父徐温的进退紧紧地联系在一起了。由于养父执吴大政，徐知诰也官运亨通，升迁得很快。天祐六年（909年），徐温将他迁为升州防御史，兼楼船军使，命其在升州编练水军。第二年，徐知诰又任升州副使知州事，天祐九年（912年），徐知诰参加了讨平宣州的战斗，又以功迁任升州刺史，掌握了一州的军事和行政。任内五年，他进行了一系列的改革。

徐知诰在州安揖流民，组织农业生产，减轻农户的赋税负担。又澄清吏治，罢免贪污受贿的地方官吏，使地方政治大为好转。他还广举文事，搜求遗书，招延宾客，倾身下士，在自己周围汇集了一批人才，如马仁裕、周宗、曹悰等，都成为忠心于他的亲信，协助他做好各种军政事务。

徐温听说养子徐知诰在升州政绩斐然，十分高兴，就在宣帝杨隆演面前大讲好话。天祐十一年（914年），加徐知诰官为检校司徒，成为吴国的重臣。这一年，徐知诰才26岁。

徐温在江淮执政的时间很长，他拥杨隆演为吴王，自己任大丞相，都督内外诸军事，封东海郡王，拥重兵居于金陵（今南京市）。又命长子徐知训驻广陵（今扬州市），监督杨隆演，养子徐知诰为润州（今镇江市）团练使，加检校太保，以控扼江南。

天祐十五年（918年），广陵作乱，徐知诰刚好30岁。他在润州得到来自扬州的马仁裕的报告，急忙率兵赶到广陵平乱，安定秩序。于是，遂代徐知训执吴之大政。这时，徐温尚在金陵，他对自己亲生子徐知训的作为深为痛惜，对养子徐知诰的举动深为赞许。于是就承认了知诰为自己的继位人。

徐知诰在广陵执政也的确比徐知训搞得好得多。他常派人下去视察民间疾苦，有穷得揭不开锅的，往往周济粮米。于是上自吴主杨隆演，下至巷里百姓，都对徐知诰十分满意。虽然徐温在金陵遥控大权，但吴人早已归心于徐知诰了。

次年（919年），徐温、徐知诰父子拥杨隆演为大吴国王，改元武义，置百官、宗庙、社稷、宫殿、文武，皆用天子礼。杨隆演拜知诰为左仆射，参知政事，当时人称为政事仆射，即宰相。这年徐知诰已经33岁了，但看上去显得只有20多岁，似乎嫩了一点。为了使自己更具宰相风度，据说他请人开了一剂药，喝下去后，鬓须皆白，显得更像一位持重的老者，令人肃然起敬。于是每天坐在宰相府处理军国大事，迎拜如流。

徐知诰在处理与徐温的关系上也更加注意，虽然徐温承认了自己的宰相地位，但他并不因此掉以轻心，而是对徐温更加极尽孝道；同时，他也处处精心策划，注意分寸。在当时形势下，徐温要废掉杨隆演自己来当皇帝是用不着费吹灰之力的。徐知诰给养父戴上一顶忠臣的高帽子，拖延了徐温夺取皇位的时间，而他自己却可以广揽人才，积蓄力量，在权力的台阶上步步高升。

武义三年（921年），吴主杨隆演死，徐知诰又拥立杨隆演的弟弟杨溥为吴王。六年后徐温死。

徐温死了以后，其子徐知询接替了他的位置，领金陵节度使，统有大军。徐知询不服徐知诰的领导，势力比知诰更强，但他和哥哥知训一样，智力不开，为人轻率，不为父亲左右部将所拥护，徐知诰夺取了他在金陵的兵权。大和元年（929年），徐知诰41岁了，他学徐温的样，以自己的儿子景通（即李璟）、景迁先后驻广陵，自己移师坐镇金陵。当时，金陵的战略意义和重要性居于广陵之上，但吴国朝廷则从来没有离开过广陵。

天祚元年（935年），徐知诰加官号曰尚父、太师、大丞相，天下兵马大元帅，晋封齐王。但是，官号再加也没有实质上的意义。到第二年，徐知诰尽辞上述毫无意义的官号，开大元帅府，置僚属，建立自己的一套官僚班子。他要自己当皇帝了。于是加九锡，备殊礼，以升、润、宣、池、歙、常、江、饶、信、海十州为齐国，这已占去了吴国领土的近一半。附近的小国闽、吴越看得很清楚，也皆遣使劝进。经过十多年的苦心经营，徐知诰已稳稳地掌握了吴国的全部权力，他要取代杨溥当皇帝，仅需要再迈步踏上一个台阶。

天祚三年（937年）十月，徐知诰49岁，他自感年事渐高，唾手可得的皇位不能让给他人，于是急于禅代。他迫令吴主杨溥禅位于己，改吴天祚三年为升元元年，称帝，建国号为大齐。以自己的生日十二月二日为仁寿节。追尊养父徐温为“太祖武皇帝”，养母李氏尊为“明德皇后”。又尊禅位的吴主杨溥为“高尚思玄弘古让皇帝”，上册则称“受禅老臣”。降吴太子杨琏为弘农郡公，立自己的正妻宋氏为皇后。于是，一个新王朝在江淮大地建立了。升元二年（938）九月，大臣太府卿赵可封上奏请求徐知诰恢复李姓，立唐宗庙。为求得内部稳定，徐知诰没有答应，于是徐姓大齐王朝才先后存在了三年。

升元三年（939年）正月，徐温之子江王知证、饶王知谔带头上表请求知诰恢复李姓，宰相宋齐丘、枢密使周宗等也上表请复李姓。二月，改国号为大唐，史称“南唐”。他自称唐室后裔，为了与唐朝宗室联挂上，命群臣考证他的祖先出处。最后“确定”为唐太宗的儿子吴王恪的十世孙。于是续修谱，俨然大唐皇统的继承者。又改徐温庙号曰“义祖”，以示与自己的皇统有别。太庙配享乃以唐高祖、唐太宗、吴王恪、义祖顺次排列，既祭李氏，又祭徐氏。他又让大臣给他改名字，最后，好不容易找到了一个“昪”字，于是改名李昪。这年他51岁。

南唐烈祖李昪当了三年齐皇帝，加上四年南唐皇帝，共当了七年皇帝，再加上在吴执政的时间，任江淮小王国最高统治者达十数年。李昪在位执政期间，一贯采取保境息民的政策。

由于不轻衅战争，境内安定，李昪把精力用于整顿内部，进行了一些政治和经济改革。当时南唐地大物博，兵力较强。李昪在整军修甲的同时，特别注意奖励农桑。为了增加劳动人手。减少冗食，他不准境内滥度僧尼，虽然他自己雅信佛教，却不准寺院势力过度发展。他还大量吸收四方流民。

于是，在李昪主政的十数年间，境内户口增殖，财用充足。李昪死时，光宫库就存有值700万缗的军器、金帛等物资。而全国各库相加必定更多。

由于李昪以身作则，在他治内，南唐的政治十分清明，国势也日益强盛，文化事业也逐渐发展起来了，南唐逐渐发展成为当时中国经济文化最为先进的地区。

李昪自称是唐太宗的后代，事事效法他的这位“祖先”。晚年梦想长生不死，好吞食道士丹药。一天，李昪丹毒发作，太医吴延绍急忙遣信使召齐王李璟（即徐景通）驰入宫侍疾。当天晚上，南唐烈祖李昪就在痛苦中一命归天，终年56岁。葬钦陵。

宋太祖赵匡胤

宋太祖，即赵匡胤（927年—976年），宋王朝的建立者。涿州（今河北涿县）人。后周时任殿前都点检，领宋州归德军节度使。公元960年，策划陈桥兵变，夺取了后周政权，以领镇宋州为国号，建立了宋王朝。960—976年在位。传见《宋史》卷一至卷三《太祖本纪》。

赵匡胤出生于一个官宦世家。他的高祖赵眺仕于唐，任县令；曾祖赵珽历任藩镇从事，累官至御史中丞；祖父赵敬，历任营州、蓟州、涿州三州刺史。赵匡胤的生父赵弘殷，少骁勇，善骑射，为后周铁骑第一军指挥使，转右厢都指挥使，领岳州防御使。扈从周世宗征淮有功，累官检校司徒，封天水县男。

赵匡胤父子共典后周禁兵，一时显荣。赵匡胤不仅武艺超群，而且十分好学，懂得治国平天下的道理。无论在马背上，还是燕居，他总是手捧一册书，从不间断学习。他从书中增长了见识，领略了无穷情趣，获得了无尽收益。

赵匡胤夺取后周政权，只占有中原黄河一线，北方有强敌辽朝，太原有北汉，大江南北有南唐、吴越等六七个割据政权。这种局面不可能持久，这也是五代频繁更迭的原因之一。周世宗立志统一天下，不幸早夭，他的未竟之业，落在了赵匡胤的肩上。

宋太祖在位16年，他用全力统一了全国，结束了五代时期的动乱与分裂，彻底解决了自唐末以来藩镇乱政的混乱局面，重新加强了中央集权制度，这是他对于历史的重大贡献。北宋的政治稳定，促进了自唐中期以来土地占有方式和剥削方式的变革，使封建经济和文化的发展都跃上了一个新台阶。

赵匡胤自登基后的第四年（963年），便开始了统一全国的战争。他针对敌人北强南弱的特点，为避免以半壁江山与正走上坡路的辽国争雄，因而改变了周世宗的用兵方针，制定了“先南后北”的统一方略，用了13年的时间，统一了除北汉之外的所有地区，基本上恢复了完整的版图。结束战乱分裂，统一大半个中国，是赵匡胤一生最大的功绩。

赵匡胤统一天下，一方面靠武力，一方面靠攻心。历代改朝换代都充满血腥屠杀和残酷报复，赵匡胤反其道而行，对失去权力的国君待之以礼，输之以诚，化反对力量为积极因素。周恭帝被废，赵匡胤好生待他，他病死后，赵匡胤亲自素服发丧。南唐主李煜投降时，赵匡胤“御明德门见李煜于楼下，不用献俘仪”，又“封李煜为违命侯，子弟臣僚班爵有差”。后蜀主孟昶投降之后，赵匡胤“御崇元殿备礼见之”，赏赐无数。吴越王钱镠表示归顺，被封为兵马大元帅。赵匡胤亲自检查钱镠入朝的准备与接待工作，又亲自接见他。特准他剑履上殿，书诏不名。南汉王刘铩被俘入京，赵匡胤对他释罪不问，封恩赦侯。赵匡胤优待几个亡国君主所费甚小；而安抚一大批效忠亡国政权的义士，换得大片土地完整安全，所得甚大。这是具有政治眼光的做法。

统一全国后，仍使赵匡胤萦绕于心的另一问题是，如何杜绝五代以来的分裂动乱，实现长治久安。建隆二年（961）七月，赵匡胤与赵普有一次很重要的谈话，清楚地表示了加强中央集权的思路。他问赵普：“自唐季以来数十年，帝王凡易大姓，战斗不息，生民涂地，其故何也?吾欲息天下之兵，为国家长久计，其道何如?”赵普答道：“陛下言及此，天地人神之福也。也非他故，方镇太重，君弱臣强而已。今欲治之，方稍夺其权，制其钱粮，收其精兵，则天下安矣。”赵普所指出的两点弊病，一是地方权力大于中央，一是军人权力太大而左右国家命运。赵匡胤的施政纲领便以此思路为基础。

在一次宴席之上宋太祖劝诸将长保富贵，在声色犬马中度余生。统管禁军的大将石守信、王审琦等人慑于威力，和平交权，史称“杯酒释兵权”。接着慕容延钊、韩令坤被夺去禁军职，分任山南西道和成德节度使。为集中兵权，赵匡胤又规定由皇帝任命禁军军官，随时更换。这样“将不得专其兵”，“兵无常帅，帅无常师”，消除了发动政变的可能性。殿前都指挥使、马军都指挥使、步军都指挥使为禁军三指挥使，互相牵制且只有统兵权而无发兵权。枢密院名义上有调动军队权，却无统兵权。统兵与发兵权分离，大权完全集中皇帝之手。禁军外还有厢兵、乡兵、藩兵三种，都是地方兵，且实力有限。封疆大吏即使有造反之心也远不是禁军对手。赵匡胤从军权抓起，控制禁军以根除割据分裂的根源，对于巩固统一，稳定政局至关重要。

集权的又一措施是改革官制。中央机构仍设宰相，使用平章事的名号，但增加参加政事做副相，目的是分割宰相权力。同时规定军事行政、调动禁军的事由枢密使掌管，使之同宰相相互对立。政权与军权直接听命于皇帝。财政权归三司使，负责全国财政支出，称“计相”。与宰相、枢密使权力不相上下，防止宰相一人执掌大权。又设枢密副使、三司副使，更便于皇帝指挥。对地方政权也采取一系列措施。唐末五代，节度使割据一方或兼数郡，称为“支郡”。赵匡胤统一全国过程中取消支郡，改由中央直接管理。宋代节度使仅做一种名号“无职掌”，赐予宗室外戚和罢政出守的功臣故老或宰相荣衔。宋地方行政分州、县两级，设通判，中央直接派遣。通判与知州、知县共治，并监督知州行动。互相掣肘，谁都不能专权。

唐五代以来藩镇尾大不掉，拥有财权。赵匡胤乾德三年（965）下令“诸州、度支经费外，凡金帛以助军实，悉送都下，无得占留”（《资治通鉴·长编》卷二）。赵匡胤收了地方财权，藩镇大吏因兵无粮草，府库无金银，无法造反。

赵匡胤结束了五代以来的军阀割据，重建统一中央集权国家，成为一代开国圣君载入史册。但他始料所不及的，他的一系列集权的军政措施，加强皇权，削弱了军队，政府官僚化，导致了北宋积贫积弱。兵权过于集中，将不知兵，兵不认将，削弱了战斗力。官僚机构重叠，互相牵制，办事效率极低。北宋长期处于挨打状态，最终国破家亡，徽、钦二帝被掳做亡国奴。南宋朱熹指出：“本朝鉴五代藩镇之弊，兵也收了，财也收了，赏罚刑政一切收了，州郡遂日就困弱。靖康之祸，虏骑所过，莫不溃散。”一针见血指出宋太祖高度集权带来的弊病。

宋太宗赵炅

宋太宗赵光义（939年—997年），宋朝的第二位皇帝。本名赵匡义，后因避其兄太祖讳改名赵光义，即位后改名炅。太祖驾崩后，38岁的赵光义登基为帝。即位后使用政治压力，迫使吴越王钱俶和割据漳、泉二州的陈洪进于太平兴国三年（978）纳土归附。次年亲征太原，灭北汉，结束了五代十国的分裂割据局面。两次攻辽，企图收复燕云十六州，都遭到失败，从此对辽采取守势。并且进一步加强中央集权，在位期间，改变唐末以来重武轻文陋习。在位共21年，至道三年，59岁的宋太宗去世，庙号太宗，谥号至仁应道神功圣德文武睿烈大明广孝皇帝，葬于永熙陵。

宋太宗赵光义是宋宣祖赵弘殷和杜太后所生的第三个儿子，宋太祖赵匡胤之弟。后晋天福四年己亥年十月七日甲辰（939年11月20日）生于开封府浚仪县崇德坊护圣营官舍。开宝九年（976年），太宗把这天定为“乾明节”；淳化元年（990年），又改为“寿宁节”。属猪。起初，太宗之母杜太后梦见神仙捧着太阳授予她，从而怀孕，直到太宗出生的当天夜晚，红光升腾似火，街巷充满异香。

赵光义从小聪颖不群，与别的孩子游戏，其他孩子都畏服于他。太宗22岁时，参与陈桥兵变，拥立其兄赵匡胤为帝，封为晋王，曾参与太祖统一四方的大业。

赵光义是太祖之弟，按照封建王朝的嫡长子继承制度，皇位根本轮不到他。在建隆二年（961），即赵匡胤登上皇位的第二年，皇太后杜氏临终前，告诫赵匡胤前朝后周之所以灭亡，是因为继位的君主过于年幼。若要常保大宋江山，必须要兄终弟及，传位给年长的皇室。等到皇兄的儿子成人，再由皇弟传回给皇兄的儿子。此即为传说的“金匮之盟”。此事是真是假，后人根本不知，不过确实让赵光义继位变得名正言顺。

宋太宗是自五代以来第一位非武人坐天下的皇帝。他即位之初也重武，是因为当时形势需要他继承太祖的统一大业，然而多次伐辽失败后，他失去了往日的锐气，转而重文。文治方面，宋太宗的确有很多独到之处。他开创、修补、完善了宋朝的各项典章制度，奠定了宋朝政治、军事、文化、经济各方面制度的基础，巩固了统治。两宋之人多言“祖宗之法”，这“祖宗之法”即是对宋太祖、宋太宗而言，其中太祖法度主要在于军事、政治方面，而太宗除了对太祖法度作了进一步完善外，又着重在文化、经济等方面建立了一整套法度规范。

科举制度虽始于隋唐，但真正完善是在北宋。宋太宗扩大了取士的规模，每次科举考试录取的进士数额远远超过唐代及宋太祖时。太宗还促进科举取进士日趋严密、完整。宋太祖开宝六年（973）以后，殿试成为定制。太宗进一步规定，殿试后在殿前“唱名”，由皇帝分别赐予“进士及第”、“进士出身”、“同进士出身”的功名。太宗时实行考卷糊名弥封法，有效地防止了考官利用试卷作弊。宋太宗还严格科举考试，亲自复试。

太宗十分重视发展文化事业。五代以来，昭文馆、史馆、集贤院为三馆，在石长庆门东北，仅有小屋数十间，条件很差，三馆每逢受诏撰述，都是移到其他地方。太祖时期，也没有什么变化。宋太宗即位的第二年，亲到三馆视察，看到这种寒酸状况，对左右侍从慨叹道：“这哪里能够蓄天下图书，待天下贤俊？”当即下令另选左升龙门东北车府地为三馆新址。命中使督促工匠，晨夜兼作。三馆的栋宇殿阁，都是太宗亲自规划的，其精美壮观，可与皇宫的建筑媲美。一年后工程竣工，定名为崇文院。到太宗晚年，崇文院及秘阁的藏书已十分丰富。太宗颇为自负地对大臣们说：“朕即位之后，多方收拾，抄写购求，今方乃数万卷。千古治乱之道，并在其中矣。”

宋太宗执政较为勤谨，为了巩固宋王朝的统治基础，他亲自挑选人才，甚至于忘了饥渴。通过召见临问以观其才，优秀者提拔重用。他对近臣说：“朕每看见布衣缙绅中有才志受推戴的，就替他的父母高兴。”太宗每天一早就到长春殿受朝，听完百官的政务汇报，就到崇政殿去处理政事。等到中午，还来不及吃饭。

宋太宗继位后，为治国之计，招贤纳士，广泛寻访人才，收归己用。科举是当时选拔人才的一条重要途径。宋太宗沿袭太祖文官之制，重用读书人，因为读书人作文官，没有兵权，便于管理，也不怕他们造反。宋太宗笼络读书人的方法主要是复试进士，令他们入仕之后感激皇恩。如太平兴国二年，宋太宗在讲武殿复试进士，选五百多人，在开宝寺赐宴，每人都授以官职。还有一例，太祖到西京，张齐贤献十策：下井汾，富民，封建，敦孝悌，举贤，太学，籍田，选良吏，惩奸，谨刑。回来后，就跟太宗说：“我至西京，惟得一张齐贤，汝异时可用自辅。”后来张齐贤考进士，太宗打算把他放在高第，但有司却将他的名字放在几十个人之后。太宗很不高兴，将一百多名士子除名不用，“改为张齐贤”。

太宗任用的几位宰相也比较正直。寇准生性刚直，有一次对太宗奏事，太宗不高兴，站起身要走，寇准拉住皇帝的衣袖，让他再坐下，等到事情议决以后才罢休。太宗感叹地说：“这人才是真宰相哩！”

宋太宗还诫吏慎刑。宋代太国兴平年间，京都汴梁街头有许多乞丐，他们往往肆意胡为，成了民间的祸患。一次，一名恶丐到一家大户门前，索要赏钱，态度十分强横。由于要求未能满足，便开始大吵大嚷，骂不绝口，围观的人很多，大家都有些愤愤不平。因为怕恶丐邀集同伙进行报复，众人都敢怒不敢言。就在这时，从人群后面走过来一名军官，见此情景怒不可遏，从人丛中跳出来，抽出佩刀，挥手将恶丐刺死。杀人之后，军官便将刀放在地上，若无其事地走了。在场的众人见此人这样凶猛，谁也不敢上前捉拿。

街上巡逻的士卒将此事报告官府，官府没法抓到杀人凶手，就判定大户犯了杀人罪，将军官留下的那把刀作为赃物，连同人犯的口供收录在案。后来，这件案子被报到朝廷，宋太宗赵光义亲自审理，问罪犯说：“你服罪吗？”罪犯说：“我服罪。”宋太宗要来杀人凶刀，拿到办案的官吏面前，对官吏说：“这是我的刀，那人也是我杀的，你为什么冤枉好人呢？由此可知，重刑之下，哪有不屈打成招的？看来制造冤狱，不一定在大乱之世啊。”于是下令释放那个大户，并告诉执法衙门：“从今天起，再审案子，务必慎重，切不可乱来。”

赵光义同他哥哥一样的干练，有着雄才大略，为打下赵氏江山立下巨大功劳。其登位后，继续完成统一大业，在消灭后汉帝国后，终于结束了中国长达二百五十年改朝换代的大混战。在其手中，形成了系统而完整的统治体制，使宋朝维持了长达三个世纪的统治。

但是，太祖和太宗执政，主要都是加强集权，对农业及土地问题都没有太重视，也没有采取有效地改革措施，所以北宋初期在表面的繁荣之下，贫富分化加剧，阶级矛盾加深。淳化四年（公元993），四川爆发了王小波、李顺起义，他们提出“均贫富”的主张，不过最后被朝廷血腥镇压了。

太宗深知哥哥通过兵变夺权，当自己成为帝王之后，就格外重视变乱，尤其对武将特别忌惮，连号称宋代第一良将的曹彬也被他罢免了。也许是鉴于自己称帝的经历，他对皇室之人的防范更重。宋太祖有两个儿子：德昭和德芳。太宗对这两个侄子一直都不放心。在辽宋高梁河之战中，太宗与宋军主力失散。将士们以为皇帝已经遇难了，觉得国不可一日无君，就商量着拥立太祖的儿子、武功郡王赵德昭为帝。后来太宗还活着，此事就作罢了。不料此事后来还是传到太宗这里，这就触犯了他的忌讳，最后迫得德昭自杀身亡了。两年后，德芳也莫名其妙地死了。太宗的弟弟赵光美，在太宗称帝后，为了避讳，改名为赵廷美。廷美同当年的太宗一样，任开封府尹。这样也遭到了太宗的猜忌，后来廷美被逼忧郁而死。

太宗自己的长子赵元佐，聪慧有才，文武双全，很得太宗的喜爱，是太子的最佳人选。不料因为叔父赵廷美被迫害之事，元佐受到刺激而产生了精神错乱，经常胡乱杀人。最后太宗只好废他为庶人，改立三子赵元侃为太子，这就是后来的宋真宗。

至道三年（公元997年）三月，宋太宗病逝，享年59岁。他死后葬于永熙陵，谥号“文武皇帝”，庙号“太宗”。他在位21年，完善了宋初的各项制度，奠定了宋朝以文治国的基础。不过伐辽失败后，宋太宗就转为守内虚外，使宋朝逐渐形成了“积贫积弱”的局面，给宋王朝的发展带来了很不利的影响。

宋真宗赵恒

宋真宗赵恒（968年—1022年），宋朝第三位皇帝，宋太宗第三子，初名赵德昌，后改赵元休、赵元侃，997年继位，1022年驾崩，享年五十五，在位二十五年。景德元年（1004年），契丹人所建的辽国入侵，宰相寇准力排众议，劝帝亲征，双方会战距首都汴京三百里外之澶渊，局势有利于宋，但因真宗惧于辽的声势，不顾寇准的反对，以每年进贡辽大量金银为“岁币”于澶渊订盟和解，历史上称“澶渊之盟”。

赵恒先后受封为韩王、襄王、寿王。太宗晚年迷信相术，曾召一僧人入宫给子侄诸王看相。僧人看了几个子侄，只有赵恒还在睡觉，没有出来。僧人却奏告说：“我遍观诸王，命都不及寿王。”太宗说：“你还没有见过他，怎么知道他的命最好？”僧人说：“我刚才见站在寿王门前的3个仆人，他们都具有日后成为将相的气度。仆人尚且如此，他们的主人自然更高贵了。”太宗听闻，很是高兴。所以尽管赵恒不是太宗的长子，母亲也不是皇后，原本没有资格继承皇位。但是当大哥赵元佐发疯、二哥赵元僖暴死之后，太宗还是立赵恒为太子了。

太宗于公元997年3月病死，赵恒于同月继位，第二年改年号为“咸平”。赵恒即位之初，为了抵御辽国骑兵，大量地采用了宋太宗时的办法：多开沟渠，多种水田。公元1001年（咸平四年），还在今徐水周边，引鲍河水以“隔限敌骑”。公元1004年（景德元年），又以定州为中心，开挖连接唐河、沙河、界河的运河，有效地限制了敌方骑兵。

除了开河渠外，还大力推广一种“方田”，就是在田地内开挖方格式的水渠网。有的水渠达五尺宽、七尺深。宋真宗在开挖河渠的同时，还大搞屯田，积粮备战，并起用老将曹彬威慑武将。他还亲自选拔精兵强将，对火兵器也给予了重视。宋军人数从太祖末期的66万人（作战部队35万人），增加到真宗末年的91万人（作战部队43万人），大部分都是这一时期增加的。

公元1001年（咸平四年）9月，宋真宗外出“观稼”。沿途百姓看到他的仪仗后，竟自发地欢呼“万岁”。宋真宗在统治前期就这样树立了自己的“仁义天子”形象。总而言之，宋真宗在即位之初，广开言路，勤政治国，较清明的政治和日趋繁荣的经济，使北宋社会出现了“咸平之治”的小康局面。

此外，清明的政治和日趋繁荣的经济还得益于宋真宗卓有成效的反腐倡廉举措。

首先，宋真宗有一个传诸后世的良好的廉政理念。他颁布了告诫百官的《文武七条》，这《文武七条》均是廉政之举，是统治者苦心孤诣的安排，也是百姓们的热切期望。在宋真宗看来，“清心”、“修德”就是廉政的源头，就能实现“德治”。

其次，宋朝有一整套严谨有效的官员选拔任用制度。宋代严明赏罚，官员有试用期，试用官员转正要有若干名正式官员保举，按规定，官员不得保举曾犯有贪污罪的官员。宋朝允许在职官员参加科举考试，考中者可提前转正或越级提拔，但曾犯贪污罪者不许参加科举考试。又规定，凡重要职务和接触钱财的职务，一律不允许曾犯贪污罪者担任。宋朝官员通常定期升级，但曾犯贪污罪的官员升迁则举步维艰。一个官员若犯贪污罪，其上司、曾荐举过他的官员都要受到处罚。这使得上司很注意防范下属犯贪污罪，荐举者很关心被荐举者的德行，这样，只有才德兼备者才能被选拔进入官员队伍，官员的贪污行为也就相应减少。同时，宋代吏部还建立了官员档案，凡犯贪污罪者都记录在案。宋代还规定，这些犯罪者，每次晋级或调动职务时，都要向吏部主动申报自己曾犯过贪污罪，并规定，此类官员不得随意更改姓名。这样的规定，动员了上上下下各方面的监督力量，杜绝了贪污腐败者上升的空间，将他们置于严密的监管体系中，避免其再次腐败。

第三，建立了一套监察官员的渎职惩处制度、选拔的标准和职务回避制度。对于失察的监察官，宋真宗实行严厉的处罚。史载，王曙为河北转运使，“坐部吏受赇，降知寿州”；张观任解州通判，因“盐池吏以赃败，坐失举劾”，被降监河中府税；河北路走马承受使臣悉代之，“坐不察边肃贪纵故也”。

因为这些廉政举措，宋真宗和他的后来者们创造了一个政治清明、物质文明与精神文明双丰收的宋王朝。

大宋国的北边有一个比大宋建国还早的辽国。在宋真宗上任前，两国之间已有多次较量，给人的感觉是双方大体旗鼓相当，互有胜负。不过，总体看来，大宋有由主动进攻转向被动防御的趋势。

公元1004年秋，辽国萧太后和辽圣宗亲自率领20万大军南下，直逼黄河岸边的澶州（今河南省濮阳县）城下，威胁宋的都城。警报一夜五次传到东京，赵恒问计于群臣。副宰相王钦若、陈尧叟主张逃跑，任职才一月的宰相寇准则厉声反对说："出这种主意的人应当斩首！"他说，如果放弃汴京南逃，势必动摇人心，敌人会乘虚而入，国家就难以保全了；如果皇上亲自出征，士气必定大振，就一定能打退敌兵。赵恒同意御驾亲征，由寇准随同指挥。

到了韦城（今河南省滑县东南），赵恒听说辽兵势大，又想退兵。寇准严肃地说："如今敌军逼近，情况危急，我们只能前进一尺，不能后退一寸。河北我军正日夜盼望陛下驾到，进军将使我河北诸军的士气百倍，后退则将使军心涣散、百姓失望，敌人乘机进攻，陛下恐怕连金陵也保不住了。"赵恒才勉强同意继续进军，渡河进入澶州城。远近各路宋军见到皇上的黄龙大旗，都欢呼跳跃，高呼"万岁"，士气大振。寇准指挥宋军出击，个个奋勇冲杀，消灭了辽军数千，射死了辽军主将萧达兰。萧太后见辽军陷入被动，要求议和。经过寇准的坚持和使者曹利用到辽营一再讨价还价，于12月正式议定由宋朝送给辽以岁币银10万两，绢20万匹，换得辽军撤走。这就是历史上的"澶渊之盟"，也是宋朝向番方纳岁币换取和平的开始。

赵恒后又听信王钦若的谗言，怨恨寇准迫使他亲征，冒了风险，撤掉了寇准的相位，信用王钦若、丁谓等奸人为相，伪造"天书"，封禅泰山，祀汾阳，提倡佛、道、儒教，大搞迷信活动，广建宫观，劳民伤财，政治腐败，社会矛盾趋于尖锐。

公元1021年，赵恒起病。第二年2月，病重，戊午日，命太子继位，不久死于汴京宫中的延庆殿。赵恒死后的庙号为真宗。

宋真宗统治前期治理有方，北宋的统治日益坚固，国家管理日益完善，社会经济繁荣，北宋比较强盛，但由于一直在宫中养尊处优，缺少太宗的胆识和气魄，和辽国的作战证明了这一点。后期宠信奸人，大兴宫观之事，劳民伤财，没能成为一个善始善终的明君。

宋仁宗赵祯

赵祯，初名受益。他降生以后，举宫欢庆。真宗更是喜悦非常，把儿子视为掌上明珠。真宗30岁即皇位，多年来，东封西祀，屈己睦邻，期致天下太平。直到晚年，虽未达到天下大治，却还算政通民安。只是苍天不佑，他先后出生的五个儿子，相继夭折。他为此曾忧心似焚，寝食不安。真宗宠爱的后宫刘修仪，在皇后郭氏死后，恃宠专横，势动后宫。她觊觎皇后之位，倾身侍上，满心期望能为真宗生一儿子，心安理得地做皇后。怎奈秀而不实，诞育无期，便心生一计，选择了一直跟在自己身边的侍儿李氏，作为真宗的“司寝”御侍，让李氏替自己生儿固位。

李氏是杭州人，出身官宦之家。李氏被选入宫后，分给了刘修仪做侍儿。她庄重寡言，品貌端正，很快为真宗所喜欢。不久，召幸有娠，愈得真宗疼爱。真宗把生育皇子的期望寄托在李氏身上。不久，李氏临产，果生一子。真宗心花怒放，亲自为儿子取名受益。

受益出生后，刘修仪即将他抱入自己宫中，作为己子，亲选乳母加以抚养。受益的生母李氏以刘修仪当时正为真宗宠爱，慑于刘氏的威势，也不敢多说什么。不久，刘修仪进位德妃，寻立为皇后。而李氏并没因为真宗生了儿子而得显贵，直到大中祥符九年（1016年）受益7岁时，才被定为才人。以后即默默无闻地与其他大多数嫔妃一样，在寂寞的皇宫中，度过了凄凉的一生。晚年病重临死前，由刘皇后加恩，进位宸妃，死时年仅46岁。而受益作为真宗的唯一继承人，被优待，被宠爱。从其懂事起，他就知道刘皇后是自己的母亲，叫她大孃孃，叫真宗的淑妃杨氏（受命抚养受益）为小孃孃。当然，他更对乳母许氏、林氏等有感情，直到他后来做了皇帝，为报答乳母的抚养之恩，对她们先后加封。

天禧二年（1018年）八月十五日，真宗下诏，立升王受益为皇太子，赐名祯，增月俸为二千贯。同时任命了张士逊、崔遵度等东宫官吏。九月，又举行了隆重的皇太子册封礼，赵祯被正式确立为帝位继承人，这年，他才9岁。

天禧四年（1020年）六月，真宗病重，不能御殿视事。复任宰相寇准力请皇太子监国，以系人望。引起真宗的猜忌，罢寇准相，并欲罢黜皇太子赵祯。最后在宰相李迪的劝谏下，真宗始有所感悟，赵祯的皇太子地位才获保全。

乾兴元年（1022年）二月，真宗在延庆殿病逝，赵祯奉遗诏即皇帝位，年仅13岁。赵祯即位后，奉遗诏尊刘皇后为皇太后，杨淑妃为皇太妃，军国大事则与皇太后一起听奏处理，实际上，军政大权已完全掌握在刘太后手中。刘太后虽然专权，但在宰相王曾等人的尽心匡翼下，政局倒也相安无事。

随着日月的流逝、年龄的增长，赵祯逐渐成熟，处事有了自己的主见和思想。从乾兴元年（1022年）起，他开始练习处理政事。开始逐渐摆脱太后的约束和管制。15岁时，由太后做主，为他立前勋戚郭崇的孙女郭氏为皇后，他十分不满。因他此时正热恋着与郭氏一起入宫的张才人。他以疏远郭氏，进张氏为才人，又进为美人的办法，来表示对太后专擅的不平。明道二年（1033年）三月，刘太后病卒，赵祯结束了他的儿皇帝生活，独立主政。

赵祯对由刘太后做主，为他立郭皇后一事，始终耿耿于怀。赵祯亲政前，畏于太后的管教，不敢多亲近女色。但太后死后，便无所顾忌，开始放纵色欲。他仍极力疏远郭皇后，宠爱迷恋后宫尚氏、杨氏等人。为此，郭皇后心怀愤懑，有一次当着赵祯的面，竟与尚氏打骂起来。赵祯袒护尚氏，挨了郭皇后一巴掌。赵祯不禁大怒，立即要废郭后。右司谏范仲淹上疏奏谏，以为郭皇后无大过，不可轻易废立。宰相吕夷简却因与郭后有隙（吕夷简前罢相即是郭皇后首先提出的），支持赵祯，故赵祯最后还是以郭后无子为借口，废郭氏为尼，幽居长宁宫。范仲淹也因谏被贬为外官。

郭后既废，赵祯专宠尚氏、杨氏等人，酒色度日，钟鼓弦乐之声，昼夜不断，闻于宫外，政事渐疏。百官群臣以国是为忧，纷纷上书，要求整肃后宫，杨太后也亲劝赵祯。迫不得已，赵祯令尚氏、杨氏等出宫。一个月后，赵祯病愈，又宠幸寿州茶商陈氏女，并要立之为后，为吕夷简、宋绶极谏而罢。后宫空虚，赵祯复思郭氏，派内侍阎文应去把她接回，遭到郭氏拒绝。赵祯愠恼，把阎文应斥责一顿，说他办事不力。阎文应本与郭氏有隙，被责骂后迁怒于郭氏，寻以郭氏有病，他奉赵祯之命赐药之机，将郭氏毒死。闻郭氏暴卒，赵祯悯悼不已，命以大礼敛葬，把阎文应贬死岭南。景祐元年（1034年）九月，诏立刚刚入宫的前勋臣曹彬的孙女曹氏为皇后，后宫之争暂时平息。

不料“内忧”刚平，“外患”踵至。这时，宋朝的西邻党项政权迅速发展起来。党项首领、宋封西平王德明死后，其子元昊继位，开始谋求摆脱宋朝的控制。对内，推行党项传统的秃发方式，禁用汉人风俗结发；废除唐宋两朝所赐李、赵姓氏，改用党项姓“嵬名”；废用宋朝年号纪年，自立年号；升兴州为兴庆府（今宁夏银川市），扩建宫城殿宇。对外，连续向吐蕃、回鹘等族用兵，领土扩至“东尽黄河，西界玉门，南接萧关，北控大漠”，占有银、夏等十余州在内的广大区域。景祐五年（1038年）十月，元昊正式称帝，建国号大夏，改年号“天授礼法延祚”，设官立职，创制文字、礼仪制度等，完成了建立西夏建国的事业，成为宋朝西邻的强大竞争对手。

还在景祐元年，元昊就已开始派兵入侵宋朝边地，并把数十万军队布置在宋夏边界，使赵祯感到是一个威胁，元昊的称帝，更使他震惊。遂急忙作部署，重新起用前相王曾（时判河南府）为枢密使，专典军政。诏令陕西、河东整饬边备，任命知延州范雍、知永兴军夏竦为西面最高军事长官，并断绝与西夏的互市和榷场贸易。派人出使唃厮啰等西方部落，使其从背后牵制西夏。

宝元二年（1039年）四月，元昊派人使宋，要求宋朝承认夏国，册封帝号，打探宋朝动静。赵祯与诸朝中大臣久议不决，直到六月，才决定削去宋封元昊官爵，备兵对夏征讨。十一月，元昊却先发制人，率兵入侵保安军（今陕西志丹县），分兵三万围攻承平寨（今陕西延安西北），并声言攻延州（今陕西延安）。延州是宋朝西部的边防重镇，挡夏军出入之冲。但宋朝在此地的防守却很薄弱，既无重兵，又无宿将。元昊为了出其不意，攻之不备，派人来宋，表示愿改过归命，与宋讲和。赵祯信以为真，厚赏夏使，不再认真备战。次年二月，元昊亲率十余万大军大举侵宋，仍首攻保安军。因宋方松懈不备，措手不及，使拥兵十万、号称“铁壁相公”的宋将李士彬不敌夏军的猛烈攻势，战败被擒。夏军乘胜攻陷安远、塞门、永平等塞堡，直抵延州城下。延州守将范雍见夏军兵临城下，恐惧异常，急忙檄令屯驻于庆州（今甘肃庆阳）的宋军救援。在三川口（今延安西北西河口）一带，宋军与夏军决战。鏖战中，宋将黄德畏敌遁逃，宋军阵脚大乱，一溃而不可止。宋将刘平等人被擒。时值天降大雪，夏军撤退，延州城才赖以保存。

延州之战，宋军损失严重，关辅震动。赵祯忧心忡忡，召诸臣商议对策。参知政事宋庠，以陕西形势危急，建议重兵把守潼关，确保京城。知谏院富弼反对这一弃陕西于不顾、消极防守的主张，但赵祯还是采纳了宋庠的意见。元昊却趁机继续对延州以北的广大地区发动攻掠，各寨堡相继被攻破。不得已，赵祯起用主战的韩琦为陕西方面的统帅。韩琦又举荐了范仲淹。范仲淹奉命知延州，率兵攻打西夏，才得以收复失地。

康定元年（1040年）九月，元昊在延州遭到挫折后，转兵攻打秦风路，在三川寨（今宁夏固原西北）与宋军交战。双方激战三日，宋军损失五千余人，宋将杨保吉战死。面对西夏的强硬攻势，赵祯再派翰林学士晁宗悫去陕西，与夏竦、韩琦、范仲淹等人商议进讨攻守之策。有人主和，有人主战，久争不决。正当赵祯君臣进兵之议未决之时，元昊却再次倾兵入侵，以主力攻打泾原一路。韩琦急忙部署抵抗，命宋将任福领兵拒敌。庆历元年（1041年）二月十一日，宋夏双方战于张家堡（今宁夏隆德县境），战至傍晚，宋军收兵屯驻于好水川（今隆德县东二里）。次日，夏军丢弃羊马橐驼，佯作北撤。任福不知是敌诱兵之计，领兵猛追，直至六盘山下（今隆德与固原交界处）。夏军伏兵四起，围攻宋军。任福自知中计，退兵已晚，挥军与战。怎奈宋军人马三日乏食，疲惫不堪，抵不住夏军的强大攻势，宋军大败，任福等将领阵亡。好水川之战导致了宋夏交战以来最大的一次惨败。赵祯以韩琦指挥有误，罢其陕西经略安抚使之职，贬知秦州（今甘肃天水）。以范仲淹拥兵不进，贬知耀州（今陕西耀县）。其余陕西方面的将帅也逐一贬降。元昊则乘好水川之胜，举兵攻打麟州（今陕西神木以北）。麟州依山建城，颇为险固，夏军攻之不克，转攻丰州（今陕西府谷西北）。这年八月，丰州陷落，知州王余庆等战死。元昊复派骑兵围攻麟州、府州（今陕西府谷）。两州守将婴城自守，坚壁不出，但很快断粮缺水，到了黄金一两，易水一杯的境地。朝廷中有人主张放弃麟州，而赵祯以麟州为河东地区的战略桥头堡，决不能放弃，命鄜延都铃辖张亢、知并州杨偕先后率军救援麟、府，宋军在琉璃堡（今陕西府谷西北）败夏军，元昊西退。

宋军稍获胜利，赵祯以为元昊惧宋，又派人潜入西夏，挑动西夏自相残杀，希求坐获渔人之利。此举使元昊恼怒非常，于庆历二年（1042年）九月，又一次大规模出兵侵宋。赵祯命镇戎军守将葛怀敏率军抵御，在定川寨（今宁夏固原西北）被夏军围攻，部伍相失，阵乱溃败，死伤兵士九千四百余人，损失战马六百余匹。夏军乘胜直驱渭州（今甘肃平凉），幅员数百里，庐舍焚荡，居民遭掳。

经定川一战，夏军声势日振，宋军益衰，赵祯不得不谋求与夏议和，密诏知延州庞籍谕意元昊，说西夏只要息战称臣，其帝号、国号尽可保留。频年的征战，元昊虽屡屡获胜，但国力消耗也很大，军士死亡、创伤过半，境内又发生鼠疫旱灾，处境亦日益困难，便答应议和，可但坚不称臣。几经往来，赵祯退让，欲答应其条件议和。枢密副使韩琦、范仲淹等力争元昊不称臣，不可与和。谏官欧阳修也力谏不可负辱而和。赵祯犹豫未决。直到庆历四年（1044年），元昊迫于辽朝的进攻，急于和宋抗辽，始答应称臣，同时提出巨额“岁赐”。赵祯满足于西夏称臣，连忙回书元昊说：“俯阅来誓，一皆如约。”答应了元昊的求和条件。这年十月，宋夏和约达成，夏对宋保持名义上称臣，宋册封元昊为夏国主，每年“赐”夏绢十三万匹，银五万两，茶两万斤，另加节日“赏赐”。

在宋夏胶着困战的同时，北方契丹政权也对宋朝虎视眈眈，抱有觊觎之心。赵祯亲政后，曾采纳知成德军刘平的建议，密敕河北沿边复建水田、广植树木，以备辽骑突入。景祐元年（1034年），契丹以祭天为名，在宋辽边境屯结军队，做出兵侵宋的准备。赵祯闻报，命河北整饬军备，调夫役修治河北沿边城池、关河壕堑。庆历二年（1042年）初，契丹大军压境，派人面见赵祯，质问宋朝出兵伐夏和增修边防，要挟宋朝把后周时收复的瓦桥关以南的十县之地割让于契丹。赵祯派右正言富弼出使契丹，提出或和亲或增“岁币”议和。几经交涉，契丹方面答应不割地，只增纳岁币重订和好。富弼力争不可言“纳”，契丹方面则坚持或称献，或称贡，或称纳。赵祯最后屈从契丹之意，许称“纳”字而和。这年十月，双方缔结和约，宋朝以后每年增纳契丹银绢二十万两匹。契丹竟趁宋朝困于西夏之际，不费一兵一卒，凭空取得了巨额贡纳，这对宋朝来说，无疑又一次“澶渊之盟”。

与契丹议和之后，赵祯欲擢富弼为翰林学士。富弼以增岁币与敌和为耻，卒不受迁擢，他向赵祯上书说：“愿陛下益修武备，无忘国耻。”赵祯竟不以“国耻”为耻，反觉得北盟契丹，西和党项，大功告成，沉浸在所谓“胜利”之中。朝中一些有识之士，却清楚地看到了宋王朝所面临的日益严重的政治危机，他们图谋改革、富民强国的呼声越来越高。在这种形势下，出现了震动一时的“庆历新政”。其中的突出人物就是范仲淹。

赵祯亲政后，擢范仲淹任谏职。当时范仲淹就上疏，力请裁抑冗滥，提倡节俭，主张变法图强。赵祯欣赏范仲淹的为人和胆识，又迁任他为天章阁待制、权知开封府。景祐三年（1036年），范仲淹针对吕夷简任人唯亲的做法，上书论用人之道，条上《百官图》，为吕夷简所忌恨。继之，赵祯畏惧契丹南侵，要修建陪都，以备缓急所用。范仲淹因上疏论洛阳为帝王之都，负关、河之固，可渐广储蓄、修缮宫室，据险固以守中原。赵祯以此询问吕夷简，吕夷简回答说："范仲淹迂阔，务名无实。"范仲淹闻说，复上疏力辩，反被吕夷简指斥为越职言事，离间君臣，引用朋党。特别是"朋党"一说，为赵祯之大忌，又不辨黑白，将范仲淹贬知饶州（今江西波阳县）。

庆历三年（1043年）四月，又擢任长期被贬外官的范仲淹、韩琦为枢密副使。七月，复迁范仲淹参知政事，以翰林侍读学士富弼为枢密副使。亲赐范仲淹等人手诏，让他们条奏当世急务，并诏谕各地守臣，凡民间疾苦，有利国家之事，务公心咨访奏闻。九月三日，还在天章阁召见范仲淹、富弼诸臣，赐坐和笔札，令他们疏奏革新政事。

范仲淹随即上了《答手诏条陈十事》的奏疏，提出了十项改革主张：一曰明黜陟。改变文官三年一迁的磨勘法，功高才大的人可破格任用，老弱愚昧之人可另行安排，有过失甚至有罪之人按情节轻重加以处分。二曰抑侥倖。改变贵族官员子弟"恩荫"做官的旧法，严加限制此类人物的入仕额，以减冗滥。三曰精贡举。改变专以诗赋墨义取士的旧制，着重策论和经学。同时大力发展学校教育。四曰择官长。严加选择转运使、提点刑狱及各州县地方长官，任用其才。五曰均公田。各级官员按等级高低给以多少不等的职田，用以养廉。严惩贪污。六曰厚农桑。每年秋天，提倡各地开河渠、修陂塘，筑堤堰，发展农业生产。七曰修武备。京师召募禁兵五万人，以捍卫朝廷。八曰减徭役。裁并州县建置，使地方徭役负担相对减轻。九曰覃恩信。朝廷每有赦令，各地必须认真执行。十曰重命令。各地法令、政策，由朝廷统一，严禁各行其是。与范仲淹上书的同时，富弼、欧阳修、余靖、韩琦等人也相继提出一些改革建议。赵祯一一采纳，然后颁发诏令，推行这些主张和建议，号称"新政"。

九月二十二日，赵祯采纳富弼严明法制的建议，命史馆检讨王洙、集贤校理余靖、欧阳修等人，把先朝典故及诸司所行可用的条例文字汇编成册，以为法典纲纪。最后成书《祖宗故实》二十卷。

十月十二日，采纳范仲淹、富弼通选转运使的建议，首批任命以工部郎中张钺之、知谏院王素等精干廉明的官员为河北、淮南诸路都转运按察使。又复置诸路转运判官。在这之前，赵祯还采纳欧阳修设立按察之法的建议，明令各路转运使副交兼按察使副，负责巡察各路官员贤愚善恶，督察吏政。十月二十八日，诏令实行范仲淹所提“明黜陟”的主张，更定磨勘法。十一月二十三日，诏令实行范仲淹所提“抑侥倖”的主张，更定荫子法。十一月二十八日，颁行范仲淹提出的“均公田”的主张，限定职田。庆历四年（1044年）三月十三日，颁行范仲淹提出的“精贡举”、“兴学校”的主张，令州县皆立学，兴办太学、医学，实行科举新法。五月，采纳范仲淹“减徭役”的主张，诏令并省河南府颍阳等县为镇。

但是，新政的实施从开始之日起，就遇到朝廷中保守势力的反对。还在谏官王素、欧阳修等人上疏建议改革弊政之时，翰林学士苏绅就指斥他们是“虚哗溃乱”、“谋而僭上者”。当时因赵祯正欲重用欧、范等人，力行新政，便罢黜苏绅为外官。采纳范仲淹“修武备”的建议，赵祯曾令设武学，又令翰林院、史馆共同编修兵书，引起一些人的非议。武学仅立学三个月，就又废置。大理寺丞郭谘等人创立千步方田法，以均田赋。赵祯采纳这个做法，派郭谘等人再行试点推广，遭到抵制和反对，推广工作受阻。尤其是反对派为抵制新法的实施，借赵祯最忌讳、几次下令申禁的“朋党”一事，掀起波澜。“汗臭汉”。同时，“新政”也触及了一部分人的既得利益。如实行“明黜陟”、“抑侥倖”便使一大批贪官污吏和高官贵勋的利益受到损害，致其首先发难，毁谤新政，且愈演愈烈。加之朝中“朋党”之论更如雷灌耳，使赵祯对新政由疑虑进而为动摇。而这时京东地区又发生了以王伦为首的兵变起义，陕西地区发生了以张海、郭邈山等领导的农民起义，还有不少地方发生蝗旱之灾，赵祯都与实施新政联系起来，更失去了推行新政的信心，最后竟决意牺牲革新派，妥协反对派。

庆历四年（1044年）六月，赵祯以陕西备边为借口，命范仲淹出任陕西、河东宣抚使。八月，以富弼为河北宣抚使，以欧阳修为河北都转运按察吏。九月，先前任命的各路转运按察使张钺之等人也先后被撤职、贬官、罢黜。宰相晏殊罢知颍州（今安徽阜阳）。十月，谏官余靖改判国子监。庆历五年（1045年）正月，范仲淹再被贬知颁州（今陕西彬县），富弼贬知郓州（今山东东平）。晏殊罢相后，枢密使杜衍被擢为相，上任仅四个月，就被人指斥为“党顾范富”，也被贬知兖州。三月，枢密副使韩琦上疏为富弼辩护，不料自己却被贬知扬州。四月，章得象也罢相，出判陈州（今河南淮阳）。欧阳修上书为范仲淹辩诬，贬知滁州（今安徽滁县）。各项实施着的新政，赵祯也先后下诏罢行。范仲淹提出的新政，前后仅一年左右，便因守旧官僚的反对、赵祯的动摇而失败。皇祐四年（1052年）五月，范仲淹在由青州改官颍州的途中病卒，诏赠兵部尚书，谥曰文政，赵祯还亲书其碑额“褒贤之碑”。“庆历新政”似昙花一现，赵祯励志图强的信念也旋踵即逝。宋王朝仍沿着老路子继续走下去。赵祯虽深明“朝廷得失在任人，得人则政治，失人则政堕”的道理，却不能用于实际。

统治腐败，民不聊生。天灾人祸致使数以万计的人民流离失所。流民盈道，哀鸿遍野，沿途尸骨可见。当时京东尤为严重，知青州富弼曾命人把流民经过所抛下的尸体埋葬，建起了一个个大坟墓，称为“丛冢”。本来已经很尖锐的阶级矛盾再趋激化，生存的饥民多铤而走险，发动武装反抗，致各地“盗贼”蜂起，迫使赵祯不得不从京师抽调禁军十指挥，移驻京东地区，加强对起义军的镇压。南方地区，在皇祐初年便发生了广西侬智高领导的少数民族起义，最后派了枢密使狄青率军南下，到皇祐五年（1053年）年底，才把起义镇压。

政荒民敝，使赵祯已感困忧不堪，而更令他心焦的则还是他的皇位继承人。从15岁，刘太后就为赵祯立皇后郭氏，又选美女充盈后宫，可是此后十几年中，无一嫔妃为他生出皇子。为此赵祯曾设赤帝像于宫中，日祈夜祷，以求皇嗣，直到景祐四年（1037年），后宫俞美人始生子，却不育。宝元二年（1039年），苗美人又为他生子，满朝喜悦，赵祯亲为儿子起名昕，封爵加官，不料赵昕只活了一年半便夭折。庆历元年（1041年），朱才人再为赵祯生子，赐名曦，封鄂王，但是也不到3岁即夭亡。皇嗣成为当时朝廷内外最关注的大事之一，因而此后就发生了有人冒充皇子的事件。后冒充者虽然被处死，但更加重了仁宗的心事。与此同时，朝臣百官中，请赵祯早立皇嗣的呼声也越来越高。

宗实是太宗的孙子赵允让的第十三子，还在景祐初年，保庆皇太后杨氏见赵祯体质羸弱，恐他无嗣，便密启赵祯，取年方4岁的宗实入后宫抚养，至时已近30岁了。嘉祐七年（1062年）八月，赵祯诏立宗实为皇子，赐名曙（宋英宗）。

嘉祐七年（1062年）十二月，赵祯以皇子既立，困扰多年的又一心头之事总算放下，心情稍得宽慰。十二月二十三日，召辅臣近侍、台谏百官、皇子宗室等，游幸龙图阁、天章阁、宝文阁等，并即兴挥毫为书，分赐从臣。赵祯自幼习书，精通书学，凡宫殿门观，多飞白题榜。当朝大臣卒后碑额赐篆，即始于赵祯。二十七日，赵祯又再召群臣于天章阁，然后大宴群玉殿，他显得异常亢奋，对众臣说："如今天下太平无事，朕欲与众卿共享今日之乐，一醉方休。"还特赐韩琦御酒一卮。众臣尽情饮宴，至暮而罢。

殊不料乐极生悲。转过年头，赵祯旧病复发。御医宋安道等人尽心诊治，终未见效，嘉祐八年（1063年）三月二十九日晚，赵祯病患加剧，忽急起索药，并召皇后。等曹皇后等人赶到，赵祯已不能说话，仅用手指了指心窝。随之医官入宫，诊脉、投药、灼艾，已无济于事。至夜，赵祯崩于福宁殿，终年54岁。十月，葬永昭陵（在今河南巩县境），谥曰神文圣武明孝皇帝，庙号仁宗。

宋高宗赵构

宋高宗赵构（1107年—1187年），南宋第一代皇帝。1127 ~ 1162年在位。字德基，宋徽宗赵佶第九子，宋钦宗赵桓之弟。宋徽宗宣和三年（1121年）封为康王。钦宗靖康元年（1126年）春，金兵第一次包围开封时，他曾以亲王身份在金营中短期为人质。当年冬，金兵再次南侵，他奉命出使金营求和，在河北磁州（今属河北）被守臣宗泽劝阻留下，得以免遭金兵俘虏。金兵再次包围开封时，受命为河北兵马大元帅，宋廷令其率河北宋兵救援京师，但他移屯大名府（今属河北），继又转移到东平府（今属山东），以避敌锋。宋徽宗和钦宗为金兵俘虏北去，他于次年（1127年）五月初一在南京应天府（今河南商丘）即位，改元建炎，成为南宋第一代皇帝。在位36年，谥号“神武文宪孝皇帝”，庙号“高宗”。

北宋末年，东北松花江流域的女真族建立了金国。金国强盛以后，就对辽国发动了进攻。宋徽宗想利用金国打败辽国，于是，派人去和金国订立了海上之盟，约定双方同时出兵，前后夹攻辽国。想收复被辽国侵占的大片土地。

公元1122年，宋金同时发动了对辽的战争。宋军两次进攻辽国的燕京，都被辽军打退；而金军一路势如破竹，很快就打下了燕京。北宋只好出一百万贯钱（一千文钱叫一贯），把燕京及周围的地方从金国那里赎买过来。

三年以后，金灭辽，宋和金成了领土相接的邻国。金国统治者看到宋朝统治者腐败无能，就开始对宋发动进攻。宋军在金军进攻下接连打败仗，公元1127年（靖康年间），被金国灭亡。

北宋灭亡的时候，宋徽宗和宋钦宗父子，以及王子、后妃和许多大臣，一共三千多人，都被金军俘虏。金国用几百辆牛车把他们押送北方。当时宋徽宗的第九个儿子康王赵构，因为不在东京汴梁，所以没有被俘。

赵构是徽宗的韦贤妃所生，在王室中的地位不高。金军兵临汴梁城下的时候，赵构不在汴梁，宋钦宗派人去金军那里求和，曾把他送去做人质。可是金军主将宗翰嫌他地位不高，要求换宋徽宗的第五个儿子肃王赵枢做人质。赵构这才回到汴梁，后来又被宋钦宗派到外地去招集勤王的兵马，躲过了汴梁城破时被俘北去的灾难。

金军押着宋朝君臣北撤的时候，宋朝大将宗泽正在河北、河南交界的地方驻防。他听说金军掳走了徽、钦二帝，就赶快派人给各地的宋军送信，请他们配合行动，抢渡黄河，截断金军归路，夺回徽、钦二帝。宗泽领兵从滑州（现在河南省滑县）转到大名（现在河北省大名县），准备阻击金军。可是，各地宋军不肯配合行动，宗泽的计划无法实现。夺回徽、钦二帝已经不可能，可国家总不能没有皇帝呀。宗泽认为，赵构是徽宗之子、钦宗之弟，是当时王室中留下来的唯一亲王，手中还拥有八万兵马，于是他决定拥护赵构做皇帝，重建宋朝。

可是赵构有两个顾虑：一个是他怕得罪金军。因为金军在北撤的时候，已经扶植了汉奸张邦昌做傀儡皇帝，改国号为大楚。赵构如果即位称帝，重建宋朝，就会冒犯金军，他们会来兴师问罪。另一个顾虑是当时王室中还剩一个元祐皇太后，地位比他高，不知道这位皇太后是不是想垂帘听政，做女皇帝。

张邦昌是仗着金军撑腰才当上皇帝的。金军一撤，他失去了靠山，遭到群臣的反对，因此，他派人送信给赵构，表示自己愿意退位，拥护赵构做皇帝。赵构认为既然张邦昌自愿让出皇位，就不怕金军怪罪他了。

元祐皇太后是徽宗的嫂子，哲宗赵煦的皇后，哲宗在位的时候，她因为被人陷害，遭到废黜，被赶出了皇宫，出家当了女道士。金军攻破汴梁的时候，她因祸得福，没被金军抓走。张邦昌做了傀儡皇帝以后，为了收买人心，表示要继承宋朝的法统，曾把她请了回来，封她做了皇太后。按辈分排，元祐皇太后是赵构的伯母，地位比赵构高，要恢复宋朝，首先就得请她垂帘听政。可是元祐皇太后是个很识时务的人，她觉得自己能够保住一条命，已经够幸运了，如今又当上了皇太后，更是心满意足，哪里还会有垂帘听政当女皇帝的打算呢？她听说赵姓皇室中还留有赵构这一个亲王，非常高兴，亲笔写了诏书，通告天下，号召人们拥护赵构做皇帝，重建宋朝的江山。

赵构的这两个顾虑都打消了，经过大臣们一再的劝进，他于公元1127年的阴历五月初一，在南京应天府（现在河南省商丘市）即位做了皇帝，改年号为建炎。赵构就是宋高宗，他重建的宋朝历史上叫南宋。

南宋政权从一开始就是个投降政权。赵构刚即位的时候，由于大敌当前，人心未定，他为了欺骗群众，坐稳皇帝的宝座，不得不装出“抗金”

的姿态，起用抗战派中声望最高的李纲做宰相，并且由李纲推荐，派宗泽做东京留守兼开封知府，领兵进驻汴梁。与此同时，赵构又任命投降派黄潜善担任中书侍郎，掌握朝政大权；任命汪伯彦担任同知枢密院事，执掌军权。对于卖国求荣、做过“大楚皇帝”的张邦昌，赵构不但没有治他的罪，居然还说他拥戴有功，封他为太师，相当于皇帝的高级顾问。

赵构怕金军怕得要死，他不但不打算把都城迁回汴梁，甚至也不敢在南京应天府久留，而是准备迁都长江以南的江宁（现在江苏省南京市），在那里建立一个小朝廷。他想仿照东晋元帝司马睿的样子，依靠长江天险作为屏障，做一个仅仅保有半壁江山的皇帝。

宰相李纲是个血性男子，在北宋末年金军兵临汴梁城下的时候，他就以坚决主张抗金出名。如今他当上了宰相，决心收复失地。他建议宋高宗对金发动攻势，尊敬有本领的人，疏远奸邪谄媚的小人。他希望宋高宗学习汉高祖刘邦、汉光武帝刘秀、唐太宗李世民等开国皇帝，振作起精神来，为收复失地做好准备。过了几天，李纲又向宋高宗提了十条建议，希望宋高宗下决心抗金，训练好水陆兵马，支持和收编自发组织起来的抗金义军，任用贤人做文官武将，加强险要地区的防务，清除张邦昌一帮奸贼等等。在建都的问题上，李纲认为关中（现在陕西省西安市一带）地区形势最好，其次是襄邓（现在湖北、河南省交界地区），再其次才是建康（即江宁，就是南京）。所以最好以长安为西都，襄阳为南都，建康为东郡，派人修好城池，备足粮食。皇帝经常在这些都城之间来回巡视，鼓舞士气，招兵买马，使敌人摸不清宋军的主力在哪儿。至于汴梁，那是宋朝宗庙所在的地方，更应当是皇帝长期居住的地方，应当先到那里去。这样，百姓才能安心，英雄豪杰才会为朝廷效力。

李纲的建议完全是为宋朝的天下打算，但是宋高宗不愿意采纳。他还是按照他父亲宋徽宗和哥哥宋钦宗的老办法行事，想以退让保障安全，用妥协求得和平。他讨厌李纲今天一个建议，明天一个意见，认为这些都妨碍他实行投降主义的政策。当他的皇位已经坐稳的时候，就想罢免李纲，换个合自己心意的人来当宰相。

黄潜善、汪伯彦等奸臣，也乘机说李纲的坏话。他们一会儿说李纲的名气太大，快要压过皇帝了，是个危险的人物；一会儿又说李纲主张招兵买马是想搜刮民财扩张自己的势力；还说李纲是金军最讨厌的人，有他在，金军早晚还会打来的。总而言之，各式各样的明枪暗箭，从四面八方向李纲投射过来。特别是说李纲的名气太大，要压过皇帝，正说到了宋高宗的心病上。李纲在人民心目中的威信比他高，这叫他怎么受得了呢？于是，宋高宗先把主张投降的黄潜善提升为宰相，跟李纲平起平坐，为罢免李纲做好准备。过了几天，他又命令一个名叫朱胜非的大臣起草了一份诏书，以李纲狂妄荒诞、刚愎自用、想要抢夺皇帝的权力为理由，罢免了李纲的宰相职务。可怜忠心耿耿的李纲，只做了短短的七十五天的宰相。

大学士陈东、进士欧阳澈等替李纲打抱不平，他们上书给宋高宗说：皇帝应当分清是非，辨明黑白，李纲这样的忠臣不应当罢免，黄潜善、汪伯彦那样的奸臣不应当重用。宋高宗恼羞成怒，竟然下令把陈东和欧阳澈杀了。

从此，南宋的朝政大权掌握在以宋高宗赵构为首的投降派手里，他们准备放弃中原，往南逃跑。

秦桧当了宰相之后，就干起卖国求和的勾当来。因为遭到许多朝臣的激烈反对，曾经被罢免了宰相职位。但是昏庸的宋高宗还是把秦桧当作心腹看待，过了几年，又重新任秦桧为宰相。秦桧利用他的权力和地位，勾结金朝，千方百计破坏抗金将领的活动。在这期间，南宋爱国军民的抗金气势也愈发高涨，尤其是著名爱国将领岳飞带领岳家军在前线勇挫金兵，甚至要准备直捣黄龙府。当秦桧听到岳飞的军队连战连胜，大为恐慌。因为金朝是他的后台，金朝一败，他在南宋也就站不住脚。于是，他就唆使宋高宗发出命令，要岳飞从前线撤兵。

岳飞突然接到宋高宗的撤兵命令，弄得莫名其妙。他派人送奏章给高宗说：金兵已经丧尽士气，我军士气高涨，胜利就在眼前，时机不能错过。他请求高宗取消撤兵命令，允许他继续进军。

秦桧接到岳飞奏章，又想了一个恶毒的手段，先命令张浚、刘光世等大将的人马从淮北前线撤兵，然后对高宗说，岳飞的军队在中原已经成为孤军，不能再留，叫宋高宗发出紧急金牌，叫岳飞撤军。

岳飞在前线等待高宗的进军调令，没想到接到的却是朝廷催促退兵的紧急金牌。岳飞接到第一道金牌，正在犹豫，送金牌的快马又到了。从早到晚，快马一个接一个，一连接到十二道金牌。岳飞知道要改变高宗的决定已经没有希望，气愤得泪流满面，说："想不到我十年来的努力，一下子全给毁了。"

岳飞要从朱仙镇退兵的消息一传出去，附近的百姓十分震惊，纷纷聚集在街头。他们拦住岳飞的马，哭泣着说：“我们顶着香盆，运着粮草，迎接官军，这是金人都知道的事。现在将军要回去，我们只有死路一条了。”

岳飞看到这个情景，也禁不住流下眼泪，他叫左右兵士拿出高宗的诏书给大家看，说：“朝廷下了紧急金牌，我不能擅自做主留在这里啊！”

百姓们见留不住岳飞，都放声痛哭；兵士们也个个心酸，掩着脸哭。整个朱仙镇充溢着悲愁。

岳飞心里不忍，宣布暂缓五天撤兵，让愿意跟随他们的百姓一起走。过了五天，岳家军开始撤兵的时候，当地百姓成群结队随军南迁。后来，岳飞奏请朝廷，把这些百姓安置在南方安家垦荒。

金国军队一听说岳家军已走，马上重整旗鼓，向南进攻。本来被岳飞收复的河南许多州县，一下子又丢失得精光。

秦桧和宋高宗决心向金朝求和。他们恐怕受岳飞、韩世忠等人的阻挠，把他们召回京城，让韩世忠做枢密使，岳飞做枢密副使，名义上是提升，实际上是解除了他们的兵权。

秦桧夺了岳飞的兵权，就派人向金朝求和。公元1141年11月，金朝派使者到临安，谈判议和条件。谈判结果：宋、金之间，东面以淮河为界，西面以大散关（今陕西宝鸡西南）为界；南宋向金朝称臣，每年向金朝进贡银绢各25万。历史上把这次屈辱投降的和约叫作“绍兴和议”。

岳飞被解除了兵权后，秦桧怕他还会再坏了自己的好事，绍兴十一年（1141年）八月初，秦桧党羽、御史中丞何铸与殿中侍御史罗汝辑文章弹劾岳飞爵高禄厚、志满意得、藐视朝廷、目无君主，要高宗对岳飞“速赐处分，作就闲词，以为不忠之戒”。并把副本交给岳飞，逼迫他辞去枢密副使之职。

然而这仍不能使秦桧罢手，他下了非要置岳飞于死地的决心。十月，秦桧又勾结贪功嫉贤的张俊，收买了岳飞的部将王俊，指使王俊诬告岳飞的长子岳云及其部将张宪谋反，把二人逮捕下狱。接着，又派人到庐山把岳飞骗至临安，以谋反罪下狱，由御史中丞何铸负责审讯。何铸曾受秦桧指使弹劾过岳飞，可当他真正面对这位精忠报国、凛凛不屈的英雄时，听他义正辞严地谴责秦桧的卖国罪行，终于被岳飞的一身正气所慑服，他掉过头来开始同秦桧据理力争，为岳飞辩解不白之冤。秦桧恼羞成怒，撤掉何铸，改用万俟卨继续审理。

岳飞被关入大理专狱后，韩世忠对这种无端的陷害恨之入骨，他质问秦桧："王俊告发岳飞有谋反之意，相国可曾查到了真凭实据？"面对这咄咄逼人的质问，秦桧半晌无言，许久才奸笑着："也许有吧。"韩世忠听后愤愤说道："'也许有'的罪证怎么使天下人信服呢？"

这真是欲加之罪，何患无辞！然而岳飞面对如此卑劣的行径和一系列惨不忍睹的严刑逼供却从未屈服，拒绝在所谓的"供状"上画押。

朝野上下正义呼声使秦桧寝食不安，他深感事情拖延越久，自己越难下手。他白天黑夜在房间里走来走去，那群无耻的党羽也紧张地盯着他紧皱的两眉、阴鸷的双眼。他终于停下来，挥手做了一个"砍"势。

绍兴十一年十二月二十九日（公元1142年1月28日），正是旧历除夕的前一天，杭州城的百姓忙忙碌碌地准备迎接新的一年，祈盼着来岁的安康，从此不再妻离子散、不再国破家亡。然而就在这一天，岳飞被押上了风波亭。他北望中原，感慨万分，禁不住奋笔疾书"天日昭昭！天日昭昭"八个大字，英勇就义。

一代忠臣良将就这样被秦桧以"莫须有"的罪名陷害致死。岳飞被害后，秦桧仿佛扫除了前进途中的最大障碍，从此眼前便是一马平川了。高宗为表彰秦桧，进封他为太师、魏国公，进而再封秦、魏两国公，妻王氏为韩、魏国夫人，连襁褓中的孙子也穿上了三品朝服。

绍兴三十一年（1161年）九月，金废帝完颜亮撕毁和议，再次大举南侵。在采石矶（今安徽省马鞍山市西南）为虞允文统帅的宋军所击败，使南宋再次转危为安。不过高宗屈辱求苟安的国策遭到了军民的强烈反对，而使他的统治难以继续维持。高宗和宰相陈康伯等商议后，以年老厌烦政务和想以"淡泊为心，颐神养志"为借口，在次年六月宣布退位，禅位于太子赵昚，自称太上皇，退居德夺宫。

宋高宗偷安忍耻，屈辱求和，残酷剥削人民，为历史上有名的昏君。

宋高宗是南宋初年投降派的首领。南宋政权初建，他曾起用抗战派李纲为宰相，但不久即赶走李纲，同宠臣汪伯彦、黄潜善等人放弃中原，从南京应天府逃到扬州，一意享乐。建炎三年（1129年）二月，金兵奔袭扬州，他狼狈渡江，经镇江府到杭州。之后他继续派使臣向金朝乞降，对于抗金战争却不作任何有力的部署。

九月，金兵渡江南侵，宋高宗即率臣僚南逃。建炎四年（1130）夏金兵撤离江南后，他才又回到绍兴府（今浙江绍兴）、临安府（今浙江杭州）等地，后将临安定为南宋的都城。

金兵暂停南侵，宋高宗便抽调精兵镇压荆湖、江西、福建等路的农民起义军和盗匪，巩固了自己的统治。他虽然在防御金兵方面作了一些部署，任命岳飞、韩世忠、刘光世、张浚等人分区负责江、淮防务，但只把军事部署作为乞降的筹码，始终没有收复失地的打算。他把金朝派到南宋进行诱降活动的秦桧引为亲信，任为宰相，伙同秦桧加紧进行投降活动，竭力压制岳飞等将领的抗金要求。当绍兴十年（1140年）各路宋军在对金战争中节节取胜时，宋高宗担心将领功大势重、尾大不掉，又怕迎回钦宗后自己必须退位，于是下令各路宋军班师，断送了抗金斗争的大好形势。十一年（1141年），解除岳飞、韩世忠等大将的兵权，向金朝表示坚决议和的决心。不久，他与秦桧制造岳飞父子谋反冤案，以“莫须有”的罪名加以杀害，遂同金朝签订了屈辱投降的绍兴和议，向金称臣纳贡，以换取金承认自己在淮河、大散关以南地区的统治权。

和议签订后，按金朝规定，秦桧事实上成了终身宰相，宋高宗虽对他日益猜忌，却仍纵容他专权跋扈，对主张抗战的臣僚加以排斥和打击。即使在秦桧死后，宋高宗仍委任投降派万俟卨、汤思退等人掌政，坚守对金和议条款，每年除纳贡银二十五万两、绢二十五万匹外，送给金统治者贺正旦、生辰等的礼物也“以巨万计”，只要金朝统治者索取玩好，宋高宗立即下令搜访送去。对其统治区的人民，却巧立名目增加搜括，使南宋的赋税名目比北宋时更多，剥削更加残酷。